The New Encyclopædia Britannica

in 32 Volumes

FOUNDED 1768
15TH EDITION

ENCYCLOPÆDIA
Britannica

Encyclopædia Britannica, Inc.
Jacob E. Safra, Chairman of the Board
Jorge Aguilar-Cauz, President

Chicago

London/New Delhi/Paris/Seoul

Sydney/Taipei/Tokyo

The information on this page refers to
The New Encyclopædia Britannica.

First Edition	1768 – 1771
Second Edition	1777 – 1784
Third Edition	1788 – 1797
Supplement	1801
Fourth Edition	1801 – 1809
Fifth Edition	1815
Sixth Edition	1820 – 1823
Supplement	1815 – 1824
Seventh Edition	1830 – 1842
Eighth Edition	1852 – 1860
Ninth Edition	1875 – 1889
Tenth Edition	1902 – 1903

Printed in U. S. A.

Library of Congress Control Number: 2006921233
International Standard Book Number-10: 1-59339-292-3
International Standard Book Number-13: 978-1-59339-292-5

Britannica may be accessed at http://www.britannica.com on the Internet.

不列颠百科全书

国际中文版

修订版

Encyclopædia Britannica International Chinese Edition

8

中国大百科全书出版社

《不列颠百科全书》国际中文版

Hellenistic religion 希腊化宗教 从希腊-马其顿的亚历山大大帝时代(公元前 356 ～前 323)到信奉基督教的罗马皇帝君士坦丁一世(公元 337 卒)时代地中海东部地区各民族的多种信仰和习俗体系。亚历山大所建的帝国囊括欧洲大部、地中海地区、中东、非洲和波斯以及印度边区。这样广袤的地区在政治和经济上打成一片,遂使东西双方宗教交流成为可能。所谓希腊化宗教几乎无一不是既发生在母邦又出现在异地,例如:伊西斯(埃及的)、巴力(叙利亚的)、众神之母(弗里吉亚的)、雅赫维(巴勒斯坦的)和密特拉(库尔德斯坦的)。由于在不同地区强行推行希腊-罗马的政治和文化形式,多次激起古老宗教意识的回潮,这种回潮与争取推翻外国压迫者的民族主义或弥赛亚主义运动互相结合(例如公元前 167 ～前 165 年,犹大·马加比领导的反对犹太希腊化派和叙利亚统治者的马加比起事)。但是,分散在各地的各个民族一代代地减弱与故土的联系,宗教也从追求民族兴旺转而追求个人得救。希腊化宗教大多提出高度二元的宇宙论,认为大千世界,从大权独揽的统治者到个人的身体,构成禁锢灵魂的邪恶力量;灵魂可以通过礼拜、奥秘知识(诺斯)和神的干预而求得解脱(参阅 **Gnosticism**)。宗教方面的这种新发展走向奥秘化,强调彻底更新对圣书的解释,并且严格整理信条、信纲和入教手续,由此引起希腊-罗马当权者的严重猜疑。他们试图驱逐外国人,镇压异族的崇拜体系,奥古斯都和其他几代罗马皇帝力图恢复传统的罗马宗教习俗。希腊-罗马当权者与东方"新"宗教之间的关系紧张,于是发生了战争、暴乱和迫害。公元 14 年罗马大搞"皇帝崇拜",神化奥古斯都,结果是相互的仇恨进一步升级。希腊化影响的衰退,主要是由于基督教在罗马帝国全境的普及,终于在 313 年皇帝君士坦丁一世改奉基督教。各种希腊化宗教此时遭受迫害,最后销声匿迹,但是它们的影响甚至在基督教内部也继续存在。

Hellenistic romance 希腊式传奇 冒险故事,通常有一个类似的历史背景,内容是一位善良的女主人公与她英勇的爱人由于人间的邪恶行为和各种天灾造成的无数障碍而被隔开,但最终重新团圆。希腊式传奇是现代小说的先驱,又是古典爱情故事(诸如海洛和利安得、皮拉姆斯和西斯贝、萨福和法昂、达佛尼斯和克洛伊)的源泉。这种体裁的作品,在公元前 1 世纪被介绍过来之后,在公元 2 ～ 3 世纪(如卡里同、色诺芬、朗戈斯和赫利奥多罗斯等作家)的作品中达到了高峰。它把富于想象力的修辞习作、亚历山大体的通俗叙事诗和爱情与冒险的故事、米利都的爱情冒险故事、空想的故事和旅行记等成分结合在一起。卡里同的《凯勒阿斯和卡利罗亚》(2 世纪)可以作为希腊式传奇的一个范例。故事说一对恋人结婚后发生争吵,但最后和好如初。

Hellens, Franz 海伦斯(1881-09-08,比利时布鲁塞尔～ 1972-01-20,布鲁塞尔) **Frédéric Van Ermengem** 的笔名。比利时作家,作品有长篇小说、话剧、评论文章、诗集和短篇小说,共 120 多部。1920 ～ 1955 年间,作为几家进步杂志的编辑,在比利时—法国文学生活中起到了重要作用。作为中产阶级和说法语的佛兰芒人,海伦斯拒绝接受民族文学这个概念,是比利时法语文学坚持不懈的支持者。但是他始终深深眷恋着他的佛兰芒的根。他有许多作品的背景都是比利时的根特。第一部长篇小说《在死亡之城》(1906)即为一例。该书受到了 G. 埃克豪特等作家的乡土概念的影响。后来美国作家爱伦·坡对他的影响变得更为重要。在他的作品中,幻想、神秘和外在现实交织在了一起。短篇小说集《幻想的现实》(1923)中也有这些元素的结合。他也写讽刺作品和关于流浪汉的冒险小说。

Heller, Joseph 海勒(1923-05-01,美国纽约布鲁克林～ 1999-12-12,纽约伊斯特汉普顿) 美国作家,他的长篇小说《第 22 条军规》(1961)是第二次世界大战后出现的"抗议文学"最重要的作品之一。这部讽刺小说受到评论界和读者的欢迎,1970 年被拍成电影。曾在美国驻欧空军服役,战时执行过 60 次轰炸任务。1949 年在哥伦比亚大学获文学硕士学位,1949 ～ 1950 年获富布赖特奖学金,在牛津大学从事研究工作。1950 ～1952 年在宾夕法尼亚州立大学教英语,后任《时代》(1952 ～ 1956)和《展望》(1956 ～1958)杂志的广告撰写员,以及《麦考尔》杂志的销售经理(1958 ～ 1961)。业余写作《第 22 条军规》。小说的情节以第二次世界大战时驻地中海一岛上简易机场的非正统派主角约翰·约萨里恩上尉为中心,描写了他拼命想活下去的努力。《第 22 条军规》中的这条"军规"涉及空军一条不可思议的规定,即如某人乐意继续执行危险的战斗任务,应视其为精神不正常;但如果他提出必要的正式请求,要求免除这种任务,提出要求这一行动则证明他精神正常,因此无权被免除。"第 22 条军规"一词自此进入英语,用以指无论人们怎么做都行不通的限制性条款。他后来的小说有:《出了毛病》(1974),是一篇悲观主义作品;《像黄金一样好》(1979),讽刺华盛顿(哥伦比亚特区)的生活;《上帝知道》(1984),是借圣经中的大卫国王之口讲述的一部当代方言讽刺独白。他的剧作有《我们在纽黑文惨败》(1968)。

Heller, Robert 赫勒(约1830,英国～1878-11-28,费城) 原名威廉·亨利·帕尔默。英国出生的魔术师,他使魔术在美国普遍受到欢迎。原学音乐。1848 年观看法国魔术师罗贝尔-乌丹的演出后,转而从事魔术。后定居美国。于 19 世纪 60 年代成为成功的魔术师,其最有名的节目是"超人视力"(猜心术)表演。

Heller, Yom Ṭov Lipmann ben Nathan ha-Levi 海勒(1579,巴伐利亚瓦勒施泰因[德国]～ 1654-09-07,波兰克拉科夫) 波希米亚犹太拉比、学者。以评注《密西拿》著称。从他的著作可见他也精通数学、科学和其他世俗学科。他曾从犹大·洛伊·本·贝扎列受业,在摩拉维亚和维也纳任拉比,1627 年被召回布拉格任大拉比。神圣罗马帝国皇帝斐迪南二世因参加三十年战争耗费巨大而对波希米亚境内犹太人课征重税。海勒身为大拉比,负责监督征税事务,引起犹太界强烈反对,因而受人诬告蔑视国家和基督教,被罚巨款并受短期监禁,剥夺在帝国境内担任拉比的资格。后来任波兰境内沃利尼亚弗拉基米尔拉比,又引起争论。他在号称"四国会议"的拉比会议上力主恢复禁止买卖拉比职位的法令,以正时弊。他此举引起富有的犹太人的反感,经过他们活动,地方长官下令驱逐海勒出境,后来这项命令终于撤销。1643 年海勒任克拉科夫大拉比,在那里尽其余年。他的著作很多,最著名的是对《密西拿》的评注《我的补充》(1614 ～ 1617)。

Hellespont(strait, Turkey) **赫勒斯滂** 参阅 **Dardanelles 达达尼尔海峡**。

hellhound 地狱犬 古希腊和斯堪的纳维亚等神话中守卫地狱的猛犬。在希腊神话中叫刻耳柏洛斯,是长有 3 个头和龙尾的犬。

Hellman, Lillian 海尔曼(1905-06-20,新奥尔良～ 1984-06-30,美国马萨诸塞马撒葡萄园岛温亚德港) 美国女剧作家和电影剧本作家,她的作品有力地批判了非正义、剥削和自

布朗兄弟公司供图

私自利等现象。曾在纽约大学和哥伦比亚大学学习。起初写书评,后来开始写剧本。她的剧本揭露各种丑恶现象,如迈一个坏学生给两个老师造谣(《孩子们的时间》,1934),一个家族残酷剥削同一城市的居民和互相剥削(《小狐狸》,1939;《森林的另一边》,1946),凡尔赛条约时代政客们的不负责任和尔虞我诈(《守望莱茵河》,1941;《搜索的风》,1944)。虽然也有人批评她的见解和人物均不切实际,但她的作品结构严谨,登场人物决不仅仅是发表政见的机器,现实主义色彩之强在当时无人可与之相比。50 年代所写的《秋天的花园》(1951)显示出她掌握了契诃夫戏剧的微妙结构的技巧。她还翻译和改编过阿努伊的《云雀》和伏尔泰的《老实人》。此后写过《顶楼的玩具》(1960),将布莱克曼的《多少?》改编为《妈妈、爸爸和我》(1963),都是布局巧妙的戏剧。她还编过契诃夫的《书信集》(1955)和故事与短篇小说集。她写的回忆录有《一个不成熟的女人》(1969)、《旧画翻新》(1973)和《疑虑》(1980)。她是左翼运动的长期支持者,在《邪恶的日子》(1976)里详细叙述了她和朋友们在 50 年代受麦卡锡政治迫害的困难遭遇。她的戏剧集于 1972 年出版。

Hells Canyon 赫尔峡谷 美国斯内克河峡谷，在爱达荷州和俄勒冈州交界处，介于七魔山和瓦洛厄山之间。长201千米，中间约65千米的一段深达1 600米以上，最深处2 400米，为北美大陆最深的河谷。建有三座水坝。1975年将峡谷和四周26.8万公顷的地区辟为国家游览区。

Hellström,(Erik) Gustaf 海尔斯特伦(1882-08-28，瑞典克里斯蒂安斯塔德～1953-02-27，斯德哥尔摩) 瑞典现实主义小说家、新闻记者及文学批评家。曾任斯堪的纳维亚几家报纸驻巴黎、伦敦和纽约记者(1907～1935)，早期大部分小说均以这些城市为背景。他的优秀作品则以瑞典为主题。《花边工莱克霍尔姆有个主意》(1927)写一个边远小镇一家三代人的生活，被认为是他的杰作。还写有一部小说体的自传《斯泰兰·佩特吕斯，一个没有幽默感的人》(1921～1952)。

Hellweg 黑尔韦格 德国西部高原和历史上的走廊地带，在北莱茵-威斯特伐利亚州。西起杜伊斯堡，东至帕德博恩，与绍尔兰山脉北缘平行。南以鲁尔河、北以利珀河为界。沿原移民古道建有公路和铁路。西部为鲁尔工业区的一部分，东部为肥沃的索斯特平原。

Helmand River 赫尔曼德河 又拼 Helmund，Hilmand，拉丁语作 Erymandrus。阿富汗西南部与伊朗东部河流，长1 150千米。源于阿富汗中东部的巴巴山脉，西南流经阿富汗大部国土，然后向北短距离流入伊朗境内，旋即注入阿-伊边界的赫尔曼德沼泽。接纳阿尔甘达卜河与塔尔纳克河等支流，灌溉面积为16万平方千米，为阿富汗最重要河流之一。在赫尔曼德流域管理局的规划下已广泛开发。在格里什克上游80千米处建有水库，用于灌溉与防洪，并建有水坝将水引入灌渠。水库以下，两岸大都辟为水浇地，形成人口稠密的富饶地带。伊朗要求分享赫尔曼德河水是阿富汗与伊朗之间长期争议未决的问题。

赫尔曼德河谷地内的农田
美国不列颠百科全书公司供图

Helmarshausen, Roger of 黑尔马施豪森的罗杰 参阅 **Theophilus** 特奥菲卢斯。

Helmbrecht (literary hero) **黑尔姆布雷希特** 参阅 **Meier Helmbrecht** 迈埃尔·黑尔姆布雷希特。

helmet 头盔 头部防护帽。多为军用品，兼指消防队员、矿工、防暴警察和运动员的安全帽。军用头盔自古有之。亚述人和波斯人有皮盔和铁盔；古希腊产青铜盔，工艺精美之极。上述头盔将头部完全罩住，仅眼部留有狭缝。罗马头盔形状不一。有罗马军团的圆形盔以及下沿宽大、带开孔面甲、重点保护头、面、颈部的斗剑士盔等。北欧、西欧早期头盔以皮革制作，衬以青铜或生铁带，状若圆锥形或半球形无沿便帽。后渐次加多金属用量，乃至全部铁制，形状依旧。公元1000年前后，前沿下突出一棒形物称作护鼻，以保护鼻部；还可缠以锁子甲条带，以保护面颊和颈部。公元1200年左右出现套盔，呈平顶圆筒状，临战套在便帽和锁子甲外侧。经验很快证明，圆形盔易使刺来的矛尖滑脱，形状最可取。与此同时，半圆盔又发展为轻钢盔，装有护颈甲和可卸面甲。到1500年，出现数种结构复杂的钢盔，利用铰链或枢轴组装起来后紧紧箍住头部和颈部，在战斗中不会被击掉。16和17世纪，随着军队规模增大，火器效能提高，带有宽大下沿的敞口轻型铜盔盛行。18、19世纪，因军队数量浩大，钢盔大部消失，仅有少数供特种兵使用。第一次世界大战中，因高爆榴弹大量使用，钢盔又戴到了每个士兵的头上。非西方国家的头盔材料和制造工艺另有自己的源流。中世纪波斯、土耳其和印度的圆锥形铁盔和钢盔，铸造精细，镶嵌精妙，堪称艺术珍品。许多世纪以来，中国一直用青铜、皮革和兽角制盔。日本带有可卸面罩的钢盔，铸造和油漆精致，迄今被公认为盔甲工艺杰作。非洲和南太平洋地区的各原始部族也曾制造形式奇特而引人入胜的各种头盔。

1557年为未来的神圣罗马帝国皇帝马克西米连二世制作的蓝金头盔
美国不列颠百科全书公司供图

helmet shell 冠螺 腹足纲前鳃亚纲冠螺科的海产螺。壳大而厚，内唇扩张成盾状。如加勒比海18厘米长的王冠螺(*Cassis tuberosa*)。贝壳上可以刻浮雕。鬘螺属(*Phalium*)的种类较小而圆，俗称女帽螺。

王冠螺(*Cassis tuberosa*)
美国不列颠百科全书公司供图

helmet-shrike 盔伯劳 即盔鵙。雀形目林鵙科(Prionopidae)，非洲鸣禽，9种，特征为额上有朝前方的冠。盔鵙属(*Prionops*)的若干种曾被分出为 *Sigmodus* 属。盔鵙体长约20厘米。所有种类的羽衣以灰、白和黑色为主，有些种类带浅黄色或赤褐色。嘴细长而末端钩状。或归入伯劳科，但与典型伯劳不同，盔伯劳十几只成群行动，穿过森林，不停地叫，吧嗒嘴，拍翅，找昆虫。繁殖是社群性的，一个巢常由整群成鸟照料。

长羽盔鵙(*Prionops plumata*)
美国不列颠百科全书公司供图

Helmholtz, Hermann von　亥姆霍兹（1821-08-31，普鲁士波茨坦［德国］～1894-09-08，德国柏林夏洛滕堡）　原名全称赫尔曼·路德维希·斐迪南德·冯·亥姆霍兹。德国科学家，也

美国不列颠百科全书公司供图

是19世纪最伟大的科学家之一。他在生理学、光学、电动力学、数学和气象学等方面都有十分重要的贡献，但最为知名的是他提出了能量守恒定律。除此以外，他把分析哲学假设的能力（这些哲学假设是19世纪科学的基础）带给了实验研究，而且做得明晰和精确。

早年生活　亥姆霍兹1821年8月31日生于柏林附近的波茨坦，是4个孩子中的大哥，由于他身体虚弱，7岁以前一直被约束待在家里。他的父亲是波茨坦大学预科的哲学和文学教师，他的母亲是宾夕法尼亚的创业者W.佩恩的后裔。他继承了母亲的安详和缄默的个性，一生都明显地带着这个特征。他从父亲那里得到丰富而又多样的知识遗产。他父亲教他古典语言，以及法文、英文和意大利文；还介绍他去读I.康德和J.G.费希特的哲学，以及用他们的哲学洞察力去研究自然。在19世纪早期的研究者手中，“自然哲学”变成了一种思辨科学，他们认为科学的结论可由哲学思想中推导出来，而不能由对物质世界观测所采集的经验数据中总结出来。亥姆霍兹晚期的很多工作都是反对这种看法的。但是，他的经验论经常受他父亲传给他的美学的敏感所左右，在他的科学工作中，音乐和绘画的科学占有相当大的分量。

从波茨坦大学预科毕业后，亥姆霍兹1838年进入柏林的腓特烈·威廉医学院学习，他在那里受到了免费的医学教育，但其条件是毕业后必须做8年的陆军医生。在医学院里，他曾在当时德国最伟大的生理学家J.米勒指导下做过研究工作。他听过物理学的课，通过了高等数学标准教科书的自学考试，并学会了演奏钢琴的技艺，这对他后来研究的音觉问题很有帮助。

1843年从医学院毕业后，亥姆霍兹被分配到驻波茨坦的一个陆军团。由于任务较轻，他在兵营里建立了临时实验室进行科学实验工作。这时，他和外科军医的女儿O. von维尔滕结了婚。不久，由于亥姆霍兹明显的科学才能，被特许免去军职。1848年，他被聘为解剖学博物馆的助教和柏林美术学院的讲师。次年，他搬到东普鲁士的柯尼斯堡（即现在的加里宁格勒），成为生理学院的副教授和院长。但柯尼斯堡的恶劣气候损害了他妻子的健康。1855年他成为波恩大学解剖学和生理学教授，1858年迁居海德堡。在这些年里，他的科学兴趣从生理学转向物理学，在物理学界中的地位逐渐提高，1871年被聘为柏林大学物理学教授；1882年被提升为贵族；1888年任柏林生理技术学院的首席院长并终身持有这一职位。

他的各种职位反映了他的兴趣和能力，但并不能反映他工作的思想方法。他并非从医学出发，转到生理学，然后逐渐移到数学和物理学的。实际上他能协调从这些学科里学到的各种知识，并将它们用于处理他遇到的各种问题。他的巨著《生理光学手册》（1867）和他的其他著作一样，具有深刻的哲学洞察力，用严谨的生理学调研进行塑造，并以精密的数学和可靠的物理原理予以描述。

从亥姆霍兹大多数工作（即使不是所有工作）中所涉及的一般主题就可以看到他已经抛弃了“自然哲学”，而他激烈地抵制这种有诱惑性的世界观可以很好地证明，这种世界观早期曾诱惑吸引过他。“自然哲学”源出康德，他在1780年曾建议，时间、空间、因果关系不是人的感觉经验的产物，而是精神属性的产物，通过它们可以领悟世界。所以，精神不仅像经验论者坚持的那样是世界秩序的记录，而且把感觉到的世界组织起来，去反映神的理性，它可以从少数几个基本原理中演绎出这个世界系统。亥姆霍兹反对上述观点，坚持一切知识来自感觉。他进一步认为，一切科学必须而且能够还原为经典力学的定律；根据他的看法，整个现实世界是由物质、力和能量组成的。

亥姆霍兹的自然观，从他在米勒实验室里为取得博士学位而进行的最初科学研究工作中就可明显地看到。米勒和多数生物学者一样是一位活力论者，他深信生命过程不可能化为物理和化学的普通力学定律。他坚持有机体作为整体而言，大于它的各生理部分的总和；一定有一种生命力能把各种器官的生理作用协调起来，产生协调的表征活生物特性的有机性能。这种生命力是无法用实验研究探测的，所以米勒认为真正的实验生理学是不可能的。

在米勒的实验室里，亥姆霍兹碰到一群年轻人，其中有神经心理学创始人E.H.杜布瓦-雷蒙和后来成为著名的眼科手术专家的E.W.von布吕克。杜布瓦-雷蒙曾声明反对米勒的这一看法，这完全表明了亥姆霍兹的立场。杜布瓦-雷蒙这样写道：“布吕克和我曾共同发誓要证明一个基本真理：在一个有机体内，除了通常的生理化学作用外，不再有任何其他的力能产生任何效应……”

亥姆霍兹就是抱着这一态度，在1842年开始进行有关神经纤维和神经细胞之间联系的博士论文的。从此，他进入了探索动物热源的这一较广阔的领域。那时法国有些出版物，对早期业已肯定的主张表示怀疑，这些主张是，所有动物体内产生的热都是由各种化学元素特别是碳、氢、氧的化合作用所产生的热造成的。1842年，J. von李比希在他的《动物化学或有机化学在生理学和病理学中的应用》一书中曾试图重建动物热的力学理论。李比希试图用实验来达到这一目的，而亥姆霍兹则走着另一条更普遍的路。亥姆霍兹精通数学与物理，他用数学和物理分析来处理这一问题，那时生理学界中除亥姆霍兹外，没有人能这样做。他假定如果生命热不等于参与有机体内部化学反应的所有物质的热量总和，则一定还有不遵守物理定律的其他热源存在，而这一点恰是那些活力论者所主张的。但亥姆霍兹进一步指出，如果热能以某种方式被利用，则等于说我们创造了永动机。早在1775年，法国科学院把永动机作为专题提出来后，物理学界就已否定了永动机的可能性。于是亥姆霍兹作出结论：生命热一定是有机体内机械力所产生的。由此出发，他进一步推广其结论：所有的热都是由通常的力产生的。最后他说力自身是不可能被破坏的。他在1847年发表的论文《论力的守恒》，在生理学历史上和物理学历史上都是划时代的。对于生理学而言，为有机界提供了基本规律，使生理学家能像物理学家和化学家那样，进行物质的和能量的平衡。在物理科学中，他第一次提供了能量守恒原理的最清晰的陈述。

1850年，他又一次促进活力论早日走向死亡。米勒曾用神经刺激作为生命机能的例子，对这种机能，人们当然从未能给予实验测量。亥姆霍兹证明这些神经刺激是可以测量的，其速率很低，约每秒27米。这种测量是通过亥姆霍兹发明的肌动描记器进行的，并显示了亥姆霍兹制造仪器的才能。神经刺激传播缓慢也支持了那些认为神经刺激是与重量可称的分子重新排位有关的人，而不是神秘的生命力的传递过程。

在亥姆霍兹最有价值的众多发明中，还有检眼镜和眼膜曲率计（1851）。他在做眼睛的研究工作中，无意中发现它是一个相当不完善的工艺品，这和活力论者所宣称的上帝意识在起作用很不相称。亥姆霍兹的发现能把从视网膜上反射回来的光束聚焦并形成组织的清晰图像。检眼镜至今仍是医生所用的最重要的仪器之一，它可用来监测视网膜血管，从此可以观察高血压和动脉病的线索。眼膜曲率计可用来测量眼睛在不同光学环境下的适应能力，把它和其他辅助设备配在一起，可以用来配眼镜。

亥姆霍兹在眼睛方面的研究被收入他的著作《生理光学手册》中，其第一卷是在1856年出版的。在第二卷（1867）里，他进一步研究眼睛的光学现象，而且抓住了更重要的占去他此后几年时间的哲学问题。康德坚持，像时间和空间那样的基本概念，不是通过经验来认识的，而是由精神提供的，目的是使精神所领悟的东西言之成理。这个问题在米勒提出了他的神经比能定律以后，情况更趋复杂。米勒发现，感觉器官不论它是怎样被刺激的，总只是“报道”它自己的感觉。例如当眼睛受击后，它虽并未涉及任何光学现象，但仍引起“看见星光”的感觉。显然，眼睛并未正确报道外部世界，因为客观现实是“一击”，而不是“星星”。这样，怎能说对外部世界的感觉是可信的呢？亥姆霍兹在他的光学著作和他的名著《论音调的感觉作为音乐理论的生理基础》（1863）中详尽地研究了这一问题。他曾试图通过从感觉神经和解剖结构（如内

耳)到大脑跟踪感觉过程而弄明白感觉的全部机理,但并未获得完全成功。这里必须指出,迄今为止,这一任务尚未完成,生理学家们仍对头脑能感知外部世界一切事物这一秘密进行攻关。

亥姆霍兹对视觉的详尽研究使他证明了如何从视觉建立空间概念,从而反驳了康德的空间理论。根据亥姆霍兹的看法,空间概念不是生而知之的,而是通过后天学习才得到的。他还进一步批驳康德坚持认为的由于人们只能这样想象空间,所以它一定是三维的说法。他的数学才能使他得以研究非欧几里德空间的性质,并证明这些性质同三维空间的几何性质一样容易想象和使用。

亥姆霍兹的数学才能不限于研究像非欧几里德几何学这类问题。他研究和攻克了长期困惑许多物理学家和数学家的方程式。1858年,他发表了一篇题为《论适用于旋涡运动的流体力学方程的积分》的论文,这篇论文不仅是数学的精心杰作,而且还曾一度提供了了解物质基本结构的钥匙。从亥姆霍兹的数学分析中得到的成果之一是:理想流体的旋涡运动有惊人的稳定性,它们之间可以进行相互弹性碰撞,它们可以缠绕成复杂的结状构造,并在受到拉伸和压缩时仍能保持其个性。W.汤姆逊(后为开尔文爵士)曾在1866年提出,如果这些旋涡是由"以太"(它被假定是光、电、磁等现象的基础)组成的,则旋涡就能产生像固体物质中原始原子那样的行为。于是"以太"成了宇宙中的唯一物质,而且所有物理现象都可看作是它的静力和动力性质。

晚期生活 亥姆霍兹在电学和磁学的工作中反映出他的观点:经典力学可能是科学推理的最佳形式。他是赏识英国科学家M.法拉第和J.C.麦克斯韦的电动力学工作的最初的德国科学家之一。法拉第似乎击中了牛顿物理基础的要害,他抛弃了传统的远距作用的观点,即在空间中两物体间的作用对它们间的介质没有变化的假说。不过,麦克斯韦通过对法拉第定律的数学解释,认为牛顿物理学和经典力学之间并无矛盾。亥姆霍兹进一步发展了电动力学的数学。他在晚年试图把电动力学简化为最少的一组数学原理,但并未成功;在这一尝试中,他越来越多地依靠充满全部空间的"以太"的力学性质。

对于电的性质问题,亥姆霍兹和麦克斯韦的观点并不完全一致。和麦克斯韦不同,亥姆霍兹的兴趣在于研究电化学,特别是伽伐尼电池的性质。麦克斯韦则认为电流完全是由以太或电流通过的任何介质的极化引起的。另一方面,亥姆霍兹精通法拉第的电解定律,这一定律把电化学电池中通过的电流量和电极上沉积元素的化合当量联系在一起。1881年,当法拉第在伦敦做完了一次演讲后,亥姆霍兹议论说:如果科学家像当时大多数化学家那样接受化学原子存在的观点,则法拉第定律就必定暗示着电的粒子性的涵义。这种假设中的粒子很快就定名为电子,而且,有讽刺意义的是,当时的物理学帮助证明亥姆霍兹的电动力学理论是无根据的。

虽然,亥姆霍兹在表述电动力学的工作上并不成功,但他从以太的假定性质中几乎已经能推导一切电磁现象。他的学生H.赫兹1888年发现无线电波一事,被看作是支持法拉第、麦克斯韦和亥姆霍兹理论的实验证据。而A.爱因斯坦的狭义相对论和广义相对论则排除了以太,从而完全破坏了亥姆霍兹的理论。

亥姆霍兹早期对声学和音乐的研究,曾引导他研究波动。他在能量守恒方面的研究使他在能量转换问题方面非常有名。晚年,他在气象学研究中把这两个方面结合起来,但气象现象非常复杂,他除了指明未来研究领域的方向外,并未完成什么工作。

亥姆霍兹的工作是经典力学发展的最后成果。他业已尽其所能地来推动这方面的工作。当亥姆霍兹1894年9月8日在柏林去世时,物理学界正面临革命前夕。X射线、放射现象和相对论的发现使人们进入一个崭新的物理学领域。亥姆霍兹的成就虽然可观,但留给新一代物理学的东西并不多。

Helminthosporium 长蠕孢属 真菌门半知菌纲的一属。可引起叶枯萎病,尤其为害湿润地区的禾本科植物(如早熟禾、玉米、燕麦等)。其症状为叶片下表面出现灰绿、棕褐或褐色椭圆形叶斑,后散布到叶片上表面,防治法是喷洒杀真菌剂及种植抗病品种。

Helmold of Bosau 赫尔莫尔德(博绍的) (约1120,下萨克森[德国]~1177后,荷尔斯泰因博绍[德国]) 德意志历史学家、神父。所著《斯拉夫编年史》(约1172脱稿)记述约800~1170年易北河下游地区的历史情况。

Helmond 海尔蒙德 荷兰东南部北布拉班特省城市。临阿河和南威廉斯运河。为一现代工业城市,有纺织、铸造及机械制造等工厂。市政厅设在一古堡内(1402)。市音乐厅有管风琴收藏。附近有几处野生动物保护区和其他一些古城堡。人口约63 909(1987)。

Helmont, Jan Baptista van 海耳蒙特(1580-01-12[旧历1579],布鲁塞尔~1644-12-30,西属尼德兰维尔福德[今在比利时]) Jan也拼Joannes。比利时化学家、生理学家和医生。他认识到个别气体的存在,并鉴定出二氧化碳。海耳蒙特被认为沟通了炼金术和化学。虽然有神秘的倾向,且相信点金石,但他是一位细心的观察者和严谨的实验家。他是承认存在不同于大气的气体的第一位科学家。实际上,他创造了"气体"这个词,并觉察出燃烧木炭逸出的物质(实际上是二氧化碳)与果汁或葡萄汁发酵的产物相同。他认为水即使不是物质的唯一组分,也是物质的主要的组分。他用精确数量的土壤栽培一棵树的实验来"证实"他的想法。他只为树浇水,5年之后树的重量增加了164磅,而土壤的重量只失去几盎司。在有关消化和营养的研究中,他是第一批将化学原理用于研究生理学问题的人之一。为此,他被称为"生物化学之父"。然而,按他的推测,他又引入一个超自然作用的体系,这种超自然作用主持并指导人体所发生的一切。同时,化学原理指引他选用药品。例如,他用碱来中和消化液中过量酸。其论文集出版于1648年。

美国不列颠百科全书公司供图

Helmstedt 黑尔姆施泰特 德国中北部下萨克森州城市。位于不伦瑞克以东。约建于9世纪。1050年设市。1426年加入汉萨同盟。1490年归属不伦瑞克。1576年创建的大学为17世纪新教徒主要学术活动中心之一,1810年并入格丁根大学。1945~1990年为东、西德间重要的边境站。主要建筑有文艺复兴时期的大学和9世纪以及13世纪的隐修院和教堂。主要产品有褐煤、棉纱、砖和机器。人口约26 554(1989)。

Helmund River(Asia) 参阅**Helmand River 赫尔曼德河**。

Helnaes Stone 赫尔内斯石碑 1860年在丹麦菲英岛上发现的最古老的丹麦如尼文石碑之一,也是在丹麦发现的首例刻有被纪念者和立碑者名字的石碑。碑身高约2米,大概刻于公元800年前后。铭文曰:"赫尔内斯村祭司及酋长罗尔夫建此碑以纪念其侄古德蒙特。他与村民们一起溺于海。阿维尔书文。"

赫尔内斯石碑

美国不列颠百科全书公司供图

Héloïse 埃罗伊兹(约1098~1164-05-15,法国塞纳河畔诺让附近巴拉克雷隐修院) 神学家和哲学家P.阿伯拉尔之妻，他们两人的恋爱构成历史上最有名的爱情悲剧之一。约1118年她叔父、巴黎圣母院教士富尔贝尔委托阿伯拉尔教育她。两人相恋，生一子，遂秘密结婚。她的亲属忿怒之下使人殴打并阉割阿伯拉尔。他入圣但尼隐修院为修士。埃罗伊兹入阿让特伊女隐修院。该女隐修院解散后，阿伯拉尔把允许他兴建的巴拉克雷隐修院的财产赠给埃罗伊兹和她所率领的众修女。埃罗伊兹任该女隐修院院长。

helot 希洛人 古斯巴达的国有农奴。希洛人的种族起源不详，可能是拉科尼亚(斯巴达首都周围地区)的原始居民，被人数较少的多里安人征服后被贬为奴。公元前8世纪斯巴达征服麦西尼亚后，麦西尼亚人也降低到希洛人的地位。从某种意义来说，希洛人属于国家的奴隶，不能离开国土并被分配给个别的斯巴达人以便耕种他们的土地。希洛人的主人不能释放他们，也不能出卖他们，而他们向主人交付固定比例的收成后有积蓄财产的有限权利。斯巴达人由于自己在人数上居少数，所以总担心希洛人会起来造反。每年度的斯巴达掌政官就职时都要向希洛人宣战，以便在任何时候都可以杀死希洛人而不会触犯宗教禁忌。斯巴达的秘密警察负责在拉科尼亚的乡村巡察，他们可以处死任何据认为是危险的希洛人。斯巴达的保守的外交政策往往出于对希洛人造反的恐惧。在战争时期希洛人陪同主人出征，担任轻武器士兵，有时也在军舰上充当划船手。公元前370年左右伊巴密浓达解放麦西尼亚，斯巴达人便失掉了那里的希洛人。但在拉科尼亚，希洛人制度一直持续到公元前2世纪。

Hélou, Charles (Alexandre) 赫卢(1912-12-25，贝鲁特～2001-01-07，扎尔卡) 黎巴嫩总统(1964～1970)。1919～1929年在贝鲁特圣约瑟夫大学就学，曾在贝鲁特法国法学院获法学学位。他创办过法文报纸《北方电讯报》(阿勒颇，1932)和《今日报》(贝鲁特，1935～1946)。1947年任驻梵蒂冈大使，后历任司法和卫生部长(1954～1955)及教育部长(1964)。1964年任总统后不久，参加在开罗召开的阿拉伯国家政府首脑会议，同意建立巴勒斯坦解放组织，但反对这一组织在黎巴嫩设立基地。结果，他同穆斯林总理拉希德·卡拉米发生公开冲突。在阿拉伯国家及黎巴嫩穆斯林的压力下，1969年，他接受卡拉米的协调政策，使巴勒斯坦解放组织得到在黎巴嫩难民营内建立军队的权利。

Helper, Hinton Rowan 赫尔珀(1829-12-27，美国北卡罗来纳戴维县～1909-03-09，华盛顿[哥伦比亚特区]) 美国南北战争爆发前南方唯一一位对奴隶制进行抨击的杰出著作家，他的著述对北方的观念产生了广泛的影响，成为废奴运动的重要推动力。1857年出版《如何应付南部即将面临的危机》一书，突然成为举国瞩目的人物。他在书中反对奴隶制，因为这种制度不但使黑奴受剥削，而且损害不蓄奴隶的白人，阻碍南部经济的发展。为了安全，他迁居纽约。1861年A.林肯总统任命他为驻布宜诺斯艾利斯领事。赫尔珀虽然反对奴隶制，但并不同情黑人。南北战争后写过3本带有浓重种族主义色彩的小册子，主张将黑人放逐到非洲或拉丁美洲。多年在华盛顿当院外说客和政治食客后，穷困潦倒，自杀身亡。

Helphand, Alexander Israel (Lazarevitsch) 赫尔方德(1867-09-08[旧历08-27]，俄罗斯别列津诺～1924-12-12，柏林) 俄文名亚历山大·伊兹赖尔·拉扎列维奇·盖尔范德。别名帕尔乌斯。俄国和德国社会主义者。1917年曾帮助列宁在流放中从瑞士返回俄国，从而帮助点燃了十月革命。其父母为犹太人，在里海沿岸的敖德萨长大。早年以流动左派记者身份在德国长期居住期间对社会主义发生兴趣，并成为马克思主义者。在国外时，他曾与列宁、托洛茨基及其他一些流亡的革命者会见，并回俄国参加1905年的革命。翌年被俄国警察逮捕，判处流放西伯利亚。但他逃往德国，从此没有再回俄国。第一次世界大战爆发时，他曾得到德国政府的津贴，作为交换，为颠覆俄国沙皇政权出谋划策。他曾与德国政府谈判，让列宁乘坐“密封的火车”于1917年4月穿过德国返回俄国。但十月革命后，列宁因他名誉不好而不许他返回俄国。曾与他在一起的许多革命者认为他是一个才华出众，但却不讲道德而又闹独立性的人。

Helpmann, Sir Robert (Murray) 赫尔普曼(1909-04-09，澳大利亚芒特甘比尔～1986-09-28，悉尼) 澳大利亚芭蕾舞蹈家、编导、演员和艺术指导。他的毕生事业包括芭蕾

赫尔普曼在《仲夏夜之梦》中饰仙王奥伯伦剧照
美国不列颠百科全书公司供图

舞、戏剧和电影活动。

1923年他作为音乐喜剧中的舞蹈演员首次登台演出，接着在观看了A.巴甫洛娃的舞蹈表演后，他随巴甫洛娃的剧团在澳大利亚和新西兰巡回演出。后在J.C.威廉森主持的剧团中作为舞蹈演员和戏剧演员在澳大利亚巡回演出，历时数年。1933年到伦敦学习，同年加入维克-韦尔斯(后萨德勒的韦尔斯，今皇家)芭蕾舞团，同年还在N.德·瓦卢娃的《约伯》中饰演重要角色撒旦。次年，他成为芭蕾舞首席男演员，并在德·瓦卢娃的《闹鬼的舞厅》中和A.玛尔科娃一起表演舞蹈。1935年他成为首席女舞蹈演员M.芳廷的经常舞伴，特别在第二次世界大战期间，他们是非常受人欢迎的一对演员，表演了大量的古典剧目。1950年离开韦尔斯舞团，但有时还以客串艺术家和编导的身份回团工作。他曾在自己创作的芭蕾舞影片《红菱艳》(1948)和《霍夫曼的故事》(1950)中表演舞蹈。作为一个编导，他所创作的芭蕾舞剧都带有强烈的激情和戏剧性色彩。芭蕾舞剧《哈姆雷特》(1942)以哈姆雷特的死亡开场，然后追溯往事以迄于临终时刻的思绪，他扮演了剧中主角。1965～1976年他任澳大利亚芭蕾舞团的艺术指导。在从事芭蕾舞事业的全部时期，他在戏剧方面也积极地进行活动，既是演员，又是剧院经理和导演。1937～1938年他第一次在戏剧中担任重要角色：莎士比亚《仲夏夜之梦》中的仙王奥伯伦。他饰演过的其他角色还有《威尼斯商人》中的夏洛克等。他还参加演出过包括《我们的一架飞机失踪》(1942)和《亨利五世》(1944)在内的各种类型的电影。1950年他在伦敦科文特加登剧院上演歌剧《蝴蝶夫人》，并导演了包括《大教堂里的谋杀》(1953)、《皆大欢喜》(1955)以及《天使的决斗》(1960)在内的一些戏剧。1973年导演影片《堂吉诃德》，并参加演出。1968年被封为爵士。

Helsingborg (Sweden) 参阅**Hälsingborg 海尔辛堡**。

Helsingen Sanomat 《赫尔辛基新闻》 赫尔辛基出版的日报，为芬兰最大的和唯一不受政党控制的报纸。1889年由埃罗·埃尔科创建，名为《日报》。1904年被封，数月后复刊。其进步立场和独立自由的办报方针，吸引不少名作家投稿，甚至在芬兰还受俄国统治时(直到1917年)该报所载文章的格调也很刚强有力。1927年创办人之子埃利亚斯·埃尔科担任报社社长。他于1965年去世后该报仍由其家族掌管，保持独立立场。该报的国际新闻报道在世界名列前茅，报道注意公正全面。1998年发行量为472 056份，全国排名第一。

Helsingør 赫尔辛格 又称埃尔西诺(Elsinore)。丹麦腓特烈斯堡州城市。位于西兰岛东北海岸，隔松德(厄勒)海峡与瑞典海尔辛堡相望，扼海峡最窄处。自13世纪起就已是商业社区。1426年设市。1574～1585年腓特烈二世在此按荷兰文艺复兴风格建造的克龙堡城堡，即是莎士比亚剧作《哈姆雷特》中的埃尔西诺尔城堡。城堡著名建筑有宴会厅、小教堂和丹麦海运博物馆。其他古迹有哥特式圣奥拉伊教堂、前加尔默罗会隐修院和皇家别墅(现为博物馆，藏有有关《哈姆雷

赫尔辛格市的克龙堡城堡
美国不列颠百科全书公司供图

特》一剧的文物)。作为工商业中心,港口设施、造船、橡胶和旅游业是其经济要素。人口约 59 092(1999)。

Helsinki 赫尔辛基 瑞典语作 Helsingfors。芬兰首都,新地省行政中心。芬兰主要港口和工业城市。位于芬兰最南部,在一个伸入芬兰湾的半岛上;半岛三面均有很多天然良港。是欧洲大陆最北的首都。市内建筑多用当地浅色花岗岩建成,有“北方白色城市”之称。赫尔辛基于 1550 年由瑞典国王古斯塔夫·瓦萨创建,与芬兰湾南岸的雷瓦尔(现爱

赫尔辛基市的赫尔辛基体育场和芬兰长跑运动员 P. 努尔米雕像
芬兰旅游协会供图

沙尼亚的塔林)城争衡。赫尔辛基原址在万塔河口,在现址以北约 4.8 千米处。1640 年南迁至现址,以利更有效地使用港湾。1710 年毁于瘟疫;1713 年又被大火夷为平地。后来俄国人在 18 世纪多次进攻该市,使其难以重新获得发展。但 1748 年在港外的一群小岛上建起一座要塞,瑞典人称之为斯韦堡,芬兰人称芬兰堡,保卫了该地的安全。1808 年俄国人入侵芬兰,赫尔辛基再次被烧毁。1809 年芬兰并入俄国。1812 年俄国沙皇亚历山大一世把芬兰大公爵领地的首府由图尔库(即奥布)迁至赫尔辛基。在德国建筑师 C.L.恩格尔的影响下,赫尔辛基市中心全部重建。恩格尔设计了许多杰出的具有新古典主义风格的公共建筑,包括国家议会大厦、赫尔辛基大学主楼和 1852 年竣工的称为大教堂的信义会大教堂。这些建筑坐落在塞内特广场周围。附近乌斯宾斯基东正教大教堂高耸的钟形圆顶是为数不多可识别的俄国统治时期的遗物之一。赫尔辛基成为芬兰首都以后人口迅速增加,1810 年仅4 000人,1890 年增至60 000人。1917 年 12 月,芬兰宣布脱离俄国独立。随后,芬兰军队与俄国占领军之间在首都展开一场短暂但血腥的战斗。1919 年,赫尔辛基议会选出芬兰首任总统之后,局势很快稳定下来。之后几十年间,除第二次世界大战中有过停滞以外,赫尔辛基不断发展,成为重要的商业、工业和文化中心。赫尔辛基有优良的港口和与广大内地之间的良好的铁路和公路联运,为其经济生活及发展提供了基础。全国 1/2 以上的进口物资经此转运。但只有少量物资由此出口,因全国最大的出口港在芬兰海岸其他地方。主要工业有食品、金属加工、印刷、纺织和服装。沃特西拉造船厂和阿拉伯瓷器厂(欧洲最大的瓷器厂之一)的瓷器享有国际盛誉。赫尔辛基有数家剧场,一个歌剧和芭蕾舞剧团及几个交响乐团。每年举办由世界著名乐团和艺术家参加演出的赫尔辛基艺术节,节目丰富多彩。除博物馆和美术馆以外,重要的文化建筑有 T.彭蒂莱所建的现代市立剧院和 A.阿尔托所建的音乐会大厦。风格独特的建筑还有为主办 1952 年奥林匹克运动会而建的赫尔辛基体育场和 E.沙里宁设计的火车站(1914)。赫尔辛基大学(建于 1640 年)为斯堪的纳维亚居第二位的大学。人口:市约 559 718,都会区约 964 953(2002)。

Helsinki Accords 《赫尔辛基协议》(1975-08-01) 又称 Helsinki Final Act。第一次欧洲安全和合作会议(CSCE,现为欧洲安全与合作组织)结束时签订的主要外交协议。《赫尔辛基协议》主要是一次通过谋求苏联与西方集团共同承认第二次世界大战后的欧洲现状来缓和双方间紧张局势的努力。协议由所有欧洲国家(除阿尔巴尼亚外)以及美国和加拿大签署。它承认第二次世界大战后欧洲各国边界的不可侵犯性,保证 35 个签字国尊重人权和基本自由,并在经济、科学、人道主义和其他领域进行合作。《赫尔辛基协议》没有约束力,不具有条约的地位。苏联自 20 世纪 50 年代以来谋求召开的欧洲安全会议,由华沙公约组织于 1966 年提出,北大西洋公约组织原则上接受。1972 年在赫尔辛基开始了大使级军备会谈。其后几个月,准备了一个包括 4 个总题目,或称 4 个“篮子”的议程:①关于欧洲的安全问题;②经济、科学、技术和环境方面的合作;③关于人道主义和文化方面的合作;④会后工作问题。1973 年 7 月在赫尔辛基举行与会国外交部长会议后,各个专家委员会在日内瓦开会草拟一项协议。这一过程从 1973 年 9 月一直延续到 1975 年 7 月,苏联的主要兴趣在于通过保证边界的不可侵犯性和不干涉他国的内政,获得国际上对它战后在东欧的霸权的默认。作为正式承认这一现实的回报,美国及其西欧盟国则迫使苏联在有关人权、扩大东西欧接触、旅行自由、各国间信息自由交流诸问题上作出承诺。赫尔辛基最高级会议上签署的最后文件反映了双方的观点,该协议实际上标志着第二次世界大战的正式结束,因为它承认了所有欧洲国家因这场战争而出现的边界(包括德国分为两个国家)。

协议的第 3 个“篮子”中规定的几条关于人权的保证,后来被证明是东西方在 1975 年签订协议后不断发生争执的根源。苏联在 70 年代末、80 年代初对内部持不同政见者采取的严厉打击,激起西方国家指责苏联不遵守已签订协议的人权条款,而苏联则坚持认为这些完全是内政问题。《赫尔辛基协议》的后续会议分别于 1977 ～ 1978 年在贝尔格莱德、1980 ～ 1983 年在马德里、1985 年在渥太华举行。1989 ～ 1990 年共产主义国家在东欧的解体和两个德国的即将重新统一,使欧洲安全和合作会议有必要召开第二次最高级会议以正式结束冷战,这次会议于 1990 年 11 月在巴黎举行。

Helsion Island(Pacific Ocean) **赫尔西恩岛** 参阅 **Wake Island** 威克岛。

Helst, Bartholomeus van der 海尔斯特 (1613,尼德兰哈勒姆～ 1670-12-16,阿姆斯特丹) 荷兰巴罗克画家。17 世纪中叶阿姆斯特丹主要肖像画家之一。1642年给阿姆斯特

海尔斯特自画像,1662 年
美国不列颠百科全书公司供图

丹市长 A.比切尔及其夫人和儿子画像。1643年完成巨幅群像《罗埃罗夫·比切尔舰长及布罗少校和船员》,这幅画与伦勃朗的《夜巡》都是同一装饰设计的组成部分。17世纪40年代中期,他取代伦勃朗成为阿姆斯特丹最受欢迎的肖像画家。

Helstein, Ralph　赫尔斯坦(1908-12-11,美国明尼苏达德卢斯～1985-02-14,伊利诺伊芝加哥)　美国工会官员,1946～1968年任美国联合屠宰工人工会主席。1929年毕业于明尼苏达大学,1934年获法学学位,旋即就任联邦政府中负责协调劳工的官职,监督《全国复兴法》中劳工条款之实施。1936～1943年在明尼阿波利斯当律师,但自1939年后便深深卷入工会活动。1939～1942年任明尼苏达工业工会委员会总顾问,1942年任联合屠宰工人工会总顾问。1946年任联合屠宰工人工会主席,任职期间曾为会员争得工作保证和工作条件的改善。1946年并在美国产联执行委员会任职,后任劳联-产联副主席直到1969年。1968年联合屠宰工人工会并入北美切肉与屠宰工人混合工会,他兼任新工会的副主席及特别顾问。1968～1969年他辞去一切工会职务而退休。

Helston　赫尔斯顿　英格兰康沃尔行政、历史郡凯里厄区一堂区(城镇)。位于英格兰西南端。13世纪为该郡西部最重要城镇。早年沿科伯河修建的港口现已扩展到卢普尔。伊丽莎白时代是康沃尔郡4个锡产区之一。人口8 505(1991)。

Helvetic Confession　《瑞士信纲》　基督教瑞士归正宗教会先后通过的两份信仰纲要。《第一瑞士信纲》亦称《第二巴塞尔信纲》,于1536年由H.布林格等瑞士代表在M.布塞尔的协助下写成。后来布林格于1562年撰写长篇教义声明30条,经他本人修订后附在他的遗嘱上。这份文献通称《第二瑞士信纲》,1566年公布,成为瑞士各州的正式信纲,并为巴拉丁领地所采纳。苏格兰、匈牙利、法国及波兰也分别于1566、1567、1571和1578年批准这份信纲。荷兰和英格兰也表示赞成这一信纲,遂成为归正宗重要神学文献。《第二瑞士信纲》讨论有关上帝三位一体和基督论的古老教条以及宗教改革运动所强调的各项信仰:《圣经》为信仰的唯一准则,谴责在礼拜中使用圣像,律法,福音和信心。它还论及归正宗有关上帝意旨、得救预定、教会、教会事工和圣礼的教义,并且谴责古代和当时的各种异端。

Helvetic Republic　海尔维第共和国　在革命的法国征服瑞士之后,于1798年3月29日成立,由瑞士大部分领土构成。但这个新共和国不包括日内瓦州和日内瓦市,这两个日内瓦于1798年4月并入法国;也不包括瓦尔泰利纳、基亚文纳和博尔米奥3省,这3省并入意大利阿尔卑斯山南共和国。1802年奥地利的弗里克塔耳加入共和国,瓦莱则分离出去,成为独立的共和国(后于1810年并入法国)。海尔维第共和国曾得到1801年《法国-奥地利吕内维尔条约》的确认。其政府仿效法国督政府组成。由于派别争端迭起,代表们纷纷要求拿破仑·波拿巴进行调解。波拿巴随即于1802年9月30日发布调解法令,以新的瑞士联盟代替海尔维第共和国,迫使它同法国更加密切相联。

Helvetii　赫尔维蒂人　凯尔特民族,公元前2世纪受日耳曼人的压迫,从日耳曼人地区南部迁徙至现在的瑞士北部。公元前61年,赫尔维蒂人仍然遭受日耳曼族的压迫,遂在酋长奥戈托里克斯领导下决定迁往高卢西部;公元前58年3月,25万余名赫尔维蒂人开始行动。当时担任高卢总督的J.恺撒不准他们进入高卢,并派兵追击至索恩河一带,在比布拉克特(Bibracte)附近将他们击溃。赫尔维蒂的残部退回瑞士。在奥古斯都统治下,他们的领土划为比利时高卢省的一部分。位于阿文蒂库姆(阿旺什)的都城成为罗马人的一处殖民地,赫尔维蒂温泉(今瑞士巴登镇)的浴场吸引着许多游人。在帝国时期,赫尔维蒂人守卫着罗马人的边界要塞,防范阿勒曼尼人,但是到5世纪中叶即屈服于他们的宿敌。赫尔维蒂亚或赫尔维蒂联盟这一名称,作为瑞士的官方名称一直保存下来。

Helvétius, Claude-Adrien　爱尔维修(1715-01-26,法国巴黎～1771-12-26,佩尔什丘陵沃雷)　哲学家、辩论家,启蒙时期法国思想家小组即所谓哲人小组的资助者。他从享乐主义的观点强调肉体的感觉,对伦理学宗教基础的攻击及其放肆的教育理论使之闻名于世。其父是法国路易十五的王后玛利亚的首席医师。1738年由于王后的请求,他被任命为总包税人。于1751年结婚,辞去职务,退隐到沃雷的别墅。在沃雷写有《幸福》一诗,去世后才出版,并附有圣朗倍尔侯爵的一篇文章,记载他的生平和著作(1772)。同时还写了哲学名著《论精神》(1758)。原想写一部可与政治哲学家孟德斯鸠《论法的精神》(1748)相媲美的作品,然而此书一出立刻声名狼藉。尽管此书得到皇家特许而公开出版,但由于它攻击以宗教为基础的一切形式的道德,从而引起强烈的反对,特别是受到路易十五之子路易皇太子的反对。巴黎大学也谴责此书,于是此书被下令公开焚毁。哲人们所见到的这场最严重的危机使得和他在一起的哲人伏尔泰声称此书平庸、晦涩,并且有错误。J.-J.卢梭也宣称,作者的仁慈揭穿了他的原则的虚伪性。人们要求他放弃自己的看法,他也3次声明收回此书。著名哲学家的《百科全书》暂停出版,其他人(包括伏尔泰)的著作也被焚毁。1764年他便道访问英国,并应腓特烈二世(大帝)之请于1765年赴柏林。同年回法国时,哲人们再次得宠,此时他即退休,在沃雷度其余生。他认为人人都具有同样的学习能力,这一信念使他不同意卢梭论教育的著作《爱弥儿》。在《论人》(1772)一书中宣称教育有解决人类问题的无限潜力。

Helvidius Priscus　赫尔维乌斯·普里斯库斯(?～70至79)　罗马斯多葛派哲学家,他坚持皇帝要在元老院同意下施政的原则。百夫长之子,在尼禄时代进入元老院,公元70年成为行政长官。后因坚决主张言论自由,与皇帝韦斯巴芗发生冲突,结果被处死。

Helvius Cinna, Gaius　海尔维乌斯·辛纳　参阅 **Cinna, Gaius Helvius** *辛纳*。

Helwan(Egypt)　参阅**Ḥulwān** *赫勒万*。

Helwingia　青荚叶属　青荚叶科(Helwingiaceae)的一属。3种,灌木。原产于喜马拉雅山脉和亚洲东部。单叶。雌雄异株,花的着生方式独特,直接着生于叶面,花梗与叶的中

一种结果的青荚叶属(Helwingia)植物
美国不列颠百科全书公司供图

肋相连。雄花簇生,雌花单生或少数几朵簇生。

Helwys, Thomas　赫尔韦斯(约1550～约1616)　英格兰基督教清教派领袖。1608年随一批分裂派信徒迁居阿姆斯特丹,建立第一处浸礼会。1611或1612年返回英格兰宣传只有成人才能受洗,个人应有更大的道德责任感,反对极端的加尔文派得救预定论,并在伦敦成立第一个浸礼联合会。鼓吹政府应宽容一切教派,教会应与政府彻底分离,因此被囚禁。

Hélyot, Hippolyte　埃利奥(1660-01,巴黎～1716-01-05,巴黎)　法国历史学家、天主教方济各会修士。其著作提供有关17世纪末以前天主教各修会与在俗信徒团体的确切而详尽的资料。他作为方济各会秘书,经常到法兰西各地汇集资料,写成《宗教军事修会及男女在俗信徒团体史》(8卷,1714～1719出版)。本人撰写5卷,后3卷由他人续成。

Hemacandra　月天(1088,印度古吉拉特滕图加～1172,古吉拉特)　又作 Hemacandra Sūri、Somacandra 或 Caṅgadeva。原名 Candradeva。耆那教圣人。经过他的活动,古吉拉特国王悉达罗耶·阇耶辛河授予耆那教若干特权。他依靠自己的辩才和博学,劝化新国王鸠摩罗波罗信奉耆那教,于是耆那教在古吉拉特的地位获得巩固。月天于1110年受神

职,1125年任国王鸠摩罗波罗的顾问。著有《阿罗汉正道》,此外还著有梵文和其他语言语法的著作、介绍印度各哲学派别和科学门类的教程以及诗歌。他也是一位逻辑学家。晚年按照耆那教对人体和激情全面否定的传统,斋戒而死。

hemangioma 血管瘤 一种新生血管构成的先天性良性皮肤肿瘤。主要有3种类型。①毛细血管血管瘤,亦称焰色痣或葡萄酒色痣,是常见的由毛细血管在局部异常聚集所引起的皮肤病变。表现为色斑样病变,表面光滑,不高出皮肤表面,境界清楚,呈粉色至深蓝红色,大小形态不等,多见于后头部和颈部,偶见于前额和眼周围。治疗效果不佳,随年龄增长,皮肤增厚,毛细血管瘤或可消失。②未成熟的血管瘤,亦称单纯性血管瘤或草莓状痣,是一种常见的由扩张的小血管聚集而成的红色小肿块。单发或多发。可出生后即有,或在生后数周内出现,病变一般到6个月左右达到最大,有时破溃,1岁后可逐渐缩小,至幼儿期可完全消退,很少需要治疗。③海绵状血管瘤,较少见,由较大的血管组成,紫红色,隆起,外有结缔组织网和脂肪组织包绕。最多见于皮肤,有时亦见于黏膜、脑及内脏。一般出生后即有,且很少继续发展,恶变少见,亦不会扩展到原发器官组织以外。治疗效果不佳。为了美容的目的,可考虑手术切除。

Hemans, Felicia Dorothea 赫门兹(1793-09-25,利物浦～1835-05-16,都柏林) 母家姓布朗。英国女诗人,长于写山川、风物、童心、漫游列国、自由、英雄等浪漫主义题材,文字流畅简洁。她不写生活中的黑暗面,使浪漫主义易懂而又高雅。第一部《诗集》(1808)收集8～13岁时写的诗。她一共出版过24部诗集。19岁与A.赫门兹上尉结婚,但7年后分居;她靠写作抚养5个子女。她成为文坛名人,受到老作家W.华兹华斯和W.司各特等的赞赏。她擅长写短诗,其中著名的有《清教徒前辈移民的登陆》、《挽歌》和《卡萨比安卡》(“少年站在燃烧的甲板上……”等)。

hematite 赤铁矿 又拼haematite,源自希腊语,意为“血”,喻指其红颜色。重而较硬的氧化物矿物,即氧化铁(Fe_2O_3)。含铁量高(70%)并可大量产出,所以是最重要的铁矿石。许多不同形态的赤铁矿具有不同的名称。具亮金属光泽的钢灰色晶体和粗粒变种称为镜铁矿;呈薄鳞片状的称为云母状赤铁矿;呈松软、细粒、土状产出的,称为代赭石。上述类型之间的中间矿物是致密的变种,常具有肾状表面(肾铁矿)或纤维状构造(笔铁矿)。代赭石用作绘画颜料,提纯的粗粒的种类用来抛光玻璃板。最重要的赤铁矿矿床是沉积成因的。北美苏必利尔湖区的赤铁矿矿床是世界产量最大的沉积矿床(年产赤铁矿石7 500万吨)。其他重要的矿床包括:巴西的米纳斯吉拉斯、委内瑞拉的波利瓦尔山、加拿大的拉布拉多地区和魁北克省。在许多火成岩中,赤铁矿成为副矿物出现;一般情况下成为菱铁矿、磁铁矿及其他铁矿物的风化产物出现;它几乎普遍地成为沉积岩和其他岩石的染色剂。关于详细的物理性质,参阅 **oxide mineral**(表)。

采自英国坎布里亚郡的赤铁矿
美国不列颠百科全书公司供图

hematocrit 红细胞压积 一种诊断用的血液分析方法。其方法为:①将抗凝剂加入装有血样的标准试管中,试管竖放1小时,然后测红细胞沉降率。绝大部分急性全身性感染和某些局部性感染的患者,红细胞沉降率升高,某些隐性疾病亦可首先表现血沉加快。②将试管离心,使内容物分成3层,压积后的红细胞层位于管底,含有白细胞和血小板的灰红色层位于中间,血浆层位于顶部。各层的厚度是健康或疾病的指征:红细胞增多症患者红细胞层异常增厚,缺铁性贫血患者明显变薄,白血病患者白细胞层增厚,黄疸病患者血浆呈深黄色。红细胞压积是最常用的实验室诊断方法之一。hematocrit一词亦指红细胞压积法中使用的器具和分析结果。

hematology 血液学 又拼haematology。医学科学的一个分支,其任务是研究血液的性质、功能及血液病。17世纪,荷兰显微镜学家安东尼·范·列文虎克用简陋的单镜头显微镜观察了红细胞,并将其大小与砂粒作了比较,从而在科学地认识血液的组成方面迈出了第一步。18世纪,英国生理学家W.休森进一步描述了红细胞,研究了淋巴系统,并证实了纤维蛋白在血凝中所起的作用。19世纪,人们认识到骨髓是造血器官,并描述了恶性贫血、白血病及许多其他血液病的临床表现。血细胞染色方法的应用开始了血液学的形态学阶段。20世纪头25年,患病时血液形态学的变化引起了多数学者的注意。20世纪一开始就发现了O、A、B及AB血型。血型的发现使输血成为可能,避免了血型不合所致的溶血反应。红细胞压积被临床采用,1932年又发明了计算红细胞平均容积及红细胞平均血红蛋白浓度的简单方法。这些方法促进了对贫血的研究。1920年左右,系统地研究了食物成分在红细胞生成中所起的作用,从而开创了血液学的新时代——生理学阶段。研究结果发现肝浸膏治疗恶性贫血有特效,最后又发现肝中抗贫血的有效成分为维生素 B_{12}。营养学及生物化学各自作出了新的发现,又使用了重元素的放射性同位素。这些都有助于说明血红蛋白如何生成,有助于认识疾病时血象的变化。第二次世界大战后,血液学的领域更为广阔。对镰状细胞性贫血的血液学研究表明:正常蛋白质分子水平的变异可引起一系列临床及化验的异常表现——血红蛋白病。蛋白质化学及酶化学技术同时取得进展,这使人们发现了大量前所未知的血红蛋白合成方面的障碍。这些血红蛋白病均受遗传因子控制。遗传性贫血方面的研究工作特别给人类学家提供了重要的遗传学标志。第二次世界大战以来,其他方面的研究工作利用了电子显微镜及生物化学方面的新进展,以查明放射线、各种化学物质及病毒在白血病及淋巴瘤发病中所起的作用,更细致地探查与血细胞生成有关的器质性变化及研究血小板和凝血过程。

hematopoiesis 血生成 参阅 **blood cell formation** 血细胞形成。

hematuria 血尿 又拼haematuria。尿内含血的一种病理状况,表明肾或泌尿系统其他部位有损伤或病变(男性尿内出现血液可能来自生殖系统)。可为眼血尿或镜下血尿。非泌尿生殖系统疾病的血尿罕见,如输入血型不相容的血液、严重烧伤、引起红细胞破坏的血液病及黑尿热等。尿内的血液通常来自尿道、膀胱或肾脏。来自尿道时表现为起始血尿,尿色鲜红,病因为损伤、梗阻、感染或狭窄。膀胱病变引起的血尿可有血块,常在排尿终末出现,常为膀胱内结石或肿瘤所致。泌尿系统结核病时,血液可来自膀胱壁的溃疡。偶见膀胱壁静脉扩张、破裂引起的出血。某些寄生虫如血吸虫可侵入膀胱壁而引起出血。肾脏出血的病因为血管破裂、肿瘤、肾梗阻、肾结石、化学性刺激(如四氯化碳、铅化合物、乙二醇等)及肾脏的炎症(如布赖特氏病、肾盂肾炎)。肾脏大量出血而原因不明的病例亦有报道。若见无痛性血尿,除非证明另有原因,常需考虑泌尿系统肿瘤的可能。

Hembyze, Jan van 亨比泽(1513-07-09,佛兰德根特～1584-08-04,根特) Hembyze又拼Imbize。基督教加尔文宗领袖。1577年在尼德兰摆脱西班牙控制的斗争中,他率领约2 000名士兵和加尔文宗信徒同天主教徒进行战斗,推翻了天主教统治的根特市政府,逮捕佛兰德执政阿尔斯霍特公爵德克罗伊以及根特的一些信奉天主教的地方行政官员。他出任市长。在他的推动下,加尔文宗市民洗劫天主教堂,捣毁圣像,烧死6名修士。尼德兰最重要的政治领袖奥兰治亲王威廉一世支持这些行动。但是,当亨比泽1578年企图彻底取缔天主教时,奥兰治亲王却表示反对,并强迫他取消禁止天主教举行宗教仪式的命令。翌年3月,亨比泽又制订严厉取缔天主教徒的条例。因此,奥兰治亲王便向根特进军。亨比泽逃往巴拉丁领地。1583年,正当帕尔马的天主教首领挫败加尔文宗信徒并为西班牙重新取得对佛兰德的控制权时,亨比泽又回根特,当选为市长。后来发现他阴谋将根特及其周围地区奉送信奉天主教的西班牙,遂将他处决。

Hemel Hempstead 赫默尔亨普斯特德 英格兰赫特福德行政、历史郡达科鲁姆区城镇，在伦敦西北缘。为接纳伦敦过剩人口所设的8个新城镇之一。该镇跨风景如画的盖德河。新办公机构和造纸、轻型机械制造和电力工业的建立加速了城镇的发展。人口79 235(1991)。

Hemerken, Thomas 赫默肯 参阅 **Thomas à Kempis 托马斯(肯彭的)**。

Hemery, David (Peter) 赫梅里(1944-07-18，英格兰格洛斯特郡赛伦塞斯特～　　) 英国跨栏运动员，1968年在墨西哥城奥运会上创400米跨栏世界纪录(48.1秒)，获金牌。此项纪录保持到1972年，当年他在慕尼黑奥运会上获铜牌。1969年被授予英帝国勋章。

hemicellulose 半纤维素 一类多糖，与其他糖类(如果胶)一起包绕在植物细胞的纤维素纤维外方。最普通的半纤维素有木聚糖(由许多五碳糖-木糖分子连接而成)、糖醛酸(即糖酸)及阿拉伯糖(一种五碳糖)。半纤维素与纤维素在化学上无关。

hemichordate 半索动物 一类蠕虫状无脊椎动物，与脊索动物近缘，有时归为一个独立的门——半索动物门(Hemichordata)。从口管向前突出一个细长的口盲囊进入吻部，形似未成熟的脊索，故得名。但认为此盲囊似脊索的理论已被放弃，因已查明此盲囊与脊索既非同源亦非同功。虽然有时半索动物被视为一个门，但另一些权威将其与其他所谓原索动物一道列于不同的分类阶元。半索动物可分为3纲：肠鳃纲(Enteropneusta)、羽鳃纲(Pterobranchia)和浮球虫纲(Planctospha-eroidea)。肠鳃纲种类独栖，蠕虫状，两侧对称，体色通常鲜艳，其吻部和领部外形似槲果，故本纲动物俗称槲果虫。羽鳃纲类形微小，营群体生活，体外有分泌物形成的管。浮球虫纲类仅知少数漂浮的幼虫。肠鳃纲类常见于从白海和格棱兰向南至新西兰和好望角的潮间带；见于近岸到400米或更深的水域。体型大小不一，小者如北海的倭囊舌虫(*Saccoglossus pygmaeus*)，长仅数毫米，大者如巴西沿岸的巨柱头虫(*Balanoglossus gigas*)，长2米或更长。

半索动物成体的特征是身体及体腔可分为3部分：吻，领和躯干。无中枢神经系统，但领部有集中的神经组织，与上皮内的神经纤维网相连。循环系统通常包括一个能收缩的心囊、血管和血窦。咽部有(或无)多数鳃裂和鳃孔通向外界。领部有两个或多个似触手的羽状腕，上有两排具纤毛的触手，触手上有许多分泌细胞。触手适应于取食悬浮于水中的颗粒。表皮细胞基部有许多神经细胞和神经纤维，连成网络，神经网与背、腹中线处的神经索相连。中背神经索在领部形成领索，此处表皮内陷，领索可有向前或向后通向外方的空腔；或有一系列腔隙。领索内含大型神经细胞，这些神经细胞的突起几乎达到吻端，并进入腹神经索。这些细胞的功能可能是促进迅速应答(如吻部被触动时躯干前部突然收缩)。身体整个表面有原始的感受器受神经支配，感受器由散在的感觉细胞组成，并无明确的刺激和应答中心。

所有半索动物均为过滤取食，食漂浮于水中的微小动物和植物。柱头虫以其吻部吞食泥沙，从中获得有机食物；而羽鳃类用其触手取食。浮球虫的幼体体表纤毛带上的纤毛运动，激起水流，借此取食水中的微小颗粒。许多半索动物的生活史中有幼体阶段，幼体称为柱头幼体。

半索动物仍为较原始的类群，在进化上处于较低的水平，与棘皮动物近缘，与棘皮动物和其他原索动物有共同的营固着生活或半固着生活的祖先，这些祖先身体两侧对称，身体和体腔分3部分。半索动物的幼体发育较为简单，这表明与棘皮动物和其他原索动物相比，半索动物离祖先类型更近。参阅 **acorn worm; pterobranch**。

hemimorphite 异极矿 美国早先称为calamine的两种矿物中的一种，为一种白色的硅酸盐矿物，是重要的锌矿石。它是一种水合的碱性硅酸锌[$Zn_4Si_2O_7(OH)_2 \cdot H_2O$]，由闪锌矿经蚀变而成的次生矿物。与其他锌矿石

产自墨西哥马皮米的异极矿
美国不列颠百科全书公司供图

伴生于石灰岩中的矿脉和矿层里，并产于世界各处的许多锌矿中。结晶完美的束状标本见于西伯利亚、罗马尼亚、意大利的撒丁岛、比利时以及美国新泽西州和蒙大拿州。

Heminge, John 赫明(约1556～1630-10-10，伦敦) Heminge又拼Heming，Hemminge或Hemmings。英国演员，与H.康德尔一起最早收集和监督了莎士比亚作品的第一对开本的出版(1623)。1603年成为国王供奉剧团中一位重要而成功的成员，担任业务经理达25年之久。环球剧院和黑衣修士剧院最初股权人之一。他和H.康德尔、R.伯比奇都与莎士比亚过从甚密，并均名列莎剧的26位主要演员之中，莎士比亚还在其遗嘱中为他们留下纪念品。他与康德尔在为第一对开本写的序言性献词信中明确宣称，该书是为了表达对亡友的敬爱之情而出版的。

Hemingway, Ernest (Miller) 海明威(1899-07-21，美国伊利诺伊奥克帕克～1961-07-02，爱达荷凯彻姆) 美国长篇和短篇小说家，1954年获诺贝尔文学奖。因其作品强烈的男子气概及他充满冒险和广为宣扬的生活而闻名。1917年中学毕业后到堪萨斯城《星报》当记者。第一次世界大战时，作为美国红十字会救护车的司机开赴前线。1918年7月受伤，并获勋章。痊愈后，作为《多伦多明星日报》驻外记者赴法国。在侨居巴黎的美国作家F.S.菲茨杰拉德、G.斯泰因、E.庞德的鼓励和帮助下，开始在报刊上发表非新闻报道

美国不列颠百科全书公司供图

作品。1925年第一部重要短篇小说集《在我们的时代里》在纽约出版。翌年出版成名之作《太阳照样升起》，描写战后"迷惘的一代"，该书情调低沉，但色彩缤纷。此后滑雪、斗牛、打猎成了他的生活的一部分，也是他的许多作品的背景。《没有女人的男人》(1927)使他提高到短篇小说大师的地位，而《胜者无所得》(1933)则完全确立了这一地位。但至少在一般人看来，长篇小说《永别了，武器》(1929)更为成功。该书充满诗意，叙述他在意大利战场的经历，既有战争又有爱情。《死在午后》(1932)写斗牛，《非洲的青山》(1935)写打猎，《有的和没有的》(1937)写经济萧条，但这几部书影响不大。西班牙内战时，他以记者身份4次前往，写了话剧《第五纵队》(1938)及小说《战地钟声》(1940)。后者描写一名美国志愿兵的经历，主题写战争促成同志情谊，出版后销路极好。在对西班牙战争作了最后一次采访后，他买下了古巴哈瓦那郊区一座简朴的庄园，然后采访另一次战争——日本侵华战争。第二次世界大战时，作为记者多次参加英国空军的行动，并随美军在反攻日(1944-06-06)渡过英吉利海峡。他跟随美军第4步兵师第22团，目睹了许多战斗。他还参加了解放巴黎的行动。战后返回古巴，写有中篇小说《老人与海》(1952)。该书出版后大受赞赏，获普利策奖(1953)，1954年又获诺贝尔文学奖。在此之前出版的《过河入林》(1950)同样受到盛赞。1960年古巴革命后，海明威迁回爱达荷州，生活方式有所改变，精神沮丧，两次住院接受电疗，1961年用猎枪自杀。

海明威遗稿很多，已出版的有叙述早年在巴黎练习写作的《不散的筵席》(1964)和描述在古巴的生活的三部密切相关的中篇小说《海流中的岛屿》(1970)。海明威享有的声誉，美国20世纪的作家几乎很少有人(如果有的话)可以超过他。他在作品中再现了打猎、斗牛、作战等场面，表达亲身的感受，气魄雄壮，但同时也含有极其细腻的、高度审美的感受能力。

hemiplegia 偏瘫 由于大脑皮质脊髓束(锥体束)损伤所引起的躯体一侧瘫痪。病因为血管病、创伤、肿瘤或脓肿。损伤部位一般

能从特有的瘫痪部位及其他临床现象(如言语缺陷)来推断。参阅 **paralysis**。

hemipode 半足鹑 鹤形目三趾鹑亚目的鸟类,包括领鹑(**plains wanderer**,属于领鹑科)、三趾鹑(**button quail**)和百灵鹑(三趾鹑科),尤指三趾鹑属(*Turnix*)的种类,如林三趾鹑(安达卢西亚半足鹑、条纹三趾鹑,*T. sylvatica*)。除领半足鹑(又称平原漫游鹑)外,半足鹑无后趾,仅有3趾,故名。

hemlock 铁杉 松科铁杉属(*Tsuga*)常绿乔木。10种,原产北美、中亚及东亚。有些种为重要材用树,许多种是受欢迎的观赏树。铁杉是高大乔木,树皮淡紫色或红棕色;枝条

东方铁杉(*T. canadensis*)
美国不列颠百科全书公司供图

细,水平或下垂;叶短,先端钝,生于小枝,叶基下有一木质垫状结构;球果小,悬垂于枝端,坠地后鳞片不散落;每个鳞片上有2枚具翅的种子。北美的东方铁杉(加拿大铁杉,*T. canadensis*)通常高18～30米,直径1.2米;叶深绿色,上表面有沟,下表面有2条白色带;树皮含单宁;木材质软,纹理粗,易裂,用于建筑和制箱盒;有多个观赏栽培变种。西方铁杉(异叶铁杉,*T. heterophylla*)亦称艾伯特王子冷杉、铁杉冷杉,是材用树,常高60米,直径1.8～3米。原产日本的西博尔德氏铁杉(*T. sieboldii*)和日本铁杉(异形叶铁杉,*T. diversifolia*)在北美和欧洲作为观赏树种。此外,hemlock一词又用于许多其他植物,如 ground hemlock,即加拿大紫杉,为紫杉(**yew**);又如毒芹(**water hemlock**)。

Hemminge, John 参阅 **Heminge, John** 赫明。

hemochromatosis 血色素沉着症 又称铁贮积病或青铜色糖尿病。为先天性代谢缺陷。以铁吸收增加,并在组织中沉积为特征。临床表现有皮肤色素沉着、糖尿病、肝脾肿大、心力衰竭和全身倦怠无力。男性通常在35岁之后出现症状,女性通常在绝经之后(绝经后铁质不再因月经和妊娠而丢失)。治疗方法为定期放血以减少身体中铁的含量。

hemochromogen 血色原 又拼 haemochromogen。血红素与蛋白质或其他物质的化合物。包括红细胞内的血红蛋白和广泛分布于动植物细胞中的、在氧化过程中起重要作用的细胞色素。血色原一词又可特指一种血红蛋白的衍生物,由血红素与经强碱作用而改变性质的珠蛋白结合而成。由于血色原能从陈旧血迹形成,又是唯一的能在最大稀释度中被检出的血色素,因此可用于确定污迹是否为血迹。

hemodialysis 血液透析 参阅 **dialysis** 透析。

hemoglobin 血红蛋白 多种动物血液中的一种蛋白质,起运送氧气的作用。脊椎动物的血红蛋白存在于红细胞内。血红蛋白与氧结合后形成色泽鲜红的氧合血红蛋白,这种结合是不稳定而可逆的。还原型血红蛋白呈紫蓝色。血红蛋白在骨髓成红细胞中形成。红细胞死亡后,血红蛋白分解,铁通过转铁蛋白运至骨髓,被重新利用于制造新的红细胞;血红蛋白的其余部分形成胆红素,随胆汁排至小肠,其终末产物使大便呈黄褐色。四个血红素基团围绕一个珠蛋白基团,构成一个四面体结构的血红蛋白分子。血红蛋白呈红色,是因为含血红素。血红素仅占整个血红蛋白分子重量的4%,但全部的铁均在其基团内。珠蛋白由两对相互联结的多肽链组成,每一肽链的合成均受控于各自的遗传位点。这些肽链上的氨基酸顺序已完全查清,其中任一氨基酸的变换均可形成异常的血红蛋白。有关异常血红蛋白的研究提供了许多关于人类历史及进化的知识。如血红蛋白S就是在镰状细胞特征和镰状细胞性贫血病例中发现的。本病多见于非洲黑人。不同的血红蛋白分布于世界的不同地区,这有助于追溯人类过去的迁移情况,有助于对邻近和隔离的人群中遗传关系的研究。

hemoglobinopathy 血红蛋白病 一组由于红细胞中存在异常血红蛋白而引起的疾病。出现于旧大陆的一个带状区域,地理分布大致与疟疾相同。适量异常血红蛋白的存在可带来一定益处,即可保护机体免受疟疾的致死作用,可活到生殖年龄。最重要的血红蛋白病是镰状细胞特征、镰状细胞性贫血(**sickle-cell anemia**)及地中海贫血(**thalassemia**)。血红蛋白C在生活于尼日尔河以北的黑人中较多,美国黑人中约占2%～3%,接受了双亲的显性基因的子女可发生血红蛋白C病。表现为:游走性疼痛、黄疸、脾大、轻度到中度的贫血和出血,寿命正常,症状较发生于相同地理位置的镰状细胞贫血轻。经过淘汰过程,血红蛋白C正逐渐代替血红蛋白S(镰状细胞贫血的异常血红蛋白);纯合子的血红蛋白C个体不会出现镰状细胞贫血那样的早夭,而且对疟疾有一定抵抗力。血红蛋白D多见于白人,黑人也有;血红蛋白D病可致轻度溶血性贫血。血红蛋白E广泛分布于东南亚(尤其是泰国、柬埔寨、老挝、马来西亚、印度尼西亚、越南和缅甸);血红蛋白E病可引起轻度小细胞性贫血。血红蛋白E——地中海贫血(一个血红蛋白E基因,一个地中海贫血基因)临床上酷似重型地中海贫血。在旧大陆(如中国、泰国、马来亚、希腊和意大利),已发现多组血红蛋白H,几乎全部与地中海贫血并存,症状似地中海贫血。其他异常血红蛋白,如G、J、K、L、N、O、P、Q及血红蛋白A(正常血红蛋白)、血红蛋白F(胎儿血红蛋白)的变型已搞清,但一般不产生临床表现。

hemoglobinuria, malarial (disease) **疟疾性血红蛋白尿症** 参阅 **blackwater fever** 黑尿热。

hemolysis 溶血 红细胞破裂后血红蛋白释放至周围介质中的一种病理现象。溶素是一种抗体,附着于红细胞,但无补体存在时不能使之破裂。正常情况下除衰老的红细胞不断被破坏外,溶血均为异常现象。造成溶血的因素为血细胞的遗传缺陷(如遗传性球形红细胞症、地中海贫血)、化学物质、动物毒素、微生物的毒性产物、血型不合的输血或胎儿成红细胞增多症等。溶血是溶血性贫血的主要表现。可通过许多物理因素(如热、冷冻、水浸、声等)实验性地引起溶血。某些特殊的实验方法利用溶血现象以检查抗原-抗体反应。因为体内具有缓冲系统,活机体内因物理因素而致成的溶血极罕见,但阵发性寒冷性血红蛋白尿患者受冷后机体内产生溶血因子,破坏自身的红细胞。

hemolytic disease of the newborn 新生儿溶血病 参阅 **erythroblastosis fetalis** 胎儿幼红细胞增多症。

Hémon, Louis 埃蒙(1880-10-12,法国布雷斯特～1913-07-08,加拿大安大略沙普洛附近) 法国作家,著有描述法裔加拿大拓荒者生活的著名小说《玛丽亚·夏德莱恩》。在英国当过几年记者和体育运动专栏作家,1911年到加拿大。做农场工人时,完成《玛丽亚·夏德莱恩》。该书描写魁北克圣约翰湖地区男男女女同荒凉的土地和气候所作的斗争,很快就成为加拿大地区派作家的典范。小说最初连载于巴黎杂志《时代》(1914),1915年汇集成书出版。该书曾多次再版,并被译成所有主要文字。埃蒙在小说出版前,死于火车车祸,未能见到它的成功。

hemophilia 血友病 一种遗传性出血性疾病,因先天性缺乏某种凝血物质而引起。在经典的血友病中缺乏的是凝血因子Ⅷ(抗血友病球蛋白,AHG),其遗传特征为性连锁,即男性发病,女性传递;男性血友病患者的儿子都正常,而女儿均为传递者;女性传递者生的子女中,儿子一半正常,一半患病,女儿一半为传递者,一半正常(见图)。本病的发病有家族倾向,在欧洲某些皇族中很常见。临床表现是出血倾向,在婴幼儿时期逐渐加重,可因此导致严重的贫血甚至死亡。轻微的乃至不被察觉的损伤常引起皮肤和软组织的大片出血,口、鼻、胃肠道亦可出血,儿童期后常见关节出血,特别是膝、踝、肘部,引起关节肿胀和功能障碍,因此患者应避免参加可使身体受伤的活动。出血的处理是局部采用止血药物,如凝血酶;大量出血时,可输新鲜血(贮存血的抗血友病活性迅速减低),亦可应用由

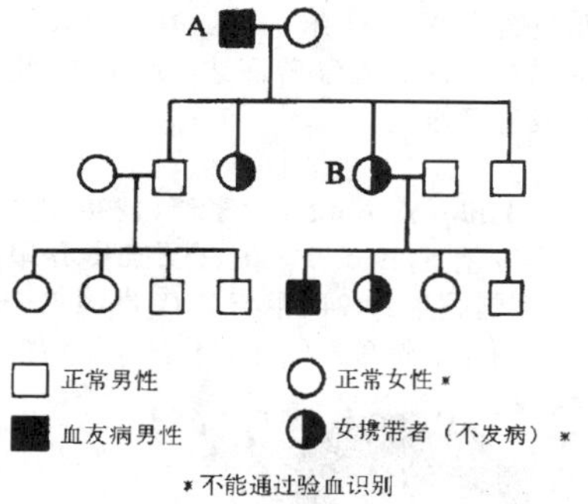

血友病的传递图示

A 患血友病的男子与正常女子婚配——所有儿子均为正常，所有女儿均为携带者

B 携带血友病基因的女子与正常男子婚配——儿子半数正常，半数患血友病；女儿半数为携带者，半数正常

正常血制成的含抗血友病球蛋白的浓缩制剂。血友病亦可由于血浆凝血致活酶成分(PTC,凝血因子 IX)缺乏或由于血浆凝血致活酶前质(PTA)缺乏而引起;PTC 缺乏亦称克里斯马斯病或血友病 B,临床上不易与经典的血友病相区别,PTA 缺乏可由男女两性传递,在两性中均可发病。

hemopoiesis 造血 参阅 **blood cell formation** 血细胞形成。

hemorrhoid 痔 又拼haemorrhoid;又作pile。一种外科疾病,肛管黏膜下或齿状线以下的皮下静脉网扩张形成团块。痔疮是静脉曲张的一个类型,可起因于肛门感染或腹内压增高(如妊娠、提携重物、排便时过度用力等),也可并发于慢性肝病或肿瘤;一般说来,血管壁薄弱(有遗传性)是该病发病因素之一。轻症者可用栓剂、无刺激性的缓泻药及洗浴等法治疗,应少食粗糙的食物。若痔内形成血块或发生其他并发症,可手术切除。

hemothorax 血胸 又拼 haemothorax。胸膜腔内积有血性液体。见于损伤,尤其是胸壁大血管受损时。若胸膜腔内存有血液及空气,则称为血气胸。

hemp(species *Cannabis sativa*) **大麻** 大麻科植物,其纤维属韧皮纤维,亦称大麻。种子含油约 30%,花和叶可制麻醉剂。大麻发源于中亚,据记载,早在公元前 2800 年中国已栽培大麻以取纤维。欧洲地中海国家在公元纪年开始时种植,中世纪扩展到欧洲其他地区。在新大陆,16 世纪在智利种植,一个世纪后移植到北美洲。大麻生长于温带地区,每年用种子播种,高可达 5 米。纤维用大麻须密集播种,植株生长高度平均为 2 ～ 3 米,几乎无分枝。油用或药用大麻植株间距较大,枝秆较矮,分枝很多,麻茎细长,除顶端和基部外,茎内中空。叶片呈掌状,花朵小,呈黄绿色。雌雄异株,雌花成长串丛生,雄花分枝众多的串状。大麻最易在排水良好的沙土中生长,在整个生长季节里,每月平均降雨量至少要 65 毫米。在植株成熟(表现为花盛开,雄性植株花粉自由散落)后立即收割,可获得最高的产量和最好的质量。虽有时用手将植株拔出,更多的情况下是在离地 2 ～ 3 厘米处割下。麻秆经过一系列加工,包括沤麻、干燥、碎茎、振摇(使纤维和木质茎芯分离),得到长而直的纤维,称为长麻纤维束,一般长于 1.8 米,由表面不规则的圆柱形单细胞组成。大麻纤维比亚麻长,但柔韧性较差,通常呈浅黄、浅绿、深褐或灰色,由于不易漂成浅色,所以很少染色。大麻结实耐用,多用于绳类制品,如二股线、麻纱、绳、缆等,并可制成人造海绵和粗织物如麻袋布(打包麻布)和粗帆布。在意大利,有些大麻纤维经过特殊加工,具有白色和美观的光泽,用于生产和亚麻布相似的织物。另一些可用以制绳的植物纤维也一般地称为大麻,但只有栽培大麻

大麻(*Cannabis sativa*)
美国不列颠百科全书公司供图

才可生产真正的大麻纤维。大麻籽油能制成油漆、清漆、肥皂和食用油,但大麻籽的主要商业用途是用作笼鸟的饲料。大多数国家主要为获取纤维而种植大麻。重要生产国为印度、罗马尼亚、中国、匈牙利、波兰和土耳其。进口最多的国家是意大利、英国、比利时、德国和法国。

hemp dogbane(plant) **印度夹竹桃麻** 参阅 **Indian hemp** 印度大麻。

Hempel, Carl Gustav 亨佩尔(1905-01-08,德国奥拉宁堡～ 1997-11-09,美国新泽西普林斯顿镇) 德国出生的美国哲学家。曾为柏林逻辑实证主义学派成员。该学派认为逻辑的和数学的陈述只揭示了语言的基本结构,但未从本质上描述物质世界。纳粹势力在德国兴起后,移居美国,在耶鲁大学(1948 ～ 1955)和普林斯顿大学(1955 以后)教书。一方面探索理论科学的本质,同时又提高了社会学概念的精确性。其英文著作有《经验科学概念形成的基本原理》(1952)和《自然科学的哲学》(1966)。

Hempstead 亨普斯特德 美国纽约州拿骚县一镇,在长岛中西部,面积311平方千米。

亨普斯特德镇的 G.休利特故居,约 1660 年
美国不列颠百科全书公司供图

由 22 个已设建制的村、长滩(**Long Beach**)市及 34 个未设建制的社区组成。该地 1643 年购自印第安人。自 1683 年起属昆斯县,1899 年拿骚县成立时归拿骚县。美国独立后,因居民观点对立而分成北亨普斯特德和南亨普斯特德。后者 1801 年改名为亨普斯特德。镇内随处可见殖民时期历史遗迹,如圣乔治教堂(1735)、长老会第一教堂(1644)、G.休利特故居(约 1660)以及罗克会堂(1767)等。20 世纪初有轨电车和长岛铁路通车以后,改变了该地的面貌。第二次世界大战后城市迅速发展,市郊出现一些具有多种制造业的工业区。亨普斯特德平原曾为早期航空活动中心,1927 年林白从这里单独驾驶飞机直飞巴黎。人口755 924(2000)。

Hemudu culture 河姆渡文化 中国长江下游地区新石器时代文化。1973 年在浙江省余姚县河姆渡村发现。绝对年代约为公元前 5000 ～前 3300 年。房屋为干栏式建筑,有榫卯结构,具有较先进的木作技术。在河姆渡文化遗址发现有大量稻壳、炭化米粒和稻草朽灰等,还有用水牛肩胛骨制作的挖泥锹,说明当时水稻耕作已有一定规模。家畜主要是猪和水牛。石器制作粗糙,种类简单,主要是斧、锛、凿之类。骨器和木器数量多,种类复杂。还发现有木桨,说明当时已有水上交通。夹炭黑陶是河姆渡陶器的特点。陶器造型以圆底为主,器类有釜、罐、盆、钵和支脚等,釜

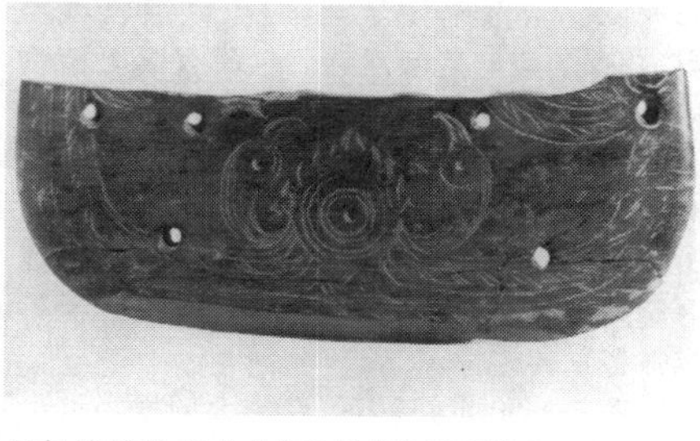

河姆渡遗址出土的"双凤朝阳"牙雕
中国大百科全书出版社供图

和支脚是主要炊具。陶器表面多饰绳纹、戳印纹和划纹等。有几何形装饰花边,也有写实性图画如游鱼水草图、猪肥稻熟图等。还发现几片彩陶,系夹炭黑陶表面上一层灰白色陶衣,上面有绛黑色图案画。墓葬无葬坑、葬具,人骨具蒙古人种特征。

hen-and-chickens 母鸡带小鸡草 又作 hen-and-chicks。又称长生花。拟石莲花属(**Echeveria**)和长生草属(*Sempervivum*)肉质植

物的俗称。后者又俗称家韭葱(houseleek)。

Henan 河南 又拼Honan。中国中东部省份。中华民族的发祥地之一。位于黄河中下游。介于北纬31°23′～36°22′,东经110°21′～116°39′。北接河北、山西,东邻山东、安徽,南连湖北,西界陕西。面积170 000平方千米。居民主要是汉族,还有回、蒙古、朝鲜、满等民族。因省境大部分在黄河以南,故称河南。2 000多年前的地理著作《禹贡》把中国分为九州,河南属豫州,故简称"豫"。豫州处于九州之中,历史上又称为"中原"或"中州"。现设17个地级市、50个市辖区、21个县级市、88个县(2005年底)。省会郑州市。

自然条件及资源 地势西高东低。大致以京广铁路为界,西部是山地、丘陵,东部为平原。山区、丘陵占全省面积的44.3%,平原占55.7%。西部山地中黄河以北为太行山地,是由断层作用形成的单面山,其西北坡缓缓倾入山西高原,东南坡则陡落到华北平原上。黄河以南是秦岭东延呈扇形展开的崤山、熊耳山、外方山和伏牛山。崤山向东北延伸,覆盖很厚的黄土,沿黄河南岸已呈丘陵状态,称为邙山。熊耳山和外方山西段略高,东段较低,只有嵩山主峰(海拔1 440米)耸立于低山丘陵之间。嵩山山势峻拔,风景秀丽,号称"中岳",是中国著名的"五岳"之一。伏牛山呈西北—东南走向,是淮河与唐、白河流域的分水岭。最南部从西向东有桐柏山、大别山,两山东西横亘在河南和湖北两省的边界上。其间的鸡公山海拔764米,峰峦挺秀,盛夏如秋,林木茂盛,是著名的避暑胜地。东部平原区黄河以南通称黄淮平原,主要由黄河和淮河冲积而成,地势略向东南倾斜;黄河以北主要由卫河冲积而成,是海河平原的一部分,地势向东北倾斜。气候温和,大致以伏牛山至淮河干流为界,北部属暖温带,南部属北亚热带。大部地区年平均气温13～15 °C。全省年平均降水量600～1 000毫米,由东南向西北递减。有众多的淮河、黄河支流,它们自西部山区向北、东、南呈辐射状分流。淮河流域面积占全省总面积的52.87%。自然条件复杂多样,动植物种类多,并有明显的地域差异。全省有高等植物197科3 600多种。伏牛山南坡和豫南山地生长有马尾松、油茶、油桐、乌桕等多种亚热带林木。山区林中分布有豹、虎、鹿、野猪、羚羊等野生动物。地下矿藏丰富,煤、铝、石油等储量居中国前列,钼、金、铜、银、天然碱等也占有重要地位。

沿革 20世纪初期,在省北部发现许多新石器时代仰韶文化遗址,说明在5 000年前这里已有原始农业。80年代发掘出登封告城镇的王城岗和淮阳的平粮台两处夏代城堡遗址,都属于中晚期龙山文化。遗址证实,约在夏代初期,即距今约4 000年左右中原地区已进入青铜器时代,并有相当规模的建筑物。公元前1384年商王盘庚迁都安阳,这里的经济和文化更趋繁荣。公元前1122年周灭商,安阳失去王都地位。公元前771年到公元938年,河南洛阳和陕西长安仍交替地成为中国的首都。唐代以后,北宋在开封建都,直到1126年。其后虽然未在河南建都,但是洛阳和开封这两座古城仍然是重要的地方行政中心和商业都会。1840年以后,特别是20世纪初期,相继修筑京汉铁路和陇海铁路,河南逐渐成为上海、天津、汉口等地外国资本企业的棉花、烤烟、煤炭等原料和燃料的供应地及商品市场。

工农业 河南的工业原来大部分是手工作坊,仅开封、郑州、安阳等地有几家小型电厂、纱厂、面粉厂等,设备简陋,生产能力很低。1949年后,工业发展迅速,现已拥有冶金、机械、电力、煤炭、石油、化工、纺织等工业部门。大力治理黄河、淮河及引黄济卫等,农业生产有很大发展,成为中国重要的商品粮、棉产区之一。东部平原区和西部伊洛河谷地、南阳盆地,是全省主要农业区。

交通及其他 河南省陆路交通便利。境内主要铁路干线有京广、京九、陇海、焦柳、新太、新兖等,还有众多支线、地方铁路与之衔接。河南是中国少数几个电气化铁路比较集中的省份之一。北京—郑州铁路光缆通信是中国投入运行距离最长、容量最大的光纤通信系统。铁路运营里程长达3 865千米(2005)。公路通车里程达77 000千米(2005),其中晴雨畅通路面占70.6%,已形成以郑州、洛阳、开封、安阳、新乡、许昌、南阳、信阳为中心,以106、107、207、310、311、312等国道为骨架的公路运输网,郑州—开封、郑州—洛阳、安阳—漯河、漯河—信阳等高速公路都已建成通车。航空运输由郑州可直达北京、上海、南京、武汉、长沙、广州、西安、兰州、香港等30多个城市。全省建有郑州大学等50所高等院校,还有成人高等院校51所。人口98 880 000(2005)。

henbane (*Hyoscyamus niger*) **天仙子** 又称黑天仙子。茄科(**Solanaceae**)天仙子属植物。原产英国,野生于荒地和垃圾堆上。现也见于欧洲中部、南部和亚洲西部,并一直延伸到印度和西伯利亚,在美国归化已久。植株有一年生和两年生两种类型。前者在夏季高30～60厘米,随即开花结籽。后者第一生长季节仅生一簇基生叶,冬季基生叶死亡,留下粗大的地下肉质茎,翌年春季从地下茎发出分枝的花茎,花茎较一年生型者更茁壮更高大。整个植株都有一股强烈难闻的气味。天仙子的干叶(有时包括埃及的钝天仙子[*H. muticus*]的干叶)可提取阿托品(**atropine**)、东莨菪碱(**scopolamine**)和莨菪碱,这些成分提纯后可治疗平滑肌痉挛等。天仙子叶的主要出产地是匈牙利、埃及和美国,在这些国家有商业性种植。法国产的白天仙子(圆叶莨菪,*H. albus*)有相同的用途。黑天仙子叶被用以非法加入烟叶以供吸用,在印度用作饮料。种子中所含生物碱多于叶中,在印度用治牙痛。天仙子中所含上述麻醉品的量各异,临床上用量不易掌握。

Henbury Craters 亨伯里陨石坑 由13个陨石坑构成的陨石坑群。在澳大利亚北部地方亨伯里西南偏西13千米处。1931年认定为陨石坑。占地1.25平方千米。分散成椭圆形排列,恰是一群陨石落到地面时的分散形状。最大坑长223米,宽112米,深15米。其他坑直径9～81米不等。有证据表明该地区陨石碎片的温度曾高达850 °C,由此说明曾发生爆炸。

Hench, Philip Showalter 亨奇(1896-02-28,美国匹兹堡～1965-03-30,牙买加奥乔里奥斯) 美国医生。1948年与E.C.肯德尔一道成功地用肾上腺激素(后知为可的松)治疗类

美国不列颠百科全书公司供图

风湿性关节炎。亨奇与肯德尔、T.赖希施泰因因发现肾上腺皮质激素及其结构与生物学作用而共获1950年诺贝尔生理学或医学奖。在明尼苏达州罗切斯特市的梅奥诊所工作时他注意到在妊娠期间若出现黄疸,关节的剧痛就减轻甚至消失。他与肯德尔在探索抗关节炎的物质时,研究了风湿性疾病的内分泌因素,终于成功地采用可的松和促肾上腺皮质激素来缓解类风湿性关节炎。

Henderson 亨德森 美国肯塔基州西北部城市,亨德森县县城。在印第安纳州埃文斯维尔以南11千米处,临俄亥俄河。1784年初建居民点,1810年设镇,1867年设市。原为农业村镇,现经济以工业、农业(玉米、大豆、牲畜和烟草)、石油和煤等为基础,各业均衡发展。为了纪念曾于1810～1819年在这里开设杂货店的艺术家和鸟类学家J.J.奥杜邦,在城北建立奥杜邦纪念博物馆和州立公园。设有肯塔基大学分校亨德森社区学院(1960)。人口27 468(2003)。

Henderson 亨德森 美国内华达州东南部克拉克县城市。建于1942年,1953年设市。位于拉斯维加斯和博尔德城之间。为该州主要工业中心,生产民用及军用钛和重化学品等。城东为胡佛水坝和米德湖国家游览区。人口214 852(2003)。

Henderson 亨德森 美国北卡罗来纳州北部城市,旺斯县县城(1881)。18世纪初始有日尔曼、苏格兰和爱尔兰移民定居。1840年开始规划,1841年设市,1913年重设建制。烟草是当地主要经济作物。现经济基础扩大,乳品生产、家畜饲养和饲料种植日益重要。生产纺织品、家具和玻璃器皿。市北10千米处有克尔水库。人口16 095(2000)。

Henderson, Alexander 亨德森(1583?,苏格兰法夫克雷奇～1646-08-19,爱丁堡) 苏格兰基督教长老会牧师。1612年任法夫郡卢赫斯教会牧师,堂区信徒不满他刚愎自用和信

仰偏颇,纷纷起而反对,以致他几乎无法就职。他拒绝为他的堂区领取新颁发的教会法汇编(1636)和随后英王查理二世颁发的礼拜书,因而被传唤到爱丁堡。他据理力争。1638年苏格兰长老会发表《民族圣约》,表示抗拒圣公会,亨德森在其中起重要作用。亨德森任长老会总会主席,不久调爱丁堡。苏格兰本地主教为了反对英格兰保皇党控制苏格兰教会进行过两次主教战争,战争结束后,亨德森是谈判中的要人。1642年英格兰内战爆发,亨德森率领大多数苏格兰人士支持英国国会反对英格兰国王。苏格兰根据1643年的《庄严盟约》向国会军提供军事援助,从而在威斯敏斯特大会这个宗教团体中获得席位。在苏格兰长老会中亨德森是仅次于诺克斯(约1514～1572)的领导人物,著有小册子多种。

Henderson, Arthur　亨德森(1863-09-13,格拉斯哥～1935-10-20,伦敦)　英国工党主要组织者之一,外交大臣(1929-06～1931-08),1934年诺贝尔和平奖获得者。原为铸工。后

美国不列颠百科全书公司供图

为铸工工会纽卡斯尔地方分会书记。曾任纽卡斯尔、达灵顿和达勒姆市议会议员。1903年当选为达灵顿市长。同年晚些时候作为工党议员进入下院。他曾三任工党下院领袖(1914,1921～1923,1925～1927)。1908～1910年和1914～1917年任工党主席。1911～1934年担任党的书记这一更重要的职务。1914年8月他和下院中多数工党议员表示支持英国参加第一次世界大战,并取代主张和平的R.麦克唐纳成为工党议会领袖。在1915年5月至1916年12月的战时联合政府中,他先后任教育大臣、主计大臣和政府劳工问题顾问。后在五人战时内阁中任不管部大臣。1917年夏访问俄国,接受A.克伦斯基的临时革命政府关于在斯德哥尔摩召开国际社会主义者会议的计划。首相劳合·乔治最初支持此议,后又改变态度,亨德森乃于8月辞职。1918年参与起草工党党章,使工党第一次成为在各选区设有有效组织的政党。1924年1～11月工党第一次执政,他任内政大臣。后在第二届工党政府中任外交大臣,大力支持国际联盟。1931年5月至1932年2月主持日内瓦世界裁军会议。1931年8月国民联合政府成立时,他辞去外交大臣职务,全力投入裁减军备工作,因而获得诺贝尔和平奖。1933年7月先后访问巴黎、罗马、柏林、布拉格和慕尼黑,曾会见希特勒,以推动限制军备计划。

Henderson, (James) Fletcher　亨德森(1898-12-18,美国佐治亚卡斯伯特～1952-12-29,纽约市)　美国钢琴家和大型爵士管弦乐队的倡导者。受过传统的正规教育,曾在佐治亚州亚特兰大大学攻读化学和数学。1920年去纽约深造,无意中进入音乐界,并于1923年成为乐队领队。他是第一个使用书面作曲而又无损于即兴演奏的配器家。他遵照对位技巧使用乐队各个声部,并把它们作为为独奏者扩音的背景,为20世纪30年代组织严密的爵士乐队和舞蹈乐队的发展铺平道路。

Henderson, Lawrence Joseph　亨德森(1878-06-03,美国马萨诸塞林恩～1942-02-10,剑桥)　美国生物化学家,曾发现维持自然界酸-碱平衡的化学机制。1904～1942年在哈佛医学院工作,1919～1934年任生物化学教授,1934～1942年任化学教授。初到该校即开始研究体液中酸-碱中性如何维持的问题。发现酸碱平衡主要靠重碳酸盐存在时水和二氧化碳形成碳酸这一过程来维持,这种化学系统称为生理缓冲剂。他提出一个方程式,后经丹麦生物化学家K.哈塞尔巴赫修改,今称为亨德森-哈塞尔巴赫二氏方程式,在生物化学中极为重要。亨德森著有两本哲学著作:《环境的合理化》(1913)及《自然的秩序》(1917),他在书中认为地球的自然环境完全适合于生命的发展。此外,他认为"物质独特的物理特性"使化学相互作用的类型不可避免地稳步增加;于是化学进化(生命的创始)和生物学进化便按计划地而非偶然地进行。1928年著《血液,普通生理学研究》。

Henderson, Sir Nevile Meyrick　亨德森(1882-06-10,英格兰萨塞克斯霍舍姆～1942-12-30,伦敦)　英国驻柏林大使(1937～1939),N.张伯伦绥靖政策的执行者。1905年进入外交界,曾任驻埃及(1924～1928)、法国(1928～1929)和南斯拉夫(1929～1935)公使。1935年任驻阿根廷大使,1937年任驻德国大使。1932年受封爵士。1937年任枢密顾问官。他不重视第一次世界大战后法国的欧洲政策,而赞成希特勒为纳粹侵略提出的种种要求,并与一些纳粹首脑(特别是H.戈林)友好。他支持1938年9月30日的《慕尼黑协定》。但1939年3月德国入侵捷克斯洛伐克,使他的幻想破灭。1939年夏他一再劝阻希特勒进攻波兰,以免引起与英法开战。战争爆发后返回英国,因病未再担任公职。著有《一次失败的使命》(1940)和自传《桥下的水》(1945)。

Henderson, Robert(Scottish poet)　参阅**Henryson, Robert 亨利森**。

Henderson, Thomas　亨德森(1798-12-28,苏格兰安格斯邓迪～1844-11-23,爱丁堡)　苏格兰天文学家,1831～1833年作为皇家天文学家在非洲好望角率先测出南门二(半人马座α星)的视差。为了精确校正测得的数据,他到1839年才公布观测的结果,而在此几个月前,F.贝塞尔和F.斯特鲁维已被公认为最早测出恒星视差的天文学家。1832年当选为皇家天文学会会员,1834和1840年先后被选为爱丁堡皇家学会和伦敦皇家学会会员。1834年自好望角返国,任第一任苏格兰皇家天文学家、爱丁堡大学天文学教授、卡尔顿希尔天文台台长。

Hendricks, Thomas A(ndrews)　亨德里克斯(1819-09-07,美国俄亥俄赞斯维尔附近～1885-11-25,印第安纳印第安纳波利斯)　美国民主党领袖、副总统。1843年当律师。曾任

美国国会图书馆供图

印第安纳州众议员、美国参议员(1863～1869)和印第安纳州长(1873～1877)。1863年起一直是民主党的头面人物。他忠于联邦,但在许多方面反对南北战争期间共和党的军事努力和战后重建南方的激进计划。他支持白人在南方的霸权,反对给解放了的奴隶以政治上或经济上的立法帮助。1884年当选为副总统,就职不到9个月去世。

Hendrix, Jimi　亨德里克斯(1942-11-27,美国华盛顿西雅图～1970-09-18,英国伦敦)　原名James Marshall Hendrix。美国布鲁斯和摇滚乐吉他手,以创新的电吉他演奏法和作为20世纪60年代青年人反主流文化的象征而著名。是印第安切罗基人和黑人的混血儿。自学弹吉他,中学时即加入在当地演出的"节奏与布鲁斯"乐队。1962～1965年,他担任一些"节奏与布鲁斯"演奏者的主奏吉他手,在全美巡回演出。1966年带领自己的乐队在纽约市格林尼治村演出时吸引了一小部分追随者,并为英国摇滚乐音乐家C.钱德勒"发现",被带到伦敦并介绍给低音提琴手N.雷丁和鼓手M.米切尔。他们共同组成"吉米·亨德里克斯实验小组"。亨德里克斯与该组很快就在欧洲备受欢迎。他未回美国前,声誉已先他而至。1967年在加利福尼亚蒙特雷"国际流行音乐节"中的动人演出和同年出版《你有经验吗?》唱片集的成功,顿时使他跻身摇滚乐明星之列。另一唱片集《女士的电吉他世界》(1968)是60年代最具影响力的摇滚乐唱片集之一。他死于第三次欧洲巡回表演途中,显然是由于意外过度服用巴比妥酸盐引起并发症而去世。亨德里克斯主要是一位以摇滚乐风格演奏的杰出布鲁斯吉他手。他的长篇独奏中的曲调时而刺耳高亢,时而节奏奔放,他还使用超大的音量和电子畸变来加强他的分句法。他的弹奏具有独创的美感和奇特的性质,使

人一听即能辨别出来。

Henegouwen（Belgium） 参阅**Hainaut**埃诺。

henequen（*Agave fourcroydes*） **赫纳昆剑麻** 龙舌兰科植物及其纤维，在叶纤维（**leaf fibre**）中其重要性居第三位。该植物原产于墨西哥，哥伦布发现美洲之前在当地一直是纺织纤维的来源。19世纪引入古巴，到20世纪20年代成为该国主要的纤维作物。品种有*ixtli*、*longifolia*（长叶）、*minima*（最小）及*rigida*（坚硬）等。其纤维有时称为尤卡坦西沙尔麻或古巴西沙尔麻。野生状态下植株高1.8米，但栽培状态下平均高0.9米。叶灰绿色，披针形，长达1.8米，最宽处宽10～15厘米，直接从茎上生出，密生形成莲座状，叶缘具刺。花葶高达6米，花绿白色，花径约7.6厘米，有难闻的气味。栽种后第5～16年间每年可产约25片叶。叶片生长到最大长度后从近茎处割下。用机械剥皮，机械将叶片于滚筒间碾压，并将压出的髓质从纤维上刮去。然后将纤维束洗净，晒干，梳理。纤维束白色或黄色，光泽，平均长1.2～1.5米；强度及伸长性能好，能抵抗海水中微生物的侵蚀。可制作农业及运输业用的麻线，也可制绳。产地生产的粗赫纳昆剑麻纤维可用以制作麻袋、吊床、鞋底等。墨西哥是唯一一个重要的生产国。

赫纳昆剑麻（*Agave fourcroydes*）
美国不列颠百科全书公司供图

Hengduan Mountains **横断山脉** 中国四川、云南两省西部和西藏自治区东部一系列南北向平行山脉的总称。山岭海拔多在4 000～5 000米，岭谷高差一般在1 000～2 000米以上。山高谷深，横断东西间交通，故名。山岭自西而东包括伯舒拉岭——高黎贡山、怒山、宁静山——云岭、沙鲁里山、大雪山、邛崃山等。在北纬25°～29°40′之间基本上是南北走向，北纬29°40′以北向西北展开，北纬25°以南向东南撒开。总地势北高南低，高于5 000米的山峰多有雪峰、冰川。位于北纬27°10′的玉龙雪山海拔5 596米，为中国纬度最南的现代冰川分布区。山岭褶皱紧密，断层成束，怒江、澜沧江、金沙江、雅砻江、大渡河、安宁河等许多大河都沿深大断裂发育。各条断裂带在第四纪都有活动。怒江以西的腾冲地区有第四纪火山群，龙陵、潞西一带近年曾发生过强烈地震。横断山脉南北差异大，北纬27°40′以南的地带性植被为亚热带常绿阔叶林。西部受西南季风影响多地形雨，温和湿润；云岭一带湿度减低，背风谷地更为干旱。山地植被以云南松为主，农业区主要在2 800米以下。2 300米以下有茶、油桐、核桃、板栗等经济林木。北纬27°40′以北垂直分带明显，2 800～3 800米分布有高山松林、云南松林、云杉林，3 900～4 200米为冷杉、红杉林，4 200米以上为高山灌丛、草甸带，4 800～5 200米植被稀疏。北纬30°以北，3 200～4 200米为寒温带针叶林，以云杉林为主。南部海拔较低的河谷、盆地，已有热带的乔、灌木生长，那里从谷底到山顶，并存有热带、温带、寒带等不同景观，成为一大地理特色。横断山脉不仅是中国重要林区，而且也是有色金属重要矿产区。水力资源丰富，水能蕴藏量近1亿千瓦。野生动物中的兽类、鸟类和鱼类约占全国总数一半以上。

Hengelo **亨厄洛** 荷兰东部上艾瑟尔省城镇。濒临特文特运河。原为一小农业村落，后随特文特区工业发展迅速兴起。现市内有纺织、冶金和电机工业。盐业生产在经济上也很重要。为铁路枢纽。有国立农业学校和牲畜市场。第二次世界大战中遭严重破坏，后重建。城西5千米处有特维克尔古城堡（1347）。人口约76 371（1991）。

Hengist and Horsa **亨吉斯特和霍萨**（亨吉斯特？～约488；霍萨？～455？） 弟兄二人，相传为第一批迁到不列颠的盎格鲁-撒克逊人的领袖。据英格兰的历史学家和神学家比德说，他们前来不列颠是为了协助国王沃尔蒂格恩在446～454年与皮克特人作战。据说他们是朱特部落一个名叫威特吉尔斯的人的儿子。据《盎格鲁-撒克逊编年史》载，他们在肯特的埃布斯弗利特登陆。霍萨于455年在艾格尔斯雷普（可能是肯特的艾尔斯福德）被杀。据比德说，在东肯特有他的纪念碑。艾尔斯福德附近的霍斯特德可能就是因他而命名。据编年史记载，亨吉斯特在455年开始进行统治，并与不列颠人作战。肯特的历代国王都是亨吉斯特的直系后裔。但肯特的王室一般称为奥斯辛加家族，得名于亨吉斯特的儿子奥斯克（据说488～512在位）。亨吉斯特与史诗《贝奥武甫》提到的英雄亨吉斯特可能即是一人。

Heng Mountain **衡山** 中国五岳（Five Famous Mountains）中的南岳。位于湖南省中部，湘中衡阳盆地北缘，湘江西侧。古称岣嵝山。山峦突兀峥嵘，主峰祝融峰，海拔1 290米，峰上建有祝融殿，又称老圣殿。有白龙潭、华严湖、半山亭、磨镜台、南天门、高台寺和望日台等胜迹。祝融峰之高，藏经殿之秀，方广寺之深，水帘洞之奇，素称南岳"四绝"。南岳多文学遗产，一度曾为理学渊薮和宗教福地。衡山植物资源丰富，其中天然生长的树种约有85科，600余种。有银鹊树、柯楠树、湖南白檀、天目紫茎、短柄青冈、天目槭等稀有珍贵树种。建有南岳树木园，为搜集、展览、引种、改造利用森林资源的露天实验场。

Hengshui **衡水** 中国河北省辖地级市。位于省境东南部，滏阳河沿岸、石德铁路线上。辖桃城区和枣强、武邑、武强、饶阳、安平、故城、景县、阜城8县，并代管冀州、深州2县级市。面积8 815平方千米，其中市区面积590平方千米。隋开皇十六年（596）在今市区西南约7.5千米处置衡水县，以近衡水湖得名。1982年设市。1996年撤衡水地区和县级市，设地级市。衡水地处海河水系的黑龙港流域，地势低平，为典型平原地形。属暖温带季风气候，年平均气温为12.7°C，年平均降水量为521.8毫米，主要集中在7～8月份，无霜期192天。滏阳河贯穿市中心，将市区分为东西两部分。衡水农产以小麦、玉米、高粱、棉花为主。1949年以来工业发展很快，目前已形成以轻纺、化学工业为主，并有机械、建材、工艺美术等工业部门的新型城市。衡水历为河北省东南部的交通要道，石德铁路东连津浦，西接京广，京九铁路也经此；106、307国道交错过镜，远可至北京、天津、保定、石家庄等大城市。传统产品有宫廷金鱼、鼻烟壶、毛笔和老白干酒等。人口：全市4 150 000（2005）；市区440 000（2004）。

衡水市的名胜宝云塔
中国大百科全书出版社供图

Hengstenberg, Ernst Wilhelm **亨斯滕贝格**（1802-10-20，普鲁士弗伦登贝格［德国］～1869-05-28，柏林） 德国基督教神学家。他维护信义宗的正统信仰，反对当时盛行于各教会尤其是各神学院的理性主义。1827年创办《福音教会报》并自任主编40余年。该报谴责各派国定教会不信上帝和不听从上帝旨意，提倡宗教改革时代所确定的信义宗教义。该报是保守派神学和保守派政治的喉舌。为了捍卫正统教义，他还评注《圣经》，特别是《旧约》，并著有《〈旧约〉中的基督论》（3卷，1829～1835）。这些著作一方面反对日益依赖历史评注的倾向，另一方面遵循传统方法，认为《旧约》是基督的书，其中充满关于弥赛亚的预言，而基督的降临应验了这些预言。亨斯滕贝格的书大都于他在世时即已译成英文，这些书使他的影响远及英国和美国。

Hengyang **衡阳** 又拼Heng-yang。中国湖南省辖地级市，历史文化名城。位于省境中部偏东南，京广、湘桂铁路交会点。因位于南岳衡山之南，故名。地处衡阳盆地，地势从西南向东北倾斜，大部分为岗峦起伏的丘陵低地，海拔多在 50 ～ 100 米。湘江自西南向东北贯穿市区，先后接纳春陵水、蒸水、耒水、洣水等支流。境内自然资源丰富，主要金属矿有铅、锌、锡、铜、铁、锰、钨等。常宁水口山铅锌矿、大义山锡矿均为中国著名的矿，高岭土储量居中国重要地位。衡阳已有 2 100 年的历史。春秋战国属楚。秦凿灵渠后，衡阳成为长沙至岭南的重要转运站。西汉置酃县，属长沙国。三国吴析置临烝县，属衡阳郡。东晋太元二十年(395)酃县并入临烝县。隋开皇九年(589)改为衡阳县，为衡阳治所。唐宋为衡州或衡阳郡治所。元称衡州路，明清为衡州府。1913 年废府存衡阳县。1942 年由衡阳县析置市。抗日战争期间是省政府驻地。1950 年为省辖市，1952 年改县级市，1980 年复为省辖市。辖雁峰、珠晖、石鼓、蒸湘、南岳 5 区，以及衡阳、衡南、衡山、衡东、祁东 5 县，并代管耒阳、常宁 2 县级市。面积15 302平方千米，其中市区面积722平方

衡阳市一角
中国大百科全书出版社供图

千米。衡阳是湖南省的第三大城市，湘中南的重要铁路交通枢纽。工业部门有机械、冶金、化学、食品、纺织等。重点企业有衡阳有色冶金机械厂、衡阳电缆厂有限公司、衡阳拖拉机厂、建湘柴油机厂等。农产以粮食为主，生猪、家禽、蔬菜、淡水鱼、油料、烟草、柑橘、茶叶、苎麻、豆类、莲藕出产较多。蛋肉两用的“湘黄鸡”在国内外市场上享有盛誉。交通便捷，京广铁路、107 国道和京珠高速公路纵贯南北，湘桂铁路、322 国道和三南公路横穿东西。湘江四季通航，港口货物吞吐量近百万吨。是湘中南主要物资集散地。有衡阳师范学院、南华大学等高等院校。名胜古迹有雁峰烟雨、花药春溪、东洲桃浪、岳亭雪霁、石鼓江水、朱陵后洞、西湖荷花、清草渔家“衡阳八景”，还有石鼓山、回雁峰、天子坟、来雁塔、唐窑遗址及明清思想家王船山故居。衡东县有天然溶洞，其中大洞 72 个、小洞1 470多个。人口：全市7 100 000(2005)；市区930 000(2004)。

Henie, Sonja　赫尼(1912-04-08，挪威克里斯蒂安尼亚～ 1969-10-12，乘飞机赴奥斯陆途中)　挪威出生的美国女花样滑冰运动员。1927 ～ 1936 年连续 10 年获世界女子业余花样滑冰锦标赛冠军。1928、1932 和 1936 年 3 届冬季奥运会上均获金牌。1936 年奥运会后成为职业滑冰运动员和好莱坞冰上舞蹈演员。1951～1952年曾为自编自演影片的制

美国不列颠百科全书公司供图

片人。在从事电影事业期间(1937 ～ 1945)共演出 10 部影片，收入甚丰。

Henle, Friedrich Gustav Jacob　亨勒(1809-07-15? 巴伐利亚菲尔特[德国]～ 1885-05-13，德国格丁根)　德国病理学家，历史上杰出的解剖学家之一。对组织学发展的影响可与 A.韦萨里对人体解剖学的影响相比。当他还是生理学家 J.弥勒的学生时，就发表著作，最先描述了人类上皮组织的结构和分布以及眼与脑的细微结构。在《论瘴气与接触传染，兼论瘴气接触传染病》(1840)一文中，接受了 G.弗拉卡斯托罗的微生物接触传染学说：“导致接触性传染的物质不仅是有机的，而且有生命，是一类寄生生物。”1840 ～ 1844 年任苏黎世大学解剖学教授时，发表了第一本系统的组织学著作《解剖学总论》(1841)。1844 ～ 1852 年任海德堡大学解剖学和病理学教授时发表了《理性病理学手册》(2 卷，1846 ～ 1853)，该书在描述患病器官时，将它与其正常生理功能联系起来，这是现代病理学开始的标志。R.科赫是亨勒在格丁根大学(1852 ～ 1885)任教时的学生，他把亨勒的信念变成了一种学说。

Henlein, Konrad　亨莱恩(1898-05-06，奥匈帝国波希米亚赖兴贝格附近马费尔斯多尔夫[今捷克共和国利贝雷茨]～ 1945-05-10，捷克斯洛伐克比尔森)　苏台德-德意志政治家，鼓吹德国吞并捷克斯洛伐克苏台德地区，第二次世界大战期间在德占捷克斯洛伐克担任行政职务。他在商学院毕业后任银行职员，后来当体操教练，1923 ～ 1933 年为捷克斯洛伐克德意志人体操运动领导人。1933 年成为苏台德-德意志人祖国阵线(1935 年成为捷克议会中第二大党)领袖。1938 年 4 月要求苏台德-德意志人住区实行自治。同年 9 月 1 日会见希特勒，随后他要求把苏台德-德意志人住区划归德国。捷克政府下令取缔他的政党。他逃往德国，成立苏台德-德意志人“自由军”，在德捷边境地区进行破坏活动。当慕尼黑会议决定把苏台德-德意志人住区划给德国时，他被任命为这一地区的长官。第二次世界大战结束时，他被盟国拘留，自杀。

Henle's loop(anatomy)　参阅**loop of Henle 亨勒氏襻**。

Henley, William Ernest　亨利(1849-08-23，英格兰格洛斯特郡格洛斯特～ 1903-07-11，伦敦附近的沃金)　英国诗人、批评家和编辑。曾在自己主编的杂志上介绍 19 世纪 90 年代许多英国大作家的早期作品。因儿时患结核病而截去一条腿。在爱丁堡一诊所住院期间(1873 ～ 1875)开始写作吟咏医院生活的印象派自由诗，从而确立了他的诗人声誉。这些诗后来收集在《诗集》(1888)中。他最有名的一首诗《不可战胜的》(1875)也是这一时期所写，结尾两行是：“我是自己命运的主宰，我是自己灵魂的统帅。”其他著名作品都收在《伦敦志愿兵》(1893)和《在医院里》(1903)两部诗集中。亨利与 R.L.斯蒂文森持久的亲密友谊始于 1874 年，当时他还是一个病人。斯蒂文森的《金银岛》中的朗·约翰·西尔弗即部分以他这位跛足、诚挚的朋友为原型。1889 年在爱丁堡主编《苏格兰观察家》，1891 年移至伦敦出版，改名《国民观察家》。虽然该刊政治观点保守，但在文学审美观上没有偏见，曾刊登哈代、萧伯纳、威尔斯、巴里和吉卜林的早期作品。作为编辑和批评家，亨利极力提拔青年作家，反对盗名欺世之徒。1896 ～ 1897 年，他还与 T.F.亨德森合编彭斯百年纪念诗集。此诗集至今仍具有价值。晚年因与斯蒂文森的疏远(1888 年后)和婚后 10 年才得的独生女儿之死而悲伤。

Henley-on-Thames　泰晤士河畔亨利　英格兰牛津行政、历史郡南牛津郡区一堂区(城镇)。濒临泰晤士河左岸，在奇尔特恩丘陵山脚，河上有一座建于 1786 年的石桥。这座 1526 年设建制的古老城镇有一座中世纪教堂和一条宽广的市场街。还有保留得很好的乔治王朝时代的建筑，现为河滨游览地和居住城镇的购物中心。1839 年创皇家亨利赛船会，每年 7 月世界各地选手来此参加比赛，是著名的划船运动中心。人口 10 558(1991)。

Henley Royal Regatta　亨利皇家赛船会　英国划船比赛。赛期 4 天，每年 7 月第一周在牛津郡泰晤士河畔亨利举行。始于 1839 年。赛程2 100米。亨利赛船会中以大挑战杯赛和金刚石挑战杯短桨赛为最著名。大挑战杯赛始于 1839 年，历史最为悠久，常有世界上最佳的 8 人组参加比赛；金刚石挑战杯短桨赛始于 1844 年，为世界上最重要的单人双桨划船比赛。1902 年成立的美国划船协会在美国大学中开展类似的项目，被称为美国亨利赛船会。加拿大皇家赛船会自 1903 年以来每年在安大略省圣凯瑟琳斯举行类似的赛事。第一次澳大利亚亨利赛船会于 1904 年在墨尔本举行。关于金刚石挑战杯短桨赛和大挑战杯赛优胜者，参阅 **Sporting Record: Rowing**。

Henne am Rhyn, Otto　亨纳·安里恩(1828-08-26，瑞士圣加仑～ 1914-05-01，奥匈帝国施蒂里亚魏茨)　瑞士新闻工作者和历史学家，所著世界文明史对德国文明史学派的发展作

出了巨大贡献。曾就学于伯尔尼大学和日内瓦大学。1872 年去莱比锡编辑《共济会新闻》。1879 年任《新苏黎世报》主编。他的主要著作是《世界文明史》(8 卷,1877 ～ 1908)和《德意志民族文化史》(2 卷,1903)。他的著作是对德国史学中强调军事和政治主题的传统做法的有力挑战。

Hennebique, François　埃纳比克(1842-04-25,法国讷维尔-圣瓦斯特～ 1921-03-20,巴黎)　法国工程师,发明钢筋混凝土建筑技术。在 1867 年的巴黎博览会上他看到 J.莫尼埃用铁丝网加固的混凝土浴盆和水箱,受到启发,设法把这种新材料应用于房屋建筑上。1879 年他开始制造钢筋混凝土楼板,以后发展为建造整套建筑,使用由钢筋箍和纵向杆加固的混凝土结构梁来承受张力。仅几年内,他在巴黎建造公寓大楼时采用了经过改善迄今仍普遍使用的钢筋立柱、横梁和楼板。

Hennepin, Louis　亨内平(1626-05-12,比利时阿特～ 1701 后,罗马?)　天主教方济各会国外传教士。1675 年随探险家拉萨尔前往加拿大,1680 年 1 月到达今美国伊利诺伊州皮奥里亚地方,建克里夫库尔堡。然后拉萨尔返回弗兰特纳克堡(今安大略省金斯顿)寻求给养,亨内平则与其他人员去探测密西西比河上游地区。4 月为印第安人的苏族人所俘,几次随他们出猎,途中曾到达一瀑布,亨内平称之为圣安东尼瀑布(在今明尼苏达州明尼阿波利斯)。亨内平于 1680 年 7 月被法国航海家格勒索龙救出。1682 年返回法国,1683 年发表《路易斯安那概况》,1697 年修订改名《美洲一片广大疆域的新发现》。他在该书中声称已考察密西西比河直到河口,此说不久即为其他人所否定。

Henner, Jean-Jacques　埃内尔(1829-03-05,法国贝尔维莱尔～ 1905-07-23,巴黎)　法国画家。善于描绘在朦胧的山涧水泽中戏水的天仙和美女,以及一些理想化的年轻妇女头像。创作过许多具有自然主义风格的肖像画。埃内尔曾在斯特拉斯堡和巴黎美术学院学画。在巴黎从师 M.德罗林。1858 年获罗马奖,1859 ～ 1865 年在意大利学习期间,曾受柯勒乔和乔尔乔涅作品中的明暗与色彩的处理手法和所表达的亲切感情的影响。

Hennig, Willi　亨尼希(1913-04-20,德国萨克森迪伦内斯多夫～ 1976-11-05,西德路德维希堡)　德国动物学家,公认的系谱分类学歧序分类学派的主要倡议人。该学派认为系统分类应尽可能地广泛反映家系关系。生物在共同祖先传下来的历史顺序的基础上,必然分成明显的类群。这是这个学派同演化系统分类学派的重要分歧,后者代表传统的思想,认为系统分类应以遗传的及系谱的姻亲关系为基础。他的专著《系谱分类理论基础》(1950)阐述了新探讨的基本原则,并力求表明他把生物学与古生物学、地质学、生物地理学等学科所用的方法和宗旨综合为一体。1947 年在莱比锡大学获动物学哲学博士学位,随后在东柏林德国昆虫研究所广泛研究双翅目幼虫。研究成果见于他的专著《双翅目幼虫形成》(1952)。该书已成为这个科目的权威著作。后来他把对双翅目昆虫的研究范围扩大,包括了新西兰的双翅目种类,从而有机会把歧序分类的原理应用于生物地理学的发现。1961 年因抗议东德建造柏林墙而辞去自 1949 年起担任的该所昆虫分类室主任的职务。两年后迁居西德,被任为州立斯图加特自然博物馆系统发育研究室主任。

henogamy　单一婚制　只允许家庭中一个成员结婚的习俗。典型的例子是印度泰米尔纳德邦马拉巴尔县奉行父系传宗的南布蒂里族的婆罗门种姓,他们只允许长子与南布蒂里族的妇女结婚,而且只有长子的孩子才合法。这种风习因保持家产不变动和限制合法继承人的数目等方面的需要而流行,因宗教教义及信仰轮回之说而得到支持。单一婚制有时还包括下述情况,即要求一个家庭成员按照那些并不约束其他成员的规定进行婚配。在母系传宗的加罗人和某些印第安人中,最小的女儿在财产继承和继位方面具有特殊地位,她必须与一特定亲戚结婚,而年长的女儿则可自行择偶。

Henri, Robert　亨利(1865-06-25,美国俄亥俄辛辛那提～ 1929-07-12,纽约市)　美国画家和美术教师。曾在费城宾夕法尼亚美术学院和巴黎美术学院学习。1891 年回美,任费城女子设计学校讲师。其富有感染力的思想吸引了一些青年画家,如 J.斯隆等,后一起组成*八人画派*(**Eight, The**)。1908 年八人画派在纽约联合展出作品。他并在 1913 年的军械库展览会上展出作品。1915 ～ 1928 年间在纽约市艺术学生联盟教学。著有《美术精神》(1923),该书在美术家和学美术的学生中间广为流传。所绘《他本人》(1913)一画表现出其用笔流畅,着色生动,以及善于捕捉瞬间动作和表情的才能。其教学活动在美国产生了一定的影响,促使当时美国青年画家以现代城市的真实生活作为绘画题材。

Henri Pittier National Park　亨利·皮蒂尔国家公园　又称大兰乔国家公园。位于委内瑞拉阿拉瓜州,在加勒比海与巴伦西亚湖之间,占地 900 平方千米。建于 1937 年。大部为原始热带雨林所覆盖。经委内瑞拉博物学家亨利·皮蒂尔的努力,政府相信山地森林如遭破坏,将造成阿拉瓜河谷干旱,而且委内瑞拉最大的自然内陆湖——巴伦西亚湖有可能干涸,因而创建此国家公园。

Henrician Articles　《亨利王约》(1573)　保障波兰贵族权利和特权的声明书。1572 年西格蒙德二世死后,安茹公爵亨利(即日后的法国国王亨利三世)最有希望当选入主波兰。然而波兰的新教徒担心:亨利为天主教徒,曾经参与法国屠杀新教徒的圣巴托洛缪日惨案(1572-08-23 ～ 24),他如果当选,可能对新教徒不利。因此,他们要求波兰贵族在选举国王时,对限制王权应有明确的法律规定。结果就产生所谓的《亨利王约》。王约规定每两年召开一次国会;国会有权选择国王的继位者;国王运用军队和立法有一定的限制;国王要承认《华沙公约》(1573-01-28),保障宗教自由;国王如不信守此约,贵族即不再对他效忠。1795 年之前,《亨利王约》一直是波兰的根本大法。

Henrietta Anne of England　亨丽埃塔·安妮(英格兰的)(1644-06-16,英格兰德文埃克塞特～ 1670-06-30,法国圣克卢)　英格兰公主,奥尔良公爵夫人,法国国王路易十四宫廷中的著名人物。英格兰国王查理一世最小的孩子。1649 年父王被斩首后,她流落巴黎,由母亲养大。1660 年其兄查理二世恢复王位,她于 1661 年 3 月与奥尔良公爵法兰西的菲利浦结婚。婚后与国王路易十四一度发生关系,又与吉什伯爵阿尔芒私通。1670 年前往英格兰,在同查理二世进行的秘密谈判中起过重要作用。通过这次谈判,英法两国缔结《多佛尔条约》,联合反对荷兰。她在返法后不久突然死去。

Henrietta Maria　亨丽埃塔·玛丽亚(1609-11-25,巴黎～ 1669-09-10,巴黎附近科隆布堡)　英格兰国王查理一世的法国妻子,查理二世和詹姆斯二世的母亲。她在宫廷中公开

美国不列颠百科全书公司供图

按罗马天主教的教规行事,疏远了查理的许多属下,但在号召人们支持查理时表现出勇气和决心。她原是法国国王亨利四世的女儿。出生 6 个月,其父被暗杀;7 岁时,其母被逐出巴黎。1625 年 15 岁时与查理结婚。内战前开始干预政治,曾策动军事政变推翻议会派,未成。她向罗马教廷、法国和荷兰为国王寻求支持,激起许多英国人的不满。1642 年 8 月内战爆发时,她正在尼德兰为丈夫筹集经费。1643 年 2 月,她在约克郡的布里德灵顿登陆,在英格兰北部重整保王派的势力,但保王派势力每况愈下。1644 年 7 月亡命法国,从此再未见到丈夫(1649 年被议会派处死),亦再不过问政治。她在沙伊洛特创办一所女隐修院,大部分时间在院中度过。王政复辟后去英格兰(1660-10),获得每年 6 万英镑的养老金。以后又两次赴英,最后于 1665 年返回法国。

Henrique de Carvalho(Angola)　**亨里克-德卡瓦略**　参阅 **Saurimo** *索里莫*。

Henry　亨利　统治者之名,按国别分列于后,并各以●为标记。

与此字相等之外语:

法语	Henri
德语	Heinrich
意大利语	Enrico
葡萄牙语	Henrique
西班牙语	Enrique

奥 地 利

● **Henry II Jasomirgott　亨利二世**(约1114～1177-01-13,维也纳)　奥地利第一代公爵。属巴奔堡家族。1140年德意志国王康拉德三世授予他拥有王权的伯爵爵位,次年又赐给他奥地利边境的侯爵领地。1143年亨利受封巴伐利亚公爵。1152年红胡子腓特烈一世成为德意志国王,两年后把巴伐利亚赐给狮子海因里希。但是,亨利拒绝交出巴伐利亚公国。1156年达成妥协,作为对亨利的报酬,把奥地利升格为公国,并给予奥地利公爵一族一些特权,如不论男系或女系均可继位,在无后嗣时公爵可指定自己的继承人等。

巴伐利亚

● **Henry IV　亨利四世**　参阅**Henry II**(Germany/Holy Roman Empire)亨利二世(德意志/神圣罗马帝国)。

● **Henry VI　亨利六世**　参阅 **Henry III**(Germany/Holy Roman Empire)亨利三世(德意志/神圣罗马帝国)。

● **Henry VIII　亨利八世**　参阅 **Henry IV**(Germany/Holy Roman Empire)亨利四世(德意志/神圣罗马帝国)。

● **Henry X　亨利十世**(约1108～1139-10-20,萨克森奎德林堡)　别名"傲慢者亨利"。托斯卡纳侯爵,萨克森公爵(称亨利二世),巴伐利亚公爵,属韦尔夫王朝,其政策促成了韦尔夫王朝与霍亨斯陶芬王朝的争吵,影响德意志政治一个多世纪。1126年其父死后承袭巴伐利亚公爵,称亨利十世。1127年5月与德意志国王(后为神圣罗马帝国皇帝)洛塔尔三世之女格特鲁德结婚。当时霍亨斯陶芬家族对洛塔尔的德意志王位继承权提出异议,亨利立即参加反对霍亨斯陶芬家族的战争。1130年攻克斯派尔时,他发挥了重要作用。1137年12月洛塔尔逝世,亨利继承了萨克森公爵领地。但是,霍亨斯陶芬家族的德意志国王康拉德三世拒绝将萨克森公爵领地交给亨利。1138年7月亨利被废黜。内战爆发后,亨利虽被赶出巴伐利亚,但却攻占萨克森。当他集结兵力企图重占巴伐利亚之时突然病逝。

● **Henry XII　亨利十二世**　参阅 **Henry III**(Saxony)亨利三世(萨克森)。

不伦瑞克-沃尔芬比特尔

● **Henry II　亨利二世**(1489-11-10～1568-06-11)　别号"小亨利"。不伦瑞克-沃尔芬比特尔公爵,带头要阻止德意志的宗教改革运动的天主教诸侯之一。他是哈布斯堡皇帝的忠实支持者,力图在领地内恢复天主教。但是,他被萨克森高尚的约翰·腓特烈一世和黑森地伯高尚的菲利普打败,并被逐出领地。1547年查理五世皇帝战胜新教施马尔卡尔登同盟,亨利才收复他的领地,继续原先的努力。他在锡沃斯豪森战役(1553)中虽然战胜新教徒库尔姆巴赫-拜罗伊特的阿尔贝特二世,但是失掉了两个信奉天主教的儿子。亨利晚年对新教表现出某种程度的容忍态度。

君士坦丁堡

● **Henry　亨利**(约1174,埃诺瓦朗谢讷～1216-06-11,马其顿塞萨洛尼卡)　又名亨利(埃诺的)或亨利(佛兰德的)。君士坦丁堡第二代拉丁皇帝(1206～1216)。埃诺伯爵鲍德温五世之子。1204年开始征服小亚细亚,但由于保加利亚人侵入色雷斯,他不得不还师欧洲。1205年其兄第一代拉丁皇帝鲍德温被保加利亚沙皇卡洛扬处死后,他即帝位。1206年兼罗马尼亚皇帝。他在欧洲击败保加利亚人,获得小亚细亚的西北部。他又以联姻方式与保加利亚沙皇鲍里尔结盟。通过外交手段,他使拉丁帝国获得安全。在位第10年,可能被毒死,嗣后再无像他这样有能力的君主,拉丁帝国迅速没落。

英 格 兰

● **Henry I　亨利一世**(1069,英格兰约克郡塞尔比～1135-12-01,诺曼底里昂拉福雷)　绰号亨利(贤明者)。英格兰国王(1100～1135在位)。征服者威廉最小和最有能力的

美国不列颠百科全书公司供图

儿子。在位期间加强了王室的行政权力,并从1106年起统治了诺曼底。其兄威廉二世(征服者威廉的次子)在狩猎中身亡后3天,他于1100年8月5日即王位。其长兄罗伯特·柯索斯公爵按照封建惯例继承其父在诺曼底的封地,且因参加第一次十字军正在返国途中,故直到次年才提出王位要求。亨利颁布《自由宪章》,制止横征暴敛,停止征用教会的收入,并革除其他积弊。他与盎格鲁-撒克逊王系的苏格兰公主玛蒂尔达结婚,奠定了与苏格兰保持和平关系的基础,并赢得英格兰人的支持。他召回被威廉二世放逐的坎特伯雷大主教圣安塞姆。1101年罗伯特入侵英格兰,后二人和解。罗伯特放弃英格兰王位要求,亨利则把他在诺曼底的领土让给罗伯特,并每年给罗伯特大笔年金。罗伯特生活放纵,统治优柔寡断,使诺曼底陷入混乱状态。1106年亨利在诺曼底西南部的坦什布赖击败罗伯特,将其俘获并终身监禁。1104～1106年间,亨利与坎特伯雷大主教在教会向国王效忠和世俗授职权问题上发生争吵,后双方妥协,亨利放弃圣职授职权,大主教则在效忠问题上让步。这一和解以及在坦什布赖的胜利,使盎格鲁-诺曼国家重新得到统一,并实现和平。此后数年间,他把女儿玛蒂尔达(亦名莫德)嫁给神圣罗马帝国皇帝亨利五世,并立唯一合法儿子威廉为继承人。他两次击退罗伯特之子的支持者法王路易六世、安茹伯爵和一些贵族向诺曼底东部发动的进攻。到1120年,这些贵族屈服,亨利之子与安茹家族联姻,路易六世也在战败后缔和。但1120年亨利之子因乘船失事而丧命,亨利的王位继承计划落空。1118年王后去世,1121年娶卢万的阿戴莱德,但无子女。1125年神圣罗马帝国皇帝亨利五世去世,他把女儿玛蒂尔达召回立为继承人。1128年玛蒂尔达再嫁安茹郡继承人杰弗里(后来的金雀花王室),1133年生子即后来的亨利二世。亨利一世在诺曼底东部的里昂拉福雷去世后,他的爱甥斯蒂芬不承认玛蒂尔达的继承权,夺取了英格兰王位,从而引起激烈内战。1154年斯蒂芬死,内战告终,亨利二世方得继位。亨利一世是一代明君。他在英格兰实现了和平,使诺曼底得到相对稳定,对海峡两岸的治理均卓有成效。其父创建的盎格鲁-诺曼国家重新统一,他还建立了王家法官巡回各郡的制度。他在位期间标志着从个人君主制向官僚制国家的重要进步,也标志着从早期诺曼人领袖们四面八方扩大帝国向巩固政权和实行内部发展的转变。

● **Henry II　亨利二世**(1133,曼恩省勒芒～1189-07-06,图尔附近)　绰号亨利(安茹的)、亨利(金雀花)、亨利(短披风)、亨利(菲茨恩普雷斯)。诺曼底公爵(1150起)、阿基坦公爵(1151起)和英格兰国王(1154起),在位期间大大扩张了其跨英法两国的版图,在英格兰加强了王室的行政权力。但他与坎特伯雷大主教T.贝克特,以及与他的家庭成员(妻子阿基坦的埃莱亚诺,以及"狮心王"理查和"无封地者"约翰等儿子)的争吵,最终导致他的失败。他曾受良好文学教育。1150年成为诺曼底公爵。1151年其父杰弗里死后,他继为安茹伯爵。母亲是英王亨利一世的女儿玛蒂尔达(其王位继承权1152年被表兄弟斯蒂芬国王夺去)。亨利二世通过与不久前和法王路易七世离异的埃莱亚诺结婚而获得了阿基坦公爵爵位。他于1153年入侵英格兰,斯蒂芬同意让他当副手和继承人。次年,斯蒂芬死,亨利方得继承王位。其领土从苏格兰一直延伸到比利牛斯山脉。在位34年,总计仅14年住在英格兰。因其统治权基于不同称号,各领地间也无体制上或法律上的联系,故其领土虽有安茹帝国之称,但并不确切。如在法国西部的土地,有些是法国国王的封地,有些通过征服或联姻获得。他还通过3个女儿的联姻在德意志、卡斯蒂利亚和西西里取得政治影响。他与法王路易七世的关系微妙。他娶路易的前妻,并获得她所继承的富庶领地。他的儿子亨利又与路易之女联姻而获得诺曼底的韦克桑。他企图以武力或机智战胜路易,路易则庇护和笼络他的政敌坎特伯雷大主教贝克特。他与德意志的关系友好。其母的前夫神圣罗马帝国皇帝亨利五世支持他,但皇帝腓特烈一世反对教皇亚历山

大三世，这妨害了他的对德关系。他虽承认亚历山大三世，但在与贝克特的争吵中，又威胁要改变立场转而支持腓特烈，从而钳制了教皇的行动。在位之初，苏格兰国王马尔科姆三世表示效忠于他，并交还诺森伯兰、坎伯兰和威斯特摩兰3郡。1174年马尔科姆继承人“雄狮”威廉也被迫表示效忠于他。1157年，他入侵威尔士，并接受其效忠。他让南威

14世纪手抄本细密画中的亨利二世（左）与T.贝克特（中）争吵

美国不列颠百科全书公司供图

尔士一批贵族远征爱尔兰，1169年在伦斯特建立了盎格鲁-诺曼统治。他本人也于1171年将统治扩及该地。贝克特原是他的枢密大臣，1162年5月当选坎特伯雷大主教后，亨利与之即发生争吵，最终关系破裂，贝克特自动流亡国外。这不仅破坏了教会的公共生活，且引起亨利与路易七世和亚历山大三世的纠纷。贝克特惨遭杀害更引起世人对他的诟骂。此外，家庭内部的争吵，使亨利的各项计划受挫。不和的主要原因是亨利将领地分封给儿子们，但实权仍保留在自己手中。1170年他让长子亨利与他共理朝政，却不与实权，遂引起不满。1173年他提议把封赐给次子杰弗里的领地分一部分给心爱的幼子约翰（“无封地者”），引起长子亨利和三子理查的抗议及其妻的反对。此时，在英格兰和诺曼底发生了大规模贵族叛乱。他平息叛乱后，赦免了儿子们，但将埃莱亚诺监禁，直到她去世。1181年长子亨利与三子理查在统治阿基坦的问题上发生争吵，爆发了第二次叛乱，但亨利于1183年死去。1184年理查又与约翰发生争吵。因亨利二世命令约翰从理查手中接管阿基坦。1186年杰弗里去世，事态才得以缓和。当他企图为约翰划定封地时，又引起理查与法王腓力二世的联合反对。他战败后，被迫让位。亨利一生虽历经战争和阴谋，但治理英格兰却稳健而卓有成效。在位之初，英格兰处于混乱之中，王权削弱。他首先任用贝克特镇压不顺从的贵族，利用盎格鲁-诺曼王朝现有的行政机构恢复政府的坚强统治。他运用以法官、主计以及掌管财务署的大臣们为核心的御前贵族会议和派驻各地的郡守为王室服务，恢复秩序、重建法庭，征收赋税，即使他旅居国外期间，行政管理仍能稳步进行。他在教士犯罪的审讯权问题上与主教们发生冲突，导致产生了著名的《克拉伦登宪法》（1164），重申国王对教会事务（如教士豁免权、主教的任命、职位空缺的教区的托管、开除教籍以及向罗马申诉等）具有传统的权力。但坎特伯雷大主教贝克特对此拒不接受。1166年亨利又制订《克拉伦登条例》，确立刑事审判程序，建立陪审团，逐步取消神裁法和决斗裁定法，建立拘押候审人员的监狱，确定巡回法庭成为国家行政的一个组成部分。法庭分3类：巡回法庭、设在威斯敏斯特的国王法庭和国王离开伦敦时随行的法庭。威斯敏斯特法庭受理私人上诉和巡回法庭上交的案件。同时确定法庭依据的是习惯法而不是罗马法。此外，为解决在动乱时期，以暴力剥夺和霸占所有权，导致家族间仇杀和暴行，亨利建立了颁发所有权令状和所有权巡回审判制度。亨利的另两项改革也具有永久的性质：一是免兵役税（称作盾牌钱），即以交纳现金替代服兵役；一是颁布《武装敕令》（1181），规定凡符合财产条件的自由民均有义务持有与其身份相符合的武器。作为统治者，亨利缺少阿尔弗烈德大王和征服者威廉那种伟大气魄，似乎也缺少睿智和沉着，没有对国家利益的深远见解和君主应有的理想。对人民也缺乏同情。但其统治给英格兰带来的后果无疑是十分重要的。亨利二世就其主要方面来说，应跻身于英格兰最著名的国王之列。

● **Henry(Ⅲ)　亨利（三世）**　参阅**Henry the Young King** 亨利（幼王）。

● **Henry Ⅲ　亨利三世**（1207-10-01，英格兰汉普郡温切斯特～1272-11-16，伦敦）　英格兰国王（1216～1272）。在他有效控制政府的24年（1234～1258）间十分蔑视传统，以致贵族们最终迫使他同意一系列重大改革，即《牛津条例》（1258）。他是约翰王的长子和继承

美国不列颠百科全书公司供图

人。9岁时父王弃世。当时，伦敦和英格兰东部的许多地方都在法国国王腓力二世之子路易王子（后为法王路易八世）所领导的叛乱诸侯的手中。于是成立了由第一代彭布罗克伯爵主持的摄政会议，代亨利进行统治。到1217年叛乱者被打败，路易被迫撤出英格兰。1219年彭布罗克死后，由H.伯格管理政府，直到1232年被亨利撤职。1232年起由两名法国野心家P.德罗什和里沃的彼得控制亨利的政权。1234年诸侯们将这两个人赶跑，亨利才开始亲政。虽然亨利很有教养，但缺乏治国之才。在外交和军事方面，他表现出傲慢但怯懦，野心勃勃但不切实际。他与诸侯之间的不和早在1237年即已开始。当时贵族们对亨利的亲戚们在政府中的影响表现出极大愤怒。1238年他让妹妹埃莉诺与他的宠臣、法国人孟福尔（**Montfort, Simon de**）结婚，更激起了贵族们的敌对情绪。1242年亨利的异母兄弟们使他卷入在法国的一场彻底失败的军事冒险。贵族们要求亨利在遴选顾问时必须听从他们的意见，但遭亨利拒绝。1254年他和教皇英诺森四世缔结一项协议，允诺如果教皇把西西里的王位给与他的尚在襁褓中的儿子埃德蒙，他就负担教皇在西西里进行战争的经费。4年后教皇亚历山大四世威胁说，如果亨利不履行提供经费的义务，则将被开除教籍。亨利为这笔经费向诸侯们求助。但是诸侯们表示只有他接受广泛的改革，才能够与他合作。改革办法（即《牛津条例》）是：设立一个由诸侯选出的15人的枢密院，向国王提出建议，并监督整个政府工作。不久以后诸侯们发生内讧，亨利趁机推翻了这项条例（1261）。1264年4月孟福尔发动叛乱，5月14日在刘易斯战役中打败并俘虏了国王及其长子爱德华。孟福尔以亨利的名义统治英格兰，直到1265年8月在伊夫舍姆战役中被爱德华打败并杀死为止。亨利年迈体衰，由爱德华执掌朝政。他死后，爱德华即位，为爱德华一世。

● **Henry Ⅳ　亨利四世**（1366-04?英格兰林肯郡博林布鲁克城堡～1413-03-20，伦敦）绰号亨利（兰开斯特的）。英格兰国王（1399～1413），兰开斯特王朝的第一位君主。他篡位后虽面对贵族的不断暴动，却成功地巩固了自己的权力，但他未能克服财政和行政方面的弱点。兰开斯特公爵约翰之子。成为国王之前，称亨利（博林布鲁克），并获得德比伯爵（1377）和赫里福德公爵（1397）的称号。理查二世统治初期，由亨利的父亲约翰管理政府。1386年约翰远征西班牙时，亨利开始参与政治。他成为反对派五领袖中年轻的成员。这个反对派在1387～1389年放逐理查的亲信，迫使国王听从他们的支配。约翰回国后，促使国王和反对派和解。1390年

美国不列颠百科全书公司供图

亨利征讨立陶宛，1392年又征讨普鲁士。但理查并未宽恕他过去的敌对行为，1398年将亨利放逐出国。约翰于1399年2月死后，国王没收了兰开斯特家族的领地，从而剥夺了亨利的继承权。亨利以此为借口于同年7月入侵英格兰。同年8月理查向他投降。9月

30日理查退位，亨利开始统治，称亨利四世。他利用自己是亨利三世的后代这一事实为篡夺王位辩护。在即位的头5年，他遭到国内外强大的敌人的一系列攻击。1400年1月他镇压了支持理查的贵族们的一次阴谋。8个月后，威尔士地主欧文·格伦道尔发动反对英格兰在威尔士进行残暴统治的民族叛乱。1400～1405年，他对威尔士进行几次毫无成果的远征。此时，格伦道尔与诺森伯兰伯爵亨利及其子"急性人"亨利结盟，鼓动反对亨利四世的统治。"急性人"的暴动是亨利四世在位时期所遇到的最严重的挑战。亨利四世的军队于1403年7月在什罗普郡什鲁斯伯里附近的战斗中杀死这个叛乱者，这场暴动遂告平息。1405年他下令处决诺福克公爵T.莫布雷和约克大主教R.斯克罗普，罪名是他们与诺森伯兰合谋发动另一场叛乱。另外，苏格兰人和法国人一直侵犯边界，亨利四世也被迫进行战斗。为了给这些军事行动筹措资金，他不得不依靠国会的拨款。1401～1406年，国会一再指责他在财政上管理不当。随着亨利四世的健康不断恶化，他的宠臣坎特伯雷大主教T.阿伦德尔与以他的异母兄弟们和王子亨利为首的一派人开始争夺权力。他死后，王子亨利即位，称亨利五世。

● **Henry V　亨利五世**（1387-09-16?，威尔士蒙茅斯郡蒙茅斯～1422-08-31，法国布瓦德万塞讷）　英格兰兰开斯特王朝国王（1413～1422），亨利四世之子。1415年在百年战争的

美国不列颠百科全书公司供图

阿让库尔战役中战胜法国，使英格兰成为欧洲最强大的王国之一。1398年其父被放逐国外，国王理查二世收养了他，次年封为骑士。1399年10月15日，其父登上王位，封他为切斯特伯爵、康沃尔公爵、威尔士亲王，不久又封为阿基坦和兰开斯特公爵。1400年10月威尔士以他的名义进行治理。1403年指挥镇压威尔士叛乱的战争。1413年3月21日继承父位。在位初期，受到罗拉德派教徒起义（1414-01）和剑桥伯爵等人策划的阴谋（1415-07）所威胁，但都被他无情镇压。他对法国奉行野心勃勃的政策，不但要求收回根据1360年的《加来条约》被法国割去的阿基坦等领土，而且要求拥有诺曼底、图赖讷、曼恩，甚至从未被英国掌握过的法国部分地区。早在同法王查理六世谈判以前，他就进行备战，在策划和进行征服法国的过程中，显示出他的天才。战前，他运用外交手段争取勃艮第公爵"无畏者"约翰给予支持，或至少保持中立。他设法断绝法国的海上援助，表现出中世纪君主少有的对制海权重要性的清醒认识。1416年8月塞纳河战役后，英国海军对英吉利海峡的控制已成为无可争辩的事实。在国内，他一方面通过大举借债，一方面通过议会征税为计划中的侵略筹措经费，得到权贵们和举国上下的支持。他的军事战略也同样表现出他的能力。他的主要目的不在于战役的胜利，而在于有计划地攻占法国北部的重镇和要塞，使之成为英国长期驻军的司令部，统治周围乡村的中心。随着军队的进驻，派来行政官员和税收人员，即可自行筹措军费。战争的第一阶段，他占领了阿夫勒尔（1415-09），在阿让库尔获得大捷（1415-10-25）。1416年与来访的神圣罗马帝国皇帝西吉斯蒙德签订《联盟条约》，并利用其影响拆散了热那亚与法国的海军联盟。此后，进行了旷日持久而残酷的攻城战，逐步征服了诺曼底。1419年1月北法兰西首府鲁昂投降，9月杀死勃艮第公爵约翰，遂得与勃艮第结盟。这些胜利迫使法国接受《特鲁瓦条约》（1420-05-21），承认他为法国王位的继承人和法国摄政，法王查理之女卡特琳于6月2日嫁给他。此时，他的权势达到顶点。但好景不常，他的健康恶化，后死于斑疹伤寒。就其能力而论，亨利五世在英国国王中应名列前茅。他的成就突出。他的悲剧在于未能把伟大的天才用于国内建设性的改革，而是用在了没有结局的国外战争上。

● **Henry VI　亨利六世**（1421-12-06，英格兰伯克郡温莎～1471-05-21或22，伦敦）　英格兰国王（1422～1461，1470～1471），一位虔诚而好学的遁世者。他的治国无能是引起玫瑰战争的一个原因。1422年9月1日继承其父亨利五世的王位。同年10月外祖父法王查理六世死后，他根据当年亨利五世战胜法国时订立的条约宣布为法国国王。1437年起他被认为已能亲政，但他只关心宗教仪式和筹划教育基金（1440～1441年创办伊顿公学，1441年创办剑桥大学国王学院），国事则先后由一批勾心斗角的权臣掌管：如格洛斯特公爵汉弗莱、枢机主教博福特、萨福克公爵威廉。1449年萨福克公爵倒台，争权者是兰开斯特家族的萨默塞特公爵和约克公爵理查（按长子继承制他更有权获得王位）。与此同时，尽管1445年他与法国王后的侄女玛格丽特结婚，但英国在法国的领地已逐步丧失。1453年7月至1454年12月他患精神病，由约克公爵摄政。1453年10月13日王子爱德华（封为威尔士亲王）出生，约克继承王位的希望化为泡影。1455年萨默塞特公爵重新掌权，使战争不可避免。虽然萨默塞特5月在圣奥尔本斯战役中阵亡，但由于玛格丽特王后逐步破坏约克的支配地位，1459年战事再起。1460年7月亨利在北安普敦被约克派俘虏。后双方达成协议：亨利仍为国王，但承认约克公爵而不是他自己的儿子爱德华为王位继承人。同年12月约克公爵在韦克菲尔德阵亡，亨利在第二次圣奥尔本斯战役（1461-02-17）中再次被俘。约克的继承人于3月4日在伦敦被拥立为国王，称爱德华四世。亨利携带妻儿逃往苏格兰。他于1464年重返英格兰，支持兰开斯特家族起事，但未成。1465年7月他在兰开夏的克利瑟罗附近被

美国不列颠百科全书公司供图

俘，并被关入伦敦塔。由于爱德华四世与沃里克伯爵理查之间发生争吵，亨利六世于1470年10月复位，爱德华四世逃往国外，但不久卷土重来，击败并杀死沃里克。1471年5月4日在蒂克斯伯里击溃玛格丽特王后的军队，王子爱德华也死于此役。不久，亨利在伦敦塔中遇害。

● **Henry VII　亨利七世**（1457-01-28，威尔士彭布罗克郡彭布罗克城堡～1509-04-21，英格兰萨里里士满）　英格兰国王（1485～1509）。他结束了兰开斯特家族和约克家族之间的玫瑰战争，开创了都铎王朝。里奇蒙伯爵埃德蒙·都铎的遗腹子。母亲是兰开斯特公爵冈特的约翰的曾孙女。1471年亨利六世及其唯一儿子爱德华均死去，亨利·都铎遂成为唯一存活的有兰开斯特家族继承权的男嗣。亨利由其叔彭布罗克伯爵贾斯珀抚育成人。1471年5月兰开斯特家族在蒂克斯伯里战役中惨败。贾斯珀携亨利流亡布列塔尼。约克家族的地位似乎已稳固，但1483年理查三世篡位，约克派分裂，为亨利提供了机会。在法国的支持下，1485年亨利在威尔士的米尔福德港登陆，向伦敦推进。8月22日在博斯沃思

美国不列颠百科全书公司供图

原野战役中打败并击毙理查三世。亨利乃根据继承权和战斗中的神裁法提出王位要求。10月30日加冕，11月初获得议会承认。1486年1月18日与约克的伊丽莎白结婚，以维系兰开斯特派与约克派的联合。但亨利直到其统治结束前不久一直为种种反对他的阴谋活动所困扰。1486年，理查三世的王室总管洛弗尔勋爵第一次叛乱，因缺乏准备，无足轻重。但1487年自称理查三世之侄、沃里克伯爵爱德华的L.西姆内尔的叛乱则严重得多。1487年6月亨利在斯托克经苦战后方将叛军打败。1491年出现了更为严重的威胁。珀金·沃贝克冒充爱德华四世的幼子理查，先后在法国、奥地利、苏格兰等国王以及爱尔兰和英格兰权贵们的支持下3次入侵英格兰，直到1497年才兵败被俘。此外，他还被萨福克伯爵埃德蒙的背叛所困扰。1500和1502年亨利的两个儿子、1503年他的妻子先后去世，无疑更鼓励了阴谋分子。直到1506年他把萨福克囚禁在伦敦塔，他的王位才最终得到稳固。他死后由其唯一存世的儿子亨利八世继位。亨利在位之初，试图阻止布列塔尼公爵领地并入法国，但未成功，曾一度卷入对法战争。1492年与法国缔和，法国承认他的王朝并付给他优厚的津贴。由于马克西米连和詹姆斯四世支持沃贝克叛乱，他与尼德兰和苏格兰发生激烈争吵。由于英格兰在经济上对尼德兰具有重要意义，他得以促使马克西米连和荷兰人于1496年放弃对沃贝克的支持，缔结了和平与自由贸易条约。与苏格兰的敌对虽根深蒂固，但亨利最终于1499年与之签订和平条约，1502年又缔结联姻条约，将女儿嫁给詹姆斯四世。1501年王子阿瑟与阿拉贡的凯瑟琳结婚。由于西班牙当时已跃为欧洲第一流强国，此举提高了都铎王朝在欧洲的声望。1502年阿瑟去世，亨利执意要凯瑟琳嫁给他存活的儿子亨利(即后来的亨利八世)。他不仅利用外交手段巩固其王朝，而且抓住一切机会缔结商约，促进英国的贸易，使国家富强起来，并将女儿玛丽许配给查理大公爵(后为神圣罗马帝国皇帝查理五世)。这在当时是最高贵的联姻。在内政方面亨利也取得引人注目的成就。他节约开支，避免战争，提高行政效率；鼓励出口，保护本国工业，通过实施航海法以保证由英国船只装载英国货，从而促进英国航运业，并鼓励航海探险以开拓新的市场。他继续采用约克王朝的办法，把皇家收入大部分上缴王室金库，由于国王亲自监督，加强管理司法收费、罚款、封地税等财政收入的权力，实行有效而严格的财政制度，他留给继位者一大笔财富。他建立了大型御前会议，亲自主持，并使之作为星法院处理法律事务。但亨利对议会和教会的关系是保守的。

● **Henry Ⅷ　亨利八世**(1491-06-28，伦敦附近格林尼治～1547-01-28，伦敦)　英格兰国王(1509～1547)，在他统治下英格兰开始复兴并进行宗教改革。都铎王朝第一代国王亨利七世的次子。1502年其兄阿瑟去世，他成为王位继承人。1509年即位。不久与寡嫂阿拉贡的凯瑟琳结婚。1512年他卷入其岳父阿拉贡国王费迪南德二世反对法国的战争。此时他任用T.沃尔西为大臣。到1515年沃尔西已身兼约克大主教、英格兰大法官和枢机主教之职，成为亨利的心腹。此后12年间沃尔西的权势达到顶峰，并曾有机会觊觎教皇

美国不列颠百科全书公司供图

之位，亨利也表示支持。1519年神圣罗马帝国皇帝马克西米连一世逝世，一度曾有推选亨利继位之议。但这些均未成为事实。欧洲局势发生了变化。新继任的神圣罗马帝国皇帝查理五世与西班牙、勃艮第(与尼德兰一起)和奥地利国王结成联盟，其势力凌驾于除法国之外的欧洲各王朝之上。1521年以后，英格兰成为查理五世帝国的一个前哨。与此同时，国内的不满情绪日益强烈。沃尔西不喜欢议会，但不得不于1523年召开议会，以谋求扩大征税，遭议会拒绝。次年试图征收特别税，亦遭到强烈抵制，以致亨利不得不予以撤销。沃尔西奉行的国王政策在国外一无所成，在国内不得人心。1527年亨利以无男嗣为由，提出与凯瑟琳离婚要求以转移国内视线，为自己的错误开脱。他自认为婚姻违犯圣经中禁止与寡嫂结婚的戒律，受到神的惩罚。他请求罗马教廷宣布他的婚姻无效。由于凯瑟琳是神圣罗马帝国皇帝查理五世的姑母，而教皇克雷芒曾是查理的阶下囚，于是教皇迟迟不同意亨利离婚。为此，沃尔西被亨利撤职，由T.莫尔继任大法官。莫尔是当时杰出的思想家，他不赞成亨利离婚而主张与路德教异端进行斗争。此后，亨利一面为迫使教皇同意他离婚而继续努力，一面打算采取激进政策彻底拒绝罗马的权威。1532年在T.克伦威尔的协助下，终于采取革命性措施，使英国国教脱离罗马，有效地成为国家的宗教部门，由国王作为上帝在人世间的代表进行统治。新任大主教T.克兰麦宣布解除亨利与凯瑟琳的婚姻，而教皇遂将亨利革出教门。成为英国国教最高首领，是亨利的最大成就，实现了他的君主应在世上享有至高无上权力的信念。但他由虔诚地忠于教皇转而反对教皇，无异于鼓舞新教改革，这并非亨利之本意，因为他鄙视路德。16世纪30年代，克伦威尔推行的一系列政策，大大增加了亨利的权力，特别是1536～1540年解散了各隐修院，将其财产收归王室所有，并征收新的教士税。同时，也使国王比以往更加受到法律和议会最高立法权的制约。但由于亨利善于与议会打交道，结果他似乎比以往更加专权，他的统治更加独裁。他开始进行血腥镇压。他的许多反对新秩序的老朋友如莫尔等均在猛烈攻击下丧生，另有约50人也按叛逆法处死。1538～1541年波尔家族和科特尼家族都因企图勾结国外势力改变国内事态发展的叛逆罪名而被消灭。在婚姻问题上，1536年他以通奸罪处死第二个妻子安妮。第三个妻子简·西摩生子爱德华，但死于分娩(1537)。后为与北欧联盟以对付来自法国和神圣罗马帝国皇帝的威胁，而与克利夫斯公爵之妹安妮结婚，但很快离异。1540年与年仅20岁的凯瑟琳·霍华德结婚，但凯瑟琳成为王后后仍继续与人乱交，1542年也被送上断头台。经此打击后亨利成为一个真正忧伤老迈的人。后虽又与温顺的凯瑟琳·帕尔结婚，但他的身体已完全崩溃。克伦威尔被处死(1540-07)后，病弱而暴戾的亨利亲自决策，竭力使教派倾轧日趋激烈的王国维持团结，并在世界面前保持他光荣君主的形象。1542年神圣罗马帝国皇帝与法国国王重启战端，亨利再次加入前者一方，苏格兰人则站在法国一方。苏格兰人在索尔韦沼泽地战败(1542)，其国王不久死去。苏格兰落入亲法派掌握之中，拒绝与英格兰结盟。亨利抱病以惊人的精力指挥战争和指导随后的谈判，但毕竟力不从心。为了筹款而不得不出售隐修院的土地；为应一时急需而降低硬币成色，导致物价飞涨，情况更加恶化。亨利死前，拒绝安排幼王执政，因此死后使人感到王国无人治理，政府也陷于混乱。亨利八世曾给国家建立起一个比较良好的政府，建立了一支有效的海军，开始实行宗教改革和促进社会改善，但他在任何意义上都算不上是一个伟大人物。他虽具备领袖的性格，但却不知把自己的国家引向何方。

● **Henry(Ⅸ)　亨利(九世)**　参阅**York，Henry Stuart，cardinal duke of 约克公爵(枢机主教)**。

法　兰　西

● **Henry Ⅰ　亨利一世**(约1008～1060-08-02，法国维特里欧洛日)　法兰西国王(1026～1060)。虔诚者罗贝尔二世之子，卡佩王朝创始人于格·卡佩之孙。他在父亲生前即已成为国王(1026)。但是，他的母亲主张由其弟罗贝尔继承王位。1031年罗贝尔二世死后，双方发生内战。1032年亨利到诺曼底公爵罗贝尔处避难，小罗贝尔夺得了勃艮第。1033～1043年，亨利一直同叛臣，特别是布卢瓦的厄德和他的弟弟罗贝尔进行斗争。1059年，亨利的长子腓力即位。

● **Henry Ⅱ　亨利二世**(1519-03-31，巴黎附近圣日耳曼昂莱～1559-07-10，巴黎)　法国国王(1547～1559)。弗兰西斯一世的次子，奥尔良公爵。1526年与兄长太子弗兰西斯一起被送往西班牙当人质。1530年返国。1536

年太子去世，亨利成为王储。他即位后进行行政改革。使王政会议的各部门变得更专业化，派往各省"执行国王敕令"的特派员成为后来总督的前身，在地方法院与高等法院之

美国不列颠百科全书公司供图

间设立中级法院。在外交方面，继续进行其父对神圣罗马帝国皇帝查理五世的战争。1552年与信奉新教的德意志诸侯签订《尚博尔条约》，获得梅斯、图尔和凡尔登教区。他是顽固的天主教徒，严厉镇压新教徒，1547年在巴黎大理院（高等法院）设立审判异教徒的火焰法庭。他把他的女儿分别嫁给西班牙的腓力二世和萨伏依的埃马纽尔·菲利贝尔，以巩固《卡托-康布雷西和约》（1559）。他在一次节日比武中头部受伤，10天后死去。他留下一个庞大的家族，其中有国王、公爵等众多显赫人物。

● **Henry III　亨利三世**（1551-09-19，法国枫丹白露～1589-08-02，圣克洛德）　法国国王（1574起）。因他无子嗣，瓦卢瓦王朝的男系将断绝，由此引起王朝中的互相倾轧，使宗教

美国不列颠百科全书公司供图

战争的长期危机更为恶化。他是亨利二世的第三子。初封安茹公爵。其兄查理九世在位期间，他奉命指挥王军与胡格诺派教徒作战。1572年被提名为波兰王位候选人，翌年当选。1574年5月查理九世卒，他放弃波兰王位，于1575年2月13日在兰斯加冕为法国国王。在位期间，法国的宗教战争仍在继续进行。1576年在布卢瓦召开的三级会议对他的挥霍无度感到厌烦，拒绝批准他所需要的费用。1577年的《贝尔热拉克和约》暂时结束了敌对行动。根据《普瓦蒂埃敕令》，胡格诺派失去某些特权，天主教神圣联盟也被解散。1584年他的兄弟弗朗索瓦死去，胡格诺派的首领纳瓦拉的亨利（后为亨利四世）成为王储。天主教徒感到不安，在吉斯公爵（第三）亨利的领导下，又恢复了神圣联盟。亨利三世听从母后的劝告，撤销过去容忍胡格诺派的敕令，以安抚神圣联盟。但是神圣联盟的成员并不满足，主张将他废黜。1588年5月12日（即"街垒日"），巴黎爆发民众起义，亨利三世被迫逃往沙特尔。1588年12月，他利用在布卢瓦举行三级会议的机会，差人暗杀吉斯公爵和洛林大主教路易。这当然更激起神圣联盟的仇恨。他与纳瓦拉的亨利联合包围巴黎，但在1589年8月1日遇刺。王位由纳瓦拉的亨利继承。

● **Henry IV　亨利四世**（1553-12-13，纳瓦拉贝阿恩波城～1610-05-14，巴黎）　又称贝阿恩亲王。别名纳瓦拉的亨利、波旁的亨利。纳瓦拉国王（称亨利三世，1572～1589），法国

美国不列颠百科全书公司供图

波旁王朝的第一代国王（1589～1610）。他在宗教战争结束时弃绝基督教新教奉行天主教（1593），以便赢得巴黎，重新统一法国。在苏利公爵等大臣协助下，使法国获得新繁荣。旺多姆公爵A.德·波旁之子。童年基本在贝阿恩度过。13岁开始受军事教育。1570年6月26日，16岁的亨利在阿尔奈勒迪克附近接受战火洗礼，率胡格诺派的骑兵进行冲锋。1572年通过联姻，亨利成为纳瓦拉国王和贝阿恩的领主。这时，国王查理九世命令他公开放弃新教信仰。他被禁锢在宫中达3年以上。他耐心等待时机，于1576年初逃走。获得自由之后，他就扮演新教保护人的角色。当得知天主教徒已经攻占加龙河畔的拉勒奥尔城堡的时候，他立即对弗勒朗斯进行一次毁灭性的奇袭。这次作战显示出他是一位天才军事领袖。1580年春，经过5天激烈巷战，征服了卡奥尔。1584年安茹公爵弗朗索瓦死后，成为法国国王亨利三世的王储。1589年8月亨利三世逝世，亨利四世登上王位。当时法国一片混乱，他费了9年时间才平定自己的王国。亨利四世统治王国以后，竭力医治法国的战争创伤。但是，他的宝座很不稳定。一百多年的激烈宗教冲突已经使法国分崩离析，重见和平真是谈何容易。政治阴谋和宗教斗争紧密地交织在一起，曾经几次发生预谋杀害他的案件。然而，在亨利四世的统治下，法国毕竟复兴起来。他的大臣苏利公爵马克西米利安·德·贝蒂讷改革财政，稳定经济，使国内一片欣欣向荣。1610年5月14日亨利四世被一个名叫弗朗索瓦·拉韦拉克的狂热分子用匕首刺杀。

德意志/神圣罗马帝国

● **Henry I　亨利一世**（约876～936-07-02，萨克森梅姆莱本）　别名"捕鸟者"亨利，德意志国王。萨克森王朝（918～1024）的奠基人，他加强了东法兰克（或德意志）军队，提倡发展城镇，使洛塔林吉亚重新置于德意志控制之下（925），确保德意志边界不受异教徒袭击。萨克森利乌多尔芬公爵奥托之子，912年继承公爵位。法兰克尼亚的康拉德一世临终时，指定他为其王位继承人，因此他被萨克森和法兰克尼亚的贵族推选为德意志国王（919-05）。但是，士瓦本公爵和巴伐利亚公爵表示反对。亨利以武力迫使士瓦本公爵臣服（919），921年又打败巴伐利亚公爵阿努尔夫，迫使其放弃对王位的要求。925年亨利击败洛塔林吉亚国王吉瑟尔贝特，使洛塔林吉亚重新置于德意志控制之下。924年马扎尔人自匈牙利入侵德意志，亨利同意纳贡，以换取停止侵袭德意志领土9年（924～933）。在这段时间里，他兴建城堡，训练骑兵。933年3月15日他使用训练有素的骑兵在里亚德一举打垮入侵的马扎尔人，从而结束了马扎尔人对德意志的威胁。934年亨利入侵丹麦，将石勒苏益格并入德意志的版图。

● **Henry II　亨利二世**（973-05-06，巴伐利亚阿尔巴赫？～1024-07-13，萨克森格丁根附近普法尔茨格罗纳）　又称圣者亨利。巴伐利亚公爵（995～1005，称亨利四世），德意志国王（1002年起），神圣罗马帝国皇帝（1014～1024），萨克森王朝末代皇帝。逝世一百多年后被教皇尤金三世封为圣者。他奉行由查理大帝开创、奥托一世发展的政策，与亨利三世同是教会和国家之间进行合作的杰出倡导者。曾就读于希尔德斯海姆教会学校，受宗教影响很深，但不反对与异教联盟。在登上王位后，他首先觊觎东方，与波兰国王开战。后又向意大利北部进军，征服伊夫雷亚的自称为意大利国王的阿尔杜英，1004年5月在帕维亚被拥立为意大利国王。1003年与路提提人订约联合反对波兰，多次发起反波战争，直到1018年在包岑达成持久的和平。他急于加冕为神圣罗马帝国皇帝，于1013年底决

美国不列颠百科全书公司供图

定对意大利发动另一次远征。他直捣罗马，教皇本尼迪克特八世于1014年2月在罗马为他加冕。他应罗马教皇之请于1021年在意大利与希腊人和伦巴第人交战，获胜。他的主要功绩是在德意志巩固了王室的和平统治。精心制定了所谓奥托政制。这一由奥托一世开创的制度，基本原则是主教的领地和权力应由皇帝支配。亨利对主教慷慨赠与领地，并帮助他们不仅成为教会的诸侯，而且成为世俗统治者。他任命自己的亲信为主教，坚持主教独身制度，以保证主教死后，其职权不致落入后代之手。他的最大成就是在班贝格建立新主教区。在位晚年，计划协同教皇本尼迪克特八世，在帕维亚召开教会改革会议，以确认其在德意志已经完善的政教合一制度，因突然死亡，未果。

● **Henry III** **亨利三世**（1017-10-28～1056-10-05，萨克森戈斯拉尔附近普法尔茨博德菲尔德） 巴伐利亚公爵（1027～1041，称亨利六世），士瓦本公爵（1038～1045，称亨利一世），德意志国王（1039起），神圣罗马帝国皇

美国不列颠百科全书公司供图

帝（1046～1056），属萨利安王朝。他大力提倡克吕尼派的宗教改革运动以净化11世纪的西方教会，是能控制教廷的最后一个皇帝。康拉德二世之子。他竭力结束基督教诸侯的战争，推行他父亲在东面称霸的政策，获得了波希米亚、摩拉维亚的统治权，并企图重建查理曼大帝式的神权统治时代。1046年赴罗马在苏特里召开教会会议，按他的意图选出德国人、班贝格主教为教皇。同日，新教皇克雷芒二世为皇帝和皇后加冕。此后，他曾经3次任命教皇。1054～1055年巴伐利亚公爵和卡林西亚公爵图谋推翻亨利。反对者们认为他的政策对教会过于宽容，而对世俗诸侯则过于敌视。在他统治的后期，帝国陷入分裂状态，他失去了德意志东北部、匈牙利、意大利南部和洛林。他自己倾心的教会改革事业也反对他。

● **Henry IV** **亨利四世**（1050-11-11，萨克森戈斯拉尔？～1106-08-07，洛林列日） 巴伐利亚公爵（1055～1061，称亨利八世），德意志国王（1054起）和神圣罗马帝国皇帝（1084～1105或1106）。曾与教皇格列高利七世就主教叙任权问题（参阅**Investiture Controversy**）

美国不列颠百科全书公司供图

进行长期的斗争；终于遭判处绝罚并到卡诺莎悔罪（1077）。晚年对付两子康拉德和亨利（后来称亨利五世）的叛乱。亨利三世之子。6岁继承王位，由母后摄政。1062年科隆主教率领诸侯们造反，绑架了年幼的国王，母后也辞去摄政职务。1066年亨利开始亲政。他在哈尔茨山扩充皇家领地，兴修堡垒，恢复旧有的王权。这激起萨克森贵族和农民的反叛。1073年亨利逃亡沃姆斯。在与巴伐利亚公爵和士瓦本公爵进行谈判后，他不得不在1074年和约中同意拆毁哈尔茨山皇家堡垒。但当农民毁坏城堡、亵渎教堂和一个王太子的陵墓时，亨利宣布和平破裂。1075年6月亨利在战斗中大获全胜，萨克森人投降。在这一事件发生之前，米兰人的帕塔里亚人党已选举自己的大主教，并得到教皇承认。但亨利表示反对。1073年他请求新教皇格列高利七世解决米兰问题，这样便放弃国王的主教叙任权。但在打败萨克森人之后，他取消了与教皇达成的协议，提名自己的宫廷神甫为米兰大主教。教皇致函亨利，要求就主教叙任权问题进行谈判，亨利予以拒绝，并在接到该信的当天（1076-01-01）废黜了教皇。作为反击，格列高利判处亨利绝罚，解除臣民对国王的效忠誓约。各地诸侯商议选举新国王。亨利秘密前往卡诺莎，向格列高利七世悔罪，这才得以重新取得教籍。亨利放弃了国王传统的与教会平等、甚或高于教会的地位。教会与国家的关系从此改变。诸侯宣告亨利退位，1077年3月选举士瓦本公爵鲁道夫为国王。于是，亨利没收了巴伐利亚公国和士瓦本公国的土地，他得到那里农民和市民的拥护。1080年3月，格列高利召开教会会议，宣布禁止主教叙任权，再次开除亨利教籍，废黜亨利，承认鲁道夫为国王。许多贵族考虑到禁止主教叙任权将侵犯他们作为教会和寺院保护人的利益，转而反对教皇。在布雷萨诺内举行的教会会议上，亨利成功地废黜了格列高利，提名拉韦纳大主教吉伯特为教皇。1080年10月，鲁道夫去世，诸侯的反抗随之削弱。这时亨利已无后顾之忧，即出征意大利，企图以军事手段解决与教廷的争端。1084年3月攻克罗马，立吉伯特为教皇，称克雷芒三世，亨利被加冕为皇帝。1087年5月亨利立王储康拉德为国王。1090年亨利再次出征意大利，最初获胜，1092年战败，引起伦巴第的起义。其子康拉德的反叛导致大叛乱。亨利被困于意大利东北部，1097年才返回德国。1098年5月，诸侯们选举亨利的次子亨利五世为国王，取代康拉德。亨利五世于1104年与巴伐利亚贵族结盟，背叛亨利皇帝。皇帝逃至科隆。1105年12月他在前往美因茨途中，被亨利五世投入狱中，并逼他逊位。他逃至列日，于1106年3月在维塞附近打败亨利五世。同年8月突然去世。

● **Henry V** **亨利五世**（1086-08-11～1125-05-23，弗里斯兰乌得勒支） 萨利安王朝最后一代德意志国王（1099起）和神圣罗马帝国皇帝（1111～1125）。他实际上恢复了帝国内的和平，与佛兰德、波希米亚、匈牙利和波兰的几次战争一般都获胜。他继续其父亨利四世与教廷在**主教叙任权之争**（**Investiture Controversy**）问题上的争执。亨利四世次子。他在长兄康拉德反抗父王失败后，于1099年

美国不列颠百科全书公司供图

加冕为国王。在教皇与父王的冲突中，他站在巴伐利亚和萨克森贵族一边反对父王。1105年他将父王下狱，并逼其逊位。1108和1109年先后与匈牙利、波兰交战失败，但于1110年重新确立了对波希米亚的统治。他亲自去罗马要求主教叙任权，教皇表示：如果亨利放弃主教叙任权，他可以命令德意志教会交还从皇室获得的一切土地和权利。这一交易遭到德意志主教和诸侯的反对。随后，亨利把教皇投入狱中，强迫他同意国王拥有主教叙任权。1111年教皇加冕亨利为皇帝。他在德意志遵循父王的偏袒家臣和城市的政策，从而引起诸侯的强烈反对，美因茨大主教和萨克森叙普林堡的洛塔尔发动叛乱，1115年以亨利大败而告终。在教会内部，亨利也

遭到强烈的反对。教皇驻德意志使节宣布判处亨利绝罚。1118年亨利另立教皇，但遭失败。1122年亨利在国内困难重重，诸侯们主动谈判达成沃尔姆斯宗教协定，规定皇帝放弃对主教授予指环和权杖的权利；同意主教按教规经选举产生；教皇同意国王有权参加选举会议，如选举难产，有权作出决定，并有权将教区的财产授予当选的主教。此后，亨利卷入英法冲突之中。死后无嗣，由他以前的敌人萨克森公爵洛塔尔三世继位。

● **Henry Ⅵ　亨利六世**（1165秋，荷兰奈梅亨～1197-09-28，意大利墨西拿）　德意志国王，霍亨斯陶芬王朝的神圣罗马帝国皇帝。他因与西西里国王罗杰二世之遗腹女康斯坦

美国不列颠百科全书公司供图

斯结婚而取得西西里王国，增加了自己和王朝的权势。亨利虽未能使德意志王位世袭，其子腓特烈二世在他死后即成为西西里国王，后来又被选为神圣罗马帝国皇帝。神圣罗马帝国皇帝腓特烈一世之子，1169年6月在班贝格被选为德意志国王，同年8月在亚琛加冕。1186年1月在米兰与康斯坦斯结婚。1189年复活节腓特烈一世率十字军出发赴圣地前，亨利接管了帝国政权。1189～1190年间，他平定了前巴伐利亚和萨克森公爵狮子亨利发动的叛乱。1189年11月西西里国王威廉二世死去，康斯坦斯成为王位继承人，西西里王国包括西西里岛和意大利半岛南部。1190年亨利六世与狮子亨利言和，进军意大利。1191年4月教皇切莱斯廷三世为他加冕。此时，西西里一民族主义党不愿接受德意志皇帝的统治，选举坦克雷德为西西里国王。亨利六世在加冕之后，立即率兵包围那不勒斯。1191年8月，由于狮子亨利再度叛变，他被迫撤兵返国。1193年2月奥地利公爵利奥波德五世将被囚禁的英王理查交给亨利。理查为了获释，答应臣服于皇帝，并付赎金10万银马克，另付5万马克以帮助亨利征服西西里王国。狮子亨利亦于1194年3月与亨利六世妥协。同年5月亨利进军意大利，所向披靡，11月攻入巴勒莫，12月加冕为西西里国王。1196年12月亨利不得不满足于使其子腓特烈按习惯办法被选为德意志国王。1197年亨利残酷无情地镇压西西里王国境内爆发的反对他的统治的叛乱。

● **Henry（Ⅶ）　亨利（七世）**（1211，西西里～1242-02-12，西西里王国卡拉布里亚马尔蒂拉诺）　德意志国王（1220起），神圣罗马帝国皇帝腓特烈二世之子。1212年加冕为西西里国王，1216年兼为士瓦本公爵。1220年4月在法兰克福当选为德意志国王，1222年5月8日在艾克斯拉沙佩勒（今德国亚琛）由科隆大主教恩格尔贝特为之加冕。1225年恩格尔贝特被杀害后，德意志骚乱增益，腓特烈与子亨利之间的关系开始紧张。1231年亨利拒不出席拉韦纳议会，反对腓特烈在沃尔姆斯赋予各邦君的特权。1232年向腓特烈表示屈服。但到1233年，他又向各邦君发表一项宣言，1234年在博帕德更加作乱，并与伦巴第人结盟。1235年腓特烈进军德意志时，亨利的少数几个支持者纷纷与他疏远了。攻打沃尔姆斯失败之后，向腓特烈投降，亨利一度被囚禁在德意志，后被移至阿普利亚的圣·菲利斯和卡拉布里亚的马尔蒂拉诺，死于狱中。

● **Henry Ⅶ　亨利七世**（约1269或1274，埃诺瓦朗谢讷～1313-08-24，意大利锡耶纳附近布翁孔文托）　卢森堡伯爵（称亨利四世），德意志国王（1308起），神圣罗马帝国皇帝（1312起）。他为其子取得波希米亚王位，从而加强了家族的地位。但未能将意大利牢固束缚于其帝国。亨利三世之子，1288年继承父位为卢森堡伯爵。1308年11月当选德意志国王，成为卢森堡家族的第一位德意志国王。波希米亚公主伊丽莎白欲借助帝国夺取波希米亚王位，便与亨利之子、卢森堡的约翰结婚。夫妻俩率德意志-波希米亚联军于1310年12月攻克布拉格，约翰就任波希米亚国王。与此同时，亨利到意大利，1311年1月在米兰加冕

美国不列颠百科全书公司供图

为伦巴第国王。他按照宣布的和平计划，使交战的各方和解，使逃亡者回归家园。1311年爆发动乱，5月发展为布雷西亚叛乱，到9月亨利才平定叛乱。1312年5月他进入罗马，遭到那不勒斯国王罗伯特的抵抗。6月29日由教皇指定的枢机主教加冕为皇帝。1313年8月出征那不勒斯，病死军中。

海　地

● **Henry Ⅰ　亨利一世**　参阅 **Christophe，Henry** 克里斯托夫。

纳　瓦　拉

● **Henry Ⅰ　亨利一世**（约1210～1274-07-22，纳瓦拉潘普洛纳）　绰号胖子亨利。西班牙纳瓦拉国王（1270～1274）和香槟伯爵（称亨利三世）。西奥博尔德一世的幼子。1270年12月，他继承了长兄西奥博尔德二世的王位和爵位（称蒂博五世）。1269年与法国路易九世的侄女布朗歇结婚，其女胡安娜，根据《邦利欧协定》（1273-11-30），许配给英王爱德华一世的两个儿子（亨利和阿方索）之一。这本会造成他的王国与英属加斯科涅地区合并的机会。但事与愿违，两个英国王子相继死去。1284年，胡安娜嫁给后来的法国国王腓力四世。

● **Henry Ⅱ　亨利二世**（1503-04，纳瓦拉桑圭萨～1555-05-29，法国阿热莫）　西班牙纳瓦拉国王，1516年即位后即以毕生精力致力于收回其父母在1514年失去的土地。1516年2月其母凯瑟琳死后，成为阿尔布雷家族的继承人。1521年在法军支持下进犯纳瓦拉，但遭惨败。1525年随法王弗兰西斯一世在意大利作战，被俘后逃脱。两年后与弗兰西斯的姊妹昂古莱姆的玛格丽特结婚。他们的女儿让娜是后来的法王亨利四世的母亲。1530年查理五世皇帝（也是西班牙的查理一世国王）自愿将比利牛斯山以北纳瓦拉的一小部分让与亨利，但关于割让其余部分的谈判未获成功。不过，弗兰西斯却将统治法国西南部吉耶讷地区的权力授与了亨利。

● **Henry Ⅲ　亨利三世**　参阅 **Henry Ⅳ（France）** 亨利四世（法国）。

葡　萄　牙

● **Henry　亨利**（1512-01-31，里斯本～1580-01-31，葡萄牙阿尔梅林）　绰号枢机主教-国王亨利。葡萄牙国王，天主教神职人员。在位期间（1578～1580）短暂，继承权问题突出，死后葡萄牙王位便成为西班牙王腓力二世的觊觎目标。亨利是曼努埃尔一世之子，曾愿以宗教事业为己志，历任布拉加、埃武拉和里斯本大主教。1545年任枢机主教。一度主持葡萄牙异端裁判所。他坚决支持耶稣会，曾在埃武拉创办耶稣会大学（1558）。塞巴斯蒂昂（1557～1578在位）未成年时，由他任摄政。塞巴斯蒂昂在三王战役（**Three Kings，Battle of the**）中遭惨败而死后，老而独身的亨利被拥为国王。由于生前未能解决继承权问题，他死后西班牙占领葡萄牙8个月，立腓力为其国君。

萨　克　森

● **Henry Ⅱ　亨利二世**　参阅 **Henry Ⅹ（Bavaria）** 亨利十世（巴伐利亚）。

● **Henry Ⅲ　亨利三世**（1129或1130～1195-08-06，萨克森不伦瑞克）　绰号狮子亨利。萨克森公爵（1142～1180）和巴伐利亚公爵（1156～1180，称亨利十二世）。红胡子腓特烈一世皇帝强有力的支持者。他在早年收复了祖先在萨克森和巴伐利亚的领地，后来建立了慕尼黑城（1157），增强了吕贝克的地位，极大地扩展了领土。1176年与腓特烈决裂，结果被剥夺了大部分土地，并被两次流放（1181～1185；1189～1190）。

亨利三世是萨克森和巴伐利亚公爵骄傲者亨利之独子。1142年5月他收复被德意志国王康拉德三世夺走的萨克森公爵领地。1147年对巴伐利亚提出领土要求，1151年企图占有这一公爵领地未成。1152年霍亨斯陶

芬王朝的红胡子腓特烈一世当选为德意志国王，与敌对的韦尔夫王朝缔和。1154年腓特烈给予亨利在易北河彼岸的新主教区委派主教的权力，并承认亨利对巴伐利亚的领土要求。亨利为了回报，支持红胡子腓特烈达20年之久。他亲自参加腓特烈的第1次意大利战役(1154～1155)，并镇压罗马人的起义。1157年参加腓特烈对波兰的远征。在腓特烈第2次意大利战役期间，他对1160年的克雷马包围战和1161年争夺米兰等城市的战争都给予了有力的支援。在收复巴伐利亚以后，他在伊萨尔河畔奠定今慕尼黑的基础。他的主要目的是扩大萨克森公爵领地，尤其是在易北河彼岸进行扩张。1159年在从荷尔斯泰因伯爵阿道夫二世手中夺取的土地上重建吕贝克城，大大增强吕贝克作为商业中心的地位。1158年起亨利进行数次远征，征服斯拉夫奥博德里特人，把自己的势力扩展到全梅克伦堡。1160年什未林作为梅克伦堡主教驻节地，取得城市的特权。波美拉尼亚西部诸侯也一度承认亨利的封建统治权。丹麦国王瓦尔德马一世征服波罗的海吕根岛以后，同亨利发生长期战争，一直持续到1171年。在这些年间，亨利还夺取一些绝嗣王朝的财产，巩固了他在萨克森的地位。他定都不伦瑞克，并在所建的城堡前面竖立1座狮子雕像作为家族的象征和君权的标志。从12世纪50年代中期起，有几名萨克森王公结成反亨利的联盟。10年后，由勃兰登堡侯爵大熊阿尔贝特和科隆大主教领导的大同盟对他造成严重的威胁。到1168年萨克森才恢复和平。这时，亨利正处于权力的顶峰。1168年初，他同英格兰亨利二世之女玛蒂尔达结婚。不久，他作为腓特烈一世的大使，前往法国和英格兰商谈停战问题。1172年他去耶路撒冷朝圣，拜占廷皇帝曼努埃尔一世在君士坦丁堡举行盛大仪式表示欢迎。1176年红胡子腓特烈请亨利支持他进攻意大利北部的伦巴第等城市，亨利要求得到戈斯拉尔城以及该城的银矿作为代价。腓特烈表示拒绝，两人长期的同盟从此告吹。1177年萨克森再度爆发战争。1180年腓特烈剥夺了亨利的两个公爵领地和所有的采邑，并将萨克森公国分成两个部分，把科隆和帕德博恩两个主教管区交给科隆大主教，把萨克森东半部分划归勃兰登堡的大熊阿尔贝特之子。至于巴伐利亚公爵领地，腓特烈则赐给他的盟友奥托·冯·维特尔斯巴赫。亨利最初在萨克森北部坚守阵地，但在1181年的夏天他不得不表示屈服，随后流亡英格兰数年。1185年回国，试图恢复在萨克森的势力。由于拒绝参加第3次十字军东征，或放弃对萨克森的要求，1189年再次遭到放逐。1190年红胡子腓特烈死后，亨利再次回到萨克森。他在不伦瑞克去世。

西班牙：卡斯蒂利亚

● **Henry I　亨利一世**(1203～1217-06-06，卡斯蒂利亚帕伦西亚[西班牙])　卡斯蒂利亚国王(1214～1217)。他是卡斯蒂利亚国王阿方索八世及其妻子英王亨利二世的女儿埃莉诺的儿子，他的名字即从亨利二世而来。刚14岁，就被房顶上掉下来的一块瓦砸死。卡斯蒂利亚的王权后由阿方索八世的堂兄弟莱昂国王阿方索九世继承。

● **Henry II　亨利二世**(1333～1379-05-29，卡斯蒂利亚布尔戈斯[西班牙])　又称特拉斯塔马拉伯爵恩里克，别名特拉斯塔马拉的亨利、杀兄者亨利或私生子亨利。卡斯蒂利亚国王。特拉斯塔马拉王朝(1369～1504)创始人。他是卡斯蒂利亚国王阿方索十一世的私生子，曾举兵反对其异母弟彼得一世。1366年在法国人的支持下进入卡斯蒂利亚，在布尔戈斯加冕称王。彼得寻求英国帮助，黑王子爱德华于纳赫拉(1367-04-03)曾大败亨利。亨利在法国援助下终于俘获彼得，并杀之(1369-03-23)。他入侵葡萄牙的加利西亚，并确立对该地的权利；他抵抗冈特的约翰(彼得的女婿)的入侵。他从法国引进公爵和侯爵的称号，建立世袭领地制度，把他的亲属和支持者列为大公阶级，故有“慷慨好施者”之称号。

● **Henry III　亨利三世**(1379-10-04，卡斯蒂利亚布尔戈斯[西班牙]～1406，托莱多)　绰号患病者亨利。卡斯蒂利亚国王(1390～1406)。体弱多病不能亲自临阵对敌，但能控制王室会议、地方总督以保持王权。他在位之初，塞维利亚等地发生排犹暴乱，导致大批犹太人改宗天主教。约翰一世之子，11岁继承王位，受摄政王辅佐。14岁开始亲政，重建对王室会议及各法庭的控制，并依靠一批法学家遏制议会。他与佩德罗一世的孙女凯瑟琳结婚，从而结束了王朝之争，巩固了特拉斯塔马拉王朝。1396～1398年对葡萄牙作战，以告捷而休战，任命其弟费迪南德率军进攻格拉纳达。曾遣使访问中亚皇帝和波斯统治者帖木儿宫廷，并准许贝当古征服加那利群岛，作为殖民地。亨利三世早死，其子仅2岁，由其妻及其弟摄行国政。

● **Henry IV　亨利四世**(1425-01-25，卡斯蒂利亚巴利阿多利德[西班牙]～1474-12-11，马德里)　绰号无能者亨利或慷慨的亨利。又译恩里克四世。卡斯蒂利亚国王(1454～1474)，其统治时期以先治后乱为特点。约翰二世之子。其父懦弱无能，为权臣卢纳所左右，令亨利别居于塞哥维亚。亨利乃成为另一派系的工具，此派后来除掉卢纳。1464年亨利从穆斯林手中夺回直布罗陀。但贵族间爆发派系之乱，战争不断。亨利的王位最后为其异母妹伊莎贝拉(未来的伊莎贝拉一世)及妹夫费迪南德(未来的费迪南德二世)所窃得，二人最终使西班牙统一。

士瓦本

● **Henry I　亨利一世**　参阅 **Henry** (Germany/Holy Roman Empire) 亨利(德意志/神圣罗马帝国)项下的 **Henry III** 亨利三世。

henry　亨利　电感(自感或互感)的单位，缩写 h(或 hy)，以美国物理学家 J. 亨利的姓氏命名。1亨利等于在闭合回路或线圈里电流每秒变化1安培能产生1伏特电压的自感量。在两个线圈的互感电路中，其中一个线圈的电流变化为1安/秒，在另一个线圈中能感生1伏的电动势时其互感量为1亨利。参阅 **inductance**。

Henry, Saint　亨利(圣者)　参阅 **Henry** (Germany/Holy Roman Empire) 亨利(德意志/神圣罗马帝国)项下的 **Henry II** 亨利二世。

Henry Beauclerc　亨利(贤明者)　参阅 **Henry**(England) 亨利(英格兰)项下的 **Henry I** 亨利一世。

Henry Bolingbroke　亨利(博林布鲁克)　参阅 **Henry**(England) 亨利(英格兰)项下的 **Henry IV** 亨利四世。

Henry Curtmantle　亨利(短披风)　参阅 **Henry**(England) 亨利(英格兰)项下的 **Henry II** 亨利二世。

Henry FitzEmpress　亨利(菲茨恩普雷斯)　参阅 **Henry**(England) 亨利(英格兰)项下的 **Henry II** 亨利二世。

Henry FitzHenry　亨利(菲茨亨利)　参阅 **Henry the Young King** 亨利(幼王)。

Henry of Anjou　亨利(安茹的)　参阅 **Henry**(England) 亨利(英格兰)项下的 **Henry II** 亨利二世。

Henry of Blois　亨利(布卢瓦的)(约1099～1171-08-08，英格兰汉普郡温切斯特)　英格兰温切斯特主教(1129起)、教皇驻英格兰使节(1139～1143)，对其兄斯蒂芬被承认为英格兰国王(1135)起了很大作用。他是布卢瓦和夏尔特尔伯爵斯蒂芬与征服者威廉一世之女阿德拉的第四个儿子。作为王室家族的幼子，他在教会中担任要职，曾任格拉斯顿伯里隐修院院长(1126起)和英格兰最富庶的主教辖区温切斯特的主教。克莱尔沃的圣伯尔纳与他为敌，拒绝让他担任坎特伯雷大主教(1136)，但他作为教皇使节，拥有高于大主教的权力。在其兄斯蒂芬与表妹马蒂尔达为争夺英格兰王位而进行的内战中，他始而效忠马蒂尔达(1141)，但不久与之发生龃龉，又重新支持斯蒂芬。1154年退出英格兰政坛后前往法国，再次为克吕尼隐修院筹集资金。他不仅是教士，而且是一位能干的军人和艺术赞助人。

Henry of Bourbon　亨利(波旁的)　参阅 **Henry**(France) 亨利(法国)项下的 **Henry IV** 亨利四世。

Henry of Flanders　亨利(佛兰德的)　参阅 **Henry**(Constantinople) 亨利(君士坦丁堡)项下的 **Henry** 亨利。

Henry of Ghent　亨利(根特的)(约1217，佛兰德根特[今在比利时]～1293-06-29，图尔奈)　经院哲学家和神学家。当时最出色的教师之一，圣托马斯·阿奎那的重要对手。他的论辩性著作对他同时代的人和他的门徒，特别对中世纪后期的柏拉图主义者均有影响。曾在图尔奈学习(1267年为该地教士)，后赴巴黎研究神学。1276～1292年在那里以讲授神学闻名。他是起草反阿威罗伊主义的禁令(1277)的委员会成员。他是折衷主义者，既非亚里士多德派，亦非奥古斯丁派。认为上帝可以创造出不依赖形式而存在的物质。不承认本质和存在之间、灵魂和它的官能之间有真正的区别。作为一个唯意识论者，他认为理性同意志的关系正如同仆人与主人的关系，并宣称良心完全存在于意志之中，它作为意志的精华，决不会同正确的理性发生分歧。亨利通常为历史学家所忽略，因为人们难以接近他的著作。伟大的英国哲学家约翰·邓斯·司各脱倾注了颇多的精力来回答亨利的论点。这对于中世纪伦理学学说的发展具有重要意义。亨利的著作尽管受到其他一些著名思想家的抨击，但在14～18世纪这一时期内仍有为数众多的读者。

Henry of Hainaut **亨利(埃诺的)** 参阅 **Henry**(Constantinople) 亨利(君士坦丁堡)项下的 **Henry** 亨利。

Henry of Lancaster **亨利(兰开斯特的)** 参阅 **Henry**(England) 亨利(英格兰)项下的 **Henry IV** 亨利四世。

Henry of Navarre **亨利(纳瓦拉的)** 参阅 **Henry**(France) 亨利(法国)项下的 **Henry IV** 亨利四世。

Henry of Oatlands **亨利(奥特兰茨的)** 参阅 **Gloucester, Henry Stuart, Duke of** 格洛斯特公爵。

Henry of Trastámara **亨利(特拉斯塔马拉的)** 参阅 **Henry**(Spain: Castile) 亨利(西班牙:卡斯蒂利亚)项下的 **Henry II** 亨利二世。

Henry Plantagenet **亨利(金雀花)** 参阅 **Henry**(England) 亨利(英格兰)项下的 **Henry II** 亨利二世。

Henry Raspe **亨利·拉斯佩**(约1202～1247-02-16，图林根瓦尔特堡城堡) 图林根伯爵(1227～1247)和德意志僭主(1246～1247)。教皇英诺森四世企图利用他把霍亨斯陶芬王朝逐出德意志。1227年兄长路易第四伯爵死去，他排挤掉侄子赫尔曼二世而夺得政权。1236年协助神圣罗马帝国皇帝腓特烈二世平定奥地利公爵腓特烈二世的叛乱。1237年在维也纳会议上，他同意皇太子康拉德四世为德意志国王。1238年与奥地利腓特烈的妹妹格特鲁德结婚。皇帝和亨利先后于1239年3月和1240年春受绝罚。1242年皇帝任命亨利为驻德意志的副摄政王，但两年之后，他与皇帝分道扬镳。1246年5月他在教会诸侯会议上当选为德意志国王。1246年8月亨利在法兰克福附近击败康拉德。1246年冬，亨利试图征服士瓦本。1247年1月，他包围乌尔姆，但未能攻陷该城。冬季战役严重影响了他的健康，次月死去。

Henry Suso (German mystic) **亨利·苏索** 参阅 **Suso, Heinrich** 苏索。

Henry the Bastard **亨利(私生子)** 参阅 **Henry**(Spain: Castile) 亨利(西班牙:卡斯蒂利亚)项下的 **Henry II** 亨利二世。

Henry the Cardinal-King **亨利(枢机主教-国王)** 参阅 **Henry**(Portugal) 亨利(葡萄牙)项下的 **Henry** 亨利。

Henry the Fat **亨利(胖子)** 参阅 **Henry**(Navarre) 亨利(纳瓦拉)项下的 **Henry I** 亨利一世。

Henry the Fowler **亨利(捕鸟者)** 参阅 **Henry**(Germany/Holy Roman Empire) 亨利(德意志/神圣罗马帝国)项下的 **Henry I** 亨利一世。

Henry the Fratricide **亨利(杀兄者)** 参阅 **Henry**(Spain: Castile) 亨利(西班牙:卡斯蒂利亚)项下的 **Henry II** 亨利二世。

Henry the Impotent **亨利(无能者)** 参阅 **Henry**(Spain: Castile) 亨利(西班牙:卡斯蒂利亚)项下的 **Henry IV** 亨利四世。

Henry the Liberal **亨利(慷慨的)** 参阅 **Henry**(Spain: Castile) 亨利(西班牙:卡斯蒂利亚)项下的 **Henry IV** 亨利四世。

Henry the Lion **亨利(狮子)** 参阅 **Henry**(Saxony) 亨利(萨克森)项下的 **Henry III** 亨利三世。

Henry the Minstrel **吟游诗人亨利** 参阅 **Harry the Minstrel** 吟游诗人哈里。

Henry the Navigator **亨利(航海家)**(1394-03-04，葡萄牙波尔图～1460-11-13，萨格里什附近王子镇) 葡萄牙王子，国王若昂一世的第三子，两个哥哥是杜阿尔特和佩德罗。发起寻找新土地的航行，为葡萄牙建立海外帝国打下基础。以资助沿非洲西岸的航行、发现马德拉群岛而闻名。在他赞助下，建立起著名的葡萄牙多桅快速帆船队，改进了制图技术与航海仪器，极大地促进了海上贸易。他又是一项宏大战略(依靠与撒哈拉以南的非洲及亚洲建立联系，使基督教的欧洲挫败伊斯兰的势力)的谋划者，但直到他死后，这项战略也未实现。1415年随父远征，占领摩洛哥城市休达，受任该地总督，拥有一些船只。1418年开始发起小规模航行，他的两名侍从再度发现了马德拉附近的圣港岛，稍后又发现了马德拉岛本身，而该两岛在上世纪已被热诺斯访问过。1419年晋封公爵，改任葡萄牙南端阿尔加维省总督，在葡萄牙西南头的石质岬角萨格里什建立自己的小宫廷，吸引一批海员、测绘人员、天文学家和制造船舶与仪器的工匠。26岁时被教皇授予教廷在葡萄牙的最高勋位，由勋位获得的基金大部分资助了他的探险事业，其目的是把异教徒转变为基督教徒。为此目的，亨利所有的船帆上都印有红十字架。从1420年起开始派

美国不列颠百科全书公司供图

遣船队向海外进行探险，最初是探索摩洛哥的大西洋岸，以后企图寻找通往印度的海路。以便将基督教传播给印度并发展商业。亨利曾受到他哥哥佩德罗王子的影响。1425年佩德罗开始作欧洲长途旅行，访问了英格兰、佛兰德、德意志、匈牙利以及摩尔达维亚和瓦拉几亚(今罗马尼亚)公国，而后经过意大利、阿拉贡和卡斯蒂利亚回国。在东欧，他十分贴近奥斯曼土耳其帝国以评估穆斯林的危险。旅行激起他对地理学的兴趣，这个兴趣在意大利又得到了增强，意大利是许多到各地去的欧洲旅行家的故乡。1428年佩德罗从意大利带回马可·波罗一本游记，并替亨利翻译了。在杜阿尔特继任王位(1433)后5年间，亨利说服了他的船长们敢于远航到非洲海岸，克服了过去海员们的迷信和害怕，最重要的成就是1434年吉尔·埃阿奈斯绕过了博哈多尔角。在以后几年里，船长们再往南推进，过了里奥-德奥罗。在亨利和佩德罗命令下，他们开始向新近发现的亚速尔群岛开拓殖民地。1437年，亨利及其弟费尔南多获得杜阿尔特勉强同意去丹吉尔探险。因为休达已经证明有经济价值，他们相信占有它的邻近城市，既能保障休达的安全又可提供税收的来源。他们进攻丹吉尔以失败告终。亨利回国后不久，杜阿尔特去世(1438)，年仅6岁的阿方索五世即位。佩德罗摄政，亨利不想统治葡萄牙，只希望回萨格里什重操他的海上生涯。在此期间，亨利的探险队得到摄政王的鼓励和帮助，迅速发展起来。他的近期目标之一是寻找非洲金矿(他在休达听摩尔人说的)，以加强葡萄牙经济。1445年船长D.迪亚斯到达塞内加尔河口。次年另一船长N.特里斯陶发现冈比亚河。到1448年，从非洲运往葡萄牙的奴隶贸易兴起，在阿古因岛建立堡垒和仓库，这是欧洲人在海外建立的第一个商站。他派出的最后两位重要航海家是威尼斯人A.卡达·莫斯托和葡萄牙人D.戈麦斯。二人均发现佛得角群岛中的几个岛屿。亨利生前，他的船队沿非洲海岸南下最远到达塞拉利昂，也有人说他的船队曾到过象牙海岸外400英里以远的棕榈角。晚年曾

随国王阿方索五世出征摩洛哥(1458),回国两年后去世。他毕生从未远航探险,航海家是英国人给他的称号。他的荣誉在于大力倡导远航探险、建立船队、改进测绘技术和推动海路贸易,开创伟大的地理发现时代。亨利对权力没有野心,很少去里斯本宫廷。在激烈的王室争权斗争中置身事外。

Henry THE SUFFERER **亨利(患病者)** 参阅 **Henry**(Spain:Castile)亨利(西班牙:卡斯蒂利亚)项下的 **Henry Ⅲ** 亨利三世。

Henry THE YOUNG KING **亨利(幼王)**(1155-02-28,伦敦～1183-06-11,法国凯尔西地区马尔泰勒) 又名亨利(菲茨亨利)。英王亨利二世的次子,阿基坦的埃莱亚诺所生。1156年兄威廉去世后,他即被认做其父在英格兰、诺曼底和安茹的继承人。3岁时与法王路易七世的女儿玛格丽特订婚。条件是将诺曼底(当时由英格兰占有)的边境地区韦克赞作为财礼赠予玛格丽特。亨利二世利用教皇亚历山大三世在政治上遇到困难的时机,取得教皇的同意,两个孩子在1160年成婚。1170年6月14日亨利在威斯敏斯特加冕为国王,与父亲联合执政。主持加冕礼的是约克大主教罗杰。这等于是篡夺了坎特伯雷大主教贝克特的特权。从而加剧了亨利二世与贝克特的争执。6个月后,贝克特遭杀害。1172年8月27日亨利(这次是与玛格丽特一起)再次行加冕礼,但并未分享到父亲亨利二世的权力(不过他仍被其同时代人称为亨利三世)。1173年他和母亲、弟弟理查(未来的理查一世)和杰弗里一起,几乎推翻了亨利二世。这次反叛被宽恕后,他又进一步与路易七世密谋反对自己的父亲。1182～1183年发动反对理查的战争,但1183年在法国患痢疾死去。他很受人爱戴,勒芒和鲁昂两地人为争夺他的尸体几乎兵戎相见。他在吟游诗人博恩的贝特朗所写的《哀悼幼王》一诗中名传千古。

Henry THE YOUNGER **亨利(小)** 参阅 **Henry**(Brunswick-Wolfenbüttel)亨利(不伦瑞克-沃尔芬比特尔)项下的 **Henry Ⅱ** 亨利二世。

Henry, Alice 亨利(1857-03-21,澳大利亚塔斯马尼亚里士满～1943-02-14,墨尔本) 澳大利亚女记者。曾提倡澳大利亚及美国的工联主义、女权运动及社会改革。1884年亨利开始为《墨尔本守卫报》及《澳大利亚人报》撰稿,并周游澳大利亚全国,发表演说,讨论劳工问题、青少年教育问题及妇女权利问题,历20余年而不辍。1906年前往美国,阐述澳大利亚的各项改革运动,参加芝加哥妇女工会联盟,并于1911～1915年主编其机关刊物《生活与劳动》。她致力于联盟在美国的扩展,对妇女工会运动在国际上的发展作出了贡献。

Henry, Cape 亨利角 美国弗吉尼亚州东南部海岬。位于弗吉尼亚比奇城大西洋沿岸,切萨皮克湾的南面入口处。1607年4月26日第一批英国移民在此登陆并溯詹姆斯河而上,到詹姆斯敦(**Jamestown**)定居。1935年树立亨利角纪念碑;纪念碑现为国家殖民历史公园的一部分。当地旧灯塔(1791～1792)是美国最早的灯塔。旧灯塔附近的新灯塔(1879～1881)高出海面48米,发出的亮光从近海岸27千米处可见,为世界最亮的灯塔之一。

Henry, Fort 亨利堡 美国南北战争时期南部邦联在田纳西的战略据点。1862年2月6日,A.H.富特准将指挥的联邦海军攻占该堡,从而开辟了北方沿田纳西河进攻的路线。亨利堡是田纳西河上一个四面环水的野战工事。在富特准将指挥的4艘联邦铁甲炮舰的短暂而猛烈的炮击后,南部邦联的L.蒂尔曼将军和78名幸存的炮兵投降;2 500名南部邦联的步兵撤往附近的唐奈尔森堡(**Donelson, Fort**)。

Henry, Joseph 亨利(1797-12-17,美国纽约奥尔巴尼～1878-05-13,华盛顿[哥伦比亚特区]) B.富兰克林以后美国第一流伟大科学家之一。帮助S.F.B.莫尔斯发展了电报,

美国史密森学会供图

发现几条重要电学原理,包括对电子线路极重要的自感应现象。1829年在奥尔巴尼学院研究电磁体时,在设计上作了重要改进。他用电线绝缘代替铁心绝缘,就可以在铁心上绕很多圈电线,从而极大地加强了磁力。他为耶鲁学院制造了一块电磁体,能吸持2 086磅(947千克)的铁块,在当时是世界纪录。这些研究中,他首先注意到自感应原理(1832),3年后并设计制造了第一台电动机。电磁感应(将磁转为电的过程)的发现虽然归功于M.法拉第(1831发表成果),但亨利早1年就观察到这种现象。1831年他在1英里(1.6千米)的距离上建起并成功地操作了自己设计的电报。1832年任新泽西学院(后来的普林斯顿大学)自然哲学教授。他在继续研究工作中,发现了变压器工作所依据的基本定律。还发现一定的距离外可以感应出电流,曾一次用约8英里外的闪电把一根针磁化。这个实验显然是第一次在一定距离上使用无线电波。他使用温差电流测温计测出太阳黑子辐射的热比太阳表面其他处小。1846年任在华盛顿(哥伦比亚特区)的史密森学会的第一任秘书。组织并支持了一个志愿气象观察队。该队气象工作的成功,使美国建立了气象局。在美国内战时他是林肯的主要技术顾问之一,是国家科学院的主要组织者和第二任院长。1893年用他的姓氏作为电感的标准单位——亨利。

Henry, O. 欧·亨利(1862-09-11,美国北卡罗来纳州格林斯伯勒～1910-06-05,纽约市) 美国短篇小说家。原名威廉·西德尼·波特。善用浪漫主义手法描写平凡事物,特别是纽

美国不列颠百科全书公司供图

约普通老百姓的生活,文笔幽默,故事奇突,经常出现意想不到的结局,这种写作手法与他的名字紧密相联,成为他独特的风格。然而当这种风格不再流行时,欧·亨利随即失去了他在批评界享有的赞誉。1882年去得克萨斯州,先后在牧场干过活,当过土地局办事员和奥斯汀第一国民银行出纳员。1887年与A.埃斯蒂斯结婚,并大约在此期间开始写速写。1894年创办幽默周刊《滚石》,因没有销路,遂入《休斯敦邮报》当记者、专栏作家,有时还画漫画。1896年2月因挪用银行公款被起诉,朋友们帮助他逃往洪都拉斯。但是由于妻子病危,遂又返回奥斯汀。妻子死后,宽大的当局才开始着手审理此案,对他判以最轻的刑罚。1898年入狱后,因表现良好,刑期减为3年零3个月。曾在狱中医院药房中值夜班,因此有时间写文章卖钱维持女儿玛格丽特的生活。所写冒险故事在杂志上发表后,立即受到美国西南部和中部读者欢迎。当他出狱时,已是鼎鼎大名的作家欧·亨利了。1902年到纽约。1903年12月至1906年1月每星期给纽约《世界报》写一篇短篇小说,同时还向其他杂志投稿。第一部作品《白菜与国王》(1904)以洪都拉斯异国情调为背景,描写一些离奇古怪的人物。《四百万》(1906)和《华灯》(1907)均写纽约民众的日常生活及他们对浪漫和冒险生活的追求。《西部之心》(1907)真实地描述了得克萨斯牧场的迷人故事。此后,又相继发表了许多短篇小说,如《都市之声》(1908)、《温良的受贿者》(1908)、《命运之路》(1909)、《选择》(1909)、《公事公办》(1910)和《生活的陀螺》(1910),使他获得世界声誉。晚年多病,经济困窘,并因酗酒而酒精中毒。死后,又出版3部选集:《乱七八糟》(1911)、《滚石》(1912)、《无家可归的人》(1917)。后来又出有7篇即兴而作的故事和诗歌、《欧·亨利故事集》(1920)、《致利托波利斯的信》(1922)和收入他早年发表在《休斯敦邮报》的作品的两个集子《补遗》(1923)、《欧·亨利,再来一个》(1939)。

Henry, Patrick 亨利(1736-05-29,弗吉尼亚斯塔德利～1799-06-06,美国弗吉尼亚布鲁克尼尔附近雷德希尔) 杰出的演说家、美国独立战争的主要人物,以1775年一次演说的结

束语"不自由,毋宁死"闻名,独立后弗吉尼亚的首位州长。父亲是一位受过良好教育的苏格兰人。10岁前,他在本地学校接受初等教育。成年后两次开零售店均遭破产。后经营农场,也未成功。1754年与萨拉·谢尔顿结

美国不列颠百科全书公司供图

婚。沉重的家庭负担促使他学习法律业务,很快表现出非凡的才能,1760年取得律师资格。1763年在著名的"牧师案"中初露锋芒。在法庭上援引天赋人权的学说,滔滔不绝的口才使满座震惊。两年后,当他刚刚当选为弗吉尼亚议会议员时,就在威廉斯堡州议会大厦中发表一篇反对英国《印花税条例》的演说。他在议会中曾提出一系列主张殖民地具有独立于英国议会的立法权力的决议草案。此后10年,亨利成为激烈反对英国政府的有影响的领袖。他曾任负责协调各殖民地之间的行动的第1届弗吉尼亚通讯委员会委员,以及1774和1775年大陆会议的代表。1775年3月23日,在里士满圣约翰教堂召开的第2届弗吉尼亚国民大会上,他确信与英国的战争不可避免,曾提出一项强硬的决议案,要求武装弗吉尼亚民兵,以便与英军作战。这一决议案获得大会通过。亨利被任命为弗吉尼亚军司令。但是他的行动受到公安委员会的阻挠,1776年2月28日他以辞职表示抗议。他参加了负责起草第一部州宪法的1776年弗吉尼亚州国民大会委员会。同年当选为州长,1777年和1778年连任。作为州长,他给予G.华盛顿将军以有力的支持。1780～1784年和1787～1790年两次为立法机构的领导成员。1784～1786年再次担任州长。1787年拒绝出席费城制宪会议。1788年在弗吉尼亚国民大会上反对批准美国宪法。然而,他终于同新的联邦政府和解,特别是在大部分由他草拟的《人权法案》获得通过以后。由于健康欠佳,他谢绝了新的联邦政府委任他的一切高级职务。1799年参加州立法机构选举,发表一次呼吁美国人民大团结的讲话。

Henry, William　亨利(1775-12-12,曼彻斯特～1836-09-02,英国兰开夏彭德尔伯里)　英国医生和化学家,1803年提出亨利定律。该定律指出:无化学反应发生时,被液体吸收的气体量同该液体上的气体压强成正比。他在爱丁堡获得医学博士学位(1807)。后因身体多病迫使他退出医界并转向化学研究工作。1808年荣获科普利奖章,次年成为皇家学会会员。他的《实验化学原理》一书出版了11版。最后自杀身亡。

Henry IV style　亨利四世风格　法国国王亨利四世当政时期(1589～1610)的法国艺术与建筑。亨利作为艺术庇护人的主要贡献在建筑方面。他把主要精力用于美化首都。他是一个实干家,他的巴黎建筑设计反映了这一特点。1603年设计的式样新颖并被广泛模仿的王室广场(今孚日广场),一直被视为不朽的作品,反映这位国王的才能及其作为城市规划者的远见卓识。他还曾设计多菲内广场(1607年始建)。广场四周布置楼房,底层均为商店,楼层则为公寓,中央留出大片空地。该广场在当时不愧为现代化城市规划的杰作之一。亨利四世风格与绘画的关系不大,它主要反映国王在建筑计划方面具有实用性与预见性的处理手法。

Henry Draper Catalogue　《亨利·德雷伯星表》　简称《HD星表》,载有全天恒星位置、星等和光谱型的星表。它首次采用今天的恒星光谱的字母分类法(参阅 **Harvard Classification system**)。这部为了纪念美国天文学家H.德雷伯而命名并由其遗孀赠款编制的星表是在E.C.皮克林的指导下,主要由A.J.坎农和A.C.莫里等人在哈佛大学天文台编成的。1890年出初印本,上载恒星1万颗。1918～1924年间陆续分部出版共载恒星22.5万颗。后来出版的补编又扩大了恒星的数目。总共约包含恒星40万颗。

Henry Mountains　亨利山　科罗拉多高原之一部。在美国犹他州南部,埃斯卡兰蒂之东。西北一东南走向,穿越加菲尔德县,绵亘64千米。最高点为埃伦山(3 540米)。以美国科

犹他州亨利山下休眠的五颜六色的黏土岩层
美国不列颠百科全书公司供图

学伟人、史密森学会第一任秘书J.亨利(1797～1878)之名命名,地质学家们均认为此山是典型的岩盖山。部分在科罗拉多河附近的格伦峡谷国家游乐区境内。1941年引入的一大群野牛生活在西面山坡上。山上还有大量艾草榛鸡。

Henry's law　亨利定律　溶于液体中气体的重量与液体上方气体的压强成比例。这一定律由英国医生和化学家W.亨利于1803年最先提出,它只适用于稀溶液和低气压的情况。在非常稀的溶液中,溶质分子将只以溶剂分子作为近邻(除少数例外),一个特定的溶质分子逃逸到气相中的概率预计与溶质分子的总浓度无关。这种情况下溶质分子的逃逸速率将与它们在溶液中的浓度成比例,并且溶质将在气相中积累,直到它们返回溶液的速率与逃逸出来的速率相等时为止。对非常稀薄的气体,返回速率与溶质的分压成比例。因此,对于非常稀的溶液,在同甚低压气体的平衡中,气体的压强与所溶解的气体的量成比例,这一关系就是亨利定律。然而上述论述只是一种启发性的考虑,亨利定律是从实验中得出的,它只适用于所有稀释溶液与气体中分子种类相同的情况。最明显的例外就是电解质溶液。

Henryson, Robert　亨利森　(1420或30?～约1506)　Henryson 又拼 Henderson。苏格兰诗人、英国早期最优秀的寓言作家。在一些早期作品的扉页上称他为丹弗姆林的校长,该校可能是本笃会隐修院所办。在约出版于1508年的W.邓巴的《悼诗人》中,他见于其他已故诗人之中。他最长的作品是《弗里吉亚人伊索的道德寓言》,主要参考J.利德盖特和W.卡克斯顿两人的作品译述的13个寓言,共有400多节七行诗。这部诗集有一篇序言,每篇故事都有释义。在他那篇长达86节的叙事和"倾诉"诗《克莱西德的遗嘱》中,亨利森续完乔叟的《特罗伊拉斯和克莱西德》的故事,写背信弃义的女主角如何被她的情人戴奥米德抛弃并沦为妓女的悲惨故事。被认为是亨利森所作的较短的诗有《奥尔甫斯与欧里狄克》、对话体抒情诗《罗本和梅肯》及许多道德故事和冥想录。

Henschel, Sir (Isidor) George　亨舍尔(1850-02-18,普鲁士布雷斯劳～1934-09-10,苏格兰因弗内斯阿维莫尔)　歌唱家、指挥家和作曲家,当时英国杰出音乐家之一。初以弹奏钢琴为业,后作为一名男中音歌手而取得极大成功。曾在莱比锡和柏林学习,并成为勃拉姆斯的好友。1877年去英国,1890年入英国籍。1881～1884年任波士顿交响乐团指挥。1893～1895年在格拉斯哥指挥苏格兰管弦乐团。他长期是一位活跃的独唱家,并在英国组织、指挥合唱与管弦乐队的音乐会。作品有:二部歌剧、一首《圣母哀悼曲》、一首安魂弥撒曲及歌曲等。著有自传《一个音乐家的沉思与回忆》(1918)。1914年被封为爵士。

Henschke, Alfred (Expressionist writer)　**亨施克**　参阅 **Klabund** 克拉邦德。

Henselt, Adolf von　汉塞尔特(1814-05-09,巴伐利亚施瓦巴赫～1889-10-10,德国西里西亚旺姆布隆)　德国钢琴家和作曲家。被认为是当时最伟大的钢琴大师之一。在魏玛随J.洪梅尔学钢琴,在维也纳随S.塞赫特学理论。1836～1837年在德国巡回演出后迁居圣彼得堡,成为宫廷钢琴家和钢琴教师。1852年和1867年访问英国,但只进行非公开演奏。作为钢琴家,他是洪梅尔和李斯特之间承上启下的重要人物。主要为钢琴创作,作品有一首钢琴协奏曲、两套练习曲及一些沙龙乐曲等。

Hensen,Victor 亨森(1835-02-10,石勒苏益格～1924-04-05,德国基尔) 德国生理学家。首先采用"浮游生物"一词以描述浮游在海中(及在大片淡水中)的生物体,这些生物体很重要,因为海洋中一切动物的生命实际上都直接或间接地有赖于它们的存在。1871～1911年任基尔大学教授,1899年领导过一次对大西洋浮游生物的详尽考察。其胚胎学著作及感觉器官(特别是耳)的解剖学及生理学著作也很有名。内耳的亨森细胞及亨森管即为纪念他的研究而命名。

Henshaw,James Ene 亨肖(1924,尼日利亚卡拉巴尔～) 尼日利亚剧作家。其剧作通俗易懂,涉及非洲文化和传统的许多方面,在尼日利亚深受群众欢迎。亨肖剧作深孚众望,其创作风格一直为人所仿效。其职业为一医生。从事剧本写作之前,曾就读于奥尼查基督圣王学院,后在都柏林国立爱尔兰大学获医学学位。早期作品之一《神龛珠宝》(1957年收入其戏剧集《这是我们的机会:来自西非的剧作》)获1952年尼日利亚全国艺术节一等奖。第二部选集《女神的孩子们及其他剧作》(1964)的主要题材有:一处乡村法庭因其官吏贪杯酗酒而影响了工作效率;在19世纪尼日利亚的一个乡村中,地方政府与传教士之间就基督教的传布所展开的斗争等。《相思药——三幕喜剧》(1964)严肃地嘲讽一位政客试图以贿赂打通仕途,以及穷于应付由亲友介绍的3位未来夫人的尴尬处境。喜剧《提升之宴》(1967)以3位主要人物为中心展开:一位是胸怀大志的青年,一位是突然致富的商人,另一位是吵闹不休的嫂夫人。他的剧本《足够就是足够——尼日利亚内战的戏剧》于1975年上演。

Henslow,John Stevens 亨斯洛(1796-02-06,英国肯特罗切斯特～1861-05-16,诺福克希彻姆) 英国植物学家、地质学家、牧师,在剑桥大学采用新的教学法,普及了植物学。1818年毕业于剑桥圣约翰学院,后来转而研究博物学。他和A.塞奇威克一起对怀特岛和马恩岛进行了地质考察,以后又一起建立了剑桥哲学学会(1821)。1822年任剑桥矿物学教授,1824年任牧师。1827年任剑桥植物学教授。他在教学中采用培养学生独立发现问题的方法,把植物交给学生,要求学生鉴定并记录自己发现的植物结构特征。这种方法与野游、兴趣盎然的讲授相结合,使植物学成为剑桥大学最受欢迎的学科之一。C.达尔文即受过这种方法的鼓舞,成为亨斯洛所喜欢的学生和朋友。为说服农民采用科学的农作方法,他进行有关粪肥发酵的公开讲课,又在当地报纸上发表业务通讯文章。在1845～1846年的爱尔兰马铃薯饥馑期间,他告诉受害的农民如何从腐烂的马铃薯中提取淀粉。亨斯洛的著作包括《英国植物录》(1829)及《描述植物学和生理植物学原理》(1835)。

Henslowe,Philip 亨斯洛(约1550,英格兰萨塞克斯林德菲尔德～1616-01-06,伦敦) 英国伊丽莎白时代最显要的剧场主和经理。1577年之前他显然已在伦敦南沃克站稳脚跟。因与富孀结婚,财产甚丰。1587年与友人合伙在伦敦南沃克桥附近的班克赛德创建玫瑰剧院。在他的资助下,1592～1603年许多剧团在该剧院演出。1594年他在郊区纽因顿巴茨剧院拥有股份,不久又成为班克赛德西端巴黎公园中天鹅剧院的股东。1613年他建立了既能演戏又能斗熊和斗牛的希望剧场。1600年在伦敦正北面为海军上将供奉剧团建立的命运剧院是他所建剧院中最豪华的一座。亨斯洛的各剧院首演了许多伊丽莎白时代的重要戏剧。在长达1/4世纪的时间里,他同多数著名剧作家均有交往。其海军上将供奉剧团是莎士比亚剧团的主要对手。他精明强干,颇多怪癖,对其剧团、演员和剧作家均实行严格控制,在他去世的前一年,演员们曾对他的"压迫"提出控诉,但其结果却不得而知。其著名的《亨斯洛日记》为当时最重要的英国戏剧史资料之一。

Henson,Jim 亨森(1936-09-24,美国密西西比格林维尔～1990-05-16,纽约州纽约) James Maury Henson的别名。美国木偶戏演员,电视和电影木偶"马皮特"的创造者。他创造

亨森及"马皮特"宝宝(从左下方开始按顺时针方向):猪小姐、威姆布利·弗雷格尔、斯普罗凯特、阿尼莫尔、冈佐(头朝下)、伯特、厄尼、戈博·弗雷格尔和凯米特

美国不列颠百科全书公司供图

"马皮特"这一名词,代表提线木偶和布袋木偶的混合体。他创造的角色有:青蛙凯米特、猪小姐、大鸟和饼干精等。亨森生于密西西比州,在华盛顿哥伦比亚特区近郊的马里兰州海亚特斯维尔长大。在马里兰大学学习时,与他未来的妻子简·内贝尔一起,在华盛顿电视台开办了一个木偶戏节目,并在整个大学期间一直从事这一工作,在一个叫做《山姆和他的朋友们》的五分钟电视节目中形成了最初的"马皮特",其中包括凯米特。1960年毕业(获文学士学位)后,亨森和他的助手们一起制作电视广告和电视节目预告。1969年儿童电视制片厂的节目《芝麻街》开始播出,放映了"马皮特",亨森和他这些人格化的动物受到异常热烈的欢迎。在英国制作的《马皮特节目》于1976年首映后,赢得了国际观众(在约100个国家中放映)。紧接着制作了一系列"马皮特"影片。亨森还与人合作导演了几部不用"马皮特"的动画片。1981年,一部"马皮特"喜剧连环画通过报业辛迪加在多家报纸上同时发表。1982年,儿童季刊《马皮特杂志》开始出版。晨间动画电视节目《吉姆·亨森的马皮特宝宝》于1984年开播。亨森的"马皮特"是用可塑性泡沫橡胶、塑料和各种织物制成的,它们或者是布袋木偶,或者是戏装木偶(例如大鸟)。布袋木偶的一个头或一条手臂由人的一只手来操纵,因此如果是一个头和两条手臂,就需要由两个木偶戏演员的手来操纵。在特殊情况下,复杂的表演甚至需要三个木偶戏演员。"马皮特"的声音由操纵它的人发出。

Henson,Matthew Alexander 亨森(1866-08-08,美国马里兰查尔斯县～1955-03-09,纽约州纽约) 美国黑人探险家,曾伴随R.E.皮里到北极探险。早年丧亲,12岁在船上当侍者。后来在华盛顿的一家商店工作时,遇到探险家皮里。1888年皮里到尼加拉瓜探险时,用亨森当仆从。此后皮里连续7次带他去北极探险。1909年皮里与亨森以及4位爱斯基摩同伴成为第一次到达北极的人。他所著《一个黑人探险家在北极》于1912年出版。次年按W.H.塔夫脱总统命令,他被任命为纽约市美国海关的职员,他工作直至1936年退休。1944年获国会颁予所有皮里探险队成员的奖章。

Henzada 兴实达 缅甸西南部城镇,隔伊洛瓦底江与沙耶沃相望,两地有渡轮相通。位于伊洛瓦底江三角洲北端。为周围富饶农业区所产稻米和烟叶的出口港。有公路和铁路可通勃生和仰光。建有发电站和飞机场。人口104 700(1993)。

Henze,Hans Werner 亨策(1926-07-01,德国居特斯洛～2012-10-27,德累斯顿) 德国作曲家,所作歌剧、芭蕾舞剧、交响曲和其他乐曲均具有在传统形式范畴以内苦心经营的

美国不列颠百科全书公司供图

独特而超越时代的风格。亨策曾经师从著名德国作曲家W.福特纳和法国十二音之乐最重要的作曲家R.莱博维茨。他的一部早期作品《小提琴协奏曲》(1947)表现出他精湛的十二音技巧,在1956年以前这种技巧在他的创作中始终占有优势。他认为自己的早期作品(到1949年的《第二交响曲》为止)是简单甚至是粗陋的,主要只以其旋律的效果取胜,歌剧《鹿王》(1956)标志着第二阶段的开始,此时亨策摆脱了序列主义而表现出自由的创造性,风格上兼收并蓄,这部作品说明他已趋于成熟,虽然在1952年时他的获得舒曼奖的《钢琴协奏曲》和当时完成的第二部歌剧《林荫道的孤

寂》已为他奠定了地位。1950～1953年亨策在威斯巴登国家剧院担任芭蕾舞指导，并为他后来的许多芭蕾音乐获取了动力，其中包括《昂亭》(1956)，这是一部融合爵士乐因素的古典主义作品。他的歌剧得到广泛的演出：《年轻情侣悲歌》和《奇观剧院》于1965至1970年间在纽约市公演。在他的交响曲中，像在舞台作品中一样，亨策表现出他选择风格是不拘一格的（有时会在一部作品中结合采用几种风格），其气质属浪漫主义。为两个室内乐队而作的《第六交响曲》(1969)既采用序列主义，又有传统调性因素，其中用到微分音程、扩音乐器和大型打击乐器组。这是他作于20世纪60年代至70年代初这一时期的作品的典型代表。亨策于1953年定居意大利。在60年代中期信奉社会主义之后，他在为C.格瓦拉所写的安魂曲《"美杜莎"之筏》以及歌剧《我们来到河边》(1976)中表达了他的新的政治倾向。所著《论文集》(1964)说明他是能言善辩的现代音乐代言人，而《音乐与政治：1953～1981年文章选粹》则检验了他后来的认为音乐应该政治化的信念。

Hep(Egyptian god) **赫普** 参阅 **Apis** 阿匹斯。

heparin **肝素** 抗凝药。用于手术中及手术后并用于多种心、肺和循环系统疾病，以预防危险的血栓形成，在这些情况下血栓形成的风险增加。肝素是天然存在的多糖类混合物，1922年由W.H.豪厄尔发现。人体的肝、肺组织中含有肝素。最初，抽取血液进行化验时要加入肝素以防凝固。40年代肝素开始用于已患静脉血栓形成的病人。70年代早期，开始给面临肺栓塞和其他血凝块阻塞性疾病有高度风险的病人使用小剂量肝素，以防血凝块形成。肝素的生物学作用取决于天然抗凝血酶的存在，抗凝血酶是血浆中的一种物质，可结合及灭活血清凝血因素。肝素可将抗凝血酶的结合率提高1 000倍，从而极大地降低血液的凝固能力。肝素很难被肠道吸收，故必须注射给药。大多数商售肝素从牛肺或猪肠获得。因为肝素有抗凝作用，可带来大量出血的风险。通过监测投用肝素的剂量，需要时降低其用量，通常即可控制出血的风险。

hepatic vein **肝静脉** 运送肝内血流到下腔静脉的静脉，有数条。下腔静脉沿肝脏后侧的右纵沟上行入心，肝静脉就在此处接入下腔静脉。肝静脉运送的不仅有肝脏本身的血液，还包括来自腹内多数脏器经门静脉入肝的血液。

hepatica **獐耳细辛** 又作liverleaf。又称肝叶草。毛茛科獐耳细辛属(*Hepatica*)植物。约10种，为小型草本植物，生于北温带林地荫蔽地方。多年生，无茎，矮小。叶有3裂片，冬天仍绿。花紫色、淡紫色、蓝色、粉红色或白色，春天新叶出现前开放。以前认为能治肝病。在北美东部常见者为美洲獐耳细辛(*H. americana*)，叶和花都有丝质毛。高贵獐耳细辛(*H. nobilis*)有毒，在欧洲和北美洲常

尖裂獐耳细辛(*H. acutiloba*)
美国不列颠百科全书公司供图

见，有时用作草药以治疗各种呼吸道疾病。

hepatitis **肝炎** 肝脏的炎症，有多种类型。急性病毒性肝炎有两个主要类型，分别由肝炎病毒甲或肝炎病毒乙引起；第三个类型的急性病毒性肝炎即"非甲非乙型"亦称丙型肝炎，较罕见，病原不明。甲型肝炎，通过粪-口途径传播(通过污染的水及食物传播)。乙型肝炎，通常通过注射传播，亦可通过性交传播；滥用静脉注射药物的人、同性恋者、进行血液透析的患者及接受输血的人和医务工作者、牙科工作者等最易感染乙型肝炎。肝炎病毒甲存在于消化道，肝炎病毒乙存在于血液、浆液性体液、唾液及精液中。两种病毒进入人体后均在肝脏内繁殖。两种病毒对热、干燥及加氯消毒的水均有抵抗力。肝炎病毒甲可于血液及排泄物中检出，通常通过随后的人际接触传播。输血、针头或皮下注射器消毒不彻底则常有传播乙型肝炎的危险。非甲非乙型肝炎也主要由输血传播。甲型肝炎潜伏期较短，受染后20～40天即出现症状；乙型肝炎潜伏期长，达90天左右。一旦感染了甲型肝炎，便对该型产生免疫力，但仍能感染乙型肝炎。病毒损害肝细胞，肝功能因而受损，从而导致肝炎症状。肝炎的急性期持续数日至数周；随之出现黄疸期，持续1～3周，恢复期常持续数月。典型的肝炎发病时表现为发热、疲乏，有时可见轻度寒战。随之出现食欲不振、头痛、肌肉痛。吸烟的患者对烟味反感。上腹痛、压痛、肌紧张。肝肿大，有压痛。尿色深，含胆色素。黄疸出现后即迅速退热，但食欲不振、恶心、呕吐、瘙痒、腹不适感等症状持续不退，甚至加剧。在恢复期上述症状可多次复发。患者常易疲劳，肝区可仍有轻度压痛，并感烦躁、情绪不佳及意志消沉。身体产生越来越多对肝炎病毒的抗体，于是恢复健康。对急性病毒性肝炎，除卧床休息外无其他特殊治疗。注射γ球蛋白(含对病毒的抗体)可预防甲型肝炎。由此所得免疫力不完全，但注射后若感染疾病，则疾病的严重性亦显著减轻。20世纪70年代后期研制成有效的乙型肝炎疫苗。1986年用遗传工程技术生产的抗乙型肝炎疫苗得到批准。甲型肝炎及乙型肝炎的肝部病理变化相同——肝细胞受损、肝功能障碍。在恢复期，变化、坏死的肝细胞几乎全部再生，肝功能恢复正常。一般不形成纤维性瘢痕，这点与肝硬变不同。在非洲及亚洲部分地区，乙型肝炎的既往史与肝癌有明显的密切关系。慢性活动性肝炎是病因未明的严重疾病，慢性活动性肝炎又可分两型：类狼疮型，多见于年轻女性；而另一型肝炎表面抗原阳性，多见于男性。两型的症状均为蜘蛛痣、皮肤斑纹、痤疮、异常的毛发生长等。两型均为极为严重的疾病，可致肝硬变；并引起肝功能衰竭而致死。酒精性肝炎因长期大量饮酒引起，及早处理可使病情逆转。

hepatitis, canine viral 参阅 **canine viral hepatitis** 犬病毒性肝炎。

hepatolenticular degeneration(metabolic disorder) **肝豆状核变性** 参阅 **Wilson's disease** 威尔逊氏病。

Hepatopsida(plant class) **苔纲** 参阅 **liverwort** 苔。

Hepatu(Hurrian deity) 参阅 **Hebat** 赫巴特。

Hepburn, Audrey **赫本** (1929-05-04，比利时布鲁塞尔～1993-01-20，瑞士托洛谢纳兹) 原名Edda Kathleen van Heemstra Hepburn-Ruston。电影明星。以貌美、能够表现出一种纯真中略带世故的神态以及乐于资助贫困儿童而闻名。尽管出生在比利时，但拥有英国公民身份并在英国上小学。1939年第二次世界大战开始时其母(赫本的父亲在她6岁时离家)带着孩子移居荷兰，认为这个中立国比英国更安全。第二次世界大战期间，赫本在纳粹占领下的荷兰经受了许多困苦。但她依然设法上学和学习芭蕾。战后，继续在阿姆斯特丹和伦敦学习芭蕾。20出头时，学习表演并当过模特和舞蹈演员。还在电影里饰演一些小角色。在蒙特卡洛拍电影时，被法国小说家科莱特发现，她坚持起用赫本在百老汇领衔主演歌舞剧《金粉世家》(1951)。1953年演出首部美国电影《罗马假日》(获奥斯卡奖)之后，再度回到百老汇演出《奥丁》(1954，获托尼奖)。接连在《萨布里娜》(1954)、《战争与和平》(1956)、《甜姐儿》(1957)、《蒂凡尼的早餐》(1961)、《窈窕淑女》(1964)及《等到天黑》(1967)中展现其光彩照人而又高雅的气质。后来一心致力于慈善事业，并成为联合国儿童基金会的亲善大使。曾访问过拉丁美洲、非洲和亚洲的饥馑农村，1993年死于癌症。

Hepburn, Francis Stewart **赫伯恩** 参阅 **Bothwell, Francis Stewart Hepburn, 5th Earl of** 博思韦尔伯爵(第五)。

Hepburn, James **赫伯恩** 参阅 **Bothwell, James Hepburn, 4th Earl of** 博思韦尔伯爵(第四)。

Hepburn, Katharine **赫本** (1907-05-01，美国康涅狄格哈特福德～2003-06-23，康涅狄格旧塞布鲁克) 全名凯瑟琳·霍顿·赫本，是一位性格坚强，不屈不挠的美国戏剧和电影女演员，表演生动，又带有一点古怪。她使自己扮演的角色具有强烈的个性。作为一名女演

员，以其轻快的新英格兰上层社会口音和带着调皮劲的美丽而著称。1928年从布林莫尔学院毕业后，全身心地投入表演事业。《勇士的丈夫》(1932)是赫本在百老汇获得的第一

布朗兄弟公司供图

个巨大成功，之后她得到雷电华影片公司的邀请来到好莱坞。初登银幕，就在《离婚法案》(1932)中给人留下了深刻的印象。第三部影片《牵牛花》(1933)为她赢得了奥斯卡金像奖。影迷们喜欢赫本在《小妇人》(1933)和《爱丽丝·亚当斯》(1935)这类朴实无华的影片中的表演，而不喜欢她出演的历史题材影片。主要电影参展商甚至一时把赫本当成了"票房毒药"。赫本毫不气馁，接受了1938年的百老汇喜剧《费城故事》中为她量身定做的角色，该剧获得了巨大的成功，1940年又主演了该剧的电影版，以此推动了在好莱坞的事业发展。在影片《非洲皇后号》(1951)、《夏日时光》(1952)和《长夜漫漫路迢迢》(1962)中取得成功后，其声望与日俱增。《猜猜谁来赴晚宴》(1967)使她二度获得奥斯卡金像奖，《冬天的狮子》(1968)为她赢得了第三个奥斯卡金像奖，并且由于出演《金色池塘》而史无前例地获得了第四个奥斯卡奖。12次获得奥斯卡提名，创下了获提名次数最多的历史纪录，直到2003年该纪录被M.斯特里普打破。另外，赫本在20世纪70、80年代还经常出现在电视屏幕上。因在《玻璃动物园》(1973)中的表演而获得了艾美奖的提名，并因《废墟中的爱情》(1975)获得该奖。尽管受到一种越来越严重的神经系统疾病的困扰，她在20世纪90年代早期仍很活跃，写了几卷回忆录。1999年，被美国电影协会评为美国电影史上最杰出的传奇女性。

Hephaestus　赫菲斯托斯　希腊宗教中的火神。原是小亚细亚及其附近诸岛（特别是利姆诺斯）的神。他在吕西亚的奥林波斯有一个重要的祭祀地点。因为天生瘸腿，遭到母亲赫拉的厌恶，将他从天上抛了下来。后来由于一场家庭争吵，又被他父亲宙斯抛了下来。他的不相称的配偶是体现优雅的阿佛洛狄忒或卡里斯。作为火神，他又是锻冶之神和工匠的保护神，同他有关的天然火山或天然气之火往往被认为是他的作坊。至少在公元前600年雅典就开始了对他的崇拜，旋即传入坎帕尼亚。在艺术作品中，他通常是蓄有胡子的中年男子，不过偶尔也有比较年轻、无须的形象。他通常穿一件无袖的外衣，在蓬乱的头发上紧扣着一顶圆帽。在罗马，同他相对应的是伏尔甘。

Hephaestus, Temple of　赫菲斯托斯神庙
参阅 **Theseum** *忒修斯神庙*。

Hephthalite　哌哒　5～6世纪一再侵入波斯和印度的一个部族。根据中国史书，他们原来居住塞北，称滑国。在另外地方又被称白匈奴。无城镇、无文字，住毛毡帐篷，实行一妻多夫。6世纪中叶被突厥人击溃，可能与附近居民同化。

Hepplewhite, George　赫普尔怀特（？～1786，伦敦）　英国家具工匠、设计师。对于开创新古典主义优美风格、装饰艺术程式化有一定作用。曾随家具工匠吉洛学艺，后至伦敦开设一家店铺，除此之外，他的生平不详。所著《家具制造和室内装潢指南》一书(1788)使他获得崇高的声望。全书有近300幅设计图，以简洁、优美和实用为特征。用椴木或桃花心木镶嵌，或髹以日本漆。椅腿直且呈锥形，椅背多作盾形、心形或卵形，缀以古瓶、垂花、玉米壳形链饰等新古典主义饰纹。赫普尔怀特式家具特有的品种包括蛇形弯曲形状的带垫沙发椅，带涡卷扶手的窗下坐椅，台面镶嵌的小方桌或小圆桌，带花格玻璃门的书橱等。

heptachlor　七氯　与*氯丹*(**chlordane**)关系密切的杀虫剂。

heptathlon　七项全能运动　由7种不同田径项目构成的女子运动。七项全能运动在1981年以后，取代了奥林匹克运动会中的女子五项全能运动。七项全能运动包括100米低栏、铅球、跳高、200米跑、跳远、标枪及800米跑。以参赛选手各项目的成绩，对照国际田联所制定的计分表来计分。两度获奥运会冠军的美国选手乔伊纳-克西是最著名的七项全能选手。

heptatonic scale　七声音阶　又作seven-note scale或seven-tone scale。由7个不同的乐音组成的音阶。最常见的七声音阶是西方艺术音乐中的大小调音阶，但还存在其他七声音阶形式。中世纪的教堂调式都采用7个音，每一调式各有其独特的全音和半音模式。在欧洲的某些民间音乐中也可见到类似中世纪调式的音阶。非洲黑人和美洲印第安人的音乐亦采用七声音阶。

Hepu　合浦　中国广西壮族自治区北海市辖县。位于南流江下游，濒临北部湾，邻近广东省。西汉元鼎六年（公元前111）始置合浦县。县政府驻廉州镇。面积2 380平方千米。原隶属广东省，1951～1955年间及1965年后改隶广西。全县地势平缓，东北和西北多丘陵，南部为台地和南流江三角洲平原。盛产稻谷、花生、甘蔗、黄麻、香蕉、菠萝、柑橙、荔枝、龙眼等。海产丰富，沿海产儒艮（美人鱼）、鲎、文昌鱼、海马等珍稀海产，牡蛎、墨鱼也较多，尤以珍珠最负盛名。所产珍珠称"南珠"，具有颗硕圆润、凝重结实、质地纯净、光泽艳丽等特点，在国际市场上被誉为"世界珍珠之王"。合浦珍珠最早产于2 000多年前的汉代，是世界天然珍珠最早的产地。建于明洪武初年(1368)的珍珠城，在合浦东南38千米处的白龙村，是当年监守采珠的太监驻节之所，保存有以珍珠贝壳作为填充物筑成的城墙遗址。城内有采珠公馆、珠场司、宁海寺等古迹。1958年始建珍珠养殖场，所产珍珠质量可与天然珍珠媲美。古迹还有东坡亭、海角亭、文昌塔等。人口930 000(2005)。

Hepworth, Dame (Jocelyn) Barbara　赫普沃思(1903-01-10，英格兰约克郡韦克菲尔德～1975-05-20，康沃尔圣艾夫斯)　女雕刻家，其作品属于英国最早的抽象雕刻。其富有

美国不列颠百科全书公司供图

抒情的形式和对材料的敏感，使她成为20世纪中期最有影响的雕刻家之一。童年时代即对自然形态与结构产生强烈兴趣，15岁立志成为雕刻家。曾在利兹艺术学院学习。其最早的作品是自然主义的，以后纯形式成分逐渐占较大比重，至30年代初期其雕刻已趋完全的抽象。如《卧像》(1932)是由圆形的生物形状与自然石料结合制成，像似长期风化的结果，没有雕凿的痕迹。她曾嫁雕刻家斯基平，1933年与其第二个丈夫、英国抽象画家尼科尔森结婚，在其影响下，开始制作直边、光洁、无斑的严格几何图形作品。其雕刻在30年代末期和40年代趋于成熟，此后乃开始集中精力研究空间与物体在雕刻上的相互作用。如《波浪》(1943～1944，英国哈维顿夫妇收藏)一类作品，内部空间甚大，而且充分利用孔隙，使内部空间与周围材料一样加强作品的表现力。成熟作品多将凹形内部涂上颜色以加强效果；同时，在开口处用细丝绷紧，以突出并界定雕刻的空间。50年代创作了名为《群像》的著名实验性作品，是成串的小型人形大理石形体，很薄，以其半透明性产生一种内在生命的神秘感。以后10年受托创作了若干高6米左右的雕刻，其中比较成功的是几何图形的《四方（通道）》(1966)。1965年封高级英帝国女勋爵士。1975年在康沃尔圣艾夫斯的家中去世，该处现已成为博物馆，保存有她的许多作品。

Hera　赫拉　在希腊宗教里，她是提坦神克洛诺斯和瑞亚的女儿，宙斯的姊妹和妻子，奥林波斯山诸神的王后。在罗马，她被认为就

是他们的朱诺(**Juno**)。对她的崇拜遍及整个希腊世界,在希腊文学中具有重要作用。她常常被描绘成宙斯嫉妒而又记仇的妻子,对宙斯所爱的女人怀有报复性的怨恨。从早期

奥林匹亚赫拉神殿奉献组像中的赫拉像(头部)
美国不列颠百科全书公司供图

以来,赫拉便被认为是宙斯唯一合法的妻子,她很快便取代了狄俄涅。一般说来,她是因其两种主要身份而受到崇拜:①她是宙斯的妻子,上天的王后;②她是司婚姻和妇女生活的女神。第二个身份自然使她成为产妇的保护神,因此在阿尔戈斯和雅典,她有埃雷图娅(**Eileithyia**)的头衔,即生育女神。在阿尔戈斯和萨摩斯岛,她不仅是天后和司婚姻的女神,还是一些城市的保护神,这些城市给她以相当于雅典娜在雅典的地位。虽然在阿尔戈斯她的祭仪显然是农业的,但她还有一个被称为盾牌的节日,在萨摩斯还为她举行武装的游行。这是因为希腊城邦的保护神应有广泛的职能,在和平时期和战时都必须是领袖。她特别喜爱的圣畜是母牛。她的圣鸟起初是杜鹃,后来改为孔雀。她被表现为一位庄重、严厉但是年轻的女主人。参阅 **Zeus**。

Heracleides Ponticus **赫拉克利德斯·本都库斯**(约公元前390,比希尼亚赫拉克利亚-本都卡～前 322 以后,雅典) 希腊哲学家和天文学家。提出地球转动说的第一人,直到1800年后这一见解才为天文学界普遍承认。作为柏拉图的学生,他曾暂管学园的事务。正确地认识到水星和金星的明显移动是由于它们绕日旋转。至于他是否认识到别的行星也绕日旋转,则无法断定。他还教授某种原子论。其著作包括文学评论和音乐研究,但仅存少数断片。还研究人的恍惚状态、宇宙论的幻象、预言、预兆和洪水等天灾,用以证明诸神存在、上天的报应和托生是实有其事。用实例证明柏拉图主义超自然的倾向并开新柏拉图主义某些方面的先河。

Heracleitus **赫拉克利特**(约公元前540,安纳托利亚以弗所～约前 480) 希腊哲学家。因其宇宙论而著名;认为火是一个有秩序的宇宙的基本物质要素。其观点保存在后来作家引用的和被认为是他的作品的简短断片中。他最关心对周围世界的解释,但也强调人们必须和谐地生活在一个集体里。抱怨人们大都不理解逻各斯(希腊语:"理性"),而万物正是通过理性相互关联,自然界的一切也是通过理性而发生;因此他们带着对世界的虚假看法,过着类似做梦者的生活。他说,逻各斯的重要表现就是对立物之间的潜在联系。例如,健康和疾病就相互限定;善与恶、热与冷和其他对立物之间也是如此。还指出一种单一的物质可以用不同的方式加以理解:海水既是有害的(对人)又是有益的(对鱼)。对立物相互间的关系使他能克服世界混乱的和分歧的性质,因而断言世界是作为一个相互连贯的体系而存在;在这个体系里,一个方向的变化最后会因另一个方向的相应变化而得到平衡。所有事物之间都有一种隐蔽的关系,以致那些表面上"有分离倾向"的事物实际上"正在向一处聚拢"。他认为世界秩序是"按一定分寸燃烧,并按一定分寸熄灭的永恒的活火"。他将火的各种现象加以扩大,不仅包括燃料、火焰和烟,而且包括大气上层的以太。这种空气的一部分或纯火"变成"海洋,大概就是雨,一部分海洋变成大地。与此同时,等量的大地和海洋又分别变成海洋和火。为了说明变化之中仍然有统一,他有一个著名比喻,将生命比作河流:"踏入同一河流里的人们,流过他们的水是不同的,永远是不同的。"后来柏拉图用这一学说来表明一切事物都在经常流动之中,不论它们对感官的表现如何。赫拉克利特生不逢辰,而且往往为后世传记作者所讥讽,然而他的主要贡献却在于认识经验世界的统一性。

Heracleon **赫拉克利翁**(活动时期2世纪) 诺斯替教意大利派领袖。已知最早的一部《约翰福音》评注出自他的手笔,他在该书中用隐喻手法阐明他的三级实在论:基督是堕落精灵的化身,代表心级,介乎最高的"灵"级和恶灵所统治的最低级即物质世界之间。

Heracleonas(Byzantine emperor) 参阅**Heraclonas** 赫拉克洛纳斯。

Heracles **赫拉克勒斯** 希腊语作Herakles,即罗马的赫丘利斯(Hercules)。希腊罗马传说中最著名的英雄。在他的十分复杂的神话后面,可能有一个真实的人,也许是阿尔戈斯王国一个族长及封臣之类的人物。但传说

约公元前 540 年的希腊瓶画:赫拉克勒斯捕捉阿卡迪亚马鹿
美国不列颠百科全书公司供图

他是宙斯和阿尔克墨涅(珀尔修斯的孙女)所生的儿子。宙斯曾起誓说,珀尔修斯家族生的下一个儿子将成为希腊的统治者,但是由于宙斯善嫉妒的妻子赫拉施一诡计,使另一个多病的孩子欧律斯透斯先生下来,并成为国王。赫拉克勒斯长大后,不得不为国王效劳,还要受到赫拉报复性的迫害。他的第一个功绩事实上就是在摇篮里扼死了赫拉派来加害于他的两条毒蛇。后来他对比奥蒂亚的奥尔科霍迈斯王国发动了一场战争,获胜,并同一位公主墨伽拉结婚。但在一次由赫拉造成的发疯时杀死了他的妻子和孩子,结果只好当了欧律斯透斯的奴仆。欧律斯透斯命他完成以下 12 件有名的苦差:①杀死奈迈阿狮子,此后他披的便是这头狮子的毛皮;②杀死勒尔那的九头怪许德拉;③捕捉逃跑的阿卡迪亚马鹿;④捉住厄律曼托斯山的野猪;⑤在一天之内打扫干净伊利斯的奥吉亚斯国王的牛圈;⑥射杀斯廷法罗斯沼地中的食人怪鸟;⑦擒住使克里特岛陷入惊恐的疯牡牛;⑧捉拿比斯托涅斯的狄俄墨得斯国王吃人的牝马;⑨夺取亚马孙女王希波吕忒的腰带;⑩夺走统治厄律提亚岛的三身巨人革律翁的牛群;⑪取回在世界尽头由赫斯珀里得斯们看守的金苹果;⑫把看守冥界大门生有三个头的恶狗刻耳柏洛斯从冥界带来。除完成这些苦差之外,赫拉克勒斯干了别的事业,其中包括战争行动。他还为争夺得伊阿尼拉同河神阿谢洛奥斯作战获胜。当他把她带回家时,半人半马怪涅索斯想要奸污得伊阿尼拉,赫拉克勒斯用一支毒箭把他射杀。半人半马怪临死时要得伊阿尼拉把他伤口流出的血保存好,因为任何人的外衣如果涂上他的血都会永远爱她。几年后赫拉克勒斯爱上了伊俄勒(俄卡利亚王欧律托斯的女儿)。得伊阿尼拉看出伊俄勒是一个危险的情敌,就给他丈夫送去一件涂有涅索斯的血的长袍。然而,这血实际上是剧毒。赫拉克勒斯一触到它即死去。他的遗体被放在伊塔山(今天希腊的奥提山)上的柴堆上焚烧,凡人的部分化为灰烬,神圣的部分则升入天空。在那里他同赫拉和解并与赫柏结为夫妇。在文学艺术中,他被描绘成一个中等身材体格强壮的人,食量酒量惊人,十分好色,通常很仁慈,但偶尔也大发雷霆。他的具有特色的武器是弓,有时也持棒。在意大利他被崇拜为商业之神,不过还有人向他祈祷因为他有给人好运或救人免除危难的特殊才能。

Heraclius **希拉克略**(约575,卡帕多西亚～641-02-11,君士坦丁堡) 东罗马帝国(拜占廷)皇帝(610～641)。他重振帝国政权及军队,但叙利亚、巴勒斯坦、埃及和美索不达米亚等失落入阿拉伯人之手。其父大概为亚美尼亚血统,曾任罗马帝国阿非利加行省总督。当东罗马帝国危亡之际,其父令他率军回援。601 年 10 月希拉克略攻占君士坦丁堡,废黜暴君福卡斯,在强寇压境内讧不已的一个支离破碎的国度里加冕为皇帝。当时,巴尔干半岛遍布斯拉夫人,安纳托利亚大部沦陷于波斯,在顿河至阿尔卑斯山之间称霸的阿瓦尔突厥人频频索贡。而国内财源枯竭,经济崩溃,政府无能,军队涣散,贵族纷争,农民受苦,兼以教士离心,豪强抗命,帝国不仅无力驱逐强敌,甚至危及生存。614 年波斯人入侵叙利亚和巴勒斯坦,占领耶路撒冷并抢走

古代金币上的希拉克略像
美国不列颠百科全书公司供图

世人膜拜的基督十字架。619年又进占埃及和利比亚。希拉克略为安抚阿瓦尔人，在617或619年与他们相约在色雷斯的赫拉克利亚举行会谈。当阿瓦尔人企图乘机将他俘获，他策马狂奔跑回君士坦丁堡，阿瓦尔人穷追不舍。但最后他宽恕了阿瓦尔人的背信弃义行为，终使双方和解。622年希拉克略鼓动群众的宗教情绪，发动并领导了第1次十字军运动。他巧妙部署军队，诱使波斯人离开安纳托利亚并乘机收复失地。然后向波斯君主提出休战，但被拒绝。他向国人公布霍斯罗夫二世的狂言秽语以激奋士气。此后两年，他致力于亚美尼亚战争。625年，希拉克略返回安纳托利亚。萨鲁斯河一役，他率部下戮力奋战，终于击退波斯人。626年波斯人进军博斯普鲁斯海峡，意图与阿瓦尔人联合进攻君士坦丁堡。罗马人凿沉前来运载波斯军队横渡海峡的阿瓦尔破旧兵船，然后又把孤立无援的阿瓦尔人击退。627年希拉克略第二次远征波斯，越过亚美尼亚高地，进入底格里斯平原，在尼尼微古城遗址附近会战。他纵马挥刀，力斩3将，并身先士卒，直冲敌阵，杀其主帅，使波斯军队全线溃败。1个月后，希拉克略进入拥有惊人财富的达斯塔吉拉德城。此时霍斯罗夫已被其子废黜，希拉克略遂与波斯新君媾和，波斯归还基督十字架，释放俘虏，归还被他们侵占的罗马人土地。希拉克略在万众欢呼下凯旋返回君士坦丁堡。630年，他亲自把收回的十字架送还耶路撒冷的圣墓教堂。634年阿拉伯人大举侵入叙利亚。身经百战的希拉克略因病魔缠身，已不能亲临战场指挥作战。在636年雅穆克一役中，东罗马帝国的军队大败，叙利亚和埃及相继沦亡。612年他的原配去世。翌年与侄女玛蒂娜结婚。臣民视为乱伦，然而，他们的婚姻美满，生有9个子女。他死后把帝国留给两个长子分治，一是原配所生的君士坦丁三世，另一是玛蒂娜生的赫拉克洛纳斯。希拉克略无疑是一位能鼓舞士气的军事领袖，他是一名善于审时度势运筹帷幄的战略家。他虽有十字军的战斗热情，但也具仁慈精神。他攻城略地，既不奴役当地居民，对待俘虏也宽大为怀。他的宽仁与霍斯罗夫的严苛适成鲜明对比，大概这是他战胜波斯的原因之一。作为政治家，他鼓舞一个受压迫和绝望中的民族，使之崛起，他意志坚强，组织能力非凡，深刻了解国家与臣民之所需。他具有深刻的现实意识，能使帝国得到调整以适应当时的形势；改组政府，划分部门，各司其职，并以拉丁语作为官方语言，以取代原来的希腊语。他首创安纳托利亚军事化的先例，即军事区制度。此制使安纳托里亚诸省由督军治理，兵农结合，使一个自由的军事化的农民阶层得以形成；既振兴农业，又使国家免却大量军费负担；还大体上以子弟兵取代了难以管理的雇佣军。实行军事区制后的400年间，帝国可被打败而不能被征服。拜占廷挡住了伊斯兰势力的猛烈进攻并保护了欧洲的初期文明。

Heraclius Constantine **希拉克略·君士坦丁** 参阅 **Constantine**（Byzantine Empire）君士坦丁（拜占廷帝国）项下的 **Constantine III** 君士坦丁三世。

Heraclonas **赫拉克洛纳斯**（615～641?）又拼 Heracleonas。拜占廷皇帝，641年在位，时间短暂，被控涉嫌暗杀其兄君士坦丁三世。他是皇帝希拉克略与其第二个妻子玛蒂娜之子。因母亲之助于638年获奥古斯都封号。希拉克略死后，与异母兄君士坦丁三世立为同朝皇帝。641年5月君士坦丁早死，他单独执政。君士坦丁大概死于痨症，但谣传系受玛蒂娜与赫拉克洛纳斯指使投毒所致，从而在是年9月引起一场叛乱，涉嫌者遭受残伤，被放逐到罗得岛，其后下落不明。

Heraeum **赫拉神殿** 在古希腊，指献给奥林波斯诸神的天后赫拉的神殿。最重要的一座是位于希腊阿尔戈斯东北8千米处的阿尔戈斯赫拉神殿。在那里，早在公元前750年左右便确定了对赫拉的崇拜。神殿的原址修造过一系列神殿，其中最著名的一座由建筑家欧波列摩斯设计，是多立斯柱式的石灰石建筑（公元前423）。殿中有大波利克里托斯制作的著名的黄金与象牙女神雕像。其他主要的赫拉神殿则在希腊的奥林匹亚和萨摩斯以及在意大利南部克罗托内附近的拉奇尼乌姆。但这些神殿都只有遗迹了。

Herakleion（Greece） 参阅 **Iráklion** 伊拉克利翁。

Herakles（Greek mythology） 参阅 **Heracles** 赫拉克勒斯。

herald **纹章官** 原指中世纪时负责在敌对双方军队指挥官之间传递信件的官员；现为研究纹章史和系谱学的专家。12世纪时，纹章官负责正式宣布比武大会的开始，并指导大会的进行，包括宣布比武项目及武士名单。为执行这一任务，重要的一点就是熟悉家族蕃衍分支情况，并能识别当地贵族的家族纹章。14世纪，纹章官更经常地管理贵族事务，对贵族的名字与家系较为谙熟。14世纪末，纹章官的权力已有所扩大。15世纪初，最高纹章官已受命给低级贵族颁赠封号；到国王停止直接授予纹章时，这一权力就由纹章官代行，纹章官作为钦差官吏代理颁发封赠证书。16、17世纪，纹章官到处巡视、检查佩带纹章者的封赠证书。葡萄牙、荷兰、比利时、卢森堡、瑞典、爱尔兰、苏格兰和英格兰，都有纹章官。在英格兰，他们不仅为贵族服务，也为高级勋位骑士服务；如专司授予金羊毛勋位的高级纹章官。英格兰和苏格兰的纹章官都掌管记载纹章及系谱，授予纹章，参加高级典礼，安排席次。但两者亦有不同之点，一如两者纹章之不同。苏格兰纹章官仍为“君主之近侍”，其首席纹章官是一名重臣，即最高典礼官及皇家谘议，兼管纹章、系谱及法律之事。英格兰的首席纹章官权力较小，仅为主持纹章院之国务大臣。现英格兰及苏格兰的纹章官仍穿着饰有联合王国王室纹章的披风。

heraldic memorial **纹章悼念品** 用死者的家族纹章来装饰的悼念性艺术作品。有两种纹章悼念品特别值得注意：一种是石碑，惯用

英国埃塞克斯郡克里斯霍尔一教堂内约1380年的纹章悼念品
美国不列颠百科全书公司供图

于欧洲大陆；另一种是丧仪纹标（**hatchment**），在英国甚为多见。

heraldry **纹章学** 指纹章官的全部活动，但原先是指有关纹章的艺术和科学，这是纹章官的主要事务。13世纪欧洲贵族中流行用象征性纹章来标示身份，不久又发展到用以标示机关团体。纹章的主要形式是盾形纹。14世纪晚期，出现一种置于头盔顶上的次要纹章叫顶饰。在图像中，带纹章的盾形纹上方是头盔和顶饰；顶饰通常置于花环或冠之中，或者置于一顶以貂尾纹向上翻的深红帽之上。头盔的形制和位置标志持有者的等级。15世纪晚期的大贵族以及后来的某些团体的纹章上各有其相应的扶盾兽，置于盾形纹的两侧。与此同时，徽章也与纹章一起使用；嘉德勋章置于盾形纹周围；公、侯、伯、子、男诸爵将冠置于盾形纹上方；后来的勋章和装饰置于盾形纹下方；整个图像叫做勋绩纹。纹章的设计是根据一系列惯例来采用、描绘和排列各种各样的象征图形的。纹章是世袭的：某人被赐予纹章或获准佩戴纹章，则其所有男性子孙都佩戴这种纹章。幼子在他们的纹章和顶饰上添加小符记，叫做家谱标记。纹章是荣誉的徽章，因

而受到法律的保护。现今只有欧洲的君主国爱尔兰、瑞士以及南非和津巴布韦对纹章的使用加以控制。在某些国家，存在非贵族或自由民的纹章制度，但这通常是不受保护的。纹章艺术中使用的色调包括彩色、金属色和毛皮纹。彩色有红、蓝、黑、绿、紫，偶尔还有紫红、黄褐和天蓝。金属色是金(黄)银(白)二色。毛皮纹有白地黑斑貂尾纹及其变体如金色地黑斑貂尾纹，以及蓝白相间栗鼠纹。纹章学上使用的图形叫做纹章图记。主要的纹章图记是普通图记，作几何形，如直宽带、横带、斜带。其他的纹章图记，有生命的是野兽、妖怪、人、鸟、鱼、爬虫和昆虫，无生命的几乎包括其余的一切事物。纹章图记置于盾形纹的地上。地可以是素面的或有纹的(棋盘纹)，也有撒有小图记的或按普通图记的方向用一条线或几条线分隔的。按纵向分为两半的盾形纹叫竖线对分；按横向分为两半的叫横线对分；以斜线分为两半的——从右上角到左下角的叫中斜线对分，从左上角到右下角的叫左斜线对分。分隔线可以作雉堞形、波浪形或之字形。地的顶部叫端部，底部叫基部。盾形纹的左右据佩戴者而定，所以观者的左边就是盾形纹的右边，反之亦然。端部的中点称荣誉点，中部的中点称横分点，基部的中点称纹章盾脐。古时贵族将标示其家臣和财产的简单图案(徽章)显示在旗帜上。如今这种图案被授予持有纹章的人和机构。给纹章增加一些东西以纪念和表彰英勇行为，叫做扩充。例如，查理二世用授予其王室徽号的扩充来表彰许多王室成员。排列是指正确地描述勋绩纹，尤其指盾形纹上不止一个纹章图案时的描述。已婚男子要收并其妻子的纹章，即将两种纹章图案并列在一个盾形纹之上。如果她是纹章继承者，那就把她的纹章放在他的盾形纹中心的一个小盾形纹上。女继承人可以将她的纹章等分后传给她的子孙，等分就是将盾形纹用纵横线条一分为四或更多份数以供继承。未婚女子的纹章是置于菱形内的父亲纹章，但没有顶饰；已婚女子只用丈夫的盾形纹；寡妇用置于菱形上的丈夫纹章。某些官员，例如有纹章的主教和国王，有其相应于职务的纹章，拼在私人纹章的右边。

Herāt　赫拉特　又拼Harāt。阿富汗西部省份。面积61 301平方千米。除东部外，地势大体平坦。东部有兴都库什山的余脉，其中最大的是塞尔塞内库山(帕鲁帕米苏斯山)。哈里河自东而西穿行该省。省会赫拉特城坐落在最大的绿洲中，是阿富汗与伊朗和土库曼斯坦通商的中心，并有公路与邻省相通。该地区历史上是外族入侵者的必争之地。先后被马其顿王国亚力山大、安息人、贵霜人、波斯人和哌哒人占领。7世纪落入阿拉伯人之手，13世纪被蒙古人征服。1747年并入统一的阿富汗。哈里河河谷是最富庶的农业区之一，出产谷物、棉花、水果和其他农作物，西部的提尔普勒出产石油。赫拉特城有一些轻工业。居民主要是塔吉克族与杜兰尼普什图族，沙漠与山区有说达里语的半游牧民。人口：定居者约769 111(1979)。

Herāt　赫拉特　又拼Harāt。阿富汗西部赫拉特省省会。海拔922米。受哈里河灌溉的全国人口最稠密、最富庶的农业区之一的中心。为公路枢纽与阿富汗西部经济中心。附

赫拉特市古伊斯兰教寺院的尖塔
美国不列颠百科全书公司供图

近有几座古城，其中之一是马其顿的亚历山大大帝建立的。公元660年为阿拉伯人占领，成为穆斯林世界中心。13世纪蒙古人的入侵给该城带来巨大灾难。帖木儿统治时期赫拉特为科学文化中心，鼎盛一时。1863年并入阿富汗之前在波斯人与阿富汗人之间几易其主。市内有一座古城堡和一座15世纪的清真寺。坐落在城北高坡上的诗人与圣人阿卜杜拉安萨里陵墓是受人们敬仰的圣地，为帖木儿之孙所建。该地有手工业纺织、轧棉以及碾米、磨粉和榨油等工业。紫羔皮贸易兴隆。附近有机场。居民主要是塔吉克族、土库曼族和乌兹别克族。人口约177 300(1988)。

Herāt carpet　赫拉特地毯　阿富汗西部赫拉特(15世纪波斯京城)的手织铺地用品。16世纪和17世纪初期织品，以紫红大地、翠绿大边和鲜艳的金黄色图画等而出名。最华丽的是一对"皇帝地毯"，原属哈布斯堡王朝所有。该毯图案为盘卷蔓藤杂以棕榈花样，并有狩猎以及紧缠密裹的云朵。其他几条地毯有尖叶奎心，饰以小盾形垂饰。这些古典派

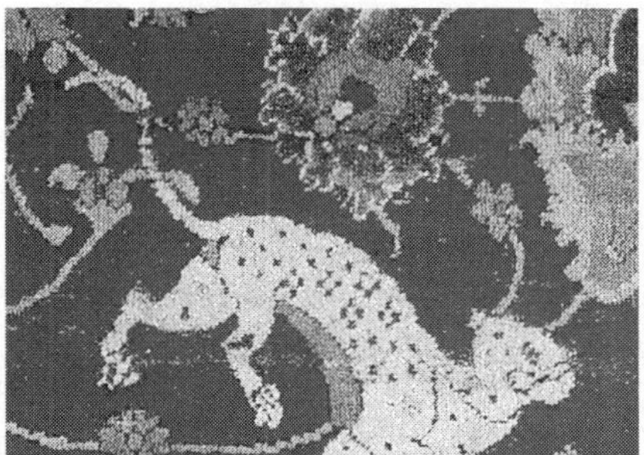

16世纪初期的赫拉特地毯
美国不列颠百科全书公司供图

地毯拴波斯生纳式扣，丝经丝纬或毛棉交纺。在古代波斯羊毛地毯中，赫拉特地毯的结扣精细，图案和色彩似优于其他地毯。有几块17世纪后期产品为棉底，毯面色彩不甚吸引人。

Herāt school　赫拉特画派　15世纪在帖木儿王朝赞助下，兴盛于阿富汗西部赫拉特城的细密画派。创建人是伊斯兰教征服者帖木儿之子沙阿·罗赫。但把它发展成重要的绘画中心，并把波斯和阿富汗艺术家引进宫廷的却是其子贝逊库尔·米尔札(1433年卒)。作品通常是在手稿(一般是诗稿)中加插图，有时作在丝绸上。赫拉特画派的风格取自**大不里士画派(Tabrīz school)**、**设拉子画派(Shīrāz school)**等多种绘画传统。但对其影响最大的则是在14世纪中叶至1400年左右来自蒙古和贾拉伊尔画派的**透视法(perspective)**。在赫拉特画派细密画中，整个画面上呈现出各种重叠的平面，有成群的或单个的人物。互相重叠的人物或风景并列，产生一种前后交错的效果。该画派早期的人物形象

赫拉特画派画家贝赫扎德绘《信使与隐士》(1485)
美国不列颠百科全书公司供图

都有同一风格：身材瘦长，长头尖须，姿势各异，显得栩栩如生，在任何景象中都表现出在做着某种动作。该派的艺术家善于细节描写，构思奇特，用色鲜艳而不刺眼，造成许多美妙的层次。后期的赫拉特画派以贝赫扎德的人物画像为主，贝赫扎德以一种和谐的、想象的和戏剧性的风格描绘人物，而不侧重性格刻画。

Hérault　埃罗　法国南部朗格多克-鲁西永大区省份。由前**朗格多克(Languedoc)**省中部地区组成。面积6 113平方千米。范围南至地中海，北和西北达中央高原东南边界。地势北高南低。埃罗河由北向南流贯本省入海。地中海附近的气候变化从潮湿至干燥，冬季暖和，夏季炎热。农业以单一葡萄酒生产为基础。局部地区生产蔬菜和水果，北部

养羊。贝济耶为葡萄酒贸易中心。大学城蒙彼利埃(**Montpellier**)为本省省会。主要海港塞特为海滨胜地之一。传统生产葡萄栽培工具。有炼油厂和化工厂。地中海沿岸正在通过兴建海滨旅游城镇发展旅游业。有三个专区:蒙彼利埃、贝济耶和洛代沃,属蒙彼利埃教育区。人口706 499(1982)。

Hérault de Séchelles, Marie-Jean　埃罗德塞舍尔(1759-09-20,巴黎～1794-04-05,巴黎)　法国贵族和法官,雅各宾派独裁时期(1793～1794)统治革命法国的救国委员会委员。出身名门望族,1777年任国王路易十六的律师,1785年任巴黎大理院(高等法院)总检察官。1789年大革命爆发时,曾参加进攻巴士底狱。1791年当选为立法议会议员。他参加了雅各宾俱乐部,在国民公会中同山岳派坐在一起。1793年5月选入第1届救国委员会,在同年6月2日雅各宾派的政变中,他任国民公会主席,下令逮捕吉伦特派首领,使雅各宾派控制了革命。他起草了大部分新的激进民主的雅各宾宪法。同年7月他重新被选入改组过的救国委员会。同年10月,救国委员会听说他正在同埃贝尔分子(左翼雅各宾派)和外国特务一道搞阴谋。这一指控几乎毫无根据。翌年3月他被投入监狱,几个星期后送上断头台。

herb　香草　参阅**spice and herb**香料和香草。

herbal　草药志　古代鉴定草药的工具书。早在公元前,印度人就已认识几百种草药。中国人则有一本有权威性的、收载1 000多种草药的巨著。据老普林尼的说法,希腊医生克拉泰夫阿斯(公元前1世纪初期)写过一本带彩色插图的草药志。该书早已失传,但其中大部分内容很可能为迪奥斯科里斯的名著《药物论》所收录。该书有公元512年左右的拜占廷译本,称为《君士坦丁堡药方集》或《维也纳药方集》,书中一些插图及植物名称(如银莲花和海绿)可能采自克拉泰夫阿斯的著作,这些名称沿用至今。中世纪,欧洲将许多草药志手稿公诸于世,这些手稿大量引用迪奥斯科里斯及普林尼著作中的材料。15世纪印刷了其中几种,著名的有康拉德·封·梅根贝格的《自然经》,1475年付印,载有世界上第一幅木刻植物插图。16世纪以前很少有人专为草药志绘图,书中插画多是翻印或重复翻印的。这些插图千篇一律,非但不像所描述的植物,而且掺进神话的内容。例如,雅各·迈登巴赫所著《药圃》(1491)一书中,"水仙"的插图简直面目全非:花被上的花蕊不见了,却钻出一个美少年来。16世纪30年代O.布隆费尔斯所著《药用植物图说》一书中刊载了木刻家汉斯·魏迪茨创作的优美而精确的植物图像。这种强调准确性的作风也影响到后来出版的H.博克及L.富克斯的草药志。探险家从海外带回的植物也开始描绘成图。例如,N.莫纳德斯的《书林》(1569)就首次刊出烟草的插图。1552年,有一本阿兹特克草药志的拉丁文译本,插图严谨,酷似欧洲的同类书籍,这表明画家遵循了西班牙大师

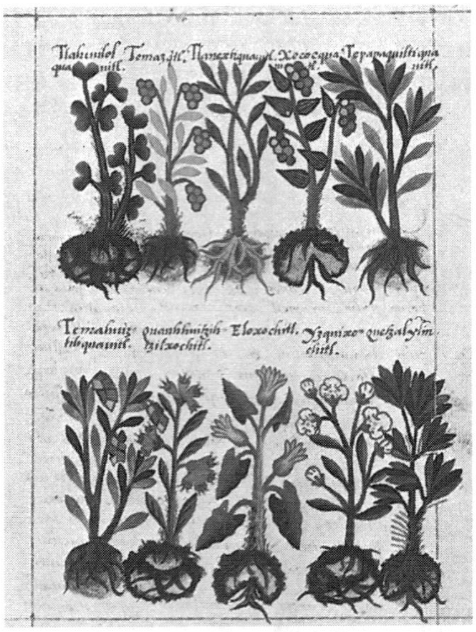

1552年拉丁文本阿兹特克草药志中的插图
美国不列颠百科全书公司供图

们的传统,而不采取当地的画风。这时期著名的草药医生还有J.杰勒德、C.格斯纳及G.鲍欣等。除了这些货真价实的草药志外,还可能存在其他带迷信色彩的著作。其中许多与象形药效说这种异想天开的医药理论有关。根据象形药效说,植物器官外形与人体哪个器官相似,就用它治疗人体该部的疾病。在英国,这方面登峰造极之作为N.卡尔佩珀的伪科学的药典《万物名录》(1649)。到17世纪,出现了从植物学角度来研究植物的书——植物志,草药志就此销声匿迹。

Herbart, Johann Friedrich　赫尔巴特(1776-05-04,奥尔登堡～1841-08-14,汉诺威格丁根)　德国哲学家及教育家。19世纪重新对现实主义发生兴趣的带头人,现代科学教育学的奠基者之一。1794年在耶拿师从费希特,1797～1800年在瑞士因特拉肯当家庭教师,在此期间结识裴斯泰洛齐。1802年在格丁根大学获硕士学位,1805年任特邀教授。1808年末在柯尼斯堡继任康德的教授职位,并主持一所教育学院。1833年回格丁根大学任哲学教授直到去世。赫尔巴特在哲学史上的地位主要由于他对心理哲学有所贡献。所著教科书《根据经验、形而上学和数学新建的学科——心理学》(2卷,1824～1825)的标题表现了他在这方面的目标;此书的重要性在于它将数学包括在内。他完全摒弃官能(康德之术语)的概念,而将心理活动看作基本感觉单位的表现,或"表演"。这些表现是心理力量,而不仅仅是洛克所认为的"观念"。研究心理力量之间的相互作用,就产生心理静力学和心理动力学,可以像牛顿的力学那样用数学公式表达。观念不一定都是有意识的;它们可以合并而产生合力,或冲突而使某些观念暂时被抑制在"意识的阈限以下"。互相关联的观念形成的有组织而无意识的体系是个"统觉体",能统觉新的表现,从而赋予更为丰富的意义。在这个基础上,赫尔巴特发展出一种教育理论,成为应用心理学的一个分支。他的教育理论以赫尔巴特主义知名,主要在《裴斯泰洛齐论感觉认识的基础知识》(1802)和《普通教育学》(1806)两本著作中得以陈述,在书中提出了教学五步骤之说。他认为建立教育科学是可能的,极力主张教育学应当成为大学学习的一门学科。他的一些观点在19世纪60年代对德国影响至深,并流传到美国。但到了20世纪初,他的教学五步骤学说退化成为一种机械的形式主义,其所依据的观点被各种新的教学理论特别是约翰·杜威的学说所取代。

Herbert, Sir A(lan) P(atrick)　赫伯特(1890-09-24,英格兰萨里埃尔斯特德～1971-11-11,伦敦)　英国小说家、剧作家、诗人和政治家。写过50多部著作,以善于机智地维护少数派人的主张而著名。尤为重要一事是1935～1950年任代表牛津大学的议会议员时,提出婚姻法案(1937年通过),彻底修订了英国过去的离婚法律。在温切斯特学院求学时,就给幽默杂志《笨拙》撰稿。牛津大学法学系毕业。第一次世界大战时期在皇家海军服役。短篇小说《秘密的战斗》(1919)使他一举成名。长篇小说《水上吉普赛人》(1930)描写泰晤士河畔居住者的生活。《神圣的对峙》(1934)是声讨旧离婚法的檄文。也写过许多非常成功的喜歌剧和音乐喜剧,其中有《河滨之夜》(1926)、《巴黎生活》(1929)、《高教会派塔》(1931)、《海伦》(1932)、《赛马日》(1932)、《大本钟》(1946)和《祝福新娘》(1947)等。1945年被封为爵士,1970年成为殊勋爵士。同年出版他的最后一部著作《赫伯特的生平与时代》。

Herbert (of Cherbury), Edward Herbert, 1st Baron　赫伯特(1582-03-03,英格兰什罗普郡塞文河畔埃顿～1648-08-05,伦敦)　廷臣、军人、外交家、历史学家、玄学诗人和哲学家("英国自然神论创始人")。因其具有启示作用的《自传》而知名。曾在牛津读书。1608～1617年在荷兰从军并赴法国和意大利游历。在巴黎任大使五年,因其政治上的业绩而取得爱尔兰和英国的贵族称号。1624年在巴黎发表了《论真理》一书。从此致力于哲学、历史和文学的研究。内战爆发时他对双方都无热情;但在1644年为议会军开放了蒙哥马利要塞,因而受到严厉批判。《论真理》的意图在于把传授的理性确立为寻求真理时最可靠的指导。以新颖的手法考察真理的性质并得出结论,认为有五种宗教思想系上帝所赐予,亦即人们头脑中天生的:①相信有一个最高的存在;②相信必须崇拜它;③相信最好的崇拜方式是过一种虔诚的和有道德的生活;④相信悔改;⑤相信在来世会受到赏罚。1645年发表《论谬误的原因》和《论俗人的宗教》,进一步阐明了《论真理》中的看法。其作品反映出一位有能力的作家活跃的和多才多艺的思想。记载到1624年为止(1764年出版)的《自传》集中反映了他作为人的各种品质:他的社会才能、冒险精神、好学的志向和丰富的处世经验。其历史著作包括《莱岛出征记》(1656)、《国王亨利第八的生平和统治》(1649)。《诗歌偶作》(1665)表明他还是一位有才能和具独特风格的诗人。

Herbert (of Ragland) Edward Somerset, Lord 赫伯特(拉格伦的)勋爵 参阅 **Worcester, Edward Somerset, 2nd marquess of 伍斯特侯爵(第二)**。

Herbert, George 赫伯特(1593-04-03,威尔士蒙哥马利堡～1633-03-01,英格兰威尔特郡贝默登) 英国宗教诗人,重要的玄学派诗人,以词句洗炼、妥贴见称。著名的世俗玄学派诗人爱德华·赫伯特之弟。曾在家庭、威斯敏斯特学校和剑桥大学三一学院受教育。1620年在剑桥大学被选为讲演员,自认为这是"大学中的最佳职务"。1627年辞去此职;1630年被任命为贝默登教区长。临死前将大半诗稿送交费拉尔,请其决定出版或销毁。后者于1633年以《圣殿:圣诗及个人抒怀》为题将这些诗发表。《圣殿》中除了个人抒怀以外,尚收有教义诗,其中首篇《教堂门廊》和末篇《教会的勇士》最为突出,其他诗均写宗教仪式。赫伯特在诗中都运用普通语言。柯尔律治在19世纪评价赫伯特的用词"纯净、豪迈、真挚,无出其右者"。赫伯特工于格律,全面掌握韵文技巧。直至20世纪虽亦遭受评论家对玄学派诗人的非议,但至今仍受读者喜爱。赫伯特在贝默登还写有《圣殿牧师,又名乡村牧师,其性格和生活准则》(1652)。由F.哈钦森所编的《作品集》(1941;1945年修订版)为权威版本。

Herbert, George Edward Stanhope Molyneux 赫伯特 参阅 **Carnarvon, George Edward Stanhope Molyneux Herbert, 5th earl of 卡那封伯爵(第五)**。

Herbert, Henry Howard Molyneux 赫伯特 参阅 **Carnarvon, Henry Howard Molyneux Herbert, 4th earl of 卡那封伯爵(第四)**。

Herbert, Victor 赫伯特(1859-02-01,爱尔兰都柏林～1924-05-26,美国纽约州纽约) 爱尔兰出生的美国轻歌剧和轻音乐作曲家。曾在德国从M.赛弗里茨和B.科斯曼学习作

美国国会图书馆供图

曲和大提琴。他作为作曲家和大提琴演奏大师十分活跃。1886年偕妻弗尔斯特赴美,其妻后来成为大都会歌剧院主要演员,他则在该院乐队演奏。其早期作品既富悦耳旋律又具浪漫主义色彩,曾由纽约爱乐乐团演出。1893年任著名的22团军乐队队长,1898～1904年任匹兹堡交响乐团指挥,1904年自己成立音乐会管弦乐团。曾领导订立版权法的斗争。1914年美国成立作曲家、作家和出版者协会,他是创始人之一。1894年写出第一部轻歌剧《阿纳尼亚斯王子》,此后又写出《小夜曲》(1897)、《莫迪斯特小姐》(1905)、《淘气的玛丽埃塔》(1910)、《情侣》(1913)和《艾琳》(1917)等40余部。他的轻歌剧音乐的配器极为出色。还写过两部大型歌剧《娜妥玛》(1911)和《马德莱娜》(1914),并为影片《一个国家的衰亡》谱写音乐,这可能是为故事片新创作的第一部交响乐总谱。晚年写过一些时事讽刺剧,比较著名的是《齐格飞活报剧》。

Herbert, Xavier 赫伯特(1901-05-15,澳大利亚西澳大利亚黑德兰港～1984-11-10,北部地方艾丽斯斯普林斯) 全名Alfred Francis Xavier Herbert。澳大利亚小说家。因长篇小说《天羊》(1938)而闻名,这部作品描写澳大利亚北部地方的生活及当地土著居民所受白人的非人待遇。父亲是铁路工程师,幼年时便结交了许多土著人并学会了他们的语言。曾在墨尔本大学攻读药学,但后来转而从事新闻工作,到澳大利亚北部地区采访。当过海员、矿工、飞行员、深海潜水员和骑马牧人。1935年任达尔文地区土著居民监督,这个职务导致他写出《天羊》一书。小说《七只鸸鹋》(1959)、《士兵的女人》(1961)和短篇小说选集《大于生活》(1963)未同样受到评论界和读者好评。长篇家世小说《可怜的同伴、我的家乡》(1975)表达了他对生活的悲观态度,但不如《天羊》丰富、生动。他的自传《搅乱的人》于1983年出版。

Herbert, Zbigniew 赫伯特(1924-10-29,波兰勒武夫[今在乌克兰利沃夫]～1998-07-28,华沙) 波兰诗人、随笔作家。勒武夫大学经济系教授之子。德国占领波兰时,就读于一所波兰地下中学,并接受波兰军队的秘密军训课程。第二次世界大战后获法学文凭,同时还研读哲学和艺术史。他写诗,但在波兰强调社会主义现实主义时期(1949～1954)很少发表。继第一本诗集《光的和弦》(1956)之后,又发表了《赫耳墨斯、一条狗和一颗星》(1957)和《物体的研究》(1961)。曾旅游法国和意大利,并写了一些游后感,题为《花园里的一个野蛮人》(1962)。

Herbert River 赫伯特河 在澳大利亚昆士兰州东北部。源出东部高地。向东南流经阿瑟顿高原在哈里法克斯湾注入珊瑚海。全长240千米。流域面积8 650平方千米。中游流域森林茂密,有伐木业。沿海附近平原栽种甘蔗。该河支流的沃拉曼瀑布(296米)是全国最高的单级瀑布之一(位居第二)。

herbicide 除草剂 用来杀死或抑制不想要的植物(如杂草)生长的物质,常为化学药剂。从前多用海盐、化学工业副产品与各类油脂作除草剂。19世纪末叶开始选择性地控制谷类作物中的阔叶杂草。现代控制杂草技术的最重要进展始于1945年采用的所谓有机除草剂,其革新之处在于毒性强,能以极低的剂量有效控制杂草,仅需早期除草剂如二硫化碳、硼砂及砒霜剂量的约1%～2%。现代的除草剂可分为两类:选择性的(仅对特定的植物有效)及非选择性的(作用及于各种植物)。它们又可再分为叶面施用除草剂和土壤用除草剂。接触性除草剂,例如硫酸、杀草快和对草快等,只杀死接触到除草剂的植物器官。传导型除草剂,例如杀草强、毒莠定和2,4-D,是经由地面上受喷洒的表面(如土壤)转移至根部或其他器官以发生杀灭效用。此外,还可按与作物栽培时间的关系而将除草剂分为作物种植前、出苗前和出苗后除草剂。作物种植前除草剂在作物种植前施用于土壤或杂草之上。某些除草剂(例如砷化钠)有时采用罐浸法,是将杂草顶端折弯,浸泡于盛有毒液的罐中,除草剂会被吸收进入杂草的其他部分和相连的其他植株,而渐次将整个体系杀死。牵牛花、毒栎和骆驼刺有时使用这种方法处理。氯苯和一些芳香溶剂可直接加入水中以控制水生杂草。参阅 **defoliant**。

herbivore 食草动物 单以植物组织为生的动物。包括范围甚广,从昆虫(如蚜虫)到大型哺乳动物(如象),但该术语最常指有蹄类哺乳动物。对植物性食物的适应变化包括:反刍动物的四室胃,啮齿动物不断生长的切牙,牛、绵羊、山羊和其他牛科动物的特化的用以磨食的磨牙。某些食草动物为单食性,如树袋熊仅食桉属植物的叶,但绝大多数食草动物至少食几种食物。

Herblock 赫布洛克(1909-10-13,美国伊利诺伊芝加哥～2001-10-07,华盛顿特区) Herbert Lawrence Block(H.L.布洛克)的别名。美国漫画编辑。于1942、1954和1979年荣获普利策奖。最初的作品于1929年发表在《芝加哥每日新闻》上。1933～1943年为报业协会工作。1946年进《华盛顿邮报》。是美国漫画界的一位主要自由主义代言人,对当代政治、大企业、工业、劳工和经济等方面的不公正现象进行抨击。其最出名的漫画作品也许是50年代初对以麦卡锡为代表的美国法西斯主义倾向的讽刺。1994年获总统自由勋章。

Herbois, Jean-Marie Collot d' 埃布瓦 参阅 **Collot d'Herbois, Jean-Marie 科洛·德布瓦**。

Hercegovina 黑塞哥维那 参阅 **Bosnia and Herzegovina 波斯尼亚和黑塞哥维那**。

Herculaneum 赫库兰尼姆 意大利坎帕尼亚区古城,位于那不勒斯东南8千米处,曾有5 000居民。公元79年,维苏威火山爆发,该城与庞贝城及斯塔比伊城同时被毁。今雷西纳镇即坐落于赫库兰尼姆部分遗址之上。

古代传说曾把赫库兰尼姆同希腊英雄赫拉克勒斯之名联系在一起,以表示该城系希腊人始建。然而历史记载证明,公元前6世纪末,坎帕尼亚最早民族奥斯坎人中的一部分原始居民迁到赫库兰尼姆,受希腊人的统治。公元前4世纪时,该城归萨谟奈人统治。公元前89年,赫库兰尼姆城因曾参加反对罗马的"联盟战争"而被苏拉的副将狄第乌斯击败,于是成为罗马的一个自治城市。公元62

赫库兰尼姆的“格架式住所”(左)
韦尔纳·福尔曼档案馆供图

或63年，赫库兰尼姆遭受地震之灾，建筑物严重受损，在住房尚未修复之际，于公元79年即因维苏威火山爆发而埋于地下。因为该遗址在发掘过程中出土人类遗骸数量极少，人们或许可以设想，当时该城绝大多数居民曾成功地逃向那不勒斯，所取方向正好与火山砾及火山灰落下之方向相反，故与庞贝城居民多数葬身熔岩中的惨状有所不同。

由于赫库兰尼姆的特殊被埋方式与庞贝城大不相同，这就使其上面形成一层多孔凝灰岩，深约15～18米。这虽给发掘工作造成很大困难，却使赫库兰尼姆得以保存下来，未受抢掠，同时由于当地的湿度条件特殊，也使得房屋的木结构部分、木质家具、布料、食品等等能够得到保藏。这样，赫库兰尼姆就为人们提供了一幅私人日常生活的详细画面，而在其他古代世界中心的遗址上，这些是很难找到的。发掘工作始于18世纪。多少世纪以来，人们早已遗忘曾一度存在的赫库兰尼姆，而且唯一可用的参考资料，也仅是古代作者留下来的片段文字，对该城的确切位置并无记载。1709年在挖掘一口井时，十分偶然地发现一堵墙壁，后来进一步认出这段墙垣是赫库兰尼姆剧场中舞台的一部分。正式的发掘得到那不勒斯国王赞助，于1738年开始。1738～1765年间，波蒂奇博物馆增加了大量藏品，其中有多幅精美绘画及一组人物雕像，系在一座据认为是赫库兰尼姆的长方形会堂中找到的；另外，还有大量青铜和大理石制作的艺术品，是从城郊一座别墅中发现的。因为该别墅中所藏古希腊语纸莎草纸手稿也全部运往波蒂奇博物馆收藏，别墅被称作“古卷精舍”。这些纸莎草纸手稿最后由那不勒斯国家图书馆收藏，其主题多受伊壁鸠鲁哲学思想的影响，其内容迄今仅有部分为学者所理解。

1823年发掘工作再度进行，这次不再继续采用原先的隧道挖掘方法，而改用自地上向下掘进的作业，此种作业法曾在庞贝城发掘时使用，取得成功。到1835年，新的发掘工作方法初见成效，已出土赫库兰尼姆城的第一批房屋，其中包括阿戈斯神庙的周围柱列。其后发掘再次停工，1869年意大利统一后继续进行，到1875年，由于收获不大，且因雷西纳镇居民住所尚存，工作中止。

1904年英国考古学家瓦德斯坦设法向欧美各国募集资金，遂使赫库兰尼姆考古发掘工作引起国际关注，1927年5月终于再次开工。此次由意大利政府提供经费，以使发掘工作像庞贝城那样持续下去。尽管工程曾因第二次世界大战一度中断，然而发掘终于使这座古城能为人们清楚地了解。出土的一条“大道”将已发掘部分同尚在发掘部分截然分开。大道也是集市广场的一条边，广场建有公房，为税吏收税之所。大道南边建有一般住宅多所，其布局呈几何图形，十分规则，面向十字路口，房舍栉比鳞次，直达海角的边缘。那里筑有围墙，其内矗立较高贵住房，具有俯瞰海湾之便。在居住区内，罗马共和时期富有平民和贵族的宅第同中产阶级住宅或商店、作坊等交错矗立。其间中产者居所如所谓“格架式住房”，装饰亦颇豪华。

出土的公共建筑物有：角力场，中心是一大型游泳池，池周建有柱廊；两处公共浴室，一在广场之旁，另一则在城门以外。第2座浴室保存异常良好，实际上完全未受火山熔岩的冲击。

自从把雷西纳镇房屋部分拆除以后，发掘工作继续在古城址的集市广场地带进行，以搜寻当地主要的民间建筑和宗教建筑：神庙、长方形会堂以及元老院等。

Herculano de Carvalho e Araújo, Alexandre 埃尔库拉诺·德·卡尔瓦略·埃·阿劳若(1810-03-28，葡萄牙里斯本～1877-09-13，圣塔伦) 葡萄牙历史学家、小说家、诗人。是将浪漫主义引进葡萄牙的作家之一。作为历史学家，他是自由主义舆论的领袖人物。其在本国之威望堪与雨果之于法国相比拟。青年时期，由于参加反对唐·米格尔专制统治的活动，被迫流亡英国和法国。1832年，随佩德罗的军队返回葡萄牙，推翻米格尔，建立了自由政权。他认为，政局的变化必须伴之以重要的文化改革，因而放弃诗歌创作，担任《全景报》编辑(1837～1839)。他在该刊所发表的历史小说，后编成《传说和纪事》2卷(1851)。从1839年任阿茹达的皇家图书馆馆长时起，就致力于巨著《葡萄牙史》(共4卷)的写作。第一卷于1846年出版。1851年，他参加推翻科斯塔·卡布拉尔政权的更新运动。为与极端保守主义分子作斗争，他参加创办两种报刊，撰文抨击政治上的集权和教会的影响。他认为教皇的极权主义是自由主义体制的大敌。在此期间，他撰写了《葡萄牙宗教裁判所始末》(1854～1859)。《葡萄牙史》的最后一卷于1853年出版。1856年，他退休回乡过田园生活。

Hercules(Greco-Roman mythology) **赫丘利斯** 参阅 **Heracles** 赫拉克勒斯。

Hercules, Tower of 赫丘利斯灯塔 位于离西班牙拉科鲁尼亚城2.4千米处，可能是仅存的还在使用的古罗马灯塔。最早腓尼基人的灯塔可能就在这个位置，现在这座56.8米高的建筑被认为是图拉真统治时期(公元98～117)建成或重建的罗马式建筑。

Hercules' club(plant) **赫丘利斯之杖** 参阅 **angelica tree** 多刺楤木。

Hercynian orogenic belt 海西造山带 又作 Variscan orogenic belt(华力西造山带)。指泥盆纪(出现在约4.08亿年前至3.6亿年前)以及随后的石炭纪(终了于约2.86亿年前)期间发育形成的一系列山脉，是非洲和北美-北欧大陆之间碰撞的结果。海西造山带在欧洲西部延续超过3 000千米，由西面的葡萄牙、爱尔兰和英格兰，穿过西班牙、法国(布列塔尼、中央高原、孚日山脉和科西嘉岛)和德国(黑林山、哈茨山)，到波希米亚高地里的捷克和斯洛伐克。该造山带中所含的许多岩层和构造，表明其形成是海底扩张、大洋壳俯冲消减以及板块碰撞的结果。其蜿蜒曲折的露头是由两板块碰撞时，一板块呈犬牙交错状挤入另一板块内所造成的。该造山带被中生代-新生代的沉积盆地部分地覆盖了起来，其南部因造成阿尔卑斯山脉和比利牛斯山脉的碰撞构造作用而广泛地变了形，而且又由于地中海西部那些盆地以及比斯开湾的张开而受到了肢解。

hercynite 铁尖晶石 含铁、铝的氧化物矿物，尖晶石(**spinel**)系列中的矿物之一。

Herczeg, Ferenc 海尔采格(1863-09-22，匈牙利韦尔谢茨～1954-02-24，布达佩斯) 匈牙利小说家、剧作家，匈牙利20世纪初维护保守的民族主义文学观点的首要人物。出身于一个德裔小康之家。他虽然学法律，但却选择了文学生涯，从1890年发表第一部长篇小说以后，一直一帆风顺。1895年创办《新时代》杂志，该刊成了匈牙利保守的中上层阶级半个多世纪的文学期刊。他那轻松愉快的长篇通俗小说充满冷嘲热讽、幽默机智和社会批评，最好的例子是《久尔科维奇的姑娘们》(1893)，写一个精明的母亲怎样嫁出了7个女儿。其后较为严肃的长篇小说中，他经常以历史为背景，其中最成功的作品是《生命之门》(1919)，背景是文艺复兴时期的意大利。他的社会喜剧如《三个保镖》(1894)和《蓝狐狸偷盗》(1917)，都是妙趣横生、技巧娴熟的作品。《拜占廷》(1904)和《桥》(1925)是著名的历史剧。

herdbook 血统簿 或称良种家畜登记册。牲畜(尤其是牛和猪)公认优良品种的个体和谱系的正式记录。当培育纯种牲畜用于育种的工作于18世纪在英国开始后，就有必要保持每头牲畜的谱系。新品种的记录最初由指定的个人保存，最后建立了育种协会来管理和保存这些记录。在现代牲畜交易中，牲畜个体的谱系记录是牲畜市场价格的一个重要决定因素。

Herder, Johann Gottfried von 赫尔德(1744-08-25，东普鲁士莫龙根[今波兰莫龙格]～1803-12-18，萨克森-魏玛公国魏玛[德国]) 德国批评家、哲学家及路德派神学家，浪漫主义运动的先驱。他具有超越时代的眼光，善于通过以往获得的见识去揭示未来，预见了德国哲学思想和文艺理论的新时期。1771年以后发表的一系列著作成为文学上狂飙突进运动的基础。在《论语言的起源》(1772)中，认为语言结构是人类本性的真实影像。只有通过语言的中介才可能产生知识。他强调人的本性是统一的，不可分的整体。此时他的历史哲学开始形成，欲利用过去的经验来评价当前的形势，并推断未来的可能情况。论莎士比亚的论文和《关于人类发展的另一种历史哲学》(1774)都反对历史研究中的唯理论。认为个别历史事件和整个历史之间的矛盾是历史发展的逻辑基础，历史存在是这一矛盾的产物。这是表现他对历史存在的深刻见解的最早著作。1776年，依靠歌德的影响，受任为魏玛总管及议会议员。创立了一般形态学的基本原理。由于承认矛盾和诉诸最高统一性的思想方法，使他在辩证逻辑史上赢得了一席之地(见《论人的天赋虚构》，1777)。这一时期他完成了向古典主义的转变。主要著作有《关于人类灵魂的认识和感觉》(1778)、《关于神学研究的通信》(1780～1781)、《希伯来诗的精神》(1782～1783)、《民歌》(1778～1779)。认为诗产生于由感觉所经验的自然环境和历史环境，与其说作诗是一种深思熟虑的行为，不如说是一种对事件刺激的无意识的反应。在魏玛时达到顶端的著作是《散论集》(1785～1797)和未完成的《人类历史哲学大纲》(1784～1791)。后一部著作是他与歌德交谈的产物。他在书中试图证明自然和历史服从于一个统一的规律体系。晚期由于过分自信、经济拮据和对法国革命的观点分歧，因而同歌德的关系疏远，乃至对整个德国诗歌和哲学界的古典派运动都极为仇视。《论人类进展的通讯》(1793～1797)及《历史、哲学、美学论文集》(1801～1803)强调一切诗歌的说教意图，同他促成建立的艺术工作意志自由理论背道而驰。在《基督教论集》(1794～1798)和《纯粹理性批判的总批判》(1799)等著作中攻击康德，认为康德哲学对他自己关于世界的历史观点是一种威胁。

herd's-grass 参阅 **timothy** 梯牧草。

Héré de Corny, Emmanuel **埃瑞**(1705-10-12，法国南锡～1763-02-02，吕内维尔) 法国洛林公爵斯坦尼斯瓦夫的宫廷建筑师，以设计南锡城的市中心而驰名遐迩，这是18世纪城市设计的一个主要典范。斯坦尼斯瓦夫委托埃瑞将南锡城的中世纪部分和文艺复兴时期部分连成一体，两者之间原有护城河及要塞遗址相隔。埃瑞的工作于1752年开始，完成后包括三个区域：皇家广场(现称斯坦尼斯瓦夫广场)、卡利埃尔广场和政府广场。这三个区域相互连接，形成一系列房屋鳞次栉比的小街区和环以柱廊的散步场所。小街区栽有几行树，并有雕塑和喷泉，装饰得十分高雅。这一设计创造出街头美景，改进了交通路线，并为该城未来的合理发展打下基础。埃瑞以有限的资金在一省首府创造出这一巧妙的规划，达到当时最杰出的城市规划者的水平。其他作品几乎全在南锡，其中有博恩塞古圣母院的礼拜堂(1738～1741)和为耶稣会教士修建的皇家布道团大厦(1741～1743)。

Heredia **埃雷迪亚** 哥斯达黎加中部城市。地处中央高原，海拔1 137米。约建于16世纪70年代。有许多教堂(最古老的建于1706年)。大多数居民为小烟农。墨西哥于1821年宣布独立后，该城率先提出要求：如哥斯达黎加脱离西班牙，就与墨西哥帝国合并。在19世纪30年代曾一度为首都。现为重要的咖啡生产中心。许多居民去圣何塞工作。人口21 440(1984)。

Heredia, José Maria de **埃雷迪亚**(1842-11-22，古巴拉福尔图娜～1905-10-02，法国乌当附近) 古巴出生的法国诗人，杰出的十四行诗大师。父亲是富有的西班牙咖啡种植园主，母亲是法国人。在巴黎附近的桑尼斯受教育，称颂法国为“我的思想和心灵的祖国”。是诗人勒孔特·德·李勒的朋友和帕尔纳斯派的领袖人物。他的118首十四行诗和几首长诗，编集成诗集《锦幡集》(1893)出版。这些诗，通常抓住历史上(往往是古典时期或文艺复兴时期)短暂的片刻或者一件艺术品作惊人的形象化的描绘。1894年被选为法兰西学院院士。1901年成为巴黎拉塞纳尔图书馆长，死前完成了18世纪诗人谢尼埃的《田园诗集》编纂工作。

hereditary hemorrhagic telangiectasia **遗传性出血性毛细血管扩张症** 参阅 **Osler-Rendu-Weber disease** 奥斯勒-朗迪-韦伯三氏病。

hereditary leptocytosis **遗传性薄红细胞增多症** 参阅 **thalassemia** 地中海贫血。

hereditary spherocytosis **遗传性球形红细胞增多症** 一种先天性溶血性疾病。特征为：脾肿大，红细胞呈球形、大小不等、脆性增加，呈慢性轻度溶血性贫血、可因间断发作严重再生障碍性贫血而加重。本病是一种常见的家族性贫血，呈常染色体显性遗传，在黑人中罕见，而北欧常见。发病时间早者在出生时，迟者至老年，但多在儿童或青春期。脾脏切除几乎可治愈全部贫血病例；但造血缺陷依然存在，只是不引起严重症状而已。

heredity **遗传** 亲子间通过基因进行的生理和心理性状的传递。19世纪以前，人们一直认为一个人的遗传性状就是他父母双方基因性状的混合物。因此，一个高个子的男人和一个矮个子的女人所生的孩子按理说就应该是不高不矮。1866年一位奥地利修士G.孟德尔发表了他用豌豆所作的杂交育种试验的研究报告，并据此提出了他的遗传定律：子代的遗传因子(现称基因)并非是亲代遗传因子的混合物，它们仍然是各自独立的，只是其中有的是显性因子，而有些则是隐性因子。亲代只把他们各自遗传因子的一半传给子代；而不同子代个体所接受的来自亲代的两份遗传因子也并非全都一样。1900年以后，孟德尔定律开始被人们认识，并成为现代遗传学的基础。但孟德尔本人一直到死都没能看到他的成果被世人承认。为了充分认识遗传的作用，首先必须明确两个概念：基因型和表现型。基因型是个体的全部基因构成，包括显性基因和隐性基因。所谓隐性基因是指未获表达的性状的基因，但它同样可以遗传给其子代。而且，除了有基因突变，某个体的基因型是终生不变的。表现型则是可以看到的基因性状。表现型是一个个体的基因构成和环境之间相互作用的产物。例如一棵带有高大树干基因的树不巧却长到了高寒当风的山坡上，那它也只好屈就成一把灌木丛。和基因型不同，表现型是高度可变的，例如一个人的肤色基因并不能决定他的实际肤色，因为人的肤色极易受到日晒的影响。把基因信息翻译成表现型基因性状是个复杂的过程。基因是在细胞水平上通过指导蛋白合成(包括酶)来发挥作用的；酶又调节细胞的代谢过程。很多性状是由多个基因控制的；而群体中的很多基因还有许多不同的表现形式(如等位基因)。如果考虑到个体表现型中所包含的所有这些多基因性状和多等位基因的情况，那就很容易理解遗传性状变异性中的巨大容量。

Hereford **赫里福德** 英格兰赫里福德历史郡和单一政区的城市。临怀河。公元7世纪后建立居民点。1086年为皇室领地，也有各种宗教领地，还有一家省级造币厂。羊毛贸易在1202年前很重要，但时至16世纪就衰落了。当地城堡早年很重要，13世纪英格兰对威尔士的入侵和占领使该地失去军事重要性。城内圣母马利亚和圣阿塞尔伯特大教堂兼有从诺曼到垂直式的各种建筑风格。教堂图书馆藏有珍贵手稿、早期印刷品和文物。其他名胜古迹有乔拉尔主教学院、主教宫、万圣教堂、旧吉尔特厅(现为博物馆)、教堂文法学校(1384)和蓝衣学校(1710)等。贸易以农产品为主，出售赫里福德牛，生产苹果汁和果酱以及水果罐头、啤酒、家具、玻璃、皮革和镍合金等。人口约54 326(1991)。

赫里福德市跨怀河的中世纪古桥，远景为圣马利亚和圣阿塞尔伯特大教堂
美国不列颠百科全书公司供图

Hereford **赫里福德牛** 英格兰赫里福德郡(今赫里福德-伍斯特郡)育成的流行的肉牛品种。由部分农场主和佃农经几代人的努力育成。该郡曾以繁茂的牧草著名。该地区赫里福德牛许多世代繁育的目的都是为了肉用和役用。体毛红色，脸白色，有白色标志

斑,品种特征固定为时尚短。1846年第一次出版良种登记册时,编辑将此品种分为四类:脸带斑点的、浅灰色的、深灰色的、体红色而白脸的。经过25年后除最后一种外,实际上都已消失。突出的特点是毛色一致,早熟,适应在不利条件下成长。赫里福德牛1817年最初由政治家亨利·克莱引进美国。一头年轻的公牛、一头母牛及一头小母牛被引进他的家乡肯塔基。它们在北美草原地区,北自加拿大南至墨西哥,已成为主要品种。在英国,主要在赫里福德-伍斯特郡以及邻近地区培育,但苏格兰、爱尔兰和威尔士也有此品种。也能适应澳大利亚、新西兰、阿根廷、乌拉圭和巴西南部的草原条件。美国无角赫里福德牛品系是1900年左右选择注册的天然的无角赫里福德牛培育而成的。其数量增加迅速,全美国包括夏威夷到处都有畜群,其品系已广泛输出。

Hereford, Henry, Duke of　赫里福德公爵 参阅 **Henry**(England)亨利(英格兰)项下的 **Henry IV** 亨利四世。

Hereford, William FitzOsbern, 1st Earl of　赫里福德伯爵(第一) 参阅 **FitzOsbern, William** 菲茨奥斯本。

Hereford and Worcester　赫里福德-伍斯特 原英格兰一郡(1974～1998),西起威尔士边界,东迄工业区米德兰,面积3 927平方千米。下设9个区:布罗姆斯格罗夫、莱姆斯特、马耳威恩山区、雷迪奇、南赫里福德、韦查冯、怀尔森林区以及赫里福德-伍斯特市(郡首府)。该郡是1974年由原赫里福德和伍斯特两郡合并而成的。该郡有两块低地平原。由构成原赫里福德郡和伍斯特郡边界的马尔威恩丘陵分隔而成。西部平原的水系流入怀河及其支流;平原西北边缘有远古志留纪的、露出地表的陡峭页岩和灰石岩,平原东面是伍尔霍普丘和马耳威恩丘陵。马尔威恩山区中心地带海拔高于400米,由前寒武纪的片麻岩和火山岩构成。平原的东南面是迪恩森林高原,西面是布莱克山即老红砂岩,高逾670米。东部平原是塞文河、埃文河(上游)及两河支流斯陶尔河和蒂姆河肥沃谷地的一部分。南部的埃文河谷亦称伊夫舍姆谷,土质是早期里阿斯统黏土,其土壤极宜种植果树与蔬菜;东南部科茨沃尔兹山脉是侏罗纪的陡峭斜坡;郡东北部有志留纪、寒武纪和前寒武纪等时期的岩石形成的利基丘陵地(海拔291米)。

12世纪诺曼人在赫里福德郡修筑了许多要塞,其遗址在今威尔顿、古得利奇和彭布里奇仍有保存。在伍斯特和赫里福德都有天主教大教堂,在伊夫舍姆和珀肖尔都有本笃会修道院遗址,在马耳威恩有一座保存完好的小修道院。基尔皮克的圣玛丽和圣大卫教堂是罗马风格建筑中具有赫里福德特色的建筑物中的典范。阿贝多尔的西多修道院为早期英国风格的建筑。为数甚多的乡村住宅中,在特雷戈有一座设防的宅邸(建于13世纪),是这类设防住宅的代表性建筑物。伯特斯莫顿院是一座16世纪所建周围有防护濠的宅邸。

该郡经济以农业为主,西部盛产梨和苹果,水果主要用于制果汁。东南部包括伊夫舍姆谷的田地精耕细作,生产上市早的水果和蔬菜。该郡出产的蛇麻子仅次于肯特郡,乳品业在东部占主要地位。赫里福德牛闻名世界;拉伊兰兹产的绵羊也很著名,原产地是瓦伊河畔罗斯地区。伍斯特的重工业很发达,布罗姆斯格罗夫是另一发展中的城市中心,在雷迪奇、基德明斯特(此地亦以产地毯闻名)和赫里福德有机器和金属工业。德罗伊特威奇附近的斯托克普里奥有重要的采盐和化学工业。该郡许多商镇都有农机制造、水果罐头制造与水果加工、果汁生产、奶制品加工等工业。人口约665 100(1987)。

Herefordshire　赫里福德郡 又作Hereford。英格兰威尔士边境地区的单一政区和历史郡。历史郡包括单一政区以外的3个小地区,一个在什罗普行政郡的南什罗普郡区,另外两个在伍斯特行政郡的莫尔文丘陵。同时,单一政区中又有3个小地区属于伍斯特历史郡。历史郡略呈椭圆形,面积2 182平方千米。1974年重新划分行政区域时,此郡划归新设的赫里福德-伍斯特(**Hereford and Wocester**)郡。该地有史前时期的几个重要遗址:萨顿城墙、克罗夫特神龛、赫里福德郡灯楼和赖恩特沃戴恩。7世纪,西部撒克逊人进犯,横渡塞文河,定居在威尔士和麦西亚之间的地带,不久建立麦西亚王国。8世纪时麦西亚国王奥发把麦西亚的领土扩张到怀河河畔,筑奥发大堤为屏障。该堤现在在摩尔汉普顿和金顿还有遗迹。赫里福德可能最早于英格兰国王艾特尔斯坦(925～939在位)时期设为郡。圭内斯亲王格鲁菲德·阿普·卢埃林统治时期,该地边界与威尔士常有战事。哈罗德·戈德温森(后为英格兰国王哈罗德二世)的伯爵领地中包括此郡。1063年他恢复了该地的秩序。该郡北部的理查城堡和西南部的伊瓦斯·哈罗德堡是诺曼人在英格兰土地上最早构筑的城堡,威格莫尔、克利福德、韦奥布利、赫里福德和基尔佩克等都是诺曼人的要塞。在赫里福德郡,约翰·威克里夫的宗教改革教义有着广泛的影响;14世纪末与15世纪初,所谓的罗拉德派学说广为传播。在玫瑰战争期间,该郡支持先是由马奇伯爵爱德华领导,后又由爱德华四世领导的约克家族。17世纪英国内战中,该郡属保皇派;保皇派活动中心赫里福德市的统属数次易手。赫里福德郡一向是富饶的农业区。在近代,该郡的耕垦地占总面积的4/5以上,其中约不到一半是永久牧场。该郡森林覆盖面积大于西部其他多数地区。此地以产梨和苹果著称,所产果实约有半数用以制果汁。有一个时期果汁是大宗出产的饮料。为了支持该郡的主要经济——农业,兴办了农具厂、水果罐头厂、果酱厂和奶制品厂。也有一些新兴工业在赫里福德市周围发展起来。产家具,为行政和服务中心。人口169 700(1998)。

Hereke carpet　海雷凯地毯 19世纪末在伊斯坦布尔以东约64千米的海雷凯皇家工场以手工编织的铺地用品。毯面为毛或丝的大地毯和祈祷毯,系供皇宫使用并作为苏丹

20世纪初期的海雷凯丝织地毯
美国不列颠百科全书公司供图

的礼品。图案仿各种古老地毯或按西方式样。许多饰有改良波斯图案和铭文的祈祷毯和奎心图案地毯,据信是由这些皇家工场或其附近的早期工场编织的。现存这种地毯共有30多条,集中于伊斯坦布尔的托普卡珀宫。

Hérelle, Félix d'　德雷尔(1873-04-25,加拿大魁北克蒙特利尔～1949-02-22,巴黎) 加裔法国微生物学家。以噬菌体的发现者著称。德雷尔早年学医于巴黎和莱顿,后去危地马拉,领导危地马拉市医院的一个细菌学研究室,并在当地医学院教授微生物学。1909年,墨西哥政府派他去巴黎巴斯德研究所研究微生物学。在用某些昆虫肠炎致病菌作试验的过程中,他偶然注意到在培养细菌明胶培养基上出现的秃斑。在第一次世界大战期间,当他调查法国骑兵中流行的一种痢疾时,把秃斑过滤液和痢疾杆菌培养物混合起来,结果发现这些痢疾杆菌很快就被过滤液中的一种未知因子全部杀灭。德雷尔把这种未知因子称为"无形微生物",后改称噬菌体。随后的几年中,德雷尔致力于噬菌体治疗作用的研究。在印度尼西亚研究人类痢疾和水牛的细菌感染时,他进一步完善了噬菌体的分离、纯化技术。1921年发表《噬菌体在免疫中的作用》一书。现在,治疗细菌感染的药物是各种抗生素,而不再是噬菌体了。德雷尔首次在耶鲁大学开设噬菌体学课程。后应苏联政府之邀,为苏联建立了几家研究所。1938年以后,一直在巴黎潜心从事研究工作。

Herero　赫雷罗人 西南非一个族源关系很近的操班图语的部落群。正统的赫雷罗及其称为姆班德鲁人的部落住在纳米比亚中部和博茨瓦纳的某些地区;其他部落如欣巴人,住在纳米比亚的考科韦尔德地区以及安哥拉的南部。从前,赫雷罗人主要靠牛、绵羊和山羊的乳和肉为生,畜群很大,在树木茂密的草地上放牧;在19世纪中期与欧洲人接触后,

有几个部落也开始以园艺为生。赫雷罗人原来分为若干自治政治单元,由头人管理。当地居民群体是以父系血统大家族为中心形成的;不过其中也常常附带有母系亲属。赫雷罗人普遍通行一夫多妻制,传统宗教为祖先崇拜,许多人已改信基督教。

Hereroland 赫雷罗兰 纳米比亚东部一地区,包括卡拉哈里沙漠西部部分地区。东面与博茨瓦纳交界。赫雷罗兰地势起伏不大,为半干旱地区。所有的间歇性降雨量都向东流。不易透过深厚沙层获得的地下水,只能维持多年生牧草、矮灌木和荆棘林地。虽然如此,在为提供饮用水打的钻孔附近仍可放牧牛群。该地区的赫雷罗人是养牛的游牧民,也种植自给的作物如玉米、黍类和豇豆,并饲养家禽和羊群。赫雷罗人历来不多,但自17世纪直到19世纪晚期,却常统治着现首府温得和克以北放牧牛群最密集的中央高原。他们1904～1907年间反抗德国的殖民侵略,造成他们3/4的人口灭绝,最后某些幸存者定居在今日的赫雷罗兰的最荒凉的沙漠草原上。该族妇女的标准装束依然是具有19世纪特色的、维多利亚女王时代的艳丽服装和拖裙,那多半是当时德国传教士的妻子们穿着的服式。主要住区有奥卡卡拉拉和奥奇内内。

heresy 异端 经教会当局斥为谬误的神学学说或神学体系。异端不同于分裂教会的活动,异端分子虽然持谬说,有时却仍留在教会内,教会分裂分子或许持有正统教义,却脱离教会。基督教会从一开始就自居为上帝之启示的捍卫者,认为只有它本身才有权根据圣灵的启发解释这种启示。凡与正统解释不同的解释必然是异端。仇恨异端的态度明显地见于《新约》本身,例如保罗就强调,他所传的福音与十二使徒所传者完全相同。《新约》成书较晚的几卷书进一步鲜明地对比对待经过教会批准的教义与异端的不同态度。在2世纪,基督教会日益重视自己所传教义不受玷污,提出侦测偏差的标准。2世纪基督教著作家、使徒后期教父以先知和使徒为权威教义的根源,伊里奈乌斯和德尔图良大力强调"信仰的定律"——自使徒时代传下来的基督教基本信仰的泛泛的归纳。后来,教会会议和普世教会会议成为解释正统教义和谴责异端的工具。最后,在西派教会,会议所作出的有关教义的决定须经教皇批准方能确立。在公元最初几个世纪,基督教会对付许多异端,其中主要有幻影派、马西昂派、孟他努斯派、基督嗣子派、撒伯里乌派、阿里乌派、基督一性论派、贝拉基派和诺斯替派。在历史上,教会对付异端分子的主要方法是绝罚。但是,在12、13世纪,教会为了对付异端成立异端裁判所,异端分子凡经过教会审讯仍不改者即送交世俗当局处罚,通常是死刑。16世纪发生了宗教改革运动,出现了新形势,西派教会往时的教义一统天下的局面崩溃。天主教会满意于自己是拥有不倒权威的真教会,单独坚持古代和中世纪的关于异端的理论,有时还对它认为异端的学说或意见提出谴责。基督教(新教)大多数大派别也逐渐认为,自己所传教义体现基督教真理的最终表达方式,往往斥与之相异者为异端。但是,宽容态度逐渐增长,加以20世纪普世教会运动发展,新教各派多已对先宗教改革运动的关于异端的认识进行了修正。目前,如有人一方面坚持自己所属派别的教义,另一方面又不认为观点不同的人是异端,新教许多人士不太可能指他为表里不一。天主教会也已区分故意而顽固地坚持教义谬误的人与不是由于自己的过失——例如过去所受另一派别的教养——而持有这种谬误的人。异端一词犹太教一直使用,但犹太教从来没有像基督教那样严厉惩罚异端分子。在历史上,关于异端的概念和反对异端的斗争,在佛教、印度教和伊斯兰教,都不如在基督教那样受到重视。

Hereward THE WAKE 赫里沃德(觉醒的)(活动时期1070～1071) 反对征服者威廉的盎格鲁-撒克逊反叛者,诺曼人和英格兰人许多传奇中的英雄。活动于今亨廷登郡和北安普敦郡地区。1070年,由于期待丹麦国王斯韦恩二世征服英格兰,他和一些追随者参加了一支到达伊利岛的丹麦水兵的队伍。他们洗劫了彼得博罗隐修院。此后不久,斯韦恩与征服者威廉媾和,丹麦人回国。但是,赫里沃德已在伊利岛定居下来,该岛在1071年成为盎格鲁-撒克逊逃亡者的避难所。当威廉占领伊利岛时,赫里沃德设法逃出。他是C.金斯利的最后一部长篇小说《觉醒的赫里沃德》(1866)中的主人公。

Herford 黑尔福德 德国西北部北莱茵-威斯特伐利亚州城市。在阿河和韦勒河汇流处,条顿堡林山北。约789年建于本笃会女隐修院周围。后成为汉萨同盟成员。1647年属勃兰登堡王朝,1807年属威斯特伐利亚,1815年属普鲁士。旧城内有中世纪石头和半露木架的房屋以及许多公园和花园。教堂有罗马式的明斯特教堂和哥特式的玛丽教堂(1325)。现主要为工业城市和全国家具制造业中心。亦生产服装、地毯、雪茄烟、机械、金属制品和巧克力。人口约61 700(1989)。

Hergesheimer, Joseph 赫格希默(1880-02-15,费城～1954-04-25,美国新泽西海岛城) 美国作家。他在20世纪初期所写的长篇小说,无情地揭露了百万富翁的堕落和虚伪。原习绘画,后转向写作。第一篇作品为《凡人安东尼》(1914)。他以多产作家著称,写有长篇和短篇小说、传记、历史作品和文艺评论,其作品具有华丽的巴罗克风格,心理刻画入微。在他的长篇小说中,《三代黑皮肤的彭尼家人》(1917)、《爪哇岬》(1919)和《巴厘沙》被认为是他最好的作品。1921年,他的短篇小说《尚可原谅的戴维》被改编为电影。到20世纪30年代,他的作品不再受到评论界的赞赏和读者的欢迎。

Herihor 赫里霍尔(活动时期公元前11世纪初) 埃及军官,篡位的阿蒙高级僧侣。在第二十王朝末年国家分裂时建立僧侣-国王王朝,统治埃及南部地区。出身不详。据信,他是在拉美西斯十一世(公元前1075年结束的第二十王朝最后一位国王)时代从军队里被提拔上来的。在底比斯柯恩斯神庙中,很清楚地记载着他夺取王位的经过。神庙大殿的浮雕表明他具有阿蒙高级僧侣、将军和首领等称号,最后自立为法老。不过,拉美西斯十一世却比他至少多活了2年。参阅 **Ramses XI**。

Hering, (Karl) Ewald (Konstantin) 黑林(1834-08-05,萨克森阿尔特-盖斯多夫[德国]～1918-01-26,德国莱比锡) 德国生理学家、心理学家。主要研究色觉生理学。曾在维也纳约瑟夫学院、布拉格大学及莱比锡大学任教。反对亥姆霍兹的色觉理论,而假设有3种感受器,每种能对一对颜色作出双重反应。他还研究过呼吸生理,1868年与J.布罗伊尔共同论证了迷走神经对呼吸的调节作用。

heriot 佃户死时的贡献 在欧洲封建社会里,指领主在佃户死时攫取佃户的最好的牲畜或其他动产的权利。这种权利产生于这样一个习俗,即领主把马匹和盔甲借给为他打仗的佃户们。当一个佃户死去时,马匹和装备就要归还给领主。当佃户自己负责提供装备时,领主就声称有要求他死时作出贡献的权利。死时贡献种类较多。非自由佃户和自由佃户均受封建主权利的约束。一个佃户可以在他的遗嘱中写明死时作出哪些贡献,但是,如果他死于战争,就不要求作出这种贡献。

Herisau 黑里绍 瑞士东北部外阿彭策尔州首府。位于格拉特河畔,圣加仑西南。其圣劳伦斯教堂10世纪已见记载。现址为16世纪所建。该市现为牲畜市场,亦产棉织品、纸张、木材、玻璃器皿和金属制品。附近有疗养地。是去往阿尔卑施泰因森蒂斯峰的旅游中心。居民讲德语,大部分信基督教新教。人口14 947(1987)。

Héristal(Belgium) 参阅 **Herstal 埃斯塔勒**。

Heriz carpet 赫里兹地毯 伊朗西北部大不里士以东赫里兹镇附近村庄以手工编织的

20世纪的伊朗赫里兹地毯
美国不列颠百科全书公司供图

铺地用品。大多可以铺盖整个房间，质地坚实、美观实用，曾畅销欧洲及美国等地，是大不里士地毯的变型，乡村地毯模仿城市风格的产物。大不里士奎心图案的流畅线条被改变成生硬的几何图形。重复的图案较少；大边多为参差不齐的蔓藤和玫瑰花饰。拴土耳其吉奥狄斯扣，棉底。曾试制丝毯，但图案粗糙，色彩粗犷。这种地毯的出现不早于19世纪后期，取代当时一种乡村地毯，供本地使用。

Herkimer 赫基默 美国纽约州中部村落，赫基默县县城(1791)。位于尤蒂卡东南23千米处，莫霍克河北岸。约1725年德国人在此设居民点，1807年设村，位于赫基默镇区(1788年建)内。村东13千米处的N.赫基默将军故居(1764)为该州著名古迹。该村生产图书馆设备。设有赫基默县立社区学院(1966)。人口7 498(2000)。

Herkimer, Nicholas 赫基默(1728，纽约赫基默附近～1777-08-16，美国纽约利特尔福尔斯) 美国独立战争时期的将军，曾率领美国民兵参加奥里斯卡尼战役(1777-08-06)。在纽约州莫霍克谷长大成人。早年参加民兵，曾参加法国印第安人战争，任中尉；到独立战争爆发时已成为准将。1777年率领约800名民兵解救在效忠派和印第安人联军威胁之下的斯坦尼克斯堡。8月6日，他的部队在今纽约州奥里斯卡尼附近遭到伏击。这次战斗是美国独立战争中最血腥的战役之一。他在战斗中腿部受重伤。据说，他仍然消闲自在地坐在树下，一边抽着烟斗，一边指挥他的部队。美国民兵撤退时，将他抬送回家。因截肢手术不佳，战役结束10天后死去。

herm 赫耳墨头柱 在希腊宗教中，同对丰产之神赫耳墨斯的崇拜有关的一种石造圣物。某些学者认为，赫耳墨斯的名字可能源自herma一词(希腊语："石头"或"岩石"，例如界石)。随着艺术情趣的发展和诸神应具有人形的概念的产生，这些圣物逐渐为雕像或石柱(通常为方形，上粗下细以暗示人形)所代替。圣石上面常安放赫耳墨斯的头像(故有此名称)并有一男性生殖器。它们不仅作为崇拜对象，而且还有其他用途，如用作里程碑或界石。如果说人们实际上并不崇拜它们，但对它们还是怀有敬意的。罗马雕刻中也有这种头柱，不过头像是森林神西尔瓦诺斯或主神朱庇特·忒耳弥诺斯。后来各种奇异的头柱都被用作装饰，有单头柱也有双头柱，头像也并不全是神的头形。上面有胸像的上粗下细的长方形石柱现在叫term；它是古典式建筑的一种标准的要素。

Herman DE VALENCIENNES 埃尔芒·德瓦朗谢纳(活动时期12世纪) 法国诗人，以一首当时极为流行的经文诗而知名。生于瓦朗谢纳。当过教士并写有《圣经的故事》(1189年后)，包括删节过的《新约》和《旧约》以及一首关于圣母升天的诗。这部作品一般以《智慧的故事》之名而为人所知。他根据自己的需要在《圣经》故事中进行筛选，并随意从传说中移植有用的东西，在运用他的材料方面显示出卓越的才能。

Herman, Woody 赫尔曼(1913-05-16，美国威斯康星密尔沃基～1987-10-29，洛杉矶) 美国爵士乐单簧管、萨克斯管演奏家，声乐家和管乐队领队。自幼为神童，6岁即在歌舞杂耍剧团唱歌和表演，1930年成为巡回演出音乐家。1934～1936年在I.琼斯的乐队中演奏。琼斯退休后，由他领导该乐队中几位主要乐师一起组团。1939年录制《伐木者的舞会》唱片，销售额突破百万关。1943～1944年乐队改组，1946年解散。赫尔曼的下一个演出小组(1947～1949)在萨克斯管的运用方面表现出极其精妙细腻的特点。这个乐队首次把3个次中音和1个上低音萨克斯管结合起来，称之为"四兄弟之声"(因为是歌曲《四兄弟》使这种组合风行一时)。他的大乐队也保留了这种声音，直到20世纪50年代。至60和70年代，他的风格更加不拘一格，所用素材有诸如C.明戈斯和甲壳虫乐队作曲家的作品等。在整个70和80年代，他几乎是不间断地巡回演出。

Herman Miller, Inc. 赫尔曼·米勒公司 美国家具公司，以设计和组织管理上的创新而知名。1923年，D.J.德普雷和岳父赫尔曼·米勒以及其他几位投资者买下了位于美国密歇根州齐兰的斯塔家具公司，后来改名为赫尔曼·米勒公司。30年代德普雷对如何以现代的新设计来改进家庭与办公室的家具颇感兴趣。为创造新产品，他聘请了野口勇、G.纳尔逊、埃姆斯夫妇(埃姆斯休闲椅的发明人)等一些杰出设计师。早在作为现代主义先驱的纽约画派于40年代出现以前，赫尔曼·米勒公司就已经对全世界的现代主义设计有一定的影响。60年代，设计师R.普罗普斯特设计出以一排排小隔间为主的办公场所。现在这已经成为办公场所的标准。1976年首先创制出工效椅，成为人类-因素工程学(人类工程学)的带头者。该公司还是员工参与管理法的早期倡导者，这种方法被R.利克特等社会科学家大力推广。1950年公司给予员工制定自己工作量和对公司决策提出意见的权利。1983年提出员工股份所有制方案。1990年实行以价值为基础的管理办法，作为涉及全体员工的考核成绩、提高生产力和增加公司价值的方法。

hermandad 城市同盟 中世纪西班牙卡斯蒂利亚一些自治市联合组织的自卫团体，目的通常是行使警察职能或防御入侵。12世纪开始出现临时性的城市同盟，后来则成为常设机构。托莱多、塔拉韦拉和比亚雷亚尔3市同盟尤为著名。城市同盟设骑警队，主要缉拿盗匪和农村犯罪分子，并立即进行审判。王室起初对城市同盟不予支持，但亨利二世于1370年诏令准许其存在，并调整其组织及功能。亨利四世时，城市同盟衰落。1476年，天主教君主下令取缔城市同盟，以另一种所谓圣兄弟团的警备队取代之。18世纪前转为乡村警察形式。著名的海滨城市同盟(卡斯蒂利亚北部和巴斯克的港口的联合组织)努力保护贸易和航运。从13世纪末起，这一同盟拥有广泛的权力，它作为外交实体直接与英、法两国的国王进行谈判。1490年海滨城市同盟已置于王室管理之下。

Hermann I 赫尔曼一世(约1156～1217-04-25，图林根哥达[德国]) 图林根伯爵领主，萨克森享有王权的伯爵，曾参与挫败霍亨斯陶芬家族的皇帝亨利六世之企图：将德意志王国从选举的君主制改为世袭的君主制。约1180年自兄长路易三世手中接受萨克森享有王权的伯爵职位。他在1196年10月的爱尔福特议会上起了决定性的作用，迫使亨利放弃将德意志君主制改为世袭的计划。亨利六世死后，赫尔曼在韦尔夫家族的奥托四世与霍亨斯陶芬家族的对手之间的冲突中朝秦暮楚，对事态发展影响颇大。

Hermann VON REICHENAU 赫尔曼(赖谢瑙的)(1013-07-18，士瓦本绍尔高[德国]～1054-09-24，赖谢瑙岛赖谢瑙隐修院[德国]) 别名跛者赫尔曼。德意志编年史家、诗人、作曲家、天文学家和数学家。神圣罗马帝国皇帝亨利三世同时代人。他在史学上很重要，因为是当时德意志若干大事件的主要史料来源。士瓦本一伯爵之子，少时即跛。1020年进入赖谢瑙本笃会隐修院附属学校，后来成为修道士并任教。他的主要著作是从耶稣诞生到1054年的世界编年史。

Hermann VON SALZA 赫尔曼·冯·萨尔扎(约1170～1239-03-20，萨莱诺) 1210～1239年间日耳曼十字军组织"条顿骑士团"的大团长。出身于图林根一小贵族家庭，完全凭个人能力于1210年取得条顿骑士团大团长的有权势的职位。在担任神圣罗马帝国皇帝腓特烈二世(1220～1250在位)的外交官与顾问时，逐渐赢得皇帝的信任与支持。鉴于在后几次十字军失败的远征之后，中东所剩机会不多，身为大团长的赫尔曼开始将他的骑士团的基督教化与军事活动由中东移至异教徒与日俱增的东欧地区。他在匈牙利进行的第一次军事行动虽于1225年以骑士团被赶出那个地区而失败，但是，此后不久(1226)应马佐维亚的康拉德的邀请，骑士团前去征服维斯图拉河地区的普鲁士人并使其改变信仰。康拉德将该地区的一块土地赐给赫尔曼，腓特烈二世发给他一个特许状，准许骑士团对普鲁士人传教并拥有统治权。赫尔曼终于在1233年发动一次全面战役，在骑士团行省团长H.巴尔克的指挥下去征服普鲁士。1230年，赫尔曼在调停腓特烈二世与教皇格列高利九世的冲突中起了关键性的作用；1235年，他又协助解决腓特烈与反叛的长子亨利之间的冲突。由于受教皇与皇帝双方的信赖，赫尔曼使条顿骑士团的势力达到登峰造极的地步；由于采取富有远见的政策，他使骑士团在普鲁士建立一个强盛的封建国家，一直维持到15世纪中叶。

Hermann, Eduard 赫尔曼(1869-12-19，萨克森-科堡-哥达～1950-02-14，德国格丁根) 德国语言学家，致力于印欧语系语言的比较研究。他根据语言学观点对荷马作品部分篇章所作的注解极为详尽，是荷马研究领域中的典范；1914 年发表《关于荷马若干篇章的语言学注释》。1931 年发表《语音定律和类推作用》，部分地讨论了儿童习得语言的过程。他的《疑问代词探源》(1943)一书，对德国历史语言学作出贡献，他还在瑞士沙尔梅村对语音规律的变化进行了有意义的深入研究。先后任教于基尔、法兰克福和格丁根等大学，曾发表文章广泛探讨语言学科各种问题。

Hermannstadt (Romania) **黑尔曼施塔特** 参阅 **Sibiu** 锡比乌。

Hermansverk 赫曼斯沃克 挪威中西部松恩-菲尤拉讷郡首府。位于松内湾北岸。是挪威最小的郡首府。因在郡的居中位置，所以定为首府。人口 706(1970)。

Hermansz, Jacob 参阅 **Arminius, Jacobus** 阿明尼乌。

hermaphroditism 雌雄同体 同时具有雄性和雌性生殖器官之意。雌雄同体植物通常称为雌雄同株或两性植物，如多数显花植物；雌雄同体动物通常营寄生生活、行动缓慢或永久附着于其他动植物体上，而且多数为无脊椎动物，如蠕虫、苔藓动物、吸虫、蜗牛、缓步虫和藤壶等。同时具有睾丸和卵巢两种性腺的雌雄同体，在人类中极为罕见(称为两性畸形)，患者的外生殖器可能兼有两性的特征，染色体通常为男性-女性镶工态(同时具有男性 XY 和女性 XX 两种染色体)；性别的选择必须在出生时就决定，通常以外生殖器官形似何性为准，决定后，以手术除去另一性的性腺，再依所选性别修补外生殖器。个体的外部生殖特征与染色体及生殖器官的性别相反者，则为人类假两性畸形(**pseudohermaphroditism**)。

Hermaphroditus 赫耳玛佛洛狄忒 希腊神话中的半男半女人。这种人的观念源自东方；在希腊范围内，它出现于塞浦路斯。虽然在晚期的希腊艺术中它是人们喜爱的主题，但是作为希腊的崇拜对象，它毫不重要。希腊化时期一个传说说，赫耳玛佛洛狄忒是一个美貌的青年，是赫耳墨斯和阿佛洛狄忒的儿子。卡里亚的撒尔玛奇斯水泉的山林女神爱上了他，请求诸神使她永远同他结合在一起。结果就形成了一个半男半女的人物。

Hermas, Shepherd of (Christian literature) 参阅 **Shepherd of Hermas**《赫马牧人书》。

Hermenegild, SAINT 赫尔门尼希尔德，圣 (？～585-04-13，西哥特王国塔拉戈纳) 西哥特的王子，西班牙的莱奥维希尔德之子。在阿里乌主义的异教环境中长大，579 年与奥斯特拉西亚的西日贝尔一世的女儿、虔诚的正教徒印古黛结婚。他父亲围攻拜占廷占领下的塞维利亚时，他获得独立指挥权。在妻子和塞维利亚主教圣利安得努力劝说下，他改变了信仰，而且几乎立即对他父亲反戈一击。他最初得到拜占廷人的支持，但他父亲把拜占廷人收买过去，因此使他被俘，并且斩首。当时的大多数作家都认为他是由于反叛而被处决的，但是根据教皇格列高利一世的《对话录》的叙述，他是因拒领阿里乌派主教的圣餐而被杀的。

hermeneutics 解经原则 研究解释《圣经》的一般原则。无论对于犹太教徒还是对于基督教徒，在他们的整个历史中，解经原则与解经方法的首要目的就是发现《圣经》的真理和价值。

《圣经》在犹太教与基督教中的神圣地位是以确信它辑录了神的启示为基础的。他们把《圣经》当作上帝的语录。但是，这种认识并没有为解经提供一个一致的原则。有些人认为，对《圣经》的解释必须永远是文字的校勘，因为上帝所说的话明确而完整。另一些人则坚持说，《圣经》的一字一句都一定含有更深的"灵性"意义，因为上帝的启示和真理是很深奥的。又有一些人主张，《圣经》的某些部分必须进行文字校勘，而某些部分则必须探索其寓意。在释经史上曾出现四大类解经原则：校勘文字、阐明道德、探索寓意、渲染神秘。

校勘文字派认为《圣经》经文要依据其语法结构和历史背景所传达的"直接意义"进行诠释，字面意义必然与作者的原意一致。这一类解经原则往往与对《圣经》语言灵感的信仰有关。根据这一信仰，神示的每个文句都经过上帝的选择。这类观点的极端典型常因未充分说明许多《圣经》作者显然不同的风格与词汇而受到批评。4 世纪一位有影响的《圣经》学者哲罗姆反对滥用寓意注释，赞成文字校勘。此后，一些不同的人物如 T.阿奎那、尼古拉(里拉的)、J.科利特、马丁·路德和 J.加尔文，也都曾为字面意义的重要性辩护。

第二类解经原则是阐明道德，谋求建立一种可以从《圣经》各个部分提取伦理教训的解经原则。为此常采用喻意法。例如，早期基督教著作《巴拿巴书》(约公元 100)将《利未记》中所规定的食物法则解释为：不禁止食用某些动物的肉，而禁止由那些动物而联想到的恶行。

第三类解经原则为探索寓意，认为《圣经》记述中明确提及的那些人、物、事件皆另有所指。探索寓意的一种特别方式是类比法，依照此法，《旧约》中的主要人、事、物都被视为《新约》中的人、事、物的"预示"或预兆。根据这一理论，诺亚方舟乃是上帝自一开始就打算创立的基督教会的一个"预示"。

与耶稣同时期的犹太哲学家斐洛以柏拉图和斯多葛的哲学来诠释犹太教的经典。亚历山大的克雷芒蒂安·克雷芒承袭斐洛常用的方法，从《圣经》的文字中探索寓意的内涵。他在《圣经》的平易叙述和箴言中发现了深奥的哲学真理。他的门生奥利金将这些解经原则系统化。他区分《圣经》的文字意义、道德意义和灵性意义，但认为灵性意义为最高。在中世纪，奥利金所讲的《圣经》的三重意义扩增为四重，因为把灵性意义下分为寓意的与神秘的两种。

第四大类解经原则是渲染神秘。这种模式试图将《圣经》中的事件渲染为有关或预示未来的生活。犹太教的喀巴拉便是此种解经法的范例，这一体系曾试图揭示希伯来文字和语言中数值的神秘含义。在犹太教中，这种渲染神秘的一个主要例子是中世纪的《犹太教神秘经典》。在基督教中，许多与马利亚论有关的解释亦属于渲染神秘的一类。

在近代，一如在其他时代，解经原则的重点是向着更广阔的学术的、哲学的方向转移。在 20 世纪历史考证评注、存在主义评注和结构主义评注已经成为主流。在非学术层次上，某些人士依然致力于针对当前的各种事件来解释《圣经》中的预言和启示。参阅 **exegesis**。

Hermes 赫耳墨斯 希腊神，宙斯和迈亚的儿子。常常被等同于罗马的墨丘利，并被等同于卡比里诸神之一的卡斯米路斯或卡德米路斯。他的名字可能来自希腊语 herma 一

引导一个羊人合唱队的赫耳墨斯，
杜里斯所作瓮画，公元前 5 世纪
不列颠博物馆供图

词，意为在农村用来表示边界或作为土地界标的一堆石头。该神最早的奉祀中心大概是阿卡迪亚，据称那里的库勒涅山是他的出生地。在那里他被崇拜为丰产神，男性生殖器是他的象征。在文学和崇祀中，他经常同对牛羊的保护联系在一起，并且往往同植物神，特别是潘和山林女神也有密切的关系。但在《奥德赛》里，他主要是神使和亡灵进入冥界的接引者。他又是一位梦神，希腊人在睡前要对他行最后一次奠酒。作为使者，他还可能成为道路和门洞之神。他又是旅行者的保护神。偶然发现的财宝是他的馈赠，而好运也是他的赐予。这一概念及他作为收益(正当的或不正当的)之神的职能是他作为丰产之神的性格的自然派生物。他在许多方面与阿波罗相当；和阿波罗一样，也是音乐的庇护神，并被认为有发明基萨拉琴以及有时还包括音乐之功。他还是雄辩之神并且主持某些种类的民间占卜。赫耳墨斯的神圣数字是 4，一个月的第 4 天是他的生日。在远古艺术中，除了定型的赫耳墨头柱之外，他被表现为一位蓄须的成年男子，身穿长衣，头戴小帽，足登飞行鞋。有时人们把他表现为牧人模样，背着一头绵羊；有时他是神使，手持盘蛇的短杖，这是他最常见的表征。从公元前 5

世纪后期起，他又被描绘成一位无胡须的裸体青年、一位年轻的运动家。

Hermes 赫米斯小行星 德国K.W.赖因穆特于1937年发现的一颗小行星，它的偏心轨道使它能比任何其他已知的小行星都更接近地球，1938年1月，它距地球不足780 000千米。因宣布那次近距通过曾引起一些人的恐惧，人们生怕它会与地球相撞。

Hermes, Georg 赫尔梅斯（1775-04-22，明斯特德赖尔瓦尔德～1831-05-26，波恩） 天主教神学家，赫尔梅斯派神学的创始人。该派试图从理性上证明基督教信仰有其必然性。赫尔梅斯的神学理论是在康德和费希特的哲学著作的影响下提出来的。赫尔梅斯早年在明斯特大学读书，1799年受神职，任该校教义神学教授。1819年任波恩大学教授。其学说传遍德国各地。他的著作在他在世时颇为流行，而在他死后大受批判。人们怀疑他偏离正统，他的主要著作被列入《禁书目录》，他的神学学说受到教皇格列高利十六世的谴责（1835）。第一次梵蒂冈会议（1869～1870）重申这一谴责。

Hermetic writings 赫耳墨斯秘义书 又称赫耳墨提卡。有关神灵启示、神学和哲学的作品。据称系埃及神透特（即希腊的赫耳墨斯·特里斯美吉斯托斯）撰著。该神传为文字的发明者，又为有赖于书写的一切艺术的保护神。这些作品用希腊语和拉丁语写成，大概出现于1世纪中叶到3世纪末之间，采用柏拉图对话式体裁，主要分两大类："通俗的"秘义作品，主要论述占星术和其他神秘学科；"学术的"秘义作品，主要论述神学和哲学。从文艺复兴直到19世纪末，通俗的秘义作品很少受到学术界的注意。但较近期的研究表明，它的发展先于学术的秘义作品，反映了罗马帝国初期广泛流行的思想和信仰，两者对于这一时期的宗教史和思想史来说极为重要。在希腊化时期，人们日益不相信传统的希腊理性主义，科学和宗教的区别也很模糊。人们向神和先知（主要是东方的）寻求神所启示的智慧，而赫耳墨斯-透特只是这些神当中的一位。在这一时期，归于赫耳墨斯·特里斯美吉斯托斯名下的作品主要是关于占星术的；后来又有关于医药、炼金术和法术的文章。秘义作品的目的，也和诺斯替教（当时的一种宗教-哲学运动）的作品一样，是通过对于一个超验的神、世界和人的认识（灵知）而求得人的神化或再生。神学作品的代表作是《秘义集成》的17篇论文、斯托拜奥斯著作的大量残片和《阿斯克勒庇俄斯》的一个拉丁语译本（保存在阿普列乌斯的著作里）。这些作品的背景虽然是埃及的，但哲学却是希腊的。秘义作品实际上是东方宗教的要素同柏拉图、斯多葛派和新毕达哥拉斯派哲学的一种融合。但看来好像并不存在任何明确的秘义团体或"教会"。秘义作品曾受到阿拉伯人广泛的研究，通过他们才传入并影响西方。在中世纪后期和文艺复兴时期的文献里常常提到赫耳墨斯·特里斯美吉斯托斯。

Hermeticism 隐逸派 意大利语作Ermetismo。20世纪初发端于意大利的现代派诗歌运动。其作品的特点是非常规的结构，不合逻辑的顺序，以及高度主观性的语言。隐逸派产生于法国象征派诗人（以波德莱尔、马拉梅、瓦莱里和兰波为代表）曾加以运用的19世纪诺瓦利斯和爱伦·坡的诗和诗歌理论。该名称专指20世纪意大利诗人，其先驱是A.奥诺弗里，第一个代表人物和领袖是G.翁加雷蒂。隐逸派的形式主义手法，部分地派生于未来主义。但隐逸派诗人那种暧昧的简洁、晦涩和繁杂，乃是两次世界大战之间法西斯统治对文学严加控制所造成的结果。虽然另外两个获得国际声誉的诗人S.夸齐莫多和E.蒙塔莱与这个运动有联系，但是它开始时的领袖仍然是翁加雷蒂。他在巴黎受的教育，使他接近法国的象征主义。他在第一本诗集《被埋葬的港口》中，创作了一种强劲而纯净的抒情短诗，其中标点、句法、结构都被免除，以加强个别词汇的表达能力。蒙塔莱和夸齐莫多后来都成为他的弟子。翁加雷蒂的《时代的感情》（1933）具有一种晦涩和深奥的象征主义，因而使评论家F.弗洛拉在收入《隐逸诗歌》（1936）的一系列论文中，把这个运动命名为隐逸主义。隐逸这个词是根据赫耳墨斯·特里斯美吉斯托斯（著名的玄妙象征作品的作者）名字命名的。夸齐莫多与蒙塔莱分别于1959和1975年获诺贝尔奖。有些人仍坚持隐逸派风格，但大师们多已转向更普遍的题材。

hermit 隐士 主要出于宗教动机而脱离社会隐居的人。最早的基督教隐士于3世纪末出现在埃及，当时许多虔诚信徒不堪罗马皇帝德西乌斯的迫害，纷纷遁入旷野，坚持宗教信仰，祈祷苦修。约在公元250年逃到旷野的底比斯人保罗被称为是第一位隐士。后来，出现了住院隐修，隐士的生活略有变通，不再那样严苛走极端，这就是日后隐修院的根源。隐士在西派教会实际上已不存在，在东派教会尚存。参阅 **monasticism**。

hermit 隐士蜂鸟 隐士蜂鸟属（*Phaethornis*）数种蜂鸟的通称。参阅 **hummingbird**。

hermit crab 寄居蟹 甲壳纲十足目寄居蟹科（Paguridae）和陆寄居蟹科（Coenobitidae）寄居在空螺壳或其他中空物体内的蟹类。世界性分布，生活在沙底、泥底水中，偶尔也在陆上或树中。腹部柔软，不对称，常向右盘

寄居蟹（*Pagurus samuelis*）
美国不列颠百科全书公司供图

曲。两对触角和4对足。第1对足变形为螯，右螯较大，体缩入螺壳时用以挡住壳口。第2、3对足用以爬行。第4对在腹部末端，用以抓住螺轴。雌体的腹部附肢用以携卵，直到孵化。幼体孵出后立即进入水中寻找空壳。身体长大时，离开原来的螺壳寻找并迁入较大的新居。某些寄居蟹住在植物茎管中。陆寄居蟹属（*Coenobita*）的半陆生的热带种除螺壳外，还住在竹节、裂开的椰壳和其他物品内。*Pylocheles* 属栖于印度洋深水，生活于竹节中。*Xylopargus* 属见于西印度洋180～360米深的水中，栖身于圆筒状的空心木头中。其他种类栖身于珊瑚或海绵中，有些种类与其他动物共生。*Pagurus*（*Eupagurus*）*bernhardus* 在欧洲和北美沿岸常见，呈鲜艳的红色，常在壳上携带一个或多个海葵。**盗蟹**（**robber crab**）原产于南太平洋岛屿，陆栖，已放弃居住螺壳内的习性。大寄居蟹（*Pagurus pollicaris*）见于北美大西洋沿岸水域，浅红褐色，长约10～12厘米。*P. longicarpus* 形小，见于美国大西洋沿岸水域，螯圆柱形。

Hermitage 爱尔米塔什博物馆 圣彼得堡艺术博物馆。1764年由叶卡捷琳娜大帝创立，为宫廷博物馆，与冬宫毗连。尼古拉一世统治期间重建，并于1852年开放。该馆富藏中世纪以来的西欧绘画，包括意大利文艺复兴、荷兰、佛兰德斯和法国画家的杰作，还藏有俄罗斯艺术品，以及大量东方艺术品，尤以中亚文物为著。

Hermite, Charles 埃尔米特（1822-12-24，法国迪约兹～1901-01-14，巴黎） 法国数学家，致力于函数论的研究，包括应用椭圆函数首次求解一般五次方程。在20岁时就表现出

美国不列颠百科全书公司供图

数学家的创造性，但难于通过正式考试，被迫用了5年最宝贵的时间来准备理学士考试，1848年获得学位。先在巴黎综合工科学校任很低的教职，后受聘去巴黎法兰西学院，直到1869年在巴黎师范学院才得到与他才能相称的教授职位。1870年任巴黎大学（索邦）高等代数教授。1873年第一个证明了e是超越数，即e不是任何具有有理系数的代数方程的根。他是发展代数型理论、二次型算术理论、椭圆函数和阿贝尔函数理论的一个主要人物。最先研究了现在称为埃尔米特型的整数表示法。他在《论五次方程的解》（1858）中提出了著名解法。由于他的鼓励和宣传，19世纪后期许多数学家的工作才受到重视。

Hermocrates　赫莫克拉特斯（？～公元前408或407）　西西里叙拉古温和民主派领袖。公元前415～前413年雅典人入侵时，他在保卫城邦中起过重大作用。在雅典与斯巴达之间的伯罗奔尼撒战争（公元前431～前404）期间，他在公元前424年游说西西里各城邦同意签订和约，结束了叙拉古与西西里亲雅典各城邦之间的三年战争。前来支援殖民地的雅典部队被迫撤退。公元前415年，雅典又派大军围攻叙拉古。他指挥城防不力，斯巴达将军吉利普斯前来支援时才转危为安。在叙拉古港口决战（公元前413）中，终于击溃雅典舰队。此后他率领叙拉古的一支小舰队，协助斯巴达在东爱琴海与雅典海军作战（公元前412～前410）。他出国之际，激进民主派狄奥克莱斯夺取了政权，他被流放。公元前408～前407年冬他企图强行回国，但在途中被杀。

Hermon, Mount　赫尔蒙山　阿拉伯语拉丁字母转写作Jabal ash-Shaykh（谢赫山）。在黎巴嫩-叙利亚边界上，位于大马士革以西。为地中海东岸最高点，海拔2 814米。顶部有积雪。有时被认为是前黎巴嫩山脉最南端部分；山脚为约旦河两条主要源头河发源地。在赫梯、巴勒斯坦和罗马时期被尊为圣山。山坡上有镌刻希腊语碑文（公元200年）的神庙。1967年6月阿拉伯-以色列战争后，西、南坡约100平方千米地域划入以色列管辖的戈兰高地（**Golan Heights**），已用于发展游乐，特别是滑雪活动。

Hermonthis　赫尔门斯　此词为希腊语形式，埃及语曾作Per-month（佩蒙特），今作Armant（艾尔曼特）。上埃及古城，位于尼罗河西岸底比斯附近。它是太阳神崇拜中心和举行国王加冕礼之处。这里还是战神蒙特的崇拜中心，战神具有鹰头人或比奇斯黑公牛的形象。是第一中间时期（约公元前2130～前1939）后重新统一埃及的底比斯统治者的故乡。经过1929～1938年的发掘，发现埋葬比奇斯黑公牛之处和自前王朝时期起各代墓地以及部分旧城遗址，还有战神蒙特的庙宇。

Hermopolis Magna　大赫尔莫波利斯　现名Al-Ashmūnaya（艾什穆纳亚）。上埃及古城，位于明亚省会南，滨尼罗河。俗名"八城"。原为上埃及第15省省会。这里奉祀智慧和文艺之神透特。遗址很大，已有部分经过考察。德国的赫尔莫波利斯考察团（1929～1939）发掘出透特神庙的一部分，还有希腊罗马时代的大量遗物。埃及大学考察团（1930～1939）发现了一个地下街道的迷宫以及与祭祀透特有关的墓窖。该地区现盛产谷物、椰枣和甘蔗。

Hermosillo　埃莫西约　墨西哥西北部索诺拉州首府。在沿海平原，海拔237米。近索诺拉河和圣米格尔河汇合处。为周围灌溉农业地区的商业和制造业中心，灌溉区产水果、小麦、棉花、玉米和豆类，也养牛。市内现代化建筑与西班牙殖民时期建筑对比显著，有

埃莫西约市的大教堂
Shostal 供图

索诺拉大学（1938）。冬季旅游胜地。附近有铜矿。墨西卡利和诺加莱斯至墨西哥城的公路和铁路通过该城。人口504 009（1995）。

Hermoúpolis　埃尔穆波利斯　现代希腊语作Ermoúpolis。希腊基克拉泽斯州首府，在爱琴海基克拉泽斯群岛的锡罗斯岛，是该岛主要港口。1821年建立。市内古典和文艺复兴

锡罗斯岛东岸的埃尔穆波利斯
美国不列颠百科全书公司供图

式建筑说明该地曾是希腊一个重要的商业中心。现仍是基克拉泽斯州最繁忙的港口，有干船坞、铁制品厂、棉纺厂以及制革业。人口13 030（1991）。

Hernández, Felisberto　埃尔南德斯（1902-10-20，乌拉圭蒙得维的亚～1964-01-13，蒙得维的亚）　拉丁美洲最早的短篇小说作家之一，以所写故事古怪闻名。出身贫苦，自学成为钢琴家，在无声电影时代，他在电影院弹奏钢琴，并以此谋生。1925～1931年出版过4部短篇小说集，但没有引起人们的注意。给他带来一定程度认可的是小说《无人点灯》（1947）和《洪水淹没的房屋》（1960）。他写的故事特点是：冷漠地观察几个匿名人物发生的滑稽可笑的故事，其实这几个人是同一个人。最主要的作品是《漂亮妞儿》。书中那个平凡的资产阶级主人公小心翼翼地安排与漂亮妞儿相会的色情场面，揭示出现代文学中一种潜意识心理活动最奇异的画面之一。

Hernández, Gregorio　埃尔南德斯（约1576，西班牙萨里亚？～1636-01-22，巴利阿多利德）　又称G.费尔南德斯。西班牙雕刻家，其作品属于巴罗克时期的上色木雕佳作，特点是感情强烈、富于宗教上的表现力、激动人心的严肃感及引人遐想的现实主义等。其著名雕像如《圣维罗尼卡》（1614）及《哀悼基督》（1617）等，多为供西班牙宗教团体在复活节前一周举行宗教仪式使用的彩车雕像群的一部分。其肖像手法创新之一就是让死去的耶稣躺在裹尸布上，四肢伸开。马德里附近的埃尔·帕尔多嘉布遣会圣克里斯托隐修院存有一座这样的雕像（1605）。除供祈祷用的雕像和彩车之外，埃尔南德斯还作了许多祭坛雕刻，其中最重要的作品见于巴利阿多利德的圣米格尔教堂（1606）和胡尔加斯女隐修院（1616）、莱尔马的圣佩德罗教堂（1615）、普拉森西亚大教堂（1624～1634）。

Hernández, José　埃尔南德斯（1834-11-10，布宜诺斯艾利斯查克拉·德·普埃雷东～1886-10-21，布宜诺斯艾利斯附近贝尔格拉诺）　阿根廷诗人，以描写加乌乔而闻名。14岁时，因疾病离开布宜诺斯艾利斯到大草原居住，学会了加乌乔的生活方式。1872年发表《加乌乔马丁·菲耶罗》，描写一个受迫害的加乌乔的生活，被认为是加乌乔诗歌的最佳典范。在这部叙事诗的第二部《马丁·菲耶罗的归来》（1879）中，主人公重新回到他离弃过的社会。

Hernández, Miguel　埃尔南德斯（1910-10-30，西班牙奥里韦拉～1942-03-28，阿利坎特）　西班牙诗人、剧作家，曾使传统的抒情诗形式同20世纪的主观性相结合。青年时期当过羊倌，1936年参加西班牙共产党并参加内战（1936～1939），战后被佛朗哥政权判处终身监禁，31岁时死于狱中。作品的主要题材是爱情、战争、死亡和社会的不公平。他的诗以一种华美的贡戈拉式风格开始，后来变得更为亲切、纯朴而悲哀。最好的作品是《不停的闪电》（1936），大部分为十四行诗，写得炉火纯青，有如古典诗人的作品，具有悲剧的和抒情的格调。《窥伺者》（1939），是一本充满战争恐怖和监狱恐怖的凄惨诗集。死后出版的

《信口唱来的谣曲集》(1958)包括他在狱中为挨饿的妻儿所写的诗歌和摇篮曲，充满激情和忧伤。他也写剧本，内战期间写了几个宣传独幕剧，其中最著名的为《死亡的牧人》(1938)。

Hernández, Orlando 埃尔南德斯(1965-10-11，古巴比亚克拉拉～) 全名 Orlando Hernández Pedroso。古巴棒球投手，胜负纪录为 129 胜 47 负，是古巴棒球联赛中的最佳成绩。1998～2005 年，获得了 9 胜 3 负的成绩，在 19 场最后决赛中获得了 2.55 的投手责任得分率。父亲为 60 年代古巴棒球界的著名投手，他继承了父亲的"公爵"绰号。1988 年加入古巴国家队，为古巴队在 1992 年赢得奥运会冠军立下汗马功劳。1995 年，他同父异母的弟弟(另一名古巴国家队投手)叛逃到美国。埃尔南德斯受到牵连，被古巴政府终身禁赛。1997 年，乘船逃离古巴，来到美国加入了纽约扬基队，1998 年开始在大联盟比赛。他具有独特的投球风格，使他在联赛中立即获得成功。1998～2000 年，使得扬基队连续 3 年获得世界职业棒球锦标赛冠军。1999 年成为美国棒联锦标赛最有价值球员。2005 年签约芝加哥白袜队，再度获得世界冠军。2005 年赛季后转会到亚利桑那响尾蛇队。

Hernández Colón, Rafael 埃尔南德斯·科隆(1936-10-24，波多黎各蓬塞～) 波多黎各总督(1973～1977；1985～1993)。在约翰斯·霍普金斯大学和波多黎各大学法学院毕业。他追随人民民主党，支持波多黎各处于自由联邦的地位。在任总督时，他努力使波多黎各减少对美国的经济依赖，争取波多黎各在世界贸易中占更大比重。1975 年他开始大规模兴建住宅，增加自由联邦的公共工程预算 20%，至 6 亿美元。他强烈反对古巴干涉波多黎各的事务和美国总统 G.R.福特所提出的接纳波多黎各为美国第 51 州的号召。1976、1980 年连续两次竞选失利。1985 年再次当选总督。

Herne 黑尔讷 德国西部北莱茵-威斯特伐利亚州城市。在莱茵-黑尔讷运河和多特蒙德-埃姆斯运河汇合处，约在多特蒙德市西 16 千米。原为一小村庄。19 世纪发现煤矿后迅速发展。1897 年设市。机械制造业占重要的经济地位。1975 年合并邻市万讷艾克尔。为鲁尔工业区的重要交通中心。人口 172 870(2003)。

Herne THE HUNTER 猎人赫恩 幽灵猎人，出没于温莎大猎园，在莎士比亚《温莎的风流娘儿们》一剧中，以福斯塔夫这一角色出现。赫恩也许确有其人，但很可能是举世闻名的"鲁莽猎手"故事在当地的一种表现形式。通常与鲁莽猎手有关的故事，都要涉及某一过分爱好狩猎的人，他常同一个陌生人(魔鬼)轻于许诺或订约，从而注定永远要去追逐猎物。据说赫恩是在夜间，尤其是在暴风雨中骑马出猎的。他佩带犄角，使锁链锵锵作响，摧毁树木和牲畜，有时也出现在人们面前。赫恩经常憩息处的橡树于 1863 年被大风吹倒，据推测树龄已达 700 年。女王维多利亚以新树更换旧株。

Herne, James A. 赫恩(1839-02-01，美国纽约特洛伊～1901-06-02，纽约市) 原名James Ahern(詹姆斯·埃亨)。美国剧作家。他的作品是 19 世纪通俗情节剧和 20 世纪思想剧之间的桥梁。曾在巡回剧团当了几年演员，1879 年发表与年轻的 D.贝拉斯科合写的第一个剧本《果断的人们》，获得很大成功。剧本《离异》(1885)、《民兵》(1886)和《玛格丽特·弗莱明》(1890)却不受欢迎。人们认为《玛格丽特·弗莱明》(一部关于婚姻不忠的剧本)是他的主要成就。最受群众欢迎的剧本是《海边的地产》，1892 年首次上演。他以刻画人物性格见长。

Herne Bay 赫恩贝 英格兰东南部肯特行政、历史郡北海沿岸坎特伯雷城区的城镇。1833 年与伦敦通铁路后迅速发展起来。东面 5 千米处的里卡尔弗有罗马遗迹和一座教堂的残存部分"姊妹塔"，现在作为指引海员的陆标。人口31 861(1991)。

hernia 疝 一种器官或组织从正常位置突入其他部位的疾病。先天性或后天获得性。又常专指器官组织从腹壁疝出体外的疾病。身体许多器官组织均可形成疝。如脑组织可从颅腔内各骨性孔向孔外方向疝出。器官亦可疝出体外或疝入体内的异常腔隙，如肠襻可从膈肌的缺损疝入胸腔。疝可在腹壁上任何薄弱部位形成，常见的部位如腹股沟及脐部。腹股沟疝为腹腔脏器从腹股沟管下降，两侧性者称为双疝。股疝发生于股动、静脉内侧部。脐疝为小肠从脐部疝出。先天性疝的病因为腹壁发育缺陷。获得性疝的病因为劳损或损伤，如用力过度(举重物、跳越高墙、剧咳等)。疝的发病率男性高于女性，因男性体力消耗大于女性，其腹股沟亦较女性宽。切口疝见于手术切口。疝可分为：①可复性疝，疝内容物可还纳腹腔，可用疝带治疗；可发展增大，可致粘连，亦可发展为难复性疝。②难复性疝。③绞窄性疝，疝内容物在狭窄的疝环处受挤压，血液循环受阻，初出现充血，继之发炎、感染、坏死。疝环越狭窄，上述现象出现越早，不及时缓解可于数小时至数天内致命。可复性疝可用手术治愈，手术对严重病例是唯一安全的治疗方法。

herniated disk 椎间盘突出 又作protruded disk 或 slipped disk。椎间盘的髓核突出于椎骨之间而压迫脊髓的一种疾病。疾病若发生于第五、第六颈椎之间或第六、第七颈椎之间，则可致上肢和颈部疼痛。若发生于第四、第五腰椎或第五腰椎与第一骶椎之间可致腿痛。治疗根据病情而定，包括卧床休息、止痛药(如阿司匹林)、牵引、骨科支持器、物理疗法等，需要时可行手术切除椎间盘的突出部分并将患部脊椎骨融合，亦可不行手术而往病变部位注入木瓜凝乳蛋白酶(取自番木瓜[*Papaya latex*]的一种蛋白溶解酶)，以溶解损伤组织。

Hernici 赫尔尼基人 意大利古代民族。领土在拉丁姆境内富奇内湖(今富齐诺湖)和特雷鲁斯河(今萨科河)之间。南与沃尔西人为邻，北和埃魁人和马尔西人相接。公元前 486 年，赫尔尼基人与罗马人订盟，势力相当；前 362～前 358 年间与罗马决裂；前 306 年赫尔尼基人的首邑阿纳尼亚(阿纳尼)为罗马人攻占，由是自主权被剥夺，联盟亦解体。到公元前 195 年，赫尔尼基人的领土与拉丁姆已不可分辨，人民也被视为拉丁人；无论在政治上和语言方面，都是如此。赫尔尼基人本来的语言已不可考。

Herning 海宁 丹麦日德兰中西部灵克宾州城市。19 世纪 70 年代大规模地开垦周围荒地，使它从乡村发展成商业城市。地当公路和铁路交会点。生产纺织品和机械。第二次世界大战时曾大量开采当地褐煤。名胜有海宁博物馆和海宁大厦(1954，现代化会议和展览中心)等。人口：市 29 216；城市区 58 016 (2000)。

hero 主人公(英雄) 在文学中，泛指一部文学作品中的主要人物，它还用来专指一个民族的古代传说或早期英雄史诗(如《吉尔伽美什》、《伊利亚特》、《贝奥武甫》、《罗兰之歌》)中歌颂的任何人物。这些传说中的英雄属于这个民族早期历史阶段中的王族阶级，他们在武艺、膂力和勇气方面都超过常人。他们通常一生下来就负有自己的使命。有一些主人公(英雄)，如希腊的阿喀琉斯和爱尔兰的库丘林，均为半神，他们美貌非凡又极为早慧。少数英雄，如盎格鲁-撒克逊的贝奥武甫和俄罗斯的伊里亚(穆罗梅茨)则是成长缓慢的黑马。战争或冒险活动是英雄的正业。他身边有一批贵族伙伴。他对自己的追随者宽厚仁慈，对敌人则残酷无情。他除了作战勇敢以外，还足智多谋并多才多艺。他能盖房、驶船，如遇船难，又是一个泅水的能手。他有时像奥德修斯一样，在决策时狡黠明断，而英雄通常并不被赋予过多的心计。他是一个行动者，而不是一个思想家，他按照不受任何限制的个人荣誉准则生活。他的反应往往是本能的，可以预见的，无可避免的。他接受挑战，有时甚至招灾惹祸。坦率地说，依后来时代的标准看，这些英雄的气质似乎过于单纯。他有时莽撞蛮干和刚愎自用，为了区区小事而拿自己和别人的生命去冒险，例如罗兰就死于过分自负，当他寡不敌众时，竟不肯吹号求援。虽然如此，对于阅历丰富的读者，英雄仍然具有吸引力，并在文学中始终具有重大影响。文学中英雄的出现标志着一场思想革命。这场革命发生在诗人及其听众将注意力从不死的神仙转向终有一死的人时。人经历苦难和死亡，但对此无所畏惧，而是勇敢、充实地生活着，并且通过自己的努力，随时创造光荣的业绩，使之活在子孙后代的记忆之中。他们是文学中最早的人，他们的奇特经历具有永恒的新意。

Hero OF ALEXANDRIA 希罗(活动时期公元62年前后) 又名赫伦。希腊几何学家和发明家，以求三角形面积的希罗公式和发明第一台蒸汽动力装置而著名。他的设计是喷气发动机的先驱,其设备是把圆球用轴杆装在锅炉上,有两个斜的喷嘴,喷出蒸汽使之旋转。他最重要的几何学著作《量度》,于1896年才发现,其第一卷列举了求三角形、四边形、三至十二边的正多边形、圆和弓形、椭圆、抛物线截线的面积和圆柱、圆锥、球和球截面的表面积的方法。其中有希罗公式

$$S = \sqrt{s(s-a)(s-b)(s-c)}$$

的推导,式中 S 为面积;a、b 和 c 是三角形的边长;s 是边长总和之半。第一卷中还有求一个数的平方根的近似法。古代巴比伦人(约公元前2000)已经知道的这个方法,在现代计算机中经常使用。第二卷说明计算圆锥、角锥、圆柱、平行六面体、角柱、圆锥和角锥的截体、球和球截体、圆环、5种正多面体以及一些旁面三角台的体积的方法。第三卷有把已知面积和体积按比例分为几部分的方法。他现存的著作还有《定义》、《几何》、《测地术》、《体积求法》、《测量》,其中包括与《量度》相似的问题。同类著作还有《经纬仪》,其中描述的测量仪器与现代的经纬仪相似。还有论天文学的著作,描述了一种按两地月食的地方时差来求两地距离的图解方法。《反射》一书只有拉丁文译本,过去认为是托勒密的《光学》的片断,书中解释了光的直线传播和反射定律。他的机械学著作现存的有《压缩空气的理论和应用》、《战争的机器》等4部。前者描述了虹吸,蒸汽动力装置,硬币操纵的机器,一种救火器和一种水琴。还有《机械学》共3卷,现只存阿拉伯文本,内容有些篡改。这部著作曾由帕普斯引证过,他还引证过《起重方法》,这可能是同一著作的不同标题。《机械学》第二卷论述5种简单机械和日常生活中的机械问题。第三卷论述各种机器的构造。《战争的机器》和《机械学》内容都有希罗对双比例中项问题的解法(即求两个值 x 和 y,使满足 $a/x = x/y = y/b$,其中 a、b 为已知)。希罗流传下来的其他著作只有零星的几部:一是《论水钟》4卷,帕普斯和普罗克洛斯提及过;另一是对欧几里得《原本》的注释,安内里奇的著作中引证过。

Hero and Leander　海洛和利安得　希腊传说中一对受人称颂的情侣。海洛是赛斯托斯地方阿佛洛狄忒女神纯贞的女祭司,在一个节日里,她与青年阿拜多斯人利安得认识并相爱。他每夜泅过赫勒斯滂同她相会时,她都在塔楼上高擎火炬为他引路。在一个暴风雨的夜晚,火炬熄灭了,利安得溺水而死。海洛看到他的尸体悲痛万分,跳水自杀身亡。奥维德、穆赛厄斯等人的作品里都载有这个故事。后来的诗人们也改编过这一故事,如克里斯托弗·马洛的《海洛和利安得》,拜伦在《阿拜多斯的新娘》里也提到了它。

Herod　希律(公元前73～前4或3,犹太杰里科)　又称 Herod the Great。罗马任命的犹太国王(公元前37～前4),他建造许多要塞、水渠、剧院和其他公共建筑,使国家繁荣;但晚年国内政治和家族阴谋事件不断。《新约》描述他为暴君。耶稣即诞生在其统治的王国。出生于巴勒斯坦南部,父安提帕特是埃多米特人。双亲均为阿拉伯血统。公元前63年庞培入侵巴勒斯坦时,安提帕特协助作战,开始与罗马长期合作。6年后希律结识马克·安东尼,成为安东尼的终生好友。公元前47年安提帕特成为犹太地方财务官,并取得罗马公民称号,这一称号由希律及其子孙世代承袭。同年,希律在政界初露头角,任加利利小王。公元前40年安息攻打巴勒斯坦,希律被迫逃到罗马。罗马元老院推荐他为犹太国王,并派兵扶持他登上王位。在安东尼与屋大维的角逐中,希律支持他的朋友安东尼。公元前31年安东尼在亚克兴一败涂地,他才向战胜者屋大维服罪认错。屋大维在罗马会见过希律,承认他作为犹太国王的地位,后来又赐给他塞浦路斯铜矿的监督权,准许他分享一半收益。公元前22和前20年,他两次扩大犹太国的领地,除巴勒斯坦外,还管辖约旦河东岸地区和黎巴嫩、叙利亚的南部地区。他在领地上修建坚固的城堡和宏伟的城市,在耶路撒冷兴建大宫殿,并全部翻修圣殿。但晚年精神失常,举止乖张,自杀未成,后不久死去。

Herod Agrippa I　希律·亚基帕一世(约公元前10～公元44)　原名马可·尤利乌斯·亚基帕。犹太国王(公元41～44),精明的外交家。由于他和罗马皇室的友谊,而获得其祖父希律一世(大帝)的王国。他在调解罗马与犹太人关系方面显示出巨大的聪明才干。早年到罗马求学,与罗马皇帝提比略之子德鲁苏斯一起长大。公元23年德鲁苏斯死去,他离开罗马,到巴勒斯坦居住,并任小官。公元36年回罗马,成为皇储卡利古拉的朋友和皇孙的教师。因对皇帝妄加评论,被关入狱中。不久皇帝死去,他才化险为夷。公元37年卡利古拉封他为国王,治理叔父腓力的领地以及邻近地区,此后他又获得安提帕的领地。卡利古拉被暗杀后,他因拥戴克劳狄即帝位而成为犹太国王。他即王位后实行传统的犹太政策,极力镇压犹太的基督教徒,曾囚禁使徒彼得,处死雅各。但他念念不忘维护罗马的友谊,公元44年春为欢迎克劳狄曾在凯撒城举行盛大的竞技大会。死时儿子未成年,因而犹太又恢复行省建制。亚基帕只是在《新约全书》中被称作希律。

Herod Agrippa II　希律·亚基帕二世(公元27～约93)　黎巴嫩南部哈尔基斯国王,叙利亚南部巴塔尼亚和图拉科尼底斯小王。他是希律大帝的曾孙。在罗马宫廷中成长和受教育。公元48年任官,管理耶路撒冷的圣殿。2年后成为哈尔基斯国王。公元53年他将这块土地与腓力小王的领地交换。公元54年罗马皇帝尼禄又把加利利海附近的土地赐给他。他热烈拥护罗马帝国,竭力防止罗马和犹太人之间发生裂痕。公元66年因凯撒城的犹太人遭到屠杀而引起叛乱,他派兵去耶路撒冷平定叛乱。后来这些军队投降,罗马驻军也被叛乱者屠杀。公元67年提图斯前来征讨,他协助罗马人作战。公元70年他协助提图斯之子攻克耶路撒冷。战后提图斯又赐予土地,加大他的王国的领域。

Herod Antipas　希律·安提帕(公元前21～公元39)　加利利小王。希律大帝之子。公元前4年左右继承父亲的一部分领土,修复两座城镇。他与纳巴泰国王的女儿离婚,而与异母兄腓力的前妻希罗底结合,因此得罪纳巴泰国王,并引起犹太臣民的不满。当施洗约翰提出批评时,希罗底教唆丈夫把约翰投入狱中。但这还不能使她息怒,她又诱使女儿撒罗米(莎乐美)要求继父希律·安提帕割下约翰的头。公元37年左右,前妻之父纳巴泰国王亚哩达四世袭击他的王国,使他遭受严重的损失。公元37年卡利古拉即皇帝位。希罗底由于忌妒其弟亚基帕一世的成功,叫安提帕到罗马皇帝那里去控诉他。但是,亚基帕是卡利古拉的密友,他先发制人,揭发安提帕的罪行。卡利古拉将安提帕流放高卢,希罗底同去。安提帕的领地归属希罗底的弟弟阿格里帕。

Herod Archelaus　希律·阿基劳斯(公元前22,犹太～约公元18,高卢)　又译希律·亚基老。希律大帝之子和犹太王国主要继承人,因不得犹太民心而被罗马废黜。根据父王遗嘱,他应统治犹太王国的大部分地区。公元前4年他到罗马请求奥古斯都皇帝加封。罗马皇帝确认他对领地的所有权,但不封他为国王,强调他对罗马的依附关系。他的血统一半是以土买人,一半是撒马利亚人,因此犹太臣民把他当作异族压迫者。由于犹太臣民的不断控诉,公元6年奥古斯都再度召他去罗马。经审讯后,剥夺他的王位,并把他流放高卢。根据《马太福音》的记载,耶稣一家畏惧他的暴政,迁到他辖区以外的拿撒勒居住。

Herodas　赫罗达斯(活动时期公元前3世纪)　又名 Herondas(赫隆达斯)。希腊诗人,可能是爱琴海的科斯岛人,通俗短剧作者。通俗短剧是一种诗体短剧,它所描绘的下层生活场景与新喜剧所描绘者相似。1890年发现了他作品的手稿,是这类作品的最大的一批。它们用不大讲究的抑扬格韵律和普通老百姓的生动却有点土的语言写成。他笔下的人物张口就是赌咒发誓,言语激烈,成语连篇。他的作品每件约有100行,描写生动,人物性格鲜明,场面引人入胜,主题涉及广泛的城市生活:一个拉皮条的女人设法给一位有身份的太太在丈夫出去时安排一次幽会;一个嫉妒的女人指责她心爱的奴隶对她不忠而要人们把他捆绑起来送去挨2 000鞭子;一位厉害的妈妈把一个逃学的孩子拖到学校老师那里去。据说在这些通俗短剧中,由一个演员担任多种角色,临时增添大量的台词。

Herodes Atticus　希罗德·阿提库斯(约公元101,亚该亚马拉松～177)　全名卢西乌斯·维布利乌斯·希帕柯斯·提比略·克劳狄·阿提库斯·希罗德。新诡辩学派(公元2世纪希腊复活修辞学教学和实践的运动)最著名的演说家和作家。雅典巨富出身,先人在皇帝克劳狄治下(41～54)便已取得罗马公民权。他同皇帝哈德良(117～138在位)友善,皇帝任命他为亚细亚行省负责消除自由城市中贪污腐化现象的专员。希罗德于143年成为

美国不列颠百科全书公司供图

执政官，后又协助教育哈德良的指定继承人马可·奥勒利乌斯和卢西乌斯·韦鲁斯。在他指导下在整个希腊修建了许多建筑物，包括雅典的一座音乐堂（称希罗德·阿提库斯音乐堂）。曾有大量演说词和其他著作，但无真本流传。显然，他是一位严格地以公元前5～前4世纪的雅典作家为榜样的希腊语文体作家，也和当时的其他诡辩学派人士一样，在不涉及政治的情况下起娱乐和启发他人的作用。希罗德的活动被记录在菲洛斯特拉托斯的《诡辩学者列传》之中。

Herodian　希律党人　拥护大约自公元前55至公元93年统治巴勒斯坦全部或部分地区以及邻近地区的希律王朝的犹太人强大集团。据《新约全书》载，他们与耶稣为敌，可能赞成在巴勒斯坦推行希腊-罗马文化的加利利和佩拉伊亚小王希律·安提帕的政策：即竭力鼓吹在巴勒斯坦推行古希腊文化。

Herodias　希罗底（？～39以后）　罗马帝国任命的巴勒斯坦北部加利利小王希律·安提帕（公元前4～公元39在位）之妻。她原是希律·腓力之妻，后离婚改嫁给希律·腓力的异母兄弟希律·安提帕，施洗约翰为此事指责她。希律举行生日宴会，希罗底的女儿撒罗米（又译莎乐美）跳舞助兴，她在希罗底唆使下，趁希律高兴时索要施洗约翰的头颅，希律遂杀施洗约翰。希罗底后又唆使其夫破坏她弟弟的名誉，因而触怒了卡利古拉皇帝而被流放。

Herodotus　希罗多德（公元前484？，小亚细亚哈利卡纳苏斯［今土耳其博德鲁姆］？～前430至前420）　希腊历史学家，所著关于希波战争的《历史》是古代世界第一部记叙体的伟大史书。据信，希罗多德诞生在波斯统治下的希腊城市哈利卡纳苏斯，曾在雅典居住，见过索福克勒斯，后来迁居意大利南部的雅典殖民地图里。但是他的生、卒时间和死亡地点均不能肯定。不过，有理由认为，从公元前431年起在伯罗奔尼撒战争的初期，他在雅典或至少在希腊中部，并且在公元前425年前他的作品已经发表。

希罗多德曾用多年时光进行漫游，到过许多地方。他游历了波斯帝国的大部分地区：埃及（远达埃利潘蒂尼［即阿斯旺］）、利比亚、叙利亚、巴比伦尼亚、埃兰的苏萨、吕底亚和弗里吉亚。他还越过赫勒斯滂前往拜占廷、色雷斯和马其顿，向北渡过多瑙河去西徐亚，沿黑海北岸直到顿河及其腹地。

希罗多德所著《历史》的主题是希波战争（公元前499～前479）及其前奏。它分为9卷（并非希罗多德自己分的）：第1～5卷记述希波战争的背景；第6～9卷记述战争的进程，高潮是波斯国王薛西斯入侵希腊（第7卷）和公元前480～前479年希腊在萨拉米斯、普拉蒂亚和米卡利取得的伟大胜利。《历史》有两部分，一部分系统地记述公元前480～前479年的战争以及公元前499年以来的战争前奏（包括爱奥尼亚叛乱和马拉松之战），另一部分记叙波斯帝国的发展、组织及其地理、社会结构和历史。

希罗多德撰写《历史》前的谋篇布局在现代学者中引起很多争论。一个有些道理的看法是：希罗多德原计划写一部战争史，后来又决定记述波斯帝国本身。波斯帝国规模庞大，有着多种多样的军队，又操多种语言，但却能在统一指挥下团结起来；而希腊人有着共同的语言、宗教、思想方式，且对为什么而战又有相同的感情，但他们政治上分裂，统帅们又争斗不休。希罗多德对此肯定有深刻的感受，他要向读者说明造成这种差别的原因，为此他描述了这个帝国。

第7卷记述了薛西斯的大军从萨迪斯向赫勒斯滂西进，渡海进入希腊本土的过程；描述了薛西斯的骄横和残暴，介绍这支庞大侵略军的各个部分及其国家和种族背景。

美国不列颠百科全书公司供图

希罗多德在第1～4卷里记述了波斯帝国的历史和构成。他不按地理的顺序，而按波斯国王居鲁士、冈比西斯、薛西斯先后征服的顺序对帝国的每一部分进行描述。唯一例外的是吕底亚，它不是第一个被征服的，但却是进攻和战胜小亚细亚希腊城市的第一个外国，所以第1卷的第一部分就记叙了吕底亚的历史，波斯对它的征服以及居鲁士打败米底人、进攻马萨盖塔伊人和他的死亡。第2卷讲的是居鲁士的儿子冈比西斯的继位及他进攻埃及的计划；还有对这片无与伦比的国土及其历史的很长很长的记述。第3卷记述波斯人对埃及的征服及他们向南（埃塞俄比亚）、向西侵略的失败；冈比西斯的发疯和死亡；波斯的王位继承之争；大流士成为新国王及他如何组织庞大的新帝国。此外，还记述了最边远的省份（最东到大夏和印度西北部），大流士镇压内部叛乱等。第4卷记述了多瑙河到顿河间西徐亚各民族的国土和历史；波斯人对西徐亚的入侵，波斯人征服更多的希腊城市（如拜占廷），以及波斯人从埃及对利比亚的进攻。第5卷记述波斯人从赫列斯滂向希腊本土的进攻以及波斯人征服色雷斯和马其顿以及更多的希腊城市，然后是公元前499年爱奥尼亚的希腊城市开始起来反抗波斯，这样便说到了全书的主题。

对希罗多德《历史》前半部分的简短介绍，揭示了历史发展的复杂性，决定了希罗多德记述方法的极端多样化。比如，希罗多德无需向希腊读者解释希腊的地理、风俗习惯或政治制度，但他却通过巧妙地围绕主线发展插笔叙述了后来被卷入战争的许多希腊城市在相关时期的政治情况。为了记述吕底亚国王克罗伊斯征服爱奥尼亚本土的希腊人，而后自己又被波斯人制服，他穿插谈论了爱奥尼亚人和多里安人的过去历史以及两个最强大的希腊城市：爱奥尼亚人的雅典和多里安人的斯巴达之间的区别，在这里他介绍了公元前6世纪雅典复杂的政治发展，同样也谈到了斯巴达人的保守性格。所有这一切，还有别的许多事情都有助于说明这些希腊国家在发生马拉松之战（公元前490）和薛西斯进攻希腊（公元前480）时的形势。

《历史》的另一个重要而十分值得注意的特点乃是作者喜爱并且有才能像讲故事那样地叙述历史（这与荷马有相似之处）。为此，他在记述里不仅加进引人入胜的短篇故事，而且还有主要历史人物的对话甚至演说，从而开创了始终贯穿于古典世界史学发展过程的一种新手法。

希罗多德所著《历史》的总寓意：巨大的繁荣是“一个很不可靠的东西”，它会导致衰落，特别在像薛西斯那样有骄傲和愚蠢伴随的话。薛西斯进攻希腊，按常人的全部推理来看应当是取胜的战争，但却无可挽回地失败了。希罗多德借此表明，“骄者必败”这样一个古老的教训已为他当时最伟大的历史事件所证明。希罗多德相信上天的报应是对人类的邪恶、骄横和残酷的一种惩罚，不过他在记述历史事件时重点总放在人们的行动和品格上，而不强调神的干预。这种根本上是理性主义的立场在西方史学中乃是一项划时代的创举。

希罗多德是一位观察入微的伟大的旅行家、出色的地理学家，对自己同胞的风俗习惯和过去的历史有着无穷的兴趣，他胸怀广阔，无论对希腊人还是对蛮族都不抱任何偏见。他既不天真，也不易受骗。正是这一点使得他的作品的前半部不仅具有很高的可读性，而且具有很高的历史价值。在后半部里，他主要但不仅仅是记述战争的历史，而且从政治上进行总结。他理解到幅员辽阔的波斯帝国和希腊诸小国之间斗争的政治意义不仅在于希腊的独立这一点，还在于希腊人所理解的法治；还有，马拉松之战对希腊世界的政治意义在于它预示雅典将上升到能同斯巴达平等和相互抗衡的地位，而长期公认的斯巴达的优势地位将告结束。他知道，尽管希腊的胜利是辉煌的，但战争并不仅仅是胜负问题，它还带来由此引起的后果，其中包括主要希腊城邦之间的内部斗争，而这种斗争后来竟引起伯罗奔尼撒战争（公元前431～前404）的毁灭性的自相残杀。

在散文写作方面希罗多德有他的先行者，如米利都的赫卡泰奥斯等。这些先行者尽管有他们的魅力，但他们当中没有一个人创造出一个统一有机的整体著作，而希罗多德写出了成为一个有机整体的作品。从这一意义来说，他是希腊的、因而也是欧洲历史学家的第一人。希罗多德的作品不仅是艺术上的杰作，且是公元前550～前479年这一十分重要时期的希腊历史，以及对于这一时期西亚和埃及历史很大一部分来说，他始终是原始资料的主要来源。

Héroët, Antoine 埃罗埃（1492?，巴黎～1568，法国迪涅） 法国文艺复兴时期宫廷诗人。其作品为当时流行的柏拉图哲学和基督教人文主义混合体的代表，形成现代柏拉图式的精神恋爱观。他是弗朗索瓦一世的姐姐昂古莱姆的玛格丽特、后来的纳瓦尔王后周围的廷臣。主要以《完美的女友》（1542）一书为人所知。这部诗是作为对贝朗特·德·拉博尔德里《宫廷女友》的回答而写的。

heroic couplet 英雄偶句诗 又译英雄双行诗。含有五个抑扬格音步的两行诗，常形成一种明显的修辞及韵律单位。英语诗的这种形式起源不详，但14世纪的乔叟是第一个广泛使用这种形式的诗人。约在17世纪中叶，英雄偶句诗成为戏剧中使用的主要韵律。17世纪末和18世纪初由J.德莱顿和A.蒲柏完善了这种形式。

heroic poetry 英雄诗 叙事诗，基调高昂，文体庄严、动人、匀称，所述为贵族武士和统治者的业绩。这种诗通常在创作时并不形诸笔墨，而是在弦乐器的伴奏下歌唱或吟咏，由行吟诗人世代口头相传。现存的全部英雄诗包括远古和现代的作品。它们产生在广泛的地理区域，包括可能是这种诗的最早形式——赞美一位英雄的世系和事迹的颂歌和哀悼一位英雄的死亡的挽歌。荷马叙述说，当赫克托耳的遗体被送回家时，“他们把它放在床上，并叫歌手坐在周围，领唱挽歌”。另一类英雄诗是富于戏剧性的短诗，仅叙述一个事件，如古英语诗《莫尔登之战》（约991），写北欧海盗对埃塞克斯的一次侵袭；又如古高地德语史诗《希尔德布兰特之歌》（约800），讲父与子之间的一场决斗。英雄诗的成熟形式是长篇史诗，如《伊利亚特》和《奥德赛》。大部分英雄诗都回顾一个定义模糊的“英雄时代”，那时有一代非凡人物显示了无与伦比的本领和勇气。在不同国家的文学中，英雄时代各不相同。公元前8世纪写出的荷马史诗，集中写同特洛伊的战争（约公元前1200）。德国、斯堪的纳维亚和英国人民的英雄诗，主要叙述公元4～6世纪的事情。这也正是日耳曼民族大迁移的时期。虽然诗中描写的某些英雄是历史人物，但他们的事迹常常为了艺术的目的被结合起来叙述，而不去考虑实际的年代顺序。不过，诗人及其听众均认为英雄故事在一定程度上是真实的。它的风格冷峻并且客观，而细节的生动真实又赋予它一种或有可能的气氛，使得偶然插入的神异成分无从显扬。英雄行动中的平凡细节及与他们有关的礼仪也无一被疏忽。许多古代的英雄诗业已完全失传，但是，它的传统却仍保存在某些生活在与世隔绝的地区的未开化的或半开化的民族中。在19世纪晚期和20世纪，人们就从俄国、爱沙尼亚、南斯拉夫、保加利亚、阿尔巴尼亚和希腊的说唱故事者那里，搜集到大量新的英雄文学作品。在中亚细亚，人们一直从讲突厥方言的鞑靼民族那里搜集英雄诗。一些特别出色的英雄诗来自天山的喀拉-吉尔吉斯。在现代，西伯利亚北部的雅库特人、日本北部的虾夷人和阿拉伯的某些部落也都创作了英雄诗。现代学者在这些民族中间进行研究，解决了关于长篇史诗是否能口头编出的任何怀疑，阐明古诗人荷马等必然使用口头创作方法。口头史诗作者知道某些传说故事的主要情节，并掌握一批描写一般事件（如会面、分离、时间的推移、胜利或失败）的现成套话之后，就可以即兴编讲故事。他的技艺是把常见的场景同新的事件和细节巧妙地混合在一起。他并不牢记自己的故事，而且通常不能精确复述同一故事。1934年，美国的荷马学者M.帕里从塞尔维亚南部一位不识字的行吟诗人口中记录了12 000行的史诗（长度相当于《奥德赛》）。在乌兹别克和喀拉-吉尔吉斯行吟诗人中间工作的俄国学者，也报道过惊人的记忆和即兴创作的本领。

heroic prose 英雄散文 叙述性散文故事，就题材、观点和戏剧风格而言，均与英雄诗相对应。无论是口头创作，还是笔录，这些故事都是为了讲述，并运用许多口头传说的惯用表达方式。早期爱尔兰的乌拉伊德（厄尔斯特）故事组就是这样一组值得注意的散文，记录于8～11世纪之间，主要描写英雄库丘林和他的伙伴。12世纪爱尔兰有一组芬尼亚故事，中心人物是英雄芬恩麦库尔、他的儿子、诗人奥伊辛（莪相）和他的精锐战士及猎人费安纳·埃雷安。在叙述中夹杂着一段诗，通常为演唱词，往往比散文还要古老。由于存在着诗歌段落，人们认为这些故事可能来源于已经失传的一组英雄诗歌。在爱尔兰故事中，只有乌拉伊德故事《夺牛长征记》有史诗的规模，但保存下来的文字严重残缺。英雄散文的另一些例子是13世纪的冰岛萨迦。“英雄萨迦”如《沃尔松格萨迦》（约1270）和《狄德莱克萨迦》（约1250），以4～6世纪的古日耳曼口头传说为本，包括已经失传的英雄诗中的许多诗句。“冰岛人萨迦”诸如《格雷蒂萨迦》（强者格雷蒂）和《尼雅尔萨迦》（均约1300），艺术质量较高，写有关冰岛本地家族的事情，他们在生活中遵循残忍而复杂的氏族仇杀准则。

heroic stanza 押韵四行诗 亦作heroic quatrain。诗歌中指英雄诗体中押韵的四行诗，韵律为a b a b。莎士比亚和J.德莱顿以及许多其他人都使用这种诗体。在18世纪中期T.格雷的诗《墓园挽歌》出版后，这种诗体亦称为诗行轮流押韵的抑扬格五音步四行诗。

heroic verse 英雄诗体 亦作heroic metre或heroic line。是，或者根据评论的意见应该是，由一特定语言写成的英雄诗歌组成的诗体。在古典诗歌中指扬抑抑格六音步诗行。在法语诗中是亚历山大格式的诗行，在意大利语诗中是含有11个音节的诗行，在英语诗中是抑扬格五音步诗体。

Heroica Matamoros（Mexico） **英雄马塔莫罗斯** 参阅**Matamoros** 马塔莫罗斯。

Heroica Nogales 诺加莱斯英雄城 亦称诺加莱斯。墨西哥北部索诺拉州中北部的城市与入口港。同美国诺加利斯相邻。墨、美两国牲畜和矿产品交易中心。南面为重要的农业区。全州的大规模灌溉系统增加了诺加莱斯英雄城的财富。有铁路和公路通达墨西哥城。人口65 603（1980）。

heroin 海洛因 又称二乙酰吗啡。是高度成瘾性的吗啡衍生物，最主要的非法走私毒品。用醋酸酐处理吗啡即可制备出海洛因，其药理作用较吗啡强4～8倍。把从罂粟荚果豆榨出的乳样汁液干燥后的粉末即是鸦片，吗啡是鸦片中的一种生物碱。海洛因是德国贝尔公司于1898年首制成功，用作麻醉性镇痛药。但其毒品效应却远远大于其药用价值。现代社会严格控制海洛因的生产和销售。

海洛因的药理作用主要有收缩瞳孔、抑制呼吸和心脏功能、减低消化道活动和催眠等；但其最强的作用是经静脉注射后能迅速地致人一种欣喜若狂的感觉；几秒钟内就能感到一股暖流迅速流遍全身、顿感容光焕发；之后，便是轻松的睡意和一种无所用心、意识朦胧的满足感；药效持续时间约2～4小时。但有的人却对海洛因产生负面效应，如恶心、焦虑和精神抑郁等。

海洛因又称“白面”，可直接吸食；亦可溶成针剂，作皮下注射或静脉注射。实际上，从吸食到静脉注射就是一个人吸毒的发展过程。吸毒史长者都是经静脉注射，因为静脉吸毒不仅药效快，而且欣快感也特别强烈。海洛因是有高度成瘾性的毒品，其成瘾性来自它的欣快效应和戒断症状。为了避免痛苦的戒断症状，吸毒者每天都要打两次针才行。戒断症状主要有焦躁不安、浑身酸痛、失眠、腹泻、恶心、呕吐、哈欠连天、涕泗交流、冷汗淋漓等。戒毒者戒毒时的戒断症状大约要持续3～4天，之后才逐渐缓解。海洛因吸毒者还会对它产生耐受性，须不断地加大注射剂量或增加服药频率才能达到预期的欣快效果。但是人只对海洛因的中枢抑制和欣快症作用有耐受性，而对其兴奋作用（如收缩瞳孔、收缩平滑肌等）则无耐受性。故成瘾者常有严重的便秘、瞳孔缩小等症状。海洛因吸毒者需要大笔花销，若不是收入丰厚，就只能靠卖淫、拉皮条、抢劫、夜间偷盗、贩卖毒品等罪恶勾当来维持吸毒。在西方，吸毒者所涉此类刑事案件的比例高得出奇。吸毒已成为严重的社会问题。地下非法交易的海洛因多是和小苏打、奎宁、奶糖等物质的混合物，实际含量只有 2%～5%。应用高浓度的毒品制剂是海洛因中毒的主要原因。海洛因中毒的主要症状有严重的呼吸抑制、昏迷，直至死亡。此外，因使用不洁注射器或共用空针，瘾者还是肝炎、艾滋病等传染病的高发人群。因反复注射和感染所导致的皮肤瘢痕则更为常见。

除药用外，世界绝大多数国家都严格禁止从事非法毒品交易和私人拥有和使用海洛因。非法交易的海洛因大多来自中东、东南亚和墨西哥的鸦片产地。21 世纪初主要鸦片生产国包括阿富汗、缅甸和老挝。海洛因毒瘾的问题始于 20 世纪初，此后的几十年间，这个问题被局限于西方社会中那些边缘人物和犯罪人物当中。但自 60 年代以来，在西方的某些中等收入和较高收入家庭子弟和第三世界的某些国家的年轻人当中，毒品问题又有蔓延趋势。非法毒品交易是个世界性问题，因此世界各国和各国际组织都在努力寻求一条能彻底解决毒品问题的途径。

Hérold, (Louis -Joseph-) Ferdinand　埃罗尔德（1791-01-28，巴黎，～1833-01-19，巴黎）　法国早期浪漫主义歌剧作曲家，在喜歌剧的发展中他处于 D.-F.-E.奥柏和奥芬巴赫之间。曾师从 C.-S.卡特尔和 E.-N.梅于尔。1812 年获罗马奖。在那不勒斯任宫廷钢琴师时，创作第一部歌剧《亨利五世的青年时代》(1815)。回巴黎后，与 F.布瓦埃尔迪厄合作歌剧《法王查理》(1816)，1817～1830 年间在喜歌剧院上演 12 部轻歌剧。其他歌剧有《旺多姆在西班牙》(1823)、《泽姆帕》(1831)和《荣誉牧场》(1832)。芭蕾舞剧有《无人保护的少女》(1828)和《睡美人》(1829)。

heron　鹭　鹳形目鹭科鹭亚科(Ardeinae)大约 60 种长腿涉禽的统称，其中几种通常称为白鹭(**egret**)。鹭科亦包括麻鳽(麻鳽亚科[Botaurinae])。鹭分布全球，热带最常见。通

大蓝鹭(*A. herodias*)
美国不列颠百科全书公司供图

常安静地涉行浅水(如池塘、沼泽)中觅食蛙、鱼和其他水生动物。于近水边树林或灌丛中以枝条筑成简陋的平台状的巢。鹭巢常密集成群，称鹭巢群。鹭站立时颈通常弯成 S 型。飞行时腿拖在后面，而头向后靠近身体，并不像大多数鸟类那样颈向前伸展。翅宽。喙长而直，尖端锐利。具粉䎃(不断分解为细粉的羽毛，该细粉用以梳啄羽衣，以吸收和除去鱼油、淤泥和来自水面的污物)。可分为典型鹭、夜鹭和虎鹭 3 类。典型鹭白天觅食。繁殖期有些种类出现艳丽的背羽，有复杂的互相求偶姿势。最著名的典型鹭是体大、腿长、颈长、色彩素淡、头部具冠的鹭属(*Ardea*)诸种，特别是北美洲的大蓝鹭(*A. herodias*)，体长 130 厘米，翼展 1.8 米或更大。似大蓝鹭而稍小的苍鹭(普通鹭，*A. cinerea*)在旧大陆广泛分布。最大的种是非洲的歌利亚鹭(巨鹭，*A. goliath*)，体长 150 厘米，头和颈淡红色。紫鹭(草鹭，*A. purpurea*)体色更深，是身体较小的旧大陆类型。典型鹭亦包括白鹭属(*Egretta*)的几种、产于美国东南部和中美及南美的小蓝鹭(*Hydranassa*[或 *Florida*] *caerulea*)和路易斯安那鹭(*H. tricolor*)、非洲的黑鹭(*H.*[或 *Melanophoyx*] *ardesiaca*)。夜鹭喙稍厚，腿较短，夜间及黄昏时活跃。黑冠夜鹭(*Nycticorax nycticorax*)分布于南美、欧洲、非洲和亚洲。澳大利亚、新喀里多尼亚和菲律宾产棕夜鹭(*N. caledonicus*)。黄冠夜鹭(*Nyctanassa violacea*)分布自美国中部和东部到巴西南部。另一种夜鹭是中、南美洲的船嘴鹭(*Cochlearius cochlearius*)，或另立为一科(船嘴夜鹭科)。

最原始的鹭是 6 种虎鹭(前称虎鳽)。虎鹭胆小，独栖，羽衣具有隐蔽色，常带有横斑。产于南美洲中、北部的条纹虎鹭(*Tigrisoma lineatum*)体长 75 厘米。墨西哥虎鹭(裸喉鹭，*T. mexicanum*)见于墨西哥和中美洲。

Heron OF ALEXANDRIA (Greek geometer)　**赫伦**　参阅 **Hero of Alexandria 希罗**。

Heron Island　赫伦岛　南回归群岛的珊瑚建造。位于澳大利亚昆士兰州东海岸外，大堡礁南部。面积 17 公顷，位于一潟湖(31 平方千米)内，岛上森林覆盖，但旅游业对它有一定破坏。为国家公园之一部分和野生动物保护区。岛上的海洋生物站和水族馆最吸引游客。20 世纪 20 年代曾有海龟业，但现在捕捞海龟已属非法。

Herondas (Greek poet)　**赫隆达斯**　参阅 **Herodas 赫罗达斯**。

heronsbill (plant)　参阅 **storksbill 鹳嘴牻牛儿苗**。

Herophilus　希罗菲卢斯（约公元前335，比希尼亚卡尔西登～约前 280）　又译赫罗菲卢斯。亚历山大的医师。第一个公开进行人体解剖，常被称为解剖学之父。希腊医学史上人体解剖的禁令曾取消过一个短时期，当时他是新建的亚历山大城学术界的一名成员。研究了脑室，认为脑是神经系统的中心；探索了硬脑膜上静脉窦的走向，找出它们的结合点(希罗菲卢斯氏窦汇)；将神经干与肌腱、血管加以区分，并将神经干分为运动神经及感觉神经。详细描述了眼、肝、唾液腺、胰及两性生殖器官；描述并命名了十二指肠及前列腺。他信仰希波克拉底以体液学说为基础的理论，并强调药物、饮食及运动的治疗作用。他第一个用滴漏测量脉搏。其著作至少有 9 部，包括一部对希波克拉底的评注，一本关于助产术的书及多篇关于解剖学及猝死原因的论文，但均因公元 272 年亚历山大城图书馆被毁而失传。

Héroult, Paul-Louis-Toussaint　埃鲁（1863-04-10，法国蒂里阿库尔～1914-05-09，昂蒂布附近）　法国化学家。发明广泛用于炼钢的电弧炉；与美国 C.M.霍尔同时的工作并无联系，独立发明电解制铝法。用此方法第一次制出廉价铝，使铝及其合金获得广泛应用。当他在巴黎矿业学院学习时，开始研究铝化合物的电解，1886 年发现在熔融的冰晶石(氟化铝钠)中电解铝矾土(氧化铝)时，容器底部形成一层熔化的铝。埃鲁法实质上与霍尔同年发现的方法相同。经过长期的专利权诉讼后，两位发明家达成协议。埃鲁还以埃鲁电炉著称，这种电炉广泛用于炼制铝和铁合金，先是在欧洲，以后流传全世界。

herpangina　疱疹性咽峡炎　几种肠道病毒引起的轻微感染，多数是柯萨奇病毒亚群引起的感染。最常见于幼童，最典型症状是口腔黏膜疹，为口腔内直径 2 毫米的斑疹。多发于软腭和扁桃体。通常突然发热，咽喉疼痛，一些病例伴随厌食及腹痛、呕吐等症状。经常与脓毒性咽喉炎相混，但青霉素等抗菌素无效。病毒通过人传播，特别在拥挤和卫生条件差的地区。无须治疗，一周后可自愈。

herpes simplex　单纯疱疹　又称感冒疮或发热性疱疹。一种病毒性皮肤或生殖器疾病。特征为皮肤或黏膜上出现成簇的小水疱。常发生于唇及面部，偶见于生殖器、躯干、臀部和手部。致病病毒有两种类型：Ⅰ型单纯疱疹病毒亦可感染眼部，引起角膜溃疡及视力障碍。损害发生前，发病区皮肤有刺痛及灼热等先驱症状。继之皮肤发红，其上出现小水疱。后水疱破裂结痂。如无感染，一般可在皮损出现 6～10 天内恢复正常。损害常于数年内在同一部位反复出现。发病因素包括日晒、上呼吸道和胃肠道感染、发热、情绪紧张或焦虑等。原发性单纯疱疹指疱疹病毒对儿童或青年的初次感染。原发损害多见于口部，口腔黏膜有重度炎症现象。常有发热及淋巴结肿。一般在两周内痊愈。目前尚无满意的疗法。在缓解期，病毒可潜伏于皮肤内。Ⅱ型单纯疱疹病毒(HSVⅡ)可致生殖器感染。多经性交传染，生殖器与身体其他部位间的交叉感染途径为性接触，包括口淫，或通过手—生殖器—口途径而自体感染。生殖器疱疹的潜伏期平均为 4～5 天(1～14 天)。最先出现的症状为局部痒、痛。1～2 天后出现水疱样皮损，单发或成组出现。男性患者多见于包皮、阴茎头或阴茎体。女性患者多见于阴唇、阴蒂、阴道口，偶见于宫颈。数天内水疱即破溃，大片组织裸露，周围皮肤红肿。皮损剧烈灼痛，排尿时加剧，尤在女性患者。可见发热及全身不适，腹股沟淋巴结肿大。溃疡持续一周以上，4～6 周

方愈合。女性患者症状较重,可能需住院治疗。复发常见,与情绪、创伤、性交、其他感染、月经有关。复发症状与初发时相同。患活动性生殖器疱疹感染的孕妇分娩时,胎儿经过产道可能受到严重感染,因此最好进行剖腹产。迄今仅有间接的证据表明,HSV Ⅱ感染与以后发生的宫颈癌有关。帕帕尼科拉乌氏涂片法及吉姆萨氏涂片法常用于诊断本病。亦可检查血清抗体,但结果不确定。治疗方法甚多,但均不够满意。干燥药(如酒精、樟脑酮、乙醚)及软膏剂、乳膏剂、局部麻醉药、抗菌药均可应用。20 世纪 80 年代早期尚无满意的疫苗。实践证明,用转移因子及干扰素防治可望成功。

herpes zoster 带状疱疹 又作 shingles。一种侵犯皮肤和神经的急性病毒性传染病,以沿着某些神经节段出现成群的水疱为特征。最常见于背部,水疱出现前患区先感钝痛。病原与水痘相同。可能是具有部分免疫力的人体内潜伏病毒又被激活所致,若宿主无免疫力则表现为水痘。多数病例两周内可自愈。但愈后神经痛可持续数月乃至数年。

herpetology 爬虫学 研究两栖类和爬行类的科学(古人将所有会爬的动物统称为"爬虫"),与大多数研究脊椎动物的科学(如鱼类学、哺乳动物学等)一样由许多交叉学科(如行为学、生态学、生理学、解剖学、古生物学、分类学等)组成。大多数研究现代类型的学者往往集中研究一个目或一个亚目(如蛙类、蝾螈类、蛇类、蜥蜴类等)。古生物学家的研究范围往往包括各种两栖类和爬行类或其中间类型。业余爬虫学家已在这些动物的分布、行为,甚至分类方面作出了许多有价值的贡献,而大部分技术性较强的研究工作则在大学、博物馆及野外进行。两栖类及爬行类既容易捕捉和饲养,又经得住各种鸟类和哺乳类已经受过的手术,故成为研究功能解剖学、生理学、再生和发育的理想实验材料。经济爬行动物学还包括毒液的提取及其作用的研究。

Herr, Herbert Thacker 赫尔(1876-03-19,美国科罗拉多丹佛～1933-12-19,费城) 美国工程师,对汽轮机作了重要改进。1904 年曾发明可同时控制列车中几台机车工作的制动装置,和一种按照车辆重量调节制动力的机械。他因在列车制动器方面的成就而受到 G.威斯汀豪斯的器重,于 1908 年就任威斯汀豪斯机器制造公司副董事长兼总经理的职务,1913 年任威斯汀豪斯电气制造公司董事,4 年后任该公司副董事长。1913 年发表的《汽轮机的最新发展》一文中报告了赫尔在汽轮机方面的改进,即将高效率的帕森斯型汽轮机的原理和轻型的柯蒂斯-拉托型冲击式汽轮机的原理结合起来。他还最先生产活动结构式减速齿轮装置,供船舰推进器使用。1916 年他改进遥控系统,使船上的主机可以由驾驶台控制。这个系统略经改动,用于美国海军的一些主力舰上。

Herrera, Fernando de 埃雷拉(1534?塞维利亚～1597,塞维利亚) 别名埃尔·迪维诺。西班牙抒情诗人和文学家,早期塞维利亚诗派的首要人物之一。该派由 16 世纪西班牙关心修辞和语言形式的新古典主义诗人和人文主义者组成。他的诗歌以《费尔南多·德·埃雷拉作品集》(1582)为名出版,他在诗中按加西拉索风格精心遣词琢句,并开始趋向于夸饰主义。他的爱情抒情诗是献给赫尔韦斯的一位伯爵夫人卢斯的,在他生前广为传诵;但他得以传世的诗歌是爱国颂歌。

Herrera, Francisco, THE ELDER 埃雷拉(老)(约 1576,塞维利亚～1656,马德里) 西班牙画家和版画家。其作品标志着从风格主义向巴罗克艺术的过渡。早期作品遵从风格主义传统,不同于委拉斯开兹最早作品的朴素自然主义。后则仿效拉斯罗埃拉斯的威尼斯风格,向自然主义方向发展。这种倾向最初出现于 1627 年受塞维利亚的方济各会女隐修院委托画的圣波拿文都拉生平。作品笔法奔放,近似里贝拉,但后期作品笔触变得十分粗略,形象受到歪曲。

Herrera, Francisco, THE YOUNGER 埃雷拉(小)(1622,塞维利亚～1685-08-25,马德里) 西班牙画家、建筑师,在马德里和塞维利亚两地对西班牙巴罗克风格的发展有突出贡献。

埃雷拉(小)绘《圣埃梅内希尔多的胜利》(约 1660～1670)
美国不列颠百科全书公司供图

1660 年任塞维利亚新建美术学院副院长(院长为 B.牟利罗),不久去马德里,绘制壁画和圣坛背壁画并设计祭坛后面精致复杂的高架建筑。1672 年任国王画师,1677 年任总监督。作为建筑师,他是第一个将 F.博罗米尼风格引进西班牙的人。其为马德里蒙塞拉特教堂设计的主祭坛可能对建筑师兼雕刻师 J.B.丘里格拉有影响。

Herrera, Juan de 埃雷拉(约1530,西班牙莫贝朗～1597-01-15,马德里) 建筑师,16 世纪西班牙雄伟的埃斯科里亚尔建筑群的主要设计人。在他任皇家建筑监督官时,他的风格已流传到西班牙各地。1547～1551 年曾随西班牙王腓力二世访问意大利和布鲁塞尔。1551～1559 年,又游历意大利和西班牙的尤斯特。1563 年任胡安·包蒂斯塔的副手,建造埃斯科里亚尔建筑群。1572 年任总建筑师。他建成了宫殿的屋顶,添建西立面的一部分,还设计了教堂(1574～1582)和医院。后来他又修建了阿兰胡埃斯的夏宫、塞维利亚的交易所和巴利亚多利德大教堂。有一些人认为他的设计较为保守和单调;而其他评论家却欣赏他作品具有的和谐比例,并能按不同建筑物采用相应的风格,例如他给埃斯科里亚尔宫殿增加的西立面部分,使原有建筑增色不少,而添设的教堂也比原设计具有明显的改进。他设计的巴利亚多利德大教堂(1585 后),成为后来墨西哥和利马教堂设计的蓝本。

Herrera y Reissig, Julio 埃雷拉-雷西格(1875-08-01,蒙得维的亚～1910-03-18,蒙得维的亚) 乌拉圭诗人,20 世纪初以西班牙文写作的最有独创性的诗人之一。他的诗歌由于在形式和语言方面的创新,当时曾引起很大争论,但以后为人模仿,深刻影响了当代西班牙语美洲诗歌的发展。他的诗集如《晚祷》(1902)和《紫色的诗》(1906),以其对日常生活所作的生动而富于想象的再现,以及语言上的创新,获评论家好评。他创造了新的诗歌形式,但也熟悉传统的形式;他追求惊人的效果,但没有因此影响他对技巧的掌握。他在短促的一生中,向长期以来被认为适当的诗歌题材以及普遍为人所接受的诗歌表达方式成功地进行挑战。然而直到死后,他才被认为是一个重要的诗人。

Herrerasaurus 赫勒拉龙 极原始的兽脚类恐龙的一个属,其化石发现于阿根廷的晚三叠世(2.3 亿年前至 2.08 亿年前)地层中。零碎的化石遗骸发现于 20 世纪 60 年代初。1988 年,几件化石骨骼在阿根廷西北部的伊希瓜拉斯托岩组的发现,给研究者们提供了早期恐龙的第一个完整图像。赫勒拉龙是恐龙类中最早知道的食肉龙。能两足站立,后腿长而有力,用以奔跑;前肢短,具 3 个后弯爪子,用以抓和耙;下颚灵活,用以抓住食物;牙齿大而内弯。赫勒拉龙长约 3 米,重约 180 千克。赫勒拉龙遗骸的发现,有助于弄清早期恐龙演化中发生的解剖学变化的顺序。它们与所有恐龙的共同祖先极为近似,但是,它们的头盖骨、颈骨和前肢骨表明它们是称作兽脚类的早期蜥臀目的一个分支。它们的繁盛时期恰好是在恐龙成为陆上占优势动物之前。

Herreshoff, Nathanael Greene 赫雷肖夫(1848-03-18,美国罗得岛布里斯托尔～1938-06-02,布里斯托尔) 美国造船工程师,被认为是当时第一流的赛艇设计师,常被誉为"布里斯托尔的奇才"。他所设计、制造的 5 艘帆船自 1893 至 1920 年连续独霸美洲杯帆船锦标赛冠军。原在罗得岛州普罗维登斯市科利斯发动机公司工作,然后参加他的兄弟约翰在布里斯托尔所开办的小型船只制造公司。兄弟二人研制成各种蒸汽机快船和军用船只。为美国海军建造第一艘鱼雷艇。

Herrick, James Bryan **赫里克**(1861-08-11，美国伊利诺伊奥克帕克～1954-03-07，芝加哥) 美国医师、临床心脏病学家。首次观察并描述了镰状细胞性贫血。1888年获拉什医学院医学博士学位。初为全科医生，后专门从事内科，尤其是心血管系统疾病。曾发表论文，报告一例黑人患者患贫血已3年，其红细胞呈镰刀状。这种贫血遂被称为镰状细胞性贫血。以后人们又发现该病有遗传性，多发生于黑人。赫里克发表过几篇权威性的报告，描述了冠状血管疾病的临床表现。又最先发现并描述了冠状动脉血栓形成。曾任几个医学协会的会长，1939年接受美国医学协会勋章。

Herrick, Robert **赫里克**(1591-08-24受洗，伦敦～1674-10，英格兰德文郡迪恩普里奥尔) 英国牧师、诗人，本·琼森最有独创性的弟子。他恢复了古典抒情诗的精神，并以名

美国不列颠百科全书公司供图

句"采撷玫瑰花苞当及时"为人所追怀。1617年毕业于剑桥大学，1620年获硕士学位，1623年任牧师。回伦敦后与宫廷人士接触，并结识琼森等作家和音乐家。1627年随白金汉公爵远征法国雷岛。1629年获副教长职俸，享用终身，仅在1646～1660年因保皇倾向被剥夺。1620～1630年是诗人声誉最盛时期，作品虽被收入多种手稿摘记本(1620～1640)，但唯一出版的书是《西方乐土》(1648)，其中包括以宗教为题材的《雅歌》。《西方乐土》共收诗约1 400篇，大多数极短，有些则属警句类。后来的诗作刊载于杂诗集和歌集中；17世纪英国作曲家劳斯等曾为他的诗谱过曲。他的诗作有挽歌、讽刺诗、警句、情歌、结婚曲、致友人及恩主的颂诗、庆祝乡村和宗教节日的应景诗等，因感情真挚，形式和风格均臻于完美而受到欢迎。作为诗人，赫里克深受古典文学传统影响，同时还受英国民间传说和抒情词句、意大利情歌、《圣经》和基督教早期教父文学以及当代英国诗人，特别是本·琼森和罗伯特·伯顿的影响。

Herries, John Maxwell, 4th Baron **赫雷斯男爵(第四)**(约1512～1583-01-20，爱丁堡) 又称麦克斯韦尔(特雷格尔斯的)。苏格兰女王玛丽·斯图亚特的主要支持者，以忠于苏格兰王室而受人尊敬。1566年获得爵位。1568年5月13日率玛丽的骑兵在朗赛德战役中与苏格兰叛军作战。战败后，保护玛丽逃走。由于他曾劝说玛丽将谋杀丈夫达恩利伯爵的案件提交英格兰女王伊丽莎白一世审判，往往被人怀疑是玛丽的英格兰敌人安插的内奸。他于1578年参与迫使玛丽被囚期间的苏格兰摄政第四代莫顿伯爵詹姆斯·道格拉斯辞职的事件。

Herriman, George **赫里曼**(1881，新奥尔良～1944-05，好莱坞) 美国漫画家。所作连环画《疯猫》在想象力、绘画和对白等方面都有高度的独创性，被认为是历来最优秀的漫画。他是从脚手架上跌下受伤，不能再作房屋漆工后开始画漫画的。第一部作品《拉里亚特·皮特》发表于1903年，载于旧金山《记事报》上。此后几年发表一些短篇连环画。从1910年起《疯猫》在赫斯特的系列报纸上连载30多年。《疯猫》中人物很少，基本情节大同小异；疯猫爱鼠姑娘，鼠姑娘反而打击他。带有超现实主义风格，背景多为亚利桑那沙漠。赫里曼以这些简单的要素想象出惊人的变化。这部作品在20年代广受欢迎，在知识分子中尤甚。1922年赫里曼从纽约市移居好莱坞至其岁终。

Herrin **赫林** 美国伊利诺伊州南部威廉森县城市。1818年始建，1900年设建制。一直是采煤业中心，直到第二次世界大战后。1922年在此发生劳工冲突，称赫林惨案。现生产洗衣机、霓虹灯、室内装饰材料、服装和订书机。附近克拉布奥查德湖有游乐设施。人口11 298(2000)。

herring **鲱鱼** 鲱形目鲱科侧扁的北方鱼类。鲱鱼一词常指大西洋鲱(*Clupea harengus harengus*)和太平洋鲱(*C. harengus pallasii*)；两者一度被认为是两个种，今认为只是亚种。鲱鱼头小，体呈流线形；色鲜艳，体侧银色闪光、背部深蓝金属色；成体长20～38厘米。是世界上数量最多的鱼类之一。以桡足类、翼足类和其他浮游甲壳动物以及鱼类的幼体为食。成大群游动，自身又为体型更大的掠食动物，如鳕鱼、鲑鱼和金枪鱼等所食。鲱鱼可用流网、围网类(主要是旋曳网或拖网)捕捞。在欧洲，捕到的大部分鲱鱼或腌渍在桶内制成咸鱼，或用烟熏制成熏鱼，以供出售。在加拿大东部和美国东北部，供食用的鲱鱼大部分是幼鱼，是在沿岸水域以鱼簖或围网捕捞并制成沙丁鱼罐头。在太平洋捕到的大量鲱鱼用以制造鱼油和鱼粉，小部分用以腌渍或烟熏。鲱鱼自12月至仲夏产卵，产卵时间取决于纬度和温度。每条雌鱼可产40 000枚黏性的卵，附着于海草或岩石上；约2周幼鱼孵出。鲱鱼游向近岸产卵，产卵后鱼群分散。大鲱鱼场每年的捕获量差异极大，因为幼鱼种群的存活率每年不同。幼鱼约4年后成熟，寿命可达20年。鲱属(*Clupea*)的其他种类(如黍鲱或北欧沙丁鱼)和鲱科的其他种类(如金绿西鲱[*Alosa chrysochloris*]和大肚鲱[灰西鲱，灰背西鲱，*A.*，或 *Pomolobus pseudoharengus*])以及各种较为少见的种类亦称鲱。还有其他几科的一些鱼亦俗称为鲱，如宝刀鱼(*Chirocentrus dorab*)俗称狼鲱。

Herrington, Arthur William Sidney **赫林顿**(1891-03-30，英国东萨福克郡科登翰～1970-09-06，美国印第安纳印第安纳波利斯) 美国工程师和制造商，研制出一系列军用车辆，其中最著名的是第二次世界大战时的吉普车。5岁时随家移居美国，曾在史蒂文斯理工学院学习。第一次世界大战后被编入后备役，后退役。在法国时，他对车辆在越野行驶时所碰到的问题印象很深，于是着手设计多轮驱动车辆，并制造了一系列4轮和6轮驱动的卡车。在第二次世界大战中这些车辆为同盟国发挥了重要作用，但都比不上其中最小的一种，即1/4吨的吉普侦察车的成功和流行。吉普车以它突出的耐力、多功能、功率大和机动性好而著名。赫林顿在第二次世界大战中任美国驻印度派遣军技术顾问和美军缅甸医疗中心主任。

Herriot, Édouard **赫里欧**(1872-07-05，法国特鲁瓦～1957-03-26，里昂) 法国政治家和文学家，激进党领袖，曾在9届不同的内阁中任职，并3次出任总理(1924～1925，1926，

美国不列颠百科全书公司供图

1932)。1894年毕业于高等师范学校，后在南特和里昂中学执教，颇负盛名。早期著作有:《雷卡米埃夫人和他的朋友》(1904)、《法国文学简史》(1905)。1905年当选为里昂市长，此后一生皆任此职(除第二次世界大战中一度间断外)。1912年选入法国参议院，1919年选入众议院，成为激进党领袖。第一次世界大战时期任公共工程部长，大力解决了战时交通和供应问题。1924年领导激进党与社会党的左翼联盟在5月大选中获胜，6月任总理兼外交部长。他迫使支持右翼政党的A.米勒兰总统辞职，正式承认苏联，接受道威斯计划，同意从鲁尔区撤军。1925年4月他的政府因财政政策而垮台。1926年7月再次组阁，但仅维持3天，后加入R.普恩加来内阁，任教育部长。1932年6月再次任总理兼外长，但年末因众议院拒绝支付向美国举借的法国战争贷款而下台。后在接连两届内阁中任副总理。1936年6月众议院选他为议长，任此职至1940年法国向德国投降为止。1942年因反对维希政府而被德国人软禁，后被纳粹送往德国。战后当选为第四共和国新国民议会议长，任职至1954年退休为止。他虽从1948年参加欧洲理事会会议，但因担心德国重新武装，1952～1954年反对成立欧洲防务集团。1946年当选法兰西学院院士。

Herrmann, (Johann) Wilhelm 赫尔曼(1846-12-06,普鲁士马格德堡附近梅尔考[今在德国]～1922-01-03,德国马尔堡) 德国基督教新教自由派神学家。他强调信仰的基础应当是亲身体验基督的实际生活,不应当是教条。他在讲学和著述中都指出:信仰是个人与上帝之间的活的关系,这种关系来源于人通过耶稣基督直接与上帝交往。他认为:人通过耶稣的启示和榜样看到真正的善。在康德学说的强烈影响下,赫尔曼断言:上帝不是理论知识的客体,而是实践知识的客体,因此科学或哲学既不能证实神学,也驳不倒神学。

Hers' disease 赫尔斯氏病 又称糖原贮积症第Ⅵ型。一种遗传性疾病。患者肝内促使糖原分解为葡萄糖的糖原磷酸化酶不足,引起糖原堆积,肝脏肿大,血糖中度降低。其他症状有血液酸度轻度增高、生长发育稍显迟缓等。本病不累及其他器官,又与其他型的糖原贮积症不同,不会引起精神发育迟缓,寿命亦正常。

Herschbach, Dudley R(obert) 赫希巴赫(1932-06-18,美国加利福尼亚圣何塞～) 美国化学家和教育家,与李远哲、J.C.波拉尼共获1986年诺贝尔化学奖。赫希巴赫获斯坦福大学学士和硕士学位后,于1958年获哈佛大学化学物理学博士学位。1959～1963年执教于伯克利加利福尼亚大学,1963年后任教于哈佛大学,并于1976年成为该校贝尔德科学教授。他应用一种目前在粒子物理学中已很普遍的技术——分子束散射,以期详尽揭露化学反应中的变化。他发明所谓的"交叉分子束技术",在仔细控制的环境下,使分子束以超音速聚集。利用此种程序,可以一个分子一个分子地仔细研究化学反应事例。

Herschel, Caroline Lucretia 赫歇尔(1750-03-16,汉诺威～1848-01-09,汉诺威) 德国出生的英国天文学家,由于协助其兄威廉·赫歇尔爵士进行多项天文学研究而闻名。她完

美国不列颠百科全书公司供图

成许多与其兄的研究有关的计算工作,而她本人于1783年用望远镜发现了3个星云,1786～1797年间发现了8颗彗星。她起先帮助母亲管理家务,直至1772年她的兄长威廉把她带到英国的巴斯,当时威廉在当地已成为一音乐教师。她在巴斯安居后,经过训练成为一成功的歌唱家。她和她的兄长最后一次公开音乐表演是在1782年,当时其兄已被聘为英国乔治三世的宫廷天文学家。她除了为其兄管家、磨制和抛光镜面外,还开始为他的观测进行繁冗的计算。空闲时她用一具小型牛顿式反射望远镜巡视天空,致力于自己的观测和天文的发现。1787年,国王支付她每年50英镑的津贴以酬报她任兄长助手之职。1798年她向皇家学会呈交一份弗拉姆斯蒂德星表的索引,同时附有一份《不列颠天图》所忽略的560颗星的目录以及该出版物的勘误表。1822年威廉去世后,她又回到汉诺威,不久完成了2 500个星云和许多星团的表。1828年(时年77岁),因发表一部兄妹两人研究工作的修订本而获天文学会的金质奖章。随后她又生活了约20年,并继续受科学家们和公众的尊敬和钦佩。

Herschel, Sir John(Frederick William) 赫歇尔(1792-03-07,英国白金汉郡斯劳～1871-05-11,肯特科灵伍德) 英国天文学家,继承他父亲威廉·赫歇尔爵士观测和发现恒星、星

美国不列颠百科全书公司供图

云的事业。赫歇尔是独子,早年有一段时间在伊顿求过学,后辍学在家就读私塾。1809年进入剑桥大学就读。与数学家兼计算机发明家C.巴贝奇和数学家(后成为神学家)G.皮科克同下决心,"竭力使自己的一生能为人类知识宝库添砖加瓦"。1812年他们成立剑桥分析学会,将欧洲大陆的微积分方法引进英国,并以德国哲学家兼数学家G.W.莱布尼兹所发明的一种更简捷的符号,取代繁琐的牛顿符号。赫歇尔的优异才能很快被赏识,1812年他向英国皇家学会提出第一篇数学论文,因此,第二年便被选为该会的会员。1813年以第一名的成绩通过大学的数学考试。1814年赫歇尔开始在伦敦攻读法律,但他很快就认识到,这是错误的选择,因而在1815年夏天病重时便中断学业。康复后,他回到剑桥任数学教师。1816年再度离开剑桥,以便协助他父亲研究天文。老赫歇尔制作和使用大望远镜的丰富经验,使他充分受益,也替他奠定日后有所成就的基础。1820年他成为皇家天文学会的创办人之一。与此同时,他在化学、光学,尤其是数学方面,都有重大的贡献。1821年获皇家学会的科普利奖。

重新测定他父亲编制的双星表中所列双星,是赫歇尔步入天文学界的第一件重要工作。双星的互绕运动,是研究宇宙中引力作用的最好资料。赫歇尔有幸找到J.索思为他提供适于这项研究的精良仪器。1821～1823年,两人一同编制双星总表,1824年在《哲学汇报》上发表,因此获得皇家天文学会的金质奖章和巴黎科学院1825年的拉朗德奖。这是两人仅有的一次合作。1824～1827年赫歇尔任皇家学会的秘书。1829年结婚,1831年受封为爵士。

要完成父亲的天文研究事业的意识驱使赫歇尔考虑去南半球观测在英国所看不到的星空。1832年开始筹划远行。1833年完成并发表他于1825年开始修订和扩充老赫歇尔编制的星表。1833年11月,他和家人带一架观察暗弱星云用的大反射望远镜(与老赫歇尔爱用的大小相同)和观测双星用的折射望远镜,启程前往好望角,并住在开普敦东南方一荷兰农家中。他在那里紧张工作4年,南半球晴朗的夜空使他的观测进度比在英国快得多。1838年3月准备乘船回英国时,赫歇尔已记录了68 948颗恒星的位置,并积累了许多记录星云和双星的资料。他也对只有在南半球才看得到的麦哲伦云和猎户座的大星云作了许多详尽的记录,并观测了哈雷彗星和土星的各个卫星。此外,他对太阳黑子活动所作的记述和用自己发明的仪器对太阳辐射所作的测量,对天体物理学重要的一环——太阳的系统研究都作出了贡献。回国后他受封为从男爵(1838),并被科学界视为名人。

赫歇尔也是一位很有成就的化学家。1819年他发现硫代硫酸钠可溶解在其他情况下不能溶解的银盐,并率先把这种物质用作照相定影剂。1839年独立发明感光纸照相法,虽然在此之前F.塔尔博特也有此发明。他首先采用现已通用的照相术语"正片"、"负片",并将影像印在用感光材料沉淀法准备好的玻璃片上。19世纪40年代,赫歇尔开始为受过教育的非专业人员写《天文学纲要》(1849)。这本成功的科学书几经再版,包括阿拉伯文版及中文版。不过,他的时间大多用来写作《天文观测结果,1834～1838年间作于好望角》(1847)。这本著作包含南天星云和星团的表和图,一张南天双星的相对位置和星等表,以及他对恒星的变化和相对亮度所作的观测。1850年年底,他被任命为造币厂厂长,了结了想就公职的心愿。后因工作紧张而健康情况恶化,于1854年患上神经衰弱症。1856年辞职,此后以编制双星和星云、星团表度过余生。

Herschel, Sir William(Frederick) 赫歇尔(1738-11-15,汉诺威～1822-08-25,英国白金汉郡斯劳) 原名Friedrich Wilhelm Herschel。德国出生的英国天文学家,系统观测天空的恒星天文学奠基人。他发现了行星天王星,设想过星云由恒星组成,并提出过一种恒星演化学说。1816年封爵士。赫歇尔的父亲是军队的乐师,少年时与其父同行,成为汉诺威警卫队乐队中的一员。1757年法军占领汉诺威后,他逃到英国。起初以抄写乐谱为生,随后地位不断上升,先后担任过音乐教师、演奏员和作曲家。到1766年成为巴斯(以温泉知名)一座上流教堂的管风琴手。就在这时,得自其父的求知欲促使他从乐器演奏转入音乐

原理的研究。他钻研 R.史密斯的《谐音》,随后又读史密斯的另一本著作《完整的光学体系》。从后一本书中他学到制作望远镜的技巧,并产生观察夜空的兴趣。因不愿像当时

美国不列颠百科全书公司供图

的天文学家那样,只满足于观测邻近的太阳、月球和行星,他决心研究遥远的天体。他知道要做到这一点所用的望远镜必须有能收集足够光线的大反射镜,而这种大反射镜是光学仪器商不会以合理价格供应的,因而只好自己动手研制镜面。1781 年,由于他所要的镜面太大,超过当地各厂商的能力,只好在家里的地下室自行制造,他将分量不同的铜、锡、锑进行混合,再加熔铸磨制。但是第一面反射镜在冷却时破裂,而第二次尝试时熔化的金属又溢流至石板上,只好暂时接受挫败。后来终于成功地制造了更大且品质优良的反射镜,其望远镜比格林尼治天文台所用的更为优异。他也制造自己的目镜,放大倍数高达6 450。在巴斯,赫歇尔的研究工作得到来自汉诺威他的兄弟亚历山大的帮助,其妹卡洛琳更是他长期工作中的忠实助手。有关这不平凡的一家人的消息开始在科学界传开。他用望远镜对天空作了两次初步观测。在 1781 年作第三次全面观测夜空时,发现了一颗不平常的星体。后经验证,它就是天王星,是从史前时代以来第一颗被发现的行星,赫歇尔因此一夜成名。他的朋友 W.沃森(小)博士推荐他到伦敦皇家学会,学会颁给他科普利奖章以表彰他发现天王星,并且推选他为会员。沃森还帮助他在 1782 年从乔治三世那里得到每年 200 英镑的生活津贴,从而使他能放弃音乐,专心致力于天文学。他受命为乔治三世的天文学家,一家人移居温莎城堡附近的达切特。

赫歇尔成为专业天文学家时已 43 岁,但他日夜不断地作巡天观测。他的大望远镜十分适用于研究星云的本质,因为天空中的星云看起来不过是发光的斑点而已。有些天文学家认为星云只不过是数不清的星组成的星团,而呈乳白色的光就是星团星交汇而成的。还有些天文学家则认为有些星云是由会发光的流体构成的。1781 ~ 1782 年冬,赫歇尔研究星云的兴趣越来越浓,他很快便发现他的高倍率望远镜能在好几个星云中分辨出单个恒星,而它们对于使用倍率较低的望远镜的观测者来说只是一片乳白色的光斑。他深信只要有更精良的仪器,也能在其他星云里分辨出恒星。因此,他在 1784 和 1785 年提出:所有星云都是由恒星组成,而不必再用会发光的奇妙流体来解释;未能分解为单星的星云一定是十分遥远的星系,并且因为在观测者看来它们很大,所以其实体必定非常巨大,可能比包括太阳在内的星系还大。根据这种推理,他提出存在一种由恒星组成的后来被称为"宇宙岛"的假设。

恒星演化学说 为了说明这些星团之间的差别,赫歇尔自然须着重指出它们之间的相对密度。他将恒星密集的星团与恒星稀疏的星团加以对比,它们的形成显示出引力的作用。他认为经过一段时间后,稀疏的星团必然会聚集成一个或多个密集的星团。换句话说,恒星稀疏的星团仍处于早期发展阶段,恒星密集的星团则较晚。这样,赫歇尔把"随时间演变"(即演化)的概念用来解释天文学。1785 年他创立"天体演化学",这是阐明宇宙起源的一种学说:恒星本来分散在无垠的太空里,引力逐渐使它们分裂并组合成更密集的星团。他接着根据下列两个假设来测定太阳所在的星系的形状:①他的望远镜能看到我们星系内所有的恒星;②在此星系内恒星的分布是有规则的。这两个假设他后来不得不放弃。但是他通过这项研究,首次有说服力地表明恒星统计数字的实际效用,即他能用恒星计数获得的资料来解释银河系的空间范围。

1787 年赫歇尔全家移居到旧温莎,第二年再移居到斯劳(他在那里终老)。每天晚上,只要月光和天气允许,赫歇尔总在其妹卡洛琳的陪同下观测夜空,并由卡洛琳做记录。遇到多云的夜晚,他会派人守望,只要云散天晴便传唤他。白天卡洛琳通常帮他总结观测结果,而他则指导望远镜的制作,他售出许多望远镜来补足收入。1789 年完成他的最大望远镜,反射镜面用反光金属制成,直径达 122 厘米,焦距 12 米。这架望远镜由于太笨重而不适用,但却成为 18 世纪科技奇迹之一。

星云结构学说 1790 年 11 月 13 日,赫歇尔发现一个特殊星云,使他对自己的恒星结构观念发生动摇。他不得不将这个星云解释为"以一恒星为中心,四周围着发光流体"的云状物。这一发现与他较早的观点相矛盾,至此,他认为那些即使用他最好的望远镜也不能分解的星云,可能就是遥远的"宇宙岛"(即现在的星系)。虽然如此,他还是用他较早的理论来解释这一新发现。他的结论是:中心的恒星是在重力作用下由周围的星云物质凝聚而成的。1811 年他将他的天体演化学追溯到恒星还未从流体中形成的阶段。上述的实例可说是典型的赫歇尔理论思维方式,即用大胆但考虑欠周的假设来解释无比珍贵的观测资料。例如,在处理天体结构问题时,他假设所有的恒星都有相等的亮度,因此,亮度的不同即表示距离有差别。他一生不肯承认与他的这个假设相矛盾的证据,尽管这类证据日益增多。赫歇尔将 20 年来(1783 ~ 1802)对星云所作的有系统的研究编成 3 部星云表,列入 2 500 个星云和星团,取代了前人的只有 100 多个星云的星云表。他还编制了包括 848 对双星(成双出现的恒星)的表,并且附有相对亮度。他发现双星并不是由太空中随机分布的恒星偶然形成的,而是彼此互相环绕的。他所发表的 70 篇论文不仅包括关于太阳系在太空中运动的研究和发现红外线的报告(1800),也包括一系列研究太阳系中行星和其他成员的详细资料。

Hersey, John(Richard) **赫西**(1914-06-17,中国天津～ 1993-03-24,美国佛罗里达基韦斯特) 美国记者和小说家,以其关于第二次世界大战中的灾难性事件的记实性小说闻名。父亲是中国天津基督教青年会的秘书,母亲是传教士。10 岁时随父母回美国。1936 年毕业于耶鲁大学,1937 ～ 1946 年任《时代》和《生活》杂志驻东亚、意大利和俄罗斯记者。早期小说《给亚达诺镇的钟》(1944)获 1945 年普利策奖。赫西后来的小说表现出他把记者传达事实的技巧与富于想象的虚构结合在一起的天赋。描写华沙犹太人居住区起义的小说《墙》(1950)和客观叙述在广岛的原子弹爆炸中幸存者对经受冲击波打击情景的《广岛》(1946)都以事实为根据,但它们也是第二次世界大战中波兰人和日本人如何求生存的个人故事。他后来的小说题材很广泛,从当代政治和社会问题到以未来世界为背景的道德寓言均有涉足。这些作品将社会批评和作者的道德目标与想象的情节和前提交织在一起。

Hershey **赫尔希** 又译赫希。美国宾夕法尼亚州中南部多芬县德里镇区无建制的居民区。在哈里斯堡东 19 千米处。M.S.赫尔希 1903 年在此建立巧克力厂,1909 年建立职业学校,现称米尔顿·赫尔希学校。20 世纪 30 年代大萧条时期,他又出资建起社区活动中心、旅馆和运动场。米尔顿·赫尔希医学中心是宾夕法尼亚州立大学一个部门。另有宾夕法尼亚州立警官学校。建有主题公园、植物园、运动场、公园和几个高尔夫球场。人口 12 771 (2000)。

Hershey, A.D. **赫尔希**(1908-12-04,美国密歇根兰辛～ 1997-05-02,纽约赛奥西特) 全名 Alfred Day Hershey。美国生物学家,由于研究噬菌体,与 M.德尔布吕克及 S.卢里亚共获 1969 年诺贝尔生理学或医学奖。他们 3 人于 20 世纪 40 年代早期即开始交换关于噬菌体研究的情报。1945 年,赫尔希和卢里亚分别证明了噬菌体及其寄主中的自发突变。次年,赫尔希和德尔布吕克各自在噬菌体中发现了基因重组。但德尔布吕克错误地把他得出的结果解释为特异性诱变作用,而赫尔希和他的一个学生查明,这个遗传学过程相当于高等生物细胞中观察到的相似染色体间的部分交换,从而证实德尔布吕克发现的也是重组过程。赫尔希 1952 年与 M.蔡斯一起进行了所谓融合试验,因而成名。他查明噬菌体 DNA 是侵染时进入寄主细胞的基本成分,从而证实噬菌体的遗传物质是 DNA,而不是蛋白质。1950 年他放弃密苏里州圣路易斯的华盛顿大学医学院教授职位,到华盛顿卡内基学会遗传研究室工作。1963 年任该研究室主任。由于他的发现,他又获阿尔伯特·拉斯克奖(1958)及金伯遗传学奖(1965)。

Hershey, Milton Snavely **赫尔希**(1857-09-13,美国宾夕法尼亚霍克尔斯维尔附近～

1945-10-13，宾夕法尼亚赫尔希） 美国企业家和慈善家。创办赫尔希巧克力公司，并使巧克力糖果风行世界各地。在农村受到不完全的教育，15岁时到兰开斯特一家糖果店当学徒。1876年学徒完毕时在费城开设自己的糖果店，但6年后倒闭。后来试图在纽约制造糖果，也以失败告终。他返回兰开斯特，在此他创新在糖果内掺合新鲜牛奶取得巨大成功。他开设兰开斯特奶糖公司，直至19世纪90年代仍在制造糖果，而赫尔希却日益对巧克力的制作发生兴趣。1900年他以100万美元售价将公司出售，集中力量完善巧克力糖的生产配方。1903年，他在现今称为赫尔希的地方建造了一座工厂，现为世界最大的巧克力制造厂。牛奶巧克力深受大众喜爱，新公司迅速发展。1918年，赫尔希把大部分财产交给赫尔希基金会，资助他所创办的职业学校——米尔顿·赫尔希学校。

Herskovits, Melville J. 赫斯科维茨（1895-09-10，美国俄亥俄贝尔方丹～1963-02-25，伊利诺伊埃文斯顿） 美国人类学家，因曾开创对新大陆黑人的研究工作使之成为新的研究领域而著名。他还以人文主义和相对论的观点论述文化问题，亦为学术界所推崇。赫斯科维茨1923年获哥伦比亚大学博士学位，深受F.博厄斯的影响。以后在哥伦比亚大学及霍华德大学任人类学讲师；1927年到西北大学任教，终其一生。1951年在西北大学担任第一位非洲问题讲座教授。最初对美洲黑人进行体质类型研究时，赫斯科维茨就对他们的社会问题和在非洲的文化根源产生兴趣。在《黑人古代神话》（1941）一书中，曾对某些广泛流传的神话予以系统的批驳，对于非洲必须沿袭西方模式并应继续由欧洲人指导方能存在的主张，也表示反对。他在经济学方面（特别和人类学有关的经济学方面）及非洲民间艺术与音乐方面也进行了研究。重要著作有：《原始民族的经济生活》（1940），此书于第2版时改名为《经济人类学》（1952）；《人类与其作品》（1948），此书修订删节后题名《文化人类学》（1955）刊行；《变化中非洲之人的因素》（1962）等。

Herstal 埃斯塔勒 法语作Héristal。比利时东部列日省城市。临默兹河和列日-马斯特里赫特运河。原为加洛林人居留地。7世纪法兰克王国的统治者丕平二世出生于此。为列日东北部工业区，有煤矿、电器设备厂和比利时国家兵工厂，制造小型枪炮、摩托车、喷气式发动机。人口约36 292（2000）。

Herstmonceux 赫斯特蒙苏 英格兰萨塞克斯历史郡东萨塞克斯行政郡威尔登区的一乡村（教区）。是1444年所建赫斯特蒙苏城堡的旧址。该城堡是英国早期砖结构建筑的杰作。20世纪50年代，皇家格林尼治天文台迁到此地。人口2 334（1991）。

Herten 黑尔滕 德国西部北莱茵-威斯特伐利亚州城市。在鲁尔工业区，雷克灵豪森市的西南。9世纪首见记载。其防御工事始于1528年，17世纪又进行了扩充。1872年煤矿的开发促进了城市的繁荣和扩张。1936年设市。有16世纪的城堡和哥特式安东尼教堂。工业以采煤和食品加工业为主。人口约68 651（1998）。

Hertford 赫特福德 英格兰赫特福德行政、历史郡东赫特福德区一城镇教区。在伦敦北缘。临利河。以672年主教会议举行地首见记载。现为郡行政中心。在教区内现存最古老的建筑物是15世纪木框架房舍。经济有轻型机械工业和许多农业商号。人口21 665（1991）。

Hertford, Edward Seymour, earl of 赫特福德伯爵 参阅 **Somerset, Edward Seymour, 1st duke of** *萨默塞特公爵（第一）*。

Hertford, Edward Seymour, earl of, Baron Beauchamp 赫特福德伯爵（约1539～1621-04-06） 即E.西摩。英格兰贵族，因与王位女继承人秘密结婚而触怒伊丽莎白一世女王。爱德华六世的摄政萨默塞特公爵爱德华之子。1559年被封为博尚男爵和赫特福德伯爵。1560年与凯瑟琳·格雷郡主秘密结婚。根据亨利八世的遗嘱，凯瑟琳成为仅次于伊丽莎白女王的王位继承人。伊丽莎白对他们秘密结婚深感不满，1561年将他们关入伦敦塔，直到1563年他付出一大笔罚款才获释。此后仍遭软禁。1568年凯瑟琳去世，伊丽莎白的不快才稍释，但他一直默默无闻。伊丽莎白不承认他们的婚姻，也不承认他们的两个儿子的合法地位。临死前选择苏格兰国王詹姆斯六世继任英格兰国王，称詹姆斯一世。

Hertford, Richard de Clare, 6th earl of 赫特福德伯爵（第六） 参阅 **Gloucester, Richard de Clare, 7th earl of** *格洛斯特伯爵（第七）*。

Hertfordshire 赫特福德郡 英格兰南部一行政、历史郡。与伦敦北侧相邻。面积1 643平方千米。行政郡和历史郡所辖范围稍有差别。行政郡包括10个区：东赫特福德郡、北赫特福德郡、三河区、韦林哈特菲尔德、布罗克斯本自治市、达科鲁姆、赫茨米尔、斯蒂夫尼奇、沃特福特和圣奥尔本斯。赫茨米尔自治市的波特斯巴地区位于赫特福德历史郡以外，是米德尔塞克斯历史郡的一部分。赫特福德历史郡包括大伦敦的巴尼特自治市的北部和中部大部分地区。大部分处在伦敦盆地。奇尔特恩丘陵从西南向东北横贯本郡北部。河流均向南流，利河和科恩河均汇入泰晤士河。因大量挖取伦敦盆地的砂石，两条河谷中形成一系列水坑（现作游乐和蓄水用）。绿带法的颁布限制了发展中的伦敦郊区对乡村林木的蚕食。当地多新石器、青铜器和比利其时代的遗迹。以罗马时期遗迹最丰富。有数条罗马大道。撒克逊人曾在圣奥尔本斯建造隐修院（793），隐修院教堂即现圣阿尔本斯大教堂。20世纪建起莱奇沃思和韦林加登城两座领先的现代花园城市。第二次世界大战后伦敦8个新建卫星城中有4个位于该郡。与伦敦直接有公路、铁路相通，在英国还没有哪个郡能与伦敦有如此方便的交通。近几十年，轻工业、办公机构、电影公司和远郊居民大量迁入。人口约1 033 600（1998）。

Hertling, Georg (Friedrich), Graf von 赫特林（1843-08-31，黑森-达姆施塔特州达姆施塔特～1919-01-04，德国鲁帕尔梯恩） 德国保守派政治家，哲学家，第一次世界大战最后一年任帝国首相，但对实际控制德国的军方来说只不过是个看管人。虔诚的天主教学者。曾在波恩大学和慕尼黑大学任教授并领导他所创办的促进天主教研究的格雷斯学社。他曾任天主教中央党参加帝国议会的议员（1875～1890及1896～1912），并在1909～1912年任该党议会领袖。1912～1917年任巴伐利亚首相兼外交大臣，1917年11月1日任德国首相，但实权操在以兴登堡和鲁登道夫为首的最高军事指挥部手里。1918年9月德国垮台前，他辞去首相职务。

Hertsmere 赫茨米尔 英格兰赫特福德行政郡一区（自治市）。该自治市大部分地区属于赫特福德历史郡，但东部地区，包括波特斯巴，属米德尔塞克斯历史郡。面积98平方千米。位于大伦敦北部，在沃特福德（西）和哈特菲尔德（东）之间。有大片开阔地，包括农田、公园、娱乐场和高尔夫球场等。行政中心为博里汉伍德。人口约97 300（1998）。

Hertwig, Oskar (Wilhelm August) 赫特维希（1849-04-21，黑森弗里德贝格～1922-10-25，柏林） 德国胚胎学家和细胞学家，最早认识精子的核与卵的核结合是受精作用的实质。曾在耶拿、苏黎世、波恩学医。1875年任耶拿大学解剖学讲师，1881年升为教授。1888～1921年任柏林大学解剖学和进化史教授，并任解剖生物学研究所所长。其重要研究包括遗传特征的核传递、生物遗传理论、镭射线对体细胞和胚细胞的影响。与其弟理查德共同研究体腔形成，合写有关胚层理论的论文，并对一切器官和组织由3个基本组织层通过不同途径衍生而成的主张提出质疑。

Hertwig, Richard (Carl Wilhelm Theodor) von 赫特维希（1850-09-23，黑森弗里德贝格～1937-10-03，慕尼黑） 德国生物学家。以提出胚层学说（所有器官和组织都由3个基本组织层以不同方式衍生而成）而闻名，对原生动物研究也有贡献。曾在苏黎世、耶拿和波恩各大学求学，先后任耶拿大学动物学讲师（1875），柯尼斯堡大学（1881）、波恩大学（1883）和慕尼黑大学（1885～1925）教授。是研究人工刺激海胆卵发育（孤雌生殖）的第一人。继续研究德国生物学家E.海克尔倡导的体腔形成理论，帮助阐明草履虫的生殖过程，并探讨两栖类的性别决定。许多研究工作是与其兄O.赫特维希合作完成的。

hertz 赫兹 频率的单位（缩写Hz）。赫兹数等于每秒周数。任何具有规律的周期性变化的现象都可以用赫兹作单位。这名词最常用于交流电、电磁波（包括光、雷达等）和声音。它属于米制的国际单位系统（SI）。20 世纪 20 年代初，德国科学家为了纪念 19 世纪德国物理学家 H.赫兹建议使用赫兹作单位。1933 年 10 月国际电工委员会的一次会议上采用了它。现在已被普遍使用，但并不能完全代替"周/秒"的表达式。有一个很少使用的单位，叫菲涅耳，它等于 10^{12} 赫兹。这是以 18 ～ 19 世纪法国科学家 A.J.菲涅耳的姓氏命名的。菲涅耳是光学学科的一位先驱者。

Hertz, Gustav（Ludwig）　赫兹（1887-07-22，汉堡～ 1975-10-30，东德柏林）　德国物理学家，因证明原子只能定量吸收能量的理论，与 J.夫兰克共获1925年诺贝尔物理学奖。他

历史图片公司供图

是物理学家 H.R.赫兹的侄子，在格丁根、慕尼黑和柏林等大学就读。1913 年任柏林大学物理学助教，开始和夫兰克合作。他们的实验表明，当一个电子撞击原子时，它必须具有一定的最低能量，才能从原子中击出另一个电子。这个能量叫作电离电势，随元素而不同。他们的测量表明，每种元素发射出不同波长的光，与该元素的原子一系列可能的能态相当。这一点曾由用量子论解释原子性质的 N.玻尔预见到。1925 年赫兹任哈雷大学物理学教授，1928 年任柏林工科大学物理学教授。1932 年创造一种分离氖同位素的方法。1945 ～ 1954 年在苏联从事研究。1954 年回到东德，任物理学教授和莱比锡物理研究所所长，直到 1961 年。

Hertz, Heinrich（Rudolf）　赫兹（1857-02-22，汉堡～ 1894-01-01，波恩）　德国物理学家，第一个播出并接收了无线电波。1880 年在 H. von 亥姆霍兹指导下以优异成绩获得柏林大学哲学博士学位。1883 年开始研究 J.C.麦克斯韦的电磁理论。1885 ～ 1889 年任卡尔斯鲁厄工业学院物理学教授时，在实验室产生了无线电波，并测量其波长和速度。他指出无线电波的振动性及它的反射和折射的特性，与光波和热波相同。结果他确凿无疑地肯定：光和热都是电磁辐射。1889 年任波恩大学物理学教授，在该校继续研究稀有气体中的放电。他的科学论文译为英文出版 3 卷：《电波》（1893）、《杂项论文》（1896）和《力学原理》（1899）。

Hertz, Henrik　赫兹（1797或1798-08-25或27，哥本哈根～ 1870-02-25，哥本哈根）　最受欢迎的丹麦剧作家之一、诗人。幼年父母双亡。最初模仿 J.L.海贝尔，并和他一道抨击当时的浪漫主义作家。他认为形式完美比内容更重要。一生写有约 50 部剧本，最著名的有《储蓄银行》（1836）、《斯文·戴林的家》（1837）和《雷内王之女》（1843）。他也是多种体裁诗歌的多产作家。

Hertz, Joseph Herman　赫茨（1872-09-25，匈牙利雷布雷尼～ 1946-01-14，伦敦）　英联邦希伯来人联合会大拉比，写有犹太教和有影响评论的著作家。著有教义书籍和《圣经》评注多种。他幼年移居纽约，毕业于新建的犹太教神学院，是该院培养出来的第一名拉比。1894 ～ 1896 年主持纽约州锡拉丘兹犹太教会堂，其后任南非境内约翰内斯堡拉比。他在英布战争中同情英国，坚决反对南非政府限制犹太人和天主教徒的信仰自由的政策，遂被南非总统克留格尔驱逐出境。战后赫茨复职，在任直至 1911 年。1906 ～ 1908 年兼任德兰士瓦大学学院（今比勒陀利亚大学）哲学教授。1913 年赫茨当选英格兰大拉比，曾当俄罗斯驻英大使之面抨击该国国内歧视犹太人。1925 年任耶路撒冷希伯来大学领导者。他热烈拥护犹太复国主义，促进 1917 年《贝尔福宣言》的发表，并努力促其实现。

Hertzberg, Ewald Friedrich, Graf von　赫茨贝格（1725-09-02，波美拉尼亚洛廷～1795-05-27，柏林）　普鲁士政治家，外交大臣，致力于扩大普鲁士，通过建立一个英国、尼德兰、俄国和普鲁士的强大联盟以反对法国、奥地利和西班牙，使普鲁士成为欧洲的裁决者。早年在哈雷大学学习宪法和历史。1745 年进入政界，在国家档案局和外交部工作。1750 年已成为内阁机密档案馆馆长。两年后进入柏林科学院，以每年关于普鲁士行政问题的讲演著名。他熟悉霍亨斯陶芬王朝的系谱，这对腓特烈二世的政治活动有重大价值。1754 年起，赫茨贝格定期参加内阁机密会议。1757 年任副国务秘书，代表普鲁士与俄罗斯（1762）、奥地利和萨克森（1763）谈判和约。1763 年任外交大臣，他千方百计想在第一次瓜分波兰时（1772）把奥地利排除在外，并企图在巴伐利亚继承战争（1778 ～ 1779）之后获取领土。腓特烈·威廉即位（1786）后，他开始发挥重大影响。创立普鲁士诸侯联盟，但未能组成一个坚强有力的北方联盟。1787 年奥地利和俄国对土耳其宣战，赫茨贝格企图取得一项有利于普鲁士的解决办法。普奥两国几乎宣战，腓特烈·威廉二世否决了外交大臣的计划，与奥地利签订《赖兴巴赫条约》（1790），放弃对土战争的任何领土要求。1791 年，赫茨贝格辞去外交大臣职务。

Hertzen, Aleksandr（Ivanovich）（author）　参阅 **Herzen, Aleksandr（Ivanovich）赫尔岑**。

Hertzog, J（ames）B（arry）M（unnik）　赫尔佐格（1866-04-03，开普殖民地惠灵顿附近～1942-11-21，南非联邦比勒陀利亚）　南非军人和政治家，1924 ～ 1939 年的南非联邦总理。他在 1912 年的演说中首次阐明了他的主张，即"南非第一"（甚至在英帝国之前）和"并行政策"，即组成南非白人国家的英国人和阿非利堪人（荷兰人）彼此不受对方的支配。早年学习法律，1892 ～ 1895 年在比勒陀利亚执律师业。后在奥兰治自由邦高级法院工作。南非战争时期（1899～1902）任奥兰治

南非新闻处供图

自由邦军队副总司令。1902 年 5 月签署了《弗里尼欣和约》。后组织奥兰治统一党。1907 年参加奥兰治自由邦自治政府内阁。1910 年加入 L.博塔领导的南非联邦首届内阁。由于他持有激烈的民族主义观点，博塔 1912 年又组成新政府，他未能入阁。1914 年创建阿非利堪人国民党。1924 年在工党支持下成为总理，他为南非联邦制定国旗，使阿非利堪斯语为一种官方语言，保护民族工业。1931 年在几次帝国会议上，力争实行《威斯敏斯特法》（1931），要求英国承认各自治领有平等权利，包括退出联邦的权利。1933 年与 J.斯穆茨联合组阁。翌年国民党与南非党合并为统一党。在 1938 年选举中，赫尔佐格的党大胜。他在阿非利堪人的有力支持下，主张通过种族政策，实行白人和黑人间的隔离，取消开普班图人的特许权，扩大土著人保留地。第二次世界大战爆发后，统一党在对待战争的态度问题上出现分歧，他主张中立，但在议会中以 80 对 67 票遭到否决（1939-09-04），因而辞职。斯穆茨组成新政府后，他成为反对党领袖。1940 年底退出政坛。

Hertzsprung, Ejnar　赫茨普龙（1873-10-08，哥本哈根近郊腓特烈斯贝～ 1967-10-02，丹麦罗斯基勒）　丹麦天文学家。他把恒星按颜色和绝对亮度的关系进行分类，这一成就对

美国不列颠百科全书公司供图

现代天文学具有根本性的意义。在恒星分类中，赫罗图（Hertzsprung-Russell diagram）的赫字就来自他的姓氏。1913 年他建立了造父变星的光度定标，成为测定星系际距离的工具。赫茨普龙未受过专门天文教育，他在丹麦工学院上学并成为化学工程师。起初热心于照相化学，1902 年转向天文学，并在丹麦一小天文台工作。他在该台把照相技术用于恒星测

光。在1905和1907年发表的两篇文章中，他指出，恒星的颜色和它们的真正亮度存在着一定的关系，而且一定有巨星和矮星之分。恒星的颜色和真亮度之间的关系后来被广泛用作测定恒星分光视差（估计恒星到地球距离的量）的基础。由于恒星光谱是恒星绝对星等的可靠标志，从已知的恒星视星等和绝对星等之间的关系就可求出恒星的距离。这项研究成果使波茨坦天文台台长K.史瓦西深为感动，他为赫茨普龙在格丁根天文台谋得一职（1909），随后（在同一年里）又让赫茨普龙在波茨坦天文台担任高级天文学家。1919年，赫茨普龙任荷兰莱顿天文台副台长，1935年任台长。1945年退休后回丹麦。

Hertzsprung-Russell diagram　赫罗图　一种表示恒星绝对星等（恒星固有亮度）和光谱型的关系图，对恒星演化理论极为重要，为丹麦天文学家E.赫茨普龙和美国天文学家H. N.罗素各自于1911年创制。在图上的恒星是按绝对星等的增加（亮度减小）从上到下，按温度（光谱型）的降低从左到右排列的。位于银河系旋臂（太阳也在一条旋臂上）上的恒星都分布在赫罗图的某一特定区域，而那群被称为主序星的恒星则大致分布在从左上方（热而亮的星）到右下角（暗而冷的星）的对角线上。称为巨星序的是一些体积巨大、明亮，但温度低的恒星，它们分布在赫罗图的右上方，而白矮星则是一类暗淡、小而热的恒星，它们位于赫罗图的左下方。太阳靠近主星序的中央。对于同样的恒星，若用恒星的颜色代替温度来作温度和星等的图，也可得出类似的结果，这种图称为颜色-星等图。银河系其他部分的恒星（如球状星团中的恒星），具有另一种图像的赫罗图。

Heruli　赫鲁利人　起源于斯堪的纳维亚的一支日耳曼民族，曾劫掠罗马帝国境内城镇，267年占领拜占廷，洗劫希腊各城市。两年之后，东赫鲁利人在纳伊苏斯（塞尔维亚的尼什）战役中遭到罗马皇帝克劳狄二世的沉重打击。此后，其盛衰消长几经变化。6世纪中叶在历史上消失。赫鲁利人最早被哥特人埃尔曼纳里克征服，后来又臣服于匈奴人。赫鲁利人在5世纪建立王国于多瑙河中游地区，6世纪初为伦巴第人所灭。

Hervé, Mademoiselle　埃尔韦（小姐）　参阅 **Béjart family** 贝雅尔家族。

Hervé - Bazin, Jean Pierre　埃尔韦-巴赞　参阅 **Bazin, Hervé** 巴赞。

Hervey, John　赫维　参阅 **Bristol, John Hervey, 1st earl of** 布里斯托尔伯爵（第一）。

Hervey (of Ickworth), John Hervey, Baron 赫维（伊克沃斯的）（1696-10-15，?～1743-08-05，英国萨福克伊克沃斯）　英国政界人物、才子，他的《乔治二世王朝回忆录》具有十分重要价值，后代许多人对英格兰18世纪的印象主要来自此书和H.沃波尔的著作。第一代布里斯托尔伯爵约翰之子，曾在剑桥大学受教育。循例到欧陆旅游，在汉诺威与日后的威尔士亲王结成牢固的友谊。赫维是辉格党人，任议员（1725～1733），后被封为艾克沃斯的赫维男爵。在官场中并不得志，尽管在1740年出任掌玺大臣，但1742年随罗伯特·沃波尔爵士的政府一起倒台。他在上流社会和宫廷中比在政界更享有声誉。据他说，他的直言不讳的《回忆录》（3卷，1848）是写给那些希望看到大人物们"衣冠楚楚和赤裸裸暴露真相的情况，而不是看他们在政治舞台上扮演角色"的人们而写的。

Hervey Bay　赫维湾　澳大利亚昆士兰州东南部一海湾和城市。临太平洋。湾长89千米，宽64千米。该湾南通大桑迪海峡，接纳伯内特、玛丽、艾西斯等河。该城市由一些湾畔游览地组成，包括弗农角、派阿尔巴、托基、尤兰根等地。为附近甘蔗和菠萝产区的服务中心。有牡蛎养殖和轻工业，并喂养热带鱼。尤兰根已发展成为西南偏南30千米的马里伯勒服务的深水港。有公路通布里斯班。人口32 941（1993）。

Hervieu, Paul-Ernest　埃尔维厄（1857-09-09，法国塞纳河畔讷伊～1915-09-25，巴黎）　法国小说家、剧作家。大部分剧作为悲剧，主题是家庭冲突和亲属矛盾，旨在进行道德说教。曾攻读法律专业，学成后转入外交界。后开始写小说和短篇故事，其中最佳者有小说《调情》（1890）和《自画像》（1893）。随后又写剧本，并与法兰西喜剧院合作20年。最成功的剧本之一是关于法国大革命的历史剧《梅里库尔的泰鲁瓦尼》，这是专为喜剧院的首席女演员S.贝因哈特所写的。他的最佳作品，特别是《钳子》（1895）、《人类的法则》（1897）和《迷津》（1903），都是谈法律问题的，矛头指向当时法国实行的严格的离婚法。1899年被选入法兰西学院。

Herwegh, Georg　黑尔韦格（1817-05-31，符腾堡斯图加特［德国］～1875-04-07，巴登）　德国诗人。提倡革命精神，受到同时代青年诗人的注意。他的诗有些可以同海涅的成就相媲美，感情奔放、敏锐，在当时的革命诗人当中很不寻常。被蒂宾根神学院开除后，以新闻记者开始其文学生涯。后服兵役，因鲁莽地侮辱一个军官，被迫逃往瑞士。在那里出版了最著名的诗集《一个活人的诗歌》（1841，1844），表达了德国青年的期望。虽然该书被没收，但他却一举成名，一连几版很快售罄。1842年回到德国，群众举行表示同情的游行，热烈欢迎他；普鲁士国王腓特烈·威廉四世客气地接见了他。但当他正在筹备出版的新杂志被勒令禁止时，他以不得体的语调写信给国王，立即被赶出普鲁士。返回瑞士后又去法国。1848年革命爆发，他领导800名法国和德国工人参加巴登起义。起义失败他又逃到瑞士，住在苏黎世和巴黎，直到1866年大赦才允许他返回德国。《新诗集》（1877）于死后出版。

Herz, Henri　赫尔兹（1803-01-06，奥地利维也纳～1888-01-05，法国巴黎）　杰出的奥地利钢琴家、教师和作曲家。幼随其父和D.亨顿学习，后入巴黎音乐学院，师从A.莱恰及V.杜尔伦等。曾在欧洲、俄国、南美及美国举行400余场音乐会。1842～1874年任巴黎音乐学院钢琴教授，后创立巴黎钢琴专科学校。他还是著名钢琴制造者，1855年在巴黎博览会上获头奖。他以I.莫舍勒斯为榜样，成为19世纪晚期最著名钢琴家和作曲家之一。其作品近似J.洪梅尔、莫舍勒斯和K.车尔尼的作品，当时虽很流行，却因其肤浅的技巧炫耀而受到R.舒曼等音乐评论家的批评。

Herzberg, Gerhard　赫茨伯格（1904-12-25，德国汉堡～1999-03-03，加拿大安大略渥太华）　加拿大物理学家。因测定分子，特别是含奇数电子的原子团（称作自由基）的电子结构和几何形状的工作而获得1971年诺贝尔化学奖。他的最重要的著作之一是3卷本《分子光谱和分子结构》（1939～1966）。1930年在达姆施塔特工业学院任名誉讲师。1935年逃离纳粹德国，并在加拿大萨斯卡通的萨斯喀彻温大学任职。1945～1948年在美国威斯康星州威廉斯贝的叶凯士天文台工作。后又回到加拿大，加入渥太华的全国研究理事会。他的光谱学研究不但对物理化学和量子力学提供了极为重要的实验结果，而且也促进了对气体化学反应的重新研究。他研究的重点是双原子分子，尤其是最常见的氢、氧、氮和一氧化碳。发现了很多化学反应中间阶段的一些自由基的光谱，并首次鉴别了星际气体中一些基团的光谱。他还提供了很多外行星大气和恒星大气光谱方面的资料。

Herzegovina　黑塞哥维那　参阅 **Bosnia and Herzegovina** 波斯尼亚-黑塞哥维那。

Herzen, Aleksandr (Ivanovich)　赫尔岑（1812-04-06，俄罗斯莫斯科～1870-01-21，法国巴黎）　Herzen又拼Hertzen或Gertsen。社会哲学家、政治评论家和回忆录作者。19世纪俄

美国不列颠百科全书公司供图

国知识分子急进传统的创立者之一。提出走向社会主义的独特的俄罗斯方式及农民民粹主义的理论；在国外创办了第一个俄罗斯刊物《钟声》；并以散文形式创作了论述他生涯的伟大作品《往事与沉思》。由于对专制和俄国农奴制度的不满，激起了他对十二

月党人的崇拜，并决心为俄国的自由而奋斗。1834年被捕，流放达6年之久。1841年又被流放两年。流放生活坚定了他的急进主义信念，从而抛弃了谢林的模糊不清的唯心主义哲学，接受德国哲学家黑格尔的“实在主义逻辑”和费尔巴哈的唯物主义，并成为黑格尔主义左派。主张辩证法（通过对立观念的统一而发展）是“革命的代数学”，那些脱离具体形态的“科学”（即德国唯心主义）的真理，必须在法国社会主义倡导的“行动哲学”或为正义的斗争中完成。1842年回莫斯科后立即加入西欧派阵营，并撰写《科学中华而不实的作风》和《自然研究通讯》，有力地驳斥了在对左翼黑格尔主义推广普及中的浅薄作风。1847年满怀对行将到来的社会革命的希望，前往欧洲急进主义的首都巴黎，亲身目睹了1848年法国和意大利革命。通过这场革命，认清了欧洲统治者的腐败，对西方失去信心，转而寄希望于俄国。认为俄国存在着的农民村社是实现社会主义的前提。1852年赴伦敦，翌年创办“伦敦自由俄罗斯印刷所”，并出版一系列刊物：《北极星》（1855）、《俄罗斯之声》（1856）、《钟声》（1857），其目的是为了引起政府和民众关心农民的解放和俄罗斯社会的自由化。《钟声》创办后不久即成为一股强大势力，读者中甚至有沙皇的宠臣和革命的反对派。1867年《钟声》停刊。1869年赫尔岑在《致老同志书》中阐述了他对革命代价的新见解，把兴趣转向马克思领导的第一国际。但其政治主张摇摆于社会主义和自由主义之间，这种情况成为其政治上的致命伤。

Herzl, Theodor　赫茨尔（1860-05-02，布达佩斯～1904-07-03，奥地利埃德拉西）　犹太复国主义运动创始人。出身于中产阶级家庭。最初入中等技术学校，1875年转入一所犹太学生占多数的学校。1878年随家庭迁维也纳后，入维也纳大学学习法律。1884年获得律师资格。但他决心致力于文学，开始在维也纳的《新自由报》上发表文章，不久充当该报驻巴黎记者。1891年秋到巴黎后，发现那里也同样存在着在奥地利司空见惯的排犹主义。他认为，如果要对付排犹主义，只有让犹太人组织起来进行反抗的一条路；对大多数犹太人来说，唯一的解决办法是有组织地移居到他们自己的国家去。赫茨尔并不是第一个设想建立犹太人自己的国家的人。正统派犹太人在每天的祈祷中都祈求重返锡安。1799年拿破仑曾考虑过在古老的以色列的土地上建立犹太人国家。英国政治家B.迪斯累里是犹太人，曾写过一部犹太主义的小说《坦克雷德》。马克思的友人M.赫斯曾出版一部重要著作——《罗马和耶路撒冷》（1862）。赫斯在这部书中说：无论对犹太人来说，或者对其他人来说，恢复犹太人的国家都是必要的。俄国和东欧有许多犹太人团体曾试图在巴勒斯坦安置移民。在1881年俄国的反犹太屠杀之后，L.平斯克尔博士写过一本小册子《自我解放》，呼吁西欧的犹太人支持在巴勒斯坦建立聚居地。赫茨尔首次所做的犹太复国主义的重大努力是会见富翁M.德·希尔施男爵。德·希尔施男爵曾创建犹太人移民联合会，企图将俄国和罗马尼亚的犹太人安顿在阿根廷和美洲的其他地区。赫茨尔对希尔施论证说，犹太人必须有自己的政治实体。在这次谈话之后，赫茨尔写出著名的小册子《犹太人国家》（1896年在维也纳出版）。他在小册子中指出：犹太人问题并非社会或宗教问题，而是一个民族问题，只有作为“世界性的政治问题，由全世界各文明国家齐集一堂加以讨论和处理，才能得到解决”。1896年6月赫茨尔前往君士坦丁堡（伊斯坦布尔），希望同奥斯曼苏丹举行会谈，以取得巴勒斯坦成为独立国家的特许。他所乘的列车在保加利亚索非亚停留时，有几百名犹太人到车站迎接，把他拥戴为领袖而热烈欢呼。然后，为了取得世界各国的犹太人的支持，赫茨尔决定组织一个世界犹太复国主义运动代表大会。代表大会于1897年8月底在巴塞尔召开，出席者约200人，他们大多来自中欧、东欧和俄国，另一些人来自西欧和美国。这次代表大会宣告：“犹太复国主义所追求的是在以色列的土地上为犹太人建立一个受到公开保护的家园。”赫茨尔因心脏病在维也纳附近的埃德拉西去世，最初葬于维也纳，1949年犹太国家创立后，移葬耶路撒冷。犹太国家的诞生虽是许多复杂历史力量的产物，但是赫茨尔组织了犹太群众的政治力量，并利用了历史的偶发事件。凭借其个性的力量，他激起犹太群众的热情并赢得当代许多政治家的崇敬。

纽约犹太复国主义运动档案馆和图书馆供图

Herzliyya　赫茨尔利亚　又译海尔兹利亚。以色列中西部城市。临地中海，地处沙龙平原，位于特拉维夫-雅法都市区北部。1924年在美国犹太复国主义者资助下建立，以犹太复国主义创始人T.赫茨尔的名字命名。原为距海约4千米的农业居民点。1960年设建制。后发展成为特拉维夫市郊住宅区，并向沿海扩建。该市亦为以色列主要电影公司——赫茨尔利亚制片厂所在地。城北有公元3世纪阿波罗尼亚居民点的遗址。公元7世纪阿拉伯人征服巴勒斯坦之后，曾易名艾尔苏夫（Arsūf），它还是1191年十字军胜利占领的地区之一。人口约60 700（1982）。

Herzog, Chaim　赫尔佐克（1918-09-17，爱尔兰贝尔法斯特[今属北爱尔兰]～1997-04-17，以色列特拉维夫-雅法）　爱尔兰出生的以色列总统（1983～1993）、军人、律师和作家。1935年举家移居巴勒斯坦。翌年参加犹太复国主义军事组织哈加纳。后返回英国，在伦敦大学学习法律。第二次世界大战期间在英国军队服役。1947年重新加入哈加纳。1948年参加以色列建国后的第一次阿以战争，两次任军事情报部门负责人（1948～1950，1959～1962）。1962年退役前晋升至少将。退役后从事法律及工商业活动。第三次中东战争中（1967）致力于广播报道，成为以色列主要政治军事评论家之一。后任西岸地区首位军事长官。1975～1978年任以色列驻联合国大使。1981年作为工党选入议会。两年后竞选总统，以微弱多数获胜。1988年再次连任。其著述多论及以色列历史。1996年出版自传《亲历历史》。

Herzog, Isaac Halevi　黑尔佐格（1888-11，波兰沃姆扎～1959-07-25，耶路撒冷）　犹太学者、作家、宗教哲学家、演说家、爱尔兰自由邦大拉比（1925～1936），1936年起任巴勒斯坦（后为以色列国）大拉比。他致力于调节当代需要与塔木德的要求两者的关系。20多年间他多次率领犹太人代表团参加以解决巴勒斯坦的阿拉伯人和犹太人的争端的会议，并参加以营救受纳粹迫害的犹太人为目的的会议和委员会。

Herzog, Johann Jakob　赫尔措格（1805-08-12，瑞士巴塞尔～1882-09-30，德国埃朗根）　德国基督教新教神学家、教会史教授、《新约》注疏学教授，研究胡斯-韦尔多派教会方面的权威学者。编有标准神学参考书《新教神学和教会百科全书》（22卷，1854～1868）。

Herzog, Werner　赫尔措格（1942-09-05，慕尼黑～　　）　原名W.H.施蒂佩蒂克。德国电影导演。其影片多表现人们心理上的极端状态。他与R.法斯宾德和V.施伦多尔夫共同领导战后西德的电影运动。《赫尔克里士》（1962）是他早期拍摄的一部短片，而《生命的标志》（1967）则是他导演的第一部故事片。他用很少的资金拍片，并担任制片人和编剧。其影片取景新奇独特，充满神秘主义。《阿基雷——上帝的愤怒》（1973）是他最有名的影片之一，描写一队西班牙探险家前往一处地图上从未标明的地区，结果一个个在精神上和体力上走向自我毁灭。赫尔措格的影片以超现实和古怪的异国情调为特点，被誉为最富创新精神的当代导演之一。

Hesburgh, Theodore M(artin)　赫斯堡（1917-05-25，美国纽约锡拉丘兹～　　）　美国天主教司铎和教育家，他在任印第安纳州南本德圣母大学校长期间使该校在学术和体育上都成绩优异。他热心于公益事业，在全国享有声望。赫斯堡自称从幼儿时期即向往任司铎，1934年入圣十字架会；1943年祝圣为司铎，1945年到圣母大学教授宗教课并任驻校神父。1948年升任宗教系主任；1949年任该校常务副校长；1952年任校长；1987年退休。赫斯堡在任校长期间采用较为宽和的校规，提倡学术自由，努力使圣母大学成为美国的第一流大学。赫斯堡在校外活动甚多，分别在全国科学基金会、美国民权委员会、美国教育理事会、洛克菲勒基金会、联合黑人学院基金会、美国海外部委员会、美国移民及难民政策特别委员会和国际原子能机构担任会员、主席、董事、理事等各种职务。著作有《当代思索》(1962)、《赫斯堡论文集——高等教育中的高级价值观》(1979)和自传《天主、国家、圣母大学》(1990)。

Heschel, Abraham Joshua　赫歇尔(1907,俄罗斯帝国波兰华沙[今在波兰]～1972-12-23,美国纽约州纽约)　犹太教神学家和哲学家,他以阐述犹太教的警世性和神秘性,力图根据古代和中世纪犹太教传统开创现代宗教哲学而闻名。他曾受传统犹太教教育,继而在柏林大学和高级犹太学校深造。他先后在欧洲和美国许多学校执教,1945年任纽约市美国犹太教神学院犹太教伦理学和神秘主义教授终生。赫歇尔认为犹太教虔修传统中有深厚的敬神之心以及自发顺从上帝的心,努力要使20世纪的人也获得这种精神。他还认为社会活动是虔诚信徒表现伦理信念的手段,意义重大。在20世纪60年代至70年代初期,他积极参加抗议活动和示威,保卫美国黑人的平等权利,争取结束美国对越南的武装干涉。他最著名的作品有《世界属于主》(1950)、《人并不孤独:宗教哲学》(1951)等。

Heseltine, Philip　赫塞尔廷　参阅 **War-lock, Peter** *沃洛克*。

Heshan　合山　中国广西壮族自治区辖县级市。湘桂铁路有支线通市区和矿区。原为来宾县地。1981年6月,以合山煤矿矿区为中心,包括岭南镇和北泗、河里两乡,设合山市,属柳州地区。2002年由自治区直辖,来宾市代管。面积350平方千米。红水河沿西侧市界自北向南流。地貌以丘陵为主,地势由北向南倾斜。合山煤田的储藏量达6亿多吨。1905年开始土法开采,1950年由国营广西合山煤矿开采。1962年成立合山矿务局,并进行大规模技术改造,是广西最大的煤矿。建有为矿区服务的煤矿机械厂、电器设备厂、水泥厂、砖厂、电厂等。电厂总装机容量达52.5万千瓦,除供应矿区外,还并入华南电网,供应广西各地及广东部分地区。公路通南宁、柳州、玉林、河池等地,水路红水河可通民船。名胜有八仁岩、龙王泉、佛山石林、灵台瀑布等。人口140 000(2005)。

heshang　和尚　梵语拉丁字母转写作 Upādhyaya,确切音译应为"邬波驮耶"。印度对"博士"、"师"、"亲(亲承教诲)教师"的通称,中国初译为"乌社"、"和阇"、"和社",后译为"和尚",成为佛教对师长的尊称。

Heshen　和珅(1750～1799-02-22)　又拼 Ho-shen。中国清代乾隆皇帝宠臣。钮祜禄氏,字致斋。满洲正红旗人。以世职授侍卫,为乾隆帝赏识。升军机大臣兼内务府大臣。历官至文华殿大学士,封一等公。在朝20年,结党营私,招权纳贿,大肆聚敛。1795年

中国大百科全书出版社供图

乾隆帝禅位嘉庆帝,和珅仍专权无忌。1799年乾隆帝去世,嘉庆帝以二十大罪责令自尽。没收家产,估计值银数亿两,民间流传有"和珅倒,嘉庆饱"的谚语。

Hesilrige, Sir Arthur, 2ND BARONET　赫塞尔里格(约1601～1661-01-07,英格兰伦敦)　Hesilrige 又拼 Haselrig。从1640年长期议会召开到1653年O.克伦威尔自封为护国公期间英国议会党领袖。1659年护国政体垮台后出现的混乱时期曾成为昙花一现的强有力的人物。1629年继承其父的准男爵爵位。在短期议会和长期议会中均为议员。在1641年弹劾查理一世的首席大臣第一代斯特拉福德伯爵的活动中曾扮演主要角色。他是1642年1月逃脱查理逮捕的5议员之一。1642年8月内战爆发后,他自募一队骑兵。1643年7月在兰斯多恩战役和朗德威草原战役中功绩卓著。1647年协助克伦威尔作战。同年任纽卡斯尔郡长,但拒绝在审判查理一世的法庭上任法官。1653年克伦威尔自立护国公后,他成为政府的反对派,但仍任议员。1659年护国政体垮台后,他成为议会中最主要的人物。1660年1月他协助G.蒙克将军以议会名义夺取政权,但蒙克却让国王查理二世复位。新政府将他关入伦敦塔。他死于该处。

Hesiod　赫西奥德(活动时期约公元前700年)　希腊最早的诗人之一,常常被称为"希腊教诲诗之父"。他有两部完整的史诗保存下来,《神谱》记述的是诸神的神话,《工作与时日》则描述农夫的生活。

3世纪镶嵌画中的赫西奥德像

美国不列颠百科全书公司供图

生平　有关赫西奥德生平的详情,人们知道的并不很多。他是维奥蒂亚地方人,这里是希腊中部的一个地区,他父亲从小亚细亚的库墨移居到这里。赫西奥德最初可能是吟诵诗人(职业的吟诗者),通过默记和吟诵英雄诗歌而学到创作史诗的技巧和语汇。他本人把他的诗歌才能归之于缪斯女神,称她们是在他看守羊群时向他显灵的;女神授他以诗人之杖,赐给他诗人的声音,要他"歌唱上天不朽的神族"。他的史诗在他生前曾使他取得声名,因为他曾参加埃维亚岛哈尔基斯地方阿姆菲达玛斯送葬大会上的诗歌比赛。他说,这是他渡海的唯一一次。

真作　在赫西奥德传世的两部史诗当中,《神谱》显然年代要更早些。赫西奥德在这里遵照缪斯女神的指示,记述了诸神的历史,从卡俄斯(混沌)、该亚(大地)和厄洛斯的出现开始。该亚生了乌拉诺斯(天)、众山、蓬托斯(大海);后来,在同乌拉诺斯结合之后,她生了其他许多神。其中之一是提坦神克洛诺斯,克洛诺斯背叛了乌拉诺斯,阉割了他并且随后取得了统治地位,直到他又被宙斯所推翻。作为《神谱》主题的罪恶与反叛的故事中间,穿插了许多神的世系。除了神话的家族关系之外,赫西奥德还介绍了通过他自己的思考而得出的新关系。因此,以海神涅柔斯为父亲的50名海中神女(涅瑞伊得斯)的名字便表明了大海的各种特征。另一方面,描述宙斯派去嫁祸于人的第一个女人潘多拉的故事,则表明赫西奥德对宙斯的至高无上和不可抗拒的权力深信不疑。这权力极为庄严地表现在由宙斯率领的诸神和支持克洛诺斯的提坦神们之间的提坦之战上。

赫西奥德的《神谱》的作者身份曾经受到怀疑,但是现在已不再有人怀疑,不过这一作品中确有后来的诗人和吟诵者增加进去的部分。堤丰反抗宙斯的故事几乎可以肯定是别人加进去的,而另一方面,有关塔耳塔洛斯的有点重叠的记述,对赫卡忒的赞歌以及海怪刻托的后代都是十分靠不住的。同赫西奥德的神谱相似的一个胡里人的神谱的发现似乎表明:赫西奥德神谱中的重要故事都是以中东的模式为依据的。尽管如此,赫西奥德所叙述的乌拉诺斯-克洛诺斯-宙斯这个次序同古典希腊悲剧三部曲的模式是接近的。因此,当乌拉诺斯被克洛诺斯打倒时,厄里倪厄斯(复仇之神)便诞生了,而另一方面,当克洛诺斯行将被宙斯打倒时,他们自己行动的时刻便到来了。诸如此类的特点似乎可以说明,这是赫西奥德本人对传统故事所作的贡献。

赫西奥德的另一部史诗《工作与时日》带有更多的个人性质。它是写给他的兄弟佩尔塞斯的,佩尔塞斯用欺骗和贿赂的手法已经为自己取得了他们遗产的过多的一份并且正企图用类似的方式得到另一份好处。赫西奥德试图劝说他的兄弟不要这样干,在这一史诗的第一部分里讲述了两个神话,说明人在艰苦的生活中必须诚实地努力工作。一个神话是继续讲潘多拉的故事,潘多拉出于好奇心,打开了一个罐子,结果放出了多种多样的灾难给人类;另一个神话讲自从黄金时代以来人类衰落的经过。面对与他同时的人们的野蛮与不义,赫西奥德断言他不可动摇地相信正义的力量。在他看来,正义是一位神,实际上就是宙斯心爱的女儿,而个人以及社会

的幸福,就要看他们对待她的态度。

赫西奥德在这一作品里有赞美正义及谴责横傲的词句,这一部分是对当时社会的那些领导者讲的,因为那些人似乎有教唆佩尔塞斯干坏事的倾向。赫西奥德还直接对佩尔塞斯讲话,劝他放弃坏主意,从今以后通过努力和坚定的劳动谋生。"不朽的诸神放在成功前面的是额头的汗水。"在赫西奥德看来,艰苦的劳动才是取得成功与荣誉的唯一道路。他在这里提出的生活概念有意识地反对荷马的英雄史诗里的那些更加光荣的理想。

在史诗的后半部分里,赫西奥德十分切实而仔细地记述了一年当中每一段时间应当进行什么样的劳作,并告诉人们如何着手进行这种劳作。对农村中一年的描述通过对人的生活节奏以及大自然的力量——从把人们赶回自己的家的不可抗拒的冬天的暴风雪到使人们不得不暂停干活的夏天的灼热——的一种生动感觉而显得富有生气。

诗歌的结尾处是一连串原始的禁忌和迷信,在这之后的部分则用来说明一个月当中有哪些吉日适于播种、脱粒、剪毛和生育。但人们难以相信,这些部分当中的任何一部分会是赫西奥德的作品。

伪作 赫西奥德声名的力量如此之大,乃至由其他诗人写作的史诗不久也都归在他的名下了;这些作品往往也被收进他的作品的版本之中。《喀戎的箴言》、《天文学》、《鸟卜》、《墨兰波狄亚》(描述两个预言者之间的比试)和《爱吉米俄斯》今天只不过留下个标题。《妇女志》谈的主要是通过同诸神的结合而成了英雄和贵族家族祖先的母亲的那些妇女,它有许多片断保存到今天。自19世纪90年代,特别是从20世纪50年代和60年代以来得到解读的纸草书,使人们对这一作品的内容增加了很多知识,并且使人们对它的结构有了一个比较明确的认识。没有任何证据可以证实这一作品的最古老的部分出自赫西奥德之手,有关赫拉克勒斯的母亲阿尔克墨涅的故事,其现存的形式是大大地被扩充了的,即《赫拉克勒斯之盾》,它可能是6世纪初期或中期的作品。《荷马与赫西奥德的比试》(结果是赫西奥德取胜)就其当前的形式而论,是哈德良皇帝(2世纪)以后的作品。

评价 希腊最早的史诗诗人之一赫西奥德,通过自己的作品对荷马对世界的比较引人入胜的描述做了有用的矫正。从本质上说,赫西奥德对生活的态度是严肃的,他是从比较阴暗的一面看待生活的一位艺术家,他在他的《神谱》里记述的是上天的统治者乌拉诺斯、克洛诺斯和宙斯之间的血腥的权力斗争,而他的《工作与时日》则表明,无论如何在赫西奥德的周围,在他所称的"铁的时代",人类在大地上的处境是同样可悲的。

Hesperides 赫斯珀里得斯 希腊语,意为"夜的女儿,单数为 Hesperis(赫斯珀里斯)"。据希腊神话,她们是负责看守金苹果树的嗓音清澈的少女。这树是该亚在赫拉嫁给宙斯时送给她的礼品。据赫西奥德的说法,她们是厄瑞波斯和夜的女儿;据另外的说法,她们是阿特拉斯与赫斯珀里斯或福耳库斯与刻托的女儿。她们通常为3人,埃格勒、厄律提亚和赫斯珀里(或赫斯珀里苏撒),但有些说法说她们多至7人。人们认为她们居住在极北居民中间。看守金苹果的还有一条名叫拉冬的龙,是福耳库斯和刻托的后裔。不过拉冬是阿卡迪亚一条河的名字,所以苹果园的原址可能是在阿卡迪亚。赫拉克勒斯后来或是自己偷了,或是要阿特拉斯为他取得了金苹果。在希波墨涅斯同阿塔兰忒比赛之前,阿佛洛狄忒给前者的金苹果就是从赫斯珀里得斯看守的果园那里取得的。

Hesperornis 黄昏鸟属 鸟类的绝灭属。化石见于白垩系。在白垩纪(1.44亿年前至6 640万年前)鸟类中最著名,兼有原始特征和现代特征。原始之处在于下颌有齿,而上颌齿限于后部。作为鸟类特征的角质喙可能正在颌的前部形成。翼小,不能飞翔,翼骨仅仅是薄片。胸腔的特征不同于大多数鸟类,没有固定飞翔肌肉的显著的龙骨突。后肢强壮有力,适应迅速潜水和游泳。颈细长,头略小,似能作迅速的侧向运动。黄昏鸟善游泳,可能会追捕鱼类。

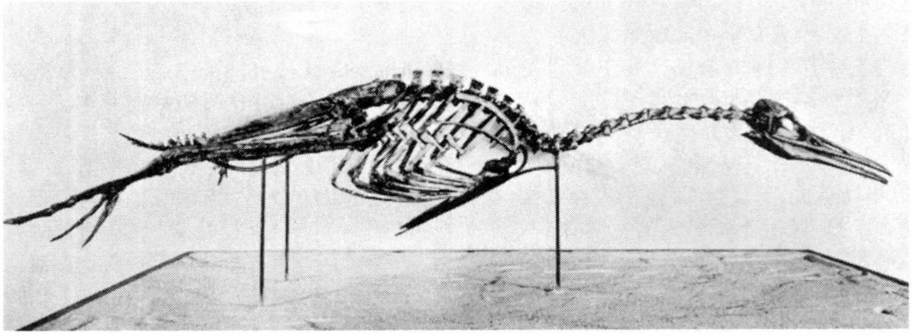

黄昏鸟(*Hesperornis*)骨骼

美国不列颠百科全书公司供图

Hesperorthis 西方正形贝属 腕足动物的绝灭属。它作为化石尤其是奥陶纪(5.05亿年前至4.38亿年前)海相地层所特有的。平凸型的壳由二瓣组成,背瓣平,腹瓣凸。壳表具放射状脊,背瓣后缘有较宽的三角区。

Hesperus 赫斯珀洛斯 又名维斯佩尔。希腊罗马神话中的黄昏星,阿特拉斯的儿子或兄弟。后来人们认出他就是晨星,即福斯福耳或厄俄斯福耳(罗马称"路济弗尔"),带来光明者。不同的作家对他有不同的说法,或说他是赫斯珀里得斯(金苹果的看守者们)的父亲,或说他是她们母亲赫斯珀里斯的父亲。

Hess, Germain Henri 盖斯(1802-08-07,瑞士日内瓦～1850-11-30,俄罗斯圣彼得堡) 化学家。他对化学反应热效应的研究奠定了热化学的基础。曾在伊尔库茨克行医数年。1830年任圣彼得堡大学工学院化学教授。早期研究矿石和巴库附近的天然气。他发现了食糖氧化生成糖酸的反应。1834年出版了一本有关化学的著作,在俄国这本书多年为权威性教材。1840年盖斯提出了总热量守恒定律即著名的盖斯定律。指出:从一种化学品生成另一种化学品时;不管化学反应分多少步完成,反应的热效应总是相同的。盖斯定律预示了更加完整的能量守恒定律的进一步量化,为19世纪末叶美国物理学家J.W.吉布斯发展化学热力学开辟了道路。

Hess, Moses 赫斯(1812-06-21,波恩[德国]～1875-04-06,法国巴黎) 德国新闻工作者、社会主义者。他曾对马克思和恩格斯发挥影响并倡导犹太复国运动。从他于1837年发表的著作《人类的神圣历史:青年斯宾诺莎主义者述》来看,他显然受到斯宾诺莎哲学和黑格尔先验哲学的影响。为实现其信仰,赫斯鼓吹理想主义的带有无政府主义色彩的社会主义,组织工人团体,同时担任《莱茵报》驻巴黎记者,利用该报宣传自己的主张。马克思参加该报工作以后,赫斯对他的思想影响甚大,两人合著几本书。后来马克思否定赫斯的空想社会主义,1848年在所著《共产党宣言》中嘲笑赫斯。赫斯遂逐渐摆脱理想主义观点而趋向实际。1848年德国发生革命,赫斯被迫出走,辗转全欧各地,终于在1853年定居法国;1862年发表早期犹太复国主义著作《罗马和耶路撒冷:犹太民族主义研究》,此书对后世犹太复国运动领袖影响甚大。

Hess, Dame Myra 赫斯(1890-02-25,伦敦～1965-11-25,伦敦) 英国女钢琴家。以演奏巴赫、莫扎特、贝多芬和舒曼的乐曲著称。曾在皇家音乐学院师从T.马太。1907年在伦敦音乐会首次演出。1922年在美国首演。1939～1946年,甚至在德国轰炸英国最严重时,仍组织并经常参加每天在国立美术馆举行的音乐会,以鼓舞伦敦人民的士气。早年形成亲切的室内乐风格,演奏舒曼作品效果特别卓著。后期演奏生涯中的强劲风格在贝多芬和勃拉姆斯协奏曲的演奏中十分明显。1941年受封高级英帝国女爵士。

Hess, (Walter Richard) Rudolf 赫斯(1894-04-26,埃及亚历山大～1987-08-17,西柏林[德国]) 又译黑斯。德国国社党党员、党魁,希特勒的副手。1941年秘密飞往英国,自行提出英德媾和的建议而未果,此举一时轰动世界。赫斯出身于商人家庭,第一次世界大战期间在德国陆军中服役。战后就读于慕尼黑大学,在校期间曾从事国家主义的宣传。1920年加入新成立的纳粹党,很快成为希特勒的密友。1923年11月参加慕尼黑啤酒店暴动,失败后逃往奥地利。后又自动到兰茨贝格监狱投案,他在那里记录和整理了希特勒口授的《我的奋斗》一书的大部分。后升任希特勒的私人秘书,在施特拉瑟的左翼追随者于1932年叛离之后，奉命组成一个新的权力集中的党组织。1933年4月成为副党魁，12月参加内阁，1939年希特勒宣布赫斯为仅次于戈林的继承人。赫斯以对希特勒绝对忠诚著称，很少有私人见解和个性。30年代后期及第二次世界大战的最初几年，当希特勒专心致志于军事和外交政策时，赫斯的权势趋于衰落，他的影响更受到博尔曼及其他纳粹高级领导人物的进一步削弱。1941年春，他决定采取一次惊人的行动来结束德国和英国之间的战争，以挽回自己正在失去的威望。

美国不列颠百科全书公司供图

5月10日，他从奥格斯堡秘密独自起飞，在苏格兰跳伞着陆，提出一些和平建议，要求允许德国在欧洲任意行事，并归还德国以前的殖民地，以作为对德国承诺尊重大英帝国领土完整的报偿。赫斯的建议未从英国政府得到反应，他被英国政府作为战俘对待，一直扣押至第二次世界大战结束。他这种堂吉诃德式的行动也为希特勒本人所反对，斥责他害了“和平主义臆想症”。战后，赫斯受到纽伦堡战犯法庭的审判，宣告有罪，并被判无期徒刑，在柏林施潘道监狱服刑，1966年后，他是那里唯一的犯人。

Hess, Victor Francis　赫斯（1883-06-24，奥地利施蒂里亚沃尔德施泰因～1964-12-17，美国纽约芒特弗农）　奥地利出生的物理学家，因发现宇宙线（一种来自外层空间的高能辐射）与美国的C.D.安德森共获1936年诺贝尔物理学奖。曾就读于格拉茨大学，1906年在维也纳大学取得哲学博士学位，主要研究放射性和大气电学。早在1911年，就在气球升空过程中和高山上研究空气的导电性，发现空气电导率随高度的增大而迅速增大。他的实验证实了长期的猜想：一种来自地球外的、穿透力极强的辐射弥漫了大气。对这种在1925年被R.A.密立根命名为宇宙线的辐射的进一步探索，使安德森发现了正电子，为现代物理学研究开辟了新领域。

Hess, Walter Rudolf　赫斯（1881-03-17，瑞士弗劳恩费尔德～1973-08-12，洛迦诺）　瑞士生理学家。发现大脑的某些部位在决定和协调内脏器官功能时所起的作用，因而与A.埃加斯-莫尼兹共获1949年诺贝尔生理学或医学奖。初为眼科医师，后转而研究生理学，对自主神经系统发生兴趣。他用小电极刺激或破坏猫和狗脑的某些特定部位，发现自主功能的中心在脑底部——延髓、间脑，特别是下丘脑。他把每一种功能的控制中心定位得极

美国不列颠百科全书公司供图

为精确，只要刺激猫下丘脑的某一固定点，就能使猫表现出遇到狗时那样的行为模式。著有《精神生物学》（1964）等书。

Hesse（Germany）　参阅 **Hessen** 黑森。

Hesse, Hermann　海塞（1877-07-02，德国卡尔夫～1962-08-09，瑞士蒙塔尼奥拉）　德国小说家、诗人。1946年诺贝尔文学奖获得者。主要题材写人如何挣脱既定的文明方式，以寻找自己的精神实质。由于呼吁实现自我，以及他那东方神秘主义的色彩，死后成为英语世界中的青年人所崇拜的人物。曾遵从父命在毛尔布龙神学院读书。尽管他是个模范学生，还是难以适应那里的生活，于是先后去

美国不列颠百科全书公司供图

卡尔夫楼钟工厂和蒂宾根的一家书店当学徒。他对常规学校教育的限制很反感，这点表现在所著《在轮下》（1906）一书中，描写一个用功过度的学生被迫走向自我毁灭的道路。在售书业中工作到1904年，后来成为自由写作者，向几家杂志投稿，并出版他的第一部小说《彼得·卡门青》，描写一个不成功的浪荡作家。在《格特鲁德》（1910）和《罗斯哈尔德》（1914）中，这位艺术家对内心和外界作了进一步的探索。在此期间，他访问过印度。后来将这次访问反映在根据佛祖早年生活所写的一本抒情小说《悉达多》（1922）里。第一次世界大战期间住在中立国瑞士，写文章谴责军国主义和民族主义，编辑一本专供德国战俘和拘留者看的杂志。1919年成为瑞士永久居民，1923年成为瑞士公民，在蒙塔尼奥拉定居。由于对个人生活的危机感日益加深，使海塞同C.G.荣格的弟子J.B.朗格共同研究精神分析。分析的影响表现在《德米安》（1919）里。这部小说通过一个青春期中的彷徨少年考察自我意识所取得的成就，对纷乱的德国产生广泛的影响，并使作者一举成名。他的晚期作品说明他对于荣格关于内向和外向、集体的无意识、唯心论和象征的种种概念抱有兴趣。人的本质的两重性也始终吸引着他。《草原之狼》（1927）描写一个中年知识分子在接受资产阶级生活方式和精神上实现自我之间的内心冲突。小说《纳尔齐斯和戈尔德蒙德》（1930）把一个禀赋过人、满足于虔诚的宗教信仰的禁欲主义者同一个有艺术天赋、以自己的方式寻求拯救的纵欲主义者作对比。在最后和最长的一本小说《玻璃球游戏》（1943）中，再次探讨人的两重性。

Hesse-Darmstadt　黑森-达姆施塔特　先后为伯爵领地、大公国、德国的州。1567年划分旧黑森时成立。1866年黑森-卡塞尔并入普鲁士后，黑森-达姆施塔特通常简称为黑森。原为以达姆施塔特为首邑的一个小小的伯爵领地，称为上卡岑埃尔恩博根领地，位于今黑森州南端部分。在17～18世纪领地显著扩大。1806年加入拿破仑的莱茵联盟，后来成为公国。1815年加入德意志邦联。1820年大公路易一世（1768～1830在位）颁布宪法。他进行种种改革，并使公国在南德意志国家中第一个加入了普鲁士关税同盟。此后，这个公国即摇摆于自由主义与保守主义之间。七周战争（1866）中，它站在奥地利一边，结果失去了美因河以北的领地。1871年德意志帝国成立时，它成为帝国的一个州。埃内斯特·路易大公退位后，1918年黑森成为共和国；为战后德国魏玛共和国的一个州。1945年莱茵河以东属美国占领区，成为大黑森（后改黑森）州的一部分，其他部分则归属莱茵兰-帕拉蒂纳特州。

Hesse-Kassel　黑森-卡塞尔　1944～1945年称黑森选区。前德意志伯爵领地，1567年划分旧黑森时成立。高尚的菲利普伯爵把黑森分给4个儿子，智者威廉四世得到黑森-卡塞尔。他实行和平外交政策，采取健全的财政管理制度。在他的继承人统治期间，黑森-卡塞尔居民信奉基督教加尔文宗。在三十年战争中支持瑞典人，在七年战争中支持英国。18世纪期间，黑森军队几乎参加全部欧洲和土耳其战争。1776～1786年间，有1.7万黑森雇佣军在美国独立战争中为英国人打仗。1803年黑森-卡塞尔成为选侯领地。在神圣罗马帝国灭亡（1806）后，该地仍保留原称呼。拿破仑占领黑森-卡塞尔后于1807年将其与威斯特伐利亚王国联合。1815年黑森-卡塞尔重新获得独立，但反对自由派改革。1831年，革命行动迫使威廉二世（1821～1847在位）把政府控制权交给儿子腓特烈·威廉摄政，后者在1847年成为选侯。在普奥七周战争中，腓特烈·威廉支持奥地利，后该领地为普鲁士吞并，选侯被逐。1867年黑森-卡塞尔、拿骚、法兰克福和前黑森-达姆施塔特地区的一部分成为普鲁士的黑森-拿骚省。1944年又分成拿骚和黑森选区，1945年9月19日两选区又与莱茵河以东的黑森-达姆施塔特的一部分合并，成立大黑森州。后简称黑森。

Hessen　黑森　又作Hesse。德国中西部一州，面积21 114平方千米，居16个州中第8位。

位于上莱茵高原(西)和图林根林山(东)之间。1945 年通过合并前普鲁士省份成立,首府威斯巴登,最大的城市是法兰克福。

历史 一般认为,黑森人是法兰克部族卡蒂人的后裔。他们的故土在美因河北。8 世纪初开始信奉基督教。10 世纪起曾历经各公爵朝代统治,但 1130 年黑森地区被并入图林根地伯领地。亨利一世(儿童,卒于 1308)建立黑森布拉班特王朝,1292 年他被提升为神圣罗马帝国公爵的爵位。接下来两个世纪,黑森地伯领地不断扩张领土,时与邻地美因茨大主教选侯们发生冲突。15 世纪时黑森曾两次发生分裂,但是 1509 ～ 1567 年间黑森最伟大的统治者地伯菲利普重新统一了这个地区。1526 年他将信义宗引进黑森,翌年在马尔堡创办欧洲第一所新教大学。他在遗嘱上将黑森分与四个儿子。1945 年大部分黑森和部分旧拿骚合并成为大黑森,后即简称黑森。

土地和人民 今日的黑森州主要是森林茂密的高地。东侧是玄武岩弗格山和卢恩山;卢恩山的瓦瑟山海拔 950 米,是黑森的最高峰。北部有埃德尔河和富尔达河北流,汇合后为威悉河,其余部分则有美因和莱茵两河的西向支流。山地多山毛榉和针叶树。耕地分布在石灰岩高地和河边低地的黄土地区。大城市有美因河畔法兰克福、威斯巴登、卡塞尔、达姆施塔特和美因河畔奥芬巴赫。人口中多数为新教徒,余下的多为罗马天主教徒。

经济 该州多树,广布小型农场。广为种植的是小麦,其次为马铃薯和甜菜。禽、猪、牛为主要牲畜。黑森西南部主要是工业区,但也是细耕农业区。沿莱茵河和美因河的平原有葡萄园、果园和种植谷物、马铃薯和烟草的田野。靠近城市地区主要为商品菜园。四周山区有三年轮作的裸麦、燕麦和马铃薯田地,牲畜农场集中生产黄油和干酪。该州矿藏资源稀少,陶努斯山有一些低品位的铁矿石,没有多少经济价值。富尔达附近有盐矿,美因河畔法兰克福和卡塞尔有小片褐煤矿藏。该州工业有赖于莱茵河及上溯至美因河和内卡河的水道。以美因河畔法兰克福、美因茨和威斯巴登为中心的莱茵-美因地区是德国大工业区之一。卡塞尔、奥芬巴赫、威斯巴登和达姆施塔特是另一个大制造业中心。这些地区和其他城镇的产品有汽车、机械、化学品(尤其在美因河畔法兰克福西区赫希斯特)、电器、科学仪器以及纺织品等。第二次世界大战以来发展起新工业,制造品有玻璃、玩具和乐器。书籍出版是突出的经济行业。黑森有高度发展的公路网,有联邦和私营的公共汽车服务业。莱茵河提供主要的水道。法兰克福机场是欧洲最繁忙的机场之一,也是德国最大的机场。铁路多电气化,与欧洲各国有联系。美因河畔法兰克福是重要金融中心,欧盟中央银行所在地,也是德国主要的股票市场。

文化生活 在美因河畔法兰克福、吉森和马尔堡有大学,达姆施塔特有技术大学,其他还有新教和天主教的神学院、师范学院、音乐学院、艺术学院等。威悉河沿岸有许多颓垣断壁的古城堡、古教堂、宫殿以及许多有趣的半露木架房屋、市民住房和市政厅等。人口 6 031 705 (1998)。

Hessian fly (*Mayetiola* or *Phytophaga destructor*) **小麦瘿蚊** 双翅目瘿蚊科小昆虫,**瘿蚊**(**gall midge**)的一种,对小麦为害严重。原分布亚洲,后传入欧洲,后来,据信在美国独立战争时(1775 ～ 1783)通过黑森雇佣兵的草褥又带到北美,故英文俗名意为黑森瘿蚊。暗色的雌蚊春季在小麦、大麦和黑麦苗上产 250 ～ 300 粒淡红色卵。几天后孵出红色幼虫,旋即变白,以植物汁为食,约一个月后发育成围蛹。成虫仅活三天,产卵后即死亡。第二代以蛹在麦茬上越冬,到春天发育为成虫。条件有利则在春、秋世代之间还可增加一代。最好的防治方法是延迟下种,这样在成虫羽化、产卵和死亡后作物才长起来。有的小麦品种能抗虫。把麦茬深翻到土下也有利于阻止成虫的出现。

hessonite **铁钙铝榴石** 又作 essonite 或 cinnamon stone。又称桂榴石。是半透明的浅红褐色半宝石级的**钙铝榴石**(**grossular**)变种,一种石榴子石矿物。

Hess's law of heat summation **盖斯热加和定律** 由出生在瑞士的俄国化学家 G. H. 盖斯于 1840 年首先提出:任何化学反应吸收或放出的热量是恒定的,与反应的途径及反应经历的步骤无关。盖斯定律是热力学第一定律的结果,并非独立的热力学定律,然而在热化学中因为可作为计算反应热的基础,所以仍保持其独立性。计算由元素碳、氧生成二氧化碳的生成热之实例可说明盖斯定律的应用。反应为:

$$\mathrm{C(晶)+O_2(气)\longrightarrow CO_2(气)} \qquad (1)$$

$$\Delta H^\circ = -94.054\ 千卡$$

ΔH°为生成热。根据盖斯定律,无论该反应按(1)式一步进行还是按(2)、(3)式分两步进行,二氧化碳的生成热都是相同的:

$$\mathrm{C(晶)+\frac{1}{2}O_2(气)\longrightarrow CO(气)} \qquad (2)$$

$$\Delta H^\circ = -26.417\ 千卡$$

$$\mathrm{CO(气)+\frac{1}{2}O_2\longrightarrow CO_2(气)} \qquad (3)$$

$$\Delta H^\circ = -67.637\ 千卡$$

方程(2)、(3)相加则得:

$$\mathrm{C(晶)+O_2(气)\longrightarrow CO_2(气)}$$

$$\Delta H^\circ = -94.054\ 千卡$$

因而根据盖斯定律可从另一些反应的反应热计算各种反应的反应热。

Hestia **赫斯提** 希腊宗教中的灶神。克洛诺斯和瑞亚的女儿。奥林匹斯山 12 神之一。阿波罗和波塞冬都曾向她求婚,但赫斯提立誓永不嫁人,于是主神宙斯赐予她掌管一切祭仪的荣誉。赫斯提主要是作为家灶女神而受到崇祀的;但既然城市联合只不过是放大了的家族联合,所以她(至少在某些国家里)在市会堂的市灶处也受到公众的崇祀。赫斯提同对外款客和内部团结方面的家神宙斯有密切关系。她同赫耳墨斯也有密切关系,二者一方代表家中生活,另一方代表户外生活。在后来的哲学里,赫斯提成了全世界的女灶神。

赫斯提石雕像

美国不列颠百科全书公司供图

Heston, Charlton **希斯顿**(1923-10-04,美国伊利诺伊埃文斯顿～ 2008-04-05,加利福尼亚贝弗利山庄) 原名 John Charlton Carter。美国演员,以清秀端庄的容貌和极具吸引力的嗓音以及饰演过许多历史人物而闻名。上高中时就决心当一名演员。在高中时的舞台经历最终使他获得西北大学的奖学金。1946 年移居纽约,1947 年首度登台百老汇,出演《安东尼与克娄巴特拉》,首部电影作品是《黑暗之城》(1950)。在演出《戏王之王》(1952)后,希斯顿成为影星,并以强健、坚定的形象出现在《十诫》(1956)、《宾汉》(1959,获奥斯卡奖)及《万世流芳》(1965)等电影中。随后又演出了《九霄惊魂》(1974)、《大地震》(1974),并自导自演了《安东尼与克娄巴特拉》(1972)及《夺宝奇兵》(1982)。他是电影演员工会主席(1966 ～ 1971),作为坦率的保守人士,1998 年被选为美国国家步枪协会主席。

Heston, Willie **赫斯顿**(1878-09-09,美国伊利诺伊盖尔斯堡～ 1963-09-09,密歇根特拉弗斯城) 美国大学橄榄球中卫。他所在的密歇根大学队 1901 ～ 1904 年共赛 44 场,得 2 326分,仅失 40 分;其中赫斯顿底线得分 93 次,4 个赛季中共前进2 339码。他奔跑迅速,直臂阻挡效率高。1905 年参加职业橄榄球赛,初场腿部骨折,退出球坛。后来担任密歇根州韦恩县检察官、审判官。

Hesychasm **静修** 东派基督教的灵修方式。静修者通过不间断的祈祷默想上帝以求得神赐的宁静。静修派作家克利马库写道:“一呼一吸都想着耶稣,你就会理解静修的价值。”13世纪末期，静修派圣尼斯福鲁斯提出更加具体的祈祷法，即目光集中在“身体的中央”。14世纪卡拉布里亚人巴尔兰激烈抨击静修派，称他们为肚脐灵魂派。阿索斯修士、后来成为帖撒罗尼迦大主教的帕拉马斯为静修派辩护。1782年在俄国出版静修派文集，静修法一度在该国广为流传，直到今日东派基督教中仍有人习演此法。

Hesychius OF ALEXANDRIA **赫西基奥斯（亚历山大城的）**（活动时期5世纪） 最重要的希腊语词典作者，该词典为古代碑铭、诗文及希腊教会教父们所用方言和词汇的主要权威性典籍，自古以来即闻名于世。赫西基奥斯生平不详，但在代替序言的一封信中曾说明词典编纂总计划。词典题名《按字母序排列的词汇大全》，辑自公元前1世纪一些可搜集到的专门词书，而主要取材于公元2世纪意大利南部希腊移民区的一名希腊语言学者第欧根尼阿诺斯的著作。赫西基奥斯则补充以对荷马成语的最早的解释、古典希腊作者的引语、不同方言的选例，并编纂了5世纪初希腊正教神学家亚历山大城的西里尔的用语词汇表。序言指出，词典还包括若干罕见词词源。此书仅以15世纪一种节略本形式保存下来，节略本的威尼斯编者对原稿进行了大量窜改，使之面目全非，并删去词条的词源，从而使这部词典被简化成为一种收词丰富的词汇集。尽管如此，仍有相当数量的赫西基奥斯的原作留传下来，足以使后学能够读到引用的雅典文学著作片断中所保存的古代原作字句，而这些字句在其他现存同类作品的手稿中多被后来的抄写者以易懂的同义词替换了。K.拉特审订的该词典两卷本（A～O）分别于1953年和1966年出版。

Hesychius OF JERUSALEM **赫西奇乌斯（耶路撒冷的）**（？～约450） 基督教神学家、圣经注释家。约412年任耶路撒冷教会司铎，到429年已被史学家和圣人年鉴编者公认为耶路撒冷和巴勒斯坦教会的主要解经家和经学教师。赫西奇乌斯的解经著作中有《旧约》的《利未记》、《约伯记》、《以赛亚书》、《以西结书》等卷的释义。有一部著名的《诗篇》释义，原认为是4世纪亚大纳西所著，现已证明是出自赫西奇乌斯手笔。赫西奇乌斯大致遵循2世纪神学家奥利金的隐喻解经法。在教义问题上，赫西奇乌斯反对**阿里乌**（**Arius**）贬低基督神性，但倾向于基督一性论。据说他首倡在礼拜仪式中向马利亚致颂，并著有始自428年的教会历史，批驳聂斯脱利派及其他异端。

Hesychius OF MILETUS **赫西基乌斯（米利都的）**（活动时期6世纪） 拜占廷历史学家、文学家和传记作者，所著世界编年史对拜占廷后期历史作品很有影响，而所撰有关君士坦丁堡城市史料，堪称独一无二。他的著作也是希腊文学史的珍贵资料来源。米利都人，生活在东罗马皇帝查士丁尼一世（527～565）时期。撰有《罗马和世界历史》6卷，记述公元前2千纪至公元518年这一时期的重大事件，即起自亚述帝国缔造者贝鲁斯时期，终于罗马皇帝阿纳斯塔修斯一世死去之年。书中有一长篇章节，题名《君士坦丁大帝之城考源》，为原本的唯一现存部分。另撰有一本记述皇帝查士丁一世（518～527）及查士丁尼一世早期的罗马史，今已佚。又著有《学术名人分类志》，将希腊著作家按诗人、哲学家、历史学家、演说修辞家、医师和杂家的类别分别写出传记资料。

hetaera 艺妓 此词为拉丁语形式，希腊语作hetaira，意为女伴。古希腊独立谋生的高等妓女。她们除保持人体美之外，还注意培养自己的智能和才能，使之远远超过当时一般雅典妇女的水平。她们通常单独过着时髦的生活，有时也两三个人共同生活，享有令人羡慕的财产和受人尊敬的地位，并向国家纳税和受到保护。虽然她们大多是外国人、奴隶或获释女奴，但她们比被迫幽居独处的已婚妇女享有更大的自由。已婚男子经常光顾她们的居所，不受社会责难。她们常常受雇为宴会助兴或参加家祭。科林斯和雅典的艺妓还特别因其体育和文化方面的出色才艺而知名。她们之中在历史上的著名人物有佛里妮和拉伊丝。

Hetao Plain 河套平原 中国宁夏回族自治区和内蒙古自治区黄河沿岸的冲积平原。由贺兰山以东的银川平原（又称西套平原），内蒙古自治区狼山、大青山以南的后套平原和土默特平原（又称前套平原）组成，面积约2.6万平方千米。是鄂尔多斯高原与贺兰山、狼山、大青山之间的陷落地区，海拔900～1 200米。地势由西向东微倾，土质较好，自秦汉就引黄灌溉，清末已有八大干渠，灌溉面积达20万公顷。20世纪50年代以来，引黄灌溉发展迅速，在黄河干流上建成三盛公水利枢纽工程，黄河两岸修总干渠500多千米，灌溉面积扩大到66.67万公顷。河套平原成为宁夏和内蒙古的重要农业区。但灌溉水大量渗入，使地下水位升高，盐碱地面积增加。现已注意合理灌排，营造防护林防止土地沙漠化。狭义的河套平原仅指后套平原，面积近1万平方千米。

heterochlorid 异鞭藻 异鞭藻目植鞭类原生动物。具有两根不等长的鞭毛和黄色或黄绿色的色素体。贮存食物为麦清蛋白（可能为糖类）和脂类。有些属生活史中的某阶段为阿米巴状；另一些属有一个胶群体阶段，此时细胞包围在黏质包膜里，像在包囊形成时一样，但细胞仍继续进行代谢作用。其硅质包囊壁在胞质内形成。代表属包括肾鞭藻属（*Nephrochloris*）、黄间藻属（*Chloromeson*）和根鞭藻属（*Rhizochloris*）。

heterocyclic compound 杂环化合物 分子中原子连成一个或多个环且环中原子至少有一个是非碳的其他元素的原子的一类有机化合物。该类化合物包括许多生物学上重要的化合物，例如核酸和某些维生素、激素和色素，还包括工业上重要的药物、农药、除草剂、染料以及塑料。通常有机化合物拥有碳原子组成的骨架，碳原子彼此可相互连接，也可和氢或其他原子或两者连接。碳原子链连接在一起构成环或环状化合物，环中的一个或多个碳原子被其他元素的原子（称做杂原子）取代构成杂环化合物，最常见的杂原子为氧、氮或硫。如同烃一样，杂原子环可以是饱和的（由单键连接）或不饱和的（含双键或三键），还可以是芳香性的（含交替的单双键），许多天然杂环化合物具芳香性。由于几何结构原因，碳原子最易形成五元或六元环。最常见的含氮杂原子的芳香族五元杂环称做吡咯，植物色素叶绿素和血红素、血红蛋白均含吡咯核。许多芳香族杂环化合物含有与苯环稠合的杂环，一些天然和合成色素如靛蓝和酞青如同氨基酸色氨酸一样都从含有吡咯核的稠环衍生而来。

乙烯吡咯烷酮（吡咯烷的一种衍生物）是水溶性聚合物的主要成分，用于血浆补充剂，也可拌入许多化妆品如喷发定型剂。五元含氧杂环广泛存在于自然界尤其许多单糖中。以特殊方式处理单糖聚合物（长链分子）即碳水化合物可得到糠醛，这是呋喃的一种衍生物，其杂原子为氧。工业上糠醛从玉米棒和燕麦皮制取，可用作工业溶剂和制成苯酚糠醛树脂。糠醛经化学还原生成糠醇，后者可聚合成耐热、耐碱树脂，用于化工厂的输送管线。最简单的六元杂环是吡啶（其杂原子为氮）和吡喃（杂原子为氧）。吡啶环存在于许多天然物质如维生素 B_6（吡哆素）、尼古丁中，工业上重要的吡啶衍生物包括除草剂百草枯和乙烯吡啶，后者是制备某些合成橡胶的原料。有些重要药物也含有吡啶核。吡啶的稠环（即共用一个碳原子）是构成某些重要生物碱（如奎宁和吗啡）的主要成分。稠合的四氢吡喃核存在于一些重要天然产物，例如维生素E（生育酚）和花青苷色素中，后者能使许多花呈红色和蓝色。

有些重要物质含有较小或较大的环，例如环氧乙烷含有两个碳原子和一个氧原子的三元杂环，工业上通过乙烯部分氧化制得，主要用于生产汽车防冻剂乙二醇。重要抗生素青霉素和头孢菌素两者都含有杂原子为氮的四元杂环。许多杂环化合物在其单环中含有一个以上的杂原子，在许多情况下，其杂原子都是相同。五元环中有两个氮原子的咪唑为一例，它是氨基酸组氨酸的重要组分。含有一个硫和一个氮原子的噻唑环存在于维生素 B_1（硫胺素）、青霉素及其他一些药物中。有两个氮原子的六元环例如尿嘧啶、胸腺嘧啶和胞嘧啶均为核酸的重要组分。嘧啶环存在于巴比土酸盐药物。含有两个氧原子的二噁烷（一种杂环醚）是重要的工业溶剂。稠环可含有若干个杂原子，例如存在于核酸的以嘌呤为基体的腺嘌呤和鸟嘌呤，如同生物碱咖啡碱一样，环中含有四个氮原子。其他的B组维生素、核黄素（维生素 B_2）具有三个稠环而且也含有四个氮环原子。

heterogeneous reaction 非均相反应 反应物是两相或两相以上的组分（固体和气体、固体和液体、两种互不混溶的液体），或者一种或几种反应物在界面上（即在固体催化剂表面上）进行的化学反应的总称。金属和酸的反应、电池和电解池中所发生的电化学变化，以及腐蚀现象都是非均相反应的课题。绝大多数非均相反应的研究工作是致力于非均相催化过程,如由固体加速的气体之间或液体之间的反应。虽然对非均相反应并不像对均相反应那样清楚,但非均相反应具有相当重要的实际意义。

heterogenesis　异型生殖　参阅 **alternation of generations** 世代交替。

heterophony　支声音乐　在音乐中指同时演奏(唱)同一曲调的一些旋律变体而形成的织体。这是中东的一些习惯做法和许多民间音乐的特点。例如巴尔干半岛的斯拉夫史诗歌手常用古斯里提琴为自己作支声式伴奏。在波斯的艺术音乐中,要求乐器演奏者将歌手即兴演唱的曲调加以变奏。印度尼西亚的佳美兰音乐以一种复杂的支声音乐为特色,即不同的乐器各演奏不同类型的变奏。支声音乐也见之于爵士乐,特别是迪克西兰和一些芝加哥变体的爵士乐。

heteropteran　异翅目昆虫　昆虫纲异翅目(Heteroptera)的种类。形态大小差异甚大。俗称椿象。分布广泛,热带最多,可借风、鸟或人而散布,陆生或水生,包括唯一的生活于远海的一种昆虫。体长从不足1毫米至100毫米以上。头顶具2单眼或无单眼,复眼发达。头前端分3叶:两侧为头侧片,中间为唇基片。口器刺吸式,位于头部前端(前口式)。下唇4节,成水槽状的喙管,内有4条由上颚及下颚变态而成的口针。下颚毛状,沿其正中表面有2条大沟以及一些小沟和嵴,两下颚并拢时,即为小沟及嵴锁紧,于是左右两条上侧大沟构成食物管,左右两条下侧大沟构成唾液管,两管以嵴相隔。消化液从唾液管流入被叮咬的动、植物体内,使之麻痹或死亡,又有防血凝和消化作用。上颚细长,位于下颚两侧,尖端具锯齿。下唇用以保护口针而无穿刺作用。口针不用时可卷曲或收藏于下唇、头部或体腔内的鞘或室中。口器与前胸之间隔以下咽片。前胸背板大而明显。中胸背板发达,三角形或U字形,其两侧缘有沟或褶,前翅休止时附着于此。后胸腹面两侧有臭腺开口,排出挥发性气味难闻的油性液体。前翅为半鞘翅,或称覆翅,基部革质,端部膜质。后翅膜质。静止时前翅膜质部互相重叠,在背面组成X字形图纹,覆于腹部之上。后翅隐于前翅下方。翅长或短或缺。飞行能力不强。螱蝽科无翅,适应于白蚁巢内的生活。寄生于蝙蝠的寄蝽科,其稚虫时期的翅芽保留到成体阶段。臭虫科的前翅退化为短小、无功能的垫状物,后翅消失。本目各种间乃至同种两性间显示翅的多型性(或无翅);表现翅多型的种类,其雌性翅退化或缺。有的种翅色如树皮。网蝽的翅脉交织似所栖的叶背的纤细叶脉。足常变形以适应不同的生活方式(如捕食、游泳等)。腹11节,10～11节愈合。无感觉附肢(尾须)。腹部下侧有触角毛。产卵器发达或退化。中肠有突出的含菌体,其中充满细菌,细菌会进入卵巢及卵中,后栖居于胚胎的肠道内。以气管呼吸,有10对气门。水生种类气门深陷,并有一圈拒水毛或具细孔的膜,或多数气门关闭,仅1～2对与贮气室(可从水中吸收溶解的氧)或呼吸管(伸出水面进入空气)相连。听觉器官为约翰斯顿氏器官,数个水生科又具鼓膜器官。臭虫科及花蝽科的雌体有里巴加氏器官,为腹部内的圆形囊体,有裂孔通至体外,交配时精子先存于此,后穿过囊壁经体腔入受精囊。发育方式为渐变态。产卵于若虫食物的附近(植物表面或组织内部及猎物附近)。水生种类将卵产于水面或水面下。负子蝽的雌体将卵产于雄体背上。有的划蝽

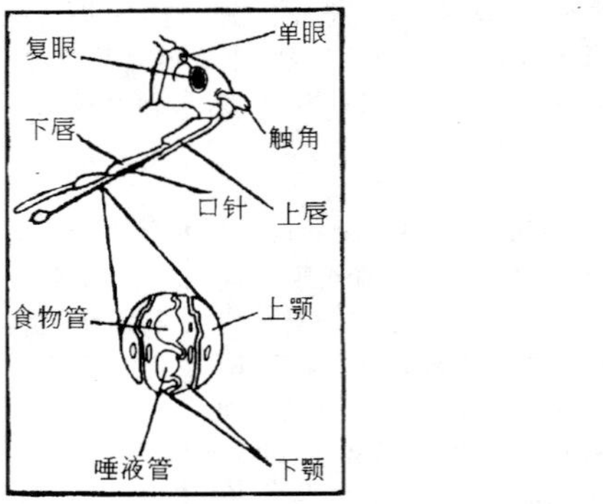

口针的剖面,示上颚与下颚的关系

将卵产于喇蛄体上。寄蝽的卵在雌体内孵化,若虫通过假胎盘从母体获得营养一段时期后方产出。异翅目若虫常具保护色或拟态,孵出后留在卵壳附近一段时间方散开,其腹部有臭腺孔(成熟后消失)。一般蜕皮5次而变为成虫。翅芽于第3龄若虫出现,后渐伸长成熟。每年繁殖1～2代。许多异翅目昆虫飞行时体上两个粗糙表面摩擦而发出微弱的声音。异翅目昆虫多独栖。黾蝽、宽黾蝽等常聚成数只至数百只的群在水面滑行。异翅目昆虫在自然界的平衡中占重要地位,在食物链中占中间位置。多为植食性,吮吸花蜜或野生植物及栽培植物的汁液,有的从干燥的种子中取得营养。植物的保护组织层被其口器或产卵器刺伤后,细菌等致病微生物可由此侵入。少数种类和拟网蝽能传播北美及欧洲的糖用甜菜的病毒性疾病。有的种类会损害悬钩子等水果。有的为肉食性,以静候的方式掠食。掠食对象为其他昆虫(从卵、幼虫至成虫),其他节肢动物(如螨、多足类),蠕虫,浮游生物,小鱼,蝌蚪及蛙类。蝽科种类一生可消灭毛虫200多条。花蝽一日可食螨33只。少数种类(小猎蝽、臭虫、寄蝽)吸食鸟类及哺乳类的血液。美洲热带的锥鼻蝽(猎蝽科)传播沙加代氏病(一种锥虫病)。许多异翅类(如猎蝽、拟猎蝽、花蝽、植蝽等)可用于生物控制以除杂草及害虫。1776年以来即有人用某种蝽象来控制臭虫。在拉丁美洲一些国家人们收集某些水生蝽象的卵晒干做糕饼以供食用。野生动物及饲养的动物(如鸡、火鸡、猪、鹌鹑、鼩鼱、灰熊)均食蝽象。水生种类是鱼类的重要食物来源。螱蝽科的种类生活于白蚁巢中,食其中生长的真菌。螱蝽背部有孔,排出分泌物为白蚁所食。

异翅目化石资料极少。有人将具刺吸口器的昆虫合为一目半翅目(Hemiptera)或称有喙目(Rhyngota 或 Rhynchota)。下分异翅亚目及同翅亚目。有人将其分为2个目。又有人将异翅目称为半翅目。同翅类下咽片小,膜质或缺,前翅不分成半鞘翅,全体均为膜质。无臭腺。异翅目分3亚目,52科,约30 000种。(1)水栖亚目(Hydrocorisae)或隐角亚目(Cryptocerata)。水栖或半水栖。头及腹均有毛点。触角藏于头下方的沟内。后足多转化为游泳

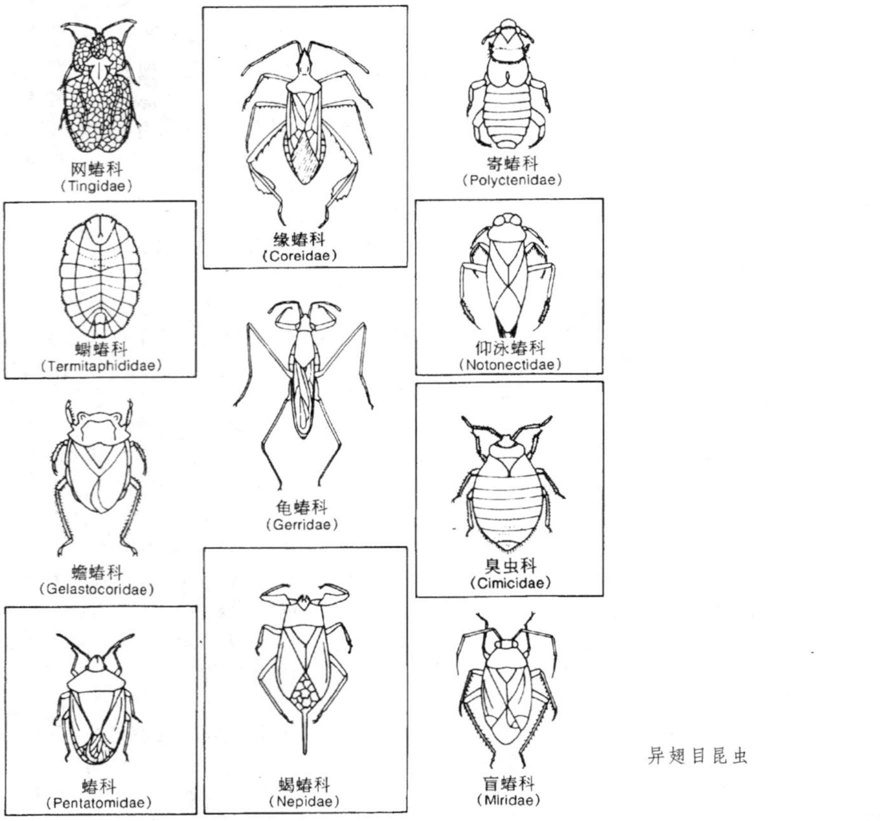

异翅目昆虫

足，上有缘毛。卵产于水中物体上，所有雄体及部分雌体会摩擦发声。本亚目种类是鱼类及水鸟的重要食物。分①划蝽科（Corixidae），②仰泳蝽科（Notonectidae），③圆头蝽科（Pleidae），④水蚤蝽科（Helotrephidae），⑤蝎蝽科（Nepidae）含水蝎，⑥负子蝽科（Belostomatidae），⑦潜蝽科（Naucoridae），⑧蟾蝽科（Gelastocoridae），⑨拟蟾蝽科（Ochteridae）；(2)两栖亚目（Amphibicorisae），头部有毛点而腹部无之。生活于水面或泥沙上。掠食小动物（包括受伤或新死者）。多不能发声。分①黾蝽科（Gerridae），②宽黾蝽科（Veliidae），③尺蝽科（Hydrometridae），④水蝽科（Mesoveliidae），⑤跳蝽科（Saldidae），⑥细足蝽科（Leptopodidae），⑦膜翅蝽科（Hebridae），⑧ Leotichiidae 科；(3)显角亚目（Geocorisae）。腹有毛点或全身均无毛点。触角较头为长。陆栖。习性及食性各异。A.臭虫组（Cimicomorpha）。无毛点，前翅有或无楔片。①盲蝽科（Miridae），②臭虫科（Cimicidae），体卵形扁平，前翅退化，后翅消失。吸食鸟及哺乳动物的血液，仅吸血时爬上宿主身体。75种，世界分布。寄生于人者有两种：温带臭虫（*Cimex lectularius*）及热带臭虫（*C. hemipterus*），未能证明臭虫能传播疾病。③猎蝽科（Reduviidae），④花蝽科（Anthocoridae），⑤寄蝽科（Polyctenidae），⑥扁蝽科（Aradidae），⑦网蝽科（Tingidae），⑧拟猎蝽科（Nabidae），⑨瘤蝽科（Phymatidae），⑩长头蝽科（Enicocephalidae），⑪鞭角蝽科（Dipsocoridae），⑫拟盲蝽科（Isometopidae），⑬ Joppeicidae 科，⑭驼蝽科（Microphysidae），⑮裂翅蝽科（Schizopteridae），⑯蝴蝽科（Termitaphididae），⑰榈蝽科（Thaumastocoridae），⑱捷蝽科（Velocipedidae），⑲ Vianaididae 科。B.蝽组（Pentatomomorpha）或称有毛组（Trichophora），陆栖，腹部有毛点，无楔片。①蝽科（Pentatomidae），②圆蝽科（Plataspidae），③土蝽科（Cydnidae），④缘蝽科（Coreidae），⑤锤角蝽科（Berytidae 或称 Neididae），⑥拟网蝽科（Piesmatidae），⑦长蝽科（Lygaeidae），⑧ Largidae 科，⑨红蝽科（Pyrrhocoridae），⑩ Aphylidae 科，⑪ Colobathristidae 科，⑫锚蝽科（Hyocephalidae），⑬树皮蝽科（Lestoniidae），⑭ Phloeidae 科，⑮狭缘蝽科（Stenocephalidae），⑯异蝽科（Urostylidae）。

heterosis　杂种优势　又作 hybrid vigour。杂种生物体在体型、生长率、繁殖力及产量方面的表现均优于亲本的现象。植物或动物育种家常使两个具有某些所需性状的不同的纯系进行杂交。子一代大部分均表现出两亲的优良性状，但杂种相互交配后这种优势将减弱。所以必须保存亲本种系，并使其相互交配以育成所需要的每一代作物或禽畜。

heterospecific mating　异型婚配　又作 incompatible mating。又称匹配禁忌。血型不配合的婚配。此时女方有可能产生其配偶血型的抗体，导致产育方面的疾病，因为异型婚配所孕婴儿有获得父亲血型的机会。这样，母亲妊娠时其血液中产生胎儿血型的抗体，抗体会侵袭和破坏胎儿的红细胞。这种经典病例见于下述情况：Rh-阴性血型的女子与Rh-阳性血型的男子结婚，而所孕孩子是 Rh-阳性血型（参阅 **Rh blood-group system**）。由于母亲常常产生胎儿血型的抗体，结果导致流产、死产儿或患有严重溶血性贫血或黄疸的婴儿。有时为了挽救新生儿，只能采取交换输血法，把婴儿的血液全部换过。异型匹配禁忌在 ABO *血型系统*（**ABO blood group system**）的人中也出现过。

heterotrich　异毛虫　异毛目原生动物。体纤毛均匀地覆盖体表，故被认为是螺毛亚纲中最原始的种类。虽然有几个科（缘棘虫科、冠毛虫科）往往失去纤毛，但典型的种类是完全有纤毛的。

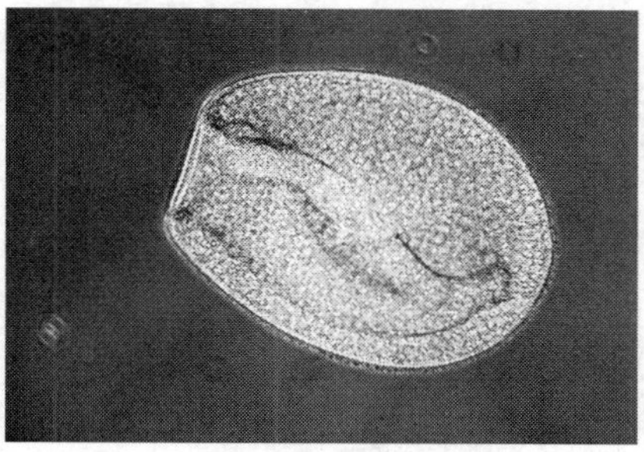

异毛虫（*Bursaria truncatella*）
美国不列颠百科全书公司供图

异毛目的口沟（通到口的沟）近旁有一小膜带，并往往紧接着一条波动膜。异毛虫的代表属包括蛹袋形虫属（*Bursaria*，卵形，分布于淡水）、旋口虫属（*Spirostomum*，长筒形）、喇叭虫属（*Stentor*，喇叭状，淡水种类）及肠肾虫属（*Nyctotheroides*，常见的蛙和蟾蜍寄生虫）。

Hethum（king of Little Armenia）　参阅**Hayton** *海顿*。

hetman　盖特曼　波兰-立陶宛国（16～18世纪）使用的军衔。大盖特曼为武装部队司令，当国王不亲临战场时，他是战场的指挥官。在乌克兰称"阿达曼"，指扎波罗热哥萨克的军事首领（16世纪）和第聂伯河以东地区的大公（17～18世纪）。在俄罗斯，"阿达曼"也是各种哥萨克大军当选的首领的称号，1723年以后，只有村"阿达曼"才由选举产生。

Hetonaian Series　亥通那统　日本白垩纪（开始于约1.44亿年前，延续约0.776亿年）重要的年代地层单元，是日本白垩系最上部的一个统，位于浦河统之上。分为上下两个阶，即上亥通那阶和下亥通那阶，代表较短的时间段。它们的特点是含有明显不同的菊石类化石以及白垩纪的大型牡蛎叠瓦蛤属（*Inoceramus*）的许多不同的种，这些化石种类使其有可能进行长距离的地层对比。

Hettangian Stage　埃唐日阶　侏罗系11个阶中的最下面的一个，由埃唐日期（2.08亿年前至2.04亿年前）全球范围内沉积的岩层组成。它直接位于西涅缪尔阶之下。从名称上看，埃唐日阶的底就确定了三叠系的上限；但是，对于它的底来说，全球性层型剖面和层型点（GSSP）还没有被认可。埃唐日阶的名称就指出了它的典型地区，位于法国洛林省蒂永维尔城附近的大埃唐日村。这典型地区有厚厚的层序，共厚57～70米，底部是砂岩，上面覆盖着石灰岩和泥灰岩。这灰岩中含有双壳类（*Gryphaea arcuata*）化石以及与菊石类（*Psiloceras planorbis*）生物带可对比的其他化石。这个属的其他种出现在整个东西伯利亚、北美洲和南美洲。欧洲埃唐日阶的上部以菊石属（*Schlotheimia*）的种来加以细分，这个属也出现在北美洲和南美洲。

Hettner, Alfred　赫特纳（1859-08-06，萨克森德累斯顿～1941-08-31，德国海德堡）　德国地理学家。试图将地理学置于哲学和科学的坚实基础上，对德国现代地理学的发展有很大影响。在斯特拉斯堡大学攻读博士学位时对哲学产生兴趣。他对地理学本质认识的基础是康德的哲学观点，同时也受德国一些著名地理学家的影响。他认为：地理学本质上是生物分布学，即研究生物在地球表面的地理分布；它注意人类同自然环境的相互联系和相互作用，同时也应考察地球自然环境的区域分布，研究地球的自然现象。他认为研究地球表面自然环境的地区差异是这一理论的基本内容。他曾到智利、巴塔哥尼亚、哥伦比亚、萨克森高地、俄罗斯、北非和亚洲考察。主要通过《地理杂志》发表其对地理学的见解。著有《区域地理学基础》、《区域比较地理学》和地理文献巨著之一《地理科学手册》（11卷）。

Hetu Luoshu　河图洛书　中国传说中天赐的图像。有关记载最早见于《尚书·顾命》。《周易》云："河出图，洛出书，圣人则之"，但对河图与洛书的内容已不能详考。汉代传说伏羲时有龙马出于黄河，背负河图，伏羲据以画八卦；夏禹时有神龟出于洛水，背负洛书，夏禹据以作洪范九畴。宋代道士陈抟提出一龙图即河图，其后刘牧据以发展为河图和洛书两种图式，但朱熹认为刘牧将河图与洛书颠倒，在其《周易本义》中将刘牧图名称互易，图式不变。近代有学者认为河图与洛书是古代地理书。

Hetzer, Ludwig　赫策尔（约1500，图尔高比绍夫斯采尔～1529-02-04，康斯坦茨）　Hetzer 又拼 Hatza。基督教再浸礼派人士。曾在布赖斯高的弗赖堡（现德国境内）学习。1523年发表《上帝的审判》一书，反对使用圣像。1525年初因领导反路德团体瑞士弟兄会而被逐出苏黎世。随后不久到奥格斯堡，又被驱逐，遂至巴塞尔，受到瑞士宗教改革家奥科兰帕迪乌斯的欢迎。后来短期访问苏黎世，又激起瑞士宗教改革家茨温利的反对，只好到施特拉斯堡。1526年会见德国再浸礼派领袖登克，1527年两人合作完成希伯来文各先知书的翻译。1528年因奸淫罪（其实真正罪名可能是他反对三位一体论）被捕斩首而死。

heulandite　片沸石　沸石族中水合的钠和钙的铝硅酸盐矿物[$(Ca,Na_2)Al_2 \cdot Si_7O_{18} \cdot 6H_2O$]。呈匣状晶体，性脆，透明，具由白到红、灰或棕的各种色调。与其他沸石矿物一起填充在花岗岩、伟晶岩和玄武岩的空穴中。代表性产地是冰岛的贝吕菲约泽、孟买附近的一些岛屿、法罗群岛、新泽西州的东北部。片沸石的分子结构是一种开式格架，含有由硅酸盐四面体（4个氧原子处于环绕中心硅原子的三角形锥体的各点上）构成的在平行面上连接起来的六元环。这种结构以及铝原子取代一些硅原子使这种矿物具有阳离子交换的性能（被溶解的钠、钾、钙和镁在这种分子结构中极易互相置换），使它可用于硬水软化器中。片沸石是具有板状习性特点的沸石矿物的一种。这类中的其他几种是辉沸石、柱沸石和锶沸石。这些矿物都具有相似的产出方式、物理性质和分子结构。辉沸石和柱沸石中呈束状集合体或十字形穿插双晶的比呈单个晶体的更常见。化学式和物理性质，参阅 **zeolite**（表）。

Heulenburg, Heulalius von　霍伦贝格　参阅 **Hoffmann, Heinrich** 霍夫曼。

Heuneburg　霍恩堡　德国巴登-符腾堡州俯瞰着多瑙河的凯尔特城堡遗址。最近发掘表明，霍恩堡城堡社区于公元前6世纪在马西利亚（马赛）曾与希腊人进行频繁贸易。出土文物有希腊输入的黑色图案陶器和马西利亚双耳细颈酒罐。地中海的影响在城堡的城防设施上也可以看到。在山堡之外，有一些王族墓，包括上米歇尔土冢，年代始于公元前6世纪，以其车葬墓著称。车葬置于一个用近6米长的木板作成的大型中心墓室中。

Heureaux, Ulises　厄鲁（1845-10-21，多米尼加共和国普拉塔港～1899-07-26，莫卡）　多米尼加共和国总统。他听任国家经济受美国控制。共和国经济崩溃，致使厄鲁遇刺后美国进行干涉。19世纪60年代初参加反西班牙起义。多米尼加独立后，他于1882年任总统。1884和1886年，他两次选定国家总统，继续支配政府。后来，由于取消了宪法中关于总统不得连选连任的规定，他从1887年起成为终身总统。在他执政时期，任何反对他的人都被处决。他本人最终被政敌暗杀。

Heusler alloy　霍伊斯勒合金　由纯态下不显磁性的金属组成的一类早期的磁性合金。以19世纪德国采矿工程师和化学家F.霍伊斯勒的姓氏命名。这种合金大约由两份铜、一份锰和一份锡所组成。锡可用铝、砷、锑、铋或硼代替，铜可用银代替。

Heuss, Theodor　豪斯（1884-01-31，德国布拉肯海姆～1963-12-12，西德斯图加特）　德国自由民主派议员，德意志联邦共和国首任总统，著作家，自由民主党主席，曾参加起草战后西德的新宪法。在慕尼黑大学获政治学学位（1905）后，任报纸编辑，并执教于柏林政治学院。在魏玛共和国时期，他以德国民主党党员资格，于1924～1928年和1930～1933年为联邦下院议员。希特勒上台后，他的著作遭到焚毁。第二次世界大战后，他于1946年参加创立自由民主党，1949年起任党主席，并任联邦共和国议会制宪委员会委员。1949年9月12日当选总统，1959年退休。

Heutsz, Johannes Benedictus van　赫茨（1851-02-03，荷兰库福尔登～1924-07-10，瑞士蒙特勒）　荷兰将军。荷属东印度总督（1904～1909）。1873年前往亚齐，当时为下级军官。但他晋升很快，1887年已经成为参谋长。1899年任亚齐军事和民政长官，不久即征服这个苏门答腊人王国。作为总督，他使外围岛屿皆处于直接统治之下，因而能够吸引国际投资者。他在各乡村建立小学校，规定须用印度尼西亚语教学。

Hevajra　喜金刚　北传佛教所崇奉的可怖的护法神，即喜卢迦的雅雍（拥抱其配偶金刚瑜伽的双身像）形式。喜金刚在中国西藏香火甚盛。喜金刚之像蓝色，戴骷髅冠，顶阿闪

19世纪早期的喜金刚拥抱其配偶金刚瑜伽双身铜像
美国不列颠百科全书公司供图

佛像。他有8个头、4条腿、16只手。各只左手执骷髅杯，中容各神。各只右手执马。在柬埔寨和泰国的喜金刚像也是多臂，但单身无偶。

Hevelius, Johannes　赫维留（1611-01-28，波兰格但斯克～1687-01-28，格但斯克）　德语作Johann Howelcke。波兰天文学家。曾编制一本月面图（1647发表），内有一幅最早的月面详图和许多月面特征的名称。有少数几个月球山的名称一直沿用至今（如阿尔卑斯山）。月面上也有一环形山用他的名字命名。他还编了一本包含1 564颗星的星表（在当时是最好的）和一本星图（其中首次提出几个现在采用的星座）。星表和星图都在他逝世后经他的妻子整理同时出版（1690）。赫维留出身于格但斯克的贵族家庭，本人曾是市政议员和造酒商。在荷兰莱顿大学毕业后，他回到格但斯克并在屋顶上建造了一座天文台，台内有他自己制造的精密设备。尽管他制造并使用过望远镜，但他还是喜欢不借助透镜来测定恒星的位置。1679年，E.哈雷拜访赫维留并把有望远镜的六分仪同赫维留用肉眼的六分仪进行比较。赫维留认为他不用望远镜测定恒星位置的精度基本上能达到哈雷用望远镜测定的精度。

Heves　赫维什　匈牙利北部的州。面积3 637平方千米，北延伸至马特劳山脉（**Mátra Mountains**）和比克山（**Bükk Mountains**），它们都是一年四季开放的游览胜地，有冬季运动和狩猎设施，还有疗养所。州内主要作物有兵豆、烟草和瓜类。马特劳山麓以栽培葡萄和水果为主，也饲养马匹。主要城市有埃格尔（**Eger**）（州首府）和珍珠市。1975年在小克赖建有蒂萨河的拦河坝。人口约328 000（1994）。

Hevesy, George Charles de　赫维西（1885-08-01，匈牙利布达佩斯～1966-07-05，西德布赖斯高地区弗赖堡）　化学家，他开发的同位素示踪技术极大地推进了对生命过程的化学本质的理解，因这项工作他获得1943年诺贝尔化学奖。还同D.科斯特一起发现了元素铪（1923）。赫维西曾先后在柏林和弗赖堡大学学习。1911年在曼彻斯特大学E.卢瑟福的指导下开始研究镭的化学分离。尽管他的这项工作没有获得成功，但是启发他去探索放射性同位素作为示踪物的用途。在维也纳与F.帕内特合作（1912），在示踪物研究上取得了显著的进展。1920年他应邀到哥本哈根和科斯特合作，按照N.玻尔的建议在锆矿石中发现了铪。赫维西1926年成为弗赖堡大学的教授，在该校开始计算化学元素的相对丰度。1934年在制备磷的一种放射性同位素之后，他开始通过跟踪“标记的”放射性磷在身体内的行踪去研究各种生理过程。这些实验揭示出身体成分的动态。赫维西从纳粹的魔爪中逃出后（1943），成为斯德哥尔摩有机化学研究所的教授。他发表的著作有两卷本《放射性同位素探索》（1962）。

Ḫevron（Israeli-occupied Jordan）　参阅 **Hebron** 希伯伦。

Hewish, Antony　休伊什（1924-05-11，英格兰康沃尔福伊～　）　英国天体物理学家。由于发现脉冲星而获得1974年诺贝尔物理学奖。休伊什求学剑桥大学，1946年就参加了那里由M.赖尔领导的射电天文学小组。1967年，休伊什在剑桥穆拉德射电天文台担任一项研究计划的指导教师时，理解到他的一位助手J.贝尔观测到的一种现象的重要意义，判定贝尔新观测到的具有规则图样的射电信号或者说脉冲既不是来自地球上的干扰，也不像有些人猜测的那样是宇宙中别处的智慧生物为与遥远的行星进行通信联系而发来的信号，而是从某些恒星上发出的能量辐射。他因鉴别出脉冲星为一新的恒星类型，与M.赖尔共获1974年诺贝尔物理学奖。诺贝尔物理学奖授予观测天文学方面的工作，这还是第一次。1971～1989年任剑桥大学卡文迪什实验室射电天文学教授。

Hewitt, Abram Stevens　休伊特（1822-07-31，美国纽约哈弗斯特劳～1903-01-18，新泽西灵伍德）　美国实业家、慈善家和政治活动家，1886年击败亨利·乔治和T.罗斯福而成为纽约市市长。他获得奖学金而得以上哥伦比亚学院（现为哥伦比亚大学）。1842年自哥伦比亚学院毕业，留校当数学讲师。后与人合营炼铁厂而致富。他具有鲜明的社会道德心，

南北战争时他为联邦政府生产铸造炮筒枪管的铁而不收取利润。1870年他的公司生产出美国第一批商品级的钢。翌年他与E.库珀和S.J.蒂尔登联合起来，驱逐T.林，使民主党组织坦曼尼协会和纽约市政府免受林的控制。1874年当选为美国众议院议员，他在1886年以前(除1879～1881年的一届外)一直是众议员。1886年三方竞选纽约市市长，他作为民主党候选人击败了联合工党的H.乔治和共和党的T.罗斯福。他推行全面改革计划，与坦曼尼协会断绝关系。他一届任满后退出政界。1859年建立库珀学院，开始致力于慈善事业，先后任董事会主席、秘书，掌管学院的教务和财务；1902年向学院捐款60万美元。

Hewitt, Peter Cooper 休伊特(1861-05-05，纽约市～1921-08-25，巴黎) 又译休伊脱。美国电气工程师。他发明的汞蒸气灯是电照明上的一大进展。休伊特早年在用温室改成的工作车间里开始研究电学和力学。1901年他的第一盏汞蒸气灯问世。1903年制成的改进型，由于色质较佳，在工业照明上得到广泛应用。后来他研制出石英管汞灯，广泛应用于生物学研究中。休伊特的其他发明还有汞整流器(将交流电转换成直流电)和无线电接收机。他在研究电流通过稀薄气体时发现真空管放大器的基本原理。他对航空学也很感兴趣，最大成就是造了一架早期直升飞机(1918)。

Hewlett-Packard Company 惠普公司 美国的计算机、计算机用打印机和分析与测量仪器制造商。总部设在加利福尼亚州帕洛阿尔托。该公司1938年在帕洛阿尔托创建，创建人为两个刚从斯坦福大学毕业的电气工程学生W.休利特和D.帕卡德。他们第一件产品是用于测试声音设备的振荡器；在第二次世界大战期间，他们的小公司制造微波信号发生器。战后，休利特领导公司的研究与开发工作，帕卡德负责公司的业务。在第二次世界大战后的数十年间，随着美国国防工业电子部门的发展，惠普公司成长壮大，生产出各式各样用于测量和分析的电子仪器。该公司1966年试制出第一台计算机；1968年推出第一台真正精密的台式电子计算器；1972年又推出手持式电子计算器。随着在20世纪70年代初推出其HP-3000型计算机，惠普公司便与国际商用机器公司及其他计算机大制造商进行了直接的竞争。自1977年起J.扬任公司总经理；在扬的领导下，公司1980年制出HP-85型个人计算机，迈入这一新开辟的个人计算机市场；到80年代中期公司又开始制造IBM兼容的个人计算机。公司还试制出HP LaserJet型打印机，这种打印机支配了整个80年代计算机打印机的市场。惠普公司率先制造出智能终端和利用精算指令集计算法(RISC，可增加处理速度)小型计算机。到90年代，该公司已成为用于企业、试验室和医院的智能终端和小型计算机的最大制造商之一；而且在计算机化的激光和喷墨打印机领域中仍保持工业领袖的地位。

Hewson, William 休森(1739-11-14，英国诺森伯兰赫克瑟姆～1774-05-01，伦敦) 英国解剖学家、生理学家。描述了凝血过程，分离出纤维蛋白原，称之为可凝淋巴；还研究了淋巴系统结构；并描述了红细胞。1759～1761年在伦敦W.亨特的解剖学校学习，1761～1762年在爱丁堡学习。后回W.亨特的学校与之合作，但1772年为发明的优先权问题与亨特发生争执并与之散伙自创学校。1770年选入皇家学会并获科普利勋章。

hex sign 巫符 画在谷仓上的一种符号，在美国宾夕法尼亚州东南部居住着大量德国移民的农业地区，即宾州德人区，尤为流行。这里的德国移民一直保持着高度的民族风习

美国宾夕法尼亚州一粮仓上的巫符
美国不列颠百科全书公司供图

及民族认同感。巫符通常为圆形的构图，带有色彩鲜艳的单纯的花卉和几何形图案。据说巫符能保护农畜免受因巫者符咒特别是魔眼所造成的病害和其他灾难。

hexachloroplatinic acid 六氯铂酸($H_2PtCl_6 \cdot 6H_2O$) 又称氯铂酸。金属铂溶于王水(硝酸和盐酸的混合液)或溶于含氯的盐酸中形成的络合物。氯铂酸可从溶液中析出红棕色易潮解(吸收水分)的晶体，比重2.43，熔点60 °C。六氯铂酸是制备大多数铂化合物的原料，也可用于镀铂的电解液中。

hexachord 六音音列 在音乐中指与大调音阶的开头6个音(例如C-D-E-F-G-A)相当的六音模式。六音音列的各音的名称为ut，re，mi，fa，sol和la(又称*阶名唱法*[**solmization**]音节)，是11世纪的教师兼理论家圭多(阿雷佐的)所发明。它的价值在于它为歌手提供了一套固定的音高关系，以便歌手在唱歌时可以确定自己的方向；作为一种切实可行的手段，它在视唱(奏)法和个别旋律的教学中是行之有效的。六音音列的要旨是：每一个音列只在mi与fa之间有一个半音。一系列7个交叠的六音音列构成在传统上得到确认的乐音的完整的全音域，即2¼个八度，包括C大调音阶的全部音符加B♭音。六音音列有自然、硬和软3种。自然六音音列从C音开始，它的mi是E，fa是F；硬六音音列从G开始，它的mi是B，fa是C；软六音音列从F开始，它的mi是A，但fa不能是B♮，因为B♮比A高一个全音而不是半音，因此fa是B♭。于是B♭和B♮都被纳入六音音列的一个体系，其中从ut到la之间的相对音高总是保持一样。学生通过记住所唱的ut，re，mi，fa，sol，la这一系列的声音而学会唱全音域。然后他知道在哪里唱mi-fa半音音程，音乐是否包含B♭或B♮。如果他需要唱B♮，他采用硬六音音列；如果他需要唱B♭，他就用软六音音列。

交叠的六音音列

硬	自然	软	硬
			E la
		D la	D sol
		C sol	C fa+
		B♭ fa B	B♮ mi B
	A la	A mi	A re
	G sol	G re	G ut
	F fa	F ut	
E la	E mi		
D sol	D re		
C fa	C ut		
B♮ mi B			
A re			
Γ ut*			

* Gamma ut，全音域开始的低音G
+ 中央C

图中所示是7个交叠的六音音列中的4个音列：由硬六音音列上行至其第4音C fa，歌手会发现自己到达了自然六音音列的第1音C ut的水平。因此，这一音的全名应为C fa ut。这时他可想象自己已进入那交叠的六音音列，将这一C当作ut，并从这里继续下去。像这样在枢轴点上转换到一个交叠音列的程序称为“唱名移位”，它使歌手可以将阶名唱法音节应用于他所碰到的任何音的系列，但究竟在哪一音上进行移位最好，还得根据音乐的上下文来决定。参阅**gamut**。

hexagonal system 六角晶系 结晶固体可以具有的几种主要结构之一。该系中的晶体，其组元位于由四个轴形成的构架内。四个轴中有三个等长并互成120°角，第四个轴则垂直于另三轴组成的平面。如果用点表示固体中的原子或原子团，并把这些点连成线，所形成的点阵就定出各个有序堆垛的晶胞的棱。六角晶胞以一条六重对称轴为特征，晶胞可绕该轴旋转60°或120°角而不显出外观上的变化。六角晶系中最常见的一种晶胞包含两个附加阵点，晶胞呈规则菱形，其内角为60°和120°，但也有些晶体学家却更倾向于把这种晶胞归入基本晶系，称为菱形晶系或三角晶系。在各种基本晶系中只有极少数几种物质属于六角晶系，计有砷、方解石、白云石、石英、磷灰石、电石、绿宝石、红宝石、朱砂、石墨等。六角晶系中的所有晶体都属于单轴光学晶体，每一晶体都呈现双折射，对每种颜色的光都有两个折射率，一是入射光与光轴平行时的，一是垂直时的。

hexahedrite 六面体陨铁 含有6%左右的镍且具有立方体解理和晶体结构的铁陨石。浸蚀其磨光面常可蚀刻出一种称为纽曼线的图案，通常是由很窄的平直壳层(薄片)系造成的。六面体陨铁中含有约92%的能显示纽曼线的大晶体锥纹石，其余的主要矿物是陨硫铁、陨磷铁镍石和合纹石。

hexameter　六音步诗行　包含6个音步的诗行，通常是扬抑抑格(′⌣⌣)。扬抑抑六音步格的诗句是希腊诗歌中已知最古老的格律，是希腊和拉丁诗歌中用于叙事和说教的主要格律，它的地位可以同英国诗律中的抑扬五音步诗行相比。荷马和维吉尔的史诗使用的都是扬抑抑六音步诗行。虽然 19 世纪诗人如阿瑟·休·克拉夫和朗费罗用六音步诗行写过诗，但这一格律不易适应于英语，所以它从来也没有成为一个常用的格律。

Hexapla　六文本合参　亚历山大的基督教神学家奥利金于 245 年以前在巴勒斯坦境内凯撒里亚地方编订成书的《旧约》文本。奥利金将各种希伯来文和希腊文本分六栏并列以资对照，对《诗篇》等卷则增列多达三种出处不明的希腊文本。在七十子希腊文本圣经栏，他用符号标出希伯来文本与该本的差异。全书历 20 年完成，可能长达7 000页。约公元 600 年前它流传于凯撒里亚，许多学者都曾查阅过，哲罗姆在翻译通俗拉丁文本时也曾参阅。这部伟大著作现不知所终，但其片段散见于古手稿、一些教父著作的引用段落以及其七十子希腊文本圣经栏诸版本中。由于抄写人员在抄写注释时往往出现漏误，因而七十子希腊文本圣经正文中出现某些混乱。

Hexham　赫克瑟姆　英格兰诺森伯兰行政、历史郡泰恩代尔区城镇。濒临泰恩河。圣安德鲁隐修院教堂俯瞰全镇，建于 673 年左右。1276 年起为自治市。现为重要牲畜市场和该郡西部广袤乡村的服务中心。人口 11 008(1991)。

Hexi Zoulang　河西走廊　又作 Kansu Corridor。中国内地通向新疆的狭长要道。位于甘肃省西北部。在祁连山以北，合黎山、龙首山以南，乌鞘岭以西。因位于黄河以西，为两山夹峙，故名。又因在甘肃境内，也称甘肃走廊。地势平坦，东西长约 900 千米，宽数千米至近百千米，海拔1 500米左右。大部为山前倾斜平原。走廊分为三个独立的内流盆地：玉门、安西、敦煌平原，属疏勒河水系；张掖、高台、酒泉平原，大部分属黑河水系，小部分属北大河水系；武威、民勤平原，属石羊河水系。有祁连山冰雪融水所灌溉的绿洲，农业较盛。河西走廊自古为沟通西域要道，“丝绸之路”也经过这里。嘉峪关、敦煌莫高窟和阳关均位于走廊西部，兰新铁路也由此通过。河西走廊矿产资源有玉门石油、山丹煤、金昌镍等。

河西走廊景观
美国不列颠百科全书公司供图

hexogen(explosive)　参阅 **RDX** 旋风炸药。

hexylresorcinol　己基雷琐辛　一种合成药，用作局部防腐药，口服用作驱虫药，对十二指肠钩口线虫、美洲板口线虫及人蛔虫有效，能将其驱除。对口腔或胃肠道黏膜有刺激作用。局部应用对多种微生物有效。

Ḥeydar, Sheykh　参阅 **Ḥaydar, Shaykh** 海达尔。

Heyden, Jan van der　海登(1637-03-05，尼德兰霍林赫姆～1712-03-28，阿姆斯特丹)　荷兰 17 世纪后期城市风景画家。尤以 17 世纪 60 年代所绘阿姆斯特丹风景闻名于世。早年生活情况不详。1650 年全家移居阿姆斯特丹，并在那里终其一生。他虽然也作过一些风景和静物画，但还是以画建筑题材为主。其画面开阔，同时注意细节，结构适当，色彩和谐，善于利用叶饰和砖墙对照。有时把不同市镇的可以辨认的细节融合在一个作品里。他的城市风景画对于荷兰 18 世纪的建筑物绘画的发展有重要影响。

Heydrich, Reinhard (Tristan Eugen)　海德里希(1904-03-07，德国哈雷～1942-06-04，布拉格)　德国纳粹官员，希姆莱在党卫军中的副手，曾在第二次世界大战初期在占领区组织大规模屠杀。14 岁参加义勇团，接受恐怖活动的训练。1922 年参加海军。后晋升中尉，1931 年退伍，专门从事纳粹党的工作。希特勒任总理后，他被任命为慕尼黑警察机关政治部头子，兼管达豪集中营。1934 年又被任命为柏林党卫军头子，此后成为希姆莱的副手。由于残酷毒辣，1941 年 9 月被选拔为驻波希米亚和摩拉维亚的帝国摄政。他到达布拉格不过 5 周，就下令枪杀 300 名捷克人，后来他又被派往挪威、荷兰和被占领的法国去镇压日益高涨的破坏和恐怖活动。全欧洲的反纳粹分子都害怕他、憎恨他，叫他“刽子手”。1942 年 5 月 27 日，当他乘汽车经过布拉格-柏林公路时，受到捷克爱国志士的爆炸和射击，6 月 4 日死于布拉格医院。

Heyerdahl, Thor　海尔达尔(1914-10-06，挪威拉尔维克～2002-04-18，意大利科拉米歇里)　挪威人种学家和探险家，曾组织和领导著名的木筏“康-提基”号(1947)与“拉神”号(1969)两个著名的横渡海洋的科学考察队。两次考察的目的，均试图证明远古文明和文化之间曾存在横跨海洋发生联系的可能性。他的理论尚未为学术界普遍接受。1947 年海尔达尔和少数船员乘“康-提基”号原始木筏，从南美的太平洋海岸驶往波利尼西亚，证明波利尼西亚人的祖先可能是南美人。这次航程曾载于《“康-提基”号木筏漂洋记》(1950)一书和一部同名的纪录影片中。1969 年他和少数不同国籍的船员乘坐一只仿造的古埃及芦苇船“拉神”号，从摩洛哥出发，横渡大西洋，到达中美洲 600 英里以内的海域，从而证实前哥伦布时期的西半球文化可能曾受埃及文明的影响。此次航程载于《“拉神”号芦苇船远航记》(1971)及一部纪录影片中。1977 年末，海尔达尔又和一批国际船员开始“底格里斯”号的远洋航海考察。驾驶芦苇小船，历时 4 个月，航行4 000英里。自伊拉克底格里斯河出发，沿波斯湾南下，经阿拉伯海，到巴基斯坦，最后进入红海。“底格里斯”号考察队的目的在于证明古代的苏美尔人也许曾使用类似方法向西南亚和阿拉伯半岛传播文化的可能性。这次航程载入他的另一著作《底格里斯河航程纪实》(1979)及一部同名纪录影片中。海尔达尔另著有《鲣鱼-鲣鱼：复活节岛的秘密》(1958)、《法图伊瓦岛：回归大自然》(1974)和《早期人类和海洋：航海之始及海上传播文明之探索》(1979)。在《早期人类和海洋》一书中，海尔达尔曾把早年探险成果综合论述，并为其文化分布理论提出更多论据。

Heymans, Corneille　海曼斯(1892-03-28，比利时根特～1968-07-18，克诺克)　比利时生理学家。1938 年获诺贝尔生理学或医学奖，主要贡献是发现了主动脉弓和颈动脉感受器对呼吸的调节作用。海曼斯 1920 年获根特大学医学博士学位，后去巴黎、洛桑、维也纳、伦敦和美国从事生理学研究。1930 年接替其父让-弗朗索瓦·海曼斯任根特大学教授，并继续他们的合作课题：血液成分和血压对心脏和呼吸功能的影响及其调控方式。他用麻醉狗作实验动物，证实颈动脉窦(颈总动脉在向颈内、颈外动脉分支处的膨大部分)的管壁上有一种压力感受器，可感受血压的变化，然后再反馈地调节心率和呼吸。他还证实在主动脉弓靠近压力感受器一侧的管壁上还有一套化学感受器，即主动脉球，可感受血液中氧含量的变化，并可通过延髓呼吸中枢反射性地调节呼吸功能。

Heyn, Piet　海恩(1577-11-15，荷兰代尔夫谢芬～1629-06-18，法国敦刻尔克附近)　Heyn 又拼 Hein。本名彼得·彼得松。荷兰海军上将、荷兰西印度公司董事。1628 年缴获西班牙一支载有价值 400 万杜卡托的金银的船队，使荷兰共和国有钱反抗西班牙，以便控制南尼德兰（今比利时和卢森堡）。1597 年在海上被西班牙俘去，充当划船苦工 4 年。1601 年荷兰与西班牙交换俘虏时获释。后为商船船长，积聚大量财富。1621 年成为荷兰西印度公司董事。1624 年任舰队副司令，3 年后在巴西的圣萨尔瓦多俘获葡萄牙船只 22 艘。1628 年在古巴马坦萨斯湾虏获西班牙珍宝船队。当他准备带其应得的掠夺物退休时，奉召继续服役，1629 年任荷兰海军中将，负责指挥共和国全部舰队。1629 年 6 月他的舰队肃清了北海地区的西班牙海盗，但他本人却在这次战斗中阵亡。

Heyrovský, Jaroslav 海洛夫斯基（1890-12-20，布拉格～1967-03-27，布拉格） 捷克化学家，因创立并发展了极谱法，获 1959 年诺贝尔化学奖。极谱法是用于定性和定量测定可氧化还原物质的仪器分析方法。他发明的仪器直接测量浸入待分析溶液中两个电极上施加预定电压后所产生的电流值。他在布拉格查理大学和伦敦大学学院学习后，于伦敦在 W. 拉姆齐和 F. 唐南的手下工作。在查理大学担任几个职务之后，成为教授，任物理化学系主任（1926～1954）及捷克斯洛伐克科学院极谱研究所所长（1950、1952～1963）。导致发明极谱法的工作是在伦敦时由唐南的建议而开始的。第一台极谱仪（1924）问世后不到 10 年这一方法已经普及。海洛夫斯基的专著《极谱学》发表在 1941 年。

Heyse, Paul Johann Ludwig von 海泽（1830-03-15，柏林～1914-04-02，慕尼黑） 德国作家。传统主义慕尼黑诗社的杰出成员。1910 年获诺贝尔文学奖。曾研究过古希腊罗马语

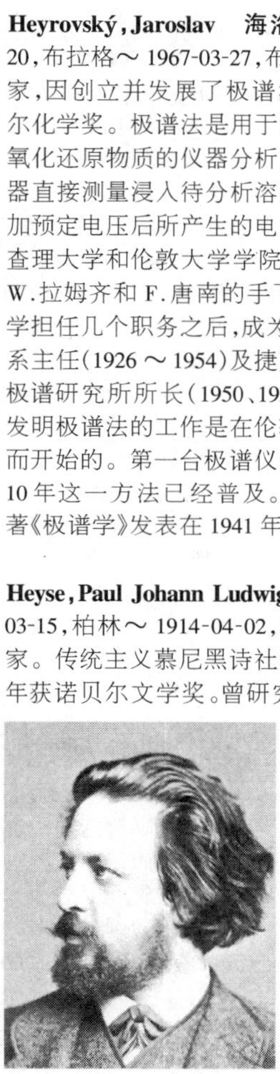

美国不列颠百科全书公司供图

言和罗曼语，并在奖学金资助下，前往意大利游历 1 年。后应马克西米连二世之召，前往慕尼黑，成为慕尼黑作家首领之一。这些作家力图保护传统的艺术价值，使之免受政治激进主义、实利主义和现实主义的侵犯。他是历史悠久的古典浪漫主义文化的代表之一，后成为悉心写作的短篇小说的大师。重要作品有短篇小说《犟妹子》（1855）、长篇小说《世界的孩子们》（1873）。此外，还有许多并不成功的剧本。1871 年他提出“猎鹰理论”（据薄伽丘的中篇小说典范《猎鹰的故事》）作为中篇小说形式的定义。海泽生来就倾向理想化，不肯描写人生的阴暗面，因而坚决反对正在成长中的自然主义派。在获得诺贝尔奖时，他的声誉已大幅度下降。

Heyuan 河源 中国广东省辖地级市。位于省境东北部，东江中上游，北与江西省接壤。辖源城区及和平、龙川、紫金、连平、东源 5 县。面积 15 478 平方千米，其中市区面积 365 平方千米。市区（源城）在市境西南部，新丰江汇入东江处。秦为龙川县地。南朝齐永明元年（483）置河源县。因“县北三百里有三河之源”得名。1988 年撤县设省辖市。地处北东走向平行岭谷区。稻谷、甘薯是主要粮食作物，主要经济作物有甘蔗、花生、黄豆、茶叶等。水果品种较多，以梨、李、栗、柿为大宗。林木有松、杉、枫、柯、油桐、油茶、竹等。为广东省用材林和油茶基地。矿藏丰富，主要有萤石、铁、铜、锡、铝黏土、石英石、花岗岩、石灰石等。市境西部新丰江水库为广东省最大水库。工业主要有建材、机械、森工、食品、纺织、机电、化工、采矿、水电。主要产品有水泥、松香、萤石、稀土、铁铸件、橡塑胶鞋。松香和萤石是出口主要产品。名胜古迹有紫金越王台、龙川霍山、连平陂头溶洞、和平圣迳幽岩及正相塔、龟峰塔、佗城、黄潭寺等。京九铁路、广梅公路贯通市境。沿东江可上溯龙川，下通惠州、广州。人口：全市 3 340 000（2005）；市区 300 000（2004）。

Heyward, (Edwin) DuBose 海沃德（1885-08-31，美国南卡罗来纳查尔斯顿～1940-06-16，北卡罗来纳特赖恩） 美国小说家、戏剧家和诗人。他的第一部小说《波吉》被改编为话剧、歌剧和电影，极为成功。17 岁开始在滨水区工作，目睹黑人的生活，这成为他后来写作的题材。最初的诗集有《卡罗来纳歌谣》（1922，与 H. 艾伦合著）、《地平线》（1924）和《贾斯博·布朗和诗歌选》（1931）。《波吉》（1925）以查尔斯顿的鲶鱼巷为背景。其他小说有描写北卡罗来纳山区人民的《安琪儿》（1926），写美国南北战争前查尔斯顿的情况的《彼德·阿什利》（1932）以及写新政时期的维尔京群岛的《星光灿烂的维尔京》（1939）。1927 年与其妻多萝西把《波吉》改编为剧本，1935 年改编成歌剧《波吉和贝丝》上演，脚本和歌词由海沃德和 I. 格什温撰写，作曲为 G. 格什温。1959 年拍成影片。其他剧本有描写黑白混血儿的《铜脚踝》（1931）和与妻子合作由小说改编的《曼巴的女儿们》（1929）。多萝西·海沃德（1890～1961）曾在 G.P. 贝克在哈佛的“47 创作室”学习，1924 年在百老汇上演过一部她的戏。她是丈夫和其他人得力的合作者，同时写有《约尼卡》（1929）、《让我的人民自由》（1948）等剧本。

Heywood, Jasper 海伍德（1535，伦敦～1598-01-09，那不勒斯） 耶稣会教士、诗人，曾翻译罗马剧作家塞内加的剧本，如《特洛伊妇人》（1559）、《提埃斯忒斯》（1560）、《疯狂的赫拉克勒斯》（1561）等，以《英译塞内加 10 部悲剧》（1581）为题发表，对英国戏剧很有影响。父约翰·海伍德为剧作家，本人曾在牛津大学受教育，1562 年在罗马加入耶稣会，1564 年成为该教派在德国迪林根一学院的教授。1581 年成为耶稣会传教团在英格兰的首脑；1583～1585 年间遭监禁，后被放逐。

Heywood, John 海伍德（1497?伦敦?～1575 以后，比利时梅赫伦） 英国剧作家。他是最早一位非神职人员剧作家，写日常生活和风尚以取代《圣经》寓言。自 1519 年起，在亨利八世宫廷里积极充当歌手和演员。以后在爱德华六世和玛丽的宫廷中也很得宠。其舞台作品均为幕间剧。这种剧种在 15、16 世纪的英国很流行，内容是围绕一规定主题展开对白。由海伍德署名的 4 个幕间剧以韵文写成，是机智而又有讽刺意味的辩论，最后以说教口吻结束，反映出法国闹剧和乔叟的某些影响。幕间剧可单独演出或在正戏前后及两幕间演出。《游方僧、赎罪券推销员、药剂师和小贩》（1544）是一场撒谎竞赛；《气候剧》（1533）描绘天神朱庇特企图让气候迁就不同人的愿望而造成混乱结果；还有《爱情剧》（1533 出版）和《智多星与愚人》（1533 出版）也被确认为是海伍德写的幕间剧。尽管数度遭到迫害，仍笃信天主教。1564 年逃往比利时，最后以高龄卒于该地。

Heywood, Thomas 海伍德（1574?，英格兰林肯郡～1641-08-16，伦敦） 英国演员、剧作家，其生涯跨越伊丽莎白和詹姆斯一世两个戏剧高峰时代。他显然曾就读于剑桥大学，尽管无史料可考。1598 年前某一时期到达伦敦，加入亨斯洛的剧团，随后作为剧作家和演员活跃于伦敦。自称曾参加 220 个剧本的全部或大部写作，但其中传世的 24 部公认全部或部分由他写作。大多数剧作都是混合剧，往往有两个或两个以上泾渭分明的情节，靠插科打诨松散地串连起来。主题偏于伤感，但是环境逼真，显示出作者对伦敦日常的见闻和种种活动颇有感情。其他作品有传奇剧、冒险剧、假面剧、神话组剧及编年史剧。最受欢迎的是一部关于伊丽莎白一世的历史剧，题为《如不识我又能识谁》（1605～1606）。最擅长表现家庭情趣。其杰作《为善意所杀的妇女》（1607）是最早的写中产阶级的悲剧之一。最重要的散文作品《为演员的辩护》（1612），历述自古以来演员的地位和尊严以及他们在社会上的作用。其剧作盛极一时，有时在两个剧院同时上演。他的假面剧《爱的情妇》（1636）颇具魅力，查理一世及其王后在 8 天里曾 3 次观看此剧。

Hezbollah 真主党 黎巴嫩在以色列 1982 年入侵之后最早作为派系出现的民兵组织和政党。什叶派穆斯林传统上一直是黎巴嫩境内最弱的宗教团体。1979 年什叶派在伊朗发动伊斯兰革命以及 1982 年以色列入侵黎巴嫩之后，一批黎巴嫩籍什叶派神职人员组成真主党，目标是要从黎巴嫩赶走以色列人，建立一个伊斯兰教国家。他们以什叶派为主的贝卡谷地、南黎巴嫩和南贝鲁特等地区为基地，与伊朗通力合作，其成员则主要来自对现实不满的年轻人以及更为激进的阿迈勒运动成员。在整个 80 年代，真主党发起了针对以色列人的日益成熟的攻击，同时参与了黎巴嫩内战（1975～1990），包括多次与什叶派同道阿迈勒发生冲突。期间，据说参与了主要针对西方人的恐怖攻击，包括绑架和汽车爆炸，但也为其支持者建立了一个广泛的社会

服务网络。真主党是内战结束后未被叙利亚人收缴武器的少数民兵组织之一，此后他们在黎巴嫩南部坚持进行反抗以色列的游击战，直到2000年以色列撤军。在内战结束后的黎巴嫩，真主党已崛起为一个主要政党。

Hezekiah 希西家（活动时期公元前8世纪末和前7世纪初） 亚哈斯之子，耶路撒冷犹大国王，大卫的第13代继承者。他在位时期一般记作约公元前715～约前686年，但由于《圣经》的记载与亚述楔形文字的记载并不一致，其确切年代就有了一系列的可能性。他在位时正当亚述称霸。其父曾于前735年臣属亚述。希西家可能参加了反对亚述王萨尔贡二世的叛乱，但看来在前710年叛乱失败。当西拿基立即亚述王位时，亚述全境爆发叛乱，希西家可能是巴勒斯坦的叛乱首领并获得埃及的支持。为准备必不可免的亚述人的征讨，他加固了首都耶路撒冷的城防，开挖了塞洛姆暗渠，把吉洪泉水引入城内蓄水池。西拿基立终于在公元前701年平息了叛乱，侵占犹大国，占领46座城市并把征服的大部分领土置于邻国控制之下。当西拿基立包围莱基城时，希西家想以重金换取耶路撒冷免遭占领，但西拿基立仍要求该城无条件投降。此时，一场神奇的瘟疫摧毁了1/10的亚述军队，从而使耶路撒冷得救。这件事使犹大国人相信耶路撒冷城是神圣不可侵犯的。在希西家执政的后期，西拿基立可能第2次入侵过犹大国。在宗教改革上，希西家维护希伯来宗教传统，反对强加的对亚述神的崇拜。他试图以此实现犹大国的政治和宗教的独立，但公元前701年的灾难在他的人民中留下了对一位想重建大卫黄金时代的国王的无可怀疑的同情与怀念。

Hezhen 赫哲族 中国少数民族。主要分布在黑龙江省部分地区。有4 640人（2000）。语言属阿尔泰语系满-通古斯语族满语支。无文字。通用汉语文。先民活动在松花江、

赫哲族姑娘
中国大百科全书出版社供图

黑龙江和乌苏里江流域。明朝时为女真的一支。以从事渔业生产为主。冬以滑雪板或狗拉雪橇为交通工具，夏以桦皮船、舢板从事运输和捕鱼。住宅有临时和固定两种。临时住房有用桦皮、茅草搭成的棚子，称“撮罗子”、“草窝棚”；固定住房较普遍的是泥墙草顶房屋，称“马架子”或“正房”。实行氏族外婚，行一夫一妻制。以土葬为主，也有风葬和火葬。1984～1985年在赫哲族聚居区建立了3个民族乡。

Hezhen language 赫哲语 中国赫哲族使用的语言。属阿尔泰语系满-通古斯语族满语支。主要分布在中国黑龙江省的同江、饶河、抚远等县的沿江地区。此外，主要分布在俄罗斯联邦，称那乃语。分奇勒恩和赫真两个方言。赫哲语（同江）语音特点是：27个辅音：其中包括双唇、舌尖中、舌根小舌塞音；舌尖前、卷舌、舌面前塞擦音；有唇齿、舌尖前、卷舌、舌面前、舌根、小舌6个部位的清擦音和双唇、舌尖中、舌根3个部位的鼻音，还有边音和颤音各1个和双唇、舌面半元音各1个。有7个元音，在鼻辅音前时有明显的鼻化现象。有元音和谐现象，但已不太严整。词类有名词、代词、数词、形容词、动词、副词、后置词、语气词、叹词、摹拟词10类，有较丰富的黏着性形态。名词有数、格和人称领属范畴；格有主格、领格、宾格、与格、向格、位格、造一联格；动词有态、式、形动和副动等语法范畴。句子主语在谓语前；宾语在主语后，谓语前；补语在谓语前，修饰语在中心语前。借词主要来自汉语和俄语。

Hi-no-kami（Shintō fire god） 参阅**Ho-musubi** 火结神。

Hialeah 海厄利亚 美国佛罗里达州东南部迈阿密-戴德县城市。在迈阿密西北，临迈阿密河运河。1910年始有人定居，1917年设镇，1925年设市。早期发展缓慢。第二次世界大战期间出现工业。现有制造业，但主要为迈阿密城郊住宅区。有海厄利亚公园赛马场。佛罗里达国家学院（1982）位于此市。人口226 419（2000）。

hiatus 元音连读 在韵律学中，指两个相邻的元音中间没有辅音隔开时仍能分别清楚地读出的声音停顿。两个元音可以在一个词里，如在*Vienna*和*naive*这两个词中，或分别在两个相连词前一词之尾和后一词之首，如在“*see it*”和“*go in*”这两个短语中。和元音分读相反的是元音省略，即省去或轻读第二个元音；它又和双元音化不同，双元音化是两个元音合成一个音。

Hiawatha 海华沙 北美印第安人的奥农达加部落传说中的酋长（约1450）。据印第安人的传说，海华沙曾组成五族联盟，即易洛魁联盟。这个神话人物是人类进步和文明的化身。他教人们种田、航海、治病和各种技术，并用魔法征服了所有对人类有害的自然力。朗费罗的《海华沙之歌》（1855）叙述了海华沙的故事，是仿照芬兰史诗《卡勒瓦拉》的格律写成的。

Hiba arborvitae（tree） 参阅**false arborvitae** 罗汉柏。

Hibbing 希宾 美国明尼苏达州东北部圣路易斯县城市。在梅萨比岭森林湖区内。原为伐木工人营地，1893年规划并设村建制。村街地下发现铁矿后，村舍大部南移3.2千米（1919），曾为世界最大的露天矿场之一。20世纪50年代矿石已濒枯竭，非磁性铁燧石矿砂加工业兴起。新旧村社之间通汽车。有希宾社区学院（1916）和明尼苏达矿业博物馆（在社区公园内）。人口约17 071（2000）。

hibernation 休眠 生物借以度过不良环境的一种生活方式，在休眠期中生物的新陈代谢降低，处于不活动状态。在陆地上，寒温地带的温度和湿度随季节呈剧烈变化，除一些高等动物可采用迁飞、迁徙、营巢、筑穴等行为学方式来逃避冬寒外，微生物、植物以及许多动物常借休眠方式来应付极端环境。在某些生物中，休眠已成为生活史中的必经阶段。在某些荒漠地区，有些动物为避开夏季干旱的严酷条件而进入麻痹状态（夏眠）。夏眠在许多方面与冬眠相似。在生物进化史中，不良环境是产生休眠现象的外因，但休眠的具体方式则决定于有关生物的具体结构和功能。同样的条件下，能以休眠方式度过严冬和干旱者便得以存活。休眠能力使一部分动物得以传播至极区，并使它们得以避免竞争。温度和日照时间的变化，以及食、水和氧等营养物质的短缺，常是促发休眠的诱因。例如在极区，低温及食物短缺诱发冬眠；在荒漠地区，夏季炎热、干旱、少食则导致夏眠。环境因素常呈周期变化，或年周期（季节变化），或日周期（昼夜变化）。一些休眠动物已发展出内在的生物节律来调节休眠活动，处于实验室恒定条件下仍表现出周期性的迟钝状态。

细菌和真菌的休眠 休眠的孢子可耐极端不良条件。例如肉毒杆菌孢子需加热至180 °C历10分钟才能杀死，而较低的温度也很难杀尽芽孢细菌。某些孢子冷冻并封装于真空中可存活多年。

维管植物的休眠 一年生植物每年、二年生植物在第二年，均借休眠种子越冬。二年生植物在第一年、多年生植物在每年，均是借休眠植株越冬。在某些草本中，植株越冬部分仅限地下部分；在木本中则包括地上部分。在越冬休眠期间，组织代谢低下。生长季节中植株上的芽直到萌发之前也是处于休眠状态。种子的休眠能力最强，例如丹麦的田野大爪草（*Spergula arvensis*）种子休眠1 700年之后仍能发芽，而糖萝卜种子可耐103 °C 16小时及-108 °C半小时。还有些种子不经一定的休眠期不能萌发，或必须有外力协助。有的是种子外皮坚韧，不透水或氧，常需要外力例如火烧、冷冻、足踏或动物吞食消化后才能萌发。也有的是胚胎还不成熟，还需要一定的成熟时间。

动物的休眠 动物的休眠方式各异。①原生动物和无脊椎动物有些是在不良条件下以包囊形式休眠；很多寄生类型则在生活史的某个阶段形成包囊。例如阿米巴痢疾的病原体要靠包囊型才能传播，类似的还有中华分睾吸虫及旋毛虫。所有淡水海绵都可在体内形成芽球，成体死后具厚膜的芽球可以度过严冬或干旱。轮虫的冬卵具厚壳可耐干冷，甚至可随风传播。蜗牛一日内大部时间蜷缩壳内休眠。许多昆虫都有休眠，休眠并可发生在生活史中的任何阶段。在卵、若虫、幼虫和蛹阶段，休眠表现为停止成长；在成虫

阶段则表现为停止生殖活动。熟知的例子如幼虫及蛹期达17年的蝉。已知昆虫的休眠受激素调节。可能是日照时间及温度的变化导致脑激素分泌减少，这又使前胸腺分泌的蜕皮素减少，从而引致休眠。在某些昆虫，环境变得有利时休眠即告终止；有的却需外力如寒冷或食物才能打破休眠状态。②冷血脊椎动物。水温比较稳定，所以一般鱼类很少休眠。但非洲肺鱼于旱季休眠于泥茧中。蛙和蝾螈则成群休眠于潮湿处越冬。爬行动物于地下休眠越冬，故不能生存于冰冻地带。但它们更不耐热及干旱，故常有夏眠。③温血脊椎动物。恒温能力扩大了动物的分布区，例如极区可见大量鸟类。较高的代谢率有利于高级神经活动，有利于习得经验从而增加了适应能力，但这却增加了对食物的需求。一般说来，恒温动物中休眠者不多，鸟类中尤少。蜂鸟呈现昼夜节律；它们因体小，升降体温只需极少热量，不需要半个小时即可出眠或入眠。冬眠一词，严格说来应仅指恒温动物的休眠。但熊类的“表浅冬眠”实非冬眠，它们的体温一般仅由38 °C降至34 °C上下，易于唤醒，且在此期间产仔并哺乳。这只是一种节省能量消耗的措施，好处是当发生突然灾害时仍能逃避。真正冬眠者，体温接近环境温度；哺乳动物中只见于食虫目（如刺猬）、翼手目（如蝙蝠）和啮齿目（如仓鼠）。大多数冬眠动物是经历数次入眠和觉醒才将体温逐步降至接近环境温度。入眠后，心率和呼吸均可降至一分钟几次，因周围血管阻力增加，故仍维持脑部和心脏等重要器官的循环需要。中枢神经系统中负责调节体温和控制循环、呼吸的中枢仍保持活动，某些感官的敏感性也还维持，能接受外界刺激的唤醒。整个冬眠期间体重可下降40%，但其中只有10%用于维持冬眠期内生理消耗，其余90%主要用于出眠时产热升温。出眠时先是头胸部增温，再延及后部，全身生理功能在不到24小时内即可恢复。许多冬眠动物并非长眠一冬，而是数周觉醒一次，冬眠期间消耗的体能及降低的体重中90%发生于觉醒阶段。有食物储备的动物于觉醒时取食。注射雄激素和甲状腺素均可阻止冬眠。但某些动物在冬眠时性腺还在发育，出眠后不久即交配。蝠类交配后入眠，精子保留在雌性生殖道内待出眠后才排卵和受精。但个别蝠类于冬眠前受精，胚胎在冬眠期内缓慢发育。冬眠有利于物种生存，但对动物个体来讲却是很不安全的，在严冬酷寒条件下，冬眠动物可能长眠至死。

Hiberno-Saxon style　爱尔兰-撒克逊风格　主要指7世纪爱尔兰艺术与英格兰南部盎格鲁-撒克逊艺术相互影响而形成的艺术风格。以这两种传统的结合为其特点，尤其是爱尔兰的曲线花纹和精饰首字母，以及撒克逊的兽形交错纹和鲜明色彩。第三种影响来自地中海艺术，引进了人物描绘。但爱尔兰-撒克逊艺术的基本特征仍保留有其异教徒祖先的特点：侧重几何图案，不作自然主义的描绘，喜欢平涂的色块，使用复杂的交错格局。

Hiberus River（Spain）　参阅 **Ebro River 埃布罗河**。

hibiscus　木槿　锦葵科木槿属（*Hibiscus*）约250种草本、灌木及乔木的通称。原产暖温带及热带地区。其中数种花朵艳丽，可栽培观赏。朱槿（中国木槿，中国蔷薇，*Hibiscus rosa-sinensis*）原产热带地区，株高可达4.5米，但栽培状态下很少超过2米。花大，略呈钟形，浅红色，单瓣。栽培的变种花白、黄或橙色，常为重瓣。吊灯花（裂瓣木槿，东非木槿，*H. schizopetalus*）为灌木，枝条下垂，常栽于室内吊篮中。木槿属还包括纤维植物，如黄槿（马霍麻）与槿麻（**kenaf**）、秋葵（**okra**）、野西瓜苗（flower-of-an-hour）、木槿（**rose of Sharon**，沙龙蔷薇）及许多俗名为锦葵（**mallow**）的显花植物。

朱槿（*Hibiscus rosa-sinensis*）
美国不列颠百科全书公司供图

hiccup　呃逆　又作hiccough。膈肌（分隔胸腔与腹腔的肌肉）的痉挛性收缩，造成突然的吸气，吸气被声门（声带之间的开口）不自主的闭合所中断，因而产生一个特殊的声响。呃逆有许多原因，最常见的是胃过度膨胀。胃刺激、神经痉挛以及各种代谢障碍都可引起呃逆。有各种各样的民间疗法可阻断膈肌痉挛的节律而中止呃逆，最常用、有效的方法是尽可能长地屏气。不管治疗与否，呃逆常在几分钟内停止，但也可以持续几天到几周，也有个别报道持续数年。可用手术挤压支配膈肌的膈神经以治疗持续的严重呃逆。

hichiriki　日本筚篥　一种短的日本双簧气鸣（管乐）乐器。用于古代宫廷音乐中，亦存在于“雅乐”即宫廷音乐的传统之中，从早期亚洲大陆上的原型演变而来。现代日本型的筚篥长18厘米，上有7个指孔，下有两个拇指孔。由内部上漆的竹制成，指孔之间缠以樱树或紫藤皮的箍。簧片宽而厚，装在管的宽阔一端，使其外形呈圆锥形，但管体是圆筒形的。用松而有控制的口形以及微妙的手指动作使它奏出丰富而流畅的旋律。

Hickok, Wild Bill　希科克（1837-05-27，美国伊利诺伊荷马［今在特洛伊格罗夫］～1876-08-02，达科他准州戴德伍德［今在美国南达科他州］）　美国边疆拓殖者、侦察员、射手、赌徒，已成为传奇人物。1856年离家，跑到堪萨斯种地，参加自由州运动；后任蒙蒂塞洛的一名村治安官。1861年充当驭手时曾杀人。南北战争时期参加联邦军队，当侦察员和间谍。战后当过美国联邦法院代理执法官、侦察员、县司法行政官和市执法官。1872～1874年随同西大荒演出团在纽约州和其他几个州巡回演出。1876年与孀居的女演员A.莱克夫人结婚。不久去达科他准州的黑山金矿，在当地死木镇的酒店中被陌生的醉汉用枪打死在扑克牌桌上。死时希科克手里的牌为一对黑A和一对黑8，再加上未知的第五张牌。从此这种牌被称为死人牌。

卡尔弗图片公司供图

Hickory　希科里　美国北卡罗来纳州中西部卡托巴县城市。位近阿巴拉契亚山麓。1863年建镇，1889年建市，1913年成为该国最早采用“市长责任制”的城市之一。1880年开设制造马车小厂，始有工业。现有家具、纺织、绳索、袜子、电子及电器元件等制造业。勒努瓦-赖恩学院（1891）及卡托巴河谷工学院（1958）均设于此。附近有由卡托巴河上牛津水坝形成的希科里人工湖。人口：市37 222；希科里-摩根顿都会统计区341 851（2000）。

hickory　山核桃　胡桃科山核桃属（*Carya*）约18种落叶乔木。约15种原产于北美东部，3种原产于东亚。已在北美西部、格陵兰、冰岛及欧洲发现化石。高约30米，有一条长的主根。叶由3～17枚小叶组成，某些种的小叶秋天变鲜黄色。无花瓣的雄花和雌花生于同株的不同簇上；雄花柔荑花序悬垂；2～10朵雌花组成顶生的穗状花序。果卵形，核果状，包在肉质外果壳内，成熟时外果壳裂成4片木质裂爿。某些种类有味甜可食的大种子，如粗皮山核桃（*C. ovata*）、小糙

粗皮山核桃（*C. ovata*）
美国不列颠百科全书公司供图

皮山核桃(细条裂山核桃,*C. laciniosa*)、茸毛山核桃(*C. tomentosa*)和美洲山核桃(伊利诺伊山核桃,*C. illinoensis*)。苦山核桃(心果山核桃,*C. cordiformis*)及水山核桃(*C. aquatica*)的果味苦不能吃,包着核的皮含有单宁。美

细条裂山核桃(*C. laciniosa*)
美国不列颠百科全书公司供图

洲山核桃(**pecan**)经济价值最大,果味别有风味,木材淡色。其他山核桃的木材可作燃料、工具柄、运动设施、家具及地板。

Hicks, Edward　希克斯(1780-04-04,美国宾夕法尼亚阿特尔伯勒～1849-08-23,宾夕法尼亚纽敦)　美国画家,采用原始或民间风格

希克斯绘《康奈尔农场》(1836)
美国不列颠百科全书公司供图

进行创作,朴实地描绘宾夕法尼亚和纽约的乡村田园风景,其中尤以《宁静的王国》(共约100幅,约25幅留传至今)闻名。希克斯从事艺术较晚,早年曾为仪礼马车作彩画并画广告画,中年才开始作独幅画。其画摆脱不了道德说教,常常在画面上写有带教诲意义的诗句。

Hicks, Elias　希克斯(1748-03-19,纽约长岛亨普斯特德乡～1830-02-27,美国纽约长岛杰里科)　美国早期废奴主义者、基督教贵格会开明派教士,其信众称作希克斯派即美国贵格会于1827～1828年发生分裂后形成的两派之一。曾参与在公谊会即贵格会内部肃清蓄奴现象的活动,后到社会上鼓吹废奴主义。他号召人们抵制靠奴隶劳动生产的产品,主张在西南部划出区域收容获得自由的奴隶,并促使纽约州议会通过取消蓄奴制的立法。1827～1828年贵格会发生分裂,有人认为这次分裂应由他负责。希克斯一派自称公谊会的开明派,但该会正统派称他们为希克斯派。希克斯派与其他各派日益疏远,直到20世纪才开展合作。

Hicks, Granville　希克斯(1901-09-09,美国新罕布什尔埃克塞特～1982-06-18,新泽西富兰克林帕克)　美国评论家、小说家和教师,美国文学中最早的马克思主义文学评论家之一。以最优异的成绩从哈佛大学毕业并为成为牧师学习2年,后于1934年参加美国共产党,任《新群众》文学主编,为美共在文化方面的主要发言人。所著《伟大的传统》(1933;修订版1935)以马克思主义观点评论南北战争以后的美国文学。他原在伦斯勒工业学院任教,1935年被解聘,因此成为在美国争取学术自由的大风暴的中心人物。1939年德苏条约签订后脱党,在致《新共和》杂志的一封信中他解释了他对该党对苏联政策不加区别的赞同的日益不满。此后仍积极从事写作。1965年出版自传《真理的一部分》,1970年出版25年间的书评集《文学地平线》。J.A.罗宾斯所编的《希克斯在〈新群众〉》出版于1974年。

Hicks, Sir John R(ichard)　希克斯(1904-04-08,英国沃里克郡利明顿斯帕～1989-05-20,格洛斯特郡布洛克利)　英国经济学家。对一般经济均衡理论作出了开拓性的贡献,1972年与K.J.阿罗共同获得诺贝尔经济学奖。1964年受封为爵士。最优秀的著作为《价值与资本》(1939),它有助于解决商业周期理论与平衡理论之间的基本冲突。他认为:经济力量并非单纯反映循环趋势而是趋于互相平衡。他和阿罗都证明:是积极力量(不是消极力量)相互抵消时才达到经济平衡。先后在伦敦经济政治学院(1926～1935)、剑桥大学(1935～1938)、曼彻斯特大学(1938～1946)及牛津大学(1946～1952)任教。1952～1972年为牛津大学万灵学院评议员,后为名誉教授。

Hicks Beach, Sir Michael Edward, 9TH BARONET, 1ST EARL ST. ALDWYN OF COLN, VISCOUNT QUENINGTON OF QUENINGTON, VISCOUNT ST. ALDWYN OF COLN　**希克斯·比奇准男爵(第九)**(1837-10-23,伦敦～1916-04-30,伦敦)　即M.E.H.比奇。英国保守党政治家,财政大臣(1885～1886,1895～1902)。迈克尔·希克斯·比奇第8代准男爵之子。曾在伊顿公学和牛津大学基督堂学院受教育。1854年继承爵位。1864年成为保守党议员,在下院一直工作到1906年。1874年任爱尔兰事务首席大臣。两年后入阁。1878～1880年任殖民事务大臣。1884年任保守党主席。1885年任财政大臣和下院领袖。1886年改任爱尔兰事务首席大臣。1888～1892年任贸易大臣。1895～1902年任财政大臣。他坚持提高税收为南非战争(1899～1902)提供费用。他虽然是正统的自由贸易主义者,但为增加收入也恢复了一些赋税。1902年他的谷物(小麦)税引起争论,次年J.张伯伦发起关税改革运动,他坚决反对。1906年受封圣奥尔德温子爵。1915年受封圣奥尔德温。

Hida Range　飞驒山脉　在日本本州中部。由北向南沿富山、新潟、长野、岐阜县边界延伸。与木曾、赤石山脉形成日本中央山结。19世纪末被称为日本的阿尔卑斯山。山体主要由闪长花岗岩构成。有乘鞍岳(3 026米)和御岳山(3 063米)等年轻火山。多深邃河谷。最高峰穗高岳海拔3 190米。东缘为断层陡崖。北部以峭壁止于日本海岸。西坡较缓,下行形成飞驒高地。几乎全境划入中部山岳国家公园内,以登山和滑

飞驒山脉第二高峰枪岳
美国不列颠百科全书公司供图

雪中心闻名。山区王泷川、黑部川等河流已开发了水电。

Hidaka Range 日高山脉 日本北海道后志山系最南段,地处十胜平原之西。在襟裳岬伸入太平洋,襟裳岬附近海拔360米。这

日高山脉
美国不列颠百科全书公司供图

一山脉海拔2 052米的幌尻岳,为北海道最高的非火山山峰。

hidalgo 伊达戈 西班牙的世袭贵族,亦指中古晚期和近代的骑士或士绅。此词出现于12世纪,可能是卡斯蒂利亚语 hijo de algo("权贵之子")的缩写形式。它用于所有贵族,尤指小贵族,以别于大贵族和一般骑士。伊达戈享有一定特权,依靠地租或官职过活。到15世纪时也可用以指基督徒的后裔,以别于穆斯林和改宗的犹太人后裔。在中世纪流浪汉小说《托尔梅斯河畔的小拉撒路》(作者佚名)和塞万提斯的《堂吉诃德》中有对贫困化的伊达戈的描述。

Hidalgo 希达尔戈 第944号小行星,运动轨道从火星一直向外延伸到土星,公转周期约为14年。希达尔戈的轨道平面与太阳系平面的倾角很大,约达43°。轨道之所以这样特殊,可能是因为从前接近木星之故。希达尔戈的亮度表明其直径介于24千米和48千米之间。希达尔戈是W.巴德于1920年发现的。

Hidalgo 伊达尔戈 墨西哥中东部一州。1869年设置。位于中央高原,面积20 813平方千米。北部和东部为全国最多山的地区之一,有些山峰高达3 000米;南部和西部是相对平坦的半干旱台地,地势逐渐向热带低地倾斜。平原地区有梅茨蒂特兰湖和图兰辛戈谷地(纺织工业中心)。气候较凉爽,但各地区湿度不同。农作物种类很多,有玉米、紫苜蓿、豆类、大麦、水稻及其他谷物,还有咖啡和龙舌兰(制龙舌兰酒)。有丰富的矿藏。自殖民地时期便已开采。矿产有银、金、水银、铜、蛋白石等。在哥伦布到达美洲前,是印第安托尔特克族文化中心。过去工业落后,现有大型运输设备、金属制品、纺织、水泥等工业。农村地区现仍有许多本地部族,如奥托米部族,住在农村和居民点。在州首府*帕丘卡*(**Pachuca**)以西的图拉曾是托尔特克人的首府,现为考古点。商业城市有*图兰辛戈*(**Tulancingo**)和韦胡特拉德雷耶斯。境内有马塔莫罗斯—墨西哥城公路干线。人口1 888 366(1990)。

Hidalgo del Parral 伊达尔戈-德尔帕拉尔 旧称帕拉尔。墨西哥中北部奇瓦瓦州中南部城市。位于州首府奇瓦瓦南面,濒临帕拉尔河。海拔1 661米。16世纪为重要矿城,至今仍加工和输出铅、锌、银、铜和金等矿石。城市仍保持殖民时期风貌,骡车在陡窄街道上穿行。有铁路和公路连接华雷斯城—墨西哥城交通干线。人口约90 703(1990)。

Hidalgo y Costilla, Miguel 伊达尔戈-科斯蒂利亚(1753-05-08,墨西哥瓜纳华托附近科拉莱霍~1811-07-31,奇瓦瓦) 被誉为墨西哥独立之父的天主教司铎。1789年受神职。他因热心于通过引进农业新技术促进其多洛雷斯教区居民经济的发展而引起西班牙当局怀疑。1808年法军入侵西班牙。法国皇帝拿破仑强迫西班牙国王费迪南德七世让位给拿破仑的兄弟约瑟夫·波拿巴。驻墨西哥的西班牙官员不愿反对新国王,但许多墨西哥人结成支持费迪南德或主张脱离西班牙而独立的秘密社团。伊达尔戈在多洛雷斯附近的圣米格尔参加类似组织。由于计划被告发,一些成员遭到逮捕。他拒绝出逃的劝告,决定立即采取行动。1810年9月16日,他敲响多洛雷斯教堂大钟,召集教区居民,宣告反西班牙革命开始。独立运动逐渐发展成为人民群众反对上层阶级的社会和经济斗争。数千名印第安人和梅斯蒂索人投奔到伊达尔戈的"瓜达卢佩圣母"旗帜下,占领墨西哥城以西的瓜纳华托和其他重要城市,不久逼近首都。由于他优柔寡断失去战机,追随者纷纷离散。1811年1月17日,在卡尔德龙败北。他打算北逃美国,但落入敌手,被剥夺神职,以叛乱罪遭枪决。在大多数墨西哥人心目中,伊达尔戈神父的名字成为独立运动的象征。"*多洛雷斯口号*"(**Grito de Dolores**)纪念日9月16日被定为墨西哥独立日。

Hidatsa 希达察人 又称米尼塔里人或密苏里格罗斯文特人。苏族美洲平原印第安民族,住在密苏里河上游介于哈特河及小密苏里河之间的半永久性村落。希达察人是定居民族,住环形泥顶房屋;种植玉米、豆类及南瓜,并有制陶业。妇女担任全部农活,只有烟草种植是男人的事;烟草则用来与其他部落进行交易。男人还猎捕草地野牛和其他大型猎物;此外,要参加战争。希达察人的社会组织包括:按年龄划分的军事会社,其会员资格由购买得来;还有多种氏族会社和部落会社。采用母系制。太阳舞是主要仪式,举行仪式时要进行自我鞭笞,这点同其他大平原部落相似。希达察人的语言与*克劳人*(**Crow**)语言关系极近,有史时期以前,这两个部落是联合在一起的。在文化上,他们同曼丹人相似,这是200余年间持续和平交往的结果。18世纪后半期,有2 000多名希达察人同曼丹人联合,占据北部平原上一处贸易中心地区,进行广泛商业活动:从西部游牧、好战的诸民族获得马匹、鞣制皮革及野牛皮制长袍,同欧洲商人交换枪支、刀及其他制品。1837年,天花流行,使希达察人大批死亡,他们随后聚居于一个村落里。由于其宿敌达科他人不断骚扰,迫使他们由村落迁往伯特霍尔德堡。为了自卫,他们于1845年与曼丹人联合,1862年又与阿里卡拉人结为一伙。1868年美国成立长设的印第安事务管理机构,自此时起,希达察人、曼丹人和阿里卡拉人被称为"三联盟部落",一同被安置在北达科他伯特霍尔德堡居留地。20世纪晚期,希达察居留地约有千人。

hiddenite 翠绿锂辉石 又称翠铬锂辉石。硅酸盐矿物*锂辉石*(**spodumene**)的绿色次宝石变种。

hide 海得 英国历史上的地积名称,指赡养自由农民一家所必需的土地。12～13世纪海得一般为120英亩(50公顷)可耕地(1066年前可能比这要小得多)。最早时期征税和征召民兵都以此为基础。到盎格鲁-撒克逊时期末年,由单独一个农民占有1海得的情况已不多见,大部分人只有1/4海得,即1"雅兰"。但在诺曼征服以后很久,海得仍为国家确定纳税额所依据的单位。

hide 皮 从母牛、公牛、阉公牛及马等大型成年动物身上剥下来的毛皮。英语中,从体型较小的动物(绵羊、山羊、小牛等)身上剥下的皮称为skin。参阅 **leather**。

Hide, Sir Nicholas 参阅 **Hyde, Sir Nicholas** *海德*。

hide-and-seek 捉迷藏 古老而流行的儿童游戏,捉者闭上眼睛,过一段时间(往往要数到100)才可睁开,此时其他人已躲藏好。捉者随即寻找躲藏起来的人。首先被捉到者即为下一轮的捉者;最后被捉到者优胜。另一种玩法:藏者趁捉者寻找之际跑回基地;如藏者均得以跑回基地,捉者须继续任捉者。有时先被捉到者必须协助捉者捉他人;也有时由一个人躲藏,大家寻找。

Hielm, Jonas Anton 希尔姆(1782-12-30,挪威克里斯蒂安桑～1848-03-30,克里斯蒂安尼亚[今奥斯陆]) 挪威政治领袖,在瑞典-挪威联盟中保卫了挪威的地位。在农民和自由主义的城市居民的支持下,曾经试图成立一个民族革新党。希尔姆于1830年被选入议会。为了吸收城市居民和农民分子组成政党,他帮助约翰·内尔高撰写一本政治小册子《奥利的书》(1830),使农民政治活动到1833年时大大加强。由于农民不信任自由主义者,农民和城市居民的联盟未能实现。在1830年,他批评瑞典在制定联盟的对外政策时没有按宪法和1814年的联盟条例中的规定请挪威代表参加。主要由于希尔姆的个人

努力,联盟如此不尊重挪威的地位的情况在19世纪30年代中期由国王予以纠正。他还帮助挪威取得另一胜利:国王在1838年允许挪威商船在各个海域悬挂挪威国旗而不挂联盟的旗帜。

Hien Vuong　贤王(1619?~1687)　又名Hguyen Phouoc Tan。1648～1687年统治越南南方的阮氏家族成员。1655～1661年期间,曾与北方的郑朝进行战争。因欧洲人拒绝给予现代武器和战略支持而迁怒于外国教会,杀戮基督教徒和传教士。他侵占占人和柬埔寨人的领土;实行文官考试制度;设立以开拓殖民地和发展新领土为宗旨的农业署;颁布土地改革法。想得到中国对其统治权的正式承认,但中国仍认北方郑氏家族为正统。

Hiera(island, Italy)　**赫拉岛**　参阅**Vulcano Island** 武尔卡诺岛。

Hierakonpolis　希拉孔波利斯　今名考姆艾哈迈尔。史前时代上埃及国王驻地,埃及历史初期最重要的遗址,在今阿斯旺省。当时的名称是尼肯,约公元前3400年至古王国初期(约公元前2575)最兴盛。曾参加努比亚和上、下埃及之间的战争,后导致埃及在公元前3200年最后统一。1898年进行发掘,发现埃及统一的一些纪念物,如国王纳尔迈的举行典礼用的石板和国王斯科皮翁带有雕饰的石质权杖头。今均藏于开罗博物馆。以后又发现佩皮一世和迈兰拉(第6王朝)的一双巨大铜像。在新王国时期,对岸的卡卜在经济上地位更加重要,但尼肯一直是宗教和历史中心。

Hierapolis　希拉波利斯　又译赫拉波利斯。现称帕穆卡勒。弗里吉亚古城,在今土耳其西南部劳迪塞亚废墟以北约10千米处。在大门德雷斯(迈安德)河支流乔鲁赫河畔,可能为帕加马的欧迈尼斯二世于公元前190年所建。后成为圣城,主要宗教节日为勒托节(以众神之母勒托的名字命名),人们以狂欢仪式对女神表示敬意。该地也崇奉阿波罗·莱尔本诺斯神。罗马皇帝提比略在位期间重建希拉波利斯,一直到1334年发生地震才被废弃。19世纪以来发掘出大批遗迹,其中包括数座浴场,一所体育馆,一个广场和一座拜占廷教堂。

Hierapolis　希拉波利斯　叙利亚古城,今部分为曼比奇(曼比季),在阿勒颇东北约80千米处。3世纪时为叙利亚一大城市,以后衰落。8世纪末,哈伦·赖世德加以重建。12世纪被十字军占领,1175年被萨拉丁夺回,后成为旭烈兀及其蒙古军的大本营,继之被彻底毁掉。

hieratic script　僧侣体文字　古埃及的草写字体形式。从第一王朝(约公元前2925～约前2775)起大约到公元前200年,一直使用。僧侣体是从雕刻或绘写碑铭的早期图画象形文字派生而来,一般用芦苇笔沾墨水写在纸莎草纸上,它的草体形式比正规象形文字更适于书写。最初是竖写,以后又变成从右到左横写。大约在公元前660年之后,古埃及通俗体文字(**demotic script**)在大多数世俗场合代替了僧侣体。但僧侣体仍为僧侣继续使用记录宗教文献,延续达数世纪。

Hierocles OF ALEXANDRIA　**希罗克洛斯(亚历山大的)**(活动时期约430)　新柏拉图主义哲学家。曾随雅典的希腊哲学家普卢塔克学习,并访问过君士坦丁堡,然后定居于亚历山大城,成为该处著名的哲学教师。他为《金言》(据说是毕达哥拉斯写的71行六音步诗句)所作的注释朴实而简明。至于他的另一部著作《天意论》,人们只能从9世纪拜占廷学者福提奥斯的《文库》中看到该书的提要和片断。他反对新柏拉图主义雅典学派所主张的实体的多样性。他在道德和心理学方面的学说是柏拉图哲学、亚里士多德哲学和斯多葛哲学原理的混合物。他的创造学说似乎受了基督教的影响。不要将这位新柏拉图主义者希罗克洛斯与公元1～2世纪斯多葛派的亚历山大人希罗克洛斯相混。

hieroglyph　象形文字　用于图画文字体系中的符号,特指用于古埃及碑铭的书写形式。象形文字可以表示其所描绘的对象,但通常代表特定的语音或音组。象形文字的含义为"神圣雕刻",是埃及成语"神的语词"的希腊译文,曾用于希腊和埃及早期交往中,以便把较早期的象形文字和日常应用的通俗体文字加以区别。现在已将象形文字这个名词的用法扩展到其他文字体系,诸如赫梯象形文字、马雅象形文字以及早期克里特象形文字。埃及象形文字和这些文字并没有联系,只有麦罗埃文字衍生自埃及文字。

埃及象形文字完全由图画组成,因而所描绘的对象不能在每种场合都完全一致。最早的可释读的例子表示象形文字的实际写法,即表现的是语音的音值,而不像爱斯基摩人或美洲印第安人的图画文字。埃及象形文字的本源尚属未知。看来它产生于前王朝末期(公元前2925以前)。当时埃及和美索不达米亚曾有交往,有人设想文字这一概念可能借自苏美尔人。这当然可能,不过即或有此原因,两种文字体系在使用符号上却很不相同,显然其发展也互不相关。

除名字和少数称号外,最古的铭文是无法阅读的。铭文中个别象形文字在许多场合下与后世所知者相同,而铭文的整体意思却含糊不清。显然,这种文字还不能如以后那样完全表示出语音。

第三王朝时期(约公元前2650～约前2575),象形文字的许多书写规则已有定型。此后,在被早期一种科普特文字所取代(约公元前4～约前3世纪)以前,这种象形文字一直使用,几乎没有改变。甚至所用符号始终保持在700个左右也达2 000多年之久。随着公元2～3世纪基督教的兴起,不仅古埃及宗教趋于消亡,连象形文字也随之而同归于尽。埃及基督教徒使用一种稍加修改的希腊字母,也相应地使埃及民族文字普遍被废止。象形文字使用的最后年代,据现存资料所示,见于一块刻制于公元394年的碑铭。

象形文字遵循4条基本原则:①一个象形文字可以用几乎是纯粹的图画形式表示出来。一个人用手对着自己的嘴这个符号可表示"吃",与此相类,一个大圆圈中间画上小圆圈可表示"太阳";②一个象形文字都可表示或暗示图中所提示的另一个词。"太阳"的符号可以容易地用做"白昼"的符号,或表示太阳神瑞(Re)的名字。"吃"这个符号因为图中提示捂嘴,故也可表示更概念化的词"沉默";③符号可用于表现同一序列中具有同样辅音的词。如埃及词"人"和"使发光"都用同样的辅音 hg 拼写,因而可用同一个象形文字;④几个象形文字可表示单个辅音或辅音组合。

古希腊人或罗马人是否懂得象形文字尚无定论。希腊人当然几乎完全不懂,从他们观点看,象形文字并不是语音符号,仅是深奥难解而作比喻用的象征符号。欧洲中世纪的古典文化研究的复兴虽创制许多意大利人设计的象形字,但对深入了解埃及的原始象形文字并无多大作用。

首先试图释读象形文字的德国学者A.基歇尔(17世纪中叶)曾设想象形文字确实是记录语音的符号。尽管他首创正确的假说,却只正确鉴别出一个符号。

1799年,罗塞塔石碑的发现提供了最终释解这件秘笈的钥匙。罗塞塔石碑上铭刻着几种不同的文字:象形文字、通俗体文字、希腊文字。根据石碑中希腊文字部分所称,3种文字内容一致,在碑文的对照翻译方面取得一些重要进展。法国学者A.I.西尔韦斯特雷·德萨西和瑞典外交官J.D.阿克布莱德成功地鉴别出通俗体文字部分中的一些专名。阿克布莱德还正确地给几个符号判定了音值。英国学者T.杨准确鉴别出5个象形文字。另一位法国学者J.-F.商博良完成了全部石碑的释读,使石碑语言读来自然、流畅。商博良16岁就像掌握希腊语和拉丁语一样地通晓6种东方语言。他把符号互相比较,从而判定各个象形文字的音值。其后的各种研究完全是对商博良工作的证实和改进。

Hieron I　希伦一世(?～公元前467或466,西西里卡塔纳)　西西里叙拉古僭主(公元前478～前467或466)。僭主革隆的兄弟,革隆死后希伦便成了叙拉古的统治者。当政时期他利用迦太基当局在西西里的失败(公元前480),大大地加强了叙拉古的国力。他最重要的、也是唯一的成就是在库迈打败埃特鲁斯坎人(公元前474),因而为希腊人保全了坎帕尼亚(今在意大利南部)。在奥林匹亚奉献的一个青铜头盔(现藏英国伦敦不列颠博物馆)上面便有纪念这一事件的铭文。他把纳克索斯和卡塔纳(卡塔尼亚)的居民迁到莱昂蒂尼,使多里安人重新住进卡塔纳(他给它重新命名为埃特纳),同阿克腊加斯(今阿格里真托)结成同盟并支持洛克里安人(意大利南部的)反对雷吉乌姆(卡拉布里亚雷焦)的僭主阿那克西拉斯。虽然希伦在政治上是个暴君,但却是个慷慨大度的文学保护人。诗人埃斯库罗斯、品达罗斯和巴克基利得斯都因受过他的款待而写出优美的作品颂扬他。

Hieron II 希伦二世（？～公元前216或215） 西西里叙拉古僭主（公元前约270～前216或215）。他对马麦丁人进行斗争，最后使他的城市和罗马人结成联盟。公元前276年伊庇鲁斯国王皮洛士离开之后，叙拉古人任命希伦为军队的统帅，希伦同该城首席公民列普提尼斯的女儿结婚借以巩固自己的地位。与此同时，马麦丁人（前叙拉古僭主阿加索克利斯的雇佣兵）攻占了西西里东北部的要塞墨撒拿（墨西拿），并以此为基地骚扰叙拉古人。希伦在迈利附近的一场激战中打败了他们，但是迦太基军队进行干预，使他不能攻占墨撒拿。对他感恩的国人于是选他为国王。公元前264年他再度进攻墨撒拿，马麦丁人向罗马求助。希伦立刻同不久前在西西里登陆的迦太基人的领袖汉诺联合起来，但他们为罗马执政官克劳狄乌斯打败。希伦退回叙拉古。在罗马军队的压力下，他不得不同罗马缔结条约，把他的王国局限于西西里东南部，到东海岸的陶罗美尼乌姆（陶尔米纳）为止。此后他一直效忠罗马人，在布匿战争时期常向他们提供士兵与给养。希伦有一支强大的防御性舰队，并任用著名的阿基米德制造精巧的机械装置来保卫城市。

Hieronymus, Eusebius 希罗尼穆斯 参阅**Jerome, Saint 哲罗姆，圣**。

hierophant 昭圣者 希腊文作hierophantēs。古希腊埃勒夫西斯秘仪的主持者，主要负责在仪式中诵经并在仪式开始时宣布不洁净者退场。昭圣者必须出身尤摩尔浦斯氏族，当选后终身任职，通常都是年高德劭、声音宏亮的独身男子。就职时，要象征性地把原先的名字抛入海中，此后只称昭圣者。举行仪式时他头上束带，身着紫色绣花长袍。

hieros gamos 圣婚 希腊语"神婚"。在神话和宗教仪式中，指繁衍之神的性关系，是以谷物农业为本的社会，尤其是中东社会的特殊信仰内容。每年至少一次，圣者（如代表繁衍之神的人）进行性活动，以确保土地的丰产、社区的繁荣和宇宙的延续。圣婚主要有3种形式：男神和女神之间（主要以塑像为象征）；女神和祭司长（担当神的角色）之间；男神和女祭司（担当女神的角色）之间。在这3种形式中，都有一种比较固定的仪式形式：即送装扮神的人参加婚庆的队伍；交换礼品；双方的洁身礼；结婚宴席；新房和新床的备置；以及夜间秘密的性行为等。据某些传说，这好像已经成为充当繁衍神的神职人员之间一种实际上的性行为；据另外一些传说，它似乎只是一种象征性的结合。次日，人们便开始庆祝圣婚及它会给社区带来的结果。有些学者将"圣婚"这一术语运用于所有包含成双圣物（如天-地）的神话之中，它们的性活动是创造性的。然而，这一术语可能应当仅用于一些农业文明，它们例行再现结婚仪式，并将婚礼与农业联系起来，如在美索不达米亚、腓尼基、迦南、以色列（《雅歌》被认为是神婚习俗中所用的一种诗歌文本）、希腊和印度。

Hierro（Canary Islands, Spain） **耶罗** 参阅**Ferro 费鲁**。

Hierta, Hans 海尔塔 参阅**Järta, Hans 耶尔塔**。

Hierta, Lars Johan 耶尔塔（1801-01-23，瑞典乌普萨拉～1872-11-20，斯德哥尔摩） 瑞典新闻工作者、政治家、瑞典政治和社会改革的主要鼓动家。19世纪20年代曾在瑞典议会（等级议会）的贵族等级中担任文书，眼见瑞典政府日益保守，遂抨击政府。1830年创办自由主义的《晚报》，任该报老板兼主编，直至1851年。在他的领导下，该报以自由主义观点在广泛的范围内反对政府，获得了大量忠实的追随者。19世纪30年代，政府多次企图查禁该报，他将报名稍加改变，如以改名《晚报》第2版、《晚报》第4版等来应付。耶尔塔奋斗的目标为扩大公民权、成立现代议会、普及教育和自由选择职业等。1859年选入议会第三院（中产阶级）后，继续鼓吹改革，终于在1865年建立了现代的两院制议会（仍用等级议会名）。1866～1872年任下院议长。

Higashi-Murayama 东村山 日本本州东京都城市，位于狭山湖之东。其中心区久川镇8世纪为驿站，14世纪末前为地区中心。第二次世界大战前该市为周围产茶区的贸易中心，现为东京-横滨都市区的居民卫星城。生产食品和电器。人口约128 895（1987）。

Higashi-Ōsaka 东大阪 日本本州大阪府城市。1967年由布施、河内和枚冈3镇合并而成。现为大阪的住宅卫星城。市内新兴工业区生产电器、机械、服装布和纸张。生驹山

东大阪市的带顶棚商业街
Design Uni-FPG供图

下为枚冈住宅区。保存有古代陵墓和7世纪的枚冈神社。人口约517 237（1991）。

Higashikuni Naruhiko 东久迩稔彦（1887-02-03，日本京都～1990-01-20，东京） 又称东久迩稔彦亲王（迄1947）。日本亲王和军队司令，日本在第二次世界大战中投降后，为第1任首相（1945-08-17～10-06），是唯一当过内阁总理大臣的皇族成员。他是一位亲王的儿子，与明治天皇的女儿结婚。从日本陆军士官学校和陆军学院毕业后，历任几次军职。1937年任陆军航空总监，1939年成为陆军大将。在第二次世界大战中，日本袭击珍珠港3天后，即被任命为防卫总司令。1945年日本投降后，裕仁天皇要他组阁，指望他的皇族身份有助于医治国家的创伤。他曾主持正式的投降签字仪式（1945-09-02），次月辞职。他于1947年成为平民。最后削发为僧。

Higden, Ranulf 希格登（约1280，英格兰西部～1364-03-12，柴郡切斯特） 英格兰修道士和编年史家，以所著《综合编年史》闻名。1299年在柴郡入圣韦尔伯格隐修院为本笃会修士。希格登的《综合编年史》是记载自创世起到著者的时代为止的通史。他仿效上帝7天创造世界，把书分为7卷，叙述了世界的地理和历史，系根据40种资料来源编成。虽然由于书中记载了一些神奇的事件而损害了该书的价值，但它所提供的关于14世纪的史地和科学知识仍有重大意义。他还著有许多神学著作。

Higginson, Thomas Wentworth（Storrow） 希金森（1823-12-22，美国马萨诸塞剑桥～1911-05-09，剑桥） 美国改革家，南北战争前曾献身废奴运动。1847年哈佛神学院毕业后，在马萨诸塞州纽伯里波特当牧师。1850

美国国会图书馆供图

年《逃亡奴隶法案》通过后，他参加波士顿治安维持会，援助逃亡奴隶。1852～1861年任伍斯特自由教会牧师，对逃亡奴隶A.伯恩斯的解放起过主要作用。他始终支持J.布朗的行动。南北战争中指挥第一南卡罗来纳志愿军和美军中第一个由黑人士兵组成的团。1864年后写传记、历史著作和长篇小说。

Higgs particle 黑格斯粒子 一种假设的遍及各处的基本场的载体。该基本场，通过其与基本粒子相互作用，可作为赋予基本粒子质量的一种手段。此场和粒子以爱丁堡大学的P.黑格斯的姓氏命名，他是首先提出这一假设的物理学家之一。黑格斯场不同于其他基本场（如电磁场）。电磁场构成两粒子间基本力的基础。首先，黑格斯场是一种标量场，即它有量值而无方向。这就是说，其载体（黑格斯粒子）的内禀角动量（或自旋）为零，这与一些力场的载体不同，后者具有自旋。其次，黑格斯场有异常的性质，其零场的能量高于非零场的能量。因此，这些基本粒子只有通过与大爆炸（宇宙起源时的一次假设性原始爆炸）后在宇宙冷却和能量变小时的非零黑格斯场相互作用，来获得质量。质量的多样性是由于不同粒子与黑格斯场有不同的相互作用强度。黑格斯机制在电弱理论中具

有关键作用,该理论将弱力相互作用和电磁力相互作用统一起来,因为它能阐明为什么弱力的载体(W粒子和Z粒子)是重的,而电磁力的载体(光子)的质量为零。然而,迄今还没有黑格斯粒子的实验证据,能直接指出黑格斯场的存在。至于粒子的质量,除了它不应过高于1太电子伏(10^{12}电子伏)外,尚无其他理论指导。也可能有一种以上的黑格斯粒子。因而正在设计一些能量为10到20太电子伏的质子碰撞实验来寻找黑格斯粒子。

High Atlas (Morocco)　参阅**Haut Atlas**大阿特拉斯山。

high bar (gymnastics)　参阅**horizontal bar**单杠。

high blood pressure　参阅**hypertension**高血压病。

High Commission, Court of　高等宗教事务法院(委员会)　英国16世纪由王室设立、用以实施有关宗教改革协定的法律以及对教会实行监督的教会法院。在其存在期间,被用来对付那些拒不承认英国国教教会权威的人士,成了有争议的镇压工具。1534年颁布的最高权力法,奉亨利八世为英国国家教会圣公会首脑,并把巡视、调查、纠正、惩诫正式神职人员和在俗教士的权力授予王室。该法于1535年生效,同时T.克伦威尔被任命为摄政官,被授权行使王室在宗教事务方面的权力,并有权将部分权力授予他认为合适的人。第1个宗教事务总委员会是在1549年按爱德华六世的谕旨召开的。1565年以前,宗教事务委员会成员所做的工作主要还是巡视,其权威也只是暂时性的。但是,宗教改革协定的实施不断碰到困难,枢密院交办的宗教事务又不断增加,从而使这个临时性机构变成了永久性机构,成了正规的特权法院。这种演变正是反映了1570年出现的高等宗教事务委员会这一名称,大约10年后又改称"法院"。面对天主教和清教派等不断地反对国定教会,日益沉重的担子就压在宗教事务委员会成员身上。宗教事务委员会成员的总数,由1549年的24人发展到1633年的108人,他们主要是修院律师、主教以及世俗显要。委员会在司法管辖上与其他教会法院的关系是,既重合又互为上诉级。它只能对某些刑事案件行使司法管辖权,而不能受理双方当事人间的民事诉讼,尽管它在这方面具有上诉管辖权。它的程序一般都要经过最有争议的司职宣誓。拒绝宣誓的人就被立即交付可怕的星法院。同意宣誓的人则必须回答对他提出的任何问题。这样一来,人们或者被迫作伪证,或者为自己的定罪提供根据,两者择一。虽然这种程序是仿自教会法院,但是这里的处罚却一般都是非宗教性的,如罚款或者入狱。宗教事务委员会并不施行拷问或适用死刑。最终摧毁宗教事务委员会的反对力量主要来自清教派、普通律师以及普通法法官。清教派不满宗教事务委员会实施的一些他们认为是偶像崇拜的仪式以及使用司职宣誓。普通律师之所以反对,是起源于世俗法院和教会法院之间传统上的互相敌对。1641年查理一世不得不向议会作让步时,法院被废除。1686年詹姆斯二世又短时间地恢复了这个法院,终于,在1689年被《权利法案》指斥为"非法"和"有害"的法院。参阅**prerogative court**。

High Court of Admiralty　高等海事法庭　英国过去由海军元帅的代表主持的法庭。据《海事黑皮书》称,始创于爱德华一世时期,但实际上大约在1360年由爱德华三世建立。原来只受理英国舰队违纪案件以及海盗行为和海上捕获(在海上缉获的船只和货物)案件,但此时亦受理有关商业和海运的某些民事案件。最初,全国3个不同地区分设3个海事法庭,各由一海军上将主持,15世纪初合并为一个高等海事法庭,由一位海军上将主持。法庭有一名执行法官和数名官员,并建立了各种法律程序。在历史上,海事法庭的司法管辖权包括所有涉及在海上或沿英国各郡海岸水域的英国船只或海员的刑事和其他犯罪行为。16世纪时,刑事案件的管辖权正式移交给海军大臣或其代表和由大法官任命的另外三四名重要人员。早期海事法庭采用与普通法庭相同的审判程序。但由于其管辖权涉及海运和通商案件,具有国际性质,因而最终采用了与欧洲大陆各国相似的以罗马法为基础的司法程序。15和16世纪的海事法庭逐步受理应由普通法院受理的商业和其他案件,因而引起许多涉及管辖权的纠纷。17世纪时普通法院法官地位提高,海事法庭的重要性相对减弱。18世纪的几次大海战扩大了海事法庭处理捕获案件的管辖权。18世纪晚期和19世纪初,作为审理捕获案件的法庭,在国际上具有重要地位。1834年,海事法庭管辖范围内(即海上)的刑事犯罪案件的审判权移交中央刑事法院。1844年的一项法令同时将此项权力移交巡回法庭。海事法庭遂集中于审理海上案件,如海运、碰撞、海上救助等。19世纪中期的两项授权法大大扩大了该法庭的管辖权。上述法令的实施,在该法庭支持下进行工作的海事顾问所提供的可贵协助,以及海运,特别是轮船运输的大量增加,和碰撞、海上救助、货损案件数目及其严重程度的增加,使该法庭成为英国最重要的法庭之一。1875年,根据1873年和1875年的两项司法组织法,高等海事法庭与英国其他重要法庭一同并入高等法院。

High Court of Justice　高等法院　在英格兰和威尔士,指以伦敦为中心的法院系统,由3个拥有初审和上诉管辖权的庭组成,主要是审理民事案件,只是偶然审理刑事案件。这3个庭是:大法官庭,由大法官和副大法官主持,审理涉及遗产管理、抵押、契约、土地买卖的案件;王座庭,由高等法院首席法官主持,审理涉及契约或民事侵权行为的案件,有时也审理刑事案件;家事庭,由一位院长主持,审理婚姻、收养、监护以及其他与家庭有关的案件。高等法院的所有法官都可以在任何庭出庭审案,尽管他们现在通常被指定在某个庭干某项工作。有4次开庭期:米迦勒节(从10月1日至12月21日),希拉里节(从1月11日至复活节前的星期三),复活节(从复活节以后的第2个星期二至春季银行假日、即5月的最后一个星期一之前的星期五)和三一节(从春季假日之后的第2个星期二至7月31日)。高等法院是**高级审判法院**(**Supreme Court of Judicature**)的第2部分,位于上诉法院之下和刑事法院之上。

High God　高位神　又称苍天神或天神(Sky God),人类学和宗教史名词。指至高的神灵。南北美洲、非洲、亚洲北部与澳大利亚的许多未开化民族都信奉这一类神。北美印第安人、中非人与南非人认为雷是高位神所发出的声音;西伯利亚人认为日月是此神的双眼;美洲印第安人认为此神与食物和天有关。高位神的形象因民族信仰而异,但多为男性的、独一的创世者。这种神虽然全能全知,但在创世后即退离自己所造万物,因此祈祷和献祭均不能上达于他。这种神一般无画像,不受崇拜、不见诸神话。人只有在极度危难之时才向他呼救,他也并非有求必应。这种神的名称只有正式入教的人才知晓,最常见的称号是"父"。根据不同的宗教传说,这种神可能是超越物质世界的神性本元,也可能是衰老或无能而为较为活跃又干预世事的神灵所取代,也可能远不可及而几乎被人们所遗忘。

High Holy Days (Judaism)　参阅**yamim nora'im**敬畏节日。

high jump　跳高　田径运动项目。经过助跑获得高度的跳法。跳高设备包括一个半圆形的平坦助跑道区,它所容纳的助跑距离不短于15米。跳高架是两根硬质立柱,中间搭一轻质横杆,一碰即倒。运动员跳过杆后落入另一侧的坑内,坑的面积不小于5米×4米,充以软质材料。立定跳高比赛于1912年奥运会后再未举行。跳高运动员必须单脚起跳。运动员跳高的方法有多种。近乎直体过杆的剪式即东方剪式跳高现已很少使用;平行俯卧过杆式又称西方式;最新的姿势背越式是由1968年奥运会跳高冠军美国选手福斯伯里首创的。各选手可在规定的最低高度以上的任何一个高度上起跳。碰掉一次横杆判为一次试跳失败,失败3次则取消继续比赛资格。成绩按跳过的最高高度计算。若成绩相等,则在最后一个高度或在整个比赛过程中试跳失败次数最少者或试跳总数最少者为胜。参阅**Sporting Record**: Athletics; **Olympic Games**。

High Peak　海皮克　英格兰中北部德比行政郡西北部一区(自治市)。该自治市大部分地区属于德比历史郡,但最北部,包括金特威斯特,属于柴郡历史郡。面积541平方千米。大部在皮克区国家公园境内。在人口密集的大曼彻斯特都市区(西)和南约克郡(东)之间的高地区。该区最高点在奔宁山脉南部,海拔636米。东、北两部为高沼地,西南是岩石裸露的高原和深谷。有一矿泉疗养地可追溯至罗马时代。区内养羊业广布。格洛瑟普和新米尔斯两镇有棉纺工业。巴克斯顿有石灰石开采业。旅游者来此多为爬山、狩猎松鸡和山洞探险。区首府为查珀伦勒弗里斯。人口约 88 900 (1998)。

high place 高地 希伯来语作bamah或bama。古以色列人或迦南人的露天拜神处。在古以色列人于公元前 12 ～前 11 世纪攻占迦南(今巴勒斯坦)以前,迦南人在这些高地上崇拜丰产之神巴力和闪米特女神阿瑟拉。高地上除了筑有祭坛外,往往还树有石柱(神位)和木柱(女神位),这种柱子多半立于树下或树丛中。高地有时还附有焚香坛。美吉多高地是公元前 2500 年的遗物,是目前已知历史最悠久的高地。以色列人一向认为神在高处(如西奈山),因而利用迦南人的高地礼拜自己的上帝雅赫维。本来从事游牧生活的以色列人采纳迦南人崇拜农业丰产神的礼仪和习俗,往往以融合方式将雅赫维取代巴力。这种作法反应强烈,从公元前 12 世纪到公元前 7 世纪末,以色列人的士师和先知纷纷予以谴责,终于在公元前 621 年实行具有《申命记》神学内容的改革,摧毁许多作为礼拜场设的高地。锡安山上的耶路撒冷圣殿成为以色列宗教中唯一合法高地。

High Plains 高平原 美国一平坦的草原地区。有时指大平原南部,有时特指埃斯塔卡多平原北部。按后一意义,高平原可包括得克萨斯州的最北端地带、新墨西哥州东北部、科罗拉多州东部和堪萨斯州最西部。经济以养牛、农业和开采石油、天然气为主。

High Point 海波因特 美国北卡罗来纳州中北部吉尔福德县城市。同温斯顿-塞勒姆(距离 32 千米)和格林斯伯勒(距离 25 千米)形成三市联区。约 1750 年始有居民,1853 年规划,1859 年设市。19 世纪末起成为全国家具制造业主要中心之一。当地南方家具博览会吸引了国内外顾客。其他制造业产品有油漆、化学制品和机器。1924 年建立海波因特大学。人口:市约85 839;格林斯伯勒-温斯顿-塞勒姆-海波因特都会统计区约 1 251 509 (2000)。

high priest 祭司长 希伯来语作kohen gadol。犹太教名词,指耶路撒冷圣殿的首席宗教专职人员。祭司长统管圣殿的经济和行政事务,在第二圣殿期间,负责征税,是公认的国家政治首脑。第 1 代祭司长亚伦是由其弟摩西任命的,以后逐代袭承,终身任职。但到了公元前 2 世纪,发生了有人贿买祭司长之职因而撤换的情况迭起。最后几代祭司长是由政府官员任命或由抽签决定。公元 70 年圣殿被毁,祭司长之职乃废。

high-rise building 高层建筑 达到相当高度、需要使用机械化的垂直交通设施(如电梯)的多层建筑。摩天楼(**skyscraper**)为很高的高层建筑。最早的高层建筑于 19 世纪 80 年代建在美国。出现于地价高涨及人口密集的城市地区,在那里修建房屋时为了少占宝贵的土地,需要把建筑面积一层层向上堆积,而不能横向铺开。高层建筑之所以能够实行,有赖于应用钢框架结构及玻璃外墙。到 20 世纪中叶,此类建筑已成为世界上大多数国家建筑风貌中通常的景色。高层建筑的基础有时须支承极大的重量,通常为深埋地下的混凝土柱墩、桩或箱基。基础最好坐落在坚固的岩石上,但即便基础底下土质较软,也能设法把上面的荷载均匀地分布在土壤中。然而在高层建筑的设计中,最重要的问题是必须抵御大风及地震所产生的对建筑物的横向推力。绝大多数高层建筑都有钢或钢与混凝土建造的框架。这些框架由柱和梁组成。为使框架具有较强的横向刚性,以便抵御风力,可以添加交叉支撑或剪力墙。高层建筑外表面由幕墙组成。幕墙由利用一系列垂直与水平杆件、挂装在框架上的许多非承重薄板组成。这种薄板可由玻璃、砖石或金属制造。高层建筑中上下交通的主要工具为升降机(**elevator**)。由于高层建筑内容纳大量人口,以及高高在上离地面较远,所以设计时需要审慎安排救援与疏散设施。必须有严格的防火标准及设置合格的疏散通道及工具,以便遇到火警、电源故障或其他事故时,确保人身安全。虽然高层建筑原先仅供商业之用,但如今却有多种不同的用途。高层建筑内同时设置办公室、住宅、商店及旅馆等,是常见的情况。参阅 **building construction**。

high school 中学 美国的大多数学制中,指以大约 13(或 14、15)到 18 岁的学生为对象的 3 ～ 6 年制的中等学校。在 4 年制学校里常由低到高分成 1、2、3、4 几个年级。最普通的中学是综合中学,它的课程包括普通学科和专业性学科如商业、贸易和技术等。此外还有许多种类的专科学校,如农业学校、商业学校、贸易或职业学校及职业预备学校等。绝大多数美国中学是公立的,学生免收学费,学校由州政府提供资金,但全国也有一些私立中学,一般由学费和私人捐赠共同提供资金。参阅 **secondary education**。

high seas 公海 在海商法上,指不属于任何一国领海或内水的全部海洋。自欧洲中世纪以来的几个世纪中,一些海洋国家就宣称它们对大片公海享有主权,例如热那亚宣称它对地中海享有主权,英国宣称它对北海和其他公海享有主权。早在 1609 年,荷兰法学家格劳秀斯就提出在和平时期公海向所有国家开放、不受任何国家管辖的海洋自由论。直到 19 世纪,这一理论才成为国际法上一条公认的原则。公海自由在意识形态上是与 19 世纪的其他自由、特别是自由放任的经济原则联系在一起的,而且是由一些海洋大国和商业大国、特别是英国极力提倡的。现在得到承认的公海自由包括航行、捕鱼、敷设海底电缆和管线以及飞机飞越海洋上空等自由。20 世纪后半叶,一些沿海国家为了增加安全和海关税收区,垄断近海捕鱼权利,保留海洋资源,以及开发资源,特别是开发大陆架的石油,曾经提出种种要求。1958 年联合国在日内瓦召开的第 1 次海洋法会议力图制定有关公海的法律,但有许多问题未能解决,特别是关于领海最大宽度的问题。1960 年在日内瓦举行的第 2 次会议,1973 年在加拉加斯举行的第 3 次会议,以及随后在日内瓦和纽约召开的会议上,也都未能解决这个问题。参阅 **territorial waters**。

High Tatras(Slovakia-Poland) **上塔特拉山** 参阅 **Tatra Mountains 塔特拉山**。

High Wycombe 海威科姆 英格兰白金汉郡怀科姆比区城镇。濒临怀河。地处奇尔特恩丘陵和伦敦大都市区边缘。以家具制造业(特别是当地山毛榉木制作的温莎椅)著称。

海威科姆北郊的休恩登庄园
美国不列颠百科全书公司供图

亦有精密仪器制造、造纸和印刷工业。有一些罗马时代遗迹。怀科姆比隐修院现在是一所私立女子学校。镇中心有 18 世纪的小市场和行会会馆以及红狮客栈。19 世纪英国政治家 B.迪斯累里在海威科姆进行了几次竞选活动,并住在附近休恩登庄园里。人口:城镇 71 718,市区 116 361(1991)。

highboy 高屉柜 又称 tallboy。一种高脚五屉柜或双重五屉柜。这个词来源于法语 bois(“木材”)的传讹,在 17 世纪头 10 年末成为英语的普通名词。高屉柜的原型是五屉柜下有带腿的支架。高屉柜下半部通常较上半部宽,装有 3 个同样大小的抽屉。上半部由另一组 3 个抽屉组成,上面再装两三个小抽屉。柜顶装有一块檐板。上下两部分之间为一宽条线脚隔开,线脚中间有时嵌入一块可以移动的搁板。正面一般为平面,偶或制成蛇形曲面。后期式样中,有的在顶部装有一个曲线形或鹅颈弯头顶饰。柜脚通常呈修长的 S 形,拉手和锁眼为黄铜饰物。

higher education 高等教育 1962年联合国教科文组织在非洲召开由 44 个国家参加的高教会议,会上对高等教育作如下解释:“高等教育是指大学、文学院、理工学院和师范学院等机构所提供的各种类型的教育而言,其基本入学条件为完成中等教育,一般入学年龄为 18 岁,学完课程后授予学位、文凭或证书,作为完成高等学业的证明。”但各国对各级教育机构的命名不一,教育体制各不相同,这个解释必然不够全面。世界各国除建立高等教育机构外,又以各种不同方式对那些不能或不拟进入高校,但又愿继续受教育的年满 18 岁的成年人提供接受高等教育的机会。一般说来,这种学习与正式大学相比,其学程较短,学习要求也不严格。这种学习以归入成人教育为宜。

欧洲各国的高等教育主要有 5 种模式,即:以法国为代表的中央集权制,以德国为代表的中央集权与地方分权结合制,以英国为代表的学校自治制,以美国为代表的民主化教育制和以俄罗斯为代表的中央集权制。1808 年拿破仑重建了于 1793 年法国大革命时期废除的中世纪大学,他的中央集权政体决定了当时高等教育的集权性。巴黎大学是法国唯一具有最高权威的高等学府，这一事实充分反映了教育集权制的性质。近年来，法国虽已开始施行分权政策，减少了地方大学在吸引优秀学生方面不及巴黎大学的弱点，但至今全国1/3的学生仍为接受高等教育而奔赴巴黎求学。所有中学学生都必须参加全国中学毕业会考，及格者才可接受高等教育。大学的第1年为预科，年终考试极严，及格者仅占学生人数的30%～40%。及格者在校继续学习三四年，取得学位或文凭。不及格者大都进入附属于大学的学院，两年毕业后授予毕业证书。1968年发生学生骚动后，法国教育部开始进行广泛的教育改革，使法国高等教育接近英美的模式。同法国一样，19世纪德国的高等院校是作为国家机构建立的。但当时各个邦政府企图进行强有力的联邦统一，因此德国高等院校的控制权是由各邦授予的。和法国不同，德国未出现一个单一的高教权力中心。不过，德国却将大学看成是民族思想意志的体现和主要的学术研究机构。这两种概念迅速地影响了欧美各国的高等教育机构。德国大学的入学制度基本与法国相同，在课程设置、考试及学位制度方面，德国比法国灵活些；事实上，德国高校的师生都经常流动，学生经常转学，教授多在四五个大学兼课。英国高等教育的情况不同于德、法两国。英国大学多系私立，对政府不负任何责任；政府亦不在学校管理机构派置代表，学校教职员皆由本校委任。现在各大学虽有90%的资金由国家供给，但学校却享有近乎完全的自治权力。牛津和剑桥这两个古老大学就是这种自治的典型实例。英国大学考试制度的特点是：学生的考试结果必须经过“校外审查人”的重新审阅与评定。这种措施保证了各个学校有统一的学位标准。1969年英国政府设立了第1座高等学府——伦敦开放大学。1971年开放大学为那些愿意进修的在职人员或在家人员设置了通过无线电广播与电视广播进行教学的校外学习课程。这种校外学习还辅以函授、当地学习中心网的辅导与暑期短期培训班。成立初期，学校只授基础课，随着需要和发展，还相继开设文、理、数学、工以及社会科学和教育学院。美国首座高等学府——哈佛大学于1636年草拟的规章制度完全以英国剑桥大学的章程为蓝本。不久以后，新英格兰地区的所有院校都开始改革旧的惯例与传统，以适应新的生活方式。其中对高等院校发展的模式产生影响的有两项改革：①课程的民主化；②由非专业人员组成的董事会充任高等院校内的管理机构。课程民主化始于19世纪，当时的农场主认为他们所需要的不是造就学术研究人才的教育，而是与日益扩张和变化的农业地区人口相适应的文科教育和实用教育。在这种社会压力下产生了一种新型的“政府赠地学院”，其中除一些传统学科外，还增设了农业、兽医、家政、新闻和工程等科系。由于政府赠地学院的兴起，涌现出一种成为美国高等教育特点的观念，即：大学是为其所在地的社区服务的机构。现在美国各大学都认为他们有义务为广大民众服务，其中包括电视节目和可以计算学分和学位的家庭学习课程。大部分青年中学毕业后都进入一个大学学习。人们普遍认为，上完中等学校的美国学生至少应接受两年大学教育，因而出现了进修两年大学课程的“初级大学”。4年制的大学则分大学本部和研究生院两部分；取得学士学位的大学毕业生可入研究生院进修，以取得硕士或博士学位。美国大学，不论是私立的或州立的，都享有很大自由，校长由董事会任命。上述两种大学学生在前两年学习中有3/4的课程规定是人文科学、自然科学、社会科学和美术，其余1/4的课程由学生根据自愿选修。4年制大学的学生到三四年级就可专攻一至两门学科。学生的经济补助有3种来源：①由私人、各种基金会、宗教团体及工业部门提供的奖学金；②联邦政府为奖励科学、工程和卫生领域的优秀学生而设置的奖学金；③学生可借贷的无息或低息的无偿还定期的贷款。许多学生靠着在学校自助食堂或学生中心工作，或在图书馆或实验室作助手所得收入来交学费。俄国于1755年建立了第1座高等学府——莫斯科大学，随后相继建立的有：维尔纳大学、卡科夫大学和圣彼得堡大学。所有这些大学从其诞生之日起就是国家机构。但德国教育的影响却日益使俄国的高等院校纳入西欧高等教育的主流。俄罗斯的高等教育以国家直接管理为特征，在1990/1991年之前基本上由共产党控制。高等院校可分为3类：①文理大学；②专科学院；③综合工艺学院。文理大学旨在讲授人文科学和纯科学，常增设农学、工艺学、医学等学科；专科学院单独讲授如法律、医学和农业一类专业；综合工艺学院讲授与专科学院相似的学科，但有较为广泛的科学基础。俄罗斯高等教育的另一个显著特点是：通过提供广泛的大量的精心准备的函授课程，极大地扩展教育网络。这些课程由无线电广播和电视广播予以补充，并进而由地区学习中心予以增强。因此，许多学生能够在拥有全日或部分时间工作的同时得以接受非全日性教育。学生们在竞争性考试的基础上进入高等教育机构。

世界各国的教育实践表明：①教师从事科研有助于提高教学质量。高等院校教学卓有成效的教师往往能对学生授以科研中的尖端知识。②高度工业化国家中，大量的科研工作系在大学以外的场所进行，因而高等院校与政府的或工业的科研机构之间的合作日益增多。③研究生院的学生来自各种岗位，研究成果能够满足国家的各种迫切需要，故某些国家的研究生院在整个高教体系中发展较快。④随着世界许多地区的妇女在社会、政治、经济等方面无权地位的改变，进入高等院校学习的妇女人数正在持续增长。

Highland　苏格兰高地　苏格兰北部行政区。面积25 304平方千米。包括凯思内斯、萨瑟兰、奈恩郡3个历史郡，罗斯-克罗默蒂历史地区，因弗内斯历史郡（除罗斯-克罗默蒂和因弗内斯位于外赫布里底群岛的部分）以及马里和阿盖尔两个历史郡部分地区。作为英国最大的行政单位，占苏格兰面积的近1/3，但人口不到苏格兰总人口的1/20，是英国人口密度最低的地区。主要的农业活动是畜牧业，特别是低地地区的养牛业和丘陵地区的养羊业。主要农作物包括干草和燕麦，用于生产饲料。捕渔业在港口地区仍然很重要，但商业养鱼，特别是大麻哈鱼养殖，对当地经济的作用更大。主要工业是食品加工，包括鱼类加工和威士忌酒造酒。当地最大的产业是旅游业。因弗内斯为行政区首府。人口约208 600（1999）。

highland fling　高地弗林格　苏格兰民族舞蹈，一种朝气蓬勃、需要高度平衡和精确性的舞蹈。它大概起源于一种战斗之后欢庆胜利的男子独舞。按4/4拍子，包括一系列定点

高地弗林格

美国不列颠百科全书公司供图

表演的复杂舞步。特别富有特点的是一种轻盈的舞步，表演者单脚跃起，同时另一脚在跃起的小腿前后移动。这种舞蹈一般都在苏格兰各地举行的高地运动会上表演。

Highland Games　高地运动会　原为苏格兰高地举行的田径运动会，现指世界任何地

高地运动会中的抛杆比赛

美国不列颠百科全书公司供图

方举行的类似运动会。目前仅在苏格兰就有近40个主要高地运动会，最著名的为布雷马运动会。比赛项目包括赛跑、跨栏赛跑、跳高、跳远、撑竿跳高、链球、掷石锁等。抛杆是高地运动会的特有项目，杆用杉木制成，一端粗于另一端，长约5米，重约40千克，用双手将杆的细端托起，然后将杆抛起，使其在空中翻转，着地后细端必须指向前方。

Highland Park　海兰帕克　美国伊利诺伊州东北部莱克县芝加哥北郊住宅城市。1834年始建白人居民区，1869年设建制。19世纪末至20世纪成为富人住宅区。当地拉维尼亚游乐园（1905）为美国最著名音乐节之一的举办地和芝加哥交响乐团的夏季驻地。人口31 365（2000）。

Highland Park　海兰帕克　美国密歇根州东南部韦恩县城市，为底特律所环抱。19世纪初始建，1889年设村，1918年设市。1910年H. 福特在此创办第一家汽车厂。开始以组装方式生产T型汽车。有克莱斯勒公司管理、技术和研究中心以及福特汽车公司拖拉机厂。设有海兰帕克社区学院（1918）。人口16 746（2000）。

Highlands　高地　又称苏格兰高地（Scottish Highlands）。苏格兰主要自然地理和文化区。其北部地区属于苏格兰高地行政区，南部属于阿盖尔-比特行政区、史德林行政区、伯斯-琴洛斯行政区、安格斯行政区、阿伯丁郡行政区、阿伯丁市和马里。在西海岸的克莱德河口顶端附近的邓巴顿至东海岸斯通黑文一线的西北。有时亦包括西部沿海的内、外赫布里底群岛和阿伦岛以及比特岛。至今仍保留盖尔人的风俗和语言。

Highmore, Joseph　海莫尔（1692-06-13，英格兰伦敦～1780-03，肯特坎特伯雷）　英国洛可可肖像画家。早期作品质朴地仿效师傅内勒的风格，后期肖像作品注意人物个性和

海莫尔绘《帕美勒恳请J. 斯温福德爵士祝福》（1744）
美国不列颠百科全书公司供图

适度的优美。风格上受法国洛可可艺术影响较大。1744年，他为友人S. 理查森的小说《帕美勒》作了12幅插图，表现出贺加斯的风格。

Hightower, Rosella　海托华（1920-01-30，美国俄克拉何马阿德莫尔～2008-11-03/04，法国戛纳）　美国女芭蕾舞蹈家和芭蕾教师。1928年她在堪萨斯城开始学习芭蕾。17岁时在欧洲学习舞蹈，1938～1941年在L. 马辛的俄罗斯芭蕾舞团演出。1961年后在法国戛纳创建古典舞蹈中心。1969～1972年担任马赛歌剧院芭蕾舞团团长，1973～1974年任南锡大剧院院长，1980年任巴黎歌剧院芭蕾舞团团长。

highway　公路　农村或城市的主要道路，其进出口的交通受到限制和管理。参阅**road**。

Higuchi Ichiyō　樋口一叶（1872-05-02，东京～1896-11-23，东京）　日本诗人和小说家。明治时代初期最重要的女作家。樋口夏子的笔名。代表作以东京妓馆地区为题材。

美国不列颠百科全书公司供图

她父亲是东京府的下级官吏，因而她早年过的是小康生活。1889年父亲去世，生活的重担突然落到她一个人肩上。从此她一直供养母亲和妹妹，24岁时即贫病交迫而死。她曾在一个比较知名的诗歌学校学习古典文学数年，她的一个同学发表小说获得成功，因而鼓励她也一试写作作为谋生的手段。1891年她经人介绍认识了一个不甚知名的作家半井桃水，她于1891～1896年间所留下的文学日记，主要就是受半井的启发而写，日记在她去世后以《嫩叶的阴影》为题出版。她的作品敏锐地反映了传统社会向工业化转化时期东京古老商业区的妇女们的生活。作品有《大年夜》（1894）和代表作《青梅竹马》（1895），后者是以在妓馆地区长大的孩子们为题材的精致短篇。

Higüey　伊圭　全称萨尔瓦莱昂-德伊圭。多米尼加共和国东南部沿海低地城市。建于1502年。一直是朝圣中心。现为商业、宗教、

伊圭市的大教堂
美国不列颠百科全书公司供图

行政中心。周围地区产可可、玉米、稻米、牲畜、奶制品。一条自圣多明各东行的柏油公路以该市为终点。二级公路通南北海岸。人口约54 832（1993）。

Hiisi（Finnish god）　**希西**　参阅**Tapio塔皮奥**。

Hiiumaa　希乌马岛　俄语拉丁字母转写作Khiuma。德语、瑞典语称达格岛。爱沙尼亚穆胡群岛的岛屿。位于波罗的海里加湾西北，为群岛3大岛中最北端的一个。隔索埃拉海峡与南面的萨列马岛相望，隔穆胡海峡与东面的大陆相望。地势低洼，面积989平方千米。由海相沉积及石灰岩构成。13世纪德国人和瑞典人定居该岛。1560年、1582年、1721年和1920年先后划归丹麦、瑞典、俄国和爱沙尼亚（1940～1991年属苏联）。东北岸的凯尔德拉村的居民占全岛1/3。主要经济是畜牧业、农业和渔业。人口约11 723（2000）。

hijacking　劫持　指非法夺取行驶中的车辆、飞机或其他交通工具。在20世纪后期，劫持大多是指夺取一架飞机并强迫其改变航线飞往空中强盗选择的目的地。尽管如此，劫持也可以用来指非法夺取诸如铁路车辆、卡车和汽车等交通工具的行为。20世纪20年代在美国（当劫持这个词最初出现时），劫持主要是指在公路上盗窃卡车上装运的私酒或与此类似的在海上劫夺酒类走私船。到了20世纪50年代中期，这个词的含义扩大到了包括劫持装运合法货物的卡车和劫持合法的船只。

劫持飞机也叫空中劫持。美国国内的第一次空中劫持发生在1961年5月1日，当时安图利奥·杜米雷斯强迫商业航空公司的一架正从迈阿密飞往基韦斯特（佛罗里达州）途中的飞机改飞古巴。到1961年年底，已有4架飞机被劫持飞往古巴。有些劫持纯粹是出于金钱的动机，劫机者索要巨额的赎金换取乘客和机组人员的安全。这种企图很少有得逞的。

一种更危险和破坏性更大的劫持从1968年以后开始发生在欧洲和中东。劫机者通常是有政治动机的巴勒斯坦人或其他阿拉伯人，他们夺取了航行中的飞机，威胁要伤害乘客和机组人员，除非他们的某些同志从以色列监狱或其他地方释放。这种新形式的恐怖主义的顶点发生在1970年9月，当时一次持续11天的劫持使300名乘客被作为人质达一星期并毁坏了4架喷气式飞机（在地面上），价值5 000万美元。阿拉伯和其他左倾的劫机者使用武力绑架、监禁甚至有时杀害被迫改变预定路线的航班机上的旅客。这种对国际交通以及对机组人员和旅客的生命与安全的威胁，是自从海盗行为猖獗时期以来所罕见的。有许多人都认为迫切需要达成一项国际协议。但这样的协议是很难达成的，因为有些过分卷入或秘密卷入这些活动的政府为劫持分子叫好，并且认为劫持是一项政治而不是刑事犯法行为。

20世纪70年代早期，劫持的次数继续大幅度增多。1973年美国联邦航空署对每个航班的乘客及其手提行李进行系统的检查。一种能够发现金属物体的电子设备磁强计被

用来检查乘客是否携带武器。乘客随身携带的行李及其他物品被用手或低脉冲 X 射线机器进行检查。检查口和登机门等地设有武装警卫。很多国家，主要是在欧洲，采取了类似的措施，一般证明是有效的。1973 年和 1974 年劫持数目明显减少。但尽管有这些机场防范措施并且大多数西方国家对劫机者判处长期监禁，劫持仍不断发生。

联合国早在 1963 年就开始要求各成员国在一项已在东京起草的针对劫持分子的国际公约上签字。7 年以后，1970 年 12 月 16 日，50 个国家在海牙开会，签订了一个禁止非法劫夺飞机的公约。这项公约特别规定，凡使用武力、以武力相威胁或使用恫吓手段非法劫夺一架飞行中的飞机的行为，都应作为各签字国之间的任何引渡条约中一项可以引渡的犯罪。

1978 年，美国、意大利、加拿大、日本、英国、法国和西德在波恩举行的一次 7 国首脑会议上，号召对那些庇护劫机分子的国家实行广泛的国际制裁。同年，欧洲经济共同体的 9 个成员国同意抵制任何庇护劫机者或拒绝交出被劫持的飞机的国家的航班。取消在欧洲经济共同体各国机场的着陆权的警告被证明是有效的。几个以前庇护劫机者和被劫持的飞机的中东国家不再这样做了。20 世纪 80 年代，劫机仍有发生，但大多数国家采取的安全和惩罚措施也许大大减少了可能发生的劫机数目。最严重的一次劫机事件是 2001 年的 9·11 事件，当时被劫持的客机撞入纽约世界贸易中心和华盛顿的五角大楼。

Ḥijāz, Al- (Saudi Arabia)　**希贾兹**　参阅 **Hejaz** 汉志。

hijiri　**圣**　日本宗教概念，指虽非固有宗教机构要人，却德高望重，在精神方面有影响力的人士。在历史上，"圣"一词用以称呼不同宗教的圣人，如萨满、神道教的山居隐士、道教术士或佛教诵经僧。目前主要指那些不属于正统佛教部派而为平民百姓提供宗教服务的僧人。

Hijra　参阅 **Hegira** 希吉拉。

hike (Egyptian religion)　参阅 **heka** 赫卡。

hiking　**徒步旅行**　指作为娱乐或体育运动的步行活动。特别是对坐着工作的人来讲，徒步旅行是增进健康的自然体操；它既经济又方便，不需要特别设备，又可以自由掌握路程，除在山地外不会过于耗费体力。许多人在周末或假日单独步行，但也有许多人参加由青年俱乐部或其他团体主办的集体徒步旅行。半天徒步旅行的正常距离是 11 ～ 19 千米，全天是 19 ～ 32 千米。集体徒步旅行结合游景和锻炼，沿计划路线在城市郊区举行。欧洲人口稠密的城市周围大多有供人们徒步旅行的小路。像英国的漫步者协会和美国的野外活动协会等团体，提倡徒步旅行，维修人行小路和马道，保障林荫地区、公共场地、风景区内的空旷地带的通行权，同时向徒步旅行者提供食宿方便以及跨国境徒步旅行所需要的资料和服务。徒步旅行是开展其他许多运动所必需的基本锻炼。例如登山就要走很多路。在英国、瑞典和荷兰等国，徒步旅行也是检验健康情况的一种方法，为许多人所采用。

Hikmet, Nazım　**希克梅特**（1902，奥斯曼帝国萨洛尼卡［今希腊塞萨洛尼基］～ 1963-06-02，莫斯科）　又称纳齐姆·希克梅特·让（Nazım Hikmet Ran）。20 世纪土耳其文坛最重要和最有影响的诗人之一。父为奥斯曼政府官吏。本人在安纳托利亚长大，进入土耳其海军学院后不久，便去莫斯科大学攻读经济和政治学。新土耳其共和国建立后，于 1924 年回国时已是马克思主义者，开始为一些报刊工作，展开共产主义宣传活动。由于过激和颠覆活动被判长期监禁以后，于 1951 年永远离开土耳其。从此住在苏联和东欧，为世界共产主义的理想继续努力。他在语言上的练达以及对自由体诗歌和广泛的诗歌主题的介绍，对 30 年代后期的土耳其文学影响很大。他早期自成节律的爱国诗歌得到认可后，又在莫斯科受俄国未来派的影响，放弃了传统诗歌形式，沉溺于极为夸张的想象，使用意想不到的联想，试图减弱诗的成分。后来他的诗歌风格趋于平和，出版了描写 15 世纪安纳托利亚一个革命的宗教领袖的史诗《贝德勒丁长老的史诗》(1936)以及《我的同胞们的群像》，一首 2 万行的叙事诗。虽然他生前的作品受到严格审查，但他去世以后，全部作品于 1963 年得以出版并广泛传播，他成了人民诗人和土耳其左派的革命英雄。他的著作大部分已译为英文，其中有《诗选》(1967)、《莫斯科交响乐》(1970)、《明天前的那天》(1972)、《我不知道我所爱》(1975)。他的剧本也很有名，全剧以激昂有力的散文写成，主要受马克思主义的启发。

Hikobē (Japanese painter)　**彦兵卫**　参阅 **Okada Beisanjin** 冈田米山人。

Hikone　**彦根**　日本本州滋贺县城市。位于琵琶湖东岸。在1603年所建城堡四周发展起来。现为旅游中心，开放古堡和局部旧城镇。沿名古屋—神户高速公路有纺织、水泥和纸浆厂。人口 107 864 (2000)。

彦根市的天守阁
美国不列颠百科全书公司供图

Hikotarō (Japanese soldier)　**八十郎**　参阅 **Maebara Issei** 前原一诚。

hilāl (symbol)　参阅 **crescent** 新月。

Hilaria　**伊莱尔氏草属**　早熟禾科多年生禾草属，约 7 种，原产于北美南部的温暖干燥地区。比朗格氏伊莱尔氏草(*H. belangeri*)及硬饼干草(詹姆斯氏伊莱尔氏草，*H. jamesii*)于鲜绿时为牲畜所喜食。所有种都是重要牧草。其他种还有大硬饼干草等。

Hilaria　**快活节**　罗马宗教中赛比利–阿提斯崇拜体系与伊希斯–俄赛里斯崇拜体系的欢欣鼓舞的日子，前者为 3 月 25 日，后者为 11 月 3 日。赛比利节日是纪念赛比利的儿子和情侣阿提斯的，一年中举行几天，快活节为其中的一天。3 月 15 日纪念赛比利在加卢斯河畔的芦苇里找到阿提斯；3 月 22 日纪念阿提斯自阉；3 月 24 日为他的死斋戒和悼念；3 月 25 日即快活节，欢庆他的复生。快活节的一些活动类似 4 月愚人节时的活动。11 月 3 日为伊希斯–俄赛里斯崇拜的快活节，纪念伊希斯的丈夫俄赛里斯的复生。

Hilarion, Saint　**希拉里翁，圣**（约291，巴勒斯坦塔巴塔［在今加沙附近］～ 371，塞浦路斯）　基督教隐修士、奥秘神学家，在巴勒斯坦根据埃及隐修传统建立多处隐修院。后人了解希拉里翁主要依靠拉丁圣经学家哲罗姆 391 年为他撰写的半神话性的、褒多于贬的传记，其中说希拉里翁的父母不是基督教徒，说他在亚历山大学习并信奉基督教。希拉里翁接受埃及旷野虔修士安东尼的影响，在他身边学习两月。公元 306 年，希拉里翁 15 岁返回巴勒斯坦，在距加沙附近迈乌马村约 11.3 千米的旷野建屋隐修。哲罗姆的传记还说，希拉里翁在萨拉森人中间传教，治病赶鬼。329 年在巴勒斯坦兴建第 1 处隐修院，后来迁往埃及底比斯进行独修，又转赴北非、西西里，最后定居于塞浦路斯。

Hilarion of Kiev　**希拉里翁(基辅的)**（活动时期 11 世纪）　俄罗斯正教基辅都主教，是第 1 位本地出生的都主教，1051 ～ 1054 年任职。已知最早的基辅罗斯著作家和演说家。约 1050 年撰写具有古典风格的颂词，献给基辅大公圣弗拉基米尔。圣弗拉基米尔是第 1 位信奉基督教的俄罗斯统治者，正教就是他定为国教的。这篇颂词题为《论律法和恩宠》，它不仅颂扬大公将真道引进俄罗斯，而且歌颂全体斯拉夫人。它历述圣弗拉基米尔废除斯拉夫人种种教派而促进基督教和隐修制度发展的经过，结合爱国主义和基督教教义中的普世一体思想，阐明上帝拯救全人类的通盘规划。

Hilarius　**伊拉里于斯**（活动时期1125左右）　中世纪诗人和漫游学者。P. 阿伯拉尔的学生,与安茹的昂热地方有联系。他用拉丁文写的轻快诗颇具魅力,其中有几首献给英国人,因此引起一个毫无根据的说法,说他本人是英国人。他的名声在于3部拉丁文宗教剧,其中两部剧作中都有法语迭句乐曲。两者都紧密仿照《圣经》中的叙述。第3个剧作写的是关于圣尼古拉形象的传说。以上3剧在格律、生动性和戏剧感染力方面都各有差异。

Hilary, SAINT　奚拉里,圣(?,撒丁~468-02-29)　教皇(461~468在位)。449年他代表教皇利奥一世出席以弗所会议,在会上反对废黜君士坦丁堡牧首弗拉维安。弗拉维安极力向罗马教会申诉,利奥一世遂发表著名的《案卷》,谴责异端优迪克主义(认为基督人性融于神性)。会后奚拉里返回罗马,当选为教皇。

Hilary OF ARLES, SAINT　奚拉里(阿尔勒的),圣(401,高卢北部?~449-05-05,阿尔勒)　阿尔勒主教。429年就任阿尔勒主教后召开多次会议,锐意进行改革;出于热情,干预管区以外的事务。443~444年擅自将贝桑松主教谢利多尼乌撤职而代之以普罗热克图,开罪于教皇利奥一世,结果被剥夺主教管辖权,仅保留主教之位。

Hilary OF POITIERS, SAINT　奚拉里(普瓦蒂埃的),圣(约315,高卢普瓦蒂埃~约367,普瓦蒂埃)　基督教教义师。原为新柏拉图主义者,后来改奉基督教,353年任普瓦蒂埃主教。360年拒绝谴责反对阿里乌主义(**Arianism**)的亚大纳西,因而被罗马皇帝君士坦提乌斯二世放逐到弗里吉亚。流放期间(356~360)写成拉丁文《论三位一体》,后来又写成《论各届宗教会议》,评述阿里乌派所引起的论争始末,号召东派信徒团结反对不信圣父圣子同质的人。晚年在高卢同阿里乌派进行斗争,评注《诗篇》,撰写评述类型学的小册子。他是向西方教会介绍希腊派教义的第1位拉丁文作家,也可能是最早的赞美诗作家,著有抒情诗1卷(约360)。

Hilberseimer, Ludwig　希尔贝赛默(1885-09-14,德国卡尔斯鲁厄~1967-05-06,芝加哥)　德国出生的美国城市规划师。1928年曾在德绍的包豪斯学校创立城市规划系。他是一位有创见的思想家,他的第1个新城规划方案是一座立体的城市,工人住宅建在办公用房和工厂的上面。后来,他又设计出一种带形城市,将居住区和工业区水平地联系起来。1938年赴美国,任芝加哥伊利诺伊理工学院城市规划教授。他应用城市的分散理论为芝加哥作了一个规划方案,还作过区域规划的研究,证明可以把农业、工业和交通组合成一体。其著作有《新城市》(1944)、《新型区域形态》(1949)、《城市的性质》(1955)等。

Hilbert, David　希尔伯特(1862-01-23,普鲁士柯尼斯堡~1943-02-14,德国格丁根)　德国数学家,整整一代国际数学界的巨人。1884年在柯尼斯堡大学获博士学位,1886~1892年在该校任讲师,1892~1893年为副教授,1893~1895年为正教授。1895年以后一直在格丁根大学任教授。由C.F.高斯、P.G.L.狄利克雷和B.黎曼于19世纪开创的格丁根的生气勃勃的数学传统在20世纪的头30年中主要由于希尔伯特而更为显赫著名。格丁根的数学研究所吸引着来自世界各地的学生和访问学者。1888年他以一种高度独创的方式发展了有关不变量的数学,他证明了不变系的基的有限性。1897年发表关于代数数论的报告,不但总结了该分支的发展而且指出以后发展方向。1899年出版了《几何基础》,标志着几何学的公理化处理的转折点。1900年在巴黎召开的第二届国际数学家大会上所作的报告《数学问题》中,列举了23个研究问题,不但总结了几乎他那个时代的数学的一切方面,并且对20世纪的数学发展产生了巨大的影响。大约在1909年左右,他的关于积分方程的工作,直接导致了泛函分析的研究,并且为无穷维空间(后来称之为希尔伯特空间)的研究建立了基础,并且他自己还把它应用于数学物理,获得了世界性的声誉。1910年获匈牙利科学院第2次颁发的鲍耶奖。1939年由瑞典科学院第1次颁发的米塔-列夫勒奖授予他和法国数学家É.皮卡。1930年,即他从格丁根退休的一年,柯尼斯堡市授予他荣誉市民称号。他在题为《认识自然和逻辑》的讲演中的最后说,"我们必须知道,我们必将知道",总结了他献身数学并以毕生精力使之发展到新水平的激情。

Hilda OF WHITBY, SAINT　希尔达(惠特比的),圣(614,诺森伯里亚~680-11-17,英格兰约克惠特比)　基督教女教士。约于627年与叔祖父诺森伯里亚国王埃德温一同受洗入教,后来任达勒姆城哈特尔浦女隐修院院长,654或655年起负责抚养继埃德温之位的国王奥斯威之女。奥斯威将斯特里奈沙尔克(今惠特比)一处地产赠与她,约657年她在该地成立分别收容男女修士的隐修院。663或664年惠特比会议在该隐修院举行,会议由奥斯威召集,目的是解决关于复活节日期的争论。在会上,希尔达拥护凯尔特教会,反对诺森伯里亚主教圣威尔夫里德所领导的拥护罗马教会的威尔夫里德派。但奥斯威决定接受威尔夫里德派的主张,希尔达服从。

Hildebrand (pope)　希尔得布兰德　参阅 **Gregory VII, Saint** 格列高利七世,圣。

Hildebrand, Adolf von　希尔德布兰德(1847-10-06,德国马尔堡~1921-01-18,慕尼黑)　德国雕刻家,于19世纪最早提倡雕刻脱离绘画而独立的美学,在《造型艺术中的形式问题》(1893)一书中极其有效地传播了这一理论,促进了现代雕刻理论基础的建立。最初就读于纽伦堡艺术学校,后从慕尼黑雕刻家楚姆布施和柏林雕刻家西默林学习。1872~1897年在意大利结识艺术理论家菲德勒和画家马雷,他们关于形式的艺术观点对希尔德布兰德的雕刻美学理论产生了根本性的影响。其最重要的作品是慕尼黑马克西米连广场上的《维特尔斯巴赫》喷泉。尽管他强调纯形式的理论导致了抽象派雕刻的产生,但是他自己的作品仍然坚守严谨的形式和学院派的结构。

Hildebrand, Joel H.　希尔德布兰德(1881-11-16,美国新泽西卡姆登~1983-04-30,加利福尼亚肯辛顿)　美国教育家和化学家,他的专著《溶解度》(1924出版,后来的版本题为《非电解质溶解度》)是近半个世纪经典性的参考书。他在伯克利加利福尼亚大学度过自己的大部职业生涯,先后担任文理学院和化学学院院长。他作为一个著有200多篇科学论文和许多化学教科书的作者,被国内外聘请为顾问和讲演人。为表彰他在第一次和第二次世界大战期间所作的研究工作和咨询服务,1918年授予他卓越服务奖章,1948年授予他国王勋章(英国)。还出版有《分子运动原理导论》(1963)和《化学原理》(1964,第7版)等书。

Hildebrandslied　《希尔德布兰德之歌》　英语作 Song of Hildebrand。古高地德语头韵诗体的英雄歌谣,主题是父子两人为荣誉而进行决斗的宿命论故事。该歌谣只残存片断,800年左右最初见诸于文字,是古高地德语英雄诗唯一残存篇。它的主人公希尔德布兰德出现在日耳曼传说里,是一个老战士、魔术师,是东哥特国王狄奥多里克大王在诗歌中的化身——狄特里希·封·贝尔恩的顾问和兵器总管。在《希尔德布兰德之歌》里,这位主人公被年轻斗士哈都布兰德的挑衅行为所逼而进行决斗,但后者并不知道希尔德布兰德就是他的生父。虽然这首诗到此中断没有结尾,但是毫无疑问希尔德布兰德杀死了他的儿子。

Hildebrandt, Johann Lucas von　希尔德布兰特(1668-11-14,热那亚~1745-11-16,维也纳)　奥地利巴罗克风格建筑师、军事工程师。他的作品对18世纪中欧和东南欧建筑有深刻的影响。他设计建造的作品有教堂、别墅、府邸、住宅等,广为他人仿效,他的建筑理论也传遍哈布斯堡帝国和国外。曾在罗马攻读建筑、城市规划和军事工程,参加过奥地利帝国军队和3次皮埃蒙特战役(1695~1696)。后迁居维也纳,从事民用建筑事业。1700年任欧根(萨瓦的)亲王的宫廷建筑师,并在维也纳、萨尔茨堡和德国南部为奥地利贵族修建府邸。他深受巴罗克风格建筑师J.菲舍尔·冯·埃尔拉赫的影响。菲舍尔死后,他成为宫廷总建筑师。他的建筑风格主要脱胎于法国路易十四时期和意大利巴罗克后期的典型,尤其受意大利建筑师G.瓜里尼波形墙的影响。他在建筑装饰方面,常设计新纹样,将房屋外观处理得富有图画般的效果。他最杰出的作品有:维也纳的观景楼,欧根亲王的夏宫(1700~1723),维也纳西北部格勒斯多夫附近的申博恩城堡(1710~1717),萨尔茨堡的米拉贝尔府邸(1721~

希尔德布兰特设计的维也纳观景楼
美国不列颠百科全书公司供图

1727)，以及德国维尔茨堡的主教府(1729～1737)等。

Hildegard，SAINT　希尔德加德，圣(1098，西法兰克尼亚博克尔海姆[今在德国]～1179-09-17，宾根附近鲁珀茨贝格)　德意志女隐修院院长，多次见异象的神秘主义者。出身贵族，曾在迪西博登堡的本笃会隐修院从施潘海姆伯爵之妹尤塔学习，1136年继尤塔为该院副院长。自幼屡见异象，43岁时将此事告知她的告解司铎。一位修士协助她记述这种经验。该书叙述26次异象景况，其中有的预表未来，有的传达天主启示，其内容涉及教会、天主与人的关系、赎罪之道等。1147年率领几名修女前往宾根附近鲁珀茨贝格另立隐修院，继续说预言和记录所见异象。希尔德加德的其他著作有圣徒传记若干种，两篇关于医学和博物学的论文和书信多篇。

Hilden　希尔登　德国西北部北莱茵-威斯特法伦州城市。位于杜塞尔多夫东南，濒莱茵河东岸支流伊特尔河。1169年首见记载。1861年设市。名胜古迹有文艺复兴时期的医生、“德国外科之父”W.法布里的诞生地以及早期城防工事等。工业多样化，主要传统产品是金属制品和纺织品。邻近的希尔登荒野是珍贵植物保护区。人口约53 725(1989)。

Hildesheim　希尔德斯海姆　德国中北部下萨克森州城市。位于汉诺威东南，哈茨山麓，临因纳斯特河。原为科隆—马格德堡商路的贸易站。公元815年建为主教管区，因

希尔德斯海姆市的圣米迦勒教堂
美国不列颠百科全书公司供图

该地有一棵“千年蔷薇”(可能只有300～500年)在大教堂东高坛上方怒放。在11世纪发展为文化中心。1300年成为汉萨同盟一员并建制。1803年并入普鲁士，1815年隶属汉诺威。第二次世界大战战火几乎摧毁所有古建筑，其中有些已经修复。古建筑中以大教堂和圣迈克教堂最为知名，两建筑均于1985年被联合国教科文组织列为世界遗产。勒梅尔-佩利察奥伊斯博物馆有著名的古埃及、古希腊、古罗马收藏品。生产烹调用具、农业机械、收音机和电视机等。人口约103 245(2003)。

Hilferding，Rudolf　希法亭(1877-08-10，维也纳～1941-02，巴黎)　奥地利出生的德国政治家，维也纳马克思主义运动的主要代表。1923和1928年在两届德国社会民主党政府中任财政部部长。他学医时转向社会主义，1906年在柏林德国社会民主党训练学校任教导员。他的《马克思研究文集》(1904～1922)中的第1卷《柏姆·巴维克对马克思的批判》(英文版1966)，是他对马克思主义思想的贡献。在《金融资本》(1910)一书中他认为银行对工业日益增长的影响导致垄断和卡特尔，并通过垄断和卡特尔导致经济帝国主义和战争。1907～1915年间，他担任德国社会民主党主要刊物《前进报》的政治编辑。第一次世界大战爆发时，应征加入奥地利部队后，在意大利前线当军医。约于1920年入德国籍，任独立社会民主党机关报《自由报》的主编。自1924年起任国会议员，直至1933年逃出希特勒德国。他为流亡国外的德国社会党人起草了布拉格纲领(1934-01)。他被法国人逮捕并交给纳粹分子，后被人发现吊死在巴黎牢房。

Hilgard，Ferdinand Heinrich Gustav　希尔加德　参阅 **Villard，Henry** 维拉德。

Hiligaynon　希利盖农人　又称伊隆戈人或帕奈人。菲律宾的大文化语言集团，居住在班乃岛、内格罗斯岛西部、民都洛岛南部、塔布拉斯岛、朗布隆岛、锡布延岛、吉马拉斯岛及马斯巴特岛西北部。20世纪70年代中期，人口约420万。希利盖农人操奥斯特罗尼西亚(马来-波利尼西亚)语系的比萨扬语。按照地理条件及文化关系来看，希利盖农人地区的中心地带在班乃岛与内格罗斯岛之间的海峡两岸。班乃岛上的怡朗城和内格罗斯岛上的巴哥洛城是该地区的经济和行政中心。多数希利盖农人住在小农村，主要的经济活动是农业，偶尔从事捕鱼。主要的作物是稻谷、玉米、甘蔗和椰子。

Hill，A(mbrose) P(owell)　希尔(1825-11-09，美国弗吉尼亚卡尔佩珀～1865-04-02，弗吉尼亚彼得斯堡)　美国南北战争时期的南部邦联将领，在首都华盛顿周围地区的战斗

美国国会图书馆供图

中表现极为活跃。所率“轻骑师”被认为是南方最精良的部队之一。1847年毕业于西点军校。南北战争爆发时参加南部邦联军队，时为上校，后升准将。参加过半岛战役。不久又晋升少将，率“轻骑师”参加“七天战役”。他在阻击联邦军队对R.E.李将军右翼的袭击中起过决定性作用。1863年5月在钱瑟勒斯维尔战役中负伤。后晋升中将，指挥第3军，在葛底斯堡战役中战功卓著。1865年在彼得斯堡战役中阵亡。

Hill，A(rchibald) V(ivian)　希尔(1886-09-26，英国格洛斯特郡布里斯托尔～1977-06-03，剑桥)　英国生理学家、生物物理学家。由于发现肌肉产热过程，证明在缺氧时肌力

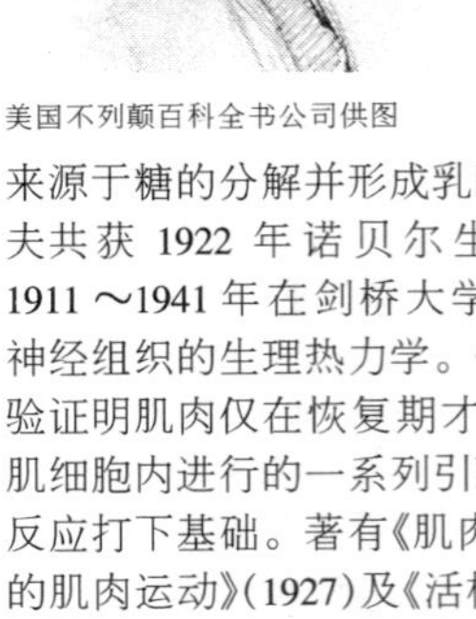

美国不列颠百科全书公司供图

来源于糖的分解并形成乳酸，而与O.迈尔霍夫共获1922年诺贝尔生理学或医学奖。1911～1941年在剑桥大学开始研究肌肉和神经组织的生理热力学。他用蛙的股肌做实验证明肌肉仅在恢复期才需氧，从而为发现肌细胞内进行的一系列引致收缩的生物化学反应打下基础。著有《肌肉活动》(1926)、《人的肌肉运动》(1927)及《活机器》(1927)等。曾推导出一个血红蛋白摄氧的数学式——“希尔氏方程式”。

Hill，Aaron　希尔(1685-02-10，伦敦～1750-02-08，伦敦)　英国诗人、剧作家和小品文作

家。他用英文改写伏尔泰的《扎伊尔》(1736)和《梅罗珀》(1749)相当成功。学校毕业后，游历近东。后出版《奥斯曼帝国现状详介》(1709)。曾翻译韩德尔的歌剧《里纳尔多》的意大利文脚本并在伦敦秣市剧院上演。1718年写成《北方明星》献给俄皇彼得大帝。大帝下令颁给希尔一枚金质奖章，表示感谢(奖章却从未送到)。蒲柏在《群愚史诗》里讽刺希尔，而希尔在《才智的进程》(1730)中予以驳斥。他给蒲柏等人的信发表于1751年。

Hill, Abigail 希尔 参阅**Masham, Abigail** 马沙姆(男爵夫人)。

hill, abyssal (deep-sea formation) 参阅**abyssal hill** 深海丘陵。

Hill, David Octavius; and Adamson, Robert 希尔和亚当森(希尔1802，苏格兰珀斯珀斯～1870-05-17，爱丁堡附近的纽因顿；亚当森1821，苏格兰贝伦西德～1848-01，圣安德鲁斯) 苏格兰摄影家，他们共同创作了一些19世纪最出色的人像照片。希尔原是一个风景画家，19岁时因出版了一组石版风景画而出名，他是苏格兰皇家学会的创始人，并在该组织任干事达40年。1843年，希尔决定画一幅苏格兰自由教堂奠基的大型纪念画，为了精确地记录几百个出席奠基典礼的代表的特征，希尔决定给每个代表照一张人像照片。他请求化学家亚当森合作。亚当森花了一年的时间用卡罗式照相法(一种用像纸底片拍摄的方法)拍摄人像。他们采用卡罗式照相法而不用达盖尔照相法，是因为用前者能压缩细节，通过突出脸部和双手来着重表现人物的风貌。他们拍摄的雕刻家J. 亨宁(1849前)、M. 肯普(1845前)的肖像，以及建于爱丁堡的司各特爵士纪念像的照片，表现了他们对形式和构图的独到的见解，以及对明、暗巧妙的运用。希尔和亚当森不仅拍摄知名人士，而且还拍摄了爱丁堡的许多景物。他们也在小渔村拍摄出一些最好的作品，如《苏格兰渔妇》(1849之前)。在5年合作期间，他们创作了约1 500幅照片。

Hill, George Washington 希尔(1884-10-22，费城～1946-09-13，加拿大魁北克马塔佩迪亚) 美国烟草商人。由于他努力推销，许多妇女开始吸烟。1904年在威廉斯学院肄业，开始在其父担任副总经理的美国烟草公司工作。1911年由于一次反托拉斯的大讼案，公司分为4家相互竞争的商号。老希尔任新的美国烟草公司总经理，希尔任销售经理。6年之后，他们购得红光牌商标。希尔将这种新烟当作宠儿，亲自筹划销售与广告活动，到1926年这种香烟销售额占全国香烟销售额的1/5。希尔成为公司总经理。次年(1927)他第1次面向妇女作广告宣传，女电影明星与歌手赞颂红光牌，在实业界轰动一时。不久红光牌香烟控制了美国香烟销售额的38%。在大萧条初期，公司仍在兴旺，希尔薪金总额已达200余万美元。他坚信广告的作用，不惜重金投资购买无线电广播广告节目时间。

Hill, George William 希尔(1838-03-03，纽约市～1914-04-16，美国纽约西奈阿克) 美国天文学家，1877年率先用不定行列式分析月球近地点的移动，还提出过有关木星和土星的运动理论。他所提出的有关行星影响月球运动的理论受到人们的重视，被认为对天体力学的发展有根本性的意义。1887年，他因研究月球的运动有成绩而获英国皇家天文学会金质奖章；1898年获法国科学院达马伊斯坎奖。1874年当选美国全国科学院院士，1902年当选英国皇家学会会员。1894～1896年任美国数学学会主席。

Hill, (Norman) Graham 希尔(1929-02-15，伦敦～1975-11-29，伦敦附近) 英国赛车运动员。1962和1968年获世界大奖赛冠军，1966年获印第安纳波利斯500英里赛冠军。1954年首次参加比赛。1960～1966年为英国赛车公司参加比赛，1962年获荷兰大奖赛冠军，初露头角。共参加176次大奖赛(在这个数目上超过其他一切赛车运动员)，获胜20多次。1972年获勒芒24小时耐力大奖赛冠军。

Hill, James Jerome 希尔(1838-09-16，安大略的圭尔夫附近～1916-05-29，美国明尼苏达圣保罗) 美国金融家和西北部铁路建筑家。约于1870年在圣保罗定居后，在密西西比河和雷德河上建立了运输线，并安排与圣保罗一太平洋铁路互换接运。1873年这方面失利，他联络一些加拿大资本家开办圣保罗-明尼阿波利斯-马尼托巴铁路公司，1882年任总经理。大北铁路公司1890年并入圣保罗铁路后，希尔先后任总经理(1893～1907)和董事长(1907～1912)。希尔还控制了北太平洋铁路公司和芝加哥-伯灵顿-昆西铁路公司。他也热心银行业，曾任北方证券公司总经理。1912年又控制圣保罗第一和第二国民银行，并将两行合并。著作有《进步之路》(1910)。

Hill, Joe 希尔(1879-10-07，瑞典耶夫勒～1915-11-19，美国犹他盐湖城) 又称Joe Hillstrom，原名Joel Emmanuel Hägglund。瑞典出生的美国歌曲作曲家、世界产业工人联盟组织者。因被指控犯有抢劫杀人罪而被处决，使他成为激进的美国劳工运动烈士和人民英雄。出生于保守的基督教信义会家庭，全家都是业余音乐家。1902年由瑞典迁美后到处流浪，以各种职业谋生。1910年加入世界产业工人联盟圣佩德罗(加利福尼亚州)分部，不久任书记。第二年，他的第一首也是最著名的民歌《传教士和奴隶》刊登在该联盟的《小红色歌册》上。他的大部分歌曲主题都是有关季节性工人、血汗工厂的移民工人和铁路雇员的，具有幽默感和朴素的马克思主义色彩。1914年1月10日晚他从盐湖城几个朋友家里出来，次日返回时胸口带有一处枪伤。那天晚上发生了一起抢劫案，一个杂货商及其子被杀。希尔被捕并被指控犯有谋杀罪。但现场证据不足，警方及公诉人却不考虑其他嫌疑犯，希尔完全采取不合作态度，最后辞退了他的律师。审讯10天后即判希尔死刑，法律上诉无效。尽管群众示威游行并指责当局判罪是因为他的激进主义，尽管威尔逊总统向犹他州长呼吁，他还是被枪决。1915年11月18日，即临死前一日，他打电报给世界产业工人联盟主席B. 海伍德："再见了，比尔，我死得像个真正的叛逆者。不要浪费时间哀悼我，组织起来吧。"为纪念希尔，1925年诗人A. 海斯写了以他的名字为题的著名歌谣。

Hill, John 希尔(约1716，英格兰彼得伯勒？～1775-11-21，伦敦) 英国作家、植物学家。他以林奈的命名法为基础撰写了第1部有关英国植物区系的著作。曾在药店学徒，后自己在伦敦开设药房，业余时间研究植物学。以后受雇于里奇蒙公爵和彼得勋爵，为他们管理植物标本，并到各地旅行，为他们收集稀有植物。当这些工作不能增加他的收入时，他转而从事著述，写了剧本、小说以及博物学、医学、天文学和地质学文章。1746～1750年编辑《不列颠杂志》(月刊)，并为《伦敦广告报》及《文学报》每日社会闲话栏撰稿，所写的讽刺作品常将他卷入剧烈的争吵之中。他从事植物学研究的时间最久。1759年发表《植物系统》(对开本26卷)的第1卷。这本书包括1 600件铜凹版印制的图版，记载了26 000种不同的植物。这部巨著直到1775年才告完成，他为此获得瑞典国王授予的瓦萨勋章。此后他自称约翰·希尔爵士。

Hill, Matthew Davenport 希尔(1792-08-06，英格兰沃里克郡伯明翰～1872-06-07，格洛斯特郡布里斯托尔附近斯泰普尔顿) 英国律师和刑罚学家。他对如何处理罪犯曾提出过很多改革建议，这些建议在英格兰被制定为法律。曾在伦敦的林肯律师学院攻读法律，1819年获得律师资格。在担任了一届下院议员(1832～1835)之后，接着任伯明翰市法院记录法官(1839～1865)和布里斯托尔区的破产执行官(1851～1869)。他认为通过在监狱中进行改造，根据罪犯在整个服刑期间的良好表现可予以释放，对不可救药的分子则不给假释而实行终身监禁，这样就可以预防犯罪。经国会通过的1853年和1864年的《惩役法》，就是根据这些原则制定的。希尔的著作中有《关于制止犯罪的建议》(1857)。他的工作由他弟弟弗雷德里克·希尔(1803～1896)的工作加以补充，其弟著有《犯罪的数量、原因及补救的方法》(1853)，反映了他作为苏格兰监狱检查官的经验。

Hill, Octavia 希尔(1838-12-03，英格兰剑桥郡威斯贝奇～1912-08-13，伦敦) 英国绿地运动的倡导人，1895年创立历史文物及自然风景区保护会。也是住宅问题改革者，她的住宅建设管理方法为英美和欧洲各国广泛效法。希尔于1853年认识了J. 罗斯金，受他的影响甚深。后由罗斯金提供资金，于1864年在伦敦一贫民区实施她的第一个住宅建设方案。次年她的计划又不断发展扩大。1884

年，她负责伦敦萨瑟克区的住宅建设工作，训练了一批妇女参加群众住宅的管理。1869年与E.丹尼森成立一慈善协会，对贫苦居民的居住条件和生活方式进行调查研究。当她了解到伦敦贫民区的拥挤环境后，主张城市中必须保持一定的绿地。她的事业得到了她的几位姊妹，特别是著名的教师和改革者米兰达（1836～1910）的支持。

Hill, Patty Smith　希尔（1868-03-27，美国肯塔基安克雷奇～1946-05-25，纽约市）　美国女教育家。她将福禄培尔的理论体系加以改进，将进步的教育思想引进幼儿教育之中，重视儿童的创造力和本能。希尔原是幼儿园教师，后来任肯塔基州路易斯维尔自由幼儿园协会主席，自1906年起任哥伦比亚大学师范学院教师达30年之久。她设置的课程强调让儿童直接接触自然对于创造性地表达思想的重要性。希尔所发明的希尔式大型积木，广泛应用于幼儿园。1924年她协助成立哥伦比亚大学儿童福利研究所，1925年帮助成立全国幼儿教育协会，参与其活动，发展幼儿学校多所。她于1908年当选为国际幼儿园联合会主席。与M.J.希尔合著有《幼儿园歌曲故事集》（1893）及《幼儿园及小学一年级操行课程》（1923）。

Hill, Phil　希尔（1927-04-20，美国迈阿密～2008-08-28，加利福尼亚蒙特雷）　美国赛车驾驶员，1961年获世界汽车比赛冠军，是取得这种荣誉的第一个美国选手。1949年开始参加赛车比赛。1956年代表费拉里公司参加一级方程式汽车比赛。他在准备车辆和研究行驶路线方面都一丝不苟，严格谨慎。在1961年的比赛中，另一名代表费拉里公司参加比赛的选手本来领先4分，但死于事故，于是将世界冠军称号授予希尔。1958和1961～1962年希尔先后获勒芒24小时耐力大奖赛冠军，1958～1959和1961年先后获锡布灵12小时赛冠军。

Hill, Rowland　希尔（1744-08-23，英格兰萨里霍克斯通帕克～1833-04-11，伦敦）　英格兰基督教公众布道家。曾先后在什鲁斯伯里、伊顿公学和剑桥大学圣约翰学院受教育，深受循道宗的影响，不顾当局反对在露天布道。1783年，他用所继承的遗产在黑衣修士街自建萨里教堂。他没有脱离圣公会，坚持按照该会仪礼主持礼拜。他参与创办圣教书会、英国国内外圣经协会以及伦敦会，并推广种痘。

Hill, Sir Rowland　希尔（1795-12-03，英格兰伍斯特郡基德明斯特～1879-08-27，伦敦汉普斯特德）　英国行政官员、教育家，便士邮费制度的创始人。他开创了后来推广到全世界的现代邮政，并主要因此而知名。其父是一位中学教师，因此希尔对教学问题很感兴趣；他办学约15年，主张学生民主，实行严格的自我约束和强化教学方法。他的兴趣广泛，曾研究印刷术、天文学、数学和运输等。他在1835～1837年间明确建议实行邮政改革，降低信件邮资，因为高邮资会减少邮件的数量，从而影响国家从这方面得到的收入。他主张不同距离远近，规定统一的邮资标准，因为按信件路程收费的繁杂的邮资标准会大大增加计算的费用；他还提出一切邮件预付邮资。为此，他提出了预付邮资凭证的图案，后称之为邮票。希尔不顾官僚主义的敌意，终于在1840年将他的邮政改革计划付诸实施。1860年被封为爵士。

Hill (of Hawkestone and Hardwicke), Rowland Hill, 1st Viscount　希尔（1772-08-11，英格兰什罗普郡霍克斯通～1842-12-10，什罗普郡哈德威克格兰奇）　英国将军，在拿破仑战争中的半岛（西班牙）战役中成为威灵顿公爵的主要助手之一。1790年参加军队。在斯特拉斯堡军校修完课程。土伦之围（1793）时表现良好。在埃及第一次交战（1801）中负伤。1803年升任陆军准将，先后在爱尔兰和葡萄牙（1808）统率军队，在维梅鲁、科伦纳、奥波尔图和塔拉韦拉作战。1810年指挥一个军团掩护南翼，显露出他是威灵顿麾下最出色的将领。次年，由于行军日程准确和进行突然袭击，他在阿罗约莫利诺斯德蒙坦切斯附近粉碎了J.B.热拉尔的师团。他在阿尔马拉斯（1812）和侵入法国西南部的圣皮埃尔（1813）等战役中也取得了胜利。希尔获得巴思勋位。1812年由什鲁斯伯里选入议会。1814年封阿尔马拉斯的和霍克斯通的希尔男爵，1816年封阿尔马拉斯的和哈德威克的希尔男爵。1815年指挥威灵顿的两个军团之一。滑铁卢战役时，他在右翼负责指挥F.亚当的旅向拿破仑近卫团发起冲锋。由于乘骑被射倒，他在混乱中一时失踪。1828年威灵顿出任首相，他接替威灵顿任英军总司令。1842年辞职，去世前不久受封子爵。由于终生未娶，子爵位传给他的侄子。

hill climb　爬山赛　汽车或摩托车在山路上进行的短程比赛。终点比起点至少要高350米。曲折不平的山路也许比陡坡具有更大的挑战。现代爬山比赛为计时赛，每次1人，独自进行。各种车辆，包括轻型汽车、老式汽车、古典式汽车和普通型汽车都可参加，但须遵守严格的安全规则。摩托车爬山赛多在欧洲举行。

Ḥillah, Al-　希拉　伊拉克中部城镇。临幼发拉底河东支希拉河；与北面的巴格达通公路和铁路。10世纪建于幼发拉底河东岸。12世纪在西岸建起新城。古时位于从巴格达至库法的朝圣路线上。当时伊拉克最重要的城市之一。现为繁荣的河港和谷物市场。19世纪希拉河水流减少，影响了当地农业。1913年建成欣迪耶水坝，导入较多河水。人口约215 249（1985）。

Hillary, Sir Edmund (Percival)　希拉里（1919-07-20，新西兰奥克兰～2008-01-11，奥克兰）　新西兰登山运动员、南极探险家。与尼泊尔登山运动员登京格·诺尔盖一起最先登上世界最高峰珠穆朗玛峰（埃佛勒斯峰，8 844米）。1951年随新西兰登山队到喜马拉雅山脉中段，并对珠穆朗玛峰的南坡进行勘察。1953年参加英国登山队，5月29日登上珠穆朗玛峰，为此7月16日被封为爵士。1955年出版《登高冒险》，记述登山壮举。60年代初屡次前往珠穆朗玛峰一带。1955～1958年率领新西兰队参加英联邦横贯南极探险队，1958年1月4日乘拖拉机到达

美国不列颠百科全书公司供图

南极。1967年再去南极，第1次登上赫舍尔山（3 335米）。1977年率人乘喷水艇溯恒河而上，后又步行直到喜马拉雅山区恒河之源。多年来，他获得了诸多荣誉，包括在1995年获得的嘉德勋章。但他为人谦虚，关心尼泊尔喜马拉雅地区当地居民。1960年建立喜马拉雅基金会，通过该基金会为夏尔巴人修建学校、医院和机场。2003年成为尼泊尔荣誉公民。

Hillegom　希勒霍姆　荷兰西部南荷兰省城市。濒临围绕哈勒默梅尔圩田的环形运河。荷兰球茎植物种植区的两大商业中心之一。该市有泰斯隆花展植物园（1949）和球茎花卉交易会。每年4月"郁金香星期日"花卉游行从该市、利瑟和萨森海姆3地轮换出发。亦有蔬菜种植、牲畜饲养和轻工制造业。人口约20 674（1999）。

Hillel　希勒尔（活动期公元前1世纪后半期～约公元1世纪初25年间）　犹太教圣人和圣经注释家。生于巴比伦境内并在此受教育，青年时前往巴勒斯坦，从法利赛派进修《圣经》和口传律法。希勒尔并没有制订解释《圣经》所必须遵循的规则，但他主张自觉而慎重地进行注释，以求正确理解内容。他是循循善诱的导师。他无论是用阿拉米文还是希伯来文写作，文笔都简练警人。因此他的警句流传至今。《先贤箴言》收希勒尔的语句较其他塔木德圣人为多。作为希勒尔学院的领导，他解经不拘泥于词意，而是使人理解经文和律法的真意，这种治学方法受到广泛的赞同。希勒尔了解当代的社会需要和经济需要，重视《圣经》的词句与精神的潜在力量，他采用说理的方法阐明自己的观点；因此，后世大多数学者都根据他所提出的方法讲授《塔木德》而且以之为标准。

Hillel ben Samuel　希勒尔·本·撒母耳（约1220～约1295）　又拼El-al ben Shachar。犹太医学家、塔木德学者、哲学家。1289～1290年，12世纪犹太教哲学家迈蒙尼德的著作受到非难和抨击，希勒尔为迈蒙尼德的思想辩护，并指责12世纪西班牙-阿拉伯哲学家阿威罗伊的门徒，认为这场争论是由于他们否认个人灵魂不死而引起的。据说他的活动地域主要在意大利的维罗纳、那不勒斯、卡普阿和西班牙的巴塞罗那。主要著作《灵魂

的报应》系统地驳斥了阿威罗伊的观点。他主张:“灵魂实在”,灵魂不死;人的灵魂来自宇宙灵魂。

Hiller, Ferdinand **希勒**(1811-10-24,美因河畔法兰克福～1885-05-10,科隆) 德国指挥家和作曲家。所著回忆录《我们时代的音乐生活》(1867～1876)从侧面反映了许多同时代著名音乐家的趣闻轶事。曾在魏玛师承著名钢琴家兼作曲家J. N. 洪梅尔。1828～1835年在巴黎结识了肖邦、李斯特和柏辽兹等人。1843～1844年在莱比锡指挥布业会堂音乐会。1845年在德累斯顿任指挥。1847～1850年领导杜塞尔多夫管弦乐团。1850年在科隆任指挥,并组织音乐学院,任首届院长。著有歌剧和大型器乐作品。他的大量音乐论文中有关于贝多芬的研究和关于他的朋友门德尔松的回忆录。

Hiller, Johann Adam **希勒**(1728-12-25,萨克森格尔利茨附近文迪施-奥西希[德国]～1804-06-16,莱比锡) Hiller又拼Hüller。德国作曲家和指挥家。被视为“德国歌唱剧”(一种道白与流行歌曲相结合的音乐体裁)的创始人。曾学过几种乐器和唱歌,在知识方面和文学上兴趣广泛,还曾短期修习法律。在莱比锡的音乐生活中从事多种多样的活动后,成为布业会堂音乐会的指挥(1781～1785)和该市著名音乐人物。1789～1800年担任托马斯学校的乐长(此职以前曾由J. S. 巴赫担任)。希勒的歌唱剧为德国提供了最早的民族轻歌剧,很快便风行一时。《乡恋》(1768)和《狩猎》(1770)均属此类作品中的佼佼者。他还写过许多歌曲和教堂音乐。

Hiller, Dame Wendy **希勒**(1912-08-15,英国柴郡布拉姆霍尔～) 英国舞台剧和电影女演员。曾在温斯比豪斯学校受教育。18岁时加入曼彻斯特轮演剧目剧团,多年在该团演戏和担任舞台管理。1935年因在伦敦演出的《施舍的爱情》(1936年又在纽约演出)中饰演萨利·哈德卡斯尔一角而取得突如其来的成功,随后她与此剧的合作者之一罗纳德·高结婚。1936年她在萧伯纳《圣女贞德》中饰主角的表演,使她进而能在萧伯纳《皮格马利翁》(1938)的影片中饰演伊丽莎·杜利特尔一角。她还在萧伯纳《巴巴拉少校》(1941)的影片中饰演主角。20世纪40年代早期她又回到舞台进行表演,在《第一绅士》(1945)和《德伯家的苔丝》(1946)中扮演角色。在《月中之水》(1951～1953)一剧中表演之后,她加入老维克剧团,1955～1956年间在该团饰演过多种莎士比亚戏剧角色。她后来的舞台表演还有《私生子的月亮》(1957)、《阁楼上的玩具》(1960)、《忏悔的战斗》(1970)和《婚礼上的王冠》(1972)等剧中的角色。她在伦敦、纽约及其他地方演出的40多部舞台剧里扮演过主要角色。她晚期出演的电影还有《分开的桌子》(1958)、《儿子们与恋人们》(1960)、《阁楼上的玩具》(1963)、《合时宜的人》(1966)、《东方快车谋杀案》(1974)和《象人》(1980)等。她于1975年被封为英帝国女爵士。

Hillerød **希勒勒** 丹麦西兰岛东北部腓特烈斯堡州城市和首府。位于西兰岛东北部。该城围绕克里斯蒂安四世于1602～1620年按荷兰文艺复兴时期风格建立的腓特烈斯

希勒勒市的腓特烈斯堡城堡
美国不列颠百科全书公司供图

堡城堡发展起来。1660～1840年,丹麦国王均在此加冕,同时是王室驻地。国家历史博物馆建于1878年。该城是一繁荣的集镇和铁路交叉点,周围有土地肥沃的乡村,工业包括农机制造、肉类罐头业和制砖业。人口约25 265(1985)。

Hillery, Patrick J(ohn) **希勒里**(1923-05-02,爱尔兰克莱尔郡米尔敦马尔韦～2008-04-12,都柏林) 爱尔兰政治家,第6位总统(1976年起)。曾在罗克韦尔学院和都柏林大学学院攻读科学和医学。1951年弃医从政,作为替天行道士兵党党员选入议会。1959～1965年任教育部长。1965～1966年任工商部长。1966～1969年任劳工部长。1969～1972年任外交部长。1973年任欧洲经济共同体委员会爱尔兰代表和委员会副主席。1976年C.奥戴莱辞职后任爱尔兰总统,1983年连任。

Hillī, al- **希里**(1250-12-15,伊拉克希拉～1325-12-18) 全名为哲马鲁丁·哈桑·伊本·优素福·伊本·阿里·伊本·穆萨哈·希里。什叶派教义学家和教义阐述人。在地处逊尼派阿拔斯王朝领土内的什叶派重要学术中心希拉城学习法律、教义学和信仰原理,被认为是“希拉城的智者”。有阐述伊斯兰教信仰的学术著作500多部,其中《论什叶派教义学原理》等是研究十二伊玛目派信仰的标准参考书,至今伊朗还以之为课本。1305年希里迁往伊朗,劝化伊朗伊儿汗王朝第八代统治者完者都脱离逊尼派改信什叶派,同年什叶派教义被立为伊朗国教。死后被葬在麦什德。

Hilliard, Nicholas **希利亚德**(1547,英格兰德文埃克塞特～1619-01-07,伦敦) 文艺复兴时期英格兰第一位本土出生的画家。其抒情性肖像画把细密画的肖像艺术(英国伊丽莎白女王时代绘画)推向发展的顶点,为16世纪后期与17世纪早期在英国确立肖像画的观念作出了贡献。约1570年成为伊丽莎白一世女王的细密画家,同时他也是金工和珠宝匠。他著有《绘画艺术》一书(约

希利亚德绘《玫瑰花丛中的青年人肖像》(细密画)
中国大百科全书出版社供图

1600)阐述了自己的画法,也论及他的艺术发源于在英国活动的德国肖像画家小汉斯·霍尔拜因。

Hillingdon **希灵登** 英格兰伦敦外围自治市。属米德尔塞克斯历史郡。在伦敦西缘,延至科恩河和奥克斯布里哲的旧市镇。面积116平方千米。南部有伦敦最大的机场希思罗机场,北部有伦敦大都市绿化带的一部分、高尔夫球场和水上运动中心。中世纪村落阿克斯布里奇现在是布鲁内尔大学的主校区。人口约243 006(2001)。

Hillis, Danny **希利斯**(1956-09-25,美国马里兰巴尔的摩～) 全名William Daniel Hillis, Jr.。美国并行处理计算机先驱,思考机器公司创始人。父亲是美国空军流行病学家。幼年时,随父母一直在国外旅居,并在家接受教育。受父亲影响,慢慢对生物产生兴趣,而母亲又在数学方面培养他的兴趣。希利斯是个没事拿起什么都想摆弄几下的人。9岁时就把一个留声机改装成自己的第一台“计算机”。1968年一家人回到巴尔的摩市,他由此得以进入学校接受教育,同时他的母亲也开始攻读生物统计学研究生。1974年,进入麻省理工学院学习神经生理学。不久又进入麻省理工学院人工智能实验室,在那里他遇到了人工智能的先驱理论家M.明斯基,并成为他的学生。在此期间,他将数学改为自己的专业,并于1978年获得理学学士学位。随后,又攻读计算机科学专业,并于1981年获得理学博士学位。在明斯基实验室工作期间,希利斯开拓性地提出一种新的计算方法。他设想人类的思考是在数百万个神经元细胞以不同的途径对遇到的问题进行相互作用的基础上产生的——用计算机的行话,就是大规模的并行运算。尽管S.克雷已经在1982年通过把两个Cray-1超级计算机联合起来组建了超级计算机Cray X-MP(含有多处理器),但大家还是认为大规模并行计算机系统存在着先天效率低下的缺陷。为了反驳此说法,希利斯着手构建了一个由几千个设

定程序的单处理器协同工作的计算机。在明斯基的鼓励下，希利斯于1983年在马萨诸塞州剑桥市创建了思考机器公司。公司的第一批产品是联结计算机，公司的第一个客户是美国国防部高级计划研究局。1985年，第一台具有65 536个处理器的联结计算机诞生了；该机在运算能力上可以和当时世界上最快的超级计算机Cray-2相媲美，但其制造成本却要低很多。1985年，希利斯发表了题为“联结计算机”的博士论文，并于1988年获得博士学位。另外，他还于1992年担任《计算科学新纪元》的编辑，1998年写了《用石子拼图：众多简单思维能让计算机工作》等书。1995年他离开思考机器公司重返麻省理工学院任副教授，同时开创自己的咨询公司。1996年，担任迪斯尼公司模拟环境部研发副主任。他的主要职责是使迪斯尼的主题公园更具有吸引力。他的新职位标志着娱乐业和计算机技术越来越紧密地结合在一起。同年，和他人一起创办了今日永恒基金会。该基金会最著名的项目是设计了一个能工作至少1万年的机械钟，这是一个反传统和喜欢挑战的思想家发出的挑战。

Hillman, Sidney **希尔曼**（1887-03-23，立陶宛扎加雷～1946-07-10，美国纽约波因特卢考特） 美国劳工领袖，1914年起任美国服装工人混合工会主席，1935～1938年为产业

美国不列颠百科全书公司供图

工会联合会创始人之一。以积极组织产业工人和使工会参与社会服务和政治活动而闻名。在接受犹太教拉比教育后，在立陶宛科夫诺（今考纳斯）的一家化学厂工作。因鼓吹劳工改革而被沙皇政府监禁，获释后前往英国，接着于1907年去美国。1909年入芝加哥一家男式服装厂工作，次年领导服装工人罢工。随后去纽约，当选为服装工人混合工会主席。在其领导下，该工会会员人数大增。他为会员获得失业保险，开发住房，并开设两家银行，在大萧条时期，银行向一些服装企业提供贷款或购买股票，使其渡过难关。在罗斯福总统任职期间（1933～1945），他曾在国家复兴署、生产管理局、军工生产委员会劳工处工作。1943年任产联政治行动委员会主席。第二次世界大战后任世界工会联合会副主席。M.约瑟夫森的《悉尼·希尔曼：美国劳工政治家》于1952年出版。

Hillquit, Morris **希尔奎特**（1869-08-01，拉脱维亚里加～1933-10-07，纽约市） 美国社会党领袖，20世纪的前30年间为社会党主要理论家。1886年移居美国，在纽约参加社会主义劳工党，成为工会的积极组织者。1893年获纽约大学法学学位。他主张在宪法范围内进行社会改革，因而同党内以D.德莱昂为首的激进分子发生冲突。1897年该党分裂，希尔奎特一派另组社会民主党（1901年以后改称社会党）。希尔奎特成为党的理论家和战略家。第一次世界大战中他为该党制定坚定的和平主义政策，但在美国参战后这一立场受到广泛的批评。1917年通过《间谍法案》后，他花去很多精力在法庭中为社会主义者辩护。他5次竞选国会议员，两次竞选纽约市长均未成功。著有《美国社会主义史》（1903）、《社会主义的理论与实践》（1909）以及自传《忙人散记》（1934）。

Hills, Carla Anderson **希尔斯**（1934-01-03，美国加利福尼亚洛杉矶～ ） 美国律师、公职人员。曾就读于斯坦福大学（1955年获文学士）和耶鲁大学法学院（1958年获法学博士）。1959年进入加州法律界后在洛杉矶担任律师助理两年。1962年与他人共同成立律师事务所（1962～1974）。1953年任联邦律师协会洛杉矶分会主席。1965年任全国妇女律师协会主席，并进入美国高等法院律师团。1974年任司法部民事处首席检查官助理。次年被G.福特总统任命为住房与城市发展部部长，成为担任美国内阁职务的第三位妇女（1975～1977）。1978年开办洛杉矶律师事务所华盛顿（哥伦比亚特区）分所，至1986年转为另一律师事务所合伙人。1989年被G.布什总统任命为美国贸易代表。1993年成立咨询公司并创办国际政策论坛。还曾任多家大公司董事。

Hillsboro **希尔斯伯勒** 美国西弗吉尼亚州东部波卡洪塔斯县城镇。位于刘易斯堡东北偏北40千米处，在阿勒格尼山中，格林布赖尔河附近。村南有德鲁普山战场州立公园，纪念南北战争时期的一次战斗（1863-11-06）。荣获普利策奖和诺贝尔奖的女作家赛珍珠于1892年生于此地，其住所斯塔尔廷公馆（1847）已辟为博物馆。当地从事农耕。附近有州立卡尔文普赖斯森林、州立瓦托加公园及莫农加希拉国家森林中的克兰伯里山游览中心。人口243（2000）。

Hillsborough **希尔斯伯勒** 美国新罕布什尔州西南部希尔斯伯勒县城镇。位于康科德西南偏西，临康图库克河。1772年设建制。是美国第14任总统F.皮尔斯的诞生地，其故居现在保存完好。为轻工业和农业中心。附近有帕茨皮克滑雪场和富兰克林皮尔斯湖（游乐、水力）。面积113平方千米。人口4 928（2000）。

Hillsborough **希尔斯伯勒** 又作Hillsboro（1965年前）。美国北卡罗来纳州中北部城镇，奥兰治县县城，在达勒姆西北，濒埃诺河。1754年在一个印第安村庄的基础上开始规划，1759年设镇。独立战争期间，州首府曾一度设此。吉尔福德县政府大楼战役（1781）之前，英军在康华里勋爵指挥下曾在该城集结。镇内保存有多处独立前的建筑，其中有T.伯克总督的住宅，也是1781年他被托利党人俘获的地方。纺织及家具为主要工业。东部有埃诺河州立公园。人口5 446（2000）。

Hillstrom, Joe（radical leader） **希尔斯特伦** 参阅 **Hill Joe** 希尔。

Hilmand River（Afghanistan and Iran） 参阅 **Helmand River** 赫尔曼德河。

Hilo **希洛** 美国夏威夷州夏威夷岛东北部城市，夏威夷县县城，濒临希洛湾。岛上的商业中心。兰花栽培业兴旺。周围是甘蔗田。其深水港有防波堤保护，有散装糖的装卸设施，亦输出兰花、昆士兰果（味似花生的坚果）和牛等，也是前往夏威夷火山国家公园、科纳、怀美阿等名胜旅游的入口港。设有希洛学院和夏威夷社区学院（均为夏威夷大学分校）。人口40 759（2000）。

Hilton, Conrad **希尔顿**（1887-12-25，美国新墨西哥圣安东尼奥～1979-01-03，加利福尼亚圣莫尼卡） 全名Conrad Nicholson Hilton。美国商人和世界上最大旅馆业组织之一的创始人。幼时帮父亲开办小客店。1915年为希尔顿父子百货店的总经理和合股人。他当过一届州议会议员；第一次世界大战中去法国，为陆军少尉。1918年父亲去世后，他在得克萨斯州锡斯科买下莫布利旅馆，后发现旅馆业有利可图，又在其他市镇买下几家旅馆。希尔顿旅馆联号受到30年代萧条的损害，但并未垮台。到1939年，希尔顿又在加利福尼亚州、纽约州、伊利诺伊州及其他各地兴建、租进和购买旅馆。1946年他建立希尔顿饭店公司。随着经营活动向别国扩展，到1948年又组成希尔顿国际公司。1954年买下斯塔特勒旅馆联号。60年代希尔顿国际公司整顿了在国外的企业，开始与别的公司和外国政府搞合股经营。著有《请来此做客》（1957）和《旅店老板的灵感》（1963）。

Hilton, James **希尔顿**（1900-09-09，英格兰兰开夏利～1954-12-20，美国加利福尼亚长滩） 英国小说家。受人欢迎的作品包括《失去的地平线》（1933）、《万世师表》（1934）和《鸳梦重温》（1941），均已拍成电影，风靡一时。希尔顿是一个小学校长的儿子，就学于剑桥大学基督学院（文学士，1921）。求学时即开始写作，为报纸撰稿并出版了他第一部小说《凯瑟琳其人》（1920）。后成为记者，又出版了几部小说，但未取得令人注目的成功。中篇小说《万世师表》1934年发表在《英国周刊》，同年在美国《大西洋月刊》上转载后大受欢迎。1933年出版的小说《不戴盔甲的骑士》和《失去的地平线》很快再版，也吸引了大批读者。20世纪30年代末移居好莱坞写作或与人合写电影脚本（其中包括为简·斯特拉瑟所写的《米尼弗夫人》）。《万世师表》写一个举止文雅、日渐衰老的小学校长及他与他就教的学校长期、密切的关系，是一部描写细腻、有点伤感的小说。《失去的地平线》是写

一个英国人的故事，他在西藏的香格里拉河谷发现了天堂。香格里拉一词即出自这部小说，意指与世隔绝、乌托邦式的地方。后来发表的小说《蓦梦重温》写一个男人的爱情故事，他企图回想起他在患遗忘症时度过的3年。希尔顿14部小说的最后一部《一次又一次》出版于1953年。

Hilton, Walter **希尔顿**（约1340～1396-03-24，英格兰诺丁汉郡图尔加顿小隐修院） 英格兰奥秘神学家、作家。曾在剑桥大学学习，继而隐居修行，然后在图尔加顿小隐修院参加奥古斯丁会。他的主要著作《完美之梯》分为两卷，第一卷教导人如何破除罪恶形象而通过行善形成基督的形象，以使灵魂达到完美。第二卷指出积极禁欲生活与祈祷之间的区别，并介绍神修过程的初步阶段。

Hilton Head Island **希尔顿黑德岛** 美国南卡罗来纳州南部博福特县罗亚尔港湾以南大西洋沿岸的海岛之一，长约19千米，最宽处8千米，地处大西洋沿岸水道，是新泽西与佛罗里达之间的最大沿海岛屿。1663年英国船长W.希尔顿发现该岛，1717年英国种植园主在此定居。岛上从事种植的黑人对形成现在称作古勒语的当地克里奥尔语及其文化起到重要作用。美国南北战争期间，联邦军队1861年攻占该岛，以封锁南部邦联海岸的舰只靠岸加油。1956年建成通往内陆的大桥，后发展为度假地和居住区。人口33 862（2000）。

Hilversum **希尔弗瑟姆** 荷兰中西部北荷兰省城市，霍伊兰德湖泊森林区中心，阿姆斯特丹市东南郊区城市。1874年通铁路。它是疗养、避暑胜地和荷兰广播、电视中心。生产电机、电话设备、药品、地毯、家具和金属制品。以现代建筑闻名。人口：城市区约86 606（1991）；都会区约102 141（1990）。

Hilwan（Egypt） 参阅**Ḥulwān** *赫勒万*。

Himāchal Pradesh **喜马偕尔邦** 印度的一邦，位于次大陆的最北部。喜马偕尔是风景壮丽的地区，北与查谟和克什米尔接壤，东与中国的西藏毗邻，东南为北方邦，南为哈里亚纳邦，西为旁遮普邦。首府为西姆拉。喜马偕尔意为"雪山"。该邦之名来自位于境内的喜马拉雅山脉。该地区的历史可追溯到吠陀时期；后来雅利安人同化了当地的各土著民族。若干世纪以来，该地区连续遭受外来人的侵略，最后英国人于19世纪控制了这一地区。从1948年到它于1971年成为印度一邦期间，喜马偕尔在所辖领土范围和行政体制方面经历了多次变动。地形多样，有许多高山、丘陵、长满树木的谷地（冰川刻蚀而成）和流动的江河。山脉海拔高达6 700米，包括喜马拉雅山脉中的比尔本贾尔岭、哈迪和塔拉塔尔。主要河流有西部的杰纳布河、拉维河和贝阿斯河，以及东部的萨特莱杰河和亚穆纳河。气候温和，但冬季寒冷，寒风刮遍全邦，山谷丘陵积雪长达数月。喜马偕尔邦是印度都市化程度最低的邦之一。可归类为城市居民的人口不到全邦人口的10%。该邦的人口是山区各部落之混合体，包括盖迪、古加里、金瑙乌里、拉胡利及潘瓦利等部落。绝大多数居民信仰印度教，但在拉胡尔及斯比蒂这一地区则佛教盛行。还有少数居民信奉锡克教、伊斯兰教和基督教。该邦的方言有60种以上，主要语言为伯哈里——此语言源于梵语和普拉克里特语。该邦的官方语言是印地语。

喜马偕尔邦的经济至今仍几乎完全建立在土地上，约80%的居民依靠种植业、园艺及畜牧业为生。主要农产品有小麦、玉米、大麦、稻谷和马铃薯。喜马偕尔是印度主要的水果、蔬菜生产邦之一，盛产苹果、李、桃、杏及石榴等，还出产生姜和菌类。普遍饲养绵羊及山羊，羊毛及山羊绒（西藏山羊的羊毛）为重要产品。针叶树森林也是收入的来源。喜马偕尔的江河以雪为水源，具有印度全国水电潜力的约20%。1963年建成的巴克拉河坝横跨萨特莱杰河，是该邦最大的水电工程。森林的发展和以森林为基础的工业（包括新闻纸制造工业）均有广阔的前景。其他工业包括电子工业及水果加工业。可是大多数居民仍然处于只能维持最低生活水平的境地。该邦广大的自然资源还有待于系统地开发。从哈里亚纳邦的加尔加到西姆拉有一段铁路线，从旁遮普邦的伯坦果德到喜马偕尔邦的焦金代尔讷格尔有一条铁路，此外该邦无其他铁路。公路为喜马偕尔邦的交通命脉。该邦吸引旅游者前往滑雪、打高尔夫球、钓鱼、坐牛车旅行以及进行登山活动。喜马偕尔邦在西姆拉有一所医学院和几十所学位学院。西姆拉还有喜马偕尔邦大学，巴伦布尔有喜马偕尔邦农业大学。西姆拉设有印度高级研究学院，格绍利设有中央研究院。面积55 673平方千米。人口约5 111 079（1991）。

Himalayan **喜马拉雅猫** 又称色斑猫（colourpoint或colorpoint）。一个家猫品种，色如暹罗猫，体格及毛则似长毛猫，系用暹罗猫与长毛猫杂交育成。对杂交后代进行选择性育种便可得出所需毛色、毛长及体格。优良的喜马拉雅猫体粗壮而活泼，腿短，毛长而软，头大而圆，眼圆而为蓝色。初生时呈奶油色，以后耳、面、腿及尾上渐呈现暹罗猫一般的深色斑点：深褐色（海豹斑）、浅褐色（巧克力斑）、蓝灰色（蓝斑）、粉红灰色（丁香色斑）或浅红橙色（红斑）。

Himalayan bear **喜马拉雅熊** 参阅**Asiatic black bear** *黑熊*。

Himalayas **喜马拉雅山脉** 尼泊尔语拉丁字母转写作Himalaya。位于中国的西藏高原和印度次大陆之间的雄伟山系。拥有30多座海拔超过7 300米的高峰，其中珠穆朗玛峰是世界最高峰，海拔8 844.43米。山脉东西长达2 500千米，南北宽200～400千米，总面积594 400平方千米，分布于中国、巴基斯坦、印度、尼泊尔、不丹境内。最大特点是：高度特大，山峰陡峭而积雪，谷地冰川长大，地质构造复杂，地面被深深切割，峡谷深不见底，富于温带和高山植被。造山运动仍在继续，从而引起河流侵蚀强烈和大面积的山崩。从南往北，共有4条并行的、宽度不等的东西走向的山带，各条山带的地形和地质史都不相同：①外喜马拉雅山，包括西瓦利克山脉的丘陵和谷底平坦的构造谷，最宽约100千米，北面高度750米，一般以270米等高线为南界；西瓦利克主脉南坡较陡，面向印度平原，北坡朝向平坦的广阔平原缓缓下降。②小喜马拉雅山，宽约80千米，高达4 500米，谷地海拔900米，走向分歧，附近山峰高度大致相同，从而像一块切割高原；有3条山脉，西端为克什米尔构造盆地，长约160千米，宽约80千米，平均海拔1 550米左右。③大喜马拉雅山，为喜马拉雅山系的骨干，是单独一条高山脉，耸立于永久雪线之上。山脉最高部分在尼泊尔与中国边境上，拥有9座高峰，从西到东为道拉吉里峰（8 172米）、安纳布尔纳Ⅰ峰（8 078米）、马纳斯卢峰（8 125米）、希夏邦马峰（8 027米）、卓奥友峰（8 201米）、珠穆朗玛峰（8 844.43米）、马卡鲁峰（8 643米）、洛子峰（8 501米）和干城章嘉峰（8 578米）。④泰迪斯喜马拉雅山，即冈底斯山脉，最宽处在克什米尔，构成斯皮蒂盆地和扎斯加尔山区，最高点6 791米。喜马拉雅山系从西往东又分作3个部分，即西部、中部和东部。山区共有19条大河，以印度河和布拉马普特拉河最大，各有25.9万平方千米的集水面积；其余17条河流，有5条属于印度河水系，集水总面积13.1万平方千米；有9条属于恒河水系，集水总面积21.8万平方千米；有3条属于布拉马普特拉水系，集水总面积18.3万平方千米。山系制约着南北两侧的大气环流，冬天屏挡北方寒冷的气流进入印度，同时迫使西南季风于跨越山脉北去之前降下大部分雨水，从而在印度一侧产生大量雨雪，而另一侧西藏则气候干燥。年平均降水量：西喜马拉雅的西姆拉和穆索里为1 524毫米，东喜马拉雅的大吉岭达3 048毫米，而在大喜马拉雅山脉以北，印度河谷的一些地方如斯卡都、吉尔吉特和列城只有76～152毫米。地形、位置和坡向也对降水有重大影响：穆索里城位于山顶，面向山麓谷地，海拔1 859米，年降水量达2 337毫米；而位于一系列高达2 200米的山脉后边的西姆拉城只有1 575毫米。东喜马拉雅的纬度比西喜马拉雅低，较为温暖；在西姆拉记录到的最低温为-25°C。5月份平均最低温，在海拔1 945米的大吉岭是11 °C，在珠穆朗玛峰附近海拔5 029米处为-8°C，至海拔5 944米处降到-22°C，绝对最低温则为-29°C。在背风坡，即使海拔较高，白天在日照下仍很暖和。山区资源丰富，有许多可耕地、广大的草场和森林，还有矿藏和水力。在西喜马拉雅，包括克什米尔谷地、冈格拉谷地、萨特莱杰盆地以及乌特拉罕的恒河与亚穆纳河的河边阶地，年产谷物160万吨。中喜马拉雅的尼泊尔境内，大部分可耕地位于山麓附近的平原，稻谷产量占尼泊尔全国的4/5，另外还产黄麻、甘蔗和油籽。喜马拉雅山区出产苹果、桃、梨、樱桃、葡萄、胡桃、杏仁、柑橘、茶叶、豆蔻和药材。夏季盛行季节游牧，克什米尔的粗劣草场上放养绵羊、山羊和牦牛。山区至少有1/3的面积是林地。矿藏丰富，但受交通的限制，不易开采。查谟与克什米尔是成矿作用最盛

西藏高原上的喜马拉雅山脉，远景中右处为珠穆朗玛峰
美国不列颠百科全书公司供图

的地区，扎斯喀尔山区有蓝宝石，印度河河床有砂金，伯尔蒂斯坦有铜矿，克什米尔谷地有铁矿，拉达克有硼砂和硫磺。查谟山区的煤矿储量估计有1亿吨，查谟和克什米尔有铝土矿。尼泊尔、不丹和印度锡金有煤、云母、石膏、石墨的广泛储存，还有铁、铜、铅、锌矿石。山区河流的水电潜力很大。外喜马拉雅山脉的苏特里杰河上的巴克拉-楠加尔水电工程，1963年建成，蓄水98.5亿立方米，总装机容量105万瓦。

Himeji　姬路　日本本州西部兵库县城市，在神户以西，近濑户内海。第二次世界大战期间大部分地区被炸毁，战后很快恢复、发

姬路市的和平纪念碑
美国不列颠百科全书公司供图

展。为该县第三工业中心，生产钢铁、纺织品和革制品。人口约470 986(1995)。

Himera　希梅拉　西西里北部沿海希梅拉河(现格兰德河)北段古城，公元前约649年为叙拉古流亡者和赞刻尔(墨西拿)的哈尔基迪斯的居民所建。早在公元前5世纪初，僭主特里卢斯被阿克拉迦斯的塞隆逐出希梅拉后，曾怂恿过迦太基侵略西西里，但未获成功，结果公元前480年哈米尔卡死于希梅拉战役。4年后，希梅拉公民向叙拉古的希伦呼吁，要求援助他们反抗塞隆之子色拉西代奥斯的高压统治，结果引起了一场对希梅拉公民的大屠杀，而让多里安人移居希梅拉。希梅拉最后在公元前409年为哈米尔卡之孙汉尼拔所毁，汉尼拔并在该城附近建立了一个新的市镇塞尔玛希梅拉(现特尔米里伊密尔斯)。地面上唯一可见的古城遗物是一座多里安式神庙，可能是为纪念公元前480年的胜利而建；神庙上有许多狮头形的喷水嘴，现陈列在巴勒莫博物馆内。

Himiko　卑弥呼(活动时期3世纪初，日本)　又拼Pimiko。又称邪马台国女王。有历史记载的第一个日本统治者。据日本传说，她是垂仁天皇(活动时期公元前1世纪～公元1世纪)的女儿，垂仁让她保管象征太阳女神的神镜。中国的历史记载也证实了她的存在。她曾统治邪马台国，但此国的确切位置迄今尚无定论。在古日语中，卑弥呼意为“天照大神”，后世的日本统治者都自称是天照大神的后裔。

Himilco　希米尔科(活动时期公元前5世纪后期)　迦太基航海家，以从迦太基出发经过直布罗陀海峡，再向北沿西班牙和法国的大西洋海岸航行而闻名。希米尔科可能到过康沃尔锡矿场以搜集锡，再从那里往北行到达爱尔兰。从他的旅行记看，他可能曾航行至马尾藻海。(有可能是他捏造自己航行到这种死寂的、海藻丛生、雾气迷濛的海洋里的故事，是吓唬别人不让他们航行这条海路。)这次航行可能是在公元前480年以前。

Himilco　希米尔科(？～前396？)　迦太基将领。两度在西西里征服希腊人，但其进攻势头两次均因军中发生瘟疫而化为泡影。在第一次战役(公元前406)中，征服和洗劫阿克拉加斯、杰拉和卡马里纳。后因军中发生瘟疫而被迫签订和约。公元前396年重返西西里，征服北海岸，并再次进抵叙拉古城门，但瘟疫再次发生，结果被叙拉古人彻底击败。他归国后自杀。

Himmerland　希默兰半岛　丹麦非岛屿区的最北部分。在日德兰半岛霍布罗和奥尔堡之间。几乎全部被海水环绕。主要城镇奥斯的韦斯特希默兰博物馆展有史前和民间手工制品。全境大部为村庄和小农场的农业区；潮湿和沙质土壤环境中生长有多种稀有野生动物。云杉残林中生长有稀有的三叶草、兰花和蓝银莲花。

Himmler, Heinrich　希姆莱(1900-10-07，慕尼黑～1945-05-23，德国吕讷堡)　德国纳粹政客、警察首脑、陆军司令、第三帝国第二号权势人物。出身于一个天主教中学校长家庭，第一次世界大战后，于农业学校毕业不久

美国不列颠百科全书公司供图

加入武装的右翼组织。1923年11月，参加了希特勒策动的慕尼黑(啤酒店)未遂暴动。1925年参加纳粹党，党内地位不断上升，任党卫军首脑。1933年1月30日希特勒上台后，希姆莱成为慕尼黑警察局长，不久便指挥普鲁士外全德国的警察部队。在达豪建立起第三帝国的第一座集中营。1934年4月成为普鲁士盖世太保(秘密警察)的副首脑。到1936年掌握全部指挥权。在1934年6月30日的清洗中，希姆莱领导的党卫军排挤了冲锋队，从而加强了希特勒对纳粹党及军队的控制；党卫军建成规模仅次于军队的一支武装力量。1941年希特勒决定消灭欧洲犹太人，希姆莱在东欧组织了若干座死亡集中营。到1943年，他已升任内政部部长兼帝国全权大臣。他控制了情报网，1944年7月20日谋杀希特勒未遂事件后又控制了军械部门。还控制了人民冲锋队和“狼人”，前者是包括年纪较老者在内的全民总动员的组织，后者则是欲在战后继续进行斗争的游击队。他还指挥过两个军团。在战争的最后几个月里，希姆莱想接任元首，使德国向西方同盟国投降，并与西方一起继续与苏联作战(1945年4月)，希特勒获悉后立即免去希姆莱的全部职务，下令逮捕他。希姆莱假扮成一名普通士兵，企图逃窜，在被盟军俘获后服毒自杀。

Ḥimṣ　霍姆斯　又拼Homs。叙利亚中部城市。靠近奥龙特斯河(阿西河)，地处从沿海到内地的唯一天然通道的东端。原址上早

年有埃梅萨古城。罗马时代由世袭的祭司国王统治。636年被穆斯林攻占。1516年属奥斯曼帝国。19世纪30年代一度被埃及控制。第一次世界大战后划归叙利亚。城市处公路、铁路网中心,为沿海与内地之间的交通枢纽和当地农产品贸易中心。市内工业有炼油、化肥和植物油榨制等。地方手工业(生产珠宝、腰带和披风)颇有名。该市保存有中世纪城堡及残留的古老地基。市内现有少数基督教徒。人口约431 000(1987)。

Ḥimyar 希木叶尔人 原指阿拉比亚西南部古赛伯伊王国的一个重要部族,后来指公元前约115～公元约525年占据阿拉比亚南部许多地区的统治者。希木叶尔人聚居在今也门沿海一带。他们继承了赛伯伊人的语言和文化。其势力从首府采法尔有时扩展到东边的波斯湾和北边的大沙漠。4世纪初,首府北迁萨那。4世纪后期,基督教和犹太教在这个地区获得了巩固的立足点。由于内讧,国势渐衰。525年被阿比西尼亚侵略者击溃。575年为波斯人所灭。

Hīnayāna 小乘 英语作Lesser Vehicle。古代印度大乘佛教信徒对坚持正统教义的保守派的称呼。小乘又可泛指大乘佛教兴起以前的全部所谓十八部派。现代坚持古代传统的仅有作为十八部派之一的上座部。参阅**Theravāda**。

Hinchinbrook Island 欣钦布鲁克岛 澳大利亚昆士兰州东北部岛屿。位于汤斯维尔东北95千米,卡德韦尔港对面。面积394平方千米。森林茂密,山峦起伏,现辟为国家公园,以瀑布和山洞闻名。岛上鲍恩山、迪亚曼蒂纳山、萨姆山海拔均在900米以上,地势崎岖陡峭。

Hinckley and Bosworth 欣克利-博斯沃思 英格兰莱斯特行政、历史郡的一个区(自治市)。由欣克利、马基特博斯沃思和厄尔希尔顿三镇组成。欣克利为织袜业的主要中心,可追溯至1640年。后两镇既为织袜业又是制鞋业的中心。区范围东起莱斯特城西郊,西至沃里克郡郡界,面积298平方千米。1485年的博斯沃思之战发生在马基特博斯沃思附近。人口约97 700(1998)。

Hincks, Sir Francis 欣克斯(1807-12-14,爱尔兰科克郡科克～1885-08-18,蒙特利尔) 新闻记者和政治家。1831年移居加拿大。1835年任人民银行经理。1838年在多伦多创办温和自由派报纸《考察家报》,鼓吹成立责任内阁;1855年该报与《环球报》(多伦多)合并。1840年上、下加拿大合并后,当选为第一届议会议员,任财务总稽核和执行委员会委员。1843年辞职,任《蒙特利尔时报》主编,并创办《响导》杂志。1848年再任财务总稽核。1851～1854年任省总理,鼓励发展铁路,并与美国签订互惠条约。1855年任巴巴多斯和向风群岛总督,1862～1869年任英属圭亚那总督。回加拿大后,任财政部部长(1869～1873)。1874年退出政坛。1869年受封爵士。

Hincmar of Reims 辛克马尔(兰斯的)(约806,法国北部?～882-12-21,兰斯附近埃佩尔奈) 基督教大主教、教会法学家、神学家。曾任法兰西国王查理二世的廷臣,845年任兰斯大主教,在该主教区进行广泛的整顿。洛泰尔二世企图休妻,辛克马尔撰《论洛泰尔和条特贝尔加的离婚》一文,全面阐述基督教反对离婚的立场。869年洛泰尔二世死,辛克马尔设法使查理继位,不顾教皇阿德里安二世的反对,亲自为他加冕。876年教皇派遣使节前往德意志和高卢,辛克马尔再次反对教皇,认为教皇侵犯他的权利。辛克马尔还因为他同戈特沙尔克就得救预定论所进行的神学论战而闻名。辛克马尔坚持传统的教义,即上帝预知未来不等于预定人是否得救,上帝不会预定罪人灭亡。

hind 花石斑鱼 鲈形目鮨科石斑鱼属(*Epinephelus*)一些鱼类的统称,该属尚包括石斑鱼。分布在北美大西洋和墨西哥湾沿岸,仅红花石斑鱼(泪斑石斑鱼,*E. guttatus*)分布在南北卡罗来纳至巴西沿岸。岩花石斑鱼(阿森松石斑鱼,*E. adscensionis*)分布在新英格兰至西印度群岛间,体形最小,体长可达61厘米。褐花石斑鱼(*E. drummondhayi*)分布在美国东南沿岸,较前者稍小,可长达46厘米。所有花石斑鱼均可食用,亦为受欢迎的游钓鱼。不成群游动,但也在喜爱的生境集聚。

Hind Mazdoor Sabha(HMS) **印度劳工协会** 仅次于全印工会大会和印度全国工会大会的印度第三大工会联合会。1948年由社会党人建立,但它同社会党很少有实际联系。它是印度最少政治性和最务实的工会联合会之一,附属于国际自由工会联合会。

Hindemith, Paul 兴德米特(1895-11-16,美因河畔法兰克福附近哈瑙～1963-12-28,美因河畔法兰克福) 20世纪上半叶德国主要作曲家之一和著名音乐理论家。他力求使正在衰退的、构成西方音乐基础达3个世纪的调性体系恢复活力。他还开创了为日常生活中的场合所用的"实用音乐"。他把作曲家看成是工艺家(创作音乐以满足社会的需要)而不是艺术家(为满足自己的心灵而创作)。作为作曲教师,他对下一代的作曲家具有普遍影响。早年在咖啡馆、伴舞乐队和戏院里演奏小提琴以资餬口。可能是由于从事过各种音乐工作,他后来作曲时往往写得轻松利落,讲究实际。曾在法兰克福学习音乐,20岁时任法兰克福歌剧院管弦乐队领队。此时他的作品已在现代音乐国际音乐节中演出。早期作品有:为阿玛尔-兴德米特四重奏团写的室内乐(他自己在其中演奏中提琴)、歌曲套曲《年轻的姑娘》(1922)和《玛丽的一生》(1924,1948修订)、歌剧《卡尔迪拉克》(1926)等。至20世纪20年代末他已被公认为当时最杰出的作曲家。他为儿童游戏、青年小组、铜管乐队、广播剧以及其他实用目的创作的"实用音乐",反映了战后德国文化的实用性潮流。曾和K.魏尔合作为B.布莱希特作词的广播康塔塔《林白的飞行》(1928)创作音乐。他的最优秀作品《画家马西斯》是关于画家马西斯·格吕内瓦尔德以及他与社会斗争的歌剧,1934年W.富特文格勒指挥柏林爱乐乐团演出其管弦乐版本,并在报上大力支持,在纳粹德国引起一场公开的复杂纷争。纳粹文化当局禁演了这部作品。富特文格勒由于推崇一个被戈培尔斥为"文化上的布尔什维克"和"精神上的非雅利安人"而被迫暂停指挥。自1927年起一直在柏林音乐学院任作曲教授的兴德米特也随之离开柏林去土耳其。先后在安卡拉音乐学院(1935～1937)、耶鲁大学(1940～1953)和苏黎世大学(1951～1958)任教。他的早期音乐被认为是反浪漫主义和反传统的,但也表现出幽默、勃勃生机和富于创造性。他为非传统的、精练的器乐小组创作的室内乐系列是十分杰出的。还创作了《小提琴协奏曲》(1939)、《大提琴协奏曲》(1940)、《韦伯主题交响变奏曲》和《交响小夜曲》,以及歌剧《世界的和谐》和《漫长的圣诞晚餐》等。作为勋伯格十二音学派的对手,他首创了以扩大传统调性为基础的和声体系的原则。他的《音调规律指南》(1937～1939)和《作曲匠艺》(1941,1945修订)两书阐述了他的论点。

Hindenburg(Poland) **兴登堡** 参阅**Zabrze** 扎布热。

Hindenburg "兴登堡"号飞艇 有史以来建造的最庞大的硬式飞艇,一次惊人灾难的牺牲品。"兴登堡"号飞艇长245米,采用常规齐柏林飞艇的设计方案,1936年4月在德

1937年5月6日,"兴登堡"号飞艇在新泽西州莱克赫斯特海军航空站上空燃烧
美国不列颠百科全书公司供图

国腓特烈港首次升空。该飞艇最大飞行速度135千米/时,巡航速度126千米/时。1936年,"兴登堡"号飞艇开始进行横越北大西洋的商业飞行,在德国与美国间完成了10次定期往返飞行,共运载1 002名乘客。1937年5月6日,"兴登堡"号飞艇在进行当年第一次横越大西洋的定期航班飞行时,在新泽西州莱克赫斯特着陆时,充满氢气的"兴登堡"号飞艇突然在空中起火并被完全烧毁。艇上97人中有36人罹难。尽管有人推测这次事故是一次反纳粹的破坏行动,但普遍认为,起火原因是大气静电放电,引燃了飞艇周围泄漏出的氢气。"兴登堡"号飞艇的灾难标志着将硬式飞艇用于商业航空运输的终结。

Hindenburg, Paul von　兴登堡(1847-10-02，普鲁士波森[今波兰波兹南]～1934-08-02，德国诺伊德克[今在波兰]）　第一次世界大战期间德国元帅，魏玛共和国(1925～1934)第二任总统。其任期内，政治不稳定，经济萧

卡尔弗图片公司供图

条，1933年任命希特勒为总理，使之上台掌权。兴登堡出身于普鲁士容克贵族。11岁当军官候补生，参加过1866年的普奥战争和1870年的普法战争。逐步晋升为将军，1911年退休。

1914年第一次世界大战爆发，应召重新服役，在名义上是陆军少将鲁登道夫的上级。鲁登道夫是一个卓越的战略家，曾把从东普鲁士入侵的俄军赶走。此战果却使兴登堡在国内得到比鲁登道夫更大的声誉，1916年擢升为陆军元帅，指挥全部德国地面部队。战争结束时，兴登堡将失败的责任归于他的主要助手鲁登道夫。德皇威廉二世被推翻后，他与新成立的共和政府合作，指挥德军从法国和比利时撤退，并使其部下镇压激进的左派在德国兴起。任务完成后他在1919年再次引退，安居汉诺威。1925年4月总统艾伯特逝世，兴登堡当选为第二任总统。当时，内阁危机频仍，经济萧条，在新的选举中国社党成为议会第二大党。纳粹发动的骚乱有增无已。1932年兴登堡连任总统。选举他的人以为他是反对纳粹无法无天的支柱。然而兴登堡的亲信将布吕宁视为与纳粹协作的阻碍，敦促兴登堡解除布吕宁的总理职务。继任的巴本内阁和施莱谢尔内阁都没有得到纳粹的支持。希特勒坚持必须由他任总理，兴登堡因嫌他嚣张跋扈而不同意。1932年巴本与希特勒协议成立政府。1933年1月当施莱谢尔政府得不到议会支持而垮台时，兴登堡即任命希特勒组阁。希特勒使用恐怖和欺骗手段，很快掌握了无限权力。兴登堡跟随时势，事实上成了希特勒的热情维护者，虽然偶尔作出一些无关痛痒的姿态，似乎表明他与希特勒和纳粹党有所不同。

Hindenburg Line　兴登堡防线　第一次世界大战期间，德军在西线构筑的防御工事。针对德军兵力不足和火力优势渐衰，新任司令官兴登堡元帅和鲁登道夫将军缩短防线，并筑起配备机枪的混凝土碉堡群，以加强布有层层铁丝网的战壕防线。1917年兴登堡防线挡住协约国军的一切进攻，到1918年下半年才被突破。

Hindi language　印地语　印度共和国官方语言，属中部印度-雅利安语，在印度有1.8亿人以上使用印地语作为母语。在南非有近100万人以印地语为母语，毛里求斯有70万人，孟加拉国有35万人，也门有23.5万人，乌干达有15万人。还有数十万人以印地语为第二语言。书面印地语用天城体字母书写，受到梵语的强烈影响，梵语为其借词的主要来源。主要方言是德里东北部的克里波利方言，另有布拉吉语为15至17世纪重要的书面规范语，阿瓦底语也是书面规范语，另外还有巴盖里方言、卡蒂加希方言、本德拉方言和卡诺吉方言。印地语的屈折变化系统已比梵语大大简化。虽然书面语仍用大量梵语形式，但名词、代词已失去梵语的全部8种变格而以后置词(类似英语前置词，附着在名词末部)表示格的功能；只有阴性和阳性，而古吉拉特语和马拉塔语则有三种性的区别。动词屈折变化也大为简化，仅现在时与未来时陈述式还有全部动词变化，其余结构以分词为基础。

Hindi literature　印地语文学　指印度次大陆上，用西部的布拉吉方言、克里波利方言与东部的阿瓦底方言及本德里方言写成的作品；还包括西部的拉贾斯坦的一部分地区和东部的比哈尔的一部分地区的作品，但严格讲来，后者不能算是印地语作品。印地语文学通常也包括穆斯林作家(如阇耶锡)用波斯字体写的作品，其内容在性质上不属于伊斯兰教而属于印度教。最早出现于7世纪，到10世纪得以确立。几乎所有早期文学作品均用诗体和克里波利之外的一种方言写成。现代标准印地语和乌尔都语以克里波利方言为基础，但直到17世纪末，后者一直未被广泛用作文学语言。迄至19世纪末，布拉吉方言一直用来写诗，现已为克里波利方言所取代。故现代的印地语文学同早期的印地语文学并不相同。

Hindu, The　《印度教徒报》　马德拉斯出版的英语日报，被公认为印度最有影响的日报之一。1878年创刊，初为周刊，1889年改为日报。英国统治时期，该报公开主张争取独立，但调子温和。1947年印度独立后，该报加强了对印度的报道，并建立了国外分支网络。该报多年来实行自由独立的编辑方针，以对国内和国际政治新闻的全面报道和注重报道的准确性和国际性观点而著称。该报版面设计严肃，1958年以前头版只登分类广告。该报虽在一邦首府出版，但其报道和社论在首都也深受重视。21世纪初其日发行量超过了90万份。

Hindu calendar　印度历　印度大约从公元前1000年开始使用的记日系统，至今仍被用来确定印度宗教年的日期。印度历的年是以12个太阴月，即12个完整的月相周期为基础的。这个包含约354日的年，同包含约365日的太阳年的差数，通过在每30个月中插入一个闰月的办法而得到部分的解决。

Hindu geographical race(India)　参阅**Indic geographical race 印度地理人种**。

Hindu Kush　兴都库什山脉　亚洲中部大山脉。全长约800千米。为其西北面的阿姆河流域与东南面的印度河流域的分水岭。兴都库什山东部靠近中巴边境，与帕米尔山邻接，向西南经巴基斯坦进入阿富汗，最后与阿富汗西部的低矮山岭连接。该山各隘口均为进入印度北部平原的要冲，历史上均有重要军事意义。该山脉可划分为3个部分：东兴都库什山位于巴基斯坦；中兴都库什山几乎完全在阿富汗境内，喀布尔市的北面；西兴都库什山亦作巴巴山，位于阿富汗西部。高峰均集中在东兴都库什山，其中海拔7 000米以上的约有20余个。主峰为蒂里杰米尔峰，海拔7 690米。高山冰川多位于东兴都库什山谷。山区气候整个说来变化很大：东兴都库什山处在亚洲季风区的极边沿，夏季多雨或雪，冬季干旱；中兴都库什山和西兴都库什山靠近地中海气候带，夏季炎热干旱，冬季寒冷，多雨或雪。兴都库什山雪峰以下一般为光秃的石质山地，植被贫乏。山区人口稀少，经济以农业和山羊、绵羊饲养业为主。水力资源已部分开发。兴都库什山区的北部有铁矿蕴藏，不过开采仅限于西部的半珍贵宝石类和天然气，规模有限。·

Hinduism　印度教　称为印度人的一些南亚民族的信仰、习俗和社会宗教制度，这些民族主要分布在印度以及巴基斯坦、斯里兰卡、尼泊尔以及其他地区的一些群体。印度教从吠陀教演化而来，吠陀教是公元前2千纪迁入印度的古代印度-欧罗巴系各族信奉的宗教。印度教来源复杂，因而成为一个庞杂而基本上上下相承的总体；同时，由于它涉及全部人生，因而具有宗教、社会、经济、文学、艺术种种方面。对印度教难以下准确定义，但是可以发现大多数印度教徒所共有的种种特色的核心。印度教各派都尊奉自己的经籍，但大都承认总称吠陀的古代文献的神圣性。这些文献是印度最古老的经籍，体现在公元前1400～前500年间入侵南亚次大陆的雅利安人的宗教。吠陀论及许多神明，其中具有宇宙功能的主要有两位主神，他们约在公元前不久取得主宰一切的地位。毗湿奴早在《薄伽基歌》(约公元前200～公元200)中即以黑天为化身出现。湿婆早在《白骡奥义书》(约公元前400)中即被奉为宇宙的独一的创造者、维持者和毁灭者，其前身是吠陀中所说的神灵楼陀罗。在公元前1千纪，主要崇奉这两位大神之一的崇拜体系日益壮大。中世纪的圣人和诗人使对此两神的崇拜增加了感情浓度，这两种崇拜体系目前仍然是印度教的主要表现形式。印度教发展出两种礼拜形式，一种是供奉神像或神的象征物，另一种是对一位神的守贞专奉。专门崇奉毗湿奴(他的全部化身或其中之一)的毗湿奴派又分为许多派别。在比较重要的几派中，室利毗湿奴派和二论派流传于南印度；伐拉彼派在印度西部；源出于圣人查伊塔尼亚(1485～1533)和五日崇拜的一些派别在孟加拉邦。毗湿奴派主张与恩爱的神保持亲切的关系。崇拜湿婆的湿婆派一般较毗湿奴派另加强调禁欲苦修，他们的礼拜活动中常常包含瑜伽修习法。湿婆经过拟人化即是充满矛盾的

神,他既森然可怖又保祐众生,往往以林伽(阴茎)为象征物。这种象征物既包含性爱意义又包含修行意义。湿婆派主要包括克什米尔湿婆派以及南印度的林伽派和湿婆悉檀多派。印度教的第三大派是性力派,即崇拜女神萨克蒂(舍支;又称提鞞、突迦、迦利)的一派,该派往往采用密宗修习法,激发人体内在的力量(性力)。性力派往往又是毗湿奴派和湿婆派的一种表现形式,崇拜吉祥天女或雪山神女,这两位女神是毗湿奴和湿婆的配偶,她们在印度许多村落的宗教生活中很受重视。印度教各派的基本信仰认为:有一种永恒的、无限的、包容一切、中性的终极实在本元,称为梵。梵是蕴藏于万物之中而弥漫于万有的力量,被认为一切有生之物的"自我"即"我"。印度教许多派别都认为,自觉自我与宇宙本元融为一体是修习的终极目的。与梵我一体教义紧密相联的一种观念是轮回,其辅助性观念是业报,谓行为产生后果。灵魂永远不能脱离轮回转世,一直到自悟解脱时为止。关于解脱之道,一般认为有三,各派之间容有侧重不同:①业道,即忠实履行宗教义务和行事无私;②智道;③信仰道,即热爱神。有些学者认为,种姓制度是印度教的主要团结机质。历史悠久的种姓制度把社会分为婆罗门(祭司)、刹帝利(武士)、吠舍(务农户和商人)和首陀罗(奴仆)4个阶级,它受到印度教许多派别的遵守和积极拥护。许多印度教人士(尽管并非全部)都认为,婆罗门是至尊种姓,代表宗教和知识上的纯正;许多人士也赞成,人的社会和宗教义务决定于出身和天生的才力。在现代,为了面对西方文明的挑战,印度教内兴起了一些改革运动。罗伊于1828年创立的梵社和达耶难陀·娑罗室伐底于1875年创立的雅利安社,都力图使印度教废除多神论和偶像崇拜并使印度教具有新的活力。印度最伟大的现代诗人泰戈尔就是梵社的一位领导人之子。甘地在反对英帝国主义的斗争中对印度教传统的非暴力、素食、独身和社会宽容等教义赋予新的社会及政治功能。印度教神话丰富多彩,包罗万象。其最初的来源是吠陀文献,其中尤以4种吠陀为最古老:《黎俱吠陀》、《衣柔吠陀》、《娑摩吠陀》和《阿闼婆吠陀》。吠陀中最常提到的神是因陀罗、阿耆尼和苏摩。因陀罗是武神和雨神,他杀死巨龙费栗多以释放季风雨滋生万物。阿耆尼是祭火之神。苏摩原是一种产生幻觉的植物,用它榨出祭祀用酒。古典印度教神话的主要来源是公元1千纪所汇编的一系列梵文文献。《摩诃婆罗多》(婆罗多王朝的伟大史诗)内包含印度教最重要的经籍《薄迦梵歌》。《罗摩衍那》叙述罗摩的冒险事业,罗摩是毗湿奴的重要化身之一。但是印度教神话的最广博的来源当推《往世书》,它是一部百科全书性的汇编,广集印度的传说和神话,无论是雅利安材料还是古印度土著材料,兼容并蓄。

Hindustān　印度斯坦　历史名词,指北印度(德干指南印度)。更严格地讲指旁遮普五河盆地和恒河平原内陆地区。是处于山岳、沙漠和大海之间,土地肥沃、人口最多的狭长地带,有着大量财富和自然资源,是印度实力的中心。有时定义为"温迪亚山脉以北"。也偶而作为全印度的同义语。

Hindustani language　印度斯坦语　印巴分治(1947)前的现代印度混合语。以克里波利方言为基础形成,由蒙兀儿人及商人传布,乃普及全印。克里波利方言是源于德里、密拉特和萨哈兰普尔地区的方言。18世纪末19世纪初,英人J. B. 吉尔克里斯特(1759～1841)强有力地推动其发展。他曾任加尔各答威廉堡学院(培养英国公务员的机构)第一任院长,编写过《印度斯坦语词典》和语法书多种,提出"印度斯坦"这一名称。印度斯坦口语包括两种文学语言:一是受梵语强烈影响的印地语,一是词汇波斯化的乌尔都语。印地语现已成为印度官方语言,乌尔都语则已成为巴基斯坦官方语言。

Hindustani music　印度斯坦音乐　即北印度和巴基斯坦音乐。自12世纪后期或13世纪初期起作为一种独立的类型而得到发展。在这一时期伊斯兰教徒侵占了次大陆北部后,特别重视阿拉伯和伊朗音乐,它们与古印度传统融为一体。虽然南、北印度音乐在风格上和类别上有明显的区别,但北印度仍同南印度共同使用拉加(即兴表演的曲调结构)的基本曲调原则和塔拉(循环的节奏模式)的节奏原则。在北方音乐中,器乐更占优势,采用了大量的不同乐器,并确立了一些纯器乐曲的形式,其中如加特——一种主题变奏曲。人们常认为印度斯坦音乐比南方音乐更富于感情,其浪漫色彩更浓。例如,在乐曲的序引段(称为"阿拉帕")中,音的延长会造成一种没精打采的效果。速度逐步变得越来越快——有时还伴以塔拉模式的变化——也是北印度和巴基斯坦演奏中的典型特色。

Hine, Lewis Wickes　海因(1874-09-26,美国威斯康星奥什科什～1940-11-03,纽约哈得孙河畔黑斯廷斯)　美国摄影家,他运用摄影艺术引起人们对社会弊端的注意。1905年开始拍摄拥挤在纽约州埃利斯岛上的移民生活情景。1908年这些照片刊登在《救济与平民》上。1909年海因发表两套故事性的童工照片《南北卡罗来纳州的童工》和《未到年龄的散工》。这类照片还有《碎煤机中的碎煤童工》和《卡罗来纳棉纺厂的小纺纱工》等作品,表现了年仅8岁的儿童在危险的条件下长时间地工作。两年后,他到全国童工委员会工作,更广泛地考察美国童工的情况。海因走遍了美国东半部,拍摄了受剥削的儿童和他们所居住的贫民窟的骇人听闻的情景。他偷偷地在大衣口袋里做笔记,仔细地记录和孩子们的谈话,并拍摄记载在家用圣经上的出生记录。他用自己的衣服纽扣的位置测量孩子们的身高。第一次世界大战后期,他在红十字会任摄影师。停战以后,仍随红十字会留在巴尔干。1919年出版故事性照片集《巴尔干儿童的重负》。回到纽约后,受聘拍摄当时世界最高建筑帝国大厦的建造过程。在拍摄这座摩天大楼的某些照片时,海因置身于悬挂在起重机上的吊篮内,在街道上空荡来荡去,以选择合适的角度。1932年他将这些照片发表,名为《工作的人们》。在以后的岁月中,他主要从事拍摄政府的各项工程。

Hines, Earl(Kenneth)　海因斯(1905-12-28,美国宾夕法尼亚迪尤肯～1983-04-22,加利福尼亚奥克兰)　美国爵士乐钢琴家、乐队领队和作曲家。爵士音乐史最早30年中影响最大的人物之一。他用右手即兴奏出像小号手吹出的音乐;通过运用八度整音法、震音和有力的敲打,使钢琴的声音近似铜管乐器。海因斯于20世纪20年代所采用的这种演奏风格为后来的爵士乐钢琴家所仿效,将原先严格的钢琴弹奏法改变为与40年代中期开始的现代爵士乐更为协调的弹奏技巧。他同小号演奏家L. 阿姆斯特朗合录的唱片(1927～1929)是爵士乐的经典作品,以《候鸟》二重奏最佳。30和40年代大部分时间任乐队领队,1928年起断断续续地在芝加哥屋顶舞厅的一个大乐队工作。他40年代风行的唱片有《杰利·杰利》、《狂暴的星期一布鲁斯》等。最著名的作品为《罗塞塔》。

Hines, Gregory　海因斯(1946-02-14,美国纽约州纽约～2003-08-09,加利福尼亚洛杉矶)　全名Gregory Oliver Hines。美国踢踏舞舞蹈家、演员、舞蹈编导,对20世纪末踢踏舞的复兴起到重要作用。4岁时和哥哥莫里斯一起向著名舞蹈家和编舞H. 勒唐学习踢踏舞。二人很快成立了名为"海因斯小孩"的歌舞组合,在美国各地的俱乐部表演。6岁时,兄弟二人在纽约阿波罗剧院演出,两年后在百老汇演出《穿粉红色紧身衣的女孩》,剧名后来改为《海因斯兄弟》;1963年他们的父亲加盟,歌舞组合更名为"海因斯父子"。三人组合多次在电视上表演,并在美国和欧洲巡演。后格雷戈里与哥哥的关系日趋紧张,加上公众对踢踏舞兴趣减退,导致格雷戈里1973年离开组合。他在加利福尼亚成立了爵士摇滚乐队"断绝",担任歌曲作者、歌手和吉他手。乐队在70年代末解体,格雷戈里重返纽约,重新开始舞蹈生涯。1978年与哥哥合演了纪念美国雷格泰姆音乐钢琴家和作曲家尤比·布莱克的音乐剧《尤比!》。该剧大获成功,重新激起了人们对踢踏舞的兴趣。格雷戈里获托尼奖提名。作为一个多才多艺的演员,80年代初期拍摄了许多电视和电影,包括《世界历史:第一部分》(1981)、《棉花俱乐部》(1984)和《白夜逃亡》(1985)。1989年以电视特别节目《格雷戈里·海因斯:美国的踢踏舞》获艾美奖。其后继续在百老汇演出,1992年与S.格洛弗共同主演《杰利最后的果酱》,获得第一个托尼奖。2001年在电视片《歌舞王》中饰演舞蹈家鲁宾逊。1988年推出一张歌曲专辑,并在1994年的影片《滴血的心》中首次担任导演。

Hingham　欣厄姆　美国马萨诸塞州东部普利茅斯县城镇(乡)。东南距波士顿24千米,濒临欣厄姆港湾。1633年始建,1635年设建制。19世纪发展成工业城镇(铁器、钉子、纺织品)和捕鱼、造船业中心。南北战争后衰落。现主要经济是贸易、商务金融服务、轻工业。镇上的"旧船教堂"(1681)曾是清教徒会址,现为博物馆。旺帕图克州立公园是著名的度假胜地。面积57平方千米。人口19 882(2000)。

Hinkson, Katherine 欣克逊 参阅**Tynan, Katherine 泰南**。

Hinn Island 欣岛 挪威北部挪威海西奥伦群岛岛屿。面积2 198平方千米,为挪威第二大岛。岛屿形状不规则,海岸线曲折,有许多狭长的峡湾。东西最长76千米,南北最宽58千米。岛上多山,最高点为莫伊峰,海拔1 266米。坐落在东北海岸的哈尔斯塔镇,是主要居民点和港口。有渔业、鱼类加工和船舶制造及修造业。

Hino 日野 日本本州东京都城市。位于立川至八王子铁路线上,临多摩川。德川时代为驿镇和渡口。现为京滨工业区之一部分。生产汽车、电机和精密仪器。亦为东京-横滨都市区的住宅区。市内有多摩动物园和高幡寺庙。人口约166 537(1995)。

Hinshelwood, Sir Cyril Norman 欣谢尔伍德(1897-06-19,英国伦敦～1967-10-09,伦敦) 英国化学家。致力于化学反应速度、反应机理的研究,特别是研究了氢和氧化合生成水的反应,这是化学中最重要的化合反应之一。因此他和苏联化学家N.谢苗诺夫共获1956年诺贝尔化学奖。毕业于牛津大学,1937年任该校教授。约在1930年开始探索水是如何生成的。这一工作加深了对于爆炸时发生的链式反应和支链反应的了解。接着他又研究了细菌细胞中的分子动力学。根据观察到的细菌对于环境变化的生物学响应,他断定:细胞的抗药性是能够或多或少持久地加以改变的。这一发现对于了解细菌对抗菌素及其他药物的抗药性具有重要的意义。1948年被封为爵士。他的著作有:《气态体系化学变化的动力学》(1926)及《细菌细胞化学动力学》(1946)。

Hinsley, Arthur 辛斯利(1865-08-25,英格兰约克郡卡尔顿～1943-03-17,赫里福德郡班廷福德) 英国天主教枢机主教、第五任威斯敏斯特大主教。曾在罗马英语学院受教育,1893年在该院受神职,其后在英格兰迭任教职。1917～1928年任罗马英语学院院长,1930年任土耳其境内萨迪斯名誉主教。1930～1934年任教廷第一任驻非洲使节,1935年因病退休。同年被重新起用,任威斯敏斯特大主教。1940年创立政治宗教团体圣灵之剑会,吸收天主教徒以及圣公会、苏格兰长老会和其他教派信徒,以团结英国教会人士反对极权主义。辛斯利批评教皇庇护十一世在1935年意大利侵略埃塞俄比亚问题上的消极立场,并谴责希特勒政权。

hinterland 腹地 也称"郊地"(umland),指经济上与附近城镇或城市有密切联系的附属地区,既有乡村,也有城镇,或两者皆有。奇肖卡姆在1888年版《商业地理手册》中,将德语hinterland意译为腹地,指港口或沿海居民点背后的地区。至20世纪初,一个港口的背后或附属地区通常被称为其腹地。随着对港口研究的深入,海上观察者们提出进口和出口腹地的概念。出口腹地指经港口运出货物出产的内地区。进口腹地指到港货物被运往的内地区。出口腹地及进口腹地皆有与之互补的前沿地位于港口的面海一侧。出口前沿地是从港口装船的货物运达的地方,进口前沿地是运到港口的货物的始发地。20世纪初,A.阿利克斯采用德语词"郊地"(周围地)指内陆城镇的经济范围,同时在谈及港口的时候仍用"腹地"一词。阿利克斯指出,"郊地"一词见于19世纪后期的德国字典,但它用作"邻近地区"的意义则追溯到15世纪。后来,腹地和郊地两词在含义上的区别越来越小。20世纪中叶,腹地一词多兼指沿海和内地的附属区。中心地六边形贸易区常被视为等同于中心地腹地。在指与中心城市联系密切的城市或都市附属区时,常用城市腹地一词。美国的都会统计区(MSA)便是都市腹地之一例。美国统计局所限定的都会统计区的内容是:限定在法定范围内的一个中心城市,与之毗邻的一个城市化的建成区,以及一个未城市化的县区,但经济上与中心城市有联系。

Hinton (of Bankside), Christopher Hinton, Baron 欣顿(班克赛德的)(1901-05-12,英国威尔特郡蒂斯布里～1983-06-22,伦敦) 工程师,发展英国核能工业的领导人,负责建造世界上第一座大型原子能发电站——科尔德霍尔发电站(1956年发电)。第二次世界大战开始时,他进入英国供应部,1946年任原子能生产的副审计官。于是他专注于英国新制订的全面核研究计划,一开始欣顿就竭力主张将原子能用于和平事业,他的工作是直接对英、美两国在这个领域内日益加强的合作负责。1954年英国设立原子能管理局,欣顿任该局工业组组长(1954～1957)。1954年当选为伦敦皇家学会会员,1958年任中央电力局局长。1951年受封爵士,1965年封为终生贵族。

hip 髋 解剖学上指股骨和盆骨之间的关节,以及与此关节相邻的区域。髋关节是杵臼关节(**joint**);股骨的圆头位于髋臼中,使下肢能以自由转动。两栖类和爬行类的盆带较弱,股骨水平伸展,不能有效地抵抗重力,因而这些动物的躯干常常要部分地靠着地面。哺乳类的髋使股骨能以直立,将动物体从地面抬起,并最后进化出利于奔跑和跳跃的结构(参阅**leg**)。

hip-hop 嘻哈文化 20世纪80～90年代广为流行的文化运动;它也是说唱音乐的背景音乐,这种把节奏性和/或押韵词句结合起来的音乐风格成为此运动中最持久,影响最深远的艺术形式。虽然普遍视为说唱音乐的同义词,"嘻哈"一词指的是一种复杂的文化,包含DJ、说唱、涂鸦和街舞4个要素。70年代晚期,兴起于纽约市南布朗克斯区,这里主要居民是黑人,经济状况很差。涂鸦和霹雳舞是这种文化最初吸引大众注意的两个部分,但持续效果最差。第一位重要的嘻哈音乐DJ是K.赫克,18岁的牙买加移民。他和其他DJ发展出新的唱盘操纵技巧。赫克被公认为现代说唱音乐之父。随着黑人的独立唱片公司推出"糖山帮"的歌曲《说唱者的喜悦》(1979),说唱音乐在美国第一次获得全国性的知名度。在推出几周之内,它已成为领先排行榜的奇观,其名成为流行音乐的新类型。80年代中期,第二波的说唱乐手(新派别)成名。最重要的是,这是美国黑人中产阶级三部曲,他们把说唱音乐与硬摇滚结合起来,把说唱音乐带给主流听众。另外,LL Cool J,是说唱乐的第一位浪漫超级巨星;"野孩子"扩大了说唱乐听众并使数字采样普及化;"公敌",赋予说唱乐黑人政治思想。说唱乐的古典时期(1979～1993)也包括"灵魂"乐队和"拉蒂法皇后"、"盐与胡椒"等女子说唱乐队的重要作品。来自纽约市以外的说唱乐手也开始产生深远影响,如来自加利福尼亚州奥克兰的M.C.哈默等。不过,除了纽约嘻哈音乐,最好的反应来自洛杉矶始于1989年"有看法的黑人"的处女专辑。该乐队与前成员冰块等在90年代早期西岸说唱音乐渐入佳境时带头开路。他们与Ice-T(因1992年的单曲《警察杀手》而闻名)共同开创了"帮派说唱乐"乐派。到90年代晚期,嘻哈艺术的领头人为武当派等乐队。嘻哈音乐在美国成为流行音乐销路最好的乐派,其影响是全球性的。

hip roof 四坡屋顶 又称庑殿式屋顶。房屋四面均为斜屋面的屋顶。两斜面屋顶交接处的斜棱称为斜脊或戗脊,其斜度称为戗角斜度。相交于正脊的两戗脊之间的三角形斜面称为端坡。正方形攒尖屋顶的斜脊相交于一顶点,但常见的四坡屋顶大多数建在长方形房屋上,因而正脊的两端各与斜脊相交。一种变体是两面坡屋顶房屋的山墙不到顶而上覆小的端坡。平面不规则的房屋则不但有四条斜脊,而且还有斜沟。

Hipparchus 喜帕恰斯(?,比希尼亚尼西亚～公元前127后,罗得?) 又拼Hipparchos。又译伊巴谷。古希腊最伟大的天文观测家和有才能的数学家。他的研究成果主要是从托勒玫等人的著作中得知的。在天文研究中,他摒弃占星术,也不接受日心体系。他以所有天体运动都是沿圆轨道的匀速运动这一错误观念为基础,用本轮均轮的体系说明太阳和月球的运动。他的理论用于解释太阳和朔望时的月球运动尚能获得满意结果,但用于上、下弦时的月球的运动则误差较大。他认为月球运动中包含着更复杂的不均匀性。关于行星,他没有建立任何令人满意的理论,因为在证据不足时他不愿意这样做。他进行过辛勤的观测,并把结果同前人比较,从而发现了岁差,其值为每年45″或46″。由此他开始把恒星年和回归年区别开来,并定出了较精确的回归年长度(误差6½分/年)。他以空前的精度在古希腊历史上第一次完成了一本包含约850颗恒星的位置和亮度的星表。通过对日月的观测,他定出了比较准确的黄赤交角和黄白交角。他还用视差法求日地和月地距离比,但误差较大。在天文学研究的推动下，他在数学和地理学方面也作出重要的贡献。他发明一些解平面直角三角形和球面三角形的方法，并首先把球面三角原理用于确定地球上任一点的位置，即确定它的经纬度。划分地球5个气候带的概念也是他最先提出的。喜帕恰斯的天文学工作，包括本轮均轮体系、观测数据和数学方法，对托勒玫及中世纪西欧科学产生了重大影响。

hipped roof 庑殿式屋顶 参阅 **hip roof** 四坡屋顶。

Hippel, Theodor Gottlieb von 希佩尔(1741-01-31，东普鲁士盖尔道恩～1796-04-23，柯尼斯堡) 德国启蒙运动后期的作家，哲学家康德的弟子。他虽然是他那个时代的一个小作家，但是，他的作品享有经久不衰的盛名，并预示了让·保尔的小说的产生。曾学过法律和神学，1780年任柯尼斯堡市市长。L.斯特恩的影响可以在他那部自传性质的小说《平步青云》(1778～1781)中看出，小说中含有虔信主义(其中有对死亡和道德的忧郁沉思)和理性主义的成分。他的第二部小说《骑士纵横旅行始末记》(1793～1794)叙述贵族在灾难中的偏见和傲慢，以及一个堂吉诃德式英雄同社会的最终妥协。希佩尔的两篇文章《论婚姻》(1774)和《论妇女的中产阶级地位的改善》(1792)，均强调妇女的解放，引起社会广泛的注意。

Hippias 希庇亚斯(?～公元前490) 公元前528或前527～前510年的雅典僭主。他保护诗人和手工艺者。在他的统治下，雅典非常繁荣。在兄弟希帕尔科斯遇刺(公元前514)后，他采取许多镇压措施。公元前510年斯巴达人进犯阿提卡，把他围困在雅典卫城里，迫使他投降和撤退。他跑到萨迪斯的波斯总督那里避难，公元前490年又随波斯军队渡过爱琴海。他建议在马拉松登陆，结果雅典军队大获全胜。据说他在还乡途中死于利姆诺斯。

Hippias of Elis 希庇亚斯(埃利斯的)(活动时期公元前5世纪，希腊伯罗奔尼撒埃利斯) 古希腊智者派哲学家。他曾发现可能用来三分一个角的特殊曲线(矩形求边弧)，从而对数学作出重大贡献。他是多才多艺的人物，并具有晚期智者派所特有的自信心，曾讲授诗歌、语法、历史、政治学、考古学、数学和天文学。著有大量文学作品，除了用散文写的专门论文外，还有挽歌和悲剧。据说他写过一部有关荷马的杰出作品，编辑过希腊和外国的文学作品，还写过考古学论文，但仅有断片留存。柏拉图的《普罗泰戈拉斯》曾对他有过描述，并有两个短篇对话以他的名字为题。

hippie 嬉皮士 又拼 hippy。20世纪60和70年代，摈弃美国主流生活道德观念的反正统文化运动成员。此次运动源于美国大学校园，也波及其他国家，包括加拿大和英国。名称来自"hip"一词，原指避世运动人物，如A.金斯堡和J.凯鲁亚克等，一般认为他们是嬉皮士的先驱。尽管此项运动部分源于反对美国卷入越南战争(1955～1975)，但嬉皮士不同于和他们相对的激进分子易比士("Yippies")，并不直接参与政治。嬉皮士自感不容于中产阶级社会，他们认为那些人是为物质主义和压抑情绪所支配，所以他们有自己的独特生活方式。他们喜欢蓄长发，穿不符合传统的休闲服装，有时还颜色"怪异"。许多男士留须，而不论男女都穿拖鞋、戴珠子项链。女的喜欢穿宽松连衣裙，男女都喜欢戴无边框大眼镜。嬉皮士常是群居或在合作公寓居住，吃不经过加工的素食，服身心并治的药物。民间音乐和摇滚乐都是嬉皮士文化不可缺少的组成部分。B.迪伦、J.贝兹等歌手，以及甲壳虫、死之华合唱团、杰佛逊飞船乐团和滚石等一些乐队大多与他们紧密相关。颂扬嬉皮士生活方式的音乐剧《头发》1968年在百老汇上演。反映嬉皮士价值和审美观的电影《逍遥骑士》于1969年上映。小说家K.凯西是最著名的嬉皮士代言人之一。

Hippius, Zinaida Nikolayevna 参阅 **Gippius, Zinaida Nikolayevna** 吉皮乌斯。

Hippo 希波 北非海岸两个古代港口的名称。一是希波，后称希波里吉乌斯，在今阿尔及利亚安纳巴城附近。公元前4世纪迦太基人开始在此定居，后成为努米底亚君王的都城。在罗马统治下为殖民地，享有完全的罗马公民权。另一是希波迪亚里图斯，或称希波扎里图斯，即今突尼斯比塞大城的所在地。至少在公元前350年就已有人定居，在罗马时代和以后时期均具有重要地位。

Hippocrateaceae 翅子藤科 卫矛目的一科。21属，木质藤本、灌木或乔木，常见于热带。单叶；花小，淡绿色。翅子藤属(*Hippocratea*)80余种。产于热带美洲和西印度群岛的卵叶翅子藤(*H. ovata*)为高攀缘藤本，叶革质，广椭圆形。五层龙属(*Salacia*)200种，与翅子藤属的区别是果无翅。假南蛇藤(*H. celastroides*)产于墨西哥和中美，当地人将其果实捣碎，用于灭虱。

Hippocrates 希波克拉底(约公元前440，希腊科斯岛～前377，色萨利拉里萨) 古希腊医生，被誉为医学之父。关于其生平可信的材料甚少，同时代或近乎同时代的柏拉图及米诺的作品中有过一些描述。500年后希腊医生索拉努斯根据传说及想象写过希波克拉底传。但仅知他出身科斯的世医家庭，身材矮小，医术超群。曾广泛游历希腊及小亚细亚，行医授徒，长期在科斯的医科学校任教。现存约有60篇著作署以希波克拉底之名，总称《希波克拉底文集》。但经研究，这些作品非一人一时之作，创作年代前后相差至少100年，且长短、风格、观点、读者对象各异；但均用爱奥尼亚方言(当时希腊学术界使用的语言)写成；内容涉及解剖、临床、妇儿疾病、预后、饮食、药物疗法、外科手术、医学道德等。杰出的有《流行病学》、《圣病》(指癫痫)、《预后学》、《格言》等。《希波克拉底誓言》实非他的手笔，至今许多医学生毕业时仍要宣读。《希波克拉底文集》似原为科斯医科学校的藏书，后移至亚历山大并编纂出版。

美国不列颠百科全书公司供图

Hippocrates of Chios 希波克拉底(希俄斯的)(活动时期约公元前460) 希腊几何学家，早于欧几里得近100年汇编了第一部关于几何原理的著作。这部著作虽没有流传下来，但欧几里得可能将它作为《原本》的雏形。传说他是一个商人，货物被海盗所抢，到雅典去控告，但没能收回自己的财物。后来他留在雅典，听数学讲演，最后就靠讲授几何为生。亚里士多德则有不同说法，认为他受了拜占廷税官的欺骗，这说明他虽是一个出色的几何学家，而处理日常生活事务却是无能的。他的《原本》只是后来评论者提到才为人所知，特别是希腊哲学家普罗克洛斯(活跃于约450)和辛普利西乌斯(活跃于约530)都曾提及。在化圆为方的尝试中，他根据一个定理(两个圆的面积之比等于其半径平方之比)求出了某些月牙形的面积。罗得城的欧德摩斯(约公元前335)对这些月牙形求积法写有一部提要，附有详细证明，由辛普利西乌斯保存下来。希波克拉底的第三个成就是发现倍立方问题可以化为求一个数和它的二倍数的双比例中项的问题。

Hippocratic oath 希波克拉底誓言 据说出自希波克拉底之手的医学道德准则。一直被医务人员视为行为指南。至今仍在许多医学院校的毕业典礼上宣读。对希波克拉底的生平所知甚少，也不知当时是否只有一个名叫希波克拉底的医师，但有一批手稿(称为《希波克拉底文集》)却流传至今。其内容涉及作者观察及治疗疾病的方法，也涉及疾病、症状及诊断等医学问题；又为医学教师及其学生规定了操守的准则。这个准则(或其中一部分)已译成多种文字，在医师之间代代相传，称之为希波克拉底誓言。誓言分为两大部分：第一部分陈述了医师与医学学生之间应当相互承担的义务。第二部分是医师的誓约，医师要发誓尽其所能为患者谋福利，不能使患者遭受祸害；在其私生活及医务方面要堪为楷模；保证决不帮助意图自杀的人或企图堕胎的妇人；决不利用患者对自己的信任去谋私利；要保守在诊疗过程中得悉的秘密等。

hippodrome 竞技场 古代希腊供赛马和战车比赛用的运动场。典型的场地结构是利用山坡挖土,堆在两侧,围成U形看台,分层设置座位。由于要供10辆战车同时竞赛,跑道宽达122米,长度为200米左右。古代最大的竞技场在君士坦丁堡,始建于203年,330年完成。

hippogriff 鹰头马身有翅怪兽 传说中的一种动物,前躯为有翅鹰状、躯体及后部为马的怪兽。这头怪兽是L.阿里奥斯托在《疯狂的奥兰多》一诗中虚构的,用以表示一种不可能或不协调之意。

Hippolytus 希波吕托斯 希腊宗教中的一位较小的神。他在雅典同爱之女神阿佛洛狄忒有来往;在特洛曾,即将结婚的女孩子都要把自己的一绺头发献给他。希腊人认为,

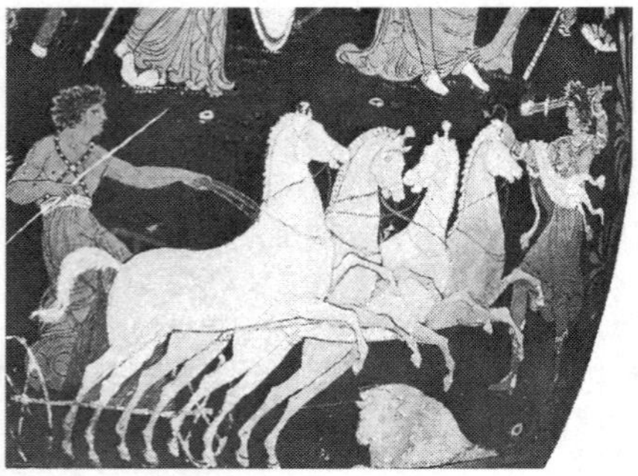

希腊瓶画中驾驭四马战车的希波吕托斯
美国不列颠百科全书公司供图

他的名字表明,他的死与马有关。在欧里庇得斯的悲剧《希波吕托斯》中,他是雅典国王忒修斯和希波吕忒的儿子。忒修斯的第二个妻子菲德拉爱上了他。当菲德拉向他表露爱情时,他表示极为反感,结果她竟自杀,留下遗言说他侮辱了她。忒修斯拒不相信希波吕托斯为自己的无辜提出的抗辩,把他放逐,并把海神波塞冬送给他的三个咒诅中的一个降到他身上。波塞冬派去的一个海怪吓惊了希波吕托斯的马,结果马失去控制,踩坏了战车,并把主人拖死。

Hippolytus of Rome, Saint 希波里图斯(罗马的),圣(约170～约235,撒丁) 第一位敌对教皇(217或218～235在位)、殉教士。教皇泽菲利努斯在位期间(约199～217),他是罗马教士中的领导人物,指责泽菲利努斯坚持模态说(即谓三位集中于基督一身,圣父与圣子无非是同体异名)。希波里图斯主张逻各斯论,将真神分为三位。他认为,上帝是一体,一方面不可分,另一方面又是复体。在伦理方面他属于保守派,反对教皇加里斯都将奸淫等大罪列为可以宽恕之类;他认为教会成员应限于义人。希波里图斯有博学之名和撰述之才,但教皇泽菲利努斯死时教会却推选加里斯都继位。希波里图斯一怒而退出教会,别树一帜,被拥为敌对教皇。教皇乌尔班一世和蓬提安在位期间(222～230,230～235),希波里图斯也在位。235年罗马皇帝马克西米努斯迫害基督教,希波里图斯与蓬提安一同被驱往撒丁矿区。两人在流放期间和解,希波里图斯鼓励门人与罗马联合。235年两人在殉教前自动逊位,使安特鲁斯得以登位,分裂局面结束。希波里图斯的主要著作《斥异端》指出,基督教内各种异端来源于异教哲学。

Hippolytus, Canons of Saint 圣希波里图斯教会法 基督教教会法汇编。共收教会法38种,现存阿拉伯文本。原本为希腊文,写于埃及。阿拉伯文本可能是以科普特文译本为据。所收教会法既不是圣希波里图斯亲手所著,也不是最古老的教会法规,而是圣希波里图斯所著《使徒传统》的摘编,作者不详。其书大致循原著次序和内容,次第论祝圣、教理入门、洗礼、祈祷和教会戒律。但是他任意改动或增加正文。从书中文字可知,作者生活在尼西亚会议(325)之后,写作时代在4世纪末罗马帝国定基督教为国教之前。这部教会法不同于《使徒传统》,似乎并非写某一个具体教会,而是记有关于使徒的传说、理想的和实际的改革。

hippopotamus(*Hippopotamus amphibius*) **河马** 偶蹄目河马科中非洲的两栖兽类。最大的非反刍偶蹄动物。以前栖息在整个非洲的湖泊和河流里,现在只限于上尼罗到南非的局部地区。体桶形,四肢短。体长4.6米,肩高1.5米,体重3～4.5吨。皮厚,几乎无毛,背面浅灰黑色,腹面颜色较淡,带粉红色。眼和鼻孔突出,浸没水中时露在水面上。口大,上唇厚而凸出;门牙和犬牙都很大,磨掉后继续生长。皮腺多,分泌一种保护性的粉红色油质液体,民间误传河马出汗时流出血液。河马成群生活在河流和沼泽地,多夜出觅食水生植物和岸边的植物,常损害庄稼。在水中从不远游,可快速游水,并能沿河底行走。于陆上短距奔驰比人快。能发出很响的呼噜声或吼声。妊娠期约8个月,一胎生一仔;母兽游泳或浮在水面时,常让幼仔骑在背上。在繁殖季节,雄兽间有时进行致命的争斗。不伤害人,但有时无故用颌部把小船捣毁。非洲人认为其肉味美,牙齿可作优质的象牙代用品。罕见的倭河马(*Choeropsis liberiensis*)也属于河马科,长约

河马(*Hippopotamus amphibius*)
美国不列颠百科全书公司供图

1.5米,颜色更深些。单独或成对生活于西非的溪流、森林或沼泽,似比河马较少水栖。

Hipposideridae 蹄蝠科 小翼手亚目的一科。统称为旧大陆叶鼻蝠。特点是具有复杂的鼻叶(吻上的叶状皮肤隆起),由蜂房状的横叶和叶片状的前部组成。分布于从非洲到澳大利亚的热带地区;有一个属(蹄蝠属[*Hipposideros*])几乎遍布上述区域。常为褐色,但三叉蹄蝠属(*Asellia*)为红色。体长3～11厘米,无尾或尾仅长6厘米。共60种,大部分群居,隐藏在山洞或类似的栖息

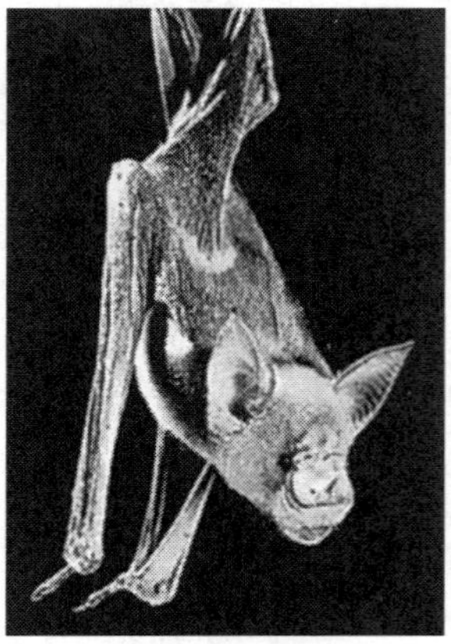

旧大陆叶鼻蝠(*Hipposideros commersoni gigas*)
美国不列颠百科全书公司供图

地。食虫。蹄蝠与菊头蝠科(蹄鼻蝠科)近缘,有时划为菊头蝠科蹄蝠亚科(Hipposiderinae)。

Hippuridales 杉叶藻目 又称小二仙草目(Haloragales)。双子叶植物的一目。含3科8属多种多样的水生及陆生草本,产世界各地。花通常简单,风媒或水媒传粉,常无花瓣,子房下位,1～4室,每室含1胚珠。据认为本目与桃金娘目近缘,两者均起源于虎耳草目。小二仙草科(Haloragaceae或Haloragidaceae)是本目中最大的一科,约有150种,为陆生、沼生或水生草本;叶小;花成小簇,子房2～4室,花柱同数。小二仙草属(*Haloragis*)有75种,狐尾藻属(*Myriophyllum*)有45种,*Laurembergia*属有22种,普洛塞皮娜草属(*Proserpinaca*)有4种,劳登氏草属(*Loudonia*)有3种,*Meziella*属有1种。其中仅狐尾藻属的水茂草(**water milfoil**)有园艺价值。几乎仅产南半球的根纳鲁斯氏草科(Gunneraceae)只含根纳鲁斯氏草属(*Gunnera*),有50种,为高大的陆生草本;许多种的叶巨大,呈圆形或肾形,似大黄,柄长,叶面直径长达3米。智利根纳鲁斯氏草(*G. chilensis*)是庭园观赏植物,其叶柄长2米,绿色,被短硬毛,叶片大,圆形或心状,有深裂片从与叶柄相连处辐射出。还有高大的长袖根纳鲁斯氏草(*G. manicata*),叶片大,在中心处与叶柄联接。杉叶藻科(Hippuridaceae)仅1属——杉叶藻属(*Hippuris*),3种,为细长的沉水草本,叶小而直,以一定间隔轮生于茎上。

Hipsch Martin 希普施·马丁 参阅**Schongauer, Martin 施恩告尔**。

Hira(ancient city, Iraq) 参阅**Ḥīrah, al-希拉赫**。

Hirado 平户 日本长崎县城市。在九州岛西北平户岛上,虽由两个岛组成,但中心在平户岛北岸。平户是1550年向葡萄牙、荷兰

平户岛上的佛教庙宇，后为天主堂尖塔
美国不列颠百科全书公司供图

和英国开放的第一个日本贸易港口。1636年平户市的贸易港口地位被长崎市所取代。德川时代为平户家族的城堡镇，多历史古迹，如今夕寺和天主堂等。该城市的一部分（165平方千米）被划入西海国家公园。人口26 864（1990）。

Hiragushi Denchū　平栉田中（1872-02-23，日本冈山县～1979-12-30，东京）　又名倬太郎（Takutarō）。日本雕刻家。其风格兼有奈良时代天平雕刻与江户时代后期小木雕刻人像的特色，并使西方雕刻艺术的写实主义与富

平栉田中的《狮子舞》（1940）
美国不列颠百科全书公司供图

于精神色彩的亚洲风格相融合。以写实和色彩鲜明的肖像雕刻著称。平栉田中21岁时赴大阪，学艺于玩具雕刻家，接受木刻方面的训练。并在奈良研究了两年古代佛像，雕刻了一尊观音像。1898年去东京师从高村光云。高村光云是使佛像雕刻与现代欧洲写实主义方法相结合的倡导者。1907年在冈仓觉三的支持下他与其他雕刻家创办了日本雕刻协会，并自1908年起举办展览。1937年被选入帝国美术学院。1944～1952年平栉在东京美术和音乐大学教授木雕。1971年他献出东京上野（区）的旧居，作为展出现代日本雕刻的博物馆。1972年为纪念其诞辰一百周年，他设立平栉田中奖，用来鼓励青年雕刻家。其代表作有《转生》（1920）、《吴浦垂钓者》（1930）。他还雕刻了评论家冈仓觉三的雕像（1942）。其最受欢迎的作品是一组等身木雕像：著名歌舞伎剧演员尾上菊五郎六世扮演的《狮子舞》。

Ḥīrah, al-　希拉赫　英语作Hira。伊拉克古城，在今卡尔巴拉省库费以南。在前伊斯兰时期的阿拉伯历史上已很著名。初为军事营地，在萨珊波斯的属国莱赫米王朝（5和6世纪）统治下变得重要起来。在阿拉伯文化史上占有更加重要的地位。相传，阿拉伯的字体在那里得到发展，希拉赫对阿拉伯诗歌和阿拉伯基督教的发展起了特别重要的作用，对东方的宗教生活也产生了强烈的影响。7世纪初波斯灭莱赫米王朝后开始衰落，633年归顺穆斯林。

Hirakata　枚方　日本本州大阪府东北部城市。濒临淀川。德川时代为京都、大阪之间的驿站、河港。19世纪末一度衰落，1910年通铁路后恢复繁荣。现发展为居民卫星城和教育中心。生产纺织品、金属制品、机械和铁路车辆。人口约394 935（1992）。

Hiram　希兰　又名胡兰（Huram）或亚希兰（Ahiram）。腓尼基所辖推罗国王（公元前969～前936在位）。据《圣经·旧约》记载，希兰是以色列国王大卫和所罗门的盟友，他同以色列保持了友好的关系，向所罗门提供在耶路撒冷兴建圣殿所需要的人力和物资，并与所罗门合作，在地中海和红海地区进行贸易。所罗门则以贡物和加利利地方的土地作为对他的回报。

hiramaki-e　平莳绘　日本漆器工艺中用金粉作浅平浮雕装饰的技法，是莳绘（**maki-e**）的一种基本形式。先用笔墨在纸上把图案勾画出来，然后用加热熔化的漆和颜料（通常是

18世纪中叶的平莳绘蛛网昆虫纹漆盘
美国不列颠百科全书公司供图

红色的）调匀后在纸的反面依样勾摹。用指尖压磨。把摹图案转移到需要绘图案的漆器表面上。这一过程叫做置目（即过稿）。第二步地书（即描地）是把转移到漆器表面上的图案用漆描好，通常略带红色。趁着图案上的漆还未干时，利用撒管把金粉撒上。当漆完全干燥后，去掉多余的金粉，再在金粉覆盖的图案上涂上一层透明漆，干燥后，用木炭粉磨光。再增加第二层透明漆，让它自行干燥，然后用手指加亚麻子油和极细的泥石粉末混合磨料，进行推光。平莳绘工艺是在平安时代（794～1185）后期发展起来的。在它之前有研出莳绘，这种技术的不同点在于撒金属粉末后，不仅在图案上，而且在整个表面上涂上透明漆，然后磨光，使图案露出来。在镰仓时代（1192～1333）和室町时代（1338～1573），平莳绘有被高莳绘（形象凸出的金银装饰术）超过的趋势，只是到了晚近才盛行起来。到了安土桃山时期（1574～1600），平莳绘艺术家们往往只撒金粉，不再磨光，这种技术称为莳放。

hirameji　平目地　日本漆工艺中地莳技术的一个变种。在装饰地纹时，使用形状不规则的小块金（或银）薄片。金薄片的制备方法是，用锉刀从金块上锉下极细的赤金颗粒，放

日本江户时代的平目地印笼
美国不列颠百科全书公司供图

在钢板上，用钢辊辗压成扁平的粉末；然后再以孔眼规格不同的筛子，把粉末状的细薄片按厚薄分开，使之适用于不同厚度或具有斑纹的金、银涂层。使用撒粉管把细金粉末撒在未干的漆胎上。干燥后涂以黑推光漆（是用生漆加铁剂精炼而成的无油黑漆），最后用炭粉抛光。据信平目地是从一种在平安时代（794～1185）叫做平尘的工艺发展起来的，其特点是从赤金上锉下的细小薄金片，不是均匀布撒的。

Hirata Atsutane　平田笃胤（1776-09-25，日本秋田～1843-10-04，秋田）　日本思想家、理论家、复古神道（**Fukko Shintō**）领袖。他强调天皇的神性，这种思想对19世纪下半叶尊王倒幕派产生了巨大的影响。平田笃胤原来研习新儒学，后来转而研究神道，并成为去世不久的国学派创始人本居宣长的私淑弟子。平田笃胤努力发展神学体系，为社会和政治活动提供理论基础。其后，平田笃胤猛烈抨击德川幕府，结果被斥退还乡。平田笃胤极力宣扬日本是诸神之国，诸神通过历代天皇向日本传授正道。尽管如此，他还是通过汉文译本接受到了一些西方科学，甚至他

美国不列颠百科全书公司供图

的神学论著抄袭在中国活动的天主教耶稣会会士们的观点。

Hiratsuka　平塚　日本本州神奈川县城市。临相模湾。德川时代为东京至京都驿路上的驿站。1887年东京至神户通铁路，市东区成为商业中心。北部工业区有橡胶、化工、机械、汽车和食品加工厂。四周农区产蔬菜和乳牛。大片农地被用于建造东京-横滨都市区职工的住宅。每年举办星祭活动。人口约234 759(1987)。

hird(military guard)　参阅 **housecarl** 护卫。

Hire, Laurent de La (French painter)　**伊尔**　参阅 **La Hire, Laurent de** 拉伊尔。

Hiroa, Te Rangi　希罗厄　参阅 **Buck, Sir Peter (Henry)** 巴克。

Hirohito　裕仁(1901-04-29，东京～1989-01-07，东京)　原名 Michinomiya Hirohito。日本天皇(1926～1989)，是日本历史上在位时间最长的君主。曾在华族学校求学。早年就对

日本国际教育情报学社供图

海洋生物学发生兴趣，后来写过几部专著。1921年访欧，成为日本第一个出国访问的皇储。同年冬天任摄政亲王。1926年12月25日践祚，改元昭和。日本旧宪法赋予他至高无上的权力，但实际上只是批准大臣和顾问所制定的政策。1945年日本即将战败之际，在和战两派相持不下时出面主和，8月15日亲自广播，宣布接受盟国提出的投降条款。根据美国占领当局起草的新宪法，日本成为君主立宪国家。自此，他开始经常在公共场合露面，并准许出版有关他私人生活和家庭生活的照片和文章。

Hirosaki　弘前　日本本州北部青森县城市，原先为弘前城堡镇。其特产为绿漆器和苹果制品。1949年建立弘前大学。弘前公园

弘前市的弘前城堡
美国不列颠百科全书公司供图

内有古城堡(1611)遗址。弘前市西面孤立的火山锥岩木山为香客朝觐地。人口约175 953(1988)。

Hiroshige　广重(约1797，日本江户［今东京］～1858-10-12，江户)　全名安藤广重。日本著名彩色版画家，晚期浮世绘画派主要人物。他加强了作为独立形式的风景版画的地位，并以一般人喜闻乐见的风格描绘了日本山河之美。对19世纪西方艺术家惠斯勒、塞尚、土鲁斯-劳特累克、高庚和凡高等均有影响。早年是业余美术爱好者，后进歌川丰广画室。其画风兼有受中国影响的狩野派风格和表现主义的四条派风格——这两种风格对其晚期作品具有强烈影响。由于浮世绘艺术家在当时不受社会重视，有关其早年生活所知甚少。从作品看，其艺术生涯共有三个阶段：首先是学生时期(1811～1830)，主要是学习前辈画家的人物肖像版画——美女、演员或武士等。第二个阶段为风景版画初创期(1830～1844)，创造出浪漫主义风景和花鸟版画的模式，并在名作《东海道五十三次》中得以充分表现。后期为风景和人物风景版画时期(1844～1858)，此时由于作品大量滥印，质量下降。广重是继北斋之后颇有建树的浮世绘风景画家，他一改北斋雄劲有力的风格，创造出具有日本民族传统的柔和诗意的特色。主要作品有：《东海道五十三次》(1833～1834)、《近江八景》(1835)、《富岳三十六景》(1854～1858)、《江户名胜百景》(1856～1858)等。

Hiroshima　广岛　日本县名。在本州西南部，面积8 467平方千米。中国山脉横遮北境，南濒濑户内海展开广阔的三角洲平原。人口大多依靠农业(稻米、柑橘、菊花、灯心草和牛)。在吴、尾道和因岛均有船坞。该县领有几个近海岛屿，包括严岛(又称宫岛)，该岛以严岛神社及另外几个神社驰名。人口约2 878 000(2003)。

Hiroshima　广岛　日本本州西南部广岛县首府。临濑户内海的广岛湾，地处太田川三

广岛市和平公园内的原子弹受难者纪念碑，拱内所见圆顶建筑为原子弹纪念堂
美国不列颠百科全书公司供图

广重绘《东海道五十三次》(1833～1834)
美国不列颠百科全书公司供图

角洲。16 世纪建立时为一城堡镇。1868 年起成为军事中心。1945年8月6日，因美国空军在此投下一枚原子弹，成为世界上第一个受原子弹攻击的城市。城市大部被摧毁，死亡 7 万人，因辐射中毒而死亡的人数逐年增加。1950 年开始重建。现为所在地区最大工业城市。有许多行政机构、公共事业中心和一所大学。生产钢、橡胶、化工产品、船舶和运输机械。该市已成为禁止核武器和平运动的精神中心。1947 年建立了原子弹受害者委员会，对辐射影响进行医学和生物学研究；有 5 所公立医院和 40 所私人诊所免费为原子弹受害者提供治疗。广岛城堡（1957 年修复）内有市历史博物馆。和平纪念公园里有为原子弹爆炸死难者建造的纪念碑，状似一巨大马鞍，胸墙石壁镌有死难者名单。原子弹爆炸后仅存建筑的遗迹被辟为纪念馆。人口约 1 108 868（1995）。

Hirpini 赫彼奈人 古意大利南部一个萨莫奈部落，居住内陆地区。其北为彭特里人和卡拉切尼人。公元前 4 世纪的历次战争中，赫彼奈人、考比尼人、彭特里人及卡拉切尼人组成萨莫奈联盟。罗马人实行“分而治之”的政策，于前 268 年重建赫彼奈人的马莱文图姆城，作为拉丁人殖民地，改名贝内文图姆，把赫彼奈人从联盟中分化出去。此后赫彼奈人就成为一单独部落。前 216 年，他们与迦太基合作，共同反抗罗马。赫彼奈人在前 82 年取得罗马公民权以前，始终保持独立。赫彼奈人的主要城镇除贝内文图姆（贝内文托）之外，还有阿贝利努姆（阿韦利诺）及埃克拉努姆。

Hirsch, Maurice, baron de 希尔施（1831-12-09，巴伐利亚慕尼黑[今在德国]～ 1896-04-21，匈牙利埃尔谢库伐尔） 犹太人实业家，以热心广泛的慈善事业而著名。出身殷实家庭，又善于理财，以成功地建设穿过巴尔干各国抵达君士坦丁堡的铁路为开端，遂致富有。一次访问土耳其时，看到犹太人的贫乏困苦深受感触，便开始救济东方犹太人。为此，他向慈善组织世界犹太人联盟捐款 100 万法郎，以后每年又有巨额捐赠以维持该组织的活动。然后，他创建犹太人殖民化协会（总部设在英国）并提供巨额捐款。这笔基金是世界上最大的慈善基金之一，被用于在友善国家建立农业殖民地，因为希尔施深信犹太人会依靠农业而自立。1891 年他在美国设立希尔施基金会，帮助移居美国的犹太人就业。在 20 世纪后期，该基金会继续支援犹太人农业协会。希尔施的慈善活动并不限于犹太人。据估计他为慈善事业共花费 1 亿多美元。

Hirsch, Samson Raphael 希尔施（1808-06-20，汉堡[今在德国]～ 1888-12-31，德国美因河畔法兰克福） 犹太教主要思想家，独立正统派或新正统派创始人。先后在奥尔登堡、埃姆登、尼科尔斯堡和美因河畔法兰克福等地任拉比。希尔施认为，犹太文化基本上是宗教，因此，犹太人不返回故国也一样可以生存，此点与改革派一致；然而，他又不同于改革派，因为他反对用史学方法研究《圣经》和犹太教义。另一方面，他不用神秘主义方法解释礼拜规则的灵意。

Hirsch, Samuel 希尔施（1815-06-08，普鲁士特里尔附近塔尔方[德国]～ 1889-05-14，美国伊利诺伊芝加哥） 犹太教哲学家、拉比，激进的犹太教改革派主要鼓吹者。曾在波恩、柏林和莱比锡等大学学习，1838 年在德绍任拉比，1841 年因所持观点被迫辞职；1843 ～1866 年任卢森堡大公国大拉比，1866 年调美国费城继艾茵霍恩任肯尼塞特以色列人改革派会众领袖，在任 22 年。1869 年费城举行拉比会议，希尔施当选主席，参与拟订犹太教改革派纲领。会议宣布，犹太人散居是神圣计划的一部分，有助于世界各民族真正认识和崇拜上帝。希尔施指出，犹太教不是法律而是教义，通过象征性仪式表达出来，而宗教仪式则应因形势所需而变更。其巨著是两卷本的《犹太人的宗教哲学》（1842），批驳黑格尔认为不应把犹太教列入“纯粹宗教”范畴的观点。

Hirschberg（Poland） **希尔施贝格** 参阅 **Jelenia Góra 耶莱尼亚古拉**。

Hirschfeld, Al 希尔施费尔德（1903-06-21，美国密苏里圣路易斯～ 2003-01-20，纽约） 原名 Albert Hirschfeld。美国讽刺艺术家，特别以在《纽约时报》上发表的对娱乐界人物的描

希尔施费尔德绘《世上初次公演》
美国不列颠百科全书公司供图

绘闻名。11 岁时，全家从圣路易斯市迁居纽约市的上曼哈顿。17 岁到纽约市阿斯托里亚区塞尔兹尼克制片厂工作，担任艺术指导。手头有积蓄后，于 1924 年去欧洲研究美术，20 年代大部分时间旅居巴黎，但常回纽约市。1925 年《纽约先驱论坛报》复印了他在剧院海报上所作的一张漫画。在其作品更加受人欢迎并被纽约几家报纸刊登之后，1929 年与《纽约时报》就使用他的剧院漫画问题达成协议。他描绘剧院和非剧院人物的作品继续在其他许多出版物上出现。30 年代，他长途跋涉去远东旅行，据云他的画风曾经受到日本和爪哇艺术的影响。40 年代开始，他为一些作家的书籍绘插图，如 S.J. 佩雷尔曼的《向西去，哈！》（1948）和《瑞士佩雷尔曼一家》（1950）、F. 艾伦的《忘掉的劳苦》（1954）及 B. 阿特金森的《精力充沛的年代》（1973）。他还开始出版书，既是这些书的著者，又是插图绘制人，如《娱乐性行业绝不是商业》（1951）和《希尔施费尔德自传》（1979）。在《希尔施费尔德的世界》（1968）中，他详细叙述了自己的生平和技法。在私人藏品和博物馆中均可见到他的素描、水彩画、石印品、蚀刻画和雕塑。

hirsutism（hair growth disorder） 参阅 **hypertrichosis 多毛症**。

Hirt, Hermann 希尔特（1865-12-19，普鲁士马德堡[德国]～ 1936-09-12，德国吉森） 德国语言学家。他的 7 卷本《印欧语语法》（1927 ～ 1937）内容丰富，至今仍有影响。早期曾对印欧语重音和元音交替作过独创性研究。因对史前史发生兴趣，从语言研究扩展到印欧人及其文化，曾著《印欧人》一书（2 卷，1905 ～ 1907）。希尔特大部时间在吉森大学任印欧语文学和梵语教授（1912 ～ 1936）。

Hirtius, Aulus 希尔提乌斯（约公元前90～前 43-04-21，山南高卢穆蒂那附近[今意大利摩德纳]） 罗马军人、作家。约从公元前 54 年起在 J. 凯撒麾下服务。公元前 50 年受命去与凯撒的对手庞培进行谈判。以后转战西班牙和帝国东部，历任山外高卢行政长官（公元前 46）和总督（公元前 45）。公元前 44 年被确定为公元前 43 年执政官。凯撒被刺后他站在元老院一方反对 M. 安东尼。公元前 43 年率兵去穆提那作战。虽屡败安东尼，但不幸阵亡。死后葬罗马英烈陵。现已几乎肯定他是《高卢战记》第 8 卷的作者，可能还著有亚历山大战史。他与密友西塞罗的通信集刊印 9 卷，惜已失传。

Hirundinidae 燕科 雀形目鸣禽亚目（或称燕雀亚目）的一个鸣禽科，由 74 种鸟类组成。体小呈流线型，以飞行敏捷有力著称。除南、北极和某些岛屿之外，分布于世界各地。体长 11.5 ～ 23 厘米。生有完整的支气管环，为鸣禽所少见。喙平直，脚细弱，翼尖且长。性活泼，在急速飞行中捕食昆虫。家燕（仓燕，*Hirundo rustica*）尾羽分叉，为典型“燕尾”。紫岩燕（紫马丁鸟，*Progne subis*）是北美洲最大的燕。

Hirwaun 赫尔旺 威尔士格拉摩根历史郡隆达-西农-塔夫一地方。位于阿伯德尔谷的东北端。北面有布雷肯比肯斯山脉，西面有赫尔旺康芒高地和克雷格伊林峰（600 米）。1911 年，为建一个水库而在克雷格伊林坡的一个天然小湖排水时发现许多铁器时代的工具和武器，以及公元前 6 世纪的工具和青铜装饰品。现有一现代工业区和煤矿以及砖厂。有山路通朗达谷地，山路穿过赫尔旺康芒时海拔近 520 米。

His, Wilhelm 希斯（1831-07-09，瑞士巴塞尔～ 1904-05-01，德国莱比锡） 瑞士出生的

德国解剖学家、胚胎学家。创建了组织发生这门学科，1886年发现每条神经纤维均起源于一个单一的神经细胞，从而建立神经元学说。曾于柏林大学师从约翰内斯·弥勒，于维尔茨堡大学师从菲尔绍，后于巴塞尔大学（1857～1872）和莱比锡大学（1872～1904）执教。在莱比锡创建了一所解剖研究所。1865年发明切片机。其《人类胚胎解剖学》（3卷，1880～1885）被认为是第一部人类胚胎发育的精确而详尽的著作。

His, Wilhelm　希斯（1863-12-29，瑞士巴塞尔～1934-11-10，维森塔尔）　瑞士心脏病学家。与其父（著名解剖学家）同名。1893年他发现，心室间隔内有特殊的心肌纤维（希斯氏束），属心脏自律组织，具传导性和自律性。他在1907～1926年任柏林大学内科学教授时，就认识到心搏起源于心肌的个别细胞。

Hisār　希萨尔　又拼 Hissār。印度西北部哈里亚纳邦西北部城市。傍西亚穆纳灌渠的锡尔欣支渠。建于1356年，后成为莫卧儿中心。18世纪人口锐减，后为英国冒险家 G.托马斯占领。1867年建市。有城墙及四座城门。内有古代清真寺数座，包括现在的一座耆那教庙宇。陆路交通枢纽。工业有轧棉和手工织布。设有古鲁格舍德拉大学的几个分校。人口约172 873（1991）。

Hisarlık　希沙立克　土耳其境内土冈，系考古遗址，长期以来以出有古希腊和罗马的伊利昂（特洛伊）城的遗迹而著名。遗址位于小门德雷斯河入达达尼尔海峡的海口附近。1822年 C.麦克拉伦考证遗址即是荷马史诗中的特洛伊（**Troy**）城。H.谢里曼 1870～1890年间所进行的发掘，证明了上述考证是正确的。

Ḥisdai ibn Shaprut　希斯代·伊本·沙普鲁特（约915，西班牙哈恩～975，科尔多瓦）　Ḥisdai 又拼Ḥasdai。犹太医生、翻译家及政界名人。曾帮助开创摩尔人统治西班牙时期希伯来文学的黄金时代，也是一位多次参加重大外交谈判的铁腕政治家。他自担任强大的伍麦叶朝哈里发阿卜杜勒·拉赫曼三世的御医之后，在阿拉伯世界中逐渐身居高位，任无任所大臣。在伊斯兰教和基督教统治者之间进行斡旋的微妙外交使命中，他发挥他的语言专长（通希伯来语、阿拉伯语和拉丁语）和辩才。有一次他协助哈里发与拜占廷帝国就一项条约进行谈判，在拜占廷皇帝赠送哈里发的礼品中，有一件是希腊名医迪奥斯科里斯所著的《药物论》的抄本，希斯代协助将《药物论》译成阿拉伯文。还有一次他成功地为相互交战的纳瓦尔和莱昂两王国间的媾和铺平了道路。阿卜杜勒·拉赫曼于961年去世以后，希斯代继续辅佐王位继承人哈卡姆二世。希斯代帮助开创了西班牙犹太教的黄金时代。当时的文苑众杰云集于他的庇护之下，其中有杜纳什·本·拉卜拉特、梅纳海姆·本·萨鲁克等，科学的希伯来语语法和希伯来新诗体就是在这些诗人、作家参与下确立起来的。希斯代还促进了对犹太律法和犹太法典的研究。

Hise, Charles Richard Van　参阅 **Van Hise, Charles Richard** 范海斯。

Hishām ibn ʿAbd al-Malik　希沙姆·伊本·阿卜杜拉·马利克（691，大马士革[今在叙利亚]～743-02-06，大马士革）　伍麦叶王朝第十代哈里发，在位时正值王朝最后一个繁荣与辉煌时期。724年即位后，维持内部治安，被迫在帝国边界上多次开战。他主要关心巩固继承来的巨大国土的行政控制。曾力图把阿拉伯人的南北两大派都吸收进政府，并注意帝国税收的收入和开支。他在叙利亚建筑一连串宫殿和城堡。在宗教事务方面严格信奉正统。在位期间一直企图由儿子继位，但最后被迫同意侄子瓦利德为嗣君。

Hishām ibn (Muhammad) al-Kalbī　希沙姆·伊本·凯勒比（747以前，伊拉克库费～819或821，库费）　又称阿布·蒙齐尔。研究早期阿拉伯习俗、系谱和战争的学者。其父为知名学者，致力于收集和记载贝都因人和职业说唱人的口头传说。据说希沙姆可能晚年在巴格达讲学，著述丰富，内容涉及早期阿拉伯人的历史及宗教。现存作品有：《相马篇》，论述名马并收有颂马诗若干首；《历代文献录》，阐述前伊斯兰教时期及早期穆斯林阿拉伯人政治、宗教及文字，堪称经典之作；《偶像之书》，论述前伊斯兰时期阿拉伯人所奉诸神。

Hishida Shunsō　菱田春草（1874-09-21，日本长野县～1911-09-16，东京）　日本画家，对日本传统绘画的复兴有所贡献。初在东京从狩野派画家学习，后入东京美术学校，师事桥本雅邦。1898年进入日本美术学院，与横山大观为友，他们将传统的日本线描同印象主义风格融于一炉，人称“朦胧体”。名作有《落叶》（1909）和《黑猫》（1910）等。

菱田春草绘《落叶》（1909）
东京国家博物馆供图

Hishikawa Moronobu　菱川师宣（1618，日本安田～1694，江户[今东京]）　又名吉兵卫。日本版画家，“浮世绘”（风俗画）的鼻祖。其父为刺绣工人。他最初画绣花图案。17世纪中叶去江户，曾为小说作木刻插图，并发明了一种大量复制图画的技术。其绘画和版画都是描绘江户人（特别是妓女和歌舞伎演员）的习俗与生活。作品有画卷《娱乐场所与歌舞伎座》、12幅组画《吉原游乐街小景》和著名的单幅画《美人回首图》。他与其他浮世绘画家一样，也画过春宫图。

Ḥiṣn al-Ghurāb　守望城堡　古代历史遗迹，在也门境内南部，阿拉伯半岛南海岸的一座山上。山顶有古城堡、水塔、贮水池等的遗迹。山北平地上有一古城废墟，在托勒密和罗马时代曾是港口和阿拉伯香火业和埃及与印度间货物的转运站。

Ḥiṣn Manṣūr（Turkey）　**曼苏尔堡**　参阅 **Adıyaman** 阿德亚曼。

Hispania　伊斯帕尼亚　罗马时代伊比利亚半岛名称，今为葡萄牙和西班牙所占。公元前206年罗马人从迦太基人手中夺取伊斯帕尼亚后，把它划为两个行省：外伊斯帕尼亚（现在的安达卢西亚、埃斯特雷马杜拉、莱昂南部和现代葡萄牙的绝大部分地区）和内伊斯帕尼亚，即塔拉科南西斯（现在的西班牙北部、东部和中南部）。奥古斯都时期，外伊斯帕尼亚再分为卢西塔尼亚（葡萄牙和西班牙西部部分地区）和巴埃蒂卡（安达卢西亚和埃斯特雷马杜拉南部）。

Hispaniola　伊斯帕尼奥拉岛　原作 Española。西印度群岛第二大岛，属大安的列斯群岛。西部为海地共和国，东部为多米尼加共和国。面积76 192平方千米，最长将近650千米，最宽241千米。附近岛屿稀少，最著名的有戈纳夫岛和托尔图加岛（**Tortuga Island**）。1492年克利斯托夫·哥伦布登陆此岛，并命名为 La Isla Española（拉·伊斯拉·埃斯班略拉，意为“小西班牙岛”），英语作 Hispaniola。在西班牙殖民统治时期一般根据首都的名字称为圣多明各（Santo Domingo），现在有时还这样称呼。整座岛屿有时也称作海地岛，有人认为这是殖民统治前土著印第安人（泰诺人）使用的岛名，但他们也称作基斯克维亚。该岛位于加勒比海的北翼，在早期殖民时代，对西班牙向古巴、墨西哥、巴拿马和南美洲的扩张提供了优良的锁钥位置。岛上地形由山脉、谷地和平原构成。地形的排列方向引起南北气候差异和交通阻隔。岛的1/3以上地区高度在457米以上，中科迪勒拉山脉的杜阿尔特峰（多米尼加共和国）海拔

3 175米，为西印度群岛最高点。该国西南部湖面低于海平面45米。海地境内最高部分是西南半岛，其中塞勒峰高2 674米。主要河流有多米尼加共和国境内的北亚克河（201千米）、卡穆河、南亚克河和海地境内的阿蒂博尼特河。岛上海岸线虽然很曲折，但很少深水和荫蔽的锚地。飓风有时侵袭该岛并造成严重破坏。土地利用大都由山地和平原几乎呈平行系统的格局所决定，一般说，山地有林木覆盖，居民稀少。一些地方（特别在海地共和国境内）因巨大的人口压力而伐林开田。咖啡种植是高地主要农事活动，出现在大部分湿润山区。人口稠密的北部平原，特别在湿润的东段拉维加平原（意为"皇家平原"），农作物品种很多，主要是可可。地势较高的亚克平原以种植烟草为主。在半干旱的低平原依靠灌溉种稻。北部沿海产甘蔗和剑麻。南部平原土地肥沃，产甘蔗、牧草和棉花，但许多地区需要灌溉。

Hispano-Moresque ware　西班牙-摩尔陶器　西班牙的摩尔陶工制作的锡釉虹彩陶器。15世纪时主要产于马拉加，16世纪时则主要产于巴伦西亚附近的马尼塞斯，它是将

15世纪的西班牙-摩尔纹章陶盘

美国不列颠百科全书公司供图

锡釉涂覆在通常用钴蓝勾画的图案上，经第一次烧成后，将带有金属光泽的颜料刷在锡釉上，然后再次烧成。各时期的制品效果各异。早期的制品为淡黄虹彩，后期的制品较为粗犷，呈铜虹彩。早期图案是伊斯兰风格，例如生命树、棕榈图式和阿拉伯文题词等；后来则把伊斯兰风格和意大利文艺复兴时期的绘画特点结合起来。错拼的或故意写得难认的阿拉伯文题词说明西班牙的基督教工匠已接手从事这项工作。在意大利仿制这种陶器的结果导致了意大利马约利卡陶器的发展。

Hiss, Alger　希斯（1904-11-11，美国马里兰巴尔的摩～1996-11-15，纽约州纽约）　前美国国务院官员，1950年1月因与W.钱伯斯（**Chambers, Whittaker**）来往且提供伪证而被定罪。钱伯斯指控希斯是共产党间谍网成员。此案件恰好发生在美国国内对共产主义的影响日益忧惧之时，为参议员J.R.麦卡锡关于共产党人渗入国务院的耸人听闻的指控提供了材料，也使加利福尼亚州众议员R.M.尼克松因调查此案而名闻全国。调查结果对希斯提出公诉。希斯毕业于美国哈佛大学法学院，1936年进入国务院。他曾作为F.D.罗斯福的顾问出席雅尔塔会议，后任联合国（旧金山会议）临时秘书长。1946年被选为国际和平卡内基基金会主席。1948年曾是共产党地下间谍网情报员的钱伯斯向美国众议院非美活动调查委员会指控希斯第二次世界大战前曾是共产党华盛顿间谍网成员。根据钱伯斯所提供的证据，确认希斯所称1938年未向钱伯斯提供国务院文件，以及1937年1月1日以后未曾见过钱伯斯是谎言，已构成伪证罪，被判刑5年，但3年后于1954年获释。1992年，希斯请求俄罗斯官员核查新近公开的前苏联档案，以提供与此案有关的材料。俄罗斯官员宣布，经全面调查，未发现希斯曾加入苏联间谍网的证据。但许多学者认为，任何调查都有可能泄露苏联情报活动的秘密，因而，希斯是否清白，仍然难以确认。1996年，美国情报机关在第二次世界大战时期截获的苏联秘密电报被公开，证明希斯确实有罪。

Hissār（India）　参阅 **Hisār** 希萨尔。

Histadrut　犹太工人总工会　英语作General Federation of Labour。以色列劳工组织。会员包括合作社和集体农业居民点工人以及大部分产业工人。1920年成立，是以色列最大的自愿组织和以色列最重要的经济团体。它的活动超出工会的传统业务。它拥有消费品、材料和设备的销售和分配机构；一个建设居民点和公共机构的庞大的建筑企业；信用社和银行；以及各行各业的工会和合作机构。它还处理私营工业的工资率和工作条件的问题。它在合作的基础上常常同私人投资者合伙经营大的工业和公共企业——例如灌溉、航运和采矿。它的各种各样的企业占国民收入的20%以上。它也负责保健服务和社会保险系统。它的教育和文化活动包括中学、技校、广泛的成人教育系统、剧团，以及书籍、报纸和技术刊物的出版。犹太工人总工会由执行委员会选出的执行局负责行政管理工作，执行委员会则由会员选出的代表在全国代表大会上选举产生。其领导权掌握在以色列工人党（1968年该党与其他党合并组成工党）手里。犹太工人总工会是国际自由工会联合会的会员。

histamine　组织胺　在组氨酸脱羧酶的作用下，由L-组氨酸脱羧而成的有机化合物。多在应激、炎症和过敏等状态下由机体组织产生。组织胺几乎见于哺乳动物机体的所有组织，也见于脊椎动物、无脊椎动物、微生物，甚至某些植物。1911年，英国科学家G.巴格尔和H.H.戴尔首次将其分离、提纯。组织胺主要贮存在结缔组织肥大细胞的大颗粒中，在遇到组织损伤或各种物理、化学、炎性刺激时，肥大细胞就会释放组织胺，参与组织的防御反应。但组织胺的生理功能至今尚未完全明了。组织胺可产生多种不同的生理效应。它是最强的胃液分泌刺激剂之一，尤其是刺激胃酸分泌。妊娠期间，组织胺可调节子宫运动，扩张母、婴血管。还可收缩呼吸道和子宫平滑肌。某些荨麻类植物的叶边毛刺中也含有组织胺，故当人接触后就会出现皮肤瘙痒和红肿。马蜂和蜜蜂等昆虫的毒液中也含有组织胺，是蜇伤的毒源。组织胺是强力的血管扩张剂，可使毛细血管扩张、通透性增加。皮内注射组织胺可致皮肤三联症：迅速扩展的红、肿、瘙痒，这种荨麻疹样的病变是组织胺作用于皮肤血管的结果。组织胺的这种作用也是它在炎症、变态反应、过敏性休克时的作用方式。实际上，毛细血管扩张、通透性增加是机体的一种保护性反应，它可以使更多的免疫成分进入感染病灶。组织胺的作用在局部炎症（红、肿、热、痛、功能障碍）中表现最为充分。具体过程是：炎症组织中的肥大细胞释放组织胺，进而刺激局部毛细血管扩张、通透性增加，致使大量中性白细胞、包括抗体在内的各种血浆蛋白成分和血浆液体从血管内渗出，并聚集到炎症病灶。显然，急性炎症的这种渗出过程完全是一种免疫现象，尽管它同时也引发了一些负面效应。在枯草热一类的过敏反应中肥大细胞释放大量的组织胺，是机体免疫系统对一些无害抗原产生过敏反应的结果。此时，结合在肥大细胞上的抗体再和抗原结合，就会导致肥大细胞的破裂，大量组织胺也就随即进入组织，引发各种过敏症状，如流鼻涕、流眼泪、荨麻疹等。如果机体已经被某种抗原致敏，当他再次接触这种抗原时，抗原-抗体反应就会引发过敏性休克。这是一种急性的、严重的，有时甚至是致命的过敏反应。过敏性休克的症状和一次性大剂量注射组织胺时的机体反应相似。体内的组织胺最后或以甲基衍生物的形式被直接排出体外，或被组胺酶脱去氨基后排出体外。尿中的终产物咪唑乙酸常结合有核糖分子。**抗组织胺药**（**antihistamine**）通过和组织胺争夺二种组织受体来消除组织胺引发的各种机体反应。抗组织胺药大都是人工合成的药物。

hister beetle　阎甲　鞘翅目阎甲科昆虫，约2 500种，肉食性，常见于动物尸体、真菌或粪便周围。身体卵圆形，亮黑色，长0.5～10毫米。鞘翅短，末两个腹节露出。受惊时不动，视似一粒小黑种子。

Histiaeus　希斯提艾奥斯（？～公元前494或前493）　在波斯国王大流士一世统治下，安纳托利亚米利都城邦的僭主。据希罗多德记述，他在西徐亚战役（约公元前513）中曾劝告各城市僭主不要破坏波斯军队回兵时必经的多瑙河桥，因此为大流士立下汗马功劳，得到色雷斯领土作为奖赏。后来大流士对他发生怀疑，把他召回苏萨，当作囚犯看待。他的女婿阿里斯塔戈拉斯代替他统治米利都。据说，他曾给阿里斯塔戈拉斯写一封密信，叫他煽动爱奥尼亚人叛乱。事情发生之后，他向大流士自荐前去平定叛乱，因而离开苏萨。刚到吕底亚海岸，他发现波斯总督阿塔菲尼斯已经了解他怀有二心，于是只好到拜占廷一带去掠夺海船。在爱奥尼亚舰队全军覆没（约前495）后，希斯提艾奥斯屡次试图卷土重来，但被阿塔菲尼斯捕获，并在萨迪斯钉死在十字架上。

histidine 组氨酸 可由许多蛋白质水解获得的一种氨基酸。在血红蛋白(红血细胞的载氧色素)中含量最为丰富(血红蛋白重量的8.5%是组氨酸)。1896年首次从各种蛋白质中分离到。人的必需氨基酸之一,不能由人体合成,需取自饮食。微生物则可从核糖和三磷酸核苷酸腺苷合成组氨酸。组织胺(**histamine**)在人体内由组氨酸脱羧而成,它是参与和变态反应有关的生理过程的一种化合物。

histogenesis 组织发生 一系列有组织的相互联系的发育过程,此时胚胎原胚层细胞进行分化并表现出这些细胞将要发育成的组织的特性。虽然在器官本身的发育进行之前,构成组织的细胞的最终形态可能还不明显,但作为组织发生征象的独特的生物化学反应很早就能测知。组织发生可能在细胞水平上和组织水平上测知。早期中胚层细胞逐渐转化为肌肉细胞,就是细胞水平组织发生的实例。通常,单个细胞不可能进行组织发生,只有当它们成为在组织水平起作用的大细胞群的一部分时才能进行组织发生,正如胰腺中无数细胞群形成胰岛组织(产生胰岛素的组织)。一团未经分化的细胞转化形成器官则称为器官发生(**organogenesis**)。

histology 组织学 生物学的分支学科,研究植物和动物组织的成分和结构以及与其功能之间的关系。组织学一词有时与显微解剖学一词交换使用,但其间仍有微细的区别。组织学的基本功能是查明各种组织如何在不同的结构水平由细胞和细胞间质构成器官的;显微解剖学则仅研究在较大的实体,如器官和器官系统(循环系统、生殖系统等)内各种组织是如何安排的。组织学家主要研究从活体取出的组织,这些组织是用超薄切片机切成极薄的几乎透明的片状物(切片)。这些切片可用各种染料染色,以增加其中各种细胞成分的对比度,这样容易用光学显微镜辨析。光学显微镜难以辨析的组织结构细节可用电子显微镜观察。组织从活体中取出后也可以置于适当的培养基内,保持为活组织。在培养某些类型的细胞以供以后检查或在研究胚胎器官原基使之继续发育分化时,这种方法非常有用。组织化学是组织学一个专门的分支学科,用化学方法鉴定组织中的各种成分。

histone 组蛋白 一类简单的碱性蛋白质。常见于细胞核内,并与DNA(脱氧核糖核酸)以离子化的方式结合形成核蛋白(**nucleoproteins**)。一分子组蛋白结合于遗传物质的DNA链的一个片段,组成一个单元,称核小体。据认为核小体的变化与细胞分裂期间及遗传信息转录时染色质的物理状态和功能变化有关。组蛋白约于1884年为A.科塞尔在鸟类红细胞核中发现。溶于水,含大量碱性氨基酸,特别是赖氨酸和精氨酸。胸腺和胰脏中组蛋白含量丰富。

histoplasmosis 组织胞浆菌病 由自然存在于体内的荚膜组织胞浆菌引起的人和其他动物的真菌感染。土壤为鸡、鸽、欧椋鸟或蝙蝠等的粪便污染后可含芽胞,通过呼吸道或肠道进入人体。本病分三型:初染急性型、进行性播散型和慢性空洞型。急性病例的症状可轻可重,常无症状,亦可引起短暂的呼吸道炎症。播散型病例的真菌炎症可波及肝、脾、肾上腺,可致严重后果。所谓慢性空洞型病变主要发生在肺部,除呼吸道刺激症外,常有呼吸困难、发热、疲劳、胸痛等。本病分布于全世界,在美国东中部一些地方及密西西比河流域呈地方性流行;婴儿和中年以上的人最为易感。在地方性流行区,全体居民中50%～80%皮试阳性。两性霉素B治疗通常有效。

Historia Augusta (biographical compilation) 参阅 **Augustan History**《罗马帝王纪》。

historical criticism 历史批评 又译历史批判。根据历史证据或作品创作时的背景(包括作者生平以及当时的历史和社会环境)来进行文学评论。其他形式的评论(如文本批评和形式批评)与此颇为不同,它们把重点放在研究文本本身,而不管加诸文本上的外在影响。新历史主义是历史批评的一种。参阅 **literary criticism**。

historical geography 历史地理学 指对一个地方或地区在过去某一特定时间或时期的地理状况的研究;或指对一个地方或地区在某一时期的地理变化进行的研究。公元前5世纪,希腊历史学家希罗多德在其著作中,特别是在关于尼罗河三角洲成因的论述中,提供了或许是现今所称的历史地理学最早的范例。作为对过去地理进行研究的历史地理学直到17世纪仍是一个较落后的研究领域。P.克吕弗于17世纪出版德国历史地理学一书,将古典著作中的知识与对大地的知识结合起来,被认为是历史地理学的奠基人。19世纪,在许多大学,尤其是英国的大学,地理学被认为是认识历史的基础而具有重要地位。20世纪初,地理学进而研究地理对历史事件的影响。E.C.森普尔在著作中以环境决定论解释历史。20世纪30年代及以后,对历史上一段时期中人类居住某一特定地区的有价值的研究,(由惠特赛和索尔两人开始)使历史地理学地位提高。1975年《历史地理学杂志》创刊;1973年英国地理学家协会成立历史地理研究组。1979年美国地理学者协会也成立历史地理研究组。这些都证明了地理学中回溯方法的正确性。

historical linguistics 历史语言学 又称历时语言学。语言学分支,研究范围是:语音、语法和语义的变化;各种语言早期形式的构拟;指示诸语言亲属关系的方法之发现及其应用。历史语言学的形成源于对古典时期和中世纪词源的推求,源于文艺复兴时期发展起来的拉丁语和希腊语的比较研究,也源于学者们对世界诸语言的共同原始语的探讨等方面。然而,只有到了19世纪,把更科学的语言比较方法和对早期印欧诸语言的充分资料结合起来,才建立起为当前历史语言学家所应用的各项原理。19世纪70年代享有盛名的新语法学派是由一批德国历史语言学家和古典学者组成的,其重要性在于曾以极其严谨的态度系统地提出印欧诸语言的语音对应关系。20世纪,历史语言学家成功地把19世纪的理论和方法应用于对非印欧语言的分类和历史研究。历史语言学在时间这一特点上常与共时语言学(研究某一特定时期内的语言)对照而言,称为历时语言学。

historical novel 历史小说 试图以忠于历史事实(有时仅表面如此)和逼真的细节等手段来传述一个既往时代的精神、习俗及社会状况的小说。作品可以描写真实的历史人物,如R.格雷夫斯的《克劳狄乌斯一世》(1934),也允许以虚构人物和历史人物相混合,它还可以集中描绘一桩历史事件,如F.魏菲尔的《穆萨·达的四十天》(1934),生动地描绘了对一座亚美尼亚要塞的守卫。较常见的是,它试图对过去的社会作较为广泛的描述,以虚构人物的私生活从社会重大事件中所受的影响来反映这些重大事件。自从第一部历史小说,即司各特的《威弗利》(1814)问世以来,这类小说始终很受欢迎。尽管一些历史小说,如托尔斯泰的《战争与和平》(1865～1869),具有极高的艺术质量,但许多作品水平平庸。有一种类型的历史小说,纯粹是逃避现实的古装传奇故事;它不以历史真实为己任,而是采用过去的某一背景,赋予未必会有的人物和未必会发生的奇遇以一定的可信度。

historical particularism(anthropology) **历史排他主义** 参阅 **particularism** 排他主义。

historical school of economics 历史学派 19世纪后半叶,主要在德国发展起来的经济思想流派。历史学派认为一国的经济状况就是它的全部历史发展的结果。他们反对古典经济学所演绎推理的经济法则;主张用归纳方法来考虑整个社会秩序持续的发展,纯经济动机和决策不过是其发展中的一个组成部分。新旧历史学派均认为:国家干预经济生活是一种积极和必需的力量。历史学派的创始人有:W.罗雪尔、B.希尔德布兰德和K.克尼斯。他们坚信:经济政策的是非曲直取决于时间、地点,只有对不同社会的相似历程加以研究,才有可能确定所有国家都要经历的共同的发展途径。新历史学派(约在1870年以后)以大量详尽的历史研究而著称。创始人为G.冯·施穆勒,其他重要人物有G.F.克纳普和L.布伦坦诺。该派拒绝经济理论,因此对理论发展的影响很小。

historiography 历史编纂学 指历史的撰述,特别指在撰述历史时批判地检查资料来源,去伪存真,从中选取特定的史实,综合史实,加以铺叙,并经得起批判方法的考验。历史编纂学一词也指编写历史的理论和历史。

西方传统开始形成以来,就显然有两大趋势:一是把历史编纂学的概念等同于记录的积累;一是把历史的概念等同于讲故事,阐明前因后果。在希罗多德以前,希腊的历史传统是以神话和史诗的传承为基础。在埃及和巴比伦,它包括家系的记录和有纪念意义的档案。

公元前5世纪的希罗多德和稍后的修昔底德,都强调进行第一手调查和发现通用的原则。他们根据自身的或同代人的经验,提出一种叙述战争和重大政治事件的模式。作为文艺的典范,这些夹叙夹议的历史著作,行文引人入胜,情节前后一致,但有时不免失真或缺乏考证。虽然没有始终做到不偏不倚,但至少是以公正为目标。罗马人往往歪曲历史,他们的历史学家通常是统治阶级的成员,因而很难做到公正。

到4世纪,基督教的历史编纂学占有主要地位,它引入一个崭新的观念,即世界历史乃是上帝对凡尘男女的事务进行干预的结果。这个观念在中世纪极为流行,其结果就是创造一种统一的年代学,它使一切历史都以耶稣的诞生为基准。在中世纪初期的西方,隐修院历史学家把事实和神话混杂在一起,例如在蒙默思的杰弗里所写的12世纪历史中,企图突出凯尔特人,说他们肩负世界的命运。中世纪历史编纂学的长处是:适时地记述当时人们目击的事件和经常引用官方文件。

拜占廷历史编纂学的主要贡献是它一方面具有强烈的世俗传统,因而产生当代历史、传记和通俗的编年史;另一方面又保存和模拟古典的典范,从而延续了希腊的学术与文化。拜占廷传统的显著成就则为批判性历史的观念的复兴,从而注重理性的分析和因果关系。

文艺复兴产生了对历史变迁的认识,虽然这种认识意味着把中世纪当做一个衰退的时期。因为文艺复兴时代的历史编纂家们倾向于把前一个时期看做是不重要的甚至是愚昧的,因而开创了把全部历史划分为古代、中世纪、近代3个部分的研究法。

在近代初期,对于历史编纂学有两种主要的影响,一是爱国主义(民族史观),一是宗教改革。宗教上发生分裂后,冲突的双方都断言自己的看法符合教义,因而导致对教会初期历史的研究。启蒙运动的新历史编纂学的产生,是由于人们想要把自然科学客观而公正的方法应用于对人类社会结构的分析与改进。

到19世纪和20世纪,近代史学方法发展起来,其基础是:对历史文献及早期历史著作辨伪、阐释和考证,并把所得资料综合起来,正确叙述或分析人类过去。现代历史编纂学大体上已成为专业史学家的研究领域,他们都是受过高等教育以获得其专业知识的。现代历史编纂学是一项合作事业,后代史学家系统地利用先辈的成果,继续对过去重新评价,并对评价发扬光大及加以修正。

history 历史 研究系年大事的文字记载的学科,大事则多为影响一个国家或民族的重要史实;历史学科对史料要批判地进行检查,并要提出对事件诸原因的解释。

history of mathematics 数学史 除基本计数以外,数学的发展看来最初依赖于贸易、商业、农业或宗教仪式的实际需要。因此,数学的进展只能在少数足够复杂的社会才能出现,这些社会应当不仅能支持上述活动,而且能为个人提供研究的时间和继承前辈成就的机会。在使得数学史家感到兴趣的绝大多数文明(巴比伦、埃及、希腊、中国、印度、日本、阿拉伯和玛雅文明)中,数学的发展都是零散的。在达到光辉成就之后,往往是长时期的停滞,甚至是衰退。本条将概述在欧洲数学之前的这些社会的数学成就,而欧洲数学,尤其从文艺复兴以来,一直有着稳定的、相当激动人心的进展。

欧洲数学之前 *美索不达米亚* 到公元前2000年时,巴比伦人已经有以60为基的位值记数制。关于巴比伦数学的了解来自大约公元前1700年和公元前600～公元300年这两段时期的楔形文字泥板文书。商业和农业的需要激励他们发展处理分数、计算近似方根和面积的方法。他们没有使用记号就表述和解决了相当于现在的*线性方程*(**linear equation**)和二次方程的问题,但只提供具体例题和算法,没有证明或一般理论作为后盾。早期遗留下来的泥板文书似乎表明巴比伦人已知道如何得到毕达哥拉斯三数组(即满足$a^2+b^2=c^2$的整数a、b、c)。后来在公元600年之后,数学被广泛地应用于天文学,用来系统地汇集资料和描述天体运动。

埃及 埃及人具有能够处理很大的数和分数的记数制(但不是位值记数制)。其主要兴趣在于把数学应用于贸易、土地分配、测量和天文学。这方面的主要书面依据据认为是公元前1800～前1700年间的哥莱尼谢夫(莫斯科)纸草书和*莱因德纸草书*(**Rhind papyrus**)。这两批纸草书,大概是从更早的文件复制下来的,总共包含100多个问题,涉及比例、简单方程、面积和体积。其中最有意思的是把分数表示为独特的倒数之和,通过加倍和加法来求出两个数的乘积,以及运用称为试位法的有规则的猜试方法来求解线性方程。

希腊和亚历山大 古希腊人的工作对后来欧洲数学的进程有深远的影响。在君士坦丁堡陷落后逃到西方的穆斯林和希腊学者使古希腊人的著作得以保存下来。这些著作显示了人类为数学概念寻求一种哲学的基础和为保证数学命题的真实性提供一套方法的最早尝试。虽然毕达哥拉斯学派(约公元前600～前400)早已研究过数的性质,然而只是公元前500～前200年这个阶段,才是希腊数学繁荣发展的时期。雅典的诡辩学派(公元前5世纪)把数学看做了解宇宙的钥匙,可能就是他们提出了3个著名的"古代不可解问题":三等分角(只用直尺和圆规三等分任意角)、倍立方和化圆为方。虽然希腊数学家长期致力于解这些问题,但直到19世纪,它们的不可解性才得到决定性的证明。

柏拉图(公元前427～前347)强调终极实在的抽象本性和数学对于训练哲学家的重要性。在他的影响下,理论性的数学从实际需要的考虑中分离了出来。这就出现了把几何学和*数论*(**number theory**)归结为几条设定的基本公设,其余命题都从这些公设出发通过演绎推理来建立,它在欧几里得的不朽名著《原本》(约公元前300)中得到了最显著的体现。希腊数学的一个特点是把量(quantity)区分为两类:数(number,表示离散的量)和数量(magnitude,表示连续的量,例如面积)。这大概要归功于毕达哥拉斯学派的发现,即可能有两个数量,它们之比不能用整数来规定;还要归功于芝诺涉及离散和连续之间关系的悖论。希腊数学中的一个重要人物是欧多克索斯(约公元前408～前355),他不仅构思了后来为欧几里得所采用的数量比例的理论,而且发表了求弯曲图形的面积和体积的*穷竭法*(**exhaustion, method of**)。公元前4世纪后期,希腊的学术中心移到亚历山大城。此后古典希腊数学得到巩固和扩充,天文学受到重视,平面三角学和球面三角学得到发展。阿波罗尼奥斯(约公元前262～约前190)写出了关于*圆锥截线*(**conic section**)的权威性著作。在亚历山大城受教育的阿基米德(公元前287～前212)是希腊时期给人印象最为深刻的人物。他在立体几何中得到了许多新结果,直到1906年发现他的长期散逸的《方法》一文后,所用的方法才为人所知;他的各种发明和关于力学的著作也同样引人注目。希腊*三角学*(**trigonometry**)的顶峰出现在托勒玫(约85～165)的天文学专著《天文学大成》之中。公元1世纪时,对数值数学的兴趣重新出现。丢番图的《算术》是一本不定分析中的问题的汇编,书中一点不用几何技巧。亚历山大城陷落(7世纪)前的3个世纪中,虽然也有若干关于早先的几何著作的评注,但几乎没有新的著作。

中国 虽然人们只能从秦始皇(公元前246～前209)焚书坑儒后出现的书稿中接触中国数学,但是毫无疑问它在公元前好几个世纪前已有发展。中国人的研究兴趣较多地在数值和代数方面,而不是在几何方面。他们的算术利用位值记数制,很早就使用分数、小数和负数,还能精确估计方根。他们知道幻方(公元100年以前)、毕达哥拉斯三数组(公元300年以前)和帕斯卡三角形(公元1300年以前)。代数是为筹算设计的,它不用符号而用语言文字表达,可是也能处理联立线性方程(约公元前100)、二次和三次方程(约600)以及高次方程(约1200)。测量和计算得到高度发展。他们有涉及圆周的各种元素的长度的公式,并且在5世纪就以355/113作为π的值。中国数学最多产的时期是公元头7个世纪和13世纪。《九章算术》(成书年代可能在公元前200)是一本经过深入研究的著作,它包含了土地测量、图形面积、百分数、比和比例、平方根和立方根的计算,直角三角形、联立线性方程和假位律等等内容。公元初期出现了许多专著,其中之一有阐明现在称为中国剩余定理的线性同余问题的最早例子。南宋(1127～1279)及稍后出现的一系列优秀著作中最卓越的是秦九韶的《数书九章》(1247)。书中记录了许多成就,其中多项式方程的一种数值解法与英国霍纳到19世纪才提出的方法十分相像。除了同印度人的有限交流外,中国数学是与世界其余地区独立无关地发展的。13世纪以后,中国数学衰落了下去。看来这是因为官方数学变成不能产生成果的形式主义,而创造性的工作是

由分散的个人进行的，他们不能组成学派来保持他们的研究力量。

日本 6～7世纪，中国学术传入日本。8世纪建立了大学，课程中有九部中国数学著作。此后出现了持续的衰落。直到17世纪初期才涌现了一批天才的研究者，其中最惹人注目的是关孝和(1642～1708)。虽然日本数学的研究领域与中国极为相似，但值得注意的是这个时期出现了"圆理"法，它类似于积分演算，可以对圆弧长度之类的量进行无穷级数展开。继这段创造性时期之后，是一个同西方数学少有接触的巩固时期，一直延续到19世纪末，此后日本数学进入了世界范围的数学界之中。

印度 同中国一样，印度人很早就已发展了十进位的位值记数制，并能熟练地使用分数。通常把最早使用0表示数归功于印度人，有人估计早在公元前200年即已出现。另一方面，这个符号也有可能是在700年前后从东南亚传入印度和中国的。在此以前用的是空位。最早的文字材料是7本绳法经(约公元前800～前500)，其中描述了祭坛的复杂的几何设计。它们还提到了毕达哥拉斯定理、2的平方根的数值逼近和各种几何结果。数学还同耆那教徒(约公元前500～前300)的宗教活动结成一体，这些教徒发展了联系圆的各个部分的公式，并有粗糙的无穷大概念。约400年以后，有《巴赫沙利》手稿(发现于1881)，其中处理了包括不定方程和不尽根逼近在内的算术和代数问题。婆罗门笈多(约600)能求 $nx^2+1=y^2$ 的整数解，并且知道如何从共圆四边形的边出发确定它的面积和对角线。婆什迦罗第二(约1150)研究三角学和*组合学*(**combinatorics**)，他还设计了球面面积的一种求和方法，相当于微积分的雏形。在中世纪，政治动乱抑制了数学的进一步发展。然而，西南部的喀拉拉地区在某种程度上能置身于政治动乱之外，因而在15～17世纪之间仍能取得正弦、余弦和反正切函数的级数展开等成就。

中东 从9世纪的阿拔斯哈里发在巴格达建立学术中心到13世纪奥斯曼土耳其人的崛起，是阿拉伯数学的繁荣时期。在把希腊文和梵文的教科书翻译为阿拉伯文以后，阿拉伯人开始研究算术、代数、三角和几何，继承了印度人的位值记数制及处理分数和无理数的技巧。9世纪中有3个重要人物，就是塔比·伊本·库拉、花拉子密和巴塔尼。塔比翻译了许多希腊文著作，特别是，还给出了亲和数的公式。《复原与化简》一书的作者花拉子密继承了可以追溯到巴比伦人的代数传统；他懂得怎样解二次方程，并且是最早编制天文表的数学家之一。巴塔尼在三角学中引进了正弦函数。以后欧玛尔·海亚姆用几何方法研究了一般三次方程的解。天文学是数学的一个重要应用领域，在这方面阿拉伯人继承了巴比伦人的工作，在球面三角学的进一步发展上更是如此。

中美洲 关于玛雅文明的数学，除了他们在500～1200年期间曾发展一门很复杂的历法学外，我们几乎一无所知。这方面的原始资料是德累斯顿抄本，它来自可能是12世纪的石碑，其中已有二十进位记数制，但是没有理论上的发展。

欧洲数学 与前述的各种文明相比，为什么欧洲在近800年内的数学能达到如此高度呢？原因在于，在这段时期的大部分时间内，欧洲大陆享有充分的社会安定和团结，能使学者从事研究并且互相保持联系。他们可以吸取1200～1600年时期传入欧洲的古希腊人、阿拉伯人和印度人等的各种数学传统，因而容易接受新的概念和方法。16世纪出现的现代记号，使得易于处理复杂观念并易于概括，而这是以前的人绞尽脑汁也不能达到的。物理学从哲学的领域转而成为数学的一部分，至今物理学和天文学中的问题仍是数学发展的主要推动力。随着大学的创建，15世纪中印刷术的发明及后来17世纪中学术社团的形成和期刊的发行，使得数学思想易于传播，数学家之间的结合超越了国界，扩展到全球。

中世纪时期(1100～1400) 通过贸易、战争和旅行，欧洲人接触到阿拉伯人并把许多阿拉伯文著作翻译为拉丁文。周游各地的博学者、比萨的莱奥纳尔多(斐波那契)在他的名著《算盘书》(1202)中毫不迟疑地接受了阿拉伯数字、印度计算法和无理数概念。英格兰牛津的默顿的计算器(14世纪)和数学家奥雷斯姆为研究差分和无穷级数提供了基础。

文艺复兴时期(1400～1600) 这时期，较为完整和确切的希腊教科书版本，尤其是欧几里得的《原本》和丢番图的《算术》，已被译成拉丁文和各国文字。研究者们并不满足于评注以往的作品，他们还在几何、三角和代数方面取得重要的进展。最显著的成就是塔尔塔利亚的一般三次方程的解法和费拉里的一般四次方程的解法。更重要的是，由于引进了十分类似于现在使用的算术和代数符号，改变了数学的面貌。新的代数学的最有影响的支持者是维埃特(韦达)，他还写了关于几何和三角的著作。

17世纪 这一世纪开始出现近代数学。最突出的事件是I.牛顿和G.W.莱布尼兹创建*微积分*(**calculus**)。在此之前则有现在通用的代数符号的引进，*对数*(**logarithm**)计算技巧的创造，以及笛卡儿*解析几何*(**analytic geometry**)的建立。伽利略和J.开普勒所开创的把数学作为基本工具用于物理学的研究方法，得到广泛流传并且持续至今。对数论的兴趣有很大增长，这特别是由于P.de费马的促进。费马还同帕斯卡一起研究了*概率论*(**probability theory**)。人口统计表和气象资料的出版发行为统计科学的发展铺设了道路。

18世纪 18世纪是巩固和迅速成长的时期。在一群深入到分析、代数、数论、组合论、天文学、力学和动力学的卓越人物中，可以特别提出L.欧拉、J.L.拉格朗日(1736～1813)和约翰第一·伯努利。后者是一个延续了几代的著名数学家家族中的成员，这个家族中还有雅各布第一·伯努利，他写的《推测术》把概率论建立为数学的一个分支。概率和统计方面的其他进展应归功于P.-S.拉普拉斯和A.棣莫弗。

19世纪 这一世纪中，某些长期悬而未决的问题得到解决，处理这些问题的方法得到深化，包括数在内的各种概念得到澄清，分析的"算术化"使得它从几何直观的局限中得到了解放。例如在代数和几何中，抽象化的趋势有了加强，开创了把集合作为基本实体的研究，进一步把数学应用到诸如电磁学、流体动力学和天体力学等各种物理学分支中去。19世纪初，巴黎是最重要的数学活动中心，但随着时间的推移，其他欧洲学派，特别是德国、意大利、俄国、匈牙利和斯堪的纳维亚学派的重要性日渐增加。

C.F.高斯、J.鲍耶、N.I.罗巴切夫斯基和B.黎曼所创立的*非欧几里得几何*(**non-Euclidean geometry**)进一步证实了欧几里得《原本》中平行线公设的独立性。高斯和黎曼还研究*微分几何*(**differential geometry**)，奠定了现代*流形*(**manifold**)理论的基础。欧几里得的著作本身也受到批评性的检验，给出了更加严格的公理化系统，最著名的是由D.希尔伯特于1899年给出的。N.H.阿贝尔和E.伽罗瓦回答了几乎有300年未得解决的问题，他们证明，同低次方程的情形相反，对于一般的五次多项式方程的解，不可能给出通过系数表达的公式。高斯、P.G.L.狄利克雷和黎曼深入地研究了数论中的问题，尤其是素数分布问题。康托尔通过他关于集合的论著开辟了研究数学基础的道路。柯西、狄利克雷、黎曼、K.维尔斯特拉斯和H.L.勒贝格推进了实变量和复变量理论。勒贝格建立了使得许多重要结果能有优秀证明的积分理论。H.庞加莱是一位数学全才，尤以他对于*代数几何*(**algebraic geometry**)、天体力学、数论和*偏微分方程*(**partial differential equations**)的贡献著称于世。有趣的是，在这个世纪中，很早以前为莱布尼兹在其笔记中所提到的一些思想——向量、计算装置和推理"演算"，都得到了进一步的发展。

20世纪 要对20世纪的成就作出适当的概括，需更多的篇幅。任何一个大事年表都一定要提到希尔伯特于1900年在巴黎举行的国际数学家会议上的讲演。其中，他提出了在即将来临的世纪中能够富有成果地加以研究的23个问题。在头10年中，关于数学真理的性质，在几个学派之间展开了争论，而K.哥德尔后来发表的定理使形式主义者所取得的表面上的胜利大为减色。20世纪早期最著名的学术中心在格丁根(到1933年为止)、巴黎、匈牙利和波兰(特别在两次世界大战之间)。后来，在美国和前苏联建立了最大的数学队伍，但在其他许多国家特别是在欧洲也有重要的数学学派。在巴黎，自1934年以来，布尔巴基学派出版了一系列权威性的教本，力图通过对公理化地定义的数学"结构"的研究来统一各个数学领域。他们的著作不仅对纯粹数学研究的进程，而且对50和60年代的数学教育改革，都产生了深刻的影响。从J.冯·诺伊曼的工作，可以得到当代数学的活动范围的一些印象。这位非凡的人物不仅在*泛函分析*(**functional analysis**)和连续几何这样的抽象领域做了基本性的工作，而且是现代计算机奠基人之一，他还研究量子理论的基础，又是作为经济学工具的对策论的创立者之一。

在纯粹数学中，既有把各个分支结合成一个整体来形成新的领域的研究，又有长期悬而未决的特殊问题的惊人的精细的解决。现代计算机不仅作为一个工具出现，而且为产生新的理论数学提供了可能性。无论如何，特别是在第二次世界大战以后，应用领域有着显著的发展，例如最优控制、数理统计和数学生物学。

结束语 数学史并不是一门新学科。据说公元前4世纪的希腊人欧德摩斯就写过算术、几何学和天文学史的著作。公元初期的普罗克洛斯和帕普斯所写的评论中也有对于那时数学发展的某些考察。在欧洲，沃利斯描述过当时的数学进展，但是多少有点偏颇。蒙蒂克拉的《数学史》可以看作第一部较大的著作。然而，只是到19世纪和20世纪之交，才有一批学者，例如M.康托尔、塔内里和塞乌滕等，以他们的权威性的著作开始研讨这一领域。希思（研究希腊数学的专家）、史密斯、卡约里和范德瓦尔登在20世纪前半期写了拥有众多读者的论著。1960年以来，出现了致力于数学史研究的专门研究所、团体和期刊，加速出版了卓越数学家特别是欧拉、牛顿和约翰第一·伯努利等的论著的最后版本。近来，构成数学进展的基础的进程吸引了有兴趣于心理学、社会学和教育学的学者们的注意。例如为什么只有很少几个妇女，如C.B.柯瓦列夫斯卡娅和E.诺特，能在数学方面持续不断地进行高深的研究，这样的问题近来得到了很大关注。许多当代数学家对于常常由于数学需要特殊技艺训练所导致的与世隔离的状况敏感起来，出现了许多既向同行又向一般公众热忱地阐述他们的工作性质的著作。

History of Science, Museum of the 科学史博物馆 英国牛津大学的早期科学仪器与设备收藏馆。1924年开始筹建，1935年用现名。1924年将L.埃文斯（其兄弟阿瑟·埃文斯爵士曾任阿什莫尔博物馆馆长）所拥有的早期科学仪器藏品陈列于阿什莫尔博物馆旧楼，第一任馆长R.冈特将其他陈列品也并入了那个收藏馆。到20世纪30年代初期，博物馆已占用所有的三层楼房，至今犹存。现在的陈列品包括一些世界上最大的日晷、星盘和显微镜等。

History of Woman Suffrage 《妇女参政史》 在大约40年期间问世的6卷本出版物，共约6 000页，详细但并非完整地记录了美国女权运动的历史。内有演讲和其他原始文件、信函、回忆录以及女权主义者充满激情的评论。这个项目由美国主张妇女选举权的E.C.斯坦顿、S.B.安东尼和M.J.盖奇三人于1876年构思。她们是全美女权运动联合会（NWSA）的成员，她们撰写和编辑了前三卷。安东尼的亲密伙伴哈珀编辑的后三卷，反映出前三卷出版后那些年月女权运动转向保守的经过。1881年问世的第1卷叙述妇女争取男女平等的最初尝试。第2卷（1882）说明1861～1876年女权运动的进展，重点讲述妇女在南北战争期间所发挥的社会作用。第3卷（1887）概括了各项法律，显示出运动取得的各项胜利。第4卷（1902）、第5卷（1922）和第6卷（1922）缺少了前三卷的热情，只不过是历次国内和国际会议有条不紊的记述，和美国第19宪法修正案的通过和批准。

history play 参阅 **chronicle play** *历史剧*。

histosol 有机土 遍布全世界的土壤类型，其有机碳含量较之土壤系统分类中其他9个主要土纲均高得多。虽然在所有10个土纲的总面积中，有机土居末位，但从极地到热带的任何气候地带，凡有水分及丰富的腐败植被之处，均有有机土形成。有机土常见于冷湿地区，如阿拉斯加、芬兰、加拿大，以及温湿地区，如佛罗里达及佐治亚，是泥炭酸沼、漠泽、森林沼泽的典型土壤。这类土壤存在独特的管理问题。人工排水可促进有机质成分分解，引起土壤体积猛降，地表随之下沉。此外，有机质会自然燃烧，也能因人类活动而燃烧。为了准备苗床，翻耕这些土壤往往无效，这种土壤都可能需要辗压。种植于有机土的作物包括商品蔬菜园的蔬菜及蔓越橘。

Hita 日田 日本九州大分县城市，在日田高原中部。16世纪末为城堡镇。现为当地农产品（稻米、小麦、蔬菜）的集散市场。四周山区的日本雪松林为木材业和木屐、家具制造提供原料。制陶业仍沿用18世纪朝鲜技术。三隈河上仍用鸬鹚捕鱼。日田四周环境优美安静，为理想避暑胜地和三隈急滩冲滩活动的出发点。人口65 730（1985）。

Hitachi 日立 日本本州茨城县城市。1591年当地发现铜矿，明治时期开始大规模冶炼。1920年后，设在该城的日立公司增加电器和电机生产项目。1907～1938年人口扩大10倍。城市于1923年关东大地震后因填补京滨地区工业空白而大发展。第二次世界大战中遭美机轰炸，破坏严重，但迅速恢复。日立港为该县最大商港。人口约204 870（1987）。

Hitachi, Ltd. 日立公司 日本主要的电器和电子设备制造商，也是日本最大公司之一。总部设在东京。1910年成立时，只是日立镇的一家矿业公司的修配车间，10年后改组成股份有限公司，取现名。它不仅盈利增长快，而且产品范围也扩大得很迅速。到1942年已建起第一个研究所，第二次世界大战后扩展到计算机和原子能的研究，公司最近的研究课题是节能电器。生产家用电器和重型电力机械的收入几乎占年总收入的一半，主要制造铁路机车发动机和其他运输机械。公司迅速跨入20世纪70年代的通信繁荣期，现在通信和电子设备约占其总销售额的1/4。它通过伊特尔（Itel）公司向美国供应计算机，也向欧洲和南美提供大型计算机。在欧、美、亚三洲各地都有分支机构；出口约占其总销售额的1/4。到20世纪80年代末，日立继续致力于利润丰厚的芯片市场。日立一直强调研究和开发工作，至1993年共有38个研究实验室，从1963年以来一直是获得美国专利最多的公司之一。从高速列车和核发电厂的电脑辅助控制系统到光纤数字传输设备以及个人传真机和数码相机，处处可见日立的产品。20世纪末世界范围经济衰退对日本的科技公司影响特别严重，日立和三菱电子在2002年亏损数十亿美元后，两家公司宣布将合并其非存储半导体业务。合并后新成立的瑞萨科技公司将超过摩托罗拉成为最大的微型控制器制造商。2002年，日立与IBM达成协议，在加利福尼亚建立一家硬盘驱动器合资公司，日立最终将获得该公司的多数股份。

Hitchcock, Sir Alfred 希契科克（1899-08-13，伦敦～1980-04-29，美国加利福尼亚贝莱尔） 又译希区柯克。英国出生的电影导演，以其悬念影片而受到极为普遍的欢迎，他的

美国不列颠百科全书公司供图

名字同电影明星一样富有魅力。虽然他本人否认他的影片有任何超出娱乐目的之外的意图，评论家却往往在探讨中发现寓意深远的哲理性内涵。他1920年从影，为无声片设计字幕。1925年导演第一部影片。从第二部影片《房客》（1926）开始，拍摄“惊险片”并以此成名。他的《讹诈》（1929）是英国第一部成功的有声片。在导演了经典作品《知道事情太多的人》（1934）、《三十九级台阶》（1935）和《失踪的女人》（1938）之后，他离开英国前往好莱坞，在那里导演的第一部影片《蝴蝶梦》（1940）获奥斯卡最佳影片奖。此后30年间，他平均每年拍一部影片，40年代的重要影片有《深闺疑云》（1941）、《疑影》（1943）、《救生船》（1944）、《迷魂咒》（1946）和《绳索》（1948）。50年代，他继续拍摄由好莱坞大明星主演的高成本影片，如《列车上的陌生人》（1951）、《电话谋杀案》（1954）、《后窗》（1954）、《捉贼记》（1954）、重拍版的《知道事情太多的人》（1955）、《眩晕》（1958）和《北偏西北》（1959）。60年代，他转入另一种形式的惊险片，如《精神病患者》（1960）和《群鸟》（1963）。《撕毁的窗帘》（1966）和《黄玉》（1969）表现传统间谍故事。在《疯狂》（1972）和《家庭阴谋》（1976）中，他又回到了他以往的主题。从40年代起他在自己导演的每部影片中都露一下面。希契科克的影片大多以谋杀或间谍活动为中心，最常见的情节是一个无辜的人受到错误的怀疑或指控，于是他不得不找到真正的罪犯以洗脱自己。第二种情况是一个有罪的女人牵连住男主人公，最后或是使他遭殃，或是被他拯救。第三种情况是精神错乱杀人，随着情

节的展开渐渐弄清杀人者。希契科克的最大才能在于运用熟练技巧巧妙地造成悬念,为此他运用具有创新性的拍摄角度和移动摄影、精心的剪辑和恰当的配乐。他善于捕捉人们的心理,唤起恐惧,使他的影片既能打动人,又巧妙可信。50～60年代他制作了若干受欢迎的美国电视连续剧并主编惊险故事集。1979年美国电影学院授予他终身成就奖。1980年英国女王伊丽莎白二世封他为爵士。

Hitchcock, Thomas, Jr.　希契科克(小)(1900-02-11,美国南卡罗来纳艾肯～1944-04-19,英国威尔特郡索尔兹伯里)　美国马球运动员。1922～1940年19个赛季中,有18个赛季达到10球的进球率,创空前纪录。1923、1927、1935和1936年为美国全国公开赛冠军队队员。美国马球队先后在1921、1924、1927、1930和1939年在韦斯切斯特杯赛中胜英国队,彼时希契科克一直是美国队队员。第二次世界大战期间任美国陆军航空兵战斗机大队长,死于毁机事故。

Hitchings, George Herbert　希钦斯(1905-04-18,美国华盛顿霍奎厄姆～1998-02-27,北卡罗来纳查珀尔希尔)　美国药理学家。因其对临床药理学发展所作突出贡献,而和G. B.埃利翁、J.W.布莱克共获1988年诺贝尔生理学或医学奖。希钦斯毕业于华盛顿大学,获学士、硕士学位;1933年获哈佛大学生物化学专业医学博士学位。毕业后留校任教。1942年加入巴勒斯-韦尔科姆研究所从事研究工作,直到1975年退休。希钦斯和埃利翁在巴勒斯-韦尔科姆研究所共事40年,他们对研制和开发新药的共同的设计思想是破坏致病因子的再生能力等重要生命功能。他们在50年代研制成功的硫鸟嘌呤、6-巯基嘌呤(6MP)现在是重要的抗白血病药物。1957年,经6MP改型的硫唑嘌呤是有效的免疫抑制剂,广泛地用于治疗类风湿性关节炎等自身免疫性疾病和器官移植时出现的排异反应。别嘌呤醇(黄嘌呤氧化酶抑制剂)是有效的治疗痛风药物。他们二人合作成功的药物还有乙胺嘧啶(抗疟药)、甲氧苄氨嘧啶(泌尿道和呼吸道感染的抗菌增效剂)、无环鸟苷(抗疱疹病毒药)等。

Hite Report, The　《海特报告》　全称《海特报告:女性性行为全国性研究》。1976年女权主义者S.海特发表的报告。其对统计数字的处理虽然有瑕疵,却是对许多有关女性性行为一般公认为正确的观点提出了挑战。该报告书共478页,有她向14～78岁年龄段妇女发放的10万份问卷的大约3 000份反馈结果。与其他探讨性行为的著作,如金西报告及W.H.马斯特斯与V.E.约翰逊的著作一样,海特的报告也有统计分析,但书中大部分是有关反馈者性生活的秘闻、想法和抱怨的直言不讳的描述。评论者坦率地指责海特的统计报告不严密(有些反馈者没有提供人口统计数字),但这本书立刻成为畅销书。许多读过这本书的妇女都认为,读了书中其他妇女关于性的坦率看法心中感到释然,觉得自己原来是对的。海特的最终结论,即女人还远远没有得到性满足,使得这一问题上的许多既定想法都难以立足。1987年,海特出版了她第一次研究报告的更新版《海特关于女人和爱的报告:进行中的文化革命》。书中内容再一次源于问卷调查。其所揭示的美国98%的女性发现她们缺乏性生活的说法,又一次在社会引起争论,并再次使海特声名远扬。

Hitler, Adolf　希特勒(1889-04-20,奥地利因河畔布劳瑙～1945-04-30,柏林)　全名阿道夫·希特勒。纳粹德国的独裁者。其父阿洛伊斯生于1837年,是个私生子,有很长时间一直袭用母姓施克尔格鲁勃。到1876年,他才按照法律程序继承了希特勒这个姓。阿道夫从未用过别的姓氏,只有在20世纪30年代的德国和奥地利,他的政治对手们曾故意用施克尔格鲁勃这个姓来称呼他。

早年生活　阿道夫·希特勒在其父从哈布斯堡海关退休后,在上奥地利首府林茨附近度过了他的大部分童年。阿洛伊斯·希特勒死于1903年,留下一笔退休金和足可赡养他的妻子和儿女的积蓄。阿道夫读过中学,但学习成绩不佳,没有获得毕业证书,直到16岁时(1905)才离校。然后在林茨无所事事两年,曾好高骛远地梦想要当画家,却不思如何谋取生计。其母对这个任性的儿子过于宠爱,甚至在她1908年死后他还领取少量津贴,他初到维也纳时就用这津贴维持生活。他虽有志于学习绘画,但两次申请,都未能被美术学院录取。他过了几年孤寂的不与他人往来的生活,以画明信片和广告勉强餬口,且常从一处廉价公房迁至另一处。

此时希特勒已经显露了他后来生活中的一些性格特点:不能与人建立正常关系;没有容忍心;痛恨大权在握的资产阶级世界,痛恨非日耳曼民族,特别是犹太民族;经常冒火,发脾气;容易耽于幻想以逃避他的贫困潦倒的境遇。

1913年希特勒移居慕尼黑。1914年2月,他临时被召回奥地利接受服兵役的体格检查,检查结果不合格。第一次世界大战爆发后,他志愿参加德军,被编入第16巴伐利亚后备步兵团,服役直至战争结束,1916年10月曾受伤,两年后又中过毒。战争结束时他尚在医院治疗。除住院外,他始终在前线任指挥部通讯员,因作战时表现勇敢于1914年12月获二级铁十字勋章;1918年8月,被授予一级铁十字勋章,这对一个下士班长来说是少有的殊荣。他在和平时期饱受挫折,生活并无目标,因此他欢迎战争来临,将它看成是一种解脱。他对于战友情谊、纪律、参加战斗感到异常满足,因而使他对极权主义、不平等以及英勇作战的美德的信仰更加坚定。

掌握权力的过程　希特勒伤愈出院后,面对德国战败后的一片混乱,决定从事政治活动以便推翻他斥之为不堪忍受的和平解决。他保留自己的团籍直到1920年4月,同时于1919年9月以军队政治工作人员的身份加入慕尼黑的党员寥寥无几的德国工人党。

1920年他被指定负责党的宣传工作,他终于离开军队,专心致志于党的建设。是年该党更名为德国国家社会主义工人党(纳粹简称)。当时经济一片混乱,加上战败之后被迫接受和平条件,群情气愤难平,不满情绪四处蔓延。这种状况很适合于这种党派的发展。而在希特勒整个20世纪20年代所处的巴伐利亚,素有分离主义情绪,群众不喜欢柏林的共和政府,因此形势更为紧张。1920年3月,军队发动了一次政变,建立了一个强有力的右翼政府。慕尼黑成了心怀不满的退伍军人以及自由军团成员聚集之地。这一军团由德国军队中一些不愿回家过平民生活的单位在1918～1919年间组成。慕尼黑又是反对共和国的政治阴谋家的集合地。这些人中的许多人加入了纳粹党。最著名的是E.勒姆,他是当地军区司令部的一名参谋,在希特勒之前已加入德国工人党,后来在帮助希特勒推行使该党发展成为夺权工具的计划中出了大力。勒姆搜罗了一些拳大臂粗的人组成“纠察队”,供希特勒用来保护党的集会,袭击社会党人和共产党人,并利用暴力给人以势力强大的印象。1921年这些“纠察队”被正式编成一支以勒姆为首的私家性质的党卫军,名为冲锋队(SA)。勒姆同时也保护依靠当地军区司令部维持治安的巴伐利亚政府,后者对勒姆的横行霸道和恐吓行为漠然置之。

虽说客观环境对党的发展有利,但只有希特勒精明得足以充分利用这一条件。他入党时发现该党人数极少,起不了什么作用,推出的纲领只是一些民族主义和社会主义的原则,其目标并不明确,领导层也是分裂的。他接受党的纲领,但只把它看作达到掌握政权这一目的的手段。他的宣传方法和他本人的傲慢引起与委员会其他成员的摩擦。当他们企图限制他的自由时,希特勒立即反击,要求辞职。意识到党的前途有赖于他的组织宣传以及筹集资金的力量,他们不得不向其屈服;双方的摩擦就此解决。1921年7月,他任党的主席,其权力不受任何限制。他从一开始便致力于发起一个群众运动,要使它的神秘性和力量足以把党的成员集结起来效忠于他。他通过党报《人民观察员》(1920年购得)和一次又一次的集会,大肆进行宣传。集会听众最初屈指可数,不久便增加到每次数千人。他在这些集会上,锻炼出了罕有的吸引和领导群众的才能。同时他在自己周围集合了好几个后来臭名昭著的纳粹首领:罗森贝格、黑斯、戈林和施特赖谢尔。

巴伐利亚的纳粹党迅速壮大,达于顶峰的标志是1923年11月慕尼黑(啤酒馆)企图夺权的政变。当时希特勒和鲁登道夫将军利用无法无天的混乱情况和反对魏玛共和国的情绪,强迫州政府和当地国防军司令官宣布一次国民革命已经开始。但被捕获释后他们收回了这个宣言。希特勒在受审时,明知自己在政变中扮演了一个非常不光彩的角色,却一如既往地利用了这个提供给他的宣传良机。他从这次政变中还得到一个极重要的教训,即他掌握的运动必须通过合法途径取得政权。他被判5年徒刑,但仅服刑9个月,即使这9个月他也是在兰德斯堡监狱中养尊处优地度过的。他利用这段时间写作《*我的奋斗*》(**Mein Kampf**)的第一卷。

希特勒的思想中极少有和以前作家或他青年时期维也纳右翼激进主义中被广泛接受的行话套语有渊源的东西。他认为种族和个人之间的不平等是天经地义不可改变的，他把“雅利安种族”吹捧为人类唯一有创造力的部分。人类的天然单位是民族，而日耳曼人则是其中最伟大的民族；之所以有国家是要它为民族服务；而魏玛共和国恰恰背叛了这一使命。一切道德、真理都应该用是否合乎民族的利益以及它的保存这一标准来评判。正因如此，民主政府更应加倍受到谴责。它假设在民族内部有其实并不存在的平等；它也假定什么是民族的利益所在可以通过讨论和投票来决定。事实上民族统一的化身是**元首**(**Führer**)，元首有绝对的权威。元首之下是党，希特勒常称党为“运动”以示与民主党派有别。党的成员则来自民族中最优秀的分子，反过来他们又是民族的保障。

在希特勒看来，纳粹主义的最大敌人并非已濒于崩溃的自由民主派，而是与之相匹敌的另一世界观：马克思主义以及它所坚持的国际主义和阶级斗争；在他心目中马克思主义既包括社会民主主义，也包括共产主义。在马克思主义背后他看出了犹太人是所有敌人中最凶恶的，他们是邪恶的化身，他把他所恐惧和憎恨的一切都投置在犹太人身上。

希特勒在狱服刑期间，纳粹党内部不和，趋于解体。他获释后从事党的重建工作中，遇到了1923年之前并不存在的困难。货币改革和**道威斯计划**(**Dawes Plan**)的成功导致经济稳定；共和国的威信大为提高。希特勒被禁止首先在巴伐利亚，以后在其他许多州发表演说(该禁令在1927～1928年前一直有效)。尽管如此，党员人数仍在缓慢增加。1926年希特勒遇到了G.施特拉瑟在德国北部建起的另一个纳粹运动的挑战，在这一较量中，希特勒成功地巩固了他的地位。

1929年的大衰退开始了一个经济、政治动荡的新时期。希特勒与民族主义者A.胡根贝格结盟，共同反对**《扬计划》**(**Young Plan**)。在胡根贝格的民族主义党组织和该党控制的报纸的帮助下，希特勒破天荒第一次能面向全国讲话，并有机会向工商界巨头们证明自己是个能量很大的煽动家，这些巨头掌握着政治捐款，正急于用捐款来建立一个强有力的反工人阶级的右翼政府。他从工业巨子手中得到的资助使他的党有了稳固的财源，使他能有效地打动中产阶级下层和失业群的感情，向他们宣告他坚信德国将从它的苦难中醒来，再次显示自己天生的伟大。正如他后来和保守分子勾结那样，希特勒和胡根贝格和工业界人士打的交道证明他手腕的高明，能使想利用他的人反被他所用。

紧锣密鼓地向群众作鼓动宣传，加之政府想在内政外交方面取得成就的努力一再失败，使纳粹在选民中的力量不断加强，终于成为全国第2大党，在1930年的大选中获得600万张以上选票。希特勒与兴登堡在1932年的总统选举中角逐，他在第二轮投票中获得36.8%的选票。

希特勒由于追随的群众空前广大而处于有力的地位，便与巴本、施赖谢尔将军、迈斯纳以及兴登堡之子奥斯卡一起进行了一系列别有用心的活动，以博得年迈力衰的总统的欢心。尽管纳粹党在1932年11月得的选票数下降，他仍坚决声称除总理一职外，他决不接受别的职位，而且他要以合乎宪法程序而不是革命的方式达到这个目的。自始自终，他显示了一种利用有利条件求得成功的无与伦比的能力。他制造了一个希特勒神话，他用尽了一切鼓动群众的手段来散播这个神话，使出一个演员的浑身解数使这个神话融入他为自己所创造的角色之中。但同时他仍是一个机警的极有心计的政客，深知自己所处地位的弱点，比任何人都更能迅速地看出如何使一种情势最好地为己所用。1933年1月，他终于如愿以偿，兴登堡总统邀请他担任德国总理，他在巴本和胡根贝格的支持下受命就职，由布洛姆贝格元帅担任国防部长。

随着纳粹党的顺利发展，希特勒的私人生活变得较为悠闲稳定，日趋舒适。他获释以后，即迁至贝希特斯加登附近上萨尔茨堡居住。这一时期他的收入并不固定，主要来自党的经费和为民族主义的报纸写稿。任总理后，他接受由此而来的优越生活条件，但并不受这种条件影响。他不讲究衣食，从不吸烟，喝茶、咖啡或酒精饮料。甚至在当上元首以后，他依然反对例行或按时工作——他认为这是他的艺术家气质使然。

他迁居贝希斯特加登时，他的同母异父的妹妹拉包尔及她的两个女儿和他同住。希特勒对外甥女吉莉钟爱异常，但他的出于占有欲的忌妒心，驱使她于1931年9月自杀。有数星期之久，希特勒悲痛欲绝。随后慕尼黑的一个女店员**爱娃·布劳恩**(**Braun, Eva**)成了他的情妇。希特勒绝少让她到柏林来或与他一同在公众场合出现，也不考虑和她结婚，理由是这有碍于他的前程。爱娃是个心地和善的姑娘，但文化素质甚低。在希特勒看来，她的最大优点是她的无条件的忠诚。为报答她这一点，他在生命将结束时依法娶她为妻。

独裁者(1933～1939)　一旦大权在握，希特勒便着手建立绝对独裁统治。他以未能在国会中获得多数为由得到总统允准，举行新的选举。1933年2月27日夜的**国会纵火案**(**Reichstag fire**)发生后，希特勒以此为借口发布了一道取消一切保证自由的命令；并发动了一场剧烈的暴力运动。在这种条件下举行的选举(03-05)中，纳粹分子得了43.9%的选票。国会在波茨坦警卫部队的教堂中召开，它在希特勒策划下成了一个戏剧化的场合来显示他的运动和兴登堡所代表的老一辈保守分子之间的团结。两天后，1933年3月23日，纳粹分子、民族主义者和中间政党的议员联合投票通过一项法案，授希特勒以全权。

到此为止希特勒一帆风顺，不想把这一激进革命推进得过了头。如果他想登上总统宝座而同时保有军队支持的话，和解仍然是必要的；同时只要工业巨头们肯为纳粹国家的利益服务，他也从未打算没收他们的资产。勒姆是“继续革命”的主要鼓吹者，又是冲锋队的首领，因而军队极不信任他。希特勒最初想用说服并委以政府职务的办法争取勒姆支持他的政策，但是失败了。戈林和希姆莱则急于除掉勒姆，但希特勒在最后时刻到来之前一直犹豫不定。1934年6月29日，他终于下了决心。勒姆和他的得力助手海因斯未经审判便被处决，同时被处决的还有施特拉瑟、施赖谢尔等人。陆军领导人满意地看到冲锋队被摧垮，便对希特勒的行动表示赞同。8月2日兴登堡去世，他们与巴本一起同意将总理和总统职位合而为一；并由这位元首任帝国武装部队的最高统帅，官兵们宣誓效忠于希特勒一人。经济复苏(与世界经济复苏同步，但希特勒却把它归功于自己)和失业人数减少使得该政权较易为人民接受。成功与恐怖统治合在一起使希特勒在一次公民投票中赢得了90%的投票人的支持。

1939年希特勒在东线检阅德军

美国不列颠百科全书公司供图

希特勒掌权后对纳粹国家内政的治理很少加以注意。他认为他只管大政方针维持这个国家的恐怖体制；至于具体如何治理则由他的属下负责。他们中每一个人在分工的范围内行使独断权力。同时他又故意使各部门和组织在职权上有彼此重叠之处，这样就有效地防止了这些私人小王国变得强大得足以向他的绝对权威挑战。

比较而言，他对外交政策的兴趣要大得多。他的目标在《我的奋斗》中说得很清楚，他以极其高明的手腕致力于实现这些目标。他过去崇拜奥地利人舍内雷尔的泛日耳曼主义，他的最初野心是使各日耳曼民族重归一体。进一步扩张的箭头则自然地指向东方，指向波兰、乌克兰和苏联——这种扩张势必要重新燃起德国与斯拉夫各民族的历史冲突，而这些民族终须在新秩序中受日耳曼主宰种族的统治。在这一反布尔什维主义的东征中，希特勒认为法西斯意大利只要停止同德国争夺中欧，就是德国的天然盟友，为此他准备抛弃蒂罗尔的德国人。英国如果能放弃在欧洲保持势力均等的传统政策，只经营它的海外利益，它也可能是个盟友。西方只有法国是德国的天然的敌人，所以必须把它打垮，向东扩张才有可能。

在进行这心目中的扩张之前，首先必须摆脱《凡尔赛条约》对德国的种种限制。希特勒施用了一切宣传手法来减少各大国的疑心。他把自己打扮成欧洲反对布尔什维主义这一祸害的斗士，口口声声称自己是个爱好和平的人，但求能消除《凡尔赛条约》造成的不平等。德国退出了裁军会议和国际联盟(1933-10)，但希特勒又急不可待地和波兰签订了一项互不侵犯条约(1934-01)。在每一次背弃了条约义务之后总是建议谈判一个新的协定，总是反复声明德国的野心是有限的。只有一次他做得实在过分：奥地利的纳粹分子与德国大使馆勾结，刺杀奥地利总理陶尔斐斯，企图发动一次政变(1934-07)。企图失败后，墨索里尼向边境调动部队，而希特勒却推卸一切责任，出卖了那些行动得到了他首肯的人。1935年1月，萨尔根据一次公民投票结果回归德国，希特勒借此机会声称他放弃对法国的任何进一步要求。同年3月，他宣布实行征兵，此举在斯特雷萨会议上遭到英、法、意大利的一致反对，然而他的德国爱好和平的宣传已取得很大成功，足以说服英国谈判一项海军条约(1935-06)，承认德国有权重整军备。他在1936年3月走了最厉害的一着：他以法苏签订条约为借口，重新武装莱茵兰——这一决定是他不听他自己的总参谋部的劝告而作出的。意大利入侵埃塞俄比亚之后，英法对意大利实行制裁，于是如《我的奋斗》中所预见的，德意联盟成为现实。1936年10月，罗马-柏林轴心建立，不久又与日本签订《反共产国际条约》，两者于一年以后联成一体。

1937～1938年间开始了一个新阶段。1937年11月希特勒在一次最高级军官的秘密会议上概要说明了他的未来征服(首先是奥地利和捷克斯洛伐克)计划。这时他下手辞退那些不是全心全意地接受纳粹大规模行动的人，例如声称德国的进一步重新武装对它的经济是个危险的沙赫特、代表职业军人的谨慎小心的布洛姆贝格和弗利希以及被兴登堡任命主持外交部的诺伊拉特。

1938年2月，希特勒邀请奥地利总理舒施尼格访问贝希特斯加登，并迫使他签订一项协议，实际上允许奥地利纳粹党人可以任意横行。舒施尼格试图否定这一协议并宣布将在与德国合并问题上举行一次公民投票，希特勒即刻命令德国军队占领奥地利。希特勒本人受到的热情欢呼使他决定用直接吞并来解决奥地利的前途问题。他以胜利者的姿态重返维也纳，那是他青年时期潦倒失意、饱受屈辱的地方。整个行动没有遭到英法方面的任何反对。希特勒煞费苦心以求得到意大利的支持，当他得知这一支持已无问题时，他公开对墨索里尼表示了至死不忘的感激。

在作出保证德奥合并将不会影响德国和捷克斯洛伐克的关系之后，希特勒立刻着手推行宰割这个国家的计划。他指令捷克斯洛伐克国内的德国少数民族头子K.亨莱因大肆煽动，为居住在苏台德的德国人提出令人无法接受的条件，从而为希特勒吞并捷克斯洛伐克提供了口实。然而英法愿意迫使捷克政府将苏台德割让予德国，使希特勒面前出现一个选择：是用和平协议的方式获得不小的好处呢？还是对捷克斯洛伐克发动一场令人震惊的战争来夺取更多的土地？看来墨索里尼的进言使他选择了前者。9月30日，他接受了《慕尼黑协定》——可是紧接着他感到自己上了当，为错过了进行一次先声夺人的军事征服的机会而恼怒。

因此不难预料，希特勒将毫不迟延地制造事端以便出兵侵占捷克斯洛伐克全境。果然，他开始煽起斯洛伐克人的不满情绪。1939年3月16日，他从布拉格的赫拉德察尼宫宣布捷克斯洛伐克这个国家已经解体。作为奥地利人，他始终认为这个国家的存在是不自然的。紧接着，立陶宛政府被迫将紧靠东普鲁士北部边境的梅梅尔即克莱佩达割让与德国。

至此希特勒已为东进夺取"生存空间"的最后目标准备就绪。但他面前是得到英法保证的不妥协的波兰；于是他加强与意大利的联盟("钢铁盟约"，1939-05)，与苏联谈判并于8月24日(正好在冬天降临前进攻波兰的限期之内)签署了一项互不侵犯条约。此时他仍然声称与英国并无任何争吵，但纯属徒劳。9月1日，德军进攻波兰，两天后，英法两国对德宣战。

在对外政策方面，希特勒在方法、时机上表现了十足的机会主义，而在目标的追求上则毫不动摇。尽管他难得离开德国或奥地利，且不懂任何外语，他在判断民主国家的情绪以及利用它们的弱点上，手腕高明得令人惊讶。到此为止，他走的每一步都是成功的——就连他对英法两国参战的担心也被侵占波兰的战争迅速胜利所驱散。其结果是他越来越相信自己决不会犯错误，而这又促使他加快推行自己的征服计划。

第二次世界大战 希特勒从一开始就亲自领导制订战争的重大战略。他本指望波兰一役的胜利会导致与英国的和平谈判，但这一指望却落空了。他于是命令陆军准备即刻转向西方发动攻势。然而恶劣的气候条件为那些勉强应命的将军们提供了推迟西进的借口，而推迟西进又导致计划的两处重大改变。其一，根据海军总司令雷德尔海军上将的建议，希特勒于1940年4月下令攻占丹麦和挪威。希特勒本人对此役极为关注，曾亲自过问；从此他对军事作战的细节的干预日益变本加厉。其二是采纳了曼施泰因将军通过阿登而不是通过低地国家进攻(5月10日开始)的计划。希特勒不听将军们的意见，命令古德里安将军指挥的坦克部队在敦刻尔克以南原地待命，从而使英国人得以组织撤退他们的军队。但从整体说来，这一战役赢得了辉煌的胜利，希特勒在战役的总体规划上自有其主要的功劳。6月10日，墨索里尼参战，与德国并肩战斗。6月末，希特勒在1918年休战的旧址同法国签署了停战协定，雪了《凡尔赛条约》之耻。

下一步便是用空军轰炸继之以登陆入侵来使英国屈服。然而在1940年夏天，为进攻苏联而作的长期准备已经开始，所指望的英国投降仍未实现，东进战役很快便在希特勒对战争的总体方略的考虑中占据了排除其他一切的支配地位。其时，苏联已经占领了波兰东部和比萨拉比亚，希特勒为了阻止苏联采取任何进一步的行动，便强迫匈牙利和罗马尼亚接受一个他拟定的协议，同时敦促墨索里尼放弃进攻希腊的打算。然而墨索里尼为自己被蒙在鼓里，对希特勒的意图毫不知情而感到气愤，于是径自入侵希腊。意大利军队在希腊未占上风，德国军队不得不开入巴尔干和北非援助意军。1941年3月南斯拉夫发生政变，与德国签有协议的政府被推翻，希特勒的计划进一步被打乱。他把这一事态视为对德国和对自己的侮辱，立即命令他的军队征服南斯拉夫。地中海战区的战事虽然节节胜利，终究不如东进攻势重要，希特勒则对东部战场过于关切，因而失却他在处理政治事务时所显示的那种随机应变、灵活自如的能力。甚至在雷德尔和隆美尔敦促希特勒对苏伊士作最后一击以消灭英国在地中海的全部势力时，他都不愿从"巴尔巴罗萨"计划进攻苏联的行动中抽出更多兵力来完成此举。

进攻苏联的行动于1941年6月22日开始，希特勒对胜利如此自信，他甚至拒绝为他的部队准备冬衣和冬天的装备。德军长驱直入，势如破竹，但没有能消灭它的俄国对手。此时，希特勒对他的将军们已是颐指气使，傲慢已极。他不同意他们提出的主攻对象，他不去集中攻击一个目标，经常推翻自己所作的决定，因而浪费了时间和兵力。1941年12月，苏军发动了一次意想不到的反攻，证明希特勒的毕其功于一役的希望不可能实现。第2天，日本偷袭珍珠港。希特勒急转直下地向美国宣战——虽然德日盟约纯粹是防御性的，而他也没有得到日方关于它的意向的通报。他为一种基本上以欧洲为中心的对世界政治的看法所误导，对一个动员起来的美国能在欧洲投入多大的力量全然不以为意。

1942年全年，希特勒在作战指挥中又犯了不少判断性错误——在地中海和大西洋战区，只要再投入相对说来不大的力量也许就能产生决定性的效果，然而他对这些战区没有给予足够的重视。在苏联战场上，他仍不思倾注全力攻击一点，因而很可能在斯大林格勒防守力量还很薄弱的时候错过了攻占该城的机会。

与此同时，他指示希姆莱为欧洲的“新秩序”打好基础：扩大了集中营，另增加诸如奥斯威辛和毛特豪森的集体消灭营以及巡回集体消灭分队。被屠杀的人中人数最多的为德国、波兰和苏联的犹太人，在德国占领的欧洲，在大战结束之前有500万～600万人被杀。这在希特勒看来是解决犹太人“问题”的唯一办法。其他种族遭受的痛苦同样惨重，仅在被杀害的人数上不如犹太人之多。此种野蛮暴行对男女老幼或地区不加区别，甚至在希特勒可以煽起民族主义情绪为其所用的地区如乌克兰亦复如此。

1942年末，在北非阿拉曼和在斯大林格勒的惨败将战争推进到一个转折点，希特勒的性格和生活方式也开始随之而有所变化。迄今为止，希特勒想象中的胜利大致都获实现。为了保持他的幻想世界不受战争失利与败绩的影响，他使自己越来越与现实隔绝。他在东方的总部指挥作战，拒绝视察遭轰炸的城市和阅读战事失利的报告。他的近侍，尤其是他的秘书M.博尔曼谨慎小心地只让他看报喜的消息；他则越来越依靠他的私人医生T.莫雷尔以及他注射的针剂。即使如此，他也没有丧失在灾难面前作出强有力的反应的能力。1943年7月，墨索里尼被捕，意大利停战之后，他不仅指挥德军进占所有意大利军队据守的重要阵地，而且下令劫出墨索里尼，准备让他主持一个新的法西斯政府。然而在东线，拒绝撤退只是造成了更大的损失，并无可能阻遏苏军的推进。他与各军队司令官之间的关系不可避免地日趋紧张，而他越来越倚重直接对他负责的党卫军一事使这种关系更加恶化。同时他的U-潜艇攻势的失败以及盟军轰炸德国之猛烈清楚说明，他已无胜利希望。

所有上述因素使少数早想除掉希特勒以求谈判和平的军政官员感到形势已不容迟延。1943～1944年间，他们曾策划了好几次行动，最接近于成功的一次是在1944年7月20日，当时施陶芬贝格上校在东普鲁士希特勒总部的一次会议上爆炸了一枚炸弹。但希特勒仅受微伤，所有与密谋有牵连的人除少数几人幸免外，均被处死。至此，军队的独立性已被消除殆尽，所有军事指挥部都派驻有纳粹党政治官员。

此后，希特勒病情逐渐严重，日益感到不胜疲劳，但他并不放松亦未丧失对纳粹党及军队的控制；对他的心腹僚属他继续行使着一种近乎催眠的威力，这些僚属却没有一人能独立行使权力。1944年12月，他将他的总部西迁以便指挥阿登地区的攻势，在这次攻势中他动用了最后的后备力量。攻势失败后，他建立在使用新武器和盟国阵线的分裂（特别是在罗斯福死后）之上的胜利希望更为渺茫。他不仅不想在败亡之前挽救可能挽救的一切，反而下令大肆进行物质破坏，并禁止他的部队投降，从而置他们于死地。

从1945年1月起，希特勒再也不曾离开柏林的总理府或总理府的地堡，由于苏军一步步将柏林团团围住，他不得不放弃在南部作最后抵抗的计划。此时他神经已极度衰弱，即使还不到疯狂的地步，也已未老先衰。他终于承认败亡不可避免，因而准备自杀，将自己曾进行过绝对统治的国家交与命运支配。在自杀前，他还做了两件事。4月28～29日午夜，他与爱娃·布劳恩正式结为夫妇。紧接着他口授了他的政治遗嘱，为自己一生的所作所为辩护，并任命K.德尼茨为元首，戈培尔为总理。4月30日，他向戈培尔和留下来的少数人告别，回到自己的房间，开枪（也可能是服毒）自杀。他的妻子服毒自尽。他们的尸体依照他的指示予以火化。

希特勒的成功应归之于战后德国人对他作为政治领袖的罕有才能易受影响。他跃登政坛掌握大权并非必然。当时种种情势的复杂组合中任何一种变化都可能使他一如他青年时代那样湮没无闻、潦倒失意。他运用权力之规模和任其调动的物质资源之浩大，史无前例。然而他对人类无论在精神或物质方面都没有做出持久的贡献。他的创新立异之处在于他的方法，而不在于其思想和目的。此种思想和目的多多少少为千百万德国人和其他地区的人所共有。当其败亡之时，他已摧垮了他生活于其中的世界的整体结构，迎来了一个孕育着甚至更为巨大威力和毁灭的新时代。

Hitler Youth　希特勒青年团　1933年由阿道夫·希特勒建立的一个组织，旨在以纳粹的原则教育和训练男青年。由全德青年运动领袖希拉赫领导。到1935年，几乎包括了德国男青年的60%。1936年7月1日，希特勒青年团成为一个国家机构，全体“雅利安”德国青年均应参加。德国少年满10岁就进行登记和审查（特别是有关“种族纯洁”问题），如果合格，就加入德国少年队。13岁可加入希特勒青年团，18岁结束青年团生活。在这几年里，青年团员过着斯巴达式的生活，培养献身精神、伙伴关系、纳粹信仰，一般说来，很少受家庭教育。自18岁起，成为纳粹党员，在国家的劳动服役队和军队中服务，至少到21岁。与希特勒青年团平行的一个组织是德国女青年团，对女青年进行有关交谊、家政及母道的培训。

Hito-no-michi　人道教　日本宗教派别，为御木德一（1871～1938）所创建。其前身是金田德光（1863～1919）所倡的德光教。金田德光宣称他能替信徒承受苦难。人道教在政府强制下合并于神道教的一派扶桑教，1937年又被解散，御木德一及其子御木德近入狱。1945年御木德近获释，建立完全自由教团（PL Kyōdan）。

hitogami　人神　日本宗教学家按照各宗教所崇奉的神与神意传达者之间的关系区分宗教。学者崛一郎把宗教分为崇奉“人神”与崇奉“氏神”的两类，前者不以家族或地域出身为入教条件，只讲个人信仰；后者则以家族或地域出身为入教条件。这两种宗教观念在日本历史上经常互相作用。八幡神（武神）和天神（书道神）、日本祭日（节日）上的狂歌放舞以及日本某些“新宗教”所崇奉的神人，都体现关于人神的信仰。

Hittite　赫梯人　公元前2千纪初在安纳托利亚出现的古印欧语系的民族，到前1340年之际，已成为近东地区主要强国之一。

赫梯人大概来自黑海以北的地区，他们最初占领安纳托利亚中部，以哈图萨斯（今博阿兹柯伊）为首都。赫梯人古王国的早期国王，例如哈图西利斯一世（约公元前1650～约前1620在位）扩大自己的版图，拥有安纳托利亚的大部地区和叙利亚北部。哈图西利斯一世的孙子穆尔西利斯一世沿幼发拉底河侵袭巴比伦，约公元前1590年消灭巴比伦的阿莫里特王朝。穆尔西利斯死后，王朝发生内讧，最后约在前1530年大权落入**泰利皮努斯**（**Telipinus**）之手。泰利皮努斯的著名敕令规定了王位继承的程序，为嗣后历代所尊奉。敕令力图消除违法现象，力图协调王位的继承，指定凡属违反国家根本的重罪，一律由“贵族”（pankus）组织高等法庭审理。

泰利皮努斯之后，赫梯人史料阙如。约公元前1400～约前1200年为赫梯新王国（或帝国）时代。苏皮卢利乌马斯一世在位年间（约前1380～约前1346），帝国臻于鼎盛。他的军事生涯包括与安纳托利亚西南部的阿尔萨瓦王国成功地进行抗衡，干涉东南部米坦尼王国内部之争，并试图在叙利亚建起坚强据点。

穆瓦塔利斯在位时（约前1320～约前1294），为争夺叙利亚而与埃及进行了古代世界最大的一次战争，当时埃及人在塞提一世及拉美西斯二世统治期间，于前1299年在奥龙特斯河畔与赫梯人会战于卡叠什。虽然拉美西斯宣称获胜，但战局似乎未定。16年后，当哈图西利斯三世在位期间（约前1275～约前1250），双方缔结和约，约定共同防卫，并在王室之间互通婚姻。

约公元前1193年赫梯帝国突然崩溃。原因大概是由大批移民活动造成的，其中也包括海上诸民族的迁徙。以后帝国腹地住满了未开化的弗里吉亚人；而西利西亚和叙利亚的一些领地倒是保持了赫梯帝国的名义达500年之久，它们在政治上发展为许多小而独立的公国和城邦，最后为亚述帝国所并。到公元前710年，赫梯新王国已经完全丧失政治的独立。

在博阿兹柯伊（今土耳其境内）发现的赫梯楔形文字书板提供了有关赫梯人的政治组织、社会结构以及经济、宗教等方面的重要资料。赫梯人的国王不但是国家元首、军事领袖和最高法官，而且是雷雨之神在人间的代理人，死后即成为神。赫梯人的社会主要是一个封建农业社会，平民有自由民、“工匠”或奴隶。在帝国时期，赫梯人发展了铁工技术，促使铁器时代揭开序幕。

有关赫梯人的宗教，知之甚少；不过可以推断它是以一种兼容并包的多神信仰，不仅有安纳托利亚本土的神祇，也有叙利亚及胡里人所崇奉的诸神明。

前帝国时期赫梯文化中的造形艺术品现今极少见；然现已发现有大批出自帝国时代

的石雕作品，风格粗犷而有力。晚期赫梯诸邦的艺术品风格迥异，呈现为一种杂糅之作，内有赫梯、叙利亚、亚述的——偶尔还有埃及和腓尼基的——基调和影响。

Hittite hieroglyphic writing　赫梯象形文字　一种图画文字体系。赫梯帝国衰亡后，于公元前 10 ～前 8 世纪通行于叙利亚地区的赫梯诸王国，用以书写卢维语（Luwian language）东部方言（据学者们推断，用楔形文字书写的早期卢维语文献是中部方言）。用赫梯象形文字书写的碑铭通常从右上角开始。虽然大多数都是表意字符，但也有一些表音节的符号。象形文字赫梯语（或者更确切地叫做象形文字卢维语）大体在 1930 ～ 1935 年间才被释读出来。赫梯象形文字和埃及象形文字之间并无直接联系。

约 900 年门侧柱残片上的赫梯象形文字
美国不列颠百科全书公司供图

Hittite language　赫梯语　安纳托利亚地区的最重要的已消亡的印欧语言，与卢维语、吕底亚语、吕西亚语及巴莱语关系密切。赫梯语主要是从保存在博阿兹柯伊（古都哈图萨，在今土耳其境内）赫梯档案馆的约25 000块楔形文字泥板或残片中而闻于世，其中多属赫梯王国（约公元前 1400 ～约前 1190）时期，内容涉及宗教和其他主题。古赫梯语文献可溯源自约公元前 1650 ～前 1595 年，是根据赫梯王国时期的泥板复制而保存下来的，也是迄今所发现的最早的印欧语文献。捷克东方学家 B.赫罗兹尼在 1915 年作出结论说，因为赫梯语的名词和动词词尾与早期印欧诸语言的词尾相似，所以它也是一种印欧语言。赫梯语提供了有关早期印欧语语音体系的重要资料。

Hittorf, Johann Wilhelm　希托夫（1824-03-27，波恩～ 1914-11-28，普鲁士明斯特）　德国物理学家，首次计算出带电原子和分子（离子）的荷电量，对了解电化学反应具有重要的意义。早期从事磷、硒同素异形体（不同外形）的研究。1853 ～ 1859 年，他最重要的工作是研究在电流作用下离子的运动。他测定了电解液的浓度变化，据此计算出许多离子的电荷迁移数（相对荷电量）；并于 1869 年发表了他的有关离子迁移的定律。1879 ～ 1889 年任明斯特大学物理和化学教授及实验室主任。他还研究过气体和蒸气的光谱，探讨过电流在气体中的放电现象，并发现阴极射线（电子射线）的某些新的性质。

Hiva Oa　希瓦瓦岛　南太平洋中部法属波利尼西亚的火山岛。为马克萨斯群岛东南部的最大岛，面积 200 平方千米。岛上山高达 1 200米以上，急剧下降到海面，既无沿海平原又无边缘珊瑚礁。农业仅限于狭窄的谷地，唯一出口品为椰干，从阿图奥纳起运，这是马克萨斯群岛的主要村庄和港口。法国画家 P.高庚临终前 2 年（1901 ～ 1903）住在该岛，死后葬在阿图奥纳。人口1 671（1988）。

hives　荨麻疹　又作 urticaria。过敏反应引起的皮肤病。特征为突然出现轻度隆起、顶部平滑的风团及斑块，通常颜色较周围皮肤稍红或稍白，剧痒。急性荨麻疹的皮损多于 6 ～ 24 小时后消退，慢性荨麻疹的皮损则反复出现，可迁延甚久。急性荨麻疹的病因多为对某具体食物（主要如鱼、蛋、浆果及坚果等）过敏。有时应用某些药物（特别是青霉素）、含有蛋白质的生物制品或吸入花粉、杀虫药、尘埃及羽毛后亦可引起荨麻疹。由物理因素（如冷、热及机械性损伤）或寄生虫病、传染病引起者较少见。情绪及精神紧张对大部分慢性荨麻疹的发病起重要作用。精神因素引起慢性荨麻疹的机制未明，但已知引起急性荨麻疹的一系列生物学变化可能与血管周围的肥大细胞有关。肥大细胞与刺激物接触时可释放出组织胺。组织胺增加毛细血管的通透性，因此血浆溢入皮肤细胞间隙，使局部肿胀，形成风团及斑块。瘙痒可能亦为组织胺所引起。荨麻疹有家族发病倾向，尤多见于有变应性反应史的人。治疗首先应找出变应原，并避免与之接触。肾上腺素及抗组织胺药有助于控制急性皮肤症状。有些荨麻疹可根据其特殊病因和皮损特点而命名，如大疱性荨麻疹（有大疱或水疱，较少见）、日光性荨麻疹（发生于日晒后）及皮下荨麻疹（因皮下组织水肿而引起）。

Hiwassee River　海沃西河　源出美国佐治亚州北部汤斯县境内的蓝岭山脉。北流经北卡罗来纳州进入田纳西州，在查塔努加东北汇入田纳西河。全长 213 千米。河上有 3 座田纳西河流域管理局修建的水坝。

Hjálmar Jónsson（Icelandic folk poet）　**希奥马尔·荣松**　参阅 **Jónsson, Hjálmar** 荣松。

Hjärne, Harald Gabriel　耶纳（1848-05-02，瑞典克莱斯托普～ 1922-01-06，乌普萨拉）　瑞典历史学家、政治家、政论家。以其对瑞典历史学派的影响和对瑞典保守派及右翼自由派思想的贡献而闻名。先在乌普萨拉大学求学，后任教。著有有关德国法律和社会史、俄罗斯和俄瑞关系史及 17 世纪瑞典史的著作。其政治思想基本上属于保守派。他强调公民权利应按其对国家贡献大小而异。19 世纪 90 年代与保守党分道扬镳，成为右翼自由党员，提出改革方案，主张凡服兵役满一年者，不问阶级，一律享有选举权。1903 ～ 1908 年间，在瑞典里克斯达格（议会）第二院备受挫折，后即向右转，强调国防、外交政策重于内政改革。1912 ～ 1918 年任职于里克斯达格第一院。

Hjelm, Peter Jacob　耶尔姆（1746～1813）　瑞典化学家，1782 年发现钼元素。在乌普萨拉大学学习后，1782 年任斯德哥尔摩皇家造币厂的化学分析主任。1794 年任瑞典矿业局化学试验室主任。其研究领域包括矿物学、冶金学和工业化学。他首先注意到从含锰矿石炼制的生铁常能产生优质钢这一事实。1781 年他成功地分离出锰。

Hjørring　约灵　丹麦日德兰北部北日德兰州城市。曾为古代文叙瑟尔区的首邑。1243 年建市。现仍为该地区的商业中心。圣凯瑟琳教堂建于约 1250 年；圣汉斯和圣奥拉伊教堂建于 12 世纪。当地产品包括牛奶、饼干、熏肉和纺织品。一个军事装备中心已于 1971 年从哥本哈根迁此。人口：市约 24 224（1992）；城市区约34 867（1993）。

Hkawa（people）　**哈佤人**　参阅 **Wa** 佤人。

Hlinka, Andrej　赫林卡（1864-09-27，奥地利帝国斯洛伐克旧切尔诺瓦～ 1938-08-16，捷克斯洛伐克鲁容贝罗克）　斯洛伐克天主教司铎和爱国者，斯洛伐克自治派领袖。1905 年在小工业城市鲁容贝罗克任司铎。在 1906 年匈牙利进行议会选举时，他极力支持斯洛伐克民族主义候选人。1906 年 11 月因煽动斯洛伐克人反对匈牙利而被判处两年徒刑。翌年 5 月发表煽动信徒的演说，又加判一年半徒刑。1918 年当斯洛伐克民族党采取反匈牙利立场时，他作为斯洛伐克教士的人民党领袖，极力鼓吹同捷克人联合。翌年向巴黎和会提出备忘录，要求在斯洛伐克举行公民投票。20 世纪 30 年代，他的人民党同德意志人和马扎尔人的反对派进行合作。

Hlothere　赫洛特里（？～685-02）　盎格鲁-撒克逊英格兰的肯特国王。厄康伯赫特之子。673 年继其兄埃格伯特成为国王。大概与其侄伊德里克共同执政，迄今尚存他们联名颁布的法典。后两人发生龃龉，结果伊德里克被逐或逃亡国外。后伊德里克率领南撒克逊军队卷土重来，赫洛特里战败受致命伤。赫洛特里与伊德里克的法典是有关英格兰早期社会结构的最古老和最重要史料，它是其先祖艾特尔伯赫特一世（560 ～ 616 在位）所颁布的最早的盎格鲁-撒克逊法典的增补本。

Hluhluwe Game Reserve　赫卢赫卢韦野生动物保护区　南非纳塔尔省北部野生动物保护区。位于德班以北 288 千米。面积 233 平方千米。地处亚热带，有起伏的绿色丘陵和树木荫蔽的谷地。以黑犀牛和珍贵的大白犀牛著称。还有水牛、捻角羚、牛羚、斑马、长颈鹿、疣猪及许多鸟类。管理局设在姆图巴图巴。

Hlutdaw 枢密院 约13～19世纪缅甸的大臣会议。它不但拥有执行和司法权力，而且是国王的主要行政机关。它左右软弱的君主，而常为强悍君主所压制。实际上不经枢密院批准，任何国家法令都不能生效。枢密院对于重大问题由全体成员作出决定。他们把所作的决定每天送呈国王审核，但国王极少批驳。1885年英国侵占缅甸全境以后赶走了国王，也解散了枢密院。

Hmong 蒙 参阅 **Miao** 苗族。

Ho 荷人 又作Larka Kol(拉尔卡科尔人)。印度比哈尔邦的部落民族，集中在乔塔-纳格普尔高原下部的科尔汉地区，20世纪末人口约115万，多数分布在印度东北部的比哈尔邦和奥里萨邦。他们操蒙达语族的语言，似乎是从较远的北方逐渐迁移到现地区。他们的传统社会结构与其他使用蒙达语的部落有很多相同之处，如：实行男童与女童分开集体寄宿，乡村管理职司繁多，地域性组织可转成准军事联盟。荷人按父系传代，青年人婚配要在父亲氏族之外择偶，但母系表兄弟姊妹间的婚媾之风颇为盛行。传统上私奔及诱骗而成婚者也很常见。荷人崇拜精灵，相信有些精灵可导致疾病；他们借占卜及巫术与精灵相通。荷人的传统经济是狩猎和原始轮垦农业。后来从事定居农业和饲养牲畜，传统经济已趋衰落。许多人也在邻近的矿山工厂做工。

Ho 霍城 加纳东南部城镇。位于阿夸平-多哥岭南麓。在18世纪初埃维人向西迁移时建立。1870年后由于开辟了德国人的可乐果种植园和推广可可种植，农业得到发展。通过阿多梅的沃尔特河大桥(1957)与南部港口连接，使霍城成为商业中心。产棕油、棉花和可可。有公路向东北通多哥。设有霍城技术学院(1968)。人口37 777(1984)。

ho(Chinese bronze vessel) 参阅 **he** 盉。

Ho Chi Minh 胡志明(1890-05-19，法属印度支那越南黄筹～1969-09-02，越南河内) 原名阮必成，后取名阮爱国。印度支那共产党(1930)和后来的越盟(1941)的缔造者，1945～1969年越南民主共和国(北越)主席。作为越南民族主义运动的领袖将近30年，胡志明是第二次世界大战后亚洲反殖民主义运动的主要发动者之一，是20世纪最有影响的共产党领袖之一。

农村一个贫穷的读书人之子，在金莲乡长大，童年很苦，14～18岁在顺化一所初级中学上学，接着在藩切当过教师，后在西贡的一所技术学校当见习生。

1911年在一艘法国轮船上当炊事员，还当过3年多的水手。1915～1917年在伦敦居住，第一次世界大战中期移居法国，先后当过园丁、清洁工、服务员、照片修描者和司炉。

在法国的6年时间里(1917～1923)，成为一名积极的社会主义者。1919年他向参加凡尔赛和会的大国代表提交了一份8点请愿书，要求法国殖民当局给予印度支那国民与统治者同等的权利。请愿虽无下文，却使他成为许多有政治觉悟的越南人心目中的英雄。1920年12月加入法共，在他办的《流浪者》杂志上，谴责法、英殖民主义的罪恶。

美国不列颠百科全书公司供图

1923年底去莫斯科。1924年6月17日至7月8日，出席共产国际第五次代表大会，会上批评法共反殖民主义不力。他在发言中第一次有系统地阐述了他关于被压迫农民在革命斗争中起重要作用的信念。

1924年12月化名李瑞前往广州，培训第一批越南民族主义运动干部，成立越南青年革命同志会。1927年4月蒋介石在广州清洗中国共产党，胡志明出亡苏联。1928年前往布鲁塞尔和巴黎，接着去暹罗(今泰国)，任共产国际驻东南亚代表两年。

1929年同志会会员在香港集会，决定成立印度支那共产党。1930年2月3日，胡志明从暹罗回到越南，主持建党。最初取名越南共产党，1930年10月改名印度支那共产党。党的成立恰好与越南暴力起义运动同时发生，法国当局进行残酷镇压，他被缺席判处死刑。至香港寻求避难，但法国警察获得英国同意将其引渡。在朋友的帮助下，逃离香港，经上海抵达莫斯科。1935年作为印度支那共产党首席代表出席共产国际第七次代表大会。

1938年胡志明回到中国，在延安与毛泽东会晤，停留数月。1940年德国打败法国，他及其副手武元甲和范文同决定利用事态的这一变化来推进自己的事业。大约在这个时候，他开始使用胡志明的名字。3人于1941年1月越境回到越南，与其他5位同志于5月成立越南独立同盟(越盟)。这个新的组织被迫向蒋介石政府寻求援助，蒋将他逮捕，囚禁18个月，他在狱中写成著名的《狱中笔记》。后通过友人疏通华南军阀张发奎获释。

1945年发生的两件事为越南革命者夺取政权铺平道路。首先是日军完全占领印度支那，将全部法国官员投入狱中或处死。6个月后，美国在广岛投掷原子弹，日本全面战败。这样，越盟和胡志明的两个最强大的敌手全被消灭。

胡志明抓住机会，数月之内他与美军接触，并开始与美国战略情报局合作。此外，越盟游击队在华南山区与日军作战。与此同时，在他的指挥下，由武元甲组成的突击队，于1945年春向越南首都河内进军。日本向盟军投降后，他们于8月19日进入河内。9月2日胡志明在巴亭广场宣告越南独立。但越盟的道路上的障碍并未完全排除。按照同盟国协议条款，应由蒋介石的部队在北纬16度以北取代日军。更重要的是，法国在戴高乐领导下不愿简单地接受越南独立的既成事实，企图卷土重来。10月6日法国将军勒克莱尔在西贡登陆，3个月内控制了南越。胡志明决定一方面与法国谈判，一方面作好战争准备。1945年10月底，谈判开始，但法国拒而不谈独立的问题，谈判处于僵持状态。次年3月僵局打破：胡志明允许越盟以外的各政党均被包括在新政府之内，以获得更为广泛的基础来支持其向法国提出的要求；同时法国向中国派出外交使团促使中国部队撤出。之后，勒克莱尔的一部分军队也撤离海防。3月6日，胡志明与法国签订协议。按照协议，越南被承认为是一个"自由邦，有自己的政府、军队和财政"，但并入法兰西联邦内。

双方的极端主义者对协议均不满意。1946年6～9月，胡志明前往法国参加一系列会议，与法国政府缔结了第2个协议。但1946年11月20～23日的海防事件使和平破灭：法国士兵与越南士兵发生冲突后，法国巡洋舰炮轰海防，约有6 000越南人被打死。12月第一次印度支那战争爆发。数月后，胡志明试图与巴黎重新接触，但他提出的条件未被接受。1948年法国提出让1945年8月革命中退位的前安南皇帝保大复位，但未能奏效。武元甲统帅的越盟军队以游击战术遏制法国和保大的军队，到1953年底，大部分乡村都在越盟控制之下，较大的城市实际上也被包围。1954年5月7日法军在奠边府大败，法国除谈判外别无其他选择。

1954年5月至7月21日，8国代表——越南派出两个代表团，一个由胡志明支持者组成，另一个由保大支持者组成——在日内瓦举行会议，商讨解决办法。他们缔结了一项协议，根据这项协议，越南以北纬17度线为界划分两个政权范围，计划于1956年举行选举，建立统一的政府。但选举却被美国和南越无限期地推迟了。

胡志明于1955年访问莫斯科和北京，1958年访问新德里和雅加达，巧妙地在他的强大的共产党盟友之间保持平衡，甚至在1960年出访莫斯科时，充当中苏之间的调停者。当战争再度爆发时，他从中苏双方获得同等数量的援助。

约从1959年开始，北越再次卷入战争。游击队(一般称越共)发动武装起义，反对美国支持的南越吴庭艳政权。1959年7月，胡志明的劳动党中央委员会会议决定，将在北方建立社会主义同与南方统一联系在一起。这一政策不久为在河内举行的劳动党第三次代表大会进一步确定。大会期间，胡志明将他的党的总书记职位让给黎笋。他继续担任国家主席，从这时起，他主要在幕后活动。他虽无疑在政府中仍具有巨大影响，但政府由范文同、长征、武元甲和黎笋主持，他愈益成为一个象征，人们普遍亲热地称呼他"胡伯伯”。1965年美国开始轰炸北方。1966年7月17日，胡志明发表告人民书：“在越南人的心中，没有比独立和解放更宝贵的了。”这句名言成为北越人民斗争的座右铭。他去世前，仅能看到漫长的和平谈判的开始。这位强有力的领袖的离去无疑使早日达成和平解决丧失机会。

胡志明的大部分著作收集在他的两卷本的《选集》中，该选集于1960年在河内出版。

Ho Chi Minh City **胡志明市** 原称西贡(Saigon，1976年前)。越南语拉丁字母转写作Thanh Pho Ho Chi Minh。越南最大城市。1862～1954年为法属交趾支那的首府；1954～1975年为南越首府。该市濒临西贡河，位于湄公河三角洲北侧，距南海约80千米。堤岸商业中心就在该市西面。胡志明市现址在过去曾长期是柬埔寨王国的一部分。17世纪时越南人始进入该地区。18世纪法国商人和传教士到该地区定居后开始同法国建立关系。1859年被法国占领；1862年被当时的越南皇帝嗣德割让给法国。作为法属交趾支那的首府，西贡市改建为一座主要的港口城市和都会中心，拥有漂亮的别墅、堂皇壮丽的公共建筑，整齐的柏油路两侧树木成行，还建起了从该市向南、北延伸的铁路，西贡成了湄公河三角洲地区所产稻米的主要出口集散地。西贡于1940年被日本人占领，但法国殖民者当局于1945年被日本人拘留前一直继续管理该城市。该城城市本身基本未受第二次世界大战的影响。1945年日本投降后，由胡志明领导的越盟在河内宣布越南独立，但在西贡举行的庆祝活动最终变成了一场骚乱。随后法国军队控制了该市，于是第一次印度支那(或法国印度支那)战争爆发。1954年召开的日内瓦会议把越南分成南越和北越，印支战争随之结束，西贡变成南越的首府，该市的文化和政治生活由于北越难民的大量涌入变得更加丰富也更加复杂。20世纪60和70年代初进行的第二次印度支那战争，或称越南战争期间，西贡成了美国军事行动总部。在1968年的战斗中，该市的部分地区被摧毁。1975年4月30日，北越军队占领了西贡，随后改名为胡志明市。在共产党人的控制下，胡志明市失去了原有的行政功能，政府还下大力气减少该市人口和对外国进口的依赖，并对其商业企业实行国有化。1975年后，当大批商业公司关闭或陷入困境时，开始了新的强调立足于自给自足的大胆尝试。国营手工业企业出口的产品种类繁多，包括家具、地毯、漆画和其他艺术制品，大都是用当地材料制作的。胡志明市拥有众多的从法国殖民统治时期遗留下来的西方风格的建筑物，保留了已褪色的欧洲城市的风貌。大多数越战期间在西贡市生意兴隆的酒吧和餐厅已关闭；自1912年成立以来曾是生活在该市的西方人社会生活中心的高雅的运动俱乐部现在变成了人民博物馆；曾在20年中作为国民议会大厦的歌剧院变成了国家剧场；原先的西贡大学改建成为胡志明市大学；新山一国际机场有定期的越南航空公司航班通往国内其他中心城市，并有法国航空公司班机飞往巴黎。人口4 549 000(1999)。

胡志明市城貌
中国大百科全书出版社供图

Ho Chi Minh Trail **胡志明小道** 越南战争期间北越用来沟通南越、柬埔寨和老挝输送部队和给养的纵横交错的山林小路网。1959年，在北越领导人决定以革命战争方式统一北越和南越之后，开始使用胡志明小道。从那时起，北越人开始将起自北越狭长地带沿安南山脉(越语称为长山山脉)的上坡向南延伸，进入老挝东部和柬埔寨，然后将进入南越境内的一系列旧的山林小道连接起来。胡志明小道的主干起始于北越境内的河内市以南，然后转向西南进入老挝，中途每隔一段便有支线或通道向东伸入南越境内，这条小道的主干则继续向南延伸，直至进入柬埔寨的东部，最后在南越境内大叻以西地区终止。20世纪60年代以来，这个山林小路网及其交通运输量急剧扩大，但是取道这条小道由北越进入南越仍需历时一个多月的长途跋涉。胡志明小道上的过往车辆和交通很少受到美军炮弹频繁袭击的影响。由于这条小道的状况不断得到改善，到60年代后期，有些路段上已可通行载重卡车并可输送供给活跃在南越的几十万北越正规部队所需的给养。到1974年，这条小道已成为标志完备的山林道路网(其中部分路段铺设了沥青路面)，并且配备有医院、燃料贮罐及武器和给养暗窖等地下辅助设施。胡志明小道是1975年成功地进入南越并战胜南越的北越军队的主要补给线。

Ho-fei(China) 参阅 **Hefei** 合肥。

Ho Hsien-ku (in Chinese mythology) 参阅 **He Xiangu** 何仙姑。

Ho-kang(China) 参阅 **Hegang** 鹤岗。

Ho-musubi **火结神** 又作Hi-no-kami。日本神道教义中的火神。其母造化女神伊奘冉尊在生他之时烧伤而死，其父伊奘诺尊遂把他斩成数块，分别造成另外几位神祇。日本每年岁首有祭祀此神的火祭，届时由神社祠官燃点新火，信徒用火把将此火引到家中，生起炉灶。奉祀此神的最著名神社之一在京都附近爱宕山上。

Ho-pi(China) 参阅 **Hebi** 鹤壁。

Ho Ryong **许维**(1809，朝鲜～1892，朝鲜)号小痴。朝鲜书画家，生前即享盛名。他抵制国粹化潮流，倾心于传统的中国院体画风。善画树木花卉，笔力强劲，格调特殊，但非本国传统题材。书法则谨守朝鲜本土风格。

Ho-shen(Chinese official) 参阅 **Heshen** 和珅。

Ho Sho **凤晶** 参阅 **Yosano Akiko** 与谢野晶子。

Ho-t'ien (China) 参阅 **Hotan** 和田。

Ho Yen(Chinese philosopher) 参阅 **He Yan** 何晏。

Hoa Binh **和平** 越南中北部河山平省省会。地处红河三角洲西南缘的高原带。濒临黑水河，距河内西南75千米。稻米和林业产品集散中心。主要居民为芒人。

Hoa Hao **和好** 越南的新佛教秘密社团，1939年由黄富数(**Huynh Phu So**)建立。和好以湄公河三角洲为基地，参加者主要是农民。第二次世界大战期间进行武装抗日活动。战后仍为越南的一个独立政治力量，既反对法国殖民主义者，也反对胡志明的越盟。1954年以后开始对美国支持的吴庭艳政府展开武装斗争，迄1963年已经控制越南南部和西部的一些省份。20世纪60年代后期，和好的许多信徒参加了民族解放阵线。在1975年共产党最终胜利以前，和好一直是越南一支强大的政治力量。

Hoad, Lew **霍德**(1934-11-23，澳大利亚新南威尔士悉尼～1994-07-03，西班牙丰希罗拉)澳大利亚网球运动员。20世纪50年代共获13次重大比赛的单打和双打冠军。1953年同其对手和伙伴罗斯沃尔一起使澳大利亚从美国手中夺得戴维斯杯。1955和1956年两人又使澳大利亚重新夺杯。1953年同罗斯沃尔获温布尔登、法国、澳大利亚和意大利锦标赛双打冠军。1956年在温布尔登单打赛中击败罗斯沃尔。1957年再夺温布尔登赛冠军，随即转入职业网球界。他的打法使他的背部受伤，60年代初退出球坛。

Hoagland, Dennis Robert **霍格兰**(1884-04-02，美国科罗拉多戈尔登～1949-09-05，加利福尼亚奥克兰) 美国植物生理学家，研究植物与土壤相互作用的权威。曾在斯坦福大学主修化学，1907年毕业。1908年初，到伯克利的加利福尼亚大学动物营养实验室任职，1912年前一直研究动物营养和生物化学。1912年为威斯康星大学农业化学系研究生，

1913年获硕士学位。1914年在伯克利任农业化学助理教授。第一次世界大战期间，为了寻找钾肥的代用品，他系统地研究了加利福尼亚沿岸非常丰富的大型褐藻中所含的化合物，尽管他未找到钾肥的新来源，但从此终生对下列现象感到兴趣，并因此获世界声名：植物可以吸收并累积离子，大型褐藻能从海水中选择性地吸收元素并将钾离子和碘离子浓缩多倍贮存起来。他设计了在严格对照的实验条件下观察各种因素对植物生长所起作用的技术。他设计了一种水培养溶液——霍格兰溶液。他还发现离子吸收不是简单的渗透过程，而是消耗能量的代谢过程。他证明加利福尼亚农作物的几种"疾病"实际上是锌供应不足。他早期还研究了氢离子浓度对植物生长所产生的影响。为表彰霍格兰作出的许多发现，美国植物生理学会于1930年推选他为会长，并授予他第一届斯蒂芬·黑尔斯氏奖金。

Hoang Hoa Tham (Vietnamese nationalist) **黄花探** 参阅 **De Tham** 提探。

Hoang Lien Son 黄连山 越南西北部省份。北与中国云南省接壤。1976年成立，面积14 852平方千米。境内多森林覆盖的山峦，海拔3 000米。有红河和斋江由西北向东南流经该省。出产萝卜、玉米、薄荷、茶叶、稻米、甜瓜、李子、桃子、甘薯、豆类、橘子、桂皮和桑椹，亦发展林业和畜牧业。省会老街在海防至中国的铁路线上，为边境重镇。该省拥有一座磷灰石矿，老街有一碳化物厂。东南部的安沛是1930年越南人民奋起反抗法国殖民者的起义地。省内约2/3的人口为少数民族，包括苗、岱、瑶、傣和芒人。人口778 217(1979)。

Hoang Lien Son (peak, Vietnam) **黄连山** 参阅 **Fan Si Pan** 番西邦山。

Hoar, Ebenezer R(ockwood) 霍尔(1816-02-21，美国马萨诸塞康科德～1895-01-31，康科德) 美国政治家、马萨诸塞州主要的反奴隶制辉格党人，曾在格兰特总统的政府中短期任司法部长。出身于新英格兰名门望族，毕业于哈佛学院(1835)和哈佛法学院(1839)，当律师后很快成名。他对奴隶制的直言不讳的反对，使他成为其家乡州的主要知名人士。19世纪40年代中期进入州参议院，在州参议院中以"良心派辉格党人"自称，以区别于拥护奴隶制的"棉花派辉格党人"。他反对辉格党提名泰勒为1848年总统候选人。当辉格党衰落时，他参加建立该州的自由土壤党和共和党。1849年任州中级法院法官，1855年重执律师旧业。1859年任州最高法院法官，1869年格兰特总统任命他为司法部长，但任期很短。由于坚持量才录用联邦法官而不是恩赐，他与参议院意见不合，以致当格兰特提名他为最高法院法官时，竟遭到参议院的否决。1870年退出政府。1873～1875年为联邦众议员。1876年他竞选联邦参议员失败，此后不再竞选公职，但仍积极参与共和党的活动。

Hoar, George Frisbie 霍尔(1826-08-29，美国马萨诸塞康科德～1904-09-30，马萨诸塞伍斯特) 美国政治家，共和党主要创始人之一，一生为改良政治而奋斗。1846年毕业于哈佛学院，1849年毕业于哈佛法学院，之后在伍斯特执律师业。他的长达半个多世纪的政治生涯始于对自由土壤党的支持。19世纪50年代担任马萨诸塞州众议员和参议员时，忙于在该州组织共和党。1869年当选为联邦众议员后才进入全国政界，但此后终其后半生连任联邦众议员(1869～1877)和参议员(1877～1904)。曾任国会两院一些重要的委员会委员，并任参议院司法委员会主席多年，起草了1886年《总统继任法》。他为文官改革而斗争，并直言不讳地反对美国保护协会(反天主教和反外来移民的组织)。美-西战争后，他与共和党决裂，以抗议美国对菲律宾的帝国主义政策。他对教育和学术素有兴趣，曾任哈佛大学监督、伍斯特工业学院和克拉克大学理事、史密森学会董事、美国文物学会与美国历史协会的主席。

Hoare, Sir Samuel(John Gurney), 2ND BARONET 霍尔(1880-02-24，伦敦～1959-05-07，伦敦) 英国政治家，1935年《印度行政法》的主要设计者。1915年继承其父塞缪尔·霍尔的从男爵的称号。哈罗公学和牛津大学新学院毕业，1910年代表切尔西进入议会，至1944年一直保有该选区。第一次世界大战期间为军官，在驻俄国使团(1916～1917)和驻意大利使团(1917～1918)中工作。1922～1929年(1924年工党短期执政时除外)在保守党政府中任空军大臣。1931～1935年任印度事务大臣；在议会辩论中，担负着制订和维护印度宪法的重任。1935年6月7日任外交大臣。在意大利-埃塞俄比亚战争爆发后，他与法国的P.赖伐尔制订由意大利瓜分埃塞俄比亚一部分领土的所谓"霍尔-赖伐尔计划"，立即遭到谴责，迫使他于1935年12月18日辞职。1936年6月任海军大臣。1937年5月任张伯伦政府的内政大臣。制订慕尼黑协定的内阁核心成员之一，"绥靖"主义分子，终于败坏了自己的声誉。战争爆发后，1940年丘吉尔就任首相，霍尔从此失去在议会的席位。战争期间(1940～1944)任驻西班牙大使。1944年封坦普尔伍德子爵，不久退出公共生活。著有《第四个印章》(1930)、《负有特殊使命的大使》(1946)、《不断的线》(1949)、《绞刑架的影子》(1951)、《麻烦的九年》(1954)和《空中帝国》(1957)等。

hoarfrost 白霜 各种暴露在空气中的物体表面上(如在草的叶面、树枝或树叶面等)的冰晶沉积物。当温度低于冰点时，水汽直接凝结成冰晶，空气冷却到霜点时便可能产生白霜。白霜的形成过程类似于在同样物体上露的形成过程，只是形成露时，空气团的饱和点高于冰点。出现低于0 °C的温度，并不一定能形成白霜。没有充足水汽，不会形成白霜，但植物组织内的水分可能冻结，这种现象称为黑霜。

hoarhound (herb) 参阅 **horehound** 夏至草。

hoary bat (*Lasiurus cinereus*) **灰红蝠** 又称灰蓬毛蝠。蝙蝠科移徙的北美哺乳动物，从加拿大到墨西哥的林区均可见到。总长13～14厘米，包括5～6厘米的尾，体重约30克。体浅黄色或浅红褐色，毛浓密，毛梢银白色。飞行能力强，独居，食虫，树栖，其毛色与长满地衣的树皮颜色相近。夏威夷群岛有一种蝙蝠与之相似，可能是该种的一个宗。

hoatzin (*Opisthocomus hoazin*) **麝雉** 产在南美，尤其是奥里诺科和亚马孙盆地的热带沼泽地区的原始鸟类。以前曾归入鸡形目，但研究其卵清蛋白后，证明麝雉应归于杜鹃科犀鹃亚科(Crotophaginae)。麝雉体长约65厘米，但体重不及1千克。尾长。上体为褐色条纹，下体淡黄色。具蓬松羽冠，面部皮肤淡蓝色。雌雄相似。成鸟能笨拙地飞行短距离。以沼泽地的植物为食。用其极为膨大的嗉囊(而不像其他鸟类那样用砂囊)磨碎叶和幼芽。麝雉常组成3～6只一群，无固定配偶，共同育雏。巢由一团细枝构成，筑于水面的树枝上。每窝产2～5枚卵。卵小，浅黄色，缀以蓝色斑点。孵化期28天。幼雏每侧翅弯处有2个大爪，用以爬树。麝雉的化石纪录可能追溯到法国的上始新纪(始于5 400万年前)，肯定能追溯到哥伦比亚的上中新纪(2 600万年前)。

麝雉(*Opisthocomus hoazin*)
美国不列颠百科全书公司供图

Hobab (biblical priest) **何巴** 参阅 **Jethro** 叶忒罗。

Hoban, James 霍本(约1762，爱尔兰基尔肯尼郡卡伦～1831-12-08，华盛顿[哥伦比亚特区]) 设计建造华盛顿白宫的建筑师。受爱尔兰和英格兰乔治王朝时期建筑的训练，一生设计这种式样。1791年设计了哥伦比亚的州首府大厦(1865年焚毁)。1792年，在G.华盛顿的建议下来到首都，提出一份总统府的设计方案图，在白宫的全国设计竞赛中，名列榜首，赢得建造白宫的任务。白宫于1792年

10月3日奠基,1800年完工。1814年在战争中被毁,仍由他负责重建工作。1793～1802年间,任国会大厦的工程负责人之一(设计人为W.桑顿)。

Hobart 霍巴特 澳大利亚塔斯马尼亚州首府、主要港口和最大城市,也是澳大利亚最南部城市。位于德文特河河口湾西岸,惠灵顿山麓。1804年建居民点。1842年设市。有深水良港。铁路可通北方与西北地区。四条公路干线的交叉点。有飞机场。交通枢纽和贸易中心。当地有电解锌冶炼厂、碳化钙厂,亦生产铜、新闻纸、纺织品、工具、家具、汽车车体等。有水果加工和油漆厂。市内有圣公会教堂、天主教教堂和澳大利亚第一座犹太教会堂(1843～1845)。设有塔斯马尼亚大学(1890)等院校。市内有议会大厦、州立图书馆、博物馆和美术馆。附近名胜有惠灵顿山,纳尔逊山和贝尔里夫海滨游览地。人口约181 838(1991)。

Hobart 霍巴特 美国印第安纳州西北部莱克县城市,邻加里市。1849年始建,1889年设镇,1921年设市。东芝加哥-凯里工业联合区的一部分,农业与乳制品产区的贸易中心。附近有印第安纳州立沙丘公园和国家湖滨区。人口21 822(1990)。

Hobart, Garret A(ugustus) 霍巴特(1844-06-03,美国新泽西朗布兰奇～1899-11-21,新泽西帕特森) 美国著名政治家,麦金利总统保守的共和党政府的副总统(1897～1899)。1869年开始在新泽西州帕特森当律师,很快在商业界和法律界获得广泛声望。1873～1875年任州众议员,从而开始其政治生涯。1877～1882年任州参议员,最后两年任议长。1880～1891年为共和党新泽西州委员会主席,1884年为共和党全国委员会委员。当麦金利于1896年在强调硬货币和高关税的政纲的基础上被提名为总统候选人时,霍巴特是候选人名单上第二位人物。他来自一个人口稠密的州,是金本位制的坚决支持者。作为副总统的一个重要行动是1899年为反对修改与西班牙的条约投出了决定性的一票,该条约如获修改将允诺菲律宾群岛在将来独立。

Hobart, John Henry 霍巴特(1775-09-14,费城～1830-09-12,美国纽约奥本) 美国基督教圣公会教士、教育家、出版家、作家。1806年在纽约市开办圣公会神学会(后改称总神学院),1821年在该学会任教牧神学及布道学教授。长于讲道,鼓吹较为正统的宗教观和社会观,反对思想自由与自由化。撰写手册多种;1810年建立美国圣公会圣书公会,1817年创办美国圣公会出版社。

Hobart, Percy 霍巴特(1885-06-14,印度奈尼塔尔～1957-02-19,英格兰萨里郡法纳姆) 全名Percy Cleghorn Stanley Hobart。英国陆军军官、军事理论家。1904年毕业于伍利奇的皇家军事学院,分派到皇家工兵部队。先在印度服役,第一次世界大战期间在法国和伊拉克作战。1923年参加英国新组建的皇家坦克团。1928年任团长,1934年组建并指挥第一坦克旅,根据机动战争条件提出坦克新战术。1937年晋升少将,1938年调往埃及。在埃及招募并训练未来的第7装甲师"沙漠老鼠"的骨干力量。1939年退役。1941年在地方军当下士时,被首相W.丘吉尔召回现役,组建第11装甲师。1943年升为第79装甲师司令,并将坦克改装成能够渡水、越墙、发射非常规炮弹的"特种装甲部队"。盟军诺曼底登陆中证明他所发明的坦克锐不可当。1943年受封为爵士,1946年退役。

Hobart Paşa 霍巴特帕夏(1822-04-01,英格兰莱斯特郡～1886-06-19,米兰) 英国海军舰长、冒险家,在1877～1878年俄土战争中指挥奥斯曼帝国舰队。原在英国海军中服役,1863年以海军上校衔退伍。美国南北战争时期,他指挥一艘联盟封锁舰向南卡罗来纳查尔斯顿运送军用物资,回程装载一船棉花。1867年左右参加奥斯曼军队,任舰队司令。由于镇压克里特的希腊人起义,被苏丹授以"帕夏"称号。在俄土战争中,他的舰队完全控制了黑海。1881年升任奥斯曼帝国的元帅。

Hobbema, Meindert 霍贝玛(1638-10-31受洗,阿姆斯特丹～1709-12-07,阿姆斯特丹) 原名曼德·卢贝兹。荷兰画派最重要的巴罗克风景画家。终身居住在阿姆斯特丹,从年轻时起就采用了霍贝玛这个姓。是J.范·雷斯达尔的朋友和学生。二人常一起作旅行写生,并描绘同一景色,如霍贝玛与雷斯达尔均有题为《磨坊》的作品(前者作于1670年前后,藏阿姆斯特丹艺术博物馆;后者藏华盛顿国家美术馆)。晚期作品趋于成熟,1689年完成杰作《密德哈尼斯林荫道》(藏伦敦国立美术馆)。1671年创作《勃雷德罗德城堡遗迹》(藏伦敦国立美术馆)。其作品对后世特别是18和19世纪的英国收藏家和画家有重要影响。但在世时默默无闻,终身穷困潦倒,直至20世纪才普遍认为他在荷兰风景画家中是仅次于雷斯达尔的大画家。不同的是,雷斯达尔喜欢描绘大海、山涧急流、崖石风景等荒野的壮丽景色,而霍贝玛更喜爱表现阳光灿烂、绿树成荫、村舍疏落的平静的田园风光。

霍贝玛绘《密德哈尼斯林荫道》(1689)
美国不列颠百科全书公司供图

Hobbes, Thomas 霍布斯(1588-04-05,英格兰威尔特郡韦斯特波特～1679-12-04,德比郡哈德威克霍尔) 英国伟大的哲学家和政治理论家。以论述个人安全和社会契约的出版物闻名于世,其中既包含自由主义的思想萌芽,又保留了那个时代的专制主义特征。牧师之子。15岁到牛津大学马格达伦学院求学,用大部分时间阅读游记,研究地图和海图。1608年毕业后给卡文迪什(日后为德文郡伯爵)当私人教师。1610年同他的学生一道去法国和意大利旅行。归来后翻译希腊历史学家修昔底德的著作。1629年陪同克利夫顿爵士之子再次出国旅行。在这次旅行期间,他由于研究欧几里得的《几何原本》而创始演绎的方法。1630年从巴黎回国,重任卡文迪什的教师。有一次他参加学者的聚会,一个人问道:"什么是感觉?"没有人能作出回答。这时,霍布斯想:如果物质的东西和它们的所有部分始终处于静止状态或者永远作同一的运动,那么世界万物便不会有区别,因而也就不会有感觉;因此,万物的各不相同一定是由于有多种多样的运动。于是,他努力研究几何学,以洞悉运动的原理。霍布斯在他的第一部著名哲学著作《第一原理简述》中提出了这些观点。他在陪同卡文迪什作第3次海外旅行期间,由于同欧洲新思想的主要代表人物发生接触而对科学和哲学发生更大的兴趣。他对运动的观念十分着迷。他确定基本的实在是运动中的物质,并企图从这一事实出发,用严格的推论演绎出其他一切东西的性质。他在巴黎时同大数学家梅森和他周围的一群人、1636年又同伽利略讨论过他的想法。随后,计划写作一个哲学三部曲:《论物体》(1655),从运动来解释物质现象;《论人》(1658),阐述在人的认识和欲望之中包含有哪些特殊的肉体运动;《论公民》(1642),由上述观念推论人类的社会组织。霍布斯于1637年回国。他在《自然法和政治法基础》一书中表示拥护君主制度,但又提出社会契约的学说。1640年逃亡巴黎,再次进入梅森的学术圈子。1642年《论公民》一书问世。此后4年一直研究光学和写作《论物体》。他的名著是《利维坦》(1651),包括"论人"、"论国家"、"论基督教国家"和"论黑暗王国"4个部分。作为一个思想家,他主要因对人的哲学作出贡献驰名。他提出了利己主义心理学。在伦理学方面,人们普遍认为他是功利学派的先驱。他认为,应当在纯粹世俗的基础上服从道德法则,以便过和平的、社会的、舒适的生活。在政治理论方面他首先剖析达到和平和安全所必需的条件,然后根据他的社会契约说,提出一个能够取得上述条件的理想

美国不列颠百科全书公司供图

国方案。他的基本观念是自然权利而不是自然规律，实质上就是自我保存的权利。如果人们认为某种行为有损自己的安全，不一定非得按自然规律行事。但是，只有大家都遵从自然规律，才能够达到和平。为了解决这个问题，他主张建立一种令人生畏的权力，以制约群众而保证人与人之间友善相处。当每人都向其他人允诺，愿意执行某位选出的个人（或集体）为和平和防卫而颁布的一切法令时，这样的权力便建立起来。按照这种方式拥立的君主，即使全体臣民想废黜他，他也许会得到幸存的机会。君主的权利一如其权威，是绝对的，只对上帝负责。然而由于臣民授权于君主，君主就不能对其臣民不公平，这点倒无须以契约约束之，乃是自然权利。1651年回国，这时虽已63岁高龄，但仍精力充沛地潜心写作《论物体》。他对伽利略在力学方面的成就印象极深，他力图以物体的运动来解释一切现象甚至感觉本身。1660年春发表6篇对话，对新兴的数学分析方法进行攻击。在《物理学对话，或论空气的性质》（1661）中，他猛烈攻击玻意耳和沃利斯的其他朋友。后又开始他的第3次论战。他在《论理性几何学原理》（1666）中揭露一些几何学教授的著作里的疑点和错误。1678年发表最后的著作《生理学的十个问题》。此后再未出版著作。他尽管受到国内敌人的不断攻击，但在当时的英国人当中，没有一个人在国外的名声比他更高。凡是访问英国的外国名人，总是急切地去向这位老人表示敬意。晚年以重新研究古典作品自娱。在84岁时发表用拉丁语诗体写的自传。1675～1676年出版《奥德赛》和《伊利亚特》的英译本。

Hobbs　霍布斯　美国新墨西哥州东南部利县城市。在高平原区，靠近得克萨斯州边界。建于1907年。1927年发现石油和天然气后成为新兴城市。1929年设市。为该州石油工业中心，为石油钻探业和周围农牧区的供应、运输和贸易点。西南65千米处钾碱储量丰富，在经济上亦占重要地位。设有西南学院（1957）和新墨西哥初级大学（1965）。市西建有空军飞行纪念馆。人口28 657（2000）。

Hobbs, Sir John Berry　霍布斯（1882-12-16，英格兰剑桥～1963-12-21，苏塞克斯霍夫）英国板球击球手。从事职业板球运动30年。随全英板球队参加61次国际比赛共获61 237分。最精彩的一局为1926年同澳大利亚队在伦敦的一场比赛，他打出100分，为英国夺回称为"骨灰"的国际杯。1934年退出比赛。为第一个受勋的英国职业板球运动员（1953）。

hobby　燕隼　隼属（*Falco*）数种猛禽，主要是*F. subbuteo*的俗称。大小和体力处于灰背隼和游隼之间。*F. subbuteo*体长约33厘米。上体深蓝褐色，下体白色，具暗色条纹。腿羽淡红色。繁殖于欧洲、西北非、除阿拉伯外的中东，以及整个亚极圈和温带亚洲。栖息于接近林地的开阔原野。捕食小鸟和大型昆虫。近似种有非洲燕隼（居维叶氏隼，*F. cuvierii*）、东非的烟隼（*F. concolor*）、东南亚和南太平洋的东方燕隼（猛隼，*F. severus*）。

Hobby, Oveta Culp　霍比（1905-01-19，美国得克萨斯基林～1995-08-16，得克萨斯休斯敦）　美国《休斯敦邮报》主编和发行人（1952～1953），美国陆军妇女队第一任队长（1942～1945），卫生、教育和福利部第一任部长（1953～1955）。得克萨斯大学法学院毕业。1925～1931年为得克萨斯州众议员。1931年与得克萨斯州前州长（1917～1921）、《休斯敦邮报》发行人W.P.霍比结婚。她开始为该报工作，1938年成为该报执行副社长。1941年被任命为年薪1美元的陆军部公共关系局妇女处处长，1942年任新成立的陆军妇女辅助队队长。1943年当陆军妇女队获得正规军的地位时，她以上校军衔继续指挥这支部队。到1945年陆军妇女队已发展成为一支拥有10万人的部队，她辞去军职，回到《休斯敦邮报》。1953年任联邦社会保障署署长，同年该署改组为卫生、教育和福利部，她任部长，为内阁成员，从而成为美国担任内阁职务的第2位妇女。1955年辞职，再次回到《休斯敦邮报》，1965年任该报董事长，1983年她将该报卖给多伦多太阳出版公司。

Hobgoblin　淘气精灵　中世纪英格兰民间传说中的恶作剧小仙，又称**顽皮小妖**（**Puck**）。

Hobhouse, Emily　霍布豪斯（1860-04-09，英格兰康沃尔利斯卡德附近～1926-06-08，伦敦）　英国改革家和社会工作者。她在南非的人道主义事业使她受到布尔族妇女的崇敬，称之为"爱的天使"。她35岁之前在父亲的圣公会牧师教区度过。1899年南非战争爆发，她成为英国政策的坦率批评者。当她得知英国集中营内布尔族妇女和儿童死亡率甚高时，便于1900年12月亲赴南非了解实际情况。她的调查结果在英国引起激烈愤慨，随之集中营条件得到改善。1901年10月她第二次去南非时便被英国占领当局驱逐出境。但她于1903年回到南非，其后5年在奥兰治自由邦致力于妇女和女孩的教育。第一次世界大战期间，她在中欧的贫苦和遭受战祸的人民中间进行救济工作。战后继续工作，因健康不佳而退休。她死于伦敦，骨灰移葬于南非布隆方丹的妇女儿童纪念碑下面。

Hobhouse, Sir John Cam　霍布豪斯　参阅**Broughton (de Gyfford), John Cam Hobhouse, Baron 布劳顿男爵**。

Hobhouse, L(eonard) T(relawny)　霍布豪斯（1864-09-08，英格兰康沃尔圣艾夫斯～1929-06-21，法国阿朗松）　英国社会学家和哲学家。为促使社会进步，曾试图把自由主义和集体主义统一起来。在论述社会学概念时，大量引用其他学科的论述，其中包括哲学、心理学、生物学、人类学以及有关宗教、伦理和法律等方面的历史知识。霍布豪斯对社会变革过程深感兴趣，力图把此种变革与变革对社会进步所产生的影响联系起来进行研究；他的研究领域还涉及有关知识、道德和宗教的历史与社会变革的关系等方面。他先后在牛津大学（1887～1897）和伦敦大学（1907～1929）任教，一度兼任自由工会书记（1903～1905），并对几起劳资纠纷进行仲裁。曾为《曼彻斯特卫报》撰稿，担任《论坛报》政治编辑（1905～1907）。他对当时英国流行的社会理论提出质疑，既反对放任主义，坚信某种程度的全面合作对于发挥个人的潜力是必要的；又反对费边社会主义，认为它所提倡的合作只能导致官僚主义，妨碍进步。著有《认识论》（1896）和《发展和目的》（1913），全面阐述其哲学观点；另著《社会学原理》，由4部专著组成，即：《国家论》（1918）、《论理性的善行》（1921）、《论社会公正之要素》（1922）和《论社会之发展》（1924）。

Hoboken　霍博肯　美国新泽西州东北部哈得孙县城市。濒哈得孙河，邻泽西和尤尼恩市。有火车、轮渡、公路、隧道和地下铁道通往河对岸的曼哈顿岛。1630年荷兰人从印第安人手中买下此地。1642年建立美国第一家酿酒厂。1855年设市。19世纪中叶后德国移民在文化上居统治地位。1825年J.史蒂文斯在此建成美国第一台蒸汽机车。1870年建立史蒂文斯理工学院。第一次世界大战中，该市为运送美军去欧洲的主要港口。1952年纽约港务局租用霍博肯港作为纽约港的一部分加以利用。工业项目有食品加工、造船、服装、家具、机械和精密仪器制造等。人口38 577（2000）。

Hobrecht, Jakob　参阅**Obrecht, Jakob 奥布雷希特**。

Hobson, Laura Z(ametkin)　霍布森（1900-06-18或19，纽约市～1986-02-28，纽约市）原名Laura Kean Zametkin。美国长、短篇小说家，因其研究排犹主义的畅销小说《君子协定》（1947）而闻名。父母为犹太社会主义者，她曾在纽约州伊萨卡的康奈尔大学受教育，1930年与塞耶·霍布森结婚。这次婚姻在1935年以离婚告终。20世纪30年代初开始撰写广告稿和短篇小说，1934年参加推销卢斯出版物（《时代》、《生活》和《幸福》杂志）。1940年后完全致力于写作，共发表了9部长篇小说、数百篇短篇小说和杂志文章。她最著名的长篇小说是《君子协定》，写一个为获取美国生活中排犹主义的第一手经验装作犹太人的非犹太美国记者。小说尖刻地描叙了当时美国社会中排犹主义微妙和难以觉察的表现；1947年小说拍成电影，获学院奖。她的其他小说有《侵入者》（1943）和《赞同的成人》（1975）。

Hoby, Sir Thomas　霍比（1530～1566-07-13，巴黎）　英国外交官、卡斯蒂利奥内所著《侍臣论》的译者。英译本出版于1561年。曾在剑桥和斯特拉斯堡受教育，遍游欧洲。1552年着手翻译《侍臣论》。他的译文在英格兰影响巨大，不但及于宫廷社交方式，也及于莎士比亚和菲利普·锡德尼爵士等作家。其他作品包括一篇论英国国教的拉丁文著作的翻译和一本自传。1566年被伊丽莎白一世封为爵士并出任驻巴黎大使。

Hoccleve, Thomas 霍克利夫(1368或1369,伦敦～1450?,英格兰索斯威克) Hoccleve又拼Occleve。英国诗人,乔叟同时代的人,所作多模仿乔叟,文学价值不高,但作为社会史资料则很重要。关于他的生平主要从他的著作推断而知。18或19岁成为掌玺大臣伦敦官邸职员,这一职位他时断时续地保持了约35年。《养生主》(1406)一诗生动描绘了在威斯敏斯特的饭馆酒肆里,一个青年骑士的夜宴之乐。他的可以确定年代的最早作品是翻译克里斯蒂娜·德·皮桑的一首题名《爱神书简》的诗,1402年问世,改名《爱神丘比特书简》。1411年,为威尔士亲王亨利辑录13世纪的《君权论》一书。这是一部单调乏味的道德说教,书中有一段对乔叟动人的赞美,霍克利夫还把乔叟的肖像画在手稿上,免得他

不列颠图书馆董事会供图

的容貌被人遗忘。晚年,由写民谣小调转向庄严的宗教诗篇,并以求实精神记录了种种时弊,为其所处时代勾画出一幅清晰画面。他最有趣的作品《养生主》包含一些伦敦生活的真实描写。

Hoceima, al- (enclave, Morocco) **胡塞马** 参阅 **Alhucemas** 阿卢塞马斯。

Hoceima, al-, 胡塞马 西班牙语作Alhucemas。摩洛哥北部城市。1926年由西班牙人创建。现仍多西班牙居民。滨胡塞马湾,为小渔港、食品加工中心和海滨疗养地。与纳祖尔和得土安通公路。人口:城市区41 662(1982)。

Hoche, (Louis-) Lazare 奥什(1768-06-24,法国凡尔赛～1797-09-18,拿骚韦茨拉尔[德国]) 法国大革命时期的将军。1793年将奥普联军赶出阿尔萨斯,后镇压旺代的反革命叛乱(1794～1796)。王室御用马夫之子。1784～1789年在警卫队服役,1792年9月成为上尉。1792～1793年远征奥属尼德兰时表现突出。1793年10月任摩泽尔方面军司令。同年12月他把奥普联军赶回莱茵河彼岸,并攻克阿尔萨斯。1794年3～7月因有人指控他背叛而被捕。雅各宾专政垮台后,于11月任布雷斯特军司令,在旺代镇压由保王党领导的天主教农民。1796年7月平定旺

巴黎国家图书馆供图

代叛乱,他成为法国最有权势的人物之一。1797年任莱茵方面军司令,4月在新维德击败奥军。同年9月,他的军队帮助拿破仑把保王党分子赶出督政府。不久病逝。

hocket 交替进行 又拼hoquet, hoket, hocquet或ochetus等。在中世纪复调音乐中指声部之间、单音之间或音组之间轮换演唱的一种方法。即一个声部休止时,另一声部在演唱,因此听起来多少仍如一个曲调在连续进行。是13和14世纪经文歌和坎蒂莱纳(方言复调歌曲)的常用手法,至15世纪初已不大采用。这种技巧一般用之于较大作品内的一些短小经过句(通常在乐段或乐句结尾处)。近来此名词也用于器乐结构,例如在A.韦伯恩作品中,其特征是不同声部(常常是单音)的快速更换。

hockey, field (game) 参阅 **field hockey** 曲棍球。

hockey, ice (game) 参阅 **ice hockey** 冰球。

Hockney, David 霍克内(1937-07-09,英格兰约克郡布雷德福～　) 英国画家、绘图师、版画家、摄影师和舞台设计师。其作品的特征是技法简练,注重光感,带有受流行艺术和照相影响的粗俗的写实风格。曾在布雷德福美术学院学习(1953～1957),后又到伦敦皇家艺术学院学习(1959～1962),并获得毕业创作金质奖章。1961年访问美国,1964～1967年再次到美国,在艾奥瓦、科罗拉多和加利福尼亚大学任教,洛杉矶安吉里斯强烈而耀眼的阳光和简洁明快的"加利福尼亚现代"美学对他的创作产生了显著的影响。他的题材大部分是自传性的,包括肖像和自画像以及其友邻的平静的日常生活场景(如《一个艺术家的肖像》,1971)。他在摄影艺术上的探索也取得了突出成就,80年代发表《梨花大路,1986年4月11～18日》。出版过几套版画读物,包括1969年为《格林兄弟童话集》和1977年为《蓝色的吉他》所作的插图。其舞台美术设计也取得了国际性成就。著作有《霍克内自传》(1976)、《中国日记》(1983)、《霍克内舞台设计》(1983)等。

Hocktide play 人质节戏剧 最早出现在英格兰考文垂,为女人质节(复活节后第二个星期二)上演的一种民间戏剧。因演出往往引起骚乱,宗教改革时期遭禁。1575年为女王伊丽莎白一世在凯尼尔沃思村举行的宴会上重演。一个朝臣描述说,此次重演的剧情主要是英国骑士和丹麦骑士之间的模拟战,丹麦人败北,为英国妇女掠走:以此表演1002年英王艾特尔雷德战胜丹麦人的故事。不过有些学者认为,这类戏剧起源于一种更早的节日民间"角逐"游戏。在男人质节或星期一人质节,妇女们带着绳索出门,进行幽默的戏谑或俘虏她们遇见的每一个男人并课以罚金。男人也可以在女人质节或星期二人质节以同样的方式进行报复。罚金用于支付堂区经费。伍斯特主教早在1450年即已禁止此种风习,在17世纪时犹记载有此类余风。

hocquet 参阅 **hocket** 交替进行。

Hodeida (Yemen) 参阅 **Ḥudaydah, Al-** 荷台达。

Hodge, Charles 霍奇(1797-12-27,美国宾夕法尼亚费城～1878-06-19,新泽西普林斯顿) 美国基督教保守派圣经学者、归正宗神学"普林斯顿派"领袖。1822年任母校普林斯顿大学圣经文献学教授,1840年起任神学教授直至1877年退休。1846年任"老派"长老会会议主席一年。该团体与"普林斯顿派"都认为《圣经》词句绝无谬误,对其他神学问题也持保守观点。

Hodgenville 霍金维尔 美国肯塔基州中部城市,拉鲁县县城(1843),位于诺林河畔,伊丽莎白敦东南。1789年始有人定居,1839年设市。现为烟草、玉米、牲畜等农产品的贸易中心。附近天然气井林立。国立林肯故居历史纪念馆设在城南5千米处的老辛肯泉农场里。林肯2岁时,全家迁往城东北16千米处的诺布克里克农场。人口2 874(2000)。

Hodges, Courtney Hicks 霍奇斯(1887-01-05,美国佐治亚佩里～1966-01-16,得克萨斯圣安东尼奥) 美国陆军军官。1906年入伍,1909年升为少尉。1916年跟随潘兴将军至

美国不列颠百科全书公司供图

墨西哥。第一次世界大战期间赴法作战。1919年在占领德国的军队中服役。战后进入指挥参谋学院和陆军学院学习。1940年升为准将,翌年再升为少将。官至中将(1943)后被任命为第三兵团司令。1944年1月率部抵达英国,担任第一兵团司令O.布雷德利将军

的副手。诺曼底登陆后接任第一兵团司令。其部队在亚琛战役中独当德军反击(1944-12),并在巴尔基战役中固守美军北部战线。欧洲战事结束后,调往太平洋战区。对日战争结束后返美。1949年退役。

Hodges, Johnny 霍奇斯(1906-07-25,美国马萨诸塞剑桥～1970-05-11,纽约州纽约)美国爵士乐中音萨克斯管演奏家,自1928年直至他去世(除1951～1955年间一度领导他自己的小型合奏组外),一直是埃林顿公爵管弦乐队中的头牌独奏家。主要靠自学,在L.斯科特、C.韦布和福星罗伯茨等人的乐队中短期演出后加盟埃林顿的乐队。在整个30年代是主要的爵士乐中音萨克斯管演奏家,音色甜润,具有卓绝的即兴作曲意识,而又处理得丝丝入扣和轻快摇曳。特别擅长演奏谣曲(《温暖的山谷》是他最著名的独奏曲之一)和布鲁斯。在台上时他似乎很冷漠,但却能通过叱咤风云的声音来突出令人赏心悦耳的典雅,并使连线、滑音、滑奏的运用更加完善。曾与埃林顿合作录制大量唱片,也有一些他个人的唱片集。

Hodgkin, Sir Alan (Lloyd) 霍奇金(1914-02-05,英格兰牛津郡班伯里～1998-12-20,剑桥)英国生理学家、生物物理学家。因发现神经纤维传递冲动的化学过程而与A.赫胥黎及

美国不列颠百科全书公司供图

J.埃克尔斯共获1963年诺贝尔生理学或医学奖。曾于剑桥大学三一学院学习。1939～1945年为英国空军部进行雷达研究,1945～1952年在剑桥大学任教,并与其学生A.F.赫胥黎从事单条神经纤维的电和化学变化的测定。当时公认的理论认为,在冲动传导时神经膜发生分解;但他们将微电极插入福布斯氏枪乌贼(*Loligo forbesi*)粗大的神经纤维,证明冲动传导时神经纤维的电势超出静息时的电势。他们又查明神经纤维的活动依赖于下述状况:纤维内侧维持高浓度的钾离子,而在周围溶液中则有高浓度的钠离子。1947年他们用实验表明,静息状态下神经膜只容许钾进入,而兴奋时则容许钠进入。1964年霍奇金著有《神经冲动的传导》。1952～1969年任皇家学会研究教授。1970年以后任剑桥大学生物物理学教授,1971年以后任莱斯特大学校长。

Hodgkin, Dorothy Mary Crowfoot 霍奇金(1910-05-12,埃及开罗～1994-07-29,英格兰沃里克郡斯托尔河畔希普斯顿) 母家姓克劳福特。英国化学家。因测定维生素B_{12}的结构而获1964年诺贝尔化学奖。在牛津萨默维尔学院时(1928～1931)开始结晶学的研究,她后来在剑桥(1932～1934)与一同事拍摄出第一张胃蛋白酶的X射线衍射照片,稍后又进行胆固醇的鉴定。1934年她返回牛津大学任化学指导教师,1937年与作家兼讲师T.L.霍奇金结婚。后继续任教于牛津大学,终于成为该校的荣誉教授和皇家学会的沃尔夫森研究教授(1960～1977)、布里斯托尔大学校长(1970～1988)和牛津沃尔夫森学院研究员(1977～1982)。1942～1949年,霍奇金进行青霉素的结构分析。1948年她和她的同事们拍摄出第一张维生素B_{12}的X射线衍射照片,这是最复杂的非蛋白质化合物之一,最终完全确定了它的原子排列。她于1969年完成胰岛素的类似的三维分析。霍奇金于1965年获得英国功绩勋章。

Hodgkin, Thomas 霍奇金(1798-08-17,英格兰米德尔塞克斯托特纳姆～1866-04-05,巴勒斯坦雅法[今以色列特拉维夫-雅法]) 英国医师,1832年最早描述了以他的姓氏命名的淋巴组织恶性肿瘤。于爱丁堡学医,曾在伦敦盖伊医院与R.布赖特及T.艾迪生共事。1827年对主动脉关闭不全也作了最早的描述。

Hodgkin disease 霍奇金氏病 又作lymphoreticuloma。又称淋巴网状细胞瘤。不常见的淋巴系统恶性肿瘤(恶性淋巴瘤)。早期表现为一个或多个淋巴结局部无痛性肿大,有时肝脾等脏器亦肿大,又可见发热瘙痒,继之出现消瘦、乏力及疲劳等症状。但要确定诊断必须对受累组织(通常取自淋巴结)进行显微镜检查。此病病因未明,或认为与细菌、原虫和病毒等感染有关。根据疾病的不同分期可采用化学疗法、辐射疗法或两者组合疗法。早期患者大多可治愈,晚期患者康复的机会也相当大,总的治愈率为75%。

Hodgson, Frances Eliza (writer) **霍奇森** 参阅 **Burnett, Frances Eliza** 伯内特。

Hodgson, Ralph 霍奇森(1871-09-09,英格兰约克郡～1962-11-03,美国俄亥俄州密涅瓦)英国诗人,以写朴素和神秘的抒情诗闻名。他的诗表达了对自然的热爱和对现代人逐渐与它疏远的关注。在伦敦当记者和后来主编《弗赖杂志》时,霍奇森是被称为乔治时代诗派的一个联系松散的诗人团体的成员。1924～1938年在日本仙台大学教英国文学,后移居美国,隐居俄亥俄州密涅瓦城外一小农场。大部分著作写于1907～1917年间。1913年发表经常被收入各种选集的《公牛》,一举成名。诗集有《最后一只黑鹂及其他诗章》(1907)、《前夕》(1913)、《诗》(1917)、《云雀及其他诗篇》(1958)和《诗集》(1961)。

Hodler, Ferdinand 贺德勒(1853-03-14,伯尔尼附近～1918-05-20,日内瓦) 瑞士画家。12岁开始学画。1872年以后,在日内瓦随B.梅恩工作。1879年在日内瓦定居后,作了许多巨幅肖像画。19世纪80年代中期以象征主义手法描绘少年和老年、孤独和沉思等主题,如作品《夜》(1890,伯尔尼美术博物馆藏)等。从这时期起,其重要作品可分为表现主

贺德勒自画像,1891年
美国不列颠百科全书公司供图

义和象征主义两类。表现主义作品主要是具有自然神秘主义的风景画,反映贺德勒受法国绘画影响甚深。

Hódmezővásárhely 霍德梅泽瓦沙海伊 匈牙利东南部琼格拉德州城镇。位于蒂萨河以东约6千米、渠化的毛罗什河-克勒什河广阔低矮的平原上,为14～15世纪日渐繁荣的市集重镇,曾两度被奥斯曼土耳其人全部摧毁。1700年后重建,长时期为社会和农业改革的活动中心。有历史意义的建筑物有镇公所和一些18世纪的教堂。传统工业以加工周围平原的农产品为主,有粮食和纤维(尤其是亚麻)加工、乳制品业、肉类加工以及皮鞋和皮靴的生产;陶瓷制品保存有地方传统。现代工业有许多是1949年以后建成的,有制砖、钢筋混凝土和纺织品的生产,还有轻型机械工业。以当地19世纪画家J.托尼埃命名的托尼埃博物馆藏有考古、历史文物和民间艺术资料。人口约48 909(2001)。

Hodna, Chott el- 霍德纳盐湖 阿尔及利亚中北部一浅盐湖。位于霍德纳平原一干旱低地的底部(海拔390米),为一内陆排水盆地。因蒸发强烈,面积变动不定(长约80千米,宽约16千米),常干涸。霍德纳低地在撒哈拉阿特拉斯山脉中形成缺口,位于奥拉德奈勒山和奥雷斯山之间。史迹表明当地在罗马时期和中世纪前便有人定居。现附近只有两处村社,农业不发达。

hoe 锄 最古老的一种农用掘土工具。锄片垂直地装在长锄把上。现代锄的锄片为金属件,锄把为木质的。早期锄(包括类似于镐的鹤嘴锄)的锄片是石质或木质的。很多现代手工农具的前身,只是一种磨尖的枝叉,有时用石头加重。农业生产中的锄,现大多已被犁和耙所取代,但它仍用于庭园松土和除草。现代旋转锄是很复杂的农具,能同时在田地上锄很多行。

Hoe, Richard March 霍伊(1812-09-12,美国纽约州纽约～1886-06-07,意大利佛罗伦萨)

美国发明家,成功地研制了第一台轮转印刷机。1827年进入他父亲R.霍伊的印刷机制造厂,后来成为该厂厂长。像他父亲那样,他也赋有发明天才,对当时的滚筒印刷机作了不断的改进,以提高印刷的速度和产品的质量,从而革新了印刷过程。他摒弃旧式平台印刷机,把铅字装在转动的圆筒上,终于研制成霍伊轮转印刷机,并于1847年获得专利。同年为《费城大众记事报》最先采用,每小时单面印8 000张。经进一步改进后,称为霍伊卷筒纸双面印刷机,首先由《纽约论坛报》使用,每小时双面印18 000张。霍伊印刷机使报刊发行人得以满足人们对报纸日益增长的需求。

Hoe, Robert　霍伊(1784-10-29,英格兰莱斯特郡霍伊斯～1833-01-04,纽约市)　美国印刷机制造商,R.霍伊公司的经理(1823～1833)。1827年购买S.拉斯特用熟铁作支架的印刷机的专利,并成功地改制成华盛顿牌印刷机。1803年他由英国移居美国,2年后成为纽约市新建的印刷机制造公司的股东。该公司营业蒸蒸日上,并在印刷机中采取多项革新措施,如以铸铁架代替木架等。当公司的合伙者相继去世后,霍伊把公司改名为R.霍伊公司。1829年开始对从英国输入的内皮尔滚筒印刷机进行改进。改装的霍伊印刷机非常优越,取代了在美国的所有英制印刷机。约1830年霍伊购买了I.亚当斯的以蒸汽作动力的印刷机的专利权,并生产这种机器。

Hoechst Aktiengesellschaft　赫希斯特公司　德国化工垄断企业。1863年成立于美因河畔法兰克福的赫希斯特区。原为颜料制造厂,到20世纪后期已成为德国最大的医药制造企业。原为合营企业,1880年改为股份有限公司,逐渐称为赫希斯特染料公司。1925～1945年间,它是当时全世界最大的化工垄断组织**法本化学工业公司**(**IG Farben**)的一部分。1945年法本公司被盟国解散。1951年重建赫希斯特染料公司。1974年采用今名。它不仅在德国有分部、联号和子公司,而且在欧洲其他国家,以至其他各洲也有分支机构。赫希斯特公司所属各厂生产:医药、合成树脂和油漆、塑料和蜡、纺织纤维、有机和无机化学品、肥料和农药、煤气、染料、胶片和印刷附件。1999年同法国制药公司罗纳普朗克公司合并,建立法德合资制药公司安万特(Aventis)。安万特于2004年被赛诺菲收购。

Høegh-Guldberg, Ove　赫-古尔贝尔(1731-09-01,丹麦霍森斯～1808-02-07,哈尔德)　丹麦政治家,在精神失常的国王克里斯蒂安七世统治时期拥有极大权势。出身低微,1753年获神学学位。1764年成为腓特烈王子的导师,1771年任腓特烈的私人秘书。他与腓特烈同样反对弗里德里希·斯特鲁恩泽伯爵,1772年参与处死斯特鲁恩泽的密谋。嗣后,他随腓特烈王子和太后玛丽亚当政,1774年任内阁机要大臣,经常不与其他大臣商议,独自发布国王的谕旨。1780年免去伯恩斯托夫伯爵的外交大臣职务,开始控制外交大权。1784年腓特烈王子发动政变,他被迫下台,重新从事学术研究。

Hoel, Halvor (Nielsen)　赫尔(1766-02-04,挪威海德马克～1852-03-05,海德马克)　又译霍埃尔。挪威农民鼓动家。他对挪威农民反对19世纪早期政治领袖的态度颇有影响。富裕农民家庭出身。反对1814年挪威建立的由城市上层阶级所把持的议会政府,尤其反对其损害农民利益的财政政策。另一方面,他显示出忠君的农民传统,主张加强瑞典-挪威君主政体的作用。1815年当选入议会,但因过去的刑事案件没有完结,被取消资格。但他继续在农民中大力进行鼓动工作。1818年国王查理十四世加冕时期,挪威爆发了大规模的农民示威和骚乱,要求削减赋税,解散议会,实行联合君主统治。1826年政府宣布赫尔犯有煽动骚乱罪,判处一年徒刑。但国王将他的刑期改为一个月,并给予年金。

Hoel, Sigurd　胡尔(1890-12-14,挪威北奥达尔～1960-10-14,奥斯陆)　被认为两次世界大战之间最有代表性的挪威小说家。他是挪威第一位直接在小说中体现心理分析学影响的作家,也是挪威一家主要出版社的编辑,成功地组织编辑了一系列外国当代小说翻译作品。他的第一部成功作品是讽刺小说《夏日阳光下的罪人》(1927),嘲笑许多人爱用精神分析的术语。弗洛伊德精神分析理论也对他产生过影响,这主要表现在他的作品《十月的一天》(1931)里。他在《相会在里程碑旁》(1947)中甚至把纳粹主义的暴政归之于童年时期受到的抑制。他的《通向天涯之路》(1933)是一部描写童年的小说,是他的作品中最为挪威人所喜爱的。

Hoess, Rudolf Franz　赫斯(1900-11-25,德国巴登-巴登～1947-04-15,波兰奥斯威辛)　德国军人、纳粹党徒,任奥斯威辛灭绝营长官(1940～1945),该期间惨死在那里的人达100万～250万之多。他在第一次世界大战期间服兵役,战后参加过保守集团。曾被捕监禁(1923～1928)。他加入纳粹党后,成为党卫军成员。1934年在达豪集中营工作,1940年任奥斯威辛长官。1945年任集中营副总监。1947年在华沙受审,判处死刑,在奥斯威辛绞决。

Hoëvell, Wolter Robert, Baron van　霍埃费尔男爵(1812-07-15,荷兰代芬特尔～1879-02-10,海牙)　政治家、荷兰议会议员,结束1830～约1860年榨取荷属东印度群岛财富的、剥削的殖民地文化体系的主要人物,并主张由议会立法控制东印度群岛经济,以取代独裁的任意控制。在接受神学教育后,于1836年前往东印度群岛当牧师。在巴达维亚(今雅加达)重新建立巴达维亚艺术与科学协会,并创办报纸《日报》。该报不顾重重检查,在批评殖民地政府方面取得成功。1848年返回荷兰,成为议会议员。作为一名人道主义的而不是教条主义的自由主义者,他说服各种政治信仰的人们相信剥削的文化体系是不道德的。他并论证采用合法的契约来代替任意徇私将给荷兰带来更多的利益。1860年他迫使议会通过立法,准予签订食糖契约,从而标志自由党在荷兰开始拥有力量。

Hof　霍夫　德国中东部巴伐利亚州城市。临萨勒河。近捷克共和国边界。1214年首见记载。1319年设市。1373年属纽伦堡霍亨索伦诸世袭城主。1792年归属普鲁士,1810年归属巴伐利亚。大多数古建筑都是在1823年一场毁灭性的大火后重新修建的。现为文化中心。市内有剧院、交响乐团、合唱团、博物馆和数所大专院校。亦为上法兰克尼亚北区的工商业中心,主要生产纺织品、机械、啤酒等。原为交通枢纽。1945年后,与东、北邻国贸易大为减少,但向西、南的交通运输仍十分繁忙。设有边境检查站。人口约52 913(1991)。

Hofbauer, Saint Clement Mary　霍夫鲍尔(1751-12-26,摩拉维亚塔斯维茨[今在捷克共和国]～1820-03-15,奥地利维也纳)　维也纳的主保圣人。1780年以前为屠宰工人,后在维也纳大学学习。1785年受神职,奉派遣到北欧设立赎世主会隐修院。自1788年起在华沙工作20年,并在瑞士和德意志南部设立赎世主会隐修院。1808年拿破仑命令解散华沙赎世主会组织,驱逐该会成员,霍夫鲍尔遂定居维也纳,成立隐修院。经过他不断努力,赎世主会在他死后不久获得政府承认。

Hofer, Andreas　霍费尔(1767-11-22,奥地利帝国南蒂罗尔圣莱昂哈德附近[今在意大利圣莱昂纳多]～1810-02-20,意大利王国曼图亚)　蒂罗尔的爱国志士、军事首领和人民英雄。原是一个客栈老板、葡萄酒商和牛羊贩子。对奥地利的哈布斯堡王室和天主教会极为忠诚。1805年蒂罗尔被割给巴伐利亚以后,他为蒂罗尔回归奥地利而奋斗。作为一个受群众爱戴的民兵队长,他于1808年前往维也纳,要求奥地利出兵支持计划中的起义。在奥地利的支援下,他对占据他的故乡的巴伐利亚军队和意法军队采取了一些小规模的军事行动,颇为成功,因而在蒂罗尔远近驰名。茨纳伊姆停战协定(1809-07)以后,奥地利开始退出反拿破仑的新战争,再度放弃蒂罗尔。但是,霍费尔号召民众起义,在因斯布鲁克附近的第二次伊瑟尔山战役(1809-08)中大败巴伐利亚军队,使敌人不得不放弃蒂罗尔。此后,他自称蒂罗尔总司令,在奥地利皇帝弗兰茨一世的首肯下建立一个行政机构。但在《申布伦条约》(1809-10)中,弗兰茨把蒂罗尔割让给拿破仑。霍费尔被俘后被拿破仑处决。1823年遗骸运回因斯布鲁克安葬。

Hoff, Jacobus Henricus van't　范托夫(1852-08-30,荷兰鹿特丹～1911-03-01,德国柏林)　物理化学家。由于在反应速度、化学平衡和渗透压方面的研究而成为第一个诺贝尔化学奖(1901)获得者。他在荷兰完成学业后,曾短期在波恩A.凯库勒指导下工作,随即去巴黎C.-A.孚茨实验室工作并结识了J.-A.勒贝尔。1874年,他和勒贝尔各自独立地提出了一个后经证明是研究有机化合物三维空间结构(立体化学)基础的重要概念:碳原子能形成的四个化学键是指向四面体顶角的。这一概念成功地解释了物质的旋光性。1878～1896年任阿姆斯特丹大学化学、矿物学和地质学教授。1884年出版了《化学动力学研

美国不列颠百科全书公司供图

究》,书中包含化学动力学的原理,描述了一种确定反应级数的新方法,并将热力学定律应用于化学平衡。他还引入了化学亲和势的现代概念。1886年证明了稀溶液和气体在性质上的相似性。在1895年之前,致力于研究S.阿伦尼乌斯的电解质电离理论。1896年移居柏林,任普鲁士科学院的教授。他对沉积在德国施塔斯富特的盐矿进行的研究为德国的化学工业作出了贡献。1887年与德国化学家W.奥斯特瓦尔德共同创办了很有影响的《物理化学杂志》。

Hoffa, James P.　霍法(1941-05-19,美国密歇根底特律～　　)　全名James Phillip Hoffa。美国劳工领袖,1998年当选国际卡车司机工会(IBT)主席,是前主席J.R.霍法之子。18岁生日时奉父命宣誓成为卡车司机工会会员。曾在密歇根州立大学学经济学(1963年获文学士学位),并在密歇根大学学法律(1966年获法学士学位)。1968～1993年任卡车司机工会律师。1991年初次谋求担任卡车司机工会主席,但联邦政府官员裁定他无参选资格,因为他从未在卡车司机工会正式工作过。为取得任职经历,1993年起担任卡车司机工会密歇根联合委员会主席L.布伦南的行政助理。1996年参加主席的选举,以接近的票数很遗憾地输给了在任主席R.凯里。1997年末,凯里因财务丑闻被罢免,霍法在1998年12月的特别选举中当选主席。作为主席,霍法反对有可能危及美国就业机会的国际贸易协定,并推动撤销1989年开始的司法部对卡车司机工会的监管。2001年再次当选。

Hoffa, James R(iddle)　霍法(1913-02-14,美国印第安纳巴西城～1975-07-30失踪,底特律附近布卢姆菲尔德希尔斯)　美国劳工领袖。1957～1971年任国际卡车司机兄弟会主席,系当时最引人争论的劳工组织者之一。7岁丧父,14岁辍学做仓库保管数年。30年代开始工会组织活动。1940年已成为美国中部各州汽车司机联合会主席,1942年任密歇根卡车司机联合会主席。1952年被选为卡车司机联合会国际部副主席,5年后接任主席。霍法在卡车驾驶行业中是知名的谈判能手,坚强而有见地。他成功地把工会的管理和谈判权集中于国际部,在制定第一个全国货运协议方面起了关键性的作用。他促使卡车司机兄弟会成为美国最大一家工会。据说他与黑社会人物有联系,曾受到政府一系列迫害。终于在1967年以贿赂陪审团、诈骗、阴谋破坏等罪名被判处13年徒刑。在狱中他拒绝辞去卡车司机兄弟会主席职位,一直保留到1971年。1971年12月尼克松总统宣布为他减刑,规定他1980年以前不能从事任何工会活动。他在法庭上对这一限制展开斗争。1975年7月30日,他在底特律附近一家餐馆出来后失踪,情况至今尚未查明。据说霍法当时曾与新泽西卡车司机联合会官员前黑手党成员A.普罗文扎诺及底特律歹徒A.贾卡洛内在餐馆约会,但两人后来均否认曾见到霍法,而霍法也从此踪影全无。1982年司法部门宣称霍法"可能已死"。

Hoffer, Eric　霍弗(1902-07-25,纽约市～1983-05-21,圣弗朗西斯科)　美国码头工人、哲学家。以其有关人生、权力和社会秩序的著作而成名。霍弗早年生活艰苦。7岁时因跌跤致使眼睛一度部分失明,15岁时才恢复视力。视觉康复后他即开始如饥似渴地读书。幼年丧母,父亲于1920年去世时他身无分文,决意去加利福尼亚谋生。以后23年间,当农场季节工人和体力劳动者;但从未中断研读和失去对书的喜爱。他携带着仅有的财产——书籍,到处找活干。1943年加入码头工人工会,这样一周可以只工作数日,其余时间用于读书和写作。第一部著作《真正的信仰者》(1951),表明了他对于群众运动的本质及组成群众运动的人民的深刻见解。这部书受到学者和一般人的好评,使霍弗一举成名。后期著作有:《心灵的多情状态》(1955),这是一部中肯有力的格言集;《变化的考验》(1963),由若干篇论述人对社会和政治动乱之反应的论文组成,以及《在江畔的工作与思考》(1967)、《对人类状况的沉思》(1972)和《安息日前》(1979)。他的著作大多是以警句的形式出现,尖刻辛辣,表现出他所赞赏的散文家蒙田的影响。作为一个少有的自学成功的学者(他声称未进过正规学校)和一个具有工人阶级背景的异军突起的哲学家,霍弗成了民众英雄。他作为码头工人一直干到1967年,在工余完成了他的著述。1982年获美国公民的最高荣誉——总统自由勋章。

Hoffman, Daniel　霍夫曼(1923-04-03,美国纽约州纽约～　　)　全名Daniel Gerard Hoffman。美国诗人和教育家,其诗歌以融合了历史、神话和个人经历著称。曾在纽约市哥伦比亚大学获学士学位(1947)、硕士学位(1949)和博士学位(1956)。第二次世界大战期间在美国空军服役。战后开始长时期的教师生涯。曾在哥伦比亚大学、斯瓦思摩尔学院和宾夕法尼亚大学等院校任教。1973～1974年为美国国会图书馆诗歌顾问(现为桂冠诗人职位)。第一部诗集《三十只鲸群》于1954年出版。接着又出版了《被违反的法律》(1970)、《注意的中心》(1974)和《从诗歌的灵感之源飞出:新诗和诗选:1948～1988》(1988)。长诗《兄弟之爱》(1981)详述了贵格会领袖W.宾的一生和费城的创建;该诗成了E.拉蒂曼同名清唱剧的基础。霍夫曼除写诗外,还编写了几部诗歌选集,并撰写了大量文学评论。

Hoffman, Dustin　霍夫曼(1937-08-08,美国洛杉矶～　　)　美国演员,以塑造反英雄和脆弱的形象而闻名。身材矮小、不够英俊的他宣告了好莱坞新时代——相貌平平但有情感爆发力和感染力的人也可以成为明星。19岁从圣莫尼卡市立学院辍学后来到纽约市,经过多年努力,获得了奥比奖,成为百老汇重要演员。1967年,他在大受欢迎的影片《毕业生》中扮演一个昏头昏脑、幻想破灭的大学毕业生,从而确立了明星地位。他主演的影片有《午夜牛郎》(1969)、《小大人》(1970)、《稻草狗》(1971)、《巴比龙》(1973)、《连尼传》(1974)、《总统班底》(1976)、《长跑者》(1976)、《上班时间》(1978)、《克莱默夫妇》(1979)和《宝贝儿》(1982)。1984年重返百老汇舞台,在再度上演的A.米勒的剧本《推销员之死》中扮演威利·洛曼,这为他赢得了埃米奖和金球奖。因在《雨人》(1988)中对一个自闭学者的成功刻画,获得奥斯卡奖。在拍摄了一些投资巨大、收益却不好的好莱坞大片如《虎克船上》(1991)、《危机总动员》(1995)后,霍夫曼开始制作低劣的、追名逐利的影片。与人合作拍摄的《桃色风云摇摆狗》使他第七次获得奥斯卡奖提名。虽然所扮演的角色往往带有反英雄的性质,但他总能赋予这些角色以强烈的情绪和脆弱品格,因而赢得观众的好感。

Hoffman, Malvina　霍夫曼(1887-06-15,美国纽约州纽约～1966-07-10,纽约)　美国雕塑家,以其雕塑像的制作和对芝加哥菲尔德自然历史博物馆的无与伦比的雕塑作品的贡献而为人们所怀念。英国著名钢琴家之女。学了几年绘画后决定从事雕塑,师从G.博格勒姆。1910年赴巴黎,在罗丹工作室学习。当年她的雕塑作品《俄罗斯舞蹈家》在一次国际艺术博览会上获一等奖。1912年在纽约市开设自己的工作室。第一次世界大战期间积极参加红十字会工作。战后第一件主要雕塑作品是《牺牲》——为哈佛大学做的战争纪念碑。她尤以肖像雕塑作品著称。1930年受芝加哥菲尔德自然历史博物馆委托,创作110件真人大小的人类各种族的人像雕塑(25件全身雕像和85件胸像),于1933年6月完成前献给了名人堂。1936年出版回忆录《头像及其故事》,1939年出版《雕塑内外》。

Hoffman, Paul G(ray)　霍夫曼(1891-04-26,芝加哥～1974-10-08,纽约市)　美国汽车制造业高级行政人员。掌管过美国和联合国的国际援助计划。1911年是史蒂倍克汽车公司的职员,1953年升任董事长;1954年继任史蒂倍克-帕卡德公司董事长。1948～1950年主管美国经济合作署;1951～1953年任福特基金会主席;1956～1957年为美国派驻联合国大会的代表;1959年任联合国经济发展特别基金会常务董事。1966年基金会并入联合国开发计划署,霍夫曼任署长,直到1972年离职。

Hoffman, Samuel Kurtz　霍夫曼(1902-04-15,美国宾夕法尼亚维廉斯波特～1995-06-26,加利福尼亚圣塔巴巴拉)　美国推进技术工程师,最早研制弹道导弹和航天器用的火箭发动机。1932～1945年任航空设计工程师,以后在宾夕法尼亚州立大学任航空工程教授。1949年进入北美飞机公司,参与研制出一台供洲际弹道导弹用的推力达7.5万磅的火箭发动机。在他的领导下,北美飞机公司于1950年研制出第一批大推力火箭发动机,他的工作对洲际弹道导弹和中程弹道导弹的早期发展很重要。1955年任北美飞机公司火箭动力分公司负责人,研制出新型高压泵并提高了火箭的机动能力。1958年他负责研制用于载人登月的"土星"运载火箭的发动机。

Hoffmann, August Heinrich　参阅**Hoffmann von Fallersleben, August Heinrich** 霍夫曼·封·法勒斯莱本。

Hoffmann, E(rnst) T(heodor) A(madeus)　霍夫曼(1776-01-24,普鲁士柯尼斯堡[今俄罗斯加里宁格勒]～1822-06-25,柏林)　德国作家、作曲家和画家。因所写故事闻名,故事中超自然的阴险人物出没在人的生活中,以讽喻手法揭示人性中带有悲剧性的或怪诞的方面。因家庭破裂,由叔父抚养成人。曾在大学攻读法律,1800年在波兰外省任普鲁士的司法官员,直至1806年普鲁士败于拿破仑为止。后转向他主要的兴趣——音乐,并先后在班贝格和德累斯顿担任指挥、评论家和剧院音乐指导。他谱写了芭蕾舞剧《曙光女神》(1811)和歌剧《水中仙女》(1816公演),还写了一部弥撒曲,一部交响乐,创作了短篇小说集《卡罗特式的幻想篇》(4卷,1814～1815),这部作品奠定了他的作家声誉。虽然他在因全身瘫痪去世之前写有两部长篇小说《魔鬼的万灵药》(1816)和《公猫摩尔的人生观,附乐队指挥约翰·克赖斯勒的传记片断》(2卷,1820～1822)以及50多篇短篇小说,他在柏林仍靠做司法部门的职员维持生计。后期小说集《夜间偶成》(2卷,1817)和《谢拉皮翁兄弟》(4卷,1819～1821)在英国、美国和法国直至20世纪下半叶多次再版,说明其极受欢迎。霍夫曼的故事把任意驰骋的想象同对人的性格和心理的鲜明可信的考察巧妙地结合起来。狂人、鬼怪和自动玩具的怪诞气氛同精确的现实主义叙述风格搀杂在一起。在霍夫曼内心,艺术的理想世界和政府小吏日常生活之间进行着斗争,这在许多故事中清晰可见。他的想象力极其丰富,从异想天开的神话故事到阴森可怕、超越自然的恐怖小说,都能挥洒自如,并成为瓦格纳、兴德米特、奥芬巴赫和柴可夫斯基等一些歌剧作曲家的创作灵感。

Hoffmann, Heinrich　霍夫曼(1809-06-13,美因河畔法兰克福[德国]～1894-09-20,美因河畔法兰克福)　笔名海因里希·金德莱布、彼得·施特鲁韦尔、厄拉利乌斯·冯·霍伦贝格、波利卡普斯·加斯特芬格或茨维贝尔。德国医生和作家,因塑造懒散的彼得这一人物而享有盛名。彼得是个男孩,外表粗野,举止顽皮,出现在《为3～6岁儿童写的快乐故事和风趣图画》(1845)一书中。这本含有劝善惩恶的故事书是作为圣诞节的礼物为自己的4岁儿子而写的。霍夫曼也写诗歌、幽默和讽刺文章,以及其他儿童读物,还写有关于医学和精神病学的论著。曾在海德堡和哈雷学医,在美因河畔的法兰克福行医和执教,并任该城精神病院院长(1851～1888)。

Hoffmann, Josef　霍夫曼(1870-12-15,摩拉维亚皮尔尼兹[今在捷克共和国]～1956-05-07,奥地利维也纳)　德国建筑师,其作品在欧洲现代建筑发展早期占有重要地位。曾在维也纳随O.瓦格纳学习建筑。1899年协助成立维也纳直线派建筑革新组织,虽然他们受到新艺术运动的影响,但比瓦格纳更接近现代派。1899年起,在维也纳应用美术学院任教。1903年参加建立维也纳工艺美术中心的工作,并担任领导达30年。普克斯多夫疗养院(1903)是其早期的重要作品,而布鲁塞尔的斯托克莱住宅(1905)则是他的杰作。该建筑外表华美,具有一种宏伟壮丽的气派,依靠直线和白色方块进行设计,往往不易取得这样的效果。1914年在科隆举行的德意志工匠联盟博览会和1934年的威尼斯博览会中的奥地利馆均由他设计。1920年,任维也纳市建筑师。1924、1925两年中为维也纳规划设计了很多居住区方案。

Hoffmann, Max　霍夫曼(1869-01-25,黑森埃夫泽畔洪贝格[德国]～1927-07-08,德国巴特赖兴哈尔)　第一次世界大战时期的德国将军,主要是他促成了德军在东线的几次大胜。1887年从军,曾就读于柏林军事学院。1914年8月任德国第八军团上校参谋,曾协助制定第一次对俄作战方案。取得了坦嫩贝格战役的胜利。1916年8月任东线陆军参谋长。1917～1918年在布列斯特-立陶夫斯克他偕同德国外交部长里夏德·冯·屈尔曼与乌克兰和俄罗斯议和。当布尔什维克党人表示不愿签订条约时,他宣布废除俄德停战协定,发动德军大举进攻俄罗斯,占领了大片土地,从而迫使布尔什维克政府于1918年3月1日同意德国的条件。战后,他著有《贻误战机》等书。

Hoffmann, Melchior　参阅**Hofmann, Melchior** 霍夫曼。

Hoffmann, Roald　霍夫曼(1937-07-18,波兰兹沃丘夫～　)　波兰出生的美国化学家,与日本的福井谦一(**Fukui Kenichi**)因各自对化学反应机理的研究而共获1981年诺贝尔化学奖。1949年随家人移民至美国。毕业于哥伦比亚大学,1962年获得哈佛大学博士学位,随后的三年内与哈佛的R.B.伍德沃德合作,1965年转至康奈尔大学任职。霍夫曼与伍德沃德曾共同致力于解释先前伍德沃德与同事们合成维生素B_{12}复杂的分子时所获得的意外结果,此即导致霍夫曼荣获1981年诺贝尔奖的研究项目。霍夫曼与伍德沃德发现,许多涉及原子环状结构形成或断裂的化学反应,其反应途径与变化最大的分子轨道在数学描述中的对称性有关。此种理论即所谓的伍德沃德-霍夫曼法则,它可解释为什么某些反应物看起来似乎可能但实际上却无法形成环状化合物的原因;此外,它也可阐明环状化合物断裂后所生成产物中原子的几何学排列的图像。

Hoffmann von Fallersleben, August Heinrich　霍夫曼·封·法勒斯莱本(1798-04-02,汉诺威不伦瑞克附近法勒斯莱本[德国]～1874-01-19,赫克斯特附近科尔韦城堡)　德国爱国诗人、语言学家和文学史家。他的《德国,德国,高于一切》在第一次世界大战后被定为德国国歌。诗句简明易懂,颇吸引人,宣扬爱国和相互同情,对于德国学生运动具有重大意义。曾就读于格丁根和波恩两大学,后任布雷斯劳大学图书馆管理员。1830年在该校任德国语言和文学副教授,1835年任教授,但因所写《非政治的诗歌》(1840～1841),被普鲁士当局免职。这些诗歌虽名为非政治性的,却被解释为政治性的。1848年革命以后,他被允许回校任教。1860年任科尔韦城堡拉铁伯尔公爵的图书馆管理员。他是为1848年革命运动开辟道路的最早和最得力的诗人之一。他的《德国,德国,高于一切》写于1841年,典型地表达了民意——那个时期德国自由派人士所怀有的争取国家统一的愿望。这首歌的第三节"统一、正义和自由",在第二次世界大战以后,依然为西德国歌。他的《德国语言学大纲》(1836)是对语言学研究的一个宝贵贡献。

Hofmann, August Wilhelm von　霍夫曼(1818-04-08,黑森达姆施塔特吉森[德国]～1892-05-02,柏林)　德国化学家。他与W.H.珀金所进行的关于苯胺研究工作成为苯胺染料工业的基础。曾在李比希指导下在吉森大学从事研究,1841年获博士学位。1845年成为伦敦新皇家化学学院首任院长。1864年去波恩,1865年成为柏林大学化学教授和实验室主任。去世前一直在那里当教师、搞研究。他的研究涉及有机化学的很多方面,首先研究煤焦油,建立了制苯和甲苯并进一步将其变成硝基化合物和胺的实用方法。还研究了三种乙胺和四乙胺化合物的制法并确定了它们在结构上与氨的关系。发现甲醛、二苯肼和异腈类化合物。与A.卡霍斯一起发现烯丙醇。他将酰胺转变成胺的方法被命名为霍夫曼反应。他还研究了确定液体分子量的蒸气密度方法。有近1 000篇研究报告出自他的实验室,其中约300篇为他本人的成果。他是德国化学学会(1867)的创建人之一并任主席多年(1869～1892)。

Hofmann, Hans　霍夫曼(1880-03-21,德国魏森贝格～1966-02-17,美国纽约州纽约)　德国画家、20世纪最有影响的美术教师。他的工作开启了第二次世界大战后美国第一代抽象表现主义画家的发展之路。1898年在慕尼黑开始学画。1904年迁居巴黎,深受马蒂斯和德洛内影响,即用颜色来表达思想感情。1914年后回到慕尼黑,开办第一所绘画学校,并开始吸收康定斯基的抽象表现主义画法。

1930年迁居美国，在纽约市艺术学生联合会任教。后开办汉斯·霍夫曼美术学校。1939年转向完全抽象的画风。这种画风的特点是创造力丰富、笔触刚健、色彩饱满。《春》

美国不列颠百科全书公司供图

（1940，康涅狄格州彼得·A.吕贝尔藏品）是采用美国画家杰克逊·波洛克的滴彩画法所作的最早作品之一。1958年解散学校，专心致力于艺术创作。霍夫曼的作品密切遵从自己的美术理论，例如，《门》（1960，纽约古根海姆博物馆藏）用红、黄、绿三色创造出空间的幻觉。去世前在加利福尼亚州伯克利市捐赠一所画廊，专供陈列他自己的作品。

Hofmann, Josef Casimir　霍夫曼（1876-01-20，波兰克拉科夫附近波德戈泽～1957-02-16，洛杉矶）　波兰出生的美国钢琴家，因演奏肖邦作品优美动人而闻名。首次演出时年仅6岁。11岁到美国巡回演出。后师从19世

中国大百科全书出版社供图

纪末两位杰出钢琴家M.莫什科夫斯基和A.鲁宾斯坦。18岁恢复公开演出，1898年以后主要寓居美国。1926～1938年任费城柯蒂斯音乐学院院长。他的演奏被认为是崇高而诗意盎然的，毫无怪诞离奇之弊，又不平淡无味。作有交响曲一部、钢琴协奏曲5部，以及一些钢琴独奏曲。还著有3部论述钢琴演奏的著作。

Hofmann, Melchior　霍夫曼（约1495，士瓦本施瓦本哈尔［德国］～1543或1544，施特拉斯堡［今法国斯特拉斯堡］）　Hofmann又拼Hoffmann。德意志基督教神秘主义者。原是毛皮商。曾以信义宗平信徒身份在利沃尼亚（今拉脱维亚和爱沙尼亚）、瑞典和德意志北部传教。1526年定居于斯德哥尔摩，对德侨传教2年，继而在基尔任布道师。后来他在施特拉斯堡参加再洗礼派，提出既超出信义宗也超出再洗礼派的教义。他预言世界末日在1533年，届时他将与基督一同驾云进入施特拉斯堡，建立新耶路撒冷。1530年到荷兰，招收信徒，称为梅尔希奥派。1533年返回施特拉斯堡，被捕入狱，死于狱中。霍夫曼的观点特别对再洗礼派领袖门诺有影响。

Hofmannsthal, Hugo von　霍夫曼斯塔尔（1874-02-01，维也纳～1929-07-15，维也纳郊区罗道恩）　奥地利诗人、剧作家和小品文作家。因写抒情诗和剧本而成名，又因同德国歌剧作曲家R.施特劳斯合作而成为国际知名人物。为银行经理的独生子。曾在维也纳

美国不列颠百科全书公司供图

攻读法律。16岁时就以笔名洛里斯发表诗稿。这些诗具有抒情美、魔术般迷人的语言和梦幻般的特性，在奥地利和德国引起轰动。这些作品表现出早熟的体验和形式上的精湛。服兵役一年以后，曾研究罗曼语，1901年结婚，并成为自由作家。1891～1899年写了许多短小诗剧，包括《昨天》（1891）、《提香之死》（1892）、《傻子与死神》（1893）、《白扇》（1898）、《窗中一妇人》（1898）、《冒险家与女歌手》（1899）等。这些短剧同他的诗一样优美。在短文《一封信》（1902）中，他弃绝了纯粹抒情的形式。这篇短文不仅展现个人的困境，还被认为是结束19世纪末唯美象征主义运动的危机的征兆。在一个重新寻找方向和过渡的时期中，他试验了伊丽莎白时代的和古典的悲剧形式，1904年改写了T.奥特韦的《得救的威尼斯》（1682），又写了《埃勒克特拉》（1903），此剧后由施特劳斯配乐。与此同时，开始写小说《安德烈亚斯》（1932），但未完成。剧院日益成为他的表现手段。他一直同施特劳斯合作直至逝世。他们合作的歌剧有：《蔷薇骑士》（1911上演）、《失去影子的女人》（1919）、《埃及的海伦娜》（1928）等。第一次世界大战后，同M.赖因哈特共同筹办萨尔茨堡音乐戏剧会演节，在会演节上经常上演他的《耶德曼》（1911）、《萨尔茨堡的世界大舞台》（1922）。他的喜剧《克里斯蒂娜的归来》（1910）、《难以对付的人》（1921）等，都用维也纳方言写成。霍夫曼斯塔尔对于第一次世界大战后欧洲文化的危机和瓦解的想法，表现在他的政治戏剧《塔楼》（1925）和几个预言西方文化前途的短文之中。他的艺术不断发展，而他始终保持着早期作品的精巧温雅和对优美的意识。但他无法适应20世纪。

Hofmannswaldau, Christian Hofmann von　霍夫曼斯瓦尔道（1617-12-25，西里西亚布雷斯劳～1679-04-18，布雷斯劳）　德国诗人、"第二西里西亚诗派"的主要代表。在但泽求学时，结识伟大的作家和理论家M.奥皮茨，并受其影响。曾游历过许多地方，1646年回布雷斯劳担任行政领导职务直至去世。他写过大量宗教诗和世俗诗，以色情和夸张的表达方式为其特征。他最具特色的作品是《英雄书简》（1663），一部情诗集子，在这部集子里色情、夸张的文风充分发挥。他还出版了另外两本诗集《墓志铭》（1643）和《德文译作与诗歌》（1673）。

Hofmeister, Sebastian　霍夫迈斯特（1476，瑞士沙夫豪森～1533-06-26，措芬根）　别名奥科诺麦斯。瑞士宗教改革家。曾在沙夫豪森参加天主教方济各会，因受瑞士宗教改革家茨温利的熏陶，从1522年起在卢塞恩公开宣传改革派教义，结果被逐出该城。重返沙夫豪森后领导当地宗教改革运动，1525年又被迫逃到苏黎世。他积极参加早期宗教改革运动的历次辩论会，并曾出席苏黎世再洗礼派的讨论会，在伯尔尼主持再洗礼派领导人普菲斯特尔梅耶的公开悔过仪式。

Hofmeister, Wilhelm (Friedrich Benedikt)　霍夫迈斯特（1824-05-18，莱比锡～1877-01-12，莱比锡附近林德瑙）　德国植物学家，以其对植物结构的研究被誉为植物比较形态学的先驱。17岁时到其父办的出版企业工作。他完全依靠自学成才，于1863年任海德堡植物园主任和植物学教授，1872年任蒂宾根大学教授。1847年他发表了第一篇植物学论文。两年后发表《显花植物胚胎的发生》一文，赢得了罗斯托克大学的名誉学位。该文详述了细胞核在细胞形成过程中的作用，证明植物胚胎产生于花粉管顶端这一理论是不正确的。他最杰出的成就反映在《论高等隐花植物的萌发、发育和结实以及松柏类植物的结实》（1851）一书中。该书指出各种隐花植物之间的关系，确定了裸子植物在隐花植物（蕨类、藓类和藻类）和被子植物之间的位置。此外，他还发现了藓类、蕨类及种子植物世代交替的规律。

Hofmeyr, Jan (Hendrik)　霍夫迈尔（1845-07-04，开普敦～1909-10-16，伦敦）　政治家、开普殖民地阿非利堪人联盟（荷兰裔南非人政党）领袖。葡萄栽培学家之子，在开普敦南非学院学习，成为新闻工作者，享有盛名。1878年组成农民保护协会，成为开普殖民地议会议员。此后16年一直在议会任职，成为开普荷兰裔居民公认的领袖和代言人。他的政治力量大部分来自他在阿非利堪人联盟中所居的最高地位，1883年他巧妙地将该联盟与农民保护协会合并。虽在1884年短期成为内阁成员，但作为殖民地代表在各种不同的场合发挥很大的影响。在逐渐认识到与英国人建立更密切的关系的重要性之后，他在1887

年和1894年的帝国会议上起了重要的作用。在1890～1895年C.罗得斯担任总理期间，他是罗得斯的密友，支持其扩张计划。但在1895年12月29日发生袭击德兰士瓦布尔人的"詹姆森袭击"事件之后，两人终止合作。他强烈谴责这一事件，接着致力于阻止英国人与布尔人之间发生战争。1899～1902年南非战争期间，病弱而沮丧的霍夫迈尔退居欧洲。战后回到南非，在英国人和布尔人之间进行调解。在南非趋向联合时，他支持联邦制而不是中央集权制，并支持使用荷兰语。由于他在荷兰裔居民中具有巨大影响，他被邀参加代表团，向伦敦英国政府提交关于成立联邦的最后草案。

Hofsjökull 霍夫斯冰原 冰岛中部的大冰川。面积约994平方千米，直径约40千米，中央最高处海拔1 765米。其所融化的冰水成为布兰德等数河之源。

Hofstadter, Richard 霍夫斯塔特(1916-08-06，美国纽约州布法罗～1970-10-24，纽约市) 美国历史学家，所写关于美国历史中的政治、社会和文化潮流的几部通俗著作，两次获普利策奖。曾就学于布法罗大学(文学学士，1937)和哥伦比亚大学(文学硕士，1938；哲学博士，1942)。1942～1946年在马里兰大学教书，后回哥伦比亚大学任教(1946～1970)，一生其余时间都在那里度过。他的著作(有几部为畅销书)大量运用社会学的思想解释美国历史。主要著作有：《美国的政治传统》(1948)、《改革的时代》(1955；1956年普利策奖)、《美国政治上的狂妄作风》(1965)、《一种政党制度的设想》(1969)和《美国的暴行》(1970)。他的《美国生活中的反知识分子倾向》(1963)荣膺1964年度普利策奖，其中提出一种引起争论的看法。他认为，在美国政治历史中一再反映出来的杰克逊民主主义的平等的、民众的思想，使许多美国人产生一种根深蒂固的反知识分子的偏见。

Hofstadter, Robert 霍夫斯塔特(1915-02-05，美国纽约市～1990-11-17，加利福尼亚斯坦福) 美国物理学家，因揭示质子和中子的内部结构，与德国的R.L.穆斯堡尔共获1961

斯坦福大学供图

年诺贝尔物理学奖。霍夫斯塔特就学于普林斯顿大学，1938年在该校获博士学位。1946年在该校任教，主要从事红外线、光电导性、晶体计数器和闪烁计数器等方面的研究。从1950年到1985年，在斯坦福大学任教。在该校，他用直线电子加速器探测原子核的结构。他发现质子和中子的中心都有一个带正电的核心，并被两层π介子云所围绕。质子的两层云都带正电，而中子的内层云带负电，因而使整个粒子的净电荷为零。

Hōfu 防府 日本本州山口县城市。临濑户内海。大量古迹表明当地曾为早期文化中心。德川时代为驿镇和重要盐港。现有纺织、化工和食品加工厂。1960年废弃制盐。

防府市的神道教天魔神社大门
美国不列颠百科全书公司供图

建有纪念9世纪学者、被诬告谋反的政治家菅原道真的神社。通铁路。人口约118 557(1989)。

Hofuf(Saudi Arabia) 参阅**Hufūf, al-**胡富夫。

Hofzinser, Johann Nepomuk 霍夫青泽(1806-07-06，奥地利维也纳～1875-03-01，维也纳) 奥地利业余魔术师。用手操纵的小型戏法(特别是纸牌游戏)最卓越的发明者之一。从未在国外演出。他首先提倡简单朴素的演出，废除复杂的服装道具。虽然他要求把他的魔术秘密和他一起埋葬，但O.费希尔还是搜集了霍夫青泽与友人的信件，编成《纸牌戏法》(1910)一书。

hog 成猪 即家猪。参阅**pig**。

hog cholera 猪霍乱 参阅**swine fever**猪瘟。

hog house 猪舍 又作pigpen。饲养猪的房舍，尤指可在内部饲养多数只猪的建筑物。典型的猪舍要能避免过冷过热，要通风良好，有洁净的垫草和饲料。简易猪舍称为猪栏或猪圈。移动式猪舍可为预制结构或现场建造，可有也可没有地板，单墙上挂有粗麻袋布做的门，每一季节都可以重新移到清洁的地方。围栏式猪舍主要用于饲养12只以上的母猪群，通常有水泥地面，墙平滑，并有保温装置。这类猪舍可装设空调或通风装置，用加热器、地下热水管或供暖灯进行保温。可用分隔栏限制产仔母猪的活动，只准其站或卧，但不准走来走去以免意外地压坏猪崽。

hog plum(*Spondias mombin*) **猪李** 又作yellow mombin。漆树科槟榔青属乔木，原产于热带地区。为观赏植物，花淡紫绿色，美观。猪李与同属其他几个种的果实似李子，称

猪李(*Spondias mombin*)
美国不列颠百科全书公司供图

蜡色李，可食，故栽培为果树。果核大，多刺，难以同果肉分离。

hogan 泥盖木屋 美国亚利桑那州和新墨西哥州纳瓦霍印第安人的住宅。是一种粗糙的圆形结构，通常用圆木和泥土构筑，偶用石头。屋顶是用圆木逐步向内收进垒成圆盖的形状，整个屋子都用泥土(有时也用草皮)覆盖起来，只在屋顶留一个出烟的圆孔。门洞一般向东，朝着初升的太阳，通常挂有毛毡。这是一种原始的住宅，没有窗户和内部隔板。通常只有少量家具甚或不备家具，全家围着火堆，坐卧在直接铺于泥地的羊皮上。

Hogan, Ben 霍根(1912-08-13，美国得克萨斯都柏林～) 美国职业高尔夫球运动员。1949年在车祸中受重伤，但以非凡的毅力从事高尔夫球比赛并获胜。受伤前获两次(1946、1948)美国职业高尔夫球协会锦标赛冠军和1次(1948)美国公开赛冠军。伤愈后又3次获美国公开赛冠军(1950、1951、1953)，两次获优秀选手赛冠军(1951、1953)。1953年获得英国公开赛冠军。1970年退休。

Hogarth, David George 霍格思(1862-05-23，英国林肯郡亨伯河畔巴顿～1927-11-06，牛津郡牛津) 英国考古学家、外交官。1909～1927年任英国牛津大学阿什莫林博物馆馆长。约于1900年协助A.伊文思进行克里特岛克诺索斯发掘工作。1904～1905年领导发掘古代以弗所(今土耳其境内)阿耳忒弥斯神庙，撰《以弗所古代阿耳忒弥斯神庙》(1908)。1911年对另一赫梯文化古城迦基米什(今叙利亚境内)开始进行发掘，1914年写成调查报告。1919年出席巴黎和会，担任中东调查委员会英国特派员。其后发表《赫梯印章》(1920)及《赫梯诸王》(1926)。

Hogarth, William 贺加斯(1697-11-10，伦敦～1764-10-26，伦敦) 又译霍格思。英国油画家、版画家和艺术理论家。在肖像画、风俗画和历史画方面有巨大贡献。幼时喜欢模仿各种人物，并善于把他们画下来。15岁时到银匠店里学雕版。他性格幽默，善于观察生活，酷爱戏剧。23岁时开设了自己的店铺，并进入一家私人素描学校，学习画人体模特。1724年第一件主要作品《化装舞会与歌剧》出版。1728年创作了第一幅签名油画《乞丐的歌剧》，表现下层人民的生活。1731年创作的《征服墨西哥》，为这一时期的英国绘画

树立了一个样式，表明他已熟练掌握了油画手法。1731～1732年创作的一套铜版画《妓女生涯》(共6幅)，一举成名。这套版画讲述了一个农村姑娘在伦敦的堕落及其悲惨结局。由于他的版画广为发行，他也因此在经济上和艺术上取得了独立的地位。接着，又创作了另一套铜版画《浪子生涯》(共8幅)。1735年后专心从事油画创作。在圣巴托罗慈善院供职时画了两幅巨幅宗教画《贝塞斯达的水潭》与《乐善好施者》，作为慈善院大厅楼梯间的装饰。1740年前后，重新回到肖像画创作上来，主要作品为中产阶级人士的肖像。他为大慈善家托马斯·柯兰画的坐姿肖像，生

贺加斯自画像，1745年
美国不列颠百科全书公司供图

动传神，为欧洲贵族式的传统肖像画注入了现实主义的血液。1745年组织了一批艺术家共同为慈善事业作画，不久他们合作在英国首次举办了当代艺术公开展览，这对后来皇家学院的建立至为关键。著名的1745年自画像标志着其艺术生涯的高峰，同时也是一个艺术宣言，在画中，画家与其爱犬并列一起，旁边放有英国大作家莎士比亚、弥尔顿、斯威夫特的著作和一块画有波状的"美的线段"的调色板。同年，贺加斯出版了一套描写上层阶级婚姻习俗的铜版画《时髦婚姻》，这是根据他在1743年创作的一套6幅同名油画刻制的。这两套作品确立了他在英国美术史上的重要地位。1748年以后的几年里，他刻制了一批成功的作品，如《啤酒街》、《杜松子酒巷》、《四个残酷的舞台》等。1753年出版了理论著作《美的分析》，结合绘画实践阐述其理论观点。1754～1758年，大幅油画组画《议会贿选》(共4幅)创作完成，这是他最后一次尝试"滑稽的历史画"。

hogchoker 三鰭鳎 北美洲鱼类，鳎(sole)的一种。

Hoge, Jane Currie Blaikie 霍格(1811-07-31，美国宾夕法尼亚费城～1890-08-26，伊利诺伊芝加哥) 婚前名Jane Currie Blaikie。美国福利工作者和资金筹集人。就读于费城青年女子学院。1831年与商人A.H.霍格结婚。婚后任匹兹堡孤儿院秘书多年。1848年迁往芝加哥，1858年协助创办一所孤独无助者之家。南北战争开始后她的两个儿子应征入伍，她开始到芝加哥附近的道格拉斯营当志愿护士。1861年末和M.A.利夫莫尔到芝加哥卫生委员会工作，被任命为军队护士总监迪克斯的代表，为西部医院招募护士。1862年12月在华盛顿参加卫生委员会的大会后，被任命为芝加哥分会的副主任，发动整个西北地区数以千计的地方社团收集和发送衣服、药品与医院用品、食品以及其他物资。1863年三次去前方视察后勤供应和护理状况。1867年出版《穿蓝军装的孩子们》。1871年组织集资创办埃文斯顿女子学院。

Hōgen Disturbance 保元之乱(1156-07) 日本保元年间平、源两族之间的冲突，标志着藤原家族把持朝政的终结。上皇崇德与在位的后白河天皇争权，自857年即任关白的藤原氏支持后白河，而崇德有以源为义为首的源、平两家武士。但平清盛则支持后白河。平清盛战胜，源为义被斩，崇德被逐。由于藤原氏无能，平氏掌握实权。

Hogendorp, Dirk van 霍亨多普(1761-10-13，尼德兰霍恩费特～1822-10-29，里约热内卢) 荷兰政治家，荷兰东印度公司职员，试图将法国大革命的自由思想融入荷兰殖民政策之中，从而引起广泛争论。接受军人的训练后，于1783年随海军远征，前往东印度群岛，3年后荷兰东印度公司雇用他任驻印度巴特那商业代理人。他在那里居住两年，通晓英国人的直接行政管理和税收制度。由于他具有自由主义思想，1798年被东印度群岛总督塞巴斯蒂安·内德堡关押。他逃回尼德兰后，发表小册子《关于东印度巴达维亚领地状况的报告》。由于该报告揭示印度尼西亚人受与欧洲人相同的经济原则的指导，使许多荷兰人感到震惊。这时，东印度公司将东印度群岛交给荷兰政府，政府必须制定一套殖民政策。他参加了新宪章起草委员会，但他的思想为委员会保守的委员们所否决。他继续在荷兰国务院工作，直至1810年拿破仑兼并尼德兰，他前往法国，给拿破仑当副官。1815年拿破仑垮台后，他前往巴西，终因贫困而死。

hogfish 豚鱼 鲈形目隆头鱼科某些种类的统称。隆头鱼科的种类多分布在热带或温带海域，但豚鱼仅分布在大西洋，主要在西印度群岛海域。大毛隆头鱼(*Lachnolaimus maximus*)主要分布在从佛罗里达到百慕大再到加勒比海间的亚热带海域。体多红或粉红色，长可达60厘米；特征是背鳍的3或4条前刺延长成细丝。另外*Bodianus*属的斑鳍豚鱼与西班牙豚鱼分布范围似大毛隆头鱼。西班牙豚鱼可长达61厘米，幼鱼会清除其他鱼类的外寄生虫。

Hogg, Douglas McGarel, 1st Viscount Hailsham of Hailsham 霍格(1872-02-28，英格兰伦敦～1950-08-16，苏塞克斯卡特斯科纳普莱斯) 即黑尔姆斯子爵(第一)。英国律师和政治家，下院和上院著名的保守党议员。于伊顿公学毕业后，在其父的西印度贸易商行工作了8年。在1899～1902年南非战争中服役后，于1902年取得律师资格。他质询尖锐，对事实与数字十分熟悉，发言有力，在办理各类案件中令人敬畏。1922年进入议会，成为保守党议员，在B.劳政府中任检察总长，接受通常授予司法官员的爵士称号。无论在野或在朝，他都显示出是一位雄辩家。1924～1928年再度任检察总长，被封为男爵，1929年被封为子爵。1928～1929、1935～1938年任大法官，1931～1935年任陆军大臣。

Hogg, James 霍格(1770-12-09受洗，苏格兰塞尔扣克郡埃特里克～1835-11-21，塞尔扣克郡亚罗奥尔特里夫) 苏格兰诗人。人称"埃特里克牧羊人"，在随浪漫主义运动兴起的谣曲复兴中名盛一时。青年时期大部分时间和成年初期为牧羊人，几乎全靠自学。司各特很早就发现他的天才，他曾为司各特的《苏格兰边区歌谣集》提供材料。在发表关于玛丽·斯图亚特的诗集《女王的赛诗之夜》(1813)前，于1810年去爱丁堡，与拜伦、骚塞和华兹华斯相识。他所写的大量诗歌中，只有诗集《女王的赛诗之夜》中的几首叙事诗和民谣久享盛誉，其中有《基尔默尼》和《笛子女巫》。也许更重要的著作是霍格的小说《一个被开释的罪人的个人回忆录和自由》(1824)，写一个精神变态者的骇人故事，为现代心理惊险小说的先驱。

Hogg, Quintin 霍格(1845-02-14，英格兰伦敦～1903-01-17，伦敦) 英国慈善家，社会改革者。创建多科工艺学校，成为日后社会地位低下的青年社交及教育中心的典范。先后30多年，霍格及其夫人将时间和资财完全用于为伦敦贫苦青年造福。霍格受教于伊顿公学，当时英格兰正处于宗教复兴的骚动之中。曾任职于伦敦贫民区的一家茶叶行，对街上流浪儿童深表同情。为了对下层社会儿童问题获得第一手经验，曾化装擦鞋匠，夜间和这些少年一道干活。想用圣经作教材教穷人读书，终于在街巷中开设"褴褛学校"。这所学校于1868年迁往城堡街。霍格希望通过职业课并将教育与宗教工作结合起来，以重建贫穷儿童的生活。1878年又在朗爱克建立劳动儿童学校。3年后，在摄政街获得破旧房舍，称为多科工艺学校，加以修整，用来教工匠和职员以谋生之理与谋生之道。他的事业没有公共经费，直到1889年才得到伦敦市议会的支持。

Hogg, Thomas Jefferson 霍格(1792-05-24，英格兰达勒姆郡诺登～1862-08-27，伦敦) 英国作家。因为其朋友雪莱写的第一部传记而闻名。霍格在牛津大学与雪莱相识，1811年因参与写作小册子《无神论的必然性》与雪莱一起被学校开除。后在伦敦中殿律师学院学习法律，1817年成为律师。1822年雪莱死后，受诗人亲属委托为其作传。前两卷于1858年出版，书名为《雪莱传》。此书用轶事和书信充分揭示了诗人的性格，还包含大量与霍格本人有关的材料。传记原拟写成4卷，但雪莱的亲属对前2卷将重点放在霍格本人有意见，拒绝让霍格接触完成《雪莱传》

所必需的原始资料。

Hoggar (plateau, Africa) **霍加尔** 参阅**Ahaggar** 阿哈加尔。

Hogni (legendary hero) **何尼** 参阅**Hagen** 哈根。

hognose snake **猪鼻蛇** 游蛇科猪鼻蛇属(*Heterodon*)动物的统称,3或4种。因吻端朝上用于拱土而得名。即北美所谓吹气蛇,对人无害,但人常躲避之,它受惊时头颈部变

正在装"死"的东猪鼻蛇(*H. platyrhinos*)
美国不列颠百科全书公司供图

扁,攻击时发出很响的嘶嘶声(但极少咬人)。若恫吓失败,则翻转、扭摆、最后张口吐舌装"死"。主要以蛙类和蟾蜍类为食。在地下产卵15～27枚。分布最广的有东猪鼻蛇(*H. platyrhinos*)和西猪鼻蛇(*H. nasicus*)。体均粗壮,有斑纹,一般体长约60厘米。

hognut **猪栗** 参阅 **earthnut** 锥足草。

Hogoleu (Caroline Islands) **霍戈柳** 参阅 **Chuuck Islands** 丘克群岛。

hogweed **猪草** 白芷(**cow parsnip**)几个种的俗名。

Hohe Tauern **上陶恩山** 奥地利南部,东阿尔卑斯山脉的一段。西起意大利边境齐勒塔尔山,东至卡奇山口,长110千米。高峰林立,有奥地利最高点**大格洛克纳山**(**Grossglockner**,海拔3 797米)。穿山公路有费尔伯-陶恩隧道和霍赫托尔隧道。有铁路穿过陶恩隧道(长8千米)。联接德劳河畔施皮塔尔与施瓦察赫。以登山和滑雪闻名。

Hohenheim, Philippus Aureolus Theophrastus Bombast von (alchemist) **霍恩海姆** 参阅 **Paracelsus** 帕拉切尔苏斯。

Hohenlohe FAMILY **霍恩洛厄家族** 德意志皇族,从法兰克尼亚的霍恩洛厄地区取名。12世纪初见记载。当时,这一家族据有乌芬海姆附近的霍恩洛厄堡,其势力很快就扩张到法兰克尼亚地区。亨利一世(?～1183)是取得霍恩洛厄伯爵封号的第一人。1230年,他的孙子戈特弗里德和康拉德分别开创霍恩洛厄-霍恩洛厄和霍恩洛厄-布劳内克两支。康拉德一支于1390年绝嗣,而戈特弗里德一支却分为数支,其中霍恩洛厄-诺伊恩施泰因一支在宗教改革时期为新教派,但在1764年以前未能取得神圣罗马帝国的邦君地位。而霍恩洛厄-瓦尔登堡一支始终信奉天主教,于1744年得到邦君的封号。

Hohenlohe-Ingelfingen, Friedrich Ludwig, Fürst zu **霍恩洛厄-英格尔芬根**(1746-01-31,符腾堡英格尔芬根～1818-02-15,西里西亚施劳恩尼茨堡) 普鲁士陆军元帅。他所指挥的普鲁士军两集团军之一在1806年耶拿和奥尔施塔特两次战役中被拿破仑彻底击败,致使普鲁士成为法国的属国。1768年开始在普鲁士军队服役,在巴伐利亚继承战争(1778～1779)中战功卓著。1791年任柏林卫戍区司令,1794年参加反对革命法兰西的莱茵战役。1806年德法争端再起,他受命指挥普鲁士一个集团军迎击拿破仑,因与总司令C.W.斐迪南意见相左,使普鲁士2个集团军的行动严重不协调,因此遭到惨败,同年10月14日在耶拿几乎全军覆没。两星期后余部在普伦茨劳向法军投降。他在法国度过两年监禁生活。获释后于1809年退隐。

Hohenlohe-Ingelfingen, Kraft, Prinz zu **霍恩洛厄-英格尔芬根**(1827-01-02,普鲁士上西里西亚科申丁～1892-01-16,德国德累斯顿) 普鲁士陆军军官,军事著作家。霍恩洛厄-英格尔芬根亲王阿道夫之子。1845年在普鲁士禁卫军炮兵中服役。在"七周战争"中,他率领禁卫军炮兵后备队抗击奥地利军队。战后,他致力于普鲁士炮兵战术训练的改进工作。1868年升任少将,任禁卫军炮兵旅长。在普法战争(1870～1871)中在格拉沃洛特和色当以及指挥炮击巴黎要塞的战斗中屡建战功。1879年退役。著有回忆录《我的生平》(4卷本,1897～1908;1卷本,1915)。

Hohenlohe-Schillingsfürst, Chlodwig Karl Viktor, Fürst zu **霍恩洛厄-希灵斯菲斯特**(1819-03-31,黑森-拿骚富尔达河畔罗滕堡～1901-07-06,瑞士圣加仑巴特拉加茨) 德意志帝国首相兼普鲁士总理大臣(1894-10～1900-10)、巴伐利亚的天主教徒、王室成员,拥有霍恩洛厄-希灵斯菲斯特侯爵和拉提鲍-科尔维亲王封号。一度在普鲁士任文官,后为巴伐利亚上院议员,1848年任法兰克福德国临时政府外交官。1866年12月普鲁士在"七周战争"中击败巴伐利亚之后,由作曲家理查德·瓦格纳推荐,他出任巴伐利亚首席大臣。由于支持与北德意志联邦结盟和支持恢复关税同盟,引起巴伐利亚民族主义者的反对,终于在1870年3月倒台。1871年他促使巴伐利亚加入德意志帝国,并担任帝国议会副议长兼联邦议会巴伐利亚代表。俾斯麦的文化斗争(新成立的德国与天主教会之间的冲突)期间,他提出禁止利用布道场所作为政治讲台的法案,并支持把耶稣会士逐出帝国。1894年帝国首相卡普里维伯爵利奥去职,他出任首相。在职期间,他努力阻止或弥补威廉二世的宗教狂热所造成的损失,但并未奏效。虽然他并不同意威廉粗暴对待社会民主党人,但他支持通过德国反颠覆法令(1894)和普鲁士的反社会党人的法令(1897)。1897年比洛亲王任外交大臣,开始推行其提高德国在国际事务中的地位的新"世界政策",这时霍恩洛厄的影响实际上已经结束。他81岁时辞职,由比洛接替。

Hohenstaufen DYNASTY **霍亨斯陶芬王朝** 又称斯陶弗王朝。从1138年至1208年、又从1212年至1254年统治神圣罗马帝国的德意志王朝。奠基人为腓特烈伯爵(1105卒),他曾在士瓦本侏罗山中构筑斯陶芬城堡。1079年皇帝亨利四世授予他士瓦本公爵,称腓特烈一世。其后,他与亨利之女阿格内斯结婚,生二子,即士瓦本公爵腓特烈二世与康拉德。1125年皇帝亨利五世死后无嗣,腓特烈二世与康拉德遂成为舅父的继承人。1138年在洛塔尔三世死后,康拉德成为德意志皇帝兼神圣罗马帝国皇帝,称康拉德三世。此后,霍亨斯陶芬王朝的统治者有:红胡子腓特烈一世(神圣罗马帝国皇帝1155～1190)、亨利六世(神圣罗马帝国皇帝1191～1197)、士瓦本的菲利普(德意志国王1198～1208)、腓特烈二世(德意志国王1212～1250,神圣罗马帝国皇帝1220～1250)以及康拉德四世(德意志国王1237～1254)。霍亨斯陶芬王朝继续进行前代萨利安王朝开始的与教皇的斗争,积极参与意大利事务。这个王朝曾在1208～1212年之间中断,由韦尔夫家族的奥托四世短期执政。

Hohenwart, Karl Siegmund, Graf von **霍恩瓦尔特**(1824-02-12,维也纳～1899-04-26,维也纳) 奥地利政治家,短期任奥地利首相(1871)。在卡尼奥拉(今斯洛文尼亚)行省政府和意大利特伦蒂诺行省政府工作后,于1868年被任命为上奥地利总督。在政治上作为一名天主教党人和中央集权制的反对者,他于1871年2月被任命为首相兼内务大臣。他主张在帝国的奥地利部分——首先在加利西亚、并特别在波希米亚——实行更广泛的斯拉夫民族自治的纲领,遭到帝国议会中德意志自由派多数和匈牙利的马扎尔人的反对;而重新规定波希米亚在帝国中的位置的计划,则导致他的政府于10月间垮台。1879年后,在塔费伯爵长期担任奥地利首相期间,他一直领导亲政府的力量。

Hohenzollern DYNASTY **霍亨索伦王朝** 欧洲历史上的著名王朝,主要是勃兰登堡-普鲁士(1415～1918)及德意志帝国(1871～1918)的统治家族。族名源自士瓦本的一城堡名。王朝有记载的始祖是布尔夏德一世,11世纪时为索伦伯爵。他的后裔自第三代和第四代开始形成两个家系,一为索伦-霍亨贝格,1486年前后此系绝嗣;另一为纽伦堡世袭城主,此系为现代霍亨索伦各支的近祖。1192年索伦伯爵腓特烈三世(约1200年卒)因婚姻关系继承纽伦堡城主位,称腓特烈一世。他的两个儿子——康拉德与腓特烈——分别成为两支统治长久的帝王世家的祖先,一支称作法兰克尼亚霍亨索伦家族(纽伦堡世袭城主,后来的勃兰登堡选侯、普鲁士王、普鲁士国王、德意志皇帝),另一支为士瓦本霍亨索伦家族(索伦伯爵、霍亨索伦伯爵、索伦-沙克斯堡伯爵、海格洛赫伯爵,等等;霍亨索伦-

赫辛根邦君、霍亨索伦-西格马林根邦君、霍亨索伦邦君、罗马尼亚邦君及后来的罗马尼亚国王）。1411年腓特烈六世被任命为勃兰登堡侯爵，1415年又成为选侯，称腓特烈一世。勃兰登堡家族的重要性逐渐超过其他的霍亨索伦家族。关于勃兰登堡霍亨索伦家族（宗教改革时期为路德派，1613年改宗加尔文派）崛起的历史，包括15、16及17世纪开拓疆土的记载，参阅 **Brandenburg**。其中最重要的一大块领地乃是1525年取得的普鲁士公爵领地（参阅 **Prussia**）。1701年勃兰登堡选侯腓特烈三世由神圣罗马帝国皇帝利奥波德一世授予"普鲁士王"称号。1772年腓特烈大帝正式改称"普鲁士国王"。普鲁士国王仍保有勃兰登堡选侯名衔，至1806年神圣罗马帝国解体为止。1871年普鲁士国王威廉一世成为德意志皇帝。第一次世界大战结束后，普鲁士国王与德意志皇帝的称号都丧失。士瓦本霍亨索伦家族在宗教改革时期坚持天主教信仰。在这一支，霍亨索伦的名称从腓特烈九世开始使用，以区别于索伦。其赫辛根与西格马林根两个支系于1623年取得邦君称号，1849年臣服于普鲁士。20年后，赫辛根一支绝嗣；西格马林根一支的领袖查理·安东获得霍亨索伦邦君称号，但无领地赠予。其次子查理于1866年成为罗马尼亚邦君，1881年成为罗马尼亚国王，称卡洛尔一世；其长子利奥波德对西班牙王位的继承权是1870～1871年普法战争的直接原因之一。利奥波德之子斐迪南于1914年继承其叔父为罗马尼亚国王，其后裔一直统治至1947年。

Hohhot　呼和浩特　又拼 Hu-ho-hao-t'e。中国内蒙古自治区辖地级市，自治区首府。中国重要毛纺工业基地之一。位于自治区中部，大青山与黄河支流大黑河之间土默川平

呼和浩特市的古代寺庙
美国不列颠百科全书公司供图

原东北部。辖玉泉、新城、回民、赛罕4区及土默特左旗和托克托、清水河、武川和林格尔4县。面积17 271平方千米，其中市区2 101平方千米。16世纪中叶土默特部落领主阿勒坦汗（明代史籍称俺答）来此驻牧，明万历八年（1580）建大召，翌年在大召北0.5千米处建城，名库库河屯，意为青色的城，是喇嘛教中心。万历十年呈明朝赐名为"归化"。清雍正元年（1723）设归化城厅，雍正十三年为平定准噶尔部的叛乱，在归化城东北2.5千米处另筑驻屯清廷八旗官兵的新城，名绥远，乾隆四年（1739）建成，置绥远城厅。为汉蒙商人交易之地，漠南一大都会。1912年两厅分别改为归化县、绥远县，1913年两县合并称归绥县。1922年京绥铁路通车，商业更盛，与张家口并称长城东西二口。1928年设归绥市，为绥远省省会，手工业和皮革加工业等兴起。1952年为内蒙古自治区政府驻地，1954年改名呼和浩特，成为自治区政治、经济、文化中心。全市有蒙古、汉、回、满、达斡尔、朝鲜等30多个民族聚居。京包、包兰铁路和110、209国道以及呼包、京呼高速公路等在此交会。过去仅有面粉、毛纺等小型工厂。1949年后发展为综合性工业城市，有毛纺、畜产品加工、机械、钢铁、化学、水泥、面粉、榨油、制糖、卷烟、电子等工业。郊区为副食品基地，蔬菜生产与乳牛养殖业发达。新旧两城已连成一片。科学教育事业发展迅速，有内蒙古大学、师范大学、农业大学、工业大学、医学院、财经学院等高等校院，还有民办丰州联合大学、青山大学，并建有林科院、农科院、牧科院、草原研究所等科研机构。名胜古迹众多。东郊和市南10千米的大黑河南岸分别有万部华严经塔（白塔）和汉妃昭君墓（青冢），市东南东汉墓有《牧马图》等彩绘壁画，市内还有席力图召、大召、五塔寺等著名庙宇，市东北33千米处有大窑村旧石器时代的石器制造场遗址，周边有格根塔拉、辉腾锡勒、希拉穆仁等草原旅游胜地。人口：全市2 140 000（2005），市区1 090 000（2004）。

Hohmann orbit　霍曼轨道　又称转换轨道（transfer orbit），它是航天器由一颗行星飞往其他行星最经济（虽不是最短或最快）的路径。德国工程师W.霍曼（1880～1945）于1925年指出，与出发行星和目标行星的轨道都相切的椭圆轨道所需的燃料和能量最少。沿霍曼轨道由地球飞往火星约需260地球日，而来回旅程则约需2年8个月。其中包括在火星上等待行星回到适当位置的455天，以使返航的飞船能同地球相遇。飞抵金星则需146天，来回旅程（包括等航期在内）为2年1个月。自从20世纪60年代以来，已采用一种比霍曼轨道更快但耗能较多的折衷轨道发射行星际探测器。

Hohokam culture　霍霍坎文化　公元前300～公元1400年间的北美印第安人文化。这部分印第安人生活在今亚利桑那州中部和南部的、大体上沿基拉河及索尔特河的半干旱地区。习惯上将这个文化分为4个发展阶段：开创期，约公元前300～公元500年；拓殖期，公元500～900年；定居期，公元900～1100年；古典期，公元1100～1400年。在开创期，霍霍坎人居住区的村落由许多分散的个体建筑物组成，建筑物用树木、柴枝、胶泥等构成，其下均有地窖，地窖甚浅。种植玉米为主，辅以野豆、野果采集和狩猎。虽然可能早已利用洪水灌溉，但这时才筑起第一条灌溉渠——在基拉河流域修起一条3英里长的沟渠，引河水灌田。在此后千年间霍霍坎人发展起复杂的灌渠系统，为先哥伦布时期北美之最；这种农田工程是他们伟大成就之一。在这一阶段的早期，曾发展起几种制陶工艺，似乎还出现过叙事详尽的史诗。到下一时期即拓殖期，霍霍坎文化大为发展，其影响所及，遍于今亚利桑那州南半部地区。村庄的窖屋一如往昔，但引进了马雅人的舞蹈厅堂。玉米之外，兼种棉花，灌溉沟渠日益增多。到公元700年前后，渠道变窄而加深，以免渠水渗入土地和蒸发而损失。陶器风格借鉴于邻近各民族并有所改进。到定居期，霍霍坎人的占据区略有缩小，但村庄仍由毫无规划的窖屋组成，只是稍为加固而已，偶然有些村庄还修起围墙。经济活动仍以种植玉米、棉花为主，灌溉系统规模更大。这时期的一项主要成就是以蜡模铸造铜钟。古典期的霍霍坎文化，以萨拉多印第安人的和平迁入为其特点，萨拉多印第安人是阿纳萨齐文化（**Anasazi culture**）的一个支系，来自索尔特河上游，在霍霍坎人的土地上生活了几十年，后又退去，从此绝迹。这一支普韦布洛民族的主要影响，反映在建筑方面。大型多层的社区房舍，围以土墙，开始兴建，与旧式易损的窖屋同时并存。主要粮食之外，兼种豆类及南瓜，辅以狩猎及采集野生植物的种籽和根茎。到公元14世纪时，沟渠网布，纵横交错；索尔特河流域已有150英里的渠道（有些渠道重修之后沿用至20世纪）。手工艺除制陶外，另有编筐。公元15世纪初，霍霍坎文化中断，其因不明（"霍霍坎"一词，据说是皮马语，意为"消失的人们"）。这一地区后来的占据者是皮马人和帕帕戈人，可能都是霍霍坎印第安人的后裔。

Hoihow（China）　参阅 **Haikou** 海口。

hoisin sauce　海鲜酱　一种用大豆、面粉、糖、水、香料、大蒜、辣椒制成的棕红色浓稠酱汁，味香甜。在中国烹饪中既是烹调作料，又是餐桌调味品。在烹贝类海鲜或肥肉（如猪肉和鸭肉）时用为作料，在吃虾、猪肉及家禽时用为餐桌调味品。

hoist　起重滑车　主要用于升降重载的机械设备，但有时也用于平移物体。它通常由一个滑轮组构成，即用绳索依次绕过一个（或多个）定滑轮和一个动滑轮，后者带有挂钩或其他属具，动力可以用人力或电力。电动起重滑车通常装在地面或墙上，用于工厂和仓库中的各种起重和拖运作业。参阅 **block and tackle**。

Hōjō FAMILY　北条家族　日本镰仓幕府世袭的摄政，1199～1333年日本的实际统治者，历9代。北条之名源自其在伊豆狩野川之庄园。1160年北条时政（1138～1215）受平清盛之命，监视被流放到伊豆的源赖朝。然而，1180年当源赖朝召集日本关东地区的武士反抗平氏统治时，时政却与赖朝并肩作战。1189年赖朝成为将军，北条时政任京都守护。时政的女儿政子与赖朝结婚。1199年赖朝去世，时政成为源赖家的保护人。到1247年，北条家族已经控制日本全国一半的地方，他们以家族会议的形式发号施令。源赖家企图除掉时政，但自己却遭到放逐，死于非命。1221年后鸟羽天皇召集日本西部地区的平民家族反对北条家族，但没有成功。从此，北条家族的权力膨胀到无以复加的地步。1205年北条义时继时政为摄政。1224年义

时被杀，由其子北条泰时(1183～1242)继任。在最初3位北条摄政时期，日本的封建统治达到鼎盛阶段。1222～1223年建立了完善的田籍册；1232年颁布法典《贞永式目》，规定了武士阶级的行为准则。1242年泰时去世，北条经时(1224～1246)继任摄政。此后，北条时赖(1227～1263)和北条时宗(1215～1284)分别于1246和1256年继任摄政。1271年时宗拒绝向蒙古忽必烈大汗进贡。1284年北条贞时(1270～1311)出任摄政，他对皇室两大派系争夺继承权的斗争左右为难，只好退隐寺院。他的继承人是北条高时(1303～1333)。由于皇位继承斗争愈演愈烈，高时于1331年将后醍醐天皇流放。但后醍醐天皇从流放地逃走，发动一场反对北条氏的战争。高时的部将足利尊氏倒戈，占领了京都。1333年7月4日，高时自杀，北条家族的摄政从此结束。但北条家族奠定的幕府制基础却经久不易，后醍醐天皇恢复的文官政府仅持续3年。1336年足利尊氏自立为将军，其后直到1868年，由源赖朝创立并经北条氏完善的幕府体制长期统治着日本。

Hōjō Masako　北条政子(1157，日本旧伊豆国～1225-08-16，镰仓)　日本镰仓幕府第1代将军源赖朝之妻，据说对源赖朝的成功起过重要作用。源赖朝在流放时与她结婚。源赖朝死后，她削发为尼。1204年其长子源赖家继承源赖朝将军位，后被暗杀。由次子源实朝继位，但实权掌握在担任摄政的政子之父北条时政手中。次年北条时政因卷入企图杀害源实朝的阴谋被免职，政子之弟北条义时成为新摄政，由政子间接行使大权。1219年源实朝被暗杀，政子与其弟立源赖朝之年幼曾孙为傀儡将军，她继续掌握朝政直至去世。因她权力很大，故人称“尼将军”。

Hōjō Tokimasa　北条时政(1138，日本旧伊豆国～1215-02-06，伊豆)　日本武将，曾协助源赖朝建立镰仓幕府。1160年武将平清盛杀死源义朝，又把源义朝幼子赖朝送到伊豆，由时政监管。但时政庇护赖朝，后来允许女儿政子与他结婚。1181年支持赖朝起兵反对清盛，赖朝得胜后他又协助建立幕府，作为将军的岳父掌握大权。在赖朝死后，他极力削弱继承者源赖家的权力，1204年终于将源赖家杀死，拥源赖朝的次子源实朝为将军，自任执权(摄政)。这时他的次妻怂恿他废黜实朝，立其婿为新将军。因此，1205年又企图暗害实朝，但被实朝之母——时政的女儿政子所救。于是政子及其弟北条义时召开会议，迫使北条时政辞职，出家隐居。

Hōjō Tokimune　北条时宗(1251-06-05，日本镰仓～1284-04-20，镰仓)　日本镰仓幕府摄政。1268年当政时年仅17岁。同年，忽必烈汗要求日本向元朝纳贡。他果敢善断，派兵前往九州岛西北部还击蒙古人的侵略。1274年元军入侵日本，因风折回。1281年夏初元军再次攻击日本，时宗仍极力抗御，两个月后发生巨大台风，使元军大败，丧师10万之众。他为日本立下大功。但这个时期的庞大军费开支，削弱了幕府，使1199年以来统治日本的北条家族开始衰落。

Hōjō Yasutoki　北条泰时(1183，日本镰仓～1242-07-14，镰仓)　日本镰仓幕府摄政。1199年将军源赖朝死后，幕府权力实际转入北条氏手中。当1221年天皇讨伐北条氏时，北条泰时受命指挥将军的军队，很快击溃天皇的进攻，并去京都对皇家加强监督。他没收皇族领地分配给家臣，进一步增强了幕府势力。1224年其父北条义时去世，他继任摄政，对幕府的行政有所建树。1232年颁布《贞永式目》(法典)，阐明各级官员职能，制订继承和继位条件，建立新土地制度，规定公正审判的标准。

Hōjō Yoshitoki　北条义时(1163，日本～1224-07-01，镰仓)　日本武将。他对加强镰仓幕府的统治起过重要作用。在接替其父北条时政(**Hōjō Tokimasa**)为摄政后，使摄政成为北条氏的世袭职位。1219年将军源实朝被刺杀，他迎立藤原氏的幼子为将军，进一步加强幕府对皇室的控制。1221年后鸟羽上皇曾经发兵征讨，但未获成功，结果后鸟羽与两个皇子被流放，几个将领被处决。北条义时在京都南六波罗设军事司令部，专门监视皇室的行动。他还没收了京都贵族的财产，分配给忠于镰仓的家臣，从而加强了北条的政权，确保了幕府的持续统治。

Hokan languages　霍卡诸语言　美洲印第安语大语群，包括3个中美印第安语系、14个北美印第安语系。中美语系有：特基斯特拉特克语系(墨西哥瓦哈卡州2种语言)，特拉帕内克语系(墨西哥格雷罗州1种通用语言，尼加拉瓜1种已消亡语言)，希卡克语系(1种语言，通行于洪都拉斯)。北美印第安语系有：尤马语系(4种语言)，波莫语系(6种语言)，帕拉伊霍尼哈语系(2种语言)，沙斯塔语系(3种语言)，雅纳语系(2种语言)，萨利纳语系(2种语言)，楚马什语系(6种语言)；另有奇马里科语系(已消亡)，瓦肖语系，塞里语系，埃塞伦语系(已消亡)，卡罗克语系，科梅克鲁多语系(已消亡)，夸维尔特克语系(已消亡)，上述每种都只有一种语言。北美霍卡语通行于美国西南地区(从加利福尼亚州北部到得克萨斯州南部)以及墨西哥北部地区。霍卡语在结构上基本属黏着语，即频繁使用词缀以及复合词，以构成多种成分的长词。有时这类词再综合起来，成为一个词，用以表示一个完整句子或短语。当这种现象发生，而且组成这个词的各个单元成为“黏附”形式(即除了在词内与其他成分连用外，不能单独使用)时，这种过程已超越黏着范畴而成为多式综合词。这是许多美洲印第安语特殊的组词过程。有的霍卡语完全是多式综合语。加利福尼亚州北部雅纳语即是。雅纳语词 yābanaumawildjigummaha'nigi 意思是：“让我们中的每一个人确实往西跨过小河吧”。它是由下列成分组成的：“yā”是“一些人移动”，“banauma”是“每个人”，“wil”是“跨过”，“dji”是“往西”，“gumma”是确实，“ha”等于“让我们”，nigi 是“我们”。这种用一个词构成一句话的现象在美洲印第安语中颇不罕见，但并非普遍。雅纳语使人感兴趣，还因为它有两种“方言”，一种为男人专用，另一种为妇女所专用，但男人在对女人讲话时也必须使用这第二种“方言”。

hoket(music)　参阅 **hocket** 交替进行。

Hokinson, Helen　霍金森(约1900，美国伊利诺伊门多塔～1949-11-01，华盛顿[哥伦比亚特区])　美国女漫画家。以其创作的温和诙谐、体态丰满、少见多怪的郊区家庭主妇和社交妇女为主题的作品而闻名。她笔下的少女大都天真无邪、举止得体和追求时尚，并注意装束。最初为《纽约镜报》画漫画。1925年人《纽约人》杂志，一直工作到1949年因飞机失事遇难。

Hokitika　霍基蒂卡　新西兰南岛西岸城市。临霍基蒂卡河河口。曾因发现金矿而繁华一时。1866年因澳大利亚采金者涌入，人口最多时达5万。1868年设市，人口已下降。当地有牛羊饲养业、采金业和伐木业，该市为其服务中心。附近出产一种绿玉石。市内有乳制品、酿酒、通用机械、锯木等工厂。也是前往霍基蒂卡河峡和卡尼里湖旅游时的休憩处。人口约3 420(1987)。

Hokkaido　北海道　日本四主岛中最北的岛屿。西为日本海，北为鄂霍茨克海，东南为太平洋。与邻近小岛构成行政单位“道”，面积83 520平方千米，相当于全日本陆地面积的

北海道带广平原农田
美国不列颠百科全书公司供图

21%。以凉爽的气候和近期形成的山脉、火山为地理特点。曾长期被土著阿伊努人占据。日本人定居始于1869年。札幌(**Sapporo**)为该岛行政、工商业和旅游中心，该市北海道大学创建于1876年。其他重要港口城镇有函馆、小樽和室兰。经济以钢铁、木(纸)浆、乳品和渔业为主。农作物有水稻、大豆、菜豆、燕麦、大麦和马铃薯等。岛上有日本最大煤矿储藏。1964年始建的跨津轻海峡的函馆一青森(本州)海底铁路隧道已于1988年完成。人口约5 659 000(1992)。

hokku(Japanese poetry)　**发句**　参阅 **haiku** 俳句。

Hokuriku Region 北陆地区 日本本州岛西部工业区,并非行政或政治单位。濒临日本海。其东北部包括新潟和富山两县部分地区,以重工业、化学工业为主,与京滨工业区有密切的经济联系。西南部包括石川和福井两县的部分地区,以纺织、机械为主,与京阪神工业区有密切联系。日高山脉和越后山脉是北陆的鲜明自然特征。德川时代(1603～1867),该地是稻米产区,经日本海销向大阪和神户。传统工业有丝织品、木材制品、漆器和农具的制作。明治维新时(1868～1912),现代工业技术的引进,扩大了原有的工业生产。20世纪初富山市附近山区开发水电资源。30年代利用当地电力建立了电冶炼和电化学工厂。1969年富山与高冈合并为一新兴工业城市。1973年后,炼铝厂投产,北陆在铝加工和精炼方面占领先地位。此外,新潟于1909年后曾兴建生产石油钻机、船舶、汽车、机床和柴油机。20世纪60年代新潟利用该地天然气,发展化学工业,以及生产金属、机械、电器设备和木制品。其他工业城市有纺织中心羽二重,交通机械中心金泽和生产拉链的里部。60～70年代,由于山岳和积雪妨碍了通往太平洋沿岸工业区的交通,大量抽取地下水和开发天然气引起地面下沉,以及能源短缺、经济衰退等一系列问题,使北陆地区减慢了发展速度。

Hokusai 北斋(1760-10,江户[今东京]～1849-05-10,江户) 全称葛饰北斋。日本著名浮世绘画家。70高龄仍继续从事创作,对19世纪后期西方艺术影响很大。本名中岛时太郎,5岁时对绘画发生兴趣,少年时曾当过租书铺学徒,从木刻师学艺,业余学画插图。1778年就学于浮世绘大师胜川春章。初期作品多为演员和妇女肖像版画,后转而描绘历史和风景题材,市俗和儿童题材的版画尤多。其书籍插图和文章也转到历史和说教主题,其作品多属折物流派。其后10年,为其艺术生涯第一个高峰。1797年采用葛饰北斋名,标志着其创作黄金时代的开始。在形式上,这一时期的创作包括单幅版画、折物、绘画书籍、绘画小说、诗集和历史小说的插图以及版画集和素描等,其作品中人物多从属第二位。1806～1807年间,风格发生了重要的和明显的变化,人物作品的分量越来越重,更加注重古典的、传统的题材(特别是武士或中国的题材),从而改变了当时浮世绘艺术的方向。作为一个精力充沛的艺术家,晚年他仍不断地提高绘画技法,不满足地探索艺术的真谛。其艺术在构图设色、笔墨技法方面均有独到之处,既保持了日本民族艺术的传统又有所创新。主要作品有:《东海道五十三》(1804)、《富岳三十六景》组画(1826～1833)、《花鸟》(1827～1830)、《富岳百景》(1834～1835)等。

北斋绘《神奈川冲浪里》(1826～1833)
美国不列颠百科全书公司供图

ḥol ha-moʿed 节期中祝日 又拼 Chol hamoed。犹太教名词。指逾越节或住棚节各节期的期中各日,即较次要的节日。在以色列国内,逾越节期共七天,住棚节期共八天,以色列国外犹太人对两节各增益一天,因此,节期中祝日多寡因地而异。此外,以色列国内仅以两节期首尾各一日为重大节日,国外犹太人则以首尾各两日为重大节日。犹太人在节期中祝日举行吃无酵饼等主要的仪式,可以工作,但不得嫁娶。

Holabird, William 霍拉伯德(1854-09-11,美国纽约州阿米尼亚～1923-07-19,伊利诺伊埃文斯顿) 美国建筑师,芝加哥学派的创始人之一。他与M.罗奇合作设计的芝加哥塔科马大厦(1886～1889),是一座完全采用钢框架结构的摩天楼,比1885年建造的芝加哥国内保险公司大厦的金属结构有显著的进步。曾先后在詹尼事务所和著名的伯纳姆与鲁特事务所任绘图员。1881年与加入该所的罗奇合作,两人在建筑上有不少创新,例如芝加哥学派式窗,使整个立面有如完全由玻璃组成。他们的建筑在艺术上不及L.沙利文或J.W.鲁特的作品精湛,但是对芝加哥学派的发展却有无可比拟的作用。当时许多人放弃芝加哥学派而模仿历史风格或转向新出现的草原学派建筑,但霍拉伯德与罗奇仍坚持以芝加哥学派风格,从事商业高层建筑的设计,直至逝世为止。他们在20世纪的最佳作品之一是芝加哥共和国大厦(1905年始建,1961年拆毁)。

Holand, Thomas 霍兰 参阅 **Surrey, Thomas Holland, duke of** *萨里公爵*。

Holarctic region 全北区 根据特征性动物区系划分的世界六个大陆区之一,是巨陆界的一部分。包括欧洲和亚洲的非热带区域,非洲的撒哈拉以北,以及北美南至墨西哥荒漠地区。这个巨大的地区常常再划分为古北亚区(旧大陆)和新北亚区(新大陆)。与全北区域大致相当的植被区是北方界和古热带界(仅一部分)。全北区的动植物包括大量鱼类、两栖类、爬行类、鸟类和兽类。

Holbach, Paul-Henri Dietrich, baron d' 霍尔巴赫(1723-12,莱茵河畔巴拉丁领地兰道附近的埃德斯海姆～1789-06-21,巴黎) 即P.-H.迪特里希。法国百科全书撰稿人和哲学家,无神论和唯物主义的著名阐述者。继承巨额财产,因而能款待当时许多著名哲学家。但其中有些人(如布丰伯爵、卢梭和达朗伯)据说因震惊于与会人的大胆的设想而退出聚会。1749年成为法国公民。曾向狄德罗的《百科全书》提供376个条目(译自德文),大部分论述化学和与化学有关的各门科学。最受欢迎的著作《自然体系》(1770年以J.B.米拉波的名字发表)辛辣地嘲笑宗教,支持一种无神论的决定论的唯物论:因果关系简单地成为运动关系,人成为无自由意志的机器,而宗教则被斥责为有害的和不真实的。在《基督教真相》(1761年以死去的友人N.A.布朗热的名义发表)中,他攻击基督教违反理性与自然。《社会体系》(1773)一书将道德和政治置于功利主义结构之内,义务成为一种精明的自利。其作品被认为反映了他的食客们的意见,既无条理,又前后矛盾。伏尔泰认为有必要对之作出解答,但歌德和雪莱却受其作品的影响。霍尔巴赫生性仁慈,1762年,他将住宅提供给流亡的耶稣会会士居住,尽管他不喜欢他们。

Holbæk 霍尔拜克 丹麦西兰岛北部西西兰州城市和港口。临霍尔拜克峡湾。霍尔拜克是1250年建的古老集市城镇。地当铁路枢纽,有小工业和经营渔业、造船业的现代港口。当地的博物馆包括有昔日农舍、作坊和店铺。人口:市约21 512(1986);城市区约30 860(1988)。

Holbein, Hans, THE ELDER 霍尔拜因(大)(约1465,奥格斯堡的帝国自由城[德国]～

霍尔拜因(大)绘《圣母进殿献圣婴》(1502)
美国不列颠百科全书公司供图

1524,阿尔萨斯伊森海姆[今在法国]) 同奥格斯堡画派有联系的德国画家。是霍尔拜因画家家族中年长的成员。这个家族包括他的兄弟西格蒙德、儿子安布罗休斯(约1494～1519或1520)和著名的小汉斯·霍尔拜因。他早期的生活不详,约在1493年已确立了画家的地位。早期作品色彩丰富深沉、构图均衡、人物姿态从容不迫。1501年到法兰克福,在西格蒙德和L.贝克协助下画了多明我会隐修院的高祭坛(藏美因河畔的法兰克福国立美术馆),并开始了一个绘画风格的新阶段。1510年以后,开始采用意大利装饰风格,并演化成介乎晚期哥特式和文艺复兴风格之间的折衷的艺术。从许多银笔素描中可以看出他是一位一丝不苟的有洞察力的肖像画家。

Holbein, Hans, THE YOUNGER　霍尔拜因(小)(1497或1498,奥格斯堡主教管辖区奥格斯堡[德国]～1543,英格兰伦敦) 德国油画家、素描画家和设计师,以其精确的素描和

霍尔拜因(小)绘《克利夫斯的安妮》(1539)
美国不列颠百科全书公司供图

生动的现实主义肖像画,尤其是那些记录英王亨利八世宫廷人物的肖像著称。霍尔拜因的家族大都是画家。父亲大霍尔拜因和叔父西格蒙得以晚期哥特画派闻名。哥哥安布罗休斯也是画家,但英年早逝,他们兄弟二人均师从其父。1515～1525年霍尔拜因在巴塞尔的创作丰富多彩,他不仅得到大量的肖像画订货,而且还装帧书籍作版画插图,最有名的是木刻集《死亡舞蹈》(1523～1526)。1526年巴塞尔发生严重的宗教骚乱,霍尔拜因由人文主义学者伊拉斯谟介绍来到英国。他的肖像画在英国获得极大成功。1528年返回巴塞尔。1532年再次来到英国度过了最后的11年,英王亨利八世聘请他为御前画师。在这段岁月中,他完成了约150幅肖像画、等身像和细密画,都是为王室成员和贵族而作。他的作品,具有注重对象表面质感和装饰品细节的风格主义特征,而不注重心理刻划,这反映出宗教斗争在他思想上的影响,使他对世事采取超然的态度。1543年因患鼠疫在伦敦去世。

Holberg, Ludvig　霍尔堡(1684-12-03,挪威卑尔根～1754-01-28,丹麦哥本哈根) 启蒙运动时代斯堪的纳维亚的文学巨匠。挪威与丹麦都把他说成是本国文学的创始人之一。早年双亲去世,与亲戚一起住在卑尔根,1702年进入哥本哈根大学。他向往周游世界,曾两次出国游历和留学。在英国时他必定已开始撰写《欧洲主要国家简史》,该书于1711年他返回丹麦后出版,使他获得王室资助,得以继续读书游历。1716年出版《自然法和自然权利导论》。1717年任哥本哈根大学教授。他一时"诗兴"大发,用"汉斯·迈克尔森"笔名,创造一种崭新的幽默文学。亦庄亦谐的史诗《彼得·鲍斯》是用丹麦语写的最早经典作品,于1719年问世。1722年,用丹麦语演出的剧院在哥本哈根建立,霍尔堡很快便写出一批喜剧作品,获"北方的莫里哀"之称。由于作品清新动人,其中许多剧本至今仍在上演。其中最为出色的有《政治工匠》、《山上的耶柏》、《乌利塞斯·冯·伊塔西亚:一个坐立不安的人》及《埃拉斯穆斯·孟塔努斯》等4部。这些剧中的人物往往是普劳图斯的剧中吹牛的士兵或莫里哀的剧中戴绿头巾的老一套角色,但其手法样式是丹麦的,其嘲笑对象则是当代的和普世的。1731年他发表了上演过的喜剧作品以及另外5部剧本,从此结束了他的戏剧诗人生涯而转向其他方面的写作。其中最著名的是描写一次想象中的航行《尼尔斯·克里姆地下之行》(1741)。在欧洲,霍尔堡是他那一代人中地位仅次于伏尔泰的作家。

Holborn　霍尔本　英国伦敦前都会自治市(1965年之前),现为卡姆登自治市的一部分,位于伦敦市西北部,克拉肯韦尔区伊斯灵顿居住区之南。区内有2所律师学院、索恩爵士博物馆、皇家外科医学院、英国档案馆。1851年建的儿童医院20世纪已大规模扩建。1874年投入使用的霍尔本高架铁路车站于1990年关闭,代之以附近的泰晤士林克地铁站。

Holcroft, Thomas　霍尔克罗夫特(1745-12-10,英国伦敦～1809-03-23,伦敦) 英国剧作家、小说家、新闻工作者和演员。霍尔克罗夫特为一小贩之子,在成为作家能以卖文为生之前曾当过马夫、鞋匠和教师。他的最受欢迎的作品为通俗闹剧《走向毁灭之路》(1792年首演,以后多次重演)。他翻译了博马舍的剧本《费加罗的婚礼》,更名为《一天之内的荒唐事》(1784年首演)并自演费加罗这一角色。他的自传由其友W.哈兹里特于1816年编定。它叙述了他一生中如何在逆境中奋斗,同时展示了他的温文尔雅和幽默的性情,这种性情使他赢得了诸如科尔律治、查理·兰姆、哈兹里特和威廉·戈德温这些著名的早期浪漫派作家的友谊。

Holder, Alfred Theophil　霍尔德尔(1840-04-04,奥地利维也纳～1916-01-12,德国卡尔斯鲁厄) 语言学者,精研古典拉丁语、中古拉丁语、日耳曼语及凯尔特语,以三卷本《古凯尔特语词汇》(1891～1913)为巨著。他与德国古典学者O.凯勒合编的两卷本《贺拉斯诗集》(1864～1869)是其主要著作之一。曾任卡尔斯鲁厄宫廷及国家图书馆馆长(1870～1916),曾有四项主要研究工作:编辑出版古罗马作家包括塔西佗(1882)、凯撒(1882,1898)、阿维努斯(1887)以及西塞罗、塞内加和后起各家的专集;由古希腊和古罗马作品中辑录凯尔特人名,编入其《词汇》;日耳曼语研究成果汇为《日耳曼古事记》(1873)一书,为其所著古德语语法之一部分,另辑有原著多种,包括《贝尔武甫》(1882～1884)、萨克索史作(1886)与比德史作(1890);中古拉丁语研究成果汇编为《莱希瑙手稿》三卷(1906～1918),为一目录学著作。

Hölderlin, (Johann Christian) Friedrich　荷尔德林(1770-03-20,符腾堡内卡河畔劳芬～1843-06-07,蒂宾根) 德国抒情诗人,生前很少得到赏识,死后几乎被遗忘了近100年。

美国不列颠百科全书公司供图

直到20世纪初叶,才在德国被重新发现,并在欧洲建立了杰出的德语抒情诗人的声誉。他最成功之处是把古典希腊诗文的形式移植到德语中来,并吸收了基督教和古希腊的题材。生于士瓦本的小城劳芬。父亲早故,母亲是牧师之女。曾先后在登肯多夫和毛尔布龙隐修院学校学习,1788～1793年在蒂宾根大学神学院获硕士学位,有资格担任神职。但他后来并未担任牧师职务,因为他接受的基督教教条同他潜心研究的希腊神话并不相容。他把希腊诸神看成真实存在的力量,显现在太阳和大地、海洋和天空中。但他又具有强烈的宗教使命感。对他来说,作为一个诗人,就是在神与人之间起牧师的中介作用。1793年结识席勒。席勒对他十分友好,他的一些诗和描写希腊解放斗争的小说《许佩里翁》的一个片断,都发表在席勒的刊物《新塔莉亚》上。他早期的诗歌也曾受席勒的影响,欢呼法国大革命初期似乎有可能达到的新世界,这些诗包括对自由、人类、和谐、友谊和大自然的歌颂。1795年12月为贫困所迫,在一银行家的家里任家庭教师并与其妻苏赛特发生爱情,苏赛特曾出现在他的不少诗中,并化名为狄奥提马,作为古希腊精神的化身出现在《许佩里翁》第二卷中(1799)。1798年,与银行家发生争吵,不得不离开法兰克福。1798年以后,因身心交瘁,处于精神分裂状态,但1798～1811年却是他的创作盛期,完

成了《许佩里翁》的第二卷、悲剧《恩沛多克斯勒之死》、不少卓越的颂歌以及挽歌体诗《梅农为狄奥提马而哀叹》和《面包和葡萄酒》。曾通过席勒的影响谋求在耶拿大学作希腊文学讲师，未成，只好去法国波尔多第四次作家庭教师。1802年苏赛特去世，荷尔德林突然离开波尔多徒步回家，此时精神分裂症已很严重。在家中经精心照料稍有好转。1802～1806年间的诗，包括《和平的节日》、《独一无二的一个》等已是神智濒于疯狂时的产物，均为启示性的幻想场景，写得瑰丽无比。他还翻译了索福克勒斯的《安提戈涅》和《奥狄浦斯王》。1843年在蒂宾根去世。在他的一生中，后36年是在精神失常下度过的。

Holderness　霍尔德内斯　英格兰约克东区地理郡的半岛和地理区域，属约克历史郡。霍尔德内斯平原延伸至北海海岸。除北海海滨胜地霍恩西和威瑟恩西外，大部分是乡村。作为英格兰物产最丰富的农业区之一，出产谷物、甜菜和饲料，有密集的畜牧业(养猪和家畜)。伊辛顿有天然气终端站通沿海油气田。霍恩西附近开挖地下盐洞以作大型储藏库。

Holguín　奥尔金　古巴东南部省份。面积9 301平方千米，为丘陵区，西南部有萨拉多河的支流穿过。省会奥尔金(Holguín)市附近出产全国大部分玉米和豆类作物，素有“古巴谷仓”之称。除甘蔗和牛外，其他主要农产品还包括烟草、甘薯、木薯、花生、水果等。盛产铁矿石、镍及铬。在莫阿有镍、钴分离厂和铬铁矿石加工厂。1943年在尼卡罗建造了另一个镍分离厂和一个钢铁厂。有铁、蛇纹岩和黄金开采业。人口约982 722(1989)。

Holguín　奥尔金　古巴东南部奥尔金省省会。建于16世纪初，后成为起义活动中心。“十年战争”(1868～1878)和1895～1898年争取独立的斗争给该城带来严重影响。位于地势起伏的肥沃平原上，是古巴东南部重要的交通和贸易中心。有制糖、制雪茄、肉类加工、制陶、制鞋和家具制作等工业。通中央公路、铁路和航空线。市北31千米处有港口希瓦拉。人口约232 770(1991)。

Holī　好利节　又译洒红节，印度教的春节，即颇勒窭拿月(公历2、3月间)的望日。该节可能起源于古代，富于纵情狂欢的特征。届时人们互相泼洒各色的水和粉；不分种姓、性别、社会地位和年龄，力求尽欢。街头庆祝活动中常有不顾体统之事。摇神庆典也在好利节期间举行，人们把神像置于新装饰过的台上，一面唱歌，一面摇荡。

18世纪的细密画《克里希纳与罗陀共度好利节》
美国不列颠百科全书公司供图

holiday　节日　英文此词由holy day两词合成，意为“圣日”；原指举行宗教仪式的日子，在现代则兼指宗教纪念和世俗纪念的日子。世界各大宗教的节日一般都与更为古老的异

世界各地若干节假日一览表

1月1日	各国	元旦，现代日历的第一天
1月1日	古巴	解放日，纪念脱离西班牙获得独立(1899)
1月1日	苏丹	独立日，纪念脱离英国和埃及获得独立(1956)
1月1～2日	海地	独立日和英雄节，纪念脱离法国获得独立(1804-01-01)
1月3日	布基纳法索	革命节，纪念1966年革命
1月4日	缅甸	独立日，纪念脱离英国获得独立(1948)
1月6日	各东派基督教会	圣诞节，庆祝耶稣基督诞生
1月6日	各基督教会	显现节，圣诞节后第12日，庆祝东方三博士朝见耶稣圣童
1月7日	利比里亚	先锋节，纪念早期黑人移民(大多从美国迁来)
1月7日	各东派基督教会	圣诞节，庆祝耶稣基督诞生
1月11日	阿尔巴尼亚	宣布共和国日，纪念共和国的建立(1946)
1月11日	乍得	独立日，纪念脱离法国获得独立(实际日期为1960年8月11日)
1月11日	尼泊尔	国家统一节，纪念当今王朝的建立(1769～1775)
1月13日	多哥	解放日，纪念新宪法(1979)
1月15日	日本	成年节，庆祝人生达到20岁
1月17日	菲律宾	宪法节，纪念1935年宪法
1月18日	突尼斯	革命节，纪念脱离法国获得独立(1956)和废除君主制度(1957)的斗争
1月19日或第3个星期一	美国南部	罗伯特·李的诞辰，纪念南部邦联李将军诞生(1807)
1月19日	各东派基督教会	显现节，圣诞节后第12日，庆祝东方三博士朝见耶稣圣童
1月20日	美国	总统就职日，为4年一度美国总统举行就职典礼的日子
1月第3个星期一	美国	马丁·路德·金纪念日，纪念民权运动领袖诞生(1929)
1月26日或26日后的第1个星期一	澳大利亚	澳大利亚日，纪念第1个英国人居民点建立(1788)
1月26日	多米尼加共和国	杜阿尔特日，纪念爱国者杜阿尔特的诞生(1813)
1月26日	印度	共和国日，纪念共和国的建立(1950)
1或2月冬至后第2个新月(朔，最早1月21日；最晚2月19日)	中国	新年(春节)，中国阴历年，开始为期10～14日的欢乐活动
舍巴特月15日	犹太教	突比舍巴特，犹太教的植树节
2月2日	各基督教会	圣烛节，纪念马利亚出生后40日净秽并携带耶稣在圣殿出现
2月4日	斯里兰卡	独立国庆节，纪念脱离英国获得独立(1948)
2月6日	新西兰	怀唐伊节或新西兰节，纪念《怀唐伊条约》(1840)签订，该条约授予英国人以统治权
2月11日	伊朗	革命节或国庆节，纪念推翻沙(伊朗国王)的统治(1979)
2月11日	日本	建国节，纪念第一代天皇建国(公元前660)
2月11日	梵蒂冈	独立周年日，纪念《拉特兰条约》签订(1929)
2月12日	缅甸	联邦节，纪念成立缅甸联邦(1947)
2月12日或第1个星期一	美国各地	林肯诞辰，纪念林肯总统诞生(1809-02-12)
2月14日	各地	圣瓦伦廷节(情人节)，情侣间表示爱情的节日；以3世纪二位基督教殉难者之一命名
2月16日	立陶宛	独立日，纪念宣布独立(1918)

续表 1

2月18日	冈比亚	独立日，纪念脱离英国获得独立(1965)
2月21日	孟加拉国	烈士纪念日，纪念因提倡使用孟加拉语而殉难的烈士(1952)
2月第3个星期一	美国各地	总统纪念日，华盛顿-林肯纪念日或华盛顿诞辰，纪念华盛顿总统(1732-02-22)和林肯总统(1809-02-12)诞生
2月23日	圭亚那	共和国日，纪念共和国成立(1970)
2月24日	爱沙尼亚	独立日，纪念独立(1918)
2月25日	科威特	国庆节，纪念阿卜杜拉·萨利姆·萨巴即位(1950)，在其领导下自英国获得独立(1961-06-19)
2月27日	多米尼加共和国	独立日，纪念脱离海地获得独立(1844)
2或3月大斋节(Lent)前3日	各基督教会	狂欢节或忏悔节，大斋首日前的星期日、星期一和星期二
复活节前40日(各星期日除外)	各基督教会	大斋首日，大斋节开始
阿达尔月14或15日	犹太教	普林节，纪念以斯帖干预从波斯拯救犹太人成功(公元前5世纪)
颇冈满月第15日	印度	胡里节，纪念火葬女巫胡里卡的春天节日
3月1日	韩国	独立日，纪念摆脱日本统治，争取独立的运动(1919)
3月3日	保加利亚	解放日，纪念从奥斯曼帝国统治下获得解放(1878)
3月3日	摩洛哥	国庆节或王位节，纪念国王哈桑二世即位(1961)
3月6日	加纳	独立日，纪念从英国获得独立(1957)
3月8日	世界各地	国际妇女节，庆祝妇女解放运动
3月8日	叙利亚	革命节，纪念1963年革命
3月12日	莱索托	姆什韦什韦节，纪念19世纪索托国领袖
3月15日	匈牙利	国庆节，纪念1848年起义
3月17日	爱尔兰、各国	圣巴特里克节，纪念爱尔兰主保圣人
3月20日	突尼斯	独立日，纪念自法国获得独立(1956)
3月21日	纳米比亚	独立日，庆祝自南非获得独立(1990)
3月21日	琐罗亚斯德教、各国	新年或春节，新年或春季第一日
3月21或22日	日本	春分节，庆祝春季的开始
3月23日	巴基斯坦	共和国日，纪念共和国的建立(1956)
3月25日	基督教	圣母领报节，纪念天使加百列向马利亚传报耶稣即将诞生
3月25日	希腊	独立日，纪念宣告自奥斯曼帝国获得独立(1821)
3月26日	孟加拉国	独立日，纪念脱离巴基斯坦获得独立(1971)
3月29日	马达加斯加	阵亡将士纪念日，悼念反法起义的烈士(1947)
3月或4月或5月尼散月15～22日(最早3月26日～4月2日；最晚4月25日～5月1日)	犹太教	逾越节，纪念犹太人摆脱埃及人的束缚而获得自由(公元前13世纪)的为期8天的庆祝活动
复活节前的星期日	各基督教会	棕榈主日，纪念耶稣进入耶路撒冷
复活节前的星期五	各基督教会	受难节，纪念耶稣基督被钉死在十字架上
按格雷果里历古代计算春分(3月21日)后第一个满月后的第一个星期日(最早3月22日；最晚4月27日)	西派基督教会、某些东派基督教会	复活节，庆祝耶稣基督的复活
按儒略历古代计算春分(3月21日)后第一个满月后的第一个星期日(按新历最早4月3日；最晚5月10日)	多数东派基督教会	复活节，庆祝耶稣基督的复活
4月1日	各国	愚人节，开玩笑的日子，在旧历元旦(03-25)之后的一个星期
4月4日	匈牙利	解放日，纪念摆脱纳粹统治的解放(1945)
4月4日	塞内加尔	国庆节或独立日，纪念与法国达成交还主权的协议(1960)
4月5日	中国	清明节，扫墓悼亡
4月6日	南非	创建者日，纪念第一个荷兰移民点的建立(1652)
4月6日	泰国	却克里节，纪念拉玛国王(1782～1809)建立现王朝
4月8日	佛教	花卉节，纪念佛陀诞辰
4月9日	玻利维亚	国庆节，纪念1952年玻利维亚发生的民众革命
4月11日	哥斯达黎加	民族英雄日，纪念反抗尼加拉瓜入侵(1856)
4月14日	美洲	泛美联盟成立纪念日，纪念第一次美洲国家会议的召开(1890)
4月14日	乍得	独立日，纪念颁布宪法(1962)
4月15日	神道教	山神节
4月16日	丹麦	玛格丽特女王诞辰(1940)
4月17日	叙利亚	独立日或国庆节，纪念法国人撤离(1946)
4月18日	津巴布韦	独立日，纪念白人少数统治的结束(1980)
4月19日	塞拉利昂	共和国周年纪念日，纪念共和国创立(1971)
4月19日	乌拉圭	33名不朽人物登陆节，纪念33位爱国者的归来，导致乌拉圭脱离巴西而独立(1825)
4月19日	委内瑞拉	独立宣言日和印第安人日，纪念共和国建立(1830)
4月21或22日	各国	地球日，为保护和改造自然环境
4月25日	澳大利亚、新西兰、萨摩亚、汤加	澳新军团节，纪念在加利波利登陆(1915)
4月26日	坦桑尼亚	联合节，纪念坦噶尼喀和桑给巴尔联合(1964)
4月27日	塞拉利昂	独立日，纪念脱离英国而独立(1961)

续表 2

4月27日	多哥	独立日,纪念脱离法国而独立(1960)
4月30日	各国	沃尔泊吉斯之夜巫婆安息日,五一节的前夕
4月30日 4或5月	荷兰	女王诞辰日,纪念贝娅特丽克丝女王即位和前任朱丽安娜女王的诞生
爱雅月5日	以色列	独立日,纪念以色列临时政府成立(1948)
尼散月27日	以色列	燔祭节,悼念纳粹大屠杀(1933~1945)中死亡的犹太人
卫舍迦月第一个满月	佛教	卫舍迦节,纪念佛陀的诞生、成道和逝世
卫舍迦月1日	印度教	卫舍基节,新年节日
5月1日	各国	五一节,劳动节或花卉节
5月第1个星期一	日本	宪法日,纪念民主政府建立(1947)
5月3日	波兰	宪法日,纪念第一部宪法的通过(1794)
5月5日	日本、韩国	儿童节
5月5日	墨西哥	五五节,纪念普埃布拉战役击败法国人(1867)
5月5日	泰国	加冕节,庆祝普密蓬·阿杜德国王加冕(1946)
5月8或9日	各国	欧洲胜利节或解放日,庆祝第二次世界大战在欧洲结束(按中欧标准时间1945年5月9日上午12:01生效)
5月14~15日	巴拉圭	国旗日和独立日,纪念脱离西班牙而独立(1811-05-14)
5月第2个星期日	美国	母亲节
5月17日	挪威	宪法节,纪念通过宪法(1814)
5月20日	喀麦隆	国庆节,纪念脱离法国而独立(1960)和宣布成立共和国(1972)
5月第3个星期六	美国	武装部队日
5月22日	海地	主权和感恩节,为尊敬海地统治者和遵从海地习俗
5月22日	斯里兰卡	英雄节,纪念批准宪法(1972)
5月24日	厄瓜多尔	独立战争节或皮钦查战争节,纪念脱离西班牙而独立(1822)
5月25日	非洲各国	非洲自由日或非洲统一组织日,纪念非洲统一组织的成立(1963)
5月25日	阿根廷	国庆节,纪念反抗西班牙的革命(1810)
5月25日	约旦	独立日,纪念脱离英国而自治(1946)
5月最后的星期一或30日	美国大多数地方	阵亡将士纪念日,悼念死者,特别是在战争中死亡的将士
5月最后的星期一	英国	春季银行假日
5月31日	南非	共和日,纪念建立联邦(1910)和建立共和国(1961)
5或6月复活节后第40日	各基督教会	升天节,庆祝耶稣基督升天
复活节后第7个星期日	各基督教会	圣灵降临节,纪念圣灵降至基督门徒之中,使其开始组建布道团体
圣灵降临节后第1个星期日	各基督教会	三一节,为崇敬圣父、圣子和圣灵
三一节后第1个星期四	各基督教会	圣体节,为崇敬圣体
息汪月6或7日	犹太教	沙波特节,纪念在西奈启示律法
6月1~2日	突尼斯	宪法节或胜利日,纪念制定宪法(1959-06-01)
6月2日	意大利	共和国周年纪念日,纪念公民复决建立共和国(1946)
6月5日	世界各地	世界环境日,为促进全世界对环境的关注(1972年第一届联合国人类环境会议周年纪念)
6月5日	丹麦	宪法节,纪念两部宪法(1849,1953)通过
6月6日	瑞典	国庆节,纪念古斯塔夫一世瓦萨登基(1523)和通过宪法(1809)
6月10日	葡萄牙	葡萄牙节或卡蒙斯悼念日,纪念L.de卡蒙斯诞辰(1580)
6月第2个星期六	英国	女王伊丽莎白二世的法定诞辰,(1926-04-21出生)
6月11日	夏威夷	国王卡米哈米哈一世节,纪念夏威夷君主(1758~1819)
6月12日	菲律宾	独立日,纪念宣布脱离西班牙而独立(1898)
6月12日	俄罗斯	宣布独立日或国家主权日(1990年宣布主权)
6月13日	也门	改革运动日,1974年改革的周年纪念
6月14日	美国	国旗制定纪念日
6月17日	冰岛	共和国成立周年纪念日,纪念脱离丹麦而独立(1944)
6月第3个星期日	美国	父亲节
6月23日	卢森堡	国庆节,纪念大公让的法定诞辰(1921-01-05出生)
6月23~24日	欧洲各国	仲夏节及其前夕,庆祝夏季的到来
6月25日	莫桑比克	独立日,纪念脱离葡萄牙而独立(1975)
6月26日	马达加斯加	独立日,纪念脱离法国而独立(1960)
6月26日	索马里	独立日,为庆祝就解除意大利对意属索马里的托管和就英属索马里脱离英国而独立达成的协议(1960)
6月最后的星期日	世界各地	同性恋节,为时一周的宣传同性恋权利的最后一天
7月1日	布隆迪	独立日,纪念脱离比利时而独立(1962)
7月1日	加拿大	加拿大日或自治领日,纪念自治领建立(1867)
7月1日	加纳	共和国日,纪念宣布成立共和国(1960)
7月1日	卢旺达	独立日,纪念脱离比利时而独立(1962)
7月1日	索马里	联合节,纪念前意大利和前英国占领区合并组成新的共和国(1960)
7月1日	苏里南	自由日,纪念废除奴隶制(1863)
7月3日	阿尔及利亚	独立日,纪念脱离法国而独立(1962)
7月4日	美国	独立日,纪念脱离英国宣布独立(1776)
7月5日	委内瑞拉	独立日,纪念脱离西班牙而独立(1811)
7月6日	马拉维	独立日,纪念脱离英国而独立(1964)和宣布成立共和国(1966)
7月9日	阿根廷	独立日,纪念脱离西班牙而独立(1816)
7月11~12日	蒙古	国庆节

续表 3

7月12日	北爱尔兰	奥伦治会员节或奥伦治节，博因河战斗(1690)纪念日
7月14日	法国	巴士底日，纪念巴士底狱的陷落和法国大革命(1789)的开始
7月14日	伊拉克	革命节，纪念1958年废除君主制的革命
7月17日	伊拉克	革命日，纪念1968年7月17日革命
7月17日	韩国	宪法节，纪念通过宪法(1963)
7月18日	乌拉圭	宪法节，纪念通过宪法(1951)
7月19日	缅甸	烈士节，纪念昂山及其他爱国人士被杀害(1947)
7月20日	哥伦比亚	独立日，纪念脱离西班牙而独立(1819)
7月21日	比利时	国庆节，纪念脱离荷兰而分治(1831)
7月22日	波兰	民族解放日，纪念脱离纳粹统治(1944)和制定宪法(1952)
7月23日	埃及	革命周年纪念日，纪念废除君主制(1952)
7月24日	南美各国	S. 玻利瓦尔诞辰(1780)
7月25日	波多黎各	联邦日或宪法日，纪念颁布宪法(1952)
7月25日	突尼斯	共和国日，纪念宣布成立共和国(1957)
7月25～27日	古巴	民族革命节，纪念F. 卡斯特罗的“七月二十六日运动”(1953年创建)
7月26日	利比里亚	独立日，纪念利比里亚的建立(1847)
7月27日	白俄罗斯	独立日，纪念宣布主权(1990)
7月28～29日	秘鲁	独立日，纪念脱离西班牙而独立(1821)
7月中或8月中	佛教	盆会，点灯笼以示敬祖
8月1日	贝宁	国庆节，纪念脱离法国而独立(1960)
8月1日	瑞士	瑞士联邦建立周年纪念日(1291)
8月2日	特立尼达和多巴哥	发现纪念日，纪念其被C. 哥伦布所发现(1498)
8月3日	几内亚比绍	烈士节，纪念反对殖民主义的烈士
8月3日	尼日尔	独立日，纪念脱离法国而独立(1960)
8月4日	布基纳法索	革命周年纪念日，纪念脱离法国而独立(1960-08-05)
8月6日	玻利维亚	独立日，纪念脱离西班牙而独立(1825)
8月6日	日本	广岛日，悼念原子弹爆炸(1945)的受害者
8月第1个星期一	牙买加	独立日，纪念脱离英国而独立(1962-08-06)
8月9日	新加坡	国庆节，纪念脱离马来西亚而独立(1965)
8月10日	厄瓜多尔	独立日，纪念脱离西班牙而独立(1809)
8月11日	乍得	独立日，纪念脱离法国而独立(1960)
8月11日	约旦	国王登基日，纪念国王侯赛因即位(1952)
8月13日	中非共和国	宣布独立日，纪念脱离法国而独立(1960)
8月13～15日	刚果	光荣三日，纪念脱离法国而独立(1960-08-15)
8月14日	巴基斯坦	独立日，纪念脱离英国而独立(1947)
8月15日	各基督教会	圣母升天节，庆祝圣母马利亚升天
8月15日	印度	独立日，纪念脱离英国而独立(1947)
8月15日	韩国	独立日，纪念摆脱日本统治(1945)和成立共和国(1948)
8月16日	多米尼加共和国	复兴节，纪念首届民主政府成立(1963)
8月16～18日	加蓬	独立周年纪念日，纪念脱离法国而独立(1960-08-17)
8月17日	阿根廷	圣马丁日，纪念爱国志士J. de圣马丁之死(1850)
8月17日	印度尼西亚	独立日，纪念脱离荷兰而独立(1945)
8月19日	阿富汗	独立日，纪念《拉瓦尔品第条约》之签订(1919)
8月23～24日	罗马尼亚	国庆假日，纪念脱离轴心国而转向同盟国(1944)
8月24日	乌克兰	独立日，纪念脱离苏联而独立(1991)
8月25日	巴拉圭	宪法节，纪念宪法(1967)通过
8月25日	乌拉圭	独立日，纪念脱离巴西而独立(1828)
8月30日	秘鲁	利马的圣罗丝节，本国圣人之节日
8月31日	马来西亚	独立日或国庆节，纪念脱离英国而独立(1957)
8月31日	特立尼达和多巴哥	独立日，纪念脱离英国独立(1962)
8月最后的星期一	香港	解放日，纪念摆脱日本统治(1945)
8月最后的星期一	英国	晚夏假日
8月或9月婆陀恩月4日	印度	象头神卡特尔蒂节，崇敬象头神和独立领袖提拉克的节日
阴历8月的满月日	朝鲜、韩国	秋收节
9月1日	利比亚	国庆节或革命节，纪念推翻君主制和建立共和国(1969)
9月2～3日	越南	独立日，纪念胡志明宣布独立(1945-09-02)
9月6日	斯威士兰	索布扎节，纪念脱离英国而独立(1968)，为崇敬19世纪开国君主索布扎一世国王而命名
9月7日	巴西	独立日，纪念脱离葡萄牙而独立(1822)
9月第1个星期一	美国、加拿大	劳动节
9月9日	朝鲜	独立日，纪念创立民主共和国(1948)
9月9～10日	保加利亚	国庆节或解放日，纪念摆脱纳粹统治(1944)
9月11日	巴基斯坦	真纳节，国家创始人真纳逝世(1948)周年纪念日
9月12日	埃塞俄比亚	民族革命节，纪念海尔·塞拉西皇帝退位(1974)
9月12日	沙特阿拉伯	国庆节
9月14日	尼加拉瓜	圣哈辛托战斗纪念日，纪念击败W. 华尔克率领的入侵者(1856)
9月15日	哥斯达黎加、萨尔瓦多、危地马拉、洪都拉斯、尼加拉瓜	独立日，纪念中美洲脱离西班牙而独立(1821)
9月15日	日本	敬老节
9月16日	墨西哥	独立日，纪念向西班牙争取独立的号召(1821)
9月16日	巴布亚新几内亚	独立日，纪念解除澳大利亚的托管(1975)
9月16日	新加坡	独立日，纪念脱离英国而独立(1963)
9月17日	安哥拉	民族英雄日，纪念反抗葡萄牙的起义(1961～1962)和国内战争(1975)

续表 4

9月18～19日	智利	独立日和武装部队节，纪念脱离西班牙而独立(1818)
9月22日	马里	成立共和国周年纪念日，纪念脱离法国而独立(1960)
9月23日	沙特阿拉伯	王国统一纪念日，纪念国家的统一(1932)
9月23或24日	日本	秋分节，庆祝秋季的开始；崇敬祖先
9月24日	几内亚比绍	独立日，纪念脱离葡萄牙而独立(1973)
9月26日	也门	国庆节，纪念宣布成立共和国(1962)
9月29日	各基督教会	米迦勒节，纪念天使长米迦勒
9月30日～10月1日	博茨瓦纳	独立日或博茨瓦纳节，纪念脱离英国而独立(1966-09-30)
9或10月		
提市黎月1或2日	犹太教	岁首节，新年开始为期10日的苦行与祈祷
提市黎月10日	犹太教	赎罪日，集体洗罪
提市黎月15日	犹太教	住棚节，欢庆丰收与感恩
10月第1个星期日结束的前两周	德国	十月节，饮食节日，以前纪念国王路易(路德维希)一世的婚礼(1810-10-17)
10月1日	尼日利亚	独立日，纪念脱离英国而独立(1960)和建立共和国(1963)
10月1～2日	中国	国庆节，纪念中华人民共和国成立(1949-10-01)
10月2日	几内亚	几内亚独立周年纪念日，纪念脱离法国而独立(1958)
10月2日	印度	圣雄甘地诞辰，纪念民族主义者甘地(1869年生)
10月3日	德国	德国统一节，纪念德国重新统一(1990)
10月3日	韩国	建国节，纪念传说公元前2333年朝鲜的建立
10月4日	莱索托	独立日，纪念脱离英国而独立(1966)
10月5日	葡萄牙	共和国日，纪念共和国建立(1910)
10月6日	埃及	武装部队节，纪念埃及部队越过苏伊士袭击西奈(1973)
10月9日	乌干达	独立日，纪念脱离英国而独立(1962)
10月10日	日本	运动节或体育节，纪念1964年东京奥林匹克运动会
10月12日或第2个星期一	西班牙、各国	西班牙节，哥伦布节，发现纪念日或竞赛节，纪念哥伦布为西班牙发现新世界(1492)
10月第2个星期一	加拿大	感恩节，庆祝丰收
10月20日	肯尼亚	肯雅塔节，纪念民族主义者J. 肯雅塔(约1894～1978)
10月22日	梵蒂冈	教皇约翰·保罗二世即位(1978)周年纪念日
10月24日	赞比亚	独立日，为庆祝脱离英国而独立(1964)
10月25日	台湾	光复节，纪念结束日本占领(50年后)并回归中国管辖(1945)
10月26日	奥地利	国庆节，纪念结束战后占领和主权回归(1955)
10月28日	捷克共和国	独立日，纪念捷克斯洛伐克的建立(1918)
10月29日	土耳其	成立共和国周年纪念日，纪念共和国建立(1923)
10月31日	各国	万圣节前夕，鬼魂和精灵的欢庆日
10或11月颂舍因月13日～迦刺底克月2日	印度	排灯节，燃点灯火祝拜女财神吉祥天女
11月1日	各基督教会	万圣节，纪念所有圣徒
11月1日	阿尔及利亚	革命周年纪念日，纪念反抗法国革命(1954)的开始
11月2日	各基督教会	万灵节，悼亡日或亡人节，崇敬和怀念死者
11月3日	巴拿马	独立日，纪念脱离哥伦比亚而独立(1903)
11月3日	日本	文化节，原为纪念明治天皇的诞辰(1852)
11月5日	英国	盖伊·福克斯日，爆炸英王和议会的火药阴谋事件(1605)之周年纪念日
11月第1个星期一后的第1个星期二	美国	选举日，进行普选和总统选举
11月11日	各国	停战纪念日、阵亡将士纪念日或退伍军人节，为崇敬以往战争的参加者和纪念第一次世界大战停战(1918-11-11)
11月11日	安哥拉	独立日，纪念脱离葡萄牙而独立(1975)
11月11日	波兰	独立日，纪念波兰的再造(1918)
11月15日	巴西	共和国成立纪念日，纪念推翻帝制(1889)
11月18日	拉脱维亚	独立日，纪念宣告独立(1918)
11月18～20日	阿曼	国庆节，尊崇苏丹和民族的传统
11月22日	黎巴嫩	独立日，纪念脱离法国而独立(1941～1946)
11月23日	日本	劳动感恩节，尊敬工人
11月28日	毛里塔尼亚	独立日，纪念脱离法国而独立(1960)
11月28日	巴拿马	独立日，纪念脱离西班牙而独立(1821)
11月28～29日	阿尔巴尼亚	独立解放日，纪念脱离土耳其而独立(1912)和第二次世界大战中的解放(1944)
11月第4个星期四	美国	感恩节，秋收的节日
12月1日	中非共和国	共和国成立周年纪念日，纪念脱离法国而独立(1958)
12月1日	罗马尼亚	国庆节，纪念罗马尼亚各地区重新统一(1918)
12月2日	老挝	国庆节，纪念人民共和国建立(1975)
12月2日	阿拉伯联合酋长国	国庆节，纪念脱离英国而独立(1971)
12月5日	泰国	国王诞辰纪念日，国王普密蓬·阿杜德的生日(1927)
12月6日	芬兰	独立日，纪念脱离俄国而独立(1917)
12月6日	荷兰	圣尼古拉节，纪念圣徒及其子孙
12月7日	科特迪瓦	独立日，纪念脱离法国而独立(1960)
12月9日	坦桑尼亚	独立和共和国纪念日，纪念脱离英国而独立(1961)和建立共和国(1962)
12月12日	肯尼亚	独立日，纪念脱离英国而独立(1963)

续表 5

12月12日	墨西哥	瓜达卢佩圣母节，纪念圣母在印第安男童面前显现（1531）
12月16日	孟加拉国	胜利节，纪念脱离巴基斯坦而独立（1971）
12月16日	哈萨克斯坦	共和国日，纪念脱离苏联而独立（1991）
12月17日	不丹	国庆节，为提高国家的民族意识
12月18日	尼日尔	共和国日，纪念脱离法国而独立（1960）
12月23日	日本	明仁天皇诞辰（1933）
12月25日	多数基督教会	圣诞节，纪念耶稣基督的诞生
12月26日	各国	节礼日，圣诞节的次日，向服务人员赠送礼品
12月26日	中欧	圣斯蒂芬节，纪念第1位基督教殉难者的节日
12月26日至1月1日	美国	宽扎文化节，美国黑人模仿非洲传统的首次丰收节而举行的庆祝节日
12月28日	尼泊尔	国王比兰德拉·比尔·比克拉姆·沙阿·德瓦诞辰（1945）
12月31日	各国	除夕，除旧迎新
12月或1月		
基色娄月25日～太贝特月2或3日	犹太教	献殿节，为期8天，纪念马加比对叙利亚人的胜利和在耶路撒冷大庙的重新奉献（公元前165）
伊斯兰教年*		
拉比月1日		穆罕默德诞辰（约公元570年12拉比月1日）
赖买丹月（9月）		赖买丹斋月，为期一个月的禁食以及其他从清晨到傍晚的禁戒
赖买丹月29或30日～沙瓦尔月3日		开斋节，赖买丹斋月结束时的欢宴
都尔黑哲月10～13日		大节日，开始赴麦加朝圣并奉献牲畜作祭品

* 伊斯兰教的阴历为354或355天，完全不考虑季节或太阳的运行（因此，春季的某一日期，经过多年后可能移至冬季，然后是秋季、夏季，再回到春季）。换言之，伊斯兰教节日，对于格雷果里历说来，在时间上不断地向后转移；因此一个节日（如赖买丹帝月）在某一年的3月，可能第二年在2月，经过一段长时期之后可能在格雷果里历的任何一个月份出现。

教节日大致接近。以基督教为例，其原因是早期教会故意把基督教节日定在异教节日以抵销后者的影响，这种办法证明确实比单纯禁止旧的纪念活动更为有效。此外，这种日期上的相近是由于人们习惯于在换季时节举行庆祝活动，或由于上述两种因素合并考虑。在许多国家，世俗节日是为了纪念历史事件和民族英雄的诞辰，例如美国的独立纪念日和法国的巴士底日。国定节日的庆祝活动内容多样，从悬挂国旗到公务人员放假，不一而足，一般企业团体也实行放假。按照传统，许多节日的庆祝活动中都包括合家团聚和互赠贺卡及礼品。在英国，在所谓银行业节日，银行和其他机关一律停业休假。参阅 **feast**。

Holiday, Billie　霍利戴（1915-04-07，美国马里兰巴尔的摩～1959-07-17，纽约州纽约）原名 Eleanora Fagan。美国爵士乐女歌手，20世纪30年代至50年代中最杰出歌手之一。她被亲昵地称做"戴夫人"，此绰号最初由她的朋友L.扬取的，并以"戴夫人"之称闻名。其父为巡回吉他演奏者。幼时在妓院当使女时听到小号手L.阿姆斯特朗和歌手B.史密斯的唱片，开始熟悉爵士乐。1931年在哈勒姆区夜总会首次作职业性演唱，两年后第一次灌制唱片，但直到1935年才为人所知。她在那个时期的少量录音现在被承认为爵士乐的杰作。1940年成为一家夜总会的独唱歌手。霍利戴具有独特风格与个性；虽未受过正规训练，但表现出优美而成熟的音乐效果；她的吐字是无与伦比的，分句法具有戏剧性的激情。她的最佳年代大概要算1936～1943年，在此期间，他与萨克斯管演奏家L.扬之间的职业联系和私人交谊，通过一些合作录制的唱片而得以永远保存下来。这些唱片是声乐与器乐相互结合的最佳典范。自传《夫人歌唱布鲁斯》于1956年出版，1972年拍成电影。

Holies, Holy of（Judaism）　参阅 **Holy of Holies** 至圣所。

Holiness, Code of　圣洁法典　犹太教用语，指《旧约·利末记》第17～26章所载关于世俗事务、宗教、礼仪、道德、节期等项的规定，其内容涉及杀牲献祭、饮食、净化、祭司礼法、言语、两性关系等等，并列举当守的圣日，以及关于安息年（禧年）的规定。

Holiness movement　圣洁运动　19世纪美国基督教（新教）内兴起的基要主义宗教运动，强调人重生得救之后还必须成圣。该时代涌现的许多圣洁派教会，从准循道宗教会到类似五旬节派的教会，不一而足。循道宗创始人约翰·卫斯理曾呼吁基督徒作到"纯全"，这就是圣洁运动的源起。他认为，凡希望作"完全的"基督徒的人都应以纯全为目标，也就是说，上帝既然圣善得足以赦罪（使人称义），也就伟大得足以把罪人转变为圣徒，使他既能免除外面的罪，又能摆脱"邪恶的心思和性情"，即达到一定程度的圣洁。殖民地时代美洲循道宗一开始就以"让基督的圣洁传遍这片土地"为口号，而实际上美国循道宗人士在19世纪最初几十年却忽略了关于圣洁和纯全的教义。1843年20几位圣洁派牧师退出美以美会，另立美国卫理循道会。特别是，来自中西部和南部的大批新教徒参加了圣洁运动。这些人在服饰和行动上带有强烈的清教派色彩。他们大都看不惯那些惦念财富、社会声望和宗教形式的"表面、虚伪、追求时尚的"基督徒。从1880年到第一次世界大战，又出现了一批新的圣洁派教会，其中神的教会（印第安纳州安德森）等一些团体是为了抗议官僚气息的派别主义而成立的。还有一些教会，例如宣道会和拿撒勒会，是为了满足城市贫民的灵性和社会需要而组成的，这些人往往为代表新教主流的中产阶级教会所忽视。各圣洁派教会成立的宗旨基本上都是要加速宣传第二次福祉，即成圣以及随之而来的有别于世人的生活和行动上的圣洁，这种观点在较大而较为常规的派别里已不能获得认可或宽容。虽然这些新兴的圣洁派教会只能在一地或一个地区发挥影响，但也有几个颇有发展力。其中"老"派的有卫理循道会和北美洲自由循道会（1860成立），"新"的有神的教会（印第安纳州安德森）、宣道会、救世军和拿撒勒会。拿撒勒会信徒占全部圣洁运动信徒的1/3，被公认为是该运动最具有影响力的代表。就教义而言，圣洁派各教会曾受19世纪虔敬主义和奋兴主义的影响，往往比较接近基要派而偏离本来所属的循道宗。研究它们的信仰原则可以发现，它们坚持福音派的保守教义，诸如：全部《圣经》字字都是上帝启示，基督救赎全人类，基督必将亲身复临。少数教会如拿撒勒会和宣道会的教义声明中隐约提到神力治病和五旬节派鼓吹的经验。但这并不足以把它们等同于所谓左翼纯全派的五旬节派，事实上许多右翼圣洁派教会都抨击五旬节派。

Holinshed, Raphael　霍林希德（？～约1580）　英国编年史学家。主要以《英格兰、苏格兰、爱尔兰编年史》一书而留名后世；该书曾风靡一时，成为伊丽莎白时代许多戏剧家取材写作的丰富源泉，尤其是莎士比亚，他的《麦克白》、《李尔王》、《辛白林》以及不少历史剧无不取材于该书的第二版。霍林希德可能出身于柴郡某世家，约自1560年起在伦敦受雇于当时正在编写通史的R.沃尔夫，担任翻译职务。1573年沃尔夫逝世后，该书缩成两卷，于1577年出版，名为《英格兰、苏格兰、爱尔兰编年史》，书中附有许多插图。该书史料来源众多，可靠程度不一，编纂时大多也未经审核选择。第一版和第二版（1587）的文本曾经枢密院命令，作过删节。从第二版删除的部分于1723年单独出版。1587年的第二版的完整文本6卷于1807～1808年出版，1927年出版过一个节选本。

holistic medicine 整体医学 预防医学和治疗医学的一个学说，主张必须全面看待一个人——包括其躯体、心理、感情和环境——而不是只看到局部功能或器官，并提倡使用多种保健措施和治疗方法。特别强调每个人应遵守传统的身体锻炼、充足睡眠、新鲜空气、生活节制等等方法以求“自我治疗”和“自我保健”。在20世纪后叶整体医学一词变得特别流行(国际整体医学工作者协会成立于1970年，1981年采用目前的名称)。整体医学的基本哲学是强调对一个人或病人提供全面的照顾，在这一点上它并非创新，而是与任何高质量的传统医术不可分的。但最极端的整体医学总好把众多学派和治疗方法都等同起来，其实它们并不是都能调和在一起，有些是彼此矛盾的，有的科学，有的不科学。虽然西方主流医学实践并未被忽视，但它们只被看作是现有疗法的一部分，而且绝不是唯一有效的部分。因此讨论整体医学的会议不仅吸收医学院校和医学机构的人，而且还吸收各种医术的拥护者，这些学科包括针灸、非正规接生术、星相学、生物反馈、手推按法、信仰疗法、笔迹判断法、顺势疗法、全谷膳食疗法、巨量维生素疗法、自然医术、唯数疗法、营养疗法、按骨术、心理健美操练法、心理疗法、自我按摩、穴位按摩法和瑜伽术等。

Holkar DYNASTY 荷尔卡王朝 印度印多尔的马拉塔统治者。其家族乃农牧民后裔，据说是从马图拉地区移居到德干的名为荷尔或哈尔的村庄，村名加上卡(居民)即成为其家族的姓。创始人马尔哈·拉奥·荷尔卡原为农民，1724年指挥一支骑兵，不久成为马尔瓦督军，到1766年已经成为马尔瓦的实际统治者。1767～1795年，他的寡媳阿哈勒拜当政。在她治理下印多尔一派和平与繁荣的景象，她的统治成为正义与智慧的代名词。她任命杜戈吉·荷尔卡指挥军队，两年后，荷尔卡继承她的王位。1797年荷尔卡死后，其私生子贾斯旺·拉奥篡权。1803年第二次马拉塔战争爆发时，贾斯旺·拉奥保持中立。1804年，他袭击英国人，并围攻德里。同年11月战败，一年后与英国人媾和。1811年死去。荷尔卡家族的统治一直延续到印度独立。

Holland 荷兰 尼德兰的历史区域，1840年起分为北荷兰和南荷兰两省。12世纪初，荷兰为神圣罗马帝国的采邑。1170年的洪水使荷兰地貌发生很大变化。1299年后，荷兰与埃诺合并。1433年开始，荷兰由勃艮第伯爵统治。因捕鱼业和运输业发展而日渐繁荣。1559年奥兰治亲王威廉任荷兰、泽兰和乌得勒支的执政。1572年荷兰和泽兰成为反对西班牙的起义中心。1579年荷兰与尼德兰的其他六省宣布脱离西班牙独立。1587年末荷兰成为尼德兰所属7个独立共和国之一。17世纪时荷兰在共和国中居支配地位。在此后100年间，荷兰的首府阿姆斯特丹成为欧洲最主要的商业中心。因此，当年的尼德兰共和国和现在的尼德兰王国都往往被称为“荷兰”。但该名称只适用于拿破仑时代的荷兰王国，它在1806～1810年间占有原尼德兰共和国的疆域。参阅 **Noordholland**; **Zuidholland**。

Holland 霍兰 美国密歇根州西南部渥太华县城市。临密歇根湖的湖湾麦克塔瓦湖，东北距大急流城47千米。1847年始建。1867年设市。当地早期有木材业，现发展农

霍兰市附近的荷兰村
美国不列颠百科全书公司供图

业、家禽饲养、制造业和旅游业。设有霍普学院(1866)和西部神学院(1869)。附近有州立霍兰公园和荷兰村。每年5月举行郁金香节。市内尼德兰博物馆有荷兰民俗文物展出。人口30 745(1990)。

Holland “霍兰”号 J.霍兰为美国海军设计的潜水器。1900年交海军使用，被认为是现代潜艇的前身。长16米，排水量74吨，装有一门炮，能发射45千克重的炮弹，射程0.8千米。船身呈雪茄形；有贮水箱，注满水后，船即下沉，这两个特点与现代潜艇相同。它有一个能使船下沉到预定深度的装置，还有一个使船保持水平的装置。在水面巡航时，以汽油机为动力，汽油机也用来带动发电机为电池充电。电池为水下航行用的电动机提供电源。它的水面航速为7节。

holland 荷兰亚麻布 本色或经平光柔软整理、用于家具套的平纹亚麻布，或经过轧光或无光整理(称作荷兰整理)、稍有光泽的油脂性上浆棉布。荷兰亚麻布最初指欧洲大陆输出的细薄平纹亚麻布，特别是来自荷兰的产品。可用于窗帘、绝缘材料、标签和招贴布等。在希腊，有几种染色棉布也称为荷兰亚麻布。

Holland, Sir (Thomas) Erskine 霍兰(1835-07-17，英国萨塞克斯布赖顿～1926-05-24，牛津) 英国法律著作家和国际法教师。他的杰作《法学原理》从1880～1924年间出版了13版。霍兰在布赖顿学院和牛津的巴利奥尔学院及马格达伦学院受教育，于1863年取得了律师资格。1874～1910年在牛津大学担任国际法和外交学教授。1885年他协助创办了《法律评论季刊》。1906年他是日内瓦会议的英国全权代表。1917年受封为爵士。霍兰编辑出版的阿尔贝里科·真蒂利的《战争法》(1877)表明，雨果·格劳秀斯(著名的17世纪荷兰国际法权威)有许多思想要归功于16世纪后期在牛津大学教学的一位意大利民法教师真蒂利。霍兰起草了《海军捕获法海事手册》(1888)和《捕获法院法》(1894)。陆军部门曾请他起草给战场上的军队的命令，这个工作促使他写了《陆战法和惯例》(1904)以及《陆战法》(1908)。

Holland, Henry 霍兰(1745-07-20～1806-06-17，伦敦) 英国建筑师。因为摄政王(后为英王乔治四世)在萨塞克斯郡的布莱顿设计玛琳亭(1786～1787)而负盛名。他的新古典主义建筑雅致、简洁，与同时代另一新古典主义建筑师R.亚当的富丽、豪华的风格形成对比。早年曾任园林大师L.布朗的助手，后来成为他的合作者。在伦敦的作品有布鲁克斯俱乐部(1776～1778)以及业已不复存在的两座改建的房屋，即威尔士亲王府(1826年拆毁)和皇家剧院(1809年焚毁)。在布莱顿为亲王建造了一座与原有农庄住宅同样风格的建筑，并用一穹顶的圆厅和二层的两翼将新旧建筑联结在一起。

Holland, Henry Edmund 霍兰(1868-06-10，新南威尔士金宁德拉～1933-10-08，新西兰怀希) 澳大利亚出生的劳工领袖，促成于1916年建立新西兰工党，1919～1933年在议会领导工党。在印刷业当学徒后，1892～1912年在悉尼成为工会组织者和左派报刊的编辑。1896年因诽谤罪被监禁，1901年领导女成衣工举行罢工，取得胜利，1909年因煽动闹事再次被监禁。由于身体不佳，于1912年移居新西兰。在1912年怀希矿工罢工遭镇压后于1913年召开的团结会议上，成为新西兰劳工运动的杰出人物。1913～1918年主编工会运动左翼机关报——劳工联合会的《毛利兰工人报》。1913～1914年因煽动闹事被捕入监。强烈反对为了第一次世界大战而征兵。1918年作为工党党员进入议会，翌年成为该党领袖。他的目标是于1931年迫使改良党与自由党(后改为统一党)共同反对工党，从而在工人运动的利益与现存政党之间形成鲜明的对照，以此争取整个工会运动支持工党。他对工党议会党团的坚强的领导，为工党在他去世后两年上台执政作了准备。

Holland (of Foxley), Henry Fox, 1st Baron 霍兰男爵(第一)(1705-09-28～1774-07-01，伦敦附近肯辛顿) 即H.福克斯。英国政客，以假公济私、中饱私囊而出名。斯蒂芬·福克斯爵士的次子，他继承其父的大笔财产，挥霍无度。与一富家之女订立婚约，从而得以于1735年进入议会，成为罗伯特·沃波尔爵士的得意门生和忠实的追随者。1737～1742年任工程总监，1743年任财政大臣，1746年任陆军大臣和枢密官，1755年任下院领袖和纽卡斯尔公爵内阁的国务大臣。“七年战争”期间，他主要为自己积累了一笔巨大的财产。1762年他再度成为下院领袖，并成为比特伯爵内阁中的一员，以哄骗和贿赂的手段诱使下院支持1763年的巴黎条约。作为回报，他被封为威尔特郡福克斯利的霍兰男爵，进入上院。1769年伦敦城同业公会指控他盗

用无数公款。财政法庭业已起诉，但英王却下令缓办此案。他诉诸习惯法，以延缓提供法律根据。霍兰男爵之子 C.J.福克斯为辉格党领袖。

Holland (of Foxley and of Holland), Henry Richard Vassall Fox, 3rd Baron 霍兰男爵(第三)(1773-11-21，英格兰威尔特郡温特斯洛～1840-10-22，伦敦) 即 H.R.V.福克斯。英国辉格党政治家，该党领袖和改革家格雷(伯爵第二)的伙伴，政治家 C.J.福克斯的侄子和门徒，他在上院对于福克斯的自由意志论思想作了详尽的解释。斯蒂芬·福克斯之子，其父斯蒂芬于 1774 年去世，其母于 1778 年去世。在其叔去世后不久，1806 年 10 月，他在格伦维尔勋爵组成的"人才荟萃的联合政府"中任掌玺大臣，促进取消英国殖民地的奴隶贸易，1807 年 3 月与内阁其他成员一起辞职。1812 年他拒绝格雷提出的由他担任作为反对党的辉格党领袖的建议。参加 1827 年坎宁内阁和戈德里奇内阁的辉格党人要他出任外交大臣，但国王乔治四世不同意有更多的辉格党人参加内阁。1830 年在格雷的改革内阁中任兰开斯特公爵领地大臣，之后除 1834 年 11 月～1835 年 4 月皮尔的第一届短期内阁外，他一直担任该职直到去世。

Holland, John Henry 霍兰(1929-02-02，美国印第安纳韦恩堡～　　) 美国科学家，非线性数学理论的先驱之一，他还将新的数学技术应用于解释诸如经济学、生物学和计算机科学这些内容迥异的学科问题。1950 年获麻省理工学院数学学士学位，之后进入安纳波尔的密歇根大学研究生院学习通信科学，1954 年获博士学位，可能是第一个计算机科学的博士。此后，他一直留在密歇根大学，为建立计算机科学专业和系起了很大作用。为创建研究复杂系统的密歇根中心起到了奠基作用。1988 年他又成为心理学教授。在密歇根之外，霍兰还是新墨西哥州圣塔菲研究所的活跃分子，该研究所是 1984 年成立的研究非线性现象的著名机构。霍兰的专业主要是非线性或复杂系统的研究。线性系统可以分解成相对简单的子系统加以研究，集合起来可以预测整个系统的行为，与之不同，非线性系统表现的性质用其任何单独的子系统都无法描述。这种非线性现象称为涌现。霍兰等人首先实现将涌现、个体的和组织的适应联系起来。例如，大约始于 1977 年，霍兰推出一种基于很少规则和竞争"主体"的人工市场。进一步引入了一个支付和补偿主体的系统，霍兰创造了第一个遗传算法来"培育"它们——使他的主体系统通过生命系统的行为模拟经验发育和学习。霍兰的涌现的观点强调复杂系统的动力因素和这种系统随时间而改变的方式。其工作和其他人工智能及人造生命研究一样强调低级活动是高级现象涌现的基石。就像机器人研究先驱 R.布鲁克斯所说的，智能不是精神受内部规则和表达的结果，而是特定环境相互作用的结果。霍兰认为，复杂社会和物理系统不是抽象规则的产物，而是潜在动因及其相互作用的产物。霍兰的著作有《自然和人工系统的适应性》(1991)、《隐秩序：适应性如何构造复杂性》(1996)和《涌现：从混沌到有序》(1998)。

Holland, John Philip 霍兰(1840-02-29，爱尔兰克莱尔郡利斯坎诺～1914-08-12，美国新泽西纽瓦克) 美国现代潜艇之父，为美国海军设计并建造了第一艘潜艇。1872 年前在爱尔兰利默里克接受教育并教书。1873 年他由爱尔兰移居美国新泽西州的帕特森。1879 年受爱尔兰芬尼亚社(他们希望用潜艇反抗英国)的资助，建造了"芬尼亚公羊"号小潜艇，试航表明它取得的成就不大。1895 年他的 J.P.霍兰鱼雷艇公司与美国海军部订立合同制造潜艇。1898 年第一艘真正实用的潜艇"霍兰"号下水。美国政府又订购 6 艘，英国、日本和俄国也相继订购。他的晚年陷入与其财政资助者的讼争之中。他后期的发明包括一种使艇员脱离被毁潜艇的救生装置。

Holland, Parts of 霍兰地区 原英格兰林肯郡所属三个区之一。1974 年行政改组，新划成波士顿和南霍兰两个郡属区。北部的波士顿包括古老的港口市及其周围乡村，南霍兰则以斯波尔丁集镇为中心。大部分为被开垦的沼地，冲积土壤肥沃，盛产谷物、马铃薯和蔬菜。斯波尔丁附近地区尤多鳞茎植物田野。

Holland, Sir Sidney (George) 霍兰(1893-10-18，新西兰格林代尔～1961-08-05，惠灵顿) 新西兰国民党领袖(1940～1957)，担任总理(1949～1957)期间，镇压工会骚动，放宽政府对经济的控制。第一次世界大战期间在欧洲服役。身体康复后，成为新西兰克赖斯特彻奇商界和政界的重要人物。1935 年接替其父亨利·H.霍兰任议员，1940 年成为当时是反对党的国民党领袖。1942 年曾在战时内阁中短期任职，此后抨击工党领导的政府对经济进行控制和管理失误。在他的领导下，国民党于 1949 年执政。在他的第一届政府的 5 年任期内，他兼任财政部长，减少对进口、物价和房地产交易的控制，增加食物补助金。但国际收支危机(1952，1954)和持续的通货膨胀，使他重又实行许多工党于 1940～1949 年所施行的控制经济的措施。1950 年霍兰取消上院，将新西兰政体改为一院制。翌年，他利用镇压码头工人罢工得手的机会，要求立即举行紧急选举，在这场选举中，他扩大了他在议会中的多数，但他 1951 年提出的在劳资冲突中加强警察力量的法案，在公众的强烈抗议下修正后方获通过。由于健康状况不佳，霍兰在 1957 年选举前引退。同年受封为爵士。

Holland, Thomas 霍兰 参阅 **Surrey, Thomas Holland, duke of** 萨里公爵。

Holland Tunnel 霍兰隧道 穿过哈得孙河底连接纽约市与新泽西州泽西城的双管隧道。该隧道于 1927 年建成，以设计者 C.M.霍兰工程师的姓氏命名，北管长2 608米，南管长2 551米。由于该隧道解决了长公路隧道的通风问题，被视为一项著名的工程成就。装有 84 台强力风扇，能够每隔 90 秒钟将隧道内的空气更新一次。废气从管顶上的气道用排风扇抽出。

Hollandia (Indonesia) 荷兰城 参阅 **Jayapura** 查亚普拉。

Hollar, Wenzel 霍拉尔(1607-07-13，布拉格～1677-03-28，伦敦) 捷克蚀版画家。其作品成为提供 17 世纪资料的丰富源泉。1627 年赴法兰克福，从雕版画家兼出版商 M.梅里安学艺。后得贵族的赞助在英格兰工作，又到安特卫普工作，最后于 1652 年回到伦敦。他是一位颇受行家赏识的铜版蚀刻大师。曾为不少书籍绘制插图，在 1666 年的伦敦大火之后，创作了著名版画《伦敦景色》。他在极端贫穷中死去。

Hollerith, Herman 霍勒里思(1860-02-29，美国纽约布法罗～1929-11-17，华盛顿[哥伦比亚特区]) 美国发明家，他所发明的制表格机是电子计算机重要的先驱。1879 年从哥伦比亚大学矿业学院毕业后，随即于 1880 年在人口普查中任他的老师 W.P.特罗布里奇的助手。在此后 10 年中，曾在设在剑桥的麻省理工学院短期任教，进行空气制动器的实验，后在华盛顿(哥伦比亚特区)为专利局工作。在这期间，他一直考虑人口普查工作中制表自动化的问题。1890 年人口普查时，他已发明了记录统计资料的装置。这是一种在卡片上用穿孔位置进行数字编码，并用电学方法判读和分检穿孔卡片的装置。这项发明在美国是成功的，但在欧洲更受到重视，并被广泛应用于多种统计工作中。1896 年霍勒里思在纽约组成了制表格机公司，生产这种机器。后来通过合并，发展成国际商业机器公司。

Holles, Thomas Pelham- 霍利斯 参阅 **Newcastle (under Lyme), Thomas Pelham-Holles, 1st duke of** 纽卡斯尔公爵(第一)。

Holles (of Ifield), Denzil Holles, 1st Baron 霍利斯(伊菲尔德的)(1598-10-18，英国诺丁汉郡霍顿～1680-02-17) 英国长老会教徒，反对国王查理一世的主要的但却是温和的议会党人。晚年在查理之子国王查理二世的政府中任职。1624 年选入下议院，加入批评国王的行列。在 1628～1629 年的国会中，在国王已经下令休会后，与另外两名议员将下议院议长按在椅子上，强行通过批评查理的宗教和经济政策的 3 项决议。国王进行报复，将他逮捕入狱，直至 1630 年提交保证行为规矩的担保后方获释。17 世纪 30 年代未参加公共生活。为 1640 年召开的短期国会和长期国会的议员，积极支持废除主教的法案，激起国王的愤怒。1642 年 1 月 4 日，查理企图逮捕霍利斯和其他 4 名杰出的议会党人，但他们逃避逮捕，而后于 1 月 11 日胜利回到国会。1642 年 8 月国会与国王之间的内战爆发，霍利斯随即招募士兵，组成他自己的一个步兵团。他在 1642 年 10 月 23 日的埃奇希尔战役中表现突出，但在同年 11 月 11 日的布伦特福德战役中遭到惨败。1643 年任和平代表团团长，寻求在有限君主制和以长老会形式组成教会政府的基础上议和。在长老派控制的国会和独立派控制的军队发生分裂后，

美国不列颠百科全书公司供图

霍利斯为逃避军队的逮捕于 1648 年 12 月逃往法国。但在护国时期(1654 ～ 1659)被允许回到英国。1659 年保皇党人再次占据上风后，霍利斯任国务委员会委员，1660 年对查理二世复辟发挥重要作用。同年 6 月任查理二世的枢密官，1661 年 4 月被封为伊菲尔德的男爵霍利斯。虽然霍利斯于 17 世纪 60 年代奉查理之命出使，但 70 年代却在国会中支持反对党——不久以后的辉格党。1676 年霍利斯被枢密院免去职务，随后他支持沙夫茨伯里伯爵。

Holley, Marietta　霍利(1836-07-16，美国纽约杰斐逊县～ 1926-03-01，杰斐逊县)　美国幽默女作家。使用笔名"乔赛亚·艾伦之妻"及"萨曼莎·艾伦"撰文宣传女权和禁酒。她开始登上文坛时为报纸和妇女杂志撰稿，1873 年出版第一部书《我同贝特西·博贝特交换意见》。随后发表了约 20 部书，都以前书为模式：利用对话和带有乡土气息的幽默表达女权运动和禁酒运动的观点；内容常以女改革家 S.B.安东尼和 F.威拉德提供的资料为根据。霍利还批评在两性问题上的双重标准、对劳动者的剥削以及种族对抗。她的著作被译成多种文字，广泛流行。包括《萨曼莎参加世界百年庆典》(1876)、《萨曼莎参观世界博览会》(1893)及《乔赛亚·艾伦谈妇女问题》(1914)。

Holley, Robert William　霍利(1922-01-28，美国伊利诺伊厄巴纳～ 1993-02-11，加利福尼亚洛斯加托斯)　美国生物化学家，与 M.尼伦伯格及 H.G.科拉纳因研究细胞核内遗传成分控制蛋白质合成的机制而共获 1968 年诺贝尔生理学或医学奖。1947 年获纽约州伊萨卡康奈尔大学有机化学博士学位。1948 ～ 1964 年在康奈尔的州及联邦农业实验站研究多种生物化学问题。1955 ～ 1956 年在加利福尼亚理工学院师从 J.F.邦纳，后开始研究 RNA。到 1960 年他与同事证明转运 RNA 在氨基酸合成蛋白质的过程中起作用，随后设计了从细胞成分中分离各种转运 RNA 的技术。到 1965 年他用酶消化蛋白质分子，鉴定其各片断，分析其结合的方式，从而测定了将丙氨酸结合于蛋白质分子的转运 RNA 的成分，在科学史上首次阐明核酸的核苷酸的排列顺序。后来证明，所有转运 RNA 结构均相似。1968 年成为拉霍亚的索尔克生物研究所的研究员，次年又成为圣迭戈加利福尼亚大学的副教授。

Holliday, Doc　霍利德(1852-03-21受洗，美国佐治亚格里芬～ 1887-11-08，科罗拉多格伦伍德斯普林斯)　原名 John Henry Holliday。美国赌徒、枪手，有时在美国西部作牙科医生。在佐治亚州的旧南方上流社会的传统中长大。1872 年毕业于宾夕法尼亚牙科医学院，因患肺病，为求比较干燥的气候而移居西部。一度在达拉斯开业当牙医，但随即发现自己有做赌徒、玩纸牌的本领。他开始流窜西部各地——得克萨斯州的杰克斯伯勒，科罗拉多州的普韦布洛和丹佛，怀俄明州的夏延，南达科他州的戴德伍德，堪萨斯州的道奇城，科罗拉多州的特立尼达和莱德维尔，新墨西哥州的拉斯韦加斯，最后于 1880 年在亚利桑那州的汤姆斯通落脚。在此期间，他博得了酒鬼、斗士和杀人者的名声，并且可能与一个叫作埃尔德(**Elder, Kate**)的女人结婚。霍利德在道奇城结识 W.厄普。他在汤姆斯通时，曾联合厄普兄弟在 O.K.畜栏与克兰顿匪帮展开一场著名的枪战。从 1882 年起，他抛弃埃尔德，再度流窜各地。5 年后霍利德在科罗拉多州的格伦伍德斯普林斯治疗肺结核时死去。

Hollies, the　赫理斯乐队　英国曼彻斯特的五人摇滚乐队，20 世纪 60 年代曾推出许多成功的热门歌曲。在歌手兼吉他手 G.纳什去世后，更著名的音乐家 D.克罗斯比、S.斯蒂尔斯和 N.扬加盟乐队。主要成员有 A.克拉克、G.纳什、T.希克斯、E.海多克、B.卡尔弗特和 T.西尔维斯特。最初受到美国节奏与布鲁斯歌手的影响。1963 ～ 1964 年期间最早推出的热门歌曲是翻唱歌曲《难道那不像我吗》、《寻找》、《停留》和《只看一眼》。但是，在鲍勃·迪伦的影响下，他们拓展了音乐类型，其中包括乡村音乐的一些元素。克拉克的主唱和希克斯、纳什和西尔维斯特的和声相互配合，推出了《我又来了》、《我活着》、《公共汽车站》(他们第一首进入美国歌曲排行榜前十名的歌曲)和《他不重，他是我兄弟》。在巅峰时期，该乐队很好地融合了音乐的各种风格，为新一代流行歌手提供了一种有用的模式。70 年代最成功的作品是《冷静的黑衣女人》(1972)和《我呼吸的空气》(1974)。

hollow-faced bat　参阅 **slit-faced bat** 凹脸蝠。

hollowware　凹形金属制品　中间呈凹陷状的金属器皿和用具。制作凹形制品的最简单金工技术是将薄金属板用铆、焊或其他方法连接在一起。如铆接的水桶就是一个明显的例子。至少在公元前 3000 年就开始的技术——腾，常用于加工银、铜和其他可锻性金属以制成凹形制品。将一块盘状金属片放在圆头砧上，从凸圆体的中心沿螺线不断锤击，即可形成凹形。对不适于锤击的工件可用金属模、砂模或其他铸模进行铸造。青铜器皿和大部分 19 世纪前的白镴制件都是整件铸成或由几个分开的铸件合成的。起源于 19 世纪初期的旋压技术可用于大部分金属。铝锅是一种典型的、现代旋压件。与大部分金属加工技术一样，在旋压加工过程中，金属由于经过加工而硬化时，需进行周期性的退火或加热使其软化。当然各种技术也经常结合使用。

Hollweg, Theobald von Bethmann　霍尔韦格　参阅 **Bethmann Hollweg, Theobald von** 贝特曼·霍尔韦格。

holly　冬青　冬青科冬青属(*Ilex*)植物。灌木或乔木，约 400 种，包括流行的圣诞冬青。单叶，互生。花小，通常淡绿色，单生或簇生，通常雌雄异株。浆果红色或黑色。枸骨叶冬青(英国冬青、圣诞树，*I. aquifolium*)为乔木，高达 15 米；叶常绿，光泽，深绿色，具刺；果通常红色。美洲冬青(*I. opaca*)植株稍高，叶长圆形，具刺；果通常红色。两个种均有叶无

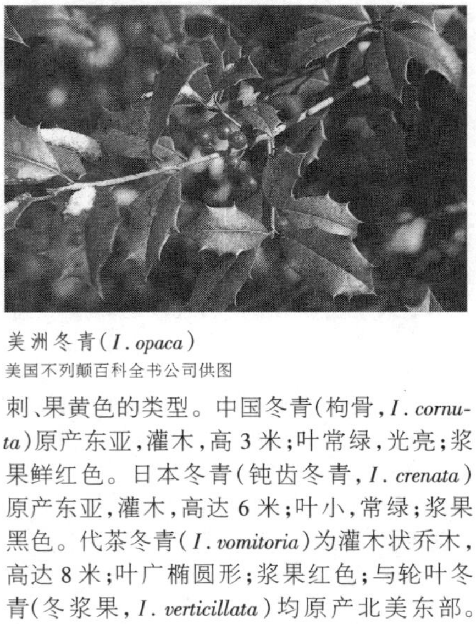

美洲冬青(*I. opaca*)
美国不列颠百科全书公司供图

刺、果黄色的类型。中国冬青(枸骨，*I. cornuta*)原产东亚，灌木，高 3 米；叶常绿，光亮；浆果鲜红色。日本冬青(钝齿冬青，*I. crenata*)原产东亚，灌木，高达 6 米；叶小，常绿；浆果黑色。代茶冬青(*I. vomitoria*)为灌木状乔木，高达 8 米；叶广椭圆形；浆果红色；与轮叶冬青(冬浆果，*I. verticillata*)均原产北美东部。落叶冬青(*I. decidua*)为灌木，高达 10 米，落叶，果红色。巴拉圭茶(*I. paraguariensis*)原产南美，为常绿灌木，高达 6 米，叶富含咖啡因，当地人常用制茶叶。

Holly Springs　霍利斯普林斯　美国密西西比州北部城市，马歇尔县县城(1836)。在田纳西州孟菲斯东南 70 千米处。始建于 1835 年，1837 年设市。多南北战争前的精美建筑，反映当地在产棉时代的繁荣。南北战争(1861 ～ 1865)时当地曾发生过 60 多次战斗。现为农业和乳品业地区的贸易中心及陶器、棉花、乳品的转运地。设有拉斯特学院(1866)、凯特弗里曼克拉克美术馆(藏画 1 000 多幅)。附近有霍利斯普林斯国家森林和州立沃尔多克西公园。人口 7 957(2000)。

hollyhock(*Althaea rosea*)　**蜀葵**　锦葵科草本植物。原产于中国，因其花美丽而被广泛

蜀葵(*Althaea rosea*)
美国不列颠百科全书公司供图

栽培。有一年生、二年生和多年生的若干变种。株高约1.5～2.7米。叶有5～7裂片。花白色、粉红色、红色或黄色,花径7.5厘米以上,沿茎上段着生。

Hollywood 好莱坞 美国加利福尼亚州洛杉矶市内一区。其名称是美国电影业的代名词。在市中心区西北。东以海佩里翁大街和里弗赛德路,南以贝弗利大街,西以贝弗利希尔斯,北以圣莫尼卡山丘陵为界。20世纪初,影片制作商在加州南部发现这里气候温和、阳光充足、山丘起伏,是一个理想的拍片环境和巨大劳力市场。此后,好莱坞发展成为世界闻名的影城。1887年规划成为一房地产区。1910年并入洛杉矶。1908年在此摄制出最早故事片之一《基度山恩仇记》。1911年在日落大道建起第一个制片厂,很快便有近20家公司在此拍片。30多年间,先后有D.W.格里菲思、高德温、A.朱科尔、W.福斯、L.B.梅耶、D.F.柴纳克和H.科恩等成为当地影业大亨。第二次世界大战后,制片厂陆续迁出。到世界各地现场拍摄使当地许多摄影设施空闲或转手电视片制作商。电视出现后,好莱坞的作用开始变化。20世纪60年代初成为美国电视节目的主要制作地。当地其他名胜有"好莱坞碗"(天然圆形剧场)、"朝圣者"圆形剧场、希腊剧院、中国剧院、加利福尼亚艺术俱乐部等。许多新、老影星住在附近的贝弗利希尔斯和贝莱尔。

Hollywood 好莱坞 美国佛罗里达州东南部布劳沃德县城市。南距迈阿密25千米,濒临大西洋。始建于1921年,1925年设镇。现主要为游览和住宅城市。经营多种行业。与附近的达尼亚和劳德代尔堡共享大沼泽地港口的所有权和收益。市西北13千米处有印第安人保留地奥卡利村。安纪科尔布自然中心位于红树林湿地。人口139 357(2000)。

Hollywood Ten 好莱坞十人 在美国历史上,1947年10月受众院非美活动调查委员会传讯的十位电影制片人、导演和剧作家,他们拒绝回答关于他们可能参加共产党的问题,因而以蔑视国会罪被投入狱中;出狱后,被好莱坞的电影制片厂列入不得雇用的黑名单。这十人是:阿尔瓦·贝西、赫伯特·比伯曼、莱斯特·科尔、爱德华·德米特里克、林·拉德纳、约翰·霍华德·劳森、艾伯特·马尔茨、塞缪尔·奥尼茨、阿德里安·斯科特和多尔顿·特朗博。这个集团原来还包括德国作家贝托尔特·布莱希特在内,但他在被传讯后的第二天逃离美国。1947年11月24日众院投票表决,认为其余十人蔑视国会。第二年,联邦法院对他们处以六个月到一年的监禁。(在狱中,德米特里克与其余九人绝交,同意合作,承认是共产党员,并提交另外26人的名单。)除德米特里克外,这个集团被电影界严格地列入黑名单。大多数人从未再被好莱坞雇用,有的人则用假名写作电影剧本。特朗博以"罗伯特·里奇"的假名编写的《勇敢的人》(1956)获奥斯卡最佳剧本奖。这份赤色黑名单到60年代初已不复存在,特朗博和拉德纳遂以自己的真名撰写电影剧本。

Holm, Hanya 霍尔姆(约1898,德国莱茵河畔沃尔姆斯～1992-11-03,美国纽约州纽约)德国出生的美国现代舞蹈编导和百老汇歌舞剧舞蹈编导。早年在法兰克福的达尔克罗兹

霍尔姆的舞姿
美国不列颠百科全书公司供图

学院攻读,后入M.维格曼中心学院,几年后成为主任教师。她还是维格曼的大型作品《墓标》(1930)的编导之一。1931年她受命去纽约开办M.维格曼分校(1936年成为霍尔姆舞蹈实验剧院)。教学上她很注重技巧熟练和激情表达。1939年入美国籍。她的第一部大型戏剧性作品《倾向》,于1937年演出,是其最著名的作品之一。《大都会一日》(1939)是第一出电视播送的现代舞蹈。她偕同舞蹈团在美国和欧洲巡回演出。1941年她在科罗拉多州建立了西部舞蹈中心,每年夏季都在那里教课,持续了25年以上。她为百老汇的歌舞剧设计舞蹈,包括《吻我,凯蒂》(1948)、《窈窕淑女》(1956)和《小贩》(1960)。她在推动舞谱的应用上也起了很大作用。她是首次用拉班舞谱记录舞蹈获得版权的人(1952年记录《吻我,凯蒂》)。

Holm, Sven 霍尔姆(1940-04-04,丹麦哥本哈根～　) 丹麦小说家。曾参加60年代丹麦文学界的政治运动。1961年发表第一部短篇小说集《大敌》,书中描述一个坐落在悬崖上的乡村教堂慢慢塌入大海的故事。乡村隐喻为被政治所扭曲了的社会,其中发迹被看成人的首要成就。在《私生活》(1974)中,主人公奥托经历一场婚姻危机后,认识到对物质的追求已成为他生活的主要目的。他的许多小说反映了社会上的各种剥削行为,在散文诗《七情六欲》(1971)中,以人类的苦难为主题,提出了一个避免心理上的崩溃的乌托邦式的解决办法。

Holmes, Oliver Wendell 霍姆斯(1809-08-29,美国马萨诸塞剑桥～1894-10-07,剑桥)美国医生、诗人、幽默作家,以"早餐桌上"一系列短文而闻名。曾在哈佛大学攻读法律,后改学医学,并留学巴黎,1836年在哈佛获医学博士学位。开业10年,在达特默思学院教解剖学2年,1847年任哈佛大学解剖学和生理学教授。后来任哈佛大学医学院院长,直至1882年。他在医学上的最大贡献是唤起人们注意产褥热的传染性(1843)。他作为幽默作家和诗人,也博得极大声誉。早年求学时代就写过大量诗歌。《老铁壁》(1830)一诗鼓动了公众的情绪,群起反对销毁战舰"宪章号"。1857年开始在《大西洋月刊》上发表一系列"早餐桌上"文章。后来出版《早餐桌上的霸主》(1858)、《早餐桌上的教授》(1860)、《早餐桌上的诗人》(1872)和《茶具旁》(1891)等作品。这些作品完全口语化,内容丰富,显示出作者的渊博学识。其他作品有诗歌《鹦鹉螺》(1858)、《执事的杰作》(1858)和心理小说《埃尔西·文纳》(1861)。

Holmes, Oliver Wendell, Jr. 霍姆斯(1841-03-08,波士顿～1935-03-06,华盛顿[哥伦比亚特区]) 美国著名的法律史学家和法律哲学家。在美国联邦最高法院连续担任大法官达30年,以主张司法克制而闻名。他提出了关于限制言论自由的唯一基础是"明显而现实的危险"的概念。他是著名作家、医生老霍姆斯的长子。1861年毕业于哈佛学院,美国内战期间曾参军,几次负重伤,后退伍。1864

美国不列颠百科全书公司供图

年进入哈佛大学法学院,在那里他感到当时的法律课程呆滞狭窄,而他所要求的是法律科学、法律哲学或法律历史。1866年毕业于法学院,并游历了英国、法国、瑞士。1867年取得律师资格,在此后15年内他在数个律师事务所从事律师业务。他主编了詹姆斯·肯特大法官(1763～1847)所著的对美国早期法律作经典性评论的《美国法律评注》第12版,

同时在哈佛大学讲授法律课。1872年结婚。1880～1881年受聘到波士顿洛厄尔学院讲授普通法，这些讲演后来编成《普通法》一书(1881)，从而首次显示出他的才能。他的一个创新观点是："法律的生命并非逻辑而是经验"，因此它必须与许多实际情况相结合，诸如时代的需要，流行的道德和政治理论，以及公共政策等。1882年受聘为哈佛大学法学院的韦尔德讲座法学教授。同年12月又接受马萨诸塞州最高法院法官的任命，一直任职达20年之久，并于1899年成为该院的首席法官。1902年西奥多·罗斯福总统任命他为美国联邦最高法院大法官。自那以后他一直在该法院连续任职达30年之久，到1932年近91岁时才退休。在最高法院大法官任内，他被认为是当代最著名的法学家，常被人称为"伟大的异议者"。但他的远见和创造力不仅表现在他持不同的意见，而且也表现在他赞同多数派大法官的观点。他认为立法是立法机关的事，而不是法院的事。他认为人民在宪法范围内，有权通过他们选出的代表，选择制定不管是好是坏的法律。他主张思想自由不仅要包括我们所同意的思想，而且要包括我们所厌恶的思想。

Holmes, Sherlock　福尔摩斯　英国作家阿瑟·柯南·道尔爵士所创造的一个小说中的人物。这个人物成为现代足智多谋的大侦探的典型，开创侦探小说的一个历久不衰的传统。虽然在福尔摩斯之前，已有埃德加·爱伦·坡创造的C.奥古斯特·杜宾出现，但杜宾还只是一个古怪的天才，而福尔摩斯则对大众的想象力产生显著的影响。道尔在塑造他笔下的大侦探时曾借鉴他在爱丁堡医学院求学时的老师约瑟夫·贝尔博士的方法与生活习惯。道尔给他的主人公布置了一个弥漫神秘气氛的环境——一个伦敦雾和维多利亚时代的单驾双轮双座出租马车的世界，还安排了一个足智多谋的对手莫里亚蒂教授，使他在福尔摩斯专做好事的同时，专做恶事；又给福尔摩斯安排了一位忠诚的朋友华生医生，前者才智过人，后者反应迟钝，形成一种反差，有助于树立小说主人公的形象。福尔摩斯的性格是多方面的。他是个十足的务实主义者，他曾向华生承认他对哥白尼的理论一无所知(见《猩红奇案》)，然而他对诸如化学、追求官能刺激的文学以及不同种类雪茄烟灰这类事物却知之甚深。他生性傲慢，但见人有危难乐于鼎力相助，对女性则易生疑忌，对艺术又极为敏感，性情乖僻。福尔摩斯的助手约翰·华生是这些探案故事的讲述人，他与读者同享欢乐，对福尔摩斯的推理能力同感惊讶。作为"读者之友"，他受欢迎的程度几乎与福尔摩斯本人相同。

Holmes, William Henry　霍姆斯(1846-12-01，美国俄亥俄加的斯附近～1933-04-20，密歇根罗亚尔欧克)　美国考古学家、美术家、博物馆馆长，对开创美国专业考古研究工作曾有贡献。1883年发表《古代美洲贝壳艺术》。1894～1897年任芝加哥菲尔德自然历史博物馆人类学部主任，曾去尤卡坦，并发表了插图精美的《墨西哥古代城市考古研究》(1895～1897)。1897～1902及1910～1920年间两度担任华盛顿城史密森学会人类学部主任，1902～1909年间任该学会美洲民族学部主任，1919年发表《美洲土著文物手册》，1920～1932年任国立美术馆馆长。

holmium(Ho)　钬　化学元素，周期表Ⅲb族过渡稀土金属。是已知顺磁性最强的物质之一。作为丰度最小的稀土元素之一，钬及其化合物除供研究外很少有其他用途。钬已用于某些电子设备元件中，其3价离子用作邻-对位氢变换催化剂，其氧化物可用作特种耐火材料。1878年J.-L.索里特和M.德拉冯腾用光谱法发现了钬。1879年P.T.克莱夫也独立地发现了钬，用化学法将钬跟铒和铥分离开来。克莱夫用他出生的城市瑞典斯德哥尔摩的拉丁文名Holmia命名这个元素。钬和其他稀土金属伴生于磷钇矿、黑稀金矿等许多矿物中。在核裂变产物中也有钬。钬的经典分离和提纯方法是分步结晶和分级沉淀。用离子交换法已制备出千克数量的高纯氧化钬。用钙对其无水氟化物HoF_3进行热还原，可制备银白色的金属钬。钬为活泼金属，可被氧和水缓慢侵蚀。钬仅有的一个天然同位素钬165是稳定的，已知的人工放射性同位素约有24个。钬具有典型稀土金属的化学性质，可生成一系列黄-棕色盐，其中许多是从钬的氧化物Ho_2O_3溶解在适当的酸的溶液中得到的。钬原子序数67。原子量164.930。熔点1 470℃。沸点2 720℃。比重8.781(25℃)。化合价3。电子组态2,8,18,29,8,2或$(Xe)4f^{11}5d^{0}6s^{2}$。

Holocaust　大屠杀　希伯来语作Sho'ah或Ḥurban，指纳粹分子对犹太人和其他少数民族长达12年(1933～1945)的迫害，其特点是手段越来越残忍和受德国恐怖统治的国家增多，其高潮为企图灭绝欧洲犹太人的"最后解决"。

希特勒对德国犹太人的迫害始于他在1933年1月30日成为德国总理之后1个月。犹太人的商店遭到抵制，随后不久又被捣毁，犹太人被从地方政府、法院和大学清除出去。1933～1938年，希特勒通过一系列法令，没收犹太人的财产并对他们实行大规模的迫害，成功地削弱了德国犹太人的政治和经济基础。按纳粹的教条，德国犹太人包括成千上万犹太血统的德国基督教徒。根据1935年的纽伦堡法，犹太人完全丧失了公民权并被禁止与其他的德国人通婚。1938年11月9～10日的"水晶之夜"大屠杀之后，德国的犹太教堂几乎全部被捣毁，同时被毁的还有犹太人的其他社团。随后，成千上万的犹太人被关进集中营，德国犹太人的大部分财产通过巨额的惩罚性罚款和其他横征暴敛的方式被没收。到第二次世界大战爆发时，犹太人已不再是公民，不能进任何公立学校，不能从事几乎任何行业或职业，不能拥有一寸土地，不能与非犹太人有任何交往，被禁止出入公园、图书馆或博物馆，并被命令住在犹太人区里。到1941年，12岁以上的男孩都被征进军工厂干活，犹太人被完全禁止使用电话和各种公共交通工具，所有年龄在6岁以上的犹太人都必须佩戴黄色的大卫之盾徽章。

纳粹分子在取得几次宣传胜利之后确信，排犹主义也可作为打入许多欧洲国家的一个楔子。1938年法西斯意大利发布了以德国的排犹主义种族法令为蓝本制定的反犹太人法；1938～1939年奥地利及捷克斯洛伐克的被占领和被兼并，使这两国的犹太人遭到镇压；有排犹主义背景的匈牙利，1938年仿效希特勒制定了其第一部排犹主义法令；1937年12月，排犹主义在罗马尼亚达到高潮，当时奥克塔维安·戈加任总理，提出了一系列纳粹主义的排犹法令。他很快被国王卡罗尔二世罢黜，但至1939年11月，仍有1/3以上的罗马尼亚犹太人被剥夺了公民权。这意味着，作为外国人，他们不允许工作。

那些人们本来预期会站出来支持犹太人和其他受压迫少数民族的社会、政治力量没有那样做。中欧和东欧的学生团体，按过去的传统，拒绝与开明人士站在一起。而各开明政党自己也遭到压制和镇压。教会的抗议也软弱无力，不起作用；某些教士和主教显然是反犹太人的。

犹太人自己采取的一些自救办法稍微改善了他们的处境。他们大多数人希望移居外国，例如，1931～1941年161 262名犹太人获准移居美国。然而，这一相对来说规模很小的移民潮对改善数百万犹太人的处境作用很小。

第二次世界大战开始几年，德军的胜利使欧洲绝大多数犹太人陷入纳粹分子及其附属国的统治之下。从大西洋沿岸到伏尔加河畔，从挪威到西西里岛，犹太人被剥夺了人权，他们的财产被没收，大多数人被赶进犹太人区和集中营。

随着德军的东进，首先进入波兰，然后进入苏联和波罗的海各国，"犹太人问题"的解决令人恐怖地由被称为特遣部队的党卫军行刑队揭开了序幕。被占领的村、镇和城市的全体犹太居民(以及吉普赛人和许多非犹太斯拉夫人)遭围捕、枪杀，然后就地埋在万人坑里。另一种灭绝办法是将受害者赶入密闭的运货卡车，在运往万人坑途中排入废气将其杀死。但由于效率不高，加上舆论界有些人尤其是正规军官兵的不安，表明已到了采取某种新的大规模屠杀方式的时候。当时正逐渐形成在偏僻的死亡营屠杀和焚尸的计划，或许能保证大多数屠杀能采取更不易被人见到的方式、在被发现的机会降低到最低限度的情况下秘密进行。1942年1月20日，在柏林郊区的格罗森-万塞召开的臭名昭著的万塞会议上，以党卫军头子海德里希为首的15名纳粹重要官员(包括艾希曼)讨论了"最后解决犹太人问题"。会议决定有计划地将犹太人从被占领的欧洲各地运往设在东欧的集中营，在那里将他们"相机处理"。有的将被立即消灭(尽管没有正式使用"消灭"或"处死"这个字眼)，有的则将编入庞大的劳动营，通过筋疲力尽的劳动和低劣匮乏的食物使残留者最终死去或自己最后选择被消灭。(德国的一些盟国，如意大利和匈牙利，反对和抵制这一灭绝政策，但在德国的压力下于1943～1944年屈服。唯有保加利亚抵制到最后。)

最有效的大规模灭绝方式是在专门建造的伪装成淋浴室的毒气室里施放毒气，然后将尸体运到毗邻的焚尸炉焚毁。通过这种及其他各种方式，在奥斯威辛、马伊达内克、特雷布林卡、海乌姆诺、索比堡和贝乌热茨死亡营及其他集中营里，可能有多达400万犹太人被处死。第二次世界大战期间被纳粹分子屠杀的犹太人总数，人们估计不一，但可能高达600万（这个数字约为第二次世界大战中估计死亡的军事人员和平民总数约4 600万的13%）。

这个种族灭绝计划执行得很有效，反抗意识已被旷日持久的饥饿和疾病所削弱的受害者，常常到最后一刻还没有意识到他们将被用毒气杀死。不过，仍有一些犹太人进行积极或消极的抵抗。在居民们对犹太人友好的地方，如丹麦、法国、意大利和保加利亚，事实证明有可能采取把他们隐藏起来，为他们提供假证件，甚至把他们转移到中立国等办法拯救相当数量的犹太人。大批丹麦犹太人就是这样被秘密地集体转移到瑞典，法国的一些犹太人则在西班牙、葡萄牙和瑞士找到了避难所。但在东欧，德国人利用了农民传统的排犹情绪，所以犹太人几乎没有获得人民群众的任何帮助，不少非德国人反而是灭绝计划最残忍的执行者。尽管有这些不利的情况，成千上万的犹太青年加入了波兰、苏联、南斯拉夫、法国和意大利的各种地下抵抗运动。犹太游击队员常常组成他们自己的队伍，如法国有一支马基（丛林游击队）的犹太人特别分队，在抗击德国人的战斗中战功卓著。

但最重要的是，在波兰主要的犹太人聚居区——华沙、比亚韦斯托克和维尔纽斯——爆发了犹太人反抗占压倒优势的强敌的起义。在华沙，曾一度有近40万犹太人被集中在那里，最后剩下的几乎手无寸铁的6万名犹太人拒不服从德国人的驱赶令，与拥有火焰喷射器、装甲车和坦克的德国正规军对峙了近1个月（1943-04～1943-05）。不幸的是，各同盟国政府自顾不暇，无力为拯救犹太人提供有效的援助。整个战争期间，大多数国家的大门，除对少数人外，始终对所有的难民关闭着。

欧洲的战争于1945年5月8日结束。岁月的流逝只能愈合个人的一些创伤，但欧洲大陆的犹太人作为一个整体所遭受的伤害是不可能得到完全补偿的。犹太人的愿望集中于建立和维护以色列的安全，以及将纳粹战犯交付审判。

Holocaust remembrance days　大屠杀纪念日　对在纳粹德国种族灭绝政策下丧生的数百万受害者的国际性纪念。不同国家的纪念活动日各不相同，通常为纪念受害者抵抗的努力，特别是当时对仇犹和排犹主义的斗争。自1951年起，犹太人依据犹太历将逾越节后不久的尼散月第27日定为大屠杀纪念日。以色列国会还宣布该日为“纪念大屠杀和英雄气概日”，要铭记的不只是毁灭，还有抵抗。1978年美国国会通过了参议员J.丹福思的提案，宣布1979年4月28～29日，即1945年美军解放达豪集中营的周年纪念日，为大屠杀受害者的纪念日。丹福思有意选择一个对美国人有意义的日子，这样在犹太会堂和教堂以及市民活动场所都能够举行纪念活动。1979年美国总统的大屠杀委员会提议设立一年一度的纪念日，翌年国会以不记名投票方式通过一项法律，批准了纪念日，纪念活动从国际大屠杀纪念日（尼散月第27日）前的星期日开始，持续一周。纪念日为美国州和地方政府的节日，在学校和教堂及犹太会堂举办。

Holocene Epoch　全新世　旧称Recent Epoch（最新世），是构成第四纪的两个世中年代较晚的一个，并且是地球地质史的最后阶段。全新世在更新世之后，构成至今为止的最近1万年。全新世在更新世的最后一个冰期之后，特点是气候比较温暖。就人类史而论，全新世十分重要：旧石器时代之后不过几千年内，人类就掌握了达到现代文明水平的技能。

最后这个冰期结束时的消冰过程是复杂的。一次重要的气候变暖现象出现在大约1.3万年前，这可以从深海沉积物中以及西欧的植物群化石和昆虫动物群化石的改变中检测出来。这次变暖是间歇性的，北美洲庞大的冰盖层在拉布拉多境内经久不消，一直到约7 500年前。全新世开始的时间，根据气候来确定是困难的，但放射性碳测年法（一种以测定放射性碳的衰变量为根据的年代测定法）现已测定出开始于现时以前（以1950年为参考年）1万放射性碳年这个数据。这个时间同欧洲西北部变凉的晚得里阿斯阶段的终结和不断缩小的斯堪的纳维亚冰盖层在那里的最终碎裂极为相合。

大冰盖层融化的直接后果是世界海平面在全新世初期的大规模上升。在现时以前1万年时，大洋水位比现时低大约35米，随后大洋水位迅速上升，延续到现时以前大约6 000年为止。自那时以来，海水水位一直在现时水位上下不过几米的范围内动荡不定。海水侵入暴露的大陆架产生了重大的古地理效应。从亚洲到北美洲穿越白令海峡的陆桥，曾使早期人类能够迁移到南、北美洲，此时已被海水淹没。不列颠群岛和欧洲、日本和西伯利亚、斯里兰卡和印度以及塔斯马尼亚和澳大利亚大陆之间的关系也是如此。

在实际被厚冰盖层覆盖的地区内，冰的融化对有关陆地和海面高度的直接影响甚至更为复杂。那里冰体的重量曾使下伏的地壳被压低，这是一种叫做均衡沉降的过程。冰体随后融化的结果引起压力的释放，接着是地壳的隆起，这是一种叫做均衡恢复的过程。像斯堪的纳维亚那样经受过严重冰川作用的地区，自最后一次冰川作用终了以来已经发生了几百米的均衡隆起。

对全新世的气候演变已经通过孢粉学技术（花粉分析）作了调查研究。过去的植被条件能从湖泊和沼泽沉积物中所保存的化石花粉和孢子的组合中推断出来。对沉积物中不同层位上的上述组合进行比较可看出植被的变化，植被的变化则能从生态和气候变化的角度予以理解。此外，可对取自出现重大变化的层位上的沉积物进行放射性碳测年处理以测定年代。世界许多地区的处理结果表明，全新世开始时的特点是气候迅速变暖和植被广泛变化。例如，在先前受过冰川作用的欧洲西部，冻土植被由北方森林（桦木和松）替代了，后者又转而让位于阔叶的落叶乔木，如栎、榆、榛之类。这次变暖在从现时以前近8 000年到现时以前5 000年的一段时期内达到了极点，这段时间被称为气候最宜期或高温气候期，当时年平均温度比现在一般高2～3 °C。在这个时期，阔叶乔木不论是在北美还是在北欧都比今天的向北延伸得更远，而且，现在是美国中西部的新大陆北部草原也向其历史上的极限以东扩展得很远。在热带地区，特别值得注意的是，在现时以前1万年到现时以前5 000年之间，在跨越非洲、阿拉伯和印度的众多地区有过水位很高的湖泊，而那些地区现在却十分干旱。这表明，在全新世的前半期，气候比今天潮湿得多，而且季风降雨量的分布情况也非常不同。

现时以前5 000年之后，由于土壤退化以及人类活动越来越多的广泛影响，植被资料就更难解释了。不过，气候肯定变得比较凉了，并且一直是以持续几百年的较暖期和较凉期之间的小规模波动为特点。这种波动期从历史记录上看，以及从17世纪以来就保存下来的气象记录上看，都是明显的。小气候最宜期（公元1000～1250）的适宜气候和小冰期（公元1250～1850）的恶劣气候对人类的文明和经济状况有过极端重要的影响。

地球目前虽然被认为是处在冰期-间冰期旋回中的一个长期变凉的时期，但来自世界各地的气温读数的可靠记录（自19世纪中叶以来一直保存下来的）指出，整个过去100年却出现了将近0.5 °C的全球性变暖。很多科学家认为，主要由于人类活动的结果，大气中二氧化碳以及其他各种所谓温室气体（如甲烷和一氧化二氮）的增多，可能是引起这个变暖趋势的主要原因。

holography　全息术　利用激光、不通过透镜而产生特殊摄影影像的一种方法。全息术的理论是出生于匈牙利的科学家D.伽柏于1948年发明的，为此他在1971年获诺贝尔物理学奖。但直到60年代初，有了高强度激光后，全息术才变成现实。全息术的基本原理是将直接来自激光光源的光波和被摄体反射的光波的相位和振幅同时记录在胶片上，使之成为全息图，然后通过激光照射，显示出与原物一样的立体像。适合于全息术用的激光，有连续波激光和脉冲激光两种。

连续波激光全息术　如图1（上）所示，在暗室中，相干激光光束从光源B投射到被摄体O上，光束按被摄体O的物理特征而反射、散射和衍射到照相底片P。同时，激光光束中，有一部分作为入射光束（或参考光束）A，通过镜M反射也到达底片P。这两种光束相互干涉，即两种波的振幅叠合，在照相底片上产生干涉条纹。这些条纹由亮区和暗区交替组成。当射到底片上的两光束同步即同相时，则相长形成亮区。若两波振幅相同但反相，则相消形成暗区。显影后的底片称为全息图。底片上的像与原物无丝毫相似之处，但却录下了来自物体的反射光束中所有相位和振幅的信息。激光光束的两部分，原光束和反射光束，以很大的张角在底片上相遇，并以极细而密集的干涉条纹记录在全息图上。这一条纹图样包含了所摄物体的所有光学信息。

通过相反的步骤，如图1（下）所示，可以再现原物的像。激光光束的相干光照射全息

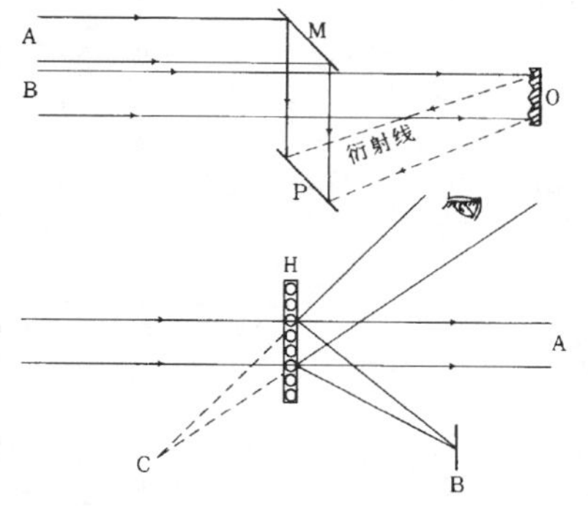

图1　产生全息图的光路（上）和由全息图再现图像的光路（下）

图底片H，从激光器射来的光，大部分通过底片，成为无用的中心光束A。全息图底片上的细密条纹，起着衍射光栅的作用，将其余的光依产生全息图的相干光波的相反方向进行衍射。衍射光透过全息图底片时，与参考激光光束成一个很大的角度。在全息图光源一侧C点上，看到的是一个虚像；在另一侧的B点上，是一个可以拍照的实像。这两个再现像由于贮存了除所有普通摄影法的振幅信息外，还贮存了相位信息。相位信息包含了物体各个周线的深度和高度的准确信息，所以，它能使像以立体形式显现。在B点，可用普通照相方法拍摄选定深度的再现像。

全息图和再现像之间看上去差别很大，如图2所示。此例中的物体是一带有皮缘饰的王冠模型。放大了的一部分全息图，如图2（上）所示，是一个复杂的干涉条纹图案。下

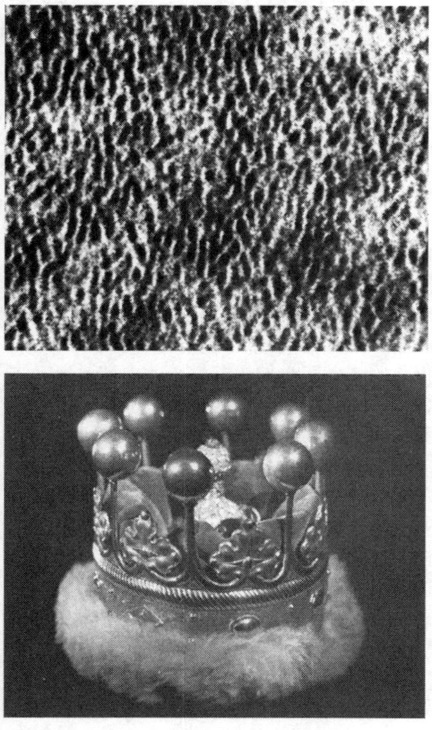

图2　全息图中复杂的干涉条纹图案（上）和由全息图再现的像（下）
美国不列颠百科全书公司供图

面是从这全息图再现的像。全息图不仅能提供不同深度（物体各个截面）的像，若观察者离开可以看到主像的轴，也能从不同方向进行观看。全息术也可以将一连串像记录在同一张底片上来再现一个像，使彩色全息术成为可能。利用三种不同颜色的激光，能将三张全息图叠加在同一张底片上，再用三种不同的激光再现，能产生带其固有色彩的像，即使全息图底片本身是黑白的。

脉冲激光全息术　用脉冲红宝石激光器的快速、高强度闪光拍摄全息图时，可使运动物体看上去好像是静止的。这种脉冲的延续时间可以小于10^{-7}秒，只要在这一短时间间隔内，物体移动的距离不超过光波长的1/10，则可以获得有用的全息图。连续波激光器产生光束的强度要低得多，需要长时间曝光，因此即使物体存在微小运动时，也是不适用的。利用脉冲激光器提供的快速闪光源，可以观察高速运动物体。化学反应常常改变溶液的光学性质，利用全息术可以研究这种反应。脉冲激光产生的全息图具有和连续波源产生的全息图一样的三维特征。脉冲激光全息术已用于风洞实验。通常用光学干涉仪（检查干涉条纹微小变化的仪器，在此例中是由空气密度变化引起的）研究运动物体周围的高速空气流。这种仪器难于校准和保持稳定。而且，光程中的所有光学元件（镜、底片等）必须优质和足够坚固，以减小在高速气流中的畸变。然而，全息摄影系统可避免光学干涉量度术的严格要求。当气体绕运动物体偏转时，它用干涉测量记录压强变化所产生的空气流折射率的变化。

非照相全息术　全息像可以记录在除照相底片以外的材料上。然而，这些材料的大多数尚处在实验阶段。用照相制作全息图仍是目前唯一广泛采用的方法。

全息术的主要应用　因为可用照相机或显微镜观察全息图的实像，所以可以检验原物难于和甚至不能接近的部位。这一特点使全息术获得许多应用。例如，平面上一窄而深的凹陷区，由于显微镜目镜工作距离的限制，它是不能达到的。然而若相干光能达到这一部位，则可以拍摄其全息图和再现其像。由于此像在空中，因此显微镜可以定在对该部位聚焦的位置。照相机也可以用相同方式聚焦在所需的深度，并能拍摄透明深腔内的物体。

全息术的许多应用都利用下述事实，即对表面每次曝光后，都使表面稍加倾斜，这样形成的一些复合重演的全息图可视为一些复合重演的波图。若将这样两个图匹配起来，则出现的情况实际上与普通双光束干涉量度术中存在的相似。在双光束干涉量度术中，一个光源分成两条光束，然后两光束组合形成干涉图样。可用若干方法作出这样的安排，其中之一是先对一表面进行全息曝光，然后在全息图移去或显影前，将表面略为倾斜，作出一重演的全息图，叠加在第一个全息图上。当重建这两个全息图时，可以看到物体和覆盖由表面不规则性产生的干涉条纹的表面。这些条纹揭示有关物体微观形貌的信息。

全息干涉量度术能成功地用于波阵面略为变形的任何情况，而不管表面如何复杂。通过在全息图上叠加两个弹性变形前后反射的波阵面，可以研究弹性变形效应。再现时，全息图能产生交织着干涉条纹的物体清晰画面。用这种方法不仅能研究静态畸变，也能研究缓慢的动态变形。用脉冲红宝石激光可以研究短时间极快的变形。

物体形状随时间的变化通常并不是用一个单独二次曝光的全息图来进行研究，而是用另一种方法。首先制作物体在自由（无应力）状态的全息图，然后对物体施加应力，再作一新的全息图。通过不受应力的原全息图观察受应力的全息图，这两个图的叠加就形成由双曝光产生的干涉条纹图样。用这种方法可以研究物体形状的时间变化。它对诸如膜片、乐器（如小提琴的共鸣箱）、汽轮机叶片等机械振动系统已作出了有价值的研究。对长达1米的大工程部件的检验，存在一些特殊问题。全息底片和物体之间的距离必须足够大，以保证同时能看到整个物体。此外，还必须增大激光的功率，对光的相干性以及装置的机械稳定性也有高的要求。

当全息干涉量度术用于检验快速转动的汽轮机叶片的振动时，频闪观测技术有助于分析。通过频闪作用，可产生一处于静止的叶片的全息干涉量度术图样。将频闪装置的频率稍加改变，可以对叶片的整个振动应力图样缓慢扫描。从这个全息图上可以获得汽轮机叶片或其他转动或振动物体中许多应力的信息。

尽管全息术能解决许多问题，但其费用还是相当高的。它有时不恰当地用于应该使用较简单和廉价方法的场合。激光系统相当复杂，设备的零部件价格昂贵，其附加设备以及产生全息图和再现像需要的长曝光时间，使费用进一步增加。因此，全息术除了用于显微术和干涉量度术以外，只用于其他方法失效或精密度不够的场合。

Holomastigotoides　全鞭毛虫属　原生动物门鞭毛虫纲动鞭亚纲的一属。全鞭毛虫属种类大型梨形，体大，生活于白蚁肠内。人们对其一种*H. tusitala*进行过核分裂时染色体行为的研究。它体长130～200微米，并有5条螺旋形鞭毛带，沿着身体向后方伸展。染色体长达50微米，比许多小原生动物还要长。其细胞分裂时核结构的变化及染色体行为，提供了一个与其他原生动物核分裂时作比较的模式，这些差别在确定亲缘关系上是有用的。

Holon　霍隆　以色列中西部城市。在地中海附近沙龙平原上，特拉维夫-雅法都市区南部。由数处居民点合并而成。现为以色列一纺织业中心，也有金属、橡校和塑料工业。当地有巴勒斯坦仅存两处撒马利亚人社区之一。1971年创立时装工艺学院。人口约146 100（1989）。

holostean　全骨鱼　全骨亚纲（Holostei）的硬骨鱼，一个古老的类群，现存代表种类有北美的弓鳍鱼和雀鳝。全骨亚纲的主要特征是：上颌皮内骨不与上颌骨相连而仅于鼻室附近附着于颅骨；腭不与颊部相连；尾鳍为歪尾。一些种类的鳞呈圆形，但较原始者呈钻石状并有退化的牙本质层。弓鳍鱼体长可达

全骨鱼

约75厘米，体重可达3.5千克；雄体通常小于雌体。钝吻鳄雀鳝(匙吻雀鳝，*Lepisosteus spatula*)是现存体型最大的全骨鱼，也是最大的淡水鱼；可长达3米，重达136千克。现存雀鳝类的特征是吻部(上下颌)延长，生有许多牙齿，身体纺锤形；背鳍和臀鳍位于身体靠后部，鳍条数不足12；吻部末端为喙，喙的形状或宽而短，如钝吻鳄雀鳝，或长而形似镊子，如长鼻雀鳝(长吻雀鳝，*L. osseus*)。已绝灭的半椎鱼类——半椎鱼科(Semionotidae)种类，包括已知本亚纲最古老的属——*Acentrophorus* 属，吻短，牙尖利；某些种类的身体呈盘状而非纺锤形。现存弓鳍鱼身体呈纺锤形，皮上覆以圆形的鳞片，头部覆以骨片；尾鳍叶状，但有些绝灭种的尾鳍分叉。背鳍长，延伸于大半个背部。雄体接近尾部处有一个黑斑，绕以黄色或橙色；雌体无黑斑或黑斑无鲜艳色彩围绕。全骨亚纲已绝灭的3个目是：厚柄鱼目(Pachycormiformes)，坚齿鱼目(Pycnodontiformes)和角鳞鱼目(Pholidophoriformes)。厚柄鱼目种类体纺锤形，尾分叉，口大，牙发达；形似剑鱼、鲭鱼之类现代真骨鱼类。坚齿鱼目种类具独特的平扁的压碎型齿，但某些前牙亦为切牙状，用以帮助攫住猎物；其骨成盘状；一般体壮，游泳迅速。角鳞鱼目种类的结构与现代真骨鱼最为接近；与真骨鱼最大的差异为尾鳍呈歪尾状。半椎目现仅存雀鳝属(*Lepisosteus*)一属，8种。弓鳍鱼属(*Amia*)含1种，为弓鳍鱼目(Amiiformes)的仅存属。

大部分现存全骨类仅分布于淡水，但有些雀鳝会短期进入半咸水或海水，可是在该处并不觅食。雀鳝能浮出水面并呼吸空气，故能生活于含氧不充足的水中。现代的弓鳍鱼仅栖于流动缓慢的淡水，但大部分绝灭的全骨鱼为海生。弓鳍鱼具发达的鳔，其功能如肺，故能离水生活达2小时之久。全骨鱼类为掠食性，以其他鱼类和无脊椎动物为食。弓鳍鱼偶能大量破坏当地人类捕捞的鱼类种群。弓鳍鱼在沿岸边多草的地方繁殖。雄体筑巢并护卵；幼鱼孵出后又受雄鱼保护，幼鱼吻端有黏附器官，用以将身体附着在草上从而得以保留在一个地方。幼鱼生长迅速，第一年后即可长达23厘米。雀鳝于春季在浅水水域产大型多卵黄的卵。幼鱼具数长排尖锐的牙齿，用以捕捉游泳迅速的米诺鱼——其主要食物。

Holst, Gustav(Theodore)　霍尔斯特(1874-09-21，英国格洛斯特郡切尔滕纳姆～1934-05-25，伦敦)　全名Gustavus Theodore von Holst。英国作曲家和音乐教师，以配器精湛闻名。所作音乐以拉威尔与斯特拉文斯基，以及其他作曲家的风格为基础而形成一种国际性的韵味，同时继承英国浪漫主义音乐传统。曾就学于伦敦皇家音乐学院，学习长号。毕业后曾在一些乐队任长号演奏员。1905年任圣保罗女子学校音乐教师，1907年任莫利学院音乐系主任，在两校任职终身。他所探

美国不列颠百科全书公司供图

索的教育方法意在重新挖掘英国声乐与合唱的传统(民歌、牧歌与教堂音乐)，这对许多英国学校的音乐教育产生影响。他的许多小型合唱曲、民歌改编曲及器乐小品(如弦乐《圣保罗组曲》，1913)反映出他致力于培养学生对音乐的爱好。在这一活动中他与他的朋友和同时代人R.V.威廉斯有很多共同的理解。然而，他的独创性与探索精神要求有一种比英国民歌乐派所能提供的更为灵活而且限制性更少的音乐语汇。他从新的欧洲音乐(例如斯特拉文斯基的新技巧)得到启示，创作了管弦乐组曲《行星》(1918)。同时也从印度文学中获得创作动力，从而形成了他的“梵文”时期(1908～1912)，在此期间创作了歌剧《莎维特丽》和4套取材于《梨俱吠陀》的合唱赞美诗。他的世界主义风格在当时英国音乐中极为罕见，因而具有特殊的历史意义。在管弦乐曲《埃格敦荒野》(1927)、《合唱幻想曲》(1930)以及为长笛、双簧管与弦乐队演奏的《赋格协奏曲》(1923)等作品中，他预示了后来许多英国作曲家的新倾向。他们都将背离由于民歌复兴而产生的自觉的民族风格。霍尔斯特的作品还有：作于1899～1906年的歌剧《锡塔》、合唱与管弦乐队曲《耶稣的赞美诗》(1917)、歌剧《大笨蛋》(1923)和《在野猪头酒家》(1925)、《两把小提琴与管弦乐队的双重协奏曲》(1929)及管弦乐队曲《锻工》(1930)等。

Holste, Luc　霍尔斯特(1596-09-27，汉堡～1661-02-02，罗马)　德国古典学者和梵蒂冈图书馆馆长，以其对若干地理著作的详注版和《书简》(1817)而知名。《书简》是有关当时文学史富有价值的资料。霍尔斯特曾偕地理学家P.克吕弗同游意大利和西西里(1617～1618)，为后者的《古代意大利》(1624)一书搜集资料，并为该书撰有注释，发表于1666年。1627年去罗马，任枢机主教弗朗切斯科·巴尔贝里尼图书馆馆长。1629年供职于教廷。他1630年出版了3世纪希腊新柏拉图主义者波菲利的一些次要的作品，包括对这位哲学家的生活与写作的论述。他是一位不知疲倦、勤奋、学识渊博的学者，反映着他生活的那个时代的人文主义、神学和科学的潮流。霍尔斯特1641年任梵蒂冈图书馆馆长。虽然他庞大的文献收罗计划从来没有人了解，但他搜集了卷帙浩繁的注记，其中一部分在他死后印刷出版了。其主要地理学著作中包括对梵蒂冈美术陈列馆所藏多幅意大利地图的修订。为《古代意大利》作了订正(1663年出版)。另编订6世纪希腊地理学家斯特凡努斯(拜占廷的)《民族志》于1684年问世。

Holstebro　霍尔斯特布罗　丹麦日德兰西部灵克宾州城市。在维堡西南面，临大河。当地史前为一俯瞰大河渡口的居民点。1274年首见记载。作为日德兰西部牲畜贸易中心，以其牛、马集市闻名。有肉类加工厂、卷烟厂和酿酒厂。霍尔斯特布罗博物馆主要陈列当地古物。人口：市28 270(1981)；城市区约37 030(1982)。

Holstein　荷尔斯泰因　日德兰半岛南部艾德河与易北河之间的历史和文化区。今在德国北部石勒苏益格-荷尔斯泰因州的南半部。1111年成为神圣罗马帝国的一个县。1459年与丹麦国王联合。1474年升作神圣罗马帝国的公国。1815年后参加德意志联邦。丹麦人为并吞荷尔斯泰因和石勒苏益格于1864年与奥地利和普鲁士交战。丹麦战败后，根据布拉格和约两地并为普鲁士的一个省。居民多为撒克逊人后裔，操低地德语。85%以上的人信奉新教。

Holstein, Friedrich (August) von　霍尔施泰因(1837-04-24，波美拉尼亚奥得河畔施韦特～1909-05-08，柏林)　皇帝威廉二世统治期间，在俾斯麦解职之后，1890～1909年德国外交政策最有影响的决策者。从1876年起，一直在柏林外交部工作，虽未成为外交大臣，但在幕后行使巨大权力，成为“灰衣贵人”。

青少年时期，家人长期带他在国外旅行，使他能流利地讲好几种外国语言。小时多病，所受教育大多来自家庭教师。柏林大学毕业后，进普鲁士政府法律部门工作。作为一个骄傲和自负的人，他很少顺从上级，对所担任的官方职责抱漫不经心的态度。他家境富裕，受其父的邻居、19世纪50年代普鲁士政界强有力人物俾斯麦的保护。

在俾斯麦的支持下，霍尔施泰因于1860年进入普鲁士外交部门工作，受俾斯麦领导在普鲁士驻圣彼得堡公使馆实习。在里约热内卢任职后，于普鲁士-丹麦战争期间回到国内，任俾斯麦在陆军总部的外交代表之一，参加1864～1865年为解决丹麦问题而举行的国际会议。

1865～1867年奉派驻美国，在那里，他对一项发展拖拉驳船的机械装置的计划感兴趣，将其大部分财产投入这项工程，结果损失大半。俾斯麦把他召回。1870年夏，普法战争爆发前夕，俾斯麦担心意大利王国可能站

在法国一边，指示他与意大利共和派人士密谈。战争爆发后，他前往俾斯麦驻法司令部。他隶属于俾斯麦的参谋部，但官方的身份不过是与法国进行停战谈判的翻译。俾斯麦想要尽可能充分地获得情报，允许他更为独立地工作，保持与巴黎公社领导人的非官方接触。与法国缔结和约后，他在德国驻巴黎大使阿尼姆伯爵的领导下工作。

1876年4月，霍尔施泰因被召回至德国外交部。他对每一个问题的透彻的研究和他的联络网，很快使他不仅对外交政策并且对国内政策产生最有力的影响。为继续在柏林处于左右事态的地位，他数次谢绝提升他担任驻外使节的建议。1900年他甚至拒绝宰相比洛亲王提升他担任外交大臣的建议，据称这是因为他不愿公开露面，他后来承认这是他一生中犯下的一个最大的错误。

霍尔施泰因一生中最大的谜之一是，他从狂热的俾斯麦党人转变为这位老政治家的激烈的批评者和反对者，70年代他曾是俾斯麦的亲密的合作者和政治心腹。这种态度的变化是多年来逐渐形成的，事实上主要为俾斯麦与俄国结盟的政策所促使。与俾斯麦相反，霍尔施泰因主张与奥地利和英国结成坚固的同盟，1890年俾斯麦被免职后，他与新宰相卡普里维的其他顾问们一起，建议不再续订与俄国的条约。

在卡普里维的领导下，由于这位新宰相缺乏外交经验，霍尔施泰因在制定外交政策方面担任更为重要的角色。虽然他在为德国政策制定新的反俄亲英的指导思想方面起重要的作用，但他同时热烈支持卡普里维的互惠贸易条约，包括与俄国的互惠贸易条约在内。这些条约降低了农产品进口的关税。从而使德国食品价格下降，并促进了德国的出口贸易。

在卡普里维的继承人、1894年任宰相的霍恩洛厄-希灵斯菲斯特的领导下，霍尔施泰因的影响进一步增长。作为霍恩洛厄继承人、1897年任德国外交大臣和1900年任宰相的比洛的机要顾问，他继续发挥作用。但在他的外交生涯中持续时间最长和最严酷的斗争中，他感到处于困难的境地。他在反对难以预测的皇帝威廉二世的政策方面无能为力，也不能说服他的上司这样做。在俾斯麦被免职后的年代里，德国最重要的政策——狂热地寻求殖民地；建立德国舰队，与英国争夺海上霸权；曲折的英德结盟的谈判，这一谈判不仅失败，并且事实上加剧了两国间的紧张——大部分是这位德国皇帝通常在不与政府官员们商量的情况下拟定的。他看到这些政策中有许多是很愚蠢的，但他自己制定和试图实行的政策也不比这位皇帝的政策对他的国家更为有利。在促成中断德俄联盟之后，他未能做到他所希望的与英国结盟；当他再次争取与俄国达成谅解时，俄国已与法国结盟。这时德国唯一可以信赖的盟友只剩下垂死的哈布斯堡帝国，而后者为恢复友好关系提出了更高的要求。霍尔施泰因最引人注目的外交事件是，企图通过在摩洛哥问题上挑起危机来破坏1904年新订立的英法协约，但此举也只是暴露了德国在世界上的孤立地位而已。1906年4月，当危机达到高潮时，这位德国皇帝免去了他的职务。

Holstein-Friesian　荷尔斯泰因-弗里斯牛　大型奶牛品种，又名黑白花牛或荷兰牛。起源于荷兰北部和弗里斯兰地区。主要特点是体型大，有界限鲜明的黑白花斑点。据信该品种被选择为乳用约已有2 000年，已经长期在欧洲大陆肥沃低洼地区广为分布，其产奶能力受到极高的评价。美国饲养的该品种的数量超过其他所有奶牛品种，其产奶量占供奶量的9/10。但是其乳脂率较低。荷兰人在纽约州开拓殖民地时带来了他们的牛品种，后殖民地转让给英国，英国定居者带来自己的牛品种，荷兰牛一度消失。1795年该品种首次由荷兰输至美国，大量输入则是在1879～1887年。现分布广泛，但鲜牛奶销售旺盛的地区比较集中。为加强瘦型牛肉生产，纯种弗里斯牛或它与肉用公牛杂交的后代，在英国和美国牛肉生产中起着日益重要的作用。

Holstein-Gottorp, Karl Peter Ulrich, Herzog von (duke of)　荷尔斯泰因-戈托普公爵　参阅 **Peter**（Russia）彼得（俄国）项下的 **Peter III** 彼得三世。

Holstein Interglacial Stage　荷尔斯泰因间冰期　欧洲更新世（开始于约250万年前，终止于约1万年前）重要的年代地层单元。位于埃尔斯特冰期之后，萨勒冰期之前。可与英国的霍克斯尼间冰期和欧洲阿尔卑斯山区惯用的明德-里斯间冰期相对比，与北美的雅茅斯间冰期也大致同时。在北欧大部地区以湖、海沉积为代表。因德国一个沉积地层出露良好的地区而得名。这个时期，先前冰期的巨大冰盖融化使海面上升，淹没了大部分低地。对软体动物化石和孢粉研究表明，当时的气候条件与今日类似。

Holstein Sea　荷尔斯泰因海　更新世（开始于约250万年前，终止于约1万年前）　荷尔斯泰因间冰期时的海侵。此海位于北海和波罗的海盆地，并堆积了大范围的海相沉积物。荷尔斯泰因海堆积物中的动物群显示出从寒冷到温暖气候条件的变化。此海淹没了许多陆地；海相地层和陆相地层之间可对比。

Holsteinsborg　荷尔斯泰因斯堡　格陵兰（爱斯基摩）语称锡西米尤特，意为“狐穴之地”。格陵兰中西部沿海城镇。近阿梅洛格湾口。1764年有丹麦人拓居。现为现代化渔港。设有造船厂和鱼类加工厂。交通有直升飞机和近海轮船。人口4 270(1982)。

Holstenius, Lucas　参阅**Holste, Luc**霍尔斯特。

Holston River　霍尔斯顿河　在美国田纳西州东部。由南、北两支流在金斯波特以西汇合而成。西南流，在诺克斯维尔附近与弗伦奇布罗德河汇合形成田纳西河。全长185千米。河上有两座田纳西河流域管理局修建的水坝。

Holt, Edwin B(issell)　霍尔特（1873，美国马萨诸塞温切斯特～1946-01-25，缅因罗克兰）　美国心理学家、哲学家，以注重认识的目的性而闻名。他是W.詹姆斯的学生和继承人。1901年获哈佛大学哲学博士学位，并留校任教至1918年。1908年完成《意识的概念》(1914)一书，他认为客体是被知觉的东西，因此，意识好像是照相机的镜头，用以提供确切的图像。他认为，行为主义可以视作认知心理学或意义心理学，具有特殊的应答关系。在《弗洛伊德学派的欲望及其在伦理学中的地位》(1915)一书中，他提出，如果这种欲望被看作是行动的目的和计划过程，那它就是可以解释心理的那种反应关系。1926～1936年在普林斯顿大学任教，完成了《动物驱力和学习过程》第一卷(1931)。这本书促进了动力心理学（或人性心理学）的发展，并力求解释彻底经验论对心理学的意义。

Holt, Harold(Edward)　霍尔特（1908-08-05，悉尼～1967-12-17，澳大利亚维多利亚波特西附近）　澳大利亚总理（1966～1967），支持美国的越南政策，发起邀请约翰逊总统访问澳

美国不列颠百科全书公司供图

大利亚，使其成为第一位访问该国的美国在职总统。30年代初期在墨尔本当律师，加入澳大利亚统一党（自由党前身），1935年选入联邦议会。1941年在R.孟席斯政府中组织劳动部和国家战时动员署。孟席斯于1949年重又掌权后，他于1949～1958年任劳动部长，1949～1956年任移民部长。1956～1966年任众议院领袖和自由党副领袖，1958～1966年任联邦司库。1960年严厉推行反通货膨胀措施，造成经济衰退，使他的党在1961年选举中几乎失败。1966年继承孟席斯任总理，向南越增派军队，引起争论，但1966年末重新当选。他降低澳大利亚公民获得住房所需的条件，并降低入籍所需具备的条件，但仍保留了某些针对亚洲移民入籍而设置的障碍。他热爱水上运动，在巴斯海峡切维厄特海滩外游泳时溺死。

Holt, Winifred　霍尔特（1870-11-17，美国纽约～1945-06-14，马萨诸塞皮茨菲尔德）　美国福利工作者。出版商之女，曾在私立学校就读，非正式地受她父母的艺术家和作家朋友们的指导。19世纪90年代中期到意大利养病时发现自己有雕刻天赋，1897年回纽约后师从雕刻家圣-高登斯学习。1901年再次去意大利，在一次音乐会上偶遇一些盲人学生，他们拿着政府提供的剩余票来听音乐会

的。这些学生对音乐的喜爱使她深受感动,1903年回到纽约后成立了盲人售票处,专为盲人提供音乐会和剧院的入场券。1904～1905年到伦敦皇家师范学院和盲人音乐学院学习。返美后,11月组织纽约盲人协会,担任秘书至1914年。因看到盲人只是接受施舍,于是向他们进行教育以恢复信心,并提供职业培训,使盲人能够自立。霍尔特的执着热情和演讲与筹资的才能使协会由一个小团体迅速发展成为一个大型福利组织,主办缝纫、打字、速记、绑扫帚、钢琴调音,以及其他一些可以赚钱的技能培训班。1913年成立了"灯塔"。她和纽约市教育委员会一起废除了对盲童的种族隔离,创办儿童杂志《探照灯》。国际的"灯塔"运动普及到34个国家。1914年美国社会科学院授予她金质奖章;1921年被授予法国三级荣誉勋位。1922年出版《不灭之光》,同年与R.G.马瑟结婚。

Holtei, Karl von　霍尔泰(1798-01-24,西里西亚布雷斯劳～1880-02-12,布雷斯劳)　德国作家。以写"轻歌舞剧"和朗诵诗文获得成功。过着经常变化、居无定所的生活,来往于汉堡、巴黎和格拉茨之间,先后当过剧作家、演员和剧院经理。这段生活在他的自传《40年》(1843～1850)中描写得很生动。两部最优秀戏剧《老男爵》(1825)和《莱诺蕾》(1829)深受人们欢迎。他的《西里西亚诗集》(1830)以家乡方言写成,也很成功。还写有小说《流浪汉们》(1851)和《最后一个喜剧家》(1863)等,但结构松散,人物刻画也较表面化。1850年以后,他对漫游生活感到厌倦。1864年移居布雷斯劳,定居格拉茨。1876年遁迹一家隐修院。

Hölty, Ludwig Heinrich Christoph　赫尔蒂(1748-12-21,德国汉诺威马林塞～1776-09-01,马林塞)　德国诗人。被认为"格丁根林苑派"最有才华的抒情诗人。该社的一群青年诗人自视为伟大的抒情诗人克洛卜施托克的继承者,他们的作品以热爱大自然为其特色并充满民族感情。1769年前往格丁根攻读神学。在那里他成为诗人J.米勒、J.福斯、H.博伊厄以及施托尔贝格兄弟的密友。他们组织了格丁根林苑派,又称诗人协会。赫尔蒂靠做家庭教师、翻译和写"应景诗"为生。他发表在该派刊物《文艺年鉴》中的诗歌形式多种多样。受托马斯·格雷的《墓园挽歌》的影响,他在自己的诗作《乡村教堂墓地哀歌》和《城市教堂墓地哀歌》(1771)里,把城市生活和乡村生活作了一番比较,并在诗中对社会作了批评。他喜爱民歌;他感情上贴近农民,热爱大自然并渴望过上纯朴的自然生活,这一切都在诗作中得到精美的表达。他的抒情诗的特征是伤感抑郁的情调和诚挚的宗教信仰。他善于独特地运用各种曾经影响过他的风格,表现出克洛卜施托克的严肃认真,却没有他那种复杂的严肃凝重;表现出那个时代的柔情和敏感,却没有那个时代的矫揉造作;表现出阿那克里翁派对爱情和友谊的美好颂赞,却没有他们那种肤浅。

Holub, Emil　霍卢布(1847-10-07,波希米亚霍利采～1902-02-21,维也纳)　博物学家,曾泛游中南非洲,搜集了各种宝贵的自然历史收藏品,并将其捐赠给欧洲的博物馆和学校。1872年去南非,在金刚石产地金伯利担任外科医生。他曾到德兰士瓦北部和马绍纳兰(罗得西亚东部)考察,并通过贝专纳兰到达维多利亚瀑布,所搜集的标本于1879年带到欧洲。1883年他偕夫人返回南非,计划从开普敦穿过北非大陆到埃及。1886年6月他的队伍经过赞比西河北部并考察了位于赞比西河及其支流卡富埃河之间当时尚不为人们所知的地区(现属赞比亚)。在卡富埃河北部他的营地受到袭击,被迫返回。1887年他回到奥地利,带回了约13 000件具有很大科学价值的标本。著作包括《南非七年,1872～1879》(1881)和《旅行记,1883～1887》(1890)。

Holum, Dianne　霍勒姆(1951-05-19,美国伊利诺伊芝加哥～　　)　美国速度滑冰运动员。14岁开始参加世界锦标赛,1971年获1 000米冠军,1972年获500米冠军。在1968年法国格勒诺布尔冬奥会上获1 000米铜牌和500米银牌。1972年在世界短道速滑锦标赛上获1 000米和1 500米金牌,在日本札幌举办的冬奥会上获3 000米银牌。1972年退役之后,开始担任教练。

Holy Alliance　神圣同盟　欧洲大多数君主参加的松散的组织。由沙皇亚历山大一世、奥皇弗兰西斯一世和普鲁士国王腓特烈·威廉三世于1815年9月26日在巴黎建立,当时他们在拿破仑最后失败后正在协商签订第二次巴黎和约。同盟所宣称的目的是促进基督教教义对国际事务的影响。同盟由亚历山大倡议,最后,除英国摄政王、奥斯曼帝国苏丹及教皇外,全部欧洲国家的统治者均在盟约上签字。它的重要性并不大,但自由主义者和后来的历史学家认为,它是保守主义及在中欧和东欧进行镇压的主要力量和象征。奥地利梅特涅亲王与英国卡斯尔雷子爵这两位拿破仑时代之后外交界的重要人物,则把同盟看成是一项既无意义又昙花一现的国际联合。

Holy Brotherhood (Spanish militia)　参阅 **Santa Hermandad** 圣兄弟团。

Holy Club　圣社　英格兰清教徒领袖约翰·卫斯理和查尔斯·卫斯理兄弟领导的牛津大学学生小组。他们循规蹈矩地进行学习和宗教修养,人们戏称为循道派。初为查尔斯·卫斯理所组织,1729年11月以后由约翰·卫斯理领导。这个小组定期聚会研究《圣经》及古典著作。该社经常举行圣餐,社员每星期三、五禁食。他们也关心社会工作,在监狱和穷人中间工作。1735年卫斯理兄弟离开牛津,圣社解体。

Holy Communion　参阅 **Eucharist** 圣餐。

Holy Cross, Exaltation of the　圣十字架节　基督教节日,为9月14日,纪念耶稣基督受刑的十字架。约公元335年耶路撒冷圣墓教堂举行献堂典礼,东派教会自其时起即纪念此节。天主教于7世纪采纳此节。

Holy Cross Mountains (Poland)　参阅 **Świętokrzyskie Mountains** 圣十字山。

holy days of obligation　圣日　天主教会规定信徒必须举行弥撒和禁绝不必要工作的日子。虽然星期日都是这样奉为圣日的,但是这里所说的圣日通常是指与星期日同样对待的其他日子。由于17世纪前各主教有权为本主教区规定新的圣日,因此过去圣日的数目不一。17世纪教皇乌尔班八世把圣日限定为36天。鉴于如非法定假日即难以举行宗教仪式,1918年天主教法规规定10个圣日:圣诞节、净心节(元旦)、显现节、耶稣升天节、基督圣体节、圣母升天节、圣彼得圣保罗节、万圣节、圣母无原罪始胎节、圣约瑟节。经过教皇批准,有些国家减少或更动了圣日。如美国不纪念显现节、基督圣体节、圣彼得圣保罗节和圣约瑟节。苏格兰和爱尔兰不减少圣日数目,但爱尔兰以圣巴特里克节代替圣约瑟节。各东派天主教会各有自己规定的圣日,在数目上一般多于西派教会的圣日。参阅 **holiday**。

Holy Family　神圣家庭　基督教艺术中反映圣婴耶稣和他的至亲的一个题材。有两种主要形式,一种是圣母和圣婴以及圣约瑟,另一种是圣母、圣婴、圣约瑟和圣母马利亚的母

乔尔乔涅绘《神圣家庭》(约1508)
美国不列颠百科全书公司供图

亲圣安娜。多以彩色绘画表现,特别是在文艺复兴时期,常用以装饰教堂中的圣坛。第二种形式在德国最为常见。除了富有情感特色外,这一题材还体现神学上的无原罪始胎说,这种学说认为,圣母马利亚本人的出身是没有原罪的。第一种形式的根据是西方教会关于**耶稣降生**(**Nativity**)的说法,从 14 ~ 17 世纪末流行于西欧各地。16 和 17 世纪画中往往还要加上幼年的圣施洗约翰和他的母亲伊丽莎白(圣母马利亚的表姊妹)。仅仅包含圣母、圣婴和圣约瑟的这种比较简单的彩绘,自 16 世纪末以来在各国天主教艺术中特别重要,因为它表现一种抵制宗教改革的"地上三位一体"思想,这种思想认为,约瑟、耶稣和马利亚是圣父、圣子和圣灵在尘世的反映。在 17 世纪的法国、西班牙和佛兰德,双重的三位一体主题,即天堂和尘世的三位一体,经常被并存地反映在一件作品中。

Holy Family, Feast of the 圣家族节 天主教节日。对全体圣家族(耶稣、马利亚、约瑟)的崇拜始于 17 世纪,但圣家族节到 1921 年才正式规定。原定在显现节(1 月 6 日)后的第一个星期日,自 1969 年起改在圣诞节后第一个星期日,属于圣诞节期范围之内。

Holy Ghost 参阅 **Holy Spirit 圣灵**。

Holy Ghost Father 圣神会士 天主教男修会圣神和圣母洁心会的成员。该会于 1703 年由波拉·戴斯·普拉斯创建于巴黎。19 世纪初该会带头在非洲重新开展传教活动。该会除传教外还选派人员参加教育及社会工作。

Holy Grail 参阅 **Grail 圣杯**。

Holy Innocents, Feast of the 悼婴节 又作 Childermas 或 Innocents' Day。纪念当年犹太国王希律为了搜捕新诞生的耶稣而滥杀婴儿的节日。西派教会规定为 12 月 28 日,东派教会规定为 12 月 29 日。早期基督教会认为,当时无辜被害的婴儿是最早的一批殉教者。在各天主教国家,此节现为儿童欢庆的节日。

Holy Island 霍利岛 又称林迪斯芳(Lindisfarne),北海西部历史名岛。面积5平方千米。在英国诺森伯兰岸外 3 千米,低潮时与本土有堤道相连。行政上属诺森伯兰郡特威德河畔贝里克区。635 年建教堂和隐修院,乃一宗教中心,所藏《林迪斯芳福音书》是 7 世纪彩画抄本的珍品。该岛西南角的林迪斯芳村现为旅游中心。岛上有海上警卫队和救生艇站。人口 190(最新统计)。

霍利岛的林迪斯芳城堡
美国不列颠百科全书公司供图

Holy Lance 圣矛 第一次十字军战争期间十字军战士于 1098 年 6 月在叙利亚的安条克发现的一件古物。据说这就是耶稣被钉上十字架时刺穿他胸部的那支矛。这件古物的发现曾经鼓舞十字军战士进攻和击败穆斯林。但后来证明它是赝品。制造这一谎言的人是一位叫彼得的农民。他诡称耶稣门徒圣安德鲁托梦给他,并且指示出圣矛的藏处。后彼得为证实其所说的是真实情况,不得不接受火的考验,结果被活活烧死。圣矛之说遂彻底破产。

Holy League 神圣联盟 15世纪后期和16世纪初由罗马教皇先后成立的两个欧洲国家联盟,目的是保护意大利免受法国统治的威胁。第一个神圣联盟于 1495 年成立,有教皇亚历山大六世、神圣罗马帝国皇帝马克西米连一世、阿拉贡的斐迪南二世、威尼斯和米兰参加,以反对曾在 1494 年侵入意大利的法国查理八世。1496 年联盟国家迫使法国人撤出意大利。1511 年的第二个神圣联盟由教皇尤利乌斯二世组成,以对付查理八世的继承人路易十二。到 1512 年春,西班牙、威尼斯、神圣罗马帝国、英格兰和瑞士加入了反法联盟,同年 5 月把法国人逐出米兰。当法国人企图卷土重来时,于 1513 年 6 月 6 日在诺瓦拉战役中被瑞士人击败。此后,联盟各国在战略上意见不一,1513 年 9 月瑞士首先同法国单独缔结和约,后来其他各联盟国家也都这样做了。

Holy League 神圣联盟 16世纪晚期法国宗教战争中的天主教团体。最初在吉斯家族第三代公爵洛林的亨利领导下,于 1576 年组成,以反对国王亨利三世对基督教新教徒(胡格诺派)所作的让步。亨利三世由于未能自任天主教党的首领,乃下令予以解散(1577-09)。1584 年,基督教新教领袖纳瓦拉的亨利(即后来的亨利四世)成为王位继承人时,神圣联盟地位又变得重要起来。神圣联盟在法国各地得到人民群众的支持,亨利三世被迫禁止基督教新教(1585-07),以便抚慰联盟。由于神圣联盟控制法国很多地方,并继续向他的权威挑战,为彻底消灭联盟,亨利派人刺杀吉斯公爵(1588-12)。国王的行动未能摧毁联盟,1589 年 8 月,他本人却被暗杀。受到西班牙积极支持的神圣联盟反对亨利四世即位。1593 年 7 月,亨利四世改信天主教,消除了反对他的主要理由,神圣联盟的权势才逐渐衰落。

Holy Mountain(Greece) 参阅 **Athos, Mount 圣山**。

Holy of Holies 至圣所 又作 devir。犹太教名词,指古代耶路撒冷圣殿中最神圣的地方,只有祭司长方可入内。至圣所在圣殿内西端。所罗门所建的圣殿至圣所中安放象征以色列人与上帝的特殊关系的约柜。每年赎罪日祭司长得以进入这一个方形无窗区域焚香并洒布祭牺鲜血;为自己和全体祭司祈求赎罪,这是教历上最神圣的礼仪。公元前 63 年罗马将军庞培占领耶路撒冷,公然闯入至圣所,使圣殿受到玷污。参阅 **Jerusalem, Temple of**。

holy order 神品 某些基督教会中各级神职人员的品级。一般分为主教、司铎、助祭和副助祭等大品和司门员、诵经员、驱魔员和襄礼员等小品。天主教会原设上述八神品,1973 年以后,根据教皇保罗六世的通谕仅设主教、司铎和助祭等大品以及副助祭和诵经员两小品。神品出缺时,候补人员应是达到规定年龄、受过洗礼、具有适当文化水平、品性端正的男性。第二次梵蒂冈会议(1962 ~ 1965)后,已婚男子可充任助祭,除特殊情况外其他神品仍必须由独身男子充任。司铎可以通过还俗手续解除神品,自 20 世纪 60 年代后期还俗现象很普遍。东正教会担任神品的条件与天主教同,但辅祭(助祭)和司铎不必独身;人如在受按立以前已有配偶,可以充任司铎,但司铎丧偶后不得再娶,未婚司铎不得娶妻,只有未婚或丧偶的司铎才能升任主教。东正教小品只有两级,即诵经员和副辅祭,但这两级实际上已逐渐消失。司铎可辞去神职而成为在俗信徒。英国圣公会在宗教改革运动期间取消四种小品以及副会吏(副主祭)并废除关于独身的规定。

Holy Roman Empire 神圣罗马帝国 西欧和中欧若干国家的综合体,最初由法兰克君主统治,接着由德意志君主统治,达 10 个世纪之久,即从 800 年查理曼加冕至 1806 年摒弃帝国称号。该帝国和罗马天主教教廷是中世纪西欧两个最重要的机构。皇帝这一罗马称号,5 世纪时已在西欧停止使用,800 年教皇利奥三世重新封授法兰克国王查理大帝。加洛林王朝消亡后,该称号又告废止。但从 10 世纪中期几乎持续到德意志帝国结束,德意志历代君主均称神圣罗马帝国皇帝。神圣罗马帝国这一拉丁用语实际上于 1254 年才开始用,神圣帝国一词上溯至 1157 年,罗马帝国一词始用于 1034 年,指皇帝康拉德一世统治的国土。罗马皇帝一词用得较早,始于奥托二世(983 年卒)。神圣罗马帝国皇帝是近代历史学家的习惯用法,但从未正式使用过。王位继承人称作罗马人的国王。帝国的领土最初包括今德国,奥地利,捷克共和国,瑞士,法国东部,低地国家,意大利北部、中部地区。但其统治者往往是德意志国王,德意志土地也总是其主要组成部分。15 世纪中期后的名称为德意志民族的神圣罗马帝国。帝国原来与教廷结盟,从 11 世纪中期至 13 世纪中期因与历代教皇争夺基督教欧洲的领导权而陷入长期的纷争,帝国因此衰弱。16 世纪的宗教改革导致信奉天主教的皇帝与信奉新教的德意志诸侯分裂,使帝国更加动摇。在一系列冲突之后,爆发了三十年战争(1618～1648),德意志满目疮痍。1648年

神圣罗马帝国皇帝

加洛林王朝	
查理曼(查理一世)	800 ～ 814
路易一世	814 ～ 840
内战	840 ～ 843
洛泰尔一世	843 ～ 855
路易二世	855 ～ 875
查理二世	875 ～ 877
空位	877 ～ 881
查理三世	881 ～ 887
空位	887 ～ 891
斯波莱托王朝	
居伊	891 ～ 894
兰伯特	894 ～ 898
加洛林王朝	
阿努尔夫	896 ～ 899
路易三世	901 ～ 905
法兰克尼亚王朝	
康拉德一世	911 ～ 918
加洛林王朝	
贝伦加尔	915 ～ 924
萨克森王朝(利乌多尔夫家族)	
亨利一世	919 ～ 936
奥托一世	936 ～ 973
奥托二世	973 ～ 983
奥托三世	983 ～ 1002
亨利二世	1002 ～ 1024
萨利安王朝	
康拉德二世	1024 ～ 1039
亨利三世	1039 ～ 1056
亨利四世	1056 ～ 1106
对立朝廷的皇帝	
鲁道夫	1077 ～ 1080
赫尔曼	1081 ～ 1093
康拉德	1093 ～ 1101
亨利五世	1105/06 ～ 1125
苏普林堡王朝	
洛泰尔二世	1125 ～ 1137
霍亨斯陶芬王朝	
康拉德三世	1138 ～ 1152
腓特烈一世(红胡子)	1152 ～ 1190
亨利六世	1190 ～ 1197
腓力	1198 ～ 1208
韦尔夫王朝	
奥托四世	1198 ～ 1214
霍亨斯陶芬王朝	
腓特烈二世	1215 ～ 1250
对立朝廷的皇帝	
亨利(七世)	1220 ～ 1235
亨利·拉斯佩	1246 ～ 1247
威廉(荷兰的)	1247 ～ 1256
康拉德四世	1250 ～ 1254
大空位期	
理查	1257 ～ 1272
阿方索(卡斯蒂利亚的阿方索十世)	1257 ～ 1275
哈布斯堡王朝	
鲁道夫一世	1273 ～ 1291
拿骚王朝	
阿道夫	1292 ～ 1298
哈布斯堡王朝	
阿尔贝特一世	1298 ～ 1308
卢森堡王朝	
亨利七世	1308 ～ 1313
哈布斯堡王朝	
腓特烈(三世)	1314 ～ 1326
维特尔斯巴赫王朝	
路易四世	1314 ～ 1346
卢森堡王朝	
查理四世	1346 ～ 1378
瓦茨拉夫	1378 ～ 1400
维特尔斯巴赫王朝	
鲁佩特	1400 ～ 1410
卢森堡王朝	
约布斯特	1410 ～ 1411
西吉斯蒙德	1410 ～ 1437
哈布斯堡王朝	
阿尔贝特二世	1438 ～ 1439
腓特烈三世	1440 ～ 1493
马克西米连一世	1493 ～ 1519
查理五世	1519 ～ 1556
斐迪南	1556 ～ 1564
马克西米连二世	1564 ～ 1576
鲁道夫二世	1576 ～ 1612
马蒂亚斯	1612 ～ 1619
斐迪南二世	1619 ～ 1637
斐迪南三世	1637 ～ 1657
利奥波德一世	1658 ～ 1705
约瑟夫一世	1705 ～ 1711
查理六世	1711 ～ 1740
维特尔斯巴赫王朝	
查理七世	1742 ～ 1745
哈布斯堡王朝	
弗兰茨一世	1745 ～ 1765
约瑟夫二世	1765 ～ 1790
利奥波德二世	1790 ～ 1792
弗兰茨二世	1792 ～ 1806

后，帝国仅为名义皇帝治下半独立各邦的松散的联合体。帝国虽与教廷严重不和，但整个中世纪仍与教廷紧密联系在一起；直至16世纪初，德意志国王经主要的德意志诸侯选为皇帝后，都由教皇加冕。后来在战争年代中放弃了这种传统，再未恢复。从15世纪初开始，虽然仍进行正式选举，但皇帝称号及德意志王位实际上由哈布斯堡(1740年以后为哈布斯堡-洛林)家族的奥地利王室世袭。1804年拿破仑宣布自己为法兰西皇帝，以表示他夺取了神圣罗马帝国皇帝在欧洲王权中传统的至高无上地位。同年8月10日，弗朗西斯二世宣布采用“奥地利皇帝”的称号，两年以后(1806-08-06)辞去神圣罗马帝国皇帝的称号。1871～1918年的德意志帝国为表明它承袭中世纪的神圣罗马帝国，常称为第二帝国；出于同样的理由，希特勒称纳粹德国为第三帝国。

Holy Saturday　圣星期六　又作Easter Vigil。基督教节日。定在大斋期末，即复活节前一天。东正教一直过这个节日，天主教会和其他教会自1955年恢复这个节日。届时点火以象征耶稣基督即将度过死亡而复活，并鸣钟表示大斋期欢乐结束。

Holy Sepulchre　圣墓　耶稣基督的陵墓，亦为建在基督受难和埋葬原址的教堂的名称。据《圣经》(《约翰福音》19:41～42)载，基督的墓穴在其受难处附近，故圣墓大教堂的建筑范围包括上述两地。该教堂位于耶路撒冷旧城西北角，为君士坦丁大帝始建，约于336年落成。614年为波斯人焚毁，经提奥多西隐修院院长莫德斯图斯重建，1009年前后又为穆斯林哈里发哈基姆所毁，再经拜占廷皇帝君士坦丁九世(莫诺马库斯)重修。12世纪十字军将它彻底改建。以后又屡经毁建。现教堂主要是1810年以后所建。希腊

耶路撒冷圣墓入口
美国不列颠百科全书公司供图

正教会、天主教会、亚美尼亚教会、科普特教会现分别控制该教堂的一部分，并经常举行礼拜。

Holy Shroud　参阅 **Turin, Shroud of** *都灵尸衣*。

Holy Spirit　圣灵　又作Paraclete或Holy Ghost。基督教教义中三位一体之上帝中的第三位。《圣经·使徒行传》多处讲到圣灵的作用，反映在信徒为人治病、说预言、赶鬼、说方言等活动中。根据基督教著作家的意见，《旧约》中多处提到雅赫维(耶和华)的灵，这就是关于圣灵的教义的由来。希伯来词ruah通常译为“灵”，多见于上帝的自由而所向无阻的行动(创世或赋予万物以新生)的段落，特别是在有关预言或期望弥赛亚的段落中。然而，在恪守《圣经》的犹太教教义中，根本没有说上帝还有这么一个分立的位格。事实上，《新约》本身也没有完全明确的论述。有一处间接提到基督允诺要差遣“保惠师”来，见于《约翰福音》。谓圣灵是三位一体上帝的一位，与圣父圣子具有平等的本体而不从属于圣父圣子，这一定义是由公元381年君士坦丁堡会议针对关于圣灵未必有神性的说法提出的。东派教会和西派教会其后即认为：圣灵是圣父圣子之间的纽带、情谊或互爱；圣父与圣子绝对地统一于圣灵。关于圣灵与三位一体上帝其他两位的关系，西派教会的说法是圣灵是从父和子出来的，东派教会则认为圣灵是借着圣子从圣父出来的。大多数天主教徒和东正教徒体验圣灵是在教会的圣事中而不是神学思辩中。从使徒时代起，施洗礼即称奉圣父圣子圣灵之名。坚振礼(在东正教为抹圣油礼)虽然新教大多数派别不承认为圣礼，也强调圣灵在教会中的作用。东正教会的“求降圣灵文”强调：圣灵降临于作礼拜的会众，也降临于圣餐的饼和酒。从基督教会成立后最初的若干世纪起，常有各种教派对教会缺少自由、真爱和活力感到不满而鼓吹圣灵充满，20世纪流行的五旬节宗是其中一例。参阅 **Trinity**。

Holy Spirit Association for the Unification of World Christianity　世界基督教统一圣灵协会　参阅 **Unification Church** 统一教团。

Holy Thursday　圣星期四　参阅 **Maundy Thursday** 濯足节。

Holy Trinity, Feast of the　三一主日　又作 Trinity Sunday。基督教节日，纪念上帝圣父、上帝圣子、上帝圣灵三位一体。日期规定在圣灵降临节（复活节后50天）后的第一个星期日。相传早在10世纪即已有此节日，后来逐渐推广到北欧各教会。1334年教皇约翰二十二世批准以此节为全教会节日。

holy war　圣战　按照神的旨意或者为了宗教目的而进行的任何战争。圣战这个概念见于《圣经》（例如《约书亚记》），在许多宗教里都起过作用。

holy water　圣水　东正教会和天主教会中经过祝福而用来为教堂、住宅和礼拜用品祝圣的水。水是纯净的天然象征。早期的或先进的宗教信徒都把水作为清除礼仪上的和道义上的污垢之用。在早期教会，洗礼在河溪活水中举行，显然未进行过祝福。到了4世纪教会开始用划十字的方法将洗礼池中的静水净化。他处的水也可以经过祝福而供信徒祛除污鬼、防病避邪之用。圣水后来用来使信徒进入教堂时追忆自己的洗礼，也供司铎在主日弥撒前向会众洒水之用。

Holy Week　圣周　基督教会指从棕榈主日到复活节的一个星期，是特别隆重的节期，纪念耶稣基督受难前后的事迹。希腊正教教历和天主教教历称这一星期为伟大一周，因为上帝在这一星期完成了伟大的业绩。"圣周"一词原是4世纪亚历山大主教亚大纳西和康斯坦蒂亚主教伊皮凡尼乌斯使用的。最初，只有星期五和星期六守为圣日；后来加上星期三，就是犹大设计出卖耶稣的日子；到了3世纪初，该周其他几天也加了进来。尼西亚会议以前的基督教会主要注意一个大节，即基督教的逾越节，也就是星期六与复活节星期日早晨之间的一夜。到了4世纪末才有了在这一周内分日纪念各该日所发生事件的习俗：濯足节（星期四），犹大出卖耶稣，耶稣设立圣餐；受难节（星期五），耶稣受苦而死；星期六，耶稣葬入坟墓；耶稣复活节（星期日）。

Holy Year　圣年　参阅 **Jubilee, Year of** 大赦年。

Holyhead　霍利黑德　威尔士语作 Caergybi。威尔士安格尔西岛郡霍利岛的港口和避暑胜地。属安格尔西历史郡。在安格尔西岛西北岸外。城镇和岛上均有许多史前、凯尔特和罗马人占据时代的遗迹。1801年定为与爱尔兰通商的港口；但其发展主要依靠通往英格兰什鲁斯伯里镇的新公路和随后兴建的通往切斯特的铁路。1873年港口改建。1880年港口扩大。与爱尔兰的邓莱里（靠近都柏林）有定期班轮。霍利山和南斯塔克灯塔是岛上著名景物。人口11 796（1991）。

Holyoake, Sir Keith Jacka　霍利约克（1904-02-11，新西兰斯卡伯勒～1983-12-08，惠灵顿）　农场主、政治家。两度任新西兰总理，是被任命为新西兰总督（1977～1980）的第一位新西兰政治家。1932～1938年和1943～1977年为议员。曾任自治领农场主联合会理事会副主席，1946年代表新西兰参加第一届世界农场主会议，并于1955年任联合国粮食及农业组织大会主席。在总理霍兰于1957年引退后，曾短期任总理；作为国民党领袖，于1960年再度出任总理。1970年受封为爵士，1975年任国务部长，直至被任命为新西兰总督。

Holyoke　霍利奥克　美国马萨诸塞州中西部汉普登县城市。濒临康涅狄格河。1725年始建，1850年设镇，1873年设市。1848年始有工业。19世纪后期建成运河系统后建立了造纸和纺织厂。现经济多样化。有印刷、出版、电气设备、金属制品、机械、造纸、服装、皮革、纺织、化工和橡胶制品工业。设有霍利奥克社区学院（1946）和芒特霍利奥克学院（1837，为美国妇女最早的高等学府之一）。1895年市基督教青年会体育指导 W.G.摩根在此发明排球。附近有空军基地和滑雪区。人口39 838（2000）。

Holyoke, Edward　霍利约克（1689-06-25，波士顿～1769-01-01，马萨诸塞剑桥）　哈佛学院第10任院长。出身于马萨诸塞名门，曾在波士顿最有声望的学校学习，后就读于哈佛学院，并于1705年以优异成绩毕业。他在该校为时7年，先任助教和图书馆馆员，继任哈佛校务委员会委员。以后他从事神学研究，被任命为马萨诸塞州马尔卜海德公理会牧师（1716～1737）。1737年霍利约克被任命为哈佛学院院长，很受欢迎。他放宽课程范围，并对优秀学生给以资助。在他长期主持校政期间（1737～1769）哈佛学院兴旺发达。他加强了哈佛数学和自然科学的学术规划；在他任内哈佛建立了北美的第一个实验物理实验室。

Holywell　霍利韦尔　威尔士弗林特历史郡城镇。靠近迪河口。圣井就坐落在此，据说7世纪时凯尔特圣威妮弗雷德被斩首时，头就落在此井内。附近曾开采铜、铅和煤矿。现以羊毛、人造丝和化学工业为主。附近有12世纪巴辛沃克西多会隐修院遗迹。人口7 531（1991）。

homage and fealty　致敬和效忠　在欧洲社会，当一个人成为封建领主的封臣时举行的庄严仪式。致敬基本上是承认二者之间存在着领主-封臣关系。致敬包括封臣向领主表示臣服，他跪到领主面前，将合拢的双手伸向领主，领主握住这双手，表示接受封臣的臣服。效忠是由封臣作出忠诚誓言，保证不危害领主或损害领主的财产。致敬必须直接向领主表示，效忠则可以向领主的管家表示。然后，领主举行向新封臣授予土地的仪式，给他一件象征其封地的物品。全部仪式表明：封臣承认向领主提供支持，而领主承认对封臣施以保护。

Homburg　洪堡　德国西南部萨尔州城市。濒临埃尔巴赫河，在萨尔布吕肯的东北。1330年和1558年两度设市。属于洪堡诸伯爵。1815年成为巴伐利亚巴拉丁领地的一部分，1920年划归萨尔。集市广场四周有精美的17世纪建筑。附近有12世纪的霍恩堡要塞等古迹。设有萨尔大学医学院。重要工业中心，主要生产钢铁制品，还有酿酒业、零售业和为周边地区提供的行政服务等。人口约44 967（2003）。

Home, Alexander Frederick Douglas-Home, 14th earl of　霍姆伯爵（第十四）　参阅 **Douglas-Home, Sir Alec** 道格拉斯-霍姆爵士。

Home, Alexander Home, 1st earl of　霍姆伯爵（第一）（约1566～1619-04-05）　又拼 Hume。苏格兰贵族，苏格兰国王詹姆斯六世（后为英国国王詹姆斯一世）时期许多动乱事件的参与者。1575年继承其父为第6代霍姆勋爵。曾任苏格兰东部边境地方长官。1603年霍姆随詹姆斯六世去英格兰。1605年封伯爵。

Home, Henry（Scottish philosopher）　**霍姆**　参阅 **Kames, Henry Home, Lord** 凯姆斯勋爵。

Home, John　霍姆（1722-09-21，苏格兰利斯～1808-09-05，爱丁堡附近默奇斯顿班克）　苏格兰剧作家。他的剧本《道格拉斯》按诗人T.格雷的说法，"恢复了真正的舞台语言"。做过牧师，后参加镇压1745年由查尔斯·爱德华·斯图亚特领导的詹姆斯党人的暴动。1756年《道格拉斯》在爱丁堡上演时，教会对该剧不满，曾向他发出传票。但他对此置之不理。1757年，《道格拉斯》在伦敦科文特加登剧院上演，取得很大成功。戏院的演员兼经理加里克以后还上演了他的其他剧本。霍姆回到爱丁堡后，辞掉牧师职务，任比特伯爵第三、当时的国务大臣J.斯图亚特的私人秘书，后又任威尔士亲王的家庭教师。晚年服兵役，但骑马摔伤后退休，遂埋头写作《1745年叛乱史》（1802）。他的朋友有休姆、亚当·斯密和司各特等。

Home, Sir Patrick　参阅 **Hume, Sir Patrick** 休姆。

home rule　地方自治　中央或地方政府给予其所属政治单位的自行治理的有限权力。在多民族的帝国或国家，这曾是普遍现象。最著名的如古罗马帝国和英帝国。它在一定程度上承认当地的生活方式，允许其在一定程度上进行自治，但其居民必须在政治上忠于中央政府。在美国，对州和市的治理也具有此特点。1875年以来，各州的宪法经常进行修改，以便赋予各城镇，有时是赋予各县市以一般的或特定的地方自治权力。

Home Rule 爱尔兰自治运动 指在英国与爱尔兰的历史上，争取爱尔兰在英帝国内实行内部自治的运动。新教律师I.巴特于1870年建立自治协会，要求成立爱尔兰议会，他将"内部自治"作为运动的口号加以推广。1873年协会为自治同盟所取代，不久他的温和的领导为C.S.巴涅尔的较为强硬的领导所代替。把对土地改革和教会教育的要求写入爱尔兰纲领，同时巴涅尔在英国议会内采取阻碍议案通过的战术，以此来表达爱尔兰的不满。1885年英国首相W.E.格莱斯顿转而同意内部自治，但于1886年遭到议会否决。1893年格莱斯顿提出第2个内部自治议案，但在上议院被击败。第3个议案须等待至另一届自由党政府时提出（保守党一直企图"以做好事来扼杀内部自治"，通过实行温和的改革来破坏其纲领）。1912年该议案提出后，激起了阿尔斯特合并派（由E.卡森领导）和爱尔兰共和派的激烈反对。1914年9月18日议案成为法律，但由于第一次世界大战的原因而没有执行。经过多年的斗争之后，根据1920年爱尔兰行政法，一种与内部自治相似的制度在阿尔斯特（北爱尔兰）6个郡建立。根据1921年英爱条约，南部26个郡获得自治领的地位；1937年与英联邦名义上的联系进一步削弱，1949年完全脱离英联邦。

homelessness 无家 没有家庭或长期住所的状态。无家可以有许多原因。难民是因战争、革命、政治迫害或其他个人能力无法应付的社会重大事件而被迫离开家园的。有些自然灾害如洪水或地震，尽管是暂时的，则是造成人们流离失所的另外一些重要原因。不要家庭曾是世界几大宗教的信徒们自愿选择的一种生活方式，就像早期基督教隐士，欧洲中世纪圣方济及其他教派之行乞托钵僧，佛教的比丘僧，伊斯兰社会的传统行乞者，还有基督教及伊斯兰教的朝圣者。除了宗教信仰的流浪之外，还有其他自愿放浪江湖的方式。无家是许多流动职业者的生活方式，如补锅匠、小贩和流动工以及许多吉普赛人。流动性劳动状况，表现为无技术工人根据季节从一个地区到另一地区去参加农业劳动或其他体力劳动，也近似于无家的生活方式。然而，在现代发达国家中，无家这个术语已用来指称几类既无工作又无固定居所的人群。第一类人包括流浪者、乞丐、被遗弃者、流动工人和贫民区露宿街头的人们，这些人一般说来都是独身的，由于缺少经济能力、遭到不幸、酗酒或其他原因，没有家族关系或固定职业，生活上凭借干些零星工作、领取救济金、乞讨、小偷小摸或是这些手段兼而有之，往往勉强糊口。这类人在城市中聚集起来的小居住区，在美国称之为"贫民区"。随着后工业化社会中家庭生活遭到破坏，"街头流浪者"的队伍会日益壮大，有因家长疏忽或家长虐待而出走的少年，有潦倒不堪的瘾君子。在美国，还有那些出院后得不到家庭或机关团体供养的精神病患者。在发达国家，每当经济衰退或经济萧条时期，无家可归者的队伍因失业率上升而趋于加大；同时也会因政府采取节约措施或削减开支而使专门为低收入阶层所建造的廉价住房和补贴住房的供应量减少，从而使无家者的人数增加。参阅 **migrant labour; refugee; vagrancy**。

homeopathy 顺势疗法 又作homoeopathy。风行于19世纪的治疗法，主张在"以毒攻毒"的原则基础上，对患者施予在健康人身上会引起类似该待治病症的药物或治疗。1796年德国医生S.哈内曼（**Hahnemann, Samuel**）提出这个以"类似定律"为基础的治疗法。他宣称，一直广泛用以治疗疟疾的奎宁，大剂量时在他身上引起类似疟疾的症状，他于是得出结论，用会在健康人身上引起类似该疾病症状的药物治疗该疾病，所取得的效果最佳。他又用多种药物进行实验，试图证明他的说法。他认为药物在大剂量时会加重病情，而小剂量时功效增加。因此，大部分顺势治疗师都相信微量药物的效应。对许多患者和某些医生来说，顺势疗法是当时流行的放血、峻泻、复方药剂和其他剧烈治疗手段的一种温和的、受欢迎的替代疗法。但在20世纪，人们对顺势疗法不感兴趣，并批评它仅注意症状而忽视潜在的病因。现在顺势疗法仍有信徒，还有一些国家协会和国际协会，如总部设在荷兰布卢门达尔的国际顺势疗法联盟。

homeostasis 自稳态 生物系统借以维持稳定并适应最有利于生存的条件的自我调整过程。如果自稳态得以成功地达到，生命便得以继续；如果自稳态不成功，则灾难或死亡随之发生。所达到的稳定实际上是一种动态平衡，在这过程中发生连续的变化，但相对不变的条件仍占优势。动态平衡中的任何系统都往往达到一个稳定的状态，一种抵抗外因变化的平衡。当这样的系统受到扰动时，内在的调节机制便对这种偏离作出反应以建立新的平衡；这种过程是反馈控制的一种。所有功能的整合和协调过程，无论由机械回路为中介还是由神经和激素系统为中介，都是自稳态调节的例证。对通常用于工程和工业的自我调节装置而言，主要是通过使用陀螺仪、机械控制器、传感器等达到稳定。生物学系统要复杂得多，生物学系统中的调节机制仅能大致与机械装置相比拟。但两个不同类型的系统有相似的目标——在规定的范围内维持活动，不管是控制型钢的厚度还是控制循环系统内的压力。用于机械系统的自稳态调节有一个众所周知的实例，即室温调节器，或恒温器的运行。恒温器的核心是一个双金属条，温度变化时双金属条作出反应：连通电路或断开电路，房间的温度下降时，电路接通，加热器工作，室温上升。室温上升到一定值时，电路断开，加热器停止工作，室温开始下降。人体的体温控制是生物学系统自稳态的极好例证。人的正常体温在37°左右变动，但许多因素能影响这个数值，这些因素包括周围环境、激素、代谢率和疾病，它们可导致体温过高或过低。据认为，体温调节受下丘脑的控制。关于体温的反馈信息经血流携带到脑部，结果呼吸率、血糖水平、代谢率等发生代偿性的变化；同时，人体活动减少，出汗，并发生使更多血液接近皮肤表面循环的热交换过程，这些也在热量散发中发挥作用。减少身体周围空气的流动，减少皮肤内循环的血量，采用与文明进步有关的措施——衣服、房舍和取暖设备，这些均可减少热量的散发。体温的高限和低限之间的范围即是自稳态范围——可维持生命的"正常"范围。当体温变化接近这高限或低限时，矫正活动便通过负反馈使该系统恢复到正常范围。

homeothermy 恒温性 参阅 **warm-bloodedness** 温血性。

Homer 荷马（活动时期公元前9世纪或前8世纪） 古希腊的两首最伟大的史诗《伊利亚特》和《奥德赛》的传说作者。有关荷马的生平事迹今人几乎一无所知，但一般专家学

美国不列颠百科全书公司供图

者都认为他大概是公元前9或前8世纪的爱奥尼亚（在今土耳其）人。现代学者大多断定是他大概根据当时口头传说创作了（但未必真正写下了）《伊利亚特》。在《奥德赛》的创作上，他至少起了启发诱导的作用。《伊利亚特》讲的是阿喀琉斯受希腊军队总司令阿伽门农侮慢之后，大为震怒以及这对特洛伊战争产生的灾难性后果。史诗的主要情节仅涉及战争的最后一年4天中发生的事件；它也讲述了在此以前发生的有关这次战争进程的故事，并描写了一群人物（既有人，也有神）。《奥德赛》讲的是伊萨卡国王奥德修斯的故事。他在10年浪迹（其实诗中情节只涉及最后6个星期）之后，离开特洛伊战场回到故国，发现只有他的忠心的狗和一位奶妈认得他。他在儿子忒勒马科斯的帮助下，消灭了向他的妻子珀涅罗珀缠绕不休的求婚者，重建起他的王国。古希腊重视这两大史诗，认为它们是希腊统一和英雄主义的象征，从中还可汲取道义上和实用的教训。此后，《伊利亚特》和《奥德赛》对西方文学产生了深远影响，并无数次被译成各种现代语言。它们的价值主要在于诗作本身，它们常从描写神和对英勇功绩的庄严赞颂一转而为表现凡人的深刻感情。

Homer 荷马 美国阿拉斯加州南部城市。在基奈半岛，位于卡彻马克湾北岸。1895年创

建。1964年的大地震使该市大部分地区遭受破坏。地处连接苏厄德及库克湾地区诸城镇的公路要道,现为附近广袤农区(出产乳品、肉类、家禽、蛋和蔬菜)的销售中心。渔业和旅游业是当地主要经济活动。每年2月举行冬季狂欢节,5月举行滨鸟节。人口3 946(2000)。

Homer, Louise 霍默(1871-04-30,美国宾夕法尼亚匹兹堡～1947-05-06,佛罗里达温特帕克) 婚前名Louise Dilworth Beatty。美国歌剧演员,20世纪最初25年中杰出歌剧女低音歌唱家之一。1895年与作曲家S.霍默结婚。曾在费城、波士顿和巴黎求学。1898年在法国维希首次登台,后又在伦敦科文特加登剧院布鲁塞尔皇家歌剧院、纽约市大都会歌剧院、芝加哥市歌剧院,以及旧金山和洛杉矶演唱。以扮演威尔地《阿伊达》中的阿姆奈丽丝、格鲁克《奥菲欧与尤丽狄西》中的奥菲欧、圣-桑《参孙与大利拉》中的大利拉而知名。

Homer, Winslow 霍默(1836-02-24,美国马萨诸塞波士顿～1910-09-29,缅因普罗茨内克) 美国画家。以表现海景著名。幼时受母亲的影响,爱好绘画。19岁到波士顿一家石版印刷商行作画工,开始复制别人的画稿,不久即独立创作,为《巴卢画报》和《哈泼周刊》供稿。1859年迁居纽约,开始了插图画家的生涯。次年在全国设计学会首次举办画展。内战爆发后到前线为《哈泼周刊》作画,主要表现军营生活。不久转向油画创作,1865年入全国设计学会。战后展出《前线押下来的战俘》一画,引起很大反响。霍默夏季常去宾夕法尼亚、哈得孙河谷及新英格兰等地写生。1866年旅居法国一年,受到法国自然主义、日本版画和当代插画影响,但回到美国后画风依然未变。1873年开始研究水彩画,其后几年的油画创作也富有这一时期水彩画的效果,如《微风》。70年代后期主要用油画表现大自然,也画了许多妇女题材的画。1881年始旅居英国约两年,在北海岸边的一个小渔村画速写和油画,这是霍默艺术上成长的重要时期。他以大海和渔民为题材,表现人们如何同大海搏斗以求生存的主题。1883年回到美国,海洋即成其作品的主要题材。他搬到缅因州的普罗茨内克,把画室设在渔村,面对大海写生并进行油画创作,表现人在大自然中的命运。同年夏天他在大西洋城观看了一次在大海上使用救生圈救人的演习,翌年即创作出著名的油画《生命线》。《雾兆》是其另一幅感人作品,描绘夜幕降临,一个渔民孤身在雾霭中返航的情景。霍默成功地把水彩画的清新与油画的表现力融合在其作品中,具有很强的绘画效果。1899年创作的《湾流》是其艺术上的顶峰,表现一个黑人躺在一条小船的甲板上随波漂流,无力控制船向。晚年的创作题材与其早年作品相似,但更多注意绘画的抽象与表现力。1910年霍默在其普罗茨内克的画室中逝世。主要油画作品有:《前线押下来的战俘》(1866年,纽约大都会艺术博物馆藏)、《涨潮》(1870年,大都会艺术博物馆藏)、《微风》(又名《顺风》,1876年,华盛顿国家美术馆藏)、《生命线》(1884年,费城美术馆藏)、《雾兆》(1885年,波士顿

霍默绘《雾兆》(1885)
波士顿美术博物馆供图

美术馆藏)、《猎人与狗》(1891年,费城美术馆藏)、《暴风》(1895年,大都会艺术博物馆藏)、《湾流》(1899年,大都会艺术博物馆藏)、《暴风雨后的清晨》(1902年,克利夫兰美术馆藏)等;主要水彩画作品有:《新鲜空气》(1878年,纽约布鲁克林博物馆藏)、《狩猎之后》(1892年,洛杉矶县立美术馆藏)等。

Homeric Hymns 《荷马赞美诗集》 用英雄六音步诗行写成的34首赞美诸神的古希腊诗集。古人认为这些诗是荷马所写,其实,这些诗的写作时间相距甚远,作者也不为人所知。大部分诗的结尾处都指明歌唱者还打算唱另一支歌,因此人们认为这是吟诵者在开始吟诵英雄诗时使用的序曲。这个集子并不完整,诗集中对得墨忒耳、阿波罗、赫耳墨斯和阿佛洛狄忒的赞美诗较长,但对宙斯、赫拉、波塞冬、雅典娜、阿耳忒弥斯、赫淮斯托斯和阿瑞斯诸神,则只有短篇。开头的一篇是对狄俄尼索斯的赞美诗,开始部分残缺得很厉害。

Homerids 荷马氏族 历史上一个氏族的名称,该氏族自称是古希腊诗人荷马的后裔。他们声称,早在公元前6世纪,曾把归于荷马名下的《伊利亚特》和《奥德赛》从爱奥尼亚带到希腊本土。他们可能保存了据说为荷马所写的作品的本文。最初荷马氏族是一批吟游诗人,专门吟诵荷马史诗;公元前4世纪前后似乎就已不操吟诵之业转而成为泛雅典娜节上史诗吟诵比赛会的评判人员。一些荷马赞美诗、序曲和有关诸神的神话故事,据说就出自他们的手笔。

Homestead 霍姆斯特德 美国佛罗里达州南部迈阿密-戴德县城市。地处富庶的雷德兰区,东北距迈阿密50千米。通铁路后于1904年建立。后成为农产和水果运输中心。1913年设市。现为重要农贸中心、霍姆斯特德空军基地的服务中心、大沼泽地国家公园管理处所在地和通往佛罗里达群岛的门户。旅游业和农业是当地经济基础。主要作物包括冬季蔬菜、热带水果和装饰性植物。从霍姆斯特德临湾公园可俯瞰比斯坎湾国家公园。后者有丰富多彩的海洋生物。人口约31 909(2000)。

Homestead 霍姆斯特德 美国宾夕法尼亚州西南部阿勒格尼县自治镇。在匹兹堡东南边界,跨莫农加希拉河,邻接西霍姆斯特德和曼霍尔。兴建于1871年,1880年设镇。随安德鲁·卡内基大型钢铁企业发展起来。1892年7月发生在这里的钢铁工人大罢工,甚至对当年的总统选举也产生了影响。现钢铁厂主要分布在邻近社区,主要经济是服务业和轻工制造业。人口3 569(2000)。

Homestead Movement 宅地运动 美国历史上倡导人民可无偿获得所愿定居和耕种的土地所有权的运动,以1862年通过《宅地法》告终。从建国开始,联邦政府的基本观点是以出售公共土地来增加财政收入。西部农民为改变这种观点进行请愿,要求国家版图内的土地应无偿给予愿在这些土地上耕耘的农民。然而东部的雇主们并不愿工人辞去低薪工作而去西部建立农庄。而且,东部的地主担心国家的土地给予移民会对他们土地的价值构成威胁。南方奴隶主则视获得土地的移民为反奴隶制的拥护者。宅地运动的主要发言人之一,田纳西的A.约翰逊于1846、1852年两度向国会提出议案,均失败。执政的共和党在1860年总统竞选中表示支持宅地议案。1862年5月20日,A.林肯总统签署了《宅地法》,除收一点证件费外,免费提供160英亩(65公顷)公共土地给年满21岁的人或一家之长、公民或已申请公民资格的人、在当地定居并耕种至少5年的人。到19世纪末和20世纪初,约8 000万英亩土地分给了要求得到土地的定居移民。

Homestead National Monument of America 美国移民分地遗迹 在美国内布拉斯加州东南部。1936年为纪念艰苦的开拓生活而建立。是D.弗里曼第一个按1862年《宅地法》提出分地要求的原址。参观者中心展出移民分地运动的发展过程。在这次运动中100多万公民分得了土地。遗迹占地66公顷,内有移民的圆木小屋,该屋原于1867年建在邻镇,后迁到现址。弗里曼及其妻的坟墓即建在俯瞰遗迹的小山上。

homicide 杀人 指一个人杀死另一个人。杀人是个一般的词语，它可以指不犯罪的杀人。有些杀人被认为是正当的，一个人可以为防止犯重罪或帮助司法人员而杀人。也有些杀人是可以原谅的，例如一个人为了自卫(**self-defense**)而杀人。杀人罪是指按照现行刑法典不认为是正当的或可以原谅的杀人。所有法系都对各种不同的杀人做了重要划分，处刑也有很大区别。英美法典把杀人划分为两项或更多的罪行，每项罪行有不同的刑罚，判刑当局可以有一定限度的伸缩。对谋杀罪的刑罚可以是死刑或无期徒刑，而对非预谋杀人罪的刑罚通常是年限最长的徒刑。欧洲各国的法典把所有无正当理由的杀人归入单独的一项杀人罪，但是根据杀人时的不同情况规定不同的刑罚。有些国家根据特殊的社会需要规定一些特殊情况，如日本对于谋杀直系后裔者给予最严厉的惩处。意大利准许对出于维护自己的荣誉在感情突然冲动情况下的杀人者减轻刑罚。欧洲各国的法典和英美法典一样，区分故意的重罪杀人犯和疏忽的、过失的和被激怒的杀人犯。在所有法系中，判决时最重要的分界线是把危害社会的行为与仅仅是出于疏忽大意的行为加以区别；把故意行为和激愤行为加以区别。英美法系要求谋杀行为中有故意或恶意预谋的因素。印度刑法典要求杀人者知道他可能造成的危险，从而排除无知造成的疏忽行为。但其他法律制度在这一点上不那么明确。美国很多州区分一级谋杀和二级谋杀，死刑只限于有明显故意的犯罪。欧洲各国法典比英国法系更强调行为者行为的危险性和情节。因此，重伤致人死亡和过失致人死亡在欧洲的刑罚比在英美重。20 世纪 90 年代，西方法律对杀人的定义有所变化，主要是因为“安乐死”运动在北美和欧洲的兴起，要求将一些形式的安乐死和医师协助自杀合法化。1997 年，医师协助自杀在美国俄勒冈州被合法化。2000 年，荷兰成为第一个制定国家性法律，规定医师在执行安乐死后将免于起诉的国家。

homing 返回性 某些动物被带离原居住地(常常是被带离到很远距离以外)后返回原地的能力。动物返回原地时所用的主要导航线索可能与迁徙时所用的相同(如太阳角、星球分布图等)，但返回原地的行为可能出现在任何季节和任何方位。人们熟知的返回能力强的动物实例是鸟类，尤其是赛鸽或通信鸽。海鸟类，还有燕子也具有同等或更好的返回能力。把曼克斯剪水鹱(*Puffinus puffinus*)装在关闭的容器中，运到离巢大约5 500千米的地方，在 12.5 天内它就能回到原地。

hominid 人科动物 灵长目人科成员，现仅存一个种，即智人或曰人类。人科中已绝灭的种可见于化石遗存，其中有些现在已为人们所熟知：直立人、能人，更远的则是南方古猿，都在进化史上占有重要位置。

现今与人科关系最近的是猩猩科，这种类人猿动物中包括大猩猩、黑猩猩和巨猿等。学者们相信，人科与猩猩科动物是在中新世晚期(1120 万～530 万年前的)由一个共同的祖先分化开来的。人科动物与猩猩科动物体态特征的区别是，人科动物直立，两足行走，颅圆、脑大、齿小(犬齿不突出)，并能使用语言进行交流。

在缓慢的进化过程中，需要经过无数世代才能获得这些特征，因此很难在猩猩科诸类型与现存人科化石纪录之间划出一条截然分开的界线。牙齿和颅骨碎片构成这些化石纪录的绝大部分，而那些可能区别不同种属在进化过程中所产生的适应性变化的证据，却往往保存不多。

已确知的最早人科动物是南方古猿属，有几个种的化石遗存已在非洲找到并得到鉴定。南方古猿双足行走，手能操作，拇指与其他手指相对，还有一些原始工具制作的痕迹。南方古猿始见于约 800 万～560 万年前的，尽管化石记录在 400 万年以上者尚无定论。现已证实，南方古猿属与更晚的能人种有直接亲缘关系，能人的最早化石遗存约为 200 万年前的。发现能人遗存并为之命名的是人类学家 L.S.B.利基，他认为能人是最早的真正的工具制造者。

直立人据信出现于 160 万年以前，显然是最初离开干热的非洲热带稀树草原而移往气候更为温和地区的那一批人类。显示直立人人类特征的化石曾在爪哇、中国、东非、北非及欧洲发现。直立人最早知道用火并能制造一些完善的工具。

人科动物与猩猩科动物之间在生理上的各种差别，表明这两者对不同环境的不同适应方式。人科动物解剖学的最重要不同点是骨盆、股骨、足的变化，这些变化都明显地与直立姿式和双腿行走有关；在空旷的稀树草原上这是特别有利的一点。相比之下，猩猩科动物的解剖学特征是适于森林茂密环境中的双臂摆荡活动。它们拇指小，前趾粗壮而且与其他脚趾相对。现存猩猩科幼仔能在树上攀缘升降十分活跃，但年龄较大的成员就更多地栖息于地上，以四肢匍匐而行，以手指关节来支撑上身重量。猩猩科动物的盆骨也清楚地显示出这种四足行走的特征。另一项表明双臂摆荡和四足行走的适应性变化是后脚缩短。

早期人科动物的头颅较猩猩科动物更大，头盖骨的基部凸出，与脊椎骨连接；这些枕骨部位的骨节更倾向于头盖骨后部的位置说明头部可以保持直立。这种位置也使颈部能够承受逐渐增加的头颅重量。相反，在猩猩科动物化石头盖骨上，枕骨部位的骨节更向前倾，这表明脊椎与头部都是横向发展的。

猩猩科动物的面部特征是下颌粗壮而凸出。齿列表明适于菜蔬类食物；臼齿大而磨损严重。猩猩科动物适应于咬断撕裂植物较粗的茎部，用臼齿嚼碎，用锐利的犬齿细分之。人科动物的齿列呈弧形，圆而高，其分布方式说明适应于咬食种籽、果子、草类和肉类。换而言之，人科成员也是猎手(至少是食腐肉者)和食物采集者。

参阅 **Homo erectus; Homo habilis; Homo sapiens**。

Hominidae 人科 动物学中指猿超科的现存两科之一，另一科为长臂猿科。人科包括类人猿(即猩猩、大猩猩、黑猩猩与倭黑猩猩)和人类。以往，人科仅包括人类(及其已灭绝的祖先)，类人猿被划为另一个不同的科。然而，形态学和分子学研究显示，人类与黑猩猩亲缘较近，而与大猩猩和猩猩则较远。既然分类设置旨在表明关系，那么将人类与类人猿作为人科动物则更符合逻辑，即作为动物学的同一科——人科。该科分为两个亚科。一个仅包括猩猩，另一个则包括人类及非洲类人猿。人亚科又分为两个“族”：非洲类人猿及其进化始祖、人类及其祖先。按照这一分类法，人族的成员，包括现代人类及其已灭绝的祖先(如尼安德特人、直立人和各种南方古猿)。人科所有的成员均有复杂的认知能力，例如，均可以学会在镜中认识自己(表示有一定程度的自我认知能力)。它们是有此种能力的唯一动物(宽吻海豚除外)。

Hominoidea 人猿超科 动物学中灵长目的一个超科，包括所有的猿和人类。所有成员均可以直立站立或直立而坐，使用大型工具，并有一系列共性：胸部宽大，背部有肩胛骨，肩部可完全旋转；腕关节的尺骨和腕骨之间有半月板(纤维软骨垫)，使手腕有极大的灵活性；腰椎变短，只有 4 ～ 6 个椎骨，而猕猴则有 7 个以上；没有外显的尾部，残留 3 ～ 6 个椎骨，融合为依次排列的骨性框架，叫做尾骨。人猿超科包括两个科：长臂猿科(长臂猿，有时也称小型猿)和人科(人类和类人猿，如大猩猩、黑猩猩、倭黑猩猩和猩猩)。这两个科在1 800万年前分开。有许多人猿超科动物化石被发现，有些甚至是几乎完整的骨骼。

hominy 玉米糁儿 去了皮和胚芽的玉米粒或碾碎的粗玉米粉。传统方法是以木柴灰滤出的稀碱水煮玉米，直到玉米皮很容易用手除去为止，然后用流水把皮漂走。现代商业加工技术用稀氢氧化钠水溶液煮，通过转筒旋转和流水的综合作用除皮。不过人们经常还是用木柴灰碱水除皮，以便将钙质加入玉米中。家庭也可用小苏打溶液浸泡干玉米粒除皮。玉米糁儿有各种吃法，常见的是将粗糙的玉米粉煮熟拌奶油、肉汁或加糖浆作早餐，也可做成饼油炸后食用。白玉米糁儿可加工成玉米片。玉米糁儿还可酿酒及制作粘贴壁纸的浆糊。

Homma Masaharu 本间雅晴(1887-11-27，日本佐渡～ 1946-04-03，菲律宾吕宋洛斯巴尼奥斯) 日本陆军将官，第二次世界大战时期侵略菲律宾群岛的日军司令官。1907 年在陆军士官学校、1915 年在陆军大学毕业。第一次世界大战期间，他作为观察员随英军在法国作战。1925 年任驻印度的军方代表。1930 年任日本驻英国大使馆武官。1939 年任驻天津日军司令。1941 年任第 14 师团长。太平洋战争爆发后，率日本派遣军占领菲律宾群岛。战后被指控应对巴丹死亡行军负责(估计约有 1 万名菲律宾和美国战俘在强迫行军中死亡)，作为战犯被处决。

Homme, Musée de l' 人类博物馆 位于巴黎，是由国家资助的人种史和人类学博物馆和图书馆，1878 年创立，附属于国立自然历史博物馆,有专业人员指导研究生和研究工作,研究领域包括除法国以外的全世界的体质人类学、社会人类学及文化人类学,还藏有19世纪中期以前和殖民时期早期法国国王收藏的文物。

Homo 人属 灵长目人科的一属,主要特征为脑容量相当大,肢体结构适于维持直立的姿势和双脚行走的步态,拇指发育完全并可与其余手指相对地动作,手力大且可准确握物;能制造精密的工具,即能利用一种工具去制造另一种工具。人属包括现代人种智人,也包括已绝灭的人种能人和直立人,此外,还包括智人中已绝灭的两种类型,即尼安德特人和克罗马农人。

Homo erectus 直立人 已经绝灭的早期人科成员,一般认为系现代智人的直接祖先,不过仍有不同意见。直立人兴旺于更新世之初至中更新世,距今约160万至25万年。其化石遗存最初发现于19世纪90年代,由于过分看重了化石之间的差异,当时定名较乱。在年代上,直立人晚于南方古猿而早于智人。在距今200万至150万年之间的遗址里已经发现有遗骸的能人,可能代表南方古猿与直立人之间的一个过渡阶段。直立人广泛分布于世界各地。这些化石最初发现于爪哇岛特里尼尔;另有北京附近、阿尔及利亚特尔尼芬、东非奥杜威峡谷和库比福勒等发现地。欧洲的标本见于德国的比尔青斯莱本和毛尔、希腊的彼得洛纳;西北非洲的发现地有摩洛哥的萨勒、西迪·阿卜杜勒-拉赫曼和拉巴特。直立人与智人的体质差别主要是在头骨和牙齿方面。直立人的肢骨迄今发现的都与智人相似,据此推断直立人为中等身材,直立行走。据头骨残片测算,直立人的脑量比现代人为小,从750～1 225立方厘米,平均不及1 000立方厘米。现代智人的颅容量平均为1 450立方厘米,但变异幅度却大得多,从1 000～2 000立方厘米不等。然而直立人的脑量却比南方古猿为大,二者之间因脑量差异而形成的空白,则由能人填补,因而能人被视为直立人的直接祖先。直立人颅骨低,颅骨壁厚。眉嵴突出,有枕外隆起嵴。前额向后倾斜,鼻、颌和腭颇大。门齿甚至比南方古猿还大,但齿列则属人科而非猿类。这些混合性特征使人困惑,有些古人类学家对直立人向智人过渡表示怀疑,认为直立人离开了进化的主线,不可能是现代人的祖先。不管怎样,全部人类学资料都表明直立人是最早掌握了火并且据洞穴而居的人科成员。

Homo floresiensis 弗洛勒斯人 生物分类学名称,指推测近在18 000年前生活于印度尼西亚弗洛勒斯岛的已灭绝人科动物,现代人(智人)刚出现时弗洛勒斯人还存在。2004年,一队澳大利亚和印度尼西亚的人类学家在弗洛勒斯岛的洞穴发现一位成年女性和其他个体的遗骨。根据这些遗骨可知,弗洛勒斯人身高仅约100厘米,臂长,脑量只有380立方厘米(与现代黑猩猩的相似);但该女性骨骼纤细,面部并不向前突出,牙列较小,这些都明确表明此个体属于人类。发现者将其归为人属的一个单独的种,并推测弗洛勒斯人可能是直立人的后裔。弗洛勒斯人的体形之所以比其祖先种类小,原因可能是岛居矮化现象(或称地方性矮化现象)。已知许多生物长时间被局限于与外界隔离的生境(如岛屿)之内,其体形会通过这样的过程变得更小。在人科其他种类的遗骸中从未见过这样的矮化现象,反之,这些遗骸却显示出:从最早的人科动物到现代人,身材和脑量一般是逐渐增加的。

Homo habilis 能人 人科中已经绝灭的成员,约200万至150万年前生活在撒哈拉以南非洲若干地区。关于其在进化序列中的地位,存在颇大分歧,一般认为其是人属最早成员,继南方古猿之后而居直立人之前。化石遗存最初于1959和1960年发现于坦桑尼亚北部奥杜威峡谷,自1960年以来又有几起发现,其中包括在肯尼亚北部库巴福勒地区发现的化石。能人这一学名是利基、托拜厄斯和内皮尔3人在1964年共同确定的。能人的颅容量估计约为500～800立方厘米。各个个体之间面骨变异很大,有的标本比较近似南方古猿,有的则接近直立人。肢骨表明能人能用双足行走,用手准确把握器物。发现有与之共存的粗糙工具,说明能人能制造石器。一种理论主张头骨较小的个体代表南方古猿纤细种,只有头骨较大的个体属于人类。另一些研究者提出,这些遗骸代表人类的两个种,其中只有一个种是直立人的直接祖先。

Homo heidelbergensis 海德堡人 原为海德堡下颌骨化石所定名称,现作为欧洲直立人之一例。参阅 **Heidelberg jaw**。

Homo neanderthalensis 人科尼安德特种 参阅 **Neanderthal** 尼安德特人。

Homo sapiens 智人 全部现代人所在的属和种,大概远自40万年前遗留下来的人类化石即已可归入此类。智人区别于其他动物和人科较早成员的特征和习性是:直立行走,脑量平均约为1 350立方厘米,高前额,小齿小颌,颏部明显,牙齿有特殊的结构和功用,能使用语言文字等符号。上述特征有些在智人的直接祖先直立人身上即已具备,但整体说来为智人所独有。智人是人属现今仅存的种。要在化石中看出形成这个种的进化步伐是很难的、甚至是不可能的。原因之一是,智人系进化过程的产物,这个过程叫做马赛克式进化,即是说,人作为一个种,其进化不是平坦的,而是以不同群体在环境和遗传因素的作用下分别进行的。又由于化石是各个个体的遗存,即使在同一个群体内,个体之间也互有差别,所以单个甚至几个化石便不足以反映一个群体是如何进化的。智人的早期形态逐渐进化的时期,现在定为中更新世晚期,距今约10万～25万年,上限或许可追溯到距今40万年。在马赛克式进化原理被接受之前,人属中曾划分出几个各各有别的种。其中最有名的是尼安德特人,其头、齿和颅下骨骼似有一系列特征与智人不同。后来的研究使许多学者将尼安德特人定为一个人科亚种(智人尼安德特亚种),不过对其分类还有争论。另一个相关的种,或者可能是中间形态,是匈牙利维尔泰兹洛什遗址出土的一个幼儿的牙齿化石和一个破裂的成年人枕骨。后者的颅容量估计为1 400立方厘米,加上其他特征,表明这具化石在若干方面具有相当程度的现代性状,研究者一致认为其起源于直立人,但很可能代表了一个进化过程的开端。因此被定为古匈牙利人(直立人或智人)。其他可能的中间形态发现于英国肯特郡北部斯旺司孔,德国斯图加特附近施泰因海姆遗址,希腊东北部佩特拉罗纳,以及法国南部陶塔维尔附近阿拉戈山洞。在非洲埃塞俄比亚南部奥莫河沿岸,发现两具头骨和大量肢骨,被认为是早期现代智人。非洲还有其他几处早期现代人发现地。这些非洲的发现代表了迄今所知最早的几具现代智人化石(距今10万年以上),给全部现代人皆起源于非洲的理论提供了佐证。

Homo sapiens neanderthalensis 智人尼安德特人亚种 参阅 **Neanderthal** 尼安德特人。

Homo transvaalensis 德兰士瓦人 在对人科化石遗存的分类中,迈尔于1950年提出以德兰士瓦人这个名称代替南方古猿属。采用这种分类法的人类进化学者认为,南方古猿属与智人在形态上和文化上的差异,都不足以把两者在分类学上划分成两个不同的属。这些学者对于这一名称究竟是只包括纤细型南猿(非洲南猿及其亚种),还是包括纤细型与粗壮型(傍人)两种,意见尚有分歧。

homoclinal ridge (landform) **单斜岭** 参阅 **cuesta** 单面山。

homocystinuria 高胱氨酸尿症 遗传性蛋氨酸代谢缺陷。正常代谢时,蛋氨酸在一系列酶的催化下依次转变为高半胱氨酸、胱硫醚及半胱氨酸。如果催化高半胱氨酸转变为胱硫醚的胱硫醚合成酶发生缺陷,则高半胱氨酸及其前体蛋氨酸在血浆中浓度异常增高。本病临床表现有精神发育迟缓、眼晶状体移位、步态蹒跚、毛发细而稀疏、骨骼畸形、有时还会发生致命的血凝块栓塞。早期饮食治疗(限制蛋氨酸和补充胱氨酸)有明显效果。本病为隐性传递。

homocytotropic antibody 亲同种细胞性抗体 参阅 **reagin** 反应素。

Homoean 本体相类派 4世纪基督教会关于三一论的争论中以凯撒里亚主教阿卡西乌斯为首的一派。他们提出另一种形式的阿里乌主义,谓圣子与圣父并不同体但相似,反对《尼西亚信经》关于圣子与圣父本体同一的教义。本体相类论受到罗马皇帝君士坦提乌斯二世的支持。361年君士坦提乌斯死,本体相类论失势。皇帝瓦林斯在位期间(364～378)本体相类论卷土重来,终于在381年第一次君士坦丁堡会议上又与阿里乌主义一并遭到谴责。

homogeneous reaction　均相反应　只在一相(气相、液相或固相)内发生的化学反应,是根据物质的物理状态划分的两大类化学反应(均相和非均相反应)之一。最重要的均相反应是气体之间的反应(如家用煤气与氧气化合产生火焰)、液体之间或溶于液体的物质之间的反应(如酸和碱的水溶液之间的反应)。在理论上,均相反应是两类反应中较简单的一类,因为所进行的化学变化只与反应物间相互作用的本质有关。参阅 **heterogeneous reaction**。

homogenization　均质化　使流体内物质(如牛奶中的脂肪球)成为分布均匀的极微小颗粒的过程。牛奶的均质化是使牛奶在高压下通过细孔,从而使脂肪球破裂而实现的,这样,乳脂就不会浮到表面。乳脂以及花生酱等制品也可以均质化,成为稳定的乳浊液。化妆品及药品生产也采用类似的工艺过程。

homoiothermy　恒温性　参阅 **warm-bloodedness** 温血性。

Homolka, Oscar　霍穆尔卡(1898-08-12,维也纳～1978-01-27,英国萨塞克斯)　奥地利出生的美国舞台剧和电影性格演员。以塑造各种间谍和恶徒而令人难忘。1924 年在德国演出《琼斯皇帝》而一举成为著名男演员。此后 10 年,一直饰演主角,并随奥地利戏剧演出人兼导演 M.莱恩哈特在维也纳和柏林演出。他的一些德语影片于 1929 年开始问世。其中最著名的是《德莱孚斯》(1930)。A.希特勒上台后不久,他离开德国,先到巴黎,后赴英国,首次在伦敦与 F.罗布森夫人合演《近居》(1935)。30 年代中期进入英语电影界,开始其漫长而富有成果的电影生涯。第一部影片是与 W.休斯顿合拍的《非洲的罗得岛》(1936)。尔后,前往美国,在好莱坞拍摄了多部影片,如《退潮》(1937)、《七个罪人》(1940)、《出使莫斯科》(1943)、《安娜·鲁卡斯塔》(1949)、《七年的渴望》(1955)、《战争与和平》(1956)、《向武器告别》(1957)、《在柏林举行的葬礼》(1966)、《柴洛特的疯女人》(1969)、《挪威之歌》(1970)和《罗望子的籽》(1974)等。他获得最大成功的舞台剧角色无疑是在《我记得妈妈》(1944)里饰演的脾气暴躁的克里斯舅舅;此后他演出的舞台剧还有《破水罐》(1950)、《魔鬼和仁慈的上帝》(1951)、《大建筑师》(1955)和《罗生门》(1959)。还演过不少电视剧。

homologous series　同系列　相邻化合物间的差别仅为一简单结构单元的一系列化合物的总称。在有机化合物中最为常见。在石蜡烃(链烷烃)、正伯醇(1 -醇)和正羧酸(烷酸)中相邻化合物间的结构差别仅为一个亚甲基。在这些同系列中,以下标 n 表示的亚甲基数可取序列值 0、1、2、3 等。无机化合物同系列有磷酸系列、硅酸系列、氯化磷腈系列。在给定同系列中,化合物的化学性质基本相似,物理性质则以连续而可预测的方式变化。

homology　同源　一种生物学现象:不同物种因在进化上来自共同的祖先而表现出的结构、生理或发育上的相似性。同源与同功涵义不一,后者指结构在功能上相似但有不同的进化来源。因此人,蝙蝠,和鹿的前肢外形很不相似,但它们是同源器官;其骨骼的形态和数目完全相同;这说明它们共同远祖的前肢经历了适应性的变化。而同功结构可以鸟翅和昆虫的翅为代表,两个不同类型的生物均用翅来飞翔,但它们在进化发展的开始阶段并非来自共同的祖先。19 世纪的英国生物学家理查德·欧文爵士最先用精确的术语定义了同源和同功。若两个或多个器官或组织在结构上大致彼此相似,但又经过变化以执行不同的功能,这些器官被称为系列同源的器官;实例如蝙蝠的翅和鲸的鳍肢,它们均起源于早期哺乳动物祖先的前肢,但经受了不同的进化演变以分别执行完全不同的任务:飞行和游泳。有时,不同生物体结构的相似究竟是同源还是同功不易判定,如蝙蝠的翅和鸟类的翅。蝙蝠的翅和鸟类的翅在结构上均由早期爬行动物的前肢骨变化而来,但鸟类的翅中指骨的数目与蝙蝠的翅不同,另外鸟类的翅上有羽毛以助飞行而蝙蝠的翅则无。非常重要的是:这两类不同纲的脊椎动物的飞行能力是独立发展的;鸟类的飞行能力是它们从早期的爬行动物演化出来时就形成的,而蝙蝠的飞行能力是在它们的哺乳动物祖先已完全从爬行动物分化出来之后才形成的。对鸟类和蝙蝠翅的形态差异和进化起源进行了更仔细的研究之后,可以认为它们是同功器官而非同源器官。

homology　同调　数学中,在不同的几何图形或数学函数中起相同作用的元素之间的一种对应。此概念以与几何区域的拓扑相联系的代数结构为基础。一个给定的区域可以和一个性质上同它等价的区域或复形相联系。所谓复形,就是把三角形拼接起来所组成的图形,拼接时要使得它们或者只在顶点或者只沿着它们的整条边相交(见图)。

点、线段和三角形分别是 0 维、1 维和 2 维的对象,依次称为 0 胞腔、1 胞腔、2 胞腔,并记作 E^0、E^1 和 E^2,不同的胞腔再添加不同的下标加以区别(见下图)。边缘算子 ∂,简单地说是说明给定线段的端点或围住给定三角形的边或包围给定四面体的三角形的一种方式(见方程 1 和 2)。以 n 胞腔($n=0,1,2,\cdots$)作为项的任意多项式称为 n 维链。跟作用于一个项上一样,边缘算子可以作用在多项式上,只要把所得到的每一项的边缘胞腔按模 2 求和(即任意两个相同的胞腔的和是零;见方程 3)。如果所得到的边缘链其和为零,如同一个三角形的所有 3 条边的端点之和为零那样,则称这链为一个闭链。加一个数值词头可以表示其维数。然而,并非所有的闭链都是边缘;例如,用三角形洞的 3 条边描述的闭链不是任何区域的边缘(即没有一个2维链其边缘会是这个闭链)。设 Z_1 和 Z_2 是两个 1 维闭链,如果其和 Z_1+Z_2 是某个 2 维链的边缘,则称 Z_1 和 Z_2 是同调的。彼此同调的所有闭链的类称为一个同调类。所有 n 维同调类的集合称为所研究的几何区域的第 n 个同调群。这些群的性质和它们刻划各个几何区域之间的差别的方法,是代

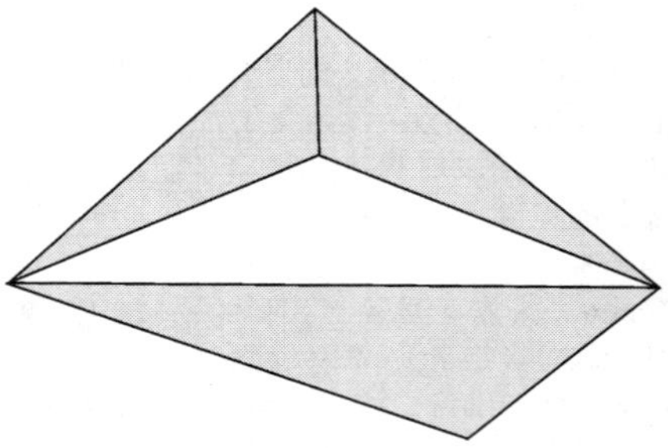

复形的例子

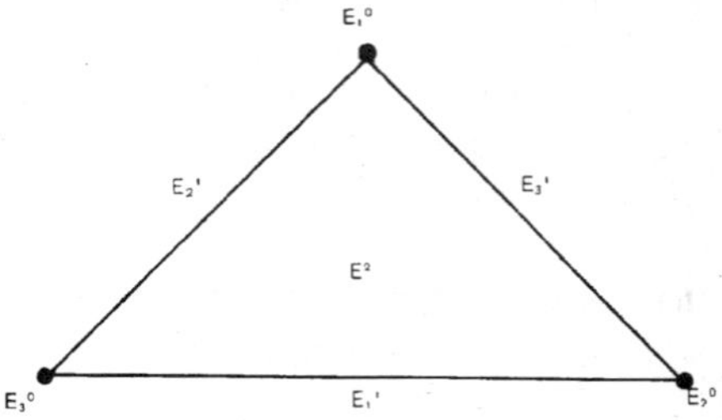

具有边缘的三角形

方程 1	$\partial E^2 = E_1{}^1 + E_2{}^1 + E_3{}^1$
方程 2	$\partial E_1{}^1 = E_2{}^0 + E_3{}^0$
方程 3	$\partial(E_1{}^1 + E_2{}^1) = E_2{}^0 + E_3{}^0 + E_3{}^0 + E_1{}^0$
	$= E_2{}^0 + E_1{}^0$

几何区域的同调

数拓扑所要研究的问题。奥地利人 L.维托利斯和捷克人 E.切赫把同调群的理论从欧几里得图形推广到任意的拓扑空间。

homomorphism　同态　两个代数系统,例如两个群、两个环或者两个域的成员(元素)之间的一种特殊的对应关系。两个同态系统具有相同的结构,虽然它们的元素和运算可能完全不同,但是从一个系统得到的结果经常会很好地应用到另一个系统。因此,如果一个新的系统和一个已知系统同态,那么已知系统的特征就可以应用到新的系统上,从而简化了对新系统的分析。在同态中,两个系统之间的对应元素在同其他对应元素联合作用时的行为极其相似。例如,假定 G 和 H 是两个群。G 群中的元素记为 $g, g', \cdots$,并且它们服从某个运算 $\oplus$。(虽然这个符号可能被当作类似于乘法的运算,但是它可以表示旋转或者某些其他的非算术运算。)类似地,H 群中的元素记为 $h, h', \cdots$,并且服从某个运算 $\otimes$。G 到 H 的同态是在 G 中所有的元素和 H 中的部分元素之间的一种对应:$g \to h$,并具有以下性质:如果 $g \to h$ 并且 $g' \to h'$,那么 $g \oplus g' \to h \otimes h'$。或者说,与 G 中两个元素运算结果相对应的 H 中的元素,同样也是与 G 中那两个元素相对应的 H 中的两个元素的运算结果。更简洁的表述就是“结果的‘映像’也是‘映像’的结果”,或者说对应关系保持了运算的不变性。两个代数系统的成员之间的对应关系可以写成一个函数 f:从 G 到 H,表明 f 是 G 到 H 的映射。f 是 G 群到 H 群的同态的条件可以表述为 $f(g \oplus g') = f(g) \otimes f(g')$。同态给映射 f 强制了条件:如果 e 是 G 的单位元素,$g \oplus e = g$,则 $f(g \oplus e) = f(g)$。进而,由于 f 是一个同态映射,$f(g \oplus e) = f(g) \otimes f(e)$,则 $f(g) = f(g) \otimes$

$f(e)$。鉴于群中的消去律，这暗示着 $f(e)$ 等价于另一个群中的单位元素。类似地，同态把一个群中元素 g 的倒数映射为元素 $f(g)$ 的倒数。这就是同态被称为“结构保持映射”的原因。特殊类型的同态有它们自己的名称。从 G 到 H 的一对一同态叫做“单一同态”；覆盖了 H 的所有元素的同态叫“满同态”。一个非常重要的同态是“同构”，G 到 H 的同态既是“单一”的又是“满”的。在最后的这种类型里，G 和 H 本质上是一个系统，只不过元素的名称不同。因此，由于可以用来确定两个不同的系统之间联系的紧密程度，同态在对代数系统的分类和列举中非常有用。

homoousian 本体同一论者 坚持尼西亚会议(325)所制订的关于上帝圣父与上帝圣子具有同一本体的教义的人士。尼西亚会议在皇帝君士坦丁一世的主持下召开，其宗旨是谴责谓基督超于凡人但不真正是神的阿里乌主义。《尼西亚信经》使用“本体同一”一词意在结束争辩。但后来阿里乌主义在教会中复起，直至381年第一次君士坦丁堡会议才通过信经，确认本体同一为正统教义。

homophony 主调音乐 主要以和弦为基础的音乐织体，与复调音乐形成对比，后者是相对独立的几个旋律的结合体。主调音乐以一个声部(常为最高声部)为主，各声部的节奏很少出入，而复调音乐则利用节奏的不同来加强旋律的独立性。但主调音乐不一定抑制对位，贝多芬《第七交响乐》的小快板把两个不同的，但节奏完全一样的旋律结合起来，提供了一个节奏基本相同的对位范例。13世纪的孔杜克图斯是这类主调音乐的一种早期的体裁。15世纪，意大利的源自民间的世俗歌曲往往是按主调音乐构思的。17世纪主调音乐在西方音乐中一统天下。参阅 **polyphony**。

homopteran 同翅目昆虫 昆虫纲同翅目(Homoptera)的种类。植食性，口器刺吸式。世界性分布。形态差异极大。体型多小。长4～12毫米；但婆罗洲和爪哇的几种蝉长8厘米，翅长20厘米；某些介壳虫仅长0.5毫米。体光滑无毛，多数种类有腺体用以分泌蜡质或介壳状被覆物。有翅种类有单眼2～3个，叶蝉、沫蝉、光蝉及热带的一些蝉类夜间常为光亮所吸引。触角多短，刚毛状，是分类根据之一。口器由头下后部或前足基节间伸出，由鞘状的唇包围两对口针：两条上颚口针位于外侧，用以穿刺；两条下颚口针位于内侧，用以穿入植物组织，其内壁有两条槽，两条下颚口针相合时该槽形成一吸管，内有吸取液汁的食物道和与唾腺相通的唾道。多有翅2对，通常膜质。静止时前翅平置于背面如屋脊状；翅端的内缘稍重叠。雌性成体介壳虫及大部分雌性蚜虫无翅，雄性介壳虫于中胸有翅一对，后翅退化为一对平衡棒。腹11节，但看似8～9节，因最后数节变形为生殖结构。消化系统复杂，许多种类有滤腔，用以使植物汁液中的营养成分浓缩于中肠及小肠，多余的含糖分及废物的水分绕过中肠、小肠从直肠排出，称为蜜露。许多同翅目昆虫有多形性。蝉科昆虫外形相同而大小及颜色相异。蚜虫的多形性最明显，因寄主植物的不同而形态有差异，雌雄大小、形态、颜色差异极大，有时可误为两个物种。从前以为同翅目昆虫中仅蝉会发声，但今知其他头喙亚目昆虫(叶蝉、角蝉、光蝉、沫蝉)也会发声，但其声极微，为人耳所不能闻。某些胸喙亚目昆虫(如少数蚜虫及一种木虱)也会发声。头喙亚目昆虫第一腹节背侧表面有一对鼓膜，借鼓膜肌的收缩使之变形而发声。蝉的鼓膜器官更与气管气囊相通，用以共鸣。咖啡蚜(*Toxoptera coffeae*)用胫毛与腹部网状结构摩擦发声。蝉仅雄体能发声。不同种的蝉所发的声不同，同一个种在不同情况(求偶、受攻击)下所发的声亦异。某些叶蝉雌雄均能发声。同翅目昆虫均为植食性，吸食植物汁液。约60多种同翅目昆虫(包括蚜虫、木虱、介壳虫)引起虫瘿，其中大部分由蚜虫引起。许多蚜虫的成体及幼体吸食植物根的汁液。同翅目昆虫为渐变态，未成熟阶段形似成体，但无翅。生活周期多较短。一年繁殖一代或数代。某些期蝉生活周期极长，如17年蝉，幼虫在地下生活达16年之久。同翅目的生殖方式为两性生殖，但蚜虫及少数原始叶蝉有无性生殖。蚜虫以卵越冬，春季孵出无翅的雌虫吸食植物(第一寄主)的汁液，雌虫营孤雌生殖，胎生雌虫，如此到第三代可产生有翅个体，这些有翅个体迁至第二寄主植物(多为一年生植物)上。至秋季，产生有翅的雌雄两性蚜虫，飞回第一寄主(多为多年生植物)，雌雄交配后产越冬卵。介壳虫的卵有介壳覆盖，以卵越冬；雌性幼虫爬出觅食，数日后脱皮，失去足、触角及尾刺，分泌硬质介壳，将口器刺入植物而固着不动，无翅，眼亦不发达；雄性幼虫也有爬行及静止的阶段，经蛹期而成为成虫，雄性成虫具一对前翅及一对平衡棒；一个雌体可与三个雄体交配，卵留在雌虫体内或其介壳内。吹绵蚧(*Icerya purchasi*)雌雄同体，可自体受精。头喙亚目昆虫用产卵器将卵产于植物组织内。胸喙亚目昆虫则将卵产于植物表面。梨圆蚧(圣何塞氏介壳虫，*Aspidiotus perniciosus*)为胎生。沫蝉稚虫从肛门分泌一种泡沫状物质，与气泡和从第7至8腹节外皮腺分泌的黏液混合，用以藏身其间。

瓢虫、食蚜蝇将卵产在有蚜虫群集的枝叶上，幼虫孵出后以蚜虫为食。某些草蛉的幼虫(蚁狮)吸食蚜虫的体液。某些斑腹蝇的幼虫以蚜虫、介壳虫、粉蚧为食。某些双翅目、膜翅目昆虫及蛾的幼虫寄生于同翅目昆虫。多数姬小蜂雌体寄生于介壳虫，而雄体又重寄生于介壳虫的寄生物(常是同种的雌体)身上。沙蜂将同翅目昆虫麻痹，并贮藏于穴中，在其身上产卵，幼虫孵出后以同翅目昆虫为食。这些昆虫可用于生物防治。蚜虫因能产生蜜露而与蚁共生。玉米田蚁于秋季收集玉米根蚜的卵回巢越冬，次春将幼蚜虫移至禾草根部，当新播的玉米发芽，蚁又将蚜虫移至玉米根部。蚁类用触角触蚜虫身体，蚜虫即泌出蜜露供蚁吮食。*Acropyga* 属未交配的雌蚁于婚飞时颚间带有已受精的雌性粉蚧，作为新巢的蜜露来源。同翅目以植物汁液为食，故可损害植物，又是某些病毒性或细菌性疾病的传播媒介。蝉用产卵器在果树枝条上钻孔产卵，后该区域的枝条部分常死亡，或结果后不堪重负而折断。马铃薯叶蝉吸食马铃薯叶上汁液，其分泌的唾液使叶萎缩，收成大减。斑叶蝉为害苹果和葡萄。沫蝉为害多种植物，如苜蓿。介壳虫往往集成大群，树皮上有时覆以数层介壳，植株整个死亡。蚜虫亦为害甚烈，如苹粉红劣蚜吸苹果的汁液使之变小变形(蚜虫苹果)。100多种叶蝉传播植物疾病：紫菀黄病、马铃薯黄矮病、葡萄的皮尔斯氏病、梨和苹果的火疫病等。蚜虫传播花叶病病毒。蚜虫吸食苹果汁液后分泌蜜露，蜜露所在之处有煤绒菌生长，影响苹果质量。有些同翅目昆虫对人有益。如粉蚧、粉虱、绵蚜、绵蚧体内有蜡腺，分泌蜡质于身体或翅上。中国的白蜡虫(*Ericerus pe-la*)雄体产生大量蜡质，可用制蜡烛。印度的紫胶虫(*Laccifer lacca*)产生紫胶，用于制虫胶及清漆。印度白蚧(胭脂虫，*Dactylopius coccus*)可制红色染料。柽柳吗哪蚧(*Trabutina mannipara*)雌体产生大量蜜露，干燥后于叶上成厚层，阿拉伯及伊拉克人收取食用，视为美味，传说即《圣经》中所说的吗哪。某些介壳虫产生树胶样物质，北美印第安人用制口香糖。绵蚧属(*Margarodes*)雌虫生活于金黄色或古铜色蜡质囊内，可制串珠。

同翅目可分三个亚目。1.鞘喙亚目(Coleorrhyncha)。口器起于面部腹面前端。有前胸侧板。仅1科(Peloridiidae)。2.头喙亚目(Auchenorrhyncha)。喙起于面部腹面前端，无前胸侧板。①蝉科(Cicadidae)，②角蝉科(Membracidae)，③沫蝉科(Cercopidae)，④大叶蝉科(Cicadellidae)，⑤稻蜡蝉科(Delphacidae)，⑥长翅蜡蝉科(Derbidae)，⑦麦蜡蝉科(Cixiidae)，⑧残管蜡蝉科(Kinnaridae)，⑨长头蜡蝉科(Dictyopharidae)，⑩光蝉科(樗鸡科，Fulgoridae)，⑪小头蜡蝉科(Achilidae)，⑫扁蜡蝉科(Tropiduchidae)，⑬蛾蜡蝉科(Flatidae)，⑭峻翅蜡蝉科(Acanaloniidae)，⑮瓢蜡蝉科(Losidae)。3.胸喙亚目(Sternorrhyncha)。喙出自前足基节间或基节后。①粉虱科(Aleyrodidae)，②蚜科(Aphididae)，③绵蚜科(Eriosomatidae)，④木虱科(Chermidae)，⑤根蚜瘤蚜(Phylloxeridae)，⑥硕蚧科(Margarodidae)，⑦旌蚧科(Ortheziidae)，⑧盾蚧科(Diaspididae)，⑨蜡蚧科(Coccidae)，⑩仁蚧科(Aclerdidae)，⑪胶蚧科(Lacciferidae)，⑫链蚧科(Asterolecaniidae)，⑬粉蚧科(Pseudococcidae)，⑭绒蚧科(Eriococcidae)，⑮胭蚧科(Dactylopiidae)，⑯绒蜡蚧科(Kermidae)。在有的分类系统中，同翅类与异翅类被视为是半翅目(Hemiptera)的亚目，根据是两者口器及渐变态方面有相似之处。

homosexual rights movement 争取同性恋权利运动 又作 gay rights movement 或 gay liberation movement。争取同性恋者公民权利的运动，其宗旨在于废除有关禁止成年人之间在互相同意的情况下有同性恋行为的法令，并进而停止对同性恋者在就业、贷款、住房、公共设施的利用以及其他生活领域中的歧视。其最终目的是促使社会上对同性恋行为采取容忍乃至同意的态度。

19世纪末之前，几乎未曾出现过任何为维护同性恋者的权利而开展的什么“运动”。1897年，一个同性恋者的组织科学人道委员会在柏林成立；该会刊行有关同性恋者解放运动的文献资料，赞助集会游行，并争取在德国各地以及在荷兰和奥地利进行司法改革，到1922年，地方分会已发展至25个左右。委员会创建人M.希施菲尔德曾参与赞助性问题改革世界联盟，该联盟1921～1935年曾举行多次国际性全体大会。但1933年希特勒掌权后，德国的争取同性恋权利的运动即遭禁止。

英国人也是早期争取同性恋权利的积极参与者。1914年，E.卡彭特与H.埃利斯共同创办英国性心理学会，其目的即是为此种权利之争取进行宣传教育。现存欧洲主要的“同性爱”组织是COC，或称欧洲文化娱乐中心，1966年成立于阿姆斯特丹，目前已是世界同性恋运动中心之一。在美国，第一个主要的男性同性恋组织是马塔辛学会，1950～1951年由亨利·海和他的4名朋友共同发起于洛杉矶，以后在其他几个城市设立了分会。这个学会的名称源于中世纪法国假面具演员的一个会社的名字——Société Mattachine——以示社会压力迫使同性恋者在公众面前只好以“假面具”来掩盖其癖性。第一个主要的美国女性同性恋组织是比利蒂斯女儿会；会名则出自P.卢维有关描述女子同性恋的散文诗集《比利蒂斯之歌》一名。女儿会于1955年在旧金山成立。

明目张胆的同性恋实践活动是有案可稽的，那是1969年6月28日大约凌晨3时，纽约市警察搜查了格林尼治村克里斯托弗大街53号的斯通沃尔旅馆，那是同性恋者聚集的一个酒吧所在地。在场的约200名同性恋者一反过去那种被动地承认现实的态度，对警察进行辱骂，并将残酒剩饭掷向他们。这次骚动延续了45分钟，而随后数夜都再度发生。紧接着就是抗议集会。自20世纪70年代以后争取同性恋权利的组织到处出现，而“斯通沃尔”或“克里斯托弗大街”居然成了纪念性的名字，每年在6月最末的同性恋光荣周时都要举行纪念活动，下一年则在女性同性恋光荣周时轮流举办活动。这种活动，不但在美国城市中出现，也见于其他一些国家的城市中。以前王尔德所说的那种“令人讳莫如深的爱”，到20世纪末已完全可以直言无讳了。

争取同性恋权利的运动，其效果因国家不同而异。在一些深受罗马天主教影响的国度(如奥地利、爱尔兰)或是男性气魄受到普遍重视的国度(如墨西哥)里，对待同性恋行为采取骚扰或限制手段的倾向就较强。比较宽容的气氛则出现在荷兰、斯堪的纳维亚半岛诸国、法国及德国北部地区。美国和英国也正朝着宽容的方向发展；1961年，伊利诺伊州成为各州中第一个废除有关禁止成年人之间彼此同意的同性恋行为的法律；英国则在1967年将类似禁令撤销。同性恋者寻求制订法律以废止对他们在求职方面所受到的歧视，亦见成效；只是在诸如教学和服兵役之类的“敏感”领域，未能实现。因为人们强调，如果把同性恋者作为教育工作中在职分上可资模仿的人，那很可能给学生造成恶劣的影响。到20世纪末，少数地方的司法部门甚至曾裁定同性恋者家庭式结合为合法，赋予他们传统婚姻所应有的许多权利和义务。人们更为关注以政治斗争的姿态，加强对艾滋病的研究，并推出各种新的疗法以战胜该病，这一形势，对许多国家的不同数量的男性同性恋者影响颇大。

国际同性恋统一采用的符号是希腊字母λ。

homosexuality 同性恋 相同性别的人类成员之间所产生的性欲上的兴趣及吸引力。这种吸引力往往导致肉体接触而达到性交时兴奋之顶点，但并非总是如此。女性同性恋常被称为莱斯沃斯恋情(lesbianism)，源于爱琴海上的*莱斯沃斯*(**Lesbos**)岛，因女诗人萨福曾是那里的女界领袖。使用快乐或放荡这个字眼来形容一个同性恋者，已成为现代大众用语。

同性恋行为在不同时代及不同文化中，都曾经历过各式各样的准许、宽容和禁止的过程；在西方现代社会中，关于同性恋的各种看法，正处于众说纷纭的状态，变化多端。20世纪70年代初之前，美国精神病方面的权威机构把同性恋行为列为一种精神疾患。但是，由于同性恋者发起日益增加的政治活动和各种努力，要求把他们看作是一群宁愿选择不同的性行为的人们而不是行为不当的变态者，精神疾患这种说法就不再流行了。这两种有关同性恋的矛盾看法，即同性恋究竟是正常性行为的一种不同形式，还是一种变态的性行为，长期存在于对这一课题各种专门论述之中，也存在于精神卫生专业人员以及一些非专业人员的心目之中。

古希腊人对于成年及青年男性之间的同性恋行为是认可的，而且在某些方面还认为这是比异性恋更高级的一种爱情形式。犹太教-基督教文化，总的说来，一直把同性恋看作一种罪恶，因之西方大多数文化在传统上把它视为社会所不容的行为。然而，20世纪的性研究人员曾发现，同性恋是青年期的一种常见行为模式，男女都不例外。1948年的金西研究报告中指出，30%的美国成年男子曾经有一些同性恋活动，而10%的人们则是主要的同性恋行为模式的身体力行者。大约有5%的女性主要是同性恋者。尽管20世纪末的各种性解放运动为享受形形色色的性活动带来更大的自由，包括同性恋行为使内疚和羞辱感减少，可是，真正过同性恋生活的人数却未增加多少。而耐人寻味的，倒是社会公正的增加，使性的癖好可以讨论，也可以实践了。

金西在报告中并未把人们分别定为绝对同性恋者或绝对异性恋者，相反，他归纳出一幅性活动的范围所组成的图谱，其中任何一类的绝对例子都构成极端的定位点。在不存在异性恋以供发泄性欲的环境中，同性恋活动就会增加；在这种环境中的许多人，都在实践中是绝对的同性恋者，然而却往往在定位上会自认为是绝对异性恋者。有一个很大的双性恋者群体，也曾得到社会的认可，他们是一群无论对异性还是对同性都能作出性反应的人。随着社会上对同性恋行为的宽容度的加大，自认为是双性恋者的人数也在上升。

19世纪和20世纪的心理学者们曾提出许多有关同性恋的起源的学说；这些学者中绝大多数都把同性恋行为列为一种精神疾患。19世纪的心理学家克拉夫特-埃宾认为同性恋由遗传引起，而弗洛伊德则把它看作是心理与性的发展中所产生的矛盾之结果，其中包括对双亲中异性一方之认同现象。其他学者曾把胚胎发育过程中所受到的各种社会影响及生理影响视为可能的同性恋之源。最有可能的论断不妨这样来提出：许多同性恋的例子，都来自天生的或体质上的因素同环境的或社会的影响之配合的结果。

由于同性恋者的活动日益增加以及把同性恋看作人类性行为的一种常见的不同形式而予以认可的范围越来越广，那些传统上对同性恋者的看法，已开始失去说服力。现在大多数人都承认不存在单一的同性恋类型。有些人认为，所有的男性同性恋者都缺乏丈夫气，而女性同性恋者则是丈夫气十足，富于进取精神的。这种说法，曾在西方泛滥于晚近的20世纪50年代至60年代早期，目前大体上已被扬弃。同样地，那种把同性恋者视为“病态”之人而必需只有找到正确的异性才得“治愈”的看法，也在某种程度上为宽容或认可所代替，在拥有大批同性恋者群体的地区，更是如此。

20世纪末，同性恋在一些国家成为一项政治问题，它是60年代各种公民权运动的一个直接衍生成分。同性恋者对朋友和亲戚谈自己的行为可以直言不讳，在某些情况下，甚至可以公开承认自己是同性恋者。同性恋社区第一次公开为异性恋者人群所熟知。同性恋者要求他们在求职、住房、公共措施各方面得到平等待遇的权利。在许多地方，司法部门已通过法律禁止对同性恋者加以歧视。参阅 **homosexual rights movement**。

homotopy 同伦 连续函数被连续地变形的过程。这个概念可以简单地说明如下：几何区域中两条有公共端点的路径，称作是同伦的，如果其中一条路径经过连续变形可以变成另一条，在变形过程中不脱离端点，也不能越出区域。如下图中的路径 l 与 m 是同伦的，l 与 m' 是非同伦的。

在平面*欧几里得几何*(**Euclidean geometry**)中，研究的是几何图形在平移、旋转和反射下(即欧几里得运动下)保持不变的那种性质。如直线性、长度、角度、面积等就是这种性质。在其他的几何，如仿射几何、*射影几何*(**projective geometry**)中，允许更一般的平面变换，但仍然要求这些变换保持线性性质。在拓扑学中，则甚至允许更加一般的变换，即连续变换，并且研究图形在同胚下不变的那种性质(同胚，即其逆变换也是连续的一种连续变换)。同伦论又把这个推广过程推进了一步。它把两个图形 X 和 Y 看作是等价的，如果由 X 到 Y 的一个连续变换 f，而且有一个连续的逆变换 g 把 Y 变到 X 或与 X 同伦的图形。这意味着仅仅要求由 X 到它自身的复合函数 gf 可变形为(或同伦于) X 的恒同函数，并且同样要求 fg 应同伦于 Y 的恒同函数。下面是三维空间中两个同伦等价而非同胚的图形的一个例子:考虑一个直圆柱 X 和一个圆 Y,X 可以通过变形收缩到它的一个圆截线上,所以 X 与 Y 是同伦等价的。然而 X 和 Y 显然不是同胚(拓扑等价)的,因为 X 是二维的曲面,Y 是一维的曲线。

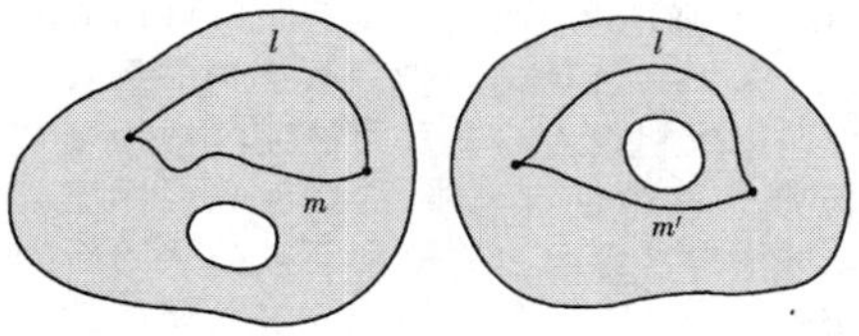

同伦与非同伦路径

同伦论的任务是识别同伦不变量(即同伦等价的图形所共有的性质),并给出计算它们的方法。图形的一个简单的同伦不变量是它所含的片或分支的数目。特别,如果 X 是整个一片的(如上例),则与 X 同伦等价的所有的其他图形 Y 也必然如此。这个概念可推广到在给定的图形 X 上的(任意特定维数的)洞的个数的研究,并由此推广到 X 的同调群。同调群是配属于 X 的一个代数对象(阿贝尔群),并且是同伦不变量。例如,环面(如自行车内胎)和球面被它们的一维同调群区别开来,因为环面有两个一维洞,而球面没有洞。另一个十分重要的同伦不变量是基本群。这个群为判定图形 X 中回路的存在性提供了一个工具。回路不能连续地收缩到一点,即不同伦于一个常回路。法国数学家 H. 庞加莱首先研究了基本群,它在许多数学分支和理论物理中占有重要地位。

homozygote 纯合子 就某具体性状而言,由两个具有相同的相对基因(等位基因)的配子结合而发育成的生物体。如果两个配子的相对基因所决定的遗传性状不同,则该两个配子结合产生的生物体称为杂合子。基因可为显性,亦可为隐性,因此,生物体的基因型并不总能通过其外表(表现型)来决定。

Homs(Libya) 参阅 **Khums, Al-** 胡姆斯。

Homs(Syria) 参阅**Ḥimṣ** 霍姆斯。

Hon Gai(city, Vietnam) 参阅 **Hong Gai** 鸿基。

Hon'ami Kōetsu 本阿弥光悦(1558,日本京都～1637-02-27,京都) 日本江户时期著名画家、漆器革新者、书法家、陶工、刀剑鉴定家、园林设计家和茶道爱好者。在绘画上同与他齐名的宗达一起创立了一种色彩艳丽、装饰性强、能再现日本古典大和绘传统的技法,后由尾形光琳继承。

Honan 参阅 **Henan** 河南。

Honaunau 霍瑙瑙 美国夏威夷岛西部沿海村庄和历史遗址,在凯阿拉凯夸湾南端。一度为科纳王国所在地。现为一小渔村。该地拥有多处古迹。其中主要为"避难城"。位于熔岩上的避难所在战时提供庇护,最晚建于 15 世纪。方形避难所位于海岸和长 300 米的熔岩墙之间,约建于 1550 年,墙内有 3 座古神殿。1961 年霍瑙瑙与邻近的殿堂区及王室鱼池一起辟为国家历史公园。附近的圣本尼狄克教堂是夏威夷的第一座罗马天主教教堂,四壁有彩色壁画。村北 3 英里处的库克船长遇难地有把这位探险家作为罗诺神来祭祀的庙宇遗址。人口:霍瑙瑙-纳波奥波奥 2 414(2000)。

Honda Motor Company, Ltd. 本田技研工业公司 日本最大的摩托车制造商,也是世界上主要的汽车生产商之一。公司总部设在东京。其前身为 1946 年在静冈县滨松附近建立的本田技术研究所,生产高效率的小型内燃机。1948 年改组为股份有限公司,取现名。1949 年开始生产摩托车。1953 年研制出本田 C-100型小引擎摩托车,到 1959 年以前,其销售量占全世界第一位。尽管如此,公司年销售额中大部分还是来自汽车生产(1963 年开始制造汽车)。其他主要产品有农业机械和小型发动机。本田技研工业公司是向美国和世界其他各地输出的日本主要出口商。它在许多外国设有装配工厂,还与数家外国公司搞合资企业并签有技术专利使用权转让协定。

Honda Soichiro 本田宗一郎(1906-11-17,日本静冈县～1991-08-05,东京) 日本实业家兼工程师,本田技研工业公司的创建人。15 岁在东京开始做技工,6 年后在滨松经营自己的修理店。这时他开始制造并驾驶跑车。第二次世界大战前不久,研究完成了活塞环的制造技术,这是他所获得的 100 余项专利之一。在战争期间,他的东海精械公司制造出可用于飞机和日本海军的发动机。1945 年他将自己的公司转售给丰田汽车公司之后,便组建了本田技术研究所;1948 年他又将该所改组成为本田技研工业公司。新公司因生产以小型、高效的发动机为动力的轻型摩托车而兴旺发达。本田本人开发新型发动机的设计和部件,而其合伙人藤泽武雄监管公司的财务和销售业务。到 1959 年,本田公司已成为世界上重要的摩托车制造商。本田不墨守成规,他摒弃日本老的企业管理传统而提倡"本田方法",这种方法依靠个人积极性与劳资密切关系相结合。本田还藐视日本政府意欲将本国汽车工业限制在发展几个主要公司的企图。本田公司 1963 年开始生产汽车,到 20 世纪 80 年代初期它已成为日本第三大汽车制造商。本田对细节几乎过分关注,他在 1973 年从公司总经理职位上退下来之前不久,还亲自测试新型小汽车和摩托车。

Honda Toshiaki 本多利明(1744,日本越后～1822-01-14,江户[今东京]) 最早全面研究西方思想和习俗并倡导采纳西方技术和观念的日本学者之一。24 岁时在自己学校中就是很有名的数学家,为了了解西方数学他开始学习荷兰语(荷兰人是当时日本唯一能接触到的西方人)。除研究数学外,他还学习天文和航海,1801 年驾驶自造的船去北海道。他对经济学也感兴趣。他对日本经济的统计进行研究之后,得出与 T. 马尔萨斯相同的结论。他主张日本结束闭关锁国状态,大力发展对外贸易,加强海上防务和向外扩张。他甚至建议把首都移到与伦敦相同的纬度,以便使日本成为"东方的英国"。他还主张日文废除汉字,而采用西方字母。

Hondecoeter, Melchior de 洪德库特(1636,尼德兰乌得勒支～1695-04-03,阿姆斯特丹) 荷兰派巴罗克画家。以擅画鸟类闻名。早期

洪德库特绘《公鸡与火鸡相斗》
美国不列颠百科全书公司供图

作品比晚年认真、轻松、明晰,其画笔触大胆,观察准确,使鸟的动作充满生气,极为精确。

Honduras 洪都拉斯 全称洪都拉斯共和国。中美洲第 2 大国。北濒临加勒比海,南和东为尼加拉瓜,南边有一段长达 72 千米的海岸,位于太平洋的丰塞卡湾,西与危地马拉和萨尔瓦多接壤。首都特古西加尔巴,面积 112 492平方千米,人口约7 187 000(2005)。

土地 洪都拉斯 3/4 以上的国土为山地,低地则在海岸平原和河谷地带。最高的山脉位于西部和中部,西部高达2 800米。山脉被深陷的盆地分割,盆地形状似峡谷,中间平坦,海拔 600 ～1 200米。南部的低地由乔卢特卡河的谷地所构成,这条河向南流经沿海的小平原后,注入丰塞卡湾。北部的低地较大,由东西方向绵延近 640 千米的加勒比海沿海平原和像手指一样延伸到北部山区的三条河(乌卢河、阿关河、帕图卡河)的河谷构成。东部的低地包括其被称为莫斯基托海岸的北部地区。

北部低地炎热多雨。年平均气温 26 ～28 °C。年降水量平均1 800～2 500毫米或更多。这种气候适宜西部的水稻、香蕉、油棕和木薯等热带作物生长。许多山间小谷地平均气温 19 ～ 23 °C。极少数地区年降雨量在1 000毫米以下。较低的地区覆盖茂密的长青阔叶林,有桃花心木、愈疮木、西印度轻木、雪松、黄檀、木棉、人心果及其他树种。洪都拉斯高地多雨的山坡上适宜生长优良的橡树和松树林。沿海低地沼泽则满布红树林。

人民 洪都拉斯人口主要以梅斯蒂索人(欧洲人和美洲印第安人混血人种的后裔)为主,与拉丁美洲其他国家相比,这里的人肤色更深,外表更像印第安人。少数美洲印第安人主要聚集在西南地区危地马拉边境附近。西印度群岛黑人和黑加勒比人则居住在加勒比海沿岸。人口大部居住在中部高地。洪都拉斯3/5的人口居住在农村,集中在乡间小

村庄或形成孤立的居民点。将近一半的人口年龄在15岁以下，和其他拉丁美洲国家相比，该国的出生率、婴儿死亡率和年人口增长率都较高。

经济 洪都拉斯的经济为市场经济，主要依赖于香蕉、咖啡、糖、虾和木材的生产和出口。国民生产总值的增长低于人口的增长。人均国民生产总值在中美洲国家中属最低之列。

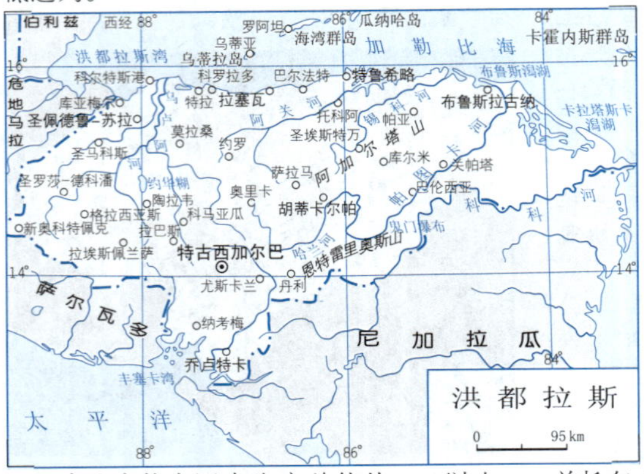

美国不列颠百科全书公司供图

农业产值占国内生产总值的1/5以上，占用了一半以上的劳动力。主要作物有玉米、豆类和水稻。香蕉通常是主要的经济作物，由美国公司出口。咖啡和糖也基本上是为了外销而生产。锯木厂和生产纸浆及纸张的工厂兴建在奥兰乔。虾是渔业最重要的部分，大部出口到美国，主要集中在加勒比海沿岸。矿业主要集中在埃尔莫奇多，出产银、金、铅和锌。制造业占国内生产总值的1/6，雇用的劳动力约1/8。当地制造业有食品加工、家具、纺织品、靴鞋、化学制品、水泥和橡胶。电力生产主要依靠水电资源，只有不到1/5的电力依靠进口燃料生产。主要贸易伙伴有美国、日本和德国。进口商品主要有机械、运输设备、矿物燃料和化工产品。

政体与社会状况 洪都拉斯是一个多党共和国，有时处于军人统治之下。1982年颁布的宪法赋予总统行政权。总统由普选产生，任期4年，不得连任。立法权归国民议会，其成员也是由选举产生，任期4年。洪都拉斯有两大主要政党，一为自由党，属中间保守派，主张社会改革；另一为国民党，是与军方关系密切的右翼集团。

洪都拉斯的健康和卫生状况普遍较差，许多人罹患肠炎、疟疾、百日咳和伤寒。营养不良是主要的问题。医生严重不足，平均预期寿命65岁。

洪都拉斯教育制度采取欧洲模式，由教育部统一管理。7～12岁的儿童须接受免费义务教育。大部分学龄儿童都已入校读书。高等教育中心洪都拉斯国立自治大学1847年建于首都。

文化生活 洪都拉斯的西部属于马雅印第安文明的一部分。最引起人们兴趣的是伟大的马雅古城科潘，其建筑和雕塑遗迹代表着马雅文化的鼎盛时期。该国的西班牙时期建筑反映了巴罗克及其他的艺术风格。

历史 在前哥伦布时期，洪都拉斯是马雅文化的一部分，马雅文化在公元第1个千纪期间很兴盛，科潘城有公元468～800年左右举行典礼的中心，此后马雅的人口突然减少。

哥伦布于1502年到达洪都拉斯。欧洲人建立的永久性居留地始于1522年。随后敌对的西班牙征服者之间发生争斗，但1526年第1位领地总督被任命后，争端平息下来。1537年西班牙人与印第安人之间爆发了大规模的战争。在伦皮拉酋长的指挥下，一支由30 000名武士组成的军队抵抗西班牙人，直至酋长在1539年死去战争才停止。由于疾病和沦为奴隶，印第安人的数量持续减少。

洪都拉斯从来不是一个独立的殖民地。1570年以后，洪都拉斯成为危地马拉都督辖区的一部分，16世纪70年代，由于当地发现银矿，许多采矿者涌入使人口迅速增长。

1821年受墨西哥独立运动的影响，所有的中美洲殖民地都取得独立。1823年中美洲各国组成中美洲联邦。虽然洪都拉斯领导者F.莫拉桑在该联邦占有重要地位，但洪都拉斯仍在1838年退出该联邦并单独宣布独立。

1876年以前，洪都拉斯的政权由一保守集团掌握，1876年，一位自由主义者出任总统并颁布了一部新宪法。20世纪初，政府变得不稳定，并受到其邻国尼加拉瓜的影响。W. H.塔夫脱担任美国总统时，曾派遣海军陆战队到洪都拉斯保护美国在香蕉生产上的投资。不安定的形势一直持续到1932年T.C.安迪诺将军当选总统时为止。他实际上是独裁的统治一直维持到1949年，其间仍时有暴乱发生。

其后的政府都为时不长。1957年通过的宪法实施一项温和的社会改革计划。土地改革(1975年又一次延长)只使少数农民获益，因此引起数次农民联盟的抗议运动。1982年以前军事领导人一直控制着政权，只有一次例外。1982年通过选举产生了一个文官政府。但由于左翼游击队的活动日益频繁，军方仍在幕后操纵。直到80年代后期，洪都拉斯一直与美国密切合作援助尼加拉瓜反政府武装。1998年飓风米奇导致数千人死亡，并带来严重破坏。直到21世纪初，重建工作仍在继续。

Honduras, Gulf of 洪都拉斯湾 在加勒比海。位于洪都拉斯、危地马拉和伯利兹之间。自伯利兹的丹格里加(前称斯坦克里克)至洪都拉斯的拉塞瓦宽约185千米。有许多河流注入，包括乌卢阿河和莫塔瓜河。巴里奥斯港为危地马拉主要港口。伯利兹港有时被视为洪都拉斯湾的北缘。

Hone, William 霍恩(1780-06-03，英格兰萨默塞特巴斯～1842-11-06，伦敦托特纳姆) 英国激进新闻记者、书商、报纸发行人和讽刺作家，以攻击政治、社会弊端而闻名，并因争取英国新闻自由而为人铭记。1796年成为激进主义者，办过两个周报——《旅游者》(1814～1815)和《改良主义者纪事》(1816～1817)。1817年因以模拟宗教祈祷书形式写作讽刺托利党人的文章而被控渎神和煽动暴乱，但终被宣告无罪，这一胜利因捍卫了新闻记者言论自由的权利而被公认为新闻史上的一个里程碑。著有《杰克建筑的政治大厦》(1819)，是一本著名的讽刺文集，印行54版。

Honecker, Erich 昂纳克(1912-08-25，德国诺因基兴～1994-05-29，智利) 共产党官员，作为东德的德国统一社会党第一书记，自1971年起为东德的领导人，直至1989年在民主改革横扫东欧的浪潮中失去权势。矿工之子，其父为共产党官员。昂纳克14岁参加共产主义青年运动，1929年成为正式党员。瓦工出身。1933年纳粹掌握政权后，他在德国各地组织青年共产党员进行非法活动。1935年被盖世太保逮捕，以“准叛国罪”被判处10年苦役，但他拒绝抛弃他的共产主义信仰。1945年被横扫东德的苏联红军解放。不久他便同那些为在苏联占领区建立起共产党政府的在苏联受训的德国共产党人并驾齐驱。他是自由德国青年联盟的创始人之一，1946～1955任该联盟主席。1946年当选为共产党中央委员会委员，是东德的共产党和社会民主党合并成为德国统一社会党的主要倡议人之一。他在德国统一社会党中的势力迅速增长，1967年被提名为乌布利希的继承人。1971年他既是德国统一社会党的领导人又是国务委员会的主席，集党政权力于一身。在昂纳克统治下，东德是个较为压制的国家，但又是东欧苏联集团国家中最繁荣昌盛者。他准许同西德发展某些贸易和旅行往来以获取西德的财政援助。其妻玛戈任东德政府教育部长。因失去有革新思想的苏联领导人戈尔巴乔夫的支持，又面对东德各城市大规模的要求民主的示威游行，年迈、固执的昂纳克不得不在1989年10月提出辞职。在日益高涨的群众骚动中，他被控滥用职权和其他罪行。由于健康恶化，于1990年4月进入柏林附近的苏军基地避难，1991年又避难于莫斯科。1992年7月被遣返回德国受审。1993年被德国当局释放，获准前往智利。

Honegger, Arthur 奥涅格(1892-03-10，法国勒阿弗尔～1955-11-27，巴黎) 法国作曲家。20世纪上半叶投身现代法国音乐运动。父母均为瑞士人，但他一生中大部分时间在法国度过。曾在苏黎世音乐学院学习，1912年后就学于巴黎音乐学院。第一次世界大战后与青年作曲家G.奥里克、G.泰耶菲尔、F.普朗克、D.米约、L.迪雷组成“六人团”。不久，他在“戏剧诗篇”《大卫王》(1921)中表现了自己的独特性格。接着两首成功的管弦乐曲《太平洋231号》(1924)和《橄榄球》(1928)反映出作曲家偏爱速度和具有阳刚之气的运动。室内乐队曲《夏日田园曲》(1921)亦在此期间完成。作于20世纪20年代的作品,大部分节奏强烈、不协和、严峻,调性处理极为自由。有时也出现多调性。自戏剧性清唱剧《火刑堆上的贞德》及《死之舞》开始,他转向神秘主义与宗教信仰,且在其后期的作品中多有表现。奥涅格一生作品极多,在歌剧(如1926年的《朱迪思》、1927年的《安提戈涅》等)、芭蕾舞剧(如1922年的《溜冰场》和1934年的《赛米拉米斯》)、合唱曲(如1938年的清唱剧《赞美歌之赞美歌》)和管弦乐等方面均有所建树。他还作有室内乐与电影配

中国大百科全书出版社供图

乐。他的音乐运用大胆而狂放不羁的音乐语汇,将法国先锋派的和声创新同德国传统的大型曲式和密集音响相结合。其自传《作曲家自述》于1951年出版。

Hōnen 法然(1133-05-13,日本冈山县美作～1212-02-29,京都) 佛教净土宗创始人。俗名势至丸。法号源空;谥号法然上人;勅谥圆先大师、弘觉大师。9岁时,父亲被村中头人所击,死前告诫他出家事佛,不得报仇。15岁时往天台宗中心比叡山受业。1175年他宣称专念阿弥陀佛即可往生西方净土。他1198年所著重要著作《选择本愿念佛集》将佛教教义分为圣道与净土两类。他说,佛陀相信人的内性,指示人持戒、禅定、追求智慧以超脱现世并到达长安境界。但人实际上不可能靠己力解悟圣道,唯有按照净土宗之教义:笃信净土之佛阿弥陀佛普度众生的本愿,诚念南无阿弥陀佛。天皇宫中两位女官信奉他所传教义,不参加宫中礼佛仪式,于是法然被控拐骗,于1207年与门人一同被逐往四国,被迫改用俗名藤井本彦。1211年重返京都。

Honesdale 洪斯代尔 美国宾夕法尼亚州东北部自治镇,韦恩县县城。在拉克瓦克森和戴伯里两河的汇合处。位于斯克兰顿东北39千米处。19世纪初设为居民点。1828～1898年,洪斯代尔曾作为特拉华—哈得孙运河上重要的煤炭航运站。1829年设镇。该镇地处富庶的农区,有轻型制造业。镇附近有希科里山滑雪场等娱乐场所。人口4 874(2000)。

honesty 诚实花 十字花科缎花属(*Lunaria*)两种一年生或二年生植物的俗称。原产欧洲,广泛栽培。角果盘状,纸质,可制作装饰用干花。最熟知的种是一年生缎花(*L. annua*),又称月亮花,夏季开花,花簇红紫色

一种诚实花(*Lunaria*)
美国不列颠百科全书公司供图

或白色,4瓣,已在北美东部部分森林地区归化。宿根缎花(*L. rediviva*)的角果广椭圆形带尖,花淡紫色。

honey 蜂蜜 蜜蜂吸取的各种花蜜通过蜂的蜜囊而制成的甜而黏的液体食物。深金黄色。其滋味和色泽取决于蜜蜂所采的花。家养蜜蜂采车轴草花蜜酿成的蜜商业价值较高。花蜜的主要成分蔗糖转化为果糖和葡萄糖,除去多余的水分,即变成蜂蜜。蜂蜜贮存在蜂箱里,或工蜂用蜂蜡和蜂胶营造的等边六角形的双层蜂巢里。幼虫及蜂巢中其他成员于冬季以蜂蜜为食。蜂蜜水溶性,约含18%的水,10～18 °C时可成颗粒状,微酸,具有轻微防腐作用。可用于处理烧伤和一般创伤。主要用途是制糖果、焙烤食品、谷类食品、药物和水果罐头等。古代人几乎仅从蜂蜜中获得糖,其药用价值很受重视。古人用蜂蜜做蜂蜜酒(一种发酵饮料),或将其与果酒等酒精饮料混合。在古埃及用蜂蜜对尸体作防腐处理。在印度及其他亚洲国家用蜂蜜保存水果及制糕点、甜食等食物。《圣经》及《古兰经》中均提到过蜂蜜。

honey ant 蜜蚁 若干种不同的蚁科昆虫的统称,共同点是演化出一种独特的贮蜜露(蚜虫或介壳虫的分泌物)的方法。由许多工蚁将蜜露喂饲一工蚁(供蜜蚁),蜜露存于供蜜蚁的腹部,可使其体积胀到正常腹部的几倍大。供蜜蚁挂在地下一巢室的顶上,有时可长达数月。蚁群需要贮备的食物时,就刺激供蜜蚁使之吐出蜜露。不同的蜜蚁看来是各自独立地演化出这种贮蜜方法的。蜜蚁包括许多属(如 *Melophorus*, *Leptomyrmex*, *Plagiolepis*, *Camponotus*, *Myrmecocystus* 和 *Prenolepis*)。某些国家把蜜蚁视为美味,或整吃或仅食其金黄色的腹部。

honey badger(mammal) 参阅 **ratel** 蜜獾。

honey bear 蜜熊 懒熊(**sloth bear**)和太阳熊(**sun bear**)的俗称。

honey bell(*Hermannia verticillata*) **蜜钟花** 梧桐科蔓生灌木。原产于非洲。株高达15厘米。花黄色,芳香,成对着生,长约1.5

蜜钟花(*Hermannia verticillata*)
美国不列颠百科全书公司供图

厘米,花瓣5枚,扁平。冬季或早春开花。是广泛栽培的室内观赏植物,主要作为悬挂花篮中的植物。

honey bush(*Melianthus major*) **大叶蜜花** 蜜花树科(Melianthaceae)常绿灌木,原产南部非洲。花香,叶美。植株高约3米。花成簇

大叶蜜花(*Melianthus major*)
美国不列颠百科全书公司供图

生长,红褐色,艳丽而芳香。果为膨大的纸质蒴果,种子黑色。

honey guide 向蜜鸟 鴷形目向蜜鸟科的约12种鸟。由两种非洲种类的行为而得名:一种是较大的大向蜜鸟(黑喉向蜜鸟,*Indicator indicator*),另一种是鳞喉向蜜鸟(*I. variegatus*)。这两种鸟在前头飞着并啁啾不休地

卡森向蜜鸟(*Prodotiscus insignis*)
美国不列颠百科全书公司供图

鸣叫,带领着蜜獾或人到有蜂巢的地方;待蜜獾等把蜜取走以后,它就取食蜂蜡(是唯一已知吃蜡的脊椎动物)和蜂的幼虫。其他8种不作向导的鸟栖于非洲,在喜马拉雅地区有

一种，马来西亚还有一种，均小型，皮肤坚韧，主要以蜜蜂和黄蜂为食。有些种将卵产于其他鸟的窝内由宿主孵化及喂哺，通常选择洞巢的鸟(拟啄木鸟、啄木鸟)作养母。向蜜鸟的初生幼鸟有一对暂时性的喙钩，用以杀死或伤害窝主的幼雏。

honey locust　皂荚　豆科皂荚属(*Gleditsia*)带刺乔木。约12种。原产北美、南美、热带非洲、中亚和东亚。有些种可栽培观赏，如北美的美国皂荚(三刺皂荚，*G. triacanthos*)可高至40米，但栽培的通常较矮；长羽状复叶，小叶多达30枚，广椭圆形，长约2.5厘米，有些可能是二回羽状复叶，小叶更多更小；花小，绿白色，成簇腋生；荚果扁，淡红棕色，长达45厘米，有时镰刀状而扭曲；种子棕色，豆形，彼此被一种黏甜物质相隔；树干和枝条具长8～10厘米的粗刺，粗刺单一或分枝。美国皂荚的无刺变种(*G. triacanthos inermis*)体态细长，树冠顶端颜色与其他部位不同，似饰以花边；树冠轻度透光；故是常栽培的城市树种。此外，还有另一些栽培变种，如顶黄皂荚(Sunburst locust，小枝新生组织呈鲜黄色)、顶红皂荚(Ruby Lace locust，枝端新生组织浅红色)。无刺的变种如"莫兰"(Moraine)、"多荫"(Shademaster)、"帝国"(Imperial)等是绿色类型的园艺改良品种。

(上)美国皂荚(*G. triacanthos*)的叶和荚；
(下)美国皂荚的具粗刺的树干
美国不列颠百科全书公司供图

honey tree　蜜树　参阅 **raisin tree** 葡萄干树。

honeyballs(shrub)　参阅 **buttonbush** 风箱树。

honeybee　蜜蜂　广义上指膜翅目蜜蜂科蜜蜂族(Apini)昆虫，包括所有能酿蜜的种类；狭义上指蜜蜂属(*Apis*)的4种昆虫，尤其指意大利蜂(*A. mellifera*，家蜂，又名西方蜜蜂或欧洲家蜂)。另外3种仅见于亚洲：小蜜蜂(*A. florea*)见于中亚，于树中筑巢；大蜜蜂(*A. dorsata*)见于印度、印度尼西亚和中国中部，蜂房直径有时近3米；东方蜜蜂(印度蜜蜂，*A. indica*)是亚洲部分地区的家养种。此外还有不同的亚种或品系。意大利蜂约长1.2厘米，但随品系不同大小亦异。头和胸部有短而硬的毛，颜色各异。头部有两个大复眼和3个单眼，视力强。还有一对能感受气味的触角。为社会性昆虫，居于蜂巢中。群体中的成员分为3级：工蜂是不发育的雌蜂，有螫针；蜂王较工蜂大，有螫针；雄蜂亦较工蜂大，只见于初夏，无螫针。蜂王和工蜂都产卵，但只有蜂王的卵与雄蜂的精子结合而发育为雌蜂，工蜂的卵发育为雄蜂。蜂王并非孵出来就是蜂王，而是由工蜂唾腺产生的王浆喂养后才成为蜂王。卵经3天孵化为幼虫。起初均喂以王浆，但后来只给未来的蜂王继续喂王浆。幼虫长成后化蛹。羽化时间不同，蜂王为16天羽化，工蜂3周，雄蜂比工蜂晚几天。蜂王羽化后互相争斗，直到在蜂房中只留下一个。新蜂王又攻击老蜂王，老蜂王便带领一群蜂离去建立新的蜂群。巢由一系列蜂房组成，蜂房有两层六边形巢房，由工蜂体内产生的蜂蜡构成。蜂房贮藏食物——**蜂蜜**(**honey**)、花蜜以及由花粉做成的"蜂面包"。

意大利蜂(*A. mellifera*)
美国不列颠百科全书公司供图

honeycomb work(architecture)　**蜂巢状装饰**　参阅 **stalactite work** 钟乳石状装饰。

honeycreeper　旋蜜雀　鹀科蜜鸟亚科(Coerebinae)的美洲热带鸟。35种，有一些称之为糖鸟。许多种在热带森林及庭园中取食花蜜。均形小，多数色彩艳丽，许多种的喙细而下弯，舌刷状，亦可能为双管状。红腿旋蜜雀(蓝旋蜜雀，*Cyanerpes cyaneus*)分布自古巴及墨西哥到巴西南部一带，长13厘米，繁殖期雄鸟呈闪亮的蓝色，上体黑色，面部黑色如面罩状。典型的巢杯状，筑在小枝杈上，通常容卵2枚。或将蜜鸟亚科视为一科，或将全部或部分旋蜜雀归入裸鼻雀亚科(Thraupinae)或林莺科，另一些人将蕉森莺(**bananaquit**)与旋蜜雀一同归入林莺科，将其余种类列为锥嘴鸟亚科(Dacninae)。夏威夷旋蜜雀(**Hawaiian honeycreeper**)属森莺科。

honeyeater　吸蜜鸟　雀形目吸蜜鸟科动物，170种，有几种是澳大利亚、新几内亚和西太平洋岛屿最常见的鸟类。长10～35厘米，黄褐色，头部有很具特色的精细斑纹。嘴细长，略下弯；舌管状，末端刷状。成对或成小群活动，以花蜜、昆虫和果类为食。吸蜜鸟属(*Meliphaga*)40种，多数种有耳羽簇，代表种是澳大利亚南部的白耳吸蜜鸟(*M. leucotis*)，长18厘米，摄蜜鸟属(*Myzomela*)的25种体色艳丽，主要见于大洋洲岛屿，典型的雄鸟为猩红和黑两色。澳大利亚东部的红摄蜜鸟(血鸟，*M. sanguinolenta*)长11.5厘米，中午酷热时发出嘤嘤鸣声。本科其他种类称为钟鸟、修士鸟、矿工鸟或肉耳垂鸟。垂蜜鸟属(*Anthochaera*)3种，大型，长约35厘米，见于澳大利亚东部和南部的森林中。南非的开普糖鸟(卡佛食蜜鸟，*Promerops cafer*)亦常归入本科。

honeysuckle　忍冬　忍冬科忍冬属(*Lonicera*)植物。约200种，灌木或藤本，可供观赏。原产于世界温带地区，但亦见于喜马拉雅山脉、南亚及北非。多数种的花为二唇形，芳香；浆果红色、橙色或黑色。香忍冬(贯叶忍冬，*L. caprifolium*)花紫白色，簇生，晚间开放，主要靠夜间取食的天蛾传粉，其花冠管极长，其他昆虫难以取蜜；浆果红橙色；原产于欧亚大陆，归化于北美。大缅甸忍冬(希尔德布尔德氏忍冬，*L. hildebrandiana*)为攀缘种，叶长15厘米，深绿色；花黄色，长17厘米；浆果绿色，直径2.5厘米。日本忍冬(金银花，*L. japonica*)为攀缘灌木，花芳香，淡黄白色；浆果黑色；原产于东亚，并在许多地区大量孳生，覆盖于其他植物之上，遮断日照。喇叭忍冬(常绿忍冬，*L. sempervirens*)攀在森林中的树木上；叶广椭圆形，有时基部合生；穗状花序，花冠管长5厘米，5浅裂，橙红色；浆果红色；广布于北美东部。轮序忍冬(苦壁藤，*L. pericly-*

一种忍冬属(*Lonicera*)植物
美国不列颠百科全书公司供图

menum)原产欧亚大陆;缠绕茎长达6米;多数花轮生排列,花淡黄色,裂片顶端紫色;浆果红色。分布更广的灌木状忍冬是原产欧洲东南部和西伯利亚的鞑靼忍冬(*L. tartarica*)及4个中国种:冬忍冬(极香忍冬,*L. fragrantissima*)、女贞忍冬(蕊帽忍冬,*L. pileata*)、光亮忍冬(*L. nitida*)、丁香花忍冬(粉红金银花,*L. syringantha*)等。

Honeywell International Inc. 霍尼韦尔国际公司 美国高科技公司,生产航空和汽车产品,住宅用、商用和工业控制系统,特殊化学品和塑料,以及工程材料。该公司是1999年由美国联信公司和霍尼韦尔公司合并而成。总部设在新泽西州的摩利丝。霍尼韦尔公司1885年建立,原名为联合控温公司,领先将恒温器应用到电动机上。20世纪30年代主要生产煤炉用自动风门。公司1927年改名,又于1964年改用今名。在1970年收购通用电气公司计算机分部后,发展成为世界主要计算机制造商之一;但1986年它与2家外国计算机公司组织联合企业,仅保留这一新计算机企业约40%的控制股权。霍尼韦尔公司在50个国家和一些主要的海外中心皆设有业务部门;有1/4以上的收入来自海外的销售。它可为环保、工业、航空航天、防务系统和控制,以及信息系统提供自动化设备。它制造从家庭供热装置到复杂的钢铁和化学加工工厂应用的控制系统;还制造电脑化的温度控制系统和高速公路交通控制系统。它生产的军用控制设备从导弹制导系统到红外线侦察设备,品种繁多。

Honfleur 翁弗勒尔 法国北部下诺曼底大区卡尔瓦多斯省海港。位于塞纳河口湾南岸,勒阿弗尔对面,鲁昂的西面。是游艇活动、旅游和小规模渔业的中心,有风景优美的

翁弗勒尔的港湾
美国不列颠百科全书公司供图

17世纪海湾,湾畔散布着15～16世纪的建筑。该城镇可追溯到11世纪,百年战争(1337～1453)中在英国和法国间数次易手。英国最后占领期为1418～1450年,从16世纪至19世纪因与北美大陆和东印度群岛通商而繁荣起来。1608年法国探险者S.尚普兰由此航海去加拿大建立魁北克。19世纪该城的港口地位被勒阿弗尔港取代,成为艺术家和作家所喜欢的游览地,他们之中有很多人出生于此。旧翁弗勒尔博物馆设在14～15世纪的圣艾蒂安教堂内,藏有当地海运和民间传说展品。圣卡瑟琳木结构教堂外形像一个反扣的船,是15世纪造船家的作品。教堂与其木质钟楼是分别建筑的,后者在集市广场。家具制造是翁弗勒尔唯一主要行业。人口8 346(1990)。

Hong Chengchou 洪承畴(1593-10-16～1665-04-03) 又拼Hung Ch'eng-ch'ou。降清大臣。字演彦,号亨九。中国福建南安人。明朝万历年间进士。官至兵部尚书,总督河南、山西、陕西、四川、湖广军务。后来调任蓟辽总督,抵御清军。1642年被俘降清后,得到清朝廷重用,官至大学士。于清初重大军政决策多有建议。1645年到南京总督军务,镇压江南抗清义军,杀抗清名士和明朝藩王多人。1653年受命经略湖广、两广、云贵等地,打败明末农民起义军余部李定国等军,摧毁南明桂王(永历)政权,桂王朱由榔被驱赶逃亡至缅甸。洪承畴为清朝效力达15年,1661年自请退职。

Hong Gai 鸿基 又拼Hon Gai。越南东北部港口城市,位于东京湾(北部湾)的下龙湾畔,海防东北方约40千米处。是东南亚最大的无烟煤矿广安煤矿的出口中心。城市大部分居民是越族。地区内其他经济活动是种稻和捕鱼。下龙湾以其众多奇形怪状的石灰岩小海湾与洞穴而著名。人口127 484(1992)。

Hong Hu 洪湖 又作Hung Lake。中国湖北省最大湖泊。位于省境南部长江与东荆河间的洼地中。湖面海拔25米,面积413平方千米。东西两侧与长江相通,是鱼类繁殖的良好场所。湖区南部黑鱼湾至螺山一带每年冬季雁鸭麇集,水禽资源丰富。用野鸭羽毛制成的羽毛扇为洪湖地区传统手工艺品。

Hong Kong 香港 又拼Xiang gang或Hsiang-kang。中华人民共和国特别行政区。简称"港"。因产沉香,又称香江、香海。位于中国南海之滨,广东省东南海岸、珠江口东侧。包括香港岛、九龙和新界,大小岛屿262个。西北距广州市约150千米,北以深圳河与深圳经济特区为界,最东伸向大鹏湾,最南是蒲台群岛,最西是大屿山。西与澳门隔海相望。位于香港岛与九龙半岛之间的维多利亚港(面积约60平方千米),水深港阔,是世界三大天然良港之一。世界各地与东亚之间贸易都经过香港或以香港为中转站,是世界航道的要冲,并扼中国华南门户。面积1 102.15平方千米。划分为18个区(分设非政权性地区组织),计为香港岛的中西、湾仔、东、南4区;九龙的油尖旺、九龙城、观塘、深水埗、黄大仙5区;新界的荃湾、沙田、葵青、屯门、元朗、大埔、北、西贡8区以及离岛区。

沿革 早在公元前4000年左右中国先民就在此居住。秦始皇三十三年(公元前214),秦始皇平定南越,设南海、桂林、象郡三郡,香港地区属于南海郡番禺县。三国吴甘露元年(265)东莞县设司盐校尉,监管香港、九龙、"新界"一带盐民的生产。唐玄宗开元二十一年(733)屯门设防,由镇兵驻守,以御海寇。宋代起内地居民迁居香港者日众。明洪武二十七年(1394)广东左卫千户张斌筑九龙城。万历元年(1573)设立新安县,县治在南头。香港地区属新安县管辖。1840年英国发动鸦片战争,强迫清政府于1842年和1860年先后签订了《南京条约》和《北京条约》,将香港岛和九龙半岛南部地区割让给英国。1898年又迫使清政府签订《展拓香港界址专条》,"租借"今新界地区,租期99年。1941～1945年香港曾一度被日本占领。第二次世界大战后,英国重占香港。1984年12月19日中英两国政府签署了《关于香港问题的联合声明》,确认中华人民共和国于1997年7月1日恢复对香港行使主权,并设立香港特别行政区。香港特别行政区是中华人民共和国的一级地方政权,直辖于中央人民政府,除外交和国防事务属中央人民政府管理外,享有高度的自治权。1995年12月全国人民代表大会香港特别行政区筹备委员会组成。1996年12月11日在香港由400位全部是香港永久性居民组成的香港特别行政区第一届政府推选委员会选举董建华为香港特别行政区第一任行政长官人选。同年12月16日李鹏总理签署国务院第207号令,任命董建华为中华人民共和国香港特别行政区第一任行政长官,于1997年7月1日就职。1996年12月21日"推委会"在深圳选举产生香港特别行政区临时立法会。1996年1月中华人民共和国中央人民政府派驻香港特别行政区的部队组建完成,于1997年7月1日0时正式进驻香港。英国政府在同日将香港交还中国。

自然条件、资源和物产 香港地处亚热带,气候温暖湿润,年平均温度22.8°C,1月平均温度15.6°C,7月平均温度28.6°C。年均降水量2 225毫米。夏秋季多台风。香港岛东西长,南北窄,地势高峻,山峦陡峭,最高峰太平山海拔552米,该岛和与之隔海相峙的九龙半岛南端是香港的心脏。岛的北部和九龙半岛南部为工商业发达地区,两地有海底隧道相通。九龙半岛西南经长期开发的平原已成为市区拓展的中心,东北部辟为启德机场。半岛南端尖沙咀天星码头一带,为港九最为繁盛地区和万吨以下远洋巨轮停泊地。九龙界限街以北,深圳河以南,连同周围岛屿称为"新界",多为侵蚀丘陵或冲积平原。香港地区最高峰大帽山主峰海拔957米,位于新界与九龙半岛中央。由于缺乏大河流和湖泊,加上地下水不多,食用淡水的60%以上依靠广东省供给。矿藏有少量铁、铝、锌、钨、绿柱石、石墨等。香港邻近大陆架,洋面广阔,岛屿众多。拥有得天独厚的渔业生产环境。香港有红衫、九棍、大眼鱼、黄花鱼、黄肚和魷鱼等150余种具有经济价值的海鱼,农业主要经营少量的蔬菜、花卉、水果和稻谷,饲养猪、牛、家禽及淡水鱼,农副产品近半数依靠内地供应。

经济 20世纪70年代以后,香港经济迅速发展,逐步形成了一个以加工工业为基础、以对外贸易为主导、以多种经营为特点的现

香港中银大厦,背景为维多利亚湾和九龙半岛
美国不列颠百科全书公司供图

代化国际工商业城市。2002 年,全港的生产总值约13 256亿港元。香港是世界上重要的金融、贸易、交通、旅游、信息和通信中心。房地产及建筑业是香港经济的重要支柱之一,香港土地大部分由政府掌握,高价拍卖土地成为财政收入的主要来源之一。香港是世界第十一大银行中心。至 2002 年,共有持牌银行 133 家,开设分行1 416多家,有 73 家名列世界前 100 位的银行在港设分行。外汇市场交易量居世界第七。香港是与伦敦、纽约、苏黎世齐名的世界四大黄金市场之一。香港是重要的国际贸易中心,与全世界近 200 个国家和地区有贸易关系。香港对外贸易包括进口、港制产品出口和转口贸易三大部分,至 2002 年,货物贸易总额31 799亿港元,为世界第九大贸易地区。进口市场主要是中国内地和日本等亚洲国家和地区。香港产品主要输往美国、英国、德国、中国内地、日本、加拿大、澳大利亚、新加坡、荷兰、瑞士、法国。转口商品主要输往中国内地、澳门和台湾、美国、新加坡、印尼、日本、韩国、菲律宾、沙特阿拉伯。

交通、旅游和通信　香港是亚太地区的交通、旅游中心之一。公共交通系统发达,地面公共交通、架空道路与 5 条地铁线,构成完整的立体交通网络。香港是重要的国际航运中心,航运业发达。与 100 多个国家和地区的 460 多个港口有航运往来,形成一个以香港为枢纽,航线通达五大洲、三大洋的海上运输网络。2002 年,集装箱吞吐量为1 865万个标准集装箱单位,位居世界第一。在香港有 66 家国际航空公司提供服务,每周约有3 600 架次定期客货机与亚洲、欧洲、澳洲、北美以及中东等地区的 130 个城市直接联系。耗资 110亿港元的新机场于 1998 年 4 月投入使用,年客运量可达3 500万人次,年货运量达 300 万吨。由于香港地理位置优越,交通方便,人文环境独特,旅游业发展迅速,2002 年旅游入境人数为1 656.6万人次,旅游成为香港经济支柱之一。香港还是亚太地区的通信和信息中心之一。至 2002 年,香港拥有电话约 480 万部,移动电话 582.7 万户,并拥有 180 万拨号上网用户和 82 万宽频用户。香港还是世界第四大印刷和出版中心,世界各大通讯社、国际性报刊、电台、电视台和出版机构均在香港设有办事机构。

文教卫生和景观　香港教育由政府直管,实施 9 年免费普及教育。有香港大学、香港中文大学和香港理工大学等高等院校。香港医疗设施、技术水准居亚洲较高水平。名胜古迹有九龙黄大仙祠墓、九龙清真寺、道风山基督教堂、大屿山宝莲寺、九龙城寨、港岛炮台及大屿山东涌炮台等。人口约 6 800 000 (2005),是世界上人口最稠密的城市之一。

Hong Kong, the Chinese University of　香港中文大学　简称中大。校址在香港新界沙田。创办于 1963 年,是一所提供汉英双语教育的大学。创校的宗旨是:①协助保存、阐扬、沟通及增进知识;②设立符合最高大学水准的人文学科、科学及其他学科的正规课程,以适应社会需要;③促进香港知识与文化的发展,借以增进地方经济与社会福利。中大的前身是 3 所成员书院,分别为崇基书院(1951 年创立)、新亚书院(1949 年创立)和联合书院(1956 年创立),创办人都是 50 年代由中国内地赴港的学者。其后,政府设立了一个独立的委员会,将 3 所书院合并成立香港中文大学。1986 年第四所成员书院逸夫书院成立,并于1988年开始招生。至2002年,设有

香港中文大学校园
中国大百科全书出版社供图

文学院、工商管理学院、教育学院、工程学院、医学院、理学院、社会科学院等 7 个学院含 61 个学系。有 53 个本科专业,123 个硕士专业,61 个博士专业,10 个文凭课程计划。建有 10 个研究所。学校有专任教师 998 人,研究人员 732 人。在校学生15 508人,其中全日制本科生9 156人,兼读制本科生 174 人,硕士生 4 001人,博士生 686 人,文凭课程学生1 491 人。图书馆藏书 166 万余册。大学图书馆的电子资料检索服务利用人造卫星连接英美的主要资料库提取资料。著名的当代中国研究资料库"大学服务中心"也位于中大,使该校成为研究中国问题的国际中心之一。校园面积 134 万平方米。

Hong Kong, University of　香港大学　中国香港特别行政区的综合性大学。前身为 1887 年创办的香港西医书院。1911 年创办,由当时香港政府正式通过香港大学条例,确定其

香港大学校园
中国大百科全书出版社供图

法定地位,成为香港第一所大学,始设医学院及工程学院。翌年正式招生。首届学生共 54 人。1912 年、1939 年先后成立文学院和理学院。至 2002 年,设建筑、文学、经济及工商管理、医学、牙医、工程、教育、法律、理学、社会科学、中医药等 11 个学院含 51 个学系及专业进修学院(校外课程部)、英语中心、语文研习所。有 43 项学士学位课程(多为三年制本科),18 项文凭课程,159 项硕士

学位课程(含哲学硕士学位及课程硕士学位),102项博士学位课程。建有80个研究所、研究中心及服务部门。学校有全职教学人员1 176人,其中讲座教授79人,全职研究人员823人。在校学生15 000余人,其中本科生9 000余人,研究生约5 000人,国际学生1 000余人。图书馆藏书200余万册。馆内另藏有视听资料及缩微资料。香港大学美术博物馆除展出现代名家画作外,还设有专馆收藏陶瓷器、青铜器及书画,其中元朝景教十字架藏品为海外藏品最齐备者。校园面积50万平方米。

Hong Rengan　洪仁玕(1822-02-18～1864-11-23)　又拼Hung Jen-kan。太平天国后期重要领导人。字益谦(一作谦益),号吉甫。广东花县人。洪秀全族弟。原为私塾教师。1843

洪仁玕墨迹
中国大百科全书出版社供图

年参加洪秀全创立的拜上帝会。1851年金田起义之后应召赴广西桂平,但未赶上太平军,遂折回广东。1852年在广东发动小规模起义失败,曾被捕,脱险后逃亡香港。留港期间,学习西方社会、自然科学知识,成为近代中国传播资本主义思想启蒙人物之一。1859年离开香港北上,次年4月到达天京(今江苏南京)。5月封干王,任军师,总理朝政。向洪秀全提出施政纲领《资政新篇》,主张革新政治,学习西方科学技术,发展资本主义经济。1860年为解天京之围,献策奇袭杭州,分散敌兵,迅速回师击垮清军江南大营。后又建议东进苏、杭,建立江南革命根据地,再返师西征,以解安庆之围。1864年7月天京陷落,在湖州护持幼天王,拟去江西会合李世贤、汪海洋部。10月在江西石城被俘。所写供词痛斥外国侵略者干涉中国革命。同年11月23日在南昌就义。

Hong Shen　洪深　(1894-12-31,中国江苏常州～1955-08-29,北京)　又拼Hung Shen。中国现代剧作家、导演。江苏常州人。1912年考入清华学校。1915年开始创作剧本。1916年从清华学校毕业,留学美国,就读于俄亥俄州立大学。1919年转入哈佛大学,专攻戏剧,并在波士顿表演学校学习。1922年回国后在几所大学任教。写了成名作《赵阎王》。改译、导演并亲自参加演出《少奶奶的扇子》。还参加领导"戏剧协社"、"复旦剧社"和"南国社",与田汉共同为中国现代舞台艺术作了奠基工作。1930年参加左翼文艺运动。这时期写的"农村三部曲"(《五奎桥》、《香稻米》、《青龙潭》)反封建思想更加鲜明,是五四运动以来的优秀剧作。洪深是中国电影艺术的先驱。1925年他创作了中国第一部电影剧本《申屠氏》。同年被明星影片公司聘为编剧顾问。先后编有《早生贵子》、《劫后桃花》、《夜长梦多》等30余部电影剧本。还创办电影学校,为电影事业培养人才。抗日战争时期在周恩来、郭沫若领导下组织抗敌演出队,写了许多宣传抗日的剧本,导演了《法西斯细菌》、《草莽英雄》等剧。抗战胜利后在复旦大学任教,并主编《大公报》"戏剧与电影"副刊。1946年受聘于国泰影业公司,任特约编剧。1947年为启明影业公司编写《鸡鸣早看天》。1948年与人联合导演《弱者,你的名字是女人》。中华人民共和国建立后任文化部对外文化联络局局长,对外文化协会副会长,中国戏剧家协会副主席等。除电影创作外,他还著有《电影戏剧的编辑方法》、《电影戏剧表演术》等理论专著,编有《电影术语辞典》等。《洪深文集》(4卷)收有其部分电影剧作及电影论著。

Hong Sheng　洪昇(1645-08-21～1704-07-02)　又拼Hung Sheng。中国清代文学家、戏曲作家。字昉思,号稗畦,又号稗村、南屏樵者。钱塘(今浙江杭州)人。出身没落世家。在政治上不得志,长期在北京做国子监生。康熙二十七年(1688)将旧作《舞霓裳》传奇戏曲改写为《长生殿》,传唱甚盛,轰动京师。《长生殿》以唐明皇李隆基与杨玉环的爱情故事为题材,展开了对社会政治的描绘,在中国戏曲发展史上享有经典剧作的地位。当时与《桃花扇》传奇作者孔尚任有"南洪北孔"之称。次年八月演出时,适值佟皇后丧葬期间,因此获罪,系刑部狱,革去国学生籍。三十年(1691)南归。四十三年(1704)六月初一日,自江宁返乡,行经乌镇,酒后登舟,堕水而死。除《长生殿》外还有传奇《回文锦》、《天涯泪》、《闹高唐》、《孝节坊》等8种(已佚),杂剧《四婵娟》一种。有诗集《稗畦集》、《稗畦续集》、《啸月楼集》,词集《啸月词》(已佚),以及《诗骚韵注》等。

Hong Xiuquan　洪秀全(1814-01-01～1864-06-03)　又拼Hung Hsiu-ch'üan。太平天国创始人和主要领袖。广东花县人。原为本村塾师。1843年从基督教宣扬的平等思想得到启发,萌发革命思想。创立拜上帝会,自称是天父耶和华之子、耶稣之弟,为拯救世人苦难,下凡诛妖。1844年4月起和冯云山等在广州和广西贵县传教。撰写《百正歌》、《原道

中国大百科全书出版社供图

救世歌》、《原道醒世训》,宣传天父上帝是唯一真神,提出天下男女尽是兄弟姊妹,人人平等;号召推翻清政府,实现"天下一家,共享太平"的理想。1847年在广西紫荆山制订拜上帝会章程。1849年7月洪秀全、杨秀清、萧朝贵、冯云山、韦昌辉、石达开等组成领导核心,筹划起事。1851年1月11日在广西桂平县金田村起义,建号太平天国,自称天王。9月攻克永安(今蒙山县)后制定各种制度,封杨秀清为东王、萧朝贵为西王、冯云山为南王、韦昌辉为北王、石达开为翼王,杨秀清节制诸王,冯云山、石达开为前锋指挥。1852年春太平军出广西,经湖南、湖北、江西、安徽,于1853年3月攻克南京,并在南京建都,改名天京。随即派兵北伐西征,并颁布《天朝田亩制度》。洪秀全在革命胜利形势下日渐脱离群众,不务政事,加以杨秀清擅权,使太平天国领导集团内部矛盾迅速激化。1856年9月韦昌辉杀杨秀清,11月洪秀全杀韦昌辉,1857年5月石达开率领大批精锐部队出走,洪秀全在严峻形势下重组领导核心,提拔青年将领陈玉成、李秀成、李世贤负责军事,任命族弟洪仁玕主持政务,以支撑太平天国危局。1860年第二次鸦片战争后,清政府和外国侵略势力联合加紧镇压太平天国,安庆、苏州等重镇相继失守,天京被围。洪秀全不采纳李秀成的"让城别走"建议,坚持株守天京,丧失了突围出走的时机。1864年6月3日洪秀全因病逝世。7月19日天京陷落,太平天国中央政权灭亡。

Hongli　弘历　参阅 **Qing——**:清朝帝王序列下 **Qinggaozong Hongli** 清高宗弘历。

Hongloumeng　《红楼梦》　英语作 Dream of the Red Chamber。中国清代长篇小说,又名《石头记》。被广泛认为是中国最伟大的一部著作。作者曹雪芹(约1715～1763)。早期抄本仅80回,以作者本名曹霑名义流传。他死后将近30年又出了包括后40回的全书。关于后40回的真实作者究竟是谁,众说纷纭,至今争论不已。有的说是曹的好友高鹗,有的说是曹氏本人,而其遗稿被高鹗发现,略加改编而成。小说主题是大官僚贾家的青年公子宝玉和他的表妹黛玉之间,由于反抗封建传统的共同信念而铸成的爱情和无法抗拒

杨柳青年画《红楼梦·潇湘清韵》
中国大百科全书出版社供图

宗法势力的阻挠而归于悲剧的结局。作品现实主义地描绘了中国上层家族成员及其众多的奴仆、丫环们的日常生活——豪华、淫逸、礼节、明争暗斗的细节，其中人物多至400余名，有鲜明个性的30多名。文字极其生动、优美，运用了古典和民间丰富而又洗练的语汇。在耐人寻味的散文、对话之中，夹以高雅的诗词歌赋、对联、谜语。小说中人物的塑造、情节的描绘、语言的生动，使整个小说的思想性得到充分的表现。1929年出版英译本，名Dream of the Red Chamber。1980年中国外文出版社出版了杨宪益夫妇翻译的新的英译本。

Hongqi　《红旗》　英语作Red Flag。中国共产党中央委员会主办的理论杂志。1958年6月1日在北京创刊。在全国15个地区印刷。还有蒙古、藏、维吾尔、哈萨克、朝鲜五种民族文字的《红旗文选》。该刊物的主要任务是宣传马克思列宁主义、毛泽东思想和社会主义建设，阐述共产主义运动中的思想理论问题和中国共产党的路线、方针、政策，对经济、政治、哲学、历史、科学教育、文学艺术等方面的问题发表评论。1928年11月20日～1930年8月2日，中共中央还出版过机关报《红旗》，共出版126期。1988年7月1日《红旗》杂志更名为《求是》。

Hongqi Qu　红旗渠　又作Hung-ch'i Canal。中国漳河流域重要水利工程。在河南北部林州市境内。林州市地处太行山区，年降水量虽达650毫米，但70%集中在夏季。境内山丘林立，沟谷纵横，河流比降大，集水面积小，一般流量不过1～3立方米/秒，旱季甚至干涸无流。地下水埋藏较深，不易取用。因此，水源奇缺。源于山西省的漳河水量比较充足，一般流量为25立方米/秒，最大可达7 000立方米/秒，但因有分水岭相隔，流经林州市的范围很小。1960年起经十年艰苦奋斗建成红旗渠，穿越崇山峻岭，飞跨峡谷险滩，引来了漳河水。先后劈开1 250座山头，凿通180个隧洞，架设150座渡槽，挖砌土石方1 700万立方米。有一条总干渠，三条干渠，500多条支渠，渠道总长近2 000千米，还有200多个水库。总干渠渠首在山西平顺县境内，是引漳水到林州市的大动脉，全长约70千米。三条干渠是重要输水工程，分别自分水岭流向林州市南部、东南部、东北部。渠道多布置在梯田上部，以发挥自流灌溉的效益。水库除拦蓄洪水，防止水患外，主要用于调节总干渠、干渠的水量，在漳河枯水季节补充水源。红旗渠建成后林州市严重缺水的4万多公顷农田得到自流灌溉，已开始种植水稻。大小水库发展了水产养殖业。用材林、经济林面积越来越大。还带动了水电、农机、化肥、水泥等小型工业的发展。

Hongren　弘仁（1610～1664）　又拼Hung-jen。中国明、清之际画家。僧人，俗姓江，名韬，明亡后出家为僧，法名弘仁，字无智，别名渐江，安徽歙县人。工画山水，师法倪瓒而能

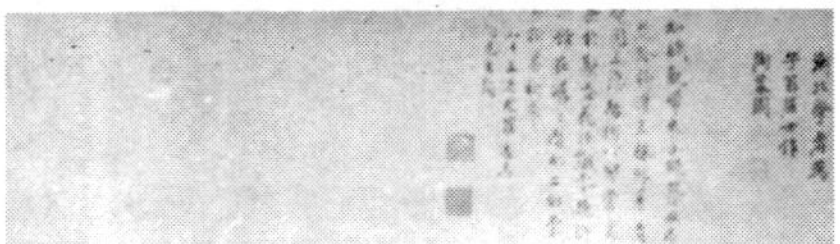

弘仁绘《陶庵图》
中国大百科全书出版社供图

变化。初画福建武夷山山水，后返故乡，深入黄山，多写黄山松石，画艺进入新的境界。查士标说："渐公入武夷而一变，归黄山而益奇"；张庚说："尝见师手迹，层崖陡壑，伟峻沉厚，非若世之疎林枯竹，自谓高士者比也。"他不慕荣利，慎于交游，不轻易为人作画。去世前一日，却作画救济贫穷亲友度岁。能诗文，有《画偈》1卷。今安徽歙县、休宁，古名海阳，隋唐时两县迭为新安郡治。故弘仁与查士标、孙逸、汪之瑞因同郡而在画界合称海阳四家，或新安画派。

Hongshan culture　红山文化　中国北方地区西辽河流域的新石器时代文化。碳14测定年代约为公元前3500年，与仰韶文化（**Yangshao culture**）年代大体相当。主要分布在内蒙古自治区东南部、辽宁省西部和河北省北部。因1935年发掘的内蒙古赤峰红山后遗址而得名，以陶塑人像和大批特色玉器为代表。红山文化分布区域处于蒙古高原向东北平原、华北平原过渡的地带。居民普遍选择较高的地势，构筑半地穴式方形房子，过着定居生活，经济以原始农业为主。农业工

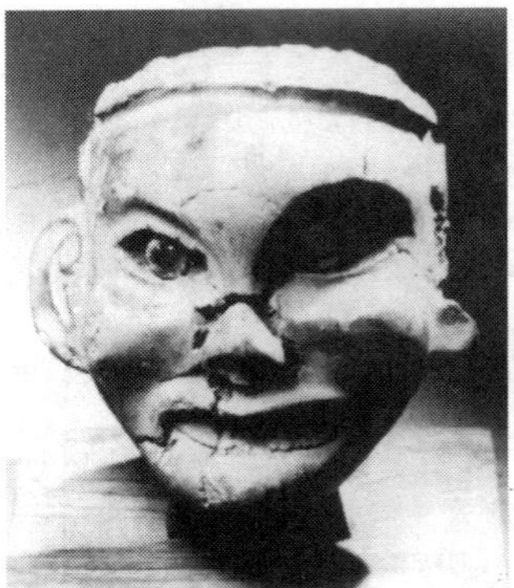

辽宁牛河梁"女神庙"遗址出土的"女神"头像
中国大百科全书出版社供图

具主要有石耜、双肩石锄、桂叶形双孔石刀、长方形石磨盘和磨棒等。三角形石镞和作为复合工具的窄长石刃等细石器，连同部分打制石器为狩猎工具。发现有牛、羊、猪等家畜骨骼和鹿、獐等兽骨，反映出畜牧、狩猎占有较重要的地位。陶器以夹砂灰褐陶压印"之"字纹的深腹罐和泥质红陶素面或彩纹的钵盆类为多见，后者还包含有先后吸收黄河流域仰韶文化后岗类型、庙底沟类型的一些因素。在辽宁喀左东山嘴发现大型的石砌祭祀遗址。出土物有陶塑女像、形制特异的陶器、双龙首玉璜以及兽骨等。这是国内首次发现的史前时期专门从事宗教活动的重要场所，表明已产生原始宗教。在辽宁凌源、建平两县交界处的山丘牛河梁，发现有积石冢群和"女神庙"遗迹。半地穴式的庙址内出土许多陶塑人物和动物像碎块，其中有一尊约与真人同大、形神兼备的彩绘"女神""头像。环绕庙址分布有十余处大型积石冢，冢内砌筑大小石棺墓，以随葬大量猪龙首玦形饰、勾云形佩、动物形玉雕、璧等玉器为特色。红山文化的晚期阶段，生产力和意识形态的发展水平都较高，原始氏族制已走向解体阶段。

Hongshui He　红水河　又作Hung-shui River。中国珠江主流西江干流的一段。因流经红色砂贝岩层水色红褐得名。源出云南省曲靖市马雄山，称南盘江，南流至开远折向东，至贵州望谟县与北面来的北盘江相会，始称红水河。至天峨县接纳格凸河，折向南进入广西，至象州石龙镇与柳江汇合后改称黔江。红水河穿行于高山峡谷中，坡降大，落差集中，水量充沛，水力资源丰富，计划进行7个梯级开发，总装机容量为1 054万千瓦。已建有天山桥坝索、鲁布格、大化、恶滩、岩滩5

红水河上的水轮泵站
中国大百科全书出版社供图

座水电站。红水河全长659千米，流域面积33 000平方千米。

Hongweibing（China） 参阅 **Red Guards** 红卫兵。

Hongwu（Chinese emperor） **洪武** 参阅 **Ming——**：明朝帝王序列下 **Mingtaizu Zhu Yuanzhang** 明太祖朱元璋。

Hongxi（Chinese emperor） **洪熙** 参阅 **Ming——**：明朝帝王序列下 **Mingrenzong Zhu Gaozhi** 明仁宗朱高炽。

Hongyi 弘一（1880-10-23，中国天津～1942-10-13，福建泉州） 中国近代教育家，书法家，画家，僧人；早期话剧奠基人之一。俗姓李，幼名成蹊，学名文涛，字叔同，号弘一，别号息霜，法名演音，又称晚晴老人。祖籍浙江平湖。1898年支持康有为、梁启超戊戌维新变法，失败后南逃上海，参加城南文社。1900年组织上海书画公会。1901年入南洋公学。1905年到日本东京国立美术专门学校学绘画，兼攻音乐，期间和曾孝谷等共创话剧团体春柳社。1910年回国，1912年入南社，任《太平洋报》副刊画报主编。1915年任南京高等师范美术主任教习。1918年在杭州虎跑定慧寺出家，同年在灵隐寺受具足戒。创设南山律学院，弘扬南山戒律；提出"念佛不忘救国，救国不忘念佛"的主张。他在书、画、诗词、篆刻、音乐、戏剧诸方面均有成就，是最早把油画和钢琴音乐介绍到中国的人之一。今存美术作品有《自画像》、《素描头像》、《裸女》等，并与丰子恺合作《护生画集》。音乐作品收入《清凉歌集》、《李叔同歌曲集》。演过京剧，后在上海沪学会主持演剧部，又在春柳社领导演艺部，参加了1907年的3次公演。李叔同对佛学律宗贡献很大，被佛门称为重兴南山律宗第十一代祖师。著作有《四分律比五戒相表记》、《南山道祖略谱》、《在家律要》等。

Hongze Hu 洪泽湖 又作Hung-tse Lake。中国第四大淡水湖。古称富陵湖，两汉以后称破釜塘，隋称洪泽浦，唐始名洪泽湖。在江苏省西部。原为浅水小湖群，1128年黄河南徙经泗水在淮阴以下夺取淮河下游河道入海，淮河失去入海水道，在盱眙以东潴水，原来的小湖扩大为洪泽湖。洪泽湖南北长60千米，东西宽58千米，正常水位12.5米，面积2 069平方千米，最深5.5米。汛期水位可高达16米，面积扩大约2 600平方千米。成为淮河中游末端最大拦洪蓄水综合利用的平原湖泊型水库，流域面积16万平方千米，总库容130亿立方米。湖水主要经由三河泄入高邮湖，再经邵伯湖入里运河，到三江营入长江，是为入江水道。旧时排水不畅，大堤失修，水患严重。中华人民共和国建立后相继建成三河闸、高良涧进水闸、苏北灌溉总渠、二河闸、淮沭河及洪泽湖大堤和里运河堤防加固工程，保证了湖东广大低平原的防洪安全。目前洪泽湖已兼具泄洪、灌溉、航运、养殖等功能。湖区沿岸每年都

江苏洪泽湖水库河闸
中国大百科全书出版社供图

出现结冰现象，岸冰厚25厘米。湖内有鱼类80余种，水生植物30余种。洪泽湖是衔接淮河航线与京杭运河的纽带，1 000吨级航道正在建设中。

Hongzhi 弘治 参阅 **Ming——**：明朝帝王序列下 **Mingxiaozong Zhu Youtang** 明孝宗朱祐樘。

Honiara 霍尼亚拉 太平洋西南部所罗门群岛的首府和港镇。临瓜达尔卡纳尔岛北岸的马塔尼科河口。现为交通中心。经济以椰子、木材、鱼和黄金贸易为主。镇东16千米

霍尼亚拉郊区的村庄
美国不列颠百科全书公司供图

处有亨德尔森国际机场。第二次世界大战以前无此镇。它是围绕着美军总部发展起来的。人口35 288（1990）。

Honiton lace 霍尼顿花边 17世纪以来在英国德文郡霍尼顿制的线轴编织花边（棒槌花边）。但是，大多数人都是用这个词来称呼19世纪在该地生产的、在网地（通常带有斑点）上缀有茂盛花卉图案的花边。最精美的霍尼顿花边具有清新、洒脱的自然主义风格，颇有魅力；但图案失于杂乱无章，从专业的观点看，不如比利时的同类花边。

Honnecourt, Villard de 奥内库尔 参阅 **Villard de Honnecourt** 维拉尔·德·奥内库尔。

Honolulu 火奴鲁鲁 又译檀香山。美国夏威夷州首府和主要港口，火奴鲁鲁县县城。沿瓦胡岛东南岸延伸近16千米，向内陆宽展6.4千米抵科奥劳山山麓。横贯太平洋海、空运输线的中点站、岛际交通枢纽和该州工商业中心。面积1 545平方千米，人口占全州80%以上。相传1100年此地已有居民点。1820年后成为檀香木商和捕鲸者的活动基地。曾先后为英国（1843）和法国（1849）占领，后归还夏威夷王国。1850年8月国王卡米哈米哈宣布火奴鲁鲁为王国首都。1909年设市。1941年12月，该市和附近的珍珠港海军基地受到日本空袭。在其后的第二次世界大战期间，它是重要的战略地区。在朝鲜战争和印度支那（越南）战争中，也有重要地位，军费是当地的重要财源。有菠萝罐头、糖、服装、钢、铝、石油、水泥和乳制品的加工厂。这里的国际航空港是美国最繁忙的机场之一。附近的怀基基为主要旅游胜地。为该州的教育中心，设有夏威夷大学（1907）、东西方技术和文化交流中心（1960）、夏米纳德大学（1955）以及夏威夷太平洋（1953）、火奴鲁鲁（1920）和卡皮奥拉纳（1964）等社区学院。还有毕晓普博物馆（1889）陈列有著名的波利尼西亚文物藏品。火奴鲁鲁艺术学院（1927）被认为是夏威夷的文化中心。人口：城市371 657；都会统计区876 156（2000）。

Honolulu Race（yachting） **檀香山赛** 参阅 **Transpacific Race** 横渡太平洋赛。

Honor, Medal of 荣誉勋章 又称美国国会荣誉勋章。美国最高的军功勋章。1861年由国会设立颁发给海军，1862年也颁发给陆军。它最初只授予士兵，后来也允许授予军官。这种勋章颁给那些"冒着生命危险，超出本身职责，具有大无畏的英勇事迹者"。在陆军，它只授予英勇战斗者；但在海军，也曾授予非战斗性事迹，如救人的行为，1942年后只限于作战。勋章以蓝色丝带悬挂，饰垫中央贴有13颗白色星状物。陆军的勋章设计为，青铜质星状物中央刻有女战神密涅瓦的头像，悬接在绣有"英勇"字样的横条上，字样上并绣有一只展翅的雄鹰，横条的背面写着"国会颁赠予……"及受勋者姓名。海军勋章的设计为，星状物悬挂在一只船锚上，锚中央刻有密涅瓦击退迪斯科德的图像。空军勋章设计为，星状物中央饰有自由女神的头像，星状物悬挂于一闪电状的横条上，条上写着"英勇"二字。

honorific 敬语形式 对社会地位高的人说话时所用语法形式。在英语中已基本消失，仅在对某些显要人物说话时使用第三人称时保留了敬语形式（"殿下想得到它吗？"）。在其他印欧语中，出于表示礼节而在第二人称代词上遗留有敬语形式，如，德语Sie（您）比通常用的du（你）更具尊称意义。日语、朝鲜语、爪哇语有较广泛使用的敬语系统，涉及词汇、动词变位以及名词变格等。在日

语里，说话时即表现出说话者的礼貌程度，这种程度又同性别、职业、年龄及相应的社会地位有关。日语的敬语前缀“御”可加在听话者的姓名或所讨论的事物之前。频繁使用“御”显出语言的文雅。根据性别、礼貌程度、社会地位的不同，日语有10个词汇形式称呼“我”，还有1个在青少年中常使用的敬语形式“君”。

Honorius　洪诺留　几代教皇的称号和罗马皇帝之名。按年代顺序排列于后，并各以●为标记。

罗马教廷

● **Honorius I　洪诺留一世**（？，罗马坎帕尼亚［意大利］～638-10-12）　教皇（625～638在位）。在位期间的重要活动是对拜占廷教会内部由基督一性论和基督一志论异端引起的争论所发挥的作用。634年君士坦丁堡牧首塞尔吉乌斯呼吁停止争论，要求东西方教会共同支持基督一志论。洪诺留一世在答复时援引451年卡尔西顿会议所通过的信仰声明，其中提及基督的神人二性不可分，据洪诺留一世解释，这就是说基督只有一性。他禁止继续争论这一问题。但实际上争论仍未平息，于是680年拜占廷皇帝君士坦丁四世召开第三次君士坦丁堡会议，明确基督有两个意志，指责洪诺留一世的说法接近基督一志论。这种谴责后来在682年获得教皇利奥二世追认。洪诺留一世以后几代教皇都谴责洪诺留一世，反对基督一志论，于是罗马教会与君士坦丁堡教会关系继续恶化。在1869～1870年第一次梵蒂冈会议上，反对教皇永无谬误的人们利用他的问题说明自己的主张。洪诺留一世的辩护者说，他的言论并不是正式言论，他仅仅是言语失当，不是异端。

● **Honorius(Ⅱ)　洪诺留（二世）**（1009或1010，维罗纳与阿奎莱亚边境维罗纳？［意大利］～1072，伦巴第帕尔马？）　原名Cadelo（卡代罗），拉丁语作Cadalus。敌对教皇（1061～1072在位）。约1045年任帕尔马主教，反对由枢机主教希尔得布兰德（日后为教皇格列高利七世）发起的整顿教会运动。希尔得布兰德一派于1061年未经神圣罗马帝国皇帝同意而选出教皇亚历山大二世。同年，德意志国王亨利四世（日后为皇帝）之母阿格尼斯在伦巴第与德意志两主教支持下，在上勃艮第的巴塞尔城另选卡达鲁斯为敌对教皇，称洪诺留二世，1062年凭借武力在罗马登位。不久科隆大主教安诺率贵族劫持亨利四世，阿格尼斯丧失摄政身份。安诺任摄政，下令进行调查，终于选定亚历山大为教皇。1063年他再次在罗马自称教皇，但次年曼图亚会议决定承认亚历山大后，卡代罗出走。

● **Honorius Ⅱ　洪诺留二世**（？，罗马涅伊莫拉附近法尼亚诺［意大利］～1130-02-13，罗马）　原名Lamberto Scannabecchi（斯坎纳贝奇）。教皇（1124～1130在位）。在位期间整顿教会并设法使教廷与世俗统治者达成和平。洪诺留二世支持苏普林堡伯爵洛泰尔二世（或称三世），使他得以当选为德意志国王。洪诺留二世又将洛泰尔的敌人霍亨斯陶芬家族的康拉德（日后为德意志国王康拉德三世）处以绝罚，使洛泰尔长期与他融洽。西西里和卡拉布里亚伯爵罗杰二世（日后为西西里国王）自立为阿普利亚公爵，洪诺留二世组织城市诸侯联盟起事反对他。罗杰击败洪诺留二世军，强使洪诺留二世立他为公爵，否则不服他为教皇。洪诺留二世死后，罗杰拥立敌对教皇阿纳克莱图斯二世反对继洪诺留二世之位的英诺森二世，形成分裂局面。

● **Honorius Ⅲ　洪诺留三世**（？，罗马［意大利］～1227-03-18，罗马）　原名Cencio Savelli（萨维利）。教皇（1216～1227在位）。即位后立即着手执行前教皇英诺森三世提出并经1215年第四次拉特兰会议批准的计划，发动十字军行动以期重建耶路撒冷王国。这次十字军行动原约定由其门生、西西里国王腓特烈二世统率，后由于教廷与神圣罗马帝国在西西里问题上发生争执，腓特烈二世背约。1219年，纷争中的罗马诸豪门迫使洪诺留三世逃往意大利的维泰博。经腓特烈二世调解，罗马各豪门不再反对洪诺留三世，双方和好。洪诺留三世虽对腓特烈二世存有戒心，1220年仍在罗马为他加冕，称神圣罗马帝国皇帝，并允许腓特烈二世使神圣罗马帝国与西西里保持一体。腓特烈二世的十字军迟到洪诺留三世死后方才出师。1218年洪诺留三世曾组织十字军进攻西班牙境内的摩尔人。英格兰国王约翰死后，该国发生诸侯战争。1223年洪诺留三世宣布，凡拥护法兰西路易亲王（日后为国王路易八世）而反对英格兰国王亨利三世（约翰的九龄幼子、教廷的藩属）者，一律处以绝罚，从而使此次战争获得解决。1225年靠洪诺留三世的斡旋使得被什未林伯爵亨利监禁的丹麦国王瓦尔德马二世获释。1226年洪诺留三世命令法兰西国王路易八世指挥原由前代教皇英诺森三世组织的十字军，进攻法国南部地区的异端阿尔比派。

● **Honorius Ⅳ　洪诺留四世**（1210？，罗马［意大利］～1287-04-03，罗马）　原名Giacmo Savelli（萨维利）。教皇（1285～1287在位）。他是教皇洪诺留三世的侄孙。年老体残时由枢机主教院一致推举为教皇。他赞助托钵修会，倡议在巴黎大学设东方语言课以促进东、西两派教会的统一。他努力谋求使西西里重归教廷统辖，为此与主张西西里独立的阿拉贡国王佩德罗三世发生争执。

罗马帝国

● **Honorius　洪诺留**（384-09-09～423-08-15）　全名Flavius Honorius。西罗马帝国皇帝（393～423）。狄奥多西一世的次子，10岁其父死后便成为西罗马帝国的唯一统治者。在位前期，一直由军事统帅F.斯提利科把持朝政。398年与斯提利科的女儿玛丽亚结婚，玛丽亚死后又与其妹结婚；408年斯提利科因叛国嫌疑被处死后，这一婚姻就结束了。洪诺留统治初期汪达尔人、阿兰人、斯维比人洗劫高卢后又进入西班牙（406）。410年阿拉里克率领的西哥特人占领罗马，洪诺留逃往拉韦纳。411年他的军事统帅君士坦提乌斯击败了僭帝高卢的君士坦丁三世和不列颠人。421年洪诺留宣布君士坦提乌斯为共治皇帝。他是最懦弱无能的罗马皇帝之一，只要他亲自决策，往往会带来灾难性的后果。譬如，他在公元410年以前如果不那么顽固地拒绝西哥特首领阿拉里克提出的条款，罗马城也许就不会为西哥特人所破。

Honos　何努斯　古罗马宗教所信奉的神，象征光荣，特别是武功荣誉。何努斯与维尔图斯并祀的庙宇：一在卡佩纳门外，另一可能在卡皮托林山上。

Honour, Order of the Legion of　参阅 **Legion of Honour, Order of the** 荣誉勋位团。

Honourable Company of Edinburgh Golfers 爱丁堡绅士高尔夫球社　英国高尔夫球社团。1744年成立。成员为在利思（今爱丁堡市的一个区）一个5穴球场打高尔夫球的一群绅士。他们制定最早的高尔夫球比赛规则共13条，1754年几乎未经任何更动便被圣安德鲁斯皇家古老高尔夫球俱乐部（后来成为英国高尔夫球运动的领导机构）所采纳。绅士高尔夫球社的活动地点现在穆尔菲尔德球场。

Honshu　本州岛　日本四主岛中最大岛屿。东为太平洋，西为日本海。东北—西南呈弧状延伸，长1 287千米，宽度差别很大，海岸线长达10 084千米。面积227 898平方千米。日本3/4的县份均在其上，被视作日本的“大陆”。南部为日本早期历史上的重要地区。太平洋沿岸为日本主要经济中心和东京—横滨、大阪—神户都市区所在地。岛上有日本最高的富士山和最大的琵琶湖。

Hontan, Louis-Armand de Lom d'Arce, baron de La　翁唐　参阅 **La Hontan, Louis-Armand de Lom d'Arce, baron de** 拉翁唐。

Hontheim, Johann Nikolaus von　霍恩泰因（1701-01-27，特里尔［德国］～1790-09-02，卢森堡蒙特康坦）　笔名费布朗尼乌斯。史学家、神学家。首倡费布朗尼乌斯主义，主张限制教皇权力。他游历欧洲各地，到达罗马，1728年在罗马受神职为司铎。1763年他用笔名费布朗尼乌斯出版其最重要的著作《论教会的地位和教皇的合法权力》。他在该书中提出限制教皇权力，将教皇权力置于主教和公会议权力之下。他还指出，君主不是教皇的下属，教廷如侵犯君主和主教的权力，则应受到抵制。霍恩泰因自称本意不在反对教皇权力，而是明确其限度以使之增强。《论教会的地位和教皇的合法权力》一书于1764年受到教廷的谴责，被列为禁书。

Honthorst, Gerrit van　洪特霍斯特（1590-11-04，尼德兰乌得勒支～1656-04-27，乌得勒支）　荷兰画家、乌得勒支画派主要成员。约1610年移居意大利。其特点是吸收卡拉瓦乔

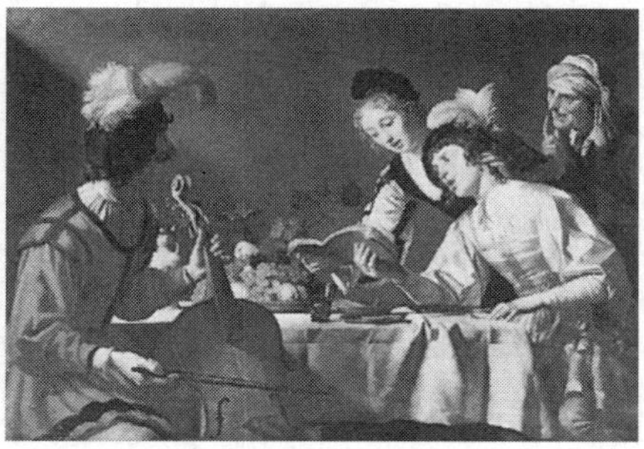

洪特霍斯特绘《音乐会》(约 1619～1621)
美国不列颠百科全书公司供图

的写实主义和大胆使用人工光线。1620 年回尼德兰,在乌得勒支住到 1627 年,这年鲁本斯来他家拜访。1625～1626 年任圣路加乌得勒支行会会长。1628 年在伦敦,为查理一世宫廷服务。其作品中使用卡拉瓦乔的技法,对伦勃朗早期作品很有影响。

Honwana, Luís Bernardo　翁瓦纳(1942-11,莫桑比克洛伦索-马贵斯～　) 新闻工作者、非洲杰出短篇小说家之一。在都城洛伦索-马贵斯(今马普托)长大成人。著有《我们打死癞皮狗及其他故事》(1964)。因在书中对莫桑比克农村生活的描写所表现出来的非凡洞察力而深获赞誉。曾任政府的绘图员和莫桑比克第二大城市贝拉市两家报社的记者和编辑。高中毕业后致力于文学创作。他的小说展现了对人的各种经历和需要的深刻理解。因参加政治活动入狱(1964～1967)而中断创作。获释后移居葡萄牙 3 年,并在瑞士、阿尔及利亚和坦桑尼亚生活一段时间,后返国参加过渡政府工作。

Hooch, Pieter de　霍赫(1629-12-20受洗,荷兰鹿特丹～约 1684,阿姆斯特丹?) Hooch 又拼 Hoogh。荷兰特尔夫特画派风俗画家。以画内景和运用光线著名。作品在风格和主

霍赫绘《备膳室》(约 1658)
阿姆斯特丹国家博物馆供图

题上与弗美尔的作品近似,都是尺幅小,精致完美,有着非凡的构图才能。尽管有时也画露天景色和酒菜馆情景,但更爱画两三个人在朴素的内室忙于日常琐事,室外灿烂的阳光射进来,照亮四壁,打破了寂静的气氛。

Hood, John B(ell)　胡德(1831-06-01,美国肯塔基奥因斯维尔～1879-08-30,新奥尔良) 美国南北战争时期的南部邦联军官,以骁勇善战著称,曾率军坚守亚特兰大,但未能阻止 W.T.谢尔曼将军所率联邦军优势兵力于 1864 年底经佐治亚向前推进。西点军校毕业后参加骑兵。南北战争爆发后,在南部邦联军队中很快就被提升为上校。1863 年在葛底斯堡战役(1863-07)中率部进攻联邦军左翼,负重伤。不久,在奇克莫加战役(1863-09)中又失去一条腿。1864 年春晋升中将,曾参加防守亚特兰大,阻止谢尔曼部队的进攻。同年 7 月任南军司令,奋力保卫亚特兰大,坚守

美国国会图书馆供图

5 个星期。然后率部队向北方和西方长途行军,计划袭击谢尔曼军的后背,未成。他在富兰克林战役(1864-11)和纳什维尔战役(1864-12)中几乎全军覆没。一个月后他自动请求解除司令之职。晚年从商,并写回忆录。

Hood, Mount　胡德山　美国俄勒冈州最高峰。海拔3 425米。属喀斯喀特山脉。位于波特兰东南偏东 70 千米处。为死火山,最后一次喷发约在1865年。1792年为英国航海家

从俄勒冈州特里阿湖远眺喀斯喀特山脉的胡德山
美国不列颠百科全书公司供图

布罗敦首次测出,以英国将领胡德勋爵姓氏为名。早期移民以其积雪山顶为路标。为旅游胜地胡德山国家森林的中心点。

Hood, Raymond M(athewson)　胡德(1881-03-29,美国罗得岛波塔基特～1934-08-14,康涅狄格斯坦福) 美国建筑师,以设计芝加哥与纽约市的摩天楼著名。先后在麻省理工学院和巴黎美术学校学习。1922 年芝加哥论坛报大厦的设计竞赛,他设计的新哥特式方案获首奖,由此成名。后与 J.A.富尤合作,不再重复过去的设计形式。他们设计的《每日

胡德设计的麦格劳-希尔大楼
美国不列颠百科全书公司供图

新闻》大楼(1930,纽约)和麦格劳-希尔大楼(1930～1931),线条较为简洁,成为他们与其他建筑师协作建造的纽约市洛克菲勒中心建筑群(1929～1940)的雏型。

Hood(of Whitley), Samuel Hood, 1st Viscount　胡德(惠特利的)子爵(第一)(1724-12-12～1816-01-27) 英国海军上将,曾参加"七年战争"以及美国和法国革命战争。1741 年参加海军。"七年战争"中在英吉利海峡和地中海服役,后在北美服役。1778 年任朴次茅斯舰船修造厂厂长和海军学院院长。1780 年升任海军少将,被派往西印度群岛和北美沿岸任副司令官。当法国海军上将德格拉斯伯爵进犯英属圣基茨岛和内维斯岛时,他初遭挫败,但终于击退敌人的进攻。因战功封爱尔兰贵族。法国革命战争爆发后,他被派往地中海任总司令,指挥极为得力。1793 年 8 月应法国保皇派之请与西班牙人合力占领土伦。同年 12 月被拿破仑赶走。1794 年 10 月已是海军上将,应召回国。1796 年任格林尼治医院院长,直至去世。1796 年封为惠特利的胡德子爵。

Hood, Thomas　胡德(1799-05-23,伦敦～1845-05-03,伦敦) 英国诗人,所作人道主义诗歌(例如《衬衫之歌》)不仅在英国和美国,在德国和俄罗斯也成为社会抗议诗人的典范。他的作品在德国和俄国被广泛翻译。他的滑稽诗也很负盛名。出身书商家庭,少年时当过雕刻师的学徒。1815 年因健康原因被送往邓迪(据认为他终身所患的疾病是风湿性心脏病)。1817 年返回伦敦后重新从事雕刻,后在《伦敦杂志》办得最成功的时期成为该杂志的助理编辑,当时该杂志的作者包括 C.兰姆、德·昆西和 W.哈兹里特这些杰出作家。1827 年出版深受济慈影响的诗集《仲夏仙子的呼吁》,其中有几首诗表明胡德很可能

成为第一流诗人。可惜当时严肃诗歌流年不利,他与内兄 J.H.雷诺合写的打油诗《献给大人物的颂歌和贺词》(1825)取得成功。此后,他只好集中力量写幽默作品。胡德的幽

美国不列颠百科全书公司供图

默感中有几分不祥,这一特点再现在 20 世纪下半世纪的"黑色幽默"中。晚期诗歌《凶手之梦》、《最后一个人》、《衬衫之歌》、《劳动者之歌》和《叹息桥》是对当时的社会弊病——血汗劳动、失业和对待两性的双重准则——的抗议。

Hood Island (Galápagos Islands) **胡德岛** 参阅 **Española Island** *西班牙岛*。

Hood River 胡德里弗 美国俄勒冈州北部城市,胡德里弗县县城(1908)。位于波特兰东北 97 千米处,濒临哥伦比亚河,有桥通华盛顿州的怀特萨蒙。该城市在胡德河河口。1854 年始建居民点。19 世纪 80 年代通铁路后开始发展。1895 年设市。19 世纪 90 年代将大片土地辟为果园,种植苹果、梨、樱桃和草莓等。现经济仍以果树栽培和果品加工为主。设有胡德里弗县历史博物馆。附近有胡德山国家森林和邦维尔水坝。人口5 831(2000)。

hooded seal(*Cystophora cristata*) **兜帽海豹** 又作 bladdernose seal。又称囊鼻海豹、冠海豹。海豹科动物,面部黑色。分布于北大西洋和北冰洋海域。特点是在吻的顶部有一大

兜帽海豹(*Cystophora cristata*)
美国不列颠百科全书公司供图

兜帽状物。体浅灰色,带有浅色或深色的斑(在雌性中不大明显)。群居,主要以鱼为食。成年雄性体长约 3.5 米,体重 400 千克;雌性较小。由于过度捕猎,数量已经很少,无商业重要性。常生活于竖琴海豹所在附近。

hooded shrimp 涟虫 囊虾超目涟虫目一类小型海产甲壳动物。体型特别,易于辨认。头胸部粗壮膨大;腹部细长,圆柱形,易弯曲;尾长而分叉。已知约1 000种。多数体长 2～10 毫米,惟北极的大针涟虫(*Diastylis goodsiri*)体长偶而超过 30 毫米。涟虫有时见于潮间带,但多见于沿岸浅水中,深海中数量亦多。许多种埋在泥或沙中,取食微小生物或有机残屑。几乎所有种类都善游泳,尤其是雄体,某些种到夜间在表层水中集群。卵和初孵出的幼虫携带在腹面的孵育囊内。

hoodmold 拱檐线脚 又称滴水石、披水石。在拱券或门窗洞上方,凸出于墙面并随着洞口曲线或轮廓回转的线脚。源自罗马式建筑时期,用以保护墙上雕饰和使洞口免受雨水冲刷,后成为一种重要的装饰处理。其断面形式,顶上有一小斜坡,底面有滴水槽。普遍用于法、德、西班牙等国哥特式建筑的室外拱券上,而在英国常用于室内,特别是教堂内中堂与侧堂间的连券上。

hoof-and-mouth disease 参阅 **foot-and-mouth disease** *口蹄疫*。

Hooft, Gerardus't 霍夫特(1946-07-05,荷兰登海尔德～) 荷兰物理学家,1972 年获得乌得勒支大学博士学位,是韦尔特曼的学生,并在 5 年之后成为该校教授。他曾经在众多研究单位,包括杜克大学和波士顿大学做过访问教授。由于建立了描述基本粒子性质及其相互作用的数学模型,霍夫特与韦尔特曼分享了 1999 年的诺贝尔物理学奖。20 世纪 60 年代,科学家们建立了弱电相互作用理论,在理论上把电磁相互作用和弱相互作用统一成一种更基本的相互作用。然而,弱电相互作用理论并没有数学根基。1969 年霍夫特和韦尔特曼着手把它变换("重整化")成可以应用的理论。1971 年,霍夫特发表了重要研究进展,并且两人使用韦尔特曼设计的计算机公式化地表述了所需要的数学理论基础。根据这些结果,他们能够确定弱电相互作用理论所预言的 W 和 Z 粒子的性质。霍夫特-韦尔特曼模型使得科学家可以计算出其他粒子,诸如顶夸克(1995 年发现)的物理性质。

Hooft, Pieter Corneliszoon 霍夫特(1581-03-16,阿姆斯特丹～1647-05-21,海牙) 荷兰剧作家、诗人。被认为荷兰文艺复兴时期文学的出色代表。曾在法国和意大利居住 3 年,完全沉醉于新知识和新艺术之中。田园诗剧《格拉第达》(1605)以诗意微妙,教训简明著称。《教诲篇》(1618 或 1619)鲜明地反映出他的道德观念。悲剧《费尔森》(1613)和《巴埃托》(1617)表明他一个和平主义者对暴政的痛恨。在《荷兰史》(20 卷,1642)中,史诗英雄奥兰治亲王的光荣反映在他对为新民主而奋斗的平民百姓的热爱之中。这部巨著花费了 19 年时间才完成。1627 年以后,他所修复的默伊德洛特城堡成为包括惠更斯和冯德尔在内的一些文化人活动的中心。

Hoogh, Pieter de 参阅 **Hooch, Pieter de** *霍赫*。

Hooghly-Chinsura 胡格利-钦苏拉 印度东北部西孟加拉邦胡格利县城镇。位于胡格利河西岸。为公路、铁路交会站。主要有碾米和橡胶制品等工业。胡格利历史上曾先后为葡萄牙、英国据点。钦苏拉 17 世纪曾为荷兰据点。两镇于 1865 年合并建自治市。设有加尔各答大学与布德万大学的各三个学院。胡格利县为冲积低地,有沼泽和旧河道,属鲁布纳拉扬河(**Rūpnārāyan River**)与达莫德尔河流域。面积3 145平方千米。主产稻米、黄麻、甘蔗和马铃薯。栽培香蕉和芒果。胡格利河沿岸人口密集,高度工业化,有黄麻厂、碾米厂、棉纺织厂、橡胶厂和化工厂。该县包括早期欧洲殖民地塞兰布尔(**Serampore**)和金德讷格尔(**Chandernagore**)。人口:镇 125 193;县3 557 306(1981)。

Hooghly River 胡格利河 又拼 Hūgli。印度东北部西孟加拉邦河流,为恒河支流和加尔各答通海航道。由帕吉勒提河与杰伦吉河在讷伯德维普汇合而成。在讷伯德维普以下南流约260千米流入孟加拉湾。流经高度工

巴哈兰普尔附近胡格利河段
美国不列颠百科全书公司供图

业化地区(人口占西孟加拉邦总人口 1/2 以上)。下游接纳发源于焦达那格浦尔高原的达莫德尔河等河流。加尔各答以上河段已淤浅,但远洋客轮可达该市。计划引恒河河水入胡格利河,以防加尔各答淤塞。河口宽 3～20 英里。在豪拉与加尔各答之间和巴利与伯勒讷格尔之间有跨河桥梁。

Hook, Sidney 胡克(1902-12-20,纽约市～1989-07-12,加利福尼亚斯坦福) 美国教育家和社会哲学家。研究有关美国哲学的历史理论。在哥伦比亚大学时 J.杜威是他的良师益友;1927 年获博士学位。1927～1969 年一直在纽约大学任教。退休后任斯坦福大学胡佛研究所高级研究员。作为实用主义、现世主义和理性主义思想的阐述者,他倡导一种个人发展的一般哲学。为第一批分析马克思主义的美国学者之一,坚决反对一切形式的极权主义,坚持认为不受约束的民主对于社会和科学的进展是最可行的政治结构。其编著在 35 种以上,包括《对于卡尔·马克思的理解:一种革命的解释》(1933)、《历史中的英雄》(1943)、《当代人的教育》(1946,1963 年再版)、《保卫学术自由》(1971)、《约翰·杜威——一个智者的形象》(1971)和《革命、改良和社会正义》(1975)。自传《不合节拍:20 世纪的动荡生活》于 1987 年出版。

Hook, Theodore Edward 胡克(1788-09-22,伦敦～1841-08-24,伦敦) 多产的英国剧作

家、小说家。他是19世纪初期从内部描写英国社会的最为人知的流行小说家。父亲是流行歌曲作者。他在哈罗公学求学时就为父亲的喜歌剧作词，16岁时已是各伦敦剧院演员

美国不列颠百科全书公司供图

休息室里的知名人物。他写滑稽戏和情节剧，借债并生活放荡，但1813年他的朋友、摄政王为他谋得毛里求斯总会计师一职。1817年因12 000镑公款被盗，他以玩忽职守罪而被投入监狱。由于要支付诉讼费，他企图写小说卖钱。1824年出版《名言与轶事》3卷，文图并茂，颇为成功，1828年增补为9卷。1824～1842年，他写了约40部同一类型的作品。

Hooke, Robert **胡克**（1635-07-18，英格兰怀特岛弗雷什沃特～1703-03-03，伦敦） 英国物理学家，发现弹性定律（胡克定律），并在很多领域作了研究工作。1655年被R.玻意耳雇来制造玻意耳空气泵。5年后发现弹性定律，即固体（如金属、木材）的伸长量与它所受的力成比例。这个定律为应力和应变研究以及对弹性材料的理解奠定了基础。他在设计钟表摆轮的螺旋弹簧时应用了这些研究。1662年任英国皇家学会实验主管，次年被选为会员。他属于最早制造格雷果里反射望远镜的人，1664年发现猎户座的第五星，第一个提出木星绕轴旋转。他对火星的详细描画，在19世纪被用来确定火星的旋转速度。1665年被任为格雷沙姆学院几何学教授。在《微观画集》（1665）中，列入他对雪片的晶体结构的研究和图解，讨论了用类似蚕吐丝作茧的过程来制造人造纤维的可能性。第一次使用"细胞"这个词来命名软木的微小蜂房状空腔。又因对微小化石的研究而使他成为最先提出进化论的学者之一。他认为重力可以利用摆的运动来测量（1666），试图证明地球和月球是沿着椭圆轨道绕日运动的。1672年发现衍射现象（光线绕着棱角弯曲），为了解释这种现象提出光的波动说。在1678年提出用平方反比律来描述行星的运行，这是后来经牛顿修改后使用的定律。他抱怨对这个定律的发现没有充分肯定他的功绩，与牛顿发生激烈争论。他是一般地说明一切物质受热都膨胀，空气是由以较大距离互相分开的粒子构成的第一人。

Hooker, Isabella Beecher **胡克**（1822-02-22，美国康涅狄格利奇菲尔德～1907-01-25，康涅狄格哈特福德） 婚前名Isabella Beecher。美国主张妇女参政者。1841年与J.胡克结婚。1961年受J.S.穆勒《论妇女的选举权》和《论妇女的从属地位》的启发，重视改革，结识了许多妇女权利的倡导者。1868年参与组织新英格兰妇女选举权协会，并在杂志上发表文章《母亲给女儿的信：谈妇女选举权》。1869年主持召开成立康涅狄格妇女选举权协会的大会。1870～1877年游说康涅狄格州议会通过她丈夫起草的《已婚妇女财产法》。在1870年的全国妇女选举权协会大会上，她是杰出的演讲人，并筹备和资助在1871年1月召开特别大会，起草联邦宪法选举权修正案，递交国会。她结识了V.伍德哈尔，很快成为密友，并随她进入唯灵论者的圈子，还一度相信不久会被神力选中，领导世界上一个母权制的政府。1874年出版《妇女的圣洁与忠

美国不列颠百科全书公司供图

诚》。晚年仍参与争取妇女选举权工作，任州协会主席至1905年。曾参与筹划1888年的世界妇女大会。

Hooker, Joseph **胡克**（1814-11-13，美国马萨诸塞哈德利～1879-10-31，纽约州加登城） 美国南北战争时期的联邦将领，1863年他改编波托马克兵团取得成功，但是后来因在战

美国国会图书馆供图

场上胜败参半而享有飘忽不定的名声。胡克于西点军校毕业。曾参加墨西哥战争（1846～1848）。南北战争爆发后任志愿军准将。1862年参加所有重要的东部战役。A.E.伯恩赛德将军辞职后，胡克继任波托马克兵团司令。他立即对军队进行改编，准备在钱瑟勒斯维尔战役（1863-05-01～04）中取得胜利。但是南部邦联的R.E.李将军以寡胜多，迫使胡克丢兵卸甲，损失1.7万人。这充分暴露了他作为指挥官的严重缺点。几个月后，胡克指挥波托马克兵团的两个军，救援被围困在田纳西查塔努加的W.S.罗斯克兰斯将军。1863年11月24日，胡克在卢考特山上的"云端战斗"中获得胜利，为联邦军队在传教士岭获得重大胜利扫清了道路。1864年亚特兰大战役后，胡克不再对战争进程发挥积极作用。

Hooker, Sir Joseph Dalton **胡克**（1817-06-30，英格兰萨福克黑尔斯沃思～1911-12-10，伯克郡森宁戴尔） 英国植物学家，因植物研究旅行和对C.达尔文及达尔文学说的鼓励

美国不列颠百科全书公司供图

支持而闻名。威廉·杰克逊·胡克之次子。与其父不同，曾受正规教育，1839年获格拉斯哥大学医学博士学位。因早就熟悉其父的植物标本，1839～1843年以外科医师兼植物学者身份随英国船"埃罗巴斯"号考察南极洲时，已有了充分的准备。此后，连续发表一系列结合其旅行研究结果的著作：《1839～1843年南极植物探险之旅》（1844～1860）、《锡金喜马拉雅山的杜鹃花》（1849）、《英属印度植物志》（1872～1897）、《新西兰植物手册》（1864）、《摩洛哥与大阿特拉斯旅行日志》（1878）。最后一次重要的植物研究考察是前往落基山脉与加利福尼亚（1877），之后便发表了许多讨论美洲与亚洲植物区系关系的重要论文。他多次旅行，为植物学界发现许多新物种，有很多不久便传入园艺界。更重要的是收集许多资料，这使他成为国际知名的植物地理学家。

1851年，他与一位植物学家之女F.亨斯洛结婚，生6名子女。1874年其妻逝世，两年后再婚，生二子。1855年任基尤皇家植物园助理园长，1865年继其父任园长至1885年退休。1872～1877年任皇家学会会长。1877年封爵士。直到逝世前不久仍积极工作。其旅行研究的最重要成果之一是试图解释植物的地理分布及其似乎不合常理的变异。他与C.达尔文是好友，也熟知其早期的工作。1858年7月，胡克与地质学家查尔斯·赖尔爵士共同主持历史性的林奈学会会议，在会议中裁决达尔文与A.华莱士同时提出的进化自然选择论孰有优先权。胡克也最先指出进化论对一般植物学研究及植物地理学的重要意义与实用性。1883年出版的《植物属志》最后一卷可代表胡克一生事业的顶峰。此书是与G.边沁合著，描述了7 569属及近97 000种种子植物。所依据的是个人对所描述植物的研究，标本多存基尤植物园。

Hooker, Richard **胡克**（1554-03?，英格兰德文埃克塞特海维特里～1600-11-02，肯特坎特

伯里附近毕晓普斯本） 基督教神学家，安立甘宗神学的创立人。他在宪政问题上的主张至今仍有实际意义。胡克于 1568 年入牛津大学基督圣体学院。他坚信安立甘宗教义，

美国不列颠百科全书公司供图

但博览当时最佳《圣经》评注以及早期教父著作乃至文艺复兴时代的托马斯主义著作，不拘泥于经院加尔文主义而精通文艺复兴时代的学术。胡克于 1573 年任基督圣体学院研究员，1577 年在该院获文学硕士学位，1585 年任伦敦坦普尔教堂牧师。天主教会为了在宗教改革运动之后重新振奋，1545 ～ 1563 年举行特伦托会议。对于这次会议的许多决议，胡克并不同意，但是他赞成中世纪许多经院哲学家、神学家（如托马斯·阿奎那等人），并引用他们的学说以证明自己的论点。胡克自 1591 年着手撰写《论教会体制的法则》，该书原计划包括 8 卷，但胡克生前仅完成前 5 卷。胡克在这部巨作中捍卫伊丽莎白时代的圣公会，驳斥天主教会和清教派。他指出，安立甘宗的传统是由《圣经》、教会、理性三要素紧密结合而成。天主教把《圣经》和教会传统等量齐观，认为它们同为信仰之根据。清教派则以《圣经》为唯一权威。胡克避免这两个极端，他认为：如经文意义明确，经文则为绝对权威；如无相应经文可援或经文意义暧昧不明，则以参考教会传统为明智；如经文和教会传统都有待澄清或不足以适应新的情况，则应服从理性。关于宗教与政府的关系，胡克的核心主张是政教合一。1595 年胡克任坎特伯雷附近毕晓普斯本教区牧师，1597 年《论教会体制的法则》第五卷出版。

Hooker, Thomas 胡克（1586-07-07，英格兰莱斯特郡马克菲尔德～1647-07-07，康涅狄格哈特福德［美国］） 美洲英国殖民地基督教著名传教士，哈特福德城建造者。他自英格兰迁到荷兰，1633 年自荷兰到达美洲马萨诸塞海湾殖民地，在纽敦（今剑桥市）为一年前自英格兰迁到该地的清教徒任牧师。这些人在胡克任此职以前即已号称胡克派，希望胡克成为他们中一员。但胡克和拥护他的人们不愿被控制，1636 年他率领一部分人迁往康涅狄格哈特福德，在该地任牧师终生。他反对限制教会成员的选举权，并于 1638 年在康涅狄格普通法院宣称，人民选举行政官员的权利是上帝所授。这种观点在当时是先进思想，许多史学家因此而称他为“美国民主之父”，但胡克本人并不主张政教分离。

Hooker, Sir William Jackson 胡克（1785-07-06，英国诺福克诺里奇～1865-08-12，萨里基尤） 英国植物学家，伦敦附近基尤皇家植物园首任园长。对蕨类、藻类、地衣、真菌及高等植物均有重要研究。父为商人的雇员，16 世纪著名神学家理查德·胡克的后裔。1805 年间他偶然发现一种稀有的藓类，便通知林奈学会创办人 J. E. 史密斯，由此他的兴趣从一般博物学转向植物学。少年时代在诺里奇的文法学校受教育，1809 年曾旅行至冰岛，尔后在英国进行广泛的研究，1814 ～ 1815 年去法国、瑞士、意大利旅行，认识一些欧洲大陆的植物学家。1815 年与植物学家 D. 特纳之女玛丽亚结婚，生 5 个子女，次子约瑟夫后来也成著名植物学家。1820 ～ 1841 年，他应聘任格拉斯哥大学的植物学钦

美国不列颠百科全书公司供图

定讲座教授。终生研究植物学。1836 年获封为汉诺威爵士。1811 年发表第一部著作《1809 年夏季冰岛旅行日志》，以后 50 年间发表 20 余部主要著作和许多期刊文章。主要兴趣在隐花植物研究，著作有《英国的叶苔》（1816）、《苔纲外来种》（1818 ～ 1820）、《蕨属掠影》（与 R. K. 格雷维尔合著，1829 ～ 1831）、《蕨类的属》（1838）及《蕨类的种》（1846 ～ 1864）。其他重要的植物研究报告包括《苏格兰植物志》（1821）、《英国植物志》（1830）、《北美植物志》（1840）。他也是经济植物学的先驱。他慷慨地将收藏的标本借给其他学者，创办并主编各种刊物，这些加上他的著作，便使他成为英国植物学界的巨擘。1841 年胡克出任基尤植物园园长，这是他事业的顶峰。在他领导下，基尤植物园成为世界上最主要的植物学机构。现今的基尤植物园成为一个巨大的复合体，包括许多实验室和温室、一个博物馆及一个图书馆。1865 年胡克退休前又在基尤创设经济植物学博物馆（1847）。

Hooke's law 胡克定律 英国科学家 R. 胡克于 1660 年所发现的弹性定律。它说明在物体形变较小时，形变的大小与引起形变的力或载荷成正比。这时去掉载荷，物体就会恢复原有形状与大小。固体的弹性性状按照胡克定律可以用下列事实来解释：组成固体的分子、原子或离子，对正常位置的微小位移也与引起位移的力成正比。引起形变的力可以通过拉伸、压缩、挤压、弯曲或扭曲加到固体上。例如，每当拉伸金属丝的力增加一倍时，丝的微小伸长也加大一倍，所以按照胡克定律，金属丝也显示出弹性性状。胡克定律在数学上的表述为：施加的力 F 等于常数 k 乘以位移或长度的变化 x，即 $F=kx$。k 值不仅与所考虑的弹性材料的种类有关，还与材料的大小和形状有关。当加上的力比较大时，弹性材料的形变常常大于依据胡克定律所预期的值，尽管材料仍为弹性的，并且在去掉外力之后仍恢复原有大小与形状。胡克定律只在力与位移成正比的范围内描述材料的弹性。有时，胡克定律也可写成 $F=-kx$，式中 F 不表示所施加的力，而表示与外力相等但方向相反的回复力，它使弹性材料恢复原有大小。胡克定律还可用应力与应变表述。应力是材料内部由外力作用而产生的单位面积上的力，应变则是由应力产生的相对形变。应力较小时，与应变成正比。胡克定律的特殊表述参阅 **bulk modulus; shear modulus; Young's modulus**。

Hooks, Benjamin L. 胡克斯（1925-01-31，美国田纳西孟菲斯～2010-04-15，孟菲斯） 美国法官、牧师和政府官员，1977 ～ 1993 年任全国有色人种促进协会的执行理事。1941 ～ 1943 年在孟菲斯的勒莫因学院学习，1943 ～ 1944 年在华盛顿（哥伦比亚特区）的霍华德大学学习，1944 年获文学士学位。第二次世界大战期间在美国军队中服役，后来在芝加哥的德保罗大学学习法律，并于 1948 年获法学博士学位；当时在田纳西州没有任何法律学校接纳黑人入学。从 1949 ～ 1965 年，他在孟菲斯开业做律师。他参加了 50 年代末期和 60 年代初期的争取黑人在饭店就餐权利的斗争，并参加了马丁·路德·金的南部基督教领导人联合会的理事会以及其他许多争取民权和为公众服务的组织。50 年代中期被任命为浸礼会牧师，经常在孟菲斯和底特律的各教堂里讲道。由于他具有演说家的流利口才，他赢得了众多的追随者。从 1961 年起任谢尔比县（孟菲斯）的助理公设辩护人，1965 年被任命为谢尔比县刑事法院法官，是担任这一职务的第一个黑人。1966 年他当选为任期 8 年的法官，但于 1968 年辞职。1972 年 7 月，胡克斯被任命到美国联邦通讯委员会工作，成为该委员会的第一个黑人委员。1977 年 8 月 1 日，他辞职并接替罗伊·威尔金斯担任全国有色人种促进协会的执行理事。胡克斯强调积极行动的必要性，并强烈要求增加少数民族选民登记。他慨叹少数民族在新闻媒介所有权方面占的比例过小。

hookworm disease 钩虫病 又作 ancylostomiasis 或 uncinariasis。又称钩口线虫病。由几种栖于小肠并吸血的蠕虫引起的寄生虫侵染。可侵染人、犬科动物和猫科动物，有时伴

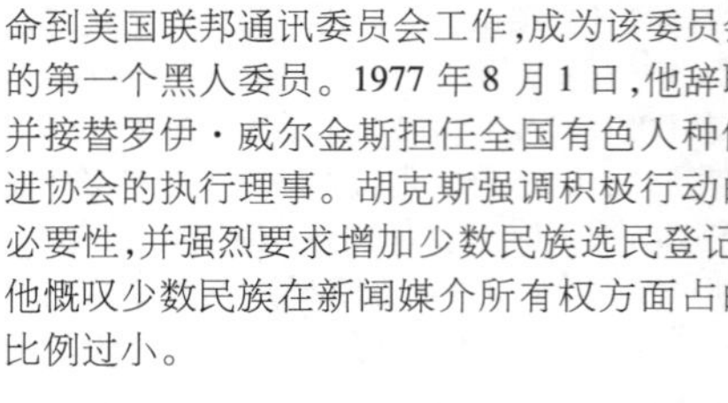

钩虫（*Ancylostoma*）
美国不列颠百科全书公司供图

有继发性贫血。钩虫有好几种。美洲板口线虫(美洲钩虫,*Necator americanus*)长5～11毫米,是热带和亚热带地区人类钩虫侵染病因的90%。十二指肠钩口线虫(十二指肠钩虫,*Ancylostoma duodenale*)体长8～13毫米,见于所有大陆,但温暖地区最为流行。巴西钩口线虫(*A. braziliense*)长8～11毫米,正常情况下寄生于犬科动物和猫科动物,但在美国南部、南美和亚洲有时也侵染人类。锡兰钩口线虫(*A. ceylanicum*)正常情况下寄生于犬科动物,在南美和亚洲有时也寄生于人体。十二指肠钩口线虫的成体口内有钩状的齿,而美洲板口线虫口内有一对切板。此两种钩虫的生活史相似。成虫附着于小肠的黏膜上,雌体每日可产卵数千枚,卵随寄主粪便排出;若粪便落到合适的土壤上,虫卵便孵出幼虫。有感染性的丝状幼虫可穿透人体皮肤,通常是足部皮肤,从汗腺和毛囊进入,然后侵入淋巴管和血管,到达肺部,再循呼吸道上行到口部,又被吞下,到达小肠;在此处发育成熟,又开始新的一轮生殖循环。钩虫以寿命长著名,可活约10年。钩虫病的症状是:丝状幼虫穿过皮肤时引起皮肤瘙痒(着地痒),表现为丘疹和疱疹,常位于趾间。幼虫通过肺部时可引起咳嗽和发热。成虫在小肠内吸血为生,为数甚多的钩虫寄生于人体多年,便可引起继发性贫血。若侵染严重(有500多条幼虫侵入人体),症状包括皮肤黏膜苍白,面部和四肢浮肿,便秘与腹泻交替,腹部压痛,嗜食生米、泥土之类东西,发身期延迟,身材矮小,易疲乏,迟钝,情感淡漠等。钩虫病往往在热带和亚热带地区广为蔓延;潮湿、温暖、土壤疏松、随地排便、不穿鞋是引起感染的主要因素。空腹口服一剂四氯乙烯可将约90%的板口线虫驱除。羟基萘甲酸苄酚宁对钩口线虫特别有效。补充铁质和高蛋白质膳食会加速恢复,即时预后佳,但钩虫容易重复侵染,这使钩虫病成为一个严重的卫生问题。在某些钩虫防治规划中对人群定期进行集体治疗。预防此病应对人粪便进行卫生处理。

hoop 圈 一种环形玩具,儿童和成人可用它来进行多种游戏,其普及性仅次于球。早在古希腊,不太健壮的人就通过滚圈来锻炼身体。北美印第安人用圈作靶教儿童投准。爱斯基摩成年人进行的一种游戏就是投杆穿过滚圈。在地面上、人行道或街道上,人边走边用棍或徒手滚动铁环,也是一种游戏。圈可以用来玩掷环游戏,也可以旋转,还可以当做篮球的篮圈。在游戏场上,使用圈的游戏包括抓圈、跨步穿圈(橄榄球运动员把轮胎当圈锻炼跨跃)、用圈当靶投标枪和甩圈旋转。在20世纪50年代后期,千百万儿童和成人,大跳呼拉圈舞,把塑料圈套在腰部,扭动臀部使圈不断旋转。

hoop pine 参阅 **Moreton Bay pine** 莫顿湾松。

hoop skirt 裙环裙 又称苇环衬裙。一种带有鲸骨框架或柳条架的裙子。它和法辛盖尔衬裙(**farthingale**)相似,1710年左右被再

1741年迈森瓷塑人物中着裙环裙的女子(左)
美国不列颠百科全书公司供图

度引进英、法。巴尼艾(法语“篮”)是指那些两侧撑开的裙而不是指四周都撑开的裙。裙环裙料子比法辛盖尔那时候的轻,而裙本身也比较灵活。这种服式只在宫廷里保持到18世纪末。参阅 **crinoline**。

Hooper, Franklin Henry 胡珀(1862-01-28,美国马萨诸塞伍斯特～1940-08-14,纽约州萨拉纳克湖附近) 1932～1938年任《不列颠百科全书》总编辑。《不列颠百科全书》发行人H.E.胡珀之弟。1899年加入《不列颠百科全书》编辑部,在30年间参与过5版的编辑工作:第10版(1902)任副主编;第11版(1910～1911)任执行主编;第12版(1921～1922)、第13版(1926)、第14版(1929)均任美国编辑。1932年接替J.L.加文任总编辑。胡珀还编辑过《不列颠百科全书初级版》,1934年首次发行。在退休之前,他还编过《不列颠百科年鉴》(1938)。

Hooper, Horace Everett 胡珀(1859-12-08,美国马萨诸塞伍斯特～1922-06-13,纽约州贝德福德希尔斯) 1897年起为《不列颠百科全书》美国发行人直至去世,出色的销售专家和出版业革新家。16岁辍学当书店店员,后去科罗拉多州丹佛开办西部图书文具公司。1893年移居芝加哥,主持了一次宣传和销售《世纪词典》的成功活动。1897年访问伦敦时,深信可以用同样方式成功地推销《不列颠百科全书》第9版(1875～1889)。于是与W.M.杰克逊、J.克拉克和G.克拉克兄弟一起,从百科全书出版者A.布莱克和C.布莱克处获得再版权,并说服伦敦《泰晤士报》支持这一活动。胡珀用降价及分期付款办法,极大地打开了销路。继即开始准备编辑补编11卷,补充第9版(24卷,外加索引),成为第10版(1902～1903)。他重印《不列颠百科全书》大获成功使《泰晤士报》喜出望外,任命他为该报宣传经理。后离开该报,继续留居英国多年,从事《不列颠百科全书》全新的第11版(共29卷,1910～1911)的审订工作。与前几版分卷出书不同,此版29卷一次出齐。接着胡珀陆续出版了《不列颠百科年鉴》(内容概括1911～1912年,1913年发行);袖珍版(1915～1916),即第11版的影印版,开本较小,价格便宜;第12版(1922),包括第11版的29卷和补编3卷。

hoopoe(*Upupa epops*) **戴胜** 佛法僧目戴胜科唯一的种。从南欧、非洲到东南亚均有分布。体长约28厘米。头和肩粉红褐色;冠长,竖立,引人注目,端部黑色。翅和尾有黑

戴胜(*Upupa epops*)
美国不列颠百科全书公司供图

白相间的条斑。喙长而下弯,采食昆虫及其他小型无脊椎动物。有些分类系统认为从埃塞俄比亚到南非还有另一种非洲戴胜(*U. africana*)。

Hoorn 霍伦 荷兰西北部北荷兰省城市。濒临艾瑟尔湖。约于1300年建立。1357年建市。在中世纪曾是西弗里斯兰首府。18世纪在须得海淤塞前,曾经是荷兰的主要港

霍伦市的J.P.科恩塑像
美国不列颠百科全书公司供图

口之一。现为蔬菜和乳品贸易中心。有捕鱼、印刷和塑料船制造业;生产纺织品和电机。名胜古迹有中世纪哥特式教堂、圣玛丽塔楼(1508)和东城门(1578)、古城堡遗迹、市政厅(1613)以及圣约翰医院(1563)等。人口

53 788(1988)。

Hoorne, Filips van Montmorency, Graaf van　霍讷伯爵(1524?,佛兰德内弗勒[今在比利时]～1568-06-05,布鲁塞尔)　即F.van蒙莫朗西。海尔德兰和尼德兰执政、佛兰德海军上将、尼德兰国务委员会委员,力求维护尼德兰的传统权利和特权,结束西班牙审判异端的宗教法庭。神圣罗马帝国皇帝查理五世的宫廷侍从,在1546～1547年的施马尔卡尔登战争中领导帝国的军队,并于1550年指挥未来的西班牙国王腓力二世的卫队。1555年9月任海尔德兰和尼德兰执政,翌年被授予金羊毛骑士称号,1559年任西班牙舰队司令。1561～1565年作为摄政的国务委员会委员,他与奥兰治亲王沉默者威廉一世和埃格蒙特伯爵一起反对委员会主席梅赫伦的枢机大公格朗维尔残酷压制的宗教和政治政策,成功地迫使腓力二世于1564年下令格朗维尔引退。他虽于1566年在图尔奈与加尔文派教徒合作,但他服从摄政的命令,于1566年10月返回布鲁塞尔。与奥兰治亲王和埃格蒙特会见时,他和埃格蒙特一样,拒绝支持奥兰治亲王武装抵抗国王的计划;他于是引退,回到韦尔特老家,过着隐居的生活。僭取统治权的阿尔瓦公爵于1567年8月抵达布鲁塞尔作出和解的表示,霍讷受其诱惑,前往布鲁塞尔,遂于1567年9月9日与埃格蒙特一起,被阿尔瓦投入狱中。霍讷被阿尔瓦为对反抗者和异教徒提出起诉而设立的法庭"戡乱委员会"("血腥委员会")宣判犯有叛国罪和信奉异教罪并被处决。

Hoosac Tunnel　胡萨克隧道　美国第一条岩石隧道,位于马萨诸塞州的北亚当斯以东,为波士顿和美国西部的铁路通道。虽仅长7.6千米,但由于许多技术、财政及政治上的困难,施工期长达24年(1851～1875)。在工程上首次使用硝化甘油作爆破剂并采用电引爆装置。此外,使用了空气压缩钻岩机,推动了风动工具工业的发展,对采矿及建筑业具有重大意义。

Hooton, Earnest A(lbert)　胡顿(1887-11-20,美国威斯康星克莱门斯维尔～1954-05-03,马萨诸塞剑桥)　美国体质人类学家,曾对人类进化和种族差异进行调查研究,把人口加以分类和描述,并对个性与体型之间的关系进行探讨,尤侧重于犯罪行为的探讨。曾把哈佛大学建成美国研究体质人类学的一个主要中心,并写过许多普及读物。胡顿1913年起在哈佛大学任教,1930～1954年任教授。其影响极大,美国整整一代专业体质人类学家都是他的学生,其第一部重要研究成果《加那利群岛的古代居民》(1925),对史前关切人的骨骼和头盖骨进行了分类,重新构拟出该岛居民的历史面貌。1930年他对新墨西哥州皮科斯河流域一支已灭绝的普韦布洛印第安人的骨架进行了研究,提出一套人种类型系统,他相信这个系统包括了全部印第安人的族系,并兼及地中海人种及尼格罗人种的若干成分。20世纪30年代,他对美国犯罪人口作了调查,以断定犯罪行为是否可能同形体因素或种族因素有联系。为此写成的《美国的罪犯》(1939)和《犯罪与个人》(1939)引起了很大争论。胡顿的影响因其所写的科学普及读物而超越人类学的专业范围。如《从猿到人》(1931),这本书曾被广泛地用作教材;另有《猿猴、人类和白痴》(1937)、《为什么人的动作像猴,猴的动作又像人?》(1940)以及《人类的穷亲戚》(1942)等。

Hoover, Herbert(Clark)　胡佛(1874-08-10,美国艾奥瓦西布兰奇～1964-10-20,纽约州纽约)　美国第31任总统(1929～1933),他在第一次世界大战期间担任协约国救援工作负责人时所确立的人道主义者形象因其共和党政府在大萧条时期受到政策不力的指责而遭到损害。他9岁前成为孤儿,由叔父抚养成人。在斯坦福大学为优等生,毕业(1895)时为采矿工程师。此后18年作为工程管理人员,在4大洲参加工业工程项目,积累了丰富的经验。义和团起义期间(1900-06),他正在中国,积极指挥救援外国人的工作。第一次世界大战爆发时(1914),他在伦敦任协约国援救工作的首脑,后来在比利时任救济委员会主席。美国参战时(1917-04),他被任命为全国粮食行政长官,负责发展生产和保存食

美国不列颠百科全书公司供图

粮。在1918～1919年的12个月期间,他主管的部门向协约国以及欧洲饥馑地区提供了1 850万吨食粮。后来又主持向30多个欧洲国家分发1亿美元的援助。1927年,他主持密西西比河水灾援救工作。1921年被任命为商业部长,除了改组部务外,还新设一些管理无线电广播、商业航空、改善居住条件和加强公路安全的司局。1928年,当C.柯立芝总统决定不再竞选时,胡佛接受了共和党的总统提名,尽管他的独立观点与许多共和党领袖并不一致。上台后,他本希望依靠美国的科学潜力开辟一个"新时代",但为时不久,当股票行情的暴跌把国家推入有史以来最坏的经济萧条的深渊时,他的幻想破灭了。他通过联邦农场署和复兴金融公司向遭受困难的农场主和金融机关提供了一些国家救济。但是他坚决反对由国家援助失业的城市群众,否决了设立联邦失业救济所的法案。1932年再次被提名为总统候选人,但被F.D.罗斯福以压倒的优势击败。第二次世界大战后曾主持过两个委员会,寻求精简联邦政府部门和提高工作效率的途径(参阅**Hoover Commission**)。胡佛的主要著作有《美国的个人主义》(1922)和《回忆录》(1951)。前一书虽然篇幅不多但影响极大。

Hoover, J(ohn) Edgar　胡佛(1895-01-01,华盛顿[哥伦比亚特区]～1972-05-02,华盛顿[哥伦比亚特区])　美国公职人员,在担任联邦调查局局长(1924～1972)期间把这一机构

美国不列颠百科全书公司供图

的名称缩写FBI变成了美国执法机关的标志。1916年获乔治·华盛顿大学法学士学位,次年获法学硕士学位。1919年任司法部长特别助理。1924年5月任调查局(即后来的联邦调查局)代理局长,7个月后任局长。他建立了选拔和培训工作人员的严格制度;建立全世界最大的指纹档案、科学侦察犯罪实验室及联邦调查局国家学院;训练全国各地优秀的执法官吏。在胡佛任职后期,联邦调查局的工作方法不时受到各种非议。至70年代,胡佛本人的独裁作风每每招致公众的批评。然而鉴于他的崇高威望,他终身任局长职,直至77岁去世,没有一位总统有过撤换他的打算。

Hoover Commission　胡佛委员会(1947～1949,1953～1955)　正式名称为美国行政部门组织委员会。它们都是以前总统H.胡佛为首的两个临时性顾问组织。在第二次世界大战之后与朝鲜战争之后的两个时期,委员会的任务是寻求精简联邦政府部门和提高工作效率的途径。委员人数民主党和共和党各半。委员会提出的建议中有70%都被采纳。许多州也仿效联邦政府设立类似的组织,称"小胡佛委员会"。

Hoover Dam　胡佛水坝　曾称博尔德水坝。重力拱坝,位于美国亚利桑那-内华达州边界的科罗拉多河布莱克峡谷。建于1930～1936年间,蓄水成米德湖。1947年改名为胡佛水坝,以纪念H.胡佛总统。该水坝由联邦垦务局管理,用于防洪、控制泥沙、发电、灌溉,并提供民间及工业用水。坝高221米,顶长379米,发电功率1 345兆瓦,体积336万立方米。

hop　忽布　大麻科葎草属(*Humulus*)的两种植物的俗称。一年生或多年生缠绕草本。原产于北美、欧亚大陆及南美温带。普通忽布(普通葎草、啤酒花、蛇麻,*H. lupulus*)的干燥雌花穗用于啤酒工业。日本忽布(日本葎草,*H. japonicus*)是一年生速生种类,可用作围篱。

1 200多年来啤酒花一直用于啤酒酿造。其雌花穗含苦味的树脂、精油,也许还含丹宁。这些成分于蒸沸的麦芽汁中析出,使啤酒带有一种芳醇的苦味和独有的芳香,并有

助于啤酒的保存。啤酒花是长命的多年生草本，具粗糙的缠绕茎，通常长达 25 英尺，顺时针方向旋转。每个生长季节长出新藤，新藤发育成熟后死去。根系扩展范围很大，向下

普通忽布（*H. lupulus*）
美国不列颠百科全书公司供图

可深入土壤达 15 英尺以上。啤酒花在多种气候和土壤条件下栽种以供商用。一般说，淤积土和深砂质土或排水良好、含砾石的壤土最为适宜。在美国夏季降水少的地区种植啤酒花通常需要灌溉。在英格兰，啤酒花生长季节雨量丰富，所以不需灌溉。啤酒花的雌花穗充分成熟后收获，可用手或机器摘收。刚采下的花穗含水分很多，需置于窑中干燥后再用于酿造业。干燥后加压成块并打包销售。

hop-hornbeam　蛇麻果鹅耳枥　桦木科铁木属（*Ostrya*）7 种观赏树的俗称，原产于欧亚大陆和北美。树皮鳞状，表面粗糙；叶绿色，薄而半透明，叶柄有被毛；果实绿色，似蛇麻，

美洲蛇麻果鹅耳枥（*O. virginiana*）
美国不列颠百科全书公司供图

由许多囊状鳞片组成，每个鳞片上有一颗小而扁平的坚果。欧洲蛇麻果鹅耳枥（*O. carpinifolia*）和日本蛇麻果鹅耳枥（*O. japonica*）高达 21 米，其他种较矮小。东方蛇麻果鹅耳枥（美洲蛇麻果鹅耳枥，*O. virginiana*）木材坚硬而沉重，故称为铁木，在当地用作篱桩及工具柄等小型器件。

hop, step, and jump（track and field event）参阅 **triple jump** 三级跳远。

hop tree（*Ptelea trifoliata*）　**榆橘**　又作 wafer ash。即三叶榆橘。又称薄脆饼树。芸香科观赏乔木，原产于北美东部。花小，绿白色。

榆橘（*Ptelea trifoliata*）
美国不列颠百科全书公司供图

复叶，有小叶 3 枚，气味浓烈。果浅黄色，形似薄脆饼，有翅。

hopak　戈帕克　又拼 gopak。乌克兰民间舞蹈，一度只有男子参加，后来演变为男女对舞、男子独舞和男女群舞。在乌克兰西部，正如戈帕克科罗一样，它是在闭合的圆圈中表演的。戈帕克的舞步没有固定的式样。男子们竞相即兴表演各种舞步、跳跃、蹲式踢腿和旋转；女子们表演简单的舞步、摇摆、拍手或转圆圈。舞步的变换不一定要符合音乐拍子（2/4）。穆索尔斯基、柴可夫斯基和里姆斯基-科萨科夫等作曲家都在他们的乐曲中采用过戈帕克舞曲。

hopbush　车桑子　无患子科车桑子属（*Dodonaea*）的几种热带或亚热带乔木和灌木，尤指黏性车桑子（*D. viscosa*，又称阿基阿基树）。该种是分布广泛的灌木或小乔木，高

黏性车桑子（*D. viscosa*）
美国不列颠百科全书公司供图

可达 4.5 米，较耐干旱及烟雾，花不显著，花穗顶生。

Hope　霍普　加拿大不列颠哥伦比亚省西南部城镇。位于科基哈拉河与弗雷泽河汇流处，在森林茂密的海岸山脉中，近霍普山（1 829 米），在温哥华以东 145 千米处。1848～1849 年，哈得孙湾公司建霍普堡，是该镇前身。在 19 世纪 50 年代弗雷泽河淘金热中，霍普成为繁忙的前哨站。现为主要铁路和公路枢纽。经济以木材采伐、采矿（镍和铜）与旅游为主。弗雷泽河峡谷和斯卡吉特河谷为风景优美的旅游胜地。1929 年设村，1965 年设镇。人口6 247（1996）。

Hope　霍普　美国阿肯色州西南部城市，亨普斯特德县县城（1939）。1852 年建为开罗—富尔顿铁路（现密苏里太平洋铁路）的车站，后发展成为农产品转运中心。1875 年设镇，1906 年设市。木材业亦重要。附近有阿肯色大学农业试验所和州立旧华盛顿史迹公园。人口 10 616（2000）。

hope　望　基督教教义中推崇的三美德之一，其他两美德为信和爱。它与信及爱不同，因为它专门涉及未来。圣奥古斯丁说："望仅涉及美好事物、未来事物而且属于抱有希望的人。"一旦望的目标达到，望即不成其为望而成为有。因此，"爱无止境"，而望则仅限于人在世生活。古希腊词"望"（elpis）原指朦胧而无限的未来，但是基督徒认为：耶稣基督既已复活，望就成了确实的期望和美德。在《新约》中，基督徒的望一直紧密结合关于耶稣基督复临审判死人活人的最终希望，但是也并不排除对较为次要的美好事物甚至较为短近的物质利益的希望。一般说来，基督教的各种教义著作比较重视信和爱以及两者之间的关系，不去详细论述望。但只要"死人复活和未来世界生活"被人特别关心时，有关望的神学议论也就特别热烈起来，例如，在 20 世纪中叶就出现了关于"希望神学"的讨论。

Hope, A(lec) D(erwent)　霍普（1907-07-21，澳大利亚新南威尔士库马～2000-07-13，堪培拉）　澳大利亚诗人。以其哀歌和讽刺诗享有盛名。曾在澳大利亚和牛津求学，在澳大利亚几所大学任教。他的诗恪守传统格律，但完全为现代诗，最突出的两首是《征服者》（1947）和《从弗洛伊德群岛归来》（1944）。虽早在 1930 年就开始在文学刊物上发表诗作，但直至 1955 年才出版第一部诗集《漫游岛》（1955）。随后又出版了几部新诗和诗集。还写有散文和文学评论，包括《仲夏夜之梦》（1970）和《本地伙伴》（1974）以及《澳大利亚文学：1950～1965》和一部随笔文集《山洞与春天》（1965）。1972 年受封英帝国勋爵。

Hope, Anthony　霍普（1863-02-09，伦敦～1933-07-08，英国萨里希尔山麓沃尔顿）　英国剑侠传奇小说作家，最著名的作品是《曾达的囚徒》。在马尔博罗和牛津大学巴利奥尔学院受教育。1887 年任律师。《曾达的囚徒》（1894）及其续篇《鲁珀特》（1898）出版后立即获得成功，遂专心致力于写作。其他著作有写上层社会交际的《洋娃娃的对话》（1894）和一系列社会问题小说，如根据 C. 罗得斯的经历写成的《乘车的上帝》（1894）。1918 年因在大战时所做工作被授予爵士称号。

Hope, Bob　霍普（1903-05-29，伦敦附近埃尔特姆～2003-07-27，美国加利福尼亚托卢卡湖）　原名莱斯利·汤斯·霍普。英国出生的美国喜剧和电影演员。靠唱歌和滑稽表演起家，到百老汇后首次在歌舞剧《罗伯塔》（1933）中扮演有分量的角色。1940 年以后与歌星 B. 克劳斯贝合作拍了《通向新加坡之路》及其他一系列"通向"世界各地的通俗喜剧片。1944 年他的电台广播节目收听率最

高,1950年以来他在电视中的特别节目收视率也是最高。他因劳军演出多次获奖,并获艾森豪威尔、肯尼迪和约翰逊总统颁发的奖章。1940、1944、1952和1965年因人道主义贡献获奥斯卡特别奖。

Hope, John　霍普(1868-06-02,美国佐治亚奥古斯塔～1936-02-20,佐治亚亚特兰大)美国教育家。主张向黑人进行高等文科教育。当时,B.T.华盛顿主张给予技艺训练的相反意见正占上风。霍普是美国第一所有黑人研究生的大学亚特兰大大学校长,全国有色人种促进协会前身尼亚加拉运动的创建人之一。父为白人,母为黑人。1894年他毕业于罗得岛州普罗维登斯市布朗大学,在田纳西州纳什维尔市的罗杰·威廉斯大学任教至1898年。随即在亚特兰大浸礼会学院(后改为莫尔豪斯学院)任古典文学教授,1906年任该学院第一位黑人院长。1895年公开表示不同意B.T.华盛顿的看法,宣称黑人有必要取得完全的政治平等和社会平等,否则工艺技能也将毫无价值。1918～1919年间任驻法黑人士兵基督教青年会干事。回国后,对士兵的处境以及种族骚乱深感失望,和南方白人W.W.亚历山大一起,出力组织种族合作委员会,任第一任会长。1929年,莫尔豪斯学院及斯佩尔曼黑人女子学院并入亚特兰大大学,他被一致推选为校长,任职直至逝世。

Hope, Lugenia Burns　霍普(1871-02-19,美国密苏里圣路易斯～1947-08-14,田纳西纳什维尔)　婚前名Lugenia D. Burns。美国社会改革家。青少年时就在几个慈善组织和社区组织工作。1890～1893年在芝加哥的艺术学院、设计学校和商业学院学习。1897年与教育家J.霍普结婚。先在纳什维尔,后到亚特兰大居住30多年,组织社区服务和从事民权活动。后来组建第一个由妇女主持为黑人服务的邻里联合会,1908～1935年作为理事长为黑人居住区提供医药、娱乐、就业和教育服务。第一次世界大战期间,联合会主持亚特兰大女青年会的战时工作委员会,和美军慰问协会共同成立为黑人士兵服务的俱乐部等娱乐设施。后来参加到为黑人和犹太军人以及其家属服务的全国女主人家庭网。她也是全国有色妇女俱乐部协会亚特兰大分会的创建人之一,并参加全国的改革活动,尤其致力于反对种族歧视。1920年领导全国女青年会清除种族隔离的斗争。后担任全国有色人种协进会亚特兰大分会第一副主席,组建讲授选举、民主和美国宪法知识的公民学校。

Hope, Thomas　霍普(1769,荷兰阿姆斯特丹～1831-02-03,英国伦敦)　英国作家、家具设计师、英国装饰艺术的摄政时期风格的主要代表人物。出身于从苏格兰移居荷兰的富有的银行家家庭。年轻时曾学建筑,并漫游地中海沿岸各国,这也许是他喜爱古典艺术和建筑的缘故。约1796年定居伦敦。1807年在萨里买下一座乡村住宅,按照摄政时期风格加以布置,屋内陈设有英国新古典主义主要雕刻家J.弗拉克斯曼制作的雕像和一张现今保存在伦敦维多利亚和艾伯特博物馆的埃及沙发椅。其关于室内装饰的主要著作有《家庭用具和室内装饰》(1807,1937年出影印版),对新古典主义运动具有影响。还著有:《古代服装》(1809)和《现代服装设计》(1812)。最受欢迎的是其小说《阿纳斯塔西斯》(又名《一个希腊人写于18世纪末的回忆录》,1819)。还写有哲学和建筑方面的著作等。

Hope, Victor Alexander John　霍普　参阅 **Linlithgow, Victor Alexander John Hope, 2nd Marquess of** 林利斯戈侯爵(第二)。

Hope diamond　霍普钻石　传说由产自印度的天蓝色宝石,经过几次切割后制成,重45.5克拉,是已知最大的蓝色钻石之一。1668年,珠宝商J.-B.巴蒂斯特将一颗产自印度的、重112克拉的天蓝色宝石带进法国,后为法王路易十四购买,并切割成法国王冠上的珠宝饰物之一,该宝石遂称作法国蓝宝石。1673年,该宝石被再切割成67克拉重的心形宝石(仍为法国王冠上的饰物)。1792年,该宝石在法国王冠珠宝抢劫案中失踪。1830年,伦敦银行家T.霍普购得一颗45.5克拉重的钻石,从外观上看它像是由原法国王冠上的心形钻石制成,并被命名为霍普钻石。该钻石现陈列于华盛顿[哥伦比亚特区]史密森学会。

霍普钻石
美国不列颠百科全书公司供图

Hope-Jones, Robert　霍普-琼斯(1859-02-09,英国柴郡胡顿庄园～1914-09-13,美国纽约罗切斯特)　英裔美国管风琴制造家。对电管风琴的构造采取多项革新,推动了美国管风琴的发展。原为教堂管风琴手和全国电话公司总电气师,1889年创办管风琴制造厂。1903年移居美国,4年后在纽约州成立霍普-琼斯管风琴公司,1908年出让给鲁道夫·沃利策公司。他在管风琴制造的革新上,完全放弃合唱和变声音栓,采取带簧片的、用强压风力来调节的大尺度基本音栓,由大尺度的长笛音栓和小尺度的弦乐音栓,以及他创造的强有力的音栓(称作"迪亚风")加以衬托。

Hope Theatre　希望剧院　伦敦剧场。用来演剧、斗牛和斗熊,坐落于原先是熊园的萨瑟克的班克赛德(泰晤士河岸)。是P.亨斯洛和J.米德于1613～1614年间为履行他们与伊丽莎白夫人供奉剧团所订协议而建,协议要求他们为该剧团提供一个剧场。除有一个活动舞台外,剧院模仿天鹅剧场而建。为希望剧院所写的首批剧作之一是琼森的《巴托罗缪集市》,由伊丽莎白夫人供奉剧团于1614年秋上演。虽然与该剧团签订的协议规定斗熊只能每两周占用希望剧院一次,但实际证明斗熊比演戏更赚钱,因此很快发生了关于优先权的争论。在1616年亨斯洛死后,被激怒的演员们离开了剧场。自那以后,剧院很少用于演戏。斗熊一直持续到1656年,由于发生了几起斗熊事故,当局便下令关闭希望剧院。

Hopefield　霍普菲尔德　南非开普省西南部城镇。在开普敦以北。1852年始建。1914年建市。位于半干旱的农业区。当地产品以小麦为主。养羊业和养蜂业亦很重要。与开普敦通铁路。西南13千米处有埃兰兹方丹考古发掘地。20世纪50年代初,发现大量化石和旧石器时代人工制品,包括有20 000多件动物化石和5 000件人工制品,动物化石中包括原型南非小羚羊、剑齿虎和双角展宽达3～3.6米的水牛。1953年考古学家K.乔利发现萨尔达尼亚人(前称霍普菲尔德人)的一个头盖骨碎片,与1921年在北罗得西亚的布罗肯希尔(今赞比亚卡布韦)发现的罗得西亚人头盖骨碎片十分相似。似乎在150 000～60 000年前该地已有人居住。人口3 163(1985)。

Hopeh(China)　参阅 **Hebei** 河北。

Hopewell　霍普韦尔　美国弗吉尼亚州东南部城市。北距里士满37千米,为詹姆斯河与阿波马托克斯河汇合处的一个内陆港。在乔治王子县境内,但在行政上保持独立。1916年设市。1923年与邻镇锡蒂波因特合并。有化学、纺织、纸张、纤维等工业。附近有利堡。人口约22 354(2000)。

Hopewell culture　霍普韦尔文化　北美洲中东部最著名印第安人古代文化,其最盛期约为公元前200年至公元400年之间,主要集中于今俄亥俄州南部,相关的诸居民集团则生活于今密歇根、威斯康星、印第安纳、伊利诺伊、艾奥瓦、堪萨斯、宾夕法尼亚及纽约诸州。"霍普韦尔"一名,源于俄亥俄州罗斯县一农场名,因为这一文化的第一个遗址在此发现,故名。霍普韦尔文化的村落沿河流、溪流形成,居民种植玉米、豆类及南瓜,而以渔、猎及采集野果为主。大量出土陶器及装饰性石造物和金属制品,说明居民之间已有某些分工;许多遗址发现的土方工程,按其性质及规模看,说明也许曾出现过某种形式的公务劳动(不论是自愿的或征集的)。土方有些是为设防所筑,不过大部为坟岗或为庙宇及其他建筑物之基础。陶器精美,雕刻或压印的装饰线条颇具自然主义风格。更有名的是一种精致的石雕管状物,其上图像有鸟、鱼及其他动物,栩栩如生。金属制品(打制及韧炼)曾被誉为先哥伦布时期北美最精美的产品。此时已大量使用铜片;银及陨铁也用于各种装饰品及用品，偶尔也应用黄金。云母片的使用，也是这一文化的特点。商路发达，远至落基山脉、墨西哥湾沿岸以及大西洋沿岸的物资，都曾在霍普韦尔遗址出土，而霍普韦尔印第安人的制品也在遥远地区有所发现。大约公元400年后，霍普韦尔灿烂文化逐渐消失。

Hopewell Culture National Historical Park 霍普韦尔文化国家历史公园 1992年以前名芒德市墩群国家纪念地。美国俄亥俄州中南部24个锥形的霍普韦尔印第安人营葬的土墩，年代为公元前200年至公元500年。地处奇利科西北，临赛欧托河。有1846年以来出土的大量陶器、铜饰和其他手工制品。1923年辟为国家纪念地，占地109公顷。

Hophra(Egyptian king) 参阅**Apries阿普里斯**。

Hopi 霍皮人 普韦布洛印第安人(**Pueblo Indians**)的最西部居民集团，住在亚利桑那东北部的纳瓦霍居留地中部和多色沙漠边缘。霍皮人原名莫基人，操属于犹他-阿兹特克语组的肖肖尼语。20世纪末，约有6 000名霍皮人，居住典型的梯形普韦布洛建筑物，建筑物由石块、砖坯筑在高的平顶山之上，聚集成许多独立的村镇。

沃尔皮的霍皮人城镇

美国不列颠百科全书公司供图

霍皮人的来源尚不确知，独立社区何以如此之多不详。据神话所说，霍皮人的祖先曾翻越过四层地下礼堂，到达现住地之前，在许多地方住过。考古发现也说明，某些废弃的普韦布洛式建筑，如西基亚特基及阿瓦托维普韦布洛城堡曾经一度为霍皮人占据。

霍皮人为母系社会，例如，奥赖比地方的居民过去就划分为30或31个母系氏族，再纳入9个更大的社会单位，即半偶族，许多氏族现已灭绝。霍皮人以前也曾严格实行入赘，即新娘婚后住在母家，但此风现已不再流行。

霍皮人以农牧为生，主要作物是玉米，也种豆类、南瓜、甜瓜和其他蔬菜、水果。男人从事农牧、建筑住房、参加各种仪式、制作鹿皮鞋、纺织衣服及毛毯。妇女除日常家务之外，还编筐、制陶、汲水，并从事菜园及建筑方面的辅助性工作。

霍皮人同其他普韦布洛人一样，爱好和平，实行一夫一妻制。无论男女，年满6岁即正式参加一种名为“卡奇纳”的拜神仪式，由此开始他们的宗教仪式生活。所谓卡奇纳是一种专由男子表演的模拟神灵的宗教活动，表演者戴假面具，扮成各类神灵、祖灵及云神。妇女很少参加仪式典礼，但有时参加3个妇女秘密结社中的一两个，成为志愿成员。男人不论在哪个村里，都可自愿参加许多秘密会社，其中包括专门指导复杂而艰苦的部落成丁仪式的会社，也有专门举办一年一度冬至节庆祝活动的会社。冬至节庆典非常重要，领导仪式的多是当地高级官员，经常是村镇首领。

霍皮人宗教仪式中最广为人知的是“蛇舞”，每年8月末举行，届时舞者口衔活蛇而手舞足蹈。实际上，这一仪式多在地下礼堂秘密进行，耗费时间较多，一般人只能看到短暂而振奋人心的一部分而已。

随着孤立状态的打破，现在越来越多的霍皮人已抛弃了祖宗留下的多年旧习而步入快速的文化变革之中。他们不再致力于族内生活，不再固守其“普韦布洛”式的村落，而是转向白人城镇和都市，转向白人的经济体制和娱乐方式。结果，霍皮人的传统文化便进入持续解体之中。

Hopi language 霍皮语 犹他-阿兹特克语系的北美印第安语，亚利桑那州东北霍皮人操此语言，令人特别感兴趣的是霍皮语中表示时间和空间的概念。例如，它的动词形式是这样的：离说话者越远的地区发生的事件，其时间就被描述得越早，似乎空间距离越短，时间就越近。霍皮语动词没有真正的时态，而代之以体的区别(事件持续的时间长度)、有效程度的区别(一件行为已完成抑或正在进行，是期望中的还是有规律性而可预见到的)以及从句联系程度的区别(指出两个或更多动词的时间关系)。此外，动词还用屈折变化以显示行为的阶段重复性：如 ríya(快速旋转)，riyáyata(一直在旋转)。20世纪30年代语言学家B.L.沃夫根据霍皮语动词的这些特点，提出“沃夫假说”，认为，语言紧紧地支配着我们对现实的经验。霍皮语塑造出霍皮人谈论宇宙事物的方法，在沃夫看来，一切语言与一切民族，都是这样。

Hôpital, Michel de L' 奥皮塔尔 参阅**L'Hospital, Michel de 洛皮塔尔**。

Hopkins, Esek 霍普金斯(1718-04-26，罗得岛普罗维登斯～1802-02-26，美国罗得岛普罗维登斯) 美国独立战争时期(1775～1783)，美国海军的第一个舰队司令官。20岁时充当水手，极有才干，善于经商，法国和印第安战争(1754～1763)前就担任大型商船队队长。战争期间因劫掠敌方商船而积累财富，并在海上颇有名声。独立战争开始之际，罗得岛州任命他为陆军准将。后来大陆会议因其兄弟(大陆会议海军委员会主席)之便，劝说他放弃陆军职务，乃于1775年12月22日

美国海军部供图

任命他指挥在费城集结待命的第一支大陆舰队。霍普金斯受命进攻以切萨皮克湾为基地的英国邓莫尔第四代伯爵率领的舰队，但他认为敌人过于强大，不必按照命令办事。因此就率领由8艘兵船组成的舰队驶往巴哈马群岛，在新普罗维登斯岛俘获大量战争物资，在返航时与英舰“格拉斯哥”号遭遇，结果未见胜负(1776-04)。由于霍普金斯所率舰队战绩并不令人满意，随后又在罗得岛按兵不动，致使国会对他进行审查。于1777年3月将其停职。1778年被解除海军职务，此后在罗得岛政界崭露头角。

Hopkins, Sir Anthony 霍普金斯(1937-12-31，威尔士西格拉摩根塔尔伯特港～) 全称Philip Anthony Hopkins。威尔士舞台和电影演员，具有强烈的艺术激情。早年梦想成为一名钢琴家，18岁开始舞台表演。1965年加入伦敦国家剧院演出莎士比亚剧。他是一位表演细腻的演员，能借助细微的肢体动作传达突发情绪。1974年首次在百老汇演出《恋马狂》，广受好评，此后在美国从事影视表演，如电影《象人》(1980)、电视剧《地下碉堡》(1981，获埃米奖)。他在国家剧院成功地演出了《李尔王》和《安东尼与克娄巴特拉》。后期演出的电影有《沉默的羔羊》(1991，获奥斯卡奖)、《此情可问天》(1992)、《长日将尽》(1993)、《尼克松》(1995)及《勇者无惧》(1997)，后三部电影获奥斯卡奖提名。1993年受封为爵士。

Hopkins, Sir Frederick Gowland 霍普金斯(1861-06-20，英国东萨塞克斯伊斯特本～1947-05-16，剑桥) 英国生物化学家。因发现数种为保持健康动物饮食所必需的维生素而与C.艾克曼共获1929年诺贝尔生理学或医学奖。1901年发现色氨酸，将它从蛋白质中分离出来。1906～1907年证明某些动物不能用其他营养品大量制取色氨酸及其他几

种氨基酸(必需氨基酸),而必须从食物中提供。又注意到大鼠仅饲以人造乳便停止生长,而于其饲料中加入少量牛奶则生长迅速。认识到若饲料中仅含蛋白质、脂肪及糖类,即

世界卫生组织供图

便加入矿物盐,动物亦不能生存,并称上述饲料中所缺物质为“附属物质”,后称维生素。1907年与W.弗莱彻共同证明,肌肉收缩时产生乳酸,为肌肉收缩的化学研究打下基础。15年后霍普金斯从活组织中游离出三肽(三个氨基酸依次连接)谷胱甘肽,并证明它在细胞耗氧过程中起重要作用。霍普金斯在剑桥大学度过大半生(1898 ~ 1943)。1925年被封为爵士。1931年任皇家学会会长,1935年获功绩勋章。

Hopkins, Gerard Manley　霍普金斯(1844-07-28,英国埃塞克斯斯特拉特福～ 1889-06-08,都柏林)　英国诗人和耶稣会教士,维多利亚时代最富有独特风格的作家之一。他的作品直至1918年才汇编成诗集出版,但影响了20世纪许多主要诗人。其父曾任英国驻夏威夷总领事,也发表过诗歌。霍普金斯在海格特文法学校就读时曾获诗歌奖。所作诗歌把纤细的情感、巨大的知识力量和强烈的宗教感情相结合,反映了他作为耶稣会传教士的使命感。他在诗歌韵律和修辞方面进行了复杂而众多的试验,作品风格极其独特,因而当时除了少数朋友外很少被人理解。1863年获奖学金入牛津大学巴利奥尔学院学习古典语言文学,同时写作诗歌。1866年,在主张加强圣公会与天主教之间关系的牛津运动的影响下,被后来的红衣主教J.H.纽曼接受入天主教会,翌年以优异成绩从牛津大学毕业后决定当一名传教士。1868年成为耶稣会见习教士,并烧毁了年轻时写的诗稿,决心“不再写作,因其不适宜我的职业”。但直至1875年,他仍保留有一部日记,记载着他对自然的生动反应和表达了他后来在中世纪方济各会思想家D.斯科特斯处获得证实的一种哲学。霍普金斯的哲学强调每一自然物的个性,他将其称为“内在特性”。

1874年,霍普金斯入北威尔士圣比尤诺学院学习神学。在那里他学会了威尔士语,受威尔士语本身及诗歌的影响,并在院长的鼓励下他开始重新写诗。1875年,5名方济各会修女在一次沉船事故中遇难,霍普金斯深为悲痛,打破了七年之久的沉默再次写了长诗《德意志号的沉没》。但该诗遭到耶稣会杂志《月刊》的拒绝。此后还写过一些十四行诗,包括那首杰出的《风鹰》,在这些作品中,语言的丰富和节奏的运用都十分独特。他继续写诗,但他的诗只是以手稿形式为其朋友和诗人R.布里吉斯(后来的桂冠诗人)、C.帕特莫尔和R.W.狄克逊牧师等阅读。1877年,被正式任命为教士,曾先后在伦敦、牛津、利物浦和格拉斯哥等地的耶稣会教堂布道和在兰开夏的斯托尼赫斯特学院讲授古典著作。1884年,被聘为都柏林大学学院的希腊文学教授。但他在爱尔兰的生活并不愉快,他觉得环境不适意,并且过度劳累,健康不佳。

自1885年起,他又写了一些十四行诗;最初一首为《腐肉解饥》。这些诗表达了当时作者因精神贫乏和艺术上的挫折而引起的绝望心情。朋友们不断劝他出版他的诗作,均被他拒绝。生前出版的仅有一些他特别喜爱的不成熟的诗和别出心裁的拉丁诗。1889年因患伤寒病逝世,葬于都柏林的格拉斯内文公墓。他死后,好友R.布里吉斯开始在一些选集里发表他较成熟的诗。直到1918年,当时已是桂冠诗人的布里吉斯认为时机成熟,出版了霍普金斯的第一部诗集,但销路不好。直到1930年才出第二版。此后,霍普金斯被公认为他那个世纪最具独特风格、最有力量和最有影响的作家之一。他的作品对20世纪主要诗人T.S.艾略特、D.托马斯、W.H.奥登、S.斯彭德和C.D.刘易斯都有明显的影响。

Hopkins, Harry L(loyd)　霍普金斯(1890-08-17,美国艾奥瓦苏城～ 1946-01-29,纽约市)　美国新政时期的民主党行政官员,30年代将联邦为救济失业者而设想的庞大的工

美国国会图书馆供图

程项目具体化,第二次世界大战期间为F.D.罗斯福总统的密使和最亲密的私人顾问。20年代在纽约市从事社会工作。鉴于随着经济萧条出现紧迫的需求,当时任纽约州长的罗斯福设立纽约州临时紧急救济署,于1931年任命他为执行主任(后为署长)。罗斯福于1933年就任总统时,携他一起去华盛顿。他在联邦紧急救济署署长的新岗位上,显示出忘我的工作热情和出色的行政才能。民主党在1934年中期选举中获得的巨大胜利,鼓舞他说服总统于次年对救济计划进行广泛的改革,包括设立工程进度管理署。该署由他领导,数百万美国人在广泛的公共工程项目中找到了工作。他以巨大的热情和献身精神投入工作,到1938年由他经手用于失业救济的款项达85亿多美元,受益者约1 500万人。这一期间,他还在总统千旱委员会、经济保障委员会、国家紧急委员会和国家资源计划委员会等处工作,并且领导联邦剩余物资公司。到1936年选举时,他成为罗斯福日益亲密的顾问。1938年罗斯福任命他为商务部长。严重的疾病使他放弃自己的政治抱负。在1940年7月民主党全国代表大会上,他任罗斯福的私人经纪人,以后辞去内阁职务。当第二次世界大战的战火扩大时,他代表总统数次去伦敦、后去莫斯科协商援助问题和军事战略。1941年他被任命主持实施援助同盟国的租借法案,兼任军工生产委员会委员和太平洋作战会议理事。但他主要的工作是担任总统的顾问,由于关系亲密,他甚至可以住在白宫里。1945年4月罗斯福去世后他做的最后一件事是,访问莫斯科帮助安排波茨坦会议。

Hopkins, Johns　霍普金斯(1795-05-19,美国马里兰安尼阿伦德尔县～ 1873-12-24,巴尔的摩)　美国百万富商和投资者。他在遗嘱中留下大笔捐款以修建约翰斯·霍普金斯大学和约翰斯·霍普金斯医院。父亲是贵格会教徒、烟草种植园主。他12岁时退学,随双亲在自家田地里劳动。按照贵格会的信仰,他们很早就解放了家中的奴隶。17岁时霍普金斯到巴尔的摩与其叔父生活,并学习食品杂货批发生意。他经营得很好,但当1819年叔父拒绝农民以威士忌酒付货款时,他与叔父发生争吵。霍普金斯遂与另一伙伴经商,后来又与他的3个兄弟合伙经商。霍普金斯兄弟商店的生意很兴旺,他把货物运到马里兰、弗吉尼亚、北卡罗来纳,甚至俄亥俄州各地。他全身心地致力于企业,从不旅行,从未结婚,很少为个人娱乐花钱。1847年退休时已成为大富翁。去世前6年,他组织了两个公司,一个是为了办一家医院,另一个是为了建一所大学。在遗嘱(1870)中把700万美元平分给两个公司。他也为黑人孤儿院捐赠了基金。约翰斯·霍普金斯大学于1876年开学,医院于1889年开业,这两个机构还利用它们的设备创办了一个医学院,该医学院于1893年开学。

Hopkins, Mark　霍普金斯(1802-02-04,美国马萨诸塞斯托克布里奇～ 1887-06-17,马萨诸塞威廉斯敦)　美国教育家和神学家。1824年毕业于马萨诸塞州威廉斯敦威廉斯学院,1829年毕业于马萨诸塞州皮茨菲尔德伯克希尔医学院。他在纽约市短期行医,1830年回到威廉斯学院,在那里教高年级伦理学和修辞学;1836 ～ 1872年担任学院院长。虽然他在神学上没有受过正规训练,但1836年被任命为公理会教长。他的强烈宗教信仰反映在他的讲课中,强调虔诚和德育价值像智育成绩一样,甚至更多。他也强调自我教育,赞赏苏格拉底的教育方法甚于教条主义的或说教的方式,把极大的重要性放在物质繁荣上,他相信这应该与基督徒服务精神的责任心同等对待。当他在波士顿洛厄尔学院的一系列演讲印成书籍《论基督教的根据演讲集》(1846)、《伦理科学演讲集》(1862)、《爱的法律和爱作为法律》(1869)和《人的概略研究》(1873)并一再重版时,他的影响远远超出了学院。

Hopkins, Mark 霍普金斯(1814-09-03,美国弗吉尼亚里士满县～1878-03-29,亚利桑那尤马) 美国加利福尼亚州资本家,他协助修筑了中太平洋铁路(后改名为南太平洋铁路)。圣弗朗西斯科市诺布山顶上的马克·霍普金斯饭店就是因他命名的。他出生后,家住北卡罗来纳。1845年他与其兄弟摩西离家到肯塔基,当淘金潮的消息传来时,两人又移居加利福尼亚(1851-05)。1852年春以前他已放弃了无利可图的金矿开采。1852年与次年先后于普拉塞维尔和萨克拉门托经营食品杂货业。1855年他与另一萨克拉门托商人C.P.亨廷顿合伙开办亨廷顿-霍普金斯公司,该公司成为该州最兴隆的商行之一。1861年一位有胆略的工程师T.D.朱达向两位合伙人提出修建一条新的横跨大陆的铁路的设想,当年6月中太平洋铁路公司成立,霍普金斯、亨廷顿及同仁L.斯丹福、C.克罗克为董事会核心成员,合称为"四巨头"。1869年该铁路干线全部竣工,在犹他州普罗蒙特里与联合太平洋铁路接轨,不久支线也遍布加利福尼亚州。霍普金斯的3个合伙人最终都迁居到圣弗朗西斯科市。他自己也在该市开始建造一座富丽堂皇的大厦(在今马克·霍普金斯饭店的地点),这所房子直至他逝世之后才建成。他到亚利桑那沙漠去寻医治病约一星期后便死去。正如有时所报导的,商人M.霍普金斯显然与教育家M.霍普金斯没有关联。多年间,他与另一个M.霍普金斯(1813～1876或1877)也易生混淆,难以辨别;后者原籍是纽约州,在同一时期居于萨克拉门托并经营商行。

Hopkins, Samuel 霍普金斯(1721-09-17,康涅狄格沃特伯里[美国]～1803-12-20,罗得岛纽波特) 美国神学家和作家,最早反对奴隶制的公理会人士之一。他曾在马萨诸塞州北

美国国会图书馆供图

安普敦从清教派神学家J.爱德华兹学习,其后受按立(1743)为胡萨托尼克(今大巴灵顿)公理会牧师。他讲道多有措辞不当之处,加以在加入教会的条件和洗礼问题上见解偏离正统,因而于1769年被免职。自1770年起任纽波特公理会第一堂牧师终生,积极反对当地兴旺的奴隶贸易。他筹款为许多奴隶赎身,并计划在非洲为被解放的奴隶建立屯垦区,未果。霍普金斯认为,社会服务事业既必要又适宜,他的主要著作《上帝启示中所包含的教义体系》(1793)阐明了这种观点。他的体系统称"霍普金斯主义",反映爱德华兹在上帝与人的关系上的许多观点。他强调:人必须克服"自爱"(罪),其方法是无私的惠人并且完全顺服上帝的旨意,即使是这种顺服要求人甘愿受诅咒。霍普金斯的观点推进了美国国内和海外,特别是非洲的传教事业的发展。

Hopkinson, Francis 霍普金森(1737-10-02,宾夕法尼亚费城[美国]～1791-05-09,费城) 美国律师、音乐家、作家、出席大陆会议的代表、《独立宣言》的签署人之一。在费城学院(后为宾夕法尼亚大学)毕业后,又学法律。后在新泽西开业做律师取得成功。1774年被任命为总督参议会参议。1776年代表新泽西出席大陆会议,签署《独立宣言》,后在新成立的美国政府中担任几个次要的职务。1779～1789年任宾夕法尼亚海事法庭法官,从1789年起直到去世,任宾夕法尼亚东部地区法官。他积极拥护宪法,曾写过几篇有力的文章,促使宾夕法尼亚批准宪法。霍普金森善弹旧式钢琴,谱写过一些宗教的和世俗的歌曲。此外他还写诗和散文。在美国革命时期,他用尖锐的政治讽刺作品嘲笑英国人和效忠派。革命后,他经常与B.富兰克林、G.华盛顿和T.杰弗逊通信。他还是艺术家,设计了美国哲学学会、新泽西州和美国政府各部的印章。有证据表明他帮助设计了美国国旗。

Hopkinson, John 霍普金森(1849-07-27,英格兰曼彻斯特～1898-08-27,瑞士维西弗小丹特山) 英国工程师和物理学家,他发明的三线制配电系统,改进了发电机的设计,提高了它的效率。1872年他在伯明翰钱斯兄弟公司担任玻璃制造技术经理,并研究灯塔照明问题,主张用一组闪光灯使灯塔能更有效地工作。他也研究静电存储容量、剩余电荷现象以及由J.C.麦克斯韦电磁理论引起的其他问题。1878年霍普金森成功地开展了电机工程咨询业务。他和弟弟爱德华合作致力于交流电一般理论和交流发电机并联运行(在一起运行供电)的研究。1890年成为伦敦国王学院的教授并主管新成立的西门子实验室。霍普金森同他的一子两女在攀登维西弗小丹特山时遇难。

Hopkinsville 霍普金斯维尔 美国肯塔基州西南部城市,克里斯琴县县城(1797)。1804年设镇;1897年设市。为烟草和牲畜市场,有轻型制造业。设有州立大学分校——霍普金斯维尔社区学院。D.杰斐逊故居费尔维尤在城东18千米处。城南是坎贝尔堡军事基地。人口:市30 089;克拉克斯维尔-霍普金斯维尔都会区207 033(2000)。

hoplite 甲兵 古代希腊披挂重型甲胄的步兵,用于编成密集队形进行战斗。甲兵可能出现在公元前8世纪末。他们头戴金属盔,身穿胸铠,下围胫甲,左臂持盾,而不像过去那样把盾挂在颈上;他们各有一把剑和一柄6英尺的刺杀用长矛,而不像过去那种投掷用的矛。自从有了甲兵之后,在战场上决定胜利的已经不是贵族武士个人的高超武艺,而是插入敌阵的成群结队的甲兵方阵的密度和力量。战阵的纵深通常是8列甲兵,但据传公元前4世纪第比斯人使用过50列甲兵。尽管方阵队形不便调度,装备沉重,追击困难,但希腊甲兵是地中海世界最好的战士,吕底亚、巴比伦和埃及大量需要这种雇佣兵。

Hoppe, Willie 霍佩(1887-10-11,美国纽约哈得孙河畔康沃尔～1959-02-01,迈阿密) 美国无袋台球(又译三边台球、卡罗姆台球)大师。1906～1952年赢得51次世界冠军。18岁时(1906)在巴黎击败M.维尼欧,第一次取得18.1发球线台球冠军。1940年芝加哥锦标赛中参加20场比赛均获胜。1952年卫冕成功后退休。

Hoppe-Seyler, Ernst Felix (Immanuel) 霍佩-赛勒(1825-12-26,哈雷弗赖堡温斯特鲁特～1895-08-10,博登湖畔瓦瑟堡) 德国医生,因将生理化学(即生物化学)建成一门独立的科学而著名。首次获得纯卵磷脂,首创蛋白质一词,又研究过代谢、叶绿素及血液,曾获得晶体状态的血红蛋白。1877年创办并编辑了第一种生物化学专业杂志《生理化学杂志》。除了多篇科学论文外,还出版了《生理化学》(4卷,1877～1881)和《生理化学及病理化学分析手册》(1858)。

Hopper, Edward 霍珀(1882-07-22,美国纽约奈阿克～1967-05-15,纽约市) 美国现实主义画家,20世纪60～70年代的波普艺术和新现实主义画家都受他的影响。1906～

霍珀绘《星期日清晨》(1930)
惠特尼美国艺术博物馆供图

1910年从垃圾箱派画家R.亨利学画。1906～1910年三次游历欧洲,但始终未受到巴黎各流派作品的影响,而是倔强地走自己的艺术道路。在1913年的军械库展览会上展出过作品。主要从事广告美术和铜版画插图的创作。1924年后开始画水彩画和油画,如《看书的模特儿》(1925年水彩,芝加哥艺术学院藏)。题材以城市生活中的平凡小事为主,如《铁路旁的房屋》(1925年,纽约市现代艺术博物馆藏)和《布鲁克林的一间房》(1932年,波士顿艺术博物馆藏),以快照般的构图给人以一种孤寂感。霍珀善于运用光把人和物像在空间里隔离开来,不论在晨光里(《星期日清晨》1930年,纽约市惠特尼美国艺术博物馆藏)还是在灯光下(《夜鹰》1942年,芝加哥艺术学院藏),都强化了主题的孤寂感。其风格在20年代中期已臻于成熟。其后期作品《二层楼上的阳光》(1960年,纽约市惠特尼美国艺术博物馆藏),把空间关系处理得极为微妙。

Hoppner, John 霍普纳(1758-04-04,伦敦～1810-01-23,伦敦) 英国18世纪末19世纪初的肖像画家。J.雷诺兹早期风格的模仿者。

霍普纳绘《哈利雅特·乔姆利小姐》(约 1800)
美国不列颠百科全书公司供图

1778 年获实物画银质奖章。1782 年获皇家学院最高奖——历史画金质奖章。1780 年在皇家学院首次展出作品。初期主要兴趣是风景画,后为生活所迫转向收入较大的肖像画。

hopscotch　跳房子　以不同形式流行于许多国家的古老的儿童游戏,基本的条件是不能踩线。在地面上画一连串的格,格里标出号码,以便逐一通过。一种玩法是,先将扁平

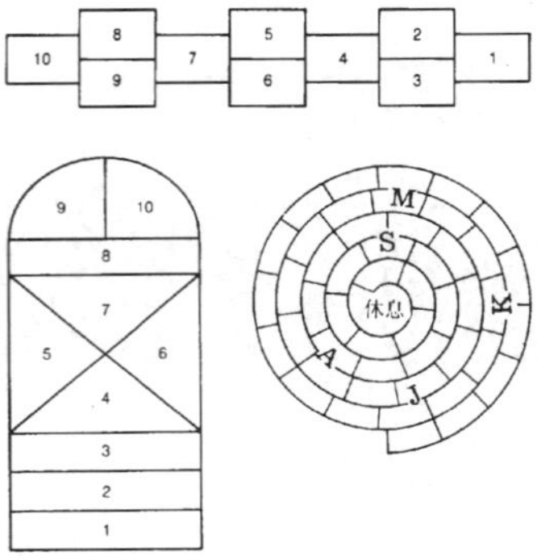

跳房子的几个图例(图中大写英文字母表示缩写名字)

小石块掷入第一格,若误投他格即丧失一轮比赛资格。若石块落点正确,即单脚跳到第二格。此后按号码顺序跳入其他各格。踩线、摔倒、两脚着地都为失误。有的玩法可在一些地方双脚跳,两脚各落一格。另有的玩法指定某一格为"家",在"家"中可两脚着地休息。跳到最后一格后,拾到石块,按原路跳回,跳出格阵。跳完全阵不失误者可继续跳,将石块掷入第二格,跳进第一格,越过第二格,然后依次跳进第三及其他各格,再完成一轮。每完成一轮即可任选一格写上自己的缩写名字,表示占据此房,作为自己的"家",其他人跳时必须越过这一格。大家同意即可结束游戏,也可待各格均已被占时结束。占房多者胜。

Hopton (of Stratton), Ralph Hopton, Baron　霍普顿(斯特拉顿的)男爵(1596,英格兰萨默塞特威特姆～1652-09,布鲁日)　英国查理一世国王与议会派内战第一阶段保王军司令,最有才能的将军之一,为保王派稳固了英格兰西南部地区。曾在牛津大学和伦敦中殿法律学院学习。"三十年战争"(1618～1648)初期在巴拉丁选侯的军队中服役。1624 年进入下议院。作为清教徒,曾支持议会反对国王。但当 1642 年议会要求控制军队时,他成为狂热的保王派。内战爆发后,他任中将,负

美国不列颠百科全书公司供图

责英格兰西部军事。1643 年 5 月在康沃尔郡取得辉煌胜利,6 月占领德文郡,7 月 5 日受重伤,9 月封男爵。1646 年初任保王军总司令,但此时议会军胜利已成定局。同年 3 月 14 日投降。后曾为保王派坚守康沃尔附近海上的锡利群岛,失败后流亡国外。

Hopwood's Ferry (Australia)　**霍普伍德渡口**　参阅 **Echuca** 伊丘卡。

hoquet (music)　参阅 **hocket** 交替进行。

Hoquiam　霍奎厄姆　美国华盛顿州西部格雷斯港县城市。临霍奎厄姆河口的格雷斯港,在阿伯丁正西,为距太平洋 19 千米的深水港。1859 年始建,1890 年设建制。作为木材加工业中心发展起来。现生产木制品和机床,有渔业和鱼罐头制造业。人口 9 097 (2000)。

Hor (Egyptian god)　**何尔**　参阅 **Horus** 何露斯。

Hora　时序女神　复数为 Horae。在希腊-罗马神话中,她们是季节的化身,司自然次序的女神。在史诗《伊利亚特》里,她们是奥林波斯大门的看守者。据赫西奥德的说法,她

舞蹈的时序女神,古希腊大理石浮雕
美国不列颠百科全书公司供图

们是主神宙斯和一个女提坦忒弥斯的女儿。她们的名字是欧诺弥亚(良好秩序)、狄刻(正义)、厄瑞涅(和平)。这些名字表明她们的职能已从自然界扩展到人类生活中的事件。在雅典,她们显然只有两人:塔洛和卡波,即春花和夏果女神。每年为她们举行的节日叫霍拉雅节。在后来的神话里,时序女神成为四季,她们是太阳神赫利俄斯和月亮女神塞勒涅的女儿,每一女神都带有传统的属性。因此,当一天被分成 12 个相等的部分时,每一部分都有霍拉的名字。

hora　霍拉　罗马尼亚和以色列的民间舞蹈,在一个手拉手的圆圈中表演。最流行的罗马尼亚霍拉舞是霍拉·麦尔,即大型霍拉舞,既在婚礼一类特定活动中表演,也作为自娱性的活动。它是村社的一种隐喻:圆圈打开,接纳适婚女子、进入成年时期的男青年以及居丧期满的人;反之,圆圈关闭,不让违反本地道德标准的人进来。这个舞蹈的步法简单:表演者面对中心站立,向前一步,向后一步,向左三步,向右五步,结果使整个圆圈按逆时针方向移动。以色列霍拉舞是从巴尔干半岛输入的,不带有节庆或社会涵义,更多地是一种幸福的象征;也不像罗马尼亚的大型霍拉舞,而是采用葡萄藤舞步。霍拉与前南斯拉夫的科罗和保加利亚的霍罗有关;是欧洲许多起源于古代的圆圈形链舞中的一种。参阅 **carole**。

Horace　贺拉斯(公元前65-12,意大利韦努西亚～前 8-11-27,罗马)　拉丁语全名昆图斯·贺拉斯·弗拉库斯。奥古斯都皇帝时期杰出的拉丁抒情诗人和讽刺作家。父亲作过奴隶,但在贺拉斯出生之前就已获得自由,小有产业,使贺拉斯能够在罗马受到尽可能好的教育。公元前 46 年贺拉斯前往雅典求学。公元前 44 年凯撒被刺后,他站在同凯撒对立的布鲁图一边作战。在反对安东尼和屋大维的两次菲利皮战役失败后,他逃回意大利,但父亲在家乡的田产已被没收。公元前 39 年左右,他来到罗马任低级财务官吏。公元前 38 年初,被介绍给奥古斯都的主要政治顾问之一梅塞纳斯。不久,通过梅塞纳斯,他引起奥古斯都的注意。公元前 30 年代中期,梅塞纳斯赠给他萨维纳山区一所舒适的庄园,这使他终生感到很大的快慰。奥古斯都曾请他担任私人秘书,他以健康欠佳为由拒绝,但奥古斯都并未因此忌恨他,他们的关系反而更加亲密。由于奥古斯都对他多方照顾,尤其是结束了国内多年的混乱状态,所以赢得了诗人的衷心爱戴。公元前 20 年左右,他实际上成了罗马最大的诗人。公元前 8 年,梅塞纳斯去世。一两个月后,诗人也与世长辞。较早的作品有《讽刺诗集》和《长短句集》。但对西方文学发生重大影响的主要是他的《歌集》和《书札》。《歌集》共 4 卷,前 3 卷(包括 88 首短诗)发表于前 23 年,第四卷发表于前 13 年,题材丰富多彩。这些诗表明诗人是在他之前的希腊抒情诗人的继承者。他歌唱爱情、醇酒、大自然、友人、节制等。也有一些诗歌是关于梅塞纳斯或奥古斯都的。《书札》第二卷有书札两封,写各种文艺活动,第三卷是给皮索父子的信,通称为《诗艺》。这两部分集中讨论了文学和诗歌评论问题。他的诗歌中涉及自己个人的事很多,比古代任何其他诗人都更多地谈到自己、他的性格、他的发展和他的生活方式。他声称,他在诗歌中提出

的批评是为了社会的公益，他确信一位优秀的诗人必须首先是一个公正善良的人，要作为教育者和文明启迪者有益于社会。他的诗歌虽继承了拉丁的、尤其是希腊的传统，但绝不是机械的模仿，而是具有自己很大的特色。他的《歌集》直到文艺复兴时期才得到应有的重视，此书和《诗艺》对西方诗歌（直到19世纪）产生了很大的影响。

Horace Mann School　霍勒斯·曼学校　1887年在纽约市建立的一所私立初等和中等学校。当时是一个男女合校的示范学校。1891年由哥伦比亚大学师范学院接收，以便该院学生对循序渐进的教育理论进行观察。1914年，霍勒斯·曼学校的男生部迁往布朗克斯的里弗代尔区，并成为美国走读学校运动的先驱。1940年哥伦比亚大学师范学院又接收了林肯学校，该校原为洛克菲勒财团资助的普通教育委员会经管的一所实验学校。随后林肯学校与霍勒斯·曼学校合并。1946年又将两校分开；此后，霍勒斯·曼学校的小学部与女生部便停办了，男生部则继续单独开办。霍勒斯·曼学校1969年接收了纽约学前学校，1972年接收了巴纳德小学；1975年中学部再度改为男女合校。该校还在康涅狄格州的华盛顿设有约翰·多尔自然实验室。

Horae（Greco-Roman mythology）　参阅**Hora** 时序女神。

Horatian ode　贺拉斯体颂歌　仿照公元前1世纪拉丁诗人贺拉斯的方式写的抒情短诗，每诗节为2行或4行。这种诗往往是写给一位友人的，专谈友谊、爱情和作诗。贺拉斯把早期希腊抒情诗介绍到拉丁诗歌中来，他改动希腊诗的格律使之适应拉丁语，成为正规的格律，并用它写出罗马化的诗篇，所用格律虽不大自然，不大超脱，但给人以优美和庄重之感。他告诫拉丁作家不要试图去仿效品达罗斯。贺拉斯的《歌集》每节2～4行，现已被普遍称为颂歌，但它们同品达罗斯那种热情充沛和才华横溢的颂歌毫无共同之处。贺拉斯的格调通常是严肃和冷静的，往往带有讽刺和忧郁的味道，有时也带有一点文雅的幽默。他的合理享乐主义和个人魅力以及用格言表达的哲理和经过精心构思的完美，使他成为维吉尔以后最重要的古罗马诗人。后来，当人们重视措词的贴切更甚于想象和自发性时，贺拉斯的诗歌受到珍视和模仿。17世纪布瓦洛和拉封丹保持了贺拉斯的传统。M.德莱顿在他的《抒情诗与田园诗》（1606）中承认他得力于贺拉斯，A.马韦尔在1650年创作了一首欢迎克伦威尔从爱尔兰归来的至为优秀的英语贺拉斯体颂歌。18世纪初期英国的M.普赖尔、斯威夫特和S.约翰逊、19世纪意大利的莱奥帕尔迪和卡尔杜齐都恢复了贺拉斯的诗风。浪漫主义时期的颂歌成功地模仿了品达罗斯的风格，而不是他的形式。此后，很少英国诗人想再回到古典形式中去。参阅 **ode**。

Horatii and Curiatii　贺拉提乌斯三兄弟和库里阿提乌斯三兄弟　罗马神话中的两组三兄弟。贺拉提乌斯三兄弟是罗马人，库里阿提乌斯三兄弟是阿尔班人，但也有相反的说法。当图卢斯·霍斯提利乌斯统治时期（传统说法公元前672～前642）罗马与阿尔巴隆加交战时，双方同意由这两组三兄弟角斗，以决胜负。在角斗中，贺拉提乌斯兄弟中有两人被杀。第三个假装败退，利用计谋，把追赶他的对手全部杀掉。当他奏凯返回罗马时，他的姐姐从他的战利品中认出一件外衣，这是她为自己的情人库里阿提乌斯三兄弟之一缝制的。由于无法掩饰自己的悲伤，结果被弟弟杀死。他宣布："凡是为敌人掉泪的罗马女子，都应该这样处死。"17世纪法国作家高乃依的悲剧《贺拉斯》和18世纪法国艺术家J.-L.大卫的一幅绘画（现藏罗浮宫）即以这个故事为题材。

Horatius Cocles　霍拉提乌斯·科克列斯　公元前6世纪末的罗马英雄人物，无疑带有传奇色彩。据传，他曾只身守卫罗马的一座河桥，与大批敌军浴血奋战，结果使罗马人有时间去把河桥毁掉。然后，他跳进台伯河，游向对岸。

Horatius Flaccus, Quintus　贺拉斯·弗拉库斯　参阅 **Horace** 贺拉斯。

Hordaland　霍达兰　挪威西南部一郡。以霍达兰郡首府卑尔根（**Bergen**）为中心，其大陆部分近半圆形。总面积15 634平方千米，包括许多岛屿。全郡从西南到东北被长而深的哈当厄峡湾分隔。峡湾地区是挪威主要旅游胜地。全区多山，地表崎岖不平。有福尔格冰川（南）和哈当厄冰盖（东）两大冰原。东部大部为起伏的高原。居民主要住在沿峡湾和挪威海的狭窄低地，以及近海岛屿上。经济以农业（谷物与干草）、畜牧业和渔业以及许多门类的制造业（主要集中在卑尔根都会区）为基础。旅游业也很重要。人口约394 545（1982）。

hordeolum（medicine）　**睑腺炎**　参阅**sty** 麦粒肿。

Hore-Belisha (of Devonport), (Isaac) Leslie Hore-Belisha, Baron　霍尔-贝利沙（1893-09-07，伦敦～1957-02-16，法国兰斯）　英国陆军大臣（1937～1940），于1939年春第二次世界大战爆发前数月开始实行征兵制。曾在克利夫顿学院学习，第一次世界大战期间随英军在海外服役，后进入牛津大学圣约翰学院学习。1922年取得律师资格。1923年12月代表德文波特当选为自由党议员。从1931年起作为国家自由党人，从1942年起作为独立派人士，他一直代表该选区当选为议员，直至1945年。后加入保守党，争取代表南考文垂选入议会，未获成功。1931年帮助组成国家自由党，支持全国联合政府。1934～1937年任运输大臣。他一度鼓吹英国人和美国人享有共同的公民身份。在任陆军大臣时，他坚持放宽士兵晋升为军官的规定，任命比较年轻的将军，而让较老的将军早日退休。但由于高级军官的反对，张伯伦首相不得不于1940年1月将他免职。据说反犹太主义挫败了张伯伦原想任命他为宣传大臣的计划（霍尔-贝利沙为西班牙和葡萄牙籍犹太人的后裔）。1945年任国民保险大臣。1954年受封男爵。

horehound（*Marrubium vulgare*）　**夏至草**　又拼 hoarhound，又作 white horehound。又称白夏至草、欧夏至草。唇形科带苦味的多年生草本植物。叶和开花的顶梢均可用于饮料和糖果的调味及作为传统药物。在美国用这

夏至草（*Marrubium vulgare*）
美国不列颠百科全书公司供图

种植物的浸出物配制糖浆、饮料、锭剂治疗咳嗽和轻微的肺部疾病。夏至草原产欧洲、北非和中亚，现已归化于北美，英国也有栽培。干燥土壤上偶见野化者。夏至草味苦，香气浓郁。高不到1米。叶宽，广椭圆形，具钝圆齿，下表面白色，被绵状毛，上表面淡绿色，被短茸毛。夏至草的花小，白色，密集簇生成腋生轮伞花序。黑夏至草（*Ballota nigra*）是同科多年生草本植物，被毛，无白夏至草那样的白色外观，花淡紫色。有时用以掺入白夏至草浸出物。原产地与白夏至草相同，已归化于北美。

Horemheb　霍伦希布（活动时期公元前14～前13世纪）　又拼 Harmhab 或 Haremhab。埃及第十八王朝末代国王（约公元前1319～约前1292在位）。恢复了崇拜阿蒙的传统（前任统治者阿肯那顿曾以崇拜阿吞取代阿蒙）。原系北埃及军队的统帅。他任命部下为高官，并以孟斐斯为都城。他摧毁崇拜阿吞的一切象征，并为阿蒙修建神庙。他在凯尔奈克建造的著名的多柱式大殿是埃及前所未有的最大神殿。他使埃及十分繁荣，并通过重建在异教统治期间几乎完全停止的贸易商队，恢复了埃及对国外领地的统治。霍伦希布选择拉美西斯一世作为大臣，后来拉美西斯一世成为他的继承人和第十九王朝的缔造者。

Horiguchi Sutemi　堀口舍己（1895-01-06，日本岐阜县～1984-08-18）　最早向日本介绍现

代欧洲建筑形式的日本建筑师之一。1920年毕业于东京大学(1944年建筑学博士)。1922年设计的东京和平展览会机械厅是反叛日本传统形式的“分离派”青年建筑师小组的重要作品。此后不久赴欧两年拜访了当时德国和荷兰的著名建筑师,返日后撰写了一本关于现代荷兰建筑的书。这一时期他的作品有明显的欧洲影响,如大岛气象站。在这以后的10年里,他设计了一些住宅,如吉川宅邸(1930)、冈田宅邸(1934)、仲西宅邸(1936)、若佐宅邸(1939),成为居住建筑的权威。第二次世界大战后的主要作品有:名古屋的八色旅馆和1954年巴西圣保罗的四周年纪念的日本馆。此外他还写了几本关于日本茶屋和居住建筑的论著。

horizon　地平线　又称地平圈。天空与地面或海面似乎相接的边界(天文上定义为天球与垂直于铅垂线的平面的交线)。观测者站得愈高,看到的地平线愈低、愈远。地面上一个身高1.5米的人能看到的地平线约4 500米远;而在3 048米高度处的人则可看到203千米远。站在一个半径与地球不同的天体上,所看到的地平线的距离也不同。例如:一个身高1.5米的人在月面上看到的地平线只有2 300米远。

horizon　层　又称层位。土壤学中指构成土壤剖面垂直层序各部分性质不同的土壤层。每个层在颜色、化学成分、结构和构造上都同其上下层次有所区别。土壤的各层是在其发育期间,由于条件随深度改变而发生差异。例如,在潮湿区,地表物质中的物理、化学反应和生物活动要比下面各层强烈得多。被分解的和溶解的产物从表层被输运到地面以下的各层里,或是从正在发育的土壤剖面中完全被淋溶掉。在沙漠区,化学和生物的成土作用强度比潮湿区要差得多,并且化学作用或生物活动最强的带通常都在地下各层,而不在地表。一般来说,任一给定的土壤剖面中都有3大层,从地面往下依次定名为A层、B层和C层。A层所含有机质比B、C两层中的任何一层都多。但某些沙漠土壤例外,有利于有机物产生、保存和聚集的位置可能稍微靠下面一些,即在B层中。A层风化和淋溶得最厉害。湿冷的温带地区的土壤里,A层中留下了风化和淋溶残积物,氧化硅含量高,三氧化二铁和三氧化二铝以及其他三氧化二物含量低。潮湿热带的土壤则相反,各种三氧化二物含量高,而氧化硅含量低。B层趋向于是聚集带,因A层中溶解掉的全部或部分的矿物质可以在B层中沉积下来。潮湿温带土壤的B层显然就是这种情况,其中含有很多渗溶水由上面土层中带来的黏土矿物。C层主要由A层和B层得以产生的那些物质组成。这些被称为母质的物质,改变度轻微,因为它们一般不受各种土壤形成过程的影响。

horizontal bar　单杠　又作high bar。一种体操器械。19世纪初由称为体操之父的德国人F.L.杨发明。单杠为磨光的钢质杠,直径28毫米,长2.35～2.5米,距地面高约2.5米。男子体操比赛项目之一。运动员带护掌做一套15～30秒的动作,包括屈伸上(由悬垂翻上成杠上支撑)、反握或换握和变向大回环(从手倒立姿势开始直臂绕杠旋转)、摆越、转体、身体位置转换以及脱手再握杠等,最后用分腿越杠、前空翻或后空翻下杠。参阅**Sporting Record**: Gymnastics 及 **Olympic Games**。

Horkheimer, Max　霍克海默(1895-02-14,德国斯图加特～1973-07-07,纽伦堡)　德国哲学家。作为社会研究所所长(1930～1941;1950～1958)提出一个有独创性的跨学科运动,称作批评理论,把研究马克思主义的政治哲学与从现实研究得出的社会和文化分析相结合。曾在法兰克福大学攻读哲学,1922年获得博士学位。1930年,在担任法兰克福大学社会哲学讲师4年后,被任命为该校新成立的社会研究所所长。在其领导下,该研究所吸引了大批有才干的哲学家和社会科学家,包括T.阿多诺、E.弗罗姆、L.洛温塔尔、H.马库泽和F.纽曼,这些人和霍克海默后来一起被称作法兰克福学派。还担任该研究所文学刊物《社会研究》杂志的主编。德国纳粹掌权(1933)后,他随同研究所迁往纽约,1941年该研究所因资金问题解散。1950年回到法兰克福,重建研究所并最终成为法兰克福大学校长。著作包括《启蒙的辩证法》(与阿多诺合著,1947)、《逃避理性》(1947)和《批判理论》(1968),详细阐述了法兰克福学派的基本原则。

Hormisdas, Saint　何尔米斯达斯,圣(?,罗马坎帕尼亚～523-08-06,罗马)　教皇(514～523在位),在位时的重大成就是恢复教会统一,结束自484年阿卡西乌斯被处以绝罚后出现的东西方教会分裂局面。拜占廷皇帝阿纳斯塔修斯一世在位时曾两次为此而努力,但未能成功。518年何尔米斯达斯与继阿纳斯塔修斯登位的查士丁一世和牧首约翰(卡帕多西亚的)达成谅解,结束了阿卡西乌斯的分裂局面。519年君士坦丁堡与罗马恢复联合。

Hormizd　霍尔密兹德　又拼Ormazd或Ormizd。波斯萨珊帝国国王名,按年代次序分列于后,并各以●为标记。

● **Hormizd I　霍尔密兹德一世**(活动时期3世纪)　又称勇士霍尔密兹德。波斯萨珊帝国国王(272～273在位)。沙普尔一世之子。继位前任亚美尼亚省总督。在沙普尔从罗马人手中夺取安条克时(256年以后),他发挥了重要的指挥作用。在他统治期间,允许宗教领袖摩尼传布摩尼教。

● **Hormizd II　霍尔密兹德二世**(?～309)　波斯萨珊帝国国王(302～309在位)。纳尔萨之子。关于霍尔密兹德的统治情况,所知甚少。据古代资料,他曾处决一些摩尼教教徒。在他临死时,掌权的贵族杀掉他的儿子阿德胡尔-纳尔萨,囚禁他的另一个儿子霍尔密兹达斯。324年,霍尔密兹达斯逃往罗马皇帝君士坦丁大帝的宫廷。

● **Hormizd IV　霍尔密兹德四世**(?～590)　波斯萨珊帝国国王(578或579～590在位)。霍斯罗一世之子和继承人。他保护平民,但对军队和宫廷实行严格纪律。拒绝天主教士要求,对基督教徒进行迫害,认为只有两种宗教都抱有善良愿望,才能使王室和政府得到安全。从父王手里接过了对拜占廷帝国和突厥人的战争。虽然与拜占廷皇帝莫里斯开始和平谈判,但他拒绝割让父王征服的任何土地。588年大将巴赫拉姆·朱宾打败突厥人,但在翌年被罗马人击溃。当他将这位大将免职时,大将率兵叛乱,把他杀死。

6世纪晚期钱币上的霍尔密兹德四世像

美国不列颠百科全书公司供图

hormone　激素　由多细胞生物之内分泌细胞分泌的、能对相隔甚远的组织或细胞(靶组织或靶细胞)发挥特殊作用(如调节生物的生长、生殖和内环境稳定等生理功能)的化学物质。人们了解得最为清楚的是脊椎动物(尤其是人类和哺乳动物)的激素。在脊椎动物,激素由内分泌组织产生后直接释放入血,再随血液循环到达靶细胞或靶组织。

内分泌腺　垂体是脊椎动物的一个主要内分泌腺,由前叶(腺垂体)和后叶(神经垂体)两部分构成。垂体前叶因其所产激素都是其他内分泌腺的刺激激素,故又有“内分泌主腺”之称。促甲状腺素(TH)、促肾上腺皮质激素(ACTH)、促卵泡生成素(FSH)、促黄体生成素(LH)、生长激素(GH)、催乳素(PL)和促黑色素形成素都是垂体前叶激素,其功能可从它们的名称上得到大致的了解。垂体前叶虽名为主腺,但还是受控于下丘脑分泌的各种“释放激素”。下丘脑的解剖位置正好在垂体直上。各种下丘脑激素对垂体前叶功能的影响有促进,也有抑制。垂体后叶储存和释放两种激素:催产素(OX)和血管加压素(即抗利尿素,ADH)。这两种激素实际上是由下丘脑分泌,经由神经垂体和下丘脑之间的直接组织通道,最后由神经垂体释放。脊椎动物的内分泌腺还有甲状腺、甲状旁腺、肾上腺、胰岛和性腺。甲状腺素的生理作用主要是增加基础代谢率、增加耗氧量。甲状旁腺激素能调节血钙浓度。胰岛分泌两种激素:胰岛素和胰高血糖素,它们对糖代谢相互拮抗的作用是维持正常血糖浓度的关键因素。肾上腺皮质激素的主要功能是调节水盐代谢和糖代谢。肾上腺髓质激素有三种:肾上腺素、去甲肾上腺素和多巴胺,主要作用于心血管和呼吸系统。这些激素在调节机体的应激功能方面起着重要作用,故统称为应激性激素。心房利钠肽是一种心肌细胞释放的激素,对血压、血容量和血液的水-电解质平衡具有一定的调节功能。雌性激素是由卵巢分泌的,有雌激素和孕激素两类,连同FSH和LH一起,共同调节女性的生殖系统功能(包括月经、女性第二性征和维持妊娠等)。雄性激素也有多种,但以睾酮的生物活性为最高,主要由睾丸分泌,其生理作用是维持男性的第二性征。肾上腺皮质也能分泌出少量性激素。

激素化学　从分子结构看,可将激素分成类固醇类和氨基酸类(含氨基酸的衍生物、多肽和蛋白质)两大类。前者包括肾上腺皮质激素和性激素,其余均属后者。从激素结合受体的位置看,也可将其分为细胞膜受体和细胞内受体。后者包括类固醇激素和甲状腺素,它们能穿过细胞膜,和细胞内受体蛋白结合形成复合物;该复合物再进入细胞核,作用于特定的基因片段,直接控制细胞功能蛋白质的合成。显然,激素的这种作用方式对细胞功能的影响是非常深远的。氨基酸及其衍生物、多肽和蛋白类激素不能穿过细胞膜,而是作为"第一信使"和细胞膜受体结合,在细胞膜上形成激素-受体复合物。复合物再激活细胞膜上的酶(腺苷酸环化酶)的活性,导致细胞内合成所谓"第二信使"物质(即cAMP,环磷酸腺苷等)。然后再通过细胞内的cAMP发挥第一信使的激素效应。不管作用位点在何处,激素都是通过和特异性受体的结合来发挥其作用的,这种作用机制很好地解释了激素的特异性功能。所有的无脊椎动物也可能有激素。昆虫脑中的神经内分泌细胞产生促胸素,促胸素可刺激昆虫胸腔内的腺体分泌蜕皮素,可致昆虫周期性地蜕掉外骨骼。还有一种昆虫激素叫保幼素,可维持各种幼虫特征。保幼素水平下降,昆虫长成成虫。植物也有激素系统,如刺激植物生长的茁长素(植物生长素)、赤霉素、细胞分裂素等;抑制植物生长的激素,如脱落酸等,可促进秋季落叶和根、芽休眠。

Hormozgān　霍尔木兹甘　伊朗南部一省。南濒波斯湾和阿曼湾,西部和西北部接布什尔省和法尔斯省,东部和东北部邻克尔曼省,东南部界锡斯坦-俾路支斯坦省。面积66 870平方千米。省会阿巴斯港。境内扎格罗斯高地陡立在波斯湾边,为无阻隔的海岸平原。阿巴斯港附近有许多盐丘,有些高达1 200米。主要河流为米纳卜河和库伊河。当地种植大麦、小麦、水稻、烟草、靛青、椰枣、芒果和蔬菜;饲养绵羊、山羊和骆驼。阿巴斯港在20世纪70年代发展成大港后,建有水泥厂、发电厂、钢铁厂、海水淡化厂和食品厂等。亦有渔业。开采盐、铁、铜和硫。公路通波斯湾和阿曼湾各港口。铁路通克尔曼与横贯伊朗铁路连接。人口约568 000(1983)。

Hormuz　霍尔木兹岛　又作Ormuz。伊朗所属的荒凉多山岛屿,位于波斯湾与阿曼湾之间的霍尔木兹海峡,离海岸8千米。霍尔木兹村是唯一的永久居民点。输出红赭石。该岛很早就是克尔曼省的主要市场,经营棕榈、靛青、谷物和香料。至1200年左右,垄断了与印度和中国的贸易。著名旅行家马可波罗曾两次访问该岛。1300年前后,阿拉伯统治者在岛上建立了新霍尔木兹城,逐渐成为波斯湾最重要的贸易中心。从1514年起,葡萄牙人占据该岛长达一个多世纪。1622年为英国波斯联军占领。1798～1868年霍尔木兹岛及邻近的杰顺岛和伊朗本土上的阿巴斯港租给马斯喀特和阿曼的统治者。现除葡萄牙人建造的城堡要塞外,几乎没有留下任何名胜古迹。人口2 410(最近统计)。

Hormuz, Strait of　霍尔木兹海峡　Hormuz又拼Ormuz。连接波斯湾(西)和阿曼湾与阿拉伯海(东南)的水道。宽55～95千米。在伊朗(北)和阿拉伯半岛(南)之间。峡中有格什姆岛、霍尔木兹岛和亨加姆岛。是往来波斯湾各港的油轮必经之地。

horn　角　许多有蹄动物头顶上长出的硬质突起,也指鹿角和某些蜥蜴、鸟、恐龙和昆虫的类似构造。真正的角见于牛、绵羊、山羊和羚羊,不分支,也不脱落,内为骨质,外包一层角质(角蛋白),围以角化的表皮。鹿角不是真正的角,每年脱落,在生长期虽有一层光滑柔软的表皮覆盖物,但完全由骨构成,随着年龄增长分支越来越多。犀牛的"角"由高度角质化的毛状表皮融合而成。角为防御掠食者的武器,也是雄性动物之间为争夺雌性动物而争斗的进攻武器。

horn　号　法语为cor。用绷紧的唇顶住吹口吹气而振动发音的管乐器。号体最初来自动物的角,最早模仿这种自然号所制成的金属号出现在丹麦青铜时代,形状类似猛犸的

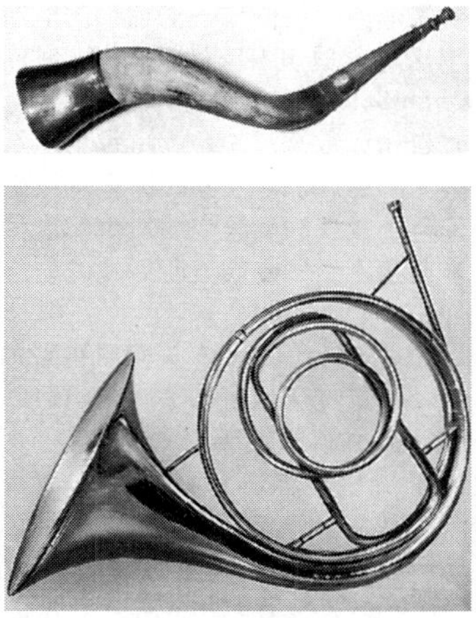

号角(上)和18世纪的手号(下)
美国不列颠百科全书公司供图

长牙。古埃及、美索不达米亚、以色列、希腊及整个西非洲与南非洲都有号角这种乐器,并且现在仍为斯堪的纳维亚、巴尔干、西班牙部分地区和苏丹等地方的牧羊人所使用。中世纪欧洲的象牙号是10世纪从拜占廷传入的,用于王族。这类象牙号角(亦有骨制的)往往雕琢得很精致,被称为奥利芬号。中世纪猎人和更夫所用的牛角号只能发出自然泛音列中的一两个音。现代金属号就是从这些乐器发展而来的。这一发展过程包括改善管体的造型和喇叭口的形状,伸长管体以降低基本音高,使得管子的自然音列中较高几个音在演奏者唇振动的声波频率的上限之内,从而增大乐器的旋律潜力。有些号,包括18世纪的军号,保持弯曲的外形,但加长了管的长度。英国的一些直型号,是从19世纪初的猎号演变而来的,其中包括黄铜制的驿车号、铜制的长途马车号和20世纪英国猎号(一种小型的只能奏一个音的号)。16世纪时人们都知道把乐器的管道盘卷一圈或几圈以增加长度。大的圆型法国猎号约出现于1650年,现代管弦乐队或法国的圆号即源出于此。法国圆型猎号在现代法国、比利时的猎人、铜管乐队、吹号俱乐部中仍在使用。管径和管道盘绕的圈数各种各样,通常为盘绕3圈,直径38厘米,管长4½米。演奏时用一只手把它放在臂上。泛音用得最多的是第4至12泛音(记谱为C调,但发音在D调,低7度),演奏和声时把第2和第3泛音用作低音。参阅**French horn; mellophone; saxhorn**。

Horn (af Ekebyholm), Arvid Bernhard, Greve (Count)　霍恩伯爵(1664-04-06,芬兰奥布～1742-04-17,瑞典埃克比哥尔摩)　瑞典军人、政治家,对开创18世纪瑞典自由时代(52年的议会统治时期)起关键性作用。1682年进入瑞典陆军,在匈牙利和低地国家屡建战功。他的杰出的军事才能使他被选为未来的国王查理十二世(1697～1718在位)的军事教师。北方战争(1700～1721)初期,他曾参加战斗,后多次受查理十二世派遣执行外交任务。1705年封伯爵,并任参政会参政。在国王长期出国期间,他曾主持朝政。1709年以后,他转而反对查理的政策。查理感到失望,但并没有免除他的职务。1718年查理死后,他在议会中参加反专制的行列,要求建立从属于参政会和议会的软弱的君主政体。他劝说王位继承人查理十二世的妹妹将王位让给她的丈夫腓特烈(即腓特烈一世)。这位新国王把许多王权让给参政会和议会。霍恩于1720年当选为贵族院议长。他支持在国内厉行节约和重商主义政策,对外采取和平政策,1738年退休。

Horn, Cape　合恩角　智利南部合恩岛上的陡峭岬角。位于南美洲最南端,以1616年绕过此角的荷兰航海家W.C.斯豪滕的出生地霍伦(Hoorn)命名。距此西北56千米的奥斯特岛上的假合恩角,有时被误认为合恩角。合恩角洋面波涛汹涌,航行危险。终年强风不断,气候寒冷。

horn coral　角珊瑚　皱纹珊瑚目之任一珊瑚,在地质记录里,它们最早出现于奥陶纪(始于5亿年前),一直持续到2.25亿年前的二叠纪。角珊瑚之命名是因为珊瑚动物所建造的个体构造具有角状外形,它们可营单体生活或群体生活。在很多已知种类中,有些是重要的,可作为特定地质时段的标准化石,并用以对比有时相隔很远的岩层单位。一些角珊瑚由于其生长方式,可用来作为测定遥远地质年代日和年之长度的生物钟。

horn dance　号角舞　英国斯塔福德郡阿伯茨布罗姆利的宗教仪式舞蹈,与莫里斯舞

(**Morris dance**)有关。

horn fly(*Haematobia irritans*) **角蝇** 又称骚扰血蝇。双翅目蝇科一种严重骚扰牛的害虫。成蝇群集在牛角基部、颈部和臀部吸血。受骚扰的牛体重减轻,奶量减少。角蝇大小约为家蝇之半,只在新鲜牛粪中繁殖,生活周期10～12天。约在1887年从欧洲带入北美。可喷杀虫剂加以防治或在牛食中加一些药品以阻止它在牛粪中繁殖。

horn of plenty **丰饶角** 参阅 **cornucopia** 康纳科佩。

horn silver (mineral) 参阅 **cerargyrite** 角银矿。

horn-tooth moss **角齿藓** 真藓目角齿藓属(*Ceratodon*)植物。数量最多的种紫萌角齿藓(*C. purpureus*)广泛分布全世界,具紫色孢蒴(尤其是生长于光裸的酸性土壤或火烧过的区域时),因而引人注目。角齿藓高约1～2厘米,在干燥的墙上、草地或人行道上长成垫状或丛簇,有时也见于沼泽。雌雄异株。孢蒴水平生长,成熟时有深长的沟。

hornbeam **鹅耳枥** 约25种耐寒、生长缓慢的观赏和材用树的通称,属桦木科鹅耳枥属(*Carpinus*),遍布北半球。树皮平滑,灰色,树干短而有沟槽,枝条水平伸展。雄葇荑花序直到春季才形成,这一点不同于桦木科其他树木。果为小坚果,长约1厘米,包以叶状三裂的外果壳。叶互生,卵形或披针形,入冬仍留在树上。欧洲鹅耳枥(*C. betulus*)树干扭曲,分枝多,可高达20米。在旧大陆的庭园中用作篱树或遮荫树,常修剪成奇形怪状。木材发白而坚韧,用作农具。有一个变种,在同一株树上可见正常的及栎叶型的叶。美洲鹅耳枥(卡罗莱纳鹅耳枥,*C. caroliniana*)又称水山毛榉或蓝山毛榉(因树皮蓝灰色),很少高达12米,但在美国南部一些植株可高达18米;树干光滑,外观强劲;枝条细长,梢下垂;叶卵形,古铜绿色,长达10厘米,有白色毛,成熟时蓝绿色,秋天变绯红或橙黄色;木材坚硬而重,故常称铁木。千金榆(心形叶鹅耳枥,*C. cordata*)是一个亚洲种,通常高15米,叶心形,长15厘米。日本鹅耳枥(*C. japonica*)叶有短茸毛,展开时红褐色。朝鲜鹅耳枥(超群鹅耳枥,*C. eximia*)较短小,通常高9米,叶呈卵形,细长而尖,被茸毛。蛇麻果鹅耳枥(**hop-hornbeam**)亦属桦木科。

hornbill **犀鸟** 佛法僧目犀鸟科(Bucerotidae)旧大陆热带鸟类,约45种,以某些种类上嘴基部的骨质盔突而著名。体长不一,小者如弯嘴犀鸟属(*Tockus*),长40厘米;大者如大犀鸟(双角犀鸟,*Buceros bicornus*),长160厘米。犀鸟一般头大,颈细,翅宽,尾长。羽衣棕色或黑色,通常具鲜明的白色斑纹。在洞穴中(通常是大树的洞中)营巢。除地犀鸟属(*Bucorvus*)的两个种外,所有种类的雄鸟将孵卵的雌鸟用泥封于树洞内,仅留一个小孔供喂食用。幼雏孵出后雌鸟钻破泥质封口而出,但幼雏又被封于洞内。

红嘴犀鸟(*Tockus erythrorhynchus*)
美国不列颠百科全书公司供图

hornblende **普通角闪石** 闪石(**amphibole**)族矿物中富含钙的单斜晶系亚族中的任何一种,一般化学式为$(Ca,Na)_2(Mg,Fe,Al)_5(Al,Si)_8O_{22}(OH)_2$。4个端员矿物及其各自成分中的阳离子数如下:常见普通角闪石$[Ca_2(Mg_4Al)(Si_7Al)]$,镁钙闪石$[Ca_2(Mg_3Al_2)(Si_6Al_2)]$,浅闪石$[NaCa_2(Mg)_5(Si_7Al)]$,韭闪石$[NaCa_2(Mg_4Al)(Si_6Al_2)]$。广泛出现固溶体现象,每个端员都有富含铁的对应物,常含有一些微量元素,包括锰、钛、铬、钾、氟和钇。普通角闪石表现出典型的闪石结构,以四面体双链为基础,双链之间有4个金属位置。常见铝代替四面体中的硅,从而保持了金属位置中三价和一价置换的电荷平衡。关于常见普通角闪石的详细物理性质,参阅 **amphibole**(表)。普通角闪石广泛出现于变质岩和火成岩中,常见普通角闪石多见于中级变质岩,而镁钙闪石和韭闪石则往往出现于含铝较多的高级变质岩中。这种含有大量普通角闪石的变质岩叫做角闪岩。

Hornblower, Jonathan Carter **霍恩布洛尔** (1753-07-05,英国康沃尔查斯瓦特～1815-03,康沃尔彭林) 英国发明家,发明第一台往复式混流蒸汽机。1781年他发明并取得专利的蒸汽机有两只汽缸,对提高效率有重大贡献。他因这项发明的专利权曾与博尔顿-瓦特公司发生诉讼,结果霍恩布洛尔败诉。因而他失去了进一步革新混流蒸汽机的机会,其原理也无人理会,直到1804年才被英国的A.伍尔夫重新发现。霍恩布洛尔取得专利的发明还有旋转式发动机和蒸汽轮。

hornbook **角帖书** 英国和美国从16世纪后期到18世纪后期普遍教儿童用的识字祈祷书。它是一张印有字母的书页裱贴在木板上,并用薄的透明角质片保护着。木板形似乒乓球板,有一柄,通常挂在儿童的腰带上。最早的书页是精制羔皮纸做的,后来改用普通纸做。这些书页上首先印有大十字架,为此角帖书被叫做基督十字架(横排)书。接着印有大、小写的字母。再下面元音字母排成一行,元音辅音拼在一起以表格形式列出。更下面是"阿门"之类的普通祈祷用语,下接主祷文,最后为罗马数目字。

Hornbostel, Erich Moritz von **霍恩博斯特尔** (1877-02-25,奥地利维也纳～1935-11-28,英国剑桥郡剑桥) 奥地利音乐学家、人种学家。出身音乐家庭,学过钢琴及和声与对位。虽然不足20岁时已是一位技艺高超的演奏家和作曲家,他在大学本科(海德堡大学,1895～1899)却主修自然科学与哲学,而博士学位又是化学专业(海德堡大学,1900)。旋即迁居柏林,受C.施通普夫的影响,将音乐学研究与实验心理学、特别是音响心理学加以结合。后在心理研究所任施通普夫的助手。1906年,当该所档案成为"柏林音标档案馆"的基本材料时,他被任命为第一任馆长。1933年纳粹政权将他解雇,他先移居瑞士,后去美国,最后去英国。从1922年起直到去世,同施通普夫一起参加《比较音乐学专集》的编辑工作。他是亚洲、非洲和其他非欧洲音乐的专家。在施通普夫和O.阿伯拉罕的合作下,他创造了一种把音响学、心理学和生理学概念相结合来研究非欧洲音乐文化的方法体系,使比较音乐学成为公认的一门学科。他与阿伯拉罕一起发表了一系列关于非欧洲音乐(包括日本、土耳其和印度)的文章,并形成了一套按照录音记录音乐的方法,1904年他们提出用类似比较语言学中所用的方法来研究比较音乐学。他还证明了可观察的和可测量的音乐学资料对人种学研究的重要性。他对人种音乐学最有价值的贡献是:对音乐感觉心理学的研究,一种文化与其调音体系的关系,以及对乐器的富有创新的分类法(与C.萨克斯合作,1914)。

Horne, Herman Harrell **霍恩** (1874-11-22,美国北卡罗来纳克莱顿～1946-08-16,新泽西莱昂尼亚) 美国教育哲学家,主张唯心主义观点,与杜威及其追随者的实用主义形成鲜明对照。在哈佛大学获哲学博士学位(1899)。近半个世纪的教学生涯是从1894～1896年在北卡罗来纳大学教法语时开始的。获博士学位后,在达特茅斯学院教授哲学(1899～1909)。后在纽约市纽约大学任教育哲学教授(1909～1942)。写了许多文章及20多本书,而且是第一个通过无线电广播讲课的教授。作为公认的唯心主义观点的代言人,他在其名著《民主的教育哲学》一书中分析和批判了杜威的《民主和教育》一书。阐述其唯心主义观点的其他教育论著有:《教育哲学》(1904)、《教育心理学原理》(1906)、《教育的唯心主义》(1910)及《这种新教育》(1931)。

Horne, John **霍恩** 参阅 **Tooke, John Horne** 图克。

Horne, Lena **霍恩**(1917-06-30,美国纽约布鲁克林～2012-05-09,纽约) 全名Lena Calhoun Horne。美国黑人歌手和女演员,最初成名于20世纪40年代。她先在纽约市哈勒姆区的棉花俱乐部谋得一个舞蹈演员的职位,18岁时作为歌手随民间伴舞乐队巡回演出。40年代开始电影演员的生涯,参加影片《天上茅舍》(1942)、《暴风雨天气》(1943)、《直到乌云流逝》(1946)、《一个歹徒的死》(1969)和《奇才》(1978)的演出。她的唱片之一《勒纳·霍恩在沃尔多夫-阿斯托里亚》畅销不衰,她在百老汇音乐剧《牙买加》(1957)中首次担任主角的演出,使她赢得1958年纽约戏剧评论奖。她1981年开始在百老汇上演的独角戏《勒纳·霍恩女士和她的音乐》被评论家誉为杰作,并获得多项奖。

Horne, Marilyn　霍恩(1934-01-16,美国宾夕法尼亚布雷福德～　) 美国女中音歌唱家,以其嗓音的天衣无缝的特色和罕见的音域与柔韧性著称,尤以演唱罗西尼和韩德尔的花腔角色最为出色。她为复兴他们的一些不大知名的歌剧起了推动的作用。曾在南加利福尼亚大学师从W.维纳德和L.勒曼。1954年为D.丹德里奇在电影《卡门·琼斯》中的歌唱配音,同年在洛杉矶基尔特歌剧院首次登台演出。1956年在西德参加盖尔森基兴市歌剧团,在几个演出季节中主要演唱女高音角色。1960年衣锦荣归回到美国,在圣弗朗西斯科(旧金山)演唱A.贝尔格《沃采克》中的玛丽一角。1961年在纽约市卡内基音乐厅举行的音乐会上与J.萨瑟兰一起演唱V.贝利尼的《滕达的贝雅特里齐》。这是她一生中的转折点:这是她第一个美声唱法的角色,也是与萨瑟兰合作的开始。1969年在米兰拉斯卡拉歌剧院参加斯特拉文斯基《俄狄浦斯王》和罗西尼《科林斯之围》的演出。1970年实现了她在纽约市大都会歌剧院演唱的宿愿,扮演《诺尔玛》中的阿达吉莎。虽然她以罗西尼《塞维利亚的理发师》中的罗西娜和卡门两个角色的表演享誉世界乐坛,但她的许多杰出成功却来自"穿长裤的角色"(作曲家意在由阉人歌手或女演员唱的男角),如罗西尼的《唐克雷迪》和韩德尔的《里纳尔多》。她为复兴这些作品和另一些较少演出的歌剧所作的努力于1982年得到了回报:她获得罗西尼基金会颁发的第一枚金奖。其后她继续以大量唱片和在世界各地歌剧院与音乐厅的演出获得赞誉,她与J.斯科维尔合写的《玛莉莲·霍恩:我的一生》于1983年出版。

Horne Îslands　霍恩群岛　法语作îles de Horne或Îles de Futuna。又称富图纳群岛。太平洋西南部的富图纳和阿洛菲两火山岛。法属瓦利斯和**富图纳群岛**(**Futuna Islands**)海外领地的西南部分。总陆地面积93平方千米。富图纳岛上有辛加维山,亦称普克山,高760米。阿洛菲岛在东南3千米处,隔萨因海峡与富图纳岛相望。岛上有布干维尔(科洛富)山。1616年荷兰航海家勒梅尔发现该群岛,并以荷兰霍伦市命名。1888年成为法国保护领地。两岛水源充沛。阿洛菲岛森林茂密,蕴藏大量贵重木材资源。主要村庄塔奥亚、奥诺和科利亚在富图纳岛南岸。阿洛菲岛无人居住。人口4 732(1990)。

Horne Tooke, John　霍恩·图克　参阅 **Tooke, John Horne 图克**。

horned liverwort　角藓　又作hornwort。角藓纲(Anthocerotopsida)一年生或多年生匍匐植物,4～6属。在某些分类系统中,角藓归入藓纲(Hepaticae)角藓亚纲(Anthocerotidae),

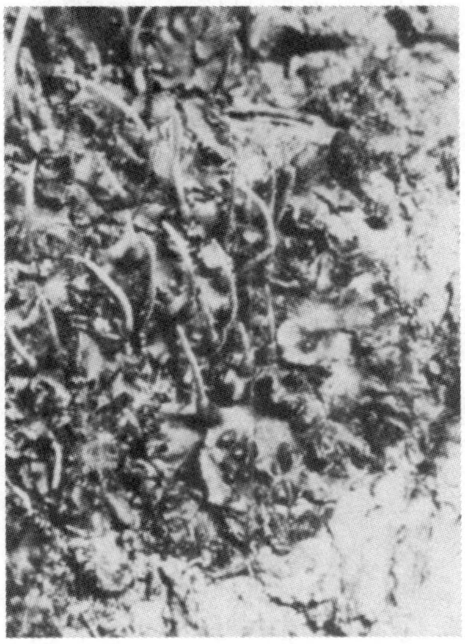

角藓纲植物
美国不列颠百科全书公司供图

角藓纲角藓目(Anthocerotales)或将其完全自苔藓植物划出而另立角藓门(Anthocerotophyta)。最大的属为角藓属(*Anthoceros*),世界性分布。树角藓属(*Dendroceros*)和大角藓属(*Megaceros*)则主要分布于热带。角藓通常生长于热带及暖温带地区潮湿的土壤或岩石上。其配子体(有性世代)为扁平,边缘有不规则缺刻的叶状体,直径通常不及2厘米。孢子体(无性世代)为一端渐细的圆柱形,生于配子体之上,从其取得营养及水分。大多数孢子体高可达5厘米。叶状体通常无中脉。性器官埋入叶状体上表面。叶状体的下表面有假根,起固着作用。叶状体的腔洞中有时含蓝绿藻——念珠藻属(*Nostoc*)种类的群体。角藓与其他藓纲植物不同之处还在于:孢子体基部有继续生长的区域,并有一个形大而不规则的基足。角藓亦无蒴柄(见于其他藓类的连接基足和孢蒴的细长结构)。精子从雄性性器官(精子器)溢出后,以水为媒介,游到雌性性器官(颈卵器),从而完成有性生殖。受精的卵细胞于颈卵器内发育成细长的孢蒴。孢蒴上部的孢子成熟时,孢蒴之壁纵裂为二,释出孢子。孢子之间有细长的用以帮助孢子传播的细胞假弹丝,假弹丝的外形通常不规则,为多细胞构成。

horned lizard(reptile)　参阅 **horned toad 角蜥**。

horned owl　角鸮　鸱鸮科雕鸮属(*Bubo*)有角状羽束的17种鸮类,尤指美洲产的大角鸮(大雕鸮,*B. virginianus*)。大角鸮分布自北极树限到麦哲伦海峡;强壮,为斑驳褐色的猛禽,体长60厘米以上,雌鸟翅展几达200厘米;主要食小型啮齿动物和鸟类,但也能捕食比较大型猎物(如鸡);适应沙漠和森林的生活,仅在食物短缺时方迁徙。其他角鸮有欧、亚和北非的雕鹰(欧亚雕鸮,*B. bubo*)和见于

大雕鸮(*B. virginianus*)
美国不列颠百科全书公司供图

非洲、印度、缅甸和马来群岛的有关种类。参阅 **eagle owl**。

horned passalus beetle　有角黑蜣　参阅 **bess beetle 黑蜣**。

horned poppy　具角罂粟　又作sea poppy。又称海罂粟。罂粟科海罂粟属(*Glaucium*)植物。约25种。含橙色液汁,蔓生,均为庭园植物,原产于欧亚大陆。海滨庭园中已有栽种,又用于海滩固沙。黄花具角罂粟(黄花海罂

黄花海罂粟(*G. flavum*)
美国不列颠百科全书公司供图

粟,*G. flavum*)原产于英国和南欧海滩,已移植于美国东部,株高30～90厘米;种荚纤细,长30厘米;花径5厘米,花瓣4枚,黄色至橙色;叶被毛,分裂,肉质,蓝绿色。红花具角罂粟(红花海罂粟,*G. corniculatum*)原产欧洲大陆,植株较矮;花深红色,花瓣基部常有黑色斑点。

horned pout(fish)　参阅 **bullhead 牛头鮰**。

horned rattlesnake　角响尾蛇　参阅 **sidewinder 侧进蛇**。

horned shark　角鲨　即虎鲨。鲨纲虎鲨科唯一的虎鲨属(*Heterodontus*)种类的俗称。特点是两背鳍前缘各具一粗大硬棘。约有10种。海产,底栖,除地中海和大西洋外,几乎各处可见。长可达1.4米。两颌具锐牙,前方者呈切牙状,两侧呈磨牙状。以无脊椎动物如海胆及甲壳动物为食。

horned toad 角蜥 又作 horned lizard。蜥蜴亚目鬣鳞蜥科角蜥属(*Phrynosoma*)动物,约14种。特征为头部具短剑形棘刺(角)。身体扁平、呈卵圆形,身体两侧有尖形衬边鳞

角蜥(*Phrynosoma coronatum*)
美国不列颠百科全书公司供图

片。体最短的不到7.5厘米,最长的12.5厘米余。原产于北美洲西部。分布于从不列颠哥伦比亚向南至危地马拉以及从阿肯色和堪萨斯向西至太平洋沿岸一带。一般栖居于荒漠或半荒漠地区。常将整个身体埋入沙中,仅头露在外面,或是改变体色以求隐蔽。主要取食蚂蚁。防御机制包括迅速吞咽空气使身体膨胀,有少数可从眼里向外喷射血液。常为玩赏动物,但圈养后不易久活。

Hornemann, Friederich Konrad 霍尔内曼(1772-09,汉诺威希尔德斯海姆[德国]～1801-02,努佩王国[今在尼日利亚]) 第一个冒险穿越撒哈拉东北部的近代欧洲人,他的日记中有大量当时尚不为人知的中部苏丹和西部撒哈拉的地貌和居民情况的记载。1796年向伦敦非洲协会报名参加探险。1798年9月5日,在开罗乔装成穆斯林,加入由麦加返回马格里布的商队。取道埃及的锡瓦绿洲和费赞的特米萨,于1798年11月到达迈尔祖格(今在利比亚),在那里逗留到1799年6月。此后去的黎波里,把他的日记寄回伦敦。本人又回迈尔祖格,准备向南旅行到豪萨地区(主要在今尼日利亚)。从此音信皆无。直至1819年有篇报告传到迈尔祖格,说他曾经抵达"努弗"(努佩),1801年2月死于该地。他的日记《弗里德里希·霍尔内曼从开罗到迈尔祖格的旅行日记》的英译本于1802年出版。

Horney, Karen 霍尔奈(1885-09-16,德国汉堡附近白沙屿～1952-12-04,美国纽约) 婚前名Danielsen。德国出生的美国女精神分析学家。认为在人格的形成中,起决定作用的不是一个人的本能,而是他的文化环境及社会条件;文化环境及社会条件又是神经官能症及人格障碍的主要原因。这些观点均与S.弗洛伊德的基本原理相左。1912年获柏林大学医学博士学位,后随弗洛伊德的密友和合作者K.亚伯拉罕学习精神分析法。1915年起在柏林的医院行医5年。1920～1932年私人开业,并在柏林精神分析研究所任教。后赴美任芝加哥精神分析研究所副所长,1934年迁到纽约市重新开业,并在社会研究新学院任教。曾著《当代的神经质人格》(1937)及《精神分析新法》(1939)等书。她反对弗洛伊德精神分析理论的若干重要原则,认为神经官能症系由于社会关系中出现了问题而引起。她特别反对弗洛伊德关于力必多、死之本能、阴茎羡妒等概念,认为这些现象完全可以用文化及社会条件来解释。阴茎羡妒概念将妇女心理学仅仅视为男子心理学的一个分支,不足以解释以性行为为基础的行为差异。她认为神经官能症的主要病因是幼年时的焦虑体验,实际上,这是一种在充满敌意的世界中"孤立无援"的感觉经历。孩子们用来对付这种困境的种种方法最终都会演化成畸形的行为定式、人格异常或神经官能症。霍尔奈的许多思想来源于她广泛的临床经验,又转化成精神分析理论。她试图帮助患者找出现症的焦虑症的具体病因,认为解决生活中的现实问题,对精神分析的目的来说,要比重建儿时的情绪状态及幻想,更为重要,她甚至建议让患者自己学会精神分析法,以解决其焦虑症。因为她拒不恪守严格的弗洛伊德理论,1941年被纽约精神分析研究所除名。她自己组织精神分析促进协会,并继续著书阐明观点,著有《我们的内心冲突》(1945)、《神经官能症与人类的发展》(1950)等书。

hornfels facies 角岩相 变质岩矿物相分类的一个主要类型。此相岩石是由接触变质作用形成的,位于火成侵入体周围的接触带的内侧部位。当来自侵入体 的热量和流体使围岩蚀变,改变了围岩的原有矿物组成,使之成为在高温下稳定的矿物组成时,就产生了所有角岩(坚硬、细粒状、燧石质的岩石)。温度可以高达700～800 °C,这取决于侵入体所在深度的压力。角岩相的矿物主要取决于母岩的成分。

Horniman, Annie (Elizabeth Fredericka) 霍尼曼(1860-10-03,英国伦敦福雷斯特希尔～1937-08-06,萨里希尔) 英国剧院女经理,她在英国发起的、由固定剧团定期轮演各种选定剧目的运动,对20世纪的戏剧、表演艺术和演出均有影响。作为一个富有的茶商继承人,1882～1886年就学于斯莱德美术学校。在访问德国时,对由国家资助的轮演剧目剧院和易卜生戏剧的演出印象很深,遂决定以戏剧作为她的终身职业。1894～1895年,在由她暗中资助的伦敦轮演剧目戏剧节中,首次公演了萧伯纳的《武器与人》和叶芝的《心愿之乡》,成为她戏剧生涯中的一个里程碑,因此而卷入了爱尔兰的新戏剧运动。她义务为叶芝作了5年秘书,1904年资助都柏林阿比剧院新址的建造。1908年在曼彻斯特开始经营自己的轮演剧目剧院——欢乐剧院。由于有一个第一流的剧团演出希腊悲剧以及萧伯纳、高尔斯华绥、本涅特、格兰维尔-巴克和欧文的优秀剧目,再加上她本人的管理才干,使欢乐剧院闻名全国。其剧团曾在英国和到美国巡回演出,促进了其他轮演剧目剧团的建立。但是,由于财政拮据,剧团于1917年解散,1921年她将剧院出卖。1933年她被授予爵士称号。

Hornindals Lake 霍宁达尔湖 挪威西部松恩-菲尤拉讷郡境内湖泊。由一条冰川槽谷形成。湖形狭长,长25千米,最大宽度5千米,面积约50平方千米。西部收缩为一尖端,湖水流入与其平行的北峡湾。是斯堪的纳维亚最清澈的湖泊之一。最深处达500米,为欧洲最深的湖泊。

hornpipe 号笛 一种管乐器,也指由它伴奏的几种舞蹈。号笛是一种带着牛角铃的单管笛(有时是由两个平行的笛管和一个共用的铃构成),还常被改装成风笛。这种乐器在古代就有,目前在西班牙、非洲北部、阿拉伯以东和俄罗斯的部分地区都有人演奏。号笛舞代表好几种舞蹈,欧洲文艺复兴时期的侍臣们认为这些舞蹈曾经用号笛这一乡村乐器伴奏。号笛舞有时指吉格舞、里尔舞或一种乡村舞。号笛舞作为一种爱尔兰、苏格兰或英格兰单人舞时用4/4拍子,并且和吉格舞和单人里尔舞都相近。这种舞蹈的舞步错综复杂,经常模仿水手的舞蹈。号笛舞通常是穿着薄底木屐跳的,在英格兰北部尤其如此。在组曲中,号笛舞曲是3/2节拍的乡村舞曲的一种程式化的改编本。韩德尔的《水上音乐》组曲中就曾出现过这种舞曲。

Hornsby, Rogers 霍恩斯比(1896-04-27,美国得克萨斯温特斯～1963-01-05,伊利诺伊芝加哥) 美国职业棒球运动员,著名的右手击球员。在大联盟期间击球率为0.358,仅次于科布的0.367。1915～1926年在圣路易斯枢机队任二垒手。1920～1925年连续6个赛季中其击球率在全国棒球联盟中领先;1928年在波士顿勇士队其击球率又一次雄居全国棒球联盟之首。1921～1925年五年间平均击球率为0.401,其中3个季赛击球率超过0.400。1924年所创0.424击球率为20世纪美国大棒球联盟的最高纪录。1942年入选棒球名人堂。

horntail 角尾蜂 又称树蜂。膜翅目树蜂科昆虫,独栖。已记述5属60种左右。中等大,有的可长达3.75厘米。体圆柱形,通常棕色、蓝色或黑色,常具黄色的点或带。头部

鸽形树蜂(*Tremex columba*)
美国不列颠百科全书公司供图

阔大而复眼较小。胸腹之间连接处宽,腹部末端呈角状突出,故名。雌蜂用产卵器在硬木树(尤其是榆、山毛榉、槭、苹果树)上钻一孔并产卵其中。幼虫在树内钻孔道,食木材。约2年后在由丝和锯屑织成的茧中化蛹。对经济造成的损害不大。英国最常见的角尾蜂是巨角尾蜂(巨角树蜂,*Urocerus gigas*),以松树的木材为食。北美最常见的角尾蜂为鸽形树蜂(*Tremex columba*),成虫黑、褐二色,体有

黄纹，足黄色，体长约3.75厘米。

hornwort 角草 两群完全不同的植物的俗称。一群是金鱼藻科（Ceratophyllaceae）植物，另一群是角藓纲的藓状低等植物（参阅**liverwort**）。金鱼藻科为水生双子叶植物，含金鱼藻属（*Ceratophyllum*）1属，3～4种，广布全世界，见于沼泽、湖泊等水域。最常见的沉水金鱼藻（*C. demersum*）无根，叶狭长片状，一次或二次分叉，一侧呈锯齿状。挺立叶暗绿色，长1～3.5厘米，轮生，在枝梢成冠状。每一丝状枝的末端呈浣熊尾状。茎长可达3.6～4.7米。花生于叶腋，花谢后结一枚具三棵刺的坚果状果实。在生长季节初期，茎的下部固定于泥中，后来植株漂于水面。枝梢的"浣熊尾"在冬季从植株上脱开沉入水中，次年生长季节形成新植株。沉水金鱼藻、具刺金鱼藻（*C. echinatum*）和浅水藻（*C. submersum*）常种植于水族馆和池塘。

horny sponge 角质海绵 寻常海绵纲网角海绵目和枝角海绵目的海绵。骨骼只由纤维有机质组成；而其他大多数海绵的骨骼除有机质外，还有硅质和钙质。角质海绵的主要有机成分是胶原，以分散纤维胶原（如在其他类动物一样）或海绵硬蛋白（多孔动物特有的）形式存在。网角海绵目的种类一般形体较大，形状不规则，有网状海绵硬蛋白质骨骼。著名的商业浴用海绵——马海绵属（*Hippospongia*）及 *Spongia* 属——即属于此目。裸鳃类、海星和鱼有时取食角质海绵。

horo 霍罗 保加利亚的一种集体舞。这是一种节日联欢时跳的舞蹈，它有多种变体，情绪从严肃的到热情洋溢的都有。霍罗舞有的围成一圈跳，有的以长蛇形队伍跳，有的列成直线跳。女子的舞步常常是简单柔和，男子的舞步结构复杂。伴奏音乐，特别是女子舞蹈的伴奏音乐，常常是用人声唱的。音乐节拍通常用7/16或11/16拍。霍罗舞和前南斯拉夫的科罗舞以及罗马尼亚的霍拉舞一样，都是欧洲古代流传下来的许多链舞的一种。

horoscope 天宫图 特指占星术士所用的天宫图，这种图显示日、月、行星以及某一时间黄道十二宫的星位和中天标记，用以测算目前并预卜未来。个人的天宫图往往针对某人的生辰，占星家用以分析某人个性，并参照其他占星资料以预卜未来。这种作法的根据是：各天体各有其神话特性，这种特性因其在某一特定时刻与其他天体的相对位置而有所变化。据说宇宙万物互有联系，他们都对人特别是新生儿产生影响。

Horowhenua 霍罗费努阿 新西兰北岛南部地方自治区。由风景秀丽的塔斯曼海沿海平原和惠灵顿地方自治区以北的塔拉鲁阿岭西坡组成。面积1 614平方千米。内地主要种植蔬菜和生产乳品。沿海地区为首都惠灵顿居民的游乐区。勒文为该区最大聚居地。人口约55 400（1988）。

Horowitz, Vladimir 霍罗维茨（1903-10-01，俄国别尔季切夫［今在乌克兰］～1989-11-05，美国纽约州纽约） 俄国出生的美国浪漫派传统钢琴演奏大师，以其完美无瑕的技巧和

美国不列颠百科全书公司供图

几可与管弦乐比拟的音色闻名，演奏F.李斯特、S.拉赫玛尼诺夫、F.肖邦、A.斯克里亚宾、D.斯卡拉蒂和S.普罗科菲耶夫的作品，以精湛的技巧和广泛的力度变化而备受赞誉；而演奏钢琴小品如R.舒曼的《童年情景》等，却以其细腻精致见称。12岁入基辅音乐学院学习。1922年在哈尔科夫首次演出。20岁在列宁格勒举行一系列独奏会，总共演奏200余首作品，没有一首重复，从此声名大振。接着在欧、美巡回演出，取得惊人的成功。1933年与A.托斯卡尼尼之女结婚。1940年在美国定居，1944年成为美国公民。1953～1965年完全脱离音乐会舞台，但仍继续录制唱片。12年销声匿迹后重返音乐会舞台，成了音乐界的大事。1986年他返回苏联举行两场音乐会。最后一次巡回演出是1987年在欧洲的一系列独奏会。死后葬在托斯卡尼尼的家庭墓地（意大利米兰）。

Horqin Grassland 科尔沁草原 中国内蒙古自治区东部草原。以古代蒙古族部落名称命名。又称科尔沁沙地。位于西辽河下游冲积平原，海拔250～650米，地势西高东低，面积约4.23万平方千米。包括内蒙古自治区赤峰市、哲里木盟部分地区。为温带南部半干旱草原地带，年均降水量360毫米。原为优质草原，以牧业为主。明初为科尔沁部地，清初置科尔沁六旗。19世纪中期后清政府推行放荒招垦政策，草原面积不断缩小，又因超载过牧，加速草原退化、沙化。在无植被保护的撂荒地上形成流动沙丘。著名的科尔沁草原的一部分已退化为科尔沁沙地。为了防止沙化发展，中华人民共和国建立后推广营造人工防护林，森林覆盖率已提高到4%，初步取得成效。

Horrocks, Jeremiah 霍罗克斯（约1617，英格兰利物浦附近托克斯特思场［今在默西赛德］～1641-01-03，托克斯特思场） Horrocks又拼Horrox。英国天文学家和牧师，他把开普勒行星运动定律用于月球并首次对金星凌日（发生在1639年）作过有记录的观测。1632～1635年在剑桥大学学习。随后去托克斯特思当私人教师并利用业余时间研习天文。1639年在兰开夏的胡勒任新教副牧师。他利用作礼拜的间歇时间，观测了该年11月24日（旧历）星期天发生的金星凌日。霍罗克斯曾对这次凌日作过预报，而开普勒的鲁道夫星表则遗漏了。他还指出月球的轨道略呈椭圆，这对牛顿后来的工作起了一定作用。他还研究过潮汐和土星、木星两星相互摄动，曾计算出太阳视差（日地平均距离的度量）改进值（14分），并正确地认为太阳对月球的轨道有摄动。

horror film 恐怖片 一种气氛阴森、题材可怖、通常包含一些暴力事件并立意使观众毛骨悚然的影片。恐怖片有的是对畸形的或邪恶的性格进行精细的心理探讨，有的是关于可怕的妖魔鬼怪的故事，有的是利用环境制造悬念气氛的神秘惊险故事。早期恐怖片受德国印象主义电影的影响，大多以恐怖气氛和主题制造恐怖效果。最早表现双重人格的德国影片《布拉格大学生》（1913）及描写中世纪犹太传说中泥人复活的《泥人哥连》（1914）是早期重要恐怖片。20年代闻名世界的有德国影片《卡里加里博士》（1919）、《诺斯费拉杜》（1922）和《蜡像陈列馆》（1924）等。美国的著名恐怖片也产生于20年代，如《化身博士》（1920），是默片中的经典作品。由于《德拉库拉》（指1931年在美国重拍者）、《弗兰肯斯坦》（1931）和《木乃伊》（1932）等片大受欢迎，随后出现了一系列恐怖片。这一时期的恐怖片名作是《金刚》（1932）、《黑猫》（1934）、《伦敦狼人》（1935）、《狼人》（1941）和《猫人》（1942）。从50年代的恐怖片中可以看出科学幻想小说的影响，这一时期的影片多描写外星球来的怪物（《怪物》，1951）或生物的突变（《他们！》，1954）。日本制片厂制作了如《哥基拉》（1954）和《拉冬》（1956）等鬼怪片。英国公司则由强调恐怖气氛转而着重表现流血的暴力，例如《弗兰肯斯坦的诅咒》（1957）和《德拉库拉的恐怖》（1958）等片。后来出现了像希区柯克的《精神病患者》（1960）和R.波兰斯基的《嫌恶》（1965）这样一些情节复杂的神秘恐怖片。随着时间的推移，恐怖片分成若干小的类型，有些描写超自然现象，如《被魔师》（1973）和《幻觉》（1980）；有的表现精神错乱，如《万圣节前夕》（1978）；还有的属于科幻恐怖片，如《异物》（1979）。

horror story 恐怖小说 着重引起一种恐怖感觉的小说。源于古代，构成民间文学的很大一部分。有的描绘超自然的东西，如鬼怪、女巫或吸血鬼，有的制造更逼真写实的心理恐惧。在西方文学中，在18世纪前浪漫主义时期就开始出现为文学本身而创作的描写恐怖和传奇的文学作品，称哥特小说。这种文学体裁是由H.沃波尔开创的，可以说他的《奥特朗托堡》（1765）确立了恐怖小说作为一种传统文学形式的基础。雪莱夫人在她著名的小说《弗兰肯施泰因》（1818；或译《科学怪人》）中引入了伪科学，小说写的是一个人造怪物最后毁灭了其制造者。在浪漫主义时期，德国的E.T.A.霍夫曼和美国的E.A.坡将理性与疯狂、恐怖气氛与日常现实生活巧妙地交织在一起，从而把恐怖小说提高到远超过娱乐的水平。哥特小说的影响持续了整

个 19 世纪，这类作品有 W.柯林斯的《月亮宝石》和 B.斯多克的《吸血鬼》等。20 世纪的著名恐怖小说作家有 S.金等。还有些通常不是写此类小说的作家也有恐怖小说杰作，如莫泊桑的《奥尔拉》，萨基的《斯列德尼·瓦什塔尔》和《开着的窗》等。有些著名的恐怖小说吸引读者的力量来自它们丰满的人物个性，这种个性是在现实的社会环境里发展起来的，另一点则是因为它们偏偏缺乏神秘气氛。这类作品有 A.普希金的《黑桃皇后》等。

Horsa (Anglo - Saxon leader) **霍萨** 参阅 **Hengist and Horsa 亨吉斯特和霍萨**。

horse (*Equus caballus*) **马** 奇蹄目马科哺乳动物。化石证据表明，马科动物最早起源于北美，然后沿陆桥散布到旧大陆及南美，不知何故8 000年前至10 000年前马类在美洲消失。最早的马祖先化石在美国密西西比河流域始新世地层中发现，五趾(其中一趾退化)，被称为始祖马。其后裔体形渐大，形态亦有变化，仅用一趾站立，趾外包蹄(有保护作用)。马最先出现于中亚，称普尔热瓦尔斯基氏马(*Equus caballus przewalskii*)，后向东、西、东南方向传播。家马起源于中亚的普尔热瓦尔斯基氏马、东欧和乌克兰的欧洲野马及北欧的森林野马。这些野马初为人类猎食。马何时驯化未明，但知晚于狗和牛。马和人有着特殊的关系，是人的伙伴和朋友，可以为人们的农耕、运输、游猎、畜牧、战争、探险、娱乐、运动等活动服务；肉可食用；骨可制胶；皮可制革；马鬃可用于褥垫、衣服衬里，优质的白色马鬃用作小提琴的琴弦；马粪可用来培养蘑菇，过去被用作燃料；蒙古人和阿拉伯人用马奶作饮料。破伤风抗毒素是用注射过破伤风类毒素的马的血清制成。

驯养的马可分三种类型：挽马，四肢粗大，体高 20 掌(200 厘米)；小型马，体高 14.2 掌(144 厘米)以下；轻型马(如鞍马及骑乘马，体型中等)。体色有黑色、栗色、褐色、奶油色、白色等。马的感觉器官发达。眼大，位高，位于头部的后上端；颈长，因此视野较人宽阔，低头吃草时，也能觉察到可能的威胁。马亦具双目视觉，但似乎不能辨别颜色。味觉和听觉似乎比人敏锐。马的神经系统高度发达。具复杂的本能，记忆力和判断力强。马的方向觉极为发达，因此，能找到返回马厩的路。由于视觉记忆，再度遇到早先使它产生恐惧体验的地点或事物时便每次都会惊退。由于听觉记忆，古代军马和猎马可按军号声而采取行动；训练时，训练者总是用同样的语言和声调，使马作出所需的反应。许多马能感觉到骑者的犹疑不决、神经不安和畏惧表现，便因此无视骑者，甚至故意不服从骑者。马一般于 16 ～ 18 个月出现性征。约 3 岁性成熟，5 岁成年。生育力按品种而异，马的生育年龄可延续到 20 岁以后，一般延续到 12 或 15 岁。妊娠期 11 个月，至少妊娠 280 天后出生的马驹才有存活的可能。通常每胎产一仔，偶产二仔。马驹在 6 个月时断奶。马寿命最长可达 30 ～ 35 年，一般约为 20 年。马能感染一些传染病，如流行性感冒、马腺疫、马鼻疽、癣和传染性贫血等。

马的品种可按发源地、主要用途及体型大小分类：①轻型马。包括阿拉伯马、纯血马、亚洲马、盎格鲁-阿拉伯马、标准马和鞍马类(如美国标准马、美国纯血马、美国鞍马、田纳西走马、四分之一英里赛马、摩尔根马、阿帕卢萨马)。②重型马。用于农耕及运输。但今多为拖拉机所取代，包括英国的夏尔重挽马和克莱兹代尔马、法国的泼雪龙马、比利时马。③小型马。茁壮而聪慧，用于拉车、负重及供儿童骑乘，包括威尔士、达特穆尔、新林、设德兰等小型马。

horse brass **黄铜马饰品** 装在马颔缰上的装饰性金属饰片，缚在系于马鞍和马笼头上以稳住马头或者遏止其向上运动的一副皮带上。这类饰品已有相当悠久的历史，在英格兰始于 1830 年以后。1830 年以前，采用一种用手工雕成透空图案的黄铜合金薄片。以后各种黄铜马饰品大多数是由铸造制成，有时经过镀饰。有记载的黄铜马饰品花样达 1 000种以上，包括从早期的闪光的马面罩到 20 世纪有地区色彩和纪念性的黄铜马饰品。

horse chestnut **马栗** 七叶树科(Hippocastanaceae)七叶树属(*Aesculus*)植物的俗称。原产于北温带。掌状复叶；花序直立，通常呈倒圆锥形；果壳绿色，具刺，入秋成熟并裂开，释

欧洲马栗(*A. hippocastanum*)
美国不列颠百科全书公司供图

出 1 ～ 2 枚光泽的红褐色种子。在土耳其，人们用其种子喂马以治疗肺气肿病，其俗名由此而来。最著名的种类为普通马栗(欧洲马栗、欧洲七叶树，*A. hippocastanum*)，原产于欧洲东南部，广泛栽作高大的遮荫树和行道树，株高可达 30 米。巴黎著名的香榭丽舍大道两旁即栽种成行的普通马栗树。日本马栗树(陀螺状七叶树，*A. turbinata*)高度似欧洲马栗树，但叶形极大，宽可达 60 厘米。印度马栗树(印度七叶树，*A. indica*)小叶细长而尖；花穗羽毛状，美观，外形似瓶刷。红马栗树(*A.* × *carnea*)为普通马栗树与红花七叶树(*A. pavia*)的杂交种；高达 20 米；花肉色至猩红色。

horse clam 参阅 **gaper clam 马蛤**。

horse dressing glass 参阅 **cheval glass 穿衣镜**。

horse fly **虻** 双翅目虻科昆虫，尤指虻属(*Tabanus*)的种类。体粗壮，小者大如家蝇，大者大如熊蜂。眼金属色或有虹彩，雄虻的两眼在背面相接，雌虻则两眼分开。口器楔

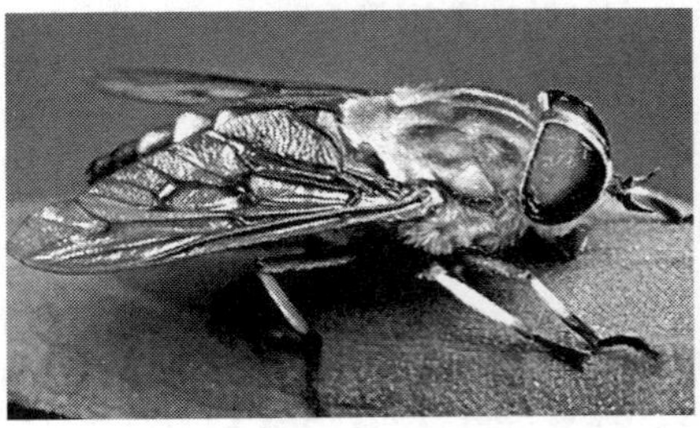

马蝇(*Tabanus trimaculatas*)
美国不列颠百科全书公司供图

形，似矿工用的钢楔，虻又常到处飞来飞去，故又俗名钢楔蝇、游荡蝇。最常见的种之一具带虻(*T. lineola*)俗称绿头蝇，复眼亮绿色。斑虻属(*Chrysops*)的种俗称鹿蝇，体形小于虻属各种，翅上有深色斑纹。虻的成虫常见于溪流、沼泽和林区，飞行速度快，是炭疽、图莱里菌病和锥虫病等多种动物疾病的媒介。卵长而扁，黑色，成块产在草上。以幼虫越冬，春天化蛹，成虫在 6 月下旬羽化。雌虻吸人和动物的血，为害严重。虻多时每天可从一个宿主身上吸血 3 盎斯左右。麻虻属(*Haematopota*)种类数量太多时，人、畜只有到夜间虻不活动时才能下地干农活。雄虫以花蜜、蜜露和植物汁液为食。防制方法为把孳生地的水排干或洒油，而喷药效果不肯定。给马披上毯子或蝇网也可防止被虻叮咬。

horse latitude **副热带无风带** 指南纬或北纬 30°～ 35°的两个副热带高压带中的任何一个，带内天气晴朗，风很小。由于在副热带高压带内有下沉空气，空气干燥，造成在这些地区的干燥气候。它在海洋上空发展最完好，南半球水域的面积比北半球大，所以它在南半球的范围比北半球更大且更为连续。副热带高压带都含有若干个彼此分离的高气压单体，它的夏季位置比冬季偏向极地方向若干纬度。原文 horse latitudes(直译马纬度)可能是由海员命名的。当帆船在高气压带内因无风而不能张帆行驶时，他们为了保存饮水而把装运的马抛弃在海中。此带在北半球称北半球副热带无风带，南半球称南半球副热带无风带。

horse racing **赛马** 人骑乘马匹(主要是英纯种马)或驾驭马车(主要用标准种马)快跑的运动。这两种赛分别称为平道赛马和轻驾车赛马。有些平道赛马包括跳越障碍，本条仅限于英纯种马在平道上不跳越障碍的比赛。关于跳越障碍赛，参阅**障碍赛跑(steeplechase)**、**点间赛(point-to-point)**和**跳栏赛马(hurdle race)**。关于除英纯种马以外的平道赛马，参阅**四分之一英里马赛(quarter-horse racing)**、**轻驾车赛马(harness racing)**。

虽然赛马是所有体育运动中历史最悠久的项目之一，几百年来赛马的基本概念却几乎从来没有什么变化。最原始的比赛是两匹马之间比速度或耐力，后来发展成为大批骑手竞赛的壮观场面，使用精密的电子监督仪

器，花费大量钱财，但是有一个最根本的特点始终不变：最先跑到终点的马是胜利者。现今，赛马已从有闲阶级的消遣发展成为庞大的公众娱乐行业。

早期历史 史前的第一次赛马已失传。公元前700～前40年间，在希腊举行的奥林匹克竞技会上已有四驾马车的与无马鞍的骑马竞赛。在罗马帝国，驾车赛马与骑马竞赛均为组织完善的公众娱乐活动。在其他古文明国家，有组织的赛马史没有得到有力的证实。仅据推测，中国、波斯、阿拉伯和其他中东与北非国家都开展过有组织的赛马，这些地方的马术早已高度发展。从那时起，阿拉伯马、柏布马和土耳其马对于欧洲最早的赛马活动也都作出了贡献。11～13世纪十字军东征时带回了这些马，它们便为欧洲人所熟悉。

在中世纪的英国，职业骑手骑着供销售的马参加竞赛，向买马的人展示马跑的速度，从此开始了赛马活动。1189～1199年理查一世（狮心王）统治时期，历史上第一笔为人所知的赛马奖金数额为40英镑，赏给了参加3英里赛马的骑士们。16世纪，亨利八世从意大利和西班牙运进马匹（可能是柏布马），并在几处建立了种马场。至17世纪，詹姆斯一世在英国发起了赛马大会，他的继承人查理一世在1649年去世时留下一个拥有139匹马的种马场。

有组织的竞赛 查理二世（1660～1685在位）被誉为“英格兰赛马之父”，他发起了国王杯赛，这是一种向优胜者颁发奖金的比赛。他为这些马赛撰写的文章成为英国最早的赛马规则。参赛的都是6龄马，负重168磅，在两次4英里预赛中获得第一名的即为优胜者。在查理二世的赞助下，纽马基特被指定为英格兰的赛马总部。

在北美，纽约殖民地总督R.尼科尔斯于1665年捐赠了一只银杯作为在长岛汉普斯特德平原赛马的奖品。它是人们所知道的第一个北美赛马奖杯。从此，北美开始了在跑马场上赛马的活动。

1651年，法国举行了第一次有记载的赛马，这次比赛是因为两名贵族打赌而引起的。在路易十四统治时期（1643～1715），以赌博为目的的赛马十分流行。路易十六（1774～1793在位）组织了一个赛马俱乐部，并通过皇家命令制订了赛马规则，其中规定参赛者须提交马匹来源的证件，对外来马匹需附加额外重量等。

两马之间的比赛 最早的赛马是在两匹或至多三匹马之间进行的，由马主提供奖金，这是一种简单的打赌形式。退出比赛的马主通常放弃半数奖金，后来又放弃全部奖金。下赌注也是按照“要么参赛要么出钱”的原则来进行。不带偏见的第三方把协议记录下来。这第三方后来被称为赛志保管员。纽马基特有一位这种保管员名叫J.切尼，他开始出版《切尼的马赛》一书（1727），把各赛马中心的赛志汇集起来，这本书用各种名称年复一年地出版下去，直到1773年J.韦瑟比把它固定地称为《赛马记事录》。这项工作后来为他的子女所继承。

场地公开赛 至18世纪中叶，随着人们要求有更多的公开比赛，出现了更大规模的公开赛马活动。以马的年龄、性别、出生地、过去成绩以及骑手资格等为基础的有关参赛资格规定也制定出来了。在新创立的比赛中，马主成了参赛的骑手（绅士骑手）；比赛场地仅限于某一个镇或某一个县；只有未赢得一定金额的马才能报名参赛。英国议会1740年的一项条例规定：报名参赛的马必须真正为马主所有，由此防止“冒名顶替”，即不诚实地把优等马同劣等马比赛；马龄必须核实；对于粗暴骑马行为要给予惩罚。

现代记载虽然对骑手们加以识别（17世纪后半叶在英国，以后又在法国，把职业骑手称为jockey），但起初并没有把骑手们的姓名予以正式登记，而只是把获胜的教练和骑手的姓名记在《赛马记事录》上。但是到了19世纪50年代后期，所有的名字都登记入册。忽视骑手的部分原因是：在4英里赛中只须赢两场预赛即可取胜，因此各个骑手的判断能力和技术并不那么至关重要。随着短距离（只有一次预赛）的比赛成为通例，比赛中数码距离之差就变得很重要。因此为了巧妙地使自己的马能争取领先数码所需要的判断能力和技术也就变得重要起来了。

马种与血统档案 除了短距离冲刺的马赛以外，所有平道赛马用的都是**纯血马**（**Thoroughbred**）。纯血马是由阿拉伯马、土耳其马、柏布马与土生土长的英格兰马杂交而成的。从17世纪初期起就有私人建立马档案，但是这些档案并不一定可靠。1791年英国出版韦瑟比编撰的《良马血统总录导论》，其中所列的谱系是根据早年出版的《赛马记事录》和销售的单据写成的。经过数年的修订，以后逐年更新内容。据称，所有英纯血马都是三种“东方的”种马（达利阿拉伯马、戈尔多芬柏布马和拜尔利土耳其马，均于1690～1730年运到英国）以及43种“皇家”母马（由查理二世从国外进口）的后代。由于英格兰赛马乃至《良马血统总录导论》一书从1791年起所产生的非凡影响，这就为人们判断马种提供了一个标准。《法国良马血统谱》于1838年起在法国出版。原先包括两大类：东方马（阿拉伯马、土耳其马与柏布马）与英格兰马（英国式杂交马），但是后来减少为一类，即“纯英格兰血统马”。《美国良马血统谱》于1877年起出版，书中包括加拿大、波多黎各、墨西哥部分地区以及美国的幼驹。

各国之间存在着历史悠久的良马血统谱的互惠交流。1913年英格兰赛马总会通过的《泽西条例》中断了这种交流，它取消了在英格兰或爱尔兰境外饲养的许多英纯血马的资格。这一条例的明显的目的是保护英纯血马避免与北美（主要是美国）的马混血。20世纪40年代，在有声望的英格兰马赛中，一些被美国血统“玷污”过的法国马突然夺得一连串胜利后，《泽西条例》便于1949年被废除。

赛马会与竞赛委员会 1750年前后创建于纽马基特的**赛马总会**（**Jockey Club**）订立了自己的竞赛规则。与早年国王杯的规定不同，这些新规则考虑到各种年龄的马参加的各种比赛，因此写得更加详细。新规则起初只适用于纽马基特，但是当它在《竞赛记事录》上印出后，即成为各地采用的典范。赛马总会获得了《竞赛记事录》和《良马血统总录》，最后于19世纪控制了英格兰的赛马活动至今。

在法国，成立于1833年的法国鼓励改良马种学会，管辖着法国的赛马活动。它拥有主要的赛场和训练中心。自1969年以来，它负责出版了法国的赛马记事录，良马血统谱则由农业部出版。

在美国，赛马的管辖权属于州委员会。赛马由私人经营。（北美）赛马总会于1894年在纽约建立，它曾一度对美国的赛马活动实行广泛但并不完全的控制。它出版了赛马记事录和美国良马血统谱。

英格兰赛马在19世纪传播到澳大利亚、新西兰、加拿大、南非和印度，这些国家的许多管理团体效法英国。

赛马运动的演变 原先的国王杯赛是一种标准化的比赛——参加比赛的全是6龄马，负重168磅，赛程为4英里，一匹马要赢两场才能被判为优胜者。自1751年始，负重140磅的5龄马和负重126磅的4龄马被允许参加国王杯赛，赛程缩短到2英里。那时还为4龄马设立了其他比赛。1731年还为负重112磅的3龄马举行了一场比赛，赛程为3英里，只跑一场。在美国继续流行4龄马的分场赛，直至19世纪60年代。这时这种比赛在欧洲早已让位于短距离赛，所谓“短距离赛”是指不管距离多长只跑一场即决定胜负的比赛。

现代赛马 一般认为现代赛马系从举办下列英格兰传统赛马开始：1776年的圣莱杰赛、1779年的欧克斯赛和1780年的德比马赛。所有这些比赛都是3龄马的短距离赛。后来在1809年增设了两千畿尼赛，1814年又增设了一千畿尼赛。19世纪期间，英格兰传统式马赛——负重相等的3龄马进行短距离赛——遍及全世界。法国传统比赛有：赛马总会有奖赛（1836）、巴黎大奖赛（1863）和凯旋门有奖赛（1920）。美国的传统赛有：贝尔蒙特大奖赛（1867）、普利克内斯有奖赛（1873）和肯塔基大赛（1875）。关于各优胜者，参阅**Sporting Record**：Horse racing。

让步赛马 让步赛马是英纯血马赛中一项主要的比赛，赛时根据马龄调整负重（越年轻所负的重量就越轻）。据此，2龄马（最年轻的参赛马）在比赛时携带的重量要比3龄或3龄以上的马少些。一般说来，一匹马到5岁即为足龄，这时就要实行让步。此外还有性别的照顾，母驹携带重量比公马略为少些。根据每一匹马过去的成绩，也可以在重量上给予处罚或照顾。至于让步的办法，如果赛马活动是统一管理的，则可统一制定，否则可由各个赛场自行控制，目标是建立一种比赛形式，为所有的马匹提供尽可能平等的条件。这样，让步赛就全然抛弃了那种认为最优秀的马理应获胜的传统观念。给占优势的马附加不利条件这种做法的具体目的就是对所有参赛的马给予均等的获胜机会。

有些让步赛是重大的体育比赛。例如，1861年首创的墨尔本杯赛是南半球最重要的赛马活动。起源于19世纪的美国大都市让步赛、布鲁克林让步赛与郊区让步赛，都曾是美国最重要的赛马活动，直到现在还能与传统赛马媲美。始于1935年的圣安尼塔让步赛是这类比赛的先驱,它所设的奖金达10万美元以上。

赛马的年龄　一匹赛马到5岁时能力达到巅峰,但是由于传统参赛年龄是3岁,加上日益增多的奖金、饲养费与售价,因此4岁以上的马参加的比赛有所减少。但也有令人瞩目的例外。下列著名的比赛就有3岁以上的马参加:凯旋门有奖赛、阿根廷的卡洛斯·佩莱格里尼国际大奖赛、澳大利亚的考尔菲尔德与悉尼杯马赛、巴西的圣保罗国际大奖赛、英格兰的乔治六世与伊丽莎白女王有奖赛、意大利的赛马总会有奖赛及米兰大奖赛、日本的天皇杯赛与有日纪念有奖赛、新西兰的惠灵顿赛、南非的罗思曼七月让步赛以及委内瑞拉的西蒙·波利瓦尔传统有奖赛。在美国举办的、奖金在10万美元以上的60种比赛中,约有一半接受3岁以上的马参加。

奖金与赌注　乔治国王与伊丽莎白女王有奖赛以及南非的罗思曼七月让步赛等赛马活动,其奖金多是由商业机构赞助的。在美国,花钱最多的比赛所设的奖金大部分来自马主提供的赌金。早年赛马的奖金由优胜者全拿,但是随着马场赛马占主要地位,对于第二名也开始颁发奖金。久而久之,对第三、四名,有时第五名也发给奖金。按平均数计算,现代奖金分配如下:优胜者获60%,第二名20%,第三名10%,第四名5%。

赌注　赌注的历史发展和奖金一样,对早年的(双马)比赛打赌是为了全胜,而现代打赌则把赌注押在前三匹马(第一名、第二名、第三名)上。在19世纪,个人打赌发展成为登记赌注(赌注登记人是专职赌金接受人,由他确定赔率使自己能获取一定的份额)。19世纪后期,全世界的赌金均由赛马场管理机构接过去,采用前三名分享全部赌金,管理机构抽头分成的办法。20世纪运用赛马赌金计算机后,同注分彩赌博的方法更趋完善,这种计算机能机械地把赌注记录下来,并几乎能立刻反映出存放赌金的情况。它显示出每匹马近似的赔率以及在各个赌金集中存放处对每匹马所下的赌金数额。通常的作法是对第一、二、三名下赌注。也有一些特别的赌法,如"一日双赌"(即押头两场马赛的优胜者)、"准确赌"(下赌者在一场比赛中依次押第一、二名才算)、基尼亚拉(与"准确赌"相同,但不必依次押第一、二名)以及德里菲克塔(通常在最后一场比赛中依次押第一、二、三名)。

随着赛马变成一桩大生意,一些国家的政府搞场外赛马赌博。这给澳大利亚、新西兰与法国的赛马活动带来很大的好处,对英格兰和纽约市的赛马所带来的好处则少些。在美国,非法的场外赛马赌博登记成了有组织犯罪的一个领域。

繁殖理论与实践　繁殖优胜的比赛用马的指导原则从来就是"用最好的马来繁殖最好的马,希望得到最好的结果"。繁殖出来的后代性能如何才是真正的考验。但是,对于那些用来繁殖后代而未经考验的公马来说,好坏的标准在于血统、赛跑能力与体形。

赛马场　赛马场的所有权从全部由国家控制(在这种情况下政府可拥有跑道、马匹,雇用训练员、骑手、马夫及其他必需的人员)到像美国大部分地方那样全部成为私人企业(跑道为私人所有,为利润而经营,马匹、训练员和骑手是独立的订约人)都有。介乎上述两者之间的,包括跑道为政府所有,有时马匹也为政府所有,可以出租;跑道为私有,但不以赢利为目的;如澳大利亚和纽约赛马协会那样。

赛马场看台设备,有的是高雅型的(如法国的朗尚、英格兰的阿斯科特),有的是简陋型和纯实用型的(如科隆和爱尔兰的库拉)。赛前鞍具着装场也有高雅与简陋之分。欧洲等多数地方的赛场表面铺上草坪;而在北美和南美赛场多为泥地。但是到了20世纪,草地便日益普及。赛马活动主要在白天进行。

老式的赛马场(主要在欧洲)依天然地形而建,观众席是后来加上的。例如纽马基特的跑道能适应3 600米比赛,弯道小于90度,但是观众看不到比赛的全程。较新的跑道是一英里长,呈椭圆形。

赛马程序　赛马前一天对赛马的参赛资格进行核查。比赛开始前,骑手要量体重,到鞍具着装场报到,听取训练员的指示,在马的正身验明后骑上马背,马和骑手整队行进到起点柱接受赛马工作人员的检查,并作短时准备活动。马被牵进单间马房。当各就各位时,发令员开启单间马房前可向上启动的隔栏,隔栏的开启通常是电动的。赛间,工作人员与检查员借助巡逻电影摄影机注意观察有无犯规动作。他们用一架特殊摄影机把到达终点的情况拍下来,当比赛难分难解时,要先看到照片才能宣布优胜者。直到骑手们量了体重并且证实前三名骑手所负的重量是合适的,才能正式公布比赛成绩。如果一匹马在比赛时受到另一匹马的干扰,受干扰的马的骑手、马主或训练员可在量体重时控告另一匹马犯规。工作人员的判断结果可能使一匹马到达终点的名次从第一降到最末。当工作人员宣布比赛被公认以后,赌金计算机荧屏上立即呈现奖金数。赛后对获胜的赛马要进行尿检,对其他参赛的马也要抽查,如果发现尿里有违禁物质,奖金支付可能要作变动,但赌金不变。

比赛成绩的记录大部分集中在北美,因为长久以来速度在北美是人们所渴望得到的东西。在美国,赛马成绩计算到1/5秒,而在别处则计算到1/100秒。

比赛战略　典型的英纯血马只能以最高速度跑1/10英里左右,因此比赛的战略主要在于确定何时是发起冲刺的最佳时刻。骑手必须考虑的因素包括:赛程长度、参赛马匹的数量、跑道的布局、特定的马和对手的性情等。冲刺不可拖得太晚,但是如果前面跑道很拥挤,或者如果在拐弯时跑到跑道外侧从而处于不利地位的话,那也不应发起冲刺。另一方面,如果一匹快马在比赛中一直没有遇到挑战,它就有可能只作出很小的努力,以致到最后仍有充沛的体力去应付挑战。

训练　简单地说,训练赛马就是要使马保持最佳的赛跑状态。其中牵涉到操练、饲养以及对于每一匹马的了解等因素。一名优秀训练员所挑选的骑手应与他所骑的马相适应,并且也许更重要的是,要让一匹马报名参加最适宜的比赛。训练员准备一匹马参加传统比赛时,不仅要促使马达到最佳竞技状态,而且要掌握好进度,使它刚好在某一天达到顶峰,而这正是所有这些中最难掌握的艺术。

赛马活动情况　到了20世纪下半叶,赛马确实已经成为一桩大生意。每一场参赛的马经常在一打以上。比赛大会曾经持续一两天,后来长达一两个星期。现今,只要气候允许,一年中起码有半年安排赛事。赛事多了,就需要更多的马,而且需要它们跑得更激烈。

奖金在不断增加,特别在第二次世界大战之后。在美国,1981年首次举办了奖金最多的比赛,取名为"阿林顿百万赛",以表示奖金的数额。所有在平道赛赢得100万美元以上奖金的马,都是在第二次世界大战之后参加比赛的。到20世纪80年代,有两匹马赢得了200万美元奖金。

并非所有马主都能赚到和用到这些钱。美国马匹从赛马中赚到的中等收益不到2 000美元。哪里有赌博,哪里就有欺诈。在赛马历史上,不断地发生了比赛贿赂和冒名顶替的马参加比赛等丑事。20世纪60年代期间,许多人在马身上使用消炎药和凝结剂,这种作法对赛马运动是一种新的威胁。在1968年举行的肯塔基大赛中,获得第一名的马在赛后的一次尿检中被查出一种违禁药物,从而被取消资格。有一些赛马团体限制或禁止使用这种药物;有一些却没有这样做。过度地让马参加比赛,促使人们使用违禁药品,在美国尤其如此。

horse show　马匹展览　展示马匹和马术的场合。起源于中世纪欧洲的马上比武大会和农产品展销会。马匹或按品种、用途(如狩猎用马、超越障碍用马、马球用马、乘用马、挽用马),或按马或骑手的年龄和过去得奖次数等条件作出分类和评判。在骑术分类中,只对骑手的技术作出评判。

horse sugar(shrub)　参阅 **sweetleaf** 山矾。

horse trials　参阅 **three-day event** 三日赛。

horsecar　轨道马车　由骡或马牵引的市内轨道车辆,1832年开始在纽约市的鲍厄里街行驶。它是有轨电车的前身,后来推广到波士顿、新奥尔良、费城、巴黎、伦敦和美国的一些小城镇。一般能容30名乘客,敞篷车厢内设有横排座位,中间有一条通道,前后设车夫和售票员的工作台。19世纪80年代美国有1.8万辆轨道马车在运营,但90年代由于缆车和有轨电车的竞争,市区轨道马车在美国和欧洲逐渐消失。早期用马拉行的铁路客车也叫轨道马车。

horsehair　马毛　包括马鬃和马尾,长度为20～90厘米,多为黑色。马毛纤维粗而结实,富有光泽,回弹性好。中心有毛髓,因而密度较小。马鬃纤维柔软,直径为50～150微米;马尾纤维较粗,回弹性能较好,直径为75～280微米。两者分开销售。最长的马毛用于制造织物,中等长度的用于画笔和刷子,很短的马毛卷成团，用作家具和垫子的填塞物。上等白色马毛用于制作优质小提琴的弓弦。马毛织物或马尾衬硬挺，为稀松组织，通常用棉或其他纤维作经纱，长长的马毛为纬纱织成，用于服装和女帽的衬料，但这方面的用途已逐渐为合成纤维所取代。马毛织物曾用于制作宗教忏悔者穿的衬衫，在19世纪成为受欢迎的沙发、软椅等的垫衬材料。纺织工业用马毛主要由阿根廷和加拿大出口，其他生产国有蒙古、中国和澳大利亚。

horsehair worm　铁线虫　又作hairworm或gordian worm。又称毛细线虫、戈尔迪乌斯虫。袋形动物门线形纲或戈尔迪乌斯虫纲动物，250～300种。体细长，马鬃状，长可达1米。

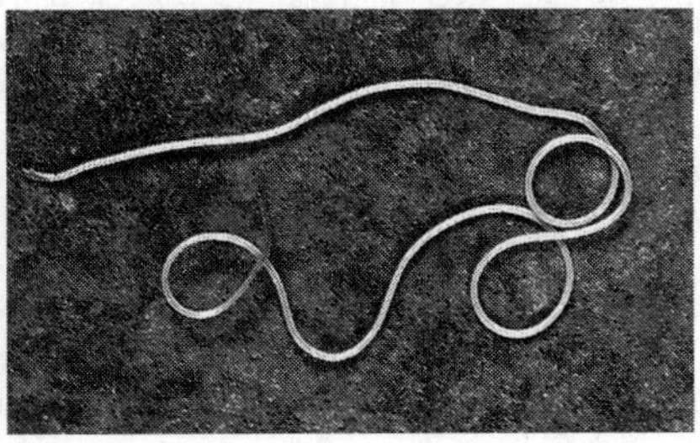

一种铁线虫（*Gordius villoti*）
美国不列颠百科全书公司供图

成虫在海水或淡水中自由生活，幼虫寄生在节肢动物体内。

Horsehead Nebula　马头星云　猎户座中的一个电离氢区（HII区），又称IC434。星云中有一个被内部年轻热星照亮的电离气体云，而在它前面又恰好有一个包含星际尘埃的暗云。尘埃把一部分电离气体云所发的光吸收掉。有一部分暗云外观有点像马头。星云距太阳350秒差距（1 100光年），直径约为5秒差距（16光年），总质量约等于300个太阳质量。

horsemanship　马术　驯马、骑马和控马的艺术。高超的马术要求骑手尽量轻松而又有效地控制马的行进方向、步法和速度。骑手可利用各种手段给马传达意图。从理论上说，自然手段有骑手的身体平衡、坐姿、声音、手和腿；人工手段有衔铁、缰、鞍和马刺。世世代代以来马匹一直被用于运输、狩猎和战争，也用于体育比赛和娱乐。公元前2千纪就有关于男女骑马的雕塑、图画和挂毯。公元前4世纪希腊历史学家色诺芬的专著《马术》中关于驯马的论述至今仍然有用。赛马作为一种运动项目始于公元7世纪，并在古希腊奥运会上进行。中世纪期间，骑兵是战争中的主力，由于越来越重的盔甲需要有更多强壮高大的马来运载，养马便成为有利可图的事业。火器的发展使盔甲弃而不用，从而使马鞍、镫和其他骑马用具，以及驯马和骑马方式都有所改变。18世纪维也纳帝国骑校创造了古典骑马姿势，骑手身体正直地稳坐在鞍上。这一技术至今仍是在花式骑术比赛中使用的古典坐姿，这种比赛对马的一般训练和驯服程度是一种考验。然而在越野赛和竞速赛中，人们更喜欢用一种不那么正式的向前倾斜的坐姿。从19世纪开始，机械化运输使马匹的重要性减少。如今马匹主要用于观赏性体育比赛和进行马匹展览，在这些比赛中超越障碍赛越来越流行。皇家都柏林协会于1864年组织首次国际马匹展览。英国有关马的盛举是选出本年度最佳马匹和举行各种皇家马匹展览。在美国最知名的是在纽约市举行的全国马匹展览。自1912年以来马术就是奥林匹克运动会的一部分，内容包括花式骑术、超越障碍大奖赛和为期3天的全能比赛，个人和集体均可参加。参阅**Olympic Games**。

Horsens　霍森斯　丹麦日德兰东部瓦埃勒州城市。位于奥胡斯西南，霍森斯湾顶端。建于11或12世纪，建有数座隐修院和城防工事。1442年港口获第一个开办市场的特许状。18世纪成为商业中心。霍森斯是V.白令（1728年发现白令海峡的人）的出生地。有博物馆和一些18世纪商行。现为商业、海运和工业中心及铁路枢纽。主要生产纺织品、机械、烟草制品和乳制品。人口：市约47 085（1992）；城市区约55 314（1994）。

horsepower　马力　功率的通用单位。在英制里，1马力等于每分钟做33 000英尺磅力的功，即1分钟把33 000磅的质量举起1英尺所需要的能量。苏格兰工程师J.瓦特在18世纪末期用运货马车的壮马试验后采用这个单位，实际上比普通马在一个工作日内的持续功率约大50%。在国际单位制里，1马力的功率为746瓦特，热当量为2 545英国热量单位每小时。另外一种功率单位是米制马力，等于4 500千克力·米每分钟或0.986 3马力。发动机、涡轮机、电动机传动轴的输出马力称为制动马力或轴马力，这取决于计量功率所用仪器的类型。活赛式发动机，特别是大型发动机常用指示马力来表示，指示马力由汽缸内的压强决定。制动马力或轴马力因发动机内部自身的摩擦损耗，要比指示马力小10%以上。电动机的马力可以由输入电功率的瓦特数减去自身的电阻热和摩擦损耗来决定。喷气发动机和火箭的推进马力等于推力的磅力数乘以飞行器速度的每小时英里数除以375。

horseradish（*Armoracia lapathifolia*）　**辣根**　十字花科多年生耐寒植物。根粗大，肉质白色，辛辣，亦称辣根，用作调味剂，常做成辣根汁以提高海鲜和肉类菜肴的品味，也是传统药物。原产于地中海地区，现广泛栽培于温带，在许多凉而潮湿地区成为难除的杂草。

辣根（*Armoracia lapathifolia*）
美国不列颠百科全书公司供图

基生叶大而粗糙，亮绿色，有长柄，从根颈处生出。花小，白色，总状花序顶生或腋生。角果小，长圆形，花柱短，宿存于角果尖端。春天种植，将铅笔大小的根块稍斜埋入土中，上覆1～2厘米深的泥土。除顶芽外，所有侧芽都应摘去，以防形成多数叶冠。并除去侧生根，以减少分支及避免形成弯曲的主轴，上述工作均用手工完成。六星期后移去表土，重复上述操作后，又予覆盖。经过一个生长季节即可收获，把根从地里挖出洗净，修剪待售。需加工的辣根磨碎后装入盛有白醋的玻璃容器。

horseradish tree　辣根树　参阅**drumstick tree 鼓槌树**。

horseshoe　马蹄铁　U字形金属片，用以保护马蹄，防止其因路面坚硬或不平而磨损。马蹄铁无疑是罗马人的发明，公元前1世纪罗马诗人卡图卢斯曾提到一匹骡子失去了蹄上的铁片。马蹄密实、不敏感，适于用钉子将马蹄铁固定在马蹄上。铁匠锻制并固定马蹄铁的手艺是中世纪和近代最重要的手艺之一，对冶金工业的发展有一定的贡献。

horseshoe bat　马蹄蝠　菊头蝠科菊头蝠属（*Rhinolophus*）和大菊头蝠属（*Rhinomegalophus*）共约80种食虫的大耳蝙蝠的统称。分布于欧洲到日本的热带和温带地区。具有大而复杂的鼻叶（吻部的肉质组织由三部分组成，其中一部分形似马蹄，故得名）。体色一般为棕褐色，偶为红色。从种数（约50种）和个体的数量来说，菊头蝠属是最兴盛的一个属。体长约3.5～11厘米，尾长2.5～4.5厘米，体重5～30克。群居，栖息在潮湿而黑暗的山洞中。温带地区的种类冬眠。蹄蝠科的蝙蝠与菊头蝠近缘，有时将蹄蝠类列为菊头蝠科蹄蝠亚科（Hipposiderinae）。

大马蹄蝠（*Rhinolophus ferrum-equinum*）
美国不列颠百科全书公司供图

horseshoe crab　鲎　又称马蹄蟹。肢口纲剑尾目海生节肢动物，共4种。见于亚洲和北美东海岸。虽又称马蹄蟹，但鲎不是蟹，而与蝎、蜘蛛以及已绝灭的三叶虫有亲缘关系。鲎起源甚早,被称为活化石。最早的鲎化石见于奥陶纪(5.05亿年前至4.38亿年前),形态与现代鲎相似的鲎化石出现于侏罗纪(2.08亿年前至1.44亿年前)。现存3属:两

鲎(*Limulus polyphemus*)
美国不列颠百科全书公司供图

属分布于亚洲沿岸,一属分布于北美沿岸。最熟知的种是唯一的美洲种 *Limulus polyphemus*,体长可达 60 厘米以上。另外 3 种:三刺鲎(中国鲎,*Tachypleus tridentatus*)、巨鲎(*T. gigas*)和 *Carcinoscorpinus rotundicauda*,分布于亚洲,从日本到印度,此 3 个种在形态和习性上均似 *Limulus* 属。鲎类在港湾的水域中最为丰富,冬季见于中等深度的水中,夏天在潮间带的泥滩上。鲎类一直作为人类的食物,又是软壳蟹类的天敌。鲎的身体分为以关节相连的 3 部分:宽阔马蹄形的头胸部,小得多的分节的腹部和一根长而尖的尾刺(尾节)。头胸部上表面光滑,隆起,侧面有一对复眼,中嵴前端有一对能感受紫外线的单眼。头胸部的腹面有 6 对附肢:第 1 对称为螯肢,专门用以捕捉蠕虫、薄壳的软体动物和其他猎物;其他 5 对附肢将口围绕,其功能为步行和进食(步足),每个步足的基节内侧有长刺,用以剥离食物并将其滚入口中。最后 1 对步足基节后面有 1 对退化的附肢,称为唇瓣。食物进入磨胃(砂囊)后被磨碎。体内有一个大型的器官,称为肝胰腺,可将消化酶分泌入长形的胃肠内。主要的排泄器官为 1 对长形的基节腺,开口于第 4 对步足的基部。头胸部的神经节愈合成环状,围绕食管。生殖腺多分支,分布于体内大部分区域。头胸部附肢之后有一个横行的板状片(厣),覆盖着书鳃。书鳃有节奏地拍动并激起水流,以进行呼吸。虽然鲎可以背朝下拍动鳃片以推进身体游泳,但通常将身体弯成弓形,钻入泥中,然后用尾节和最后 1 对步足推动身体前进。春夏两季,通常于日落后,于大沙的海滩上产卵。每个雌体由一个或多个雄体伴随,在沙上挖一系列浅坑,每个坑中产卵200～300 枚,然后雄体用精液将卵覆盖。一般产卵地点正好在高潮线下。数周后幼体从卵中孵出,体长 5 毫米,以储存的卵黄为营养来源。第 2 幼体期的个体已有一条短小的尾节,以小型动物为食,在泥滩中越冬。第 3 幼体期的个体形似微小的成体。幼体经脱皮进入下一个幼体期,此时表皮围绕头胸部边缘裂开,然后脱落,脱皮一次体长即增加约 25%。到 9～12 岁时约脱皮 16 次后达到性成熟。成体以海生蠕虫为食,身上常覆以各种带壳的生物。

Horseshoe Falls 霍斯舒瀑布 尼亚加拉河上尼亚加拉瀑布(**Niagara Falls**)的加拿大部分。戈特岛把它与亚美利加瀑布分隔开。其

尼亚加拉大瀑布的霍斯舒瀑布
加拿大国家旅游局供图

名得自 900 米高的马蹄形瀑布顶。

horseshoe pitching 掷蹄铁 流行于美国和加拿大的一种游戏。由 2 人或 4 人参加,各人将蹄铁掷向标桩,使之套住或尽量接近标

帚虫的结构
(A)喜沙帚虫(*Phoronis psammophila*),管上粘有小石块和壳的幼成体;(B)原盖帚虫(*P. architecta*);(C)聚生的马履帚虫(*P. hippocrepia*)

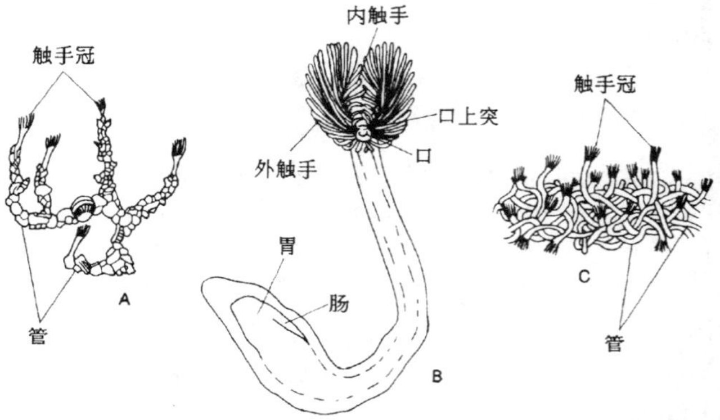

桩。2 人玩时,从 6 英尺见方的投掷区投掷,区的中央立有铁或钢标桩,它露出地面 14 英寸,向距离 40 英尺(如供女子和少年投掷用者为 30 英尺)远的另一标桩倾斜 3 英寸。每人各掷 2 次为一局,一局结束后转移至对面投掷区,开始另一局。4 人玩时,同一家 2 人分别自两投掷区对掷。正式比赛有一家满 50 分即为一局,非正式比赛有一家满 21 分即为一局。每局按下列方法计分:较对方所掷更为接近标桩并且落在距标桩不超过 6 英寸处者,记 1 分;套在标桩上者记 3 分。如双方所掷落点与标桩之间的距离相等,或套在标桩的蹄铁数相等,即为平局,各不得分。蹄铁斜倚在标桩上与碰撞标桩价值相等。所用蹄铁多为铁或钢质,重 2.5 磅,长 7.5 英寸,最宽处宽 7 英寸,两蹄铁脐之间的空间宽 3.5 英寸。

horseshoe shrimp 马蹄虾 头虾亚纲的海产甲壳动物,身体弯曲,呈马蹄形,故名。首次记述于 1955 年。仅知数种。是非常原始的类群,无眼,仅胸部有附肢。雌雄同体。*Hutchinsoniella macracantha* 体长 37 毫米,分布于美国东北部大西洋沿岸。*Lightiella incisa* 体长 2.6 毫米,分布于波多黎各附近。*L. serendipita* 体长 3.2 毫米,分布于加利福尼亚的旧金山湾。*Sandersiella acuminata* 体长 2.4 毫米,分布于日本及新喀里多尼亚附近海域。

horseshoe worm 帚虫 帚虫动物门(Phoronida)海栖蠕虫状无脊椎动物。生活于由特殊腺体分泌的管中,管有保护作用,附着在贝壳上或埋在沙中。种类不多。独栖或数千个个体成群聚集;有一个种营群体生活并借出芽进行无性生殖。帚虫体细长,长 15～200 毫米。有 U 形的消化道和神经以及排泄和生殖器官。以身体前端一个可伸缩的总担(触手冠)取食。总担呈马蹄形,故帚虫的英文名原意为马蹄虫。总担上有一圈或两排螺旋形排列的具纤毛的触手,为数可多至1 600 条。纤毛激起水流,水中的颗粒为前端中央两列触手之间的口所滤食。口的上端有口上片,不取食时将口遮住。成群的总担常被鱼类啮食,但能再生。帚虫多数为雌雄同体,少数为雌雄异体,均有自由游泳的幼体阶段。大部分帚虫生活于温带海洋的潮间带及浅水中,但其生境亦包括热带地区及海洋深处。一般说,帚虫并不常见,但某些种会覆盖浅水海湾的海底。帚虫对人类无实用价值,但其生活史与众不同,其进化起源不详,这些都引起生物学家的兴趣。帚虫自 1846 年发现以来曾被归入不同的门中,但帚虫与其他动物的亲缘关系始终引起争论。尚未发现帚虫的化石,但一些管状的化石(称为 *Scolithus* 属)可能属于帚虫类。根据帚虫成体的形态,特别是身体可分为相似的几个区,一般认为帚虫在分类上与营群体生活的苔藓动物和具壳的腕足动物相近。帚虫动物门共 16 种,体形非常相似,仅知2属:帚虫属(*Phoronis*)和 *Phoronopsis* 属。

horsetail 木贼 又作scouring rush。木贼属(*Equisetum*)蕨类植物。木贼属为楔叶纲(Sphenopsida)木贼目唯一的现存属,约 30 种,为灯心草状分节明显的多年生草本。除澳大拉西亚外,全世界均有分布。生长在潮湿肥沃土壤上。有的种具两种气生茎:生有孢子叶球的孢子茎和无孢子叶球的营养茎。常绿,或每年从地下茎发出新茎。茎中空,分节,有棱,含有硅酸盐和其他矿物质。叶退化成环绕茎的鞘。问荆(普通木贼,*E. arvense*)广泛分布北美和欧亚大陆的河岸和草甸;高约 30 厘米,茎的空腔约为其外径的 1/4;粗而实心的枝从叶鞘下生出,绕茎轮生,似车轮上的辐条;具顶生孢子囊穗的茎常为肉色。林

木贼(*E. sylvaticum*)生长在潮湿凉爽的森林中,分枝多,细弱,绕茎排列。杂色木贼(*E. variegatum*)常绿,叶鞘具黑色斑点。冬木贼(荷兰灯心草,*E. hyemale*)常见于潮湿的森林

木贼(*Equisetum*)的分枝营养茎(上)和末端生有孢子叶球的孢子茎(下)
美国不列颠百科全书公司供图

和河岸;高1米以上,茎常绿,可用作金工、木工的磨光材料,故又俗称擦洗灯心草。多棱木贼(大木贼,*E. praealtum*)原产于北美和亚洲,高达3.5米,常绿,地上茎表面有多达48条的棱。欧洲大木贼(*E. telmateia*)与冬木贼等高。最大的是南美的巨木贼(*E. giganteum*),茎细长,有时高达10米,直径仅2厘米,依靠周围的禾草或灌木支撑。木贼对家畜有毒,但常用为民间草药,有些种的茎有研磨作用,用于擦洗器具(如冬木贼)。

Horsham 霍舍姆 澳大利亚维多利亚州中西部一城市,位于威默拉河畔,先后于1882年设自治村,1932年设镇,1949年设市,其名称取自最早的移民(1841)达尔洛特在英国西萨塞克斯郡的故乡的地名。霍舍姆有铁路与东南方290千米处的墨尔本相通,位于西部公路(即墨尔本—阿德莱德公路)、威默拉公路和亨蒂公路(米尔迪拉—波特兰公路)交会点上。此地也是水果、蔬菜和谷类作物灌溉区的一处重要集散中心。除以农业为基础的工业外,又增加了纺织厂、铸造厂、胶泥厂和制砖厂等。设有朗格雷农农学院、维多利亚小麦研究所、威默拉后方医院,还有一些著名的植物园。人口12 034(1981)。

Horsham 霍舍姆 英格兰西萨塞克斯行政郡一区和城镇,属萨塞克斯历史郡。面积530平方千米。为农产品销售市场和购物中心。基督医学院(蓝衣学校)1902年从伦敦迁此。区内唯一的大城镇霍舍姆有轻机械工业和其他些许工业。人口:城镇约42 552(1991);区约121 700(1998)。

Horsley, John Callcott 霍斯利(1817-01-29,伦敦～1903-10-18,伦敦) 英国故事画画家,以第一张圣诞节贺片(Christmas card)的设计者著称。该贺片是他于1843年为其友H.科尔爵士创作的,印刷了1 000张在伦敦出售。贺片用深褐色和肉色以平版印刷,印在5⅛英寸×3¼英寸硬卡纸板上,画面是家庭宴会,画面下的贺词是"祝圣诞快乐并祝新年愉快"。当他还是皇家学院学生时,20岁前即得到社会的承认。但由于他反对画裸体画,人们批评他在掌握表现人体基本结构和运动方面存有缺陷。

Horsley, Sir Victor (Alexander Haden) 霍斯利(1857-04-14,伦敦～1916-07-16,伊拉克阿马拉) 英国生理学家、神经外科医师。1887年第一个切除脊髓肿瘤。对甲状腺的功能、狂犬病的预防及大脑的功能定位都作过有价值的研究。1883年通过切除猴的甲状腺,肯定了甲状腺的功能,并提出甲状腺功能不全是黏液水肿和克汀病的病因。1886年在政府的一个研究巴斯德氏狂犬病疫苗的委员会里任秘书,肯定了巴斯德的研究结果,并领导了在英国消灭狂犬病的工作。他研究出一些手术方法,使脑外科成为一门现实可行的技术。到1890年,已报道44例成功的手术。第一次世界大战期间任英国陆军的战地外科医师,在美索不达米亚死于中暑。

Horst, Louis 霍斯特(1884-01-12,美国密苏里堪萨斯城～1964-01-23,纽约市) 美国钢琴家和作曲家。最先将编舞学作为独立学科讲授者之一,特别因为作为音乐总监长期与丹尼斯肖恩和M.格雷厄姆合作而为人所知。曾在圣弗朗西斯科(旧金山)学钢琴与小提琴,1915～1925年任丹尼斯肖恩舞蹈学校音乐总监。他鼓励学员发展各自的舞蹈风格。1926年在纽约为格雷厄姆的首次独舞表演担任伴奏,并到1948年为止一直是她的音乐总监,为她的早期舞蹈作品《原始的神秘》(1931)、《边疆》(1935)和《忏悔者》(1940)写总谱。他曾任职于美国最有名的几所现代舞蹈学校:纽约市居民区剧场戏剧学校(1928～1964)、本宁顿学院夏季班(1934～1945)、康涅狄格学院暑期学校(1948～1963)和朱利亚德音乐学院(1951～1964)。为了记录美国现代舞的发展过程,他创办并主编《舞蹈评论》杂志(1933～1964),并写了《前古典主义时期的舞蹈形式》(1937)和《现代舞蹈形式》(1961)两书。

horst and graben 地垒和地堑 在断层直接作用下,形成的长条断块地形(相对于周围地区)。地垒为上升部分,地堑为下降部分。地垒和地堑的大小可由数厘米到几万米宽;垂直运动可达到数千英尺。它们的两侧是陡倾的正断层,沿着两侧的正断层,运动基本上是相等的,结果造成的断块几乎不倾斜。形成地垒的两个断层一般是背向倾斜的;形成地堑的两个断层则是相向倾斜的。常有两个以上的地垒和地堑互相毗连,它们被认为是由于可能为区域抬升或盐穹形成作用引起的倾向拉张作用的结果。它们常常出现在穹窿或背斜的脊顶。地堑形成的山谷,通常称为断裂谷,也往往显示有与地堑建造相联系的火山作用现象。约旦-死海低地和死谷是地堑的例子;法国的孚日山脉和巴勒斯坦高原是典型的地垒。

Hort, Fenton J(ohn) A(nthony) 霍特(1828-04-23,都柏林～1892-11-30,英格兰剑桥郡剑桥) 英国《新约》学者。与韦斯科特共同编辑出版重要的考订本希腊文《新约》。曾就学于剑桥大学,1852～1857年在该校任研究员,1872年起任教授终生。1856年受圣公会神职,此后15年在剑桥附近传教,利用大部分时间与韦斯科特合作,修订上述《新约》,该书于1881年出版。该书成为1881年出版的英文修订版《圣经》的《新约》部分的依据。

Horta 奥尔塔 葡萄牙奥尔塔区首府。位于北大西洋亚速尔群岛法亚尔岛东南岸。1466年建立。1700～1910年为美国捕鲸基地。在20世纪设有海底电缆中继站、横越大

奥尔塔城镇一角
中国大百科全书出版社供图

西洋水上飞机基地、海军无线电发射台和盟国海空军基地。奥尔塔区范围包括法亚尔、弗洛里斯、皮库及科尔武等岛,面积780平方千米。出产葡萄酒、柑橘、鱼干、乳制品和牲畜等。人口:城镇4 907;区35 085(1991)。

Horta, Victor, Baron 奥太(1861-01-06,根特～1947-09-08,布鲁塞尔) 比利时新艺术派的杰出建筑师。1876～1881年,在布鲁塞尔美术学院学习,是新古典主义建筑师A.巴拉的学生。他设计的布鲁塞尔塔塞尔饭店(1892～1893),为新艺术派在欧洲大陆上最早的作品之一。主要作品为布鲁塞尔"人民之家"(1896～1899),立面大部用铁和玻璃组成,会场内支撑屋顶的铁梁,既是构件,又起装饰作用。1900年以后,其风格更为简洁,很少用装饰。1912年,任美术学院院长,设计了古典风格的美术宫(1922～1928)。他最后的重要作品为布鲁塞尔的中央铁路车站,始建于第二次世界大战前夕。

Hortense **奥尔唐斯**（1783-04-10，巴黎～1837-10-05，瑞士阿雷嫩贝格） 原名E.-H. de博阿尔内。荷兰王后。约瑟芬（后为法国皇后）与前夫博阿尔内的女儿，法国皇帝拿破仑三世的母亲。1799年拿破仑任第一执政后，她成为宫廷中具有吸引力的人物之一。约瑟芬为加强自己的地位，劝她同拿破仑的弟弟路易·波拿巴结婚（1802），他们的幼子即后来的拿破仑三世。1806年路易成为荷兰国王，她随路易去海牙。1810年与路易分居。1811年为情夫弗拉奥伯爵生一子（日后的莫尔奈公爵）。1814年拿破仑被流放后，她虽封为女公爵，仍为波拿巴主义者密谋的核心。由于她在百日政变中支持拿破仑，1815年被逐出法国。后死于瑞士。奥尔唐斯的回忆录于1831～1835年出版。

Hortensia **霍滕西娅**（活动时期公元前1世纪后半期） 罗马演说家Q.霍滕修斯之女。曾进行演说，反对向妇女征税而不给予选举代表的权利，因而出名，此事在阿庇安所著《罗马帝国内战史》第4卷第32～34页中有所记述。公元前43年，安东尼、屋大维（后来的皇帝奥古斯都）和李必达"后三头"执政期间提出：为了征讨暗杀恺撒的反对派而筹措战费，要向1 400名有钱妇女的财产征税。霍滕西娅发表演说表示反对。她说：这些妇女既没有参加发动战争，也没有投入战争。如果抵御外敌的入侵，妇女们是乐于支援的。但是，她们决不愿意为打内战出钱。这篇演说使三执政大为恼火，但他们终于把应征税的妇女人数减少到400名，并对男子实施类似的税则。

Hortensius, Quintus **霍滕修斯**（活动时期公元前3世纪初） 公元前287年罗马独裁官，他结束了两百年来平民向贵族要求政治平等的斗争。当平民因贵族逼债而退居雅尼库路姆山时，他负责出来调停，通过所谓《霍滕修斯法》。此法规定：平民所通过的决议对一切公民都有约束力，而且不必经过元老院批准。据说他在独裁官任内死去。

Hortensius Hortalus, Quintus **霍滕修斯·霍塔卢斯**（公元前114～前50） 罗马演说家和政治家，在威勒斯审判案中是西塞罗的辩论对手。19岁发表第一篇演说，成为一名卓越的辩护人。在为贪赃枉法的总督威勒斯进行辩护（公元前70）而与西塞罗发生冲突之前，他是律师界的领袖。这场辩护使他失去了最高的地位。公元前69年任执政官，后在许多案件的审判中，与西塞罗融洽地进行合作。他的才能证明有助于保守的元老院贵族统治。他的演说词几乎完全失传，只剩下28篇篇名。显然，他的演说属"亚细亚派"风格，词藻华丽，热情洋溢，借助手势，大大加强语言的力量。著有《编年史》，这是一部关于同盟者战争（公元前90～前88）的史诗；一篇有关修辞学的论文；以及一些爱情诗。

Horthy, Miklós (Nagybányai) **霍尔蒂**（1868-06-18，奥匈帝国匈牙利肯德里斯～1957-02-09，葡萄牙伊什托里尔） 匈牙利海军军官，保守派领袖。第一次世界大战后击败了匈牙利革命军，1944年前任政府首脑。贵族家庭出身。14岁入奥匈帝国海军学院。1909～1914年任弗朗西斯·约瑟夫皇帝的侍从武官。

美国不列颠百科全书公司供图

第一次世界大战时任海军司令，因几次打破协约国对亚得里亚海的封锁而出名。1918年晋升海军上将，1918年10月指挥奥匈舰队向南斯拉夫转移。翌年接受塞盖德反革命政府的要求，组织武装力量进攻库恩·贝洛的共产党政权，11月率兵开入首都。1920年1月选出的匈牙利国会宣布王政复辟，推选他为摄政（3月1日）。但他力排众议，挫败了查尔斯四世恢复王位的企图。1921～1931年政府由拜特伦·伊斯特万操纵，他无实权，但到30年代，他的权势日益增大。1937年国会投票表决大大扩充了他的权力。他对希特勒并无好感，但却同情德国独裁者"讨伐布尔什维克的战争"，并在第二次世界大战中率先默许匈牙利与德国为伍。由于想使匈牙利脱离战争，1944年被德国人拘捕。1945年5月由盟军释放，前去葡萄牙。著有回忆录《机密文件》（1965）。

horticulture **园艺业** 现代农业三大分支之一，主要指果树、菜蔬和观赏植物的集约种植。另两个分支为农艺业（在大田种植谷物、饲草及经济作物，较为粗放）和林业（包括林中的野生动物管理）。生产食物的有果树园艺业和蔬菜园艺业。生产观赏植物的有花卉园艺业和风景园艺业，后者生产风景树苗木及草皮。园艺是一门科学，要应用多种学科的知识；又是一门艺术，要适当接受和完善传统的实践，又要顾及美学原则。可以是一种职业，也可以是业余爱好。园艺业中的技术包括许多方面：

繁殖 是园艺业最基本的实践。目的在于增加栽培植物的株数，并保证植株的重要品质得以传播下去。分有性繁殖和无性繁殖两种。（1）有性繁殖为用种子繁殖，用于自花授粉植物及许多异花授粉植物。种子便于运输，又可长期贮存。种子繁殖最经济，还能预防多种病害（尤其是病毒性疾病）的传播。种子繁殖有两个主要缺点：①对异花授粉植物来说，由于亲本的遗传杂合性，后代发生性状分离，可能出现不良植株（可借选择育种避免）。②有些植物从种子到产品成熟，需要很长时期。但某些杂交种却表现出优良性状（杂交优势），这便需要按特定方式年年培育这种杂交种子。（2）无性繁殖的基础是植物有从局部组织或器官再生成整体的能力。无性繁殖能将异花授粉杂合体亲本的优良综合性状毫无变异地传于后代，也能使无种子植物传代，而且由于不存在种子休眠问题，再加上植株的营养生长阶段缩短，因此比种子繁殖快得多。无性繁殖有下列几类方法：①无融合生殖。芒果和柑橘等能由胚珠的珠心组织形成非受精种子。②用能进行繁殖的特化的营养器官。如长匍茎（草莓）、鳞茎（葱）、球茎（风信子和唐菖蒲）、根状茎（鸢尾）、块茎（马铃薯）等。③压条和扦插。系诱使植株局部再生，若再生器官不脱离亲体，而植入地中即称为压条；若脱离亲体，则称为扦插。④嫁接。把砧木和接穗的形成层紧密相贴，依靠组织的再生作用使两部分联成一体。如果被联接的多于两个部分，则在中间的称为中间砧；如果接穗只是一个单独的芽，则称为芽接。嫁接还用以调控树木的生长发育，如促使矮化或复壮，或改变其品质如增强植株的抗寒性。⑤组织培养。有些植物可用其胚胎、茎尖或愈伤组织等在消毒培养基上培养成可种植的植株。

环境调控 园艺植物的集约栽培要求对环境条件进行调控。最基本的环境调控是选择适当的地区和场所：向阳或背阴、近水、适宜的海拔及纬度。人工调控温度的设施有温床、温室、空调室和人工气候室等，利用日照温度、腐物发酵温度，直到提供人工热源。在露地里也可使用透明纸或塑料薄膜覆盖保温。园艺产品的贮存需要降低温度以抑制呼吸和微生物的活动，原始的做法是窖藏，现在多数采用有空调的库室。预防霜冻的方法主要依靠防止地面夜间辐射散温或提供热量；使幼苗在移栽前接受抗寒锻炼，也可减少霜冻损害。日光提供光合作用所需能量，可通过选择种植场所和改变栽植方式与密度，来调节植株接受的日光量。温室人工调节光线多用于控制花期。人工延长光照时间，或用光打断暗期，可促进长日照植物开花而抑制短日照植物开花。反之，如通过遮光减短光照时间，则可促进短日照植物开花而抑制长日照植物开花。

整形和修剪 通过对枝条的修剪、扭曲等措施使树木长成某种预定的造型；修剪和剪除植株的某些枝蔓，以调节产品数量和品质。整形和修剪通常配合进行。栽培盆景，利用修剪及营养限制，育成极为矮小的成年植株。

使用生长调节剂 用植物生长素、赤霉素、细胞分裂素、脱落酸、乙烯等来调节植物的生长发育。

土壤管理 是园艺业的一个重要环节。有16种元素为植物生长所必需，其中碳、氧和氢来自空气和水，其余13种都来自土壤，因此必须注意土壤肥力。可施用有机肥料或化学肥料以提高土壤内各种营养元素的含量。肥料通常施入土内，但某些肥料也可直接施于茎叶。增加空气内的二氧化碳含量也是一种施肥措施。施肥需要注意时期和方法。农业上用pH值表示的土壤酸碱度，pH高于9或低于4都对植物有害，可以通过施加酸化或碱化物质加以矫正。改善土壤的物理性主要靠施用有机肥料，以增加土壤内的腐殖质。土壤虽为供植物生长的最普通基质，但植物也可以在加营养液的水中或砂砾中生长，这种栽培法称为无土栽培或水培。此外，园地的灌溉和排水也异常重要。

避免病、虫、鸟、兽和杂草的为害 是园艺业的另一重要内容。种子消毒，拔除病株，剪去病枝，清除园圃残株落叶，排水或水淹，调节土壤酸碱度等是常用的栽培防治措施。物理防治包括设置隔离篱障，果实套袋，土壤或种子加温消毒等。中耕除草也是一种对杂草的物理防治法。化学防治包括各种杀菌剂、杀虫剂、除草剂、灭鼠剂等的应用。生物防治包括利用病虫害的天敌和选育抗病或抗虫品种。

选育优良品种 是园艺业的核心问题。

观赏植物园艺业包括花卉和观赏树木的产销以及花道和园林设计。花卉业包括插花、盆花和观叶植物的生产，以及花饰工艺。通常销售由花商而非种植者完成。空中运输有助于远距离销售。风景园艺业不限于在苗圃生产点缀风景的灌木和乔木，草皮也是个重要的项目。还包括观赏用的鳞茎作物(如郁金香)，而玫瑰栽培业一直是一个兴旺的行业。园林设计仅一部分涉及园艺业，广义上涉及人类对土地利用的一切方面。最早源于庭园、别墅的布置，但逐渐扩展到包括公园建设、工厂和公共建筑环境布置、铁路和公路沿线绿化和城市规划以及风景区规划等许多方面。

Hortobágy 霍尔托巴吉 匈牙利中东部干草原地区，位于蒂萨河与德布勒森市之间。这一地区过去很肥沃，中世纪曾有许多兴旺的村庄，但在土耳其统治下，人烟稀少，农业衰退，该地区成为以马匹和骑手著称的牧场。19世纪40年代蒂萨河水得到控制后，霍尔托巴吉干旱，寸草不生，拦路抢劫的强盗出没在这一大部荒芜的区域。近年来，一些灌溉渠道已使大部分地区可以从事农业。成群的牛和半驯化的野马被身着传统服装的牧民驱赶着，在这浩瀚的草原上遨游。霍尔托巴吉村保存有民间传说和民间艺术。该村是此地区的传统中心，德布勒森与布达佩斯之间的公路在此地通过霍尔托巴吉河上的石桥。村中有民间艺术博物馆；每年举行交易会，有马匹展览。为保存日渐消失的干草原及其引人入胜的动植物，1973年创建了霍尔托巴吉国家公园。

Horton, Robert E(lmer) 霍顿(1875-05-18，美国密歇根帕马～1945-04-22，纽约福尔希斯维尔) 美国水利工程师和水文学家，其杰出成就是建立了河网排水系统的定量分析基础。他发现的经验定则通常被称为霍顿定律。1898年毕业于阿尔比恩学院后，先后在美国地质调查局、纽约州巴奇运河工程组、市政工程局和司法部长办公室工作，兼任纽约州奥尔巴尼供水局等单位的工程顾问。1939年任美国气象学会会长。他还发明了水平仪和水电站木制引水管的接头。

hortonolite 镁铁橄榄石 硅酸盐矿物，橄榄石类*镁橄榄石-铁橄榄石系列*(**forsterite-fayalite series**)中的一员。

Hørup, Viggo 赫鲁普(1841-05-22，丹麦托普毛勒～1902-02-15，哥本哈根) 丹麦政治家和新闻记者，19世纪晚期丹麦议会制政府的主要倡导者。1876～1892年间为议会中激进的左翼反对党领袖。1881～1883年任自由派《晨报》主编，1884～1901年任自办的《政治报》主编。后任19世纪90年代创建的左翼革新党领袖。1901年任左翼革新党政府的运输大臣。他是一个和平主义者，不仅拥护责任政府，而且倡导丹麦保持中立和缩减防务措施。

Horus 何露斯 埃及语又称何尔或哈尔。古埃及宗教所奉之神，其形象似隼，太阳和月亮是他的双目。根据埃及神话，何露斯和塞特分别代表下埃及和上埃及，两神和睦相处。

何露斯祭酒像
美国不列颠百科全书公司供图

但到公元前约2350年，对俄赛里斯的崇拜遍及埃及，此时何露斯成了俄赛里斯的儿子，而塞特杀害俄赛里斯，与何露斯争夺继位权。何露斯击败塞特，为父报仇，取得王位。在搏斗中伤左眼(月亮)，被透特治愈，因此有盈亏。后来何露斯成为许多地方的地方神，有不同名称。

Horváth, Ödön Edmund Josef von 霍瓦特(1901-12-09，匈牙利阜姆[今克罗地亚赖卡]～1938-06-01，巴黎) 匈牙利小说家和剧作家，30年代最有希望的德语剧作家之一，也是最早的反法西斯作家之一。匈牙利职业外交官的儿子，曾就读于布达佩斯、维也纳和慕尼黑，最后定居德国。其早期剧作《3018山的造反》(上演于1927年，1929年改写并更名为《山区铁路》)等表现出他对定居国的民间文化和政治史的爱好。这种兴趣很快变成对法西斯主义潮流的兴起及由之引起的道德堕落的关注。最重要的剧作有《意大利之夜》(1930)和《维也纳森林的故事》(1930)，前者是一出有关自鸣得意的城镇居民和虽踉跄前进但能取得效果的纳粹分子的闹剧，后者则是一出悲剧性的民间故事。这两部剧作的成功(特别是后一剧)使他获得了楚克迈尔的赞赏和友谊以及1931年的克莱斯特奖。1933年他逃往奥地利，继续创作剧本和小说，其中有《塞纳河来的陌生女郎》(1933)和《费加罗离婚》(1937)。纳粹于1938年占领奥地利后，他在欧洲各处流浪。在一次雷暴雨中被倒下的大树枝击中而丧生。

Horvitz, H. Robert 霍维茨(1947-05-08，美国伊利诺伊芝加哥～) 美国生物学家，与S.布伦纳和J.E.苏尔斯顿共获2002年诺贝尔生理学或医学奖，以表彰他们在“程序性细胞死亡”，即“细胞凋亡”上所作的杰出贡献。曾获哈佛大学硕士学位(1972)和博士(1974)学位，后在英国医学研究理事会加入布伦纳研究小组做博士后。1978年到麻省理工学院，1986年升任教授。20世纪70年代，霍维茨开始了他的获奖项目——关于程序性细胞死亡的研究工作，这对所有动物的正常发育来说都是关键性环节。在人类胚胎器官形成的过程中，必须要有大量的细胞消亡。如手指和脚趾的成型，就必须要通过凋亡程序除去原来存在于指(趾)间的多余组织才行。同样的过程也见于大脑成型早期，多余的神经细胞也需要凋亡程序来清除。对于正常成人，每天约有10 000亿细胞新生出来，而同样数量的细胞必须凋亡以保持身体健康，并使机体免于细胞过增生之虞。霍维茨的研究主要是想明确：细胞凋亡是否被一种特殊的基因过程所控制。他的研究主要以秀丽隐杆线虫为模型，这是一种亚微型土壤蠕虫。最早将这种线虫视为用于凋亡研究理想的实验动物的是S.布伦纳。1986年，霍维茨首次报告了两个参与了“细胞自杀程序”的凋亡基因ced-3和ced-4；稍后，又发现了另一基因ced-9。ced-3和ced-4的作用是诱发凋亡，ced-9则是抑制ced-3、ced-4的作用，使凋亡不能发生。霍维茨认为人类也有ced-3的基因序列。科学家们后来发现：参与线虫细胞程序性死亡基因序列大都也见于人类。细胞程序性死亡的理论不仅为生物学的发展作出了重要贡献，而且也极大地促进了医学，尤其是癌症治疗技术的发展。

Ḫorvot Meẕada(Israel) 梅察达遗址 参阅 **Masada** *梅察达*。

Hōryū Temple 法隆寺 日本奈良的佛教寺院。建于607年。670年毁于大火，重建于708年左右。重建时仍保留了封闭式长方形回廊的中门、五重佛塔和金堂(即大殿)，后者是世界上最古老的著名木结构建筑之一。

hose 软管 输送液体或气体的挠性导管。早期的软管用皮革制成，但因从未令人完全满意，19世纪时就被天然橡胶取代。在棒上或心轴上敷上一层橡胶，就可制成柔软而不透水的软管。加上帆布可使结构加强，像螺旋一样缠上金属丝可得到一定的刚度。采用橡胶挤压工艺可以造出任何长度的软管，从而使它的用途大为扩展。为了硫化有橡胶层的软管，要加一层铅皮；硫化后，在高压釜内将铅皮剥去。第二次世界大战促进了许多更耐化学作用的合成橡胶的发展。聚乙烯的发展开拓了新的领域。聚氯乙烯是制造软管的另一种多用途材料。聚四氟乙烯是极耐大多数化学品作用的塑料。此外，也发展了一些制造金属软管和金属与合成纤维组合的软管(如能输送液氧、液氮和其他超低温液体的聚酯纤维不锈钢软管)的方法。

Hosea, Book of **《何西阿书》** 《旧约》十二小先知书的首卷。据该书卷首铭文说,何西阿在以色列国王耶罗波安二世在位期间(约公元前786～前746)开始其预言活动。从他的预言内容可见他的活动一直延续到以色列国灭亡之时(公元前721)。书中讹误颇多,大量问题难以解释。多数学者认为,此书的主题是雅赫维怜悯以色列人,认为以色列人虽然与迦南人的礼仪和习俗同流合污,"大行淫乱",必将承受雅赫维的震怒,但这只是一时之事,雅赫维终必像丈夫迎回不贞之妻一样对以色列予以眷顾。

Hoshangābād **霍申加巴德** 印度中央邦中部城市。位于纳尔默达河南岸。1406年由马尔瓦苏丹建立以防御贡德人入侵,1867年建市。为农产品贸易中心。有造纸、盖瓦、铜器与藤竹器等制造业。设有绍格尔大学的几个学院。人口约70 820(1991)。

Hoshea **何细亚** 又拼Osee。亚述文拼作Ausi。《旧约·列王纪下》(15:30;17:1～6)所载以色列国的以拉之子和末代国王(约公元前732～前724在位)。他杀害比加,篡夺王位。亚述国王提革拉·帕拉萨三世声称何细亚登上王位是靠他支持,何细亚每年向他进贡。公元前727年提革拉·帕拉萨三世死,何细亚背叛入侵以色列的亚述新王撒缦以色,后者俘虏了何细亚,围攻京城撒玛利亚。三年后撒玛利亚陷落,大批以色列人被掳往亚述,以色列沦于亚述统治之下。

Hoshiārpur **霍希亚布尔** 印度西北部旁遮普邦东北部城市。为制造业与贸易中心、公路交叉点与铁路终点站。工业有丝织与榨

霍希亚布尔市的公用水井
美国不列颠百科全书公司供图

油。设有研究所与旁遮普大学分校。人口约122 528(1991)。

hosiery **袜** 穿在鞋内覆盖脚和腿的针织或机织物,尤指妇女的长统袜和连袜紧身衣裤,也包括男、女和儿童的短袜。在英国hosiery还包括各种针织服装。古罗马人用皮革或长布条包裹脚、腿和踝节。2世纪曾有将布、毡或皮革切割并加以缝合后穿在脚上的记载;3～6世纪编结的短袜已在埃及墓葬中发现。手编长统袜发展成现代的式样是从17世纪开始的。伊丽莎白一世拒绝向第一台针织机的发明者W.李授予专利权,因为他的长统袜比从西班牙进口的细丝袜粗。李改进后的机型制造出细长统袜,但再次被拒绝给予专利,因为怕这样将损害手工针织者的利益。李约于1610年在贫困中死于法国。后来他的兄弟回到英国,开始筹建针织业。李的机器设计精良,是唯一使用了几百年的针织机。它的基本原理为所有现代机器所采用,原型机中的弹簧钩针现仍在生产全成形长统袜的机器上使用。全成形长统袜用平针织成,经手工操作定型后用手在背部缝合。纬编针织在钩针成形平机上往复织成,平机由英国W.科顿在1864年发明。织制长统袜从袜口开始,袜口部分加厚供系吊袜带用。在踝节处减少针数,收针成形,然后在后跟处增加针数,并在脚部再减少针数。无缝长统袜是在19世纪中叶出现的圆机上针织成的。很多年来,这种长统袜是直筒型的,不像全成形袜那样完全合穿,因为圆机针织时线圈不能加针或减针。20世纪40年代应用尼龙纱线,其热塑性使织成的圆筒加热后能按所需的外形永久定形。到50年代,无缝长统袜有很大改进。60年代起,长统袜开始发展为连袜裤和紧身衣,这种衣裤高达腰部并且覆盖脚、腿和臀部。1900年,大约88%的妇女长统袜是棉的,羊毛的约11%,丝的约1%。在以后的35年中,蚕丝与人造丝(黏胶丝)长统袜稳步增长,采用尼龙后,很快取代了全部蚕丝袜和大部分黏胶丝袜。长统袜的重量取决于纱线粗细以及机器的织针间距,称针号。尼龙纱线用但尼尔测量;但尼尔数愈小,纱线愈细。全成形长统袜的针号是指3.8厘米长度内的针数;针号数愈高,针脚愈密。透明度取决于针号与但尼尔数,针号数和但尼尔数小的长统袜透明度高。

Hosius OF CÓRDOBA **霍修斯(科尔多瓦的)** (约256,西班牙科尔多瓦? ～357或358,科尔多瓦) Hosius又拼Ossius。西班牙科尔多瓦主教。约295年就任,312～326年任罗马皇帝君士坦丁一世宫廷宗教顾问。324年君士坦丁一世任命他为皇帝特使前往东方解决阿里乌派所引起的争论(参阅**Arianism**)。在霍修斯敦促下,君士坦丁一世于325年召开第一次尼西亚会议,《尼西亚信经》中使用"本体同一"一词,在很大程度上是由于霍修斯的努力。信奉阿里乌主义的皇帝君士坦蒂乌斯二世要求西方各主教一致谴责亚大纳西,从353～356年,霍修斯坚决抵制他这种企图,并写出著名的信件,指责君士坦蒂乌斯干预教会事务。356年霍修斯被召唤到锡尔米乌姆,幽居宫中一年,在威胁和暴力之下,于357年签署了肯定阿里乌派的锡尔米乌姆纲领,但在去世前撤回这项签署。

Hosius, Stanislaus **霍休斯**(1504-05-05,波兰克拉科夫～1579-08-05,教皇国卡普拉尼卡[意大利]) 波兰语拼作Stanisław Hozjusz。波兰天主教枢机主教、反宗教改革运动最杰出人物之一。1549年任波兰海乌姆诺主教,1551年调往东普鲁士。他召开会议驳斥异端,团结天主教信徒。在1551年波兰彼得库夫会议上,由他执笔草拟信纲,该信纲经过充实成为著名的《公教信纲》。1561年任枢机主教,以教廷首席代表身份出席特伦托会议。

Hoskyns, Sir Edwyn Clement, 13TH BARONET **霍斯金斯**(1884-08-09,英国伦敦～1937-06-28,伦敦) 圣公会圣经学者、神学家。受教育于剑桥大学耶稣学院和韦尔斯神学院,1908年受按立。1925年袭其父男爵。霍斯金斯运用现代语言评注法研究《新约》,在解释基督和基督教起源这一方面强调宗教神秘的复杂性,以反对自由主义新教神学关于"历史的耶稣"的自然主义概念。

Hosmer, Harriet Goodhue **霍斯梅**(1830-10-09,美国马萨诸塞沃特顿～1908-02-21,沃特顿) 19世纪在罗马工作的美国主要女雕刻家之一,可能是罗马团体中唯一靠本人雕刻作品获得经济完全独立的女雕刻家。由于母亲和兄弟姐妹在她幼小时均已去世,她实际上等于独生女。在她发育成长时,有相当大的自由去打猎、赛跑和进行其他户外活动。她很早就表现出陶塑的才能。先从当医师的父亲、后又在圣路易斯大学医学院习解剖学。此后在波士顿求学,直至1852年与终生不渝的朋友女演员C.库什曼同赴罗马。1853～1860年为英国雕刻家J.吉布森的学生。直至去世前二三年,她一直住在罗马,只是偶尔回美国探望。作品有:《恶作剧小精灵》(1855),曾为威尔士亲王(后来的爱德华七世)、汉密尔顿公爵及其他一些人复制;《俄诺涅》(1855)是她的第一个与人体同一尺寸的大理石雕像;《比特丽斯·钦契》(1857),为美国密苏里州圣路易斯市商业图书馆所作的大理石雕像;《芝诺比阿》,在1862年伦敦展览会上展出的大理石雕像,有时被认为是她最精美的作品;美国参议员T.H.本顿的青铜雕像(1868),为圣路易斯的拉斐特公园制作;为英格兰赫特福德郡阿什里吉府的布朗洛伯爵(第三)艺术陈列馆制作的青铜大门;为布朗洛勋爵的母亲、艺术家和艺术赞助者玛丽安·阿尔福德夫人制作的《女海妖喷泉》。

Hosokawa Katsumoto **细川胜元**(1430,日本～1473-06-06,京都) 日本中世纪的一个强大军事集团的首领。1452～1464年任室町幕府管领。这时山名军事集团作为西部日本的统治势力崛起,其首领山名持丰企图抑制细川胜元在幕府内的权力,尽管将军足利义政努力制止,但这两派围绕足利义政把继承人由其弟改为其幼子的问题争执不休,终于在1467年爆发战争,酿成应仁之乱。他和山名持丰都在1473年死去,但两家的战争一直拖到1477年才告结束。此后,其子孙比山名氏更有权势。

Hosokawa Morihiro **细川护熙**(1938-01-14,日本九州岛～) 日本进行改革的政党日本新党的组建人,1993～1994年任日本国内阁总理大臣。日本封建贵族武士阶级的后裔,出身于一个享有特权和政治上显赫的家庭。他的外祖父近卫文麿是1937～1939年和1940～1941年的日本国内阁总理大臣。细川毕业于东京上智大学法律系后,1963年进入自由主义报纸《朝日新闻》编辑部。1969年竞选日本国会众议院议员失败,但两年后,

在执政的、一般保守的自民党(LDP)的强有力支持下,被选入权力较小的参议院,任职12年。1983年当选为九州岛熊本县知事,执行强有力的经济政策,加强各种环境法令,但却屡屡受到强大的、官僚的中央政府的阻挠。1992年他号召权力下放,结束腐败和一党统治,组建日本新党(JNP),作为一个保守的政党以替代自民党。日本新党很快发展壮大得益于自民党自身的贪污丑闻和内部纠纷。1993年7个反对党联合起来提名细川为内阁总理大臣,细川遂成为1955年以来第一个选举产生的非自民党首相。他的选举系统重组法案被通过。该法案的目的是限制政治腐败和增加城市地区的相对选举实力。自民党指责他存在经济问题,迫使他在就任8个月后辞职。

hospice 临终病人安养所 专为解除临终者身心痛苦而设立的收容所或医院。hospice一词源于中世纪,意指为朝圣者和旅客提供休息和饮食的慈善性设施,多由僧尼设立,其中最有名的圣伯纳德旅馆至今仍为穿越彭尼阿尔卑斯山的旅客提供休憩之地。虽然在20世纪以前就已有专门护理病入膏肓的患者的特殊医院,但是直到第二次世界大战后,人们才承认将死之人有其护理上的特殊需要,因而产生了现代推广临终病人安养所的运动。这一运动的发起人之一,1967年伦敦圣克里斯托弗临终病人安养所的创办人C.桑德斯及其他保健专家们认为,现有的医疗程序并不适用于濒临死亡的病人。在重症监护病房(ICU)为延续生命而惯常采取的各种积极措施常使临终的病人产生不适及孤独的感觉,且使他们无法以安详、尊严的方式离开人间。为了弥补医疗系统中并无照顾此类病人的专门措施这一缺陷,现代的临终病人安养所才应运而生。安养所的功能是提供一个使病人获得同情和恢复信心的环境,从而使其尽可能愉快地度过末日。因之防止病人肌体的痛苦是首要的,可使用止痛药、镇定剂及各种理疗法来减轻单纯的肌体痛苦。安养所以精心护理和正确选用病人所需药物及剂量来防止其痛苦,病人不但从亲人和医护人员处得到精神支持,且能从许多措施中得到感情和心理上的慰藉。通常病人经医师诊断只剩数月或数星期的寿命后,才由医师介绍进入安养所。此种安养所护理的全套服务,可在医疗设施中提供,也可采用门诊或在家护理的方式来进行。

hospital 医院 配备特定人员及设施以诊治患病或受伤者,在治疗期间为他们提供病房,进行健康检查及从事产妇的分娩处理工作的公共机构。医院已日益成为重要的科研、教育及技术的活动中心。在中东及南亚,医院早在公元前1000年就已出现。古代罗马人则在公元前100年开始设立医院,而到罗马帝国末期,医院已遍布各地,先是救治伤病的士兵,继而为信仰基督教的公众治病。欧洲中世纪时的许多隐修院还拨出土地和房屋,专供收纳病人之用,作为基督教会传统活动的一部分。综合医院具备专门的医疗部门、训练有素的医务人员及许多先进的设施,从而为社区提供各种医疗服务。不少医院还设有门诊部,以便为自行前来医院的患者,提供短期的身体和精神治疗。医院可按所有权及服务性质分类。按所有权分类时,可区分为公立医院(国立、省立或地方所有)或非公立医院。非公立医院包括以赢利为目的的私营医院,以及由教会、互助会或独立社团创办的非赢利性的民办医院。除美国以外,世界上绝大多数国家的医院都是公立的。但每个国家都有不少小型的、不满50个床位的私营医院。这种医院由一两名医生开设,目的在于为有钱的病人服务。这些私营医院的床位数目,不超过世界上医院床位总数的5%。在美国,凡是由教会和宗教团体、互助组织或非赢利性的独立社团所创办的为全体民众服务的医院,都称作民办医院。这种民办医院的事务都交托给义务效劳的董事们,由他们负责聘请医院的行政及医务人员、决定医院的业务与财政方针。医院按服务性质分类时,可区分为综合医院或专科医院。综合医院除受理各种内外科疾病的治疗外,一般还集中一部分力量从事需要短期治疗的急性病例,包括产科和儿科病人。专科医院则主要对某一类病人或某一种疾病进行诊治,特别是对精神病患者和肺结核病人以及由于防止传染而需要隔离的病人。进行短期诊治的专科医院的数量比以前减少,目前的趋势是把儿童、产妇、癌症患者、伤残病人等的专门治疗部门,合并入综合医院,以改进服务质量及节省管理费用。许多综合医院开辟了精神病及传染病的特殊病房。另一类医院为军医院,病人为患病或受伤的官兵。他们集中在一起,由军医及其助手们进行治疗。在流动野战医院中,医师、护士及医疗设备要随着部队的移动而迁移,以便急救受伤的士兵。医院已采取措施使就诊的人可以更多地获得医疗服务,而无需住院。前来门诊部就医的病人比住院病人多,其比例一般为5:1。门诊病人大都为急诊患者,或是私人医师因自己诊所内设备条件不足而介绍前来进行诊断化验或治疗的病人。许多私人医师利用医院内的检验及医疗装置为自己的病人治疗,有一些医师还在医院所拥有的治疗部门设置私人诊所。

Hospital, Michel de L' 参阅 **L' Hospital, Michel de** 洛皮塔尔。

Hospitalers (Christian order) **医院骑士团** 参阅 **Knights of Malta** 马耳他骑士团。

Hospitalet de Llobregat 奥斯皮塔莱特-德略夫雷加特 西班牙东北部加泰罗尼亚自治区巴塞罗那省城市。1925年被阿方索十三世宣布为城市。现为巴塞罗那市西南工业郊区。位于马里纳山至略夫雷加特河三角洲。工业以钢铁业为主,也生产化肥、染料、杀虫剂和金属制品。人口约269 241(1991)。

Hostilian 霍斯提利安(?~251) 罗马皇帝。德西乌斯皇帝的次子,250年被立为凯撒。251年德西乌斯死后,他与加卢斯共同执政。但不久即死于瘟疫。

Hostilius, Tullus 霍斯提利乌斯 参阅 **Tullus Hostilius** 图卢斯·霍斯提利乌斯。

Hostos, Eugenio María de 奥斯托斯(1839-01-11,波多黎各马亚圭斯附近~1903-08-11,多米尼加共和国圣多明各) 全名Eugenio María de Hostos y Bonilla。教育家兼作家,是早期致力于波多黎各岛建立自治政府的人士。早年在西班牙读书,在校时积极鼓吹共和政治。当1869年西班牙通过新宪法,拒绝波多黎各的独立要求时,他离开西班牙,转到美国,并于1870年在美国主编古巴独立期刊《革命》。后来奥斯托斯周游南美各地,并在智利执教。他在1898年再度赴美,积极参加古巴独立运动。但是,他促进波多黎各独立的希望却未能实现,因为1898年西美战后,美国政府拒绝了他要求波多黎各自治的建议而将该岛置于美国统治之下,划为海外领地。奥斯托斯于是转往多米尼加共和国,在该地终其一生。奥斯托斯在建立多米尼加共和国教育体制方面起了重大作用。他的著述甚多,撰有有关社会-科学各种课题的文章及论文多篇,成为拉丁美洲最早的自成体系的社会学家之一。

hot rod 减重高速汽车 根据个人情况,自行设计制造以求得最高起动加速度的汽车。主要流行于美国。减重高速汽车比赛大都是加速比赛(参阅 **drag racing**),也可以按不同级别进行计时赛、时速赛和耐久比赛。减重高速汽车没有公认的统一定义,种类繁多,可用各种类型新旧汽车的部件构成,许多仅用于表演而不是为了比赛和日用。

hot spring 温泉 又称热泉。泉的一种类型,它流出的水温度较高于周围地区的气温。大多数温泉是地下水与地壳不太深处的岩浆(熔融的岩石)、岩浆气体或凝固了而仍很热的火成岩相互作用而形成的。但是,一些热泉与火山活动并没有关系。在这种情况下,水的深循环被认为把水带到了地壳的下部,那里由于正常地温梯度,岩石温度很高。有一类叫做**间歇泉**(**geyser**)的温泉,它间歇性地喷出水流和气流。很多不是间歇泉的温泉也显示出周期性:一些显示出翻动或强烈沸腾的周期,而另一些则轮流喷出水和气体。温泉释放出大量的热,这种地热能的各种不同的应用已经发展起来。在某些地区,建筑物和温室就用由温泉泵出的水来加热,而在另一些地区,这种来源的水用于加热土壤以提高作物产量及用于烘干木材。在少数国家(例如冰岛、日本和美国),就用由间歇泉中的高温气体来发电。

Hot Springs 温泉城 美国阿肯色州中部城市和矿泉疗养地,加兰县县城(1874)。在沃希托河北,沃希托山地和沃希托国家森林东缘。曾长期为印第安人利用的温泉,大概在1541年由西班牙探险家赫南多·狄·索多发现,1804年绘入地图。1807年建居民点,1876年设镇,1886年设市,1921年以当地47处温泉为中心建立温泉城国家公园(23平方千米)。泉水日涌出量85万加仑以上,平均温度62 ℃。设有水疗所和医疗中心。有铝厂和少量轻型制造业。人口35 750(2000)。

Hot Springs(city, New Mexico) **豪特斯普林斯** 参阅**Truth or Consequences**特鲁斯-康西昆西斯。

Hotan 和田 又拼 Ho-t'ien, Khotan。中国新疆维吾尔自治区和田地区县级市,地区行政公署驻地。周围为和田县地。位于塔里木盆地西南缘及昆仑山区。汉为于阗国。东汉永元年间(约91～92)名将班超曾驻节于阗。唐贞观二十二年(648)置于阗镇,为唐代重要方镇。上元二年(675)设毗沙都督府,属安西都护府。北宋为于阗李氏王朝首府。南宋属西辽。元朝在此设斡端宣慰使元帅府(1279～1289),管辖塔里木盆地南部。当时经济已较发展,《马可·波罗游记》记述:产棉甚丰,有家庭手工业及采玉专业。清乾隆二十四年(1759)设和阗办事大臣,下辖6城。光绪八年(1882)置和阗直隶州。1913年改为和阗县,1959年和阗简写为和田。1983年析和田县置和田市,市县并存。面积155平方

老人出售自己采到的和田玉
中国大百科全书出版社供图

千米。农业主产小麦、稻、玉米、棉花、瓜果和蚕茧。为全自治区最大缫丝工业中心,和田丝绸厂产有高级金丝绒、真丝绸、昆云绡、乔其纱等。特产和田地毯。和田玉石驰名中外。315国道东通青海西宁等,西通喀什。民航线达乌鲁木齐和阿克苏。公路南经阿克赛钦盆地至克什米尔,为新疆通印度、巴基斯坦及中东的捷径。人口190 000(2005)。

Hotan He 和田河 中国塔里木河三大源流之一。在新疆维吾尔自治区塔里木盆地南部。是昆仑山北坡最大河流。有二源:西为喀拉喀什河,发源于喀喇昆仑山北麓;东为玉龙喀什河,发源于昆仑山北麓。两源于阔什拉什汇合后称和田河,北流入塔里木盆地,穿过塔克拉玛干大沙漠汇入塔里木河。两源都是以大气降水和高山冰雪融水补给。洪水季节河水可直穿400多千米的塔克拉玛干大沙漠注入塔里木河,1年中约有9～10个月只流到和田以北便消失而处于干涸状态。全长806千米。

Hotei 布袋 日本神话中七福神之一,其像为袒腹而笑的和尚,左右常伴有儿童。传说

布袋和尚木雕像
美国不列颠百科全书公司供图

在世是中国五代后梁时和尚,死后化为弥勒佛。

hotel 旅馆 为旅游者提供住宿、膳食及其他服务的商业性设施。汽车旅馆是为驾驶汽车旅行的客人所设计,具有同样旅馆功能的设施。

从古至今就有为行商及其他旅客服务的客栈(小旅馆)。在罗马帝国时期,有许多称为客栈的小旅馆沿罗马大道开设,招待旅行的官吏和商人。欧洲中世纪商业的复兴刺激了客栈和招待所的广泛发展。为保证旅客在危险地区有安全的住处,寺院兄弟会也开设有许多客栈和招待所;人所共知的例子就是瑞士阿尔卑斯山大圣伯纳德山口的招待所,10世纪由蒙茹圣伯纳德创建,现仍由奥古斯丁教团修道士所经营。马可波罗发现在13世纪的中国存在有广泛的驿站制度,可为旅客提供住宿并为蒙古人传递邮件。

中世纪后期,原为接待商人的私营客栈,在伊斯兰教国家和西欧各国很普遍。18世纪乘公共马车旅行的人剧增,进一步促进了客栈的发展。19世纪的工业革命促进了客栈(尤其是在英国)经营管理的进步。由于当时英国客栈清洁且舒适,成为世界的典范。与此同时,美国的客栈老板制定规模大小的标准;到1800年美国客栈是世界上最大的客栈。美国客栈向大规模发展的趋势持续到20世纪,最后被其他国家所采纳。

现代旅馆在很大程度上是铁路时代的产物。旅行速度加快了,服务于老的马车道旅行的客栈没有必要了,结果很多客栈不得不停业。另一方面,许多新而大的旅馆建于火车站附近,颇有盈利。19世纪期间由于旅行娱乐日渐普遍,许多国家都建立新型的度假旅馆。沿法国和意大利交界的里维埃拉建起了供富人度假的度假旅馆,富人们常到此度过整个的夏季或冬季。豪华旅馆很快在城市中出现;1889年伦敦的萨伏依旅馆自己供电,并有许多特殊的服务项目,独树一帜。另一个里程碑是1908年纽约布法罗斯塔特勒旅馆的开业,其业主斯塔特勒为了人数众多而日益发展的商业旅行者阶层的利益,在服务和便利设施上引进了许多创新。从布法罗斯塔特勒旅馆发展成斯塔特勒公司——旅馆业中首例庞大的连锁经营企业。

第一次世界大战后是大量建设旅馆的时期,旅馆的规模也增大了。芝加哥史蒂文斯旅馆(后来改为康拉德-希尔顿旅馆)开业时有3 000个房间,直至20世纪60年代末期莫斯科俄罗斯旅馆开业前始终是世界上最大的旅馆。第二次世界大战以后,在各大飞机场及其附近都建成许多旅馆。

旅馆联营成为现代——特别是第二次世界大战后的数十年间——旅馆业的一项特色。联营,一个公司经营2家或2家以上的旅馆,可以在诸如购买、销售、预定等方面提高效率。

旅馆的主要类别有:暂住的、度假的和住家的。当75%以上的旅客是非长久居住者时,则旅馆被认为是"基本暂住的"。在一家典型的暂住的旅馆内,除了清洗熨烫衣服这类服务之外,客人房间里还带有私人用的浴具、电话、收音机和电视。大的旅馆通常设有咖啡馆、餐厅、酒吧间或夜总会、礼品店或报刊香烟柜台等。度假旅馆主要是为度假客人服务的豪华设施,它通常是坐落在具有特殊吸引力的地方,如海滩、海岸、风景区、历史名胜、滑雪园地、矿泉等附近。虽然有些度假旅馆营业是有季节性的,而大多数现在都力图全年营业。住家的旅馆基本上是公寓式建筑物,内有餐厅,并可提供女仆服务和送餐到房的服务。住家的旅馆有豪华而昂贵的,也有中等价格的。有些度假旅馆按照所谓美国方式经营,饭费包括在房费之内;有些按照欧洲方式经营,价格仅含房费,客人自行安排膳食。暂住的旅馆一般都按照欧洲方式经营。

Hôtel de Bourgogne, Théâtre de l' 布尔戈涅宫剧院 巴黎第一家固定剧院。1548年由**耶稣受难兄弟会**(**Confrérie de la Passion**)建于勃艮第公爵的宫殿废墟之上,可容纳1 600观众。16世纪末,剧院租给旅行剧团,包括一些英国和意大利剧团。该剧院以国王剧团闻名,是巴黎第一个真正的固定剧团。剧团在布尔戈涅宫剧院上演过许多高乃依和拉辛的优秀悲剧。1673年剧团与其他巴黎剧团合并,1680年组成法兰西喜剧院。新剧团离开布尔戈涅宫剧院,直到1783年这里一直由意大利喜剧院演员们使用。

hotel dieu 病院 专指法国中世纪收容病人的建筑,现在指中世纪哥特式时期的医院。现存实例很多,如在昂热(1153～1184)、乌尔堪姆(13世纪初)、托内尔(约1300)等地的医院,其最主要的部分是设置病床的大厅。最早的两所病院采用拱顶,用柱墩分成三开间,两边都可容四排床位。托内尔病院的大厅宽

18米、长90米，采用木屋架和筒形木拱顶，病床设在两侧的隔间内，沿墙有一条走廊以供观察。1443年建立的博讷病院，为二层的木结构，沿着庭院的三边布置，除设置病床的大厅外，尚有修女所用的房间。

Hotman, François　奥特芒（1524-08-23，法国巴黎～1590-02-12，瑞士巴塞尔）　全名 François Hotman, sieur（sire）de Villiers Saint-Paul。法国法理学家和当时最有学问的人文主义学者之一。曾在法律、政治和宗教的论争中起领导作用。生于巴黎，但其家族来自西里西亚。取得奥尔良大学法学博士学位后，在巴黎执律师业。1546年任罗马法教授。1547年改宗新教并相继在里昂、日内瓦、洛桑和斯特拉斯堡等大学教授法学。在斯特拉斯堡讲学时，J.加尔文曾去听课。1563年回到法国，在瓦朗斯执教，1567年以后在当时欧洲最好的法律学院布尔日任教。1572年，圣巴托罗缪日屠杀之后，逃往日内瓦，继续任教。奥特芒对法国罗马法学派的工作，做了重要贡献，这一学派与意大利的注释家相反，致力于恢复古典罗马法的原文。在著作《反特里波尼安》（1567）中，他在抨击查士丁尼雇用的编纂者的同时，主张在编订法国的法典时要以本国的习惯和经验为基础而不过分借用罗马法。他最有影响的著作是《法兰克高卢》（1573），该书指出，法兰西专制王权的发展，完全以罗马法学家的专断倾向为基础，此外并无任何其他历史根据，而此种专制制度常常会阻碍宗教改革的进行。他在著作中试图发扬人文主义的学术事业、宣传宗教自由和协商政府。

Hōtoku　报德运动　日本"农圣"二宫尊德在19世纪发起的带有宗教性质的农村运动。二宫宣传农民必须顺天命，诚心奉神、勤俭自束以报答神、天、祖先、天子和父母的恩债。二宫的理论经徒众宣传，对19、20世纪日本民间道德观的形成发挥了重要作用。

Hotspur　急性人　参阅 **Percy, Sir Henry** 珀西。

Hotta Masatoshi　堀田正俊（1634，日本江户[今东京]～1684-10-07，江户）　日本政治家。早年给德川幕府第4代将军家纲（1651～1680当政）当参谋。他在整顿和巩固德川幕府方面做出了很大贡献。1680年家纲死去，堀田正俊拥立家纲之弟纲吉为将军。纲吉上台后，立即任命堀田正俊为大老。但他还未能进行重大改革，就被一个忌妒的表弟刺杀。

Hotta Masayoshi　堀田正睦（1810，日本江户[今东京]～1864-04-26，佐仓）　日本政治家，曾谈判日美两国建立贸易关系的通商条约。原为大藩主，学习过西方语言和军事技术，当1853年美国海军准将M.C.佩里率舰队到达日本，要求向西方开放门户时，堀田建议政府采取稳健方针。在政府无视群众的情绪而签订一项允许美国在日本设一领事的条约后，将军的地位恶化起来。正在发生这一危机时，堀田被任命为"老中"（幕府最高官员）。他削减强烈反对新外交政策者的权力，以巩固他的统治；并转向此前一直被排除在政府外面的大藩主寻求支持，与美国签订商务条约。随之而来的批评风暴，使他去和几世纪来在政府中有名无权的天皇商议。由于天皇拒绝批准上述条约，这就进一步削弱了政府的力量。于是，将军将堀田免职。然而，堀田的施政却促进了1868年将权力归还天皇和打倒德川幕府的运动。

Hottentot（people）　**霍屯督人**　参阅 **Khoikhoin** 科伊科伊人。

Hottentot bread（plant）　**霍屯督面包**　参阅 **elephant's-foot** 象脚薯。

Hottentot languages　霍屯督诸语言　参阅 **Khoikhoin languages** 科伊科伊诸语言。

Hotteterre, Jacques　奥特泰尔（1674-09-29，法国巴黎～1763-07-16，巴黎）　全名 Jacques-Martin Hotteterre。别名 Le Romain（意为"罗马人"）。法国音乐家、教师，乐器制作家。出身于著名木管乐器制作家与演奏家家族。其别名"罗马人"可能是因为他曾去意大利旅行而起。1708年时，奥特泰尔在享有盛誉的"大埃库里厄"重奏团任大管演奏员（或低音双簧管演奏员）。除吹奏各种木管乐器外，还向业余爱好者传授其吹奏法，并制作长笛和缪赛特风笛。他出版的第一篇著作《横笛原理》（1707），是已知最早的长笛演奏法论文，既包含长笛又涉及竖笛和双簧管的演奏法，在欧洲各国极受欢迎，曾多次再版。这一论文是木管乐器演奏中诸如运舌法和装饰音等早期技巧的一个珍贵资料来源。后来又发表一篇讨论如何即兴演奏木管前奏曲的论文（1719），一本实用的缪赛特风笛演奏手册，还有二重组曲、三重奏鸣曲等五花八门的乐曲。上述第二篇论文也就横笛可能有的节拍变化和节奏手法进行了极有价值的探讨。奥特泰尔的第一本横笛与低音的组曲集是法国出版的同类曲集中的第二本，收有大量由一支或两支长笛（无伴奏）演奏的乐曲，有些作品所含乐章多至11或12个。

Hötzendorf, Franz (Xaver Josef), Graf Conrad von　赫岑多夫　参阅 **Conrad von Hötzendorf, Franz (Xaver Josef), Graf** 康拉德·冯·赫岑多夫。

Hou Baolin　侯宝林（1917-04-28，中国北京～1993-02-04，北京）　中国相声演员。满族。自幼家境贫寒，12岁学艺，初从云里飞学滑稽京剧，后改习相声，先后拜常宝臣、朱阔泉为师，在北京天桥、鼓楼和庙会"撂地"演出。1940年成名于天津，到剧场和电台献艺。1950年参加北京相声改进小组。1955年入中央广播说唱团，录制和播出了大量曲目。他多次深入工厂、农村、部队演出，深得国人喜爱。1979年退出舞台，潜心钻研曲艺理论，与他人合著了《曲艺概论》、《相声艺术论集》、《相声溯源》等。1980年应邀赴日本访问，考察了日本民间喜剧艺术语言的情况。侯宝林的相声风格清新、洒脱、含蓄、隽永，追求寓壮于谐、意高味浓的美学境界。善于摹拟方言市声及各种戏曲流派，语言节奏清晰明快，形

中国大百科全书出版社供图

体动作自然和谐，舞台风度亲切朴实。由于他观察生活细微，表演各色人物惟妙惟肖。特别是他在剔除传统相声中的糟粕，纯洁相声语言，提高相声艺术的趣味和格调等方面，开一代之先驱，被誉为相声大师。代表作有：《婚姻与迷信》、《一贯道》、《妙手成患》、《夜行记》、《戏剧杂谈》、《戏剧与方言》、《改行》、《醉酒》、《关公战秦琼》等，讽刺锋芒犀利，艺术效果强烈。他曾任中国曲艺家协会副主席，并受聘为北京大学兼职教授。

Hou Debang　侯德榜（1890-08-09，中国福建闽侯～1974-08-26，北京）　中国著名化工专家，中国化学工业的奠基人之一。字致本。6岁时在乡间启蒙入学。1903年入美国教会在

中国大百科全书出版社供图

福建开办的英华书院读书。1911年考入北京清华留美预备学堂高等科。1913年赴美国麻省理工学院学习化工专业，后曾在美国水泥、硫酸、染料、电化等工厂实习。1918年入哥伦比亚大学研究院学习，1921年获化学工程哲学博士学位。同年10月回国，到实业家范旭东和化学家陈调甫等人筹建的中国第一家碱厂"永利碱厂"担任技师长兼制造部部长。在他的指导下，1926年生产出优质纯碱，使永利碱厂成为亚洲第一家采用苏尔维法制碱的工厂。同年在美国费城万国博览会上获金质奖。1932年用英文撰写《纯碱制造》（Manufacture of Soda）一书，1933年在美国出版，将保密达70年之久的苏尔维法制碱技术公诸于世，为中外学者所共仰。1937年主持建成具有世

界先进水平的南京硫酸铵厂，开创了中国化肥工业的新纪元。1943年首先在实验室研究成功连续生产纯碱和氯化铵的联合制碱工艺；同年中国化学会第11届年会上此法获中国工程学会一届化工贡献最大者奖。1964年实现了工业化生产。此法人称“侯氏碱法”，为世界制碱技术开辟了新途径，并得到了国际学术界的重视。1958年又开发了碳化法生产碳氢铵的新工艺，促进了中国化肥工业的发展。1943年成为英国皇家化工学会名誉会员，1944年获哥伦比亚大学荣誉科学博士学位。他还是美国化学工程学会、机械学会荣誉会员和机械工程师协会终身荣誉会员。1951年起任中国化学会理事长、中国科学院学部委员、化学工业部副部长。1963年当选为中国化工学会理事长。著有《制碱工学》(1959)、《从化学家观点谈原子能》等著作。

Hou Wailu　侯外庐(1903-02-06，中国山西平遥～1987-09-14，北京)　中国历史学家。原名兆麟，又名玉枢，自号外庐。出身于书香人家，自幼习四书五经。1922年分别考入北京

中国大百科全书出版社供图

法政大学和北京师范大学，兼攻法律和历史。1927年赴法国留学，入巴黎大学。1930年回国。初在哈尔滨法政大学任教授，后在北京大学、北京师范大学等校任教授。抗日战争期间，在重庆从事学术研究，相继出版了《中国古典社会史论》(后改名《中国古代社会史论》)、《中国古代思想学说史》和《中国近世思想学说史》(上、下卷)等重要著作。1949年后，历任北京师范大学历史系主任、西北大学校长、中国科学院历史研究所副所长、哲学社会科学部学部委员等职。文化大革命后，任中国社会科学院历史研究所所长。他从1934年刊行《中国古代社会与老子》一书起，发轫历史研究工作。主要研究中国古代社会史和中国思想史。在学术上独具特色。主要观点是：①按照中国社会发展史的阶段，叙述各个社会的思想发展；②根据亚细亚生产方式的理论，分析中国古代的“早熟”文明；③从封建土地国有制，认识中国封建思想定于一尊的经济基础；④从地主阶级不同的矛盾利害，寻求说明不同阶级对立思想的矛盾斗争原因；⑤发掘中国思想史上唯物主义和反正宗儒学的“异端”思想的优良传统；⑥强调以法典作为论证奴隶制与封建制分界的标志。他不同意西周封建说或春秋战国之交说，也不赞成魏晋封建论，认为中国封建制的出现和形成，应在战国中期至秦汉之际。

主要著作有：《苏联历史学界诸论争解答》(1945)、《中国封建社会史论》(1979)、《中国思想通史》(与杜国庠、赵纪彬、邱汉生等合著，5卷，1979)、《中国思想史纲》(上、下册，1980、1981)、《韧的追求》(回忆录，1985)、《宋明理学史》(上、下卷，1986)等。

Hou Yi　后羿　参阅 **Yi** 羿。

Houakhong (Laos)　**华空**　参阅 **Louang Namtha** 琅南塔。

Houbraken, Arnold　豪布拉肯(1660-03-28，荷兰多德雷赫特～1719-10-14，阿姆斯特丹)　荷兰画家和艺术著作家，以其对荷兰画家的传记研究3卷本《尼德兰艺术家和画家大观》(1718～1721)一书出名。豪布拉肯虽然缺乏新的意境，但却是一位地道的学院派画家。他的《大观》则是关于17世纪荷兰大画家的唯一最重要的资料来源。

Houbraken, Jacobus　豪布拉肯(1698-12-25，荷兰多德雷赫特～1780-11-14，阿姆斯特丹)　18世纪荷兰的主要肖像版画家。画家和艺术著作家安诺德·豪布拉肯之子。他于1707年定居阿姆斯特丹。以当代荷兰画家的作品为蓝本，一生刻制过400幅肖像。

Houdin, Jean-Eugène (magician)　**乌丹**　参阅 **Robert-Houdin, Jean-Eugène** 罗贝尔-乌丹。

Houdini, Harry　乌丹尼(1874-03-24，布达佩斯～1926-10-31，底特律)　原名埃里克·魏斯。美国魔术师。以耸人听闻的遁术而闻名。幼年时即为空中飞人表演者。1882年定居纽约，参加歌舞杂耍表演，成就不大。20世纪初，因能从手铐、脚镣、捆绑和各种封锁容器内解脱出来的大胆绝技而赢得国际声誉。1916～1923年曾在许多影片中展示他的技艺。他曾为《不列颠百科全书》第13版(1926)撰写魔术条目。晚年，他发起了反对猜心术士、巫师以及其他一些声称具有神力的人的运动，力言他们是江湖骗子。著有《奇迹传播者及其方法》(1920)和《置身妖魔鬼怪中的魔术师》(1924)。可是他本人及其妻仍同意进行一种实验：先死者要设法与后死者在精神上沟通，但其遗孀于1943年临死前宣称该实验失败。他的艺名取自法国魔术师罗贝尔-乌丹。著有《揭开罗贝尔-乌丹的真面目》(1908)一书。

Houdon, Jean-Antoine　乌东(1741-03-20，法国凡尔赛～1828-07-15，巴黎)　法国雕刻家，其宗教和神话题材的作品明显表现了18世纪注重装饰的洛可可式雕刻风格。他是历史上最伟大的肖像雕刻家之一。9岁开始雕刻，受过法国皇家学院所规定的长期训练。1761年获罗马奖；在罗马期间(1764～1768)以所作大理石圣布鲁诺大型雕像(1767，罗马圣马利亚德格利安吉利广场)和人体解剖模型而享有盛名。1770年作《莫耳甫斯》卧像(1777年的大理石变体，藏于巴黎罗浮宫)，并以此而被接纳为皇家学院院士。所作坐姿雕像有狄德罗、俄国女皇叶卡捷琳娜二世和富

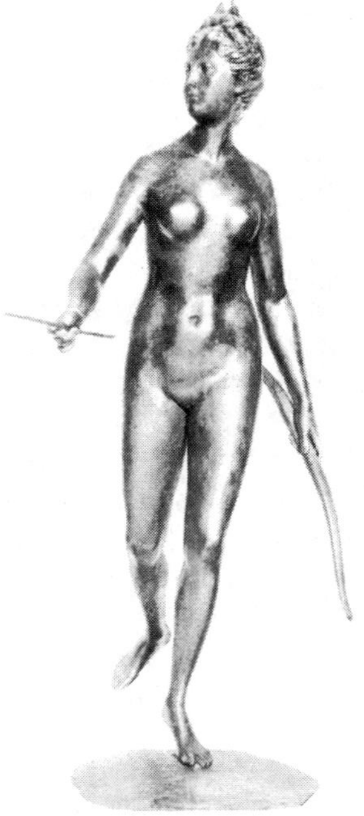

乌东的《狄安娜》铜像

美国不列颠百科全书公司供图

兰克林等人的雕像。在伏尔泰去世前不久，乌东开始为他作像，现存法兰西喜剧院的著名伏尔泰坐像就是在此基础上创作的。此外还作了4座不同的伏尔泰半身雕像和一座青铜的卢梭胸像(现存罗浮宫)。1785年去美国为制作G.华盛顿的雕像作准备。华盛顿的大理石雕像于1788年制作完毕，1796年树立在里士满的弗吉尼亚州议会大厦内。最负盛名的神话作品是月神狄安娜雕像，第一次展出于1777年。1791年在沙龙展出了一批胸像作品。1815年法兰西帝国崩溃后，因不合潮流，遂隐居，以遗老身份度过了最后13年。

Houghton　霍顿　美国密歇根州上半岛西北部城市，霍顿县县城。濒临波蒂奇湖和基威诺水道，与汉科克隔水相望。1851年始建。1867年设市。现为炸药、木材、矿产、乳品、家禽和水产等的集散中心。设有密歇根工业大学(1885)和A.E.锡曼矿物博物馆。夏季与苏必利尔湖的罗亚尔岛国家公园通轮渡。公园管理局设于霍顿。人口17 873(2003)。

Houghton (of Great Houghton), Richard Monckton Milnes, 1st Baron　霍顿男爵(第一)(1809-06-19，英国伦敦～1885-08-11，法国维希)　即R.M.米尔恩斯。英国维多利亚时代折衷主义诗人和作家，他极大地影响了当时人们的文学情趣。1831年在剑桥大学三一学院获硕士学位，参加进步团体“使徒俱乐部”，其成员包括诗人A.丁尼生和A.H.哈勒姆。1837～1863年为国会议员，积极参加关于版权和设立少年感化院问题的讨论。1863年在首相帕默斯顿勋爵的帮助下进入上议院，为英国教会内的牛津运动辩护并赞成修改选举权法。他是作家们慷慨和有鉴赏力的

美国不列颠百科全书公司供图

赞助者,出版了《济慈生平、书信和文学遗著集》(1848),为丁尼生请领一笔年金,使美国哲人 R.W. 爱默生在英国成名,还是诗人 A.C. 斯温伯恩早年的支持者。发表过两部诗集(1876)和许多报刊文章。

Houji 后稷 又拼Hou Chi。中国神话传说中周氏族的先祖。名弃。传其母姜嫄郊游踏巨人足迹,怀孕而生。因曾被弃,故名弃。从小喜农艺,曾将野生谷、麦、麻、豆培育种植。

中国大百科全书出版社供图

或说从天上带来百谷,播植人间。后为尧的农师,教民耕植,后世尊为后稷(稷是官名)。

Houlton 霍尔顿 美国缅因州东北部城镇,阿鲁斯图克县县城(1839)。在班戈东北 193 千米处,濒临梅杜克斯内基格河。1805 年设居民点,1831 年设镇。早期为伐木业城镇。经济以种植马铃薯为主。亦出产牛肉、乳制品和木器。市东加拿大-美国边界上的霍尔顿国际机场是当地的出入港和工业区。面积 95 平方千米。人口 6 361(2003)。

Houliangtaizu Zhu Huang 后梁太祖朱晃 (852 ～ 912) 中国五代(907 ～ 960)后梁王朝的开国皇帝。初名朱温,宋州砀山(今属安徽)人。早年参加黄巢起义军。黄巢建立大齐政权后任为同州(今陕西大荔)防御使。882 年朱温叛变,投降唐朝,唐僖宗授为金吾卫大将军,次年改为宣武军节度使,赐名全忠。以镇压黄巢起义军有功,进封梁王,成为当时最强大的割据势力。904 年迫唐昭宗自长安迁都洛阳,后又废杀昭宗。907 年废唐哀帝李柷而代唐称帝。改名晃,国号梁,改元开平,建都开封,史称后梁。与据有太原的沙陀贵族李克用、李存勖父子连年交战,逐渐丧失其军事上的优势。912 年在诸子争夺帝位中为次子朱友珪所杀。朱晃在位 6 年。

Houma 霍马 美国路易斯安那州东南部城市,泰勒博恩堂区所在地(1834)。东北距新奥尔良 80 千米。地处泰勒博恩长沼和内陆水道之间,通过 58 千米的霍马运河与墨西哥湾连接。约于 1810 年始建,1843 年设镇,1898 年设市。早期曾为鱼虾、毛皮的港口,现为当地生产的石油、天然气、硫磺、食糖和海味的加工和转运中心。附近有许多美国南北战争以前的住宅和种植园。近处还有一个美国的食糖试验站。人口:市32 393;霍马-蒂博多都会区194 477(2000)。

Houma 侯马 中国山西省县级市。位于省境西南部,临汾盆地南部,同蒲铁路与侯马—西安铁路在此交会,是晋西南交通枢纽。古为新田邑,春秋时晋景公(公元前 599 ～前 581)迁都于此。后为驰名的驿站,"侯马"一名即取义于此。清乾隆年间(1736 ～ 1795),侯马驿编制驿夫 90 人,驿马达到 77 匹,是全盛时期。原为曲沃县西部大镇,1958 年以曲沃、新绛两县和襄汾县一部分设市,1963 年撤销,1971 年以曲沃县一部分复置。2000 年改省辖县级市,由临汾市代管。面积 274 平方千米。全境均为平原,农作物以小麦、棉花、玉米为主。主要工业有机械、建材、电力、纺织、汽车修配、榨油等,为新兴工业城市。商业繁荣,是晋西南一大货物集散地。1956 年在市区西部发掘出春秋后期至战国初期(公元前 6 世纪至前 4 世纪)的晋国都城新田遗址。市区东部出土的"侯马盟书"具有重要的史料价值。人口230 000(2005)。

hound's-tongue 倒提壶 倒提壶属(琉璃草属,*Cynoglossum*)植物,约60种。原产新、旧大陆温带地区。叶舌状、有毛,故英文名原意为狗舌草。中国的勿忘我(倒提壶,*C. amabile*)

药用琉璃草(*C. officinale*)
美国不列颠百科全书公司供图

花蓝色。药用倒提壶(药用琉璃草,*C. officinale*)和德国倒提壶(德国琉璃草,*C. germanicum*)产于欧洲,广布于路边和干旱土地。高 60 ～ 90 厘米。花枝弯卷,花小,淡紫红色,花冠裂片 5 枚,种子簇生,具钩刺。药用琉璃草已引种于北美。

Houni(people) 参阅 **Hani** 哈尼族。

Hounsfield, Sir Godfrey Newbold 豪斯菲尔德(1919-08-28,英国诺丁汉郡纽瓦克～ 2004-08-12,泰晤士河畔金斯顿) 英国电气工程师,因在电子计算机控制的轴向层析 X 射线照相(CAT)诊断技术方面的重大贡献,与 A. 科马克共获 1979 年诺贝尔生理学或医学奖。第二次世界大战时曾参加皇家空军,学习电子学和雷达,以后进伦敦法拉第电气工程学院深造,于 1951 年加入 EMI 股份有限公司的科研组织工作。1958 ～ 1959 年他领导设计小组制成英国第一台全晶体管电子计算机 EMIDEC 1100。后来,他在研究识别图样的问题中,发明了 CAT 的基本原理。几台扫描器原型机的试验结果良好,1972 年在首次临床实验中他的 CAT 扫描获得成功。豪斯菲尔德除荣获诺贝尔奖外,还得过其他不少奖,1981 年受封为爵士。

Hounslow 豪恩斯洛 英格兰伦敦外围自治市。位于泰晤士河谷地,市的西缘。属于米德尔塞克斯历史郡。风景如画的泰晤士河畔的奇西克社区和绿树成荫的斯特兰大街与布伦特福德的大工业区辉映成趣。面积 56 平方千米。市北有通伦敦的两条交通干线(大西路和 M4 号高速公路)经过。1016 年布伦特福德曾是丹麦王克努特与盎格鲁-撒克逊王埃德蒙的交战场。1281 年经爱德华一世批准修建跨布伦特河的桥梁后,布伦特福德发展为商镇。布伦特福德和奇西克连成一片后,该自治市发展为现代化工业区。名胜古迹有奇西克大厦、赛厄恩大厦、沃思特累大厦、冈纳斯伯里大厦、波士顿庄园和贺加思大厦(17 世纪)等。人口约 212 341(2001)。

Houphouët-Boigny, Félix 乌弗埃-博瓦尼 (1905-10-18,法属西非科特迪瓦亚穆苏克罗～ 1993-12-07,科特迪瓦亚穆苏克罗) 科特迪瓦(象牙海岸)政治家和医生,1960 年独立后任总统。在他的治理下,科特迪瓦成为非洲撒哈拉大沙漠边缘最昌盛的国家之一。

乌弗埃-博瓦尼出身酋长门第,曾为"非洲医生"(这是一种不需要正式的医学学位的职位,但却是法属非洲殖民地非洲人所能担任的最高职位),并兼营种植园。他充分利用个人背景的一切条件来使他的政治活动取得成功。

乌弗埃-博瓦尼的政治生涯始于 1944 年。当时非洲种植园主因不满欧洲移民的侵夺而组织非洲农业联合会以保卫自身利益,他是发起人之一。在第一次科特迪瓦选举(1945)中,他当选为法国议会议员,并很容易地在 1946 年连选连任。同年他还建立科特迪瓦民主党(PDCI),该党从属于法国共产党,又是法属西非各领地联合政党"非洲民主联盟"重要成员之一,他任该联盟主席。

40 年代后期,特别是共产党在法国成为反对党之后,法国当局对科特迪瓦民主党日益持敌对态度,乌弗埃-博瓦尼遂于 1950 年 10 月决定断绝他的党与共产党的联系,而同法国当局合作,并在历次选举中不断壮大其党的实力和组织。1956 ～ 1960 年他分身往来两地:在法国,他是国民议会议员和内阁成员;在科特迪瓦,他是领地议会议长,又是阿比让市长,还是党的总领导人。同时,他坚决反对西非各国结成独立国家联邦的意见，因为他不愿使富裕的科特迪瓦贴补那些穷的邻国。当戴高乐总统于1958年提议在法国领地举行公民投票，表决是参加一个新的联邦共同体，还是成为独立国家时，他提出的留在法兰西共同体内实行自治的主张获得通过。

1959年他成为科特迪瓦政府总理，1960年独立后当选为第一任总统。1965、1970、1975、1980及1985年，他都没有对手地连选连任。他是一个有计谋、讲实际的政治家，通过合作、协商一致和妥协来取得反对派对他的一党统治的支持。

美国不列颠百科全书公司供图

乌弗埃-博瓦尼推行开明的自由企业政策，在其他许多非洲国家试图推行成本高昂但归于失败的国营工业化时，他在科特迪瓦发展种植经济作物的农业。他欢迎国外投资，并在经济上与法国紧密合作，甚至雇用数以千计的法国技术和管理人员，以保证他的国家得到发展。1990年在科特迪瓦第一次有竞选对手的总统选举中，乌弗埃-博瓦尼再一次当选。

hour 小时 在计时中，指3 600秒，现在用铯原子在规定条件下的电磁辐射来为秒长下定义。过去小时的定义为平太阳日（地球自转对太阳的平均周期）的1/24。恒星小时（地球自转对恒星的周期的1/24）要比平太阳小时短10秒左右。在更早的计时系统中，1小时是1昼或1夜的1/12，因此，随昼长和夜长的季节变化而改变其长度。将一昼夜轮回划分为24段的习俗可能起源于古代埃及。

hour angle 时角 天文学名词，指观测者的子午圈（通过观测者天顶和天极的大圆）与某天体的时圈（通过天极的任一大圆）之间的夹角。用小时和分表示的天体的时角，等于该天体从最后一次通过观测者子午圈起算的时间。时角也可以用度表示：1小时等于15°。参阅 **right ascension**。

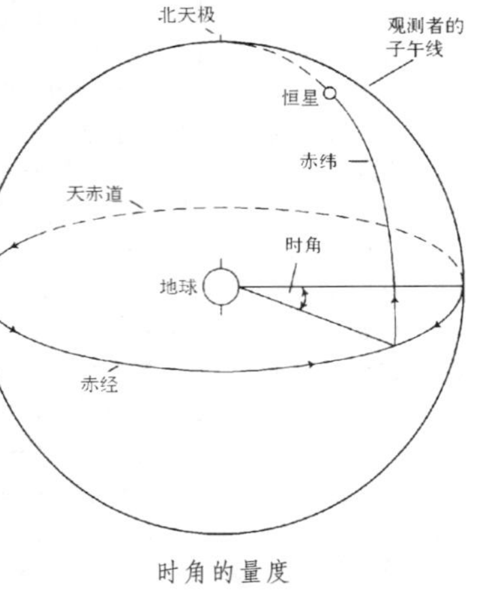

时角的量度

hour circle 时圈 天文学名词，指天球上通过天极并垂直于天赤道的任一大圆（类似于地球的经圈）。天体的赤纬就是沿着天体的时圈计量的。在任何瞬间通过某一观测者天顶的时圈就是该观测者子午圈。时圈一词也用于赤道式装置望远镜的刻度，以指示望远镜所对准的时角。

houri 好拉 伊斯兰教用语，指在天园里等候虔诚穆斯林到来的美貌少女。《古兰经》中多次提及她们，称之为"贤淑的配偶"和"纯洁的处女"。圣训对好拉肉体方面的形象介绍极其详尽，并明确提到她们的一些职责。例如，信徒进入天园会被赏赐许多好拉，他生前在赖买丹每月斋戒一天，生前每行一件善事，在天园就可以与一个好拉同居一次。某些教义学家如贝达维宁愿给予好拉一个隐喻的解释。有人认为，穆罕默德对他在基督教天堂画像中看见的安琪儿给予了重新解释，并称之为好拉。

hours, canonical 祈祷时刻 参阅 **divine office** 日课。

hours of labour 参阅 **labour, hours of** 劳动时间。

Housatonic River 胡萨托尼克河 美国新英格兰西南部河流，源出马萨诸塞州皮茨菲尔德附近的伯克希尔丘陵。南流经过康涅狄格州注入长岛湾。全长238千米。上游191千米，落差292米，建有几座水电站。河口以上19千米为感潮河段。

house 宫位 占星术中的天体十二部位之一。参阅 **horoscope**。

house（theatre） 参阅 **mansion** 殿堂。

House, Edward M(andell) 豪斯（1858-07-26，美国得克萨斯休斯顿～1938-03-28，纽约市） 美国外交家，W.威尔逊总统（1913～1921）的心腹顾问，在拟订结束第一次世界大战的和平条件方面起过关键作用。原为富商，后来从政。1892～1904年任得克萨斯州多位州长的顾问，其中一位赠与他上校荣誉军衔，故人称"豪斯上校"。1912年在威尔逊竞选总统时，他曾大卖力气。威尔逊当选后，即聘他为顾问。他与国会领袖们建立起良好关系，为威尔逊的立法计划赢得国会支持发挥了重要作用。第一次世界大战爆发后，任威尔逊驻英、法、德各国的主要代表。1917年4月6日美国对德国宣战后，他与各协约国代表一起工作，协调兵员、财政、物资供应和运输等方面的计划。曾协助总统起草许多战时演说，包括在国会提出《十四点和平纲领》的那次演说。1918年10月德国要求和谈时，

美国国会图书馆供图

他代表美国出席协约国会议，强调以《十四点和平纲领》为和约基础。1919年巴黎和会时，他是美国代表团团员，积极协助威尔逊起草国际联盟盟约。两人因意见不合，《凡尔赛和约》（1919-06-28）签字后即分道扬镳。

house cat 参阅 **domestic cat** 家猫。

house mouse 家鼠 常见的小鼠（**mouse**）种类。

House of Representatives（U.S.） 参阅 **Representatives, House of** 众议院。

house snake 家蛇 生活在住宅周围的几种蛇。在美国常把挤奶蛇称为家蛇（参阅 **king snake**）。非洲的家蛇属于游蛇科家蛇属（*Boaedon*），对人无害，以鼠为食。如非洲东部的线条家蛇（*B. lineatum*），常见于屋檐或地席下，略呈黑色，体长一般不到90厘米。

house sparrow（*Passer domesticus*） **家麻雀** 又称English sparrow（英格兰麻雀）人们最熟悉的小鸟之一，世界上数量最多的小鸟。有时归入雀形目织布鸟科（**Ploceidae**）或分立

家麻雀（*Passer domesticus*）
美国不列颠百科全书公司供图

为雀形科。分布于城乡，由欧洲人从原产地（欧亚大陆的大部和北非）带到世界各地。1852年引进到北美纽约州的布鲁克林，在一个世纪内扩展到整个美洲大陆。体长14厘米，淡黄褐色，雄鸟有黑色围涎状区。温暖地区几乎全年繁殖。巢在屋檐下，垫有杂乱的（通常很脏）稻草和羽毛，每窝4～9个卵。雌雄一起营巢。从前，家麻雀食马饲料中丢落的谷粒，因此数量很大；现在马为汽车所替

代，城市中家麻雀的数量亦大减。

Housebook, Master of the 家常读本画师 （活动时期 1450 ～ 1470） Housebook 德语作 Hausbuch。佚名晚期哥特画家和雕版画家，早期的著名版画家。过去曾被认为是阿姆斯特丹印坊画师，现常称为家常读本画师。所作"家常读本"图画及 91 幅版画的内容主要是些异想天开的想象，有时也表现出对当时社会的讽喻。生平不详，通常认为他是士瓦本或莱茵河中部地区人。有些学者认为阿姆斯特丹印坊画师和家常读本画师是两个不同的艺术家。

housecarl 护卫 古诺尔斯语作 húskarl。丹麦文及挪威文拼作 hird。中世纪斯堪的纳维亚国王和酋长的私人卫士或保镖。1015 ～ 1035 年丹麦人在克努特大帝领导下占领英格兰时，他们在欧洲曾经赫赫有名。克努特的护卫部队由3 000人组成，但通常情况下，约为 90 人。这些护卫对主子忠心耿耿。他们得到战利品和生活费作为酬报。他们的一切生活和行动、军纪军令和公务活动，在法律上都有明文规定。中世纪后期，这种私人护卫逐渐消失。第二次世界大战时期，挪威卖国贼 V. 吉斯林称他的特务队为"护卫"。

housefly（*Musca domestica*） **家蝇** 双翅目蝇科的常见昆虫。在人住所中家蝇约占全部蝇类的 90%。家蝇曾是城市内主要的扰人昆虫和影响公共卫生的问题，目前在有垃圾

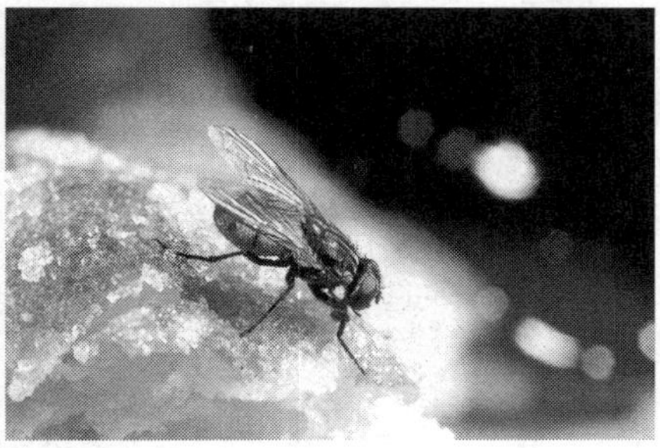

家蝇（*Musca domestica*）
美国不列颠百科全书公司供图

和腐败的有机废物堆积的地方仍是如此。深灰色，腹部有污黄色的区域，胸部有纵形条纹。体长 5 ～ 7 毫米。复眼显著，约有4 000 个小眼面。口器不能叮咬，只能舐吸（近缘的厩螫蝇会叮人）。由于足上每个爪下的爪垫的分泌物的表面张力，家蝇能在垂直的玻璃窗上或背朝下在天花板上行走。雌体一次产 100 多个细长卵（长 0.8 ～ 1 毫米），一生产 600 ～1 000 粒卵。经 12 ～ 24 小时孵化。幼虫称为蛆，污白色，长 12 毫米，经数次蜕皮，转化成蛹。羽化时头上扩展成一额胞，突破蛹壳的端部而出。家蝇的足上带有千百万病菌。凡家蝇接触的垃圾、粪便及废物要用杀蛆药喷洒。长效杀虫药在数周内对家蝇有效，但有的家蝇对一些杀虫药（如 DDT）已产生抗药性。

houseleek 家韭葱 又称live-forever（长生草）。景天科长生草属（*Sempervivum*）矮生肉质植物，约 40 种。原产欧洲、摩洛哥及亚洲西部。该属植物的生命力极强，故名长生草。一些种能在茅草屋顶上生长，故得家韭葱之名。通常具多肉的厚叶，密集成莲座状。围绕亲本不断地长出小株或短匍茎。该属植物通常栽培于花坛边缘和岩石花园，以及种作小巧的窗台装饰盆景。屋顶长生草（普通家韭葱，*S. tectorum*）有许多栽培变种。蛛网家韭葱（蛛丝长生草，*S. arachnoideum*）各叶端之间以蛛网状丝相联，也有很多栽培变种。

Houseman, John 豪斯曼（1902-09-22，罗马尼亚布加勒斯特～1988-10-31，美国加利福尼亚马利布） 原名 Jacques Haussmann。美国舞台剧演出人，电影、广播剧和电视剧制作人，但最出名的也许还是他后来作为性格演员的成就。豪斯曼童年时随父母遍游欧洲。在英国受教育后于 1924 年移居美国。他戏剧生涯中的第一个重要职务是 1934 年担任弗吉尔·汤姆森《三幕戏中的四位圣人》的导演。次年他与奥森·韦尔斯一起组织了"黑人戏剧项目"，这是工程进度管理署"联邦戏剧规划"的一部分。1937 年他与韦尔斯组建了墨丘利剧院，在百老汇戏剧和广播剧领域均取得成功。豪斯曼同时担任剧院的编剧和演出人。40 年代豪斯曼移居好莱坞，在那里他制作出 19 部故事片，其中包括《一位不知名女人的来信》（1948）、《他们生活在夜间》（1949）、《坏蛋与美人》（1952）、《尤利乌斯·凯撒》（1953）和《生活欲望》（1956）。他继续在百老汇担任戏剧导演和演出人，50 年代在哥伦比亚广播系统担任电视制作人。他还在许多地方担任艺术指导，如美国莎士比亚戏剧节、洛杉矶加利福尼亚大学专业戏剧团、朱利亚德学校戏剧部和有他合作创建的进行巡回演出的表演团。1973 年豪斯曼在《纸上的追逐》中塑造出一位苛刻而专横的法律学校教授，这部影片由他从前的弟子詹姆斯·布里奇斯导演。他的表演为他赢得了奥斯卡奖，并且使他与这个人物结下了不解之缘，他还在其他许多电影和电视节目中扮演了类似的角色。他出版了多卷回忆录，包括《匆匆看过》（1972）、《前部与中心》（1979）和《最后的穿着》（1983）。

houseplant 室内植物 种植于室内以观赏其花、叶或生长型的植物，多为原产于温暖地区的植物。种植和出售花草已成为一种行业。室内植物多适应于干旱温暖的条件（常见于居室的条件）。最好的室内植物既美观又便于种植和保养。最受欢迎的是观花植物。从许多绘画和雕塑作品中可以看出，古希腊和古罗马时代可能已将盆栽花卉放置室内。埃及、印度和中国常把盆栽花木放在庭院里。日本把矮化的乔木作室内装饰。17 世纪以前，室内植物并不普遍，英国农学家休·普拉特于 1652 年出版《伊甸园》一书，介绍室内栽培植物的可能性，以后迅速出现大量玻璃暖房。19 世纪中叶在英、法两国关于在私人住宅内栽种植物的书籍及用封闭的可携带的容器（沃德氏箱、生物育养箱等）种植花草之风盛行起来。今天，文明国家的住宅鲜有不种某些花草的。有数千种热带和亚热带植物适于室内种植，经得起干热、低日照的室内条件。

室内植物可分为几大类。①观叶植物。如原产美洲热带的喜林芋属（*Philodendron*，藤本，叶革质；如孔叶喜林芋[*P. pertusum*]，俗称"瑞士乳酪"草，叶上有许多小孔，边缘多裂痕）、花叶万年青属（*Dieffenbachia*）、广东万年青属（*Aglaonema*）、藤芋属（*Scindapsus*）、花烛属（*Anthurium*）、五彩芋属（*Caladium*）、秋海棠属（*Begonia*）、竹芋属（*Maranta*）、变叶木属（*Cadiaeum*）、胡椒属（*Peperomia*）。凤梨科有许多属的叶美观，如杂色叶凤梨属（*Neoregelia*）、鸟巢凤梨属（*Nidularium*）、古斯曼氏凤梨属（*Guzmania*）、铁兰属（*Tillandsia*）、无柄凤梨属（*Cryptanthus*）、弗里斯氏凤梨属（*Vriesea*）、尖萼荷属（*Aechmea*）、水塔花属（*Billbergia*）等。②肉质植物。主要为仙人掌类，如银毛球属（*Mammillaria*）、仙人球属（*Echinocactus*）、仙人掌属（*Opuntia*）、山影掌属（*Cereus*）、卡内基氏掌属（*Carnegiea*）、昙花属（*Epiphyllum*）、仙人棒属（*Rhipsalis*）、*Epithelantha* 属、*Parodia* 属、*Rebutia* 属、*Gymnocalycium* 属、*Notocactus* 属、*Cephlocereus* 属（老人掌）等。大戟属（*Euphorbia*）内有茎为肉质的植物。芦荟属（*Aloe*）、拟石莲花属（*Echeveria*）、青锁龙属（*Crassula*）、虎尾兰属（*Sansevieria*）、*Haworthia* 属及熊猫草（被茸毛伽蓝菜，*Kalanchoe tomentosa*）的叶为肉质。③观赏生长型的植物。如龙血树属（*Dracaena*）、维奇氏露兜树（*Pandanus veitchi*）、诺福克岛松（异叶南洋杉，*Araucaria heterophylla*）、罗汉松属（*Podocarpus*）、天门冬属（*Asparagus*）、昆士兰伞树（舍夫勒氏木）、印度南洋森（*Polyscias fruiticosa*）、印度橡树（*Ficus elastia*）及其同属种、棕榈（如 *Howeia* 属即 *Kentia* 属的天堂棕榈，又如散尾葵属[*Chrysalidocarpus*]和软叶刺葵[*Phoenix roebelenii*]）。蕨类中可供观赏者如肾蕨属（*Nephrolepis*）、贯众属（*Cyrtomium*）、复叶耳蕨属（*Rumorhra*）、水龙骨属（*Polypodium*）、铁纯蕨属（*Adiantum*）、凤尾蕨属（*Pteris*）、旱蕨属（*Pellaea*）、金毛狗属（*Cybotium*）、卷柏属（*Selaginella*）等。④藤本及蔓生植物。有常春藤属（*Hedera*）、白粉藤属（*Cissus*，如菱叶白粉藤[*C. rhombifolia*]和南极白粉藤[*C. antantica*]）、毬兰属（*Hoya*）、紫露草属（*Tradescantia*）、吊竹梅属（*Zebrina*）及蜘蛛草（吊兰属[*Chlorophytum*]和 *Anthericum* 属）等。⑤观花植物。一般需要日照强、浇水适当和日夜温差大的条件，这些条件室内不易达到，因此适于温室种植。包括非洲紫罗兰（圣保罗花属[*Saintpaulia*]）、苘麻属（*Abutilon*）、凤仙花属（*Impatiens*）、木槿属（*Hibiscus*）、天竺葵属（*Pelargonium*）、君子兰属（*Clivia*）、网球花属（*Haemanthus*）、新马里卡花属（*Neomarica*）、朱顶兰属（*Amaryllis*）、*Veltheimia* 属等。兰花不易在家庭条件下培育，*Epidendrum* 属及 *Oncidiun* 属较易管理。有些观花植物也结可食的果实，可种于窗台上。卡拉蒙丁橘（*Citrus mitis*）、矮化中国柠檬（*C. limon* "Meyeri"）、美国奇迹柠檬（*C. limon* "Ponderosa"）、无花果（*Ficus carica*）、中国矮化香蕉（*Musa nana*）、矮化石榴子（*Punica granatum nana*）、凤梨（*Ananas comosus*）及咖啡树（*Coffea arabisa*）等。

应使室内植物的生长条件尽可能接近其原来的自然生境。室内植物要求的条件如下：①光照。如印度橡胶树、常春藤、蕨类等

喜阴凉，只要一般的光照，无需太阳直射光照。有些植物只靠人工光照亦能生活。有些观花植物在开花前需强的光照，可用光照时间的长短来调节花期。多数室内植物放在近窗处则生长良好。②温度及湿度。是最难达到的条件。最适宜的日间平均温度为 15～21 ℃，夜间温度下降在 3～6 ℃之间。③土壤。有排水孔而不上釉的陶制器皿最佳。经一段时间后，土壤肥力下降、盐分积存过多或植物长大，就需换盆。优良的庭园壤土加上适量干燥的泥炭藓和建筑用砂，对多数室内植物均适宜。④水。供水量不易掌握，要根据植物的种类、容器的大小和种类、土壤的成分和周围大气的情况而定。需观察植物实际用去的水量。⑤养分。植株从土壤中获取养分。盆土中的养分耗尽即需补充。有机肥效果好，但不如商售肥料制剂方便。有两种互补充的施肥方式：根部施肥及叶部施肥（可刺激叶的生长）。因为室内常常干燥而炎热，危害室内植物的真菌病及细菌性疫病不多，但常见昆虫及螨类为害。常见的害虫如介壳虫、蚜虫、蓟马、红蜘蛛等。除虫的方法是用各种液体冲洗植株，所用液体从酒精到肥皂水，或用商售杀虫剂。营养不足、煤气存在、突然暴晒、寒潮袭来、施肥或使用杀虫剂不当、室温太高、湿度太低、水分过多或过低等均可致活力缺乏。在植物休眠期间要减少浇水。

Housman, A(lfred) E(dward)　豪斯曼（1859-03-26，英国伍斯特郡福克贝里～1936-04-30，剑桥）　英国学者和著名诗人，他的抒情诗以朴实的文字表达了浪漫主义的悲观情绪。出身律师家庭。非常喜爱母亲，12岁生日时丧母，受到沉重打击，这无疑是他的诗篇中悲观情绪的来源之一。在牛津大学求学时，因逐渐产生同性恋的欲望而进一步消沉。他深深爱上了一个年轻力壮的男同学，后者成了他的朋友，但无法回答他的爱。由于情绪不安，因而尽管才华横溢，却未能通过毕业考试。1882～1892年在伦敦专利局工作，晚上去不列颠博物馆阅览室钻研拉丁文，成为校勘专家，由于在杂志上发表论文而引起学术界注意，1892年被聘为伦敦大学学院拉丁语教授。豪斯曼确信自己必须过没有爱的生活，于是变得日益遁世。为寻求安慰，他求助于自己的笔记本，开始在其中写后来构成《什罗普少年》(1896)一书的那些诗。1922年出版《最后的诗》，取得了惊人的成功。豪斯曼认为自己主要是拉丁文学者，避免跻身于文坛。1911年受聘于剑桥大学担任拉丁语教授直至逝世。他耗费30多年的精力校勘马尼利乌斯的诗集。讲稿《诗歌的名称和性质》(1933)反映出他对艺术的精湛见解。死后，由弟弟劳伦斯选编其遗作以《集外诗作》题名出版(1936)。1971年出版《豪斯曼书信集》。

Housman, Laurence　豪斯曼（1865-07-18，英国伍斯特郡布罗姆斯格罗夫～1959-02-20，萨默塞特郡格拉斯顿伯里）　英国画家、作家。早年在伦敦习美术，曾给C.罗塞蒂的诗集作插图。他最初写童话和诗歌，自绘插图。第一个剧本为《伯利恒》，同以后的许多剧本一样，书报检查官不准公开演出。1922年出版《圣方济各短剧》第一卷。历史剧有《天使和大臣》(1921)和《废黜》(1922)。豪斯曼的代表作《维多利亚女王》(1924)在美国演出后，曾经轰动一时。

Houssay, Bernardo Alberto　奥赛（1887-04-10，阿根廷布宜诺斯艾利斯～1971-09-21，布宜诺斯艾利斯）　阿根廷生理学家。因发现垂体激素对调节血糖量的作用而与科里夫妇共获1947年诺贝尔生理学或医学奖。1924～1937年用因切除胰脏而患糖尿病的狗做实验，发现狗切除腺垂体后症状大为减轻，并对胰岛素特别敏感。又证明正常动物注射垂体提取物后血糖增高，引起糖尿病，从而说明腺垂体分泌物能对抗胰岛素。1910年任布宜诺斯艾利斯大学教授，1919年任该校生理研究所所长。1943年庇隆将军军事政变后，与其他149名教育家均被撤职，1945年复职，但次年又被迫辞职。1944年创布宜诺斯艾利斯生物学与实验医学研究所，1946年起任所长。最有名的著作为《人体生理学》(1951)。

Houston　休斯敦　美国得克萨斯州东南部内地港口城市，哈里斯县县城(1836)。全州最大城市。有休斯敦航道与墨西哥湾相通，并在东南80千米处的加尔维斯顿与沿岸水道相接。1826年始有人定居，称哈里斯堡。1836年纽约地产商艾伦兄弟购得同年毁于兵祸的哈里斯堡附近的土地，重建城市，改称休斯敦。1837年设市。由于地处多泥泞沼泽并遭受流行性黄热病袭击，早期发展缓慢，仅为运棉港口。南北战争时期为偷越封锁线的基地。1863年为南方联盟大密西西比战区（得克萨斯、新墨西哥和亚利桑那）司令部所在地。1891年发展为铁路中心，有12条铁路线通此。1900年加尔维斯顿遭飓风和大水破坏后，休斯敦成为州内主要港口。到20世纪80年代初，每年远洋、沿海和运河总运输量超过8 000万吨，居全国第三位。1901年当地发现石油后，工业发展迅速，促进了城市的扩大和繁荣。现为石油与石油化工中心、天然气管道网的汇集点，也是宇航研究和发展的中心。石油、天然气、硫磺、石灰、盐和水的资源丰富，航道一带因此成为世界最大工业集中地之一。商业区东南40千米的克利尔湖附近有约翰逊航天中心(1961)，为美国宇航员太空飞行的指挥所。四郊出产大米、棉花和牛。高等院校甚多，其中有赖斯大学(1891)、休斯敦大学(1927)、得克萨斯南部大学(1947)和圣托马斯大学(1947)。得克萨斯医学中心(1945)为规模庞大的综合机构，包括医院、医学院（其中有贝勒医学院）和多所研究机构。有专业交响乐团、芭蕾舞剧团、歌剧团剧院以及各种文艺体育设施、动物园、博物馆、天文馆等。休斯敦是美国主要交通枢纽之一。人口：市1 953 631；休斯敦主要都会统计区4 177 646；休斯敦-加尔维斯顿-布拉佐里亚联合都会统计区4 669 571(2000)。

休斯敦市的表演艺术大厅
美国不列颠百科全书公司供图

Houston, Edwin James　休斯敦（1847-07-09，美国弗吉尼亚亚历山德里亚～1914-03-01，费城）　又译豪斯顿。美国电气工程师，推动了美国商业照明的发展。在费城高中任教时，与E.汤姆孙合作，对感应线圈、直流发电机、无线电发射进行了实验，还设计了电弧照明系统（1881年获专利），获得很大成功，引起了照明技术的改进。1883年在马萨诸塞州林恩组建的汤姆孙-休斯敦电气公司于1892年与T.爱迪生公司合并，组成通用电气公司。1893年休斯敦被任命为芝加哥世界哥伦布博览会的首席电气技术专家，在博览会上他提供了G.威斯汀豪斯二相交流电力系统。

Houston, Sam　休斯敦（1793-03-02，弗吉尼亚罗克布里奇县～1863-07-26，得克萨斯亨茨维尔）　美国律师、政治家，曾领导墨西哥境内的美国移民夺取得克萨斯控制权(1834～1836)，并使之成为美国领土。10余岁时离家入田纳西东部切罗基印第安人部落居住，易名"黑鸦"。历时近3年，熟悉了当地方言、技艺和习惯，同印第安人建立了当时所罕见的密切关系。1817年以美国政府代理人身份安排切罗基族人由田纳西迁居阿肯色准州居留地。1823～1827年回纳什维尔执律师业，同时任美国国会众议员。1827年当选田纳西州州长。1829年再次进入切罗基族村落，被正式接纳为该部落成员。他两次赴华盛顿揭露政府代理人欺骗印第安人的行径。1832年被A.杰克逊总统派往得克萨斯，与印第安人谈判保护美国边境商人的条约。1833年在得克萨斯成家，很快成为美国移民的主要领袖之一，率领移民与墨西哥人争夺该地控制权。1835年11月爆发反墨西哥起义，被推选为移民军总司令。1836年4月21日，率所部不足800人奇袭并击溃A.L.de圣安纳将军所部1 600人的墨西哥军，赢得了得克萨斯的独立。休斯敦被选为总统(1836～1838，1841～1844)。1845年得克萨斯并入美国，1846～1859年他以联邦民主党人身份代表该州进入美国参议院，主张维护联邦统一（与得克萨斯州议会立场相背离）。1859年再度当选州长，但于南北战争前夕未被重新选入参议院。1861年力阻得克萨斯州脱离联邦未果，后因拒绝宣誓效忠南方联盟，于3月被免职。休斯敦市即以他的名字命名。

Houston Ship Channel　休斯敦航道　连接美国得克萨斯州休斯敦市与墨西哥湾的水道，中途经过旧布法罗巴约及加尔维斯顿湾。1914年通航，后经疏浚，河长81.3千米，深11米，最小宽度90米。不需要船闸。

Hout, Jan van 豪特(1542-12-14,荷兰莱顿～1609-12-12,莱顿) 人文主义者、翻译家、历史学家、诗人。荷兰文艺复兴中第一个旗帜鲜明的文学理论家。他预见到欧洲文学发展的方向,从一开始就用抑扬格写诗。他的诗作大部分已经遗失,保存下来的几篇也不能与科恩海特和斯皮赫尔这样的荷兰人文主义诗人的作品媲美。但是,他的几篇残存的散文作品却具有独特的风格和开明的思想。作为一个历史学家,他去芜存菁,寻求客观真理,打破了中世纪单纯按年纪事的传统。

Houtman, Cornelis and Frederik de 豪特曼兄弟(科尔乃利斯约1540,荷兰豪达～1599-09-11,荷属东印度苏门答腊岛亚齐;弗雷德里克 1571,荷兰豪达～1627-10-21,阿尔克马尔) 荷兰探险家和商人。兄弟二人率领第一批荷兰贸易探险队到原先是葡萄牙垄断的东印度群岛,1592 年代表 9 家荷兰商行被派往里斯本,因企图偷窃东印度群岛航路秘密海图二人被葡萄牙人投入牢狱。1595 年获释后返回阿姆斯特丹,科尔乃利斯被任命为荷兰联合东印度公司(9 家商行为与东印度群岛进行贸易而建立的辛迪加)的 4 艘商船的指挥。兄弟二人和船队于 1595 年 4 月 2 日启航,1596 年到达东印度群岛。科尔乃利斯与爪哇、苏门答腊和巴厘的土王建立贸易关系,同年兄弟二人满载香料返回阿姆斯特丹。船队第二次航行时(1598～1599),兄弟二人又与马达加斯加建立贸易关系。1599 年返回苏门答腊,在同亚齐苏丹的军队作战中科尔乃利斯被杀。弗雷德里克在被苏丹囚禁期间学习马来语,获释后于 1602 年回到阿姆斯特丹,写出了第一本马来字典(1603)。以后曾在安汶(1605～1611)及摩鹿加群岛(1621～1623)任总督(两地均在今印度尼西亚)。1619 年发现澳大利亚西海岸的豪特曼群礁。

Houtu 后土 又拼Hou T'u。中国神话中的土地神。《周礼·大宗伯》:"先告后土。"郑玄注:"后土,土神也。"公元前 113 年汉武帝开始奉祀。传说共工氏子勾龙治平九州水土,故以勾龙配享。唐以后,又以后土为守墓的神。中国道教也有后土神,北宋徽宗政和七年(1117)敬尊为"承天效法厚德光大后土皇地祇"。

Houzhoushizong Chai Rong 后周世宗柴荣(921-09～959-06) 中国五代(907～960)后周第二代皇帝。邢州龙冈(今河北邢台)人,后周太祖郭威内侄和养子。在位 6 年(954～959)。在位期间励精图治。政治上澄清吏治,颁行《大周刑统》,整顿科举,破格用人,虚心听取意见;经济上奖励农耕,厉行两税法;军事上严肃军纪,裁汰老弱,加强禁军。反对佛教,废除非朝廷规定的寺院,毁铜佛像铸钱,严禁私度僧尼。从 955 年起先后取得后蜀的秦(今甘肃秦安)、凤(今陕西凤县)、成(今甘肃成县)、阶(今甘肃武都)4 州和南唐的淮南 14 州,北伐契丹,收复瀛(今河北河间)、莫(今河北任丘)、易(今河北易县)3 州和瓦桥(今河北雄县)、益津(今河北霸州)、淤口(今河北霸州东信安镇)三关,为后来北宋重新统一全国奠定了基础。

Hova(people) **霍瓦人** 参阅**Merina 梅里纳人**。

Hovaness, Alan(U.S. composer) 参阅**Hovhaness, Alan 霍瓦内斯**。

Hovd 科布多 又拼Chovd,又称扎尔格朗图,旧称 Kobdo, khobdo。蒙古人民共和国西部城镇,科布多省省会。在阿尔泰山北部丘陵地带,海拔 1 300米。东部为哈尔乌苏湖。建于 1731 年,是与北京商业往来的贸易站,今为蒙古西部重要贸易中心。羊毛、黄油和农产品为主要贸易项目。当地有农学院和以农业为基础的工业,如洗毛厂、肉联厂、食品厂等。人口93 000(1998)。

Hove 霍夫 英格兰萨塞克斯历史郡布赖顿和霍夫单一政区城镇。濒临英吉利海峡,东邻布赖顿。1974 年设置,包括波特斯莱。19 世纪成为海滨胜地和住宅区,北与伦敦通公路和铁路。人口约67 602(1991)。

Hoveida, Amīr ʿAbbas 参阅**Hoveyda, Amīr ʿAbbas 胡韦达**。

hoven(animal disorder) **胃气胀** 参阅**bloat 气胀病**。

Hovenweep National Monument 霍文威普国家保护区 在美国科罗拉多州西南和犹他州东南部,东距科罗拉多州科特斯 40 千米。建于 1923 年。面积 3 平方千米。内有 6 处哥伦布发现美洲以前印第安人的遗迹群:犹他州境内的方塔峡谷、卡乔峡谷、科罗拉多州境内的霍利峡谷、哈克伯里峡谷、卡特斯罗特堡和古德曼角。遗迹上的方型、椭圆型和 D 型塔楼是 1100～1300 年印第安人防御工事的杰作。通过土坡道进入保护区。

hover fly 食蚜蝇 又称flower fly(花蝇)或syrphid fly。双翅目食蚜蝇科(Syrphidae)昆虫。约4 000种。常在花中悬飞,故得其英文俗名。有黄色斑纹,形似黄蜂或蜜蜂,但不螫人。与

食蚜蝇(*Scaeva pyrastri*)
美国不列颠百科全书公司供图

其他蝇的区别在于翅上有与第 4 纵脉平行的一条假脉。有的形小而细瘦,如棍腹食蚜蝇属(*Baccha*),有的形大,似熊蜂,黄黑相间,多毛(如 *Criorhina* 属)。许多种,如美洲食蚜蝇(*Syrphus americanus*)及 *Allograpta obligae* 的幼虫食蚜虫,在化蛹前一只幼虫要吸数百只蚜虫的体液。幼虫还在授粉上起重要作用。水仙球蝇(水仙拟蜂蝇, *Merodon* [或 *Lampetia equestris*])和葱瘤食蚜蝇(*Eumerus tuberculatus*)在水仙、洋葱等的鳞茎、球茎内钻孔为害。蚁穴食蚜蝇属(*Microdon*)的幼虫生活在蚁巢、白蚁巢内,*Volucella* 属的幼虫生活于熊蜂巢中,其他属的幼虫生活于腐败的植被中。蜂蝇(*Eristalis tenax*)的幼虫(鼠尾蛆)生活在阴沟和污水中,后端有一条可伸缩的呼吸管。

hovercraft 悬浮运载器 参阅**air-cushion machine 气垫运载器**。

Hovey, Richard 霍维(1864-05-04,美国伊利诺伊诺默尔～1900-02-24,纽约市) 美国诗人、翻译家、剧作家。1885 年从达特茅斯学院毕业后,曾学习美术与神学。1887 年结识诗人卡曼,后来两人合作著书立说。曾在法明顿哲学院教授美学,1898～1900 年在哥伦比亚大学巴纳德学院任英语教授。服饰与举止极力模仿王尔德。他的作品始终反映了他对一个乐观的、充满生命力的美国的信念。作品有:《诗剧:朗斯洛与圭内维尔》(1891)、《向着大海》(1893)、《沿着小路》(1898)和假面剧《塔利辛》(1900);与卡曼合著的有《流浪者之歌》(1894)、《流浪者之歌续集》(1890)和《流浪者最后的歌》(1901)。死后出版的作品有《小路的尽头》(1908)。他曾把梅特林克的 8 部剧本译成英文。

Hoveyda, Amīr ʿAbbas 胡韦达(1919-02-18,德黑兰～1979-04-07,德黑兰) Hoveyda 又拼 Hoveida。伊朗首相(1965-01～1977-08)。在布鲁塞尔大学和巴黎大学获得政治学学位后,进入伊朗外交部。曾在巴黎(1945～1947)、波恩(1947～1951)、安卡拉(1957)和联合国(1951～1957)工作。1958 年任伊朗国家石油公司董事。作为执政的新伊朗党领袖,他在 1971 年大选中获胜。伊朗的财政实力使他同西方国家谈判伊朗石油时取得有利交易,从而推动伊朗的经济发展,但伊朗国王并不十分赞赏。1977 年 8 月 7 日被解除首相职务。1978 年 11 月被军政府扣押。1979 年 2 月暴动中向霍梅尼任命的新政府投诚,两个月后被伊斯兰革命法庭判处死刑并枪决。

Hovhaness, Alan 霍瓦内斯(1911-03-08,美国马萨诸塞萨默维尔～2000-06-21,华盛顿西雅图) Hovhaness 又拼 Hovaness。美国作曲家,是亚美尼亚人与苏格兰人的后裔,以综合选用非欧洲传统的音乐素材著名。曾在新英格兰音乐学院学习钢琴和作曲。后师从捷克著名作曲家 B. 马蒂努。1948～1951 年在波士顿音乐学院任教,并广泛旅行,进行大量创作。30 岁时对亚美尼亚音乐产生兴趣,其后扩展到中东与远东音乐。20 世纪 60 年代初,作为钢琴家和指挥家在欧洲、亚洲巡回演出,并在印度向当地音乐家学习。他的音乐中选用了很多异国的节奏、旋律与乐器素材。他的风格常常是调式性的,节奏复杂,但富有抒情表现力,降低了和声的重要性。他的《打击乐六重奏》(定音鼓、两只鼓、平锣、马林巴琴和钟琴)表现出对不寻常的器乐组合的喜爱,为弦乐器和朝鲜打击乐器创作的《第十六交响曲》(1963 年首演)也是如此。早期作品大

部分已遗失，据说他在1940年销毁了约1 000首乐曲。在那以后的作品分属几个类别。舞台作品包括几部室内歌剧，如《蓝色火焰》(1959)和《彼拉多》(1963)，以及为百老汇演出的《桃花盛开》(1954)谱写的音乐。为独唱、合唱和管弦乐队创作的大型作品有《尊主颂》(1959)等。器乐作品有键盘乐、室内乐[钢琴曲《以巴基斯坦诗琴旋律写成的快板》(1952)和小提琴与竖琴《二重奏》(1954)]，还有20余首交响曲和其他许多管弦乐曲。

Hovhannes IV OTZNETZI 参阅**John IV of Odzun** 约翰四世(奥德松的)。

Hovick, Rose Louise **霍维克** 参阅 **Lee, Gypsy Rose** 李。

Hovland, Carl I(ver) **霍夫兰**(1912-06-12，美国伊利诺伊芝加哥～1961-04-16，康涅狄格哈姆登) 美国心理学家，研究社会沟通及态度和信念改变的先驱。1936年获耶鲁大学哲学博士学位并留校任教。早期研究条件反射和人类学习的实验心理学。1942～1945年间在美国作战部工作，研究教育电影的有效性和信息程序的效果，特别是群众对说服性沟通的抵制和克服这种抵制的方法。根据这项研究与人合著《大众沟通实验》(1949)一书。第二次世界大战以后，他回到耶鲁任心理学系主任(1945～1951)，并任心理学教授(1947)。进一步研究了态度和沟通问题，特别是沟通者的威望和提出论据的程序，这些都会影响说服性沟通的效果。研究的结果发表在他与人合著的《沟通与说服》(1953)一书和后来的专著中。他根据研究结果分析了符号的处理，并研究了计算机模拟人类思维过程的问题。

Hövsgöl Lake **库苏古尔湖** 又拼 Chövsgöl Lake。又作 Khubsugul Dalai, Hübsügül Dalay(呼布苏古勒湖)。蒙古人民共和国北部湖泊。在蒙俄边界附近，地处东萨彦岭南麓，海拔1 645米。面积2 620平方千米，深度超过244米，是蒙古最大的淡水湖。湖水由额吉河向南排出，注入色楞格河后汇入贝加尔湖。南部为库苏古尔山脉。

Howard FAMILY **霍华德家族** 英格兰著名家族。开祖威廉·霍华德是一名律师，1295年进入议会。后来，罗伯特与第一代诺福克公爵托马斯·莫布雷的女儿玛格丽特联姻，因而获得诺福克的称号。其子约翰继承了莫布雷的大部产业，1483年封诺福克公爵和世袭伯爵宫廷典礼官。后来位列贵族的萨福克伯爵、卡莱尔伯爵和埃芬汉伯爵，以及格洛索普的霍华德勋爵和斯塔福德勋爵均系其后裔。参阅 **Norfolk, earls and dukes of; Nottingham, earls of**。

Howard, Bronson(Crocker) **霍华德**(1842-10-07，美国密歇根底特律～1908-08-04，新泽西埃文) 美国记者和剧作家，全美第一个剧作家协会的创建人和主席。起初在底特律和纽约的报纸上投稿。剧本《萨拉托加》于1870年上演，获得成功。那时还没有美国人自己写美国生活的剧本。《亨里埃塔》(1887)是讽刺美国商界的作品。《谢南多厄》(1889)使演出人弗罗曼和作者两人都名利双收。其他剧本有《银行家的女儿》(1878)、《妻子们》(1879)、《年轻的温思罗普太太》(1882)和《我们的一个女孩》(1885)。他在《一个剧本的自述》(1914)中叙述了自己的创作技巧。

Howard, Catherine **霍华德** 参阅 **Catherine Howard** 凯瑟琳(霍华德)。

Howard, Charles **霍华德** 参阅 **Carlisle, Charles Howard, 3rd Earl of** 卡莱尔伯爵(第三); **Nottingham, Charles Howard, 1st Earl of** 诺丁汉伯爵(第一)。

Howard, Sir Ebenezer **霍华德**(1850-01-29，英国伦敦～1928-05-01，赫特福德郡韦林花园城) 英国花园城市运动的创始人，该运动影响世界各地的城市计划。15岁时在一个证券经纪人的事务所中开始工作后，即学习速记并曾任私人秘书和速记员等多种职务，后来成为伦敦法院的速记报告人。他是一个开明的社会改革家，受到E.贝拉米的乌托邦小说《回顾》(1889)的决定性影响。19世纪80年代，霍华德写成《明日：一条通往真正改革的和平道路》一书，直到1898年才出版，1902年再版，更名为《明日的花园城市》。他在此书中建议建设花园城市，花园城市都是自给自足的统一体，而非大城市郊外的居住区。每座花园城人口为3万，四周为农业地带，不得建造房屋。霍华德企图扭转农村和小城镇人口大量流入大城市而使大城市人口过剩的倾向。霍华德的花园城市旨在提供具有经济发展机会的农业区和大工业城市的舒适。每座花园城市应为一个私营公司所有。霍华德具有说服注重实际的商人的天才，使他们相信他的想法是经济上合理和社会上需要的。在他生前已经建立起两座花园城——莱奇沃思(1903)和韦林(1920)，都在赫特福德郡。它们是第二次世界大战后英国新型城市建设的原型。后来建成的这类城市与霍华德的模型不同之处在于，邻接的农田区不是主要的特征。1927年霍华德被封为爵士。

Howard, Edward **霍华德**(1813-10-06，美国马萨诸塞欣厄姆～1904-03-05，马萨诸塞罗克斯伯里) 美国制表商的先驱。著名制钟师A.威拉德的艺徒，在机械方面具有高超的技能，爱造小型钟。1840年在罗克斯伯里创办一家制钟企业。1850年和A.丹尼森构想出一个采用自动设备和零件具有互换性的制表厂，而不采用当时流行的个人手工生产。尽管有人警告他们办厂有风险，但在S.柯蒂斯的财力支持下，他们创办了美国钟表公司，1853年第一批表投入市场。1857年该公司倒闭，由丹尼森改组为沃尔瑟姆钟表公司。

Howard, Henry **霍华德** 参阅 **Northampton, Henry Howard, Earl of** 北安普敦伯爵; **Surrey, Henry Howard, Earl of** 萨里(伯爵)。

Howard, John **霍华德** 参阅 **Norfolk, John Howard, lst Duke of** 诺福克公爵(第一)。

Howard, John **霍华德**(1726-09-02，英国伦敦哈克尼？～1790-01-20，俄罗斯帝国乌克兰赫尔松[今在乌克兰]) 英国慈善家，监狱管理及公共卫生等领域的改革者。1742年父亲死后继承大笔遗产，漫游欧洲。1773年任贝德福德郡郡长。在一次巡视监狱时，发现卫生条件恶劣，狱政积弊惊人，因狱卒无薪资而依靠犯人获释时所交费用为生，有些犯人无力缴费虽已获释而仍稽留狱中。乃于1774年要求议会通过两项法案，以纠正上述弊端，规定：①获释犯人必须立即公开开庭宣布释放，废除释放缴费之制；②法官必须重视犯人卫生条件。但经年之后，霍华德对此提案未得"严格贯彻"而深感不满。霍华德继续访问苏格兰、爱尔兰、法国、荷兰、德国、瑞士等地，经常参观当地监狱。1779年，他还倡议另一法案，主张授权建造两所感化院，通过宗教训诫、日间监督劳动及夜间单独拘禁的办法以改造罪犯，但未实施。晚年致力于传染病预防及控制疫病蔓延的研究。1790年访问俄罗斯，途中参观几座主要的陆军医院，到达乌克兰赫尔松，在视察当地流行的营地热病时因受传染而病死。

Howard, John Winston **霍华德**(1939-07-26，澳大利亚新南威尔士悉尼～) 1996年3月起任澳大利亚总理，自由党领袖。1961年获悉尼大学法律学士学位，1962年成为新南威尔士州最高法院的初级律师。1974年作为自由党党员首次被选入议会，并在M.弗雷泽总理领导下任商业和消费者事务部长(1975～1977)和联邦财政部长(1977～1983)。1982年成为自由党副领袖并于1985年跃升为领袖，领导自由党与国家党的反对派联盟。然而，这个联盟在1987年举行的大选中未能使工党政府下台。1989年霍华德为保持其自由党领袖职务而作的努力也遭到了失败。1995年1月他重新担任领袖，并在1996年3月的大选中领导自由党-国家党联盟取得了击败工党的决定性胜利。他在第一个任期内面临重重挑战，包括建立新的单一民族党，以及关于移民配额和民族关系的全国性讨论。1998年以微弱优势连任。1999年，澳大利亚政府派出军队到东帝汶作为联合国维和任务的一部分，目的在于结束亲印度尼西亚军队和岛上民族主义者之间的战斗。1999年11月，澳大利亚举行全民公决以决定是否终止与英国的历史联系，是否建立共和国，并由2/3的议会成员指定总统。全民公决失败，反对该公决的霍华德被证明是正确的。21世纪初，非法移民成为澳大利亚的一大关键问题，因为有越来越多的外国人来到澳大利亚寻求避难。霍华德严厉的移民政策受到澳大利亚人的欢迎，为他在2001年连选起到了很大的促进作用。2003年，霍华德派出军队参加美英对伊拉克的战争。第二年，霍华德第4次担任总理。

Howard, Leland Ossian **霍华德**(1857-06-11，美国伊利诺伊罗克福德～1950-05-01，纽

约布朗克斯维尔） 美国昆虫学家，以害虫生物防治实验和开创应用昆虫学（经济昆虫学）闻名。在分类研究上也很有名：鉴定了寄生膜翅目的47个新属和20多种蚊，后一成就是在H.G.戴尔和F.纳布的帮助下完成的。他在康奈尔大学时，经当时知名的昆虫学家之一J.H.康斯托克的指导而完成了研究，随后进入美国农业部昆虫局，1894年任该局局长，直到1927年。在那里任职期间，被认为是世界上昆虫学界最有权威的人士之一。除从事害虫防治实验工作外，还研究医用昆虫学，证实普通家蝇是疾病的重要媒介。他也是多产作家，出版有1 000多种科学论文和书籍。其中最有意义的是：《昆虫篇》（1901）、《家蝇》（1911）、与戴尔和纳布合著的《美洲北部和中部以及西印度群岛的蚊类》（4卷，1912～1917）和《应用昆虫学史》（1930）。

Howard, Leslie 霍华德（1893-04-03，英国伦敦～1943-06-01，卒于海上） 英国演员、戏剧演出人和电影导演。其演技有一种安详而动人的英国式魅力。曾为银行职员，后入伍参加第一次世界大战。1917年首次登台演出，在英国演出多年。在纽约市百老汇演出后名声大噪。后与班克黑德合演经久不衰的《她的卡片纸情人》（1927）。曾先后在伦敦和纽约演出由鲍尔德斯顿根据H.詹姆斯的未完成小说《过去的理智》改编的《贝克莱·斯夸尔》一剧。其他演出成功的剧目尚有《化石林》（1935）和《哈姆雷特》（1936），后一剧他任主角兼演出人。1930年起步入影坛，首次拍摄的影片是《远航他乡》。他在萧伯纳第一部被拍成电影的重要剧作《皮格马利翁》中饰演希金斯，其演技无与伦比。他任主角的其他令人难忘的影片有《人生的枷锁》（1934）、《深红色的海绿藻》（1935）、《化石林》（1936）、《罗密欧与朱丽叶》（1936）及《飘》（1939）。第二次世界大战期间，因所乘飞机在从里斯本飞往伦敦途中被击落而遇难。

Howard, Oliver O(tis) 霍华德（1830-11-08，美国缅因利兹～1909-10-26，佛蒙特伯灵顿） 美国南北战争时期（1861～1865）的联邦军军官、被解放黑奴事务管理局局长（1865～

美国国会图书馆供图

1872）。1854年在西点军校毕业。南北战争开始时辞去现役陆军职务，担任缅因志愿军上校团长，曾参加第一次布尔溪战役、半岛战役、美橡林（七棵松）战役（他在此次战役中失去右臂）和安提塔姆战役。1862年晋升少将。他还参加了钱瑟勒斯维尔战役、田纳西和亚特兰大战役（1863～1864）。1864年任田纳西集团军司令，同W.谢尔曼将军一起经佐治亚向大海进军（11～12月）。1865年初在南北卡罗来纳战役中作战。他关心在战争时期获得解放的黑人，被约翰逊总统任命为被解放黑奴事务管理局局长，在重建时期帮助他们重建家园。他曾救济几百万贫民，修建医院，给以前的奴隶商洽几千项劳动合同，最重要的成就是为黑人创办许多学校和训练所。设于华盛顿（哥伦比亚特区）的霍华德大学（1867）就是以他的名字命名的，他是这所大学的创办者之一。霍华德从军队辞职后于1869～1874年任该大学第三任校长。他曾在西部与印第安人作战，1880～1882年任西点军校总监。1907年发表自传，还写过几本军事历史的著作。

Howard, Philip 霍华德 参阅 Arundel, Philip Howard, 1st (or 13th) Earl of 阿伦德尔伯爵（第一或第十三）。

Howard, Sir Robert 霍华德（1626，英格兰～1698-09-03） 英国剧作家，因与德莱顿就戏剧中韵体诗的运用发生争论而闻名。1644年被王党授予勋爵，因此，在共和政治时期受监禁。在王政复辟时期终于被选入议会，最后任枢密院顾问。霍华德骄傲、自负的性格往往招致攻击。他的最佳剧本《印度皇后》（1664年首演）是与德莱顿合写的一部悲剧。《委员会》（1662年首演）是讽刺共和政体的幽默喜剧，剧中由于塑造了爱尔兰男仆蒂格一角，使该剧长期受到欢迎。德莱顿1663年与霍华德的妹妹结婚，霍华德在为《四部新剧作》写的前言中开始与德莱顿发生争论。

Howard, Roy W. 霍华德（1883-01-01，美国俄亥俄加诺～1964-11-20，纽约州纽约） 美国记者、编辑。1925年起为斯克里普斯-霍华德报业集团副董事，该集团原名为斯克里普斯-麦克雷报业集团，R.斯克里普斯于1938年去世后，他负责全面管理这家公司。霍华德是火车司闸员的儿子，父亲早亡，不得不工作帮助养家。他先是在《印第安纳波利斯新闻报》当一名见习记者，后来升为正式记者。以后又转入E.W.斯克里普斯拥有的《辛辛那提邮报》。成为这家报纸的新闻编辑。1906年又成为斯克里普斯-麦克雷新闻社的一名记者。斯克里普斯-麦克雷新闻社购买了出版者报业协会（一家新闻机构），并任命霍华德管理该协会。1907年该协会并入合众社之后，霍华德出任副总裁和总经理。1912年担任合众社总裁后，他大力扩展该社的业务并采访了许多欧洲的重要政治人物。1918年，他从欧洲发回消息，提前4天透露了第一次世界大战停战的新闻，这一独家新闻在当时引起了很大争议。1921～1936年，他担任斯克里普斯-麦克雷董事会的董事长，积极为该报业集团收购其他报纸，并任用不同观点的专栏作家。1936～1952年任斯克里普斯-霍华德报业集团总裁。

Howard, Sidney (Coe) 霍华德（1891-06-26，美国加利福尼亚奥克兰～1939-08-23，马萨诸塞蒂灵哈姆） 美国剧作家，他对于将心理现实主义和戏剧现实主义引入美国戏剧有贡献。1915年从伯克利的加利福尼亚大学毕业后，到哈佛大学G.P.贝克的47创作室研究戏剧。第一次世界大战时在美国野战卫生队

美国国会图书馆供图

服役，后为美国空军上尉。1919～1922年任幽默杂志《生活》编辑，1923年为W.R.赫斯特的《国际杂志》写专稿。最有名的剧本有：《他们知道需要什么》（1924），1925年获普利策奖并构成F.莱塞的音乐剧《最快乐的家伙》（1957）的基础；《银线》（1926）以及与P.德克吕夫合著的《黄热病》（1934）。其他作品有与W.欧文合著的《琵琶之歌》（1930）、《已故的比恩》（1932，根据R.福舒瓦的一部法国剧本改编）和《多兹沃思》（1934；根据S.刘易斯小说改编）。20世纪30年代为好莱坞写过许多电影脚本，著名的有根据刘易斯的小说改编的《阿罗史密斯》（1931）和《多兹沃思》（1936），以及M.米切尔的小说改编的《飘》（1939）。

Howard, Thomas 霍华德 参阅 Arundel, Thomas Howard, 2nd (or 14th) Earl of 阿伦德尔伯爵（第二或第十四）；Norfolk, Thomas Howard, 2nd Duke of 诺福克公爵（第二）；Norfolk, Thomas Howard, 3rd Duke of 诺福克公爵（第三）；Norfolk, Thomas Howard, 4th Duke of 诺福克公爵（第四）；Suffolk, Thomas Howard, 1st Earl of 萨福克伯爵（第一）。

Howard University 霍华德大学 位于华盛顿（哥伦比亚特区）的一所以黑人为主的大学，建于1867年。该校以南北战争后被解放黑奴事务管理局局长霍华德（**Howard, Oliver Otis**）将军的名字命名。霍华德曾对国会施加影响，使其向该校拨款。该大学虽由美国政府提供资金，但由私人控制。霍华德大学对任何种族、肤色、信仰的学生开放，但其特定职责是为黑人提供完成高等学业的机会。该校图书馆是研究美国黑人历史的主要图书馆。该校设有一文学院、一文理兼容的研究生院以及商业与公共行政学院、工学院、通讯学院、人类生态学院、医学院、联合保健服务学院、牙科学院和法律学院等。学生成分虽曾一度几乎全为黑人，但在第二次世界大战后，白人学生也开始来此求学，特别是研究生院。霍华德大学的许多毕业生在教育、社会改革和政府部门担任领导职务，其中最著名的有美国马萨诸塞州的参议员E.W.布鲁

克、社会学家E.F.弗雷泽、剧作家I.巴拉卡(L.琼斯)以及政治家R.本奇(建立了该校的政治学系)。

Howe, Cape 豪角 澳大利亚大陆东南岸一海角,位于维多利亚州和新南威尔士州的边界上,在悉尼西南方560千米处,是塔斯曼海一小海湾(迪萨斯特湾)的南面入口。其地势沿岸较低,渐次升高形成显著的陆标——豪丘(395米)。此海角于1770年被英国航海家J.库克上校观测到并以当时皇家海军司库R.豪勋爵的姓命名。

Howe, E.W. 豪(1853-05-03,美国印第安纳特里蒂～1937-10-03,堪萨斯艾奇逊) 美国编辑、小说家和散文家,以蔑视传统观念和悲观色彩著称。7岁到父亲在密苏里州贝瑟尼附近的农场干活。12岁当印刷徒工,1867～1872年在密苏里、艾奥瓦、内布拉斯加和犹他州从事印刷工作。19岁为《金色(科罗拉多)环球报》发行人,1877年创办《艾奇逊市(堪萨斯州)环球日报》。所撰短论在美国被广为转载,因而成名。第一部、也是最成功的长篇小说《一个村镇的故事》(1883),是写中西部小镇生活的第一部现实主义作品。1911～1933年出版和编辑《豪氏月刊》并写有随笔、游记和自传《普通的人》(1929)。他的新闻报道文章收入《E.W.豪的愤怒》(1933)等集子。

Howe, Elias 豪(1819-07-09,美国马萨诸塞斯潘塞～1867-10-03,纽约布鲁克林) 美国发明家,他所发明的缝纫机推动了工厂和家庭缝纫技术的革命。童年时代热爱机器,学习机械工人的手艺,并先后在马萨诸塞州洛厄尔和剑桥的轧棉机械厂工作。在这段时间里,他认识到如果发明一种能缝纫的机器就会发财致富。他用全部业余时间研制实用的缝纫机达5年之久,终于在1846年取得了发明缝纫机的专利。最初这种缝纫机在美国几乎无人问津,他以250英镑(1 250美元)的价格将专利卖给英国人。本人也以5英镑的周薪到英国工作,继续完善他的缝纫机,使其能缝纫皮革和其他类似的材料。后来因经济状况恶化,穷困潦倒地回到美国。回国后发现他的专利权被侵犯,缝纫机在美国被广泛制造和出售,经过多次诉讼,在1854年他的专利权终于获得确认。

Howe, Gordie 豪(1928-03-31,加拿大萨斯喀彻温弗洛勒尔～   ) 加拿大出生的美国职业冰球运动员。1946年加入底特律红翼队,曾几次作为最有价值的球员获哈特杯奖,1963年被选为加拿大最佳运动员。在全部冰球生涯中共进球1 071次,协助进球1 518次,参加2 412场比赛。

Howe, Irving 豪(1920-06-11,美国纽约州纽约～1993-05-05,纽约) 美国文艺与社会评论家、教育家,以在文艺批评中探讨社会政治论点而闻名。早年在纽约市立学院就学。第二次世界大战期间在军队服役。1953～1963年在布兰代斯大学和斯坦福大学任教,不久后任纽约市立大学亨特学院英文教授。写有专文评论S.安德森(1951)、福克纳(1952)和哈代(1968)等作家。在《政治与小说》(1957)和《一个更动人的世界:现代文学与政治概述》(1963)中综合了他对政治和文学的兴趣。1953年与人合作创办期刊《异议》,逝世前一直任该刊编辑。豪的观点受他的犹太出身和终生坚持的民主社会主义影响。《我们父辈的世界》(1976)是论述1880～1924年间移居美国的东欧犹太人的社会文化专著。《颂扬与抨击》(1979)是作者的文学评论文集,而《希望的幅度:理性传记》(1982)记述他参与的文化和政治事件。

Howe, James Wong 黄宗霑(1899-08-28,中国广州～1976-07-12,美国加利福尼亚洛杉矶好莱坞) 汉语拼音作Huang Zhongzhan。美国最伟大的电影摄影师之一。原籍广东台山。1917年起任C.B.德米尔的摄影助理,1922年以后成为"名演员影片公司"的主要摄影师。此后相继在米高梅、华纳兄弟、哥伦比亚和雷电华公司任职。1948年后为自由摄影师。5岁随父母迁居美国,先在华盛顿州,后在俄勒冈州,1916年迁到加利福尼亚州南部。他在拍摄默片时对胶片、资料片、摄影机运动和布光技巧各方面作过探索,以后又解决了有声电影问世后对摄影机运动的限制。在黑白片中对光和影的运用极为出色,对彩色影片也十分精通。无论在摄影棚还是在现场,都得心应手。他在《横渡大西洋》(1931)中第一个使用了广角镜头、纵深镜头和天花板布景。他是首先使用手提摄影机的摄影师之一。他在《灵与肉》(1947)及《他坚持到底》(1951)中分别使用旱冰鞋和轮椅(由他人推动拍摄),增加了摄影机的运动性。黄因拍摄《玫瑰纹身》(1955)和《赫德》(1963)获奥斯卡金像奖。

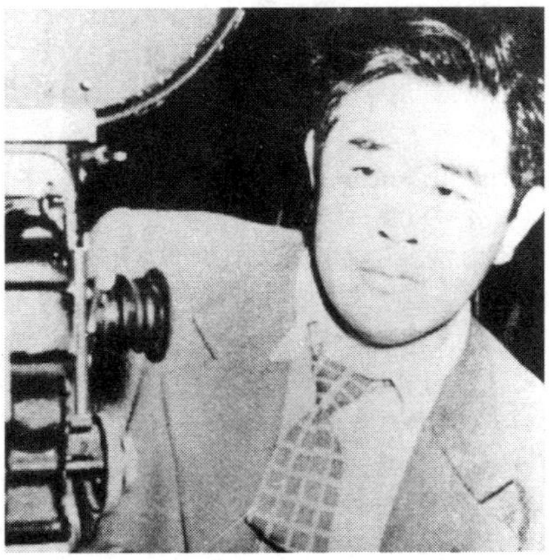

中国大百科全书出版社供图

Howe, Joseph 豪(1804-12-13,新斯科舍哈利法克斯～1873-06-01,加拿大新斯科舍哈利法克斯) 加拿大政治家和报纸发行人,1860～1863年新斯科舍省总理,新斯科舍省责任政府制或内阁政府制的鼓吹者,英属北美各省联盟的反对者。1827年创办非政治性周刊《阿卡迪亚人》,次年购入《新斯科舍人报》,后与《纪事晨报》合并,成为英属北美主要报刊之一。1836年豪当选为省立法议会议员。1840年任执行委员会委员,1843年辞职。他在报纸上鼓吹在新斯科舍省成立责任内阁,并批评省督福克兰勋爵。他促使福克兰于1843年辞职,同年责任政府终于被允许成立。首席专员1854年任新斯科舍省铁路督办。1860年任省总理,反对成立联邦。1863～1866年任大不列颠渔业专员。他曾在新斯科舍省领导反联邦力量,并于1867年前往英国试图废除成立加拿大自治领的《英属北美法案》,未能成功之后,终于接受了这一既成事实,当选为加拿大议会议员。他加入J.麦克唐纳内阁,任内阁会议主席和国务部长。1873年5月任新斯科舍省省督。

Howe, Julia Ward 豪(1819-05-27,纽约市～1910-10-17,美国罗得岛纽波特) 美国女作家、演说家,以所写《共和国战歌》而闻名。1843年与波士顿改革家、盲人学校教师S.G.豪结婚。《共和国战歌》按民歌《约翰·布朗的遗体》的节拍写成,最初发表在《大西洋月刊》1862年2月号。豪为在内战中失去丈夫的寡妇们的经济困境所感动,为妇女争取受教育、就业和经营企业的平等机会而奔走。还写有游记、传记、剧本、诗歌以及儿童歌曲。

Howe, Richard Howe, Earl, Baron Howe of Langar 豪(1726-03-08,伦敦～1799-08-05) 英国海军上将。法国革命战争期间,在六一海战中指挥英国海峡舰队(1794)。1740年参加海军。1758年继承其兄的爱尔兰贵族爵位,成为子爵。1762年当选议员。1763～1765年在英国海军部供职。1765～1770年任海军司库。1770年晋升海军少将,1775年升为中将。1776年任驻北美海军司令。同情殖民者,主张和解。法国宣战后,他谨慎而果敢地迎战,在桑迪胡克战胜德斯坦伯爵,挫败其占领罗得岛纽波特的企图。1782年任英吉利海峡舰队司令。同年秋完成援救直布罗陀的艰巨作战任务。1783年1～4月和1783年12月～1788年8月两次担任海军大臣。1793年法国革命战争爆发后,他再次被任命为海峡舰队司令。1794年取得划时代的六一海战胜利。1797年他应召前往斯皮特黑德安抚哗变水兵,起了很大作用,1782年受封为兰加的豪子爵,1788年封豪男爵和豪伯爵。

Howe, Samuel Gridley 豪(1801-11-10,波士顿～1876-01-09,波士顿) 美国教育家、珀金斯盲人学校第一任校长,显著的成就之一是将字母教给聋哑盲人布里奇曼(**Bridgman**,

珀金斯盲人学校供图

Laura Dewey)。在哈佛医学院已学至实习阶段,但仍离开波士顿参加希腊革命。回美后,于1831年接受一项关于在波士顿筹建新英格兰盲人收容所的提议。赴欧做有关调查,又被一场波兰起义所吸引。被短期囚禁后,于1832年7月回波士顿,开始在父母家中收纳少数盲童,是为珀金斯盲人学校的发端。他还关心精神有缺陷的儿童的境遇,极力游说议员立法,为盲人、聋人及精神病患者提供援助和教育。1843年,与朱莉娅·沃德结婚,朱莉娅后来写了南北战争的《共和国战歌》。二人都是热心的废奴主义者,并是自由土壤党党员。

Howe, William 豪(1803-05-12,美国马萨诸塞斯潘塞～1852-09-19,马萨诸塞斯普林菲尔德) 美国发明家,最先在美国建造桁架桥。1838年参加波士顿—奥尔巴尼铁路在马萨诸塞州沃伦的建桥工程。他对以前设计的桁架作了重大修改,1840年豪氏桁架获得了两项专利。在斯普林菲尔德的康涅狄格河上建筑一座桥梁以后,证明他的桁架非常成功,从此他成为桥梁建筑师。他设计的用木制斜撑构件和铁制垂直拉杆的桁架,在19世纪后半叶是美国最流行的桥式。他对豪氏桁架进一步加以改进,在桁架上加一条从两端支墩延伸到桁架中心的弧形木构件,这项改进在1842年再次获得专利。

Howe, William Howe, 5th Viscount 豪(1729-08-10～1814-07-12,英国德文郡普利茅斯) 北美洲英军总司令(1776～1778),虽曾数次取得胜利,但未能消灭大陆军和遏止美国

美国不列颠百科全书公司供图

独立战争。他在北美最后一次法国印第安人战争(1754～1763)中积极作战,博得善战青年将领的美名。1775年率部增援在波士顿的T.盖奇将军,在邦克山战役中发动3次进攻,虽然伤亡惨重,但最终仍然取得了胜利。1776年继任最高司令官,挥师南下,攻占战略要地纽约及其附近地区。他在1777年的布兰迪万河战役(9月)和日耳曼敦战役(10月)中获得胜利,但未能消灭G.华盛顿的为数不多的部队。1778年豪辞去总司令职务,返回英格兰。

Howe Caverns 豪乌洞 美国纽约州中东部斯科哈里县境内一地下石灰岩洞群。东距奥尔巴尼61千米。1842年发现。在地面下50～60米处,内有石笋、钟乳石、地下河和地下湖。洞内温度恒为11℃。1929年建成电气照明和交通系统,有电梯上下。主要游览路线是一条长达2.4千米的弯曲小道(宽0.9～1.8米,高3～30米)。乘威尼斯式平底小舟可荡游于0.4千米长的维纳斯湖。洞口有豪乌洞村。附近有另一处岩洞群"幽洞",内有地下瀑布和海洋生物化石。

Howel Dda 豪厄尔(好人)(?～950) 英语作Hywell the Good。威尔士酋长,威尔士法律书籍序言中称他为"全体威尔士人的国王"。其父卡德尔去世(约910)后,他和兄弟克莱多格一同统治塞西尔威格(相当于达费德地区和托威河谷一带)。920年克莱多格死后,他单独执政。妻子爱琳是达费德王朝末代国王之女,从而取得对威尔士西南部的达费德的统治权。942年在堂兄弟伊德沃尔福尔·阿普·阿纳罗德死后,他获得威尔士西北部的圭内斯,也许还有威尔士东北部的波伊斯。他统治时期以太平著称。这是他对英格兰采取顺从政策的结果。918年他向老爱德华表示效忠,后常到英格兰朝觐。他是唯一发行自己钱币的威尔士统治者,并以将自己制定的威尔士法律汇集成法典而著称。

Howelcke, Johann 参阅 **Hevelius, Johannes** 赫维留。

Howell, James 豪厄尔(约1594,可能于威尔士卡马森郡阿伯南特～1666,伦敦) 英裔威尔士作家,毕业于牛津大学,以4卷《霍埃利亚尼书简》(1645～1655)著称。该书是早期以书信形式撰写的杂文集,生动地记叙当时各种现象,但由于抄袭及杜撰日期,缺乏历史可靠性。尽管如此,作者在王政复辟之时(1660)担任了专为他设立的皇家史官之职。他还从事翻译,编纂辞典,写文学作品和政治手册。在牛津大学受教育后去国外游历,任小官吏,后成为国会议员(1627)。1643～1651年因负债或因发表保王党意见被囚禁,此后便以写作为生。其著作的权威版本2卷由J.雅各布斯编辑出版(1890～1892)。

Howells, William Dean 豪威尔斯(1837-03-01,美国俄亥俄马丁斯费里～1920-05-11,纽约市) 美国小说家、评论家。19世纪后期美国文坛泰斗,现实主义文学奠基人,马克·

美国国会图书馆供图

吐温和H.詹姆斯的密友和顾问。很早便开始工作,当过排字工人,后来当记者。自学多种语言,熟读德国、西班牙和英国经典名著并开始为《大西洋月刊》撰写诗稿。他为林肯撰写的竞选传记(1860)为他提供了游历新英格兰的资金,从而会见了文学界巨擘J.R.洛威尔(《大西洋月刊》编辑)、O.霍姆斯、霍桑和爱默生。林肯获胜后,他被委任为驻威尼斯领事(1861～1865)。后返回美国任《大西洋月刊》副主编(1866～1871)、主编(1871～1881),开始在月刊上发表评价美国作家的评论和文章。他立即认识到H.詹姆斯的才华,并且第一个认真把马克·吐温看作艺术家。《他们的结婚旅行》(1872)和《偶然相识》(1873)是他最早的现实主义小说,描绘中产阶级的平静生活。以后写了几部国际题材的小说,对比美国和欧洲的生活方式。他的最优秀作品描绘美国社会的巨大变化,即由一个只要走运并且勇于尝试便能成功的平等而单纯的社会变成社会和经济鸿沟不可逾越、人生完全由偶然机会来主宰的社会。人们认为,他最打动读者的作品是写婚姻破裂的小说《一个现代的例证》(1882)。最著名作品《塞拉斯·拉帕姆的发迹》(1885)写一个白手起家的商人怎样千方百计打进波士顿的上流社会。1887年他冒着生活和声望受损的危险,为被判有罪的秣市骚乱的无政府主义者请求宽大处理,认为他们是因政治信仰而被定罪。1888年离波士顿移居纽约。他深刻动摇的社会信仰反映在他纽约时期的小说中,如强烈支持劳工的《安妮·基尔本》(1888)和《新财富的危害》(1890)。一般认为后者是他的最佳作品,通过纽约一群典型人物企图创办杂志这件事对纽约充满竞争的生活作了戏剧性描绘。他这一时期的评论文章对年轻的自然主义小说家H.加兰、S.克莱恩和F.诺里斯表示欢迎,还宣传介绍了欧洲作家屠格涅夫、易卜生、左拉、P.加尔多斯、G.维尔加,特别是托尔斯泰。他在去世前很久就已不受注意。后世评论家对他的巨大影响作了公正评价,读者们也对他的优秀作品的风格、幽默感和正直重新予以肯定。

Howells, William White 豪厄尔斯(1908-11-27,纽约市～2005-12-20,缅因基特里波因特) 美国体质人类学家,曾用体质测量法确定人类诸种群的关系,还因提高人类学课程水平和撰写通俗读物而著名。他的著作曾被译成多种文字并被广泛用作教材。豪厄尔斯曾获得哈佛大学哲学博士学位,并在哈佛随E.A.胡顿从事研究工作,对形态学发生兴趣。后来他在纽约市美国自然历史博物馆研究部工作,之后又到威斯康星大学任教。1954年胡顿去世,他受聘到哈佛大学任人类学教授,其后又在大学附设的皮博迪美洲人种志博物馆参加领导工作。豪厄尔斯开创了应用数量测定方法以表达并解决形态学方面的问题,特别是在世界种群的研究中使用了各种脑容量的测定数据。其权威性论文《人类的颅量变异:用多变量分析法研究现代人类种群的不同类型》比较了全世界17个不同种群的脑量。他对大洋洲各民族也进行过广泛的研究。

Howick, Charles Grey, Viscount 豪伊克子爵 参阅 **Grey, Charles Grey, 1st Earl** 格雷伯爵(第一);**Grey, Charles Grey, 2nd Earl** 格雷伯爵(第二)。

Howick, Henry George Grey, Viscount 豪伊克子爵 参阅 **Grey, Henry George Grey, 3rd Earl** 格雷伯爵(第三)。

Howland Island 豪兰岛 太平洋西南部珊瑚环礁。为美国的无建制领地,在檀香山西南2 650千米处。环礁海拔6米,长2.4千米,宽0.8千米,陆地面积不到1.6平方千米。1857年美国宣布对该岛及其附近的贝克岛拥有主权。1936年该岛属美国内政部管辖。现为夏威夷和澳大利亚之间的中途航空站。岛上无人居住。

howler monkey 吼猴 又作howler。猴科吼猴属(*Alouatta*)动物,包括几种热带美洲猴类,以其吼声著名。有5种广泛分布于中美洲及南美洲。它们是最大的新大陆猴类,体长一般可达40～70厘米,尾长50～75厘米。身躯强壮;具髯毛;背驼;被毛厚;尾能缠卷,尾端下面裸露无毛,适于握牢。其体毛厚而长,黑色、褐色或红色,依种类而定。吼猴的特征为舌骨增大,形如贝壳,与气管相通,有共鸣作用。颌部突出,面部高而倾斜。吼猴成群生活于其领域内,领域的界限由与邻近种群的吼叫竞赛划定。吼声可远送至3～5千米以外,在清晨其吼声清晰可闻。吼猴移动缓慢,常坐在树冠高处的枝上,很少下到地面。主要以树叶

红吼猴(*Alouatta seniculus*)
圣迭戈动物园供图

为食。移动时结队而行,井然有序,由一头年老的雄体带领。每胎一仔,一年中任何时间均可产仔。由于其食性、性情及其他一些因素,吼猴不易豢养。红吼猴(*A. seniculus*)分布最广泛,但在一些地方因为肉可食用而被大量捕杀。其他种类的吼猴面临着绝种危机。

Howlin' Wolf 霍林的狼 参阅 **Burnett, Chester Arthur** 伯内特。

Howman, John 豪曼 参阅 **Feckenham, John de** 费肯汉。

Howrah 豪拉 又作Haora,又称赫伯勒。印度东北部西孟加拉邦中部偏东的一座城市。位于胡格利河西岸,与加尔各答隔河相对。它是加尔各答最大的卫星城市,也是西孟加拉邦第二大城市。豪拉为主要的公路大干线的联运点,是跨越印度东部、北部和中部的主要铁路线的东部终点站。跨越胡格利河,有巨大而且交通繁忙的豪拉桥(1943年建)和胡格利桥(1987年建),两桥将豪拉与加尔各答相连。豪拉的河港沿岸有许多造船、修船厂,沿岸及其他地方有黄麻、磨面粉、碾米、榨油、轧棉、锯木、轧钢等工厂,还有化工、玻璃、针织、卷烟及电池等工厂。豪拉南郊的锡布布尔有轻工业及铁路工厂,还有建于1786年的一座植物园。1862年豪拉实行市的建制,有几所学院。该市地处三角洲的冲积层地带,水道众多,雨季时该地区常遭泛滥。人口1 008 704(2001)。

Hoxha, Enver 霍查(1908-10-16,阿尔巴尼亚吉诺卡斯特～1985-04-11,地拉那) 阿尔巴尼亚的第一位共产党首领。第二次世界大战后统治阿尔巴尼亚达40年之久,他把这个

中国大百科全书出版社供图

奥斯曼帝国半封建的国家强行改造成为欧洲具有工业化经济而社会控制最严的国家。穆斯林布商之子,曾在科尔察的法国公立中学读书,据传也曾在地拉那的美国技术学校就读。1930年获得公费奖学金赴法国蒙彼利埃大学深造。1934～1936年任阿尔巴尼亚驻布鲁塞尔总领事馆秘书,并在当地的大学研读法律。1936年返回阿尔巴尼亚,在科尔察的母校任教。

1939年意大利入侵阿尔巴尼亚,霍查因拒绝加入新成立的阿尔巴尼亚法西斯党而被解除教职,于是在地那拉开设一烟草零售店,它成为共产党活动小组的指挥部。1941年德国人侵南斯拉夫后,南斯拉夫共产党人帮助霍查建立阿尔巴尼亚共产党(后称劳动党)。霍查成为该党中央委员会第一书记、共产党控制的民族解放军的政治委员。从1944年阿尔巴尼亚解放至1954年,任阿尔巴尼亚总理,1946～1953年兼任外交部长。作为劳动党中央委员会第一书记,他有效地保持了对政府的控制,直至去世。

在霍查的长期统治下,阿尔巴尼亚经济发生了革命性变化。农田从富有地主手里没收、合并为集体农场,终于使阿尔巴尼亚的粮食几乎完全自给自足。原来几乎不存在的工业,接受了大量投资,到80年代已发展到占国民生产总值一半以上。每个乡区都通电,流行性疾病已消灭,文盲已成为往事。但是,霍查为实施其激进计划,采取了斯大林式的野蛮策略。他的政府对数以千计的地主、农村族长、穆斯林和基督教神职人员、抵制集体化的农民和不忠诚的党的官员予以监禁、处死或流放。国家没收私人财产,封闭所有教堂、清真寺及其他宗教机构,一切文化和智力工作都为社会主义和国家服务。

霍查既是热诚的共产党人又是热诚的民族主义者,他严厉指责任何威胁他的权力或阿尔巴尼亚主权的共产党国家。1948年他与南斯拉夫断交而与苏联结盟。霍查终身钦佩的苏联领袖斯大林去世后,他与赫鲁晓夫的关系恶化,到1961年完全决裂。于是,他与中国建立了密切关系,在毛泽东去世、中国与西方接近以后,1978年又与中国决裂。此后,霍查唾弃世界各大国,宣称阿尔巴尼亚将独自成为一个模范的社会主义共和国。

为保证年轻一代领导人接班,霍查在1981年命令处决几名党和政府的领导官员。其后,他便半退休,将大部分国家职务交给阿利雅,阿利雅在他死后继任其职。

Hoy 霍伊岛 诺尔斯语作Haey。苏格兰北部奥克尼群岛的第二大岛。长23千米,宽10千米,面积137平方千米。在梅恩兰岛西3千米处,中为霍伊湾。地势高,海岸呈锯齿状,有高达300米的红色砂岩峭壁,有一石柱名为霍伊老人,高达137米,是一著名的景观。人口450(1991)。

Hoyerswerda 霍耶斯韦达 德国东部萨克森州城市。位于科特布斯以南的褐煤矿区,滨施瓦策埃尔斯特河。1268年首见记载,据说是霍耶伯爵所建,1371年获建立市场权。1959年在老城东北建"社会主义新城",为褐煤加工联合企业的住宅区。该联合企业除采煤外,还制煤砖、炼焦、生产煤气和发电。当地还有玻璃厂和砖窑。是地区行政和购物中心。人口45 011(2003)。

Hoyle, Edmond 霍伊尔(1671或1672～1769-08-29,英格兰伦敦) 牌戏技术书的著作家。1741年开始教授惠斯特牌戏,翌年撰《惠斯特牌戏浅说》。1760年他所修改的规则在1864年以前一直通用。此后伦敦的阿灵顿和波特兰惠斯特俱乐部采用新规则。1743年为15子棋戏所订的规则和策略大部分现仍流行。1761年著有国际象棋和其他游戏的书籍。

Hoyle, Sir Fred 霍伊尔(1915-06-24,英国约克郡宾利～2001-08-20,多塞特伯恩茅斯) 英国数学家和天文学家,以积极倡导和维护宇宙稳恒态学说著称。这种学说认为,宇宙不断膨胀,而物质在此过程中不断创生,从而使宇宙的物质密度保持不变。就学于剑桥伊曼纽尔学院和圣约翰学院,第二次世界大战期间在英国海军部从事雷达研究6年。1945年返回剑桥大学任数学讲师。1948年,同奥地利裔美国天文学家T.戈尔德和奥地利裔英国数学家H.邦迪联合发表稳恒态学说。根据爱因斯坦的相对论,霍伊尔为稳恒态学

说奠定了数学基础，并建立宇宙膨胀同物质创生之间的相互关系。稳恒态学说在50年代末和60年代初曾引起一场争论。由于观测遥远星系和其他天象所获得的新发现都有

《伦敦每日快报》社供图

利于“大爆炸”学说而不利于稳恒态学说，宇宙学家大多逐渐不相信稳恒态学说。霍伊尔也被迫修改他的部分结论，但仍力图用一些新发现来自圆其说。1957年，当选皇家学会会员。1958年，就职美国海尔天文台（现在称威尔逊山天文台和帕洛马天文台）。在美国时，他与美国天文学家W.福勒等人共同提出关于恒星和恒星内部元素的起源理论。1967～1973年，担任曾参与创办的剑桥大学理论天文学研究所所长。1972年，受封为爵士。霍伊尔还以善于撰写科普作品著称，其中包括：《宇宙的本原》（1951）、《天文学和宇宙学》（1975）、《宇宙起源和宗教起源》（1993）。他也创作小说、戏剧、短篇故事等，还有一部自传，名为《霍伊尔的小世界》（1986）。

Hoysala DYNASTY　**曷萨拉王朝**　1006～约1346年间统治德干高原南部的家族。最初几代国王都出生于山区，约1060年定多拉萨墨德拉为都城。他们逐渐占领恒伽伐瓦迪（迈索尔邦）和栋格珀德拉河彼岸塔尔瓦尔和赖久尔的肥沃土地。毗湿奴伐弹那（1110～1141在位）从卡丹巴人那里取得大片领土，但其软弱无能的儿子纳罗新哈一世却丢掉这些领土。毗湿奴伐弹那的孙子巴拉拉二世（1173～1220在位）占领迈索尔北部，打败雅达瓦人，使曷萨拉王朝在印度南部居于支配地位。到巴拉拉三世（1292～1342在位），帮助德里苏丹反对潘地亚王朝，他的轻浮野心葬送了王朝，为维查耶那加尔王朝所取代。

Hozdar（Pakistan）　参阅 **Khuzdār** 胡兹达尔。

Hozjusz，Stanisław　参阅 **Hosius，Stanislaus** 霍休斯。

Hrabanus Magnentius　**赫拉班**　参阅 **Rabanus Maurus** 拉班努。

Hradec Králové　**赫拉德茨-克拉洛韦**　德语作 Königgrätz（柯尼希格雷茨）。捷克共和国东捷克州城镇和首府，位于奥尔利采河和易北河的汇合处。旧城在两河之间低矮的沙岩露头上，新城濒临易北河西岸。该镇位于从波罗的海到多瑙河、从布拉格到波兰克拉科夫两条古贸易路线的交叉点。1225年设镇。14世纪加固设防，当时是波希米亚第二大城市。在17世纪三十年战争期间，遭严重破坏。现为铁路联轨站。以制造乐器著称。人口约99 889（1991）。

Hrdlička，Aleš　**赫尔德利奇卡**（1869-03-29，奥匈帝国波希米亚洪波莱茨～1943-09-05，美国华盛顿[哥伦比亚特区]）　美国体质人类学家，以研究尼安德特人和提出印第安人由亚洲迁入美洲的理论而负盛名。幼年随家迁居美国，曾学医并短期开业，1896年赴巴黎在L.P.马努夫里耶指导下学习人类学，同年底返美，在纽约病理研究所任人类学副研究员。1899年任美国自然历史博物馆考察队体质人类学主任。后来在1910年任史密森学会体质人类学藏品馆馆长。曾作广泛旅行，考察过许多猿人属产地和旧石器时代村落遗址。但其开创性工作是在尼安德特人的研究方面。1927年在《人类的尼安德特人阶段》的论文中，发表了第一个重要理论，试图论证智人由尼安德特人发展而来，并论证所有人种有一个共同的起源。同年着手组织到阿拉斯加和白令海峡的考察，并详述土著美洲人从亚洲越过白令海峡到达美洲的理论。赫尔德利奇卡获有许多荣誉，布拉格的赫尔德利奇卡人类博物馆即以其姓命名。

Hrodno　**格罗德诺**　又拼 Grodno。白俄罗斯格罗德诺州城市和首府。临涅曼河。1128年首见记载，为一公国中心。1241年为鞑靼人攻陷。1284年和1391年被条顿骑士团攻占。13世纪属立陶宛，后归波兰，1795年被俄国兼并。1921～1939年属波兰。古迹有波兰国王的城堡（1580）和18世纪城堡的遗址。现为主要工业中心，生产化肥、合成纤维和消费品。设有医学院、农学院、师范学院。人口约284 800（1991）。

Hrorekr（Varangian prince）　参阅 **Rurik** 留里克。

Hrosvitha　**赫罗斯维塔**（约935～1000）　又拼 Roswitha。被认为是第一位德国女诗人。她出身高贵，一生大部时间在甘德斯海姆地方的本笃会隐修院里当修女。为抵制古典作品中的异教道德观，她用拉丁文写了6部喜剧（约960），以泰伦提乌斯的作品为依据，却表现出基督教的主题。这些剧本用粗率的散文写成，部分押韵，旨在教化其他修女，是供阅读用的，并不为演出而写。赫罗斯维塔剧本的原稿大约在1500年为德国人文主义学者采尔蒂斯发现。其他著作包括据基督教传说写成的叙事诗和两部诗体年代记：其一记载了奥托大帝的武功，另一个记载了甘德斯海姆隐修院从856年建立至919年的历史。

Hrozný，Bedřich　**赫罗兹尼**（1879-05-06，奥匈帝国波希米亚里沙纳德拉贝姆～1952-12-18，布拉格）　捷克考古学家和语言学者，他曾破译楔形文字赫梯语，开辟了近东古代史的重要研究途径。1904年参加巴勒斯坦北部的文物发掘工作，之后任维也纳大学教授（1905）和布拉格查理大学楔形文字研究和古代东方史教授（1919～1952）。1906年研究土耳其博阿兹克伊发现的赫梯皇家档案馆铭文后，首次由J.纳克尊所提出赫梯语属于印欧语系并与伊朗语、意大利语、凯尔特语、斯拉夫语有关之说，发表《赫梯语与印欧语系之关系》（1915）一书，受到多方攻击。他坚持其主张翻译许多文献，其中包括一部赫梯法典，以证其说，并出版《博阿兹克伊赫梯语楔形文字铭文》（1919）。1925年率领捷克考古队赴土耳其库尔特特，在附近发现约千块古亚述语泥板，发掘了卡尼什古城，揭示出古城的许多日常生活的资料。以后致力于释读问题的研究。

Hrušovský，Ivan　**赫鲁绍夫斯基**（1927-02-23，捷克斯洛伐克布拉迪斯拉发～　）　斯洛伐克作曲家和教育家。在布拉迪斯拉发音乐学院和音乐艺术学院学作曲，1957年毕业。作为理论家，他对19世纪以来斯洛伐克的音乐发展十分关心，写了一些有关的文章。然而，他最知名的是其抒情乐曲，其中大多数都坚实地植根于东欧的音乐传统。他的作品包括一首钢琴奏鸣曲、一首小提琴奏鸣曲、几首管弦乐曲、合唱曲以及两首电子音带音乐。

Hrvatska　参阅 **Croatia** 克罗地亚。

HSBC Holdings PLC　**汇丰控股有限公司**　总部位于伦敦的银行控股公司，原本是汇丰银行有限公司（1865年成立，在香港、上海和伦敦设有营业网点）。成立时，中国、印度和欧洲之间的贸易不断扩大。后来还在日本（1866）、印度（1867）、菲律宾（1875）和新加坡（1877）成立了分行。1955年还在美国成立了加利福尼亚分行。此后业务更加多元化，并在其他银行（如恒生）参股。1991年改现名。1992年收购当时英国最大的商业银行米德兰银行，从而成为世界最大的银行和金融公司之一。之后又进行了多次并购。

Hsi Hsia（China）　参阅 **Xixia** 西夏。

Hsi-hsia-pang-ma Feng（China）　参阅 **Gosainthan** 希夏邦马峰。

Hsi K'ang（Taoist philosopher）　参阅 **Ji Kang** 嵇康。

Hsi-ning（China）　参阅 **Xining** 西宁。

Hsi-po　**西伯**　参阅 **Zhouwenwang** 周文王。

Hsi River（river，China）　参阅 **Xi Jiang** 西江。

Hsi Wang Mu（in Chinese mythology）　参阅 **Xiwangmu** 西王母。

Hsia DYNASTY（China）　参阅 **Xia dynasty** 夏。

Hsia-Kuan（China）　**下关**　参阅 **Dali** 大理。

Hsia Kuei（Chinese painter）　参阅 **Xia Gui** 夏圭。

Hsia-men(China) 参阅 **Amoy** 厦门。

Hsiang-fan(China) 参阅 **Xiangfan** 襄樊。

Hsiang-kang 参阅 **Hong Kong** 香港。

Hsiang River (China) 参阅 **Xiang Jiang** 湘江。

Hsiang-t'an(China) 参阅 **Xiangtan** 湘潭。

Hsiang Yü(Chinese rebel leader) 参阅 **Xiang Yu** 项羽。

hsiao(filial piety) 参阅 **xiao** 孝。

Hsieh Ho (Chinese painter) 参阅 **Xie He** 谢赫。

Hsieh Wan-ying 谢婉莹 参阅 **Bingxin** 冰心。

hsien(ancient Chinese vessel) 参阅 **yan** 甗。

Hsien-shou (Buddhist monk) **贤首** 参阅 **Fazang** 法藏。

Hsien-yang(China) 参阅 **Xianyang** 咸阳。

Hsin DYNASTY(China) 参阅 **Xin dynasty** 新。

Hsin Ch'i-chi (Chinese poet) 参阅 **Xin Qiji** 辛弃疾。

Hsin-hai-lien(China) **新海连** 参阅 **Lian-yungang** 连云港。

Hsin-hsiang(China) 参阅 **Xinxiang** 新乡。

Hsin River(China) 参阅 **Xin Jiang** 信江。

Hsin-yang(China) 参阅 **Xinyang** 信阳。

Hsinbyushin 孟驳(?～1776,缅甸阿瓦) 缅甸雍笈牙王朝第三代国王(1763～1776)。他一心要征服暹罗(今泰国)。1764年率兵东进,夺取清迈和万象,然后侵入湄南河的谷地。他于1767年攻占暹罗首都大城,并且把成千上万的俘虏带回缅甸作奴隶。在征服暹罗以后,孟驳又侵略印度的曼尼普尔王国、掸邦、老挝和清迈,威胁到了中国边境的安全,因此清帝乾隆在1765～1769年间派兵对缅甸进行4次远征。1769年两国签订条约,互派贸易与外交使团。1773年缅甸南部爆发起义,被孟驳镇压。3年后,孟驳驾崩,其子即位。

hsing-shu(script) 参阅 **xingshu** 行书。

Hsing-t'ai(China) 参阅 **Xingtai** 邢台。

Hsiung Fo-hsi (Chinese playwright) 参阅 **Xiong Foxi** 熊佛西。

Hsiung-nu(people) 参阅 **Xiongnu** 匈奴。

Hsiung Shih-li 参阅 **Xiong Shili** 熊十力。

Hsiung Wu 雄武 参阅 **An Lushan** 安禄山。

Hsü, Paul 徐保罗 参阅 **Xu Guangqi** 徐光启。

Hsü-ch'ang(China) 参阅 **Xuchang** 许昌。

Hsü-chou(China) 参阅 **Xuzhou** 徐州。

Hsüan-hua(China) 参阅 **Xuanhua** 宣化。

Hsün-tzu (Chinese philosopher) 参阅 **Xunzi** 荀子。

hu 壶 中国古代酒器。西周壶皆细颈、圜底、圈足。当时壶为盛酒器。又《周礼·絜壶氏》所记,壶也可作水器。新石器时代已有陶壶,形状各异。商代后期至西周早期有铜壶,

周代晚期的青铜壶
美国不列颠百科全书公司供图

其形制多仿陶壶。西周中期至战国,铜壶是重要礼器。汉以后壶更成为广泛使用的容器。

Hu, Sia, and Heh 胡、夏、赫 其中,赫又称赫赫。埃及宗教传说中的神,他们分别代表独创性的指挥(或权威言论)、知觉(或智力)和永恒。它们是创造和维持宇宙的原动力。胡和夏为太阳神瑞行驶太阳船,埃及人认为国王都具备这两神所代表的神灵品质。赫代表无极。

Hu-chou(China) 参阅 **Huzhou** 湖州。

Hu Feng 胡风(1902-11-01,中国湖北蕲春～1985-06-08,北京) 中国现代文艺理论家、诗人。原名张名桢,别名张光人。1925～1926年先后就读于北京大学预科和清华大学英文系。1929年留学日本,在东京庆应大学英文系就读,参加日本左翼作家团体日本反战同盟、日本共产党。1933年回国后,在上海参加中国左翼作家联盟,成为领导人物,并在鲁迅的帮助指导下从事工作与研究。先后结集出版评论集《文艺笔谈》(1936)、《文艺与生活》(1936)和《密云期风习小记》(1938)。抗日战争期间曾任中华全国文艺界抗敌协会常委、军委会政治部文化工作委员会专任委员等

中国大百科全书出版社供图

职。1937年创办文学周刊《七月》,后改为月刊。1938年开始陆续编辑出版《七月诗丛》和《七月文丛》。1941年《七月》被迫停刊后,于1944～1946年编印文学杂志《希望》。同期还出版有文艺评论集《论民族形式问题》(1941)、《在混乱里面》(1945),以及《论现实主义的路》(1948)。1949年以后,曾先后出任《人民文学》杂志编委、中国作家协会常务理事、中国人民政治协商会议全国委员会委员、全国人民代表大会代表。50年代初,胡风文艺思想受到自上而下、有组织、有计划的批判。胡风不服,于1954年给中共中央、毛泽东写了三十万言的《关于解放以来文艺实践状况的报告》,随后其学术思想被定为"资产阶级唯心论、反党反人民的文艺思想"。1955年胡风以"胡风反革命集团"案被判刑、监禁。1980年此案由中共中央平反。后胡风任中国作家协会顾问、全国政协第五届常委。1984年出版《胡风评论集》(3卷)。1988年,中共中央对胡风文艺思想重新作了评价。胡风著作还有:诗集《为祖国而歌》(1942)、长诗《时间开始了》(1950)、报告文学集《和新人物在一起》(1952),以及散文集《从源头到洪流》(1952)等。

Hu Gui 胡瓌 又拼Hu Kui。中国辽代(10世纪初)画家。山后契丹人,一作范阳良乡室韦人。工画北方少数民族人物及骑猎题材。北宋《宣和画谱》著录其作品65件,其子胡虔

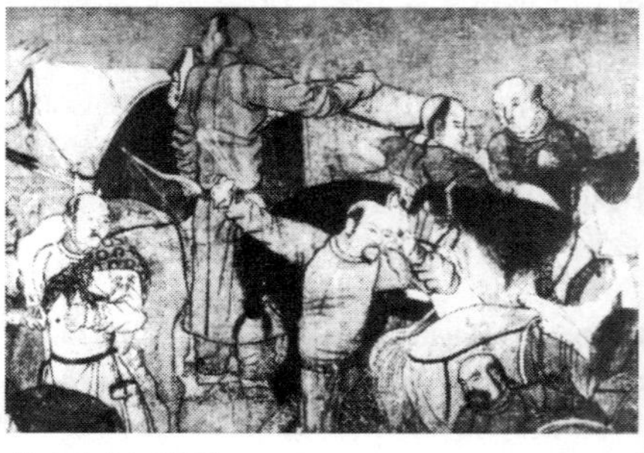

胡瓌绘《卓歇图》
中国大百科全书出版社供图

作品44件,惜多已无存。《五代名画补遗》作者刘道醇对他的评价很高,说他"善画番马,骨格体状,富于精神"。现故宫博物院所藏《卓歇图》表现契丹部落酋长狩猎休憩场面,气格甚高。另台北故宫博物院《名画集

珍册》中收有其《出猎图》、《回猎图》。胡虔承父衣钵，创作题材亦以契丹民族游牧生活为内容。

Hu Hanmin 胡汉民（1879-12-09，中国广东番禺～1936-05-12，广州） 中国国民党右派首领。原名衍鸿，字展堂。1902年赴日本留学。1905年于东京加入同盟会，被推为评议

中国大百科全书出版社供图

部议员、书记部书记、《民报》编辑。不久成为同盟会的重要政治家。中华民国成立后，任临时大总统孙中山的秘书长。不久回广东任都督。1913年反对袁世凯的“二次革命”失败，逃亡国外。1914年随孙中山在日本组织中华革命党，后改组为中国国民党，仍是孙的最高副手之一。1924年中国国民党改组，胡为右派首领。1927年国民党分裂，右翼反共派于南京建立国民政府，胡任主席。后武汉汪精卫集团清洗共产党员，与蒋介石重新联合，胡被迫辞职。1928年10月出任国民政府立法院院长。由于同蒋介石争夺领导权，1931年被蒋囚禁。“九一八”事变后获释。1933年在香港创办《三民主义半月刊》，标榜抗日、反蒋、反共。1935年国民党五届一中全会上被推为中央常务委员会主席。次年病逝。

Hu-ho-hao-t'e（China） 参阅 **Hohhot** 呼和浩特。

Hu Jintao 胡锦涛（1942-12-25，中国江苏泰州～ ） 中国共产党第十六届中央委员会总书记，中华人民共和国主席，中华人民共和国中央军事委员会主席。原籍安徽省绩溪县。1959年入清华大学水利工程系河川枢纽电站专业学习。1964年4月加入中国共产党。

中国大百科全书出版社供图

1965年7月清华大学毕业后留校工作。1968年在水电部刘家峡工程局房建队劳动。1969年后，任水利电力部第四工程局八一三分局技术员、秘书、机关党总支副书记。1974年调到甘肃省基本建设委员会，先后任秘书、设计管理处副处长。1980年任甘肃省基本建设委员会副主任。1982年9月在中共第十二次全国代表大会上当选为中央候补委员。不久，分别当选为中国共产主义青年团甘肃省委书记、共青团中央书记处书记。1983年在中国人民政治协商会议第六届全国委员会第一次会议上当选为全国政协常务委员会委员，在中华全国青年联合会第六届委员会第一次会议上当选为全国青年联合会主席。1984年任共青团中央书记处第一书记。1985年7月任中共贵州省委书记。同年9月在中国共产党全国代表会议上增选为第十二届中央委员。1987年在中共第十三次全国代表大会上当选为中央委员。1988年12月任中共西藏自治区委书记。1992年10月在中共十四届一中全会上当选为中央政治局委员、常务委员，并担任中央书记处书记。1993年9月兼任中共中央党校校长。1997年9月，在中共十五届一中全会上继续当选为中央政治局常务委员。1998年3月，在第九届全国人民代表大会第一次会议上当选为中华人民共和国副主席。2002年11月中共十六届一中全会上当选为中央委员会总书记、中央军委副主席。2003年3月任中华人民共和国主席，2004年9月任中共中央军事委员会主席，2005年3月任中华人民共和国中央军事委员会主席。

Hu-lun（China） **呼伦** 参阅 **Hailar** 海拉尔。

Hu Shi 胡适（1891-12-17，中国上海～1962-02-24，台湾） 又拼Hu Shih。中国现代学者，新文化运动的领袖人物之一。字适之。安徽绩溪人。幼年由寡母抚育，在家乡读私塾。

美国不列颠百科全书公司供图

1904年进上海公学，旋加入竞业学会，以“铁儿”笔名在该学会之白话旬报发表章回小说《真如岛》，为用白话写作之始。1910年去美国留学，1914年获康奈尔大学文学士学位后，又去哥伦比亚大学攻读哲学，为实用主义哲学家J. 杜威的学生，深受其影响，实用主义也因而成为胡适主导思想的哲学基础。1917年获博士学位回国，任北京大学教授。曾参加陈独秀主编的《新青年》编辑部，提倡白话文与文学革命。1917年发表《文学改良刍议》，极大地冲击了中国的传统文学观念。次年发表《易卜生主义》一文，主张“人的文学”与写实主义。1920年出版的白话诗集《尝试集》是中国第一部白话诗集，对新诗运动有重要影响。另一著作《红楼梦考证》开创了《红楼梦》研究中的新红学派。“五四运动”爆发后同马克思主义知识分子展开“问题与主义”的辩论，提出“多研究些问题，少谈些主义”，以改良主义反对马克思主义。在学术研究上主张用实用主义方法整理和评价中国古代文化遗产，并把这种方法概括为“大胆假设，小心求证”。1929年在《今日中国的文化冲突》一文中提倡“全盘西化说”。1932年创办《独立评论》，主张建立民主政府，驳斥某些人提出的中国民众缺乏热情与政治经验，难以实行民主政治的说法。1938～1942年出任驻美国大使。1946年任北京大学校长。1949年赴美定居。1957年出任台湾当局驻联合国代表。1958年任台湾中央研究院院长直至1962年去世。胡适一生著述丰富，在学术界影响极大。他的主要著作有《中国哲学史大纲》（上卷，1919，后改称《中国哲学史》）、《胡适文存》（1921）、《戴东源的哲学》（1927）、《白话文学史》（上卷，1928）、《淮南王书》（1931）、《中国中古思想小史》（1932）、《说儒》（1934）、《中国新文学运动小史》（1958）等。胡适逝世后，又出版有《胡适手稿》、《胡适口述自传》等书。

Hu Weiyong 胡惟庸（？～1380） 中国明代初年大臣。凤阳府定远县（今属安徽）人。1355年在安徽和州加入朱元璋起义军。历任主簿、知县、通判、湖广佥事、太常少卿等官。1370年升至中书省参知政事。1377年任左丞相，位居百官之首。自恃得明太祖宠任，独断专横，勾结权贵，培植心腹。朱元璋深感臣下权力太大会导致元末“宰相专权”、“臣操威福”的局面，1380年以谋逆罪杀胡。后又以通倭、通元（北元）罪名穷究党羽，牵连致死者达3万余人，前后延续达10年之久，史称“胡狱”。胡案与1393年朱元璋借口凉国公蓝玉谋反诛杀功臣宿将的重大政治案件，合称“胡蓝之狱”。这两个案件发生后，明朝元功宿将几乎尽遭屠戮。

Hu Yaobang 胡耀邦（1915-11-20，中国湖南浏阳～1989-04-15，北京） 又拼Hu Yao-pang。中国共产党中央委员会总书记（1980～1987）。中国革命家、政治家。生于贫农家庭。1929年冬在家乡加入中国共产主义青年团，1930年11月到位于江西、湖南交界处的革命根据地工作。1933年1月调到江西省南部和福建省西部的中央革命根据地工作，同年转为中国共产党党员。在中央革命根据地，先后担任反帝拥苏总同盟青年部长、宣传部长、中国共产主义青年团苏区中央局秘书长。1934年参加长征。到达陕北后，任共青团中央宣传部长、组织部长。抗日战争时期，先后担任延安抗日军政大学政治部副主任、大队政委、军委总政治部组织部部长。抗日战争胜利后，历任冀热辽军区代理政治部主任、中国人民解放军晋察冀军区第四纵队、

第三纵队政治委员,参加保卫张家口、解放石家庄等战役;后调任第十八兵团政治部主任,参加领导了解放太原、宝鸡等战役。1949年作为中国新民主主义青年团代表出席中国人民政治协商会议。

中国大百科全书出版社供图

中华人民共和国建立后,任中共川北区党委书记、川北行政公署主任。1952年任中国新民主主义青年团中央委员会书记处书记。1957年中国新民主主义青年团改名为中国共产主义青年团后任共青团中央第一书记。他注重在实践中用共产主义思想教育青年,按照青年特点开展丰富多彩的活动,提倡"朝气蓬勃,实事求是"的作风,使团的工作得到巨大的发展。1956年在中共第八次全国代表大会上当选为中央委员。1965年兼任中共中央西北局第二书记和陕西省委第一书记。"文化大革命"中受林彪、江青集团迫害。1975年恢复工作,担任中国科学院党组织的领导人,针对江青集团对科学工作的破坏进行整顿,在1975年冬和1976年再一次遭到错误的批判。

粉碎江青集团后,从1977年3月起先后任中共中央党校副校长、中央组织部部长。1977年8月在中共第十一次全国代表大会上重新被选为中央委员。1978年12月在中共十一届三中全会上被选为中央政治局委员、中央纪律检查委员会第三书记,随后并任中央宣传部部长、中央秘书长等职。他组织和推动了关于真理标准问题的讨论,为重新确立中共的马克思主义思想路线做了理论准备;组织和领导了平反大量冤假错案、落实干部政策工作,使大批遭受冤屈和迫害的领导干部、知识分子和人民群众得到平反昭雪、恢复名誉;重视调动8亿农民的积极性,主持制定和执行了发展农村经济的一系列方针政策,推动了农村经济的发展。1980年2月在中共十一届五中全会上当选为中央政治局常委、中央委员会总书记。1981年6月在中共十一届六中全会上当选为中央主席。1982年9月在中共第十二次全国代表大会上作了《全面开创社会主义现代化建设的新局面》的报告。在十二届一中全会上当选为中央政治局常务委员、中央委员会总书记。1987年1月提出辞去总书记职务的请求。同年11月在中共十三届一中全会上当选为中央政治局委员。

Hua Guofeng　华国锋(1921-02-16,中国山西交城～2008-08-20,北京)　又拼Hua Kuo-feng。中国共产党第十、十一届中央委员会主席(1976～1981)。1938年10月加入中国共产党。中华人民共和国建立后,历任中共湖南省湘潭县委书记、湘潭地委书记、湖南省委书记等职。"文化大革命"期间,1968年起任湖南省革命委员会副主任、代主任。1969年在中共第九次全国代表大会上被选为中央委员。1970年任中共湖南省委第一书记。1971年调任国务院业务组成员、副组长,列席中央政治局会议。1973年在中共十届一中全会上当选为中央政治局委员。1975年第四届全国人民代表大会上被任命为国务院副总理。1976年1月周恩来总理逝世,由于当时主持中共中央和国务院日常工作的邓小平已受到批判并停止工作,2月华出任国务院代总理。4月天安门事件后,由毛泽东提议任中共中央第一副主席、国务院总理。1976年10月在粉碎江青集团的斗争中,他作为中共中央主要负责人,起了重要作用。此后,任中共中央主席、中央军委主席、国务院总理。1977年在中共十一届一中全会上继续当选为中共中央主席、中央军委主席。1978年在第五届全国人民代表大会上继续被

中国大百科全书出版社供图

任命为国务院总理。1981年中共十一届六中全会通过的《关于建国以来党的若干历史问题的决议》,对他1976年以来的领导工作作出评价,认为他在粉碎江青集团的斗争中有功,以后也做了有益的工作。但是,他推行和迟迟不改正"两个凡是"(即"凡是毛主席作出的决策,我们都坚决维护,凡是毛主席的指示,我们都始终不渝地遵循")的方针,压制对于拨乱反正具有重大意义的关于真理标准问题的讨论,拖延和阻挠恢复老干部工作和平反历史上冤假错案的进程,并在继续维护旧的个人崇拜的同时,还制造和助长对他自己的个人崇拜,则是严重的错误。1980年第五届全国人民代表大会第三次会议根据中共中央提议,接受他辞去总理职务的请求。1981年中共十一届六中全会同意他辞去中央主席和中央军委主席的职务。在中共第十二至十五次全国代表大会上均当选为中央委员。

Hua Luogeng　华罗庚(1910-11-12,中国江苏金坛～1985-06-12,日本东京)　中国现代数学家。1924年初中毕业后就离开学校协助其父料理一小杂货铺。1930年在《科学》杂志上发表《苏家驹之代数五次方程式解法不能成立的理由》一文,受到熊庆来的重视,被邀到清华大学工作,由管理员、助教升为讲师。1934年成为中华教育文化基金会研究员。1936年作为访问学者去英国剑桥大学工作。1938年回国任西南联合大学教授。1946年应美国普林斯顿高等研究所邀请任研究员,

中国大百科全书出版社供图

并在普林斯顿大学任教。1948～1950年任伊利诺伊大学教授。1950年回国后历任清华大学教授,中国科学院数学研究所所长,中国科学技术大学数学系主任、副校长,中国科学院应用数学研究所所长,中国科学院副院长、主席团委员等职。他还是中国科学院数理化学部委员、学部副主任,中国数学会理事长(1950～1983),美国国家科学院外籍院士,德国巴伐利亚科学院院士;又被法国南锡大学、香港中文大学、美国伊利诺伊大学授予荣誉博士。华罗庚在解析数论、矩阵几何学、典型群、自守函数论、多复变函数论、偏微分方程和高维数值积分等广泛数学领域都有杰出成就。他关于高斯完整三角和的最佳误差阶估计在数论中有广泛应用。他对华林问题和塔里问题的研究结果至今仍是最佳记录。在代数方面他证明了体的正规子体一定包含在它的中心之中。这个结论现在被称为嘉当-布饶尔-华定理。他的专著《堆垒素数论》(1957,中文版)、《多个复变数典型域上的调和分析》(1958,中文版)等已被译成多种文字在国外出版,并已成为这些领域的经典著作。1983年德国施普林格出版社出版了由H.哈贝斯坦主编的《华罗庚论文选集》。华罗庚在普及应用数学方法、培养数学人才方面也都有突出的贡献。

Hua Shan　华山　中国五岳之一,主体位于陕西省华阴市,属秦岭东段。古称太华山,又称西岳。由中(玉女)、东(朝阳)、西(莲花)、南(落雁)、北(五云)五个山峰组成,远望状如

华山北峰

中国大百科全书出版社供图

莲花，古代“花”“华”通用故名。为花岗岩断块山，东西长约 15 千米，南北宽 10 千米，面积约 150 平方千米。最高峰落雁峰海拔2 160米。险峻的奇峰峭壁俯瞰渭河平原，有壁立千仞之势，自古为游览胜地，有景点 160 多处，登山石阶穿凿于悬崖绝壁之间，山势雄奇、山路艰险居五岳之首。华山多地形雨，山水向岩石节理集中，形成冲沟。沟谷堆积有巨大岩块，著名的“鱼石”即为清康熙年间（1662 ～ 1722）暴发泥石流所形成。山上庙宇多为明清建筑，是道教胜地。

Hua Tuo　华佗（？～208）　中国汉末医学家。又名旉，字元化。沛国谯（今安徽亳县）人。精通内、外、妇、儿、针灸各科，尤擅外科。采用酒服麻沸散的全身麻醉法，施行腹腔肿物摘除手术和胃肠切除吻合手术等获得成功。后人尊之为外科鼻祖。还倡导医疗保健体操，强调“动摇则谷气得消，血脉流通，病不得生。譬如户枢，终不朽也”。模仿虎、鹿、熊、猿、鸟动作，创“五禽戏”保健操。所创养生学说已发展成中国医学的重要学派。

Hua Xia　华夏　中国和汉族的古称，华有族名、国名、地名等多重含义。较多见的是分称“华”和“夏”，“华”意为“荣”，“夏”意为“中国之人”，即中原之人。春秋以后，又称诸夏。古人将华夏与“蛮”或“夷”对称，以文化和族类作为区分的标准。远古时期中国境内分布许多氏族部落。距今四五千年时西北部的黄帝族打败九黎族和炎帝族，进入中原。黄帝及其后代尧、舜、禹统一融合了苗、黎、夷、蛮等许多氏族部落，与炎帝族、夷族组成联盟，在黄河中游两岸繁衍。公元前 2100 ～前 770 年黄河中下游的夏人、商人、周人和其他部落长期相处，逐渐形成华夏族。华夏族何时形成，说法不一，从原始社会、商代中期、西周中期、东周初期、春秋时期，直至战国中后期，前后相距达一二千年。春秋战国时期各诸侯国不断相互兼并，地区之间经济文化交流频繁，密切了华夏族与其他各族的联系。氐、羌、巴、蜀、滇、僰、濮、苗、越等族有的融合于华夏，有的在相互同化中逐步发展成为新的族体。公元前 221 年秦建立了以华夏为主体的统一多民族国家。汉代华夏族不断吸收其他民族成分，人口繁衍，逐渐以汉族代替了诸夏、华夏等旧称。

Hua Yan　华嵒（1682 ～ 1756）　又拼 Hua Yen。中国清代画家。字秋岳，号新罗山人、东园生、布衣生、离垢居士等。福建汀州上杭人。少小家贫，曾为造纸坊工人，而喜绘事，勤奋自学。壮岁出游京师，被荐应试，以优等授县丞职，未就任，归居杭州，以卖画自给。后居扬州最久。擅长画花鸟、人物、山水。花鸟继承明代钩花点叶派，并参以恽寿平法，以细笔作写意。题材多样，刻画生动，清新秀逸，活泼天真。人物画构思奇巧，造型夸张，色彩明丽，勾勒雅逸。吸收明代陈洪绶画法而有所变格。山水笔法受唐寅、石涛和恽寿平影响，多方吸收前人成果，不拘一格，富有灵秀之气。传说早年曾在寺庙中作过壁画，

华嵒绘《午日钟馗》
中国大百科全书出版社供图

故能体味民间审美趣味。后来发愤读书，广泛交游，并且成为诗人，作品中又融会了文人画的气质。所以他的画当时受到社会广泛欢迎，是清中期具有创造性和广泛影响的画家。有《离垢集》、《解弢馆诗集》传世。

Huayen（Buddhism）　参阅 **Kegon** 华严宗。

huaca　华卡　又拼 wak'a。南美洲古代印加人宗教和现代克丘亚人和艾马拉人宗教名词。指圣礼、死后情况或圣物。据西班牙征服者德莱昂说，华卡即墓地。华卡又指附于自然物的精灵或自然物本身，如瀑布或山峦，有时还可以指庙宇。

Huaca Prieta　瓦卡普列塔　又称奇卡马。前哥伦布时期秘鲁北部遗址，位于今奇卡马河口的利伯塔德省，其年代约为前陶器时期晚期（约公元前 3500 ～前 1800）。考古发掘表明，此地原有地穴式住室，居民不种玉米或制陶，而是栽培南瓜、辣椒、棉花，从事捕鱼及编筐篮、织粗布。据放射性碳素断代，此种文化约在公元前 2500 年之际。

Huai He　淮河　又拼 Hwai Ho，又作 Huai River。中国长江和黄河之间的大河。发源于河南省桐柏山北麓，东流经河南、安徽到江苏省入洪泽湖。洪泽湖以上河长 845 千米，流域面积 16.4 万平方千米。洪泽湖以下为淮河下游，水分三路下泄。主流通过三河闸，出三河，经宝应湖、高邮湖在三江营入长江，是为入江水道，至此全长约1 000千米，流域面积 18.7 万平方千米。另一路在洪泽湖东岸出高良涧闸，经苏北灌溉总渠在扁担港入黄海。第三条路在洪泽湖东北岸出二河闸，经淮沭河，过淮阴市杨庄水利枢纽，经新沂河入黄海。此外，在杨庄水利枢纽还分支经废黄河入黄海，是为中山河（也称新淮河）。淮河上、中游支流较多，北岸有洪河、颍河、涡河、浍河等，大都河床平浅，水流缓慢，易成内涝。南岸支流多发源于大别山，有淠河、史河、潢河等。这些支流较短，河床比降大，水流湍急。自 1128 年黄河夺取淮河下游河道入海，至 1855 年黄河在河南兰考县铜瓦厢决口北流入渤海止，由于黄河带来大量泥沙，使淮河下游河道淤塞，破坏了淮河下游原来的水道系统，淮河上、中游来水潴积为洪泽湖。加以水利失修，灾害严重。1951 年以后对淮河进行全面治理，在上游支流上兴建佛子岭、梅山、南湾等 30 多座大型水库，中游进行洼地蓄洪工程，培修堤岸，下游增辟入海水道和整治入江水道工程，并新建淠史杭灌溉工程、江都抽水站等，使灌溉面积达 733.3 万多公顷。河道浅窄、水系紊乱的中游地区支流，大部河道经过疏浚，开挖了崇潼河、新汴河，增强了排洪能力。过去“大雨大灾，小雨小灾，无雨旱灾”的情况已初步改变。河南省固始县以下可通航。淮河是中国东部地区气候上北亚热带和暖温带的分界线，并形成其北、其南土壤植被的明显差异。

淮南市的淮河大桥
中国大百科全书出版社供图

Huai Jun 淮军 又作 Anhwei Army。又称淮勇。中国清(1644～1911)末李鸿章受曾国藩指使在安徽悉法湘军编练的军队。1861年太平天国进逼上海。两江总督曾国藩命李鸿

淮军
中国大百科全书出版社供图

章招募淮勇，编成一军，初建时为6 500人。1862年4月调赴上海后，又购置洋枪洋炮扩编部队。先后勾结英法侵略军、配合湘军在苏、浙等地进攻太平天国。1864年7月太平天国首都天京(今南京)陷落后湘军部分遣散，淮军成为实力最强的军队。1865年全军达5万多人，成为镇压捻军的主力。1870年李鸿章任直隶总督兼北洋大臣后建立北洋海军。淮军主要将领张树声、刘铭传、潘鼎新等先后任督抚大员，形成淮系军阀。1884年中法战争中淮军在广西战败。1894年中日甲午战争中淮军将领统率的陆军惨败，北洋海军全军覆没。此后淮军势力渐衰，逐渐为袁世凯新建的陆军替代。

Huai-nan-tzu 淮南子 参阅 **Huainanzi**《淮南子》。

Huai-ning(China) **怀宁** 参阅**Anqing**安庆。

Huai Su 怀素(737～799) 中国唐代书法家。俗姓钱，字藏真，永州零陵(今湖南长沙)人。自幼出家为僧。经禅之余，从事艺文，尤好草书。怀素好饮酒，及酒酣兴发，于寺壁里

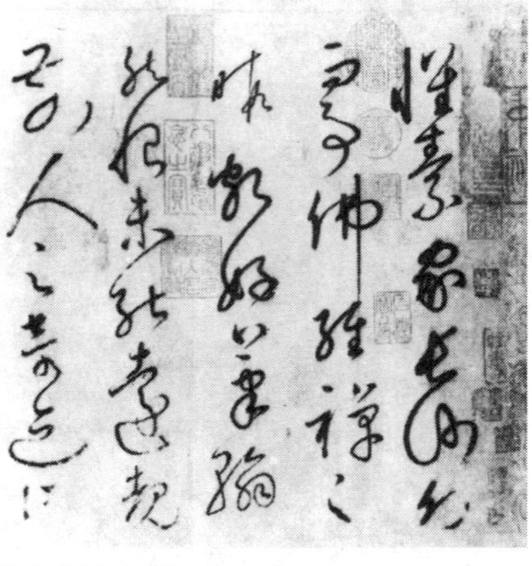

怀素书《自叙帖》
中国大百科全书出版社供图

墙，衣裳器具，无不书之，时人称醉僧，与另一草书大家张旭合称“颠张狂素”。怀素草书，笔法瘦劲圆转，飞动自然，而法度完备。曾以“夏云多奇峰”，“飞鸟出林，惊蛇入草”，“壁折之路，一一自然”等喻笔法之妙，皆其独到心得。时人窦冀曾形容他写字时的状态说：忽然绝叫三五声，满壁纵横千万字。吕总《续书评》亦称他：援毫掣电，随手万变。《宣和书谱》谓其书字字飞动，宛若有神。传世书迹有《自叙帖》、《藏真帖》、《苦笋帖》、《论书帖》、《食鱼帖》、《律公帖》以及《小草千字文》等。

Huai'an 淮安 又拼 Huai-an。中国江苏省辖地级市。在省境北部废黄河南岸，京杭运河里运河段贯穿市境。原属秦淮阴县地。东晋义熙七年(411)改属山阳县(今楚州市)，明初开始逐步发展为京杭运河沿线重要口岸，称清江浦。清乾隆二十五年(1760)移清河县于此。1914年改淮阴县，成为江苏省两淮地区政治、经济中心。1937年底至1939年3月江苏省政府一度迁此。1951年析淮阴县城区和近郊置清江市。1958年市、县合并，改称淮阴市。1964年市、县再度分治，仍称清江市、淮阴县。1983年改清江市为淮阴市，并升省辖市。2000年地级淮阴市更名为淮安市。辖淮阴、清河、清浦、楚州4区和涟水、洪泽、盱眙、金湖4县，面积8 962平方千米，其中市区面积3 206平方千米。市境处淮河与泗、沂、沭诸河下游，除西南境盱眙县中南部多丘陵岗地外，其余均属平原，素以农业为主。南宋建炎二年(1128)黄河南侵夺淮后，水系紊乱，水旱洪涝灾害频仍，农业一蹶不振。1949年后为江苏省治淮工程重点地区。已建成新沂河、淮沭河、苏北灌溉总渠、淮河入江水道等主要泄水干道，并有三河闸和淮阴、淮安两大水利枢纽为调节，形成新的河网区，大大减轻了水旱洪涝灾害，成为江苏省最大的商品粮基地。这里原是商业城市，工业较落后。1949年以来逐步建起卷烟、化学、印刷、皮革、电力、纺织、针织、橡胶、石油化工、电子、拖拉机等工厂。结合整治京杭运河在市区南郊开挖一条新航道，建有年吞吐量200万吨的货运码头；修建以淮阴船闸为主体的水利枢纽工程。建设以市区为中心的淮北公路网，有宁淮、徐淮、淮连、淮扬、淮盐等干线直达南京、徐州、连云港、扬州、盐城诸市。市区有周恩来童年读书旧址，还有韩信城遗址、清江浦楼、清江大闸和琉球国朝京通都事郑文墓等古迹。人口：全市5 230 000(2005)；市区2 690 000(2004)。

Huaibei 淮北 中国重要煤炭工业基地之一，安徽省辖地级市。位于省境北部。淮北煤田所在地。1958年设立矿务局，1959年析濉溪县、萧县置濉溪市。1971年改名淮北市。辖相山、杜集、烈山3区和濉溪县。面积2 802平方千米，其中市区面积371平方千米。是历史悠久的古城，淮北市中心即位于相山南麓古相城遗址上。春秋时宋国共公(公元前588～前576)迁都于此。1949年后陆续出土有战国宝剑、秦代钱币、汉代铜镜、汉砖等文物。淮北煤田北与苏北、鲁南煤田接壤，南与淮南煤田相对，属二叠纪煤，煤层较厚，储量丰富(80多亿吨)，煤种较全，此外还蕴藏有铁、铜、银、耐火黏土、白云石和石灰石等。早在宋元丰元年(1078)淮北煤田已被开采。清光绪年间(1875～1908)又在闸河东部烈山用土法开采。此后中国官商和日本资本曾试图大规模开采，都未收效。现在北起萧县，南到宿州市已兴建许多现代化矿井，生产动力煤、无烟煤和炼焦煤等；并建有矿山机械、电力、矿灯、化工、选煤、针织、制药、食品等工厂。有全省最大的电厂之一——淮北发电厂，装机容量98万千瓦，年发电量约50亿千瓦小时。符夹铁路横贯市区，南连津浦线符离集，北接陇海线夹河寨，经青阜、淮阜两铁路可通往阜阳、淮南，沟通淮北平原西部地区。特产有濉溪“口子酒”。名胜古迹有相山公园、共姬墓、相山庙等。人口：全市2 090 000(2005)；市区830 000(2004)。

Huaihai 怀海(720～814) 中国唐代禅师。俗姓王，福州长乐(今福建长乐)人。出家后师事马祖道一，后住新吴百丈山(今江西奉新)，世称“百丈禅师”。原来禅僧多居律寺，要尊重戒律，必须“诸恶莫作，众善奉行”，但南岳怀让所传禅法与律寺精神大相径庭。怀海有鉴于此，首创“禅居”，恢复坐禅方法。僧众一齐劳作(“普请法”)，如耕种、造林等，也接受布施。这些团体生活规约(《禅门规式》)后经修订为《百丈清规》，促成了佛教徒生活中国化，同时也增强了禅宗势力，使怀让、马祖一派形成“洪州宗”。卒后唐穆宗谥“大智禅师”。

Huaihua 怀化 中国湖南省辖地级市。湘、鄂、川、黔、桂、渝交界处的物资集散地。位于省境西部，沅江支流㵲水流域。三国时为㵲阳县地，宋设怀化铺并置递运所。清乾隆

怀化市城区一角
中国大百科全书出版社供图

四十一年(1776)改设巡司，兼理驿务。1942年由辰溪、芷江、黔阳、麻阳4县析置怀化县。1979年以怀化县怀化镇等地设怀化市，1982年怀化县并入怀化市。1997年撤怀化地区和县级市，设地级怀化市。辖鹤城区和沅陵县、辰溪县、溆浦县、中方县、会同县、麻阳苗族自治县、新晃侗族自治县、芷江侗族自治县、靖州苗族侗族自治县、通道侗族自治县，并代管洪江县级市。面积27 564平方千米，其中市区面积729平方千米。境内群山环抱，市区新建湖天、井溪两座城市桥梁和主干道路工程。随湘黔、枝柳两铁路通车，怀化成为湘西重要铁路枢纽，并为两铁路干线上最大的综合性站场。境内资源丰富，矿产有煤、磷、瓷土、铅、锌、铁、锰等。农业以水稻为主，兼营林业和经济作物。工业有机械、纺织、缝纫、化工、陶瓷、食品等部门。全国十大水电基地之一，境水能蕴藏量346.45万千瓦，可开发水能307.68千瓦，居全省之首。五强溪水电站坐落在沅江干流上。209、320国道与10多条省道纵横交错。有黄岩山、珍珠泉、

天星洞以及高坎垅遗址等名胜。人口:市4 870 000(2005),市区330 000(2004)。

Huainan 淮南 中国安徽省辖地级市。中国重要的煤炭、电力工业基地之一。位于省境中部偏北、淮河沿岸。原名田家庵。1951年以淮南矿区及附近地区合并设市。辖田家

淮南煤矿洋集一号井
中国大百科全书出版社供图

庵、大通、谢家集、八公山、潘集5区和凤台县。面积2 526平方千米,其中市区面积1 526平方千米。20世纪初发现煤矿,属二叠纪煤,质地优良,储量140余亿吨。初由地方小煤窑采掘,1931年设淮南矿物局统筹开采。1937年由中国建设银行接管,改为淮南矿务公司。抗日战争期间被日军侵占并开采。战后仍由淮南矿务公司接收。1949年后淮南煤矿建设迅速发展,并设有煤炭学院,70年代中期兴建年产煤300万～400万吨特大型矿井数座,成为中国大煤田之一。建有安徽省装机容量最大的洛河火力发电厂。还兴建了炼焦、化肥、矿山机械、医药、造纸、陶瓷、食品等工业。淮南地区气候适宜,土壤肥沃,市郊产稻谷、小麦、大豆、高粱。淮河以北沙土地较多,以豆、麦为主。丘陵小山散布有苹果、酥梨、桃、杏等果园。市内河流众多,航运发达。铁路有淮南线、阜淮线,并建有公路、铁路两用大桥。主要名胜古迹有战国楚春申君黄歇墓、汉淮南王刘安墓。还有以淝水之战闻名的八公山。人口:全市2 340 000(2005)。

Huainanzi 《淮南子》 又拼Huai-nan-tzu。中国西汉淮南王刘安(淮南子)招致门客编撰的杂家论文集。又称《淮南鸿烈》。《汉书·艺文志》记载,《淮南子》内书21篇,外书33篇。

明万历刻本《淮南子》书影
中国大百科全书出版社供图

内篇论道,外篇杂说。现存内书21篇。书中以道家思想为主,综合先秦各家思想,并吸取当时一些自然科学材料。对老子虚静无为思想作了新的阐释。还提出关于"道"、"气"的朴素唯物主义观点,对宇宙生成演化作了详尽论述。注本有东汉高诱《淮南鸿烈注》,近代刘文典有《淮南子集解》。

huaiño(folk dance) 参阅 **huayño 胡威诺**。

Huairang 怀让(677～744) 又拼Hu'ai-jang。中国唐代佛教禅师。本姓杜,金州安康(今属陕西)人。年幼即好佛典,约20岁于荆州玉泉寺依恒景出家,后到嵩山向慧安学禅,又到韶州(今广东韶关)曹溪参拜慧能,受顿悟法门。慧能死后于唐玄宗先天二年(713)住南岳般若寺观音台,弘扬慧能一派学说。后得弟子马祖道一为主座,由此传法开南岳一系。世称"南岳怀让"。死后唐敬宗敕谥"大慧禅师"。

Huaisheng Temple 怀圣寺 "怀圣"取怀念穆罕默德圣人之意。又称狮子寺、番寺。中国伊斯兰教清真寺。与泉州圣友寺、杭州真教寺、扬州仙鹤寺,合称中国沿海伊斯兰教四大古寺。位于广州市越秀区。寺南有光塔,故又称光塔寺。大殿在寺院后部。一般认为是唐初到中国传教的阿拉伯人赛尔德·宛葛斯所建。南宋方信儒《南海百咏》称:"番塔始于唐时。曰怀圣塔,下有礼拜堂。"阿拉伯的旅行家苏莱曼《东游记》亦有记载。

Huaiyu Shan 怀玉山 中国江西省东北部山脉。信江与乐安江分水岭。东北-西南走向。海拔1 000米左右,主峰玉京峰海拔1 817米。怀玉山因处海洋暖湿气团在中国东南沿海登陆后北上通道上的要冲,其迎风面降水丰富,为江西省多雨区,植被茂盛,森林广布。铜矿资源丰富,德兴等地已发现大型矿床,为中国著名铜矿基地。

Hualian 花莲 又拼Hua-lien。中国台湾省东岸中部的县。县治设花莲市。面积4 628平方千米。旧称回澜,亦名新港。原始居民为阿美族山胞。清光绪四年(1878)建城,光绪六年置花莲抚垦分局,光绪十三年设厅。1945年台湾光复后始设县。山地占全县85%强,是台湾地广人稀的县份。北邻宜兰

花莲县的甘蔗收获
美国不列颠百科全书公司供图

县,南界台东县,中央山脉和东部海岸山脉分别在东西两侧,其间为狭长的花东纵谷平原;平均气温23°C,年降水量1 927毫米;花莲溪和秀姑峦溪流贯谷中。经济以农业及矿业为主。农产品有甘蔗、稻谷、黄麻、烟草、花生、甘薯、茶叶及各类水果。矿产丰富,有铁、石棉、硫磺、铜、大理石等,其中大理石蕴藏量约3 000亿吨,年开采约百余万吨,畅销海外。发源于中央山脉的立雾溪、木瓜溪、寿丰溪等的水力资源丰富,现已开发,用于该县的石矿加工、金属冶炼、化肥、化工、食品罐头等工业。东岸纵贯铁路(北回铁路、花东铁路)、公路(苏花公路、花东纵谷公路、花东海岸公路)经过该县,并为中部横贯公路的端点。海运靠东部良港——花莲港。有通达台北、台东、高雄等城市的航空班机。北部立雾溪的太鲁阁峡是石灰岩大峡谷,断崖高达千米,已辟为台湾东部的著名风景区。东北部海岸边的清水断崖悬崖峭壁高数百米,是太平洋西岸有名的大海崖。此外还有天祥、鲤鱼潭、翡翠谷、九曲洞、燕子口、石梯湾、秀姑漱玉等山水名胜。人口355 000(2001)。

Hualian 花莲 又拼Hua-lien 中国台湾省东部花莲县辖市及县治所在地,为台湾东海岸最大城市和重要港口。面积29.4平方千米。地处东部主要断层线——花东纵谷的北端。该纵谷分隔绵亘的中央山脉和陡峭的东部海岸山脉,北起花莲以北的新城,南迄台东市附近,谷宽约5千米,长约170千米。该市依山濒海,东临太平洋,西面靠中央山脉东侧。铁路、公路交通便捷,北回铁路、花东铁路及苏花公路、花东纵谷公路、花东海岸公路交会于此,中横公路以此为终点站。空运有班机通台北、高雄、台东等城市。观光旅游业发达,以旅馆多及大理石店多为该市两大特色。花莲港在市区东北,日本占领时期(约20世纪30年代)始建,光复后持续进行扩港工程,至1963年已成为仅次于高雄港与基隆港的全省第三大国际海港。市内有美仑山公园、美龄公园、海滨公园、三栈溪谷及阿美族文化村等游憩胜地。阿美族山胞为该地原始居民,每年均举行丰年祭盛大庆典,为该市带来大批观光人潮。人口约108 407(1999)。

Huallaga River 瓦亚加河 秘鲁中部和北部河流。源出安第斯山脉,流向东北偏北,在中科迪勒拉山脉和阿苏尔山之间形成河谷。出峡谷进亚马孙河盆地,汇入马拉尼翁河。全长约1 100千米。仅下游48千米段可通大船。

Huambo 万博 前称新里斯本。安哥拉中西部城市,位于比耶高原,宽扎河南面。海拔1 701米,气候温和。1912年由葡萄牙移民和本格拉铁路筑路工人建立,原拟作为葡属安哥拉首都。地当交通枢纽,拥有非洲最大的铁路机修厂之一,商业和运输业相当发达。在独立时和独立后的内战中,万博被严重破坏。本格拉铁路(自大西洋沿岸的洛比托穿过安哥拉中部通往刚果(金))的运行一再因争取安哥拉彻底独立全国联盟游击队的活动而中断。1993年万博由于内战再次遭到严重破坏。城市周围种植咖啡、小麦和玉米。养

牛业也很重要。人口约203 000(1983)。

Huan Tan　桓谭(约公元前23～公元56) 又拼 Huan T'an。中国东汉思想家。字君山。沛国相(今安徽淮北市)人。对经学、天文、音律都有研究。王莽称帝时任掌乐大夫。东汉

中国大百科全书出版社供图

光武帝时官议郎给事中。曾上疏请禁止谶纬迷信。后光武帝建灵台,公布图谶,他反对,触怒光武帝,被贬为六安郡丞,病卒于赴任途中。桓谭"以烛火喻形神",认为人的生命由精神形体合成,如同火光与烛体的关系。形体强弱决定精神强弱。烛体烧尽灯火即灭,人体死亡精神也随之消亡。还反对长生不死的神仙方术,认为人同其他生命体一样,有发生、成长、衰老和死亡的过程。对后来无神论思想有重要影响。桓谭著《新论》16篇,早佚。现有孙冯翼辑本《桓子新论》和严可均辑本《新论》。原收《弘明集》的《新论·形神篇》是研究桓谭哲学思想的主要资料。

Huancavelica　万卡韦利卡　秘鲁中部一省。地处地势崎岖的山区。平均海拔4 600米。省会为万卡韦利卡。西班牙殖民时代用当地矿石提炼银时,获得的汞十分可观,当时,该省以圣巴巴拉的汞矿闻名。19世纪,银矿和汞矿开采业衰落。现主要农产品有小麦、大麦、玉米、马铃薯等。羊毛供当地消费,为首都利马供肉。有全天候公路、铁路通首都利马。面积22 131平方千米。人口约287 103(1992)。

Huancavelica　万卡韦利卡　秘鲁中部万卡韦利卡区和省的首府。位于利马东南方约225千米,安第斯山脉内的万卡韦利卡河谷内,海拔3 676米。当地发现汞矿之后,于1563年作为采矿居住区而建立。该城于1572年按总督F.德·托莱多的命令兴建。1581年正式宣告为市。直到19世纪中叶,该市始终是个重要的汞矿开采中心。该区大多数居民为操克丘亚语的印第安人,他们从事自给农业,种植马铃薯和大麦。当地市场上有皮革制品和羊驼毛产品的交易。从万卡约向南的一条窄轨铁路使万卡韦利卡成为以卡亚俄(利马的港口)为起点的一条650千米长的山区铁路的终点。人口约25 800(1990)。

Huancayo　万卡约　秘鲁胡宁区首府和万卡约省省会。位处曼塔罗河流域富饶的盆地,海拔3 249米。为一个长期有人居住的农业区。万卡约居民区1823年建市。现为安第斯山区中部重要商业中心。有铁路、公路通利马和其他安第斯山区城市。丰富多彩的大型星期日市场,吸引大批附近村庄的印第安人和混血人。有大教堂等许多精美的宗教建筑和秘鲁国立中央大学(1962)。在广场附近还有一些大型的现代化建筑物。该市为旅游中心。人口约207 600(1990)。

Huang Binhong　黄宾虹(1865-01-27,中国浙江金华～1955-03-25,浙江杭州)　又拼 Huang Pin-hung。中国近现代国画家。初名懋质,应试改名质,字朴存。祖籍安徽歙县西乡潭渡村,因村有滨虹亭,而号滨虹,后改写宾虹。别号有予向、虹庐、虹叟等。10岁开始学习绘画、书法、篆刻,19岁游览黄山、九华山。1906年在家乡新安中学堂任国文教员。因议论时政,被人告密,遂离乡客居上海,达30年之久。曾协助邓实、黄节办《国粹学报》、《国

中国大百科全书出版社供图

粹丛书》。与邓实合编《美术丛书》。又曾在上海时报任职,1921年以后曾任上海商务印书馆美术股主任。他阅览古今名作,后在上海各美术学校教授国画和画论。虽年过六旬,仍遍游名山大川,每游一地,无不写生纪胜,画稿盈箱竟达万帧以上。1937年6月应聘到北平艺术专科学校任教。1948年秋应杭州艺术专科学校之聘,南下杭州,居西湖栖霞岭。1949年全国解放,黄宾虹已86岁,任中央美术学院华东分院教授。1953年当选为美协理事,任民族美术研究所所长。他的山水画富于变化,有时山岭重叠,雄壮奇伟;有时秋水平沙,空旷辽阔;有时细雨空濛,云山淋漓,气象万千,观者如身临其境。他在艺术实践中发展了中国山水画的技法,讲究用笔用墨。喜以泼墨、积墨、宿墨、破墨互用,尤其使用积墨法较多,他的山水画山川层层深厚,大气磅礴,近看有浑厚之气,远观层次井然,浑厚华滋意境深邃。他兼能诗文、书法及金石篆刻,对画史、画论卓有研究。著有《黄山画家源流考》、《虹庐画谈》、《古画微》、《中国画学史大纲》等,并有辑本《黄宾虹画语录》。在西湖栖霞岭故居建有画家黄宾虹纪念室。

Huang Chao　黄巢(?～884)　中国唐代末年农民起义军领袖。曹州冤句(今山东菏泽)人。贩私盐出身。875年6月率数千人响应王仙芝起义,转战今山东、河南一带。王仙芝死后被推为领袖,号冲天大将军。改元王霸,设置官属。继而南下,经今江西、浙西、浙东、福建,于879年攻克广州。后率百万大军北伐,在荆州受阻后又沿江东下败高骈军,乘胜自采石矶渡江,于881年1月攻克长安称帝,国号大齐,改元金统。因长安在唐军包围下,数十万大军补给困难,同州守将朱温又叛变,883年撤出长安。此后转战河南各地,在李克用和朱温等军夹击下884年5月败至兖州,在莱芜县狼虎谷自杀。

Huang Gongwang　黄公望(1269～1354) 又拼 Huang Kung-wang。中国元代画家。本姓陆,名坚。过继浙江永嘉(今浙江温州)黄氏后,改姓名,字子久,号一峰、大痴道人等,原籍常熟(今属江苏)。曾为小吏,因事人狱,开释后人道教全真派。学识渊博,工行楷书,通音律,能诗文,尤擅画山水。初学作画时,年岁已近50,曾得到赵孟頫指授,自称"松雪斋中小学生"。尤重视师法造化,常在富春、虞山、三泖等处领略自然风景之胜,不断随笔摹写。"又每往泖口通海处看激急轰浪,虽风雨骤至而不顾"。在古人主要向董源、巨然学

黄公望绘《富春山居图》

美国不列颠百科全书公司供图

习，自云："摹仿（古人）固多，而尤得于景物之助，观者倘谓老人不能自用，而仿古求之，则又非知老人矣。"其艺术风格，有"峰峦浑厚，草木华滋"之誉。以发展次序论，初较细碎而丰厚有致，中则笔势雄肆，晚则笔简气清。以表现形式论有浅绛与水墨二体。浅绛是少所创，有"吴道子装山水"之称；水墨每能以草篆奇字之法入画，亦有全用渲染者。其代表作《富春山居图》（台北故宫博物院）雄秀苍莽，变化极矣，是他晚年的心血结晶，后人或将之比为王羲之的《兰亭集序》。又据恽寿平所记，他还画有"邱壑灵奇，笔墨浑厚"的《秋山图》，惜在清初即已无存。他的画法虽变化多端但归总于"无笔不灵，无笔不趣，于宋法之外，又开生面"。他对明清以来山水画的发展影响很大。后人将他与吴镇、倪瓒、王蒙合称"元四家"，而倪瓒、王蒙又多曾向他请益，故被推为元四家之冠。存世作品有《富春山居图》、《九峰雪霁图》、《浮岚暖翠图》、《丹崖玉树图》、《雨岩仙观图》、《天池石壁图》、《快雪时晴图》、《陡壑密林图》。著有《写山水诀》，今存，深入浅出，有益后学。

Huang He　黄河　又拼 Hwang Ho，英语作 Yellow River。中国第二大河。因含沙量大，水色浊黄得名。发源于青海巴颜喀拉山北麓的卡日曲，东流经青海、四川、甘肃、宁夏、内蒙古、陕西、山西、河南、山东 9 个省区，于山东省垦利县境内注入渤海。全长5 464千米，流域面积 752 400 平方千米。年平均输沙量 16 亿吨（陕县站），但平均年径流量仅 480 亿立方米。

黄河流域是中华民族文化的摇篮。西安市东南出土的"蓝田猿人"头盖骨证明，黄河流域在 80 万年前就有人类活动。在流域内还先后发现旧石器时代中期的"丁村人"文

黄河上的莲花渡是汉唐时期丝绸之路上的重要渡口
中国大百科全书出版社供图

化、旧石器时代晚期的"河套人"文化、新石器时代中期的"仰韶"文化和新石器时代晚期的"龙山"文化。现在黄河中下游的许多城市如咸阳、西安、洛阳、郑州、安阳、开封、商丘等都是古代中国政治、经济、文化和交通中心。黄河也是"中国的忧患"，从春秋时代（公元前 770 ～前 476）到 1949 年的 2 000 多年间下游决口1 500多次，其中重要改道 26 次，水灾波及范围北至天津，南达江苏和安徽

郑州市附近的黄河木帆船
美国不列颠百科全书公司供图

两省北部，受灾面积达 250 000 平方千米。现在下游的入海河道是 1855 年在河南兰阳（今兰考）铜瓦厢决口改道而形成的。

黄河从源头到内蒙古自治区的托克托县的河口镇为上游。上源通过星宿海东行，流入河源地区两个最大淡水湖扎陵湖和鄂陵湖，此段水流缓慢，浅草平铺，地表冲刷轻微，河水清澈见底。鄂陵湖以下在青海东南和四川、甘肃两省交界处河道呈"S"形大转折。穿过青海东部共和、贵南两县间的龙羊峡以后，黄河由青海高原奔泻而下，进入峡谷段。著名峡谷除龙羊峡外有刘家峡、盐锅峡、八盘峡、青铜峡等。河道一束一放，峡谷与川地相间。沿途接纳湟水、洮河等支流，水量和含沙量随之大增。出青铜峡后折转东北方向，进入银川平原和河套平原两个"塞外江南"的引黄灌区。由于河段从低纬走向高纬，冬季和春季上下河段封冻、解冻时间不一致，常发生凌汛，冰坝壅塞河道，水位急剧上升。从托克托河口镇到河南郑州附近的桃花峪是黄河中游。此段黄河急转南下，穿行于山西、陕西两省交界的山谷中。两岸是世界最大的黄土高原，河槽下切深，有无定河等许多支流汇入，带来大量泥沙，河水含沙量剧增。窟野河年平均含沙量 174 千克/立方米，汛期河水变成泥流。壶口、龙门以南河谷比较开阔，有汾河、渭河等先后汇入，出潼关又穿行在峡谷中，有著名的三门峡。黄河下游自桃花峪东流进入黄淮海大平原，经河南北部折向东北，在山东垦利县注入渤海。下游段河道宽阔平坦，水流平缓。黄河每年从上中游挟带的 16 亿吨泥沙中有 4 亿吨堆积在这一地段，使河床逐年抬高，现已高出堤外两岸平原 3 ～ 5 米，有的地方达 10 米，成为举世闻名的"地上河"。黄河决口和泛滥主要发生在此段。黄河在山东省和京杭大运河交会。下游段除在梁山附近接纳大汶河外没有支流汇入。黄河每年挟带的泥沙在河口形成三角洲。中华人民共和国建立后，除在上、中游进行水土保持外，先后建成三门峡、青铜峡、盐锅峡、八盘峡、刘家峡、三盛公、天桥、龙羊峡和李家峡等 9 座大型水利枢纽工程。在下游培修、加固了1 800千米的河堤，修建人民胜利渠等工程，引黄淤灌，引黄济青，综合利用黄河水土资源。1994 年 10 月在黄河中游最后一段的峡谷的出口兴建小浪底水利枢纽工程（位于河南省洛阳市以北 40 千米处），由拦沙大坝、泄洪排沙系统、引水发电系统三部分组成。大坝坝顶海拔 281 米，正常蓄水位 275 米，总库容 126.5 亿立方米，水库在最高蓄水位时总泄流能力达每秒17 000立方米。水电站装机容量 156 万千瓦，多年平均发电量 51 亿千瓦小时。

Huang Hsing（Chinese revolutionary）　参阅 **Huang Xing** 黄兴。

Huang Ju　黄菊（1938-09，中国浙江嘉善～2007-06-02，北京）　中国共产党第十六届中央政治局常务委员，国务院副总理。大学学历，工程师。1966年加入中国共产党。

中国大百科全书出版社供图

1956 年入清华大学电机工程系电机制造专业学习。1963 年后任上海人造板机器厂动力车间、铸钢车间技术员，厂长秘书。1967 年后任上海中华冶金厂动力车间技术员、车间党支部副书记、厂革委会副主任、副厂长、工程师。1980 年任上海市石化通用机械制造公司副经理。1982 年任上海市第一机电工业局副局长。1983 年任中共上海市委常委兼市工业工作委员会书记。1984 年兼任中共上海市委秘书长。1985 年后任中共上海市委副书记、副市长。1991 年后任上海市市长。历任中共第十三届中央候补委员，第十四、十五、十六届中央委员。1994 年增补为中共第十四届中央政治局委员，任上海市委书记。1997 年当选为中共第十五届中央政治局委员。2002 年当选为中共第十六届中央政治局委员、常委。2003 年任国务院副总理、国务院党组副书记。

Huang Junbi **黄君璧**(1898-09-28，中国广州～1991-10-29，台湾台北) 又拼 Huang Chün-pi。中国国画家。本名韫之，号君璧。毕业于广东公学。1920年从李瑶屏学画。曾

黄君璧绘《风正一帆悬》
中国大百科全书出版社供图

任教于广州市立美术专科学校，开办国画科兼任教务主任。1938年在南京中山文化教育馆任职。抗日战争爆发后到四川，在中央大学艺术系任教，兼任国立艺术专科学校国画组主任，并被教育部聘为美术教育委员会委员。1949年担任台湾师范大学艺术系教授兼主任。1955年受聘为台湾学术审议会委员、国立故宫博物院管理委员会委员。曾获台湾第一届中华文艺奖金美术头等奖。1957年应邀赴美各地讲学及国画展览示范表演。1960年获巴西美术院院士称号，并在该院举行画展。1962～1973年先后赴越南、南非、韩国、新加坡举行画展，1977年在香港举行80岁画展，并在台中举行黄君璧、张大千联合画展。1978年应韩国邀请在汉城世宗文化会馆举行画展，并获韩国弘益大学名誉哲学博士学位。1980年5月赴新加坡举行黄君璧、张大千、溥心畬三人联展。1981年赴法国巴黎东方博物馆举行画展。他在绘画界声望很高，并多次为国际文化交流作出贡献。

Huang Kun **黄昆**(1919-09，中国北京～2005-07-06，北京) 中国物理学家，中国科学院学部委员(院士)。1947年获英国布里斯托尔大学博士学位。中国半导体物理学科的开创者之一。曾任中国科学院半导体研究所所长。他在固体物理学的一些领域中，进行了开拓性工作。提出固体中杂质缺陷导致X射线漫散射的理论，成为研究固体中杂质缺陷的一项有力的手段，被称为“黄散射”。与A.里斯一起提出了多声子的辐射和无辐射跃迁的量子理论。他和佩卡尔的理论是近年来研究固体杂质缺陷光谱和半导体载流子复合的奠基性的工作，被国际上称为“黄-佩卡尔理论”或“黄-里斯理论”。黄昆提出了晶体中声子与电磁波的耦合振荡模式，被拉曼散射实验所证实，被命名为极化激元，当时提出的方程，被称为“黄方程”。黄昆与M.玻恩合著的《晶体点阵的动力理论》一书是公认的这一学科领域的权威著作。关于无辐射跃迁绝热近似和静态耦合理论等价性的证明，澄清了20多年来国际上在这方面理论发展中存在的一些根本性的问题。

Huang Kung-wang 参阅 **Huang Gongwang** 黄公望。

Huang Li-chou **黄梨洲** 参阅 **Huang Zongxi** 黄宗羲。

Huang-po (Buddhism) 参阅 **Ōbaku** 黄檗宗。

Huang Quan **黄筌**(？～965) 又拼 Huang Ch'üan。中国五代西蜀画家。字要叔。成都人。13岁从刁光胤学画。17岁即以画供奉前蜀后主王衍。主要活动在后蜀(925～965)时期，官至检校户部尚书；入宋任太子左赞善大夫，当年即故去。在古代专以艺称的画家中，最受荣宠。善画花竹翎毛，兼工佛道人物、山川、龙水。全该六法，远过孙位、刁光胤、李昇三著名画家；又画鹤师薛稷、花竹师滕昌祐二著名画家，后来艺亦过之。以花鸟画的成就为最，描写宫廷中之奇花、怪石、珍禽、瑞鸟。画鸟骨气羽毛尚丰满，画花勾勒精细，善于着色，几乎不见笔迹，故有“黄家富贵”之称。相传他画鹤“往往致生鹤立于其侧”，画雉能使白鹰“掣臂者数四”。蜀主遂“命翰林学士欧阳炯撰《壁画奇异记》以旌

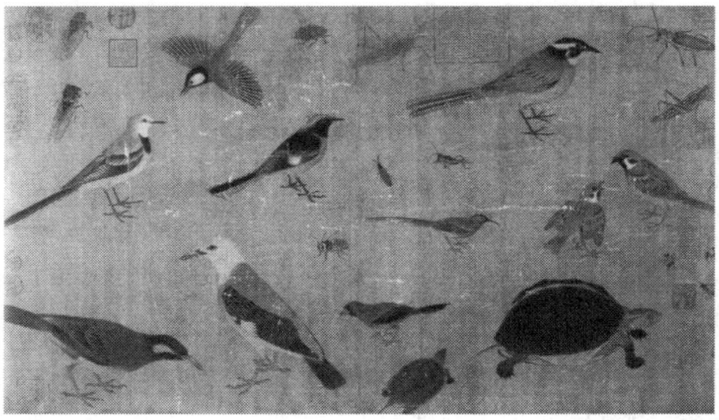

黄筌绘《写生珍禽图》
中国大百科全书出版社供图

之”。其子居寀，能继家学，且长于画太湖石，入宋为皇帝搜集鉴定名画。其父子花鸟画工稳秾丽的风格，适应皇帝的需要，成为北宋翰林图画院取舍标准，达百余年之久。此后所有画工笔重彩花鸟者几乎无不以黄派为宗。筌另一子居宝，画得家传之妙，兼以隶书知名。据北宋《宣和画谱》所载，共收黄家父子作品达722幅之多，今所见者，仅居寀《山鹧棘雀图》而已。又有今存之黄筌《写生珍禽图》，后题“付子居宝习”五字，虽系稿本，亦极见风格。

Huang Shan **黄山** 又作 Huang Mountains。中国名山。在安徽省南部。古称黟山，唐天宝六年(747)改名黄山。江南丘陵的组成部分，呈东北—西南走向，绵亘黄山市境和宣城、池州市南部，面积约5 500平方千米。主体位于黄山市境，面积约1 200平方千米。山

黄山奇松
美国不列颠百科全书公司供图

体由燕山期花岗岩构成，形成独特的黄山花岗岩峰林地貌，已命名的山峰有72座，其中莲花峰、天都峰、光明顶为三大主峰。莲花峰海拔1 873米，为安徽省最高点。黄山植物覆盖率达50%，种类多达1 600余种。植被垂直分布，1 100米以下为亚热带常绿阔叶林带，1 100～1 600米为落叶阔叶林带，1 600米以上为山地矮林和山地草甸带。有鸟类170种，兽类48种。黄山风景兼有泰山之雄伟，华山之峻峭，衡山之烟云，庐山之飞瀑，峨眉之清凉，并以奇松(黄山松)、怪石、云海、温泉为“黄山四绝”。明代徐霞客有“五岳归来不看山，黄山归来不看岳”之赞。1990年12月被列入世界自然与文化遗产名录。

Huang Tingjian **黄庭坚**(1045～1105) 又拼 Huang T'ing-chien。北宋诗人、书法家。字鲁直，号山谷道人、涪翁。分宁(今江西修水)人。英宗时进士。官秘书省校书郎，参加修撰《神宗实录》。后官起居舍人。晚年受排挤，屡遭贬谪。受知于苏轼，与秦观、张耒、晁补之并称“苏门四学士”，也与苏轼并称“苏黄”，是北宋诗歌最有代表性的两家。诗多写生活情趣，名作有《寄黄幾复》、《登快阁》等。标榜学习杜甫，提倡“无一字无来处”和“夺胎换骨，点铁成金”，刻意用典和前人辞语；锤炼字句，避忌平庸，追求奇拗硬涩风格。被推为

“江西诗派”领袖，对宋代诗人影响很大。词则大都明白晓畅，间亦用典。少数作品如《念奴娇》(断虹霁雨)等颇具苏轼豪放词风。善书法，擅行、草书，与苏轼、米芾、蔡襄并称

中国大百科全书出版社供图

“宋四家”。取法颜真卿、杨凝式、张旭、怀素，尤得力于《瘗鹤铭》，力追二王神髓。暮年贬逐，犹精进不已。其用笔以侧险取势，纵横奇崛，奥拗清逸，自成风格，对后世甚有影响。南宋宋高宗、朱敦儒，明代沈周、文徵明、丰坊等均曾向他学习。书迹现存者有《跋苏轼黄州寒食诗》、《松风阁》、《诸上座》与《廉颇蔺相如传》等。又他对书画的鉴赏能力很高，评论精确，“多自得之言”。诗文有《山谷集》，有宋人任渊注本。词有《山谷琴趣外篇》等。

Huang Tsun-hsien(Chinese poet)　参阅**Huang Zunxian** 黄遵宪。

Huang Tsung-hsi (Chinese scholar)　参阅 **Huang Zongxi** 黄宗羲。

Huang-t'u Kao-yüan (China)　参阅 **Huangtu Gaoyuan** 黄土高原。

Huang Xing　黄兴(1874-10-25 ～ 1916-10-31)　又拼 Huang Hsing。中国近代民主革命家。原名轸，字廑午，号杞园，又号克强，后改名兴。湖南善化(今长沙)人。1902年夏赴日

中国大百科全书出版社供图

留学，参与创办《湖南游学译编》。次年参与组织军国民教育会，同年回国。1903 年与陈天华、宋教仁在长沙创建华兴会，策划反清起义，事泄后逃亡日本。1905 年与孙中山在东京组织同盟会，任执行部庶务，居协理地位。1907 年起先后参与或指挥钦州和防城起义、镇南关(今友谊关)起义、钦廉上思起义、河口起义、广州新军和黄花岗起义。1911 年 10 月 10 日武昌起义爆发，黄从香港赶往武昌，被推为革命军战时总司令。1911 年 12 月 2 日革命军占领南京。12 月 4 日被推为大元帅，但未赴任。1912 年 1 月 1 日孙中山就任中华民国临时大总统后，任陆军总长兼参谋总长。同年 3 月孙辞职让位于袁世凯。迁都北京，黄任南京留守。1913 年 7 月黄兴被推为江苏讨袁军总司令，失败后流亡日本；1916 年袁死后回上海，不久病逝。著作有《黄兴集》。

Huang Ziqing　黄子卿(1900-01-02，中国广东梅县～ 1982-07-23，北京)　中国物理化学家，中国科学院学部委员。字碧帆。1924 年获美国威斯康星大学理学学士学位，1925 年获美国康奈尔大学理学硕士学位，1935 年获麻省理工学院博士学位。历任北京协和医学院生物化学系研究员，清华大学、西南联合大学、北京大学化学系教授。先后从事电化学、生物化学、热力学和溶液化学等研究。他于 1938 年测定的水的三相点(0.009 80 ± 0.000 05℃)，成为 1948 年国际温标(IPTS－1948)基准点(水的三相点)的参照数据之一，他因此被录入美国 1948 年出版的《世界名人录》。他开创了中国溶液理论研究，提出了阐明盐效应规律的观点。著有《物理化学》(1956)、《电解质溶液理论导论》(1964，1983 年修订)和《非电解质溶液理论导论》(1973)等。

Huang Zongxi　黄宗羲(1610 ～ 1695)　又拼 Huang Tsung-hsi。中国明末清初史学家、思想家。字太冲，号南雷，世称梨洲先生。浙江余姚人。父黄尊素为东林名士，为宦官魏忠

中国大百科全书出版社供图

贤所害。早年参加“复社”反阉党斗争。清兵南下，他招募义兵建“黄氏世忠营”抗清。明亡后匿迹山林，隐居著述。与孙奇逢、李颙并称三大儒。他学问广博，对天文、算学、地理等均有研究，尤以史学成就最大。哲学上反对程朱学派的理一元论，坚持气一元论的唯物主义观点，认为“离气无理”，理在气中。但在心物关系上，又未超脱王守仁“心学”束缚，认为物不能离心，心是根本。1662 年撰成《明夷待访录》，书中猛烈抨击封建专制政治制度，提出鲜明的民主观念。对明代思想史料作了系统整理。1676 年完成的《明儒学案》是第一部系统的中国哲学断代史。另有整理宋、元思想史料的《宋元学案》。还著有《孟子师说》、《易学象数论》等。文集为《南雷文定》和《南雷文案》。后人将其著作编成《梨洲遗著汇刊》。

Huang Zongzhan　参阅 **Howe , James Wong** 黄宗霑。

Huang Zunxian　黄遵宪(1848～1905-03-28)　又拼 Huang Tsun-hsien。中国清末诗人。字公度。嘉应州(今广东梅州)人。曾出使日、英、美等国。1897年任湖南省按察使，积

中国大百科全书出版社供图

极宣传变法维新思想，并在地方政府中实行许多变革。诗作长于古体，但反对亦步亦趋模仿古人，主张“我手写我口”，抒写真实感受，反映当代社会生活。多写中国近代重大事件，为“诗界革命”的代表人物。认真学习民歌，使用家乡语言，晚年还写过通俗歌词，在诗歌创作上富有探索精神。著有《人境庐诗草》11 卷、《日本国志》40 卷等。

Huang Zuolin　黄佐临(1906-10-24，中国天津～ 1994-06-01，上海)　中国戏剧家和电影导演。1925 ～ 1928 年在英国伯明翰学习商业，并学写短剧，曾得到萧伯纳的指点。1935 年再度赴英，入剑桥大学攻读戏剧。抗日战争爆发后回国，在重庆国立戏剧学校任教，并导演了他的第一部作品《阿 Q 正传》(田汉根据鲁迅原作改编)。1939 年起在上海剧艺社导演了《小城故事》、《圆谎记》和《边城故事》，并在上海职业剧团导演了《蜕变》，影响极大。太平洋战争爆发后，他与石挥、韩非等人组成了若干剧团。此后，导演了《荒岛英雄》、《大马戏团》、《夜店》、《梁上君子》、《林冲》、《乱世英雄》和《秋海棠》等。1945 年后，他为复社后的上海剧艺社导演了陈白尘的《升官图》，采用了夸张的形式化的艺术手法，获得成功。1946 ～ 1948 年间转入电影界，导演了《假凤虚凰》、《夜店》、《表》等一批有影响的影片。1950 年后黄佐临先后任上海人民艺术剧院副院长、院长。1959 年，他首先向中国戏剧界介绍了德国戏剧家 B.布莱希特的戏剧理论，并导演了他的《大胆妈妈和她的孩子们》。1962 年，他提出写意戏剧观的主张：结构上打破时空限制；人物形象强调雕塑感、立体感；表现方法强调写意性和程式性。1963、1979 和 1987 年他导演的《激流勇进》、《伽利略传》和《中国梦》是这种戏剧观的成功实践。黄佐临在戏剧教育事业上也有贡献，在重庆国立戏剧学校时以斯坦尼斯拉夫斯基体系为指导，制订了教学方案；在上海人民艺术剧院还创办了两届学馆，培养了不少演员。

Huangdi　黄帝　英语作 Yellow Emperor。全名公孙轩辕。中国历史传说中的帝王。传

说他有四张脸，位居天廷中央，和他的属神后土共同统领四方。黄帝原是古代部族首领，与同母异父兄弟炎帝不睦，长期争战不息。《山海经·大荒北经》最早记录了黄帝同炎帝后裔蚩尤在逐鹿的惨烈战争。蚩尤得到夸父族人（炎帝后裔）、风伯（风神）、雨师（雨神）、魑魅魍魉等相助，黄帝则有应龙、女儿旱魃等助战，终于擒杀了蚩尤。另有《志林》、《黄帝玄女战法》等书记载：蚩尤作大雾，黄帝命风后作指南车冲出大雾的包围，人首鸟身的玄女教黄帝兵法制服蚩尤。战争结束后，黄帝在鼎湖乘龙登天，作了天廷中央的天帝。其他四方，东方为太昊，属神是句芒；南方是炎帝，属神是祝融；西方是少昊，属神是蓐收；北方是颛顼，属神是玄冥。黄帝不仅武功烜赫，文治成绩也卓著。舟车、文字、音律、医学、算数、冕旒、衣裳、釜甑等，据传都为黄帝创制。还钻燧生火，教民熟食；又蒸谷为饭，穿阱猎

香港大学供图

禽。黄帝妻嫘祖发明蚕丝，诸臣也多有创造发明。从此黄帝被各族首领拥戴为部落联盟领袖，后世尊为中华民族的先祖。今陕西黄陵县有轩辕黄帝陵，为全国重点文物保护单位。

Huangdi Neijing　《黄帝内经》　简称《内经》，中国现存最早的医学理论经典著作。成书年代约在春秋战国时期（公元前 403 ～前 221），后世又续有增补。全书分《素问》与《灵枢》两部分，各 9 卷，162 篇。书中以传说的黄帝与岐伯、雷公等对话形式阐述医学问题。《素问》用阴阳五行学说就脏腑、经络、病机、诊法、治则、针灸、方药等各方面对人体生理、病理及诊断、治疗有系统论述，奠定中国医学理论基础。《灵枢》内容与《素问》相似。在经络、针灸方面较《素问》更丰富翔实，故有《针经》之称。

Huangguoshu Falls　黄果树瀑布　中国著名风景名胜区之一。位于贵州省镇宁布依族苗族自治县境内的白水河上。周围岩溶广布，河宽水急，山峦叠嶂，气势雄伟，历来是连接云南、贵州两省的主要通道，现有滇黔公路通过。白水河流经当地时河床断落成九级瀑布，黄果树为其中最大一级。瀑布宽 80 米，落差 66 米，年均流量 16 立方米/秒，洪峰时流量达2 000多立方米/秒。以水势浩大著称，也是世界著名大瀑布之一。瀑布对面建有观

黄果树瀑布
中国大百科全书出版社供图

瀑亭，游人可在亭中观赏汹涌澎湃的河水奔腾直泻犀牛潭。腾起水珠高 90 多米，在附近形成水帘，盛夏到此，暑气全消。瀑布后绝壁上凹成一洞，称“水帘洞”，洞深 20 多米，洞口常年为瀑布所遮，可在洞内窗口窥见天然水帘胜境。1991 年 5 月贵阳至风景区的高级公路通车，全长 137 千米。

Huanghe Sanjiaozhou　黄河三角洲　中国黄河口在历次淤积延伸——摆动——改道过程中形成的扇形地带。黄河每年向河口输送约 12 亿吨泥沙，大部分淤淀在三角洲上。广义的指河南巩县以东，北至天津，南到废黄河口的广大黄河泛滥冲积平原；狭义的指 1855 年以后，黄河在山东利津县以下冲积成的三角洲；以利津以下的宁海为顶点，北到徒骇河口，南到小清河口，面积5 450平方千米。地势低平，地面高程 2 ～ 10 米。自然资源丰富，土地辽阔，土层深厚，有 20 多万公顷的天然牧场和素称“百鱼之乡”的浅海区。黄河因自然或人为的原因，入海水道经常改变，大改道已达 10 多次。

Huanghuagang Uprising　黄花岗起义（1911-04-27）　又称辛亥广州起义。中国同盟会在广州发动的反清武装起义。1910 年 11 月 13 日孙中山在槟榔屿秘密议定广州起义计划。1911 年 1 月黄兴、赵声等在香港成立统筹部。4 月 27 日黄兴率敢死队进攻广州两广总督衙门，与清军激战一昼夜，因伤亡过大退却。方声洞等约 100 余人牺牲，林觉民、喻培伦等 29 人被捕就义。事后收殓遗骸 72 具葬于广州市东北郊黄花岗（原名红花岗）。史称“黄花岗七十二烈士”。这次起义震动全国，成为辛亥革命的前奏。

Huang-Lao zhi xue　黄老之学　英文作 School of Huangdi and Laozi。中国战国时期兴起的哲学政治思想流派，又称黄老学派。该学派以道家创始人老子为宗师，又因攀援中国古代传说中的黄帝为远祖，故称黄老之学。一般认为，黄老之学发源于战国时期的齐、楚等地，盛行于西汉初期。该学以道家思想为主，兼采诸子百家，尤其注重与法家、儒家思想的结合。在哲学上继承和发展了老子的道论思想，认为“道”是天地万物的总规律，强调“道”的客观必然性，因此必须以“虚无为本”，“因循为用”。在政治上则主张“贵清静而民自定”，“无为而治”，“省苛事，薄赋敛，毋夺民时”；以法治国，赏罚必信，循名责实。黄老学派的著作大部分已亡佚，其思想散见于《管子》、《吕氏春秋》、《淮南子》等书中。长沙马王堆汉墓出土的帛书《老子》乙本卷前有《经法》、《十六经》、《称》、《道原》4 篇古佚书，是黄老学派的重要著作。《史记·乐毅列传》记载的该派学者有河上丈人、安期生等。汉代的曹参、陈平、窦太后等是著名的信奉者。黄老之学对中国古代政治有一定影响。每当大的政治动乱之后，统治阶级为了稳定社会秩序，往往采用黄老之学，与民休养生息。汉初统治者信奉黄老之学，对于恢复社会经济起了重要作用，出现了“文景之治”的繁荣局面。但由于黄老之学过分强调“无为”，不利于加强中央集权，到汉武帝推行“罢黜百家，独尊儒术”的政策以后便逐渐衰落。战国至西汉的黄老之学，本是经世之学，东汉时已蜕变为“自然长生之道”，与方术杂糅，视黄帝、老子为神仙，形成了原始道教。

Huangling　黄陵　中国陕西省延安市辖县。位于陕北黄土高原南部沮水河沿岸，有西安—延安铁路和西安—包头公路通过县境。县政府驻桥山镇。面积2 288平方千米。西汉设翟道县，东汉废。北魏孝文帝（471 ～ 499）移中部县来此。隋开皇元年（581）改为内部县，唐武德二年（619）复称中部县。1944

黄花岗七十二烈士墓园中的碑林
中国大百科全书出版社供图

年，因境内有中华民族人文始祖轩辕皇帝的陵寝而始称黄陵县。境内有黄土峁、墚、塬地形，西北高，东南低，属黄土高原沟壑区。洛河的两大支流沮水河和葫芦河流经县境。农业以种植业为主，主要有谷、糜、玉米、小麦等，兼有林业和牧业（如养羊）。煤炭资源丰富，煤炭采掘和建材是重要工业部门。县城北桥山脚下的黄帝庙及山上的黄帝陵（亦称桥陵）是炎黄子孙共同景仰的圣地，每年都有众多的海内外华人前来拜谒，清明时节常举行大型祭奠活动，是中国重点文物保护单位和著名的旅游胜地。人口120 000（2005）。

Huangmeixi 黄梅戏 中国戏曲剧种之一。原为安徽、湖北、江西三省交界地区流行的“黄梅采茶戏”，其中一支流入安徽怀宁一带，与当地说唱艺术结合，并受青阳腔和徽戏影

严凤英、王少舫演出黄梅戏《天仙配》的剧照
中国大百科全书出版社供图

响，形成黄梅戏。19世纪时黄梅戏还是只有小旦、小丑或小生两三个脚色，在农村演出《打猪草》、《夫妻观灯》等小戏，曲调主要是民歌小曲。由于表演轻松活泼，生活气息很浓，受到群众欢迎，戏班规模逐渐扩大。20世纪初，黄梅戏进入城市，开始演出大戏和连台本戏，唱腔进一步丰富，并增加了弦乐伴奏。1949年后，黄梅戏发展更加迅速，革新唱腔，增加管弦乐器，演出《天仙配》、《女驸马》、《牛郎织女》等一批优秀剧目，出现了严凤英、王少舫等出色演员。除安徽省外，湖北、江西、江苏、福建、台湾等省以及香港、澳门都有黄梅戏演出。

Huangshan 黄山 又拼Huang-shan。中国安徽省辖市。世界著名的旅游城市。位于省境南部，西南与江西省交界，东南与浙江省毗邻。汉为泾县、陵阳县地。唐天宝十一年（752）置太平县。抗日战争时期（1937～1945），屯溪曾为皖南行政中心。1948年以来，先后隶属徽州、芜湖和池州等专区。后因旅游事业发展，于1983年撤销太平县，改置黄山县级市。1987年升为省辖市。辖屯溪、黄山、徽州3区和歙县、黟县、休宁、祁门4县。面积9 807平方千米，其中市区面积2 342平方千米。地处皖南山区，新安江、青弋江上游。由丘陵、山地、盆地组成，一般海拔高度400～500米，南高北低。黄山主峰莲花峰海拔1 873米。气候温暖湿润，年平均气温15.5 ℃，年降水量1 540毫米。境内还有麻川、婆溪等河流和省内最大的人工湖泊太平湖。地下埋藏着辉钼、铜、黄铁、煤、硑石等矿产。山地林木繁茂，富野生动植物，尤多杜仲、黄连、竹节参等中药材。此外，旅游资源极为丰富。工业有电力、建材、食品、纺织、机械、造纸、工艺美术等行业，产品以精制茶、罐头、饮料酒、塑料制品、蚕丝、瓷器为大宗。交通运输以公路为主，可通芜湖等地。黄山市是中国八大重点旅游区之一，自然景观与人文景观兼备。境内黄山（**Huang Shan**）汇天下名山之美于一体，尤以“奇松、怪石、云海、温泉”四绝著称，并有城区屯溪老街、黟县古民居、歙县牌坊群等名胜古迹。“徽商”、“徽菜”等久负盛名。特产有纸伞和毛峰、祁红、屯绿等名茶，以及徽砚、徽墨、砖雕等。人口：全市1 470 000（2006）；市区393 600（1994）。

Huangshi 黄石 又拼Huang-shih。中国湖北省辖地级市。重要原材料工业基地和对外开放的港口城市。位于省境东南部，长江中游南岸。境内西北部和中部地势低洼，是由三山、保安、大冶等湖组成的平原湖区；南部为幕阜丘陵。长江流经东北边界。矿藏丰富，有铁、铜、金、锰、铅、锌、煤、石灰石、大理石等30余种。铁山的铁矿和铜录山的铜矿均为露天开采，储量大，品位高，是中国重要矿山。市区沿长江呈带状分布。辖黄石港、西塞山、下陆、铁山4区和阳新县，并代管大冶县级市。面积4 576平方千米，其中市区面积227平方千米。原是大冶县滨江的黄石港、石灰窑两个小镇，1948年合置黄石镇。1950年设省辖市。1959年大冶县划归黄石市。1994年撤销大冶县，设大冶市。1996年阳新县划入。清光绪十六年（1890）中国近代第一个钢铁企业——汉冶萍公司——于铁山开采铁矿，在黄石港建筑新式轮船码头。1938年被日军侵占。直至1949年工业和港口

黄石市一角
中国大百科全书出版社供图

发展都很缓慢。1949年后，大力改建原有港口，扩大采矿规模。现已成为具有冶金、化工、煤炭、建材、机械、电力等部门的新兴工业城市。郊区农业以种植蔬菜为主。境内有黄石理工学院、湖北师范学院等高等院校和冶金、橡胶、建材等科研所。黄石港吞吐量逐年增加，建有码头数十座，为湖北省第二大港。武大铁路和沪蓉高速公路等过境。有西塞山、弘化禅寺及南湖（又称磁湖）、青山湖公园等游览胜地。人口：全市2 550 000；市区660 000（2004）。

Huangtu Gaoyuan 黄土高原 又拼Huang-t'u Kao-yüan，又作Loess Plateau。世界著名的高原，是中华民族古代文明的发祥地之一。在中国中部偏北，包括太行山以西、秦岭以北、青海日月山以东、长城以南的广大地区。跨晋、陕、甘、青、宁、豫、内蒙古7省区，面积

黄土高原鸟瞰
中国大百科全书出版社供图

约30万平方千米，由西北向东南倾斜，海拔多在1 000～2 000米。黄土高原以面积广阔，土层深厚，地貌复杂，水土流失严重为世所罕见。除少数石质山地外，高原上覆盖深厚的黄土层，黄土厚度在50～80米之间，最厚达150～180米。黄土颗粒细，土质松软，含有丰富的矿物质养分，利于耕作。由于缺乏植被保护，加以夏雨集中，且多暴雨，在长期流水侵蚀下地面被分割得支离破碎，形成沟壑交错其间的塬、墚、峁。平坦耕地一般不到1/10，绝大部分耕地分布在10°～35°的斜坡上。地块狭小分散，不利于水利化和机械化。水土流失严重。黄河每年经陕县三门峡站下泄的泥沙约16亿吨，其中90%来自黄土高原，随泥沙流失的氮磷钾养分约3 000余万吨。综合治理黄土高原是中国改造自然工程中的重点项目，治理方针是以水土保持为中心，改土与治水相结合，治坡与治沟相结合，工程措施与生物措施相结合，实行农林牧综合发展，这种治理措施已取得重大成绩。黄土高原地区蕴藏着丰富的煤炭、石油、铝土矿等资源，是中国重要的能源、化工基地。

Huangyan 黄岩 中国浙江省台州市辖区。位于省境东南沿海永宁江（又名澄江）流域。盛产柑橘，有“橘乡”之称。唐上元二年（675）析临海县南部置永宁县，天授元年（690）改黄岩县。1989年撤县改置黄岩县级市，由台州地区管辖，1995年撤市改区。面积988平方千米。西部多山，属括苍山地；中部、东部平坦，属温黄平原。永宁江流贯全境，至三江口汇入灵江。上游建有大型长潭水库。属亚热带季风气候，温暖湿润。黄岩种橘始于唐，盛于宋，已有1 300多年历史。橘园遍布永宁江两岸，山地、海涂也辟有新橘园，面积达4 540多公顷，产量占中国的1/6。枇杷产量也居中国首位。食品工业发达，生产果品、水产、蔬菜、肉类等罐头；并有机械、电力、水泵、造船、电子、化工、建材、纺织等工业。富铅锌、硫磺等矿产。手工艺品有绣衣、麻帽、翻簧竹雕、抽纱台布、竹丝画帘等。空运达上海、杭州、广州；公路通杭州、宁波、温州；海运抵上

黄岩橘喜获丰收
中国大百科全书出版社供图

海、舟山、温州。名胜古迹有城东九峰山麓的瑞隆感应塔、潮济灵石山下的灵石寺塔等。人口 570 000(2005)。

Huangyu Quanlantu **《皇舆全览图》** 英语作 Map of China in the Kangxi Reign。中国第一次以经纬度分幅的方法绘制的中国地图。由康熙皇帝亲自主持,聘请西洋传教士经过经纬度测量绘制。参加测绘的传教士有雷孝思、杜德美、白晋等 10 余人,中国方面有何国栋、索柱、白映棠、贡额等。1708 年正式开始测绘,1718 年基本告成。其范围之广,内容之详,超过了以往任何中国地图。图中以通过北京的经线为中经线,经纬网用梯形投影法。乾隆帝时以康熙《皇舆全览图》为基础补测新疆地区,订正西藏部分错误,于 1760 年完成新图。该图在中国地图发展史上具有划时代的意义,自清中叶至民国初期的国内外出版的各种中国地图基本上都源于此图。

Huangzhong **湟中** 中国青海省西宁市辖县。位于省境东部,湟水中游,距省会西宁 27 千米。面积2 430平方千米。古为羌人游牧之地,汉武帝时设临羌县,宋设倚郭县伏羌堡。清雍正二年(1724)为西宁县。1944 年县城郊置西宁市后,1946 年农村地区改置湟中县。县城鲁沙尔镇有青海最大的喇嘛庙塔尔寺,始建于明嘉靖三十九年(1560),为黄教圣地。地处黄土高原严重水土流失区,约占总面积的 69%,是中国水土保持重点县之一。经济以农业为主,产小麦、杂粮等。工业有农机修造、建材、地毯、食品、木材加工等。矿产有镍、昆仑彩石等。青藏铁路、青藏公路经过境内。人口470 000(2005)。

湟中塔尔寺
中国大百科全书出版社供图

Huánuco **瓦努科** 秘鲁中部一省。1869年成立。面积33 897平方千米。有马拉尼翁、瓦亚加和帕奇特阿等河自南向北流经境内。西部有众多白雪盖顶的安第斯山峰,东部为亚马孙盆地热带雨林。居民多住在山间和谷地,省会瓦努科及廷戈玛丽亚四周的新兴农业区人口最为集中。横穿安第斯山脉公路的改进和延长使这些长期以来交通不便的居住区经济得到振兴。人口约596 000(1989)。

Huánuco **瓦努科** 秘鲁瓦努科省省会。位于瓦亚加河畔凉爽干燥的山间盆地中。1539 年由西班牙人建立。后移至现址躲避敌对的印第安人。殖民时期成为教会活动中心,其市民很早便积极鼓动脱离西班牙,争取独立。现为四周甘蔗、棉花、咖啡、可可、水果产区的贸易中心。附近有轧棉和榨糖厂。宜人的气候、殖民时期的教堂和附近前哥伦布时期的古迹使该城成为旅游胜地。1964 年建立国立埃尔米里奥·巴尔迪桑大学。有航空线和公路通利马和东部城市。横贯亚马孙河区公路从瓦努科至阿瓜伊蒂亚的一段在 20 世纪 70 年代后期开始运行。人口约86 300(1990)。

Huapin **《画品》** 参阅 **Xie He 谢赫**。

Huaraz **瓦拉斯** 秘鲁中部瓦拉斯省省会。濒临基尔卡河。海拔3 052米。居民为以服装艳丽著称的高原印第安人。1823 年解放者波利瓦尔宣称此城为"慷慨助人的瓦拉斯城"以感谢在独立斗争中对他部队的援助。是经营小麦、玉米和马铃薯贸易的农业中心。有编织业和酿造业。附近开采银、朱砂和煤矿。有公路通利马。1941 年城市大部分被雪崩掩埋。1970 年 5 月几乎被毁灭性地震夷平,居民死亡约 1 万人,后在国内和国际援助下开始重建。人口约65 600(1990)。

Huari **瓦里** 位于今秘鲁中部高地的一个遗址,美洲文化中初生期(约 600 ～ 1000)中部及北部高地的一种安第斯文明即以此命名。瓦里的艺术风格同大型的蒂亚瓦纳科遗址的文物风格密切相关,后一遗址坐落在今玻利维亚西北之的的喀喀湖边。瓦里可能是一个军事帝国的中心,这个帝国在中文化期之初统治过秘鲁高地及沿海的大部地区。瓦里的影响在南海岸的纳斯卡(伊卡)晚期文化中和中海岸的帕查卡马克遗址里特别明显。瓦里陶器最有特色的装饰图案是"门神"——一种刻板化的人形,常常画出其正面,脸部呈长方形,头饰光芒四射。此种画像亦常见于蒂亚瓦纳科。瓦里建筑的特点是大型石头围墙。巨型神庙雕像风格自然淳朴,男像、女像发型极为细密。发现有绿松石小雕像,尺寸仅 1 ～ 10 厘米。瓦里的金工技术可由当地所制的金面罩及一件红铜的人形猫见其水平。小康之家埋葬均用石墓。瓦里遗址在瓦尔佩期即有人居住,其年代可上溯至早中间期(约公元前 200 ～公元 600);但此地扩展为城市规模,则是属于中初生期的瓦里期内的事情,当时蒂亚瓦纳科的影响颇盛,故瓦里统治者也开始谋求帝国的扩张。

约 600 ～ 1000 年的瓦里彩陶器皿,上有 4 侍者抬一僧侣塑像
美国不列颠百科全书公司供图

Huarpe **瓦尔佩人** 已消亡的南美印第安人,其居住区在今阿根廷门多萨省境内,西以安第斯山脉为界,东以潘帕斯草原为界。从事狩猎、采集,有少量农业。住区坐落于河岸、湖畔或水源边这类有利于灌溉的地方。每一聚居区由酋长一人领导。家庭由一夫一妻或一夫多妻组成。他们崇拜山神乌努克·乌尔,也崇拜日、月、晨星及小山。人口不多。18 世纪初瓦尔佩人被赶到智利去做工,从而导致其消亡。

Huascar　瓦斯卡尔（？～1532，秘鲁卡哈马卡）　全名印蒂·库西·瓦尔帕·瓦斯卡尔（意为“欢乐的太阳”）。印加人首领，印加帝国皇位的合法继承人。1525年继承父位，但仅被授予印加帝国的一部分——库斯科，而面积占帝国1/5的基多则落入其异母弟阿塔瓦尔帕手中。阿塔瓦尔帕旋因权力受到限制而发动武装叛乱。瓦斯卡尔在争夺皇位战争中兵败被俘，目睹家眷、朋友和追随者遭到杀戮。后被解往阿塔瓦尔帕的驻地卡哈马卡。1532年F.皮萨罗征服印加帝国，阿塔瓦尔帕唯恐皮萨罗使瓦斯卡尔重新掌权，因此下令将其杀害。

Huascarán　瓦斯卡兰山　秘鲁中西部安第斯山脉山峰。在安卡什省永盖镇东。海拔6 768米，山顶终年积雪，为秘鲁最高峰，是登山运动员和旅游者常到之处。1962年北峰陡壁雪崩，毁村落数座，约3 500人死亡。1970年强烈地震造成山崩，掩埋10个村落及永盖镇大部地区，死亡人数达2万，是20世纪最大的自然灾害之一。

Huastec　瓦斯特克人　墨西哥韦拉克鲁斯州和圣路易斯波托西州的马雅印第安人。在文化传统及地理区划方面与其他马雅民族不同。务农，主要种植玉米，也种植咖啡、龙舌兰和各种水果、蔬菜。饲养家禽、猪、驴、马和牛。住区常由几家组成，住房圆形，竹木结构，上覆草顶。多数人使用龙舌兰纤维编席子、提袋、绳子、帽子等。有制陶。一般说来，刺绣已取代了织物。男人穿着工厂生产的成衣，妇女可穿随意剪裁的自制服装或宽松白上衣、深色及膝短裙，并束腰带，这些全由工厂织成的布料制作。传统服装多在节日及某些特殊场合穿用。存在仪式亲，在行洗礼、坚信礼和婚礼时选认教父母。教父母的子女都被看作自己的亲兄弟姊妹，不宜婚配。宗教上信奉带有少量异教成分的天主教，每月都举行圣徒纪念活动。

Huave　瓦维人　又拼Huavi或Wabi。特万特佩克地峡太平洋沿岸的中美印第安农民。其语言与其他中美诸语言的系属关系尚无定论。捕鱼和农业是他们主要的谋生手段，生活需要也由附近城镇的集市上换取主要食品及工业制品来满足。家庭单元实行从夫居，住草顶茅舍，茅舍密集，聚为村落。所有村社的男性成员都要参加“埃斯卡拉丰”——一种平民及宗教职司的结构。

Huaxinghui　华兴会　英语作Revival of China Society。中国清末由黄兴在湖南地区创立的反清革命团体。1904年2月15日成立于长沙。黄兴为会长，宋教仁、刘揆一为副会长。设华兴公司、东文讲习所为公开活动机关，又设黄汉会、同仇会分别联络军队和会党。与洪江会首领马福益议定于11月16日全省官员庆祝慈禧70寿辰时在长沙皇殿引爆预埋炸弹，一举起义。未发事泄，黄兴等逃亡日本，马福益避走湖南省西部地区，后被捕遇害。1905年8月华兴会、兴中会等联合组成同盟会。

Huayan Monastery　华严寺　中国古代佛教寺院。位于山西大同，分为上寺、下寺两部分。辽（947～1211）初兴建。大同是辽的西京，故寺院按辽代习俗朝东，不同于通常寺庙

华严寺的辽代胁侍菩萨塑像
中国大百科全书出版社供图

的朝南。内藏辽代诸帝石像、铜像。寺内现存重要古建筑有1038年建的薄伽教藏殿和1140年重建的大雄宝殿。薄伽教藏殿是存放藏经的殿堂，面阔5间，单檐歇山顶，建在凸形高台上。除中央佛坛上列有辽代塑像外，沿殿内四壁还设有贮经的辽代木柜，叫壁藏。壁藏呈有腰檐的楼阁形，下层是经橱，上层为小型的楼阁和廊庑，高低错落。后壁中部壁藏断开，上部由弧形飞桥凌空托起一座小殿，叫“天宫楼阁”。楼阁细部制作精确，是不可多得的辽代建筑模型。大雄宝殿于金代重建，面阔9间，长约54米，单檐庑殿顶，建在凸形高台上。殿内由柱列分成前后3跨纵向的敞厅，空间开阔。中跨建有巨大的佛坛，坛上5座佛像为明代补塑。

Huaylas, Callejón de　瓦伊拉斯谷地　秘鲁中西部桑塔河上游谷地。在安卡什省。西北面为无雪的内格拉山，山峰海拔5 200米。东面为终年积雪的布兰卡山。群山环抱，气候凉爽。山村风景如画，成为重要游览区。居民大部分从事自给性农业，高地种植马铃薯、大麦，低地种植玉米、苜蓿。出产银、铅、铜矿。居民点包括瓦拉斯、永盖等城市。通公路、铁路和航空线。1970年遭到地震和山崩破坏，城镇被毁，数万人丧生。20世纪70年代初开始重建。

huayño　胡威诺　又拼huaiño，huayno或wayno。是克丘亚和艾马拉部落的印第安人对舞，也是秘鲁、玻利维亚和厄瓜多尔的西班牙-印第安混血人种的对舞。这种舞蹈在西班牙征服南美洲之前就已有，可能是印加帝国时期的一种殡葬舞蹈；目前已完全是一种喜庆性质的舞蹈。成对的舞伴环成一圈，围着伴奏乐队起舞，乐队的乐器可以用横笛、鼓、竖琴和吉他。舞曲是2/4拍子的乐曲，旋律节奏性强，是五声音阶，即D-E-G-A-B-D。对舞者跳着各种花样，但互不接触，有时各人手持色泽鲜艳的彩带，混血人种则拿着手帕，也有的是一对舞伴各执手帕的一端。

Hubay, Jenö　胡贝（1858-09-15，布达佩斯～1937-03-12，布达佩斯）　匈牙利小提琴家、教师和作曲家，以教学闻名。父为布达佩斯音乐学院小提琴教授，胡贝童年时期即随父亲学琴。11岁首次举行音乐会。1871～1876年在柏林从J.约阿希姆学琴。1876年到巴黎给H.维耶唐留下很深印象，两人遂成好友。1882年继维耶唐任布鲁塞尔音乐学院教授，1886年回布达佩斯接任父职，1919～1934年任布达佩斯音乐学院院长。其学生有F.冯·韦切伊、J.西盖蒂、E.泰尔曼尼和E.布朗等。曾赴欧洲大多数国家演奏，其演奏具有绚丽的浪漫派特色。作品有歌剧（其中有几部用匈牙利语演唱）、管弦乐曲、协奏曲及其他小提琴曲等。

Hubbard, Cal　哈伯德（1900-10-31，美国密苏里凯提斯维尔～1977-10-17，弗罗里达圣彼得斯堡）　Robert Calvin Hubbard的别名。美国棒球联盟职业裁判员、大学和职业橄榄球运动员。是唯一既入选棒球名人堂（1976）又入选大学和职业橄榄球名人堂（1962、1963）的人物。哈伯德崇拜麦克米林教练，并在其指导下为路易斯安那州百年纪念学院和宾夕法尼亚州日内瓦学院打橄榄球。麦克米林说哈伯德是他所知道的最优秀的大学或职业橄榄球运动员。1927～1936年，哈伯德先后参加全国橄榄球联盟纽约巨人队、格林贝包装工队、匹兹堡海盗队（后改名钢铁工人队）。1969年入选全国橄榄球联盟“空前优秀球队”。1936年受聘为美国棒球联盟裁判员。1951年打猎伤眼，退出球坛。之后任美国棒球联盟裁判员监督，直至1968年。

Hubbard, Elbert (Green)　哈伯德（1856-06-19，美国伊利诺伊布卢明顿～1915-05-07，爱尔兰境外海上）　美国编辑、出版家、《致加西亚的一封信》的作者。曾任报纸撰稿人和一

美国国会图书馆供图

家制造公司的销售广告部主任。1892年退职后，在纽约州创建罗伊克罗夫特出版社。1895年起发行著名的《人生旅程小记》月刊，内容为著名人物小传，这些短篇叙议交织、幽

默讽刺，脍炙人口。还发行先锋派杂志《庸人》，杂志最后由他单独一人撰稿。《致加西亚的一封信》刊在《庸人》1899 年的一期上。文章将坚韧不拔精神作为从美西战争中所获得的教益。1908 年又编辑出版第二份月刊《兄弟》。他在"卢西塔尼亚"号炸沉时遇难。他的作品是激进主义和保守主义兼容并包。还以刚健简练笔法歌颂工作与效率。文集有《人生旅程小记》(14 卷，1915)、《选集》(14 卷，1923)、《剪贴簿》(1923)和《笔记》(1927)。

Hubbard, Robert Calvin (baseball umpire) 参阅 **Hubbard, Cal** 哈伯德。

Hubbell, Carl(Owen)　哈贝尔(1903-06-22，美国密苏里迦太基～1988-11-21，亚利桑那斯科茨代尔)　美国职业棒球运动员，左投手。擅长投内曲线球，投这种球时臂部动作与投快球时相同，但投出的球逆转，如用左手投出，球飞到右手击球手之前会突然拐弯和下降。1925 年参加美国棒球联盟底特律猛虎队，因该队不允许使用内曲线球，1928 年把他转至全国棒球联盟纽约巨人队。在巨人队，1933 年胜 23 场，1936 年胜 26 场，1937 年胜 22 场，1934 和 1935 年各胜 20 多场，为全联盟之冠。1933 年作为投手连续 46 局不让对方得分。在 16 年棒球运动生涯中，共胜 253 场，负 154 场，平均跑垒得分 2.97。1947 年入选棒球名人堂。

Hubbert, Marion King　哈伯特(1903-10-05，美国得克萨斯圣巴巴～1989-10-11，马里兰贝塞斯达)　美国地球物理学家和地质学家，以其关于地下岩层中流体迁移的理论而著称，成为石油的迁移和圈闭以及世界矿产资源开发的社会意义方面的权威。他是在得克萨斯州的韦瑟福德学院和芝加哥大学受的教育。1931～1940 年任哥伦比亚大学讲师，1943～1964 年任壳牌石油公司地球物理研究员，1964～1968 年任加利福尼亚州斯坦福大学教授。此后他便在马里兰州巴尔的摩市的约翰斯·霍普金斯大学定居。著有《地下水运动理论》(1948)和《能源》(1962)。

Hubble, Edwin Powell　哈勃(1889-11-20，美国密苏里马什菲尔德～1953-09-28，加利福尼亚圣马力诺)　美国天文学家，河外天文学的奠基人和提供宇宙膨胀实测证据的第一人。哈勃在芝加哥大学学习时，受天文学家海尔启发开始对天文学发生兴趣。他在该校时即已获数学和天文学的校内学位(1910)，并以优秀拳击手而闻名。但毕业后却远离天文和拳击，前往英国牛津大学学习法律，于 1912 年获得法学学士学位。1913 年在美国肯塔基州开业当律师。后来，他终于集中精力研究天文学，并返回芝加哥大学，在该校设于威斯康星州的叶凯士天文台工作。在 1917 年获得天文学博士学位和从军参战以后，他便开始在威尔逊山天文台专心研究河外星系并有新发现。他在 1922～1924 年期间发现，星云并非都在银河系中。哈勃在分析一批造父变星(一种可用来测量距离的变星)的亮度以后断定，这些造父变星和它们所在的星云距离我们远达几十万光年，因而一定位于银河系外。这项于 1924 年公布的发现使天文学家不得不重新修正对宇宙的看法。1926 年，他根据河外星系的形状加以分类，探究它们的内涵和亮度的型式。在研究星系的过程中，于 1927 年又提出第二项重大发现：星系看起来都在远离我们而去，而且距离越远，远离速度越高。这一发现影响深远：过去一直认为宇宙是静止的，现在发现宇宙在膨胀，而且更重要的是，他于 1929 年还发现宇宙膨胀的速率是一常数。这个被称为哈勃常数的速率就是星系的速度同距离的比值。但哈勃在计算这一常数中有错误。根据他的计算，银河系似乎大于其他任何星系，而且整个宇宙的年龄低于地球的实测年龄。后来，其他天文学家修改了哈勃的计算，挽救了他的理论并使人们认识到，宇宙已按恒速膨胀了 100 亿～200 亿年。由于他对天文学的贡献，哈勃获得许多荣誉学衔和奖章。在他的著作中有《星云光谱的红移》(1934)和《哈勃星系图集》(作者逝世后由桑德奇于 1961 年编辑出版)。哈勃直至晚年仍持续地积极观测星系。

Hubble Space Telescope (HST)　哈勃太空望远镜　又称太空望远镜、空间望远镜。有史以来安放于地球轨道上的最为精密的光学观察仪器。地球大气层吸收或扭曲由天体发出的光线，使以地面为基地的天文学家对天象的观察模糊。但置于外层空间站的望远镜则完全处于大气层之外，因此，在同等的光学透镜条件下，要比地面望远镜接收的影像亮度高得多，清楚得多，也明晰很多。美国国会于 1977 年批准建造哈勃太空望远镜之后，由国家航空航天局负责监造，并以 20 世纪美国著名天文学家 E.哈勃的姓氏命名。1990 年 4 月 25 日，"发现"号航天飞机的航天员们将此望远镜安放在地球上空约 600 千米的轨道上。太空望远镜是一架大型反射望远镜。它的镜片收集来自天体的光线，并将此光线导向两台摄像机和两台摄谱仪。它装有一个 2.4 米直径的主镜片，一个较小的次镜片，以及各种可以探测可见光、紫外线和红外线的记录仪器。这些仪器中最重要的一台是宽视场行星摄像机，可以摄取行星和银河系及银河系以外天体的宽视场或高清晰度像片。按其设计，它摄取影像的清晰度为最大的地面望远镜的 10 倍以上。一台暗淡天体摄像机可以探测比任何地面望远镜所能探测到的暗淡 50 倍的天体；一台暗淡天体摄谱仪则收集天体化学成分的数据。一台高分辨率摄谱仪收集远方天体的紫外线，这种紫外线因大气层的吸收而无法到达地球。太空望远镜发射后大约一个月，人们发现，由于镜片制作者的错误测试方法，使太空望远镜巨大的主镜片原先磨出的形状不对。镜片存在球面像差的缺陷，导致出现模糊的而不是清晰的影像。望远镜上的陀螺仪和太阳能天线阵也有问题。1993 年 12 月 2～13 日，美国国家航空航天局"尝试"号航天飞机完成了一项设法修正太空望远镜的光学系统和其他问题的飞行。在 5 次太空行走中，宇航员们更换了望远镜上的宽视场行星摄像机，装上了由 10 个小镜片组成的一台装置，以便修正从主镜片到其他三台仪器的光通道。这次飞行获得完全的成功，太空望远镜不久就开始显示出它全部的潜力，传送回宇宙景观的壮丽影像。

Hubble's constant　哈勃常数　一个在宇宙学中用来表示宇宙膨胀速率的量。记为 H，以纪念 1929 年企图测出这一数值的天文学家 E.哈勃。哈勃用洛韦尔天文台 V.斯里弗所测定的远距离星系的红移值和他自己估计出的这些星系的距离，建立了宇宙学的速度-距离关系：速度等于哈勃常数乘距离。根据这一关系，星系的距离越远，退行越快。这个从理论导出并经观测证实了的速度-距离关系(即哈勃定律)增进了人们对宇宙膨胀的认识。哈勃原来估算的 H 值是 150 千米/(秒·百万光年)。用现代更精确的距离值估算，H 值在 15～30 千米/(秒·百万光年)之间。哈勃常数的倒数在 100 亿～200 亿年之间，这一宇宙时标成为估计宇宙年龄的一个近似量度。

Hubei　湖北　中国中部省份。简称"鄂"。介于北纬 29°05′～33°20′，东经 108°21′～116°07′。位于长江中游，洞庭湖以北。北接河南省，东连安徽省，东南和南邻江西、湖南两省，西靠重庆市，西北与陕西省为邻。面积 190 000平方千米。有汉、土家、苗、回、蒙古等 43 个民族。现辖 1 个自治州、12 个地级市、38 个市辖区、24 个县级市、37 个县、2 个自治县、1 个林区。省会武汉市。

自然条件及资源　省境三面环山，山地占总面积一半以上。西部为大巴山、巫山、武当山等构成的鄂西山地，东北部为大别丘陵，东南部为幕阜丘陵，中南部为江汉平原。大巴山主峰神农顶海拔3 105米，为湖北省最高峰。长江自西向东流贯全省，在川鄂边界切穿巫山，形成著名的长江三峡。汉江自西北由陕入境，东南流至武汉注入长江。较大河流还有清江、沮漳河、溳水、南河等1 193条，从南北两侧汇入长江，构成向心状水系。长江在枝江和湖南城陵矶之间的一段称荆江，流经江汉平原，形成著名的"荆江河曲"。湖泊众多，较大湖泊有洪湖、梁子湖、长湖等。属亚热带季风气候，年平均气温 15～17 °C，由北向南逐渐递升。1 月平均气温2～5 °C，鄂西山区河谷盆地为冬暖区；7 月平均气温 28 °C左右，江汉平原和鄂东南高于29 °C，为夏季高温区。年平均降水量 800～1 600毫米，从西北向东南逐渐递增。属亚热带森林植被区。鄂西山地局部地区还保存中国特有的水杉、银杏、珙桐等"活化石"林。神农架林区有中国东部地区少有的原始森林。野生动物具有南北区系混杂的特点。神农架的白熊、金丝猴、鄂西南大鲵(娃娃鱼)、苏门羚都是稀有珍贵动物。大小神农架主峰周围和老君山一带，已辟为国家级自然保护区，并被联合国教科文组织列入国际生物圈保护区网络。全省已发现矿产约 110 种，探明储量的有 77 种，其中磷、金红石、硅灰石、榴子石和泥灰岩等储量居中国首位。磷和石膏产量居重要地位。著名矿山有大冶铁矿、应城石膏矿、荆襄磷矿。

沿革　春秋战国时期楚国的腹地。因处

于南北交通要道，秦代得到进一步发展。汉置荆州江夏郡，东晋时荆州定治于此（江陵），隋并置鄂州，宋为湖北路及京西南路。其间中原人口多次南迁，平原、湖区逐渐成为粮食、茶、麻重要产地，武汉成为两湖流域农副产品的集散中心。元属湖广行中书省。明代属湖广布政使司，汉口由于商业兴盛而成为中国四大名镇之一。清康熙三年（1664）开始析置湖北省。1840年后，汉口、宜昌、沙市相继辟为商埠，外国资本纷纷涌入，利用廉价劳动力在汉口等地开设工厂，修筑铁路，并垄断长江航运。从19世纪60年代起，官办和官商合办的钢铁、兵工、纺织、食品等近代工业处于萌芽状态。在第一次世界大战期间，中国民族资本曾获得显著发展。由于受世界性经济萧条的影响，省内工业遭到严重打击。抗日战争初期经济曾经短期复苏，但不久又为战争所破坏。1949年以后各项事业才得到迅速发展。

经济　湖北向为产小麦、水稻的过渡区，盛行稻麦或棉麦两熟制，部分地区实行三熟制。粮食作物以水稻、小麦、玉米为主，高粱、甘薯次之。经济作物以棉花、芝麻、油菜、苎麻为主，是中国重要产棉区之一，并以单位面积产量高而著称。湖北是中国三大淡水养殖省区之一。境内长江盛产鱼苗，供应全国。所产茶、蚕茧、烟叶、桐油、生漆、乌桕籽、木耳、柑橘均居重要地位。主要工业部门有采矿、动力、冶金、机械、化工、建材、化肥、纺织和食品等。武汉为轻重工业综合发展的大工业城市，工业产值占全省一半以上，是中国重要的钢铁基地之一。黄石、鄂州两市位于武汉以东，以黑色和有色冶金工业以及水泥工业为主。十堰、襄樊两市以汽车、电子、轻纺为主，十堰市也是中国最大的汽车制造中心之一。宜昌、荆门、荆州三市分别以电力、石油化工、轻纺为主。长江上著名的葛洲坝水电站在宜昌市境内。传统工艺品以洪湖羽绒、贝雕，天门绢织，武穴竹器，仙桃“沔绣”，荆州“江绫”，武汉“汉绣”等著称。

文化、交通和景观　全省有文化馆（站）1 875个，图书馆101个，文物保护机构123个，博物馆86个，广播电台64座，电影机构6 937个。各类文艺团体126个，以武汉杂技团最著名。主要地方剧种有汉剧、楚剧和荆州花鼓。高等院校有武汉大学、华中科技大学、华中师范大学等50多所；各类成人高等学校76所，多集中于武汉。

湖北水利发达，交通便利。长江、汉江是两大水运干线，内河航道里程长7 916千米（1996）。武汉是中国最大内河港口之一，并辟有至香港、日本及东南亚的海洋航线。黄石、宜昌、沙市、枝城、巴东、襄樊、老河口都是重要河港。武汉、襄樊是两个重要铁路枢纽，京广、京屯、焦柳和汉丹、襄渝等铁路干线通过省境，并有武丹、武大、鸦官、安卫4条地方铁路，近半数县市都有铁路相通，全省铁路运营里程长达2 388千米（2004）。现已形成稠密的全省公路网，并与邻省公路网相连，境内有106、107、209、316、318等国道主干线通过，宜昌—黄石、黄石—黄梅等高速公路已建成通车。全省公路里程长达86 000千米（2004）。武汉有航空线通达北京、上海、广州、香港等50多个大、中城市，国际航线可达日本福冈。主要水利设施有葛洲坝水利枢纽工程、荆江分洪工程、荆江大堤和中洲子人工截弯工程，有大中型水库620余座。沿江修建大小排灌涵闸1 200余座，机电排灌站1万多处。有楚纪南城、当阳玉泉寺及铁塔、铜录山古铜矿遗址、蕲春李时珍墓等20处名胜古迹，均为中国重点文物保护单位。长江三峡、武当山、武汉东湖为中国重点风景名胜区。武汉、襄樊、江陵为中国历史文化名城。楚国爱国诗人屈原，汉代汉匈和亲使王昭君，唐代诗人孟浩然和学者陆羽，元末农民起义军领袖陈友谅，明代杰出医药学家李时珍，辛亥革命烈士彭楚藩，现代著名诗人、学者闻一多和地质力学创始人李四光等都诞生在湖北。人口60 010 000（2005）。

Hubel, David Hunter　休伯尔（1926-02-27，加拿大安大略温莎～　　）　加拿大出生的美国神经生物学家。1981年与维厄瑟尔（**Wiesel, Torsten Nils**）、斯佩里（**Sperry, Roger Wolcott**）共获诺贝尔生理学或医学奖。三人均研究大脑功能，休伯尔与维厄瑟尔则合作发现了视觉系统中的信息加工过程。他们分析了神经冲动从视网膜传输到脑感觉及运动中枢的过程。休伯尔于1947年获麦吉尔大学医学学士学位，1951年获医学博士学位。后去蒙特利尔神经病学研究所、约翰斯·霍普金斯大学医学院（在此开始与维厄瑟尔合作）、沃尔特·里德陆军研究所任职，1959年与维厄瑟尔一同到哈佛大学任职。1965年任生理学教授，1968年任乔治·帕克·贝里讲座神经生物学教授。1953年入美国籍。

Huber, Eugen　于贝尔（1849-07-13，瑞士斯塔姆海姆～1923-04-23，伯尔尼）　瑞士法学家和1912年瑞士民法典起草人。1880年在巴塞尔任瑞士民法和联邦法及法制史教授，以后（1888）在哈雷任德国民法和国家法教授。1892年他被委任编订瑞士民法典。1904年完成，于1912年1月生效。1903～1911年任瑞士国民议会的议员。作为联邦法律顾问，他还代表瑞士参加海牙常设仲裁法院。1892～1923年在伯尔尼担任民法教授职务。他的《瑞士民法史》（1886～1893）和《合法占有在德国法律案件中的重要性》（1894），被认为是法学研究的里程碑。

Huber, Robert　胡伯尔（1937-02-20，德国慕尼黑～　　）　德国生物化学家。由于测定了对细菌的光合作用至关重要的蛋白质复合物的结构，与J.戴森霍费和H.米歇尔共获1988年诺贝尔化学奖。胡伯尔曾获慕尼黑工科大学博士学位，1972年参与了德国马丁斯里德的马克斯·普朗克生物化学研究所的工作，在那里开始了他与戴森霍费和米歇尔共同获奖的研究项目，他交替地在研究所和慕尼黑工科大学工作。在应用X射线衍射法测定诸如蛋白质的复杂分子的原子结构中，胡伯尔是国际上公认的专家。一旦蛋白质被还原为纯的晶态形式，便能利用分析晶体原子对一束X射线的散射方式来推论蛋白质的原子结构。胡伯尔和他的合作者利用这种技术测定一种对于某些细菌的光合作用至关重要的蛋白质复合物（被称为光合反应中心）的结构。1985年，三位科学家成功地描述了蛋白质复合物的全部原子结构。虽然细菌的光合作用多少比植物中进行的光合作用简单一些，但是三位科学家的研究却大大增加了对一般光合作用机理的了解。

Huber, Wolf　胡伯尔　（约1485，蒂罗尔费尔德基希？［奥地利］～1553，帕绍的主教管辖区帕绍［德国］）　又译胡贝尔。奥地利油画家、素描画家和版画家。同多瑙河画派有联系的重要画家之一。重要作品有为其故乡奥地利的圣尼古拉教堂所画的圣安娜祭坛画（1515～1521，分藏圣尼古拉教堂和维也纳艺术史博物馆）。其最生动最富诗意的作品是风景画，尤其是从德国帕绍到维也纳旅行（约1529）途中画的多瑙河流域写生。

Hubert Walter　休伯特（？～1205-07-13，英格兰肯特廷纳姆）　坎特伯雷大主教。1182年在英格兰国王亨利二世的王室任职。1189年成为索尔兹伯里主教。次年参加第三次十字军行动，曾代表英格兰国王理查与穆斯林领袖萨拉丁进行谈判。1193年4月回英格兰，5月30日当选为坎特伯雷大主教，次年12月任首席政法官。1195年以后成为英格兰的实际统治者。他主要的成就有：首次为世俗目的征收收益税和动产税，首次统一度量衡（1196），重新确定土地税（1198），修改有关封建性的兵役制度。继承理查王位的约翰于1199年5月27日任命他为大法官，他在任内发挥巨大的政治影响。

Hubli-Dhārwād　胡布利-塔尔瓦德　印度西南部卡纳塔克邦（旧称迈索尔邦）西部之一城市。胡布利常被人称作胡巴利或普巴利，意为“古老的村庄”，在11世纪的阿哈拉尼申格尔石庙周围发展而来。著名的建筑还有默哈迪清真寺、珀瓦尼申格尔庙及市政厅。胡布利为一贸易中心，有棉纺织工厂、轧棉工厂及规模宏大的新闻纸制造业。作为南部铁路系统的一个分部，胡布利有铁路工厂，也是主要的公路交通枢纽。设在塔尔瓦德的卡纳塔克大学在胡布利有其附属的商学院、法学院、医学院及工程技术学院。塔尔瓦德原称达拉瓦达（意为“通道市镇”），自16世纪开始设防。现为教育中心及棉花贸易中心，位于南方铁路及国家公路附近。该市有卡纳塔克大学（1949年建）、若干学院（以工农业师资训练闻名），还有青少年教养所及一家精神病院。1961年，塔尔瓦德与东南21千米的工业中心胡布利合并，成为全邦人口最多的城市。人口约647 640（1991）。

Hubmaier, Balthasar　胡布迈尔（1485，巴伐利亚奥格斯堡附近弗里德贝格［德国］～1528-03-10，维也纳［奥地利］）　宗教改革运动早期重要人物。1516年任雷根斯堡大教堂布道师。1521年到瑞士，不久即领导新兴的再洗礼派。因他的信仰即使开明的茨温利派也难以容忍，他于1525年在苏黎世被捕，被迫表示放弃原有信仰。但过后他又相继在奥格斯堡、尼科斯堡、摩拉维亚等地宣传再洗礼派教义。帝国当局时时欲捕他而不得，最后他在维也纳罹难，被认定为异端分子，以火刑处死。

hübnerite 钨锰矿 又拼 huebnerite。黑钨矿（**wolframite**）的富锰变种。

hubris 高傲自大 又作 hybris。在古希腊伦理与宗教思想中，过分傲慢意味着亵渎与轻蔑井然有序的宇宙对人类的各种限制。这是伟大和天才人物最容易犯的过错，通常也是希腊悲剧主人公的根本弱点。埃斯库罗斯的《波斯人》一剧的剧情可能是最明显的例子。

Hübsch Martin 许布施·马丁 参阅**Schongauer, Martin** 施恩告尔。

Hübsügül Dalay（Mongolia） **呼布苏古勒湖** 参阅 **Hövsgöl Lake** 库苏古尔湖。

Huc, Evariste Régis 古伯察（1813-06-01，法国凯吕斯～1860-03-26，巴黎） 法国天主教遣使会传教士，最早报道中国西藏情况的西方作者。1839 年到澳门传教，先后寓居华南、北京、内蒙古等地。1844 年从多伦出发，1846 年 1 月抵拉萨。不久被清政府驻西藏官员驱逐。1846 年 9 月到达广州。1848 年转赴浙江传教。1852 年回国。著有《1844、1845 和 1846 年在鞑靼、西藏与中国旅行记》（1850），颇受西方读者欢迎，曾一再重印。

Hucbald 于克巴尔德（约 840，法国图尔奈？～930，图尔奈附近圣阿芒） 中世纪法国音乐理论家、学者、人道主义者。他是隐修院院长，毕生从事教学。于克巴尔德的论文《和声体制》论述了全音域（指已被认识的全套音符）以及 8 种调式。他也写诗和有韵律的祈祷文以及赞美诗。长期以来人们一直认为，现在归于某身份不明作者名下的另外一些理论著作实为于克巴尔德所作。有些学者推测他的一些著作可能是与他人合写的。这些论著都极为重要，如《恩希里阿迪斯音乐》和《恩希里阿迪斯学派》为多声部音乐提供了最早的书面教材，如平行奥加农，其中的素歌旋律按平行 4 度或平行 5 度咏唱。《其他类型的音乐》一书论及一种叫做“达塞昂”的记谱法，虽然未被普遍接受，却是能在乐谱中表明确切音高的早期尝试，它用符号标出 18 个固定音高，又把唱词置放在一道道横线之中。

huckleberry 美洲越橘 杜鹃花科美洲越橘属（*Gaylussacia*）多分枝小灌木，与英国越橘（越橘属，*Vaccinium*）植物近缘，习性也相似。不同之处是美洲越橘结肉质果，内含10粒坚果状种子。浆果美洲越橘（*G. baccata*）为美国北部常见的品种，又称为黑美洲越橘、高灌木美洲越橘。此外，还有黄杨叶美洲越橘（短角美洲越橘，*G. brachycera*）和矮美洲越橘（灌木状美洲越橘，*G. dumosa*）。美洲越橘栽培方法与乌饭树基本相同，要求酸性、湿润和排

浆果美洲越橘（*G. baccata*）的枝和果
美国不列颠百科全书公司供图

水良好的土壤。美国南部的红果美洲越橘（红果越橘、红果乌饭树）通常叫做南方蔓越橘。常绿美洲越橘（花商美洲越橘）指的是南方越橘。

Ḥudaybiyah, Pact of Al- 《侯达比亚协议》（628） 指 628 年穆罕默德与麦加领导人达成的和解契约。在该和约中，日益壮大的麦地那伊斯兰教社团得到麦加人政治上和宗教上的承认。先是，穆罕默德照梦中所得启示率领信徒约1 400人到麦加朝觐。麦加人不允许穆罕默德进城，派出代表团到麦加城外约 14.5 千米处的侯达比亚村与穆斯林谈判，结果双方协议休战 10 年。穆罕默德同意不进城朝觐，条件是翌年麦加要空城 3 天以便穆斯林进城举行仪式。

Ḥudaydah, Al- 荷台达 又拼 Hodeida。也门西部城市。在红海沿岸的帖哈麦平原上。国内重要港口之一，有现代化设备。1454 或 1455 年在伊斯兰编年史中首见记载。16 世纪 20 年代也门帖哈麦地区被奥斯曼帝国占领时，该城地位已十分重要。1918 年奥斯曼帝国统治结束。第一次世界大战后，英国将荷台达及也门帖哈麦地区移交给阿西尔的伊德里斯统治者。1925 年被也门收复。旧城景色壮观，有厚城墙环绕。连同城外街区沿红海海岸延展约 1.6 千米。1961 年市北建成深水港，港口装备有现代化设施，可停泊吃水 8 米的轮船，同时装卸数艘万吨货轮。1961 年由中国工程师建成通首都萨那的全天候公路。港口进口食品、机器、金属制品等。出口咖啡、棉花、皮货等。20 世纪 80 年代初建起一所棉纺厂。市北有飞机场，空中航线通萨那、塔伊兹和亚丁。人口155 110（1986）。

Hudde, Johan van Waveren 许德（1628-04-23，荷兰阿姆斯特丹～1704-04-15，阿姆斯特丹） 荷兰数学家和政治家。在荷兰提倡笛卡儿几何学和哲学，对方程论有贡献。出身贵族家庭，担任阿姆斯特丹市长约 30 年。在《关于方程式的简化》（1713）中，他最先提出在代数中用字母同样地表示正数和负数（在这之前只用于表示正数）。1657～1658 年的两项发现被称为许德法则，它们明确表明了微积分的算法（一种解某种类型问题的特殊方法）。他还预见到 $\ln(1+x)$ 的幂级数的展开（1656）和空间坐标的使用（1657）。1672 年，在战争中他指挥用水淹阻止法军前进。他同荷兰数学家和物理学家 C.惠更斯通信讨论运河维护、概率论和寿命估计。他的手稿虽然从未发表过，但 G.W.莱布尼兹说其中有许多极优秀的成果。

Huddersfield 哈德斯菲尔德 英格兰西约克郡会郡柯尔克利斯都会自治市城镇。属约克历史郡。位于科恩河谷，在利兹西南 24 千米处。有传统纺织业，加以煤、水资源丰富，促进了印染、化学和重机械工业的发展。这些新兴工业逐步取代了纺织业，成为当地最主要的容纳就业的产业。该地的赞美诗合唱团和足球队闻名全国。人口：城市区143 726（1991）。

Huddinge 胡丁厄 瑞典中东部斯德哥尔摩省城市。在斯德哥尔摩正南。建于 1923 年，当时为首都的郊区，面积 1.4 平方千米，人口 511。1947 年富勒斯塔、赫宁斯内斯等居民点并入。现在面积约为 130 平方千米。森林广袤，地势起伏。现为斯德哥尔摩的住宅区。工业以针织和金属及混凝土制品业为主。人口：城市区约73 107（1990）。

Hūdid DYNASTY **胡德王朝** 11世纪即所谓“泰法”或附庸诸王国混乱时期统治西班牙萨拉戈萨的穆斯林阿拉伯王朝。1039 年图吉布国王蒙齐尔二世被刺，其盟友之一穆罕默德·伊本·胡德（通称穆斯台因）占领图吉布王国的首都萨拉戈萨，建立新王朝。穆斯台因原是著名军人，曾任莱里达长官，控制着占据伊比利亚半岛东北部大部地区的王国。1046 年他逝世后，5 个儿子争夺王位，艾哈迈德一世穆格台迪尔成为新国王（1046～1081 在位）。1065 年他收复了一年前被诺曼人夺去的巴瓦斯特罗，名声大振。他在宫廷中罗致了神学家艾卜·瓦利德·巴吉、诗人伊本·阿马尔一类的著名人物，还修建了阿利亚费里亚宫（其部分至今犹存）。穆格台迪尔虽然向各基督教诸侯纳贡，但他占据了托尔托萨（1061）和德尼亚（1075～1076），极力扩展自己的王国，并把它传给儿子优素福·穆台明（1081～1085 在位）。穆台明与其说是一个政治人物，毋宁说是一位学者。艾哈迈德二世穆斯台因在位期间（1085～1110）与基督教徒的战争连绵不断。1096 年基督教徒向韦斯卡挺进时，他在阿尔科拉兹遭惨败，连萨拉戈萨本身也受到袭击。由于阿尔摩拉维德王朝派兵来援，才迫使基督教军队撤退。1090～1091 年以后，阿尔摩拉维德王朝开始翦除各个附庸王国，但它需要在其本身与基督教地区之间保留一个缓冲国，因此就把萨拉戈萨王国保留下来。1110 年 1 月穆斯台因在巴尔蒂埃拉与基督教军作战时死亡。阿尔摩拉维德人当年 6 月占领该城，逼着他的继承人伊麻德·道莱逃往鲁埃达，1130 年死于该地。伊麻德的儿子艾哈迈德三世穆斯坦绥尔同卡斯蒂利亚和莱昂王阿方索七世达成协议，以鲁埃达交换托莱多省的一部分领土。在 1144 年反对阿尔摩拉维德王朝的起义中，他纠集全半岛的穆斯林追随者组成一支军队，着手收复科尔多瓦、哈恩、格拉纳达、穆尔西亚和巴伦西亚等地。但 1146 年 2 月在钦契利亚附近的一次战斗中，穆斯林军队被基督教军队击败，穆斯坦绥尔

被杀。胡德王朝至此结束。

Hudson, George　赫德森（1800-03，英国约克郡约克～1871-12-14，伦敦）　英国金融家，人称“铁路大王”，他的企业使约克市成为铁路和商业中心。做过布匹服装店学徒和股东老板。1827年用3万英镑遗产投资，购得北米德兰铁路的股票，开始铁路方面的活动。他推动国会通过为约克—北米德兰铁路筹集资金的法案，后来本人成为该铁路公司的董事长。在政治方面他曾3次任约克市长。到1844年，他所控制的铁路已超过1 600千米。1845年，当选为代表森德兰的保守党议员。在其铁路投机活动达到高潮时，被卷进一桩诈骗案件，财产和权势毁于一旦。余生消耗在打官司和在国外从事金融活动上。

Hudson, Henry　哈得孙（约1565，英格兰～1611-06-22以后，可能在哈得孙湾或其附近）　英国航海家和探险家，曾经替英国人作过三次航行（1607、1608、1610～1611），替荷兰人作过一次航行（1609），以寻求从欧洲通过北冰洋到亚洲的捷径。如今北美洲的哈得孙河、哈得孙海峡和哈得孙湾都是以他的姓氏命名的。他出生在一个与北冰洋航行有密切关系的家庭，具有北极地理的良好知识，又有两家富有的公司选任他领导冒险性的考察工作，从而展现其航海家的才能。1607年春，应公司之聘，带领儿子和10名同伴首次远航，“要在北极附近寻出一条通往日本和中国的航道”，他相信能在北极周围找到一片没有冰封的海域。向北航行，到北极浮冰群的边缘折向东，一直到达斯瓦尔巴（斯匹次卑尔根）群岛。然后沿着16世纪荷兰人巴伦支的探索路线作进一步扩大的勘探。一年之后，他又为莫斯科公司寻找东北通道，到达巴伦支海以东的斯瓦尔巴与新地岛之间遇冰原阻塞而返。1609年与荷兰东印度公司订约作第三次航行。4月6日从荷兰启航，船只遇风暴不能驶向东北，遂改道寻觅原英国探险家史密斯所叙述的北纬40°左右的西北航道。沿大西洋进入今哈得孙河240千米，到达今纽约州奥尔巴尼地方。哈得孙得出结论，这条河不能通往太平洋。哈得孙的航海日志及信件送往荷兰，他的探险发现迅即被人们知道了。哈得孙准备按照英国探险家韦茅斯在1602年探险时的路线去美洲进行第四次探险。韦茅斯记载有一个水湾（即今哈得孙海峡），那里“汹涌的湍流”冲退每一次的落潮。这种现象表明在海峡外边有股强劲的水体，哈得孙认为就是太平洋。英国东印度公司给此次航行资助300英镑，莫斯科公司大概也提供同样数目资金，此外还有私人赞助者，包括5名贵族和13名商人。1610年4月17日，从伦敦出发，用一条55吨的“发现”号船，在冰岛短暂停泊后，即向“汹涌的湍流”进发，穿过当今哈得孙海峡进入哈得孙湾，沿东岸南下到达海湾南端詹姆斯湾，并未找到可通太平洋的水道。冬季来临生活困苦，他和船员们发生争吵。返航时一部分船员叛乱，把他和他的儿子以及其余7人放置在一条小船中（1611-06-22），任其在哈得孙湾中漂流。从此再没有听到他们9个人的消息。哈得孙的四次艰险航行对于人类的地理知识作出伟大的贡献。他是位胜任的航海家，他大大扩展了原探险家韦拉扎诺、戴维斯和巴伦支三人的探险成绩，他的发现形成荷兰占领哈得孙河殖民地以及英国占有加拿大大部分地区的基础。

Hudson, Rock　赫德森（1925-11-17，美国伊利诺伊温内特卡～1985-10-02，加利福尼亚贝弗利希尔斯）　原名Roy Harold Scherer, Jr.，后称Roy Fitzgerald。美国电影演员，以端庄的相貌和20世纪50和60年代的电影角色以及70年代主演的电视连续剧而闻名。在拍银幕处女作《空中神鹰》（1948）之前一直靠打零工谋生。他的男子气概、健美的外形使他成为明星，接连演出《地老天荒不了情》（1954）和《巨人》（1956），并与D.戴在一系列喜剧电影中展示才华，包括《枕边絮语》（1959）、《情人归来》（1961）和《别给我送花》（1964）。他以后又参演了电视连续剧《麦克米伦和他的妻子》（1971～1977）。赫德森是最早死于艾滋病的好莱坞明星之一，他的死亡使公众增强了对艾滋病的认知。

Hudson, Thomas　赫德森（1701，英格兰德文～1779-01-26，英格兰米德尔塞克斯特威克纳姆）　英国肖像画家。在英国肖像画传统中起着重要桥梁作用，其写实能力为当时人所称道。18世纪30年代初期开始受到注意，到1742年成为伦敦肖像画家中最有成就者之一。他是英国画家雷诺兹的老师。

Hudson, W(illiam) H(enry)　赫德森（1841-08-04，布宜诺斯艾利斯附近～1922-08-18，伦敦）　英国作家、博物学家和鸟类学家，以其充满异国情调的传奇（尤其是《绿色公寓》）闻名。父母原为美国新英格兰人，在阿根廷从事牧羊业。童年时代，在大草原上过着逍遥自在的生活，一方面研究动植物，一方面观察当时尚无法纪的边疆地区的春来秋往和人世沧桑。在《遥远和很久以前》（1918）中，他深情地回忆了这段生活。15岁时患的一场病长期影响了他的健康，使他变得内向和专心好学。达尔文的《物种起源》对他产生了特别强烈的影响。双亲去世后，过着飘泊不定的生活。1869年定居英国，1900年入英国籍。写了一些以南美为背景的传奇。第一部为《英国失去的紫色土地》（2卷，1885）。1902年出版短篇小说集《翁布树》。名著《绿色公寓》（1904）写森林中的一个半鸟半人的神秘生物里马的恋爱故事。为纪念赫德森，他最著名的角色里马1925年由J.爱泼斯坦创作成雕像树立在伦敦海德公园的鸟类禁猎区内。他的传奇小说为他赢得许多英国作家的友谊，他们中有J.康拉德、F.M.福特、E.加尼特和G.吉辛。研究鸟类的著作有《阿根廷的鸟类》（1888～1889）、《英国的鸟类》（1895）等。描写英国农村生活的作品有《英伦漫步》（1909）、《牧童生涯》（1910）、《死人的小钱币》（1920）、《一个行李很少的旅行者》（1921）和《里士满公园的红雌鹿》（1922）。这些作品文笔细腻，想象丰富，对20世纪20～30年代的“回归自然”运动起过促进作用，但其后已少有人阅读。

Hudson Bay　哈得孙湾　加拿大中东部的内陆海。面积819 000平方千米，北面和西面是加拿大的努纳武特地区，南面是马尼托巴省和安大略省，东面是魁北克省。经哈得孙海峡与大西洋连接，经福克斯海峡与北冰洋沟通。1610年为英国航海家哈得孙寻找通往亚洲的西北航道时发现，故名。哈得孙湾湾底浅平，平均深100米，最深处约270米。沿岸为永久冻土地带，东部和东北部地势高峻，南部詹姆斯湾沿岸有针叶林，但大部分海岸生长白桦、柳树、白杨及灌木丛。距东岸约300千米处有一组岛屿。另外只有在海湾出口处有些小岛。哈得孙湾地区具有严峻的大陆气候。年平均温度为－12.6°C。夏季最高温为27°C，冬季最低温为－51°C。春季多云，夏日晴朗，秋天冷而多雾，冬季严寒。12月后有强风和暴雪。4月开始解冻。海水从福克斯湾流入，从哈得孙湾流出，呈反时针方向流动。盐度随深度递增，24米以下为31‰，上层为23‰，2米以上的表层盐度在洋流强烈和化冰时仅为2‰。海湾中生长的鱼类有鲽、鳕、鲑等。还有海象、海豹、海豚、逆戟鲸及北极熊。大约有200种鸟类栖息在海岸和小岛上，此外还有一些食草动物，如驯鹿、麝牛以及毛皮动物等。沿岸居民在南部地区为印第安人，北部为爱斯基摩人。他们主要以渔猎为生。人口密度很低。加拿大政府把整个哈得孙湾划为“封闭海区”，以保护其生态环境。

Hudson Canyon　哈得孙海底峡谷　切入美国纽约港外侧陆棚和大西洋陆坡上的大型海底峡谷。长约93千米。两侧V形谷壁的高度为1 219米。谷口以下切入大陆梁地，形成哈得孙海底扇谷地，两侧谷壁高549米。海底扇上的谷地至少长370千米，可能是经由哈得孙海底峡谷向海底扇输送来自陆棚的沉积物的渠道。

Hudson River　哈得孙河　在美国纽约州境内。源出阿迪朗达克山间冰川湖。全长507千米。最初174千米蜿蜒流向东南，至科林斯后折向东北流至哈得孙瀑布。由此径直向南流，注入上纽约湾。流域面积34 628平方千米。有一海底峡谷自河口向海延伸约322千米。与其主要支流莫霍克河（**Mohawk River**）一起，构成全国最重要航道之一。1609年英人哈得孙首先勘察此河。1629年有荷兰人开始在此定居。美国独立战争中是一条具有重要战略地位的河道。19世纪开凿三条运河（伊利运河、特拉华-哈得孙运河、尚普兰运河），使哈得孙河与大湖区、特拉华河和圣劳伦斯河下游沟通，促进了中西部和纽约市的发展。1807年开始有轮船航行，从而使该河成为重要的商道。下游各主要城镇早期靠捕鲸业繁荣起来，19世纪成为远洋船队基地。1797年开始改善通航条件，1892年哈得孙河被宣布为联邦政府航道。海船全年可通航至奥尔巴尼，驳船每年有8个月可通航至大湖区。货运包括沙、砾、碎石、石油、煤及褐煤等。客运已被铁道和公路所取代。河上建有许多桥梁。有公路和铁路隧道将纽约与其北面的新泽西连接起来。为了解决工业废物和废水造成的河流污染问题,州政府和地方当局已着手制定环境保护和河水净化规划。为合理利用旅游和自然资源、保护沿岸名胜古迹,1966年成立了哈得孙河流域委员会。

Hudson River school 哈得孙河画派 又译赫德森画派。包括几代画家的一个人数众多的美国风景画团体。约活跃于1825～1870年。画派名称是后来才有的,实际上该画派并不以地理位置为限,更重要的是作品内容的近似。作为浪漫主义运动的一个旁支,它是美国第一个本国的画派;无论从作品对美国风光的自然美所作的自豪的赞颂,或从画家们要求摆脱欧洲各画派的窠臼而独创一格的愿望,都可以看出该画派强烈的民族精神。其早期的主要画家为T.道蒂、A.杜兰德和T.科尔。他们都在户外作画,经过缜密的观察,创作出许多对哈得孙河谷和附近新英格兰某些地区的原始荒野景色满怀崇敬之情的绘画作品。到19世纪70年代,由于对欧洲绘画运动重新发生兴趣,美国民族画派的流行大受影响;公众对派生于欧洲风格的绘画的偏爱,阻碍了民族绘画的进一步发展。这种情况直至20世纪才见好转。

科尔绘《阿迪朗达克斯的什龙山》(1838)
美国不列颠百科全书公司供图

Hudson Strait 哈得孙海峡 在加拿大魁北克省北部和努纳武特地区巴芬岛之间。长约800千米,宽65～240千米,最深942米。连接哈得孙湾和福克斯湾与拉布拉多海。仅夏末秋初可通航,但一年大部分时间用破冰船可以开通航道。1610年英国探险家H.哈得孙驶船通过该海峡,故名。为哈得孙湾公司船只主航道之一。

Hudsonian orogeny 哈得孙造山幕 17亿(±1.50亿)年前在加拿大地盾上发生的前寒武纪热力事件。这个时期的岩石分布在:①丘吉尔省,为一巨大的弧形地带,带中包括哈得孙湾以西的大部分加拿大地区、加拿大北部前寒武纪岩石出露区、北极群岛和巴芬岛,以及格陵兰北部的大部分和拉布拉多的一部分;②地盾西北端的大熊湖省;③美国西部广大地区。亚利桑那的马扎察尔造山幕、南达科他的布莱克造山幕以及苏比利尔湖区南部的佩诺肯造山幕可能是哈得孙造山幕在美国的代表。加拿大南部省的前寒武纪岩石向苏必利尔湖的南西南方向延伸进入美国中部大陆,这些岩石年龄也与哈得孙造山幕时代相当。

Hudson's Bay Company 哈得孙湾公司 在加拿大经济和政治史上都占有重要地位的一家公司。1670年5月2日在英国创立,目的在于寻找一条通往太平洋的西北通道,占领那些与哈得孙湾毗连的领土,并在那些有利可图的领土上进行贸易。它作为一家经营房地产、销售商品和开发天然资源的商业组织一直存在到现在,总部设在多伦多。原先授给该公司的领地后称为鲁珀茨兰德。在成立后的头200年中从事毛皮贸易。1783年它的许多竞争对手创立西北公司(**North West Company**)。西北公司和哈得孙湾公司激烈竞争了近40年。19世纪初期还爆发了武装冲突。直至1821年,英国政府将这两家公司合并时,冲突才终止(参阅 **Seven Oaks Massacre**)。两公司合并后仍用哈得孙湾公司的名称和特许状。1859年该公司的垄断权未获得展期,越来越多的独立商人参加了毛皮贸易。1870年它将其剩余的领土(除滨海各省及安大略、魁北克二省部分地方外其余现今加拿大的土地)出售给加拿大政府,换得了下列权益:取得现金30万英镑,取得在其各皮毛贸易站周围的地块,取得在加拿大西部可居地"肥沃地带"1/20的土地所有权及其矿产权。20世纪,哈得孙湾公司仍然是全世界重要的毛皮采集和销售机构,但日益趋向零售业。20世纪70年代,除了长期以来所设立的贸易和皮毛收集商店联号外,它还在加拿大各地补充设立了百货商店和折扣商店庞大的联号。它除继续经营房地产业务外,还从事石油和天然气开发,并将活动扩展到金融服务。1979年该公司被R.H.汤姆森家族的公司兼并。80年代因负债累累而陷入困境,不得不售出加拿大北部的许多商店和若干其他企业。至今仍为加拿大的主要商行之一,并继续拥有许多百货商店。

ḥudūd, al- 呼杜德 德鲁兹教教义中自独一真主溢出的五位至高使者。德鲁兹教徒尊奉11世纪埃及法蒂玛王朝哈里发哈基姆为神,他是独一真主的化身,立于宇宙中央。与哈基姆同时代的哈姆札系统地提出德鲁兹教义,自称是直接与独一真主相通的人,他鼓吹有一批普在的本元作为独一真主与众信徒之间的中介,即呼杜德。每一位呼杜德都在哈基姆同代人中有相应代表。同时还有假呼杜德,与真者一一相对,他们也各有相应的人。两类呼杜德之间的紧张关系是善与恶在世上的争斗,只有待将来哈基姆支持真呼杜德时,才分出胜负。

Hue 顺化 越南中部城市。地处长山山麓平原地带,距南海8千米。市内有香江穿过。为历史名城。在印度支那战争中数度遭受严重破坏。从前的很多宫殿、寺庙等受到损坏。

顺化市郊的天姥塔
中国大百科全书出版社供图

战后逐步修复。现今,市中心、香江左岸有19世纪初期建造的中国式王宫。阮朝在此统治越南达几个世纪之久。市郊有阮陵和17世纪的天姥塔。地处冬季季风(9～4月)带,雨量充沛,年降雨量2 600～2 900毫米。夏季炎热、干燥,6月份气温最高。在法国占领时期就修有铁路和公路通达西贡(胡志明市)。城东南24千米处的英拜有机场。顺化大学(1957)设有医学、科学、法律、教育、文学等系。人口219 149(1992)。

hue and cry 呼警 英国早期在追捕罪犯时大声叫喊和发出警号的合法行为。任何人在受到侵害或发现有人犯重罪时有责任呼警,附近的人必须前来帮助他追捕罪犯。所有参加追捕的人有权将被追捕者逮捕,哪怕最终证明他是无辜的。如果罪犯身上携带有明显的犯罪证据而且拒捕时,可以当场将他击毙;如果他投降,他的命运将通过正当程序决定。19世纪初废除了有关追捕犯人呼警的各种法令。

Hueffer, Ford Hermann 许弗 参阅**Ford, Ford Madox** 福特。

Huelva 韦尔瓦 西班牙西南部安达卢西亚自治区韦尔瓦省省会。位于奥迭尔和廷托两河口湾形成的半岛西岸。初为迦太基人商站,后相继被罗马人和摩尔人占据,1257年由卡斯蒂利亚国王阿方索十世收复。1873年该市因获益于里奥汀托铜矿而迅速发展。现为大型铜矿港口和渔业中心(沙丁鱼、金枪鱼及东方狐鲣)。有谷物、葡萄、橄榄和软木贸易。1892年为纪念哥伦布航海400年,市内建有哥伦布的巨大铜像。人口约145 049(1994)。

Huelva 韦尔瓦 西班牙西南部安达卢西亚自治区一省。西界瓜迪亚纳河和葡萄牙,东濒瓜达尔基维尔河和塞维利亚省。面积10 085平方千米。北部多山,南部肥沃平川延伸至大西洋沿岸。境内有奥迭尔和廷托两条主要河流。经济以种植旱田为主,亦种植棉花、橄榄和水果。另有金枪鱼捕捞加工。旅游业日益重要。里奥汀托的铜矿闻名世界。主要城市有省会韦尔瓦(**Huelva**)以及阿亚蒙特、莱佩和蒙格。是诺贝尔奖金获得者、诗人希梅内斯的出生地。人口约443 467(1992)。

Huerta, Adolfo de la 韦尔塔(1881,墨西哥埃莫西约～1955-07-09,墨西哥城) 墨西哥临时总统(1920)。曾参加墨西哥革命。1917～1920年任索诺拉州州长。1920年5月帮助推翻V.卡兰萨总统。他在当年6～11月任临时总统。1920～1923年在A.奥夫雷贡政府中任财政部长。1924年大选中组织叛乱,数月后失败。1924～1935年流亡美国,住在洛杉矶。L.卡德纳斯总统撤销对他的指控后,他于1935年回国。

Huerta, Dolores 韦尔塔(1939-04-10,美国新墨西哥道森～) 婚前名Dolores Fernández。美国劳工领袖。因父母离异,童年随母迁居加州斯托克顿。进入斯托克顿学院学习并最终获得文科准学士学位。后执教数月。为争取农业工人得到平等劳动条件,帮助更多农业工人子女,加入称为社区服务组织的墨西哥裔美国人自助团体,游说加州议员制定《外来公民养老金法》。20世纪50年代末结识C.查韦斯,并与其一起,促使社区服务组织关注困扰农业工人的不公正事件,但未获成功。两人最终脱离该组织。1962年前成立全国农业工人协会(即农业工人联合会的前身),并在全国范围为1975年通过的《农业劳工关系法》营造氛围。80年代成立农业工人联合会广播电台,继续为移民政策、农场劳工健康等倡言和集资。

Huerta, Victoriano 韦尔塔(1854-12-23,墨西哥科洛特兰～1916-01-13,美国得克萨斯埃尔帕索) 墨西哥总统(1913-02-18～1914-07-15),其独裁统治受到各种革命力量的一致反对。曾在自由主义者F.马德罗总统手下供职。1913年2月参加墨西哥城的军事叛乱。接任总统后,解散立法机构,镇压所有的反对派。国内发生V.卡兰萨、A.奥夫雷贡、P.比利亚和E.萨帕塔领导的革命。美国也对他采取敌对行动,W.威尔逊总统拒绝承认他的政府,出兵占领韦拉克鲁斯,允许向反政府军队输送武器。面临这种困境,他辞去总统职务,逃往西班牙。1915年去美国。后因受指控在墨西哥煽动叛乱而被逮捕,在布利斯堡的监牢中死去。

Huesca 韦斯卡 西班牙东北部阿拉贡自治区一省。面积15 671平方千米。东界莱里达省,南和西为萨拉戈萨省和纳瓦拉省,北与法国接壤。境内有比利牛斯山最高点阿内托峰(3 404米),山区盛产林木,草原畜牧发达。山地丘陵带和山谷绵亘至南部肥沃的灌溉平原以农业为主。省会韦斯卡(**Huesca**)工业不发达。蒙松和萨维尼亚尼戈两市有化工和冶金业。辛卡河水系的电力工业很重要。1979年萨维尼亚尼戈发现有天然气增加了本省能源资源。人口约205 429(1999)。

Huesca 韦斯卡 西班牙东北部阿拉贡自治区韦斯卡省省会。位于霍亚-德韦斯卡地区,萨拉戈萨东北。北部有瓜拉山脉。有弗卢门河流经境内。初为古伊比利亚人一部落都城。后相继由罗马人、西哥特人和摩尔人占据。1096年为阿拉贡国王佩德罗一世收复,1118年以前一直是该国国都。现除传统手工业外,尚有小规模的农机制造业。名胜有圣佩德罗教堂(约1134年开始建造,13世纪建成)、韦斯卡大教堂(13世纪开始建造,1515年建成)、圣地亚哥学院(1534)和阿拉贡王宫(1845)等。人口约45 627(1999)。

Huesca, Code of 《韦斯卡法典》 中世纪阿拉贡最重要的法典。在詹姆斯一世时代由德·卡内拉斯主教用拉丁文写成,1247年颁布。法典名称来自西班牙东北部的韦斯卡城。该法典的主要目的是搜集和整理被称为"市镇特权"(fueros)的权利和法律并划定阿拉贡的领土疆界。法典原为8卷。在译成阿拉贡语时加以扩充,最后成为12卷。直至15世纪,这部法典为阿拉贡一切民事法和刑事法的蓝本。

Huet, Pierre-Daniel 于埃(1630-02-08,法国卡昂～1721-01-26,巴黎) 法国学者、古物研究者、科学家和主教。他的深刻的怀疑主义特别表现在对笛卡儿的尖锐攻击上,对当时

美国不列颠百科全书公司供图

的哲学家有巨大影响。在同耶稣会教士一道学习数学后,他于1652年走访瑞典克里斯蒂娜女王的宫廷。在瑞典皇家图书馆发现希腊神学家奥利金(约185～约254)为《马太福音》所作注释的某些片断,乃于1668年编订奥利金版。除天文学、解剖学和数学领域的科学著作外,他还写了若干哲学著作,说明人的理性是容易犯错误的。其中,有影响的论战性著作是《笛卡儿哲学批判》(1689)和《为历史服务的新回忆录》(1692)。他反对笛卡儿的第一原则"我思故我在",反对将"清楚明白"作为真理的标准。他认为最后只有通过信仰而不是通过理性,才能认识真理。这就是所谓信仰主义哲学。

Hufūf, al- 胡富夫 又拼Hofuf。沙特阿拉伯东部省城镇和前省会。位于大哈萨绿洲和利雅得—达曼铁路线上。现为农业贸易中心。有稻米和椰枣加工业,生产水泥和纺织品等。建有养马场。附近有费萨尔国王大学农学院和兽医学院。该城亦为19世纪早期的易卜拉欣帕夏圆顶清真寺所在地。西面的盖瓦尔油田是世界上最大的油田之一。人口:城镇225 847;大都会区600 000(1992)。

Hugdietrich (literature) 胡格狄特里希 参阅 **Heldenbuch, Das**《英雄集》; **Wolfdietrich** 沃尔夫狄特里希。

Hügel, Friedrich von (philosopher) 许格尔 参阅 **von Hügel, Friedrich** 冯·许格尔。

Hugenberg, Alfred 胡根贝格(1865-06-19,汉诺威汉诺威～1951-03-12,西德库肯布鲁赫) 德国实业家、政治领袖。作为庞大的报业和电影业领袖、保守的德国国家人民党著名成员,他在1918～1933年魏玛共和国时期对德国舆论有深刻的影响并在物质上促使希特勒上台掌权。1903年入普鲁士财政部工作。1909～1918年任克虏伯公司董事长。1916年起开始兴办企业。在魏玛共和国时期,他已经拥有德国的几家报纸、一个通讯社、乌发电影公司的大部分股份和其他一些企业。他是一个野心勃勃的君权主义分子。1919年参加德国国家人民党,成为右翼领袖。1920年进入议会。作为宣传战线最有权势的人物,他发动责骂共产主义、社会民主主义、《凡尔赛条约》体系的运动。他反对《洛迦诺条约》(1925)。1928年任国家人民党领袖,此后与纳粹党人一道反对扬计划。他企图利用纳粹党人在选举中的胜利来实现自己的政治野心。1931年组成有民族主义分子、保守分子和希特勒参加的哈尔兹堡阵线,企图推翻勃鲁宁政府。哈尔兹堡协议达成之后,德国工业界向纳粹党提供大量资金,促进纳粹实力的增长。1933年1月30日胡根贝格进入希特勒内阁,提任经济与食品部长。但是,他要控制纳粹党的幻想很快就破灭。1933年6月26日辞去部长职务,他领导的政党亦被解散。此后他仍任国会议员,直至1945年。

Huggins, Charles B(renton) 哈金斯(1901-09-22,加拿大新斯科舍哈利法克斯～1997-01-12,美国伊利诺伊芝加哥) 加拿大出生的美国外科医师、医学家。1943年证实注射合成雌性激素能使雄性个体的前列腺肿瘤消失,证明了使用化学药物控制恶性肿瘤的可能性。因此与P.劳斯共获1966年诺贝尔生理学或医学奖。1951年任芝加哥大学本·梅恶性肿瘤研究室主任。

Huggins, Godfrey(Martin) 哈金斯 参阅 **Malvern, Godfrey (Martin) Huggins, 1st Viscount** 莫尔文子爵(第一)。

Huggins, Sir William 哈金斯(1824-02-07,伦敦斯托克纽因顿～1910-05-12,伦敦) 英国天文学家,最先使用分光镜,使天体观测发生了革命。1863年他指出恒星是由太阳

和地球上存在的那些元素构成的。1866 年研究一颗新星时，观察到氢的亮线（光谱线），正确地推断出氢气壳发射的温度比恒星表面的温度高。1868 年哈金斯指出，彗星发射发光的碳气体。同年试图用多普勒谱线位移来测量恒星的视向速度。他和 H. 德雷伯各自独立地于 1881 年 6 月 24 日，同时最先拍摄了彗星 1881Ⅲ 的光谱。他于 1897 年受封为爵士。

Hugh Ⅲ　雨果三世（?～1284）　塞浦路斯（1267 年起）和耶路撒冷（1269 年起）国王。曾建立统治塞浦路斯 200 多年的安条克-律星云王室。但在耶路撒冷，由于臣民的反抗，他未能在圣地进行有效的统治。

Hugh Capet　于格·卡佩（约938～996-10-14，巴黎）　法国卡佩王朝 14 个直系国王中的第一个。956 年继承其父大于格的法兰克人公爵称号，970 年企图控制阿基坦未果。978～986 年与德意志皇帝奥托二世和奥托三世，以及兰斯大主教阿达尔贝罗结盟，策划政治阴谋反对加洛林王朝国王洛泰尔。985 年成为实际上的统治者。洛泰尔之子路易五世短期在位（986～987）后，987 年 5 月他被法兰克贵族会议选为国王。于格统治时期的特点在于洛林的查理为维护自身权利所做的努力徒劳无功以及布卢瓦伯爵倭德一世同后来于格支持的安茹的富尔克之间不断冲突。于格的王位所以能保全是因为其对手不能采取联合行动来反对他。为保证其子罗贝尔二世继位，他于 987 年圣诞节为他加冕为王。

Hugh of Cluny, Saint　于格（克吕尼的），圣（1024，勃艮第瑟米尔-昂布里奥奈～1109-04-29，法国克吕尼）　法兰西天主教本笃会克吕尼隐修院院长（1049～1109）。在任期间，有近2 000处与克吕尼隐修院有组织联系的隐修院成立于意大利、西班牙与英格兰等地。1055 年他在马尔西尼镇创建克吕尼会第一所女隐修院。于格足智多谋，品行端庄而有辩才，曾代表天主教会前往匈牙利和德意志进行外交活动。在任院长之前曾任该隐修院使节，伴随神圣罗马帝国皇帝亨利三世。后来，在皇帝亨利四世在位期间，皇帝企图超越教皇权力，发生主教叙任权之争，于格在此问题上任教皇格列高利七世的顾问。

Hugh of Lincoln, Little Saint　休（林肯郡的），小圣徒（1245，英格兰林肯郡林肯～1255-08-27，林肯）　英格兰基督教殉教儿童。据说犹太人出于宗教礼仪上的用途将他杀害。这个故事难以证实，但后来休竟然受到崇拜，这种崇拜是中世纪排犹主义的典型表现形式。原来，9 岁男童休的尸体在井中发现，凶手不明。休的朋友指控犹太人科本曾扣押休一个多月，用酷刑折磨他，然后把他钉死在十字架上。据说，凶手曾设法掩埋尸体而不逞，乃将它投入井中。其后 90 多名犹太人被捕，罪名是出于宗教礼仪动机杀人。据说科本供认不讳，遂与另外 18 人一同被处决。休的尸体被发现后，关于休的种种神迹的传说立即流传起来。

Hugh of Lincoln, Saint　休（林肯郡的），圣（约1140，法国阿瓦隆～1200-11-16，伦敦）　加尔都西会修士、林肯郡主教。约 1170 年受神职为司铎，1179 或 1180 年英格兰国王亨利二世任命他为埃塞克斯郡威特姆加尔都西会隐修院院长。他的工作受到亨利二世重视，他遂于 1186 年当选为林肯郡主教。无论担任隐修院院长还是主教，休都一贯维护教会的自由权利，赢得英格兰国王的尊重。1200 年他到法国，调解英格兰国王约翰和法兰西国王腓力·奥古斯特之间的争执，并重访加尔都西会大隐修院。返英格兰途中病死。

Hugh of Saint-Victor　于格（圣维克托隐修院的）（1096～1141-02-11，巴黎）　经院神学家，首倡奥秘神学。出身贵族，在哈尔伯施塔特（在今德国）附近哈默斯勒本隐修院加入奥古斯丁会，约在 1115 年到巴黎，定居于圣维克托隐修院。于格的《圣经》诠释有所创新，对自然神学的形成有重要贡献。他根据外部经验和内部经验论证上帝的存在，同时又提出产生于经验实际的神学证据。与当时若干人士不同，于格提倡世俗学问，主张知识是祈祷虔修的入门。他说："万事皆学，然后方知无事不有用。"他是多产作家，著有《学问之阶》（内容十分丰富的早期百科全书）以及《圣经》注释。

Hugh the Fat　休（胖子）　参阅 **Chester, Hugh of Avranches, 1st Earl of 切斯特伯爵（第一）**。

Hugh the Great　于格（伟大的）（?～956-06-16 或 17）　法兰克公爵、巴黎伯爵，法国卡佩王朝的先辈，法兰西王国（西法兰西亚）路易四世王朝和洛泰尔王朝初期最有权势的人物。其父罗贝尔一世及其子于格·卡佩，以及 3 个姻兄弟均为国王。拥有广阔的领土。936 年其姻兄弟鲁道夫死后，他本可轻易即位为王，但他宁愿在幕后操纵，乃立被废黜的傻瓜查理三世之子路易四世为王。路易四世不甘为傀儡，与他以及所有大贵族展开斗争。945 年，路易落入于格手中，被监禁一年，在国外压力和国内舆论的逼迫下，他终于获释，于格也于 951 年表示归顺。3 年后路易去世，于格又放过做国王的机会，另立路易的幼子洛泰尔为王；但他在死前两年实际上是法国的统治者。

Hugh the Wolf　休（豺狼）　参阅 **Chester, Hugh of Avranches, 1st Earl of 切斯特伯爵（第一）**。

Hugh Town　休镇　英格兰康沃尔历史郡锡利群岛首府和村庄。在圣玛丽岛西南部的沙质半岛上。有港湾和大型船只港外锚地。经济以渔业和旅游业为主。1646 年查理王子（后查理二世）逃往泽西以前，曾在此避难。1571 年 F. 戈多尔芬向伊丽莎白一世租赁该群岛建筑了星堡，现改为旅馆。主要经济是渔业和旅游业。

Hughes, Charles Evans　休斯（1862-04-11，美国纽约格伦斯福尔斯～1948-08-27，马萨诸塞奥斯特维尔）　美国法学家、政治家。曾任美国最高法院法官（1910～1916）、国务卿（1921～1925）、第十一任最高法院首席法官（1930～1941）。在因 F. D. 罗斯福总统的新政社会立法引起的大争论期间主持最高法院的工作。作为纽约市一个主要的法律事务所

美国国会图书馆供图

的成员，于 1905 年担任纽约州立法委员会顾问，在调查煤气、电力工业以及人寿保险业舞弊案中崭露头角。1906 年当选纽约州长。1908 年再次当选，后接受 W. H. 塔夫脱总统任命任最高法院法官。1916 年接受共和党总统提名，辞去最高法院职务，但民主党候选人 W. 威尔逊以微弱多数（277 票对 254 票）获胜。战后任国务卿，在参议院拒绝批准《凡尔赛和约》后，他代表美国与德国单独议订和约。支持美国进入国际联盟，筹划并担任 1921～1922 年华盛顿裁军会议主席。在任最高法院首席法官（H. 胡佛总统任命）期间，对许多由于 20 世纪 30 年代世界经济萧条而引起的案件，一般持赞成使用联邦权力的立场。1935 年 2 月 18 日发表 3 条意见，维护禁止以黄金支付公私债务的政府权利。然而，在谢克特家禽公司诉合众国一案（1935）中，他代表法院宣布新政的一项主要法令——《国家工业复兴法》——无效。1937 年，罗斯福总统建议任命一位新的（可能是自由主义的）大法官取代年过 70 岁拒绝退休的在职大法官来"充实"最高法院。休斯在致参议院司法委员会的信中抨击罗斯福总统的这个计划。1937 年 4 月 12 日在全国劳工关系局诉琼斯-劳克林钢铁公司一案中，他维护《1935 年国家劳资关系法》（《瓦格纳法》）规定的劳资协商的权利。数周后，法院支持《社会保障法》的各项规定。1941 年退休。著作有《对外关系》（1924）、《和平之路》（1925）、《美国最高法院》（1928）、《泛美和平方案》（1929）。

Hughes, David (Edward)　休斯（1831-05-16，伦敦～1900-01-22，伦敦）　英裔美国发明家，发明对电话发展十分重要的炭精送话器。他 7 岁时全家移居美国。1850 年任圣约瑟夫学院音乐教授。5 年后他获得打字电报机的美国专利，这项发明立即大受欢迎。1857 年休斯把它带到欧洲，在欧洲得到广泛使用，在某些地方一直用到 20 世纪 30 年代。1878 年休斯发明了送话器，是现在用的各种炭精送话器的前身。

Hughes, Howard (Robard)　休斯（1905-12-24，美国得克萨斯休斯敦～1976-04-05，得克萨斯南部上空的一架飞机中）　美国工厂主、航空家、电影制片商。先后就读于帕萨迪纳的加利福尼亚理工学院和休斯敦的赖斯理工

学院。17岁成为孤儿,辍学接管其父在休斯敦的休斯工具公司。1926年移居好莱坞,拍摄了一些影片。1948年购入雷电华影片公司的控股权,1953年售出,1954年买下整个公司,1955年又卖出。但他在1957年以前一直留任该公司的董事长。在航空方面,他在加利福尼亚州卡尔弗城创办了休斯飞机公司,用其收益资助霍华德·休斯医学研究所。1935年9月12日驾驶一架自己设计的陆上飞机创造了速度为352.46英里/小时(567.23千米/小时)的世界纪录。1937年1月驾驶同一架飞机创造了飞越美洲大陆只用7小时28分的纪录,平均速度为332英里/小时。1938年7月驾驶"洛克希德"14型飞机创造了环球飞行只用91小时14分的纪录。1942年着手设计一种装8台发动机的木质飞船,设计载客能力是750人。1947年他驾驶该飞船进行了唯一的一次飞行,飞了1英里。他性格孤僻,1950年完全与外界隔绝。作为环球航空公司78%股份的持有者,他拒绝出庭应诉反垄断指控,因缺席而丧失了对公司的控制权。1966年他出售环球航空公司5亿多美元的股份。他离群索居的癖好使人们对他的行踪异常感兴趣,也常常使他卷入纷争之中。在他的最后几年中经常突然变换居住地(巴哈马、尼加拉瓜、加拿大、英国、拉斯韦加斯、墨西哥)。每到新地,悄无人知,并采取严密措施,保证隐居在豪华酒店内,不见任何人。他常常连续工作数日不眠,因膳食缺乏营养和过量吸食毒品而消瘦和精神错乱。在从墨西哥阿卡普尔科飞往休斯敦治疗途中死亡。死后其遗产处置引起法律纠纷,有数份"遗嘱"出现,但最后宣布全系伪造。

Hughes, John 休斯(1797-06-24,爱尔兰蒂龙郡安纳洛甘～1864-01-03,纽约市) 第一任纽约大主教。1816年移居美国,在马里兰州埃米茨堡圣玛丽山学院学习,1850年任纽约大主教。他提出由国家资助教区学校的主张,从而促进美国教区学校制度的建立。他在公开场合为天主教教义辩护,驳斥反天主教的一无所知运动,反对由爱尔兰政治流亡分子在纽约办的观点激进的报纸。在1861～1865年南北战争期间,协助平息因征兵而引起的1863年纽约暴乱,并作为林肯总统的个人代表访问欧洲,成功地对付了法国、罗马和爱尔兰等地出现的亲南方情绪。休斯创办了圣约翰学院(现称福德姆大学)。他还是创建纽约州特洛伊圣约瑟教省神学院和罗马北美洲学院的领头人之一。

Hughes, John Ceiriog 休斯(1832-09-25,威尔士登比郡拉纳蒙达弗林凯里奥格～1887-04-23,蒙哥马利郡凯尔苏斯) 笔名凯里奥格、赛尔·默里格·格林苏斯。威尔士诗人、民间音乐研究者。他的威尔士语抒情诗出类拔萃。先后做过杂货店帮工、办事员和铁路官员,19世纪50年代开始获得各种诗歌奖,此后出版了几部诗集。第一部为《傍晚时刻》(1860)。他的许多轻松的抒情诗(共约600首)被改编为古老的威尔士曲调,其他的则由各作曲家配以新颖的乐曲。他研究了古老的威尔士歌曲的历史,以及被认为写这些曲子的竖琴手的历史。他计划写的4卷威尔士歌曲总目只出版了一卷《诗一百首》(1863)。他还有许多讽刺散文书信,收入《格林苏斯书信集》(1948)。

Hughes, (James Mercer) Langston 休斯(1902-02-01,美国密苏里乔普林～1967-05-22,纽约市) 美国黑人诗人、作家。作品被译成多种文字,成为向世界介绍美国黑人经历的最重要作家之一。出生后不久,父母即分居,幼小的休斯由母亲和外祖母抚养。外祖母去世后,母亲和他先后迁居六个城市,最后才在克利夫兰定居。中学毕业那年的夏天写有诗《黑人谈说江河》,在《危机》杂志上发表后,引起很大注意。1921～1922年休斯在哥伦比亚大学上学,以后开始研究哈勒姆区,对这个"巨大的黑暗城市"产生了持久的依恋之情。后在航行非洲的货船上当服务员。航海归来旅居欧洲时,于1925年获得《机会》杂志诗歌奖。1926年获得威特·宾纳大学生诗歌奖。在首都华盛顿一家旅馆当杂工时,休斯把自己的三首诗放在V.林赛的餐具旁。翌日全国各报报道林赛发现了一个当杂工的黑人诗人。接着休斯获得宾夕法尼亚州林肯大学的奖学金。在1929年获得学位前,他的最初两本书已出版。其中《萎靡的布鲁斯》(1926)受到热烈欢迎,而《犹太人的好衣服》(1927)则因其标题和率直而受到严厉批评。他在毕业后几个月出版的第一部散文作品《不是没有笑》(1930)备受赞扬。在20世纪30年代,他的诗变得充满政治战斗性。他曾到苏联、海地和日本广泛旅行,西班牙内战期间任报纸记者(1937)。出版了短篇小说集《白人的行径》(1934)和28岁以前的自传《茫茫大海》(1940)。他写过《绘图美国黑人史》(1956),编纂过《黑人诗集》(1949)和《黑人民间传说集》(1958,与A.邦当合编)。他还为戏剧写过许多作品,包括为K.韦尔的音乐歌剧《街景》所写的抒情诗。他死后出版的诗集《黑豹与鞭子》(1967)反映20世纪60年代黑人的愤怒与战斗精神。休斯译有加西亚·洛尔卡和G.米斯特拉尔的诗作。他还以塑造喜剧人物森普尔而获得盛名。

Hughes, Richard (Arthur Warren) 休斯(1900-04-19,英格兰萨里韦布里奇～1976-04-28,威尔士圭内斯哈勒赫附近) 英国作家,所写长篇小说《牙买加的大风》(1929,1965年拍成电影;原名《无害的航行》)是20世纪英国文学中一部不太重要的名作。1922年毕业于牛津大学奥里尔学院。同年,他的独幕剧《姐妹的悲剧》在伦敦上演。1924年,英国广播公司播放了他的广播剧《危险》,据认为是第一部广播剧。1922年出版诗集《吉普赛人之夜及其他诗》,四年后出版诗集《青年人自白》和短篇小说集《瞬间》。曾在美国和加勒比海地区广泛旅行,为文学刊物撰稿,20世纪30年代初任威尔士国家剧院副董事长。1938年出版长篇小说《在危险中》,一部关于海的寓言小说。第二次世界大战期间在海军部工作。他计划以两次世界大战之间的英国和德国上流社会生活为题材写成三部曲《人类的困境》,第一部为《阁楼上的狐狸》(1961),第二部为《愚笨的牧羊姑娘》(1973),第三部未完成便与世长辞。所著儿童读物有《蜘蛛的宫殿》(1931)和《格特鲁德的孩子》(1966)。

Hughes, Sir Samuel 休斯(1853-01-08,加拿大西区达灵顿～1921-08-24,加拿大安大略林赛) 加拿大政治家、军人、教育家、新闻记者,1911～1916年任民兵和国防部部长。原为教师和志愿民团成员。1885～1897年为林赛《守卫报》业主和主编。1892～1921年之间除1899～1902年南非战争一段时间外为加拿大众议院议员。1897年晋升为中校,指挥第45团。在南非战争期间,去南非负责通讯联络工作。1900年回加拿大,1902年升上校。1911年任民兵和国防部部长。第一次世界大战爆发后,他负责组织训练和装备加拿大远征军。1915年封爵士。1916年因与总理R.L.博登意见不合辞职。

Hughes, Ted 休斯(1930-08-16,英格兰约克郡米托尔姆罗伊德～1998-10-28,德文郡) 英国诗人。其最富特色的诗作摈弃一切情感,诗句不加修饰,句意有时不相连接,内容强调动物性之狡诈与野蛮。休斯生于约克郡的西里丁地区,当地方言决定了他的诗的音调。在剑桥的彭布罗克学院求学时,他对民俗学和人类学产生了特殊兴趣。这一方面的关注反映在他的一些诗作中。1956年,他与美国女诗人S.普拉斯结婚。1957年,他的第一本诗集《雨中的鹰》出版后,夫妇两人访问了美国。随后又有其他诗作发表。1962年出版了他与T.冈恩合印的《诗选》。两人的作品常被认为标志着英国诗歌的一个新转折。普拉斯在与休斯分居后不久于1963年自杀。休斯有近三年之久几乎完全停止写诗。以后又出版多卷诗作,常与摄影家或插画家合作,如《北极星》(1981)。他曾为儿童创作了大量诗歌,包括回忆他儿时光景的《埃尔梅特遗迹》(1979)。1965年起,他在伦敦与人合编《现代诗译》。1984年,他被授予英国桂冠诗人称号。

Hughes, Thomas 休斯(1822-10-20,英国伯克郡乌芬顿～1896-03-22,萨塞克斯布赖顿) 英国法学家、改革家和小说家。1834～1842年在拉格比公学求学。所写《汤姆·布朗的学生时代》(1857)一书生动地反映了这个学校的人物和生活。这部作品深受读者欢迎,迄1890年已再版约50次。1842～1845年在牛津大学奥里尔学院读书,所著《汤姆·布朗在牛津》(1861)描写当时的大学生活,但不很成功。此后一直研究法律,1848年当律师,由于钦佩宗教改革家D.莫里斯而成为基督教社会主义者,1854年参加创办工人学院,1872～1883年任院长。在《一个平信徒的信仰》(1868)和《基督的英雄气概》(1879)中充分显示出他对宗教的真诚和强烈爱国精神。1865～1874年为自由党议员,1882年任郡法院法官。

Hughes, William Morris 休斯(1862-09-25,英国伦敦～1952-10-28,澳大利亚悉尼) 澳大利亚总理(1915～1923),主宰国家政策达50年之久。1884年移居昆士兰。曾在悉尼海运工人工会工作。1894年作为工党成员被选入新南威尔士立法议会。1901年选入联邦议会。1908～1915年3次任司法部部长，帮助建立了国防体制(1909)和劳资争议中的司法仲裁。1915年任总理。时值第一次世界大战，他成为卓越的战时领导人。1916年建议征兵，遭到选民和工党的反对。后参加建立国民党并任该党领袖，继续执政。1919年在巴黎和会上获得澳大利亚对德属新几内亚的控制权并成功地反对日本把种族平等条款写入国际盟约的提议。1922年选举中败于乡村党，遂离开权力中心。1941年工党再度执政，他于1941～1944年任战争顾问委员会委员，并保持议会议席至逝世。

Hughes Electronics Corporation　休斯电子公司　美国无线通信服务提供商。原为一家主要卫星制造商，成立于1985年，时为通用汽车公司全资子公司——通用休斯电子公司，1995年改名休斯电子公司。2000年，休斯公司将其卫星制造业务售与波音公司。总部设于加利福尼亚州埃尔塞贡多。休斯电子公司共有四个主要业务单位。休斯网络系统公司，为工商企业和政府部门设计、制造与安装先进的电信网络；休斯直通电视公司，直接向用户提供卫星传输娱乐和信息节目，是美国主要的数字卫星电视服务商；拉丁美洲直通电视有限公司，为中、南美洲和加勒比地区用户提供服务；泛美卫星公司，休斯电子公司拥有其81%的股份，经由全球卫星网络提供国际电视、互联网和电信服务。在将休斯宇宙与通信公司及其相关业务售与波音公司之前，休斯电子公司建造商用通信卫星、气象卫星，并为美国政府建造民用和军事计划所需专用宇宙飞船及各种仪器设备。

休斯电子公司源于休斯飞机公司。它是美国飞行员和实业家H.休斯20世纪30年代作为休斯工具公司的一个部门而创立的。第二次世界大战期间，该公司开发出军用电子设备并开始试验雷达。1947年，休斯飞机公司赢得一份开发导弹的合同，导致后来的隼式导弹成为世界上第一枚用于实战的雷达制导空对空导弹。同年它又从美国原子能委员会得到一份合同，为其设计、制造用于爆炸试验的电子测量仪器，标志着该公司进入大规模生产电子设备的领域。20世纪50年代，该公司成为美国最大的武器系统供应商之一。20世纪60年代，休斯飞机公司建造了同步通信卫星2号，这是世界上第一个放入地球同步轨道的通信卫星(1963年发射)。20世纪80年代，美国国内税务署开始对休斯飞机公司的免税地位提出质疑。作为应对，休斯医药研究所于1985年将该公司售与通用汽车公司。通用汽车公司组建通用休斯电子公司作为休斯飞机公司和它自己的汽车电子子公司德尔克电子公司的综合组织。20世纪80年代和90年代，休斯公司发展最快的业务是维修和电信部分。1987年，该公司推出通信卫星HS601，成为世界上最受欢迎的大型商用航天器系列。1994年休斯公司开创了直通电视，至1999年末，直通电视用户达780万家，是美国最为成功的消费电子产品之一。1997年，通用汽车公司将休斯电子公司的国防业务卖给了雷锡昂公司，并将德尔克公司与通用汽车电子公司的另一家子公司德尔斐公司合并。同年，休斯公司将其银河业务与泛美卫星公司合并成立新的子公司，保留泛美的名称。

Hughes Medical Institute　休斯医学研究所　全称霍华德·休斯医学研究所。美国一个慈善基金会，由航空家和企业家H.休斯于1953年创建。办公室设于马里兰州贝塞斯达，它资助全美国多所医院及大学中进行的生物医学研究，主要研究领域包括：遗传学、免疫学、细胞生物学、结构生物学及神经科学。还提供教育资助。虽然在成立时只是作为避税措施，但现已成为全世界最大和最有实力的慈善机关之一。

Hūgli River(India)　参阅 **Hooghly River** 胡格利河。

Hugo, Victor(-Marie)　雨果(1802-02-26，法国贝桑松～1885-05-22，巴黎)　法国诗人、小说家、剧作家，法国最重要的浪漫主义作家。在法国，他主要被认为是该国的最伟大诗人

美国不列颠百科全书公司供图

之一。雨果的父亲是拿破仑军队中一位将军。雨果童年时随军辗转欧洲各地。拿破仑失败后，他在巴黎读完中学，后入法学院。对他来说，学习似乎没有目的，又不正常。他后来想起这段生活，在《悲惨世界》中就创造了马里乌斯这个角色。1816年，他已经在笔记本里写下了许多诗，翻译了维吉尔的作品等等。在母亲的鼓励下，1819年他创办《保守文艺双周刊》(1819～1821)。1822年出版诗集《颂诗集》，获路易十八的年金赏赐。该诗集形式古典，政治上保守，却也不乏个人特色。1823年发表第一部小说《冰岛魔王》。1824年发表《新颂诗集》。1826年《颂诗与长歌》增添了叙事诗部分，诗的技巧更趋娴熟。这时，雨果加入诺迪埃的浪漫主义"文社"，并参与创办具温和观点的杂志《法兰西诗神》。雨果开始写带有异国情调的小说《布格·雅尔加》(1826)和诗《东方吟》(1829)，后者投合具有东方地方色彩的浪漫主义风格。雨果成为真正的浪漫派是在1827年，是年出版了诗剧《克伦威尔》和著名的序言。他反对古典悲剧的形式法则，主张戏剧应效法莎士比亚，争取更大的自由与真实。他写诗捍卫自由并推崇理想化了的拿破仑，这使他和另一支浪漫派，有自由倾向的《环球报》作家有所接触。这时查理十世限制出版自由，禁止雨果的剧本《玛丽蓉·德洛麦》上演。雨果立即以另一剧本《爱尔那尼》作为回答，颂扬一个反抗社会的浪漫派英雄。1830年，《爱尔那尼》演出成功，这标志着浪漫主义对传统古典主义的胜利。1831年《巴黎圣母院》出版，更使雨果声名远扬。小说谴责了那个使畸形儿卡西莫多和吉卜赛女子爱斯梅拉尔达苦难深重的社会，感人至深。在另外两部小说《一个死囚的末日》(1829)、《穷汉克洛德》(1834)中，雨果从人道主义出发，反对死刑。七月王朝期间，雨果有四卷诗集问世：《秋叶集》(1831)、《黄昏之歌》(1835)、《心声集》(1837)、《光与影》(1840)。他不满足于仅仅倾吐个人的情感，而是要完成诗人充当时代"响亮的回声"的职责。30年代是雨果剧作的丰收时期。诗剧《逍遥王》(1832)的背景是文艺复兴时期的法国，以性格崇高的宫廷弄臣陪衬轻佻的法国国王弗兰西斯一世。1833～1835年出版了三部散文剧：《吕克莱斯·波尔吉》(1833)、《玛丽·都铎尔》(1833)、《昂杰罗》(1835)。诗剧《吕伊·布拉斯》(1838)充满了民主及改革的理想。《卫戍官》(1843)描写德国中世纪的辉煌及衰微，因画面广阔，超过舞台局限，演出遭到失败。1841年雨果当选法兰西学院院士。1845年又任上院议员。政治生活及其爱女之死使他沉默多年。但这期间他写了不少悼女诗，后来发表于《静观集》中。《悲惨世界》也是这时开始写的。1848年二月革命后，他任共和国议会代表，提出全民教育及人民福利的理想。1851年拿破仑第三称帝，雨果奋起反对，失败后逃亡国外。雨果的流亡生活(1851～1870)直至帝国崩溃方告结束。20年间他完成了作品中最广阔最有独创性的部分。《惩罚集》(1853)是政治嘲讽诗。《静观集》(1856)及《历代传说》(1859)都是他诗中的精粹。后一卷诗和未完成的《撒旦的末日》及《上帝》构成了雨果壮观的哲理史诗的三部曲。《悲惨世界》(1862)被作者称之为"一部宗教作品"，它的主题是人类同邪恶所作的不懈斗争，全书真实地描绘人世的浮沉。雨果在小说中重现了他的青年时代，普通读者至今仍然被作者寻求正义的努力所感动。《海上劳工》(1866)写根西岛及岛上的水手。《笑面人》(1869)是一本古怪的巴罗克风格小说，写17世纪英国人民的反封建斗争。雨果最后一本小说《九三年》(1874)，以纷乱多事的1793年为中心，以法国大革命为背景，刻画了人类的正义感和博爱精神。《论莎士比亚》(1864)则是一部文艺评论专著。雨果于1878年回到巴黎后，主要作品有诗集《凶年集》(1872)及《做祖父的艺术》(1877)。雨果逝世于巴黎，法国举国志哀，将其安葬在先贤祠。

Huguenot　胡格诺派　16、17世纪法国的基督教(新教)信徒，他们中许多人曾为了自己的信仰遭受严重的迫害。此词的起源不详。此词的拼法可能曾受到姓氏Hugues的影响，原来日内瓦运动的一位首脑名Besançon Hugues(1532年卒)。宗教改革运动肇始于德意志(1517)，迅速蔓延到法兰西，特别是在经济衰退地区和对现存政治制度不满的人们中间。

法兰西新教徒不久即受迫害，第一位法兰西新教殉教士J.瓦耶于1523年8月在巴黎受火刑而死。迫害并未能阻止运动的前进，直至发生“招贴事件”(1534-10)，攻击弥撒的传单出现在巴黎市内各地墙上，甚至贴到昂布瓦斯国王弗兰西斯一世卧室的门上，其后，反对新教的措施倍增。逃避迫害的流亡者人数大量增加。其中许多人来到斯特拉斯堡，该地当时是神圣罗马帝国的自由市，M.布塞尔早已在该市组成一个归正宗教会。这批流亡者中间最著名的是J.加尔文，他于1534年离开该地前往巴塞尔。一般认为，加尔文是在巴塞尔写成《基督教原理》的，该书在卷首以致弗兰西斯一世的信作为序言，为法兰西宗教改革派申辩。1538年，加尔文应布塞尔的邀请访问斯特拉斯堡，将当地法兰西信徒组织起来，成立教会。1546年按照斯特拉斯堡教会的模式在莫城成立教会，是为法兰西境内的第一个胡格诺派教会。巴黎的胡格诺派教会成立于1555年前后，新教信徒虽受迫害但不断增加。巴黎新教教会终于获准召开第一次大会，全国各省共72名代表出席(1559-05)。代表们草拟出一部信纲，它受加尔文思想的影响甚深；因此，法兰西的新教教会属归正宗，而不是信义宗。自1559年的大会之后，新教信徒人数开始显著增加。开会当时其成员教会只有15个，经过两年，1561年已增为2 150个，于是斗争扩展到国家政治舞台上。胡格诺派制造**昂布瓦斯阴谋**(**Am-boise, Conspiracy of**)，企图劫持少年国王弗兰西斯二世(1560-03)，结果参与其事者都被杀，唯孔代亲王以身免；但是改革派势力强大，其最著名首脑**科利尼**(**Coligny, Gaspard II de**)在枫丹白露的要人大会上代表他们抗议一切侵犯信仰自由的情事(1560-08)。谋求和平的斡旋失败。一批胡格诺派信徒在瓦西地方一谷仓中作礼拜，被信奉天主教的吉斯家族的士兵屠杀，于是孔代亲王宣布，唯一希望在于上帝和武装。1562年4月12日，胡格诺派众首脑在奥尔良签署宣言，声称他们是忠义之民，被迫代表受迫害的圣徒拿起武器争取信仰自由。于是法兰西陷入混乱与暴力冲突之中，史称宗教战争，一直持续到将近16世纪之末，其间一次著名的事件是**圣巴托罗缪惨案**(**Saint Bartholomew's Day, Massacre of**)。1572年8月24或25日夜间，先是王太后卡特琳、国王查理九世、安茹公爵(即日后的亨利三世)与吉斯家族人士举行会议，随即开始屠杀，科利尼和绝大多数巴黎胡格诺派头面人物俱遭残害。巴黎一举，法兰西全国各地纷纷效尤，新教信徒惨死者数以千计，幸存者决心破釜沉舟地抵抗，1573年在尼姆附近米约地方组成胡格诺派的政党。当时风云一时的人物是P.de**莫尔奈**(**Mornay, Philippe de**)，通称杜普莱西斯-莫尔奈。胡格诺派起先希望法兰西国王转向胡格诺派，当此事绝望时，他们即争取在国内享受充分宗教信仰自由和公民自由。圣巴托罗缪惨案之后，战事再起，在亨利三世(1574年继查理九世之位)在位期间，除几次短暂的终止外，一直持续。由于亨利优柔寡断，反对胡格诺派的**神圣联盟**(**Holy League**)遂得以组成而强大。1589年亨利三世被暗杀，信奉新教的继位者亨利四世为求国内稳定，只好一方面约束新教(1593-07)，另一方面信奉天主教，使神圣联盟丧失反抗国王的借口。经过40年坚定不渝的奋斗，胡格诺派从亨利四世获得了**《南特敕令》**(**Nantes, Edict of**)，它是保证他们的宗教信仰自由和政治自由的宪章。

在17世纪20年代，即国王路易十三在位期间，内战又起。最后，胡格诺派战败，根据1629年6月28日签订的《阿雷和约》，胡格诺派可以保有信仰自由，但丧失了军事利益。胡格诺派不再是一个政治实体，而是国王的顺民。1643年，以婴儿国王路易十四的名义发布的声明重申《南特敕令》所规定的胡格诺派保留的权利。但是，法兰西天主教神职人员不能容忍胡格诺派，设法要剥夺他们的权利。最后，路易十四于1685年10月18日宣布废止《南特敕令》。结果，几年之内，法兰西丧失了40多万信奉新教的人口。许多人移居英格兰、普鲁士、荷兰和美洲。他们的出走很可能使法兰西丧失了元气，以致在日后的产业革命中受到挫折。胡格诺派或许在18世纪初即已消失。1715年，路易十四宣布，他已在法兰西全境完全取缔了新教的活动。但是，同年有一批新教人士在尼姆举行会议，立志重建新教教会。尽管信徒人数锐减，新教在法兰西存留了下来。自1745至1754年，迫害胡格诺派的运动再起，但是法兰西舆论开始反对这种运动。政府不顾天主教神职人员的强烈反对，于1787年发布敕令，部分地恢复胡格诺派的公民权利。1789年11月，法兰西革命爆发，国民议会宣布维护宗教信仰自由，允许新教信徒担任一切职务和从事各种行业。参阅 **Reformed Church of France**。

Hui　回族　又拼Hwei。又称回回。中国少数民族。散居全国，主要聚居于宁夏回族自治区。有9 816 805人(2000)。习用汉语、汉文，在日常交往中保留了一些阿拉伯语和波斯语词汇。先世是7～13世纪来自波斯和中亚定居的商人、士兵、工匠和学者，先被称为“蕃客”、“回回”和“回回蕃客”。在城镇和乡村形成以礼拜场所为中心的大小聚落，并与汉、维吾尔、蒙古等族通婚和长期相处。以汉语为共同语言，通用汉文。出过著名的思想家、航海家、科学家、艺术家。历史上曾多次举行起义反抗民族压迫和阶级压迫。在1937～1945年的中国抵抗日本侵略的战争中，回民支队积极参加华北抗日斗争。农村人口约占总人口2/3。城镇居民多从事香料、珠宝、玉器、制革、皮毛加工、饮食等业。尤擅于经商。信仰伊斯兰教，历史上有过由十几户或几十户共同延请教长主持宗教活动的教坊制度。西北地区世袭门宦教主的陵墓受到教徒崇拜。1958年成立了宁夏回族自治区；1953～1986年，在青海、新疆、甘肃、贵州、云南、河北等地相继建立了2个自治州、6个自治县和5个联合自治县。文化教育事业有很大发展，宁夏回族自治区兴办了宁夏大学、医学院、农学院等高等院校。

Hui-chou (China)　**徽州**　参阅 **She Xian 歙县**。

Hui-chou (Kwangtung Province, China)　参阅 **Huizhou 惠州**。

Hui Dong　惠栋(1697～1758)　中国清代学者。字定宇，号松厓。江苏元和(今江苏吴县)人。祖、父三世都以治经学著称。毕生考订汉儒经说，尤精于治《易》，撰有《周易述》、

中国大百科全书出版社供图

《易汉学》、《易微言》等书。又撰《古文尚书考》，辨证《古文尚书》为晋人伪作；撰《九经古义》，讨论古字古义。还著有《后汉书补注》、《明堂大道录》、《松厓文钞》等。

hui-kuan (Chinese guildhalls)　参阅 **huiguan 会馆**。

Hui Shi　惠施(约公元前370～前310)　又拼Hui Shih。中国战国时期哲学家、名家“合同异”学派的代表人物。宋国(今河南)人。当时声望仅次于孔、墨。曾任魏相15年，主张联合齐楚，即用“合纵”政策抗秦，政绩卓著。惠施博学善辩。他和庄周关于鱼乐的濠上之辩，是很著名的辩论。惠施死后，庄周认为再无可言之人。惠施研究万物同异关系提出小同、大同、小同异、大同异等概念，还提出“至大无外，谓之大一。至小无内，谓之小一”的命题。“大一”指无限宇宙。“小一”学说和古希腊哲学中原子论相近，是一种朴素唯物主义观点。“天与地卑，山与泽平”、“物方生方死”等命题强调事物对立的相对性，包含明显的辩证法因素，和希腊哲学家埃利亚的芝诺(约公元前495～前430)有相似之处。著作多已佚失，其言行片段散见于《庄子》、《荀子》、《韩非子》、《吕氏春秋》、《战国策》、《说苑》等书中。

Huichol and Cora　惠乔尔人和科拉人　居住在墨西哥哈利斯科州和纳亚里特州的中美印第安人。20世纪末总计约4万人，居住在凉爽干燥的多山地区。科拉语和惠乔尔语关系之密切就如西班牙语和意大利语的关系一样，其次是同纳瓦语有密切关系。纳瓦语是墨西哥中部纳瓦诸部落及阿兹特克人的语言。惠乔尔人和科拉人在文化上大概与墨西哥西北部操犹他-阿兹特克语的印第安人更为接近。惠乔尔人和科拉人务农，在陡峻的山坡上种植玉米、豆类、南瓜和黄瓜。用烧荒清理土地。犁和铲是主要农具。多数家庭都饲养一头奶牛以便喝奶和做干酪。有时也养

羊剪毛，但很少吃肉。饲养其他家畜，兼营狩猎、捕鱼、采集野生食物以补农业不足。这两个部落通常都不聚成村落，而是由1至12户人家自成一组，散布乡间。社区中心有一座教堂或惠乔尔神庙和一些公共建筑，有时也有学校或监狱。此外，还有一些家庭私有房舍，便于家庭成员到社区中心时居住。茅舍住户往往远离社区中心。他们，特别是科拉人仍然制作简单的陶器，他们也使用当地一种“后拉带织机”编织腰带、手提口袋和毛毯。其他手工艺品有绳索、刺绣等。他们的服饰为传统式或半传统式：男子着薄棉布衣裤和凉鞋，戴有边沿的帽子，有时另外佩戴绣花的腰带和背包以及各式各样的珠宝饰物；妇女

制作箭矢的惠乔尔人
美国不列颠百科全书公司供图

穿薄布裙和长袖宽松上衣，也穿凉鞋，并着披肩。仪式亲是一种重要的社会制度。他们名义上都信仰天主教，并举行一些宗教仪式。人们通常将守护神与当地的神灵等同起来，并且当地异教的宗教仪式在这两部落中依然起主要作用。在某些仪式中，两部落都使用佩奥特碱(一种致幻剂)。

Huidobro Vicente García　维多夫罗(1893-01-10，智利圣地亚哥～1948-01-02，圣地亚哥)　智利诗人，自称为短命的先锋派运动**创造主义**(**Creacionism**)之父。他是第一次世界大战后巴黎、马德里和智利的文学先锋派中的杰出人物。他做了许多工作，向自己的同胞介绍当代欧洲，尤其是法国在诗歌的形式和形象方面的创新。1916年到达巴黎，当时，他已经在智利出版了几本诗集，并且由于发表《反奴役》(1914)这样的文学宣言，否定了整个诗歌的过去而知名。他在巴黎与法国先锋派诗人G.阿波里耐、P.勒韦迪合作，为有影响的文学刊物《从北到南》撰稿。在此期间，产生了创造主义，维多夫罗是它呼声最高的倡导者。在《北极的诗》(1918)和用法文写的《精选的季节》(1921)中，他以惊人的形象，以及随意的、看来似乎是不合情理的一连串词汇和字母予以不恰当的排列，为他的创造主义理论进行示范。1921年在马德里，他成为创造主义在西班牙的分支：**极端主义**(**Ultraism**)的奠基者之一。维多夫罗的名声有一个时期逐渐低落，然而他的作品对后世拉丁美洲诗人产生了强烈影响。

huiguan　会馆　又拼hui-kuan，英语作guildhall。中国旧时大城市中由同乡或同业组成的封建性团体。明(1368～1644)初出现于北京，嘉靖、万历时期会馆趋于兴盛，清代中期最多。原为各省住在北京的官员、商人为便利本乡参加会试的举子而设。后各大都市均有会馆，逐渐成为手工业者或商人的同乡或同行的机构，为外地同乡解决旅居困难，联络同乡感情，保护行帮利益，并为同乡与同行谋求共同福利。

Huihe　回纥　即回鹘。中国古代民族。先世可追溯到公元前3世纪的丁灵和4～5世纪的敕勒、铁勒、高车。7世纪初回纥与铁勒的仆固、同罗、拔野古等部结成联盟，势力逐渐强大，摆脱突厥统治。646年首领吐迷度配合唐军击灭薛延陀，归服于唐。唐在回纥地区设瀚海都督府。天宝三年(744)骨力裴罗统一回纥九姓诸部，攻灭后突厥，在鄂尔浑河建立东起兴安岭、西迄阿尔泰山的回纥汗国。唐封骨力裴罗为奉义王、怀仁可汗。回纥以游牧为主，逐水草而居。8世纪中叶与唐丝马互市，商业贸易逐渐发展。唐贞元四年(788)年改称回鹘。曾两次助唐平定“安史之乱”，历代可汗大多受唐加封。唐先后有3位公主与回纥可汗联姻，汉族生产技术、文化制度随之传入回纥。840年为黠戛斯所破，回鹘诸部离散。大部迁往安西都护府境内及葛逻禄部所在的葱岭西和于阗以西地方，部分迁至河西走廊或为唐朝所收纳。此后分别称为西州(高昌)回鹘、葱岭西回鹘和河西(甘州)回鹘。前者与今日维吾尔族，后者与今日裕固族有族源关系。回纥西迁前使用突厥文，先后信仰过萨满教和摩尼教。西迁后使用粟特字母的回鹘文，改信佛教。保存有一定数量的文献。

Huila　乌伊拉　哥伦比亚西南部一省。建于1905年。面积19 890平方千米。以境内主要景观乌伊拉雪山(5 439米)命名。地处安第斯山区，马格达莱纳河纵穿其间。从殖民时期以来，主要是饲养牲畜的地区，随着灌溉设施的改进，农业(特别是棉花)日益重要。有着巨大石像的圣阿古斯丁考古区位于最南部。省会**内瓦**(**Neiva**)为铁路线南方终点站，铁路通往波哥大、希拉多特和伊瓦格。公路沿河谷通考卡省的波帕扬(西)和卡克塔省的弗洛伦西亚(东)。人口693 712(1985)。

Huineng　慧能(638，中国广东南海～713)　又拼Hui-neng。亦作惠能。中国唐代僧人，禅宗南宗创始人，史称禅宗六祖。俗姓卢，原籍范阳(今北京西南)。幼年丧父，后靠卖柴养母度日。传因听人诵《金刚般若经》，乃投入禅宗五祖弘忍门下。弘忍为选择嗣法弟子，召弟子作偈，上座神秀写道：“身是菩提树，心如明镜台；时时勤拂拭，莫使有尘埃。”慧能亦作一偈：“菩提本无树，明镜亦非台；本来无一物，何处染尘埃？”深得弘忍赞赏，密授法衣。因恐人争夺法衣，潜回岭南。676年在南海法性寺遇印宗法师，得以落发。次年回韶州(今广东韶关)曹溪宝林寺弘法。慧能以前的禅法强调“藉教悟宗”和“渐悟”，慧能则主张“教外别传”和“顿悟”。注重净性，强

南华寺慧能肉身像
中国大百科全书出版社供图

调自悟。认为“自性迷，佛即众生；自性悟，众生即是佛”，即见性成佛。弟子法海将其说法整理成书，名《南宗顿教最上大乘摩诃般若波罗蜜经六祖慧能大师于韶州大梵寺施法坛经》，简称《敦煌本坛经》，为后来禅宗“宗经”。武则天和唐中宗召他入京，均婉言谢绝。死后唐宪宗追谥“大鉴禅师”。一些士大夫欣赏慧能，王维、刘禹锡、柳宗元都曾为其撰写碑铭。弟子共40余人，著名的有神会、怀让、行思等。

Huiracocha(Inca god)　参阅**Viracocha维拉科查**。

huisquil(plant)　参阅**chayote佛手瓜**。

huitain　八行诗体　由一个八行诗节(每行有8或10个音节)组成的一种法国诗体。该诗体有3个韵，其中一个出现4次。典型的韵律是a b a b b c b c和a b b a a c a c。15世纪和16世纪初期，F.维永和C.马洛特等法国诗人常使用这种诗体。

Huitoto　参阅**Witoto维托托人**。

Huitzilopochtli　维齐洛波奇特利　又拼Uitzilopochtli。中美洲阿兹特克人所崇奉的

14～16世纪插图画中力举南天的维齐洛波奇特利像
美国不列颠百科全书公司供图

神，司掌太阳和战争。大地女神科亚特利库埃是他的母亲，南天群星是他的兄弟，月亮女神是他的妹妹。另有神话说维齐洛波奇特利率领阿兹特克部族从故土阿兹特兰迁居墨西哥谷。其形象或为蜂鸟，或为披甲戴蜂鸟羽盔的勇士。阿兹特克人在教历十五月供奉维齐洛波奇特利及其辅神。此时要将战俘或奴隶在神泉沐浴而后作人祭献给此神。维齐洛波奇特利神的大祭司和特拉洛克神的大祭司同是阿兹特克人主要宗教首领。

Huiyuan　慧远（334～416）　又拼Hui-yüan。中国东晋僧人。俗姓贾，雁门楼烦（今山西代县一带）人。早年学儒、道，“博综六经，尤善庄老”。21岁时与弟慧持拜道安为师。听讲《般若经》后认为“儒道九流皆糠粃耳”。精于“般若性空”之学，年24开讲《般若经》，为使

中国大百科全书出版社供图

听者理解以庄子学说比附般若学。381年上庐山，住东林寺约35年，直至逝世。慧远继承道安本无义著《法性论》，发挥涅槃常住义。又撰《明报应论》、《三报论》等，阐发因果报应、三世轮回思想，在后世民间影响深广。元兴年间（402～404）桓玄下令“沙汰沙门”，令沙门致敬王者。慧远作《沙门不敬王者论》，认为“袈裟非朝宗之服，钵盂岂廊庙之器？沙门尘外之人，不应致敬王者”。但也承认佛教“协契皇极在宥生民”，对王者有利。曾派遣弟子法净、法领等赴国外取经，迎请僧伽提婆译出《阿毗昙心论》、《三法度论》等，又请佛陀跋陀罗译出《达磨多罗禅经》，并请昙摩流支译完弗若多罗翻译的《十诵律》未竟部分。慧远还向鸠摩罗什咨询教义，后人集问答成《大乘大义章》。慧远笃信灵魂不灭说，提倡念佛三昧。并于402年与刘遗民等123人在阿弥陀佛像前立誓，共期往生西方弥陀净土。传曾在东林寺建白莲社，而被净土宗尊为初祖。

Huizhou　惠州　又拼Hui-chou。中国广东省辖地级市。位于省境东南部，东江下游，南临大亚湾。辖惠城、惠阳2区和惠东、博罗、龙门3县。面积10 922平方千米，其中市区面积2 672平方千米。南朝陈祯明三年（589）置归善县。隋开皇十年（590）于此设循州。五代后汉改称祯州。北宋天禧五年（1021）因避太子赵祯讳，更名惠州。元为惠州路。明、清为惠州府。1912年废府，改归善县为惠阳县。1958年析惠阳、博罗部分地区置惠州市，1959年撤市恢复惠阳县。1964年重设惠州市，1988年升为省辖市。北部和东北部有九

惠州市的西湖风景

中国大百科全书出版社供图

连山、罗浮山、莲花山余脉绵延，多山地，西部多丘陵低山，中部为东江、西枝江河谷盆地。有中国唯一的海龟自然保护区。市区在境内中部东江与西枝江汇合处。北控粤赣要冲，南濒南海入穗要道，东扼潮梅交通咽喉，是“东江门户”、“粤东重镇”。农业主种水稻，兼种花生、大豆、甘薯、甘蔗。水果有荔枝、龙眼、柑橘、菠萝、沙梨等。海洋渔业有一定地位，产龙虾、鱿鱼、石斑、鲍鱼等。有锡、钨、铅、锌、钼、铜、铋、煤、水晶、绿柱石等矿藏。工业有电子、纺织、制衣、制药、制糖、机械、化工、冶金、玩具等。对外合作企业发展迅速，汽车、音响、多功能电话机、电子医疗仪器、保鲜设备等产品，远销日本、东南亚、美国及西欧等地。

该市有惠州西湖、广东四大名山之一的罗浮山、龙门南昆山、惠东九龙峰和惠阳霞涌海滩等名胜和旅游地。交通有京九、广梅汕铁路在此交会，205、324国道贯穿全境，惠深、深汕、广惠等高速公路也从境内通过。惠州港是对外客货运的深水良港，轮船沿东江可北达河源，西通东莞、广州、香港。惠州机场已开，通北京、杭州、南昌、西安等航线。市区西部的西湖湖畔有飞鹅岭。北宋文学家苏轼曾谪居惠州，在西湖留下朝云墓、苏堤和摩崖石刻手迹。人口：全市2 930 000（2005）；市区1 090 000（2004）。

Huizinga, Johan　赫伊津哈（1872-12-07，荷兰格罗宁根～1945-02-01，德斯泰赫）　荷兰历史学家。格罗宁根大学和莱比锡大学毕业。先后任格罗宁根大学和莱顿大学历史学教授。1942年被纳粹扣作人质，关押至死。他的成名著作是《中世纪的衰落》。此书探讨14～15世纪法国与荷兰的生活和思想状况。由于描写生动，文字优美，它不仅是历史著作，同时也是文学作品。其他著作有《伊拉斯谟》（1924）、《明日即将来临》（1935）等。

Hukbalahap Rebellion　胡克起义（1946～1954）　在菲律宾吕宋中部共产党领导的一次农民起义。“胡克”是他加禄文“人民抗日军”的缩称。在第二次世界大战时期，菲律宾人民顽强地进行抗日斗争。他们在1942年组成游击队，即胡克。胡克作战十分成功，曾经成千上万地击毙日寇，暗杀与日寇勾结的菲律宾富人。第二次世界大战末期，他们占领吕宋中部的大部分土地，建立地区政府，征收赋税，施行自己的法律。他们拥有步枪达50万支。第二次世界大战后，菲律宾政府要求他们马上交出武器，但是遭到他们的拒绝。1946年4月胡克的领袖L.塔鲁克参加大选，在国会中赢得一个席位，但胡克的其他领袖全部落选。因此，他们退入森林，开始造反。菲律宾独立以后，M.罗哈斯总统立即宣称要用“铁拳”对付胡克。然而由于官军士气低落，又兼恣意蹂躏农民，在此后4年间，政府的威信日益下降，胡克的力量不断增强。到1950年，游击队已经进逼马尼拉。共产党领导人认为夺取政权的时机已经成熟。这时，政府派遣特工人员突然袭击胡克在马尼拉的地下总部。一夜之间，胡克的政治领导人全部被捕。与此同时，由于美国总统杜鲁门担心共产主义势力在全球扩张，批准向马尼拉政府提供大量的军事援助，这对胡克势力也是一大打击。胡克失败的另一原因是颇受欢迎的R.麦格赛赛的上台当政，使得马尼拉政府又重新得到了民众的支持。1954年塔鲁克走出森林投降。从此，胡克起义告一段落，但是胡克运动依然没有停止，迄20世纪70年代为止，胡克始终是一个活跃的反政府组织。

Hukou falls　壶口瀑布　中国黄河上的著名大瀑布。位于山西省吉县西南49千米，与陕西省宜川县相邻。黄河至此两岸石壁峭

壶口瀑布

中国大百科全书出版社供图

立，河口收束狭如壶口，故名。瀑布落差20米，蕴藏丰富的水力资源。

hula　草裙舞　一种引起美感和模仿性强的夏威夷舞蹈。舞者以站着或坐着的姿势，

随着乐曲或歌声而舞,舞姿起伏波动。起初草裙舞是一种宗教舞蹈,由受过专门训练的舞蹈家在国王或群众面前表演,目的是祈求丰年,崇拜神灵或颂扬酋长的功绩。舞者的通常饰物是鲸鱼齿或骨制成的手镯或脚镯以及鲜花编结成的项链或饰发圈。女子穿短裙,男子系缠腰布。1820年,来自新英格兰的传教士迫使当地妇女改用长衣裙代替草裙,这就使草裙舞刺激感官的美有所减色,不过舞曲因受到赞美诗的影响,扩大了原来夏威夷民歌中只有二音或三音音阶,从而使这种减色得到了补救。后来葡萄牙水手引进了一种小型吉他,使草裙舞得到进一步的改革,尤克莱利琴就是从这种小型吉他发展而来的。当代草裙舞主要是通过四肢和臀部的曲线运动来叙述一个故事或描绘一种情景。服装可以是棕榈树叶裙、新鲜的树叶裙或色泽鲜艳的玻璃纸裙。乐器除了夏威夷四弦琴尤克莱利和夏威夷吉他外,还包括葫芦瓢、装有籽实的葫芦、剖开的竹棍、石片(当响板敲打)和巴胡鼓等。

Ḫula,ʿEmeq　胡拉盆地　在以色列东北部的上加利利地区。范围包括加利利海以北约旦河段的大部。北界泰勒丹和马延巴鲁赫拓居地,东邻戈兰高地,西接拿弗他利丘陵,南面山坡逐渐向加利利海下降。长约25千米,宽约6千米。面积约177平方千米。由于约旦河自然比降小,谷地一直为沼泽带。公元3世纪前后的拉比文献记载其为稻米产区。近代成为疟疾流行地区。居民仅为少数原始阿拉伯村民。1934年谷地南部为巴勒斯坦土地开发公司买下,居民点增加。1951～1958年湖沼被排干。现有开垦或改良的土地56.3平方千米,部分地区成为该国最富饶的耕地。出产谷物、饲料作物、水果、花生、棉花、蔬菜和供出口的鳞茎作物等,养鱼和养牛业也重要。养鱼池的数量约占全国的1/4。当地城市和工业中心是谢莫纳镇(**Qiryat Shemona**)。

Hulan　呼兰　又拼 Hu-lan。中国黑龙江省哈尔滨市辖区。因境内有呼兰河得名。位于省境中南部,松花江北岸,呼兰河下游。从金代起就为中国东北地区北部重镇。清康熙年间(1662～1722)曾在此屯兵,雍正十二年(1734)筑城,从伯都讷和齐齐哈尔移来500户旗人。同治元年(1862)设呼兰厅,光绪五年(1879)设呼兰副都统,管辖松花江中下游北岸广大地区,光绪三十一年升呼兰府。1913年改县,属黑龙江省。1934年属伪满滨江省,1946年属松江省,1954年属黑龙江省。1958年隶于哈尔滨市,1965年隶于松花江专区,1983年复隶哈尔滨市。区政府驻呼兰镇。面积2 186平方千米。地势平坦,土地肥沃,水源充足,是黑龙江省粮食、亚麻、甜菜生产基地之一。有轻纺、食品、冶金、化学、机械、建材等工业。城东建有全省最大的哈尔滨第三发电有限责任公司。铁路有滨北、滨洲线,哈尔滨—萝北、黑河—大连、哈尔滨—伊春公路经此。人口620 000(2005)。

Hülegü　旭烈兀(约1217～1265-02-08,伊朗伊勒哈尼德贾济雷希夫)　蒙古在伊朗的统治者,曾创建伊儿汗王朝。曾占领并洗劫伊斯兰宗教文化中心巴格达。旭烈兀为成吉思汗之孙。长兄蒙哥汗派他到伊斯兰地区扩大蒙古的势力。1256年,他在阿拉木图摧毁阿萨辛派的要塞。然后又打败哈里发的军队,俘虏并处死阿拔斯王朝末代哈里发穆斯台绥木。1258年包围并摧毁巴格达很大地区。他占领了叙利亚,但于1260年被埃及军队彻底打败。旭烈兀随即返回伊朗,并定居阿塞拜疆省。

Hulin　虎林　中国黑龙江省县级市。东隔乌苏里江和松阿察河与俄罗斯相望。清宣统三年(1911)置虎林厅。1913年改县,属吉林省。1945年属合江省,1947年属牡丹江省,1954年属黑龙江省牡丹江专区,1983年归牡丹江市管辖,后归鸡西市。面积9 329平方千米。农业以小麦、大豆、玉米为主,是中国大豆出口贸易生产基地县之一。盛产大马哈鱼、鳇鱼等。境内属三江平原,土地肥沃,建有八五〇、八五四、八五六、八五八、庆丰、云山6个国有农场。因地处完达山地,森林资源丰富,建有迎春、东方红2个林业局。1992年辟为贸易口岸。密山—东方红铁路和方正—虎头公路通过境内。虎林镇东50千米处有月牙湖,面积300多公顷,是一处巨大的荷塘。7～8月份全湖被荷叶、荷花遮盖,荷花根在2米以下,抗严寒,可进行特殊生态研究,建有野生荷花自然保护区。1969年3月中苏边界事件发生在县内珍宝岛上。人口300 000(2005)。

Hull　赫尔　加拿大魁北克省西南部城市。乌塔瓦埃行政区行政中心。在渥太华河北岸,与渥太华隔河相望。以英格兰约克郡同名城市命名。19世纪早期为伐木业居民点,今已发展成为魁北克省西南部的行政与商业中心和渥太华都会区的工业中心。丰富的木材资源以及绍迪耶尔瀑布的水力发电使规模巨大的纸浆、造纸和火柴工业迅速发展。其他还有印刷、肉类加工包装、水泥、纺织品、钢铁、服装和家具等制造业。天主教主教区所在地。1875年设市。人口:城市60 707;渥太华-赫尔都会区920 857(1991)。

Hull(England)　**赫尔**　参阅 **Kingston upon Hull 赫尔河畔金斯顿**。

Hull, Albert Wallace　赫耳(1880-04-19,美国康涅狄格索辛顿～1966-01-22,纽约州斯克内克塔迪)　美国物理学家。单独发现X射线晶体分析的粉末法,能用分得很细的微晶态或粉末态来研究晶体材料;还发明了多种电子管,在电子线路中广泛用作元件。1909年取得耶鲁大学哲学博士学位后,任教数年,1914年开始以研究物理学家的身份在通用电气公司工作。1928～1950年任该公司斯克内克塔迪研究实验室副主任。1917年设计了粉末法,但没有注意到前一年P.德拜和P.谢乐已经发现这种技术。他最先确定铁和其他最常见金属的晶体结构。在完成晶体学工作后又重新研究电子学,取得很大成就。发明了闸流管(用于控制高功率电路的充气管)和磁控管(用于产生微波的振荡器)。

Hull, Bobby　赫尔(1939-01-03,加拿大安大略波因特安尼～　)　加拿大职业冰球运动员。1959～1960年赛季以39分的战绩居全国冰球联盟之首。1961～1962年赛季创进球50个的纪录,平理查德1944～1945年赛季的成绩。1965～1966年赛季创进球54个,协助进球43个,共97个的新纪录。他滑速快、击球有力。曾获最高得分手阿特·罗斯银杯(1960、1962、1966)、最有价值运动员哈特银杯(1965、1966)以及兼具运动技能和体育精神的宾夫人奖(1965)。在全国冰球联盟历次比赛中共进球609个,协助进球555个,得分1 164;在世界冰球协会历次比赛中进球303个,协助进球335个,共638个。

Hull, Clark L(eonard)　赫尔(1884-05-24,美国纽约州阿克伦～1952-05-10,美国康涅狄格纽黑文)　美国心理学家,以对学习的实验研究及将数学表达方式用于心理学理论而闻名。他应用类似几何学所用的推理演绎方法,认为可以提出一系列有关心理学的假设,从中演绎和验证逻辑结论。若验证失败,则假设可以修正;若其后验证成功,新的发现便可增添心理科学的内容。在密歇根大学学习时,他对心理学发生兴趣。1918年获威斯康星大学哲学博士学位,以后在该校任教,并研究能力倾向的预见和测量,根据研究结果,写成他第一本重要著作《能力倾向测验》(1928)。1929年在耶鲁大学人类关系研究所任职后,对催眠术发生兴趣,并指导这一领域的实验。1933年写成《催眠和演示感受性》。在耶鲁大学任职早期,赫尔开始根据从种种来源引出的科学、数学、逻辑学原则为基础,系统阐述他的整体行为学说。他在达尔文的自然选择学说中找到理论基础,又采纳I.巴甫洛夫的某些条件反射概念,并同意S.弗洛伊德的动机在行为中起基本作用的观点。又借鉴了许多美国心理学家的观念,如J.B.沃森(又译华生)强调应该客观地研究行为对象的思想及E.L.桑代克关于强化在学习过程中起重要作用的主张。学习的强化学说是赫尔很多研究成果的基础,该学说认为刺激和反应在学习过程中发生相互联系,并以此解释行为。如不断地给予强化,则这种相互联系就会极大地强化;换一句话说,是"反应"缓解了个体生理上或心理上的需求(驱力还原论)。如果在动物不饿时,用食物强化反应,则效果不大,动物学习任务完成不佳。相反,动物的生理需要或驱力越强,奖励或强化越迅速及时,学习也就越快。按照赫尔的说法,复杂行为可以用一系列这种简单反应的机制来解释。1940年他与同事合著《机械学习的数学-演绎理论》,首次提出他的学习理论,通过数学和形式逻辑阐述了他的发现。赫尔认为心理学有它自己的定量规律,可以用数学方程表述。他在《行为的原理》(1943)中提出刺激-反应的联系取决于强化的种类和数量。他留给心理学的持久遗产是他研究行为的方法,而不是他学说的细节。

Hull, Cordell **赫尔**(1871-10-02，美国田纳西欧弗顿县～1955-07-23，马里兰贝塞斯达) 美国国务卿(1933～1944)，提出降低关税的互惠贸易计划，使20世纪扩大世界贸易的机制得以运转。1945年被授予诺贝尔和平奖，以表彰他在成立联合国方面所起的作用。作为田纳西的一位年轻律师，很早就加入民主党。任美国众议员22年(1907～1921、1923～1931)，1931～1933年任参议员。在罗斯福总统开始实行新政时任国务卿，主张改变19世纪以来危害美国对外贸易的高关税壁垒。1934年3月他促使国会通过《互惠贸易协定法》，这一法案为在最惠国基础上降低关税树立了样板，成为1948年创建的关税及贸易总协定的先驱。在整个30年代，他执行睦邻政策，为改善美国与拉丁美洲国家的关系做了很多工作。在蒙得维的亚会议(1933)上，他谦虚的态度和接受不干涉别国内政的原则，抵消了数十年来美帝国主义在拉丁美洲所造成的不信任感。他还参加

美国国家档案馆供图

了布宜诺斯艾利斯泛美会议(1936)和哈瓦那外交部长特别会议(1940)。由于赫尔建立起和解的气氛，使他得以在第二次世界大战中发起建立美洲国家反侵略统一战线。在东亚方面，他反对容许日本任意蹂躏中国的"日本门罗主义"(1934)。当这年晚些时候日本宣告它将不再续订限制海军条约(将于1936年期满)时，赫尔宣布维护美国在太平洋利益的政策，继续与中国友好，并做好战争准备。

第二次世界大战爆发后，他与罗斯福决定援助同盟国。1941年秋天与日本进行决定性谈判时，他坚决维护中国的权益，要求日本放弃征服大陆的军事行动。美国参战后，他开始筹划战后国际和平机构。1943年在莫斯科外长会议上，他得到4国保证：战后在维持和平与安全的世界组织中继续合作；因此被罗斯福誉为"联合国之父"。1944年总统选举后辞职。著有《赫尔回忆录》(1950)。

Hull, Isaac **赫尔**(1773-03-09，康涅狄格亨廷顿～1843-02-13，费城) 美国海军准将，在1812年战争中指挥美舰"宪法"号击沉英舰"盖里埃"号，以此闻名。他的胜利粉碎了英国海军不可战胜的神话。1798年被任命为"宪法"号中尉，在与法国的海战和的黎波里战争(1801～1805)中军功卓著。1806年升上尉，4年后任"宪法"号舰长。1812年8月19日在波士顿外海指挥美舰"宪法"号击沉英舰"盖里埃"号。他被认为是最优秀的海军指挥官之一，他的"宪法"号赢得"老铁甲舰"

美国海军部供图

的称号。此后任海军委员会委员，曾先后指挥美国太平洋舰队(1824～1827)和地中海舰队(1839～1841)。

Hull, William **赫尔**(1753-06-24，康涅狄格德比～1825-11-29，美国马萨诸塞牛顿) 美国军人、密歇根准州(包括现今的密歇根州、威斯康星州及明尼苏达州的一部分)民政总督，曾在一次引人注目的军法审判中受审。耶鲁学院毕业，独立战争中参军。战前及战后均执律师业。1805年由T.杰斐逊总统任命为密歇根准州总督。1812年战争初期，他身为陆军准将，指挥底特律之役。8月16日，未经抵抗即向英军投降。后在军事法庭上被判死刑，但被J.麦迪逊总统赦免。赫尔的投降严重挫伤了美国人的士气达两年之久。

Hull House **赫尔大厦** 北美首批在贫民区进行福利工作的**社会服务所**(**social settlement**)之一。1889年由**J.亚当斯**(**Addams, Jane**)和E.G.斯塔尔创办于芝加哥。她们租用南霍尔斯特德大街800号一所空闲的旧住宅，住宅原系赫尔于1856年建造，故名赫尔大厦。后来房屋逐年增加，达到12座大建筑，使赫尔大厦占半个街区，并拥有一个运动场，在农村还有一座大营地。亚当斯大学毕业后在欧洲广泛游历，研究许多国家的风习、历史及人民生活，常常谋求一种生活方式，以便能将她关于人类及社会福利的信念和学说付诸实践。她在伦敦东区贫民区参观了由C.S.A.巴尼特创立的托因比大厦，发现有一群大学生住在那里，结成邻里关系，共享知识乐趣，还可为社会改革出力，她便与斯塔尔决定在芝加哥贫民区也建立一个这样的机构。筹集资金租得赫尔大厦部分房屋之后，亚当斯与斯塔尔便开始资助霍尔斯特德大街居民迁入。大厦先开办幼儿园，以后发展起中学及大学补习班，最终使大厦形成一座拥有健身房、合作社、商店、儿童寄宿舍及体育场等的建筑群。赫尔大厦建立后不久，就有许多男女自愿参加者来到这里居住，继续从事自身的职业，其中有律师、艺术家、教师、社会工作者及商人。他们为青年人和老年人提供从事教育、艺术、音乐、娱乐等活动及发展友谊的机会。亚当斯、斯塔尔与她们的伙伴们，对于实施童工法、设置少年法庭和少年保护机构等方面曾起过积极作用。此外，她们还促进了地方工会组织的发展、社会福利计划的推行和成人教育事业的进步。她们对于妇女权利及世界和平等运动的开展，也曾作出贡献。1895年，她们发表《赫尔大厦图片与论文汇辑》，引起广泛注意，世界各地的参观者，其中包括政府、科学、教育、劳动、社会福利等机构的领导人，均对赫尔大厦表示赏识。1961年1月，芝加哥市政当局宣布计划将赫尔大厦所占地区予以清理，作为伊利诺伊大学校园。1963年大厦的董事会便出售其14座建筑，采取在芝加哥其他地区分散开展活动的办法。最早的赫尔大楼及毗邻的餐厅则被保存下来，改成博物馆。

Hüller, Johann Adam (German composer) 参阅 **Hiller, Johann Adam 希勒**。

Hulls, Jonathan **赫尔斯**(1699，英格兰格洛斯特郡坎普登～1758，伦敦) 可能是第一次做出蒸汽船详细设计的英国发明家。1736年他获得蒸汽拖船的专利，这种蒸汽拖船能带动"海上船只在风浪中或风平浪静时出入港口、港湾或江河"。1737年出版的小册子里对蒸汽拖船有图解说明。它的船尾明轮用纽科门大气压蒸汽机推动。为了使明轮连续转动，赫尔斯提出使用棘轮，由连接在活塞上的绳索来驱动。但这个方案并未按赫尔斯的计划通过实际试验。

Hulme, T. E. **休姆**(1883-09-16，英格兰斯塔福德郡恩登～1917-09-28 战死，法国) 英国美学家、文学评论家和诗人，意象派创始人之一，对20世纪文学有重大影响。休姆曾在纽卡斯尔安德莱姆文法学校和剑桥大学圣约翰学院求学，1904年因无理取闹被开除学籍。其后主要住在伦敦，翻译H.伯格森和A.索雷尔的著作，并同E.庞德、F.S.弗林特和H.杜利特尔发起意象派运动。1912年1月休姆的5首诗在《新世纪》杂志上发表，并重印于庞德《回击》之末。第一次世界大战期间，他拥护军国主义而反对B.罗素的和平主义。他生前很少发表作品。1924年友人H.里德把他的一些笔记和残缺不全的散文整理出版，题名《思索》，竟使他一举成名。此后里德又编辑出版他的文集，题名《语言与文体笔记》(1929)，S.海因斯于1955年又编辑出版了他的《思索续集》(1955)。他的许多同时代著名人物称赞他是伟大的思想家，但后人有一些贬低其独创性的倾向。

Hulse, Russell Alan **赫尔斯**(1950-11-28，美国纽约州纽约～) 美国物理学家。因与其老师天体物理学家J.H.泰勒一起发现第一颗脉冲星双星而共获1993年诺贝尔物理学奖。赫尔斯在纽约市库珀协和学院攻读，1970年获理学士学位，1975年在阿默斯特的马萨诸塞大学获物理学博士学位，在那里他是泰勒的研究生。他们利用在波多黎各阿雷西博的大射电望远镜，发现了几十颗脉冲星。脉冲星是快速自转的中子星，周期性地发射短促的射电脉冲波。由脉冲星PSR 1913+16射电发射的不规则性，他们推断出该脉冲星有一颗与之相伴的中子星，且它们二者被锁定在一条收紧的轨道上运动。这一发现是泰勒和赫尔斯于1974年作出的。PSR 1913+16表明是非常重要的，因为它提供了第一个探测引力波的手段。这两个星相互作

用的巨大引力场，影响射电脉冲的规则性。经过对射电脉冲计时和分析它们的变化，泰勒和赫尔斯发现，这两颗星总是沿着一条越来越收紧的轨道相互环绕着更快地转动。这一轨道衰减据推测是由于双星系统以引力波形式损失能量所致。泰勒和赫尔斯于1978年报道的这个发现，是A.爱因斯坦在其广义相对论中预言的引力波存在的第一个实验证明。1977年，赫尔斯的研究领域从天体物理学转向等离子体物理学，同时，赫尔斯进入普林斯顿大学等离子体实验室，从事托卡马克聚变试验反应堆（一种实验性核聚变装置）的研究。

Hulst, Hendrik Christoffel van de　范德胡斯特（1918-11-19，荷兰乌得勒支～2000-07-31，莱顿）　荷兰天文学家。他从理论上预言了星际氢原子能产生21厘米射电波，这种射电波对后来描绘银河系结构图起了极重要的作用。他这一工作成为射电天文学早期发展的基础。1944年，还是大学生时就已开始对空间中的氢原子做理论研究。氢原子的质子和电子的磁场，既可有相同也可有相反的取向，氢原子的磁场每过1 000万年左右就要重新取向一次。他计算出氢原子这一跃迁对应于发射波长为21厘米的射电波。1948年受聘为荷兰莱顿大学天文学讲师，4年后升任天文学教授。除了对射电天文学有贡献外，还研究过光的散射、日冕和星际云。1984年退休。从20世纪60年代起，成为国际和欧洲太空研究和发展工作的领导人。

Huludao　葫芦岛　中国辽宁省辖地级市。辽宁石油化学工业中心之一。位于省境西部，当关内外咽喉要道，东临辽东湾。辖连山、南票、龙港3区和绥中、建昌2县，并代管兴城县级市。市政府驻龙港区。面积10 375平方千米，其中市区面积2 303平方千米。燕山余脉松岭、黑山横贯西北部，山地与辽东湾海面之间为狭长沿海平原，称“辽西走廊”。女儿河、六股河、黑河等流经市内。属暖温带季风气候，年平均气温9.7°C，无霜期178天，年降水量645.5毫米。清光绪三十二年（1906）设锦西厅，1913年改锦西县。县城连山原为荒僻村庄，清末准许关内移民在此拓荒，后因沙锅屯、暖池塘煤矿开采和铁路开通而发展。1985年设锦西县级市，1990年改为省辖市。1994年更名葫芦岛市。耕地面积22.4万公顷，主要种植高粱、玉米、小麦、大豆、花生。是辽宁省水果生产基地之一，有两大果树农场，果园面积达10.6万公顷。盛产苹果、梨、李、山楂；“锦红”苹果驰名中外。沿海有4个渔港，盛产梭鱼、鲁鱼、黄鱼。大型水库4座；浅海水产养殖水面1.3万公顷，滩涂面积万余公顷，现已发展鱼、虾、贝类养殖。矿产资源丰富，已发现和探明矿藏有50余种，其中可开采利用的有31种。铅、锌、钼、煤、天然气储量尤丰。工业以石油化工为主体，还有冶金、机械、建材、采矿、造船、啤酒、海盐、造纸等。交通便捷，京哈铁路和修建中的秦沈电气化铁路纵贯全境，并有支线铁路连接杨家杖子钼矿和葫芦岛港。市境东北有锦州—南原铁路和魏塔线铁路穿过。公路以京沈高速和102国道为主干，与全国交通网相连。有宁远卫城、九门口关、碣石宫、姜女坟等名胜古迹。人口：全市2 730 000（2005）；市区930 000（2004）。

Hulun Buir Grassland　呼伦贝尔草原　中国内蒙古自治区东北部草原。位于大兴安岭以西，由呼伦湖、贝尔湖得名。地势东高西低，海拔650～700米，总面积约9.3万平方千米。年平均气温0～3 °C，无霜期85～155天，年降水量250～350毫米，可种植春小麦、马铃薯及少量蔬菜。低丘及漫岗为羊草草原。河滩地多为中生禾草、杂类草草甸，草质肥美，常年鲜草总贮量约2 130万吨。呼伦贝尔草原为传统牧区，以产三河牛、马和锡尼河牛、马著名。1958年以来陆续建立一批大型国营农牧场。中南部有大片沙地，有独特的草原化樟子松林，是珍贵的森林资源。滨洲铁路横贯草原。

呼伦贝尔草原
中国大百科全书出版社供图

Hulun Hu　呼伦湖　又作Hu-lun Lake，Hulun Nur。中国内蒙古自治区构造遗迹湖。一称呼伦池。位于呼伦贝尔盟。蒙古语称扎赉诺尔，意为“海湖”。有克鲁伦河和乌尔逊河注入。湖面海拔539米，面积2 315平方千米，最大水深7～8米。旧时呼伦湖北与海拉尔河相通，湖水外泄入黑龙江。现已断流成为内陆湖。1958～1962年间因与湖相通的穆得那亚河被堵塞，湖水上涨2.5米。近年湖面蒸发量与湖泊补给水量取得新的平衡，水位又趋稳定。冬季封冻期达170～180天，最大冰厚1.3米。为半咸水湖。盛产鱼类。环湖水草丰美，为著名的呼伦贝尔草原的组成部分。

Ḥulwān　赫勒万　又拼Helwan或Hilwan。埃及开罗省一古代村落，现为开罗南部一郊区。位于尼罗河右岸附近。1952年埃及独立以后，发展成为工业区。与开罗通公路和电气铁路。考古表明当地在史前和法老时期为聚落中心。早年起就以其矿泉闻名。公元690年的洪水迫使埃及总督迈尔万撤离富斯塔特（旧开罗），他选定赫勒万为住地。在马木路克人到来后，沙漠扩及该地，填堵了泉水。至阿拔斯一世（1849～1854）时期，才恢复使用矿泉。现有矿泉浴池建于1892年。1900年后作为矿泉疗养地繁荣起来。1952年后发展起工业。建有钢铁厂、轧钢厂、炼铝厂、水泥厂、化肥厂和汽车装配厂。第二条苏伊士—地中海岸输油管穿过城市南部。城内国家天文台（1904）原为国王法鲁克一世的夏宫，装有一架74英寸反射式望远镜。设有赫勒万大学（1975）和埃及最早气象台之一。人口约230 100（1991）。

hum（landform）　参阅 **pepino hill** *灰岩残丘*。

Humacao　乌马考　波多黎各东部城镇。位于乌马考河畔。建于1793年。有纺织、塑料和蓖麻油等轻工业，为岛上铁路网中一条支线的终点。有波多黎各大学的地区分院（1962）。周围地区生产咖啡、甘蔗、稻米和烟草。人口：城镇20 682（2000）。

human behaviour　人类行为　表达出的和潜在的各种人类身体的、心理的和社会的能力。作为一种心理功能，人类行为在人的毕生中一直处于不断地发展和变化之中，永远也不会达到一个固定的发展水平。实际上，行为的发展受机体生理发育的制约，所以一般不会出现超越生理解剖发育水平的行为能力。人类发展学（即发展心理学）的研究目的旨在对人生全过程中行为方式的各种变化作出科学的解释和说明。因为从出生至青春期末阶段是人类行为发展得最快和变化最大的时期，而且人的心理功能也是在此期完成成熟发展，所以，这一时期中的人类行为发展的研究是为绝大部分学者的集中关注之所在。但严格说来，人们是从整个生命周期中的行为发展的概念出发，来研究这一所谓“成形时期”的行为特点。进入20世纪以来，心理学家们争论的焦点是关于如何从哲学上看待儿童的本性和他们的心理发展问题。其中最引人关注的是关于“先天遗传和后天习得”问题的争论，究竟哪个因素对人类行为发展的影响更大？目前比较流行的说法是“遗传加教育”，也就是说：一个人是否具有某种行为能力是个遗传问题，但他对这种行为能力的操作方式却是个教育问题。有些人类行为虽为人类所共有，但必须到了某个人生发展阶段才能出现，如认识、情绪和复杂行为操作等；这类人类行为的发展需要两方面条件：一是机体生理解剖的成熟发育（含遗传造就的神经系统），二是足够数量的经验、经历和必需的社会环境。一般说来，有了神经系统的成熟发育并不等于就有了心理功能，但它却为心理功能的发展提供了必要的背景，规定了基本的时限。

20世纪出现了三个影响广泛的人类发展理论体系，它们实际上是从不同角度对人类心理发展进行立论。奥地利心理学家S.弗洛伊德认为，儿童的个性发生和情绪发展受到两种因素的影响，一是来自他本人的生物学因素，二是来自他的家庭的心理-社会的因素。弗洛伊德的人格结构模式影响十分广泛。按照弗洛伊德的说法，完整的人格由三部分构成：本我、自我和超我。“本我”是指整个无意识的心理结构，主要由先天性本能驱力(如性本能、情感、攻击性和自卫意识)和人格中的真实操作部分构成。“自我”于婴儿和儿童期完成成形发展；为了满足本我本能的需求，也为了保持个体和环境之间的平衡，婴儿须动用各种有意识和无意识的心理过程。这样，儿童时期的行为发展过程基本上就是自我功能的实现过程，其中包括先天性本能驱力的释放渠道的选择和在真实地反映外部世界的过程中知觉和智力功能的调控。实践证明，弗洛伊德的关于无意识动机和机理的概念确有极其深远的影响，尤其是在精神病学领域；他的关于儿童时期的情绪发展的论断之精辟，足以令与他持不同学术观点者信服。

瑞士心理学家J.皮亚杰以成人的智力功能为基准，考察和说明一个人到底是如何获取逻辑思维能力的，又是如何从一叶而知秋的。他认为一个人的智力萌动实际上只是源于婴儿对手边的一个什么东西的玩弄过程，一个成人能以老于事故的认识模式和较为有效的行为方式处理周围事物，是一个人经年累进地组织和运用他们的早年经验的结果，是一种经验的积累。这是皮亚杰的一个重要的基本理论假说。皮亚杰极其详尽地研究了儿童逻辑思维的发展，并向人们展示了儿童的行为方式是如何从最简单的反射活动发展成有意识的计划行为；发展成有目的的“试错”经验，最后发展成一种能利用心理模式改造客观世界的行为，这就要求事先必须能充分顾及事情的经过和可能产生的后果。皮亚杰深入研究后指出：为了能在推理和系统思维过程中逐渐掌握抽象思维能力，儿童首先要连续掌握诸如意象、表征、概念、范畴、命题一类的心理功能。皮亚杰的理论和实践为正确理解人类的认识和智力发展提供了一个极有价值的理论框架。

一个极富特色的美国学派在解释和理解儿童的各种行为能力、动机和价值观的形成过程时，更看重儿童的活动，而不是他们的情绪或思维过程。学习理论的基本原理强调：当孩子对别人的行为方式或价值标准产生兴趣时，他的父母、老师和同学都采取什么态度，是奖励还是惩罚，是至关重要的。有人给学习下的定义是：对成于以往经验的行为模式作出的相对稳定的修改。学习理论认为：在建立和塑造人的行为模式方面，经典条件反射和操作条件反射是两种得到广泛认同的学习过程。在前者，为了在两种刺激之间建立联系，它们之间必须维持一种密切稳定的关系；而在后者，重要的是一种“回报”，赞扬也好，承诺也好，其作用都是对特殊的习得性行为方式的一种肯定的强化；反之，惩罚则是所谓否定性强化。操作性条件反射主义者就用“强化”和“条件作用”等概念来解释儿童的行为发展。总的看来，所有这些理论在逻辑上都还不够严密，在解释智力和情绪的发展的问题上缺乏统一的理论框架。所以，今后总的研究方向应该是建立起一个全新的人类行为理论体系，它有统一的理论框架，又有通用涵义的理论命题。参阅 **psychological development**。

human being (species *Homo sapiens*) **人** 双足灵长类哺乳动物，属于智人。在解剖学上与巨型猿类关系最近；与猿类不同之处在于人脑更为高度发达，因此具有言语、抽象思维功能，而且身体直立，使双手得以灵活运用而成为进行操作的肢体。人(类)存在于许多可以自由杂交繁殖的种族之中，并且是人科动物的唯一近代代表。参阅 **hominid**。

human body 人体 人类的肉体，由活细胞和细胞外物质构成，并结合成组织、器官和系统。人类属于脊索动物门脊椎动物亚门哺乳纲。像所有脊索动物一样，人体两侧对称，在发育早期背部有棒状的脊索，咽部有鳃裂，背侧有中空的神经索。脊索和鳃裂仅见于胚胎时期，后脊索由脊柱取代，鳃裂则完全消失，神经索发育为神经系统，终生保留。人体也有脊椎动物的特征，即有包括脊柱在内的内骨骼。此外还有哺乳类动物的特征，如毛发、乳腺和高度发育的感觉器官。然而，除上述共同特征外，也有显著的不同点。哺乳类动物中，只有人类完全两足行走，这就极大地背离了一般哺乳动物的体制(即使靠两下肢跳跃以快速前进的袋鼠，于步行时也用四肢，站立时用其尾当“第三条腿”)。人脑(尤其是被称为新皮质的部分)是所有动物中最发达的。没有任何动物(即使聪明的黑猩猩和海豚)的智力比得上人类。

人体的化学成分 主要成分是水和有机化合物，如脂质、蛋白质、碳水化合物和核酸。水存在于细胞外液(如血浆、淋巴液、间质液)和细胞内，约占人体总重的60%，为生物化学反应不可或缺的溶媒。脂质是人体结构的一大成分，主要包括脂肪、磷脂及类固醇。脂肪贮存能量，而脂垫有绝缘和吸震的功能。磷脂和胆固醇是细胞膜的主要成分。同脂质一样，蛋白质也是细胞膜的重要成分。毛发、指(趾)甲以及构成皮肤、骨骼、腱和韧带的胶原也含有蛋白质。蛋白质亦完成人体许多功能，如酶即能催化生命必需的生化反应。碳水化合物的主要存在形式为贮存于肝脏和肌肉中的糖原和血流中的单糖，主要供作能量来源。少量碳水化合物亦见于细胞膜；与植物和许多无脊椎动物相比，人体内结构性碳水化合物成分并不多。核酸构成遗传物质。脱氧核糖核酸(DNA)携带遗传密码，DNA从亲代传至后代，决定每个人的遗传特征。核糖核酸(RNA)有好几种，在遗传密码翻译过程中起作用。此外，人体还含有各种无机矿物质，主要的如钙、磷、钠、镁和铁。骨骼大部分由磷酸钙晶体组成。血液和间质液里也有钙、钠离子。细胞间液里则多磷、钾和镁离子。在人体代谢过程中这些离子起重要作用。铁质主要存在于运送氧气的血红蛋白内。其他矿物质，如钴、铜、碘、锰和锌，在人体内含量极微但不可或缺。

人体的组织器官 人体有750 000亿个以上的细胞，每个细胞皆能生长、代谢和对刺激作出应答，除少量细胞外还能繁殖。人体内有约200种细胞，可分为4大类。4类细胞和细胞外物质构成人体4大基本组织：①上皮组织，覆盖身体表面及内部器官、体腔和管道的内表面；②肌肉组织，具有收缩功能，构成肌肉系统；③神经组织，传导冲动，构成神经系统；④结缔组织，由细胞和大量的细胞间质构成。骨和血液被视为特化的结缔组织，其细胞间基质分别为固体或液体。结缔组织用以连接各种人体组织结构，组织构成器官。人体计有9个主要器官系统：①外皮系统，包括皮肤和附属组织，主司防止有害物质(微生物和化学物质等)侵入和避免水分丢失；②肌肉骨骼系统(或分为肌肉系统及骨骼系统)，包括骨骼肌和骨骼，主司运动和保护内部器官；③呼吸系统，包括气道、肺和呼吸肌，主司气体交换；④循环系统，包括心脏、血液和脉管，主司输送氧气、养分和代谢产生的废物(如二氧化碳和含氮毒性物质)；⑤消化系统，包括口腔、食管和胃肠，主司消化、吸收和排粪；⑥排泄系统，包括肾脏、输尿管、膀胱和尿道，主司排除血液携带的有毒氮化合物及其他废物；⑦神经系统，包括感觉器官、脑、脊髓和神经，主司传递、整合和分析来自感觉器官的信息，并将冲动带到肌肉和腺体等效应器；⑧内分泌系统，包括分泌激素的腺体和组织，形成化学通讯网络，主司协调各种身体过程；⑨生殖系统，包括男性或女性生殖器官，主司生殖，使人种得以延续。

基本形态和发育 人体的大体构造是这样布局的：一个圆柱体内有两条管道和一个棒状体。这种体制在胚胎期尤为明显，出生后这种体制只见于躯干(胸和腹部)。体壁形成此圆柱体，两条管道是位于腹侧的消化道和位于背侧的神经管，两条管道之间是棒状体(胚胎期为脊索，降生前即由脊柱取代)。胚胎的主要身体结构有：①外胚层；②神经管；③主司支持的脊索；④内胚层，即腹侧消化管(后成胃肠道的内层)；⑤中胚层；⑥间充质。人体内的一切组织成分都源自上述6种胚胎结构。中胚层从体壁的最背侧伸展至最前侧，在胚胎两侧形成一层明显的组织垫。中胚层内部两侧各有裂隙，形成左右体腔。背部的左右体腔仅暂时存在；在腹侧则永久存在，并形成两个包裹肺脏的胸膜腔、包裹腹部器官的腹膜腔以及包裹心脏的心包膜腔。背部的中胚层与腹侧中胚层分离，并分裂成一连串的裂块，每侧各有31块，同时向尾端、腹部、外胚层膜和绕着脊索生长，构成骨、肌肉、真皮。它们在背侧组成保护脊髓的脊椎骨，在腹侧形成保护消化道和心脏的肋骨。因此它们不但形成占体重绝大部分的体壁和四肢，使颈、躯干部的体壁具节段性，使脊髓也相应分成节段。腹侧中胚层分布范围较小，始终保留在消化管附近而不分成节段，日后形成胃肠壁内连续的肌肉层并覆盖体腔(胸膜、腹膜)的内面。间充质组织形成血管、淋巴管、心脏和疏松结缔组织。

神经管在胚胎早期由外胚层形成。首先在胚板背面形成神经板，神经板中部下陷成沟，边缘高起，左右两缘互相接近并闭合，形成一条与外胚层分离的管——神经管。神经管向前延伸，越过圆柱体，膨大为脑。神经管并不与表皮直接接触，因背侧中胚层绕神经管生长，又绕颅神经根生长成为保护层，将脑与表皮分开。在成人神经管后侧发育为脊髓，终于第一腰椎处。圆柱形体壁的前端在腹侧终于舌，在背部终于头颅、耳和眼。眼与舌间距离甚远，该处部分为表皮的深陷所占据，该凹陷与消化管（口腔黏膜）接通。尾端腹侧体壁与背侧体壁在尾骨部连接，体腔因此闭合。消化管由脊索前端向前延伸，在体壁上部（舌）和脑的前、下方，与前述表皮凹陷连接。牙和大部分口腔黏膜即由此凹陷形成；咽、喉、气管和肺由消化管上端形成。消化道尾端纵裂成前后两管，前管发育成膀胱、尿道和女性的阴道黏膜，并与外胚层的凹陷相连；后管成为直肠，并于尾骨正前方与另一外胚层的凹陷（肛门）相连。脊索于头端以钝端终于中脑下方。脊索和中胚层节段延伸至尾骨尖端。

老年的变化 人体随着增龄产生许多变化。随着寿命的延长，越来越多的人口进入老年。时光在人体留下的印记，并非每个人同时出现，有人在75岁时精力与其他人在55岁时一样好。皮肤是年龄的最精确指标之一。婴儿的皮肤光滑柔软，及长逐渐变硬，变干，起皱纹。头发变白脱落，他处的毛反而增多。这时伤口愈合缓慢，60岁时组织修复所需时间是10岁时的5倍。脊神经的感觉纤维减少；神经节细胞色素沉着，部分细胞死亡。听觉器官失去部分神经细胞和纤维，感受高频率声音的能力降低。眼内晶状体弹力减低。脑的体积在40岁以后略减，75岁后明显缩小，尤以额叶和枕叶为著，但智力并不因此衰退。老年智力减退多是疾病，如阿尔茨海默氏病或脑血管疾病所致。

骨骼里的钙质减少，变轻变脆，易碎易断。在动脉、软骨、韧带、肌腱质里钙质增加。关节面的软骨变薄甚或消失，在某些地方，骨面直接接触，关节活动时作响；肌力减低，但程度因人而异。弹性组织（如皮肤、动脉、结缔组织）由于从不休息，弹性消失较早。弹性组织在25岁时处于巅峰状况，弹性减退的年龄自45～90岁不等，弹性一旦丧失无法恢复。肺泡壁弹性组织变性，肺泡扩大，肺体积亦增大（老年性肺气肿）。动脉壁纤维组织增多，变硬，动脉壁上青年时代即可见脂肪斑，老年期更是普遍存在。淋巴组织在中年后普遍萎缩。腺体的实质萎缩，原生质流动迟缓。各组织结构受损伤后即使能恢复，速度也很缓慢，有时代之以与原组织不同的组织（化生）。皮肤、心肌、肝脏、肾脏和神经节内、中枢神经系统细胞内色素逐渐增加。细胞分裂能力减低，组织的适应力亦降低。体外实验表明，人体细胞有一定的分裂次数，所以人体的潜在寿命（约100年）似乎决定于体内细胞。

环境因素造成的变化 人体的基本形态虽早由人类祖先所确定，然而不同的人群却显示出对不同环境的进化适应，如对酷寒、湿热、沙漠环境和高原的适应。对酷寒的适应：这类型的人身材圆矮，四肢短小，脸平，颊有脂垫，鼻窄，皮下脂肪较厚。这些特征使人体表面积与体重相比达到最小，以减少热的散失，使通过四肢散失的热量最少（手在寒冷中仍灵活，并免受冻伤），并保护肺部和脑底部，以免受鼻腔里的冷空气伤害。在湿热的环境中，空气里湿度高，人体内汗水的蒸发受一定程度的阻碍，会造成体温过高的现象，故身处这种环境的人，身材高瘦，皮脂稀少（可使体表面积达到最大，以利热气的散发），鼻宽（无需将空气在鼻腔内加温），皮肤黝黑（防止紫外线伤害和降低发汗阈）。

身体的外形、大小和各部分的比例虽由遗传决定，然亦能随当时环境而作某种程度的调适。例如，从位于海平面的住家迁至高山地区的人，体内的红细胞数目会增多，以适应氧气比较稀薄的新环境。又如肤色浅的人若迁至炎热的热带地区，皮肤色素将会增多。这种情况下的调适大多不能尽善尽美，但却足以使人体在能量浪费最少的条件下维持生命。

human ecology 人类生态学 研究人类集体与其环境的相互作用的学科。生物学家研究生物体与其环境的相互作用，这影响了社会科学家，他们亦以同样方式研究人类的集体。因此，社会科学中的生态学研究社会结构如何适应于自然资源的性质和其他人类集体的存在。仅研究文化特征的发展与变异的人类生态学称为文化生态学。人类生态学把人们生活的生物学的、环境的、人口学的和技术的条件看作决定人类文化和社会系统的形式和功能的一系列相互关联的因素。人类生态学认识到，集体行为决定于资源及有关的技术，并决定于一系列富有感情色彩的信仰；这些因素合在一起产生社会结构系统。

human evolution 人类进化 关于人类自非人的和已绝灭的人科动物诸形式进化到现代人的过程之研究和理论。人科动物进化的各主要阶段可用南方古猿（*australopithecines*）、能人（*Homo habilis*）、直立人（*Homo erectus*）和智人（*Homo sapiens*）为其代表。智人是人类唯一尚存的一个种。仍然存在的和已经绝灭的人科动物诸形式，构成生物学上的人科，属于哺乳动物纲的灵长目。现在尚存的灵长类动物，包括一个明显的渐进进化系列，其发展顶点便是巨型猿类和人类。人类和猿类在许多解剖学特征上彼此相似，如骨架及头盖骨、体内各器官、肌肉组织、齿列、感觉器官以及脑的结构等等。遗传学证明指出，大约1 000万至600万年之间，在非洲大陆上出现了巨猿与人类两个种系的进化分歧过程。

已知最早人科动物遗骸化石，在分类学上被列为南方古猿属，仅在非洲发现过。其中阿法尔南猿种（*A. afarensis*）约生活于400万年至300万年以前。阿法尔南猿身高约100～150厘米，直立姿态，双足行走，具有似猿的特征，如颚部前突，其脑容量约400～500立方厘米，仅略大于今日的黑猩猩的脑容量。学术界认为，阿法尔南猿系与之相似的非洲南猿（*A. africanus*）的祖先；另两个种即粗壮南猿（*A. robustus*）和鲍氏南猿（*A. boisei*），均在200万年前后出现。这后两者亦被定名为粗壮傍人（*Paranthropus robustus*）和鲍氏傍人（*P. boisei*），一般认为，两者都是人类进化史上的已绝灭种系。

究竟是阿法尔南猿还是非洲南猿后来成为能人的祖先，此点尚不清楚。能人至少出现于200万年以前，它与南方古猿之间的不同点是：能人稍高一些，脑容量较大（500～800立方厘米），齿列更近似于人齿，两手能正确地使用工具。能人最突出的不同之处是能够把石块按照自己想法制成工具来使用，这种能力便赋予这一个种的种名（"能人"），并且暗示这个种具有充分的智力，足以证实分类学上把它列为人属（*Homo*）最早的种是正确的。

能人大约在150万年以前一直生活在非洲撒哈拉沙漠以南地区。一个新的、身材更高的和更近似于现代人的种即直立人，似乎就是由能人进化而来，从而取代了能人。直立人几乎生活于200万年至25万年前这段时间内，陆续迁入亚洲，还可能迁到欧洲某些地区。直立人脑容量更大，大约是900至1 000立方厘米，但也保留了许多猿类特征，如头盖骨较厚，眉脊外倾，前额后倾，以及颚部隆突。然而，直立人同现代人近似之点是可以看出的，而且显然是最早知道用火和穴居的人科的一个种。

学术界认为，智人最早出现于大约40万年以前，肯定是在非洲，大概在亚洲某些地区亦有其踪迹。早期原始智人的特征更近于直立人，晚期原始智人则有较多现代人的特征，诸如脑容量约在1 350立方厘米上下，前额呈垂直状，颅圆，颚部与齿列均内缩，下颌轮廓清晰，完全直立姿式和步态。智人使用手斧和越来越复杂多样及具有专门用途的石片石器。被称作尼安德特人（Neanderthals）的若干人类种群或被列为一个单独的尼安德特人种（*H. neanderthalensis*），或被划为一个亚种，称为智人尼安德特人亚种（*H. sapiens neanderthalensis*），大约自20万年以前就在欧洲和地中海地区居住，到5万年前至3万年前之际就消失了。根据解剖学特征来推断，现代人大概在10万年前即已出现于非洲，并可能出现于亚洲，最终到了欧洲。是否他们取代了尼安德特人或把尼安德特人给同化了，这点尚不清楚。在这些欧洲人种中，最有名的是克罗马农人（Cro-Magnons），其种群迅速扩展到全欧，而他们的物质文化内容变得越来越复杂，水平越来越先进。完全的现代人在世界其他地区的出现，学术界了解得较少，尽管他们似乎曾出现于3万年前至1.5万年前，并且涉及各式各样的迁徙活动以及不同种群的相互混合过程。

human-factors engineering 人类-因素工程学 又称人机工程学、人类工程学或工程心理学。利用人体、心理特征的信息来设计人类使用的装置和系统。其资料和原理适用于家庭、工作场所和娱乐等活动中。人类-因素工程学作为一种跨学科的专业，涉及的领域有：在人-机系统中人的动作、行为和训练；人-机系统的设计和发展；与这种系统有关的生物、医学研究。在人-机模型所代表的系统中，人只是一个成分。最基本的人-机模型由一个操作者和一具装置或机器所组成（如打电话、开汽车或使用计算机终端机），称为人-机单元，操作者处理机器所提供的信息并采取适当的行动。人类-因素工程学主要研究改进人-机模型的实用性、安全性和效率，并经由以下几种途径：仔细选择和设计机器的显示器和控制器，注意工作场所的布置和设计、工作环境的细节和维修性能的设计等。

人类-因素工程师先以科学方法设计出人-机系统,然后再用尝试法测试它是否舒适、有效,解决发现的问题并改进缺点。以设计一套宇航服为例,除了要严格注意其便利程度、灵活性、保护措施和舒适性等的细节外,还要用尝试法修改成最简单和最能被接受的形式。

Human Genome Project　人类基因组计划 美国进行分析人类 DNA 的研究工作,1990 年由美国能源部及国家卫生研究院发起。计划预计 15 年完成,预计确认出每个人类基因的染色体位置,测定每个基因精确的化学结构,以显示其对健康与疾病的作用,并测定整组基因(基因组)的核苷酸精确序列。另一项计划则是处理这些信息在道德、法律与社会相关层面的问题。搜集到的信息将成为研究人类生物学的基本参考依据,将能提供对人类疾病的遗传基础的根本了解。计划过程中发展的新技术将可应用于许多生物医学领域。2000 年美国政府与私人公司塞莱拉基因公司共同发表声明,计划已经基本完成,比原预计的提前了 5 年。

Human Genome Project　人类基因图谱制图工程 又作 Human Genome Initiative。旨在阐明人类染色体 DNA 的碱基排列全序列的一项科学研究规划。此项伟大的研究工程由美国能源部和国立卫生研究院于 1990 年联合发起。一个国际协作组织也已在几个国家中开始启动。此项工程最终将确定所有人类基因在染色体上的准确位置以及每一种基因的核苷酸准确序列,以阐明其生理及病理功能。搜集来的这些信息将成为 21 世纪人类生物学和药物研究的基本知识,将为人类疾病的遗传基础研究提供基本依据。在工程进行过程中发展出的新技术将运用于生物医学的其他诸多领域。

DNA 是遗传的物质基础,集中存在于每个生物细胞核的染色体中。基因是含有特定核苷酸序列的 DNA 分子片段。基因组是决定生物发育性状的基因组合。人类 DNA 分子中含有四种碱基:腺嘌呤、鸟嘌呤、胞嘧啶、胸腺嘧啶。它们和戊糖缩合形成核苷(分别简称为腺苷、鸟苷、胞苷、胸苷);核苷再与磷酸缩合的产物即为核苷酸(分别以 A、G、C、T 表示)。DNA 分子为线性双链结构,每条链都是由这四种核苷酸以不同的排列顺序连接而成;两条链上的碱基之间有固定的配对方式(即 A-T、C-G,每个这样的组合称为一个碱基对)。一种基因,实际上就是其中的一个片段,可以指导一(几)种蛋白质的合成。每个 DNA 分子都含有大量基因。人类基因组共含有大约 30 亿个碱基对、共构成大约 5 万～10 万个基因。而所有这些性状基因只占 DNA 总量的 5%～10%;其余的基因,有些虽然不编码蛋白质,但有调节功能,属调节基因;但其中绝大部分基因的功能不详。

基因图谱有两类:遗传联系图谱和物理图谱。前者是根据在遗传传递过程中,位置关系相对稳定的基因组之出现频率,阐明基因(组)和其他标志物之间的相对位置关系;基因在染色体上所处的位置越近,共同遗传的可能性也就越大。后者是以某段已知核苷酸序列为标志,决定某些基因的位置。人类基因图谱中所选定的"标志"之一是基因组中的一段序列独特、没有重复的 DNA 片段。在基因测序之前,必须有一个比较详细的物理图谱。测序是基因图谱工程的关键环节,也是技术性最强的工作。十五年规划所要解决的问题还有:改进测序技术、严格资料收集、科学地解释研究结果。

基因图谱制图工程的研究对象还有小家鼠(*Mus musculus*)、线虫(*Caenorhabditis elegans*)、果蝇(*Drosophila melanogaster*)、酿酒酵母(*Saccharomyces cerevisiae*)和大肠杆菌(*Escherichia coli*)。这样做的理论根据是:在生物进化过程中,虽然生物物种之间的差异已有天壤之别,但有很多具有近似功能的基因却被保留下来,而且在基因结构上也有惊人的相似之处。许多低等动物的基因甚至可以用作人类相似功能基因的研究替代物。

此项工程的另一目的是致力于伦理、法律和社会学方面的应用。但应设法防止这一技术被滥用,如雇主、承保人和政府机关对个人基因背景隐私权的侵犯,或利用基因图谱进行种族歧视等等。

人类基因图谱工程现已在美国、日本、英国、意大利、法国和俄罗斯等国家间协作展开。"人类基因图谱工程协会"由来自世界各国的科学家组成,负责各国研究机构之间的协调工作。2000 年 6 月,人类基因图谱制图工程和 1998 年建立的私人公司赛雷拉基因公司联合宣布人类基因图谱制图初步完成,其中包括了 30 亿核苷酸碱基对。初步结果由双方于 2001 年 2 月发布,宣布人类基因组中只包括 30 000～40 000 基因,比预想的少得多。

human growth hormone　参阅 **growth hormone 生长激素**。

human leukocyte antigen(HLA)　**人体白细胞抗原**　又称组织相容性抗原。构成人体主要组织相容性复合物(MHC)的众多抗原中的任一种。因其首先是在白细胞上发现的,故而得名。这些抗原是启动和调节机体免疫系统的重要因子,它们在机体排斥异体组织和器官的机制中发挥着重要作用,因此,器官移植能否成功,它们是关键。由于 HLA 复合物具有遗传性状,故在同胞兄弟姊妹中,HLA 系统完全匹配的概率为 25%。构成 HLA 复合物的抗原性蛋白分子的种类繁多,在每个有核体细胞上都能见到。HLA 复合物的基因位点在第六对染色体。HLA 的发现表明:和血型一样,每个人还有一个组织型。不过,人的 HLA 组织型要比血型复杂得多,它有以不同方式组合起来的 80 多种不同的标识物质。每个人的 HLA 复合物各成员还是重要的遗传标志。研究表明,某些疾病的患者都有特征性的 HLA 标志,如强直性脊椎炎、幼年性糖尿病、重症肌无力、类风湿性关节炎等。HLA 还用于亲子鉴定和人类学研究。

human louse(*Pediculus humanus*)　**人虱**　又作 body louse。虱的一种,寄生在人体上(参阅 **sucking louse**)。有两个亚种:头虱(*P. h. capitis*)和体虱(*P. h. humanus*),后者是流行性斑疹伤寒的主要传播者。其他虱传疾病有战壕热和回归热。头虱小而壮,色黑褐,以

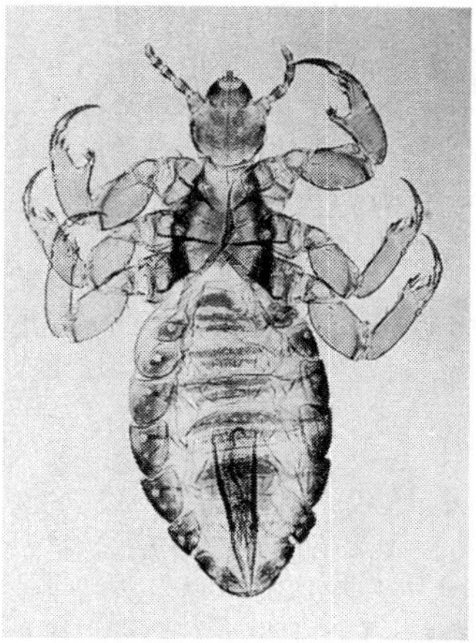

雄性人虱(*Pediculus humanus*)
美国不列颠百科全书公司供图

爪附于头发或头皮上;幼虱吸血后体呈血红色,又称"红背",吸人的血液消化后称"黑背"或"灰背"。对冷热敏感,通过直接接触传播。最简便的驱除方法是保持头发和头皮清洁,经常用篦子梳发。古人又将头发剃光并戴假发以除去头虱。体虱较大,白色至褐色。栖于衣缝间。直接接触传播。大量产卵于内衣裤上,约一周孵化。对热敏感,高温下即死亡;所以用热水烫洗衣服可将其杀死。

human migration　人类迁徙　个人或群体居住地的经常性变动,不包括诸如游牧、季节工、长距离上下班以及旅游等。人类迁徙的主要类型有 5 种:原始迁徙、被迫迁徙、连锁迁徙、群众迁徙和自由迁徙。逃避灾难的因素大概是原始迁徙的动机,这是最古老的类型。古代各民族不想屈服于敌对邻邦势力之下或为避开无法抗拒的自然恶劣条件,宁愿离乡他去。重要的原始型迁徙发生于 1845 和 1846 年的马铃薯饥荒时期,德国和爱尔兰农民为避免饿死而舍弃其家园,毁掉其庄稼,投向他方就食。现代的原始型迁徙常见于个人或一个家庭。被迫迁徙或非自愿迁徙是指政府或类似的权力机构把一个群体递解出境的做法。这类迁徙的例证是奴隶贩运和流刑永住,如 1788～1867 年间有 15 万英国囚犯被强迫安置在澳大利亚。类似军队换防之类的诱导式迁徙,也是一种温和的非自愿迁徙方式。连锁迁徙是因迁往地区的强大诱惑力造成的,常由先驱者以信函招致家乡亲友和借回乡探亲之便,当面介绍新迁往地区的好处,诱使他人举家外迁。虽然个人介绍一直是连锁迁徙的重要促成因素,但报刊、电视以及官方机构的宣传,也起到推波助澜的作用。口信在 19 世纪大规模群众迁徙中的作用突出。自 1820 年开始的洲际迁徙活动是欧洲人迁往南美洲及俄罗斯亚洲部分,每年约达 1.5 万～2 万人。中国人向东南亚的洲内迁徙活动曾继续几个世纪之久。最大规模的群众迁移是所谓横跨大西洋壮举,以自由迁徙始,而以千百万人到达美洲为其特点。自由迁徙的人们既不为其故地势力所迫,也不为

其去处的利益所诱。开始横跨大西洋的学生与学者们以及步其后尘的传教士们之所以要离开欧洲,无非是他们感到在那个社会里一切与他们格格不入。移动的决策要经过反复考虑得失才能作出。有利的方面可以包括求职机会增多、居住条件较好、政治开明或文化氛围和谐。不利之处是人地两生、缺乏有关远地机会的信息、语言障碍、旅费高昂或旅途险阻,还有移民限制,等等。研究表明,居住条件与工作机会在移居决策中占主导地位。现代的域内流动方式一直是自乡村流向城市。流向城市在历史上始于美索不达米亚地区,产业革命期间其势猛增,现已形成城市人口过剩而富者往往又涌向郊区。

human rights 人权 人们有一个共同的看法,就是:人们到处都在要求实现各种价值以保证他们的个人与集体的幸福。人们也公认,这些要求往往不幸地被自然力量和社会力量所挫败,包括剥削、压迫、迫害和各种形式的剥夺。正是在这两点认识的基础上,出现了今天所谓的"人权"以及与人权相关的国际与国内的法律进程。

历史发展 "人权"是一个比较新的概念,它进入日常用语是第二次世界大战和1945年联合国成立以后的事。它取代了"天赋权利"(natural rights)一词。后者之所以不受欢迎,部分地是因为**自然法(natural law)**的概念(天赋权利与自然法有密切的联系)存在很大的争论。另一个词"人的权利"(the rights of man),又因为英文的man字容易误会为不包括妇女的权利而难以通用。

大多数钻研人权问题的学者,都把这个概念的历史根源追溯到古代的希腊和罗马,把它与古代希腊斯多葛派的自然法学说密切地联系起来(这是芝诺所创立的哲学流派,它认为存在着一种驾驭万物的宇宙力量,因而人的行为必须根据自然法来评判,必须符合于自然法)。希腊文学中有一个经典性的例子,就是安提哥涅的故事。当克瑞翁责备安提哥涅违背他不让埋葬她被杀的哥哥时,安提哥涅便声称自己是依据上天不变的法律行事的。

如果说,希腊的斯多葛主义曾经对自然法的形成和传播起过部分关键的作用,那么,同样地,罗马法也可以说曾经允许自然法的存在。按照**万国法(jus gentium)**的规定,存在着某些超越于市民权利的、普天下的人都享有的权利。例如,根据罗马法学家乌尔比安的说法,自然法是自然而不是国家赋予一切人们的法律,不论他们是否罗马市民。

但是,到了中世纪后,自然法学说与关于天赋权利的自由主义政治理论才密切地结合起来。在古代希腊罗马和中世纪,自然法学说讲的主要是"人"的义务,而不是"人"的权利。此外,从亚里士多德和圣托马斯·阿奎那的著作中也可以明显地看出,这些学说承认奴隶制度和农奴制度的合法性,因而也许就排斥了今天人们所理解的人权的最核心的思想——自由与平等的思想。

只有当社会的信仰和实践发生了基本变化,人权思想(亦即天赋权利思想)才能成为社会的一般需要和现实。而这正是文艺复兴时代和封建没落时期中从13世纪到《威斯特伐利亚和约》(1648)这段时期的那种变化。对宗教排斥异端和政治经济奴役的反抗,开始了一个向自由平等概念,特别是关于财产的使用与拥有的自由主义概念的长期过渡;然后,今天所称的人权才得以真正地奠定基础。在这段时期里,作为义务的自然法完成了向作为权利的自然法的转变,它反映了统治者的失败,因为他们既未能履行他们的自然法义务,也未能实现他们对作为文艺复兴特征的个人表现权和经验世界化的承诺。欧洲大陆的阿奎那学说(1224或1225～1274)和H.格劳秀斯(1583～1645)的学说;英国《大宪章》(1215)、《权利请愿书》(1628)和英国《权利法案》(1689),是这一变化的明证。这一切都证明,有一种观点正愈来愈深入人心,就是:一切人都赋有永恒和不可割让的权利,当人类"立约"从原始状态进入社会时起,这种权利就从未放弃过,也不因有人主张"君权神授"而有所减损。

但是,在17和18世纪,首要的任务是把自然法的这种现代概念阐述为天赋权利或隐指天赋权利。17世纪的科学和理论成就——伽利略和I.牛顿的发现,T.霍布斯的唯物主义,R.笛卡儿、G.W.莱布尼兹的理性主义,B.de斯宾诺莎的泛神论,F.培根和J.洛克的经验主义——鼓励了人们相信自然法和宇宙秩序的存在;到了18世纪,即所谓启蒙时期,人们对人类理性和人间事务的完善更具信心,从而产生了更为综合的表达方式。特别应该指出的是17世纪的英国思想家洛克——有争论的现代最重要的自然法学家——的著作,以及18世纪群集于巴黎的一些思想家——包括孟德斯鸠、伏尔泰和J.-J.卢梭——的著作。洛克主要是在他的有关1688年革命(光荣革命)的书中详细地论述了这个问题,他说,有一些无须证明的权利归属于作为人类一分子的个人(因为他们在人类进入公民社会以前是生存在"自然状态"之中);其中首要的是生命权、自由权(不受专制统治的自由)和财产权;在进入公民社会时(根据一项"社会契约"),人们让与国家的只是执行这些自然权利之权,而不是自然权利本身;如果国家不能保障他们所保留的自然权利(国家根据契约有义务保护其成员的利益),便产生了迫其履行责任的人民革命的权利。以洛克和其他人的学说为依据的、属于许多不同思想流派但又共同抱有一种对理性的最高信念的哲学家们,猛烈地抨击宗教以及科学教条主义、对异教的不宽容、书刊检查制度和社会-经济压制。他们力求发现能够协调地驾驭自然、人类和社会的普遍有效的原则并依此行事,其中就包括后来变成他们的道德和社会信条的不可割让的"人的权利"的理论。

所有这些自由主义理论的蓬勃发展,毫不足奇地对18世纪后期和19世纪初叶的西方世界带来巨大的影响。它和1688年英国革命及由此而来的《权利法案》一起,给后来席卷西方,特别是北美和法国的革命浪潮,提供了理论基础。T.杰斐逊曾经阅读了洛克和孟德斯鸠的著作,并且宣称他的同胞是一个"自由的民族,他们主张自己拥有源于自然法的而不是他们的首席行政官所赐予的权利"。他在13个美洲殖民地1776年7月4日发表的《独立宣言》中,用充满诗意的词句点缀了这篇18世纪的朴素散文:"吾等认为,此等真理乃不言而喻:尽人皆生而平等,享有创世主赋予之不可让与之权利,包括生命权、自由权及追求幸福之权。"同样地,与G.华盛顿有密切友谊并分担过美国独立战争艰辛的拉斐德侯爵在1789年8月26日的《人权和公民权利宣言》中,效法英国和美国革命的文告,坚持认为"人人生而自由,权利平等";《宣言》并宣布:"任何政治结社之目的,均系保护人之天赋及不可动摇之权利",并且明确规定这些权利就是"自由、财产、安全及反抗压迫",并把自由界定为言论自由、结社自由、宗教自由以及不受任意逮捕和监禁的自由(就好像预见到美国1791年对1787年宪法增补的权利法案)。

总而言之,天赋权利的思想,或者使用另一名称即人权的思想,在18世纪末和19世纪初反对政治专制主义的斗争中,起了关键性的作用。实际上,应对后来事态的发展负责的,正是统治者未能尊重从一开始便作为自然法哲学中心思想的自由与平等原则。用杰出的人权学者M.克兰斯顿的话来说就是:"正是因为专制主义否认权利,才促使人们起来主张(人的或天赋的)权利。"

视人权为天赋权利的思想,即使是在这个容易接受新思潮的时代,也不是没有反对者。首先,自由权利学说往往由于与宗教的正统理论相结合而变得愈来愈不为哲学界和政治上的自由派所接受。其次,这些权利是被构想为"不可让与的"、"不可改变的"和"永恒的",因而日益陷入彼此矛盾之中;更重要的是,天赋权利学说在哲学上和政治上受到来自右的和左的猛烈攻击。

例如,在英国,保守派的E.伯克和D.休谟与自由派的J.边沁联合起来谴责这个学说,前者出于害怕公开认可天赋权利将引向社会动乱;后者则深恐天赋权利的文告和宣传将代替有效的立法。伯克虽然是位自然法的信奉者,但是却否认自然法能引申出"人的权利"。在《法兰西革命的沉思》一书中,他批评《人权和公民权利宣言》的起草者宣传了一种关于人类平等的"荒诞的虚构",认为这种虚构"只会给注定要在艰苦生活道路上摸索行进的人带来谬误的思想和徒劳的期望"。功利主义创始人之一和无神论者边沁对天赋权利说的轻蔑也不亚于伯克。他写道:"权利是法律的产儿,真实的权利来自真实的法律,而想象的法律、想象的自然法则只能产生想象的权利……天赋权利纯属无稽之谈,天赋的和不可剥夺的权利(美国人的说法)是花言巧语的废话,大言不惭的废话。"休谟和边沁的意见一致,他坚持说,自然法和天赋权利是非现实的、形而上的现象。

从18世纪末开始的对自然法的攻击和对天赋权利的攻击,二者都在19世纪和20世纪初期加剧了和扩大了规模。J.穆勒虽然有力地捍卫了自由,但是却宣称权利最终都是以功利为基础。德国的法学家F.K.von萨维尼、英国的H.梅恩和其他的历史学家们,都强调权利是具体的社会所特有的文化与环境的一种可变的功能。而法学家J.奥斯丁和哲学家L.维特根斯坦都坚持认为，唯一的法律就是“君主的命令”(霍布斯语)，而唯一的真理只是能经受可重复的经验验证的理论。在第一次世界大战以前，很少有哪位理论家愿意或者能够从自然法的角度来捍卫“人的权利”。诚然，在19世纪德国理想主义哲学和与之同时出现的新兴的欧洲民族主义思潮的影响下，也曾经有过一些人——例如马克思主义者——虽然不完全否定个人权利，但是却主张，不论源自何者的权利，都首先属于社区或整个社会和民族。英国的理想主义者F.H.布拉德利在1894年就是这样说的：“个人权利在今天并不值得重视……社会的福利才是目的，才是最终的标准。”

天赋权利的全盛时期虽然很短促，但是，人权思想却仍然以这样或那样的形式坚持下来。奴隶制的废除、工厂立法、普及教育、工会以及普选运动等这样一些19世纪的改革活动，提供了充分的证据说明，哪怕对人权思想的超现实的引申受到普遍的怀疑，这种思想并没有消失。但是，只是到了纳粹德国兴起和没落时，权利的思想——人权的思想——才真正显示其作用。那时的法律授权剥夺和消灭犹太人及其他少数民族，法律容许警察任意逮捕和搜查，法律认可监禁、酷刑和不经公开审判的处决，所有这些以及其他的丑恶现象，使人们终于意识到，如果要使法律和道德名符其实，就不能单纯以功利主义、理想主义或其他的因果论为基础；有些行为，不论它如何粉饰，都是错误的，人类起码应该受到尊重。

今天，绝大多数的法律学者、哲学家和道德学家，不论具有何种文化背景和文明，至少在理论上都同意：每个人都享有某些基本的权利。宗教改革的继承者，以及英国的、美国的、法国的、墨西哥的、俄国的和中国的革命后继人们，在20世纪的下半期，都像人权学者L.亨金所说的，“实际上普遍在原则上接受人权”，以致“当今没有一个政府敢于反对人权的思想”。19世纪的确也出现过一些下文将要提到的表现出国际上对人道关怀的事件，但是那基本上都是孤立的事件。而20世纪后半期则理所当然地可以说是标志着人权获得国际承认以至普遍承认的年代。在建立联合国的条约中，所有成员都保证要采取联合的或个别的行动来做到“不分种族、性别、语言和宗教，对于全体人类的人权及基本自由之普遍尊重”。在《世界人权宣言》(1948)中，来自众多不同文化背景的代表，一致同意把宣言规定的各项权利“作为所有人民所有国家共同努力之标的”。到了1976年，联合国大会1966年通过的《经济、社会、文化权利国际公约》和《公民权利和政治权利国际公约》正式生效，开始实施。

人权的定义　我们说人权原则在国际国内范围内被广泛接受，并不等于说人们对这种权利的性质及其实际内容，也就是人权的定义，都完全意见一致。有一些最基本的问题还没有得出结论性的答案：人权究竟应该看作神授的、道义上的抑或法律上的权利？人权究竟是通过直观、习惯、社会契约论还是公平对待一切人的原则而产生效力，或者是作为幸福的前提而发挥作用？人权究竟应该理解为不可剥夺的还是可以部分剥夺的？人权在数量上和内容上究竟应该是广泛的还是有限制的？所有这些问题，以及类似的问题，都还在争论之中，而且看来只要人们对社会秩序和资源匮乏仍然存在着对立的看法，这种争论很可能永远继续下去。

性质　尽管意见并不一致，但是有一些相互关联的基本原则还是被广泛地接受，从而有助于解决界定人权的任务，虽然说还不能完满地界定。其中有5点尤其突出，需要指出，即使是这5点，也不是没有争论的。

第一，不论人权的最早起源及其存在理由为何，人权总是被理解为代表着个人和集体对社会上权力、财富、知识和人们所向往的其他价值的形成与分配的要求，其中最根本的是要求在追求其他价值时受到尊重，以及作为这种价值的必要因素的相互容忍、彼此宽容；因而，人权也意味着反对任何个人或组织阻碍对法律或传统的合法性进行判断和违背这种判断的标准。实质上，人权限制国家权力。

第二，人权由于反映了不同的社会情况、不同的世界观以及各种价值本身的和相互间的不可避免的相互依存关系，所以它包含广泛的要求，从理由最充分的要求一直到最符合理想的要求。人权所体现的不仅是人间事务的“已然”，而且及于人间事务的“应然”。

第三，任何归入人权范畴的权利，在性质上必须是普遍的和全体的；在某种意义上说，就是任何地方的任何人都平等享有的，在某种情况下甚至还包括胎儿。与“君权神授”及其他类似的特权明显相反，人权在理论上是扩及地球上的每一个人，不论其功过如何。

第四，绝大部分关于人权的主张——并不是所有的主张都有争议——都认为人权应有限制，即任何具体情况下特定的个人或集体的权利，都要受为保障他人相应权利和增进社会福利所必需的限制。由于存在这种相互依存性，所以人权有时被称为初证权利，也就是说，以绝对方式来考虑和谈论人权是没有意义或者意义不大的。

第五，也是最后一点，人权通常被含糊地称为“基本的”，以区别于“非基本的”要求或“利益”。事实上，有一些理论家甚至走得更远，把人权局限在一两种核心的权利，例如生命权或机会平等权。简而言之，这是一种淡化“单纯的需求”或者把它排除在外的倾向。

但是，这最后一点在许多关键方面，不但没有回答问题，反而引起更多的问题。说某项权利是基本的权利，究竟是什么意思？是否意味着这种权利只是最低限度的权利，或者用更好懂的话来说，是否这种权利还包括范围较大的内容？如果是指后者，那么究竟范围有多大以及应该符合什么条件？换句话说，这最后一个原则无论规定得如何精确，总是免不了在人权的内容和合法范围上含糊不清，而且，如果各种权利有主次之别的话，何者为主和何者为次也混淆难分。除了人权的起源和存在理由的问题以外，没有别的有关人权的理论问题比这个问题争论更大了。

内容　无可争议的是，像一切规范的传统一样，人权的传统是它那个时代的产物。它必然反映历史延续和变化的过程，作为经验的积累而促使人权的实质和形式的形成。因此，为了更深入地理解关于人权的内容和合法范围以及人权中各种权利的主次的争论，有必要指出现代以来最有影响的一些学说以及传递人权传统的一些活动。

在这方面对我们特别有帮助的是法国法学家K.瓦萨克提出的“三代人权”的观点。受法国革命的三个规范性主题的启发，瓦萨克认为这三代人权就是：第一代为公民和政治权利(自由)；第二代为经济、社会和文化权利(平等)；第三代为新近起名的团结权(和睦)。瓦萨克的模式当然是对极其复杂的历史纪录的一种简化了的表述，其意并不在如实地表现整个历史进程，即前一代产生了后一代，然后自己便消失了。

①第一代。作为第一代的公民和政治权利，主要来源于上述17和18世纪的与英国、美国和法国革命相联系的改革主义理论。受自由个人主义的政治哲学和自由放任主义的经济社会学说的影响，这时设想的人权是消极方面(免于……)多于积极方面(有权……)。它赞成政府放任而不是干预人们追求人的尊严，因为正像H.L.门肯所一针见血地指出的：“一切政府当然都反对自由。”因而，属于这一代人权的有《世界人权宣言》第2条至第21条所规定的那些权利，包括：免于种族和其他类似形式的歧视的权利；生命权、自由权和人身安全权；免于充当奴隶和受强制劳役的权利；免于酷刑和残酷、非人道和有辱人格的待遇或刑罚的权利；免于任意逮捕、监禁或放逐的权利；获得公正与公开审判的权利；隐私和通信不受侵犯的权利；居住和迁徙自由权；为逃避迫害而获得庇护的权利；思想、信仰和宗教自由权；言论和文字自由权；和平集会与结社自由权；以及直接地或通过自由选举参加政府的权利；此外还包括拥有财产和私人财产不受任意剥夺的权利。所有这些，对美国革命和法国革命为之奋斗的根本利益，以及对资本主义的上升都是带根本性的权利。

当然，如果认为这些以及其他一些第一代的人权完全与“消极”权利相吻合，而并不是“积极”权利，那是错误的。例如，人身安全权、获得公正与公开审判的权利、为逃避迫害而获得庇护的权利以及自由选举权等，如果没有政府某种积极的认可行为，显然难以获得保障。但是，在第一代人权这个概念中，自由是永恒的概念，它是用以捍卫个人或者与他人结成的团体免受政治当局滥用权力之害的盾牌。这是最核心的价值。当代大约160个国家的宪法几乎都加以规定，而且，在第二次世界大战后制定的大部分国际宣言和国际公约中，自由也占据着主要地位。因而，这个在本质上是西方自由主义的人权概念，有时被浪漫化地称为霍布斯-洛克的个人主义战胜黑格尔的国家主义的象征。

②第二代。作为第二代人权的经济、社会和文化权利，其源流主要来自19世纪早期法国的圣西门主义者所预见的，其后又由各种革命斗争和福利运动所促进的社会主义传统。它在很大程度上是对资本主义发展的弊病和虐待的反应，特别是作为资本主义的基

础的个人自由概念的回应,因为这种概念竟然容忍对工人阶级和殖民地人民进行剥削,甚至把它合法化。从历史上说,第二代人权是第一代人权的对应物,它被设想为积极方面(有权……)多于消极方面(免于……),它要求国家为保证人们平等地参与和分配各种有关的价值而积极地干预,而不是放弃干预。最足以说明这一点的是《世界人权宣言》第22条至27条所规定的各项权利,诸如:社会保险权,工作权和失业保护权,休息娱乐权,定期的有酬休假权,享受适当生活水平以保障个人和家庭的健康与福利之权,受教育权,以及个人的科研、文学和艺术生产受保护之权。

第一代的公民与政治权所包括的各种权利,并不是都可以界定为"消极权利";同样地,第二代的经济、社会和文化权所包括的各项权利,也不能完全称之为"积极权利"。例如,自由选择职业权、组织和加入工会权、自由参与社会文化生活权,在本质上都不需要国家采取积极行动才能保障其行使。但是,大部分的第二代权利毕竟需要国家在资财分配方面进行干预,因为,这些权利包含着更多的以某种公平分配的标准为依据的物质上的要求,而不是对无形价值的要求。第二代权利基本上是要求社会平等的权利。这些权利的国际法律化比较慢,这部分地是因为社会主义-共产主义对国际事务立法的影响出现比较晚;但是,随着第三世界在世界舞台上地位的上升,人们决心进行"提高各种期望的革命",第二代人权已开始登上舞台。

③第三代。最后是第三代的团结权。如果我们把它与前两代权利有关的价值要求联系起来,加以比较和分析,就可以清楚地理解,它是20世纪后半期民族国家兴起和衰落的产物,尽管它迄今仍处在形成过程中。《世界人权宣言》的第28条预示了这种权利,它宣布"人人有权享受本宣言所载权利可在其中全部实现之社会及国际秩序"。看来,到目前为止,它包括有6项已提出的权利,其中3项是反映了第三世界民族主义的兴起以及它对全球的权力、财富和其他重要价值的分配方面的要求,即政治、经济和社会的自决权;经济和社会发展权;以及参与"人类共同遗产"的开发和收益权(分享地球和空间的资源,分享科学、技术、信息和其他进步,分享文化传统、名胜、古迹)。另外的3项第三代权利——享受和平权、拥有有益健康和良好生态平衡的环境的权利以及获得人道主义的灾害救济的权利——则暗示着民族国家在对付某些危机方面的无能和低效。

已提出的这6项权利可以称之为集体权利,它们都需要一切社会力量协调一致的努力,在很大程度上是全球规模的努力,而且用意在于追求一个能够实现天国利益的乌托邦。但是,每一项权利既有其集体方面,也有其个人方面。例如,一切国家与民族(特别是发展中国家和非自治民族)都有权生活在一个能够消除其经济与社会发展障碍的国际新秩序之中,当然可以说是集体权利,但是,也可以说它是个人权利,因为所有的人都会因一项以满足人们的物质和非物质需要为基础的发展政策而获益。又例如,自决权和获得人道主义援助权虽然已经不仅在道义上而且在法律上得到体现,但是这种团结权多半在性质上只是愿望性的而不是有实际法律效力的,迄今在国际法律规范上只具有含糊的地位。

因此,在现代史的不同阶段里——即17和18世纪的"资产阶级"革命以后,20世纪初期的社会主义与马克思主义革命以后,以及第二次世界大战后立即开始的反殖民主义革命以来——人权的内容已扩大很多,与某一代相联系的权利并不是随着另一代权利的上升而可能或者应该过时了,消失了,而是更为扩展,相互补充。在不同的时代里,人权内容的变化,只是反映了人们体会到何种价值需要突出地受到鼓励和保护,也反映了人类对延续性和稳定性的始终如一的要求。

合法性和优先性 上述说法并不意味着这三代权利都等同地为一切人所接受,或者人们对这些权利或其某些因素都感到同样地迫切需要。例如,第一代人权的主张者倾向于把第二代和第三代的权利完全排除在他们的人权定义之外(或者,最少也要冠以"派生的"字样)。这部分地是因为实现这些权利的过程十分复杂。第一代权利之所以显得比较易于实现,是因为它们强调的是政府的缺场,而不是政府的在场,而这一点多少已经变成给人权下一个综合定义所必需的前提,所以,凡是愿望性的权利和阐述比较模糊的权利便根本不被认为是权利。但是,最有力的说明毕竟还是意识形态或政治的动机。第一代人权的主张者们意识到对富人们提出平等主义的要求,特别当这是集体地提出的要求时,如果不严重地贬损自由和生活质量,是根本办不到的(这部分地是因为这些要求需要国家进行干预来重新分配私有资财),因而他们就在自然法和自由放任传统的启示下,偏爱那种认为人权本质上是独立于公民社会之外的个人权利的观点。

相反地,第二代和第三代人权的捍卫者则往往把第一代人权看作对人的物质需要缺乏足够的关心,至少平常实践中就是如此;而且,认为第一代人权只不过是为不公正的国内的、跨国的和国际的秩序服务的合法工具——从而成为"资产阶级骗局"。因此,他们一方面并不把第一代人权排除在人权范围之外,一方面却倾向于把它们置于较低的地位,视之为只有在经济与社会逐步实现根本变革以后才能达到的长远目标,只有在未来某个时候才能充分实现。

简而言之,不同的权利概念,特别是一些新出现的概念,具有对其他概念的合法性和最高地位进行挑战的潜在可能性,而且,更重要的是,具有对与其他概念有密切联系的政治-社会制度进行挑战的潜在可能性。结果,在人权的合法范围和它的先后次序上便出现尖锐的分歧。

但是,这种自由与平等、个人主义与集体主义之间关于各项权利的合法性和先后次序的争论,归根结底可能危险地把人引入歧途。当然,就它足以引起人们注意到自由和个人主义过去和现在如何被用来使资本主义的滥用合法化这点来说,这种争论是有益的;但是,这种争论之所以有益,也在于它充分暴露了平等和集体主义的概念在过去和现在又怎样被用来为极权统治作辩护。不过,归根结底,这种争论包含着一种危险,就是模糊了为客观地了解世界性人权运动而必须考虑的3个基本的真理。

第一,片面地界定人权各项权利的合法性和先后次序,从长远说来,可能败坏这些权利的倡导者的政治可信性和削弱他们所强调的权利的自我辩护能力。在一个日益相互依存和相互渗透的全球社会里,任何不是真正地支持使尽可能广泛的人民创造和分享一切价值的人权导向,都会引起广泛的怀疑。20世纪的后半期便充满这样的事例。

第二,片面的界定不能反映行为的现实。在现实世界里,尽管存在不同的文化传统和意识形态类型,毕竟也存在一种不断增大以至凌驾一切的趋势,就是公平地生产和分配一切基本的价值。美国总统F.D.罗斯福提出的四大自由(言论自由、信仰自由、免于匮乏的自由、免于恐惧的自由)是这方面的早期例子。较近期的事例则是美国国务卿C.R.万斯在1977年法律日的演说,他宣布美国政府决心"把促进人权作为我国外交政策的核心内容之一",并且把人权界定为包括"人身尊严不受政府侵犯的权利,……满足饮食、居住、保健和教育等切身需要的权利,……(以及)享有公民和政治自由的权利"。本质上是个人主义的社会容忍甚至促进某些集体主义的价值,同样地,本质上是公有的社会也容忍甚至促进某些个人主义的价值。我们的世界只是孰多孰少的世界,而不是非此即彼的世界。

最后,目前有效的或者正在审议中的国际人权文件,没有一个提到它所规定的各项权利的合法性和先后次序问题。只是有些被国际公约明定为不可剥夺的权利(例如,免于被专断或非法地剥夺生命的权利,免于酷刑、非人道或有辱人格的待遇和刑罚的权利,免于充当奴隶的权利,以及免于债务监禁的权利),也许比别的权利更带根本性质。但是,这一点也是有争论的。可以肯定,当问题涉及法律的实际执行时,法学家、道德学家和政治学家们对权利的合法性和先后次序是有意见分歧的。例如,有一些人坚持某些公民的和政治的保障,而另外一些人则首先强调物质和生活福利条件。但是,这类分歧只应列入政治议程,在理论认识上其意义即使有也不大。就像联合国大会所反复重申的,所有的人权形成一个不可分割的整体。

概而言之,各项不同的人权,其合法性和彼此间的先后次序,是各种因素作用的结果,因为,世界不同地域的人民,是按照不同的程序和不同的实践经验来主张或尊崇不同的人权。这些问题最终取决于时间、地点、环境、背景、危机的程度及其他因素。

国际人权的规定及其实施

第二次世界大战以前 自古代以来,特别是自现代的国家制度出现、发明时代的来临,以及随之而来的工业化和欧洲文化在全世界的扩展和传播以来,由于经济和其他的原因而发展起一套独特的有关对外国人的人道主义待遇的习惯和公约。这些习惯和公约后来又演变而被称为关于对外国人造成损害的国家责任的国际法,可以认为,这代表着国际范围内积极关怀人权的开端。国际法的奠基者们——特别是F.de 维多利亚(1486? ～ 1546)、H.格劳秀斯(1583 ～ 1645)和 E. de 瓦泰勒(1714 ～ 1767)——都敏锐地发现,所有的人,不论是异国人或其他人,都享有某些天赋权利,因此,他们都强调给予外国人以公平待遇的重要性。

但是,除了偶然使用条约来提供对基督教少数派的保护以外,只是到 19 世纪初,国际上对各国国民的权利的积极关注才真正显现出来。上述保护的最早的例子是《威斯特伐利亚和约》(1648)。这个条约结束了"三十年战争",并且确立了德国境内天主教与新教权利平等的原则。其后,在第二次世界大战前的一个半世纪里,又有过几次鼓励人们以国际手段来保障各国国民的人权的努力,从而促使今天所称《国际人权法》的形成(由于历史的原因而不是由于理论上足以说服人的原因,人们把这种法律从《对外国人造成损害的国家责任国际法》中分离出来,自成一类)。这些努力虽然实际上是孤立的事件,却值得一提。

在整个 19 世纪以及 20 世纪初期,发生过许多以"人道主义干预"(习惯的国际法述语)为名而动机并不单纯的军事行动,也举行过许多以此为名的外交谈判,以保护奥斯曼帝国、叙利亚、克里特岛、巴尔干各国、罗马尼亚和俄罗斯境内受压迫和受迫害的属于少数的群体。与这些行动相并行的是,先是在维也纳和会上(1814 ～ 1815),然后是在两次世界大战之间,签订了一系列旨在保护中欧、东欧和中东的某些在种族、宗教和语言方面的少数人群体的条约和国际宣言。在这同一时期,为禁止奴隶制和奴隶买卖而进行的斗争在一些条约里有所反映,并且或迟或早地把一些主要的贸易强国也卷进来。这些条约始自《巴黎条约》(1814),其顶峰是《国际禁奴公约》(1926)。

此外,从 19 世纪末到第二次世界大战前,主要在一些与现在所称的国际红十字会有联系的人士的推动下,国际社会又缔结了一系列目的在于缓和敌对行动和保护战争受害者的多边宣言和协定,用另外一种方式制订了有关战争的人道主义法律。大约与此同时,先是在 1906 年签订了两个多边的劳工公约,然后,在国际劳工组织(ILO,成立于 1919 年)的创议下,一个具有改革精神的国际组织开始采取一系列目的在于促进人权的国际合作措施。这些措施不仅限于传统上与劳工法和劳资关系有关的领域(例如工业保健、工业安全、工人福利、劳动时间和年度带薪假日等),而且也涉及——主要是第二次世界大战以后——像强制劳动、雇佣和职业歧视、为进行集体谈判而结社的自由以及同工同酬等主要的人权保护领域。

最后,两次大战之间又签订了建立国际联盟的盟约(1919)。这个盟约没有正式承认"人权",也没有能如日本所要求的那样规定不得进行种族歧视的原则(主要是因为英国和美国反对),但是,它毕竟使联盟的成员国承担达到某些人权目标的义务,包括:为男子、妇女和儿童提供公平和人道主义的劳动条件,执行有关拐卖妇女儿童的协定,预防和控制危及国际的疾病,以及公平地对待殖民地土著人。国际联盟还委任各战胜国以"受委任国"的身份对原来德国和土耳其统治的一些殖民地进行委任统治,担负所谓"文明的神圣委托",负责为这些领土的居民谋求福利和发展(这种安排后来转变为联合国的托管制度,而且,由于委任南非对西南非洲[现为纳米比亚]进行委任统治而在半个多世纪以后遭受严重的挫败)。

第二次世界大战前的这些维护人权的努力虽然很重要,但是,只是到这次战争以后——伴随战争而来的是纳粹党的暴行——国际上才真正出现对人权的积极关注。1945 ～1946 年在纽伦堡举行的国际军事法庭审判中,德国的高级官员不仅因"反和平罪"和"战争罪"而受审,而且因为对平民犯下"反人道罪"而受审,哪怕这些罪行符合于犯罪地国的法律。法庭的组织及其所作判决,后来获得联合国大会的批准。这个法庭虽然对"反人道罪"的指控采取比较慎重的态度,但是,它毕竟使一个国家对其公民的待遇成为国家刑事诉讼的一个内容。

联合国中的人权问题 《联合国宪章》(1945)开宗明义便重申"基本人权、人格之尊严与价值,以及男女与大小各国权利平等之信念"。它宣布,联合国的宗旨之一是:"发展国家间以尊重人民平等权利及自决原则为依据之友好关系……(以及)促成国际合作,……不分种族、性别、语言或宗教,增进并激励对于全体人类之人权及基本自由之尊重",并且在两个关键性的条文中申明,所有的成员国,都"担允采取共同及个别行动与本组织合作",以达成上述和有关的目的。但是,应该指出,成立联合国的旧金山会议明确地否决了一项关于保证维护和促进人权的建议案。此外,宪章还特意规定:它的各项规定"不得认为授权联合国干涉在本质上属于任何国家国内管辖的事件",除非安全理事会断定为存在"对和平之威胁、和平之破坏或侵略行为"。还有,宪章虽然是典型的重大宪法性文件,却在人权条款以及其他一些方面出人意料地一般化和晦涩含混。

因此,宪章中关于人权的规定与宪章的起草过程所表现的妥协性,以及它的"国内管辖"条款,曾经引起不小的法律和政治争论。有的国家争辩说:一个国家成为宪章成员国时,所接受的只是含糊的促进人权的义务;无论如何,联合国没有权力干预其成员国的人权保障措施。另外一些国家则坚持说:宪章的人权规定是有法律拘束力的条约的一部分,显然具有某种法律义务的成分;国家在成为宪章成员国时所作的"保证",显然不只是一个道义上的声明;人权在过去不论"享有"怎样孤立的地位,现在不能再把它看作"本质上属于国内管辖"的事务,所以,对人权不应适用"国内管辖"条款。

不过,话虽这么说,从联合国的实践可以清楚地看到,解决这两种对立意见的问题,并不像解决政府声明与学者意见的矛盾那样困难和可怕。不论是宪章的起草过程,或者是它的"国内管辖"条款,或者是它的人权规定的一般化和模棱两可,都没有妨碍联合国对特定国家的人权状况进行调查、讨论和评价(根据个人申诉、目击者提供的陈述、国家的指控和对此感兴趣的非政府组织的报告);也没有妨碍联合国就特定国家的人权状况提出具体行动的建议或确定采取具体行动,至少,对"一贯的严重违反人权"的事件是如此,只要多数国家认为需要采取这一具体行动(例如,1977 年安全理事会决议对南非实行强制的武器禁运)。当然,各国政府通常总是倾向保护自己的主权(国内管辖),所以,联合国负责促进人权的机构也碰到过联合国作为一个整体所经常遇到的困难,感到无能为力,特别是缺乏超国家的权威和存在着分裂的强权政治。因此,不能期望联合国维护人权的行动在正常情况下能够迅速和绝对有效。当然,如果有某种程度的政治决心,联合国在实施人权规定中所遇到的法律障碍,并不是不可克服的。

根据《联合国宪章》的规定,促进人权的主要责任,落在联合国大会和它领导下的经济及社会理事会及其附属机构人权委员会肩上。人权委员会是一个政府间机构,为联合国在人权领域的中央决策机关。委员会的活动是根据所属的工作小组的建议来进行,其中大部分在性质上是调查、评估和咨询活动;委员会每年建立一个工作小组来研究它下设的一个预防歧视和保护少数小组委员会提交的关于"严重侵犯人权"的指控,并就各项指控提出建议(这些指控是按照联合国经社理事会第 1503[1970]号决议,根据个人或团体的通信提出的,有时是根据小组委员会或其工作小组提出的)。委员会还指派代表和特使,按特别程序调查人权状况。他们在起草报告时,可以审查善意提出的可靠情报,会见利害关系人,并且在有关政府的合作下进行现场勘查。

此外,人权委员会还和诸如国际劳工组织(ILO)、联合国教育、科学及文化组织(UNESCO)和联合国妇女地位委员会等联合国机构一起,起草人权标准和许多国际人权文件。其中最重要的是《世界人权宣言》(1948),《公民权利和政治权利国际公约》(连同它的选择议定书,1976),以及《经济、社会、文化权利国际公约》(1976)。这 3 个统称为国际权利法案的文件,已成为解释联合国宪章所规定的人权条款的准绳。

①《世界人权宣言》。它是联合国大会于 1948 年 12 月 10 日一致通过的,它所列举的权利几乎归纳了各国宪法和法律所规定的一切传统的政治权利和公民权利,包括法律面前人人平等,不受任意逮捕,获得公正审判,刑法不得溯及既往,财产私有,思想、信仰和宗教自由,言论和文字自由,以及和平的集会结社自由;同时还规定了一些经济、社会和文化权利,诸如工作权、职业选择自由权、同工同酬、组织和参加工会权、休息娱乐权、获得适当生活水准权和受教育权等。

必须指出的是,《世界人权宣言》并不是一个条约。它的用意在于宣布"所有人民、所有国家共同努力之目标",而不是规定必须履行的法律义务。但是,部分地由于从这个宣言的通过到下述两个公约的签署和批准,相隔达 18 年之久,所以,这个宣言在法律上取得的地位，远过于原先所设想的。它已经被广泛地运用来判断是否符合《联合国宪章》所规定的人权义务的工具，甚至连国内法院也适用它。

②《公民权利和政治权利国际公约》。这个公约从1966年12月19日开放签字，至1976年3月23日正式生效。它所保障的公民权利与政治权利，几乎包括了《世界人权宣言》所规定的全部权利，包括不受歧视权在内。根据这个公约，所有缔约国都承担尊重和保障其国境内一切人的经公约承认的权利，并就这些权利行使其管辖权，"无分种族、肤色、性别、语言、宗教、政见及其他主张、民族本源或社会出身、财产、出生或其他身份"。但是，《世界人权宣言》所列举的权利中，也有一些没有包括在公约承认的权利之列，例如拥有自己财产的权利、获得庇护的权利等。同样地，公约也规定了一些宣言所没有列举的权利，例如一切民族的自治权，以及种族、语言和宗教上的少数人群体享有自己的文化、遵循自己宗教的风俗习惯和宗教仪式以及使用自己语言的权利。虽然宣言和公约往往互相重叠，不过，公约被理解为是对宣言的说明，有助于对宣言的解释。

此外，公约要求成立一个人权委员会，由公约成员国选举的18个人组成。这些委员以专家的个人身份进行工作，负责审议各成员国所提交的有关该国为保障公约规定的权利所采取的措施及其执行情况的报告。在明示承认委员会的这种职权的成员国之间，如果一国指控另一国没有履行公约所规定的义务，委员会可以就此作出反应。如果委员会无力解决纠纷，案件即移送一个特别调解委员会，由这个委员会对全部事实进行调查，最终写出报告，并附上它对友好解决纠纷的可能性的意见。凡是签署了选择议定书从而承认人权委员会的职权的公约成员国，同时也等于承诺对自称是违反公约行为的受害者以个人通信提出的申诉进行考虑和采取行动。

③《经济、社会、文化权利国际公约》。和上述公约一样，《经济、社会、文化权利国际公约》也是以《世界人权宣言》所规定的大多数经济、社会和文化权利为基础制定的。其中包括：工作权、获得公平和适当的工作条件的权利、工会权、社会安全权、家庭受保护权、适当生活水准权、保健权、受教育权以及有关文化和科学的各项权利。但是，与它的姊妹篇《公民权利和政治权利国际公约》不同，《经济、社会、文化权利国际公约》除了少数例外情况，并不着眼于立即实施，各缔约国只是承诺"采取步骤"来"逐步使本公约所确认之各项权利完全实现"，而且还要受"尽其资源能力所及"的制约。这个公约实质上只是一个"促进性公约"，其规定与其说是标准，不如说是长远目标，要求的是经过一段时期才达到，而不是立即达到。但是，有一项义务却必须立即履行，就是：禁止以种族、肤色、性别、语言、宗教、政见或其他主张、民族本源或社会阶级、财产、出生或其他身份为由而对公约所定权利的享有进行歧视。同时，适用于这个公约的国际监督措施，也责成各缔约国就其为实现公约列举权利所采取的步骤及其成果，向联合国经社理事会提出报告。

④联合国的其他人权公约。在联合国支持下草拟和通过的人权条约并非只有上述两个公约。当然，由于这类公约实在太多，即使扼要地叙述一下也难以概全，所以只能简单地指出：它涉及广泛的人权领域，包括种族灭绝罪的预防和惩罚，战时对军人和平民的人道待遇，难民的地位，无国籍人的保护和减少，奴隶制、强制劳动以及雇佣与职业歧视的废止，各种形式种族歧视的根除，种族隔离罪的禁止和惩罚，教育歧视的取消，促进妇女政治权利和取消对妇女各种歧视，机会平等的促进以及移民工人的待遇等(具体协定见《人权：国际文件汇编》，联合国1978年第三版)。许多这类条约是联合国的专门机构，特别是国际劳工组织的工作成果；而且有许多还规定有监督和执行机构——例如，根据1965年12月21日通过的《消除一切形式种族歧视国际公约》建立的消除种族歧视委员会。

⑤联合国的各种人权宣言。除了通过条约形式来规定人权标准和处理程序以外，受《世界人权宣言》的影响，联合国也陆续采取发表宣言的方式来促进人权。这种以联合国大会决议的形式通过的宣言，在技术上并不是对成员国有拘束力的条约，但是，如果它宣示的是一些重要的和严肃的原则，也可以在国际社会中形成一种强烈的权威和控制力。也许，在《世界人权宣言》之后，人们最熟知的例子便是《给予殖民地国家和人民独立宣言》(1960)和《关于各国依联合国宪章建立友好关系和合作的国际法原则宣言》(1970)。当然，这些宣言并不是专门为人权问题而制定的。

人权和赫尔辛基会议 第二次世界大战以后，国际范围内对人权的关心，在联合国组织之外也明显有所表现，特别是1973年7月3日在赫尔辛基开幕至1975年8月1日结束的欧洲安全和合作会议的会议过程及其后续效应(中间曾在日内瓦继续讨论)。参加会议的有包括《北大西洋公约》国家、《华沙条约》国家和13个中立和不结盟的欧洲国家在内共35个国家的政府。会议的主要目的是确定一个东西方都满意的关于和平与稳定的定义，这在过去冷战时期是不可能做到的。特别是，苏联关心的是使自己在第二次世界大战结束时形成的西部边界获得承认。

但是，可能是因为西方强国自己并没有实际的领土要求来作为回应的条件，所以它们便压对方在尊重人权和东西方的人员和信息的自由交流方面作出让步。这样一来，会议通过的最后文件《关于指导与会国间关系原则的宣言》中，除了其他"指导"原则外，在开始部分便庄严地宣布："决心尊重和实现……人权和基本自由，包括思想、良知、宗教或信仰的自由"和"尊重各民族的平等权利及其自决权"。人们期望，这样的规定将标志着极权主义政权自由化的开端。

但是，从最初的讨论便清楚地看到，赫尔辛基最后文件并不打算作为一个有法律拘束力的文件。"决心尊重"和"实现"的字样被认为只是表达一种道义上的承诺，而这个关于指导原则的宣言则被说成并不是在规定国际法，而参加者也没有规定执行机构。另一方面，这个宣言却又一直被视为起码是符合国际法的。此外，最后文件所有4段中的第4段(通称为"篮子")规定要定期举行审查会议，要求参加国在会上"继续会议所开始的多边审议"。但是，最重要的还是，自从这个文件通过以后，它关于人权的规定就一直作为广泛接受的外交审查的重要标准和对发现的侵犯人权事件进行处理的恰当依据。

总而言之，如像《世界人权宣言》和联合国大会的其他类似宣言一样，赫尔辛基最后文件虽然不是一个条约，却激发了对正当的人权行动的广泛期待，从而鼓舞和便利了对人权政策的监测。只要东方和西方都有一定的诚意，赫尔辛基会议最少可以说是提供了在人权领域内取得某些适当成果的可能性。

地区性发展 国际上促进和保护人权的行动，已经扩展到欧洲、美洲、非洲和中东等地区一级。但是，只有前3个地区走到制定人权宪章并且建立宪章执行机构的阶段。阿拉伯国家联盟理事会在1968年建立了阿拉伯常设人权委员会，但是以后由于忙于处理以色列占领区上阿拉伯居民的权利问题而没有完成拟议的阿拉伯人权公约的制定工作，目前更多地是起促进人权而不是保护人权的作用。

1. 欧洲的人权制度。1950年11月4日欧洲委员会通过了欧洲的《保护人权和基本自由公约》，其实体性条款是以现在的《公民权利和政治权利国际公约》的草案为基础。欧洲的这个公约，连同它的5个附加议定书，于1953年9月3日正式生效，它是目前人权领域内最先进和最成功的试验。它有一个姊妹文件，就是类似于后来的《经济、社会、文化权利国际公约》的《欧洲社会宪章》(1961)。这个宪章的规定，是通过一个精心设计的监督制度来实施的，就是：由欧洲委员会的各种委员会和机构对成员国提交的关于人权进展情况的报告进行评估。根据欧洲公约建立的机构是欧洲人权委员会和欧洲人权法院。公约也运用欧洲委员会的政府机构，即部长理事会。

人权委员会可以受理任何成员国对其他成员国违反公约的任何指控。而且，只要委员会的上述职权被正式承认，委员会还可以接受声称人权遭到侵犯的任何个人、团体或非政府组织的请愿。遇到这种情况，委员会有权查明事实并提交有关成员国决定是否可能"在尊重人权的基础上"达成"友好的解决办法"。如果无法做到，委员会即应制作报告，附同委员会关于采取行动的建议，送交部长理事会决定，包括移送欧洲人权法院裁决。

人权法院的管辖权扩及各类案件：声称其国民为侵犯人权的受害者的成员国提出的指控，受指控为侵犯人权的成员国所提出的申辩，以及任何成员国提交委员会处理的案件。但是，它不能受理个人的申诉。此外，只有被控国接受其管辖，人权法院才能受理国家的申诉。接受人权法院管辖可以通过两种方式来表示：或者是就特定案件以特别程序表示接受，或者是发表一个总的声明，表示接受人权法院的强制管辖。不论是哪一种情况，而且包括欧洲人权委员会移送的案件，人权法院的裁决都是终局裁决。如果一个案件没有或者无法移送法院处理，则由欧洲委员会的部长理事会就此项人权申诉作出终局决定。

欧洲公约所建立的机构，多年来就公约所调整的各种问题发展了一整套判例法。而且，在有些欧洲国家里，公约的规定被正式认定为国内宪法或法律的一部分；即使不是这样的国家，只要是公约的签字国，也采取其他的措施来使自己的国内法符合于公约规定的义务。

2. 美洲国家人权制度。1948 年美洲国家组织(OAS)建立的同时，泛美会议通过了《美洲人权和义务宣言》。这是一个类似于《世界人权宣言》但是又比它早整整 7 个月诞生的文件，而且既规定公民个人的权利，也规定他们的义务(这也许是对希腊罗马时代和中世纪的自然法理论的返祖吧)。其后，在 1959 年，美洲外交部长的一次协商会在美洲国家组织的框架内建立了一个美洲国家人权委员会。从那以后，委员会进行了有关美洲人权的许多重要的调查活动。最后，1969 年在哥斯达黎加的圣何塞举行的美洲国家人权专门会议又通过了《美洲人权公约》。公约把已有的美洲国家人权委员会变为公约的执行机构，并且建立了设在圣何塞的美洲国家人权法院。

美洲的公约生效于 1978 年。它的实体法和程序法规范都受到联合国各公约和欧洲公约的强烈影响，而且起草时便参考了《欧洲社会宪章》。但是，和它在联合国和欧洲的前身不同，美洲公约规定个人、团体和非政府组织的申诉自动地生效。根据联合国的制度，只有当有关国家已成为《公民权利和政治权利国际公约》选择议定书的签字国时，这种申诉才有效；在欧洲的制度下，则需要有关国家作出特别的声明，申诉方为有效。与欧洲制度(但不是联合国的制度)不同的另一点是：根据美洲公约的规定，国家间的申诉只在已明白表示同意这一程序的国家之间有效。

3. 非洲人权制度。1981 年，在联合国人权委员会、有关的国家、各非政府组织和其他人士始自 1961 年的多次敦促下，在肯尼亚内罗毕举行的非洲统一组织(OAU)国家元首和政府首脑第 18 次全体会议通过了《非洲人权和民族权利宪章》。宪章在经过非洲统一组织 50 个成员国的大多数批准后，于 1986 年 10 月 21 日生效。

与欧洲和美洲的相应公约相似，非洲的宪章规定设立一个非洲人权和民族权利委员会，具有促进和保护两种职能，而且对向委员会申诉的人不作限制(因此，签字国、个人、团体和非政府组织，不论是否被说成是侵犯人权行为的受害者，均可提出申诉)。但是，与欧洲和美洲的程序不同，公约鼓励有关国家达成友好的解决，尽量避免正式通过委员会调查和调解程序。非洲的宪章也没有要求建立人权法院。据说，非洲的习惯和传统强调调停、和解和达成一致，而不是西方法律制度中通常的对抗和审判程序。

非洲的宪章还有 4 个特点值得特别提出。①它除了规定公民权利和政治权利外，还规定经济、社会和文化权利。在这方面它类似于美洲公约而区别于欧洲公约。②它不同于欧洲和美洲的公约，除家庭、妇女和儿童的权利以外，也承认团体的权利。对老年人和残疾人还给予特别保护。民族自决权则精心设计为生存权、平等权和不受支配权。③它独特地包括有两项第三代的人权，或称“归属于各民族的团结权”，即经济、社会和文化发展权以及国内和国际的和平安全权。最后，它是目前唯一的一个既规定权利又规定义务的条约文件，包括家庭、社会、国家和非洲国际社会的权利与义务。

国内法庭上的国际人权 运用国内法庭来宣传和保护国际人权，是倡导人权的一种新的正在形成的方法。应用在多文化的背景下形成的国际公约和习惯规范，往往产生许多须由法律解释的问题，除此以外，有关国内法与国际法相互关系的诸多争论，以及程序上的种种困难——例如需要加上“立场”、“国家行为”和“政治问题的学说”等等标签——使得希望在国内法庭上援用国际人权规范的当事人感到棘手。可以肯定，这方面已经有了很大的进步，其中最好的证明就是美国第二巡回区上诉法庭于 1980 年对“费拉尔蒂加诉潘娜·伊拉拉”一案所作的判决。法庭在这个判决中认定，国际上对酷刑的禁止，已毫无疑问地确立为各国法律的原则，因此，美国法院应该尊重这个规定。但是，正像人权学者 R. 利利奇提醒我们的：“在否定(全盘拒绝在国内适用)国际人权法的意见之前，很可能需要首先极大地提高(国内的)法官对国际人权法的认识。”

结论 不论各国政府目前的态度和政策如何，有一个事实是不容争议的，就是人们普遍地要求人权，包括更实际的经济公平和更广泛的政治自由。在后殖民时期民族自决浪潮推动下更为加快了的深入而广泛的对促进和保护人权的关心，已经毫无疑问地进入当今世界事务的日程。

这种进步性的事态发展，当然主要归功于联合国及其所属机构以及欧洲委员会、美洲国家组织、非洲统一组织等地区性组织的工作。但是，自 70 年代初以来，有三个其他的因素，显然也起了有益的作用，这就是：①美国卡特总统把公开倡导人权作为国家外交政策的关键内容，并且率先把它合法化；②一些积极的非政府的人权组织的产生和扩大，诸如大赦国际(1977 年诺贝尔和平奖获得者)、国际法学家委员会和各种与教会有关的团体；③全球性地在正规教育和非正规教育中大量开设有关人权问题的课程，散发大量的资料。当然，考虑到目前国际一级和地区一级的政府间组织尚较软弱，这三个因素中任何一个都很可能在今后发挥愈来愈重要的作用。

可以肯定，人权的决策者、积极分子和学者们还会遇到很多的困难。因为，国际人权法律的实施，在很大程度上依靠各国自愿的一致行动，监督人权法律得到遵守和贯彻执行的机构还处于幼年时期。还可以肯定的是，对推进人权的关心，显然仍然是出于理想主义多于出自实际需要。就像诺贝尔奖获得者和持不同政见者 A. 萨哈罗夫一度从苏联国内流放地写来的信所说的：“人权的思想也许是唯一能够与如此众多的不同意识形态，如共产主义、社会民主主义、宗教、技术官僚主义和那些可以称为民族的或者土著的意识形态相结合的思想。人权思想也可以成为那些……已经对没有给人们带来……哪怕是一点点幸福的众多庞杂的意识形态感到厌倦的人的思想支柱。捍卫人权是我们这个纷扰动乱的世界走向各民族统一的光明道路，是解脱苦难的道路。”

human sacrifice 人祭 把活人当作牺牲献给神。实行人祭的民族认为血液是神圣的，是人的生命力所在。但也有不流血的人祭，例如某些民族就是把人绞死或溺死后作为祭品的。杀人献祭或以动物献祭往往是为了与神交通并配合神的作为。把人的生命当作最宝贵的祭品，有时是为了赎罪。有些民族献人祭是在战争胜利以后向神还愿，为此而杀害战俘曾经是一种惯例。人祭多出现在农业民族而不是狩猎或游牧民族，这可能是由于实行人祭可以增进土壤的肥力。非洲许多地方的人祭与祖先崇拜有关，奴隶要为主人殉葬，其方法或是活埋或是杀死以后葬在主人尸体之下。在今属墨西哥的地区，阿兹特克人和纳瓦人认为太阳需要人肉滋养，便在每年玉米收获节日用几千人献祭。印加人仅仅在统治者即位之时才实行这种大规模的人祭。今属秘鲁的地区以及北美洲的一些印第安人部族也实行人祭。通过在埃及和近东其他地区进行发掘发现，那里曾出现大批奴隶随其他财物为主人陪葬的事。根据亚述和迦南各宗教的礼仪，要把儿童烧死献祭，古以色列人有时也实行这种礼仪。印度吠陀时代的人祭习俗延续到时母的信徒，他们每星期五晚上向这位女神献一男童。日本的人祭到中世纪初期才废除。17 世纪以前，臣仆为帝王殉葬的事在中国时有发生。古希腊和古罗马的各种杀牲献祭仪式，起初可能也用人当牺牲。后来曾有人指责基督教徒举行夜宴杀人祭神而后分吃人肉。从中世纪到近代不断有人诽谤犹太人在逾越节杀基督教徒的子女献祭。

humanism 人文主义 高度重视人和人的价值观的一种思想态度，通常认为这种思想态度是文艺复兴文化的主题。文艺复兴时代的人文主义源起于 14 世纪意大利诗人彼特拉克，他精通并且热心提倡拉丁古典文学，影响所及，从意大利直到西欧各地。拉丁文的普遍通行和活字版印刷术的发明促进了人文主义的传播。日后人们逐渐认为，人文主义无非是讲授古典文学，但是，更为适当的提法是，人文主义重视人与上帝的关系、人的自由意志和人对于自然界的优越性。从哲学方面讲，人文主义以人为衡量一切事物的标准。人们对拉丁文原始资料发生浓厚兴趣，纷纷寻找古代文献，于是大家去研究希腊文和希伯来文。因此原文校勘学和语言学应运而生，遂使人们对亚里士多德著作和《圣经》有了新的看法。许多人士慷慨资助艺术工作，艺术家自觉仿效古典的内容和形式，蔚然成风。人文主义从复古活动中获得启发，注重人对于真与善的追求。人文主义扬弃偏狭的哲学系统、宗教教条和抽象推理，重视人的价值。人文主义者不断努力，要把基督教思想与古代世界的哲学相联系，他们也就播下了宗教改革运动的种子。近年来人文主义一词常指强调个人价值而不一定信仰上帝的价值观体系。普救会协进会中有一派人一方面不信奉上帝，另一方面以宗教形式提倡特殊的价值观。19世纪法国实证主义者A.孔德创立非有神论的人本宗教以促进社会改革。美国人文主义协会出版《人文主义者》季刊，宣传人文主义观点。除了这种非有神论的人文主义之外，基督教内一些神学家也倾向于把基督教说成是人文主义的宗教。20世纪著名瑞士新教神学家K.巴特曾说："无福音即无人文主义。"同样，天主教神学家也说，天主教是人文主义的宗教，因为天主教强调，人是按照上帝的形象造成的，具有独特的性质。

humanistic psychology　人文心理学　又译人本主义心理学。20世纪心理学界的一个运动，强调个人的尊严和人格的完整及充分的自我发展。此运动是在与当时心理学的两个主流（行为主义心理学和精神分析心理学）的对抗中发展起来的。他们认为行为主义者将人视为一般生物，而过分关注对人的动作进行科学的研究和分析，忽视了人是一个能感受和思维的个体；又认为行为主义者花费了太多的精力进行实验室研究，试图把人的行为用数量表示并还原为各种元素。人文心理学家又反对精神分析学派的决定论倾向，后者假设人幼年的经验和驱力能造成人的行为模式。人文心理学家认为个体应对自己的生活和行动负责，通过意识和意志，可在任何时间改变自己的态度或行为。人文心理学关心个人在爱情、个人愿望的实现、自我价值和自主性等各个方面都得到充分发展。他们认为所谓成熟就是一个人建立起自己的价值观的过程。人文心理学会列出了5个基本命题：人作为人超越了他身体各部的总和；人存在于人类环境中；人有自我意识；人有抉择能力；人是具有意向的生物。人文心理学的主要缔造者之一、美国心理学家A.H.马斯洛（1908～1970）提出一个人类的需求层次理论，顺次排列为生理的需要、安全的需要、归属感和爱情、受尊重和自我实现。靠前者具有较大的潜能，并被优先选择，而靠后者却较为复杂。只有较原始需要得到满足，个体才能达到更高的需求层次。达到自我实现的人可以说已充分的利用其潜能。大多数人文心理学家都以自我（self）为中心研究课题。美国心理学家G.凯利（1905～1967）的"个人构念论"和美国心理治疗专家C.罗杰斯的"自我中心论"都认为，个人按照其自身的经验来认知世界，这种认知影响着其人格并指导其行为以满足全部自身的需要。罗杰斯在《患者中心疗法》（1951）一书中强调，在个体人格的发展过程中，个人力求达到自我实现（变成自我）、自我保持（保持自我状态）和自我提高（超越现状）。

受J.-P.萨特等存在主义哲学家著作的影响，许多人文心理学家采取存在主义观点，强调人生的意义和存在的重要性。瑞士精神病学家、存在主义心理学的先驱者L.宾斯万格强调"世界图式"的概念，认为它代表了个人存在的整体，他认为人不是环境的产物而是环境的创造者。他还描述了个人存在于世界的种种模式：单一模式（个人采取生活于自我之中的生活方式，这种人称孤独者）、接偶模式（两个人因情感一致而联合在一起，因此"你""我"变成为"我们"）、群聚模式（个体与周围人交往）、匿名模式（某个人迷失于群众之中或在感情上与群众分离）。美国心理学家R.梅（1909～　　）认为人们忽视了人作为"存在物"这一基本性质，正是人这个"存在物"在体验世界并获得种种经验。梅认为，人认识到人生有限，这才具有活力和激情。美国心理学家C.穆斯塔卡斯注意到孤独对个人及其行为的影响，认为"存在主义式的孤独"是人生经验中不可避免的一部分，但"自我异化和自我否决"造成的孤独却能导致极度的焦虑。

20世纪60年代美国流行的"发挥人类潜能"运动中人文主义原则获得了应用，当时格式塔疗法十分流行，它强调"此地和此时"：情感、身体语言、表现性、自发性、接受性和对自己负责。格式塔疗法对人生的问题采取了存在主义的和经验主义的立场。与20世纪初期的格式塔心理学实验学派毫无相似之处，格式塔疗法对人类及人类能取得享受真正快乐的潜能采取了积极的态度。这种疗法由F.珀尔斯创始，他借用格式塔派心理学的整体性概念，这种疗法的目的是恢复整体性（充分发挥本人才能）。关于人类潜力的另一个有影响的疗法是由E.裴尔内设计的交互行动分析法，该法既能检查人类的相互关系，又能将从观察人们的交往中所得到的资料进行命名和归类。这种方法的目的是使人们学会辨识在彼此的人格中"儿童"和"家长"这两个不同的侧面，从而使自己趋于成熟。

Humanité, L'　《人道报》　在巴黎出版的日报，法国共产党的机关报。1904年由社会党人J.饶勒斯创建，1920年转受新成立的法共的控制。作为党的机关报，它与法共一起经历了起伏兴衰的变化。1939年8月，作为对《德苏互不侵犯条约》的反应，该报与法共一道解散。第二次世界大战期间该报在地下秘密出版。战后初期，随着法共的声望达于顶峰，该报发行量超过100万份，但几年之后，日销量还不足20万份。20世纪50年代及其后该报忠实反映苏联共产党的路线，因公布谴责法国政府的材料而受到压力。苏联解体后，《人道报》做出一系列努力希望增强它的吸引力，但未能成功，到2004年该报创刊100周年时，发行量跌至5万份以下。

humanities　人文学科　又作liberal arts。涉及人类及人类文化的诸学科，亦指涉及探讨此类学科的诸分析方法与评价方法的学科。这些探讨则源于对人类价值及其独具的自我表达能力的重视与鉴赏。在美国，这一术语也指许多学院与大学的行政划分而言。

现代人文学科的概念来自古典希腊语paideia一词，系指普通教育的一门课程，始于公元前5世纪中叶一些讲授哲学及修辞学的教师，目的是培养青年人具备城邦公民的素质；公元前55年，西塞罗在其《论雄辩家》一书中首次把humanitas（人之品质）列为一个辩论者的基本训练项目。中世纪早期，基督教先辈们包括本身兼为修辞家的圣奥古斯丁在内，都把paideia和humanitas两项内容与基本的基督教教育科目加以调和，其中便包括了数学、语言学和语文学、历史、哲学及科学。

尽管humanitas一词并不是组成各学科的本体成分且在中世纪末一度不使用，但在文艺复兴时期却经历了一个发展与转变过程。studia humanitatis（人性之学）被15世纪意大利人文学者们用来表示那些非宗教的及学术性的研究活动（即语法、修辞、诗学、历史、道德学、古希腊及拉丁文著作研究），他们认为这些学科要比宗教课程更具备本质上的人文精神和古典内容。到18世纪，狄德罗及法国百科全书派认为studia humanitatis在当时已变成僵化的拉丁文及希腊著作和语言的专门研究而加以非难。19世纪时对人文学科的视野扩大了，人文学科开始以一种新的性质出现，它与神学的分野缩小而与臻于成熟的自然科学研究资料及其方法的差别加大，因为自然科学的目的在于客观地观察世界及其诸种现象，不涉及人类对此所赋予的含义和所抱有的目的。

现代不同看法　人文学科的当代概念有与早期看法相似的地方，那就是人文学科提出一整套以宣扬自足的人类价值体系为基础的教育课程。不同的地方则是人文学科既不同于社会科学，也不同于自然科学，而且人文学科本身也存在着为发扬其宗旨究竟应以题材为重，还是应以方法为重之争。19世纪晚期，德国哲学家W.狄尔泰称人文学科是"精神科学"加"人类科学"之和，并简单地把它们归纳为自然科学题材之外并超越于自然科学题材之上的那些研究领域。另一方面，一位19世纪末20世纪初的新康德主义者H.李凯尔特则提出，人文学科之特征在于其方法而不是其题材。他强调说，自然科学的研究目的是由个别例证而达于一般法则，而人类科学则是"表意的"——这些学科专门探讨一定文化背景和人类环境中的个别现象之独一无二的价值而不涉及一般法则。以上这些看法构成当今有关人文学科定义中4种有代表性的理论基础，也是导致某些争议的根源。

普通才艺说　为R.克兰所倡。他认为，没有一门学科可被排除在人文学科的方法与技艺的调查研究范围之外。数学和自然科学、社会学、心理学等等，都有其历史、语言和文献以及基本哲学规律，这些可以应用人文学科一般技艺和方法加以讨论和分析。讨论包括4个方面：概念分析、符号表达分析（其中包括语言分析）、描述和阐释、历史研究。

语言功能说　认为人文学科以其所用语言为特征，并认为人文学科的语言学功能是相对地非认知性的和富有表述性的，相形之下，自然科学和社会科学的语言就更具认知性和分辨性。倡此说者是W.T.琼斯。

特殊智能说　根据其名即可看出它主张要在推理的（科学的）与想象的（人文学的）两个研究领域之间截然划分开来，不仅要涉及其语言，而且要涉及其精神实质，因此人文学科就要探讨举凡有关生命、命运、自由等方面的一些非线性的概念与想象，而不是其事实、客观观察与预见。推理与想象两种智能使用不同方法，这样就产生了详细分科的基础，如人文学科又可分为从事于想象力创作的美术与从事于学术和教学的一般文科。

普通经验说 强调人文学科与自然科学及数学在逻辑上的差别。前者属于“自然”逻辑即芸芸众生日常所接触的逻辑，后者则属于高度专门化并有明确目的的逻辑。按照倡导此说者H.B.维奇的解释，“自然”逻辑“仅仅是对于人和人性的认识，广义言之，是对于我们人类环境和我们置身于其中的这个真实世界的认识”。

尽管这些说法各自揭出对人文学科理解和评价的不同标准，但却在一点上取得一致，即人文学科的研究应该成为普通教育的基础。虽然现在大专院校中学习人文学科的学生人数要比自然科学及专门科系的人数稍有减少，但人文学科一般说来仍包括文学并附加拉丁文及希腊文经典著作的译本，以及若干历史、哲学及神学课程，并包括第二语言的基本训练。

Humann, Karl 胡曼(1839-01-04，普鲁士施泰勒[德国]～1896-04-12，土耳其伊兹密尔) 德国工程师和考古学家。早年曾为土耳其奥斯曼政府指导铁路建设工程，足迹遍及小亚细亚各地，是认识帕加马考古遗址重要意义的第一人。1878～1886年间，由柏林博物馆赞助，发掘该地重要公共建筑遗存多处，出土宙斯神大祭坛大量雕饰，回柏林后将其复原。1888年参加北叙利亚考古勘察。1891～1894年完成土耳其境内另一希腊古城——迈安德河畔马格内西亚——的发掘工作。晚年从事普莱伊尼遗址的发掘。与人合著《帕加马发掘成果》(3卷，1880～1888)和《小亚细亚和北叙利亚纪行》(2卷，1890)。

Humāyūn 胡马雍(1508-03-06，印度喀布尔～1556-01，德里) 又名纳辛-乌德-丁·穆罕默德。印度第二代莫卧儿皇帝。莫卧儿王朝创建者巴伯尔之子。与其说是王朝的守业者，倒不如说是个冒险家。1530～1540和1555～1556年在位。他所继承的不是一个实际的帝国，只是一个建立帝国的希望，因为莫卧儿尽管在巴尼伯德(1526)、坎奴(1527)和哥格拉(1529)节节胜利，阿富汗人和拉杰普特人并未甘心屈服。在阿富汗人和莫卧儿流亡者的怂恿下，古查拉特的巴哈都尔沙向驻在拉贾斯坦的莫卧儿人挑衅。阿富汗军人舍尔沙1539年在焦萨、1540年在根瑙杰城击败胡马雍，把他赶出印度。胡马雍成为无家可归的浪子，在信德和马尔瓦尔盘旋，寻求支持。1544年到达波斯，在沙·塔赫马斯普的援助下，先后占领坎大哈和喀布尔。1555年2月乘舍尔沙的子孙内战之机占领拉合尔，同年7月收复德里和阿格拉。他从藏书楼的楼梯上摔下，重伤致死。

德里市的胡马雍陵
美国不列颠百科全书公司供图

Humber, River 亨伯河口湾 英格兰东海岸的北海海湾，全国主要深水河口湾(在英国称river)之一。亨伯河口湾自西(乌斯河与特伦特河汇入处)至东长约64千米，连同有关河流及运河流域面积达24 750平方千米。河口湾本身在其最远的内陆点宽约1.2千米，湾口附近宽达11千米。湾口的斯伯恩角设有灯塔、救生艇站和鸟类禁猎区。1981年建成跨河口湾的亨伯桥。沿岸有几个主要港口：赫尔河畔金斯顿、格里姆斯比、伊明赫姆和古尔等。

Humber Bridge 亨伯桥 位于英格兰亨伯赛德郡赫尔河畔金斯顿以西约8千米、横跨亨伯河口湾的悬索桥。主跨1 410米，其跨距长度名列世界第二，悬在高出桥墩152米的两塔之间。桥全长2 220米，上有四车道公路，两边是人行道。历时8年建成，耗资2.5亿多美元，1981年7月通行。

Humber River 亨伯河 加拿大纽芬兰岛西部河流。源出长岭山脉，向南流121千米，经一系列瀑布，穿过若干湖泊(其中包括迪尔湖)，在科纳布鲁克注入亨伯湾。亨伯河流域是鲑鱼捕捞、伐木、狩猎和农业的重要地区。在迪尔湖建有水力发电厂，供造纸厂和锯木厂用电。下游大部河段与横贯加拿大的公路和加拿大国家铁路平行。

Humberside 亨伯赛德 英格兰东部地区和前行政郡，邻亨伯河河口和北海。该地区包括约克历史郡和林肯历史郡的部分地区。亨伯河北部地区被称为北亨伯赛德，是约克郡东区地理郡，行政上分为约克郡东区单一政区和赫尔河畔金斯敦单一政区。赫尔河畔金斯敦是该地区最大的城市和商务中心。南亨伯赛德位于河口南部，是林肯地理郡的一部分，行政上分为北林肯郡单一政区和东北林肯郡单一政区。赫尔河畔金斯敦与格里姆斯比、伊明赫姆和古尔等城市分享亨伯河口湾的海运贸易。亨伯河口湾深水航道从斯珀恩角附近的开阔海域向西抵赫尔河畔金斯敦，全长35千米。亨伯赛德是全英国最干旱的地区之一，年降水量最低处不足600毫米。盎格鲁-撒克逊人以及古罗马人最早定居的地区之一。中世纪时当地农业和羊毛贸易均很兴旺。运河时代兴建古尔河港。铁路时代兴建渔港格里姆斯比和煤港伊明赫姆。有赫尔、海滨胜地布里德灵顿和克利索普斯，以及钢城斯坎索普等城镇。人口约889 200(1995)。

Humbert I 亨伯特一世(?～约1048) 意大利萨伏依伯爵，萨伏依王室的创立者。1033年率领联军，与香巴尼的厄德作战，把厄德杀死。1035年攻占并烧毁莫列讷河谷中的圣让城。他扼守要隘，使法国人无法接近伦巴第。

Humbert I－II(Italian kings) 参阅**Umberto I－II** *翁贝托一世至二世*。

Humbert OF SILVA CANDIDA 洪贝尔(锡尔瓦坎迪达的)(约1000，洛林[法国]～1061-05-05，罗马[意大利]) 枢机主教、神学家。他的思想促进了11世纪教皇利奥九世和格列高利七世的教会改革。15岁入本笃会隐修院为修士，与布鲁诺(图勒的)友善。布鲁诺后来继位成为教皇利奥九世，1049年召洪贝尔到罗马。此后一直到以下几代教皇在位期间，他都是贯彻教廷政策的主要人物。1050年春，利奥九世任命洪贝尔为西西里主教，后提升为枢机主教。1054年他受利奥九世差遣前往君士坦丁堡，了解拜占廷皇帝君士坦丁九世是否有促进希腊、罗马两教会联合的诚意，在那里与拜占廷著名神学家进行公开辩论。洪贝尔于1054年宣布君士坦丁堡牧首米洛尔(色路拉里乌斯)为异端分子，处以绝罚，随后并全面谴责希腊正教会。1057年教皇司提反九世提升洪贝尔为教廷大臣兼图书馆长。他著有小册子《反对买卖神职》。为争取消除由贵族任命神职人员的弊端，他主张按早期教会的传统由信徒和教士推选主教。

humble-bee 参阅 **bumblebee** *熊蜂*。

Humboldt, Alexander von 洪堡(1769-09-14，柏林～1859-05-06，柏林) 德国自然科学家和探险家，是自然地理学与生物地理学(现今的地球科学和生态学领域)经典时期赫赫有名的人物,近代地质学、气候学、地磁学、生态学的创始人之一。通过其著作《宇宙》一书,他对科学普及作了很有价值的贡献。南美洲西海岸的洪堡洋流(秘鲁洋流)就是以他

美国不列颠百科全书公司供图

的姓氏命名的。10岁丧父,由冷漠、严格的母亲教育抚养成人。母亲希望他能胜任高级公职工作,授以政治史和经济学,以及语文、数学与经典课程。后在奥得河畔法兰克福大学学习经济学未获成果后在柏林住了一年,在这里他接受一些工程学的训练,突然对植物学大感兴趣。他开始搜集柏林周围地区的植物标本并学习对它们进行分类。

1789～1790年在格丁根大学学习一年,他终于逐渐领悟科学世界,对矿物学与地质学特别感兴趣,遂决定转到萨克森的弗赖堡矿业学院。1792年没有获得学位即离开弗赖堡。一个月后,得到普鲁士政府矿业部的任命,去遥远的菲希特尔山,该地不久前才归属于普鲁士国王。洪堡领导了这里的废矿重建工作,并发明一种安全灯,还用自己的经费给年轻矿工们办了一所技术学校。但他无意将采矿作为自己的毕生事业。

他深信自己生活的真正目的是科学探险,1797年他辞去公职,以便专心致志地获取大地测量、气象学及地磁学测量系统的知识。后来获得西班牙政府准许到中美洲及南美洲的西班牙殖民地去考察,当时这些殖民地只允许西班牙官员及天主教传教士入境,对外面世界完全关闭。洪堡获得皇家许可证后,用母亲的庄园遗产充作科学探险的经费,于1799年夏,在法国植物学家A.邦普兰陪同下,从马赛起航。1799～1804年的5年中,他与邦普兰在中、南美洲步行、骑马和乘独木舟总计行程达9 650多千米,备受艰辛。他们自加拉加斯出发,往南穿过草原和灌木林,到达奥利诺科河的一条支流阿普雷河沿岸。继而乘独木舟上溯至奥利诺科河。循该河及卡西基亚雷河前进,证实后者是亚马孙河与奥利诺科河相互沟通的河流。在这一段探险的过程中由于环境恶劣,两人经受一场严重的热病。后在古巴作短暂逗留,两人又一起返回南美,对安第斯山进行一次广泛考察。他们从波哥大到秘鲁的特鲁希略,漫游于安第斯高地,所走的路线即今天泛美公路所在,当时却是一系列峻峭、多石、很窄的小径。他们攀登许多山峰,包括厄瓜多尔境内基多周围的全部火山。洪堡登上钦博拉索山(6 265米)的5 876米高处,离峰顶仅极短的距离,创造了其后将近30年无人超过的登山高度的世界纪录。这些成就都是在没有现代登山装备的条件下取得的,没有绳索、尖铁钉鞋或氧气供应,因此,洪堡和邦普兰受到高山病折磨。但洪堡却从他的病痛中得到启发,使他成为把高山病归因于海拔高、空气稀薄而缺氧的第一人。他还研究了南美洲西岸的洋流,这就是原先以他姓氏命名的洪堡洋流,现今通称秘鲁洋流。

1803年春,两位旅行家从瓜亚基尔起航到达墨西哥的阿卡普尔科,对西班牙殖民地中最发达、文明程度最高的这一地区进行了深入调查研究。后又在美国作短期停留,洪堡受到杰斐逊总统接见,然后启航回法国。洪堡和邦普兰带回大量资料,还有许多新植物的标本、测算的各地经纬度、测定的地磁场、温度和气压的每日观察记录,以及墨西哥社会和经济的统计数据。1804至1827年间,洪堡除了短暂地访问柏林外,都是在巴黎度过他一生中这一段最重要的时期。他全身心致力于分析整理带回的资料,将它们提炼成30卷著作。其中最重要的有:气象学数据,着重于昼夜的温度平均值;天气图中的等温线(平均气温相同的各点联结线)和等压线(一定时间或时期内气压相同的各点联结线),这些都为比较气候学奠定了科学基础。他还是研究地理环境与动植物群落之间关系的先驱。他对安第斯火山喷发作用与变质岩对地壳发育史关系的探索,推翻了水成论者认为地表全由液态下产生的沉积岩构成的错误论点。他的《关于新西班牙王国的政治评述》含有墨西哥地理与地质学的丰富资料,包括对政治、社会和经济情况的叙述,还有广泛的人口统计。

洪堡生活简朴,住在巴黎拉丁区一座旧房子顶部的一个朴素小房间里。他的财产因探险与出版书籍而耗尽,他常常生活在经济窘迫中。但他却愿意对年轻的科学工作者们在他们的事业开始时予以热情的帮助。由于他的宽宏大量、慷慨与睿智的判断,那些有发展前途但又缺乏钱财的学生们得到必要的奖励和财政资助,并得以进入科学界。这类人士中有德国化学家尤斯图斯·冯·李比希和瑞士出生的动物学家路易斯·阿加西斯,他们都是由于洪堡的提携才得以继续学习从而开始科学事业的。他那兴趣广泛、感情丰富的性格的最好证明,就是他遗留下来的约有8 000封浩瀚的通信。

1827年洪堡几乎破产,经济上不能独立,只得返回柏林,在普鲁士宫廷供职。1828年秋,他在柏林组织了第一届国际科学大会的一次会议。1829年洪堡获得出访俄罗斯与西伯利亚的机会,他接受俄罗斯财政大臣的邀请去视察乌拉尔的金矿和铂矿。洪堡同他的伙伴们乘马车旅行,最远到达阿尔泰山脉和中国边界。他们对地理、地质与气象的观察成果,特别是关于中亚地区的观察成果,对西方世界极其重要,因为当时中亚还是一个在很大程度上不被了解的地区。

在他出访俄罗斯之前,曾对磁暴现象进行调查研究。他在柏林一座幽静庭园里观察地磁仪的运动,但他清楚要在许多年时间内找到磁暴是来源于地球或是地球以外,则需要建立世界范围的磁力观察网。1836年他向伦敦的皇家学会提出在英属海外领地建立一系列新增设的磁场观测站。结果,英国政府在加拿大、南非、澳大利亚和新西兰提供了永久观测手段,并装备了一支南极探险队。借助于这项国际科学协作获得的大宗数据,英国地球物理学家E.赛宾后来成功地证实了地球大气中磁暴的出现与太阳黑子的周期性变化是相关联的,从而证明磁暴是源自地球以外的。

洪堡在其生活的最后25年中,主要从事写作《宇宙》这部空前的科学巨著。他在世的日子里出版了其中的4卷。《宇宙》文笔轻松、流畅,叙述了当时所知的一个包罗万象的宇宙结构。他的书几年内就几乎被译成所有的欧洲语言出版。直到临终前,他的热情和记忆力毫不减退,仍在坚持编写《宇宙》的第5卷。1859年在柏林去世,终年90岁。

Humboldt,(Karl) Wilhelm,Baron (Freiherr) **von　洪堡**(1767-06-22,普鲁士波茨坦[德国]～1835-04-08,柏林附近泰葛)　德国语言学家、哲学家、外交家和教育改革家,对20世纪语言科学的发展作出贡献并被高度评价。他认为语言是一种活动,其特性和结构表现文化和说话者的个性,并断言,从本质上说,人对世界的感知是通过语言的中介。他以此对揭示语言和文化关系的人类语言学的现代发展预施影响。他是亚历山大·洪堡的兄长。在耶拿大学完成学业后,洪堡和F.席勒建立

美国不列颠百科全书公司供图

起终生友谊(与席勒的通信集刊行于1830年,1889年出新版)。18世纪90年代末期,他的文学声誉使他获得普鲁士驻罗马公使(1801～1808)职位,在罗马曾对人文学科和科学的研究工作慷慨赞助。1809年任普鲁士教育大臣,主要在柏林从事腓特烈·威廉大学(现称洪堡大学)的创办工作。他用提高教师专业水平标准的要求和颁发证书的办法也对普鲁士初等教育进行了改革,从总的方面帮助普鲁士列入教育进步的前茅。在教育部短暂任职后,他即隐退。但1812年却被派任驻维也纳大使,1813年在布拉格会议上他促成奥地利加入反法的俄普联军,在1815年他成为《巴黎条约》签署者之一。经历后期的外交生活后,他对J.C.阿德隆所著《米特里达脱斯》这部语言比较研究著作进行了较大的校订增补,对巴斯克语方面的校补部分尤其引人注意。洪堡的增补引起学术界重视,促进

了对于巴斯克语的科学研究。他曾考察巴斯克乡村，在1812年著书论述西班牙早期居民的生活。1828年发表《论双数》一书，他对双数（有别于单数和复数）的看法使他进入语言的形而上学。洪堡未竟其一生最伟大的事业——对爪哇岛古加维语的研究——而去世。未完成的遗稿由其弟与J.布施曼共同于1836年整理编纂，其中一篇引言论述语言差异及对人类发展过程之影响，于1980年以题名《论人类语言结构之多样性》刊行，一直被奉为一本言语哲理的典范之作。他的其他语言学著述、诗歌和美学论文由其弟辑成7卷出版（1841～1852），他和J.W.von歌德的通信集发表于1876年。

Humboldt Current（Pacific Ocean） **洪堡洋流** 参阅 **Peru Current** 秘鲁洋流。

Humboldt Glacier **洪堡冰川** 世界上已知的最大冰川。在格陵兰西北部，邓达斯东北偏北340千米。最高达100米，延伸100千米，侵入凯恩盆地。1853年由E.K.凯恩率领的美国探险队发现。

Humboldt River **洪堡河** 美国西部河流。由源出内华达州北部埃尔科县境内洪堡国家森林的东、北两条支流汇合而成。河道弯曲，大致向西和西南流经埃尔科、温尼马卡和拉夫洛克三县注入洪堡湖，全长约480千米。为纪念德国著名探险家、科学家A.von洪堡而命名。1848年在加利福尼亚发现金矿后，曾为从盐湖城迁往加利福尼亚中部的移民的重要水上通道。洪堡灌溉工程包括拉伊帕奇水坝（1936，1976年扩建）及水库。

Humboldt University of Berlin 参阅 **Berlin, Humboldt University of** 柏林洪堡大学。

Humch'igyo（Korean religion） **吽哆教** 参阅 **Poch'ŏngyo** 普天教。

Hume, Alexander **休姆**（约1560，苏格兰伯威克波尔沃思～1609-12-04，斯特灵郡斯特灵附近洛杰） 苏格兰诗人，以一部宗教诗集知名。可能曾就学于圣安德鲁斯大学，并在巴黎研究了四年法律。曾在爱丁堡当律师并在苏格兰朝廷做过官，最后于1590年被任命为洛杰的牧师。死前一直住在该地。写过几篇热情虔诚的宗教短文，并以苏格兰方言出版了一本短诗集《圣歌》（1599）。人们至今仍怀念他，主要是因为他那篇富有启发性描述的诗歌《夏日》。《致吉尔伯特·蒙特克里夫先生的书简》是自传体的早期典范。

Hume, Alexander Hume, 1st Earl of 参阅 **Home, Alexander Home, 1st Earl of** 霍姆伯爵（第一）。

Hume, Allan Octavian **休姆**（1829-06-06，苏格兰福弗尔郡蒙特罗斯～1912-07-31，英格兰伦敦） 驻印度英国官员，印度国民大会党主要创建者之一。激进派政治家约瑟夫·休姆之子。1849年到孟加拉当文官。1857年印度兵变时任埃达沃县县长。此后调西北省田赋局工作。1870～1879年在印度中央政府担任田赋与农业部秘书。他主张让印度人更多地参与印度事务，遭到反对，又回到地方政府工作。1882年退职，开始参加政治活动。1885年印度国大党在孟买举行第一次大会时，他是召集人之一。国大党建立后，曾任该党总书记多年。1894年离开印度时，他已无法再控制激进思想占上风的印度民族主义运动。退休回伦敦后参加并资助激进的政治活动，1894年起任伦敦达利奇区自由协会主席，直到去世。在印度西北省期间与人合著《印度、缅甸与锡兰的可捕猎鸟》（1879～1881）。他将自己收集的鸟类标本赠与不列颠博物馆。

Hume, David **休姆**（1711-05-07，苏格兰爱丁堡～1776-08-25，爱丁堡） 又译休谟。18世纪苏格兰经验论哲学家、历史学家、经济学家和随笔作家。他把哲学设想为一门归纳的和

美国不列颠百科全书公司供图

实验的人性科学。以英格兰物理学家I.牛顿的科学方法为典范，并以英格兰哲学家J.洛克的认识论为基础，休姆试图描绘心灵是如何获得知识的，并得出结论：不可能有关于实在的理论，也不存在关于超越经验之外的任何事物的知识。尽管休姆的认识论有着持久的影响，他似乎把自己主要看成是一个道德学家。

早期生平与著作 大卫·休姆是约瑟夫·休姆的小儿子。约瑟夫·休姆是奈恩韦尔斯地方的地主，境况平常，他的小地产邻近彻恩赛德村，距特威德河畔贝里克大约9英里，在边界的苏格兰一侧。大卫的母亲凯瑟琳是苏格兰最高民事法院院长大卫·福尔克纳爵士的女儿。大卫·休姆出生在爱丁堡。他3岁丧父，约12岁进入爱丁堡大学，14～15岁时便离校了，这在当时颇为寻常。稍后勉强去学法律（他父母两家的传统），但他讨厌法律，而是贪婪地阅读更广泛的人文方面的书籍。由于在思想探索上过于紧张和兴奋，1729年有过一次神经崩溃，过了好几年才得以恢复。

1734年，休姆在布里斯托尔的一家商行里试了试身手之后，他的生活有了重大的转折。他在法国隐居了3年，大部分时间是在旧安茹省卢瓦尔河畔的拉弗莱什度过的，从事研究并写作《人性论》。《人性论》是休姆想表述一个全面的哲学体系的一次尝试，全书分成三卷：第一卷论理解，目的是解释人的认识过程，依次描绘观念的起源、空间和时间的观念、因果性和感官的证据；第二卷论人的"情感"，为解释人的感受或情绪程序提出了细致的心理机制，并把理性在此机制中置于一个从属的位置；第三卷论道德，借助人在考虑人类行为对自己或他人的适意或不适意的后果时所具有的赞同或异议的"情感"来描绘道德的善。尽管《人性论》是休姆关于自己思想的最透彻的阐述，晚年的休姆却斥之为幼稚的，宣称只有他后来的著作才表达他的深思熟虑的观点。《人性论》一书写得不太好，因为一些重要术语（尤其是"理性"）的歧义，使有些部分过于琐碎、含混。着意渲染的陈词和相当做作的自我表白也使该书减色。鉴于这些理由，休姆思想成熟时对它的责难或许并非毫无道理。尽管如此，第一卷仍然是他所有著作中被学界读得最多的一书。

1737年回到英格兰后，他着手出版《人性论》。第一卷和第二卷于1739年分两卷出版，翌年出版了第三卷。对于他的首部并且是雄心勃勃的著作的冷淡反应使他深为沮丧。但他的下一次尝试，《道德和政治论文集》（1741～1742），赢得了一些成功。或许受此鼓励，他在1744年成为爱丁堡的道德哲学讲席的候选人。由于反对者宣称《人性论》为异端甚至无神论，休姆离开了自1740年起便一直生活的爱丁堡，开始了一段漂泊时期：作为神经失常的安嫩代尔侯爵的指导教师在圣奥尔本斯附近度过了不快的一年（1745～1746）；担任了数月詹姆斯·圣克莱尔将军（苏格兰一显赫家族的一员）的秘书，与他一起经历了对布列塔尼进行的流产的远征（1746）；在伦敦和奈恩韦尔斯短暂逗留；后又随同圣克莱尔将军在驻维也纳和都灵宫廷的使馆度过了数月（1748～1749）。

成熟著作 休姆的漂泊岁月也是他为使自己能有闲暇从事研究而挣得所需金钱的岁月。这些研究的部分成果在他旅行结束之前就已问世了，其中包括《道德和政治三论》（1748）、《人类理解的哲学论文》（1748），后者是《人性论》第一卷的重写（附有论文《论奇迹》，以否认奇迹能被任何数量或类型的证据证明而著称），其更为人所知的书名是《人类理解探究》，即休姆为此书1758年的修订版所起的名字。《道德原则探究》（1751）是《人性论》第三卷的重写。休姆的成熟思想就表述在这些著作中。

《人类理解探究》试图确定人类认识的原则。它以逻辑的方式就关于事实和经验所作推理的本性提出了重要问题，并借助联想原则对它们作了回答。整个阐述的基础是关于意识对象的双重分类。首先，所有这些对象或是"印象"，感觉或内在意识的材料，或是"观念"，从上述材料经复合、变形、扩大或缩小而得到。这就是说，心灵除了从印象导出的观念外并不创造任何观念，由此休姆阐发的意义理论是：一个不直接代表印象的词，只有当它在心灵中展现的对象能从印象经上述心理过程之一得到时，才具有意义。其次，解释意义有两种途径：①分析的，集中在"观念的关系"上；②经验的，集中在

"事实"上。观念可以直接作为意义呈现在心灵中，然后，其间的逻辑关系通过理性的审视而得以辨明。譬如，一个平面三角形的观念就蕴涵其诸内角之和与二直角相等，运动的观念则蕴涵空间和时间的观念，不管实际上是否存在诸如三角形和运动这类东西。只在这个纯意义的层次上，休姆断定，证明的知识才有立足之地。另一方面，事实则是原本怎样就怎样来到心灵之前，不展示任何逻辑关系；它们的性质和联系也只能原样接受：樱草是黄的，铅是重的，火会烧毁东西，这些都是事实，每个事实都自我封闭，逻辑上互不关联。就理性而言，每个事实都可能是另外一个样子：所有事实的矛盾情形都是可以设想的，因此，关于事实的任何证明性科学都是不可能的。

休姆关于因果性的学说就是以此为基础展开的。因果性观念所断定的据说是事实间的必然联系，那么，它来自何种印象呢？休姆断言，在感官材料中观察不到任何因果关系，因为，当一个人认为任何事件是因果地相关联时，所有他确实观察到并且所有他能观察到的是它们经常并且总以同一方式共处，在这类共处中，事实是，一个事件的印象或观念伴随着另一个事件的观念。于是，一种习惯性联结便在心灵中建立，而且就像其他形式的习惯一样，在这类习惯中，联结的进行也具有强迫感。休姆的结论是，这种感觉是因果性观念唯一可以发现的印象根源。

休姆随后考察了因果推理的过程，在这样做时，他引入了信念概念。当一个人看到玻璃杯落下时，他不仅想到它的破碎，而且还期望并相信它将破碎；或者从结果出发，当他看到地面大都是湿的时候，他不仅想到雨而且相信曾下过雨。因此，信念在因果推理过程中是一重要成分。休姆接着研究了信念的本性，宣称他是第一个这么做的。他仅在关于事实的信念这一狭窄意义上使用这个词，把信念界定为伴随对观念的知觉而出现的活跃或生动感。信念不仅是观念，而且还是生动或活跃的观念。这种生动感原本只为某些意识对象，为它们的印象和单纯记忆形象所具有，经过联想或联结，它也转属于某些观念。在因果推理过程中，观察者从一印象移向与之规则地相联结的观念上，在此过程中，休姆断定，本来只为印象所具有的活跃感也传染给了观念。正是活跃感的这一特性休姆确定为信念的本质。

休姆并没有声称他证明了：①事件本身是因果地相关联的和②它们将来的联结方式将与过去一样这两个命题是假的。他坚信这两个命题，并且坚持认为，每个曾相信过它们的人将会继续这样相信，而且为了生存也必须这样相信。它们是自然的信念，人性的不可磨灭的趋向，疯狂除外。休姆认为他所证明的是，自然信念既非来自经验观察，也非来自理性，也不能用经验观察或理性来证明，无论是直观的或推论的理性。反省表明，对于自然信念不存在什么证据；但反省又表明，我们不仅注定要相信这些自然信念，而且这样做还是明智而健全的。这就是休姆的怀疑论，这种怀疑论肯定的是这种张力，否定的不是信念，而是确定性。

《道德原则探究》是休姆关于道德思考的结晶。在此书中，他把同情看作处于所有社会生活和个人幸福的基础的人性之事实。在把道德定义为这样一些品质，这些品质为任何拥有者和几乎每个人所认同后，休姆想要发现这种认同的最广泛的根据。他为此找到的根据正如他为信念找到的根据一样，不是"认识"，而是"感情"。道德决定是以道德情感为基础的。品质或因其用处或因其适意而受其拥有者或他人的珍视。休姆的道德体系旨在他人的幸福（但没有诸如"最大多数人的最大幸福"这类公式）和自我的幸福，但为他人的考虑在道德中分量更重。强调的重点是利他主义：那些他声称在人身上发现的道德情感，大多数他都将之追溯到一种对同类的情感和同情。他主张，与乐者同乐，与忧者共忧，既为自己也为他人谋求善，便是人性所在。在《探究》出版两年后，他承认"我对那书有偏爱"；临终时，他判定它为"无可比拟地是我所有著作中最好的一部"。这类声明以及他在后期著作中的其他表示，都使我们可以设想他把道德学说视为他的主要工作。在这方面，他是作为一个承诺着与其他人类同胞相同的义务的人而写作的。那种认为他是一个超然世外的玩世不恭者的传统观点是大错特错了：他怀疑的不是道德，而是诸多关于道德的理论。

这些著作出版之后，休姆在爱丁堡住了一些年（1751～1763），其间两次在伦敦逗留。曾有过一次试图使他成为苏格兰经济学家（后来成为他的密友）亚当·斯密在格拉斯哥的逻辑讲席的继任者的努力，但无神论的流言再次传开。不过，在1752年，他得以就任爱丁堡律师图书馆的馆长，在此任内，作为"30 000册书的主人"，他尽可以纵情满足多年来一直就有的转向历史著述的欲望了。他的《英格兰史》，从凯撒入侵直至1688年，于1754年至1762年间以六大卷四开本出版，在此之前还出版了《政论集》（1752）。他近期的著作已使他稍有名气，而这两部著作更使他享誉国内外。他还写了他轻视的《四篇论文》（1757），尽管其中一篇是《人性论》第二卷的重写（从而完成了他对此书的删改重写）和另一篇关于"宗教自然史"的卓越研究。1762年，詹姆斯·鲍斯韦尔（塞缪尔·约翰逊的传记作者）称休姆是"英国最伟大的作家"，而罗马教廷则通过在1761年将他的所有著作列入《索引》（天主教的禁书目录）来表示对他的关注。

随之而来的是他生活中最富有色彩的一段时间：1763年，他离开英格兰，就任英国驻巴黎大使赫特福德伯爵的秘书。巴黎上流社会接受了他，虽然他貌不惊人，举止笨拙，但使他赢得荣誉的是他的渊博学识、敏锐思想、流畅文笔，以及他的纯朴和随和。沙龙向他敞开大门，所有的人都乐于接待他。1765年中有4个月他行使着使馆代办的职权。当他于1766年初回到伦敦时（一年后成为次国务秘书），他带着J.-J.卢梭，那位与狄德罗和达朗伯的《百科全书》相联系的瑞士哲学家，并为他在斯塔福德郡伍顿的一所乡村房子里提供了一个免遭迫害的避难所。但这位备受煎熬的天才疑心这是一个阴谋，秘密地逃回法国，还散布有关休姆欺诈的说法。这既使休姆痛心，也迫使他发表他们之间的有关通信，并附以说明性文字（《一个关于休姆先生和卢梭先生纠纷的简短而真实的陈述》[1766]）。

1769年，出于对公务以及对英格兰的厌倦，休姆再次回到他热爱的爱丁堡居住，修订自己的著作，并享受与新老朋友既谈学问又共饮宴的乐趣（他终生未婚）。除了准备他的题为《随笔与论文》的文集（死后于1777年出版）和《自然宗教对话》（出于朋友的压力而收回，直至1779年才出版）外，他发表了上述文集的8个版本（1753～1772）和《英格兰史》的5个版本（1762～1773）。他的出奇的超然的自传，《大卫·休姆先生的生平，自撰》（1777，书名是休姆自己的）标明的日期是1776年4月18日。在久病一场之后，休姆于1776年8月25日在爱丁堡家中去世，安葬在开尔顿山上。

亚当·斯密作为休姆的文献遗产执行人，在他为《生平》附加的一封信的结尾对他的朋友的评价是"近乎达到人之脆弱本性所能允许的智慧和德性皆备之人的理念"。休姆的那些杰出朋友们，其中包括牧师，还有些年轻人或是受过他的影响或是受过他的接济，当然崇敬并且热爱他。至于老百姓们，只听说过他是一个无神论者，并想知道这样一个可怕的人会怎样对待他的死亡。然而，鲍斯韦尔在其《私札》的一段中回忆道，当他访问临终前的休姆时，这位哲学家为他不信永生不死提出了一个生动、诙谐的辩护。

重要性和影响 无可置疑，休姆是他那个世纪的主要人物之一。他的同时代人这样想；从历史角度看，他的成就也证实了这一判断，固然强调的重心有所转移。可以从四个方面说明如此评价的理由：

①作为作家。休姆在世时，他的风格便受到赞赏，直至今日仍然如此。这种风格体现了他那个时代的古典标准：缺乏个性和色彩，因为他总是以能驾御他的感情而自豪；风格明快，但在论及某些小问题时也会相当沉重。他的哲学著作所给予人的是一种意外的愉快。在此，他的超脱、均衡（一切都在同一平面上）、流畅和明朗清晰都是恰如其分的长处。休姆作为英语科学论文的最好作家之一，在风格史上占有一席之地。

②作为历史学家。图书馆目录卡上仍把休姆列为"休姆，大卫，历史学家"。自他去世至1894年，《英格兰史》至少出了50版；一个缩编本，《学生用的休姆》（1859，经常重印），广泛使用达50年。尽管现在过时了，休姆的《历史》还得被看作一个具有文化意义的事件。而且在它问世时，它还是一个创举，与为数不多的在它以前的历史书不可同日而语，它更充实，为公允建立了更高的标准。他的《英格兰史》不仅追溯国王和政治家们的业绩，而且还展示了有教养阶层的思想关注，如第三章末论述共和政体时期以及第二章末论述詹姆斯二世时代的文学和科学等章节可以表明这一点。该书无论在结构上还是在行文上都具有同类著作中空前的可读性。人物和事件被编织成种种因果联系模式，而这些模式则为时而出现的高潮提供了支撑的框架。这正是未来的历史书

对一般读者的布局。

③作为经济学家。休姆成为经济学家这一步是在《政论集》中迈出的。这部著作作为《道德和政治论文集》的第二部分收入《随笔与论文》。在多大程度上他影响了他的年小12岁的朋友亚当·斯密,还不能肯定。他们都持有类似的原则,两人都有引用历史说明和支持这些原则的良好习惯。休姆并没有如亚当·斯密在《国富论》中所做的那样形成一个完备的经济理论体系,但他引入了几个18世纪的"古典经济学"据以建立的新观念。休姆洞见的深度可从他的主要主张中看出:构成财富的不是货币而是商品;货币流通量应与市场货物量相联系(贝克莱已指出上述两点);低利率不是货币过剩而是贸易兴旺的标志;没有一个国家能只为贵金属而维持出口;每个国家都有各自的原材料、气候和技能的优势,因此产品(除了个别例外)的自由交换是互惠的;穷国使富国也变穷,正因为它所生产的不足以在交换中占多少分量。休姆欢迎超越农业经济向工业经济迈进,因为这是走向更先进文明的先决条件。

④作为哲学家。休姆把哲学设想为人性的归纳科学,他的结论是,人与其说是理性的造物,毋宁说是感性和实践的造物。在欧洲大陆,他被看作是为数不多的英国古典哲学家之一。对于某些德国人来说,他的重要性在于正是为了直接反击休姆,I.康德才构建他的批判哲学。休姆也是使19世纪法国数学家和社会学家A.孔德走向实证主义的诸多影响之一。在英国,他的正面影响可见于J.边沁(19世纪早期的法学家和哲学家),《人性论》的第三卷促使边沁转向功利主义(正当行为应由其后果的功用来决定的道德观点),受他影响更深的是生活在19世纪后期的哲学家和经济学家J.S.穆勒。

将原因和结果之间具有必然联系的设定置疑,休姆便成了中世纪之后第一位重新表述古典怀疑论的哲学家。其次,他的重述是以一种新的、令人信服的方式进行的。尽管休姆尊敬牛顿,但休姆对因果性的微妙的损害也使牛顿科学作为一种世界观的哲学基础大成问题,至少就其基于对制约宇宙的几个基本因果规律的确认之上而言。有鉴于此,如果想要成功地使科学成为人类思想的核心框架,19世纪实证主义者就不得不与休姆对因果性的置疑作斗争。在20世纪,引起人们主要是分析哲学家注意的,与其说是休姆的怀疑论,还不如说是他的自然主义。休姆的自然主义在于他相信哲学辩护只能植根于自然世界的规律之中。这一点对分析哲学家的吸引力在于它似乎为来源于怀疑论传统的问题提供了回答,而在复活这一怀疑论传统方面,功不可没的却正是休姆本人。

Hume, (Andrew) Hamilton　休姆(1797-06-19,澳大利亚新南威尔士帕拉马塔附近～1873-04-19,新南威尔士亚斯库马村舍)　威尔士探险家,对澳洲贝里马-邦邦地区的开发有卓著的贡献。休姆是家中长子,父亲为农民兼狱监。17岁时即和兄弟约翰及当地一名土著进行探险,拓展了生活领域(1814～1815)。1818年和C.思罗斯比以及J.米汉一同旅行,并曾于1819年陪同J.奥克斯利和米汉到杰维斯港,1822年和其他人一同发现亚斯平原。由于无法从政府获得财政上的支持进行澳洲南岸的陆上探险,休姆接受了W.霍维尔的资助。霍维尔是名水手,没有在荒野中生活的经验,但他有航海的本事。1824年10月至1825年1月,他们从冈宁走到科里奥湾,发现了墨累河的一部分以及有价值的农地和牧地。休姆因此而被赐予克鲁克黑文河上200公顷的土地。1828年休姆和C.斯特尔特发现了达令河。这次的探险令休姆的健康大受损害,因而在亚斯平原住了下来,那里有达令总督赐给他的200公顷土地。霍维尔于1853年造访他和休姆于1824～1825年探险后建设起来的吉朗市,并因被视作该市的发现者而受拥戴;就在这个时候,休姆写了一篇文章,题为《由乔治湖到菲利普港陆上探险真相之简短声明》(1855),在文中纠正一些他认为有所偏颇的情况。同年霍维尔发表《答复》一文,两人的友谊至此终告结束。1860年休姆被选为皇家地理学会的一员,后任地方官吏,直到去世。

Hume, John　休姆(1937-01-18,北爱尔兰伦敦德里～　　)　英国北爱尔兰社会民主工党的领导人(1979～2001)、统一党领导人,与D.特林布尔共获1998年诺贝尔和平奖。原为教师,20世纪60年代成为北爱尔兰民权运动的天主教领导人。他反对爱尔兰共和军使用暴力。1988年冒着生命危险与新芬党领导人G.亚当斯开始秘密会谈。对1998年4月《受难节和约》的达成起到重要作用。

Hume, Joseph　休姆(1777-01-22,苏格兰安格斯蒙特罗斯～1855-02-20,英格兰诺福克)　英国激进派政治家,主张实行社会改革。在印度发财致富后返回英格兰。1812年在下院买得一个席位。议会解散,他6年后才重返下院。在此期间接受了J.穆勒和哲学上的激进派的理论。重返议会后,对政府支出的每一个项目都持异议,要求直接投票表决,因而成为一名自封的国库监督人。他信奉自由贸易的学说,主张废除禁止出口机械的法律和阻止工人外流的法令。他反对使工会成为非法的《结社法》。他抗议军中鞭挞士兵和强征水手服役,以及监禁债务人。他主张解放天主教徒,允许不信奉国教者进入大学。他还鼓吹废除《宗教考查法》、《市镇机关法》和实行议会改革。

Hume, Sir Patrick　休姆(1641-01-13～1724-08-01,英格兰诺森伯兰郡特威德河畔贝里克)　Hume又拼Home。又称波尔沃思勋爵。苏格兰反对詹姆斯二世的基督教新教徒,曾参与蒙茅斯公爵的叛乱和奥兰治的威廉的入侵。1665年为苏格兰议员,因积极反对劳德代尔伯爵对誓约派采取严厉政策,被捕入狱。获释后去伦敦投效蒙茅斯公爵。因涉嫌共同策划麦酒店密谋案(**Rye House Plot**),藏匿一个时期后赴尼德兰,参与制订蒙茅斯阿盖尔伯爵关于入侵英国的计划。1685年,他与阿盖尔一道前往苏格兰。失败后逃往乌得勒支。1688年陪同奥兰治的威廉去英格兰。1689年再次进入苏格兰议会,次年封波尔沃思勋爵。1696年任苏格兰大法官。1697年封马奇蒙特伯爵。1702年安妮成为女王后,他被免去大法官职,此后退出政界。

Hume Reservoir　休姆水库　澳大利亚维多利亚州和新南威尔士州交界处的水库。位于米塔米塔和墨累两河汇合点,在奥尔伯里以上16千米。1934年兴建。1961年扩建。库容31亿立方米。是墨累河工程的一部分。

Hume-Rothery, William　休谟-饶塞里(1899-05-15,英国萨里伍斯特帕克～1968-09-27,牛津郡牛津)　英国冶金科学奠基人,以研究合金和金属间化合物的结构而闻名世界。原拟从军,进入伍利奇皇家军事学院,后因病全聋,转往牛津大学,于1926年获化学硕士学位。同年又在伦敦皇家矿业学院获冶金学博士学位。他的职业生活大部分在牛津度过,研究铜、银和铁等合金的结构,发现它们形成置换式合金和间隙合金时的比例。

humerus　肱骨　陆生脊椎动物上肢或前肢的长骨,上端形成肩关节,与肩胛骨的侧凹(关节盂)相关节;下端形成肘关节,与尺骨以及桡骨的凸起相关节。人肱骨头的关节面半圆形,下有两个圆形突起,各在一边,承受来自肩胛骨的转动手臂的肌肉。骨干横切面三角形,肌肉附着处粗糙。肱骨下端有肱骨小头和肱骨滑车两个光滑的关节面和鹰嘴窝与冠突窝两个凹,形成肘关节的一部分,还有两个突起——髁。小头在侧面与桡骨关节,滑车的线轴形表面与尺骨关节。鹰嘴窝在滑车的后上方,冠突窝在前上方接纳尺骨突起,使肘能交替屈伸。肱骨两侧各有一髁,供运动前臂和手指的肌肉附着。

Humfrey, Pelham　汉弗莱(1647～1674-07-14,英格兰伯克郡温莎)　英格兰作曲家、诗琴演奏家,尤以所作赞美歌及圣咏独唱曲受人推崇。曾在皇家教堂任合唱队员,17岁时查理二世送他去法国、意大利学习,在国外期间被任命为皇室诗琴师和教堂侍从。1667年回国,继H.库克之后任皇家教堂儿童唱诗班导师;H.普赛尔即其学生。他还为王室小提琴手作曲,写出不少优秀作品,尤以赞美歌为最。他创作的带通奏低音的独唱曲,力求在音乐中表达歌词的感情和重音。他是英格兰写作单声部歌曲的大师之一。曾为W.威彻利与J.德莱顿的戏剧以及莎士比亚的《暴风雨》配乐。

humic acid　腐殖酸　土壤形成过程中产生的有机酸,由许多较小分子联合(所谓聚合作用过程)而成的复杂大分子组成。在过去,曾根据腐殖酸的聚合程度或化学分馏产物,给腐殖酸定了许多种名称。高度聚合的腐殖酸或灰色腐殖酸能使黏土稳定,阻止黏土被水带走。中等聚合作用产生褐色腐殖酸。轻度聚合的腐殖酸叫富里酸,它经过所谓灰壤化过程而产生两种土壤。富里酸与铁和黏土形成多种络合物,可溶解在水溶液中,从土壤上层淋溶掉。如果土壤只经过中等程度的灰壤化,也就是主要把黏土淋溶掉,形成的土壤叫灰化土;如果全部风化产物都被淋溶掉,或是黏土、铁或两者都被淋溶掉,灰色土层就形成,这样的土壤就叫灰壤。

humidity 湿度 空气中水汽的数量。它是大气中变化最大的特征,并且构成气候与天气的主要因素。

大气中的水汽是天气的一个重要因素,这有几个原因。它通过吸收来自太阳和地球的热辐射来调节空气的温度。并且,大气中水汽含量越高,就有越多的潜在能量可在产生风暴中起作用。此外,水汽是一切形式的凝结与降水的最终来源。

水汽主要是通过水从地球表面(陆地和海洋)的蒸发而进入大气的。大气水汽的含量从一地到另一地、从此时到彼时都在变化着,这是因为空气中的湿度容量是由温度决定的。例如,在 30 °C,空气体积含水汽可高达 4%。但是,在 - 40 °C,这个含量却不超过 0.2%。

当在给定温度下,空气体积保持最大的水汽含量,那么这空气就被称为饱和的。相对湿度是空气相对于其饱和含量的水汽含量。例如,饱和的空气有 100% 的相对湿度,并且,靠近地面处,相对湿度很少降到 30% 以下。不饱和空气可以由 3 种不同方式而变成饱和的:通过水分蒸发而进入空气中;通过两个不同温度的空气团的混合,两气团原是不饱和的,但作为混合体则达到饱和;最常见的方式是冷却空气,这将降低空气将水分保持为水汽的能力,有时这就标定它所保持的水汽足以达到饱和的温度点。这种大气冷却可以由很多种方式造成,如通过较冷空气团的到来,或通过空气团向山坡上方运动。如果在饱和点之下,冷却继续进行,假如在空气中有充分的冷凝核,则在核的周围就可以形成雾滴或薄云,过剩的水分将从空气中凝结出来成为云或雾,或者以不同形式的降水,落到地球表面。但是,凝结过程释出的潜热可以通过加热潮湿的空气帮助云向上生长;或者相反,当加热的空气降低到饱和点以下时,释出的潜热可以使云蒸发并能吸收更多的水汽。但是,当云形成时,它们阻挡了一些太阳辐射,所以有冷却空气的效应。

应当小心谨慎地来区分空气的相对湿度和绝对湿度(水分含量或密度)。在像撒哈拉沙漠、墨西哥沙漠那样的热带沙漠上空的空气团含有大量以不可见水汽形式存在的水分。但是,因为温度高,相对湿度很低。相反,在很高的纬度地区,因为温度低,所以常常在空气中水分绝对数量甚至很低的情况下,空气也是饱和的。

humite 硅镁石 与橄榄石有关的层状硅酸盐类矿物族之一员,几乎仅产在与酸性或碱性深成岩邻接的蚀变石灰岩和白云岩以及铁矿床附近的矽卡岩(接触变质岩)中。硅镁石类包括块硅镁石、粒硅镁石、硅镁石和斜硅镁石。这些呈黄到褐色的中等硬度矿物,具有层状结构;橄榄石矿物镁橄榄石(即硅酸镁)与水镁石(即氢氧化镁)互相交替,且由于

产自新泽西州富兰克林的硅镁石
美国不列颠百科全书公司供图

堆垛顺序的不同而引起物理性质和结晶的不同。各种硅镁石很少在同一块体中出现,但已发现硅镁石晶体被斜硅镁石所切过。关于详细的物理性质,参阅 **olivine**(表)。

Hummel, Johann Nepomuk 洪梅尔(1778-11-14,波希米亚普雷斯堡[今捷克布拉迪斯拉发]～1837-10-17,图林根魏玛[德国]) 古典主义到浪漫主义音乐风格过渡时期的奥地

中国大百科全书出版社供图

利作曲家和杰出的钢琴演奏大师。早期受教于莫扎特。后由其父陪伴赴德国、荷兰、英国演出。在英国从 M. 克莱曼蒂学习一年。1793 年返回维也纳,师从 J.G. 阿尔布雷希茨贝格、J. 海顿及 A. 萨利埃里学琴。1804～1811 年任埃斯泰尔哈吉家族唱诗班指挥(海顿亦曾任此职)。1819 年在魏玛任唱诗班指挥。最主要的作品是钢琴曲,其中有三重奏、奏鸣曲、回旋曲和 6 首协奏曲,均为风格典雅之作,旋律写作与配器都表现出完美技巧,音乐流畅,织体清楚,适用于当时维也纳轻型钢琴的演奏,但却缺少他的同时代的对手贝多芬作品中那种感情深度与连贯性。还写过 9 部歌剧、3 部弥撒曲、1 首曼多林协奏曲,室内乐以 D 小调七重奏最为著名。所著《钢琴教学》(1828 年出版)一书对钢琴指法作出革新。

hummingbird 蜂鸟 蜂鸟科约320种、通常色彩鲜艳的小鸟的统称,常与雨燕同列入雨燕目,有时单列为蜂鸟目。许多蜂鸟羽衣鲜艳而华丽(常仅见于雄鸟),故 19 世纪博物学家 J. 古尔德给许多种类取带外国味的俗名,其中许多(如风骚鸟、仙女鸟、林星鸟、黄玉鸟、窈窕淑女鸟等)至今仍在使用。

蜂鸟仅分布于新大陆,在南美洲种类及个体数最多。经常在美国及加拿大发现的约 12 种。只有红玉喉蜂鸟(*Archilochus colubris*)繁殖于北美东部,从新斯科舍到佛罗里达。分布最北的是棕煌蜂鸟(*Selasphorus rufus*),繁殖于阿拉斯加的东南部到加利福尼亚的北部。蜂鸟体型均小,有的极小。南美西部最大的巨蜂鸟(*Patagona gigas*)也不过 20 厘米长,约 20 克重。最小的种是海伦吸蜜蜂鸟(*Mellisuga*[或 *Calypte*] *helenae*),见于古巴和松树岛,稍长于 5.5 厘米,喙和尾长占全长约一半,重约 2 克。这是最小的现存鸟类,与小鼩鼱同为最小的温血脊椎动物。蜂鸟躯体肌肉强健;翅桨片状,颇长,仅以肩关节与躯体相连(与其他鸟类不同),因此能敏捷地上下飞、侧飞和倒飞,还能原位不动地停留在花前取食花蜜和昆虫。蜂鸟无论向一定方向飞行或在原位悬停飞行,扇动翅膀的速率相同。蜂鸟体型越大,扇翅速率越低,因此体型最小的蜂鸟扇翅速度极快。紫晶林星蜂鸟(*Calliphlox amethystina*)是体型最小的种类之一,雄鸟的扇翅速度约 80 次/秒,雌鸟体型大于雄鸟,扇翅速度约 60 次/秒。红玉喉蜂鸟雄体的扇翅速度约为 70 次/秒,雌体约为 50 次/秒。巨蜂鸟的扇翅速度为 10 次/秒。事实上,体型较大的蜂鸟,其扇翅速度似较体型相近的鸟类为慢。体羽稀疏,外表鳞片状,常显金属光泽。少数种雌雄外形相似,但大多数种雌雄有差异。后一类的雄鸟有各种漂亮的装饰,在这方面,仅天堂鸟及某些雉可与之相比。最典型的标志是颈部有围涎状虹彩羽毛,颜色随视角而异。其他特异之处是有冠

艾伦蜂鸟(*Selasphorus sasin*)
美国不列颠百科全书公司供图

和短粗的翼羽轴,抹刀形、金属丝状或旗形的尾羽,大腿上形似马裤的蓬松羽毛丛(常为白色)。嘴细长,适于从花中吸蜜。刺嘴蜂鸟属(*Ramphomicron*)和尖嘴蜂鸟属(*Chalcostigma*)的嘴短,但是刀嘴蜂鸟(*Ensifera ensifera*)的嘴极长,超过其体长 21 厘米之半。许多种类的嘴稍下弯。镰嘴蜂鸟属(*Eutoxeres*)种类的嘴很弯。而翘嘴蜂鸟属(*Avocettula*)种类和反嘴蜂鸟属(*Opisthoprore*)种类的嘴端上翘。多数经详细研究的种类不结对。紫耳蜂鸟属(*Colibri*)种类和少数其他种类成对生活,两性共同育雏。大多数种类的雄鸟猛飞猛冲以保卫占区(占区是它向过路雌鸟炫耀的场所)。雄鸟常在雌鸟前面盘旋,使阳光反射颈部色泽。占据领域的雄鸟驱赶同种或不同种的蜂鸟,向大型鸟(如乌鸦和鹰)甚至向哺乳类(包括人)猛冲。多数蜂鸟(尤其较小的种

类）发出刮擦声、喊喊喳喳或吱吱的叫声。但在作"U"形炫耀飞行中，翅膀常发出嗡嗡、嘶嘶声或爆音，其功能如同其他鸟的鸣叫。许多种类的尾羽会发出声音。巢小，杯形，由植物纤维、蛛网、地衣和苔藓构成，附着于树枝、大叶片或岩石突出部。某几种隐士蜂鸟属（*Phaethornis*）种类的巢有一细茎悬挂在突出物的下面，或在洞穴、涵洞顶上挂着。巢两边放着泥土和植物，以保持平衡。产 2 个（很少 1 个）白色椭圆形卵，是鸟卵中最小的，但卵重约为雌鸟体重的 10%。刚孵出的幼鸟无视力，身上无毛，由亲鸟哺养，约 3 周后羽毛丰满。从产卵到幼雏，羽毛丰满所需时间取决于食物供应。

hummingbird moth 参阅 **hawk moth** 天蛾。

humor 参阅 **humour** 幽默。

humoresque 幽默曲 一种特性曲，通常是钢琴短曲，用以表达一种情绪或含糊的非音乐的概念，一般情绪比较愉快，而不仅是幽默。舒曼是以此术语作为乐曲标题的第一位作曲家，他的作品第 20 号题为《幽默曲》（1839）。最著名的是德沃夏克的《降 G 调幽默曲》（1894）。马勒原先曾将其《少年魔角之歌》（1888 ～ 1899）取名为"幽默曲"。

humour 幽默 又拼 humor。一种交流方式，由复杂的心智刺激启动或逗起或引发笑的反射。大部分幽默，从最粗俗的恶作剧到最优雅的隽语，均来自对两个看似一致却又相互对立的背景之间关系的突然领悟。这两个不同背景之间的突然碰撞产生喜剧效果，因为它迫使听者在两个看似一致而又同时互相对立的参照系中领悟一种特定情境。对于人类而言，至少在对生活的幽默体察方面，这种创造类型的智力活动似乎天然令人愉快。不同的幽默形式包含着令人迷乱的各种各样的情绪，但无论情绪怎样混杂，它必定包含着一个基本的不可或缺的因素，即挑衅、恐惧乃至恶意一类的冲动，无论这种冲动多么微弱。有时，幽默中的挑衅是显而易见的，如在儿童的恶作剧中或成人的坐跌动作之中。在另外一些时候，幽默可能较为微妙，如在一句双关语突然使一场庄重的会谈显得荒唐可笑之时。挑衅和恐惧的成分在幽默中极其普遍，以至有些作家从理论上说明，幽默的功能是以社会可以接受的方式释放这些情绪。笑起到让过剩的紧张情绪宣泄的安全阀的作用。人类学记载常常表明，按照现代标准来看，未充分发展的文化群落的幽默是十分残酷的。文献中充斥着关于部落居民看着受伤野兽万般痛苦而大笑和互相制造使对方痛苦的恶作剧的记载。对于一个庞大或不够密切地组合在一起的社会群体而言，这种玩笑方式往往过于粗鄙或造成分裂；日益发展的城市化已使肉体幽默趋于减少，而使言语幽默增多。

humour 体液 早期西方生理学中所说的人体内的液体。共分 4 种，当时认为可决定人的气质和特征。这 4 种基本体液为血液、黏液、胆汁（黄胆汁）和忧郁汁（黑胆汁）。这些体液在不同人身上以不同的比例混合，决定了人的"气质"或"脾性"、身体和心理品质以及性情。4 种体液混合的比例合理便是个理想的人；如某种体液占优势，便产生多血质、黏液质、胆汁质或忧郁质等气质。每种气质均有其特征，这些词现已失去许多原有含义，例如在古代胆汁质一词指易于发怒、面黄、消瘦、多毛、骄傲、机敏、雄心勃勃、好报复等。到 16 世纪，人们将 humour 一词的含义引伸，用以表示一种不平衡的心理状态、一种心境或古怪言行，或总干傻事或坏事的习性。

humours, comedy of 气质喜剧 一种与16世纪晚期英国剧作家本·琼森密切相关的戏剧样式。在剧本《人人扫兴》（1599）的前言中，琼森提出控制人体的气质系统可以用来隐喻一般性格倾向。因此，一种独特的气质可以决定一个人特有的行为方式。琼森的剧中人物通常只代表一种气质，因而是不稳定的，基本上是漫画式的。

humpback salmon 驼背鲑 参阅 **pink salmon** 细鳞大麻哈鱼。

humpback whale（*Megaptera novaeangliae* or *M. nodosa*）**驼背鲸** 又称座头鲸、锯臂鲸、巨臂鲸或子持鲸。一种须鲸，鳁鲸科座头鲸属（*Megaptera*）唯一的一种。驼背鲸鲸须紧

跃出水面的驼背鲸（*Megaptera novaeangliae*）
美国不列颠百科全书公司供图

密。体长达 12 ～ 16 米，体重近 36 吨。背黑色，腹白色。其特征是鳍肢极长，前缘有一系列不规则凹凸，头部、下颌和身体有一些大球形突起，每个球形突起上有 1 或 2 根毛。背鳍小，位置极靠后。在喉和胸上约有 30 条纵向的褶沟。栖息在所有主要大海洋的近海，偶尔游近海岸，甚至进入港湾和游入河道。夏天移栖两极水域，而冬天洄游至热带或亚热带的繁殖场。食虾样的甲壳动物、小鱼及浮游生物，用鲸须滤食。驼背鲸是最善于耍杂技的鲸类之一。有时会表演翻筋斗，腹部向上跃出水面，向后弓起身体，头朝下，进入水中，发出响亮的拍击声。当深入潜水时背部隆起，向前翻滚，使尾鳍垂直露出水面。驼背鲸可能是最善于发声的鲸类，能发出多种多样的声音。可连续发出 5 ～ 35 分钟的各种声音，组成"歌曲"。这些声音包括呻吟声、叫声至哼哼声和鼾声。这种歌声在大洋中不同区域的鲸群间各不相同，每年歌声也在发生逐渐但明显的变化。驼背鲸在商业上很值钱，由于滥捕，20 世纪早、中期，其数量大为减少。20 世纪 60 年代中期起在全世界受到保护，《红皮书》已将此种动物列为濒危物种。

humpbacked fly 驼背蝇 又作 coffin fly。又称蚤蝇。双翅目蚤蝇科昆虫。体小，色深，背隆起，故俗名驼背蝇。成虫群集于腐败的植物周围。幼虫食腐，或寄生或共生在蚁、白蚁巢中。有些种具有退化翅或无翅。

Humpen glass 大玻璃杯 16～17世纪德国生产的圆柱形大酒杯。其特点是杯壁向外凸出，杯口用各种颜色的串珠作为缘饰，下面涂一圈金粉，杯体涂有釉彩。大玻璃杯可分

1604 年的帝国鹰杯
美国不列颠百科全书公司供图

为 3 类：帝国鹰杯上饰有双头鹰和王冠，鹰的胸前为一个大十字架或帝国地图，有时顺着翅膀排列着德意志选帝侯和神圣罗马帝国 48 个成员的纹章，最早制作于 1547 年；选帝侯杯图案为骑在马上的德意志皇帝，后面有 3 个司选神灵，下面有 4 个王子，或在皇帝的宝座两侧各有 3 个或 4 个王子；费希特尔山杯上刻有山区风景。现存的大玻璃杯没有早于 16 世纪中叶的。最好的杯子是在德国南部生产的，具体制造者不详。

Humperdinck, Engelbert 洪佩尔丁克（1854-09-01，汉诺威西贝格～ 1921-09-27，德国新施特雷利茨） 德国作曲家，以歌剧《汉泽尔与格蕾泰尔》闻名。曾在科隆和慕尼黑学习。

中国大百科全书出版社供图

1879 年获门德尔松奖学金后去意大利，结识瓦格纳，并应瓦格纳之邀协助他在拜罗伊特演出歌剧《帕西发尔》。1885 ～ 1887 年在巴塞罗那音乐学院任教，1890 ～ 1896 年在法兰

克福任教,并为《法兰克福报》撰写音乐评论。早期作品有:合唱歌谣《去凯费拉尔朝圣》(1878)、《来自埃登哈尔的运气》(1884)和管弦乐《幽默曲》(1880)。《汉泽尔与格蕾泰尔》由R.施特劳斯指挥,1893年在魏玛演出。此剧表现出洪佩尔丁克对儿童心理的了解和他的诗歌意识,特别是见之于林区一场的暮色苍茫和破牛奶罐插段的逼真效果。瓦格纳式的和弦、质朴的曲调和丰富的配器使音乐的情趣始终保持在高格调上。1895～1919年,他又创作演出了包括《野蔷薇》(1902)和《国王的孩子们》(1910)在内的6部歌剧。他还为阿里斯托芬、莎士比亚和梅特林克的剧本写过配乐。1898年创作管弦乐《摩尔人狂想曲》,另外作过一部弦乐四重奏、一些钢琴曲和歌曲。

Humphrey DE HAUTEVILLE **翁弗莱(欧特维尔的)**(?,诺曼底欧特维尔拉吉夏尔～1057,阿普利亚梅尔菲) 职业军人,曾率诺曼人征服意大利南部,1051年成为阿普利亚伯爵。约1035年到意大利,曾在意大利南部的西西里和阿普利亚作战,1045年成为拉维洛伯爵。6年后,作为阿普利亚伯爵,与伦巴第亲王萨莱诺的盖马尔五世之妹结婚。1052年,在亲拜占廷的军队杀害盖马尔并占领萨莱诺之后,他协助盖马尔之弟索伦托公爵为盖马尔的幼子夺回王位。在决定性的契维塔特战役(1053)中,他也起过重要作用。在这次战役中,诺曼人击败教皇的一支军队,教皇利奥九世被俘,1054年利奥获释返回罗马时,翁弗莱护送他一直到那不勒斯以北的卡普阿。翁弗莱指定其同父异母(或同母异父)的兄弟罗贝尔作为其幼子阿贝拉尔的继承者和监护人,但在翁弗莱死后,罗贝尔夺走了阿贝拉尔的领地,为自己的权力奠定基础。

Humphrey, Doris 汉弗莱(1895-10-17,美国伊利诺伊奥克帕克～1958-12-29,纽约市) 美国现代舞蹈的先驱,舞蹈技巧、编导和动作理论的革新家。她在芝加哥学过多种舞蹈,1917年入洛杉矶丹尼斯肖恩舞蹈学校。次年加入丹尼斯肖恩舞团,并成为该团主要演员之一。1925年她用E.麦克道威尔的《悲惨奏鸣曲》创作了第一部作品。在形式上,汉弗莱的《悲惨奏鸣曲》与圣丹尼斯的"音乐形象化"相似,但她的舞蹈节奏强烈,所以后来丹尼斯把它作为第一出不用音乐伴奏的美国现代舞来演出。汉弗莱因不满足于用音乐引导舞步的编舞法以及丹尼斯肖恩舞团注重外国舞蹈风格,于20年代末离开该团,同C.魏德曼(**Weidman, Charles**)一起创办了直到1944年都很活跃的汉弗莱-魏德曼舞蹈学校和舞蹈团。她希望创作出能反映她的个性和适合于当代美国的舞蹈。她的创作是她的舞蹈理论的实践,并试图把舞蹈变为纯粹的动作。为了创造出她个人的技巧,她不厌其烦地对镜起舞。最后认为一切动作都包含在静止的平衡与跌倒的不平衡两者之间。她了解到舞蹈者偏离重心的每一个动作必须随后做一个补偿校正的动作以恢复平衡、防止跌倒,舞者将要跌倒的倾向越是极端、激烈,恢复的动作就越生动有力。她巧妙地运用重力原理以显示人类对安全(平衡)的愿望与对前进、冒险(不平衡)的追求之间的矛盾冲突。她另一个创造性的理论就是:动作并不必然是情感冲动的结果,本身也可以产生意义。《水的研究》(1928)是她的"跌倒与恢复"的理论具体化,应用了无音乐的节奏(即水波及人类呼吸、脉搏的自然节奏)。《运动的戏剧》(1930)没有主题,也不用音乐伴奏;人们称它为最早的交响舞之一,是她关于动作有自身意义的信念的实例。汉弗莱在创立了舞蹈的基本理论之后,又进行更复杂的研究,最后发展成一种完全的戏剧艺术。《上帝选民之舞》(1931,后名《震颤教派》)中以鼓、手风琴和不连贯的说话伴舞,刻画震颤派教徒宗教狂热的极兴奋

美国不列颠百科全书公司供图

的气质。她表演的最后的舞蹈是《审讯》(1944),显示了她对抽象与风格化姿势娴熟的掌握。名为《新舞》的三部曲被认为是她的杰作。《新舞》实际上是三部曲中第三部,1936年完成后从未完整地演出过。通过所谓舞蹈的交响乐形式来探索人与人之间的关系。她以同样的理论基础创作了各种舞蹈作品,包括根据巴赫的C小调《帕萨卡里亚与赋格》编舞的抽象的《帕萨卡里亚》,还将J.瑟伯的《生命的竞赛》改编成舞蹈。她于1945年告别舞台转而担任利蒙舞团的艺术指导。为该团编导了如《哀悼英纳卓·山凯兹·梅雅斯》、《尘寰一日》和《远方节奏》等成功作品。她还创建了朱利亚德舞蹈剧院,并讲授编导课。她的很多舞蹈被录制成影片,在她逝世后由利蒙和朱利亚德舞团演出。她的著作有《编舞艺术》一书(1959)。

Humphrey, Hubert H(oratio) 汉弗莱(1911-05-27,美国南达科他华莱士～1978-01-13,明尼苏达韦弗利) 美国第38任副总统(1965～1969),1968年的总统候选人、参议院自由派领袖(1949～1965,1971～1978),以与昔日平民党运动相类似的民主党-农民党-劳工党联盟为其政治基础。早年为药剂师,历任教师、电台新闻评论员等多种职务。1944年为F.D.罗斯福总统在明尼苏达州的竞选总管,大力促成该州民主党与农工党合并。1945年当选为明尼阿波利斯市长,开始其政治生涯。3年后当选为美国参议员,1961年起任参议院多数派副领袖。他提出的《部分禁止核试验条约》(1963)与《民权法》(1964)赢得两党的支持。在任副总统后趋于保守,

美国不列颠百科全书公司供图

为美国参加越南战争辩护。他兼任全国和平队顾问委员会主席、反贫穷计划协调人和民权委员会主席。1968年为民主党总统候选人,但被共和党的R.M.尼克松击败。1970年作为明尼苏达州民主党-农工党候选人重新入选参议院。

Humphreys, Joshua 汉弗莱斯(1751-06-17,美国宾夕法尼亚哈弗福德镇区～1838-01-12,宾夕法尼亚哈弗福德) 美国护卫舰"宪法"号的设计者。该舰以"老克伦威尔铁甲军"的绰号而广为人知(1797年10月21日下水)。1794年,汉弗莱斯受命为新成立的美国海军设计6艘护卫舰。他是第一名制造军舰的承包商。所设计的船比普通的船长而宽,吃水较深,其速度可与任何战舰匹敌,并比当时其他船稳定,一块甲板上所能装的炮同别的船两块甲板上装炮的门数相当,故机动性较好。最先造好的是"美国"号,1797年5月10日下水,是海军第一艘海上主力舰。接着下水的有"宪法"号、"切萨皮克"号、"星座"号、"总统"号和"国会"号。他所设计的船以其速度和设计上的独特成就而著称,船只的效率对欧洲造船业影响很大。

Humphreys, West Hughes 汉弗莱斯(1806-08-26,美国田纳西蒙哥马利县～1882-10-16,田纳西纳什维尔附近) 美国南北战争时期的联邦法官,因支持南部各州脱离联邦而受弹劾的唯一一位美国政府官员。1839～1851年任田纳西州司法部长和最高法院判决发布人。1853年任田纳西3个区的初审法院法官。1862年任南部邦联属下的田纳西州地方初审法官。同年6月26日受参议院弹劾并定罪。南北战争结束后极力主张禁酒。

Humphreys, William Jackson 汉弗莱斯(1862-02-03,美国弗吉尼亚加普米尔斯～1949-11-10,华盛顿[哥伦比亚特区]) 美国大气物理学家。应用物理学基本定律阐明大气的光学、电学、声学、热学的性质和现象。曾在约翰斯·霍普金斯大学获得哲学博士学位。从事若干教学和研究工作后,1905年进入美国气象局,直至逝世。许多研究成果和大部分经典物理气象学研究成果都概括在他编著的《空气物理学》(1920)一书中。

Humphreys Peak 汉弗莱斯峰 美国亚利桑那州最高点(3851米)。位于科罗拉多高原弗拉格斯塔夫以北16千米处。三座圣弗朗西斯科高峰之一,矗立在一被侵蚀火山的边

缘，在科科尼诺国家森林内。

humus 腐殖质 土壤中细小的无生命有机物，由动植物遗体被微生物分解而成。腐殖质的颜色从褐到黑，含有大约60%的碳，6%的氮和少量的磷和硫。腐殖质分解时，各个组成部分就变成植物可以吸收的养料。根据它们结合入矿质土壤中的程度、分解作用中所包含的有机物类型、原来的植被，可把腐殖质分为生腐殖层、熟腐殖层或半熟腐殖层。生腐殖层或原腐殖质条件，其所存在土壤中还有少量的微生物或动物，如像蚯蚓，可以分解土壤表层的有机质。在这微薄表层之下，是特殊的强烈压紧的腐殖质层，这腐殖质层之下又是矿物质土壤层。真菌和小型节肢动物是最常见的生物。生腐殖质土壤往往呈酸性(pH值低)，为针叶林区尤其是寒冷地区和高海拔处所特有。熟腐殖层为温暖潮湿气候带中硬木林、落叶林或草原所特有。这种疏松的腐殖质迅速分解，并彻底掺合到矿物质土壤里，看不清有明显不同的层。该层中富有细菌、蚯蚓和比较大的昆虫，而且pH值高(碱性)。半熟腐殖层是生腐殖层与熟腐殖层之间过渡层。半熟腐殖层有时又叫虫粪层，因该层最突出的特征是有许多节肢动物的粪粒。成串粪粒将植物碎片同矿物颗粒连结在一起形成网状构造。该层比熟腐殖层含有更多有机物质，但这些有机物质并没有同矿物质组分充分掺合。腐殖质为植物的生长提供了必不可少的养料，提高了土壤的吸水能力，改善了土壤的耕作性能，因而对农人和园艺家很有价值。

Hun 匈奴 一个游牧民族。他们于370年侵入欧洲东南部，并在以后的70年中在那里和中欧建立一个庞大的帝国。4世纪中叶后，他们从伏尔加河以东向西拓展，首先征服占据伏尔加河和顿河之间平原的阿兰人，然后迅速推翻东哥特人在顿河和德涅斯特河之间建立的帝国。约376年，他们击败居住在现罗马尼亚一带的西哥特人，从而到达罗马帝国的多瑙河边界。

最早系统地记述匈奴人活动的是历史家阿米阿努斯·马尔切利努斯，时间约在376年前后。据记载，匈奴显然是原始的游牧民族，根本不懂农业。他们原来没有定居的住所，也没有国王。每一部落有一头领，阿米阿努斯称之为primates。究竟匈奴在4世纪时是否已有一个统摄所有部落的领袖，学者仍有争议。

西哥特王国被推翻之后的50年中，匈奴人继续扩张其势力，征服中欧许多日耳曼部落，并为罗马人助战。到432年，匈奴诸部落的领导权集中到鲁奥的手里。鲁奥又称鲁吉拉，是第一个统辖诸部落的国王。434年鲁奥死后，由侄子布莱达和阿提拉继任。这两名联合执政的领袖与东罗马帝国在马尔古斯(今波扎雷瓦茨)订立和平条约，罗马人同意把过去向匈奴人交纳的“岁币”增加一倍。罗马人未曾履行和约条件，阿提拉于441年大举进军罗马帝国多瑙河一线，直逼君士坦丁堡。

约445年，阿提拉谋杀了其兄布莱达。447年，他对东罗马帝国第二次大举进攻，席卷巴尔干半岛，并且南下希腊，远达温泉关。此后军事领导权即由阿提拉家族世袭，他本人也取得了平时及战时的绝对领导权。他凭借“亲信”(logades)治理他的庞大帝国。这些由他精心选拔的“大吏”，受阿提拉之命统治已经臣服的部落，主要任务是索取粮食及贡金。

公元451年，阿提拉入侵高卢，但为罗马与西哥特联军所败。此次战役，一说发生在卡泰隆尼平原，另一说是在莫里卡。这是阿提拉第一次失败，也是他一生唯一的一次失败。452年，匈奴人侵入意大利，并劫掠了几个城市，但是灾荒和瘟疫迫使他们离开。453年阿提拉卒，他的许多儿子瓜分他的帝国，立即开始争吵不休。此后他们又与叛变的臣民进行了代价高昂的斗争，最终于455年被格庇德人、东哥特人、赫鲁利人及其部落组成的联军击溃。此次大战史称“内达奥河(Nedao)之役”，发生在潘诺尼亚地区，但此河已不可考。战后东罗马帝国即将与匈奴人占领区的边界予以封锁，匈奴人从此在历史上再无重大作用，只是作为一个社会及政治单元，逐渐瓦解。

5～6世纪侵入伊朗和印度的哌哒人(Hephthalites)，以及更早一些时候中国人所称的匈奴人(Hsiung-nu)，有时也被称作Huns，与入侵欧洲的匈奴人的名称相同，但三者之间的族源关系，尚未确定。

hun and po 魂魄 中国道教用语。指人的精神灵气。道教认为魂是阳气，构成人的思维才智。魄是粗粝重浊的阴气，构成人的感觉形体。魂魄(阴阳)协调则人体健康。人死魂(阳气)归于天，精神与魄(形体)脱离。形体骨肉(阴气)则归于地下。魂是阳神，魄是阴神。

Hun Sen 洪森(1951-04-04，柬埔寨磅湛省～　　) 柬埔寨政治人物。曾在金边佛寺中接受教育。20世纪60年代末加入柬埔寨共产党，1970年加入红色高棉。在波尔布特政权统治时期(1975～1979)逃往越南加入军队，反对红色高棉。1979年越南人建立新政府后返回柬埔寨，任外交部长。1985年任首相。在1993年的选举中拉那烈王子的保皇党得票超过柬埔寨人民党，但洪森拒绝交权。后组成联合政府，拉那烈王子出任第一首相，洪森出任第二首相。在1998年7月的选举中洪森的选票超过拉那烈，但仍须组成联合政府。拉那烈任国民议会主席，洪森任首相。在2003年的全国选举中，人民党再次获胜，洪森于2004年7月出任新一届首相。在红色高棉垮台后的20多年间，洪森致力于全国和解并追查波尔布特政权残余分子，但坚持在柬埔寨法庭进行审判。

Hunan 湖南 又拼Hu-nan。中国中南部省份。地处洞庭湖之南，故称湖南。又因境内最大的河流湘江流贯全省而简称“湘”。介于北纬24°39′～30°08′，东经108°47′～114°15′。西邻重庆、贵州，东接江西，北连湖北，南界广东、广西。面积211 850平方千米。有汉、土家、苗、侗、瑶、回、壮等民族。设13个地级市、1个自治州、34个市辖区、16个县级市、65个县和7个自治县。省会长沙市。

自然条件和资源 省境东、南、西三面环山，中部丘陵、盆地相间，北部为洞庭湖平原。东部自北而南有幕阜、九岭、武功、万洋、诸广、罗霄等山，一般海拔500～1 000米。南部有骑田、萌渚、都庞、越城等五岭山地，一般海拔1 000～1 500米；西部有武陵、雪峰等山，海拔1 000米以上；中部丘陵、盆地海拔约200～250米；北部是洞庭湖及河湖冲积平原，海拔50米左右。洞庭湖是中国第二大淡水湖，面积2 620平方千米，水面积夏、冬变化很大，对长江起调节水位的作用。湘、资、沅、澧四水及其5 000多条支流汇集洞庭湖，从城陵矶注入长江，形成独立、完整的水系。北亚热带到中亚热带季风湿润气候，冬短夏长，春夏间多雨，夏秋常旱。年平均气温16～18 °C，比东部同纬度各省略低。1月平均气温4～7 °C，7月平均气温26～30 °C。南部气温高于北部约2 °C，东部气温高于西部约1 °C。年平均降水量1 200～1 700毫米，自东南向西北递减。土壤主要为红壤、黄壤，植被主要为中亚热带常绿阔叶林。林业资源丰富，是中国南方林业基地之一。用材林种有杉、松、樟、楠、竹、檫等，莽山生长铁杉、紫荆、粤松、黄椆、密穗栲等珍贵树种。有色金属有锑、钨、锡、锰、锌、铅等矿，在中国占重要地位，其中锑储量居世界首位，是中国著名的“有色金属之乡”。非金属矿金刚石、高岭土、雄黄、磷块岩，藏量多，质量好。铁、煤、雌黄、钴、镍、铌、钽储量亦丰富。

沿革 湖南在战国时属楚，当时北部地区已有水稻种植和手工业，长沙成为重要城邑。秦开凿灵渠，整个湘江谷地成为通往岭南的交通要道。汉末移民增加，进一步加速滨湖地区和湘江、沅江流域的开发。到了隋唐，湖南已是中国稻米、茶叶的重要产区之一，丝织品、漆器和陶瓷生产也占重要地位。唐广德二年(764)置湖南观察史，宋为荆湖南路，元、明属湖广行中书省，清置湖南省。在此期间，经济开发逐步深入到西北部和西南部的偏僻山区。由于丰富的农产、矿产和手工业产品要经水路外运，航运业、造船业有很大发展，出现了一批重要的河港城市。1840年后，岳阳、长沙、湘潭、常德等地相继被辟为商埠，又修筑了粤汉、湘桂等铁路，湖南经济逐渐受到国际资本的影响。以稻米为主的粮食生产，曾一度高涨，后来因进口稻米的竞争，水利设施长期失修，生产水平很不稳定。但在一个较长的时期里，全省茶叶和以锑、铅、锌、钨为主的矿产品，产量猛增，源源外运，只是加工工业极为落后，经济结构和分布极不合理。

经济 1949年以后，湖南省经济迅速发展。已建有钢铁、有色冶金、机械、电力、煤炭、纺织、电子、食品、造纸等工业，初步形成相对完整的工业体系。湘潭钢铁集团有限公司、涟源钢铁集团有限公司是中型钢铁基地。湖南为中国有色金属工业的重要基地之一。锑、铅、锌和钨的产量最多，居全国前列，其次为锡、汞、金等。冷水江市锡矿山是中国最大的产锑地区；常宁县水口山是中国重要的铅、

锌矿产地。长沙、株洲、湘潭、衡阳的机械工业,长沙、湘潭、岳阳、郴州、常德、津市的轻纺工业,株洲、岳阳、衡阳的化学工业都已具有较大规模。著名手工艺产品有醴陵瓷器,浏阳夏布和鞭炮,长沙湘绣,益阳篾席、邵阳竹器等。农业生产以水稻为主,大部为双季稻,主要分布在湖渍和"四水"中下游平原地区。经济作物有棉花、油料、麻类、茶叶、桐油、柑橘等。洞庭湖盛产鱼、莲,山区还产生漆、白蜡、松脂、玉兰片,以及五倍子等多种药材。

交通运输 湖南位于中国江南陆路交通中枢。南北向的京广铁路与东西向的浙赣、湘黔、湘桂等铁路在株洲、衡阳相交,构成东部与省外联系的陆路主干。湘西南北向的焦柳铁路与东西向的湘黔铁路交会于怀化,成为西部陆路交通的"十"字形骨干。湘、资、沅、澧四水和洞庭湖是联结长江和省内的重要航道。公路四通八达,有 106、107、207、209 等国道纵贯南北,319、320 等国道横穿东西,与众多省道连接可通达全省各市、县,长沙—湘潭—郴州、长沙—益阳—常德、长沙—湘潭—邵阳—怀化高速公路已建成通车。由铁路、河运、公路形成了全省的运输网。长沙已成为江南航空运输必经之地,可通往北京、上海、广州、香港等国内 40 多个大、中城市,并开通了直达曼谷、首尔等国外城市的航班。人口66 420 000(2005)。

Ḥunayn ibn Ishāq (al-Ibādī) 侯乃尼(伊本·易司哈克)(808,伊拉克巴格达附近的希拉赫～873,巴格达) 拉丁语名为 Johannitius(约翰尼悌斯)。阿拉伯学者,翻译希腊柏拉图、亚里士多德、加伦、希波克拉底等人以及新柏拉图派哲学家的著作,向阿拉伯哲学界和科学界提供有关希腊思想、文化的资料。侯乃尼是聂斯托利教派的基督教徒,曾在巴格达学医,精通古希腊语。哈里发穆泰瓦基勒任命他担任宫廷主治医生之职,直到他去世。他游历叙利亚、巴勒斯坦和埃及,收集古希腊语的手抄本,然后经由巴格达翻译学校师生之手,把希腊古典著作翻译成阿拉伯文和(更多地)古叙利亚文,将译本发行到整个伊斯兰世界,其中他翻译的加伦的著作尤为重要,因其希腊文原本大部已失传。

Hunchun 珲春 中国吉林省延边朝鲜族自治州辖县级市。位于省境东部边缘,东邻俄罗斯,南接朝鲜。四周群山环抱,图们江下游支流珲春河流经市区东南部。面积4 938平方千米。珲春满语意为"边境之城"。清初属禁山围场。康熙五十三年(1714)设珲春协领,光绪七年(1881)升珲春副都统。宣统二年(1910)设珲春厅。1914 年改设珲春县,1988 年改设珲春市。公路交通发达,已建成 18 条公路运输线。西通图们、延吉二市,北抵黑龙江省绥芬河、牡丹江等市、县;与俄罗斯扎鲁比诺有公路相通。珲春至图们、珲春至俄罗斯马哈林诺口岸有铁路。森林资源丰富,山区盛产松、椴、柞、桦、柳、水曲柳、核桃楸、黄柏、赤榆等木材。农作物以稻谷、玉米、大豆为主。经济作物有烟草、麻、向日葵等。土特产有人参、鹿茸、蕨菜、薇菜等。矿产有煤、金、铁、铜、铅、铝土等,有著名的珲春煤矿和砂金矿。工业以采掘工业(煤炭是重要部门)和电力工业为主。还有农机修造、机械、电子仪器、焦化、水泥、陶瓷、造纸、印刷、木材加工、皮革、酿造、粮食加工、食品等工业。对俄罗斯、朝鲜分别有长岭子和沙坨子贸易口岸。珲春地理位置独特,处于图们江下游地区,是中国大陆由陆域进入日本海的唯一通道,也是中国与俄罗斯、朝鲜、日本等国海上往来的最近航线。1992 年珲春列为对外开放的边境贸易城市。伴随着联合国开发图们江下游的起步,珲春将成为东北亚的"金三角"地带。人口 220 000(2005)。

东北亚"金三角",图们江右岸为朝鲜,左岸上方为俄罗斯,左岸下方为珲春防川
中国大百科全书出版社供图

Hund, Friedrich (Hermann) 洪德(1896-02-04,德国卡尔斯鲁厄～1997-03-31,卡尔斯鲁厄) 德国物理学家,以他在原子和分子的电子结构方面的研究工作闻名,参与创立用分子轨道来确定分子的电子组态和化学键形成的方法。除了有 1 年任哈佛大学访问讲师之外,都在德国各大学(罗斯托克、莱比锡、耶拿、美因河畔法兰克福和格丁根大学)从事教学和研究。出版的著作有《理论物理学导论》(1945 ～ 1950,5 卷)、《理论物理学》(1956 ～ 1963,3 卷)、《物质结构理论》(1961)、《物理学基本原理》(1969)和《物理学术语史》(1972)。

hundred 百户 在19世纪仍沿用的英国村与郡之间的地方行政单位。英国原以海得为土地划分单位,1 海得是自由农民一家生计所需要的土地面积。"百户"原意可能指拥有 100 海得的区域。"百户"一词最早见于埃德蒙一世国王(939 ～ 946 在位)的法律中。百户设有法院,根据习惯法排解私人纠纷和处理刑事犯罪案件。每月开庭一次,一般在露天举行。起诉人通常就是法官。郡长每年两次前来视察,在视察时,由他亲自进行审判。后来,百户法院渐渐成为地主贵族手中的工具。在中世纪,如找不到罪犯是谁,百户居民就须集体负责。这一做法到19世纪被废除。

Hundred Days 百日 从拿破仑自厄尔巴岛回国抵达巴黎(1815-03-20)至路易十八返回巴黎(1815-07-08)的 100 天。3 月 1 日拿破仑率领1 500人在戛纳登陆,直向巴黎挺进。3 月 13 日路易十八逃往根特。1 周后拿破仑进入巴黎。3 月 25 日奥地利、英国、普鲁士和俄国结成反拿破仑联盟,6 月 18 日进行滑铁卢战役。6 月 22 日拿破仑再次退位。7 月 15 日在罗什福尔登上一艘英国军舰,成为俘虏。3 个月后把他送到圣赫勒拿岛。路易十八于 7 月 8 日返回巴黎。

Hundred Days 百日 美国罗斯福总统上任后的最初 100 天(1933-03-09 ～ 06-16)。新政的立法大部分在此期间制定。参阅 **New Deal**。

Hundred Days of Reform 百日维新(1898) 又称戊戌变法。1898 年(夏历戊戌年)中国维新派在清光绪帝支持下推行的革新运动。中日甲午战争(1894 ～ 1895)后中国民族危机日益严重。1895 年 5 月 2 日由康有为起草上皇帝书,提出"拒和、迁都、练兵、变法",签名的举人有 1 300 多人,掀起了反对投降的巨大运动。这就是著名的"公车上书"。维新派的主要代表康有为、梁启超、谭嗣同、严复等企图按照西方国家的模式,推行政治、经济改革,争取国家富强。维新派在各地组织学会,创办报刊,设立学堂,宣传变法主张,受到少数官僚赞助。光绪接受维新派改革方案,1898 年 6 月 11 日发布《明定国是诏》,宣布变法维新。在 103 天里颁布数十道维新诏令。新政主要内容为倡办新式企业,奖励发明创造;设铁路、矿务总局,鼓励商办铁路、矿业;废除八股,改试策论,开设学校,提倡西学;裁汰冗员,削减旧军,重练海陆军。9 月 21 日慈禧太后发动政变,囚禁光绪帝,逮捕维新派。康有为、梁启超逃亡国外,变法失败。28 日,谭嗣同、康广仁、林旭、刘光第、杨锐、杨深秀"六君子"被杀害。新政除京师大学堂外被全部取消,戊戌变法宣告失败。

Hundred Flowers Bloom and Hundred Schools of Thought Contend 百花齐放,百家争鸣 中国共产党为发展中国科学、文化、艺术事业而制定的基本方针。简称"双百"方针。1956 年毛泽东总结了中国和国际共产主义运动的历史经验,根据马克思主义对立统一规律和意识形态工作、科学工作的特点,在承认社会主义社会仍然存在着各种矛盾的基础上提出这一方针。主要内容是在坚持政治标准的前提下,艺术上不同形式和风格的流派可以自由发展,科学上不同的学派可以自由讨论,艺术和科学中的是非问题应当通过自由讨论和实践去解决,而不应采取行政命令、简单粗暴的方式加以干涉。这一方针促进了中国科学文化事业的发展,但也不时受到极"左"思潮的干扰。粉碎"四人帮"后,中共中央一再重申继续坚持贯彻执行这一方针。

Hundred Years' War 百年战争 14～15 世纪英格兰与法国因合法继承法国王位问题等一系列争执而断续进行的战争。有几代英、法王位要求者卷入,长达百余年之久。通常认为此次战争始于 1337 年,终于 1453 年。但由于英格兰在法国的封地问题而不时引起的斗争则可追溯到 12 世纪。在中世纪,一国国王若在国外继承某种称号,便依法成为该外国的封臣。1066 年诺曼底公爵征服英格兰成为英王威廉一世,其后的英国国王情况即如此。通过历次联姻和战争,英王在法国享有的称号时有变化。1328 年法王查理四世死后,英王爱德华三世成为吉耶讷公爵(法国西

百年战争中卡佩王朝继承关系表

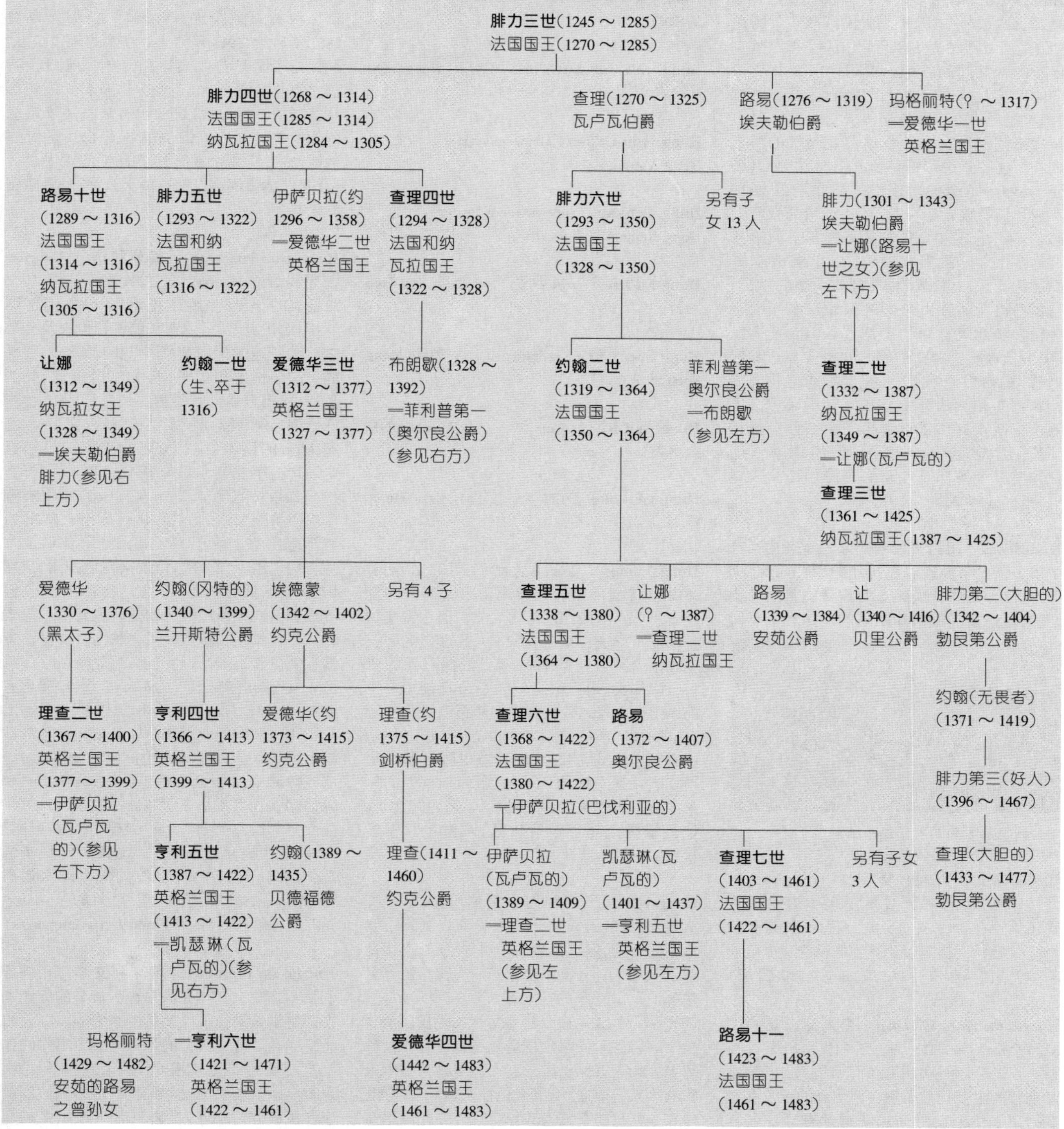

南部阿基坦的一部分)和蓬蒂约伯爵(在英吉利海峡沿岸)。此外,因他母亲是查理四世之妹而查理无男嗣,爱德华遂自认为是法国王位的合法继承者。但法国贵族会议选定法王腓力三世之族孙瓦卢瓦伯爵继承王位,称腓力六世。爱德华似曾接受此决定,但腓力六世害怕他国君主在其王国内享有权力,于1337年收回吉耶讷,爱德华三世遂重新提出法国王位要求,并出兵佛兰德。尽管英军迫使腓力六世及其子约翰二世处于守势,但英军扩大占领区进展缓慢。1346年爱德华为围攻加来在克雷西获大捷,但未乘胜追击。1356年其子黑太子在普瓦捷大获全胜,俘虏约翰二世。法国被迫签署《加来条约》(1360),使爱德华重获作为腓力六世封臣时据有的领地。但条约尚未完全履行,约翰二世即死于囚中。其子查理加冕为查理五世,拒绝承认《加来条约》并重启战端。此番英国处于守势,直到1380年查理五世死,英国领地的减少方才停止。1380年后两国忙于国内权力斗争,战事暂停。1407年法国爆发了阿马尼亚克派(支持奥尔良公爵,后拥护王太子查理)与勃艮第派之间的内战。1413年英王亨利五世继位后,决定乘法国内讧之机重提对法国王位的要求。当无畏者约翰被阿马尼亚克派杀害后,亨利五世乃与约翰之子好人腓力结盟。到1422年英格兰-勃艮第联盟已控制阿基坦和法国卢瓦尔河以北整个地区,包括巴黎。1422年英王亨利五世死,仅遗一幼子。数周后,已丧失能力的法王查理六世亦死,其子查理七世即位。1429年圣女贞德迫使英军撤奥尔良之围,战局发生转折。贞德虽被勃艮第派俘虏,出卖给英军,并以异端罪名处死,但好人腓力相信,英国人如无当地贵族支持,决不可能将其统治强加给法国;遂于1435年改变立场,巴黎重新回到法王统治之下。查理七世攻克诺曼底后,乘英格兰国内的玫瑰战争之机,占领整个阿基坦(1453)。英国亦于1558年放弃剩下的加来。历史学家们长期以来认为百年战争是西欧国家意识发展的里程碑。英国历经战争胜败,最后放弃了对大陆的干涉,转而日益关注国内的发展。法国瓦卢瓦王朝为保持法国王位而艰苦斗争取得胜利,法国也不再是一个众多诸侯四分五裂而徒有其名的王国。

Hunedoara 胡内多阿拉 罗马尼亚西部的县,面积7 016平方千米。居民区散布于特兰西瓦尼亚山脉(南喀尔巴阡山脉)和西喀尔巴阡山脉之间的谷地。穆列什河及其支流向西南流经本县。德瓦(**Deva**)为县城。德瓦、奥勒什蒂耶、明提亚和格兰德斯提·德·蒙特诸镇发现有罗马和达契亚时代的考古文物。在图尔达什镇有新石器时代中期(公元前3500～前2600)的遗迹。古鲁沙达、圣马利亚和斯特瑞诸镇以拥有14世纪的教堂而闻名。德瓦、克兰、胡内多阿拉和辛图哈鲁有冶金工业。县内有铜矿、安山岩、铁矿和煤矿的开采。盖拉里和泰柳库两地的铁矿,自罗马占领时期以来即被开采。辛图哈鲁为化学和建筑材料的产地。县内农业有饲养牲畜、种植果树和谷物。明提亚邻近地区产竹,锡梅里亚附近一18世纪的植物园内饲养有鹿和欧洲野牛。其他自然保护区有西尔瓦斯森林和雷泰扎特国家公园。彼得罗沙尼盆地有喀斯特地层。德瓦、胡内多阿拉和奥勒什蒂耶是铁路和公路中心。人口约543 643(1982)。

Hunedoara 胡内多阿拉 罗马尼亚中西部胡内多阿拉县城市。在布加勒斯特西北300千米,位于蕴藏有铁矿石的波亚纳鲁斯克山东麓。盖拉里和泰柳库附近的矿床在罗马时

胡内多阿拉市的胡内多阿拉城堡
美国不列颠百科全书公司供图

代已有所知。到1884年钢铁厂开始有大的发展。第二次世界大战后,进行扩建和实现现代化的有高炉、平炉、电矿石炉、炼焦和化学厂、烧结厂、轧钢厂及有关的设施。现已成为主要的冶金中心。人口约86 871(1982)。

Huneker, James Gibbons 亨内克(1860-01-31,费城～1921-02-09,美国纽约州布鲁克林) 美国音乐、美术和文学评论家,印象主义批评的主要代表人物。他犀利的评论和漂亮的文体使他在欧洲和美国都有广泛的读者。曾在费城、巴黎和纽约习钢琴,1886～1898年在纽约市国立音乐学院教授钢琴,并为《纽约纪录报》和《广告晨报》写音乐和戏剧评论。先后于1900年、1918年和1919年入《纽约太阳报》、《时报》和《世界报》工作。出版的主要著作有《肖邦其人和他的音乐》(1900)、《弦外之音:禀赋集》(1904)、《反传统观念者:剧作家集》(1905)、《弗兰兹·李斯特》(1911)、《自我主义者:超人集》(1909)、《象牙猿人和孔雀》(1915)等。著有长篇小说《花面纱》(1920)和两短篇小说集《音乐狂》(1902)和《空想家》(1905)。在《老顽固》(1913)和《高空作业者》(1920)两书中,有其自传性材料。他的书信集2卷于1922年和1924年出版。

Hung Ch'eng-ch'ou 参阅 **Hong Chengchou** 洪承畴。

Hung-ch'i Canal(China) 参阅 **Hongqi Qu** 红旗渠。

Hung Hsiu-ch'üan(Chinese prophet) 参阅 **Hong Xiuquan** 洪秀全。

Hung Jen-kan(Chinese rebel leader) 参阅 **Hong Rengan** 洪仁玕。

Hung-ku-tzu 洪谷子 参阅 **Jing Hao** 荆浩。

Hung Shen(Chinese dramatist) 参阅 **Hong Shen** 洪深。

Hung-shui River(China) 参阅 **Hongshui He** 红水河。

Hung-tse Lake(China) 参阅 **Hongze Hu** 洪泽湖。

Hung Vuong 雄王(活动时期约公元前2879) 传说中第一个越南国家文郎国的创建者。地点可能在今河内之北。但考古文物并未证明雄王于公元前2879年建立杭班王朝并延续到公元前2621年。根据可靠的资料,最早的越南王国是创建在公元前1000～前500年之间。某些古代史籍记载雄王的领土从同营向南延伸到现今的越南中部。另一些史籍指出,他的统治权可能仅限今顺化周围地区。据文献,雄王之名意为强有力的领袖或强有力的长者,他是神话中貉尤君之子。他把王国划为若干行政区,派官员和军官管理。

Hungarian 匈牙利人 又称马扎尔人。操芬兰-乌戈尔语族匈牙利语。匈牙利人主要住在匈牙利,但也包括住在罗马尼亚、克罗地亚、伏伊伏丁那(塞尔维亚)、斯洛伐克及乌克兰各地人口众多的少数民族。在罗马尼亚,匈牙利人多数住在以前的马扎尔民族自治省(即今科瓦斯纳、哈尔吉塔及穆列什各县),称为塞克勒人。原始匈牙利人显然是乌戈尔人和突厥人的混血种,原来住在西伯利亚西部。早在5世纪初期,已向西南迁移,并在以里海附近地区为中心的哈扎尔土耳其帝国境内游动。公元830年前,他们来到顿河西岸,由7个部落组成一个群体,其中曾有3个有不同意见的哈扎尔部落参加,称为卡瓦尔人。到9世纪末,匈牙利人进入其目前居住地,征服了当地的斯拉夫人和匈奴人。其后,匈牙利人成为欧洲的祸患。他们侵掠远至不来梅、奥尔良和君士坦丁堡,半世纪后才被阻。匈牙利过去是,现在仍然是地处欧洲的十字路口;数世纪来不断遭受侵略和蹂躏,领土时有增减。匈牙利人处在斯拉夫人、日耳曼人和罗马尼亚人等异族包围中,在体质类型和文化影响方面,不断发生混合现象。有两个主要影响:一是16和17世纪时,征服和占据此国的土耳其人的影响;一是继之而来的、奥地利哈布斯堡家族的强大日耳曼化的影响。但匈牙利人的民族意识并未消失;匈牙利在1867年自治,1918年独立。在那些年代中,他们保持了原有艺术、音乐和文学,而刺绣及陶器之类的民间艺术,至今仍很重要。匈牙利从第二次世界大战以来,没有公布关于宗教信仰的统计数字。但战前约有65%是天主教徒,25%是基督教新教徒,6%是犹太教徒(几乎在战争期间全部被消灭),3%是希腊正教信徒。

Hungarian language 匈牙利语 Hungrian 匈牙利语作 Magyar。乌拉尔语系芬兰-乌戈尔语族的一支,主要通行于匈牙利,但在捷克、斯洛伐克、罗马尼亚和前南斯拉夫及分散在世界各地的居民集团中也有操匈牙利语的。匈牙利语和鄂毕-乌戈尔诸语言、曼西语、汉提语也通行于西西伯利亚。从13世纪开始匈牙利语就用拉丁字母书写,自16世纪起,随着印刷术的引进,它的正字法已经稳定。其正字法特点是采用锐音符标示长音(*ó*),如系长前元音,则用双符(*ő*);对于咝音则出以特殊形式,如:以 *sz* 表英语 *s* 音,以 *s* 表英语 *sh* 音。由于匈牙利语处于非乌拉尔语言的包围中,有许多借词来自伊朗语、突厥语、高加索语、斯拉夫语、拉丁语和德语。但其语音系统和语法结构却是典型乌拉尔语式的。语音体系的特点是元音和谐。根据发音器官的位置,元音分为三类:后元音(*a*, *á*, *o*, *ó*, *u*, *ú*),圆唇前元音(*ö*, *ő*, *ü*, *ű*)和非圆唇前元音(*e*, *é*, *i*, *í*)。后元音和圆唇前元音不出现于同一个词中。辅音丛较简单而且经常不处于词首地位,重音位于词的第一音节上,语法范畴通常用后缀来标志。如:*ver-et-het-né-lek*(意为:我可能是招致你被打的原因),由以下成分构成:*ver*"打" + *et*"引起" + *het*"可能" + *né*(条件式标志) + *lek*"我,你"。在许多情况下,后缀产生音变,以便词根保持元音和谐,如 *ház-ban*"在屋内",相对照的是 *ember-ben*"在人身上"。参阅 **Finno-Ugric languages**。

Hungarian literature 匈牙利文学 用匈牙利语写作的文学作品的总称。最早的匈牙利书面文学是用拉丁文写的宗教作品,始于11世纪中叶。现存最早的用匈牙利语写作的作品是一篇短小而优美的悼词,时间大约在1200年。这些书面文学与传统的口头民间故事和民歌同时存在,后者只有少数间接的零散片断留存下来。在整个欧洲中世纪,宗教主宰了书面文学。对匈牙利民族语言的发展最有影响的一部作品,是匈牙利宗教改革末期问世的G.卡罗伊翻译的《圣经》(1590)。然而此时,一种世俗文学从本国的传统口头文学中逐渐发展起来。到16世纪末,它的第一位杰出人物诗人B.鲍洛西开始崭露头角,预示了19世纪伟大诗人裴多菲以其交织着爱情与民族主义主题的诗歌的出现。

17世纪标志着巴罗克风格在哈布斯堡王朝统治下的匈牙利西部的兴起。最杰出的反宗教改革散文作家和巴罗克风格的倡导者是P.帕兹马尼,他的哲学思想和写作风格都产生了很大影响。17世纪最重要的诗人是M.兹里尼,他的长篇叙事诗《锡盖特之围》

(1651)把文艺复兴时期的风格和巴罗克风格融为一体。

18世纪基本上是一个停滞时期，直到启蒙运动兴起，西欧思想将新的活力注进匈牙利文学。第一位支持启蒙运动思想的是作家G.拜塞涅伊。匈牙利诗歌方面有两位人物特别值得一提：第一位是D.拜尔扎伊尼，精通古典形式，但思想内容欠充实；另一位是M.乔科瑙伊·维泰兹，按匈牙利传统写作的天才抒情诗人。F.考津齐是一个有影响的人物，他对匈牙利的语言改革作出了不朽的贡献。启蒙运动时期被浪漫主义短时取代，这一时期包括几位重要人物：J.考托纳创作了第一部匈牙利民族戏剧的伟大剧作《邦克总督》(1820)；F.克尔切伊是一位诗人和政治家，创作了匈牙利的国歌。M.弗勒什毛尔蒂是最优秀的浪漫主义诗人，他的作品既描写个人的主题，也描写民族的主题。

19世纪40～50年代浪漫主义逐渐衰退，现实主义崭露头角，出现了两位最伟大的匈牙利诗人：S.裴多菲是一位热情、坚强和富有革新精神的诗人，他的优秀诗作把革命热情和直率、简朴的语言融为一体；J.阿兰尼是裴多菲的朋友，也创作了许多受欢迎的诗篇；I.毛达奇主要以《个人的悲剧》(1861)而著名，这是一部优秀的宗教-哲理诗剧。虽然小说早在19世纪已成为一种文学体裁，但直到现实主义确立其地位后，严肃小说才开始出现，以J.艾厄特沃什的政治小说为开端，其他杰出的小说家随之纷纷涌现。Z.凯梅尼创作了悲剧性的、压抑低沉的心理分析小说。M.约卡伊是最受欢迎的匈牙利作家；他创作了许多虽然肤浅，但引人入胜、充满浓厚浪漫主义色彩的小说。K.米克沙特以其长、短篇讽刺小说著称，这些小说暴露了匈牙利社会中各个阶级之间的相互影响和冲突。

20世纪初是匈牙利文学活动最繁荣多产的时期，居首的是伟大象征主义诗人E.奥第。他是一位才华横溢的诗人，一位革命家，一位卓越的风格独特的文体家，一位对自己和周围世界都耿直坦率、洞悉深透的观察家。如果奥第和其他匈牙利诗人用较浅显易懂的语言写作，他们的国际声望和影响将会更大。奥第是与影响很大的左派文学杂志《西方》(1908始创)有联系的作家团体的精神领袖。

步奥第后尘的有4位优秀诗人：M.鲍比契，一位杰出的知识分子和人文主义者；D.科斯托拉尼，一位优秀的匈牙利印象派诗人；A.托特，一位有独创性的、忧郁感伤的抒情诗人；G.尤哈斯，一位深深扎根于匈牙利传统的印象派诗人。Z.莫里兹是《西方》派散文作家中的一位杰出人物，他创作了许多现实主义的长、短篇小说。F.考林蒂创作了一些给人印象深刻的、具有深刻讽刺意味和奇异的短篇小说。在两次世界大战期间涌现出来的一批新作家，大部分是社会主义者或同路人。G.伊列什起初是一位思想激进的农民作家，后来成为匈牙利诗坛的泰斗。无产阶级作家A.尤若夫的诗作充满了火热激情与理智思维之间的冲突。M.劳德诺蒂在纳粹集中营中于临死前写了若干首简洁明快、悲哀动人的诗。L.内迈特是一位重要的心理小说家和哲学家。T.戴里是一位有影响的社会主义作家，第二次世界大战后，他的非正统观点给他带来了许多麻烦，并导致他卷入1956年的革命。在第二次世界大战后涌现出来的年轻作家中，诗人J.皮林斯基和L.纳吉也许是最重要的人物。

Hungary　匈牙利　匈牙利语作Magyarország。全称匈牙利共和国。中欧内陆国家。国土南北长约315千米，东西宽约525千米。北与斯洛伐克交界，东与乌克兰和罗马尼亚为邻，南与斯洛文尼亚、克罗地亚、塞尔维亚和黑山接壤，西连奥地利。首都布达佩斯。面积93 030平方千米。人口约10 136 000(2003)。

土地　匈牙利可分为4个自然地理区：两个低地区和两个高地区。较大的低地区为匈牙利大平原，位于本国的东部和南部，几乎占全国总面积的一半。大平原与其西北方面积相差许多的小平原(匈牙利小平原)之间，有外多瑙地区相隔。外多瑙地区是位于匈牙利西南部的一个起伏不大的高地(海拔400～700米)。外多瑙地区东北方的北部山脉是该国另一高原地区，属喀尔巴阡山脉内火山弧的一部分。其中马特劳山的凯凯什峰(1 014)是全国最高点。

匈牙利两条最重要河流多瑙河与蒂萨河由北向南贯穿本土，再向南流入巴尔干半岛。两河中稍微偏西的是多瑙河，其匈牙利境内的支流起源于阿尔卑斯山。另一条主要河流蒂萨河则发源于北方喀尔巴阡山脉位于斯洛伐克、乌克兰及罗马尼亚境内的各段。每年早春与初夏，多瑙河都会在大平原泛滥。不过20世纪初由于防洪工程的建设，洪泛区已大为缩小。洪水期间，河水流量达到年平均流量的4倍。匈牙利仅有天然湖泊3处，但其中位于外多瑙高地的巴拉顿湖是欧洲主要大湖之一，面积598平方千米。

匈牙利属不过分干燥的大陆性气候。平均气温1月为－4～0 °C，7月18～23 °C，全年平均气温为10 °C。年降雨量在多瑙河以北地区达700毫米以上，匈牙利小平原及北方山脉在560～700毫米之间，大平原的大部地区则不足560毫米。

全国土地有近1/2为可耕地，大部位于两个低地区。由于海拔较低，该国不适宜针叶林生长。有近1/5土地为落叶林覆盖，绝大部分是较高地区生长的山毛榉和较低地区生长的橡树。在较高的林区中有很多鹿和野猪，鹧鸪、雉鸡、野兔，啮齿类动物则在低地中随处可见。

匈牙利有丰富的制铝用主要矿物铝土矿，另有储量较小的铁、镓、钼、钒等金属矿。赖奇克有储量很大的铜矿，并伴有数量可观的铅、锌和金矿。可开采的锰矿数量亦不少。煤(包括褐煤)曾是匈牙利的主要能源，现占能源总量的1/4。大平原地下曾发现有几处范围广大的油气田。迈切克山的铀矿储藏为核能提供了重要来源。

人民　匈牙利人在种族上称为马扎尔人。有9/10以上的人口以匈牙利语为母语。匈牙利语属乌拉尔语系中的乌戈尔语族，在欧洲诸语言中，与芬兰语和爱沙尼亚语存在联系。少数民族以日耳曼人和斯洛伐克人居多，其他有为数较少的南部斯拉夫人(主要为克罗地亚人和塞尔维亚人)和罗马尼亚人。

据估计，大多数人均有某种宗教信仰；约有3/5人口信奉天主教，1/5信奉新教(路德派和加尔文派)。

20世纪80年代，人口死亡率实际上已超过出生率，因此自然增长率为负数。人口的减少可归因于出生率降低，以及人口的老龄化(几乎有1/5人口为60岁或60岁以上)。总人口中有大约1/5居住于布达佩斯大都会区。

经济　1989年以前，匈牙利属发达的社会主义经济，实行中央计划，以国有为主。政府拥有和控制了全部大型企业和服务行业，2/3以上可耕地由合作社耕种。然而匈牙利亦采用一些资本主义手段，诸如对工人发放奖金以刺激生产、公司经理选举制和亏损企业清算制等。1980年末制定的改革则旨在逐渐将该国的中央计划经济转变为依靠私有制的自由市场经济。这些改革包括减少贴补和

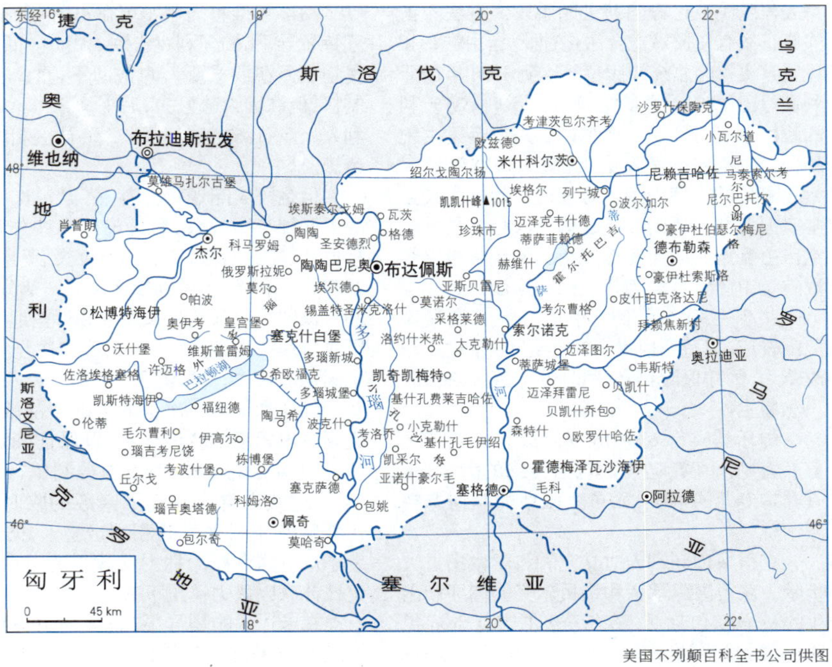

美国不列颠百科全书公司供图

取消对基本消费品的物价管制，为采用自由市场价格机制铺平道路。许多破产的国营公司被取消。匈牙利是东欧较为繁荣的国家之一，不过人均国民生产总值仍极大地低于其西欧邻国。

农业约占国内生产总值的1/5，雇用约1/6的劳力。大部分可耕地用于种植谷物，尤其是小麦、玉米和大麦。甜菜、马铃薯、葡萄、葵花子、番茄、辣椒、洋葱、李子和西瓜产量很大。匈牙利的食品生产实际上已自给有余，并出口若干农产品。牧场占国土总面积的1/8，牧畜有猪、绵羊和牛(40%为奶牛)。匈牙利是欧洲的主要蜂蜜生产国之一。

煤是匈牙利的主要矿产。该国也是世界主要的铝矾土生产国。

制造业门类繁多，占国内生产总值的1/5以上，雇用几乎1/4的劳动力。主要产品有水泥、粗钢、轧制钢、生铁、铝、天然气、化肥、纺织品及服装、电子产品、电视机及收音机、电动机械、大客车、铁路机车和客车车辆。该国电力约有2/5为核能发电，大部分能源需求依赖进口，主要是俄罗斯。

匈牙利的铁路原属国有，1993年实行私有化，几乎全部为一家公司所有并经营，1/3以上铁路已经电气化。几乎全国公路都铺了路面。内河水道总长约1 600千米，布达佩斯及多瑙新城有河港。国际机场位于布达佩斯附近的费里海吉。

主要出口产品包括电动及其他机械、汽车、办公器材和计算机。主要进口产品包括矿物性燃料及精炼制品、金属半制成品、特种机械和其他矿产原料。主要贸易伙伴为俄罗斯、德国、奥地利和意大利。

政体与社会状况 1948～1989年间，匈牙利为一共产主义共和国，由匈牙利社会主义工人党一党统治，该党控制了国家的政治、经济和文化生活。但20世纪80年代末，苏联放松了对东欧的统治，这就鼓励了匈牙利人对他们来自苏联的那套政治制度进行彻底改革。1989年10月，匈牙利国民议会修改了1949年宪法，结束了共产党的统治，并建立了能朝着更大程度民主化方向前进的手段。宪法的正式修正案有使反对党合法化、推动自由选举和设置有实权的总统的职位等。到1990年匈牙利进行国民议会的多党自由选举时，匈牙利的政治制度已开始与典型的西欧议会民主制相似。总统由国民议会选出，总理掌管国家行政事务并主持内阁。总理通常为国民议会中掌握多数选票的政党首脑。议会议员由多党自由竞选的成人普选产生。匈牙利的主要政党是中间偏右的匈牙利民主论坛。

共产主义时期，匈牙利的社会福利覆盖范围较广，但费用巨大。20世纪90年代体制改革后，医疗保险仍是法定的，但基金来自雇员和雇主。

匈牙利实行6～16岁未成年人免费义务教育制。高等院校既包括传统的大学，也有非常专业的学院，如布达佩斯的李斯特音乐学院。

有很多匈牙利人对文艺和科学做出重大贡献。获得国际承认和诺贝尔奖的匈牙利出生的科学家包括A. 森特-哲尔吉、G. von 贝凯西、E. 维格纳、E. 特勒、L. 齐拉特和J. von 诺伊曼等人。F. 李斯特、B. 巴尔托克和Z. 科达伊的音乐作品均举世闻名。

历史 古罗马人把匈牙利，至少是其西部，称之为潘诺尼亚，当时居民为伊里利亚人和凯尔特人。14世纪时匈牙利并入罗马帝国成为一个行省。多瑙河以东地区从未成为罗马帝国的一部分，大部分为各日耳曼和亚洲民族所占据。阿瓦尔人曾控制该地区达200年以上，但最终于公元800年前后被查理曼驱逐出去。

5世纪时，一支称作马扎尔人的游牧的芬兰-乌戈尔族由原来的居处欧亚大草原向西迁移。神圣罗马皇帝阿努尔夫于892年邀请马扎尔人协助他制服摩拉维亚人。马扎尔人同意，并在其推选的首领阿尔帕德的率领下，开始在匈牙利大平原定居。

马扎尔人蹂躏了中欧，直至955年始为奥托一世所败。20年后，阿尔帕德之孙盖佐皈依基督教。其子斯蒂芬于1000年按传统即王位，继续推动匈牙利的基督教化，并将王国建成一个强大的独立国家。12世纪时匈牙利成为中东欧的主要国家。

1241年蒙古人大举入侵，匈牙利有一半人口惨遭杀害，1301年当地的阿尔帕德王朝覆灭。从此以后直至1918年，匈牙利除有一次自主外，一直受外国王朝或势力的统治。

14世纪，奥斯曼土耳其人开始入侵，至1568年，现代匈牙利的领土被划分为3个部分：西部狭长地带是皇家匈牙利，为哈布斯堡家族所据；东部的特兰西瓦尼亚(今罗马尼亚西北部的大部分)取得在土耳其宗主权下的自治(1566)；其余部分(中央平原)归土耳其直接控制。

取代奥斯曼土耳其人成为17世纪末匈牙利统治者的奥地利哈布斯堡家族，除查理三世和玛丽亚·特蕾西亚外，都和先前的土耳其人一样专制。他们的统治使匈牙利在一个世纪中停滞不前。当19世纪初改革终于到来时，已占匈牙利境内人口60%的各非马扎尔民族，对新法律中明显偏袒马扎尔人的内容感到愤懑。

1848年维也纳爆发革命；1年以后，在科苏特领导下，匈牙利宣告脱离奥地利而独立。奥地利人在俄罗斯人的帮助下，重新获得控制权，但终因大势已去，后来又不得不向匈牙利人让步，1867年建立了二元君主制的奥匈帝国。

但是民族问题仍然存在，第一次世界大战中奥匈帝国战败，导致匈牙利被分解。罗马尼亚、捷克斯洛伐克、南斯拉夫、奥地利、波兰和意大利，均各得到匈牙利的一部分，匈牙利只保留了以马扎尔人为主的那些地区。为了收复一些失地，匈牙利在第二次世界大战中同德国合作，对抗苏联。

匈牙利于第二次世界大战中战败后，一支苏联占领军留驻匈牙利，以保证确定恢复1920年边界的1947年条约得到执行。1945年，当地共产党人建立了亲苏的临时政府，1949年匈牙利人民共和国成立。1956年爆发了反对这个斯大林主义政权的过激行动，但被苏联以武力镇压下去。

在卡达尔的领导下(1956～1988)，共产主义的匈牙利在经济和文化领域从此保持了比较自由的政策，因而使匈牙利成为东欧苏联集团国家中最为宽容的一个。同样，匈牙利的共产党人于1989年自动放弃了对权力的垄断，于是避免了像在捷克斯洛伐克和罗马尼亚等邻国发生的那种大规模民众骚乱。匈牙利于1989年10月修改宪法，允许国家有多党存在，1990年春季举行竞争国民议会席位的自由公开选举。中间偏右的匈牙利民主论坛及其同盟者在选举中获胜，这些党派主张有步骤地向自由市场经济过渡。由于生活水平下降，犯罪、通货膨胀、失业增加，匈牙利人民选举社会党(原共产党)重新执政。新政府实施了极度紧缩计划，推进经济私有化，加强与西欧的联系。20世纪90年代后半期，匈牙利经济已居中东欧强国之列。1999年，匈牙利加入北大西洋公约组织，2004年加入欧盟。

Hungary, Reformed Church of 参阅 **Reformed Church of Hungary** 匈牙利归正会。

Hungloumeng (Chinese literature) 参阅 **Dream of the Red Chamber**《红楼梦》。

Huniades, John (Hungarian general) 参阅 **Hunyadi, János** 匈雅提。

Hünkâr İskelesi, Treaty of 《伊斯凯勒西村条约》 Hünkâr İskelesi又拼Unkiar Skelessi。奥斯曼帝国和俄国于1833年7月8日在伊斯坦布尔附近的伊斯凯勒西村签订的盟约，此约使奥斯曼帝国实际上成为俄国的保护国。1833年初俄国出兵协助奥斯曼苏丹马哈茂德二世解救危机，马哈茂德遂在伊斯凯勒西村与俄国签订一项为期8年的和平友好条约。条约的最重要意义在于有一个秘密条款：除俄国军舰外，奥斯曼不允许任何外国军舰进入达达尼尔海峡。该条约引起其他国家，尤其是英国的猜忌。1841年，俄国签订《伦敦海峡协定》(1841)时，放弃了对达达尼尔海峡的特权。

Hunkers and Barnburners 守旧派和烧仓派 美国历史上，纽约州民主党因当时的大小问题而分裂的两个派别。1844年后守旧派支持兼并得克萨斯，反对一切煽动反奴隶制的活动。烧仓派则反对将奴隶制扩展到新的准州，并于1848年退出民主党全国代表大会，加入自由土壤党。后来，部分烧仓派返回民主党，其他人则加入新建的共和党。

Hunley “亨利”号 第一艘击沉敌舰的潜艇，为美国南北战争时南部邦联所发明。艇长8米，装有一枚撑杆水雷，用一台螺旋桨推进。1863年它企图击沉北方联邦的护卫舰“新克伦威尔铁甲军”号，但它自己却被旁边经过的明轮船激起的波浪所覆没，司令官仅以身免。1863年10月初又一次试图击沉“新克伦威尔铁甲军”号，但它自己又一次倾覆，仅司令官及一名船员脱险。该艇被捞起后，10月15日在一次试验下潜中，又沉到海底，船员无一生还。再次捞起后，于1864年2月17日用撑杆水雷将北方联邦的新战舰“豪萨通尼克"号击沉。当时"亨利"号在水面上，舱口打开，被爆炸激起的水浪覆没，船员全部丧生，从此该艇再也没有被捞起。

Hunsaker, Jerome C(larke) 亨萨克(1886-08-26，美国艾奥瓦克雷斯顿～ 1984-09-10，马萨诸塞波士顿) 美国航空工程师，在飞艇、水上飞机和舰载飞机的设计上有重大革新。1908 年毕业于海军军官学校，在海军修建队服役。1909 年在麻省理工学院学习，1912 年毕业。到欧洲对航空发展的情况进行两年(1913 ～ 1914)的考察后，又回到该学院，第一次在美国大学开设空气动力学和飞机设计课程，并和 D.W.道格拉斯建造第一个风洞。1916 ～ 1923 年主管海军的飞机设计工作，1919 年春他设计的 NC4 型水上飞机完成了首次经亚速尔群岛横越大西洋的飞行；他还设计了第一艘用氦代替氢的"谢南多厄"号飞艇。在航空局任设计主任时，他领导研制航空母舰上用的起飞弹射器和着陆拦阻装置，制造轻型舰载飞机，研制鱼雷飞机并改进星形气冷式航空发动机。1926 年从海军退役后，参加贝尔电话实验室工作，研究飞机通信系统和军民两用天气咨询服务。1928 ～ 1933 年任古德伊尔-齐柏林公司副总裁，后又回到麻省理工学院，扩充推进器、空气动力学、仪表制造学和控制器的教学大纲，并任该院航空工程和机械工程系主任，直至 1951 年退休。他还担任过国家航空咨询委员会委员(1938 ～ 1958)和主席(1941 ～ 1957)。

Hunsrück 洪斯吕克 德国西部莱茵兰-普法尔茨州中部雷尼舍高地南端山区。四周分别以莱茵河、纳厄河、萨尔河、摩泽尔河为界。西南—东北走向，长约 55 英里(90 千米)，宽 20 ～ 25 英里，平均海拔 1 300 ～ 1 600 英尺(400 ～ 500 米)。洪斯吕克的较低地区已辟为牧场，较高地区覆盖山毛榉和云杉森林。小村庄是洪斯吕克主要的居住区形式。主要城镇为锡门。

Hunt, H(aroldson) L(afayette) 亨特(1889-02-17，美国伊利诺伊拉姆西～ 1974-11-29，得克萨斯达拉斯) 美国数十亿美元的石油企业的创建人。在自己举办的无线电广播节目中宣扬极端保守的政治观点。1920 年以前从事棉花期货投机交易。随后携带借来的 50 美元赴阿肯色州，从事石油租赁权贸易；他几乎同时买进和卖出，如此不花分文便可赚大钱。1930 年他与一个名叫 D.乔伊纳的投机商达成一笔得克萨斯州东部石油租赁权的交易；他预付 3 万美元定金并答应以后再用石油偿付 100 多万美元，购得4 000英亩油田。以后证明这是美国最丰产的油田之一。他 1936 年创建亨特石油公司，并继续通过该公司进行石油产业的投资。他最成功的交易之一，就是 20 世纪 60 年代在利比亚发现和开采大量石油。他利用销售石油和天然气获得的巨额财富，投资于出版、化妆品制造、山核桃种植和保健食品生产。到他逝世时，其财产根据各种估计约在 20 ～ 30 亿美元之间，每周可有 100 多万美元的收入。他以其政治观点保守最为著名。1951 ～ 1956 年间，他出资成立"事实论坛"基金会，利用无线电和电视节目散布其保守的反共的政治言论。该基金会还散发参议员 J.R.麦卡锡等人所著的书籍。1958 年他重建名叫"生命线"的基金会，制作每日 15 分钟的无线电广播节目，由 400 多个电台播出。

Hunt, Harriot Kezia 亨特(1805-11-09，美国马萨诸塞波士顿～ 1875-01-02，波士顿) 美国医生、改革者。成长在一个持自由的社会和宗教观点的家庭，接受过私人教育，并深受宗教思想的影响。1827 年，她在父母的房子里开办了一间自己的学校。19 世纪 30 年代早期，她姐姐长期卧病，很多医生都无法治疗，最后是英国人莫特夫妇治好了她姐姐的病，于是姐妹俩于 1933 年开始跟他们夫妇学习医术。1835 年，姐妹二人不顾社会偏见开门行医。她们很快就发现：当时的医学知识在总体上是零碎的，用药也无一定之规。于是，她们决定不在用药上下功夫，专心致志地研究生理和卫生保健。食物营养、洗海水浴、休息和运动构成了她们治疗手段的核心内容，同时佐以大量的心理治疗。她们取得了相当大的成功，尤其是那些使正统医生束手无策的、歇斯底里的或是有心理障碍的患者效果尤佳。1840 年姐姐结婚，亨特便独立支撑这家诊所。1843 年，亨特成立了一家女子生理学会，并主持了一个面向女性的生理卫生学课程。1947 年，征得 E.布莱克威尔的允许赴纽约日内瓦医学院。后申请赴哈佛大学医学院听课遭拒。1849 年，在波士顿劳工区开办了第二期系列讲座。1850 年，出席在马萨诸塞州伍斯特召开的全国女权大会。此后，她多年热衷于女权和废除黑奴的运动，并到处讲演。1850 年底，她又一次申请赴哈佛大学医学院学习，最终获准，但却遭到医学院男生们的强烈抗议。她在医学领域开拓性的贡献终于得到承认，1853 年，费城女子医学院授予她荣誉医学学位。她的自传《看，她们的眼睛》1856 年出版。她一生致力于行医和女权事业。

Hunt, Henry 亨特(1773-11-06，英格兰威尔特郡阿佩文～ 1835-02-15，汉普郡奥尔斯福德) 英国激进的政治改革家，曾鼓吹普选和每年召开议会。1819 年 8 月 16 日，他在曼彻斯特圣彼得广场主持要求实行议会改革的 6 万人大会。由于官方要逮捕他，遂引起了有名的彼得卢大屠杀事件，结果约 500 名手无寸铁的示威者受伤，11 名死亡。亨特虽未受伤，但是他戴的白帽子被剑刺穿，于是成为改革的象征物。1820 年亨特被捕并被判两年监禁。他在狱中写成《狱中一瞥》一书，揭露伊尔切斯特监狱的黑幕。获释后继续为实现议会改革而进行宣传鼓动。1830 年，亨特被选入议会，代表工人阶级的选区兰开夏的普雷斯顿。他对改革运动贡献很大，1832 年终于通过了改革法案，赋予中产阶级以选举权，并使选举权规范化。但具有讽刺意味的是，恰恰是在 1832 年的选举中，亨特失去了他的议会席位。

Hunt(of Llanfair Waterdine), (Henry Cecil) John Hunt, Baron 亨特(1910-06-22，英格兰威尔特郡莫尔伯勒～ 1998-11-7/8，牛津泰晤士河畔亨利) 英国军官、登山家、探险家。曾率探险队攀登世界最高的埃佛勒斯峰(珠穆朗玛峰)(8 844.43米)，其中 E.希拉里和 T.诺尔盖登上顶峰，著有记述此次探险的《埃佛勒斯峰登山记》(1953)。30 年代在印度和缅甸供职时，亨特开始了解克什米尔北部的喀拉昆仑山脉(1935)和锡金的喜马拉雅山(1937 及 1939)。第二次世界大战时，在北非及意大利战役中服务，嗣后于 1952 年从军队现役中被召回，去领导 1953 年的英国额非尔士峰探险队。1956 年从军中退役，1963 ～ 1966 年任阿伯丁大学校长。1966 年封终身贵族。1967 ～ 1974 任英格兰和威尔士假释裁决委员会主席。1978 年，出版自传《生活是会战》。

Hunt, (James Henry) Leigh 亨特(1784-10-19，英格兰米德尔塞克斯绍斯盖特～ 1859-08-28，伦敦帕特尼) 英国散文作家、评论家、报刊编辑和诗人，曾任许多有影响刊物的编辑。他还是诗人雪莱和济慈的朋友和赞助者。他的诗颇受外国诗律影响，名作有《阿布·本·阿德罕姆》和《珍妮吻了我》。亨特才华不高，但所写的一些散文和《自传》(1850)对读者颇具魅力，受到读者爱戴。他对当代作家，从济慈到丁尼生，能够作出正确的判断。作为激进的报刊编者，他大声疾呼反对人压迫人的现象，虽然他对政治并不很感兴趣。第一部诗集《青春》(1801)显示出他喜爱意大利文学，要从意大利寻求"作诗的自由精神"。1816 年发表《里米尼的故事》，在英语两行诗中重新采用 18 世纪已失去的韵律自由。同年与济慈相识，向济慈介绍意大利诗歌，对济慈影响深远。济慈对色彩和富于想象力的肉体感受的喜爱，以及最初对意大利诗歌的了解均源于亨特，其影响之深在他不再需要亨特的帮助之后很久仍存在。1808 年与其兄约翰创办《考察者》周刊，要求废除奴隶买卖、给天主教徒以解放、改革议会和修改刑法。1813 年兄弟俩因攻击摄政王而被监禁，亨特在狱中继续为《考察者》撰稿，被公众当作争取自由的英雄。1815 年获释后移居济慈的故乡汉普斯特德，1817 年把济慈介绍给雪莱。《考察者》支持新浪漫主义诗人反驳《布莱克伍德杂志》对其所谓"伦敦诗派"的攻击。1810 ～ 1811 年在《反射镜》季刊上发表文章，结合评论戏剧和绘画，同时谈论政治。《想象和幻想》(1844)把绘画和诗歌作了有趣的对比。但他最优秀的一些散文发表在《标识》周刊(1819 ～1821)和《伴侣》(1828)上。他继续编辑和为期刊撰稿至 1853 年。

Hunt, Mary Hannah 亨特(1830-06-04，美国康涅狄格南卡纳安～ 1906-04-24，马萨诸塞多切斯特) 婚前名 Mary Hannah Hanchett。美国戒酒运动领导人，她以生理学为武器反对饮酒。先后就读于纽约亚美尼亚神学院和马里兰州巴尔的摩附近的帕塔普斯哥女子学院。从帕塔普斯哥女子学院毕业后，以理科教员的身份留校任教，并与该校校长 A.H.L.费尔普斯合作完成了理科的一套系列教科书。1852 年与 L.B.亨特结婚，最初定居马萨诸塞州，后于 1865 年迁往波士顿郊区的海德公园。19世纪70年代中叶，在帮其子A.E.亨特（著名化学家和工程师）完成在麻省理工学院的学业的同时，她对酒精的生理作用产生了浓厚兴趣，并查阅了大量相关文献。亨特对戒酒运动的兴趣来自她父亲，但她是以做学问的态度反对饮酒。1879年应F.W.威拉德之邀，在基督教妇女禁酒联合会全国代表大会上发言，介绍她的想法。次年，该联合会成立科学戒酒指导部，亨特被任命为该机构的全国最高负责人。从1882年开始，她就推动各州的立法以实现公立学校戒酒。最早通过相关法案的是佛蒙特州（1882年11月）。亨特还亲自到各州做立法游说，指导出版范本。1892年为教员编辑出版了《科学戒酒月刊》（后改名为《校园生理学杂志》）。到1901年，美国各州都完成了立法。1886年，联邦法律要求在全国范围内实行公学禁酒教育。1890年，亨特被任命为国际基督教妇女禁酒联合会领导成员。主要著作有《各类学校科学禁酒指导部的十年回眸》（1891）和《19世纪的开元》（1897）。她的政治理念也并非没有争议，一个由著名教育家、科学家和教会牧师组成的"五十人集团"于1903年发表一份报告，使反对派的声势到达顶点，但她却不为所动。

Hunt, R. Timothy　亨特（1943-02-19，英国柴郡内斯顿～　　）　全名Richard Timothy Hunt。英国科学家，因发现细胞周期的关键调节因子而成为2001年诺贝尔生理学或医学奖得主。与他共获此奖的还有L.哈特韦尔和P.纳斯。他于1968年获剑桥大学博士学位后赴美，在纽约阿尔伯特·爱因斯坦医学院从事研究工作。后又回到剑桥任教（1981～1990），1991年出任英国皇家癌症研究基金会（现更名为英国癌症研究所）的首席科学家。其研究主要集中在细胞分裂过程中的事件链上。细胞周期的全过程中包括细胞生长、DNA复制和细胞分裂。亨特首次发现：海胆卵受精后，有些蛋白质的含量随细胞周期而剧烈振荡，不断地合成、又降解，故名周期蛋白。并于1982年首次成功地从海胆体内分离出一种周期蛋白。亨特发现：周期蛋白须与周期蛋白依赖性激酶（CDK，由P.纳斯发现）分子结合，才能激活CDK，使CDK能发挥激酶活性（诸多细胞功能的关键酶类）。亨特还发现：周期蛋白的周期性降解是细胞周期中的一种重要的、普遍性的调节机制。到2001年，人们已经分离出十几种人类的周期蛋白。亨特的贡献有助于加深人们对癌细胞的产生和发展的认识和理解。亨特不仅在细胞周期方面著作等身，而且还供职于数家杂志的编辑部。

Hunt, Richard Morris　亨特（1827-10-31，美国佛蒙特布拉特尔伯勒～1895-07-31，罗得岛纽波特）　美国上流社会建筑师，将法国学院派的风格带到美国。1888年起任美国建筑师学会主席。他的建筑风格属于折中主义，同时擅长法国早期文艺复兴装饰性风格、他自己设计的别墅风格以及庄严的古典风格。1843～1854年，在巴黎美术学校学习。1854年，担任土伊勒里宫和罗浮宫之间连接建筑的监督员。在H.-M.勒菲埃尔领导下，设计了皇宫对面的图书馆。1855年回美国，参加国会大厦的扩建工程。他的作品有：纽约勒诺克斯图书馆、论坛报大厦（1873）、大都会艺术博物馆的立面（1900～1902）、普林斯顿大学神学图书馆及马昆德礼拜堂、耶鲁大学神学院、斯塔滕岛上的范德比尔特陵墓等。1893年在芝加哥世界哥伦布博览会上，他设计的行政大楼获得英国皇家建筑师学会金质奖。他设计的住宅建筑中，最负盛名的有纽约范德比尔特住宅（1878）和马昆德住宅（约1875）等。

Hunt, Ward　亨特（1810-06-14，美国纽约尤蒂卡～1886-03-24，华盛顿［哥伦比亚特区］）　美国最高法院大法官（1873～1882）。亨特于1831年获得律师资格后，在开展律师业务方面很快取得了成功并积极进行政治活动。1838年被选入州议会，1844年当选为尤蒂卡市长。他反对得克萨斯州合并和扩展奴隶制的态度导致他于1848年支持自由土壤党的纲领。1856年他协助建立了纽约州的共和党组织。在两次竞选州最高法院法官以后，1865年他以共和党人身份被选入上诉法院。他在该院任首席法官，直至1869年司法机构改组后任上诉审议官。1872年，格兰特总统任命他为美国最高法院大法官，在任职期间并无特殊作为。

Hunt, William Holman　亨特（1827-04-02，英格兰伦敦～1910-09-07，伦敦）　英国画家、拉斐尔前派兄弟会的重要成员。其风格特色是善于用明净、对比强烈的色彩，色调明亮，光

中国大百科全书出版社供图

感强，细节处理柔和细致。1843年入皇家学院美术学校学习，1854年展出《世界之光》，写耶稣敲开人的心灵之门。这幅画给他带来最初的荣誉。后去叙利亚和巴勒斯坦旅行两年，1855年画《替罪羔羊》，描绘死海之滨一只孤苦伶仃、无家可归的羔羊。后期最出色的作品有：《无辜者的胜利》（两幅变体画，分别作于1884和1885年）、《马格达伦塔的五月之晨》（1889）、《圣火的神迹》（1898）等。

Hunt, William Morris　亨特（1824-03-31，美国佛蒙特布拉特尔伯勒～1879-09-08，新罕布什尔肖尔斯群岛）　美国浪漫主义画家。用巴比松画派描写外光和空气的手法进行创作。在哈佛学院学习结束后，曾在巴黎师从T.库图尔，并在巴比松村向J.-F.米勒学画，深受米勒风格的影响。他把C.柯罗和巴比松画派的作品介绍给美国社会，从而使美国画家对巴黎艺术产生浓厚兴趣。1855年后，亨特的一些作品中，反映出他对生活在法国的那段岁月的怀念和米勒对他的影响，如《迟到的儿童》、《喷泉旁的少女》、《拉风琴的孩童》等，造型和色调质朴单纯。其许多油画和画稿，都不幸毁于1872年波士顿的大火灾。其寓意组画《夜的飞逝》（1878），也因所依附的墙面倒塌未能保存下来。后期作品主要描绘美国的风景。于1878年写成《谈艺术》。受其影响的画家有J.拉法格、W.詹姆斯和H.詹姆斯等。

Hunter, Alberta　亨特（1895-04-01，美国田纳西孟菲斯～1984-10-17，纽约州纽约）　美国布鲁斯女歌唱家，因其强劲并在节奏上富有感染力的风格而在20世纪30年代蜚声国内外。11岁去芝加哥，在那里开始职业性演唱。20年代初移居纽约市，成为广受欢迎的俱乐部和剧院演员。在这整个10年中她不断录制唱片，有时还采用其同母异父妹约瑟芬·贝蒂的名字。她的钢琴伴奏有F.沃勒、E.布莱克、L.阿姆斯特朗、S.比切特、F.亨德森等人，其中尤以亨德森最为频繁。这时她开始创作歌曲，B.史密斯于1923年为她的《灰心丧气的布鲁斯》所录制的唱片至今仍是一首受人欢迎的经典之作。亨特于1928～1929年在伦敦与P.罗伯逊联袂主演《演艺船》，30年代继续在欧洲频繁演唱。第二次世界大战和朝鲜战争时期为美国劳军联合组织巡回演出。1954年其母去世后，亨特出于各种实际目的放弃音乐生涯，转业当护士。1977年因年龄关系被迫从护士职位退休后，东山再起，重新开始职业演唱生涯。

Hunter, Catfish　亨特（1946-04-08，美国北卡罗来纳赫特福德～1999-09-09，赫特福德）　James Augustus Hunter的别名。美国职业棒球运动员，最佳右手投手之一。1964年满18岁时加入堪萨斯市运动家队，开始在大联盟打球。后转入奥克兰队，在1968年对明尼苏达孪生兄弟队的比赛中打了一场完美的比赛（大联盟历史上的第7次）；使奥克兰队连续4次赢得美国联盟锦标赛（1971～1974）和3次世界职业棒球锦标赛（1972～1974）。1974年获赛扬青年奖。1976年成为自由职业运动员，以最高年薪加盟纽约扬基队；为扬基队赢得两次世界职业棒球锦标赛。在大联盟的15个赛季中共赢224场，41岁时入选美国棒球名人堂。后因肌萎缩性侧索硬化症病故。

Hunter, Clementine　亨特（1886-12，美国路易斯安那克拉乌蒂厄维尔附近的希登希尔种植园～1988-01-01，路易斯安那纳奇图切斯附近）　婚前名Clementine Reuben。多产的美国民间画家。晚年根据对南部种植园生活的回忆开始创作色彩明快的具象派和抽象派的油画。只上过很短时间的小学，从未学会阅读。十多岁时全家迁居路易斯安那州纳奇图切斯附近的尤卡（后名为梅尔罗斯）种植园，之后就一直住在那里，直到1970年该种植园被售出为止。1924年与E.亨特结婚。约在1939

年，在法国作家 F. 米格农的鼓励下开始作画。从此开始了一生的绘画生涯，估计共画了5 000多幅画。根据梦想和回忆，她画了许多色彩鲜艳的油画，描绘了种植园的生活、娱乐和自然风光。1949 年在路易斯安那州新奥尔良举行首次画展。20 世纪 70 年代多次在美国东西两海岸举办重要画展。还曾应 J. 卡特总统之邀赴华盛顿哥伦比亚特区参加个人画展开幕式。

Hunter, David　亨特（1802-07-21，美国华盛顿[哥伦比亚特区]～ 1886-02-02，华盛顿[哥伦比亚特区]）　美国南北战争时期的联邦军官，曾发布一份解放宣言（1862-05-09），但被 A. 林肯总统宣布无效（05-19）。1822 年在西点军校毕业。曾参加墨西哥战争。1862 年在南部大西洋沿岸指挥联邦军队时，宣布佐治亚、佛罗里达和南卡罗来纳等州的奴隶获得自由，但林肯决心维护其最高行政特权，撤销了这一命令。他在南卡罗来纳组织联邦军队的第一个黑人团。1864 年 5 月在西弗吉尼亚指挥作战，6 月被 J. 厄尔利将军击败，8 月辞去司令职务。林肯被刺后，他任审讯阴谋分子的委员会主席。

Hunter, John　亨特（1728-02-13，苏格兰拉纳克郡朗考德伍德～ 1793-10-16，伦敦）　英国外科医师，英国病理解剖学的奠基者，提倡研究和实验的早期学者，在比较生物学、比较解剖学、比较生理学和比较病理学方面都做了大量重要的实验和研究工作。他没有受过正规的大学教育。1748 年去伦敦给他教解剖学的哥哥、有名的妇科医生威廉当助手，做些教学准备工作；在哥哥的解剖室里学习解剖学达 11 年之久。1749 ～ 1750 年在切尔西医院随 W. 切斯尔登学习了两个夏天的外科学。1753 年被选为外科医师会堂的解剖学教师，负责宣读讲稿。18 世纪 70 年代初期，开始自己开课，讲授外科原理及手术实践。此外，1768 年任教于圣乔治医院，1758 年起被选为该院的外科医生。他的学生中不少人后来在学术上取得了成就，其中包括 E. 詹纳。1760 年他任军医。1763 年回伦敦继续私人行医，直到逝世。1776 年任英王乔治三世的御医。亨特不仅对外科作出了非常重要的贡献，还使外科成为一门科学专业，使其建立在生物学普遍原理的基础之上。他为了证明淋病和梅毒是同一疾病的不同表现，给自己接种了病原体，因而得了梅毒；他晚年所患的疾病可能大部是这样造成的。著有《人类牙齿的自然史》（1771）、《论性病》（1786）及《动物机体某些部位的观察》（1786）。其遗著《论血液，炎症及枪伤》于 1794 年出版。

Hunter, Mary（writer）　**亨特**　参阅 **Austin, Mary 奥斯汀**。

Hunter, William　亨特（1718-05-23，苏格兰拉纳克郡朗考德伍德～1783-03-30，伦敦）英国产科医师、教育家和医学作家。强调高标准的教学方法和医学实践，致力于使产科摆脱助产士之手而成为医学科学的一个公认的分支学科。1750 年获格拉斯哥大学的医学学位，1756年获准在伦敦行医。1746年起终身从事教学，主要讲授外科学和解剖学。1743 ～ 1744 年和 1748 年两次赴法国，在此期间注意到法国医学生均有机会进行尸体解剖；于是他也将这一措施介绍到英国。1768 年皇家学院建立，他担任解剖学教授。1756 年后主要致力于研究产科，成为当时英国产科学界最有成就的专家；1762 年成为夏洛特王后的御医。有著作 3 部，最重要的是无以伦比的解剖学专著《人类妊娠子宫的解剖学图解》（1774）。

Hunter-Gault, Charlayne　亨特-高尔特（1942-02-27，美国南卡罗来纳迪韦斯特～　　）婚前名 Charlayne Hunter。美国新闻记者和广播新闻工作者，采访、播报时事、地缘政治和种族问题。1961 年成为第一个进入佐治亚大学就读的非洲裔美国妇女；她也是第一批从这所大学毕业的非洲裔美国妇女，1963 年获新闻学学位。完成大学学业后，移居纽约市，为《纽约人》杂志工作，担任行政职务，并为《街头巷尾》栏目写稿。她的第二份工作是担任《纽约时报》记者（1968 ～ 1977），最终成为该报哈勒姆处主任。除了她的市中心贫民区采访赢得许多奖项外，亨特还使《纽约时报》的编辑方针发生了重要转变。最终说服编辑们在提及非洲裔美国人时放弃使用“Negroes”（对美国黑人不友好的一种称呼）一词。1978 年加入公共广播社（PBS）的新闻节目《麦克尼尔和莱勒的报道》。当这个栏目发展成 60 分钟的《麦克尼尔和莱勒的新闻时间》时，她成为全国通讯员，报道的话题包括种族主义、越战退伍军人、隔离状态下的生活、滥用毒品和人权问题等。1997 年离开公共广播社，成为全国公共电台（NPR）的非洲处主任。1999 年被任命为有线电视新闻网（CNN）的驻非洲主任记者。

Hunter River　亨特河　在澳大利亚新南威尔士州中东部。源出东部高地罗耶尔山脉，向西南穿过格伦邦水库，在登曼接纳主要支流古尔本河，折向东南，在纽卡斯尔注入塔斯曼海。全长 462 千米。流域面积约22 000平方千米。其河口湾在纽卡斯尔形成该州最大港湾。1791 年一批流放犯到此，称之为煤河。最重要的煤矿位于辛格尔顿-马瑟尔布鲁克-登曼“三角地带”，但该河下游梅特兰和塞斯诺克之间的煤矿对纽卡斯尔钢铁工业的建立至关重要。该河流域有多种农业，包括果园和酿酒葡萄园。上游流域有牛、羊、马饲养业和伐木业。中下游流域主要生产乳制品和饲料。家禽饲养在农牧业中居首位，其次为肉牛生产。滥伐木材引起严重水患。已兴建格伦邦水坝等防洪设施。该河水位季节性变化大，而且很不规律，航行受到严重限制，但流域有铁路和两条公路通悉尼。

亨特河上的牛群
《黑星》杂志社供图

Hunters' Lodges　猎人小屋　由加拿大起义者和美国冒险家组成的、在美国的秘密组织，旨在使加拿大摆脱英国的统治。该组织是在 1837 年加拿大人起义失败之后成立的，集中在北部边境各州，约有成员 8 万人。1838 年 11 月 11 日，由 400 来名成员组成的一支队伍在安大略普雷斯科特村渡过圣劳伦斯河，立即与地方民兵和少量正规军发生战斗。约一半人败走，一半人 5 日后投降。战死者约 30 人，被俘者约 160 人。1838 年 12 月 4 日，该组织进行第 2 次入侵，地点在安大略的温莎。他们再度被民兵驱散，有多人被俘。猎人小屋的个别成员曾经参加其他一些较小的边境事件和袭击，但到 19 世纪 40 年代即停止活动。他们的活动虽未威胁到英国在加拿大的统治，但引起英、美之间的紧张关系，直至 M. 范布伦总统解散此组织。

Hunter's syndrome　亨特氏综合征　又称黏多糖贮积症Ⅱ型。一种少见的性连锁遗传性疾病，以侏儒症、严重的精神发育迟缓和耳聋为特征。本病仅侵袭男性，3 岁之内出现症状。多于 20 岁前即死亡。言语及精神发育迟缓，呼吸道容易感染，疾病进展时便出现下列典型体征：腹部隆凸、爪形手、毛发过多、面容丑陋及生长迟缓等。病因为艾杜糖醛酸硫酸脂酶缺乏，致使黏多糖分解障碍，从而在体内积聚。

hunting　狩猎　一种搜索、追踪和捕杀一些名为猎物和猎禽的野兽和野禽的活动。现代的狩猎工具主要为火器，但有时也使用弓箭。在英国和西欧，狩猎这一名词是指驱使猎犬凭嗅觉追逐猎物，进行围捕；至于使用猎枪射击较小的禽兽，则称为射猎。在美国及其他国家，狩猎这一名词的意义同时包含以上两种内容。**猎狐（fox hunting）**时，则由猎犬加以捕杀。

起源　远古的人类以狩猎为生。猎获鸟兽后不仅能食肉充饥，还能以兽皮御寒，并利用它们的骨、角和蹄制作工具。无论从考古的发现和当今较原始的社会情况调查，都可见到人类对狩猎方法的普遍关心和在这方面的智谋技巧。狩猎方法多种多样，并且随着野外场地的性质、野兽的种类、猎人的灵巧与机智，以及他们所使用的器材和技术而各不相同。猎人手中的武器，按其复杂及有效程度由低到高排列，则有从用以捕杀鸟类和小兽的木棍和石块起，直到特殊形状的大头棒和投掷木棍：例如非洲的圆头棍，尼罗河上游的飞去来器和澳大利亚的飞镖；还有用削尖木棒制作的简单标枪，以至装有石镞、骨镞或金属尖刺并带有倒钩的长矛。除澳大利亚外，弓箭是古代各地猎人普遍使用的工具，而到19世纪时，重又为现代的猎人所使用。带有毒箭的吹管或吹矢枪，则是猎人最致命的武器之一。

古代猎人利用伪装和掩盖物隐藏自己，他们还使用套索、罗网、圈套、陷阱、囮子、诱饵和毒药。早在新石器时期，大概已经有人训练犬类从事捕猎，并繁育具有特殊本领的犬种。公元前2 000年时，已经使用马匹进行狩猎了。

农业的发展使人类不再单纯地依靠狩猎以维持生活，但为了保护自己的庄稼、家禽或牧群，也为了得到食物，仍需从事追捕野兽的活动。猎人不断地练习使用其工具以及跟踪和接近猎物，具有维护集体合作、获得威望和保持传统的社会意义。

早期历史 早期的狩猎是一种供统治者及贵族们消遣的活动，这辈人享有最多的闲暇和财富。在古埃及，狩猎者构成一个社会阶层；他们一方面自己以打猎为生，一方面又伴随权贵们从事狩猎。他们在尼罗河谷两侧的开阔沙漠中追逐野兽，有时则把猎物驱赶到封闭的保留地内，进行捕杀。追捕的兽类包括瞪羚、羚羊(直角大羚)、牡鹿、野牛、巴巴里羊和野兔。他们为了取得羽毛而追踪鸵鸟，为了剥取毛皮或为农民除害，而捕杀狐狸、豺、狼、鬣狗和豹。猎人使用的工具有网、套索、箭和标枪。他们偶尔也训练狮子从事狩猎。后来，猎人们有时坐在马车上或骑在马背上追捕野兽。

亚述人和巴比伦人也喜欢打猎，从他们庙宇和宫殿壁画中的狩猎场景，可以看到这一点。早在公元前700年之前，亚述人已经使用鹰隼进行捕猎，而在印度和中国，许多人很久以前就知道训练猎鹰了。从《圣经》中可以看到，当时猎物丰富，而犹太人对之需求甚殷，且备加欣赏。

古代希腊人早已开始从事狩猎活动。公元前4世纪，色诺芬根据他自己捕猎野兔的经验，写成了《论狩猎》一书，但其中也涉及追捕野猪和牡鹿，还提到狮、豹、山猫、熊等兽类，而熊乃是设置陷阱擒获或由骑马的猎人用长矛刺死的。罗马人则认为有身份的人士不宜去追捕野兽，因而让地位低微的人和专业猎手去参加此项活动。

晚期历史 法兰克人和其他条顿民族酷爱养鹰和追猎，因而在嗣后的几个世纪中，省议会时常警告僧侣和俗人不能在饲养猎犬和鹰隼方面浪费如此之多的时间和金钱。原先在北方部落中，除不得拥有武器的奴隶外，所有的人均可猎捕野兽。封建时代来临时，出现了保护猎物的想法，在那时，捕杀猎物的权利已与土地所有权联系在一起。萨克森的选帝侯们由于世袭了神圣罗马帝国追猎大臣的贵族称号，故而享有狩猎的特殊机会。

欧洲的妇女在狩猎方面也身手不凡。爱森纳赫的弗雷德里卡公主以擅长潜步靠近麋鹿而闻名；荷兰的女统治者玛丽亚能够循迹跟踪一头牡鹿，用弩将它射死，然后挖出它的内脏。在法国，普瓦捷的黛安娜偕同其情夫亨利二世(1547～1559在位)在拥有欧洲最华丽的狩猎屋的歇农索猎场，能够骑在马上，捕猎牡鹿、獐和野猪；而在英国，伊丽莎白一世则对狩猎和放鹰行猎两者都有嗜好。

狩猎规则 人们早就明白，为消遣而打猎和为食物而打猎，两者是有区别的。就诺曼底人而言，从中世纪早期起，追捕野兽主要是为了食用兽肉，因此行猎时要求费力最少而捕杀最多。然而，当行猎目的在于消遣时，人们就按照王室成员和贵族们公认的准则，制订出一套严格的行为规范。以捕猎野禽作为消遣的绅士，应当用鹰来追捕猎物；而在市场上出售捕获的野禽以资糊口的人，则可以使用罗网。上述区别产生了欧洲人对猎捕的兽类那种复杂的、往往令人迷惑、又似乎矛盾的所谓公平待遇的准则。为了娱乐而捕猎野生动物的人，要限制使用其行猎的手段，以便给猎物逃脱的公平机会，且要避免使受伤的禽兽遭受不必要的痛苦。行为规范中规定，猎人打伤一头野兽后，必须继续加以追踪，直到将它杀死。另外，用枪射击静止不动的野鸭，仍会引起旁人的厌恶，而隐蔽起来偷袭一头走近水边或盐块的大型猎物，则被认为缺乏运动家的风度。凡是以运动家自诩的狩猎者，都坚持遵守这样的规定。

欧洲的狩猎规则，无论见诸文字与否，都能受到尊重，因而在许多地区，狩猎情况依然良好。即便在转向共产主义的国家内，斯拉夫族的猎人仍然在遵守往昔贵族们的规则。尽管由于社会变迁，狩猎的由来情况业已不复存在，但上述共同遵守的协定，使狩猎活动仍保留着些许近似摆阔和派头的那种高贵气势。由于收入的普遍增加，如今在差不多每个国家中，实际上已有可能让所有希望行猎的人去参加某种形式的狩猎活动。土地所有权所赋予的射猎权利，一直是可以出售或出租的。在西欧，通常拥有大量会员的射猎俱乐部所获得的这种权利，已在现代得到了增长。在东欧的共产主义国家，射猎的权利理论上属于公社，但实际上这种权利又往往出租给一些狩猎组织，这些组织有时来自其他的国家。

用猎枪打猎 从16世纪起，已经出现用火器射击猎物的记载。猎枪使猎人更远和更多地射杀猎物的本领大为加强；而猎枪在射程、命中率和射击速度方面的每一次改善，都会进一步增加猎物被杀的数量。于是猎人们终于奉行了附加的规定，以限制他们杀伤的手段；这些规定一般是不成文的，但有时却写在狩猎守则里面。例如，在英国和其他许多国家，不准把连发枪作为体育用的武器。最为有效的限制办法，是使用双管猎枪；这种枪在发射两次以后，必须停顿片刻，或者重新装上子弹，或者更换另一支枪；这样，猎物就有机会逃出射程。在猎人射杀能力增强的时候，采用这些规定可以控制实际的射杀数量。

北美洲 当来自欧洲的拓荒者和定居者踏上美洲大陆时，从东海岸到西海岸都可见到丰富的猎物。驼鹿遍布新英格兰和大西洋海岸北部的多林地区。在这些海岸和内陆地带，鹿群自由自在地漫游觅食。那里栖息着无数的野禽，其中包括野火鸡、水禽和各种较小的猎物。向西，美洲水牛(野牛)黑压压地点缀着大片平原，而旅鸽则多得遮天蔽日。出没在西部山区的有大批的麇(马鹿)、石山羊、绵羊和叉角羚，而食肉兽如美洲狮、山猫、红猫、狼和郊狼等数量也不少。

拓荒者手中的猎枪既是防身武器，又是猎取食物的工具，所以他们餐桌上的肉食是靠打猎弄来的。务农的家庭成员从沼泽地和树林中猎取野味，如同他们在庄稼地里收割谷物那样理所当然。野味的供应似乎无穷无尽，正如土地面积和土地丰产并无限制一样。狩猎作为运动，只是在举行广受欢迎的射猎比赛时才能见到。拓荒者"凡是男子都是猎手"的传统，一直持续到接近19世纪末尾边疆不再扩充，以及主要在南方和中西部及部分西部地区的务农人口开始下降时为止。

非洲 当欧洲人在19世纪晚期开始移居非洲时，殖民者就射杀猎物以获取肉食和皮革，他们像当地的土著猎人一样，主要是为了生存而从事狩猎。如同北美洲那样，非洲的猎物似乎多得取之不尽。但随着狩猎活动的增加，野生动物的数量下降了。后来当人们不复因生活需要而捕猎动物时，狩猎就作为一种消遣方式继续存在下去。

狩猎远征便是其中最有名的一种：这通常是由好几名猎人结队进行的持续几天至几星期长途跋涉的捕猎活动，伴随他们的有大批肩负行猎工具和物资的搬运夫，还有扛枪、驱赶和追踪猎物及剥兽皮的人手。远征队由一名或多名职业猎手，所谓"白人猎手"充当领队。最后，汽车代替了搬运夫，但第二次世界大战以后，当人们能乘坐飞机比以前方便得多地前往许多有野兽的地方时，捕猎活动变得如此频繁，以致某些种类的野兽已经消失，其他兽类也濒于灭绝。在20世纪最后的25年中，狩猎远征活动主要由旅游者参加，他们在国家野生动物保护区内从事兽类的考察和摄影工作。

亚洲 与北美洲及非洲不同，亚洲的殖民地开拓者倾向于纠正以往那种对猎物过度捕杀的做法，而采取欧洲的野生动物管理方式。然而，到20世纪下半叶时，有一些野兽的种类，诸如虎及亚洲犀牛等，已经面临绝迹的危险；为了予以保护，行猎者须申请特别的狩猎许可证，并遵守国际自然和自然资源保护联合会(1948年成立)协助开创的动物保护方案。

南美洲 欧洲的殖民者在那里仅找到3种当地独有的大型野兽：巴西和巴拉圭的美洲虎，安第斯山脉高处的眼镜状花纹的熊和美洲狮。人们从事狩猎主要是为了获得肉食和皮革，而绝大多数的捕猎目标乃是野禽和小动物。20世纪初，人们从国外引进野生动物，取得很大成功：有喀尔巴阡山区的马鹿和野猪，英国的黇鹿，印度的印度羚和斑鹿，后来还有印度水牛。这些兽类构成了南美洲现代狩猎运动的基本猎物。

澳大拉西亚 澳大利亚并无大型的野兽。早期的殖民者与土著猎人一样，捕捉袋鼠、澳洲野犬和鸸鹋(为了取得它的羽毛)；他们曾经引进鹿群，但成绩不佳。捕猎狐狸的活动则一直时断时续。然而在新西兰，从国外引进的兽类，如欧洲的马鹿、黇鹿和小羚羊，亚洲的水鹿、斑鹿、日本鹿和塔尔羊，以及北美洲的驼鹿、麋和弗吉尼亚鹿等，却都能很好地繁殖。在20世纪下半叶，为获得肉食而开展的商业化捕猎，使兽群遭受了巨大的损害。

猎物管理 在20世纪下半叶，由于提倡保护自然资源的人士对物种灭绝问题的关注，狩猎活动在某些地方已不再可行了。

19世纪时北美洲旅鸽的灭绝和野牛（美洲水牛）实质上的消亡，以及商业性和消遣性的过度捕猎的前景，促使世人制订法律，以保护野兽和野禽。由于工业用地扩大，挤占了野生动物的栖息地，许多可以行猎的场所业已消失。此外，新的耕种方法取消了田间的灌木篱，并在收割庄稼之后旋即将残茬翻耕入土，猎物的食物来源亦随之减少。纵然如此，州和国家的法律对狩猎者规定了捕杀的限额，并要求他们领取狩猎许可证，利用这种方式以增加税收，作为补充和繁殖兽群的费用。政府拥有的许多土地也对外开放，以向人们发售狩猎的许可证。自然资源的保护计划会牵涉到好几个政府部门和私人机构。例如在美国，联邦政府负责野禽的管理事宜，因为野禽在各州之间飞来飞去，夏季还迁移至加拿大，而冬季又移栖到墨西哥。有一个名叫野鸭无限公司的私人团体，从事野禽种群和数量的研究工作，并就捕猎野禽最适合的季节及捕猎的限量提供咨询意见，以便确保人们能源源不绝地猎获野禽。

猎物保护计划1860年始于印度，而非洲在19世纪末、北美洲从20世纪初起、东欧在第二次世界大战以后，都陆续推行此项计划。在英国及西欧其他各国，对野生动物的保护是土地所有者应尽的义务或委托别人履行的职责。

狩猎方法 从事消遣性质的狩猎活动时，基本方法是对猎物潜步靠近、伏击、循迹跟踪、围赶、守候并模拟鸟兽叫声加以引诱。

在开阔地带，当猎人老远就可发现猎物而猎物也能看见猎人时，行猎者就需要用潜步靠近的方法，即缓慢地偷偷接近猎物，此时不仅要利用甚至很小的隐蔽物，还得注意风向，不能让猎物嗅到自己的气味。

在茂密的森林以及灌木林和小树丛中，行猎者由于看不见几码远以外的东西，就得小心谨慎地向前缓慢跨步，并随时保持警觉状态，这就是所谓的伏击；而使用这一方法的猎鹿者则称之为对一头鹿的"突袭"。

对成群的大象或大型动物则不可进行潜步靠近或伏击，而必须使用循迹跟踪的方法。熟练的跟踪者在柔软的土地上辨认兽迹并非难事，他们甚至在硬地上也能这样做。

有一些猎物藏身在枝叶密集的树丛中间，捕猎者无法入内进行射击。对付这样的猎物只有把它们驱赶到空地上去；可以用一群人或猎犬把猎物从树丛中哄赶出来，或者像在印度某些地方那样用一排大象来达到这一目的。这种方法一般称之为围赶或拍打。

守候是捕猎水禽最常用的办法。猎人通常守候在伏击处，有时还模仿野禽的鸣声以引诱猎物。在英国，这叫做潜伏射鸟。模拟鸟兽叫声的猎人要静伏等待，并用口或器具模拟鸟兽声音，以达到诱骗猎物的目的。用此方法捕杀的猎物有野鸭和野鹅，猎人可利用放在伏击处附近的假鸟以引诱这些野禽；野火鸡也需猎人隐藏在伏击处加以捕猎，但可不用囮子。模拟鹿的叫声是欧洲猎人一项熟悉的技巧，尤以德国和奥地利为然。

猎犬 利用猎犬进行狩猎的记载，可上溯至古老的埃及，在那里人们曾用灵猩追捕瞪羚。追踪狩猎，即驱使猎犬凭视力追逐猎物，已成为目前猎犬之间一种主要的竞赛。猎犬凭嗅觉的追捕方式则应用于捕猎狐狸和其他较小的兽类，如野兔及美国中部和南部的浣熊等。

凭嗅觉和视力追捕猎物的獚、塞特犬和指示犬，被称为枪手猎犬。这些猎犬不仅能把射中的鸟衔回来，还能在猎人射击之前指示出野禽躲藏的地点，并在枪手作好射击准备时，驱赶野禽，使它们惊飞起来。

狩猎器材 狩猎用的武器按捕杀猎物的种类而异。捕杀大型猎物须用火力强大的来复枪，除非在某些地区，规定猎捕鹿群时只许使用每次射出一颗子弹的猎枪。射击水禽和其他野鸟以及绝大部分的小动物时，则使用猎枪。不过松鼠的捕猎者喜欢口径0.22的来复枪。弓和箭主要用来捕猎小型猎物，但在美国，由于使用弓箭的猎手人数在20世纪晚期已超过175万人，所以人们有特殊的理由使用弓箭去捕猎鹿群了。人们还利用弓箭成功地捕获过其他的大型猎物。

hunting and gathering society　狩猎和采集社会 任何以狩猎、捕鱼，或采集野生植物为生的人类社会。直至约8 000年前，人类均靠捕猎野生动物或采集野生植物为生。这又有许多不同的类型：有的专门猎取大型猎物，诱捕小型动物，在海边或河、湖中捕鱼或搜食甲壳类动物；有的主要采集野生植物、果实、种子、坚果和浆果。许多人从事渔猎、采集，又进行一些农业或畜牧业活动。例如，在哥伦布发现新大陆前的北美，大平原的印第安人完全靠狩猎和采集为生，北美东部的印第安人主要从事狩猎和采集，并以农业为辅，而美国西南部、墨西哥及中美洲的印第安人则从事农业，只借狩猎和采集补充食物来源。同时期的旧大陆，单纯靠狩猎和采集为生的人仅在澳大利亚和非洲、东南亚和西伯利亚少数孤立地区才占优势。

狩猎采集经济要求的土地面积很大，据估计，靠这种方式生活人均需要18～1 300平方千米土地。一旦当地的食物供应枯竭，人群便被迫迁移，所以不大可能建立永久性的村庄或市镇。人们的财产仅限于能从一个营地带到另一个营地的东西，房舍通常包括简单的棚屋、帐篷、或单坡顶的小屋，用植物性材料或动物皮张搭成。社会集体本身必须规模很小，因为只有数量不大的人群才能聚集在一起又不致迅速消耗尽当地的食物资源；这样的集体通常由一个家庭的成员组成，或由几个有亲属关系的家庭组成。在既从事狩猎又同时从事采集的地方，通常男人进行狩猎而女人采集植物并负担大部分家务。但在食物供应非常充足可靠，而又能贮藏的地方，以狩猎和采集为生的人也可能采取定居的生活方式。例如，西北部太平洋沿岸的印第安人以橡实制的粉和熏鲑鱼为食，建立了永久性的村庄，人口密度很高。

全新世于大约公元前8 000年开始，其特征为东南亚及中美洲出现定居农业以及（稍后一些）动物驯化。在世界上其他有人居住的地区从事狩猎和采集生活方式的社会仍存在，但随着农业社会的发展而衰落，农业社会或将狩猎采集者逐出其领地，或使之改变生活方式。这个过程持续到现代，文明民族侵入边远地区，使少数仍然以狩猎和采集为生的民族的活动地盘越来越小。

hunting spider　猎蛛 参阅 **wolf spider 狼蛛**。

Huntingdon, Selina Hastings, Countess of　亨廷顿（1707-08-24，英格兰莱斯特郡斯汤顿哈罗德～1791-06-17，伦敦） 伯爵夫人、18世纪英格兰基督教福音派奋兴运动的中心人物，循道宗支派亨廷顿夫人团契的创立人。她于1739年加入约翰·卫斯理所创立的循道会。1746年丧夫，其后运用贵族权利任命福音派人士做她的随身牧师，并在布赖顿、巴斯、坦布里奇韦尔斯等地成立教堂。她于1768年出资在布雷克诺克郡塔尔加斯成立特雷韦卡学校培训福音派教牧人员。她死后，该校于1792年迁到赫特福德郡切森特，1904年又迁到剑桥。

Huntingdon　亨廷登 英格兰剑桥行政郡亨廷登郡区城镇（"堂区"）。属亨廷登历史郡。亨廷登郡的行政中心。位于奥斯河北岸。以轻型机械工业为主，是一集镇，18和19世纪时是马车载运中心。人口15 575（1991）。

Huntingdonshire　亨廷登郡 英格兰中东部剑桥郡一区。面积910平方千米，在郡西部。1965～1974年间为前亨廷登-彼得伯勒郡的一部分。位于内勒河和大乌斯河流域。西部为低矮的石灰岩高地，海拔约60米。东北部属排干沼地。高地多为牧场。沼泽地区土壤肥沃，大量种植谷物和甜菜。许多中世纪隐修院（现为废墟）都建在原沼泽地区或附近。旧石桥（多为中世纪时建）现仍在使用。北端的亚克斯利镇是英格兰主要制砖工业中心。区首府亨廷登-戈德曼彻斯特、圣艾夫斯和圣尼茨三地为古镇，现有日益发展的轻工业。人口约156 400（1998）。

Huntington　亨廷顿 美国印第安纳州中部城市，亨廷顿县县城（1834）。临小沃巴什河，在韦恩堡西南39千米处。早先为印第安人营地，在当地签署过许多有关印第安人的条约。1831年以大陆会议代表S.亨廷顿名字命名，1848年设镇，1873年设市。现为农贸中心，附近出产石灰石。轻工业品有橡胶制品、电子设备、供暖和空调设备等。1897年建亨廷顿学院。市内还有亨廷顿县历史陈列馆和植物园。附近有兼作防洪和娱乐用的亨廷顿水库和萨拉莫尼水库。人口约16 747(1993)。

Huntington 亨廷顿 美国纽约州东南部萨福克县城镇。在长岛北岸。1653年始建居民点。W.惠特曼主编(1838～1839)的《长岛人》周刊在此出版。在韦斯特希尔斯,惠特曼出生地的田舍已被作为文物保存。科尔德斯普林港建有生物科技馆、捕鲸博物馆及州立养鱼场。劳埃德港有公谊会世界学院(1965)和J.劳埃德庄园宅第(1766)。主要为农村住宅区,有一些精密工业,有长达80余千米的滨海地带。1954年设建制为一级镇。面积243平方千米。人口约195 289(2000)。

Huntington 亨廷顿 美国西弗吉尼亚州西部城市,跨韦恩和卡贝尔两县,为卡贝尔县县城(1887),在俄亥俄河与盖恩多特河汇合处。1870年C.P.亨廷顿在此修建切萨皮克-俄亥俄铁路的西部终点站,故名。1871年设市。现已发展成俄亥俄、肯塔基、西弗吉尼亚三州交界地区的工业都会区。是20世纪著名的水路和铁路运输中转站。有烟煤、石油和天然气资源。以生产铁路设备为传统工业,有铁路修配厂多家。其他主要工业有镍合金生产、玻璃制造、采石、化工及服装业等。设有马歇尔大学(1837)、亨廷顿艺术博物馆(1952)。起用于1985年的东端大桥,采用了奇特的"不对称钢索支撑主梁"设计,是该国最早的此类桥梁之一。人口:市约51 475;亨廷顿-阿什兰都会统计区约315 538(2000)。

Huntington, Collis P(otter) 亨廷顿(1821-10-22,美国康涅狄格哈温顿～1900-08-13,纽约拉基特湖) 美国铁路大王。出身贫苦家庭,当过走街串巷的商贩,后在纽约州奥尼

南太平洋运输公司供图

昂塔发迹;在淘金热的1849年,迁往加利福尼亚萨克拉门托定居。不久他就与M.霍普金斯向矿工们销售物品,大赚其钱。19世纪50年代后期,他对用铁路把加利福尼亚与美国东部联结起来的计划产生兴趣。1861年他与霍普金斯、L.斯坦福、C.克罗克(以后号称"四巨头")联合组建中太平洋铁路公司。在铁路实际建设期间(1863～1869),他为了筹措资金和获得有利的立法而向国会和联邦政府进行游说。这使第一条横贯美国大陆的铁道于1869年建成。以后他协助创建了南太平洋铁路公司,将铁路扩建为15 450千米的大铁路网,1890年任该公司总经理。1869年他买下切萨皮克-俄亥俄铁路公司,并扩建铁路使之与南太平洋铁路相连,形成了从旧金山直通弗吉尼亚州的纽波特纽斯长达6 440千米的铁路线。他去世以前在加利福尼亚掌握了一个庞大的铁路和土地产业帝国。

Huntington, Ellsworth 亨廷顿(1876-09-16,美国伊利诺伊盖尔斯堡～1947-10-17,康涅狄格纽黑文) 研究气候对文明影响的美国地理学家。曾任土耳其幼发拉底大学讲师(1897～1901),对土耳其境内的幼发拉底河峡谷进行过考察。在《亚洲的脉搏》(1907)一书中记述了他在中亚的旅行(1903～1906)。1907～1917年在耶鲁大学执教,参与地理学研究。曾任耶鲁大学巴勒斯坦和亚洲考察队领队(1909)。1911年发表《巴勒斯坦及其变迁》一书。任美国卡内基学会研究员期间(1910～1913),对美国、墨西哥和中美洲的气候进行了调查。他主要研究气候与地形、地理和历史变化、人类活动以及文明分布的关系,并著有《文明与气候》(1915年初版,1924年修订版)、《人类聚居地》(1927)和《文明的主要动力》(1945)等书。

Huntington, Henry E. 亨廷顿(1850-02-27,美国纽约州奥尼昂塔～1927-05-23,加利福尼亚圣马力诺) 美国铁路大亨、珍本书籍收藏家。亨廷顿在孩提时期就对书籍感兴趣,但在1903年以后才开始藏书。他的各种商业收益所聚集的财富使他能够一次买下若干个图书馆。较出名的收购包括:丘奇美洲史料图书馆,W.埃姆斯收藏的约1.2万份美国早期出版物的版本说明和T.埃杰顿爵士的17世纪以来的藏书。1919年,亨廷顿在加利福尼亚州的圣马力诺开设亨廷顿图书馆将他的全部藏书捐献出来。

Huntington Beach 亨廷顿比奇 美国加利福尼亚州西南部奥兰治县城市。濒临太平洋。原名谢尔比奇,1901年改称太平洋城,后改用现名以纪念促进其成为海滨旅游胜地的太平洋电气铁路所有人H.E.亨廷顿。1909年设建制。1920年发现石油,促进了当地工业发展,居民也逐渐增多。30年代以后,旅游业、服务业、科技产业日益占据重要位置。主要经济资产包括博英航天中心和一大型轮船制造厂。该市多年来以冲浪城市闻名,亨廷顿皮尔(1914)是大众喜爱的旅游景点。设有戈尔登韦斯特学院(1966)。人口约189 594(2000)。

Huntington Library, Art Gallery, and Botanical Gardens 亨廷顿图书馆、画廊和植物园 位于加利福尼亚州洛杉矶附近的圣马力诺的图书馆及文化机构,建立于1919年,以创建者H.E.亨廷顿命名,收藏英国和美国稀有图书和手稿极丰。亨廷顿图书馆是美国全国学术研究的资料库,还收藏有古版书,尤以收藏T.庚斯博罗、J.雷诺兹、T.劳伦斯和G.罗姆尼等英国名画家的肖像画与风景画而著名。亨廷顿一生除其他书画外还收购了丘奇美洲史料图书馆的全部馆藏和W.埃姆斯收藏的1.2万份美国早期出版物的版本说明。亨廷顿图书馆的藏书和房产捐献给美国公众并设立800万美元的委托基金,供扩充馆藏、开展研究之用。

Huntly, George Gordon, 1st marquess and 6th earl of 亨特利侯爵(第一)和伯爵(第六)(约1563～1636-06-13,苏格兰邓迪) 苏格兰阴谋家、天主教徒,曾在苏格兰挑起数次私人战争,但因他与詹姆斯六世(英王詹姆斯一世)的友谊而获救。第五代伯爵(乔治·戈登)之子。早年在法国受天主教的教育。1588年参与策划西班牙对苏格兰的侵略。伊丽莎白一世发现此事后,将亨特利与西班牙当局的密信交给了詹姆斯六世,但詹姆斯宽恕了亨特利。亨特利随即在苏格兰北部发动叛乱,失败后投降。1592年2月国王利用他去烧毁莫里伯爵的多尼布里斯尔城堡。据说他参与刺杀莫里,招致报复,领地被劫掠。9月,他被指控有叛逆行为,但詹姆斯六世仍拒绝对他采取严厉行动。1594年夏他又参加埃罗尔伯爵和博斯韦尔伯爵发动的公开叛乱。同年10月他和埃罗尔打败阿盖尔的军队。但詹姆斯炸毁他的斯特拉思博吉城堡,他在1595年3月离开苏格兰。他秘密回国后归顺了长老会,恢复了他的领地。1599年封侯爵。不久出任北部地方长官。他又深得国王的宠信,并同莫里和阿盖尔和解。1608年被革除教籍。1625年查理一世即位后,亨特利失去了在宫廷的影响。因与另一起私人战争有关,1635年被关入爱丁堡城堡。

Huntsman, Benjamin 亨茨曼(1704,英格兰林肯郡～1776,约克郡阿特尔克里夫) 英国发明家。发明坩埚钢(或铸钢),比过去生产的任何钢种成分都均匀、杂质少。其方法是当时钢生产最重要的发展。他原为约克郡唐克斯特的钟表和仪器制造工。在设菲尔德开了一家工厂(约1740),生产钟表发条用钢。设菲尔德的刀具商最初一直认为亨茨曼的钢太硬不愿用,后来发现欧洲大陆刀具商用亨茨曼的钢所制产品比他们的好,才开始使用。亨茨曼对他的铸造场极端保密,但未申请专利,最后被别人仿制。

Huntsville 亨茨维尔 美国亚拉巴马州北部城市,麦迪逊县县城(1808)。邻近田纳西河。1805年始有定居点,为该州最早设市(1811)的社区。1819年当地召开首次州立宪会议。曾短期作为州首府。19世纪是干草、棉花、玉米和烟草贸易中心。南北战争后,纺织业成为重要产业。包括马歇尔航天中心在内的军事设施和航天工业的建立对城市发展有很大促进。设有亚拉巴马大学分校(1950)、奥克伍德学院(1896)。亚拉巴马农业-机械大学(1875)在市郊诺马尔。附近有州立公园。人口:市158 216;都会统计区342 376(2000)。

Huntsville 亨茨维尔 美国得克萨斯州东南部城市,沃克县县城(1846)。南距休斯敦116千米。1835年建为贸易站,1845年设市。经济以农业、饲养业和伐木业为基础。设有

州教养总部及收容所。市南有州立公园。附近有萨姆休斯敦国家森林。人口35 078(2000)。

Hunyadi, János　匈雅提(1407?,特兰西瓦尼亚匈雅德～1456-08-11,贝尔格莱德)　英语作John Huniades。匈牙利将领和匈牙利王国摄政王(1446～1452)。骑士沃伊克之子。由

美国不列颠百科全书公司供图

于国王赏赐匈雅提城堡,沃伊克家族进入匈牙利下级贵族的最高层,其领地拥有40个村庄。匈雅提早年即为骑士,统率12名骑兵为权贵效命,并设法进入宫廷。他曾护送国王前去意大利等国,研究意大利新兵法。回国后参加抗击土耳其人的进攻,获胜。1439年奥斯曼军队占领塞尔维亚,已有直接入寇匈牙利的危险。匈雅提出任不断遭受敌人袭击的塞维林地区(在今罗马尼亚)的军事长官。这个职位使他平步青云,获得荣誉和地产。此后,他历任特兰西瓦尼亚行政长官、特梅斯伯爵、贝尔格莱德长官和南部边防长官。他的地位很快达到并超过最富有的旧贵族世家。随后几年,他不但从匈牙利边塞地区,而且从邻近的瓦拉几亚赶走了土耳其人。匈牙利国王阿尔贝特二世(神圣罗马皇帝西吉斯蒙德的女婿)死后,他支持波兰国王弗瓦迪斯瓦夫三世为匈牙利国王(乌拉斯洛一世),以求后者积极支持抗击土耳其人。1443～1444年开始著名的"长征"。威尼斯和教皇在财政和外交上支持匈雅提的军队。匈雅提征召1万多名训练有素的士兵,攻入土耳其人占领的塞尔维亚地区。他不让土耳其人集中兵力,而在一次次战役中把他们打得溃不成军。并越过多瑙河,占领尼什、索非亚和一些有土耳其重兵防守的城堡,军队抵达巴尔干山脉。后返回布达,摧毁了波斯尼亚、黑塞哥维那、塞尔维亚、保加利亚和阿尔巴尼亚的苏丹政权。这次战役的成功在基督教世界引起极大的狂热。1444年7月匈牙利军队继续进攻,但于11月在瓦尔纳被奥斯曼苏丹打垮。国王乌拉斯洛阵亡,匈雅提死里逃生。乌拉斯洛死后,匈牙利恢复封建割据状态。1446年匈雅提成为幼主拉迪斯拉斯五世的摄政王。虽然内有权贵排挤,外有腓特烈三世干扰,但是他仍能整顿国家的经济、政治和军事,作反击土耳其人的准备。1448年他在科索沃同土耳其军队相遇,战败。此后,他虽然仍任王国总管,但威望已经大降。几年后,苏丹穆罕默德二世发动新的进攻,包围贝尔格莱德。匈雅提向贝尔格莱德守城者提供粮食和武装。在他的支援下,1456年7月22日取得一次对土耳其战争的最辉煌的胜利。援军不但解除城围,而且突入敌军营地。但因军中发生瘟疫,匈雅提染病而亡。

Hunyadi, Mátyás　匈雅提　参阅**Matthias (Hungary)马提亚(匈牙利)**项下的**Matthias I 马提亚一世**。

Hunyani River　胡尼亚尼河　津巴布韦北部和莫桑比克的河流。发源于马龙德拉(前马兰德拉斯)西北。向西流经哈拉雷(前索尔兹伯里)到库塔马,然后折向北流经奇诺伊(前锡诺亚)、胡尼亚尼和鲁科瓦库奥纳山区到洛韦尔特,后在胡尼亚尼过莫桑比克边界,接纳杜安乌阿河(到此长418千米)后称帕尼亚梅河,最后汇入赞比西河。哈拉雷南面河段建有爱德华王子水坝和胡尼亚尼普尔特水坝。后者蓄水形成麦基尔韦恩湖,已发展成划船和钓鱼的旅游胜地。

Hunza　罕萨　又称巴勒提特。查谟和克什米尔西北巴基斯坦控制区的一个市镇。位于罕萨河西岸,为兴都库什山与克什米尔谷地之间的歇脚站。周围有勒格博希峰等雪峰、巨大冰川和深谷。野生植物有玫瑰、三色紫罗兰、百合花、百日草、大波斯菊、柳树、冷杉和杨树。有雪豹、捻角山羊、巨角塔尔羊、牦牛、红条纹狐、鸭和马可波罗绵羊等动物。有山路通往吉尔吉特。居民依靠灌溉种植水稻、玉米、果木与蔬菜。

Huo Guang　霍光(?～公元前68)　又拼Huo Kuang。中国西汉大臣。字子孟。河东平阳(今山西临汾西南)人。武帝时为奉车都尉、光禄大夫。昭帝8岁即位,霍光与上官桀、桑弘羊受武帝遗诏辅政。以大司马大将军领尚书事总理朝政,封博陆侯。公元前83

中国大百科全书出版社供图

年昭帝立上官安女为皇后,他以皇后外祖父身份专擅朝政。曾多次削减财政支出,减免租赋,赐公田,贷种食。公元前81年昭帝命召集贤良文学,询问民间疾苦所在,并辩论盐铁专卖政策,最后下诏废止酒类专卖,进一步肯定了"与民休息"的政策,从而使民生安定,社会经济得以发展。同时,与匈奴恢复和亲关系。昭帝死后迎立昌邑王刘贺为帝,不久即废,又迎立宣帝。前后执政凡20年。

Huon de Bordeaux　《波尔多的于翁》　一首以史诗韵律写成的古法语诗歌,可追溯到13世纪上半叶。查理大帝的儿子夏洛对波尔多的塞甘之子于翁设下伏兵,而于翁尚未弄清夏洛的身份就将他杀了。于翁由于完成了一系列几乎无法办到的事才免于绞刑。《波尔多的于翁》标志着从武功歌向传奇故事的转变。故事由伯纳斯勋爵以散文形式译成英语,在英国流行一时。后被斯宾塞、莎士比亚和济慈等用作原始资料。

Huon Gulf　休恩湾　巴布亚新几内亚海湾。临西南太平洋所罗门海。东北起自克雷廷角,南至沃德亨特角,长160千米,深入内陆105千米。北侧休恩半岛有罗林森岭,西南侧为库珀山和博武图山。有马克姆河从西面注入。沿岸有莱城、萨拉马瓦和莫罗贝3个港口城镇。

Huon Peninsula　休恩半岛　西南太平洋巴布亚新几内亚东北部半岛。东临所罗门海,南濒休恩湾,北为俾斯麦海,西傍马克姆河。岛上地势在萨鲁瓦吉德、克伦威尔和罗林森山地均升到海拔4 000米以上。年降雨量4 600～4 800毫米。森林茂密。西南部有莱城,东部有芬什港镇。1942年被日本人占领,1943年被盟军夺回。

Huon pine(*Dacrydium franklinii*)　**休恩松**　又作macquarie pine。即富兰克林氏泪松或富兰克林氏陆均松。又称麦夸里氏松。罗汉松科材用树种。沿塔斯马尼亚河系海拔150～600米处分布。树皮灰色,树干挺直,树高21～30米,直径0.7～1米,树冠金字塔形。木材芳香,木质细软,用做家具,还可提取一种树油,用做油漆中的防腐剂。

Huon River　休恩河　澳大利亚塔斯马尼亚州南部河流。源出韦奇、鲍恩、安妮等山地,先向南流,为阿瑟岭所阻,东折后接纳韦尔德、皮克顿两支流,再向东南,在吉夫斯顿东注入当特尔卡斯托海峡。全长170千米。休恩维尔镇以下可通航。下游流域19世纪50年代始有人定居。现实行集约耕作,有全州农村人口密度最大的几个地区。休恩流域为著名旅游区。每年在锡格尼特都要庆祝苹果节。

Hupa　胡帕人　北美西北太平洋沿岸印第安人,居住在美国加利福尼亚州特里尼蒂河下游,操阿塔巴斯坎语系的胡帕语,在文化上与尤罗克人相似。他们经常与尤罗克人

进行交易，以橡实及内陆食物换取杉木独木舟、海鱼、贻贝及海藻；这两个部落的人们有时通婚并相互参加对方的庆祝活动。胡帕人的村庄位于河岸，并由3种建筑物组成：①家庭住房，由妇女居住或贮藏财物；②蒸汽发汗房，为半地下房屋，男人居住并进行蒸汽浴；③月经期住室，专为妇女而建，结构较小。经济生活以猎麋、鹿或捕鲑鱼或采集橡实为生。精制的篮筐，是将根、茎、叶的一部分编织于备好的嫩枝条上制成的。财富用角贝壳计算，角贝壳大概是与尤罗克人贸易交换得来的；也以啄木鸟头顶皮计算财富。各村头人是最富有的人；其权力随其财产传于其子，但不论什么人只要获得更多的

跳白鹿皮舞的胡帕人
纽约美洲印第安人博物馆供图

财富，就可以取得头人的荣誉和权力。对个人的侮辱、伤害或杀害，通常以赔偿**血金**(**blood money**)求得解决。宗教活动以朗诵巫术咒语为主。专职的巫医诊治疾病；医治费用以齿贝壳或鹿皮毡偿付。每年举行三次舞蹈以庆祝社区兴旺及春、秋节日。这个西北太平洋沿岸文化地区的南部设有**散财宴**(**potlatch**)、假面具舞、图腾柱及其他北部所有的雕刻艺术。

ḥuppa　新人帐　又拼 chuppah。犹太教婚礼用具，在进行婚礼仪式时，新婚一对站在可移动的帐幕下。新人帐可能仅是用四柱撑起的犹太教祈祷披巾，也可能是刺绣华丽的布、绸或绒料，又可能是鲜花架，因各地风俗或新人爱好而异。古时新人帐象征新婚夫妇的洞房。

huqin　胡琴　又拼 Hu-ch'in。中国擦奏弦鸣乐器。原为蒙古乐器，10世纪传入中国。琴筒圆形或六角形，用木、竹或椰壳制作。筒面蒙蛇皮或桐木板。筒上装琴杆，琴杆上端有琴轸2个或4个，从琴筒底部张弦至轸上，琴筒面上置琴码架弦，另以弓张马尾纳弦间(四弦胡琴弓张马尾两束)，奏时左手按弦，右手拉弓，使马尾擦弦发声。一般按5度关系定弦，凭弦的松紧定音高。胡琴在中国戏曲中广泛使用，种类繁多。如京剧中使用的"京胡"，梆子戏中的主奏乐器"板胡"，蒙古族的说唱形式"乌力格尔"使用的"四胡"，台湾歌仔戏中使用的"大广弦"，以及"二胡"、"中胡"、"雷胡"(低音胡琴)、"坠胡"等，因制作材

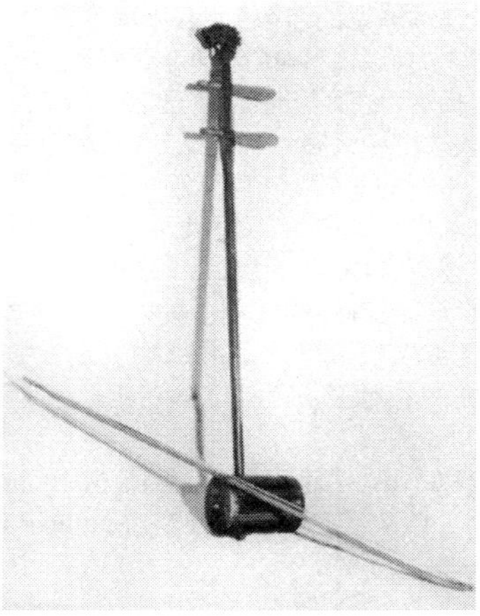

胡琴
美国不列颠百科全书公司供图

料不同发声各具特色。

Huram　胡兰　参阅 **Hiram 希兰**。

Hurban(Jewish persecution)　参阅 **Holocaust 大屠杀**。

Hurd, Peter　赫德(1904-02-22，美国新墨西哥准州罗斯韦尔～1984-07-09，新墨西哥罗斯韦尔)　美国油画家、版画家和插图画家。在宾夕法尼亚州哈弗福特学院学习，结识了著

赫德绘《何塞·埃雷拉肖像》(1938)
美国不列颠百科全书公司供图

名插图画家N.C.韦思，后在他的画室学画。1924年入宾夕法尼亚美术学院。1929年与韦思之女结婚。他在20年代后期为儿童书籍所作的插图明显受到韦思的现实主义风格影响。30年代初期开始试验蛋彩画，并用这种方法完成了为罗斯韦尔的新墨西哥州军事学院绘制的一幅三联壁画。1942年和1944年以《生活》杂志战地记者身份旅行国外。后期作品仍保持坚定的写实主义风格，其简朴而色彩明快的技法更趋完善，常描绘其故乡荒漠、辽阔的原野景色。60年代受白宫历史协会的委托，为L.B.约翰逊总统绘制肖像，此画由史密森学会收藏。

hurdle race　跳栏赛马　在设有栏架的跑道上进行的赛马运动。跳栏赛马是越野障碍赛马运动的一种准备活动。18世纪源起于英格兰和爱尔兰。20世纪后半期普及到英联

跳栏赛马
美国不列颠百科全书公司供图

邦各国、欧洲大陆和美国东部地区。栏架轻便可移，低于越野障碍赛的障碍。赛程中的前一段(2400米)内至少设6个栏架，然后每隔400米设一个栏架。

hurdling　跨栏跑　田径运动项目。在快跑过程中依次跨越按规定距离放置的栏架的一种障碍赛跑。运动员在整个比赛中必须在指定的跑道内跑，跨栏时可以碰倒栏架，但跨栏时腿或脚由栏架外面越过，或有意用手将栏推倒，则取消其比赛资格。第一个跑完全程者为优胜。跨栏跑很可能在19世纪早期起源于英国。1837年左右伊顿学院曾举行过这种比赛。国际业余田径联合会规则规定，男子跨栏跑标准赛程为110米、200米和400米。奥运会男子赛程为110米和400米。110米赛跑设10个高栏(1.067米高)，栏间距离为9.14米。200米赛跑设10个低栏(76.2厘米高)，栏间距离18.29米。400米赛跑设10个中等高度的栏架，栏间距离35米。1966年国际业余田径联合会为女子比赛批准两个新的跨栏跑项目；100米赛跑，设10个84厘米高的栏架；200米赛跑，设10个76.2厘米高的栏架。世界冠军和世界杯优胜者参阅 **Sporting record**：Athletics；并参阅 **Olympic Games**。

hurdy-gurdy　手摇弦琴　宽而短的梨形提琴，不用弓拉弦，由乐器尾端的柄转动涂有松香的木轮边摩擦发音。左手手指用短木键按一根或两根旋律弦奏出音符。最多可有4根

18世纪法国上流社会的女子演奏手摇弦琴
美国不列颠百科全书公司供图

不按的弦(称"布尔顿"弦)，发出持续低音。最早关于手摇弦琴的记载见于10世纪，当时它是一种教堂乐器，由两人演奏：一人按键，另一人转轮子。由一人演奏的世俗乐器出现

在13世纪,称为“辛弗尼亚”。手摇弦琴在路易十四统治时期成为时髦乐器,称“轮转提琴”,直到20世纪还有民间艺人和街头乐师在演奏,法国和东欧都有。海顿曾为管风琴式利拉琴(手摇弦琴的变种乐器,装有几根小风琴管)作了一组协奏曲和夜曲。

Huria Kristen Batak Protestant 参阅**Batak Protestant Christian Church** 巴塔克人基督教会。

Hurler's syndrome **胡尔勒氏综合征** 又称脂肪软骨营养不良;黏多糖贮积症第Ⅰ型。与黏多糖代谢障碍有关的遗传性疾病。不常见,婴幼儿时期起病,两性发病率相等。患者可表现有精神发育迟缓、眼角浑浊、耳聋、多毛、肝脾肿大、侏儒症、驼背、短肢、爪形手、大头、两眼间距宽、浓眉、塌鼻梁、畸形牙。患儿生后2年内症状即明显,需要专门机构护理。常在青春期前死于心力衰竭。

Hurley, Patrick J(ay) **赫尔利**(1883-01-08,美国印第安准州～1963-07-30,新墨西哥州圣菲) 美国军人外交家,第二次世界大战期间作为美国高级官员的私人代表去国外(特别是远东)工作。早年在俄克拉何马操律师业(1908),第一次世界大战期间为美国远征军上校。20世纪20年代积极参与共和党活动,曾在H.胡佛总统政府中任陆军部长。美国参加第二次世界大战时(1941),他升任准将,并作为G.C.马歇尔将军的私人代表前去远东考察是否可能解救困在巴丹岛的美军。他3次成功地给围困在那里的军队运送食品和弹药,并在澳大利亚迎接脱险的D.麦克阿瑟将军。他虽然是一个坚定的共和党人,但在战争的间歇时期,一直作为F.D.罗斯福总统的私人代表,多次去执行外交任务。在任新西兰公使(1942)之后,他飞往莫斯科,成为获准访问东部战线的第一个外国人。1943年访问近东、中东和中国,1944年访问阿富汗。作为美国驻中国大使(1944～1945),为了联合和加强中国人的作战力量,他试图使国民党政府与北方的共产党派别和解,他的使命以失败告终,1945年11月辞职。

hurling **爱尔兰曲棍球** 类似曲棍球和兜网球的一种室外活动,以棍击球。为爱尔兰民族娱乐活动。其历史可追溯到公元前13世纪。球棍和曲棍球所用的棍类似,只是棍头短而宽,由柔软的梣木制成,长1.07米,椭圆形击球面宽7.6厘米。因击球面宽,不仅可打地滚球,而且可击高过头的球。每队由15人组成。场地长137米,宽82米,两端球门柱高6.4米,两门柱间距6.4米,门柱横梁距地面2.4米。球从对方球门横梁上方过记1分,从横梁下方通过记3分。球心为软木,用毛线缠绕,球面为皮质,圆周22.9～25.4厘米。击球前可用手接,但不得将球抛出或举起;可用棍拨动或用棍头面带球;左右击球均可。

Hurok, Sol(omon Isaievich) **胡鲁克**(1888-04-09,俄国哈尔科夫附近波加～1974-03-05,纽约) 世界上最杰出的演出主办人之一。由于他不懈的努力,美国观众接触到了外国古典音乐的演奏大师及芭蕾舞大师。1906年到达美国,身无分文。1914年入美国籍。1916年在纽约竞赛场组织音乐会,参加演出的有M.埃尔曼、A.格鲁克等演奏大师。他将苏联大剧院芭蕾舞团、萨德勒·威尔斯芭蕾、蒙特·卡洛俄罗斯芭蕾以及老维克剧团、法兰西喜剧院介绍给美国观众,其中包括明星A.巴甫洛娃、F.夏里亚宾、I.邓肯、A.鲁宾斯坦、A.塞戈维亚、I.斯特恩、G.皮亚蒂戈夫斯基等。据说有4 000个表演艺术家在其主持下演出。世界著名黑人女低音歌唱家M.安德森就是通过他的介绍而成名的。写有两卷本自传:《演出主办人》(1946);电影版名为《今夜我们歌唱》(1953)。由于他对法国文化的贡献,法国政府1953年授予他“荣誉骑士”称号。

Huron **休伦人** 操易洛魁语的北美印第安人。1534年法国探险家J.卡蒂埃发现:他们住在圣劳伦斯河沿岸,聚成村落,有时设栅,村落由大型的树皮覆盖的房屋组成;每所房屋由若干具备母系亲属关系的家庭居住。休伦人从事农业:男人负责平整、清理土地,妇女负责播种、管理和收获。农作物有玉米、豆类、南瓜、向日葵及烟草。渔、猎不甚重要。休伦人分为若干个族外婚氏族,各有一名族长;全村各族长组成议事会,协同村长,决定内务。若干村落再组成部族,每一部族有一首领和由各村长组成的议事会,共同处理与全部族有关的事务。全部部族构成休伦部落。由各部族首领及其议事会再组成部落议事会,管理全部落事务。妇女在休伦人事务中颇有影响,氏族女族长有权遴选政治领袖人物。休伦人是易洛魁联盟(**Iroquois League**)的死敌,双方在皮毛贸易中竞争激烈。17世纪前,易洛魁人将部分休伦人自圣劳伦斯河向西逐往安大略,当时在安大略似乎已有与休伦族源相近的部族定居;其中有4个部族(石族、绳族、熊族、鹿族)组成温达特人(**Wendat**)联盟,但在1648～1650年间又被易洛魁人摧毁。联盟残余部分或者被掳而勉强定居于易洛魁人中间,或者向西逃亡。逃亡者在密歇根、威斯康星、安大略、俄亥俄及魁北克之间游动,与许多部落时而结盟,时而作战。他们逐渐在俄亥俄及密歇根重建其势力,但白人又强迫他们卖掉土地,迁往堪萨斯,然后到达俄克拉何马州。

Huron **休伦** 美国南达科他州中东部城市,比德尔县县城。濒临詹姆斯河。1880年始建,为芝加哥-西北铁路分局所在地。1883年设市。经济主要依靠多样化农业,有玉米、小麦、大豆等,制造业包括金属门、建筑设备和电器等。在猎捕野鸡的季节和夏末的南达科他州交易会时,靠旅游业增加收入。为美国前副总统H.H.汉弗莱的故乡。人口11 893(2000)。

huron(mammal) **鼬** 参阅**grison** 白额鼬。

Huron, Lake **休伦湖** 北美五大湖中第二大湖。是五大湖中第一个为欧洲人所发现的湖泊。西为美国密歇根州,东、北为加拿大安大略省。它由西北向东南延伸,长206英里(331千米),最宽处101英里。排水面积51 700平方英里(133 900平方千米,不包括湖面积23 000平方英里)。有苏必利尔湖(经圣玛丽斯河)、密歇根湖(经麦基诺水道)和众多河流注入。湖水从南端(经圣克莱尔河、圣克莱尔湖和底特律河)排入伊利湖。湖面海拔579英尺,最大深度750英尺。东北部多岛屿。主要在乔治湾和北水道。湖区主要经济活动有伐木业和渔业。沿湖多游览区。为圣劳伦斯通海水道的一段,水上运输繁忙。4月初至12月末为通航季节。主要港口有密歇根州的罗克波特、罗杰斯城、希博伊根、阿尔皮纳、贝城、哈伯比奇和安大略省的科灵伍德、米德兰、蒂芬、波特麦尼科、迪波特港。湖名源出休伦族印第安人。

Huronian System **休伦系** 北美前寒武纪重要的年代地层单元(前寒武纪开始于约38亿年前,终止于约5.7亿年前)。休伦系在大湖区最著名,分为3部分:自下而上为布鲁斯统、寇柏特统和阿尼米克统。休伦系沿休伦湖北岸构成宽沉积岩带,由厚约4 000米的砂岩、页岩和砾岩组成。休伦系向西层序更完整,厚度也增至6 000米。在美国威斯康星州北部和明尼苏达州中部发现的休伦系重要含铁层位有重大的经济意义。

Hurrian **胡里人** 公元前2千纪在近东的历史和文化中起重要作用的民族之一。胡里的人名和地名在公元前3千纪晚期美索不达米亚的史册中初见记载。这些人名和地名说明底格里斯河以东地区和扎格罗斯山区是胡里人的发源地。此后,特别是公元前2千纪早期,有些零星资料证明胡里人往西流动。一次大规模的西迁活动大概是因来自北方的印度-伊朗民族入侵引起的,似乎发生在公元前1700年而由凡湖与扎格罗斯山之间的地区出发的。资料证明此次胡里人推翻亚述的统治者,控制了那个地区。位于底格里斯河以东的商业中心努祖,经济繁荣,基本上都是胡里居民,胡里人的影响也遍及叙利亚许多居民区。胡里人又占领安纳托利亚东部的大片地区,成为赫梯人的东邻,后来又成为赫梯帝国的部分附庸。在此期间,胡里人的心脏地带仍在美索不达米亚北部,当时国名称为胡里,其政治单位为一些印度-伊朗血统的世袭统治者所控制。公元前15世纪,胡里地区从伊朗山地到叙利亚合为一个国家,叫做米坦尼(**Mitanni**)。公元前14世纪中叶,复兴的赫梯帝国在苏皮利乌马斯一世领导下打败米坦尼,使米坦尼王马蒂瓦扎降为其臣属,而亚述则趁此时机重新独立。胡里人尽管政治上成为赫梯帝国藩属,但其种族和文化继续在叙利亚和西利西亚地区(基祖瓦德纳)存在,对赫梯人发生强烈的影响。到公元前2千纪末,除了亚美尼亚山地的哈亚夏这个小公国外,胡里人似乎已经丧失所有的种族特征。

Hurrian language **胡里语** 已消亡的语言,通行时间约在公元前3千纪末几世纪直到赫梯王国(约公元前1400～约前1190)晚期，它既不是印欧语言，也不是闪米特语。现存关于这种语言来源的资料中，有相当数量是在博阿兹克伊（古名哈图萨，今土耳其境内）赫梯档案馆中的残迹中发现的，是标有 *hurlili* 字样的楔形文字泥板。一般都认为操该语者原来是从亚美尼亚山区来的人，在公元前 2 千纪初期扩展到安纳托利亚东南部和美索不达米亚北部，公元前 2 千纪中期胡里人的部分领土被印度-雅利安族统治阶级米坦尼人所控制，以致早期的研究者们错把米坦尼人这个术语用在胡里人身上。后期的乌拉尔图语现在也常被认为是与胡里语同源的语言。参阅 **Urartian language**。

Hurrian writing　胡里语楔形文字　参阅 **cuneiform writing** 楔形文字。

hurricane　飓风　在加勒比海、北大西洋和北太平洋东部地区的一种移动的巨大热带气旋（**tropical cyclone**）。

Hurricane　"飓风"式飞机　英国单座下单翼战斗机。由霍克飞机公司制造，在第二次世界大战中发挥了重要作用。1935 年制造成功并首飞，生产型飞机于1937年首飞，是英国

英国霍克"飓风"式飞机
美国不列颠百科全书公司供图

第一架平飞速度超过 483 千米/小时的飞机。约有 20 种型号，用作战斗轰炸机、攻击机和舰载机。1944 年停产，共生产了14 000架以上各种型号的"飓风"式飞机。它有一台 V 型 12 缸液冷式发动机，带动一副恒速螺旋桨。升限为10 980米，最大速度 530 千米/时，机翼装有 8 挺 0.303（英寸）口径机枪。这种飞机在英国参战的第一年内击落德机1 500架以上，超过英国空军其他飞机击落敌机的总数。后来的改型装有更多更大口径的枪炮，包括 40 毫米机关炮，并有炸弹和火箭挂架。

Hurst, Fannie　赫斯特（1889-10-18，美国俄亥俄哈密尔顿～1968-02-23，纽约州纽约）美国小说家、剧作家和电影剧本作家。曾就学于华盛顿大学（密苏里州圣路易斯）和哥伦比亚大学。第一部短篇小说集《即将来临》于 1914 年出版。此后共出版 40 多部小说和短篇小说集，以同情、浅显的笔调刻画各阶层妇女著称。她的许多作品被改编成电影，其中有的脚本由她改写。自传《我的剖析》于 1958 年出版。1937 年任作家协会主席。

Hurston, Zora Neale　赫斯顿（1903-01-07，美国佛罗里达伊顿维尔～1960-01-28，佛罗里达皮尔斯堡）　美国民俗学家和作家，同哈勒姆文艺复兴有联系，赞美南方农村的黑人文化。16 岁时离家参加一个流动剧团，在哈勒姆文艺复兴时期来到纽约。在哥伦比亚大学向 F. 博厄斯学人类学，对种族采取了科学的态度。她作为种族学家，到海地研究了伏都教。她最终拒绝了这位学者的一般观点，按自己的看法进行研究。1931 年，她同 L. 休斯合作，写了剧本《米尔·博恩：关于黑人生活的三幕喜剧》。她的第 2 部小说《他们的眼睛注视着上帝》（1937）既受到广泛赞扬，也引起很大争论。它受到黑人的批评，因为尽管赫斯顿拒不承认黑人低等的荒诞说法，她也没有将黑人描写成这种说法的受害者。她的作品的调子是高昂的，植根于南方黑人农村，使人联想到她的家乡伊顿维尔。她的人物在其丰富的传统和狭小的社会处境中自由行动。她对 L. 埃利森和 T. 莫里森这样一些后来的黑人作家产生了影响。著有一部自传，题为《公路尘土飞扬》（1942）。她的作品选集《笑的时候我爱我自己，样子寒酸得令人难忘时也爱我自己》出版于 1979 年。

Hurt, Mississippi John　赫特（1893-07-03，美国密西西比特奥克～1966-11-02，密西西比格林纳达）　原名 Sohn Smith Hurt。美国乡村布鲁斯歌手兼吉他手，早在 20 世纪 20 年代末就录制唱片，但声望和影响力则是在 60 年代初美国乡村音乐复兴时才显现。成长于密西西比的小镇阿瓦朗。自学吉他，10 岁辍学后在当地的集市上表演，被哥伦比亚唱片公司的代理商发现，劝说他去田纳西州孟菲斯录制唱片，后又来到纽约市。但这些录制的唱片没有引起人们注意，于是他又回到阿瓦朗务农，抚养全家 14 个孩子。后继续表演，完善了独特的三指吉他演奏技巧和松弛的演唱风格，音乐档案专家 T. 霍斯金斯为此在 1963 年寻找到他。在被重新发现后的三年里，赫特在咖啡馆和大学民间艺术巡演中颇受欢迎，还在卡内基音乐厅和纽波特民间艺术节上演出。1966 年去世前还录制了若干唱片。

Hürth　许尔特　德国西北部北莱茵-威斯特伐利亚州城市。位于科隆西南。其历史与科隆历史相联系。为蔬菜种植业和褐煤开采业中心。生产煤砖、粗陶器、汽车等。为邻近科滕福斯特-韦勒自然公园的管理中心。人口54 095（2002）。

ḥurūf al-muqaṭṭaʿah（Islām）　**孤立字母**　参阅 **fawātiḥ** 章首隐晦经文。

Hus, Jan　胡斯（1372或1373，波希米亚胡西内茨［今在捷克共和国］～1415-07-06，康斯坦茨［德国］）　Hus 又作 Huss。宗教改革家。他的活动在中世纪和宗教改革时代之间起了桥梁作用，是 100 年后路德发起的宗教改革运动的先声。他出身贫寒。在布拉格大学求学时，靠参加教堂唱诗班维持生活。1394 年毕业，两年后获硕士学位，留校任教，讲授亚里士多德哲学和英格兰激进改革派威克里夫的实在论哲学，甚受捷克学界欢迎。胡斯在受神职后于 1402 年在布拉格任教区长兼伯利恒教堂宣教士，该教堂是当时捷克宗教改革运动的中心，布道不用拉丁语而用捷克语。

1403 年贵族青年兹比奈克任布拉格大主教，从此宗教改革运动有了坚强的据点，胡斯经常向兹比奈克提出建议。1401 年威克里夫的神学著作传到布拉格，此时胡斯才有机会阅读。当时最受人攻击的威克里夫学说是圣餐原质不变论，即认为圣餐中所使用的饼和酒虽经司铎祝圣仍为物质。威克里夫还宣称，基督教义应以《圣经》为唯一根据，教皇是敌基督。胡斯并非完全同意威克里夫的全部学说，例如他不以圣餐原质不变论为然，但胡斯派其他人士则全盘赞同威克里夫。早自 1378 年，西派教会发生大分裂，两教皇对立。1409 年，法兰西国王在波希米亚国王瓦茨拉夫的支持下，在比萨召开公会议，意在结束分裂。布拉格大学捷克籍院长，包括胡斯在内，支持瓦茨拉夫，而布拉格大主教和布拉格大学的德意志籍教授则反对。瓦茨拉夫盛怒之下，不顾布拉格大学章程，规定捷克教授有三票表决权而德意志籍教授则仅有一票。结果大批德意志人离去，布拉格大学全由捷克人控制，胡斯任校长。比萨会议决定将教皇格列高利十二世和敌对教皇本尼狄克十三世一并废黜，另立亚历山大五世为教皇。三教皇各自继续行使权力，形成鼎足而立的局面。布拉格大主教兹比奈克和高级神职人员继续忠于格列高利十二世，胡斯与改革派承认亚历山大五世。兹比奈克用重金贿赂亚历山大五世禁止在私人教堂（包括伯利恒教堂）讲道。胡斯不遵守教皇命令，兹比奈克遂绝罚胡斯。但是，胡斯继续在伯利恒教堂讲道，在布格拉大学授课。继亚历山大五世为敌对教皇的约翰二十三世为了集资反对格列高利十二世而于 1412 年发行赎罪券，引起争执；于是，本已不了了之的胡斯异端案重新提起。在波希米亚，这次销售激起了公愤，但是曾经国王瓦茨拉夫批准，国王照例从其中有所收益。胡斯在布拉格大学当众谴责这批赎罪券，因而丧失了瓦茨拉夫的支持。此点对他是致命的打击。于是胡斯的仇人们在罗马教廷重开对他的审判。教廷宣布，胡斯如不出廷即处以绝罚，布拉格或其他任何地方如窝藏他即受停圣事处分。为了不殃及布拉格，胡斯于 1412 年 10 月自愿离开该城。他主要躲藏在波希米亚南部，住在友人的城堡，两年间潜心写作。他最重要的专论是《教会》，西派教会分裂局面迟迟不能结束，新当选德意志国王（1411）的匈牙利国王西吉斯蒙德眼见时机到来，可以借恢复教会统一提高自己。他迫使教皇约翰二十三世召开康斯坦茨会议以寻求解决教会分裂问题的方法并消灭异端。西吉斯蒙德派使者延请胡斯到会解释自己的观点。

胡斯于 1414 年 11 月到达康斯坦茨，不久就在西吉斯蒙德的默许下被捕禁闭，一直再未重见天日。他的仇人们如愿以偿，使他在康斯坦茨会议上以威克利夫派异端罪受审。波希米亚贵族尽力斡旋，只能使他获得

在三次公开审讯中为自己辩护的机会，他借机驳斥了对他提出的一些指控。会议要求胡斯放弃自己的信仰以免一死，但是与会大多数人认为，此人是非杀不可的异端分子。1415年7月6日，胡斯拒绝放弃自己的信仰，遂被庄严地判处死刑，在火刑架上烧死。

Husain, Zakir　胡塞因（1897-02-08，印度海德拉巴～1969-05-03，新德里）　印度政治家，担任主要为礼仪性的印度总统职务的第一位穆斯林。他鼓励世俗主义，受到某些穆斯林

美国不列颠百科全书公司供图

活动家的批评。他响应民族主义领袖甘地向印度青年发出的不要进政府支持的学校的呼吁，协助在阿里格尔创办国立穆斯林大学（后迁新德里），1926～1948年任该校副校长。应甘地的邀请，他还担任1937年成立的全国基础教育委员会的主席，制定甘地式的教学大纲。1948年任阿里格尔穆斯林大学副校长。4年后进入上议院。1956～1958年在联合国教科文组织执行局工作。1957年任比哈尔邦邦长。1962年当选印度副总统。作为国大党的正式候选人，于1967年当选印度总统，逝于任上。

Husak, Gustav　胡萨克（1913-01-10，奥匈帝国斯洛伐克布拉迪斯拉发[今在斯洛伐克]～1991-11-18，布拉迪斯拉发）　斯洛伐克共产党人，1969～1989年的捷克斯洛伐克领导人。1933年在布拉迪斯拉发夸美纽斯大学法律系学习时，参加斯洛伐克共产党。1937年获法学学位后当律师，从事共产党的地下工作。第二次世界大战期间，被斯洛伐克的德国傀儡政府监禁（1940～1943）。获释后，成为斯洛伐克共产党中央委员会委员，参与领导1944年斯洛伐克反法西斯民族起义。第二次世界大战后，胡萨克在捷克斯洛伐克开始了党政官员的生涯。1946～1950年，任斯洛伐克的统治机构执行委员会的主席，翌年，他成为斯大林主义对共产党领导层实行清洗的牺牲品，1954～1960年被监禁。获释后，在布拉迪斯拉发找到了一个低级公务员的职务。1963年所受指控被推翻，并恢复了共产党党籍。直至1967年，他一直在抨击党内的新斯大林主义领导。1968年4月，在党的领导人A．杜布切克实施自由化的时期，他出任捷克斯洛伐克政府副总理。由于杜布切克的自由化改革使苏联的不安日益增加，胡萨克开始发出警告。当苏联于同年8月入侵捷克斯洛伐克时，胡萨克成了那些呼吁取消杜布切克改革的党员的首领。1968年8月28日，被任命为斯洛伐克共产党首脑。1969年4月接替杜布切克担任捷克斯洛伐克共产党第一书记（1971年改称总书记）。1969～1971年胡萨克取缔杜布切克的改革，并清洗了党内的自由派成员。接着他集中精力抓国民经济，同时牢牢地控制着国内的持不同政见者。1975年除其他职务外，又担任总统。1987年放弃总书记职务，当时他因对苏联领导人M．戈尔巴乔夫的改革计划持反对态度而被排斥在局势之外。1989年末，捷克斯洛伐克共产党的统治垮台。同年12月辞去总统职务，由剧作家、前持不同政见者V．哈韦尔接替。

Húsavík　胡萨维克　冰岛北部城镇。在阿克雷里东北，临斯乔尔万迪湾。为冰岛最早居民点。19世纪80年代，冰岛最早的合作社之一在此组成。胡萨维克为一渔港，是附近小农场与养羊区的集市中心。人口约2 478（1991）。

Ḥusayn I　侯赛因一世（1668～1726，萨非伊朗伊斯法罕）　又名沙·苏丹·侯赛因。伊朗萨非王朝末代国王（1694～1722在位）。因无治国才能，终于导致国家解体。他挥霍尽国库，并且听任毛拉（神职人员）控制政府。俄国和奥斯曼土耳其乘机侵占他的边境地区。他在相对稳定的局面统治20年后，国家衰落，突然发生一系列部落臣民的叛乱。1722年阿富汗的马哈茂德全面入侵，包围了首都。7个月后，侯赛因投降并退位，由马哈茂德即位，萨非王朝实际上告终。

Ḥusayn ʿAlī Nūrī, Mīrzā　米尔扎·侯赛因·阿里·努尔　参阅 Bahāʾ Ullāh 巴哈·乌拉。

Ḥusayn at-Tikrītī, Ṣaddām　参阅 Saddam Hussein 萨达姆·侯赛因。

Ḥusayn ibn ʿAlī　侯赛因·伊本·阿里（约1854，奥斯曼帝国土耳其君士坦丁堡[今土耳其伊斯坦布尔]～1931，外约旦安曼[今约旦]）　1908～1916年为麦加的埃米尔，1916～1924年为汉志国王。第一次世界大战时期领导阿拉伯人造反，反抗奥斯曼王朝统治。1916年10月自立为“阿拉伯诸国之王”，而协约国只承认他是汉志国王。第一次世界大战后，他反对把叙利亚、巴勒斯坦和伊拉克作为委任统治地，拒绝在凡尔赛和约上签字。1924年3月自立为哈里发。同年9月瓦哈比派进攻塔伊夫，他于10月5日退位，其子阿里继之，他乘英国舰去塞浦路斯，在那里住到1930年。另两位儿子阿卜杜拉和费萨尔分别就任外约旦（今约旦）、伊拉克国王。

Ḥusayn ibnʿAlī, al-　侯赛因·伊本·阿里（626-01，阿拉比亚麦地那[今在沙特阿拉伯]～680-10-10，伊拉克卡尔巴拉）　伊斯兰教什叶派英雄、先知穆罕默德的外孙、第四代哈里发阿里和穆罕默德之女法蒂玛所生之子。什叶派尊他为第三代伊玛目。他和其兄哈桑默认伍麦叶王朝第一代哈里发穆阿威叶的统治，领受穆阿威叶所授赡养费，但是当680年穆阿威叶之子耶齐德继位时，他不予承认。什叶派占优势的库费市民邀请侯赛因一同举事。他率领一小队亲属和信徒前往该地。耶齐德派一支4 000人的军队出击。强弱悬殊的两军于680年10月遭遇于幼发拉底河岸附近的卡尔巴拉。侯赛因战死，人头被解往大马士革交给耶齐德。为纪念侯赛因的殉难，什叶派把伊斯兰教历1月头10天定为哀悼旬。为侯赛因报仇的呼声起了动员作用，促进了伍麦叶王朝的倒台和强大的什叶派运动的兴起。

Ḥusayn Shāh　ʿAlāʾ ad-Dīn　胡塞因沙·阿拉丁（?，孟加拉?[今印度和孟加拉]～1519，孟加拉）　孟加拉胡塞因沙王朝创建人，被认为是孟加拉中世纪后期最杰出的统治者（1493～1519）。据说其父为先知穆罕默德直系后裔，后移居孟加拉。他完成学业后，进入孟加拉国王阿比西尼亚人穆扎法尔沙的宫廷。后升任首相。他把穆扎法尔沙推翻，自立为王，并迁都到伊克达拉。他屠杀约1.2万名叛军，解散印度教徒宫廷卫队，赶走阿比西尼亚人，把可能出现的敌对势力消灭干净。阿拉丁是虔诚的穆斯林，但不歧视印度教。1498年征服邻邦卡姆拉普和阿萨姆，1516年兼并俄里萨。阿拉丁英明而仁慈，乐于赞助文艺，并兴建许多公共建筑物。

Ḥusaynī, Amīn al-　侯赛尼（1897，奥斯曼帝国巴勒斯坦耶路撒冷～1974-07-04，黎巴嫩贝鲁特）　又名哈吉·艾敏。耶路撒冷法律顾问，阿拉伯民族主义者，在反对犹太复国主义的斗争中发挥过重要作用。曾在耶路撒冷、开罗和伊斯坦布尔求学。1910年参加土耳其炮兵部队。他是阿拉伯民族反犹太复国运动的主要鼓吹者。第一次世界大战后，巴勒斯坦成为英国委任统治地。1921年末英国人指派他为最高穆斯林理事会终身主席和法律顾问。1936年巴勒斯坦的所有党派联合起来，成立一个永久性的执行机构——阿拉伯最高委员会，由侯赛尼任主席。这个委员会向英国当局要求停止犹太移民入境，严禁把土地从阿拉伯人手中转让给犹太人。由于举行大罢工而发展为反英的暴动。英国人撤掉侯赛尼的主席职务，宣布委员会在巴勒斯坦为非法。1937年10月，侯赛尼去黎巴嫩另行组织由他支配的委员会，他得到巴勒斯坦大多数阿拉伯人的拥护。1939年英国被迫对阿拉伯人的要求作出让步：放弃在巴勒斯坦建立犹太人国家的计划，允许在5年以后，犹太移民入境时要经阿拉伯人批准。不过，侯赛尼认为这一让步还远远不够，因此拒绝接受英国的新政策。这是对阿拉伯事业的一个严重错误。如果当时阿拉伯人坚决支持英国的政策，就不会在1948年成立以色列国。第二次世界大战期间，侯赛尼经常住在德国。战争结束时逃往埃及。

Husayni, Faysal ibn Abd al-Qadir al-　侯赛尼（1940-07-17，伊拉克巴格达～2001-05-31，科威特科威特市）　巴勒斯坦政治领袖，巴解组织在耶路撒冷的最高级官员。出身于巴勒斯坦名门，其父1948年在耶路撒冷市外与犹

太复国主义军队的战斗中牺牲，成为战斗英雄。曾在埃及学习理工科，在叙利亚学习军事。早年积极投身政治，1961 年加入阿拉法特的法塔赫运动，1965 年加入巴解组织。大部分巴解组织领导人离开巴勒斯坦后他仍留在耶路撒冷，不断遭以色列当局逮捕。其后加入其他以色列的和阿拉伯的温和派，支持由美国斡旋的和平谈判，并经常受邀前往以色列广播公司和电视台表达巴勒斯坦的观点。1979 年协助成立阿拉伯研究中心。率巴解组织和平使团赴科威特期间因心脏病突发去世。

Ḥusaynid DYNASTY　**侯赛因王朝**　1705～1957 年的突尼斯王朝。1705 年突尼斯的前统治者被阿尔及利亚人俘获后，奥斯曼帝国军官侯赛因·伊本·阿里被拥立为贝伊。奥斯曼苏丹正式承认他为总督（贝勒贝伊）。根据 1710 年颁布的继承法，他的统治是世袭的。侯赛因在不受奥斯曼帝国干预的情况下进行统治，先后与法国（1710，1728）、英国（1716）、西班牙（1720）、荷兰（1728）和奥地利（1725）缔结条约。侯赛因王朝以后的历史因不断发生的内部夺权斗争和与法国人发生冲突而黯然失色。1756 年阿尔及利亚人占领了突尼斯，将阿里贝伊（1735～1756）斩首。哈木达贝伊统治时期（1782～1814），威尼斯袭击了突尼斯沿海城镇苏萨（1784）和哈勒格瓦迪（1785），阿尔及利亚人也两度入侵（1807，1813）。1811 年土耳其禁卫军叛乱，迫使哈本达贝伊解散精锐的奥斯曼军团，定期地招募地方兵。19 世纪，欧洲各盟国对历代侯赛因王朝的贝伊施加压力。1819 年在欧洲的坚持下，终于将海盗镇压下去，而这一向是突尼斯岁收的重要来源。在艾哈迈德贝伊（1837～1855 在位）统治时期，废除了奴隶制和对突尼斯犹太人的限制。奥斯曼政府想限制其自主权，但艾哈迈德贝伊拒绝纳贡。19 世纪下半叶进行了西方式的改革。1883 年法国强行将突尼斯变为保护国，侯赛因王朝名存实亡。1957 年 7 月 25 日，突尼斯共和国宣告成立，侯赛因王朝遂亡。

Husband's Message, The　**《丈夫的信息》**　又称《恋人的信息》。保留在《埃克塞特诗集》中的一首古英语抒情诗，是盎格鲁-撒克逊时代保存下来的少数爱情诗之一。其与众不同之处是它独特的形式和感情力量。叙述者是一根木棒，上面用如尼文字刻有一个流落在外的丈夫给妻子的信息。木棒讲述它如何长成海边一棵幼树，在一个人把秘密的信息刻在它身上之前从未梦想到会有说话的能力。丈夫传言说他如何为一桩世仇而被迫逃走，不过现在他在新的土地上有钱有势，非常想念妻子。信上要求她立即启程前来与他相会。

Hüseyin ibn Eyne Beg　**侯赛因·伊本·艾因·贝格**　参阅 **Neşri** 内什里。

Hushu culture　**湖熟文化**　中国东南地区商周时代青铜文化。分布于江苏、安徽两省南部丘陵地区。1951 年在江苏江宁县湖熟镇发现。出土青铜器有刀、镞、鱼钩等。陶器多为红褐色软陶，也有磨光黑皮陶，器表多饰绳纹，也有梯格纹、贝形纹等几何形印纹。常见器物有鬲、甗、高领罐、豆、盆、盂等。大部分陶器形制有地方特点。农业和渔猎工具以石器为主，其中有肩穿孔石斧和有段石锛等。遗址中发现有卜骨和卜甲，表明湖熟文化也流行占卜习俗。

húskarl（military guard）　参阅 **housecarl** 护卫。

Hüsker Dü　**胡斯克·杜乐队**　20 世纪 80 年代的美国乐队，将流行音乐、抒情乐和朋克乐结合在一起，为 90 年代另类摇滚乐的繁荣奠定了基础。成员是 B. 莫尔德、G. 诺顿和 G. 哈特。胡斯克·杜乐队的名字取自 50 年代斯堪的纳维亚的棋盘游戏，意为"你记得吗"。1979 年在明尼苏达州圣保罗成立。他们经常巡演和发行唱片，拥有了一批忠实的追随者。乐队早期唱片的音乐风格属于猛烈的硬核朋克，例如他们的首张专辑《陆上极速纪录》（1981）；但后期音乐显示出爵士乐、流行乐和迷幻摇滚的影响。他们的专辑《禅道》（1984）是少数朋克风格的双辑之一。他们颇受好评的专辑包括《崭新的日子》（1985）、《翻开你的假发》（1985）和《仓库：歌曲和故事》（1987）。1988 年乐队解散。莫尔德后来成为当红的独唱歌手和"糖"乐队的成员。

Huskisson, William　**赫斯基森**（1770-03-11，英格兰伍斯特郡伯奇莫顿～1830-09-15，兰开夏郡埃克尔斯）　英国政治家和财政家，鼓吹自由贸易的主要人物。13 岁时赴巴黎投靠叔父，曾目睹法国大革命。1793 年被 H. 邓达斯（后为梅尔维尔子爵）雇为职员。因精明强干，1795 年被任命为陆军部次官。后任议员（1796～1802，1804～1830）、财政大臣（1804～1805，1807～1809），1809 年辞职，1814 年重新入阁。他在 1814 年和 1815 年关于谷物法的辩论中起过重要作用。1821 年参加调查农业情况的委员会，建议放松对谷物法的实施。1823 年任贸易大臣，主张实行自由贸易，改革航海条例，承认别国在航运税方面平等互惠及降低工业品税和进口货物税。1827 年任殖民部大臣和下院领袖。1828 年辞职。

Hüsnümansur（Turkey）　**曼苏尔堡**　参阅 **Adıyaman** 阿德亚曼。

Huss, Jan（Czech religious reformer）　参阅 **Hus, Jan** 胡斯。

hussar　**轻骑兵**　欧洲用于侦察的一种轻骑兵部队。各国仿照 15 世纪匈牙利轻骑兵队的模式组建这种部队。匈牙利轻骑兵的制式服装鲜艳夺目，其他欧洲国家的军队群起效法。这种制服包括高顶圆筒形布军帽、饰有重镶边的铠甲、土耳其式战袍以及袒露右肩的肥大的披肩。19 世纪时，英国陆军中有由轻龙骑兵改编的几个轻骑兵团。轻骑兵这个名称一直沿用到朝鲜战争，那时英联邦第 29 旅战斗群有一支坦克部队，它的名称就叫皇家爱尔兰轻骑兵第 8 团。

Hussarek von Heinlein, Max Hussarek, Baron（Freiherr）　**胡萨雷克·封·海因莱因**（1865-05-03，斯洛伐克普雷斯堡［今斯洛伐克布拉迪斯拉发］～1935-03-06，奥地利维也纳）　奥地利政治家、法学家和大学教授，第一次世界大战最后几个月任奥地利首相。在维也纳大学任教会法教授后，以一系列次要的职务开始其公职生涯。1911～1917 年在奥地利 3 个不同的首相的内阁里任教育大臣。他在 1918 年 7 月任首相时，认为采取联邦制是挽救垂死的哈布斯堡帝国的唯一希望。他建议在帝国范围内建立一个自治的克罗地亚邦。1918 年 10 月 16 日，他提出查理皇帝宣言（即十月文告），宣布奥地利联邦化，但由于匈牙利的反对，他的努力没有成功。1918 年 10 月 27 日辞职。1923 年任维也纳和下奥地利州红十字会会长。

Hussein　**侯赛因**（1935-11-14，外约旦安曼［今约旦］～1999-02-07，安曼）　全名 Hussein ibn Talal。约旦国王（1953～1999）。在位期间，以很大精力来谋求照顾从以色列逃到他

美国不列颠百科全书公司供图

国内的巴勒斯坦难民的利益。在英国接受部分教育，1952 年其父塔拉勒国王因精神病被废黜后，由他继位。侯赛因的政策促成了经济缓慢但却是稳步的增长，尽管他仍不得不依靠西方不断的财政援助。侯赛因得到的支持来自国内的土著贝都因部落。由于在约旦居大多数的巴勒斯坦人对他的王朝并无依恋之情，侯赛因遂以扩充军队的方式来维护王室权威，压倒议会。侯赛因保守的社会政策和与西方列强结盟的做法，时常遭到国内反对派以及其他阿拉伯领导人的批评。由于政局不稳，他未能参加 1955 年西方发起的中东安全同盟巴格达条约，并不得不于 1956 年解除统率阿拉伯军团（约旦陆军）的英国军官 J.B. 格拉布将军的职务。靠美国的援助，他不断扩充军队，并使之现代化，但以色列在 1967 年 6 月阿-以战争中战胜约旦，是侯赛因政权的严重挫败，结果失去了约旦河西岸，并有更多的巴勒斯坦难民拥入约旦。战后，侯赛因的统治受到巴勒斯坦解放组织军事力量的威胁。巴解组织的军队以约旦为基地，开展反对以色列的游击战争。1970 年 9 月，巴解组织与侯赛因的军队之间爆发了争夺对该国控制的全面战争。侯赛因的军队获胜，于 1971 年将巴解组织的军队全部逐出约旦。以后的几年里，侯赛因的处境极为困难，他避免

在军事上与以色列对抗,改善了与巴解组织的关系,谋求与沙特阿拉伯及其他温和派阿拉伯国家建立更加紧密的联系,并争取它们的财政援助。他还与美国和英国保持良好关系。1988年侯赛因将约旦对有争议的西岸领土的要求及担任住在约旦的巴勒斯坦人代表的任务交给了巴解组织。随着1993年以色列和巴解组织签署协议,1994年10月26日侯赛因与以色列签订了使双边关系正常化的和平条约。

Husserl, Edmund 胡塞尔(1859-04-08,奥地利帝国摩拉维亚普罗斯尼兹[今捷克普罗斯捷约夫]~1938-04-27,德国布赖斯高地区弗赖堡) 德国哲学家、现象学创始人。现象学是描述和分析意识的新方法,为目前流传最广的哲学思潮之一。早年在莱比锡、柏林和维也纳等大学学习物理学、数学、天文学和哲学。1882年以题为《论微积分变分理论》的学术论文获哲学博士学位。1883年秋在维也纳与哲学家F.布伦坦诺一起研究哲学。1886年经布伦坦诺介绍,结识哲学心理学家C.施通普夫,并深受他俩的影响。1887年任哈雷大学讲师。他的任职论文《关于数的概念:心理学分析》显示出他从对数学的研究转变到对数学基本概念的心理学来源的研究。这些研究就是《算术哲学》的最早蓝本。此书第一卷于1891年出版。他在哈雷大学就职讲演的题目是《关于形而上学的目的和问题》。此时他已理解到他所使用的意识分析的方法可以导致新的普遍哲学和形而上学的建立。1887~1901年间在哈雷任教时发现将意识的心理分析与数学和逻辑的哲学基础相结合的问题似乎不可解决。但也表明数学和逻辑的哲学基础必须来自存在于一切形式思维之前的经验分析。于是他研究了英国经验主义和J.S.穆勒的逻辑学。研究的成果反映在《逻辑研究》(1900~1901)中。该书运用了后来所说的"现象学的"分析方法,其革命意义逐步为人认识。1901~1916在格丁根大学任教期间对现象学运动的发源起了重要作用。在《观念;纯粹现象学导论》(1913)中提出了现象学的大纲和体系轮廓,但仅仅完成此书第一部分。现象学是普遍哲学,其基本方法论原则就是现象学的还原。它使哲学家的注意力集中在不可解释的基本经验和对事物本质的探索。在后一种意义上,亦称"本质的"还原。这种还原展示了自我,一切事物仅对自我来说才有意义。所以现象学是一门新型的先验哲学。1916~1928年间胡塞尔在弗赖堡大学任教。他认为第一次世界大战是旧欧洲世界的崩溃,以前为现象学提供的认识论基础已不能使他满意。于是他在1923~1924年间作了题为《第一哲学》的演讲,认为现象学凭借其还原法,是使生活得到绝对维护,并实现人的道德上的自主的途径。1930年应邀到阿姆斯特丹大学和巴黎大学讲学,利用机会重新系统地表述现象学,后以《笛卡儿的沉思》(1931)为题发表。1933年希特勒掌权后,胡塞尔被逐出大学,但未中断对现象学的研究。1935年春季和秋季他相继在维也纳、布拉格演讲。这些演讲收集在其最后著作《欧洲科学的危机和先验现象学》(1936)中。书中第一次阐述了"生活—世界"这一概念。

Hussey, Obed 赫西(1792,缅因~1860-08-04,美国缅因埃克塞特) 美国发明家,发明完整的谷物收割机。他在1830年开始研制谷物收割机之前,曾发明玉米粉碎机和甘蔗碾碎机。他的收割机于1833年7月在俄亥俄州卡西奇附近第一次试运转成功,同年获专利,C.H.麦考密克1831年演示他研制的收割机,1834年获专利。他们两人剧烈地竞争收割机市场,均将其技术改进,申报并获得专利,并在英、美成功地展出他们的机器。其他发明家又作出更多的改进,这些改进为麦考密克采纳,但赫西顽固地拒绝采用。赫西的企业开始走下坡路,他于1858年将其售出。后赫西在研究蒸汽犁时因火车车祸丧生。

Hussite 胡斯派信徒 追随波希米亚宗教改革家J.胡斯的基督教徒。胡斯被1414~1418年的康斯坦茨会议宣判有罪,1415年受火刑而死。胡斯死后,波希米亚许多骑士和贵族正式提出抗议,并表示愿意庇护因宗教信仰受迫害的人们。继胡斯任布拉格伯利恒教堂司铎的雅库贝克(斯特日布罗的)、塔波尔派领袖科兰达和布拉格激进改革派的组织者热利夫斯基是这次运动的主要支持者。胡斯派用捷克语礼拜,在圣餐礼上允许在俗教徒同领饼与酒,因此与罗马教廷决裂。在波希米亚国王瓦茨拉夫四世在位期间,胡斯运动扩展迅速。1419年瓦茨拉夫四世卒,其同父异母兄弟西吉斯蒙德继位,称罗马及匈牙利国王,他是胡斯派的死敌。雅库贝克曾制定"布拉格四条":①传教自由;②圣餐采用两种形式;③神职人员绝财,教会财产充公;④惩罚重大罪人。如果西吉斯蒙德接受了这四条,胡斯派本来是会承认他的。但是,未能据有布拉格的西吉斯蒙德于1420年公布教皇马丁五世的通谕,宣布发动十字军行动征讨胡斯派。由布拉格等城市的市政当局和波希米亚主要军事力量组成的胡斯派联盟,宣布废黜西吉斯蒙德,击退十字军对布拉格的两次进攻。嗣后数年十字军历次征讨胡斯派,均以失败告终。起初,教皇马丁五世不愿与胡斯派平等谈判。1431年十字军遭决定性失败后,天主教会的巴塞尔会议乃同意谈判,和谈随即开始。胡斯派的代表团1433年在巴塞尔就"布拉格四条"谈判三个月,于是巴塞尔会议派使团赴布拉格,同意按两种方法向胡斯派信徒施圣餐。胡斯派中的饼酒同领派愿在此条件下媾和,但塔波尔派予以拒绝。饼酒同领派于是与天主教会联合同塔波尔派作战,1434年在利帕尼战役中击败该派,塔波尔派一蹶不振。饼酒同领派随即与天主教会恢复和谈,于1436年7月缔结和约。饼酒同领派经过内部分裂和多次迫害直到1620年前后才被天主教会同化。15世纪中叶,波希米亚胡斯派中间兴起弟兄联盟(摩拉维亚弟兄会)。在宗教改革时期,弟兄联盟与信义宗和归正宗有联系。但最后天主教的反改革运动在波希米亚和摩拉维亚取得胜利。弟兄联盟的残余信徒于1722年定居于萨克森境内亲岑道夫伯爵庄园。其后许多人自摩拉维亚和波希米亚逃出,在黑恩亨特定居,成立**摩拉维亚教会**(**Moravian Church**)。20世纪新教势力在捷克仍然存在。

Husted, Marjorie Child 赫斯特德(约1892,美国明尼苏达明尼阿波利斯~1986-12-23,明尼阿波利斯) 婚前名Marjorie Child。美国家政学家和女实业家。1913年从明尼苏达大学毕业后留校,次年获得教育学学位。第一次世界大战期间加入红十字会。战后投身于妇女合作联盟。1923年获得明尼阿波利斯克瑞梅特公司促销广告与销售规划主任职位。一年后,转任沃什伯恩-克罗斯比面粉公司家政外勤代表。1926年,她为该公司组建家庭服务部,以标准化的贝蒂·克罗克签字回答客户来函有关持家的各类事项。1928年沃什伯恩-克罗斯比公司与其他几家公司合并成立通用面粉公司,并于1929年将家庭服务部改称贝蒂·克罗克持家服务部,由赫斯特德任主任。在她的指导下,贝蒂·克罗克成为通用面粉公司的化身、能干和友好的美国家庭主妇典型象征。1946年成为通用面粉公司业务主管和管理人员的顾问,1948年受聘为广告、公共关系和家庭服务顾问。并于同年出任美国农业部食品节约顾问。1950年离开通用面粉公司,成立自己的合伙顾问公司。

Huston, John 休斯顿(1906-08-05,美国密苏里内华达~1987-08-28,罗得岛米德尔敦) 美国电影导演,他的结构严谨的情节剧是20世纪40年代以来最受欢迎的影片。他是演员沃尔特·休斯顿的儿子。儿时因父亲在各地巡回演出,去过很多城市。1931年,他以电影编剧身份开始好莱坞电影生涯。他导演的第一部影片是《马耳他之鹰》(1941),以充满生活气息的对话和生动的人物著称。其他早期著名影片还有《宝石岭》(1948)和《非洲女皇号》(1952),均由H.博加特主演。他所导演的由文学作品改编的影片包括:S.克莱恩的《红色英勇章》(1951)、H.梅尔维尔的《白鲸》(1956)、T.威廉斯的《鬣蜥之夜》(1964)和J.乔伊斯的《死者》(1987)等。其他成功影片还有《缓广调》(1948)、《柏油丛林》(1950)、《阿德里安信使的名单》(1963)、《金眼里的反射》(1967)和《普里奇家族的荣誉》(1985)。他还经常在影片中出任演员,他最好的角色要数在R.波兰斯基的影片《唐人街》(1974)中的一个配角。他在第二次世界大战中拍摄的纪录片《来自阿留申群岛的报告》(1943)和《圣彼得罗之战》(1944)亦受到赞扬。

Huston, Walter 休斯顿(1884-04-06,加拿大安大略多伦多~1950-04-07,美国加利福尼亚贝弗利希尔斯) 加拿大出生的美国著名性格演员。在其戏剧和电影生涯中,从音乐喜剧到高深戏剧均无所不演。原学工程,1902年在多伦多首次登台演出,3年后在纽约举行首演。首次引人注目的百老汇演出是在《皮特先生》(1924)中饰皮特;接着,在奥尼尔《榆树下的欲望》(1924)中饰卡伯特,又获得了成功。1924年与女演员N.森德兰结婚。《多兹沃思》(1934)使他获得"纽约剧评界奖",该剧拍成同名电影(1936)后他又被提名为奥斯卡最佳演员奖候选人。随着有声电影的问世,他转向电影表演,但从未完全放弃戏剧演出。1938 年在《纽约人的节日》中饰斯特伊弗桑特时演唱的"9 月歌",在他去世后风行一时。在他饰演过的 50 多个电影的角色中有格里菲思导演的《林肯传》(1930)中的主角、《法律和秩序》(1932)中的约翰逊和《钱所能买到的一切》(1941)中以高超演技塑造的斯克拉奇。在由其子约翰·休斯顿导演的影片《马德雷山脉的宝贝》中的表演使他获得了奥斯卡最佳配角奖(1948)。

Huszgen, Johannes 参阅 **Oecolampadius, John 奥科兰帕迪乌斯**。

Hutcheson, Francis 哈奇森(1694-08-08,爱尔兰唐郡德鲁马利哥～1746,格拉斯哥) 哲学家,又是伦理学中一种道德观念学说的主要阐述者(人们通过这种道德观念可以作出正确的行动)。曾在格拉斯哥大学学哲学、古典著作和神学(1710～1716),后在都柏林创办私人学园(1719)。1729 年返格拉斯哥任道德哲学教授,直到去世。1719 年被阿尔斯特的爱尔兰长老派批准为牧师,1738 年格拉斯哥的长老派教务评议会对他的如下信条提出异议:即人无需认识上帝或在认识上帝之前便能辨别善恶。但作为一位受欢迎的牧师,他的地位并未受削弱。著名的苏格兰哲学家大卫·休谟曾就他的《人性论》中"论人的道德"这部分草稿向他征求意见。其伦理学说见以下作品:《对于我们的美和德行思想的起源之探索》(1725)、《论激情和爱情的性质和行为,附有关于道德意识的说明》(1728)及《道德哲学体系》(2 卷,1755)。他认为人有各种各样的意识,有内部的也有外部的,有转折的也有直接的。在这些意识中,道德意识最重要。它植根于人身上,并且立刻对行动和感情的性质发生影响,它赞同那些有道德的事物并反对那些邪恶的事物。尽管批评他的人指责他混淆道德意识和道德判断,但他确实把道德意识和道德标准区分开来。他的道德准则是:要看一个行动是否有助于促进人类的普遍幸福。他因而成为英国思想家杰里米·边沁的功利主义的先河。作为逻辑学家和人的认识的理论家,他也是一位有影响的人物。他倾向于把哲学上争论的问题诉诸意识提供的证据和自然本能,而不是诉诸正式的论据。就这一点讲,他接近于苏格兰思想家托马斯·里德的"常识哲学"。

Hutchins, Robert M(aynard) 哈钦斯(1899-01-17,美国纽约布鲁克林～1977-05-17,加利福尼亚圣巴巴拉) 美国教育家、大学校长及基金会主席。批评过分专门化,力求大学课程平衡并保持西方智育传统。1915～1917 年就读于俄亥俄州的奥伯林学院。第一次世界大战期间在美国和意大利军队的野战医院服役。1921 年获耶鲁大学文学士;1925 年获耶鲁法学院法学士,1927 年任该院院长。两年后(30 岁)任芝加哥大学校长,直至 1951 年,最后 6 年为该校名誉校长。他是位好争论的学校主管人,曾试图改组芝加哥大学本科及研究生部各系。他的芝加哥本科生规划鼓励较小年龄即接受文科教育,并用全面考试衡量学习成绩,而不是凭上了多少节课。他开设"巨著"学习。同时,他对高等教育的目的提出不同的看法,叹惜过分注重非教学

美国不列颠百科全书公司供图

性的活动——1939 年芝加哥大学未参加大学校际橄榄球比赛——并批评美国教育走向专门化、职业主义的趋势。然而,在他离开后,芝加哥大学取消了他的大部分改革措施,又回到美国其他主要大学的教学实践道路上。哈钦斯积极组织世界宪章设计委员会(1945),领导新闻自由委员会(1946),并有力地捍卫学术自由,在 50 年代反对教师忠诚宣誓。1951 年起任福特基金会副会长,1954 年任共和政体基金会会长,并于 1959 年建立民主制度研究中心(加利福尼亚州圣巴巴拉)作为基金会的主要活动。该中心的宗旨是试图探讨哈钦斯的理想——建立"学者社会"以讨论范围广泛的各种问题:个人自由、国际秩序、生态需求、少数民族和妇女的权利、美好生活的本质等等。1943 年起直至 1974 年退休,哈钦斯是《不列颠百科全书》编委会主席和不列颠百科全书公司的董事,又是 54 卷本《西方世界伟大著作》的主编(1952);1961 年起和 M.J.阿德勒合编年鉴《当代伟大的思想》。哈钦斯对教育及社会问题的观点见于《没有友好的声音》(1936)、《美国的高等教育》(1936)、《教育为自由》(1943)等书中。

Hutchinson 哈钦森 美国堪萨斯州中南部城市,里诺县县城(1872)。濒临阿肯色河。1871 年由印第安人事务官 C.C.哈钦森创建。1887年发现盐层,成为当地主要工业基础。

哈钦森市的谷仓

美国不列颠百科全书公司供图

为重要的硬质小麦市场和美国中西部最富饶的油田之一的中心。一年一度的堪萨斯州商品展销会在此举行。设有哈钦森社区初级学院(1928)。有市级动物园,设有堪萨斯宇宙和空间中心。人口40 787(2000)。

Hutchinson, Alfred 哈钦森(1924,南非德兰士瓦赫克托斯普雷特～1972-10-14,尼日利亚) 作家、教师,以富于想象的语言实践著称。自传《通往加纳的道路》(1960)享有盛誉,被译成多种文字。该书叙述他 1952 年被捕入狱,1956 年因反对种族隔离法被控犯有叛国罪后,从约翰内斯堡经东非和加纳逃亡英国的经历。毕业于黑尔堡大学学院教育专业,并获苏塞克斯大学文学硕士学位。1971 年迁居尼日利亚前,一直在英国任教。著有一部剧本《驱雨记》(1964)、几部广播剧和短篇小说。《通往加纳的道路》为其代表作,以质朴动人的叙事技巧展现了作家个人作为黑人在"白人的"南非遭受的屈辱及其随后为躲避压迫而逃亡的过程。

Hutchinson, Anne 哈钦森(1591-07-20,英格兰林肯郡奥尔福德～1643-08 或 09,美国纽约佩勒姆贝) 婚前名 Anne Marbury。自由派宗教家。她出身于教士家庭,1612 年嫁商人哈钦森。1634 年夫妇自英格兰移居美洲马萨诸塞。不久她组织波士顿妇女每周聚会,讨论近期所听到的讲道,并发表她自己的神学观点。她强调个人依靠直觉即可接触上帝而获得启示,无须遵守制定的信条或牧师的教诲。她指责马萨诸塞的清教徒在道德问题上坚持狭隘的律法主义,她不信教士权威。她这种立场起初在波士顿获得广泛支持,但遭到 J. 温思罗普的反对。温思罗普当选总督后,她的威望大降,并受到普通法院审判,1637 年定罪,判处驱逐出境。她拒绝放弃自己的观点,经波士顿教会审讯,处以绝罚。1638 年她率领一部分信徒迁居阿基德内克岛(今罗得岛之一部分)。其夫死于 1642 年,其后她迁居今佩拉姆贝附近长岛海峡。1643 年她与大多数家人被印第安人所杀。

Hutchinson, G(eorge) Evelyn 哈钦森(1903-01-30,英格兰剑桥郡剑桥～1991-05-17,伦敦) 英国出生的美国动物学家,以研究淡水湖沼生态闻名。他曾在诺福克郡霍尔特的格雷沙姆斯学院及剑桥大学学习。后在南非维瓦特斯兰大学讲学两年,然后又在剑桥大学获硕士学位。1928 年在耶鲁大学任教,1941 年成为美国公民。他最初研究水生生态系统,特别是水生半翅目昆虫的分类与分布。还研究过南非特兰斯瓦尔西部、西藏高原和北美东北部湖沼的物理、生物、化学和气象条件。1935 年他又证明分层湖中最上层水与最下层水混合时的水平运动的重要性,后来获得分层湖中磷循环的确凿证据,并进行了湖沼沉积物的化学研究。其生态研究工作不完全限于理论方面,而且还有进化的各个方面,这从他后来的著作可以看出。他写过很多重要研究论文,还写过《明镜》(1936)、《巡回的象牙塔》(1953)、《丽贝卡·韦斯特著作初探,1912～1951》(1957)、《湖沼学专论》3 卷(1957、1967 和 1975)、《着魔之旅》(1962)、《生态舞台与进化演出》(1965)、《种群生态学导论》(1978)和《大地的仁慈果实》(1979)。1949 年被选入美国艺术和科学院,1950 年被选入国家科学院。

Hutchinson, Sir Jonathan 哈钦森(1828-07-23,英格兰约克郡塞尔比～1913-06-26,萨里黑斯尔米尔) 英国外科医师、病理学家、研究先天梅毒的先驱、眼和皮肤疾病(特别是麻风)的权威。以毕生研究梅毒著名,首先提出了诊断先天性梅毒的“哈钦森氏三征”:哈钦森氏牙(恒门牙下缘呈半月形凹陷)、间质性角膜炎及耳迷路症。

Hutchinson, Thomas 哈钦森(1711-09-09,马萨诸塞波士顿[美国]～1780-06-03,英格兰伦敦) 英属北美洲马萨诸塞湾省总督(1771～1774)。他的统治使殖民地的动乱激化,终于

马萨诸塞州历史学会供图

导致美国独立战争(1775～1783)的爆发。富商家庭出身。1737年弃商从政,曾任马萨诸塞湾议会和州务委员会成员(1749～1766)、最高法院首席法官(1760～1769)、副总督(1758～1771)。他原与同事们和谐相处,甚至参加了草拟联合各殖民地计划的奥尔巴尼会议。但他忠于英王,反对逐步实现独立的运动。他相信反叛的精神只是诸如S.亚当斯之类爱国分子煽动起来的,因而对之深怀敌意。许多波士顿人认为印花税条例是他怂恿而成的,1756年一群暴民洗劫了他富丽堂皇的住所。此后他秘密建议英国议会采取镇压措施。1770年波士顿惨案发生时他任代总督。1773年由于他处理问题不当而引起“波士顿茶党案”,波士顿居民将进口茶叶倾入海中。1774年他返回英格兰,任乔治三世和英国北美事务部的顾问。著有《马萨诸塞湾殖民地史》(3卷,1764～1828)。

hutia 硬毛鼠 啮齿目硬毛鼠科(鼩鼱科、中南美洲巨鼠科,Capromyidae)硬毛鼠属(*Capromys*)、短尾硬毛鼠属(地硬毛鼠属,*Geocapromys*)和伊斯帕尼奥拉硬毛鼠(斜齿鼠属,*Plagiodontia*)的几种似大鼠的大型啮齿动物。栖于安的列斯群岛(亦见于委内瑞拉北部)的森林和崎岖的山地。体壮;头宽;眼和耳

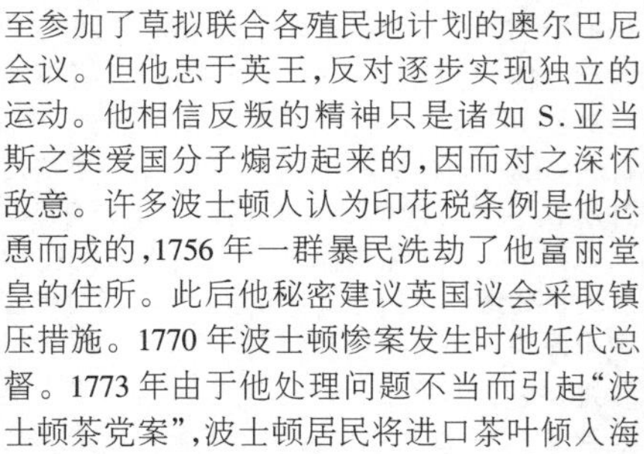

巴哈马硬毛鼠(*Geocapromys ingrahami*)
美国不列颠百科全书公司供图

均小;毛粗糙,黄褐色到红褐或黑色;体长20～60厘米(不算尾长)。牙买加和巴哈马硬毛鼠(短尾硬毛鼠)尾短,古巴和伊斯帕尼奥拉硬毛鼠(硬毛鼠属和伊斯帕尼奥拉硬毛鼠属)尾较长。主要以植物为食。古巴乌提亚硬毛鼠白天活动,树栖,而牙买加和巴哈马硬毛鼠则夜间活动,地栖。对伊斯帕尼奥拉硬毛鼠所知甚少,但知似属夜行性。硬毛鼠的肉可食。在某些地区已日益减少。古巴的丛尾硬毛鼠(*Capromys melanurus*)和倭硬毛鼠(*C. nanus*)以及巴哈马种和海地种在《红皮书》中都已列为稀有动物。数量下降的原因可能是人类猎捕、栖息地遭破坏以及自印度引进的獴的猎食。有2属和几个种今已绝灭。

Hutiao Xia 虎跳峡 世界最深的大峡谷之一。位于中国云南省玉龙纳西族自治县石鼓东北。长江上游金沙江到此急转北流,号称“长江第一弯”。峡谷长约16千米,右岸玉龙雪山主峰海拔5 596米,左岸哈巴雪山海拔5 396米,中间江流宽仅30～60米。虎跳峡的上峡口海拔1 800余米,下峡口海拔1 630米,两岸山岭和江面相差2 500～3 000米,谷坡陡峭,蔚为壮观。江流在峡内连续下跌七

虎跳峡
中国大百科全书出版社供图

个陡坎,天然落差200余米,水势汹涌,声闻数里,水力资源极其丰富。旧时曾因山崩截断江流,至今尚有崩积物遗留。

Hutong 胡同 中国北京对四合院相互毗排构成的街巷的称谓。中国北方其他一些城市对类似的街巷也有同样的叫法。此种街巷始于元代(1206～1368)建大都时期,明清两代发展迅速,成为城区街巷主要形式。胡同与四合院,是北京传统居住文化的标志。其走向横竖笔直,因四合院多坐北朝南,故东西向多于南北向。20世纪末期以来,随着旧城区大规模的改造,传统的胡同消失较快,一些胡同因对传统四合院的保护而留存下来。

Hutson, Don 赫特森(1913-01-31,美国阿肯色派恩布拉夫～1997-06-26,加利福尼亚兰乔米拉奇) 美国职业橄榄球运动员(底线后卫,1935～1945)。在全国橄榄球联盟8个赛季中接获传球成绩居首位,又是技术高超的定位球踢球手和前卫。1942年为其全盛时期,曾接获74次传球,前进1 211码,17次球触底线得分,创全国橄榄球联盟纪录。在整个橄榄球生涯中保持下列全国橄榄球联盟纪录:个人得分823分,球触底线得分105次,接获传球后触底线得分100次,接获传球488次,前进7 991码。

Hutt River 哈特河 在新西兰北岛南部。源出塔拉鲁阿岭,纳几条河流后向南注入尼科尔森港湾。全长56千米。惠灵顿区所用淡水的主要水源之一。该河流域通称哈特,面积650平方千米,19世纪40年代起有人定居。当地原为农业区。第二次世界大战后人烟稠密。现为惠灵顿大都会区之一部。为高度城市化和工业化的地区。

Hutten, Philipp von 胡滕(约1511,下弗兰肯柯尼希斯霍芬[今在德国]～1546,委内瑞拉) 又名菲利普·封·乌雷或菲利普·封·乌特雷。委内瑞拉最后一任德国总督。他是人文主义诗人乌尔里希·封·胡滕的亲属。他以奥格斯堡的韦尔瑟银行家族代表的身份远涉重洋去委内瑞拉,管理1528年由神圣罗马帝国皇帝查理五世授予该家族的领地。1535年2月在科罗登陆。1540年12月成为总督。上任不久,就开始对委内瑞拉内地进行长达5年的考察,由西班牙人胡安·德·卡瓦哈尔代行总督职务。胡滕和同行者小巴塞洛缪·韦尔瑟回到科罗时,立即被西班牙当局处死。

Hutterite 胡特尔派信徒 基督教再洗礼派中的一派成员。因逃避迫害而自莫拉维亚和蒂罗尔迁出。该派主张按照初期耶路撒冷教会的模式把教会建成圣善者的集体。此派创始人为胡特尔,他于1536年被认定为异端,受酷刑后被烧死。该派现仍存在,主要分布在美国西部和加拿大西部地区,信徒约有2万人。他们每60～150人聚居一地,经营集体农场,与老阿曼门诺派一样,不与社会相通,不参与政治。儿童在聚居地区内受教育,到14岁或者政府规定的最低年龄为止。由于出生率高(45.9‰),他们不得不开辟新聚居地。邻近的其他居民对于这种情况感到不快,同时猜测他们的社会制度,反对他们的和平主义,不理解他们的特异生活方式。有些地区已通过法令阻止胡特尔派增辟定居地。参阅 **Amish** 和 **Mennonite**。

Hutton, James 赫顿(1726-06-03,苏格兰爱丁堡～1797-03-26,爱丁堡) 苏格兰地质学家、化学家、博物学家。他是地质学基础性原理之一——均变论——的创立者,这一原理用地质历史时期的自然作用过程来解释地壳的特征。

虽然赫顿的父亲在赫顿很年幼时就去世了,但赫顿还是在地方文法学校和爱丁堡大学接受教育。虽然他总对化学感兴趣,但他还是从事了法律职业。作为一个律师的学徒,他说他用于抄录法律文件的时间还没有用于跟他从事化学实验的同事伙伴相互娱乐

美国不列颠百科全书公司供图

的时间多。他与朋友 J. 戴维一道，也对研究从煤灰里制作氯化铵深深地感兴趣。结果，他在一年工作结束之前，离开了法律职业，转而研究医学，因为那时医学与化学密切相关。他于 1749 年 9 月在荷兰取得了医学博士学位。但是，医学对于他感召力很小。他与戴维合作开发一种制造氯化铵的廉价方法，为他提供了财政上的报酬，所以，赫顿决定在英格兰的贝里克希尔从事农业经营。1765 年，农场和生产氯化铵的公司都很昌盛，取得了很好的收入，他于 1768 年放弃了农业而在爱丁堡自己开业，在那里他可以追寻自己的科学兴趣。

赫顿把他的时间用于大量阅读科学书籍并且为考察岩石与观察自然过程的作用而广泛地旅游。他对科学的主要贡献——均变论原理，是他在 1785 年提交给爱丁堡皇家学会的文章中提出来的。这些文章中的两篇，于 1788 年发表在《爱丁堡皇家学会报告》上，题目是《地球理论，或关于地球上陆地组成、崩解与重建的可观察到的规律之研究》。

赫顿的观点，正如他这些文章里所阐述的那样，认为地质现象可以由能观察到的作用过程来解释，那些现在正在地球内部进行着的作用过程在无限久远的地质历史时期都是以一般的均匀性在进行。这两篇文章标志着地质学的转折点；从那时起，地质学得以成为建立在均变论原理上的科学。

就他那时候的观点来看，赫顿的思想是令人惊讶的。在 18 世纪晚期，关于岩石、地层和化石的很多知识已经获得，但是这大量资料还没有综合总结起来形成切实可行的普遍的地质学理论。根据《圣经创世记》的记叙，地球仅仅是在大约6 000年前被创造出来的，这个一直被接受的信念，严重障碍了上述任务的完成。世界上的沉积岩被一些地质学家认为是当大量矿物由圣经所论洪泛的水中沉淀出来时形成的。侵蚀作用过程已经早就被认识到了，但是，对于陆地表面的产生尚无相对应的解释，因为这是与侵蚀作用对陆地的破坏相对立的。地壳内火山作用及其他热力作用过程对岩石形成的意义几乎完全没有被认识到，正如火成岩只是一般地存在那样。

赫顿的思想与很多这种同时代的理论截然相反。他断言很多岩石实际上是由沉积作用过程形成的，也就是说，岩石颗粒由陆地被冲刷带到海洋中，在海底堆积起来，并在那里固结形成岩石。但他断定，这种固结成岩石的作用不是由于岩石颗粒简单地从水溶体中沉淀出来，而是由于压力和热力的影响，这是站在当时角度上的解释。赫顿还断言，侵蚀作用对陆地表面的磨损与由于火山作用及其他作用过程对新陆地表面的建造是相反的、相抵销的，在那些作用过程中，地球的内热把新的岩石组成成分带到了地球表面。这些新的山脉与其他的地形本身，以后又遭到侵蚀，同时也有沉积，正如海中的沉积物那样，这些沉积物又可能被地下的热力作用过程逆推到新的陆地上。

赫顿宣称，这些地质作用过程的总和可以完全地解释全世界现存的地形，而这方面不需要圣经的解释。最后，他指出，侵蚀、沉淀、沉积和逆推作用过程是旋回的，并且应当在地球历史中重复多次。赫顿假设这种旋回需要很长一段时间，所以他断言地球的寿命应当是不可思议地长。

赫顿总结了他的观点，并在他 1795 年出版的两卷本《地球理论》一书中为他的结论提出了充分的证据。该书第 3 卷在赫顿逝世时只完成了一部分。

虽然赫顿的思想在欧洲科学家中得到极广泛的传播，但这些思想直接的效果却因为赫顿的写作风格难于理解这一事实而受到削弱。所幸运的是，他亲密的朋友 J. 普莱费尔写了一部关于赫顿著作的清楚、精确的节缩本，并以他自己的补充观察来加以润饰，此书于 1802 年出版，题为《赫顿地球理论的说明》。这本书更进一步确立了均变论的正确性，而均变论正是地质科学赖以建立的奠基石。

Hutu　胡图人　又称巴胡图人或瓦胡图人。操班图语的卢旺达和布隆迪民族。20 世纪末，胡图人数约为 950 万，占这两个国家人口的绝大多数，但在传统上胡图人曾受到尼罗族好战和游牧的**图西人**（**Tutsi**）的统治。胡图人的体型多数矮而壮，肌肉发达，但与图西人混居通婚之后，肤色变得较浅，身躯也较瘦长。胡图人最初到达其现今住区时，那里住着一个俾格米猎人群体，叫做特瓦人；他们将特瓦人赶走。胡图人以小型农业为生，社会结构以氏族为基础，设有小“王”（叫做“巴辛扎”），统治特定的领地。后来图西人于 14 或 15 世纪也来到这个地区，逐渐征服了胡图人，强行制造成一种种族上的“君臣”关系。图西人在卢旺达一直掌权；到 1959 ～ 1961 年，胡图人起而反抗，把大部分图西人逐出国门，并接管了政府。1965 年在布隆迪发生一次胡图人的未遂政变，那里的胡图人仍在图西人当权的军政府统治之下。胡图人和图西人文化上已基本上一体化。图西人采用了卢旺达人和隆迪人互相通用的班图语，而这种语言最初是胡图人所操的语言。胡图人的亲属和氏族制度，与重视牛的习惯一样，很可能都源于图西人文化。胡图人的宗教信仰与图西人基本相同，包括相信万物有灵和信奉基督教（现在）。

Huxley, Aldous (Leonard)　赫胥黎（1894-07-26，英格兰萨里郡戈德尔明～1963-11-22，洛杉矶）　英国小说家及评论家，具有敏锐和多方面的智力天赋。作品以优雅、风趣和悲观主义的讥讽著称。赫胥黎是杰出的生物学家托马斯・亨利・赫胥黎之孙、传记作家和文学家伦纳德・赫胥黎的第三个孩子。曾就

美国不列颠百科全书公司供图

读于伊顿公学，期间因角膜炎部分失明。保存的视力仅够吃力地阅读，1916 年毕业于牛津大学巴利奥尔学院。1916 年出版第一部著作，1919 ～ 1921 年在期刊《雅典娜神殿》任职。此后大部分时间专事写作，20 世纪 30 年代末在加利福尼亚定居之前大部分时间在意大利度过。最初出版的两部小说《克罗姆・耶洛》（1921）和《滑稽的黑伊》（1923）奠定了他文坛重要作家的地位。这两部小说是对当时英国文学和知识界小圈子的机智、刻薄的讽刺。《枯萎的叶子》（1925）和《旋律与对位》（1928）为类似风格的作品。赫胥黎对 20 世纪政治和技术潮流的深刻怀疑表现在《面对新世界》（1932）中。这是一幅恶梦景象的未来社会，其中心理条件反射作用构成由科学决定并永远不变的种姓制度的基础。小说《加沙盲人》（1936）对现代社会里人们感受的空虚和无目的继续进行了尖锐的批评，但同时也表现出作为一个可行的替代，赫胥黎对印度哲学和神秘主义的兴趣日增。他其后的许多作品反映了这一专注，著名的有《永恒的哲学》（1946）。赫胥黎后期最重要的著作是《卢丹的魔鬼》（1952）和《感受之门》（1954）。前者是对一历史事件的精彩、详尽的心理研究，据称在那次事件中一群 17 世纪法国修女着了魔；后者谈及赫胥黎服食迷幻药物的体验。

Huxley, Sir Andrew Fielding　赫胥黎（1917-11-22，伦敦汉普斯特德～2012-05-30，剑

美国不列颠百科全书公司供图

桥）　英国生理学家，与 A. 霍奇金、J. C. 埃克尔斯共获 1963 年诺贝尔生理学或医学奖。主要研究神经与肌肉纤维。1974 年受封为爵士。生物学家托马斯·亨利·赫胥黎之孙，传记作家兼文学家伦纳德·赫胥黎之子。自剑桥的三一学院获硕士学位后，1941 ～ 1960 年先后任研究员、研究所所长、实验室主任、研究室副主任、生理学系实验生物物理学高级讲师。1960 年入伦敦的大学学院，初任焦德雷尔讲座教授，1969 年起在生理系任皇家学会研究教授。赫胥黎和霍奇金主要研究周围神经纤维的兴奋及该种兴奋的传导等重要现象的生理化学分析。他在肌纤维收缩过程的研究方面也有重大贡献。曾在《生理学杂志》等期刊上发表许多重要论文。他的谢灵顿讲座资料收入《肌肉的反射作用》一书（1980）。

Huxley,Hugh Esmor　**赫胥黎**（1924-02-25，英格兰柴郡伯肯黑德～　　）　英国分子生物学家。与 J. 汉森用 X 衍射和电子显微镜技术研究了肌肉超微结构，结果与 A. 赫胥黎及 R. 尼德格德共同提出肌肉收缩的肌微丝滑行理论，从分子水平解释化学能向机械能的转化。1943 ～ 1947 年间他专为皇家空军研制雷达。1952 年赫胥黎获剑桥大学哲学博士学位，曾先后于马萨诸塞理工学院（1952 ～1954）、剑桥大学（1953 ～ 1956）、伦敦的大学学院（1956 ～ 1961）工作。1962 年赫胥黎加入剑桥大学医学研究理事会分子生物学研究室。

Huxley,Sir Julian(Sorell)　**赫胥黎**（1887-06-22，伦敦～ 1975-02-14，伦敦）　英国生物学家、哲学家、教育家和作家，对近代胚胎学、系统分类学的发展以及行为、进化的研究均有重要影响。生物学家托马斯·亨利·赫胥

美国不列颠百科全书公司供图

黎之孙，传记作家兼文学家伦纳德·赫胥黎的长子。就读于伊顿公学和牛津的巴利奥尔学院，曾参加第一次世界大战。在激素、发育过程、鸟类学及生态学等方面做过重要研究工作。曾在得克萨斯州休斯敦的赖斯研究所工作数年。后任伦敦大学国王学院动物学教授；并任伦敦动物学会秘书 7 年，改善摄政公园的动物园，并积极参与贝德福德郡惠普斯奈德动物园的发展工作；后成皇家学会会员。1919 年与瑞士律师之女 M. J. 巴约结婚，有子 2 人：安东尼·朱利安曾领导有关飞行器操作的重要研究，后成外来园艺植物的专家，并著有关于山脉的标准百科全书；法兰西斯为牛津大学社会人类学讲师。赫胥黎为联合国教科文组织的首任总干事（1946 ～ 1948）。1958 年受封为爵士。R. W. 克拉克所著《赫胥黎家族》于 1968 年出版。

Huxley,T(homas) H(enry)　**赫胥黎**（1825-05-04，英格兰米德尔塞克斯郡伊灵～ 1895-06-29，苏塞克斯郡伊斯特本）　英国生物学家，喜对哲学和宗教问题进行研究，提倡达尔文主义，这些促使他提倡不可知论。

早期成就　托马斯·亨利·赫胥黎是乔治·赫胥黎和雷切尔·赫胥黎之子，父为教师，同胞八人，他排行第七。家境虽非贫困，但亦无积蓄。1833 年进入伊灵学校（其父于此教数学至 1835 年，离职原因不详）。他因此仅于8 ～10 岁之间受过二年学校教育，对他 1835 年后数年间的情况几无记录。但知他曾自学德语；12 岁时他就阅读高深的地质学和逻辑学著作；少年时期他就记录自己做的简单科学实验。他想成为一位工程师，但没有机会。15 岁时到伦敦贫困的东区任医生学徒，但很快得到伦敦中部的查灵克罗斯医院医学院的奖学金，尽管规定的课程与他的兴趣不完全符合，他还是获得医学院的几项奖金，还是学生时就发表了第一篇论文。

到 21 岁时奖学金不再发放，虽然还未获得医师的资格，他在皇家海军舰艇“响尾蛇”号上担任助理医师。这是一艘满是蟑螂的船只，装备充足的物资以在南方海域进行考察。在以后的四年中，他将显微镜捆紧以对抗船体的颠簸，又使用一些原始的工具（如将装有金属丝网的食品橱当作捞网），研究了海洋生物。每到一个港口他就将他的观察结果寄回国，被皇家学会和皇家研究所等机构的杂志所接受。当他于 1850 年 10 月最终回英国时，当时杰出的生物学家都急于认识这位科学界的后起之秀。

他立即采取有效的行动，确保从皇家海军获得特别的待遇。他终于得到三年有薪的假期以研究他从旅行中带回的标本。他原来希望有一天再去学习以取得学位，但回来后不到一年，刚 26 岁时就被选为皇家学会会员，自然无需再去学习。他获得过布雷斯劳大学、爱丁堡大学、都柏林大学、剑桥大学、维尔茨堡大学、牛津大学、博洛尼亚大学和埃朗根大学的荣誉博士学位。

19 世纪 50 年代他发表了许多论动物个性、头足类软体动物（如乌贼）、古生物学方法、科学和科学教育方法和原理、神经的结构和功能，以及脊椎动物颅骨理论等的重要论文，因此建立了声誉。1854 年他强调自己的研究尚未完全发表，三次拒绝海军部让他回去服役的命令而被除名。此时他急于结婚，原来“响尾蛇”号到达悉尼时他在该处与 H. A. 希索恩相识并立即与之相爱。因为在英国找不到有薪金的科研工作，他曾考虑到澳大利亚定居谋职，以便有能力结婚。但他终于在伦敦的官办的规模很小的矿山学校担任计时报酬（后为专职）教员，又经常发表文章从而增加收入；1855 年其未婚妻来英国，两人迅即结婚。尽管后来爱丁堡大学、剑桥大

美国不列颠百科全书公司供图

学、哈佛大学等机构以颇具吸引力的条件相邀，他还是终生留在原单位供职，并逐步将其改造，先将其改为科学师范学院，后改为皇家科学学院。他的婚姻极为幸福，家庭生活温馨而轻松，有子女 8 人，长子幼时即夭折，余皆存活，并在文学艺术方面有出色表现。

影响范围日益扩大　1859 年达尔文发表《物种起源》，在科学界引起轰动。发表之前，达尔文寻求过 3 位科学家的赞同，尽管赫胥黎还年轻也在此 3 人之列（另外二人是约瑟夫·胡克爵士和查尔斯·赖尔爵士）。达尔文与赫胥黎之间的关系越加亲密，达尔文尽可能避开争论，在以后纷扰的 10 年间赫胥黎成为他的“斗牛狗”——主要的公开支持者。

1860 年英国科学促进会在剑桥大学召集一次会议，关于达尔文主义的最著名的一次辩论就发生于此时。S. 威尔伯福斯主教认为这次聚会是粉碎“危险的”新进化理论的大好时机，会议室挤满了人，当主教以“无与伦比的精神、虚张声势和不公正的态度”发表讲话时，赫胥黎安静地坐着。威尔伯福斯犯了一个致命的错误，他进行人身攻击，问赫胥黎是否猿猴的后代；听到这些赫胥黎对他的邻座低声说：“上帝把他送到我的手心里来了。”会众马上呼喊要他回答，他说：“如果有人问，在一只可怜的猴子和一个天生高贵、有权有势，但只会在严肃的科学讨论会上把这些天赋和权势变成笑柄的人之间，我选择谁为祖宗，我会毫不犹豫地选择前者。”他的回答给主教以毁灭性打击，这次会议的意义不仅仅在于得到一个机会，可以较为公正地阐明达尔文的理论，更宣告科学已脱离神学而独立。

在 19 世纪 60 年代，赫胥黎在古生物学、分类学（尤其是鸟类的分类）和人种学方面做了许多有价值的工作。他担任过地质学会秘书，后任会长；是皇家外科医师学院亨特讲座教授、人种学会会长，并在几个皇家委员会任职。曾任南伦敦工人学院荣誉院长，形而上学学会热心的会员。又参加了为审判牙买加总督 E. J. 艾尔杀人罪而设立（但不成功）的委员会，艾尔在镇压殖民地的起义时采取过一些残暴的手段。赫胥黎也到全国各地演讲，听众不但包括科学界人士，也包括中等文化程度的人士以及他一向尊重的工匠。

19 世纪 70 年代赫胥黎在教育改革方面发挥了决定性的影响。他是第一届伦敦地方教育委员会举足轻重的委员，以此身份促进

英国以后75年内普及初等教育组织模式的建立。他也通过个人对实权人物的影响，通过他的文章和对公众的演讲，在英国的高等教育机构的重组方面起了重要作用。甚至在当前的科学技术革命中，他的教育观点仍有重要意义。

此时期他为第9版《不列颠百科全书》撰写多篇权威性文章，出版了富有开创性的科学教科书，并用有效而实用的方法培训科学教师。他成为皇家学会秘书(后任会长)和伦敦大学评议员。他访问美国，在巴尔的摩的约翰斯·霍普金斯大学开学典礼上发表演说；曾任苏格兰阿伯丁大学校长，并进行改革；给工人俱乐部和院校工会很大帮助。作为伊顿公学(白金汉郡)的董事，他在学院开展科学教育方面起主要的促进作用，并说服伦敦市富裕的行会和同业公会捐款支持技术教育。同时他一直在后来更换了名称的矿山学校任教，并继续进行研究。

1878年，他为读懂亚里士多德的哲学原著而自学希腊文(他早就会说法语和德语，意大利语也很好，也擅长翻译拉丁语)。他对哲学越来越感兴趣，虽然他从来不能算是专业哲学家，但他论D.休姆、G.贝克莱和R.笛卡儿的文章至今仍能发人深省。他对神学兴趣也很浓，又创“不可知论”一词以表明自己的态度。

1885年他辞去科学师范学院教授职位，但仍保留该院名誉院长职务(仍积极参与工作)。他自以为来日无多，可事实上他健康情况良好，使他能参与许多与神学家、政治家和任何他认为学术上不严谨或喜欢压制思想自由的人进行激动人心的争论，而他通常是胜利者。1889年他终于离开伦敦，移居英国南部海岸宁静的胜地伊斯特本。在此继续写作引起争论的文章，更恰当地说，在争论的当中(文章的一半已印毕，另一半尚是校样)因患流行性感冒和支气管炎而去世。数天后，1895年7月4日他葬于伦敦北部的芬奇利，下葬时未举行宗教仪式。

评价　赫胥黎的出类拔萃得到世界的承认，除在国内举足轻重的地位外，在埃及、俄罗斯、瑞典、意大利、新西兰、美国、奥地利、普鲁士、比利时、荷兰及其他国家至少53个科学学会授予他荣誉称号。

虽然比他更伟大的科学家不乏其人，但没有人像他那样影响了如此广阔的科学发展领域，并且在有生之年就有效地推动了当代的思想和行动并惠及后代。

赫胥黎的主要著作包括：《人在自然界的地位》(1863)、《动物分类学导言》(1869)、《基础生理学教程》(1866)、《原生质：生命的物质基础》(1869)、《脊椎动物解剖手册》(1871)、《无脊椎动物解剖手册》(1877)、《自然地理学》(1877)、《休姆》(1878)、《淡水螯虾：动物学研究导言》(1880)、《科学与文化》(1881)、《几个有争论的问题》(1892)、《进化论与伦理学》(天演论，1893)、《T.H.赫胥黎“响尾蛇”号旅行日记》(J.赫胥黎编，1935)等。

Huy　于伊　比利时中南部列日省城镇。位于列日西南30千米的默兹河谷，在默兹河与霍优克斯河汇合处。636年首见记载，985～1794年是列日主教管区的一部分，1066年是神圣罗马帝国中第一个得到城镇特许状的城镇，在中世纪是繁荣的手工业和商业中心，有金属制造、成衣、制革、酿酒和制啤酒行业。在17世纪中，该城和默兹河谷其他地方一起，被卷入法国路易十四与哈布斯堡的战争。利奥波德一世的外交大臣J.李博出生于此。现生产钢铁、机器、纸、白镴和陶器，种植小麦、燕麦和黑麦。该地区还发现煤矿。在10世纪主教城堡(毁于1717)的原址上由荷兰人于1818～1823年建造的堡垒，俯视该城。圣母马利亚教堂(1311～1536)是哥特式建筑。人口：城镇区17 544(1983)。

Huyen Phu So(Vietnamese philosopher)　参阅 **Huynh Phu So** 黄富数。

Huygens, Christiaan　惠更斯(1629-04-14，海牙～1695-07-08，海牙)　又拼 Christian Huyghens。荷兰数学家、天文学家、物理学家，光的波动理论的创立者；发现了土星光环的真实

美国不列颠百科全书公司供图

形状，最先对动力学作出贡献，包括建立圆周运动的数学理论，并且成功地把它用于复摆的振动。1645年在莱顿大学攻读数学和法律，两年后进入布雷达学院；1655年和1660年两度访问巴黎，此时他由于早先发表的数学论文和1659年发现土星光环的真实形状已经蜚声欧洲。他看清土星光环是借助于用他自己发明的研磨透镜的新方法改进了的望远镜，1655年3月他又发现了土星的一个卫星，1656年识别出猎户座星云的组成。如他在《时钟》(1658)中所述，作为天文学家，他对精确测定时间的关心，导致他发明把单摆作为时钟的调节器。1666年成为法国科学院的创始人之一。1666～1681年卜居巴黎，并同德国数学家、哲学家G.W.莱布尼兹结为挚友。这一时期的主要成就是1673年出版的《摆动的时钟》，其中包含曲率的数学理论，还有许多动力学问题的完整解答，诸如推导单摆振动时间的公式、物体绕稳定轴的振动以及匀速圆周运动的离心力公式等。书中有些结论的完整证明在他身后才发表。1681年因患重病返回荷兰。1689年访问伦敦，会见了牛顿，并向皇家学会讲述了他的万有引力理论。这一理论发表于1690年出版的《重力起因讲演录》中，基于当时的笛卡儿热，他对重力作了机械的解释。同年出版《论光》(大部分完成于1678年前)，其中有只根据二次波阵面的所谓惠更斯原理对反射和折射所作的美妙解释，它远优于牛顿的解释。惠更斯热爱古老的综合方法，牛顿对此颇为赞赏。在几乎整个18世纪中，他关于动力学和光学的工作，因牛顿相同的工作而黯然失色。他的万有引力理论现在只具有历史的意义，然而他关于旋转物体的论著和对于光学理论的贡献则具有持久的重要意义。

Huygens, Constantijn　惠更斯(1596-09-04，海牙～1687-03-28，海牙)　荷兰文艺复兴时期最后一个多才多艺的真正的艺术大师，在外交、学术、音乐、诗歌和科学方面都有卓越贡献。他在外交界供职时曾数次去英国，得以结识了J.多恩和F.培根，并深受他们的影响。其作品题材丰富多彩，如《大傻瓜》(1622)是讽刺城市妇女的奇装艳服；《船的谈话》(1625)是用水手的语言写的；《特赖恩蒂·科讷利斯》(1653)是市井趣味的粗陋闹剧。惠更斯认为诗歌是茶余酒后的小玩艺。他的诗集有《闲时的果实》(1625)和《矢车菊》(1658和1672)。《日常工作》(1639)是他的3部自传性作品之一，清楚地反映出当时知识界的情况。

Huygens' principle　惠更斯原理　在真空或透明介质中，光的波阵面上的所有点都可看作是新的子波源，这些子波在各个方向的膨胀率取决于各自的速度。以上理论由荷兰数学家、物理学家和天文学家C.惠更斯于1690年提出。这一原理是研究各种光学现象的有效方法。和子波正切的曲面构成新的波阵面，称为子波包络。如果介质是均匀的，且各向同性，任何方向都允许光以同样的速度穿行，则点源的三维包络就呈球形；否则，正像许多晶体那样，其包络呈椭球形(参阅 **double refraction**)。扩展光源由无数点源构成，可视为产生出平面波阵面。

Huynh Phu So　黄富数(1919，交趾支那和好[今在越南]～1947，龙川)　Huynh 又拼 Huyen。又名颠僧、活佛。越南哲学家、佛教革新家。1939年创佛教和好教(简称和好教)，参加抗法和反共的军事和政治活动。青年时期体弱多病，接受一僧人教育，20岁时靠法力得以痊愈，此后鼓吹佛教改革。和好教是糅合佛教、祖先崇拜、精灵崇拜、儒家学说和越南习俗而成。黄富数遍游越南各地，以草药和针灸为人治病。他曾预言第二次世界大战中法国将失败，日本将侵入印度支那，以及日后美国将进行干涉等，这些预言果然应验。他被迫辗转于越南各省，到处吸引众多信徒。法国人准备将他逐往老挝，但1942年日本特工人员将他劫持，囚于西贡(今胡志明市)。第二次世界大战结束后，和好教先与法国，后与共产党越盟发生分歧，被认为有危险性的宗教、政治、军事会门。黄富数在前去与越盟谈判途中被劫持，在龙川经过“审判”后被处决。

Huynh Tan Phat　黄晋发(1913，越南美荻附近～1989-09-30，胡志明市)　越南南方民族

解放阵线主要理论家之一，该阵线为越南游击队组织，于1960年组成，它反对美国支持的西贡政府，争取统一国家。1969年起任越南南方共和临时革命政府（1975年取代了西贡政府）主席。20世纪30年代在河内大学上学时，黄晋发就积极参加从法国统治下解放越南的斗争。第二次世界大战期间参加反对日本占领越南的斗争。1944～1945年主编反法报纸《青年报》。第二次世界大战后参加先锋青年组织，从事社会改革和政治革新，最后出任自由的民主党总书记。虽然他在声称反对共产主义的民主党中身居高位，但他仍参加了胡志明领导的统一战线的游击组织越盟。在第一次印度支那战争期间（1946～1954），黄晋发负责组织情报工作，其间曾两次被捕入狱。越盟战胜法国以后，日内瓦国际会议把越南分为北南两方，黄晋发仍然留在西贡，一面从事设计师的工作，一面继续从事民主党的活动。1958年吴庭艳取缔南越的所有反对党派时，黄晋发及其组织被迫转入地下。1960年任西贡-堤岸-嘉定特区中央委员会主席，继续反对吴庭艳政府，同年参加新组建的民族解放阵线。1964～1966年任民族解放阵线中央委员会总书记，为该阵线中最强有力的领导人。1969年民族解放阵线建立临时革命政府后，黄晋发出任主席。1976年当选越南政府副总理，1982年任国家基本建设委员会主席。

Huysman, Roelof（Dutch humanist） **赫伊斯曼** 参阅 **Agricola, Rodolphus** 阿格里科拉。

Huysmans, Camille **胡斯曼**（1871-05-26，比利时比尔曾～1968-02-25，安特卫普） 比利时社会主义作家、政治家，他是20世纪早期佛兰芒民族主义运动温和派的领袖，1946～1947年任比利时首相。原习语言学，后在伊珀尔学院、伊克塞勒学院和布鲁塞尔新大学任教。1910年起为众议院议员，同时任第二国际书记（1905～1922）。第一次世界大战前为社会党报纸撰写文章，战争结束后在安特卫普创办佛兰芒文报纸《人民日报》。他参加建立社会党安特卫普党支部，并任该市市长（1933）。1925～1927年任教育大臣时，在讲佛兰芒语各省推行用佛兰芒语教学。1936～1939年任众议院议长。1940年纳粹占领比利时，他逃往伦敦，任比利时议会协商委员会副主席。战后领导联合政府（1946～1947），后任教育大臣（1947～1949）。著有《资产阶级统治的75年》（1905）、《1830年革命与政治运动》（1905）、《工会的团结》（1907）、《社会保险研究》（1913）和《四种模式》（1937）。

Huysmans, Joris-Karl **于斯曼**（1848-02-05，巴黎～1907-05-12，巴黎） 法国作家，所写主要小说集中体现了法国19世纪末期美学、宗教和学术发展的几个相联的阶段。父亲是荷兰人，母亲是法国人，于斯曼是他们的独子，20岁就开始长期在内政部工作，利用办公时间在便条上写了许多部小说。早期作品受到当时自然主义小说家的影响，有《玛特，一个妓女的故事》（1876）和中篇小说《背上背包》（1880）。前者是关于他和一个侍女的结合，后者是以他在普法战争中的经历为依据，登载在以左拉为首的几位自然主义作家所编的小说集《梅塘晚会》（1881）中。不久，于斯曼和自然主义小说家断绝往来，发表了一系列在内容和风格上与自然主义文学相左的作品。第一部是《浮沉》（1882），后又发表了《逆流》（1884，这是他最主要的作品）、《在那儿》（1891）、《上路》（1895）、《大教堂》（1898）和《献身修道院的俗人》（1903）。其小说的迷人之处，主要在于自传性的内容。他的小说合在一起，讲述了一个漫长的精神历险记。在每篇小说中，主人公总是想让身心脱离现实，企图从中找到幸福，但每一篇都以表示失望和反感而告终，直至在《献身修道院的俗人》中他本人和书中的主角承认，逃避现实不仅无用，而且是错误的。作为一位独具慧眼的艺术评论家，他发表了《现代艺术》（1883）、《某些画家》（1889），帮助一些印象派画家获得公众的承认。于斯曼是龚古尔学院的第一任院长，该学院每年颁发一次有影响的龚古尔文学奖金。

Huysum, Jan van **海瑟姆**（1682-04-15，尼德兰联省共和国阿姆斯特丹～1749-02-08，阿姆斯特丹） 荷兰画家，以花卉和水果静物画出名。尤斯图斯·范·海瑟姆的长子。父亲为一很有成就的和多才多艺的画家，其绘画主题包括山水、海景、战争场面、肖像和花卉等。他曾师从父亲，但不久即在技巧方面胜过父亲。海瑟姆的专长是在画面上安排大量的花卉，错综复杂，精妙绝伦，构图奇突，引人注目。他的作品的精确和细腻在画家生前就得到普遍的赞扬。他用色特别巧妙，为最早在静物画上施淡色后景的艺术家之一。他也曾绘风景画，但均平庸无奇，评价不如静物画高。他的弟弟尤斯图斯22岁夭折，亦为著名画家，以绘交战图驰名。

Huyton-with-Roby **海顿-罗比** 英格兰默西赛德都会郡克诺斯利都会自治市一城市区，属兰开夏历史郡。位于利物浦东缘。首见记载于1086年的《末日审判书》。现为利物浦市郊住宅区。有机械、金属和食品加工业。人口56 500（1991）。

Huzhou **湖州** 又拼 Hu-chou。中国浙江省辖地级市，中国著名的“丝绸之府”。位于省境北部，太湖南岸，东、西苕溪汇合处。秦置乌程县，三国吴宝鼎元年（266）为吴兴郡治。隋仁寿二年（602）置湖州，因地濒太湖得名。北宋太平兴国七年（982）析乌程置归安县。唐、宋以后蚕丝业曾甲于东南；明、清为湖州府，又为制笔业中心。1912年废府，并乌程、归安为吴兴县。1949年析吴兴城区置吴兴市，1950年改名湖州市，1962年撤销，1979年复置市。1981年吴兴县并入湖州市。1983年升省辖市。辖吴兴、南浔2区和长兴、安吉、德清3县。面积5 794平方千米，其中市区面积1 588平方千米。土壤肥沃，水源充足，是浙江北部稻米、蚕茧生产中心，并产麦、豆、油菜籽、百合、茶叶、毛竹等。为浙江羔羊皮“湖羊”的最大产地。工业以缫丝为主，生丝、绸缎产量在省内仅次于杭州。湖笔、羽毛扇为传统工艺品。湖笔在晋代已闻名，远销日本和东南亚各国。工业有钢铁、机械、化工、纺织、造纸、建材等。长广煤矿、长兴水泥有限公司是浙江省最大的煤炭工业基地和水泥厂。杭宣铁路和104、318国道等通过境内。内河航运发达，可通上海和太湖沿岸各地。市内有建于北宋的铁佛寺和始建于唐代的飞英塔。钱山漾等地有新石器时代遗址，云巢乡有战国时代楚春申君黄歇所筑下菰城遗址。德清莫干山为著名的避暑胜地。人口：全市2 570 000（2005）；市区 1 080 000（2004）。

Hvar **赫瓦尔** 意大利语作 Lesina（莱西纳）。亚得里亚海中岛屿，属克罗地亚。面积300平方千米，长69千米，为亚得里亚海中最长的岛。岛上多岩石，其中圣尼古拉山海拔626米；该岛与布拉奇岛之间隔有狭窄的海峡。地中海气候有利于岛上生产各种水果、蜂蜜、熏衣草、迷迭香、葡萄酒，并有利于发展旅游业；其他生产有木船制造、捕鱼和大理石开采。主要城镇为赫瓦尔和斯塔里格勒。自新石器时代初期以来，该岛便一直有人居住，赫瓦尔旧城现仍有古城墙圈住。公元7世纪逃离大陆的斯拉夫人来该岛定居。从欧洲中世纪直至现代，该岛的占领者经常变更。第一次世界大战后，隶属南斯拉夫。古迹有12～17世纪的宗教和军事建筑。人口11 383（1991）。

hvarenah **赫瓦莱那** 琐罗亚斯德教概念，是表示国王荣耀之物。据说它是闪耀的光晕，降在显要人物身上，使他成为神圣。它自伊朗传入波斯宗教，为密特拉教所吸收。既有赫瓦莱那降身，国王即宣告自己具有神性，奉上帝之名实行专制。罗马皇帝特别喜爱赫瓦莱那这个概念，他们中间不少人都是密特拉教的入门信徒。

Hveragerdhi **惠拉盖尔济** 冰岛西南部村庄。在辛格瓦德拉湖（北）和大西洋（南）的中间。该村为温室园艺业中心，以种植水果（特别是番茄和香蕉）、蔬菜及花卉著名。当地的所有水果与植物均在室内生长，由附近的许多温泉供暖。该村还设有国立园艺学校。人口1 598（1991）。

Hviezdoslav **赫维兹多斯拉夫**（1849-02-02，奥地利帝国斯洛伐克上库宾［今在斯洛伐克下库宾］～1921-11-08，捷克下库宾） 斯洛伐克最有影响和多才多艺的诗人之一。当过律师。原用匈牙利文写作，是一位匈牙利爱国者。19世纪60年代，他在这两方面的活动都转向斯洛伐克。至他去世时，斯洛伐克已拥有大量优秀的诗歌文学，对此他作了具有决定意义的贡献。赫维兹多斯拉夫的主要叙事诗《猎场看守人之妻》（1886）和《埃佐·弗尔科林斯基》（1890）均采用了现实主义描述与民歌式抒情诗相结合的风格来处理地方主题。在他的大量抒情诗里，他尝试了多种多样的韵律形式，创造了一种将新词与方言交织在一起的独特风格。最令人难忘的是动人的《血红的十四行诗》（1919），该诗表明了他对第一次世界大战的态度。赫维兹多斯拉夫也曾将匈牙利、俄罗斯、德国和英国的许多文学作品译成斯洛伐克文。

Hwai Ho(China) 参阅 **Huai He** 淮河。

Hwai-yin(China) 参阅 **Huaiyin** 淮阴。

Hwang Ho(river, China) 参阅 **Huang He** 黄河。

Hwange 万盖 前称万基。津巴布韦西部城镇。位于布拉瓦约通赞比亚铁路线上。附近发现煤矿后，约于1900年建立。1908年建砖厂，1913年开始生产焦炭，煤矿工业至今仍是主要经济部门。由于附近有万盖国家公园及代卡和马泰齐游猎区，旅游业也成为经济收入来源。人口39 036(1982)。

Hwange National Park 万盖国家公园 前称万基国家公园。津巴布韦西北部国家公园。邻博茨瓦纳。1928年建为野生动物保护区，1930年建为国家公园。面积14 651平方千米。万盖国家公园是非洲最大的大象禁猎区之一，兼有长颈鹿、捻角羚、斑马、狮子、豹、角马、羚羊等动物。

万盖国家公园内的长颈鹿与斑马
美国不列颠百科全书公司供图

Hwarangdo 花郎徒 朝鲜语意为“美男子之路”。约在公元6世纪古代朝鲜新罗国中兴起的有独特军事和哲理意义的代号。花郎徒是将新罗国的贵族青年训练成花郎，这种训练既强调学识水平也强调军事技能。花郎武士在新罗国征服朝鲜半岛的其余部分以及建立统一的新罗王朝(668～935)的过程中起了辅助作用。花郎这种组织是早期朝鲜社会中青年帮派组织的残余。每个花郎由一群贵族出身的新罗国男青年组成，数量有时可多达数千人，他们由一位首领指挥。花郎徒训练造就骑士精神，花郎成员经常进行一种宗教祭礼，通过遨游名山大川，举行宗教仪式的歌舞来祈求国家富强。他们还用一种宗教情调的特殊的新罗诗吟唱“乡歌”。花郎徒教育的指导原则是“世俗五戒”，这些道德行为规范显然出自于儒家学说和佛教教义，它强调:事君以忠、事亲以孝、交友以信、临战勿退、杀生有择。随着新罗王朝统治的瓦解，花郎徒的威望开始下降，在义朝(1392～1910)时正式解散花郎。20世纪后半叶重新对花郎徒发生兴趣，现代朝鲜军事艺术的形式之一就是所谓花郎徒。

Hwei(people) 参阅 **Hui** 回族。

Hwicce 赫威赛人 盎格鲁-撒克逊英格兰诸小王国之一的居民。这个小王国的版图相当于中古时期的伍斯特主教管区，其范围包括现在的伍斯特郡、格洛斯特郡和沃里克郡的西南部。577年以后，小王国的南半部被西撒克逊人侵占，北半部由来自东方的盎格鲁人定居。7世纪初，全境由麦西亚王国统一，并派一些小王治理，直到877和883年之间麦西亚王国崩溃时为止。

Hwlffordd(Wales) 参阅 **Haverfordwest** 哈弗福韦斯特。

hyacinth 风信子 百合科风信子属(*Hyacinthus*)观赏植物，约30种。原产地中海地区和热带非洲。草本，有鳞茎。多数种叶窄，基生，全缘。花芳香，通常蓝色，栽培变种有粉红色、白色等，簇生于无叶的花葶顶端，每朵花具一枚小苞片。常见的花园栽培品种由东方风信子(*H. orientalis*)培育而成。

风信子(*Hyacinthus*)
美国不列颠百科全书公司供图

hyacinth 红锆石 又拼jacinth。红色、橙色或黄色的锆石(**zircon**)宝石的变种。

Hyacinthus 雅辛托斯 希腊传说中拉科尼亚地方阿米克莱的一名男青年。据通常的说法，他的非凡的美貌引起了阿波罗的喜爱，但阿波罗在一次教他投掷铁饼时误杀了他。另一种说法是西风神(或北风神)出于嫉妒使铁饼偏向，从而击中雅辛托斯头部致死。从流出的血生出一种可能是贝母类的花(不是现代的风信子)，花瓣上有悲叹的标记AIAI(“唉”)。也有人说这花是从忒拉蒙的儿子埃阿斯的血中生出来的。在阿米克莱，人们以斯巴达的第二个最重要的节日(雅辛托斯节)来纪念雅辛托斯之死。这大概是初夏的一个节日，节日持续三天，仪节从对雅辛托斯的哀悼逐渐转为对阿波罗的庄严伟大而感到喜悦，这个节日显然同植物的生长有关，它标志春天的嫩绿向夏天的干热和谷物的成熟过渡。雅辛托斯无疑是希腊时期以前的神。人们说不清他同阿波罗的确切关系，但他可能是从属于阿波罗的。他的祭仪的某些方面使人猜想，他是一位地下的植物神，人们就像哀悼阿多尼斯之死那样地哀悼他的死。

Hyades 许阿得斯 希腊神话中普勒阿得斯七姊妹的五姊妹(一说超过五位)，她们曾抚育过婴儿时期的酒神狄俄尼索斯。作为酬报，她们被变成金牛座上方的五颗星。一说她们因对兄弟许阿斯的死悲痛已极，宙斯出于同情把她们化为星星。她们的名字的含义是施雨者，因为她们在10月升起并在4月降落。

Hyades 毕星团 由数百颗恒星组成的星团。位于黄道星座金牛座中。从地球上看，亮星毕宿五像是该星团的成员，实际上，毕宿五比距地球约130光年的毕星团要近得多。星团中有五个实际成员星可用肉眼看见。西名(希腊文是“下雨天”)发源于古代毕星团(在黎明)偕日东升时正好是春雨来临的季节。

hyaena 参阅 **hyena** 鬣狗。

Hyaenodon 鬣齿兽属 早期原始食肉类哺乳动物肉齿目(**Creodonta**)的绝灭属。化石纪录最初出现于始新世，延续到渐新世(渐新世始于3 660万年前，延续1 290万年)。为体型大，善捕食的掠食性动物。头骨窄长，其牙完全适应捕食生活方式，形大，善咬或碾碎。

hyalophane 钡冰长石 钾长石的富钡变种。参阅 **celsian**。

hyalosiderite 透铁橄榄石 硅酸盐矿物，是镁橄榄石-铁橄榄石系列(**forsterite-fayalite series**)中的一员。

hyaluronidase 透明质酸酶 一类能催化某些复杂的糖类(如透明质酸和硫酸软骨素)水解反应的酶。存在于昆虫、水蛭、蛇毒、哺乳动物组织(睾丸中最丰富)和细菌中。

Hyannis 海恩尼斯 美国马萨诸塞州东南部巴恩斯特布尔市的无建制村。在科德角南岸。科德角主要商业中心之一。水产和蔓越橘转运站。有消夏海滩和游艇中心。与楠塔基特岛和马撒葡萄园间通轮渡。J.F.肯尼迪总统博物馆位于此村，他的住宅在附近的海恩尼斯港。

Hyatt, Alpheus 海厄特(1838-04-05，美国华盛顿[哥伦比亚特区]～1902-01-15，美国马萨诸塞剑桥) 美国动物学家、古生物学家。研究无脊椎动物化石取得卓越成就，在头足纲动物进化及原始生物体发育等方面有所发现。1858～1862年于哈佛大学师从L.阿加西斯，1867年任马萨诸塞州萨拉姆的埃塞克斯学会的会长。1870～1888年任麻省理工学院动物学及古生物学教授，1881～1902年任波士顿博物学学会会长。1886年任剑桥比较动物学博物馆古生物学助理，1889年以古生物学家身份任职美国地质调查局。1867～1871年创办及编辑美国第一份生物科学刊物

《美国博物学家》，也是美国博物学家学会的主要创办人，1883 年任该会第一任会长。1888 年，他在建立伍兹霍尔的海生生物实验室中起了主要作用，该实验室原在安尼斯匡。

Hyatt, Anna Vaughn　海厄特（1876-03-10，美国马萨诸塞剑桥～1973-10-04，康涅狄格雷丁）　婚后名 Anna Hyatt Huntington。美国雕塑家，所雕刻的骑马雕像和动物雕像极为细腻生动。哈佛大学著名古生物学家 A. 海厄特之女。接受过私人教育。开始在波士顿师从 H.H. 基曾学习雕塑。后在纽约市参加艺术生联盟。1900 年在波士顿首次举行个人单人作品展，共展出约 40 件独特的作品。1907 年前往法国游览。1910 年现身巴黎沙龙。1910 年以圣女贞德的骑马像在当地获荣誉奖。其他作品有《狄安娜与被追逐的猎物》（1922）；《勇士熙德》（1927 年在西班牙塞维利亚树立起该骑马塑像）；《堂吉诃德》（1942）；胡塞·马蒂、林肯总统和 A. 杰克逊的雕像。1922 年获准为荣誉勋位团成员，1930 年获美国艺术与作家学会颁发的金质奖章。她的作品为世界各地 200 多家博物馆和美术馆所收藏。1923 年 3 月与诗人、金融家和慈善家 A.M. 亨廷顿结婚。

Hyatt, John Wesley　海厄特（1837-11-28，美国纽约斯塔基～1920-05-10，新泽西肖特希尔斯）　赛璐珞制造方法的美国发明家。1870 年在寻求制台球的象牙代用品时，把硝化纤维、樟脑和乙醇的混合物在高压下共热使它易于模塑，然后在常压下硬化。他的发明为现代塑料工业的发展开拓了道路。还发明了化学净化处理流水的过滤器；在蔗糖精制和织物制造方面他还有其他重要发明。

hybrid　杂种　在遗传上具有不同性状的亲代的子代。亲代可以是不同的种、属，偶尔为不同的科。杂种一词应用范围较杂交品种（mongrel）或混交种（crossbreed）广。杂交品种或混交种通常指同种内不同宗、品种、品系、变种间杂交产生的后代。自然界中有许多种间杂种（如鸭、栎、黑莓等）。属间杂种虽有自然存在，但多是人工杂交而成。由于基本的生物学的不亲和性，种间杂种如公驴和母马杂交而生的骡，常是不育性的。但也有些种间杂种可育，并可繁殖。这些杂种可以作为培育新种的种源。现在通过自然杂交或通过化学方法、温度变化、辐射进行杂交，已获得许多在经济上和美学上有重要意义的植物培育品种，如香蕉、咖啡、花生、大丽花、玫瑰、小麦、苜蓿等。杂交在生物学上有着重要的意义，因为它可增加种内的遗传变种（增加不同基因组合的数目）。这种变种对于进化的发生是十分必要的。当气候或生境条件改变时，具有某种基因组合形式的个体被淘汰，而另外一些具有其他基因组合形式的个体存活下来。这样物种的外形或行为逐渐发生改变。这种自然杂交在某些种中广泛存在，使种的鉴定、计数非常困难。

hybrid vigour（biology）　参阅 **heterosis** 杂种优势。

hybris（Greek ethics and religion）　参阅 **hubris** 高傲自大。

Hydaspes, Battle of the　希达斯皮斯河战役（公元前 326）　亚历山大大帝远征亚洲战役中第四次也是最后一次阵地战。发生在征服阿契美尼德帝国之后返回马其顿之前不久。他的对手波罗斯是杰赫勒姆河和杰纳布河之间地区（现巴基斯坦境内）的印度统治者。亚历山大隔着一条不能涉越的河流与印度人对阵数日后，采用牵制战术设法在印度营地上游渡河。波罗斯的 3.4 万人军队在数量上占优势，但使亚历山大更感棘手的是波罗斯的 200 头大象威胁着马其顿的骑兵，使之不能灵活进退。在战争中亚历山大直逼波罗斯左翼，强迫它向大象方向后退，大象惊慌失措，弃主闯入印度队伍。马其顿方阵随后击溃敌人。亚历山大后与波罗斯联盟，仍命他为本国国王。

hydatid disease　参阅 **echinococcosis** 棘球蚴病。

hydatidiform mole　葡萄胎　又称水泡状胎块。一种病理产科现象，表现为绒毛的异常生长（胚胎多死亡或消失），由多数内含胶样物质的小囊所组成，形似葡萄串。体积可以很大（有时大如 6～7 个月的妊娠）。多于妊娠 20 周左右排出。本病常用吸宫术治疗。在少数病例水泡侵入子宫肌层而引致出血，严重者可行手术取出胎块，极少数病例可发展成绒毛膜癌。

Hyde, Charles Cheney　海德（1873-05-22，芝加哥～1952-02-13，纽约市）　美国国际法权威。他是一位很早就主张对一个国际安全组织授予全部军事权力的倡议者。曾在芝加哥西北大学法律学院任教（1907～1925）。随后成为哥伦比亚大学国际法和外交学教授（1925～1945）。担任过美国国务院的法务官（1923～1925），并且是海牙常设仲裁法院的一名法官（1951～1952）。在个人开业当律师期间，代表过好几个政府。他的主要论著《主要由美国阐明和实施的国际法》（2 卷本，1922）经常被法院和国际法庭引用。

Hyde, Douglas　海德（1860-01-17，爱尔兰罗斯康芒郡弗伦奇帕克～1949-07-12，都柏林）　爱尔兰著名盖尔语学者、作家和爱尔兰共和国第一任总统。他从 1893 年成立盖尔人联盟（天主教徒和新教徒的民族主义组织）到 1922 年成立爱尔兰自由邦，并使爱尔兰语与英语具有同等地位时止，一直是为维护和发展爱尔兰语而斗争的杰出人物。1884 年毕业于都柏林三一学院，在那里最初学习古盖尔语。1909 年成为都柏林大学学院第一位现代爱尔兰语教授，这一职位他一直担任到 1932 年退休时。主要学术著作有《康诺特的情歌》（1893）和《爱尔兰文学史》（1899）。其他著作有《幻想的破灭和其他爱尔兰剧作》（1905）和《圣徒和罪人的传说》（1915）。在从事学术著述的这一时期，他极力回避政治活动。1915 年辞去盖尔人联盟主席职务，当时它显然已成为一个分离主义组织。但后曾短期任爱尔兰自由邦上院议员。1937 年颁布的新宪法设立总统职位，各政党一致拥护他任爱尔兰共和国总统，任期 7 年。

爱尔兰国家图书馆供图

Hyde, Edward　海德　参阅 **Clarendon, Edward Hyde, 1st earl of** 克拉伦登伯爵（第一）。

Hyde, Henry　海德　参阅 **Clarendon, Henry Hyde, 2nd earl of** 克拉伦登伯爵（第二）。

Hyde, Henry Baldwin　海德（1834-02-15，美国纽约卡茨基尔～1899-05-02，纽约市）　美国公平人寿保险社创始人。1852 年在共同人寿保险公司当职员。1859 年筹集 10 万美元作启动资金，兴办自己的保险公司——公平人寿保险社。公平人寿保险社租得共同人寿保险公司上一层楼的房子作为办公地点，招牌也比后者大得多。他经营保险社 40 年，历任副总经理（1859～1874）与总经理（1874～1899）。第一年承保人寿险总值 114.4 万美元，无死亡索赔；海德去世前一年公司有效保险额为 98 700 万美元。他任职的 40 年中，保险社共付出 30 700 万美元赔偿费。1868 年海德改进汤鼎联合养老保险计划，不再按保险单每年支付红利，而是在被保险人到达一定年龄时即可获得保险赔偿金。实行此计划以后，公司盈余从 700 万美元（1868）增至 2 600 万美元（1874）。海德本人每年获得盈余的 2.5%，大发其财。

Hyde, Lawrence　海德　参阅 **Rochester, Lawrence Hyde, 1st earl of** 罗彻斯特伯爵（第一）。

Hyde, Sir Nicholas　海德（？～1631-08-25）　Hyde 又拼 Hide。查理一世统治时期英格兰首席法官。1601 年进入国会，很快成为反对詹姆斯一世宫廷的重要人物。尽管他还没有在法律界崭露头角，但他不久就背弃了人民党，并于 1626 年被白金汉公爵乔治·维利尔斯雇用为下议院对公爵的弹劾作辩护。次年受封为爵士并被任命为王座法庭首席法官，在任该职时受命对托马斯·达内尔爵士等人的著名案件作出裁决，这些人根据由枢密院成员们签字的令状被逮捕入狱，但令状并未说明罪名的性质。为了应付人身保护令，总检察长依赖王室特权，这种特权受到伊丽莎白女王一世统治时期的一个先例的支持。海德和其他三位法官予以同意，作出了有利于王室的判决，但未宣称王室有权无限制地拒绝说明不释放犯人的理由。1629 年，海德是宣告埃利奥特、霍利斯和瓦伦廷有罪的法官之一,这些人被控在议会中共谋抵制国王的命令;法官们不接受他们的辩护,他们说他们不能因为在议会中的行为而被召到议会外去接受讯问。

Hyde de Neuville, Jean-Guillaume, Baron 伊德·德纳维尔(1776-01-24,法国拉沙里泰～1857-05-28,巴黎) 法国外交官,波旁王朝正统主义的最坚定拥护者。他忠于路易十六,大革命爆发后,仍是保王党的官吏。他参加在贝里发生的保王党作乱(1796)以后,先是试图设法使督政府丧失信誉,然后试图说服拿破仑把波旁家族重新扶上王位。1804年离开法国,1806年到达美国,直至1814年为止。伊德在第一次复辟以后回国,路易十八派他出使意大利。1815年选入众议院,历任法国驻美国大使(1816～1821)、驻葡萄牙大使(1823～1824)。由于他将葡萄牙国王若昂六世从未遂政变中解救出来,1824年被封为葡萄牙的本波斯塔伯爵。返回法国后,出席众议院,1828年任海军大臣。1830年因反对取消波尔多公爵的王位继承权而辞去众议院议员职。

Hyde Park 海德公园 位于伦敦威斯敏斯特区,占地1.38平方千米,东临梅费尔,西临肯辛顿公园。东北角的大理石拱门附近有一

海德公园内的瑟彭泰恩湖
美国不列颠百科全书公司供图

块地方专供人们自由演讲之用,人称“讲演者之角”。

Hyde Park 海德帕克 美国纽约州东部杜奇斯县城镇及无建制村。位于哈得孙河东

海德帕克的F.D.罗斯福总统故居
美国不列颠百科全书公司供图

侧,南距波基普西13千米,在纽约市北121千米处。1741年建居民点,1821年设镇。主要为住宅区。F.D.罗斯福总统出生地和故乡。安葬罗斯福总统及其妻子的庄园(117公顷)1944年起定为国家古迹。邻近的罗斯福图书馆藏书约4.4万册,存有总统的书简和言行录,并收藏美国和纽约州的历史资料。附近有意大利文艺复兴风格的F.W.范德比尔特宅第,建于1896～1898年,1940年定为国家历史遗迹。设有美国烹饪学院(1946)。面积96平方千米。人口约20 851(2000)。

Hyder Ali 海德尔·阿里(1722,印度迈索尔布迪科泰～1782-12-07,奇图尔) 又拼Haidar Ali。印度迈索尔的穆斯林统治者和军队司令,是18世纪中叶印度南部战争中的重要人物。初从法国人J.-F.杜布雷学习军事,后组成第一支由印度人控制的近代化部队。1749年在迈索尔取得独立指挥权。他取代首相南贾拉杰,把国王软禁宫中。约1761年自立为迈索尔国王。然后征服贝德诺尔、格讷拉以及印度南部的封建领主。1766年,马拉塔人、海得拉巴的尼查姆·阿里汗与英国人结成三角同盟,共同反对海德尔·阿里。但为时不久,阿里就收买马拉塔人,占领门格洛尔,并击败英军。1780年他又在卡尔纳蒂克击败英国军队,夺得阿尔果德。英国人极力挑拨他与尼查姆和马拉塔人之间的关系。翌年海德尔终于在波多诺伏、波利罗尔、绍林赫三次战役中败北。G.马嘎尔尼出任迈索尔总督后,英国舰队攻占了纳格伯蒂讷姆,海德尔认识到不可能阻挡住英国人,临终嘱咐他的儿子提普和英国人讲和。

Hyderābād 海得拉巴 原为尼查姆-乌尔-穆尔克在中印度南部所创的土邦。1713～1721年尼查姆-乌尔-穆尔克在莫卧儿帝国任德干总督。1724年他宣布独立,开创了尼查姆王朝。1748年尼查姆-乌尔-穆尔克死后,英国人和法国人都插手了其继承战争。1798年这一王朝被迫接受英国的保护。1947年印巴分治时,尼查姆王朝企图恢复自己的独立地位。1948年9月印度军队占领海得拉巴,将它并入印度。1952年3月成立海得拉巴邦政府和立法机构。1956年撤销此邦建制,将得楞伽那地区并入安得拉邦,坎纳达语区并入迈索尔邦,其他地区并入孟买邦。比拉尔地区此前已经并入中央邦。

Hyderābād 海得拉巴 印度南部安德拉邦首府。位于德干高原穆西河畔。1591年戈尔康达苏丹穆罕默德·顾里建为首都。市中心的查尔米纳拱门有4座尖塔,是印度萨拉森风格的宏伟建筑。麦加清真寺可容纳1万人。1685年被莫卧儿帝国侵占,其间遭到劫掠破坏。1724年莫卧儿帝国驻德干总督宣布独立,定都于此称海得拉巴王国。19世纪开始重建并向穆西河以北扩展。新建了许多兼有印度和穆斯林风格的精美建筑。印度独立后,海得拉巴成为印度联邦一个邦。1956年该邦分裂,其泰卢固语地区并入安德拉邦,海得拉巴市成为首府。该市为商贸中心,有纺织及香烟制造业,服务业发达,交通便利,有铁路、航空线通新德里、加尔各答、孟买、马德拉斯和班加罗尔,也通阿旃陀、埃洛拉等历史胜地。设有马德拉斯大学的两所学院,海得拉巴大学和农业大学。联邦政府在此建立了

海得拉巴旧城的查尔米纳拱门
美国不列颠百科全书公司供图

一些高级研究培训机构。美国和德国在此建有研究中心和东方研究所。公共和私人文化团体众多,文化生活活跃。有剧场、博物馆、图书馆、动植物园、公园等。出版多种报纸杂志。以足球、板球运动见长。名胜有查尔米纳拱门、麦加马斯基德清真寺等。人口:市3 449 878;都会区5 533 640(2001)。

Hyderābād 海得拉巴 巴基斯坦信德省城市、县和专区。海得拉巴市为巴基斯坦第三大城。建于1768年。1853年设市。现为交通中心,有铁路通往白沙瓦和卡拉奇,并通过

海得拉巴市的大要塞
美国不列颠百科全书公司供图

边境城市科克罗巴尔和穆纳鲍与印度铁路相接。有纺织、制糖、水泥、针织、玻璃、肥皂、制冰、纸张、塑料、制革和锯木业。以丝织装饰品、银器、金器和漆器等手工艺品著称。著名古迹有卡尔霍拉和塔尔普尔统治者的陵墓、前信德埃米尔的王宫和一个建于1782年的古堡。居民屋顶上普遍装有“巴德吉尔风斗”,用以在热季吸入海风,为该城一大特色。戈特里水坝可防洪。设有信德大学(1947年建于卡拉奇,1951年迁至海得拉巴),以及多所国立学院、师范专科学校、一所医学院。海

得拉巴县为广袤肥沃冲积平原,位于印度河东岸。主要农作物有黍类、高粱、水稻、小麦、棉花、油籽和芒果。家庭手工业生产皮革制品、上釉陶器和瓦、漆器和苏斯特(长条棉布)。著名古迹有位于皮德沙赫的泛神论神秘主义者、诗人与圣人沙赫·阿布杜勒·拉迪夫(1753 年去世)的坟墓,以及一个佛塔。海得拉巴专区面积88 726平方千米,辖达杜、海得拉巴、伯丁、桑加尔、特尔巴加尔和德达县。专区包括印度河三角洲(东南部)、印度河冲积平原(中北部)和塔尔沙漠的一部分(东部)。人口:市约1 151 278(1998);都会区约1 045 000;县约2 080 000;专区约7 103 000(最新统计)。

Hydra　伊兹拉岛　现代希腊语作Ídhra。希腊阿提卡州岛屿。为爱琴海萨罗尼克群岛中一个岛,位于伯罗奔尼撒的阿尔戈利斯半岛东端附近。东北到西南长 21 千米,面积

伊兹拉岛的港口
美国不列颠百科全书公司供图

49.6 平方千米。最高点埃雷山海拔 590 米。过去是一个林茂水丰的地方,现在却是无植被的干旱地区,几乎没有可耕地。淡水靠收集雨水和从大陆船运。有海绵打捞、棉织、造船和国际旅游等行业。主要城镇伊兹拉在北部海岸,是艺术家和作家的聚居地。北部海岸还有三个小港口。人口2 672(2001)。

Hydra　许德拉　希腊传说中堤丰和厄喀德那的后裔,一个九头(数目说法不同)的巨大怪物,正中的一个头长生不死。它经常出没在阿尔戈斯附近勒纳沼地。杀死许德拉是赫拉克勒斯在伊俄拉俄斯的协助下完成的十二件苦差之一。因怪物的头砍掉一个又会生出两个,赫拉克勒斯和伊俄拉俄斯最后便使用燃烧的木头烧灼被砍下头的脖颈,并终于使长生不死的头与身体分开。赫拉克勒斯用它的毒血或胆汁浸润自己所有的箭。从此赫拉克勒斯的箭造成的创伤便无医可治。

Hydra　水螅属　刺胞动物门水螅纲的一属,淡水无脊椎动物。体细管状,通常透明,长可达 30 毫米,但能收缩到极小。体壁由两层细胞组成,中隔一薄层(中胶层,由无结构

正在出芽的水螅,约放大 2.5 倍
美国不列颠百科全书公司供图

的结缔组织组成)。体上端开口,食物和残屑均由此进出,内通肠腔,下端封闭。口周围有一圈触手,约 4～25 根。外体层可临时形成两种生殖腺,分别产生卵或精子,一般雌雄同体。卵和精子释入水中受精。经常进行无性的出芽生殖。从体壁往外突出指状芽,芽上生出口和触手,其基端最后断开而形成新个体。行动方式如尺蠖样或翻筋斗样(即触手弯曲接触附着面,基端抬起,翻过去再附着)。本属有 20～30 种,主要区别在于颜色、触手长度和数目、生殖腺的位置和大小。以小型无脊椎动物(如甲壳类)为食。

Hydractinia　贝螅属　刺胞动物门水螅纲的一属。海生。水螅体管状,群体附于寄居蟹的螺壳上。基部的匍匐茎由许多包着围鞘的管组成,这些管结合成一层包于壳外。在此层上有一片活组织,支持着各个水螅体。水螅体分营养个员、生殖个员以及长而无口的触手个员(可能具保护作用)。在某些条件下(如往群体上喷淡水),触手个员一致活动,这种协调行动在水螅纲中不常见。无水母期,群体直接产生有纤毛的浮浪幼体(**planula**)。贝螅属分布于全世界的浅海。有几个近缘属也包住寄居蟹的螺壳。最早的化石种类见于三叠纪(约 1.9 亿年前)。

hydramnios　羊水过多　又作polyhydramnios。羊水量过多的一种产科病理现象。常见于糖尿病孕妇或多次妊娠的妇女。慢性者较常见,羊水量增加较慢,发生率为 1∶200～1∶300。因腹部胀大而感不适,可致呼吸困难及下肢水肿。急性者少见,羊水量增加较快,子宫亦迅速增大。可致腹痛,严重者呼吸困难及腿、外阴、下腹部水肿,可能有心率加快、心功能障碍、恶心、呕吐、便秘及尿频。轻度羊水过多无需治疗,严重者可放出过多的羊水乃至终止妊娠。

hydrangea　绣球花　绣球花科绣球花属(*Hydrangea*)的直立或攀缘木本灌木的统称。原产西半球和东亚。已知约 23 个种。有些种的花美观,聚成一个花球,故栽培于温室或花园供观赏。光绣球(野绣球花,*H. arborescens*)为灌木,植株略高于 1 米,花白色,花序圆球状。法国绣球(大叶绣球,*H. macrophylla*)许多变种的球形花簇大,花玫瑰、淡紫或蓝色,稀为白色。这些变种广泛栽培,并用人工方法使在节日开花。花色可随土壤的酸度而改变:土壤中性至略偏酸性则花呈玫瑰红色;土壤强酸性则花呈蓝色。早期往土壤中加化学品以增加酸度,便开出蓝花。大花圆锥绣球花(*H. paniculata* "*Grandiflora*")可高达 9 米,是一种常见的风景花卉;花序形如细长圆锥,花白色,凋谢过程中变粉红色,最后呈青铜色。栎叶绣球花(*H. quercifolia*)株高达 2 米,花序白色,秋叶呈葡萄酒红色。攀缘绣球花(*H. anomala petiolaris* 或 *H. petiolaris*)可高达 15 米,凭气根能攀附在任何物体上。

Hydrangeaceae　绣球花科　又称八仙花科。虎耳草目的一科,19 属约 260 种,乔木、灌木、藤本或草本。主要原产于热带、亚热带和北温带。溲疏属(*Deutzia*)、绣球花属(*Hydrangea*)和山梅花属(*Philadelphus*)的灌木种类是著名的庭园观赏植物。其他可供观赏的还有草绣球属(*Cardiandra*)、卡彭特氏木属(*Carpenteria*)、赤壁草属(*Decumaria*)、黄常山属(*Dichroa*)、詹姆斯氏花属(*Jamesia*)、黄山梅属(*Kirengeshoma*)、冠盖藤属(*Pileostegia*)、蛛网萼属(*Platycrater*)、钻地风属(*Schizophragma*)及 *Whipplea* 属。

hydrate　水合物　含 H_2O 分子形式水的任何化合物。最熟悉的一些水合物是晶态固体,它们在失去键合水时,其基本结构也遭破坏。含水量不定的沸石、硅酸铝矿物或合成的沸石、硅酸铝却例外,沸石能可逆地失水或得水,而其结构变化很小或不变。水合物的实例有芒硝(十水合硫酸钠 $Na_2SO_4 \cdot 10H_2O$)、洗涤碱(十水合碳酸钠 $Na_2CO_3 \cdot 10H_2O$)、硼砂(十水合四硼酸钠 $Na_2B_4O_7 \cdot 10H_2O$)和蓝矾(五水合硫酸铜 $CuSO_4 \cdot 5H_2O$)。一些气体特别是稀有气体和简单的烃类气体在低温加压下形成的结晶水合物,称为笼形包合物。在笼形包合物晶体结构中,水分子形成一种围绕气体分子的松散固定的框架。

hydraulic civilization　水利文明　根据德裔美国历史学家 K.A.威特福格尔的理论,凡是

依靠政府管理的大规模水利设施——无论是生产性的(为了灌溉)还是保护性的(为了防洪)——而推行其农业制度的文化时期即是水利文明。威特福格尔在其《东方专制政治》(1957)一书中提出了这个术语。他认为这类文明尽管不是全在东方,也不能代表全部东方社会,但却是与西方迥然不同的。他相信,无论在什么地方,只要灌溉要求强有力的和集中的控制,政府的代理人就要垄断政治权力,并且支配经济,结果就产生专制主义者管理的国家。此外,这些官僚与占统治地位的宗教有着密切的联系,而其他权力中心会出现衰退现象。进行水利工程的强迫劳动是由官僚机构所指挥的。属于这种水利文明的,威特福格尔列举了古代的埃及、美索不达米亚、中国、印度和前哥伦布时期的墨西哥和秘鲁,作为例证。对于水利在社会发展中的极端重要作用,其他学者曾有争论。威特福格尔所列举的特征,并不都是"一应俱全"的,而且这些特征并不一定伴随大规模水利制度而出现。他提出作为例证的诸国国情,亦曾为学术界所非议。美国人类学家 R.M.亚当斯曾指出,考古资料无法证明威特福格尔关于水利是强制政治制度形成的主要原因的论断,但也认为水利作为生存技术、政治结构和经济关系等社会体制的重要组成部分,是有助于加强政治控制力的。

hydraulic equivalence　水力等效　决定矿物颗粒从流水中沉积下来的粒径与密度的关系。两种不同粒径和密度的颗粒,如在相同的时间里,在一组给定的条件下沉积,就叫做水力等效;较小的颗粒具较大的密度。因此,常常发现一些沉积物中,粗大的石英粒与细小的重矿物颗粒杂在一起。重矿物的粒径分布与石英类似;它们出现在粉砂、砂和甚至更大的颗粒中。因此,1943 年美国地质学家 G.里顿豪斯有可能按伍登粒级标准测定各种重矿物的水力等效值;伍登粒级标准是以石英颗粒大小为基础的(参阅 **grade scale**)。这些等效值是伍登粒级的数值,按此,重矿物颗粒比相当的石英颗粒要小。按密度增大的一般顺序,也即按水力等效值增大的顺序,举一些实例如下:电气石(0.2),闪石(普通角闪石,0.2),辉石(0.3),磷灰石(0.4),榍石(0.5),石榴子石(0.6),锆石(0.9),钛铁矿(1.0),磁铁矿(1.0)。

hydraulic mining　水力采矿　用高压射流采掘松散地层中的矿物。水力开采金矿时,冲击水和矿物碎块直接进入洗矿槽内,金粒在洗槽挡板处沉淀,较轻的废石则被冲走。水力采煤时,用水将煤从煤层中破碎并把煤冲刷到汇集的地点。参阅 **placer mining**。

hydraulic power　液力传动　通过可控的受压液体(通常是水溶性油或水-甘醇混合物)的循环,把动力传送给发动机,使动力转换成能对负载作功的机械输出。液力传动系统的机动性比机械和电气系统大,并且在尺寸相等的情况下,它能比机、电系统产生更多的动力。它在控制方面反应迅速而准确。因此,液力传动系统广泛应用于现代飞机、汽车、重型机械和各种类型的机床。液力传动系统中的发动机通常分为两种基本类型:直线型发动机和转动型发动机。直线型发动机又叫液压气缸,它包括一个活塞和一个气缸筒。活塞构成横截气缸的机械界面,它把液体的动能传给发动机的机构。活塞杆把气缸内产生的机械力与外界的负载耦合。直线型液力发动机对于需要强力的直线运动的应用方面很有效。因此,用它来作汽车的制动气缸、飞机上的操纵致动器,还用于把熔融金属注入压铸机中。转动型发动机有时也叫转动液力发动机,它能产生转动。在这种发动机中,由液压泵提供的压缩液体作用在发动机齿轮的齿、叶片或活塞上,在输出轴上产生一个转矩。旋转式发动机用得最多的是挖掘设备(比如钻探设备)、印刷压力机,以及机床上的主轴传动。

hydraulic press　液压机　由装有滑动活塞的工作缸构成的装置,活塞施力于被密闭的液体,液体又对固定的铁砧或底板产生压力。液体用泵压入工作缸。液压机广泛用于金属成形和其他需要巨力的工业中。液压机有各种型式和尺寸,压力可小到 1 吨以下,大到万吨以上。

hydraulic transmission　液力传动系统　利用液体传递和改变直线运动或旋转运动以及直线力或旋转力(扭矩)的装置。液力传动系统有两种类型:液动力传动系统,利用液体的

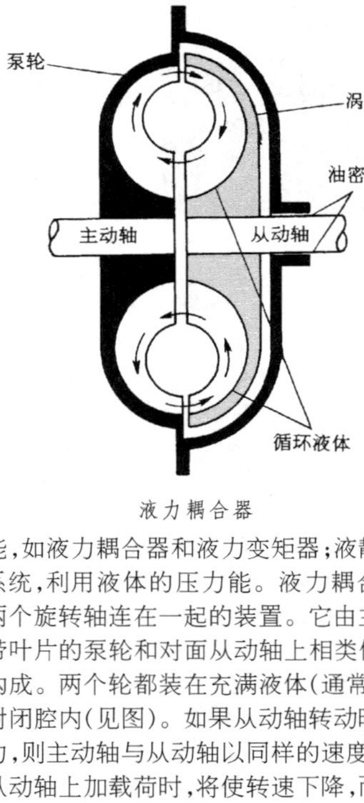

液力耦合器

动能,如液力耦合器和液力变矩器;液静力传动系统,利用液体的压力能。液力耦合器是将两个旋转轴连在一起的装置。它由主动轴上带叶片的泵轮和对面从动轴上相类似的涡轮构成。两个轮都装在充满液体(通常是油)的封闭腔内(见图)。如果从动轴转动时没有阻力,则主动轴与从动轴以同样的速度旋转。在从动轴上加载荷时,将使转速下降,而在两个轴上则产生大小相同的扭矩。在设计正确的液力耦合器中,从动轴在正常载荷条件下的转速约比主动轴低 3%。可以用勺形管改变耦合器中的液体量和从动轴的转速。由于在泵轮与涡轮之间没有机械连接,液力耦合器不传递冲击和振动。液力变矩器与液力耦合器相似,只不过在泵轮与涡轮之间增装了固定导轮。3 个元件都装在充满液体(通常是油)的腔中。固定导轮可使从动轴上的扭矩比主动轴上的大。当从动轴停止不动时,从动轴上的扭矩达到最大值,可为主动轴上扭矩的 3.5 倍。液力变矩器的作用像无级变速器,当输出的转速低时,可提供高扭矩。在汽车自动变速器中,它可部分或完全代替变速箱和离合器。液静力传动系统是液压泵与电动机的组合体,广泛地用于机床、农业机械、采煤机械和印刷机械。电动机和泵可以离得相当远而用管道连接。利用高压水的液力传动系统是 1882 年在伦敦制成的,至今仍用于传动升桥机和升降机。

hydraulics　水力学　有关流体(主要是流动液体)的实际应用的学科。它同**流体力学**(**fluid mechanics**)有关,流体力学在很大程度上为它奠定了理论基础。水力学研究管道、河渠中液体的流动,以及水坝和贮水池对河水的拦蓄等问题。在气体密度变化较小的条件下,水力学的某些原理通常也可应用于气体。因此水力学的范围可扩大到诸如风机之类的机械装置,以及燃气轮机和气动控制系统。

在流动液体或增压液体为人类有效地工作了几百年之后,法国科学家兼哲学家 B.帕斯卡和瑞士物理学家 D.伯努利提出现代液体传动技术的基本定律。帕斯卡定律(约 1650)指出,液体的压强均匀地向所有方向传播。例如装满密封容器的水在任意点施加的压强,将向容器的所有侧面传播。水压机利用帕斯卡定律使力增大。在小液压缸内向小活塞施加的小力,经管道传输到大液压缸中,使后者的整个缸壁包括大活塞都受到均一的压强。大约在 100 年之后的伯努利定律指出,流体的能量来自流体的位差、流速和压强,若无摩擦损失又不作功,则总能量保持不变。因此来自运动的速度能,通过增大水管的横截面,可部分地转变为压力能,这样可降低流速,但受到流体压力作用的面积增大了。

19 世纪前还不可能产生远大于自然界的流体的速度和压强,泵的发明给帕斯卡和伯努利定律的应用带来了巨大的潜力。1882 年伦敦市建成液压传动系统,将增压的水经过沿街管道输送到工厂驱动机器。1906 年取得的重大进展是在美国舰船"弗吉尼亚"号上安装油压系统,用以升降并操纵炮管。20 世纪 20 年代的整套液压装置由泵、控制设备和马达组成,它为在机床、汽车、农业机械和推土机、机车、船舶、飞机以及航天器上的应用开辟了道路。液压传动系统有 5 个部件:驱动机、泵、控制阀门、马达和负载。驱动机可以是电动机,也可以是其他任何形式的发动机;泵的主要作用是增加液压;马达与泵配套工作,将水力输入转变为机械输出,马达在负载中既可产生旋转运动,也可产生往复运动。

第二次世界大战后流体传动技术有了惊人的发展,在开动和操作机床、农业机械、建筑机械和采矿机械方面,流体传动堪与机械传动和电力传动媲美(参阅 **fluidics**)。主要优点是灵活性和高效的增力能力,并对控制系统迅速作出准确的反应。流体动力可产生数盎司或高达数千吨的力。液压传动系统已成为主要的能量传输技术之一,并应用于工业、农业和防务的所有方面。例如,现代飞机

应用液压系统驱动其控制设备，操纵起落架和制动器。实际上所有导弹及其地面辅助设备都采用液压传动。汽车的变速器、刹车和转向机构都使用液压传动系统。许多工业部门的大量生产和自动化也是以采用流体传动系统为基础的。

hydraulis 水风琴 人们所知的最早的机械管风琴。为公元前3世纪时亚历山大人克特西比乌斯所发明，他总结了前人将机械风用于一大套排箫的许多试验试制而成。其排管竖立在一个风箱顶上，风箱与圆锥形蓄风器相接。用一二个打气筒供气。为使排管均匀发音，风箱需要稳定的空气压力。圆锥体的敞开的底部坐落在一具储有半桶水的较高容器内。圆锥体内的空气压力降低时，其中的水位升高而对空气加压，从而恢复原来的

公元1世纪的希腊-罗马式水风琴（复制品）
美国不列颠百科全书公司供图

空气压力。演奏者按键让空气进入管内即可发声。水风琴用于户外的公共娱乐活动，发音响亮而有穿透力。在西方，到5世纪已极少使用，虽然9世纪的阿拉伯作家还提到它。中世纪作家认为水风琴属汽笛风琴类乐器。

hydrazine 肼（N_2H_4） 氮氢系列化合物之一，强还原剂。用于各种杀虫剂的合成，用作泡沫橡胶发泡剂的主要成分，还用作锅炉缓蚀剂。肼以及它的某些有机衍生物可用作火箭和飞机的喷气推进燃料。肼为无色液体，冰点2.0 °C，沸点113.5 °C，易吸湿，形成水合物$N_2H_4 \cdot H_2O$。有类似氨的气味。1887年，首次从有机化合物中分离出肼。通常采用1907年首次提出的腊希法制备肼，即在明胶或动物胶存在下，用次氯酸钠氧化氨或尿素。肼可与酸及某些金属盐类反应，产物用于制造某些炸药和农用杀菌剂。肼与有机化合物反应，生成烷基肼（用作火箭推进燃料）、腙和酰肼，后两者用作药物，如异烟肼（治疗结核病），或用作生产聚合物和照相化学药品的中间体。

hydria 水坛 希腊古风时期（约公元前750～约前480）和古典时期（约公元前480～约前330）盛水用的大型陶器。现已发现的既有红彩陶器也有黑彩陶器。这种水坛的特点是有三个把手：在两侧的一对水平小把手

米狄亚斯画家制作的水坛，约公元前410年
美国不列颠百科全书公司供图

用以提吊，在颈部或肩部的一个垂直大把手用以舀水和倾水。

hydride 氢化物 氢与另一种元素的一类化合物。氢化物可按化学键类型分为三类：①盐型或类盐型氢化物，在这类氢化物中氢以带负电荷离子H^-存在。在这些化合物中氢的性质类似于氟、氯等卤素元素。盐型氢化物与水猛烈反应放出大量氢气。这一性质适于用作轻便、便携式氢气源。二元盐型氢化物有氢化钠（NaH）和氢化钙（CaH_2），复杂盐型氢化物有氢化铝锂（$LiAlH_4$）和硼氢化钠（$NaBH_4$），这两种氢化物都是用作还原剂（提供电子的物质）的工业化学试剂。②金属型氢化物（以前称为间充氢化物），具有某些金属特性（如光泽和强导电性）的类合金型氢化物。但这类氢化物较脆，有时比用以合成的金属还硬。从性质上说，这类氢化物可以看作是盐与合金的中间体。人们认为，金属型氢化物由质子（带正电氢离子H^+）和在电子海洋中的金属原子组成。由于这类氢化物中电子运动相当自由，因此它们具有金属的光泽和导电性。其实例有氢化钛（TiH_2）和二氢化钍（ThH_2）。③共价型氢化物，主要是氢与非金属的化合物，这类氢化物中的键显然是类似电负性的原子共用的电子对。水（H_2O）、氨（NH_3）和硫化氢（H_2S）是共价型氢化物，甲烷（CH_4）和其他烃类也是。其他实例有硅烷（SiH_4）、胂（AsH_3）、锗烷（GeH_4）、硼氢化铝[$Al(BH_4)_3$]和二锗烷（Ge_2H_6）。共价型氢化物是具有低沸点和低熔点的液体或气体，只有性质被氢键改性的情况（例如水）例外。

根据结构还可分出第4类氢化物，即二聚氢化物或多聚氢化物。这类氢化物中的氢假设为在金属或类金属原子间形成桥连结构。典型实例有大量的硼氢化物，如二硼烷（B_2H_6）、五硼烷（B_5H_9）和十硼烷（$B_{10}H_{14}$）。当这类氢化物燃烧时所放出的能量比含碳燃料多得多，因此适于用作火箭高能燃料。铝或许还有铜和铍的氢化物都是非导体，可以固体、液体或气体形式存在。所有这类氢化物热稳定性差，有些与空气或潮气接触会爆炸。

hydrocarbon 烃 只含有碳和氢两种元素的一类有机化合物。碳原子连接起来构成化合物的骨架，氢原子按许多不同构型和骨架碳原子相连。烃是石油和天然气的主要成分，它们不但作为生产塑料、纤维、橡胶、溶剂、炸药和化工产品的原料，而且还用作燃料和润滑剂。

许多烃存在于自然界，除构成矿物燃料外，烃还存在于树木和植物中。例如以色素形式存在于胡萝卜和绿叶中的胡萝卜素；98%以上的天然生橡胶属于烃聚合物，它是含有许多单元连接在一起的一种链状分子。烃不溶于水而且比水轻，这就是烃能漂浮于水表面的原因。烃不仅溶于某些有机溶剂还常能相互溶解。所有的烃都可燃，若氧足够而完全燃烧则生成二氧化碳和水并放热；若氧不足，燃烧产物主要是一氧化碳。各个烃的化学结构在很大程度上取决于组成烃分子的各个原子间相连接的化学键的类型。一个碳原子最多含四个单键，它能形成四个单键但也可形成双键或三键，一个氢原子只能形成一个单键。烃按其结构可分成几种类型，主要的两种类型为脂肪族和芳香族。脂肪烃可由碳原子连接成的链状分子（称为无环族）或环状分子（称为脂环族或碳环族）组成，脂肪烃还可根据碳原子间的键型来分类，若所有的键均为单键（称为σ键），就称该烃为饱和烃，这类化合物归属为烷烃或环烷烃；若碳原子间连有双重或多重键，该烃则称为不饱和烃，该（多重）键可以是双键如烯烃或双烯烃，或是三键如炔烃；有些化合物在其分子中可同时含两种多重键（即双键与三键）。

最简单的烷烃为甲烷（CH_4，最丰富的烃）、乙烷（CH_3CH_3）和丙烷（$CH_3CH_2CH_3$），这三种化合物只有一种结构。更高级的烷烃，自丁烷（$CH_3CH_2CH_2CH_3$）开始，根据碳链是直链还是支链则可有两种不同结构，这类化合物称为异构体，这些化合物具有同样的分子式但具有不同的原子排列，常常具有不同的化学性质。环烷烃是环状结构，比相应的烷烃分子少两个氢原子，许多环烷烃含有多个环。六元环尤其重要，因为许多天然产物特别是甾族化合物含有六元环。两个分子仅仅在取代基的空间排布不相同也会使环状结构产生异构体。烷烃的主要工业来源为石油和天然气。各个高级烷烃和环烷烃通常都是通过为一种特定产物所设计的反应来合成，这些饱和烃也可从相应的不饱和分子通过加氢（氢的加成）来合成。相对而言，饱和烃均为惰性，即在室温下不受多数酸、碱以及氧化剂或还原剂的作用。

每个不饱和烯烃（又称链烯）的分子要比相应的烷烃少两个氢，其最常见的结构特征是碳-碳双键。通常，烯烃的异构体要比烷烃的异构体多。烯烃同系列的头两个成员为乙烯（$CH_2=CH_2$）和丙烯（$CH_3CH=CH_2$）。烯烃特有的双键是由1个σ键和1个π键组成，π键的电子被阳性核较弱地控制成为化学反应性部位，使得烯烃要比烷烃活泼。低分子量烯烃工业上是通过裂解天然气或石油（破坏其化学键）或它们的混合烃而生产。工业上迄今最重要的烯烃是乙烯，用作制备几种化工产品如聚乙烯、聚苯乙烯和环氧乙烷（用

作制备乙二醇防冻剂和其他产品)。工业上还大量生产丙烯和丁烯,用于生产供作溶剂或原料的化工产品。烯烃的物理性质通常类似于含相同碳原子数的烷烃或环烷烃,但烷烃主要进行取代反应而烯烃则主要进行加成反应,在有酸性催化剂存在下烯烃经水合可转化成醇。例如乙醇是通过此途径由乙烯转化成的。醇在酸存在下也可加成到烯烃使乙烯变为乙醚。当一个烯烃分子加成到另一烯烃的双键时就要发生重要的烯烃反应,此过程可用于合成聚合物,例如乙烯转化成聚乙烯的聚合反应就是通过该过程。

其他不饱和脂肪烃还包括以碳-碳三键(由1个σ键和2个π键组成)为结构特征的炔烃。乙炔(CH ≡ CH)是该同系列中最简单和工业上最重要的炔烃,乙炔可水合成乙醛(其他化工产品的重要前体化合物),也可和氰化氢加成生成丙烯腈(生产合成纤维的重要单体)。在有机化学中,炔烃也是有用的中间体。含有多个碳-碳双键的化合物称为双烯烃或多烯烃,这类烃广泛存在于自然界而且有重要的工业价值。多烯烃的物理性质类似于含相同碳原子数的烷烃和烯烃。含有交替单双键的烃的突出特征是具有深颜色,工业上最重要的双烯烃是1,3-丁二烯,用于合成橡胶。

芳烃具有明显不同于脂肪烃化合物的性质,有些芳烃具有芳香味,从而得名。多数芳香族化合物是苯(C_6H_6)的衍生物,苯是一个六元环烃,由于其π电子的完全离域作用使得苯环非常稳定。芳香族化合物是通过其他原子或基团取代苯的一个或多个氢原子衍生的。苯环碳原子间的键既非单键又非双键,而属于共振杂化的一种类型。虽然有若干个非苯环型的芳香族化合物,但苯环型化合物是较重要的一类化合物。芳烃的生产通常是基于石油,多数是通过烷烃的催化氢化产生的。芳烃的最特征反应是取代反应,即用其他原子或基团来取代氢,为获取多元取代物可将反应重复几次进行。有许多芳烃具有一个以上的苯环,工业上重要的芳烃具有稠环,即分子中有两个或多个碳原子为几个环所共用。最稠合的烃为晶体。许多稠环烃存在于煤焦油中,其中最常见的是萘。稠环体系常见于许多合成染料和许多天然产物如甾族激素。

hydrocele 鞘膜积液 阴囊与睾丸之间(睾丸鞘膜腔内)存积过多液体的一种疾病。积液有多种形式,最常见的是慢性单纯性鞘膜积液,表现为液体在睾丸周围逐渐存积,多发生在40岁以后,病因多不明。对于先天性鞘膜积液,阴囊和腹腔之间有孔相通,液体可在两者之间流动。腹股沟鞘膜积液与单纯积液相似,但睾丸未降入阴囊。对于疝性鞘膜积液,腹腔内容物(肠管、膀胱等)和液体从腹腔底部进入阴囊,通常位于突入阴囊的疝囊内,液体位于疝囊内而非睾丸鞘膜囊内。对于先天性疝,阴囊内可有小肠段。有时上述几类形式同时存在。由机体其他疾病引起的鞘膜积液称症状性鞘膜积液,常并发于睾丸炎或睾丸肿瘤。物理性损伤可造成鞘膜积液,难产新生儿的积液可持续数日或数周,其后液体可消失,亦可持续存在形成慢性症状性鞘膜积液。感染性鞘膜积液的液体可呈棕色或血色。无感染的液体为清亮的琥珀色,比重高,含有蛋白质、水、脂肪、少量白细胞及上皮细胞。若有大量的纤维素存在,则可在阴囊与睾丸之间形成一层实性或囊性的壁。对于中等量至大量积液,由于液体对细胞压力的增加以及对血循环的影响,都可发生组织破坏。积液量少时可以无痛,但积液量足够大时,其重力牵扯精索可造成钝痛,并可能阻塞尿路。治疗包括手术引流、修补术、应用抗生素以控制感染等。

hydrocephalus 脑积水 脑脊液积存于脑室中的一种病理现象,可引起癫痫发作、精神发育迟钝及头部逐渐增大。病因可为使脑脊液引流受阻的先天性畸形、头部外伤或感染的合并症等。未经治疗者死亡率甚高;脱水疗法或将脑脊液分流至血流或腹腔的手术疗效多佳。参阅 **neural tube defect**。

Hydrocharitales 水鳖目 单子叶植物的一目。仅水鳖科(Hydrocharitaceae)一科,16属,沉水或出水草本,主产温暖地区的淡水或咸水域。花辐射对称,很少两性,一般是雌雄异株;雌花子房下位。叶轮生或簇生,具根状茎、多叶的直立茎或浮游茎。本科中的大属有水车前属(*Ottelia*,40种)、软骨草属(*Lagarosiphon*,15种)、伊乐藻属(**Elodea**,包括菲藻属[*Anacharis*],12种)、水筛属(*Blyxa*,10种)、喜盐草属(*Halophila*,10种)及苦草属(*Vallisneria*,8～10种)。长喙藻属(*Thalassia*,2种)和喜盐草属为海生,余均为淡水生。据认为水鳖目与泽泻目出于同一祖先。水鳖目的显著特征是有些属如伊乐藻属、海菖蒲属(*Enhalus*)、黑藻属(*Hydrilla*)和苦草属具有独特的传粉方式:雄花从其本体脱落,在水面上漂流,当与以细长花柄托出水面的雌花相遇时,便开始授粉。发育中的果实被牵回水中,并在水下成熟。其他属通过风媒、虫媒或水媒(花粉浮于水面)传粉。水鳖属(*Hydrocharis*)、*Stratiotes* 属、伊尔藻属等有特殊的茎,茎上的芽脱离母体,并沉入水底淤泥中过冬。水鳖目的一些种有栽培或重要经济价值。如伊乐藻属在水族馆中供观赏,在学校里作试验材料。水鳖(*Hydrocharis morsus-ranae*)无根,叶圆形或心形,浮于水面;花小,3瓣,白色,美丽。水兵草(*Stratiotes aloides*)叶坚硬,边缘锐,着生成莲座状,夏天浮在水面,秋天沉入水底腐烂。带草或称鳗草(苦草属)是重要的水族馆观赏植物。海龟草(长喙藻属)于海上暴风雨后常大量刮到岸边,可作肥料。

(上)鳗草(螺旋状苦草,*V. spiralis*);
(下)伊乐藻(*Elodea*),其茎叶上附着了光合作用产生的气泡
美国不列颠百科全书公司供图

hydrochemistry 水化学 参阅 **chemical hydrology** 化学水文学。

hydrochloric acid 盐酸 氯化氢(**hydrogen chloride**)气体溶于水所得具腐蚀性、无色的酸性液体。

Hydrocleys 水罂粟属 假花蔺科多年生水生植物属,3或4种,均原产于热带美洲。水罂粟(睡莲样水罂粟,*H. nymphoides*)花黄色,花径5厘米,栽于池塘和水族馆,是该属唯一的栽培种。

hydrocortisone(chemical) **氢化可的松** 参阅 **cortisol** 皮质醇。

Hydrodictyon(algae) **水网藻属** 参阅 **water net** 水网藻。

hydroelectric power 水力发电 由水轮机将下泄的或快速流动的水的势能转化为机械能,驱动发电机所发的电。用水力发电时,水被蓄集或储存在高标高处,再通过大口径引水管道或隧道的引导,下泄到低标高处;两处标高之差称为水头。水在通过陡立管道下泄的途中转动水轮机。水轮机再带动发电机,把它的机械能转化为电能。变压器把发电机产生的交流电变成适于长距离输送的高压电。装设水轮机、发电机并接纳引水管道的结构物称为发电厂房。水力发电厂通常建于水坝处,水坝拦蓄河水,提高坝上游的水位,以形成较高的水头。从一定量的水所能获得的潜在电力与有效水头成正比。要得到同样的电力,水头越高,需水量越小。有些坝的发电厂房建在坝的一翼,部分坝体则作为溢洪道,供在汛期排出过量的水。在河道流经陡狭的峡谷处,发电厂房可建在坝的主体中。有些地区,在一天中的不同时间对电能的需要相差很大,就要用抽水蓄能电站。非峰值期,一些多余的可用动力被用于将水抽运到专门蓄水池。然后,在峰值期,当系统所需要的电能超过基本负载时,让蓄水池的水再流下来,产生额外的能量。抽水蓄能系统是高效率的,在大多数情况下,是最经济的解决峰值荷载的方法。有些沿海地区,比如法国布列塔尼的朗斯河港湾处,利用潮的涨落建造了水力发电厂来发电。涨潮时水被拦蓄在专门的水库中。然后将截留在水库中的水释出,以驱动水轮机再带动发电机。

下泄的水、化石燃料和核燃料为三大主要能源。水力发电与另外二者相比有如下优点:可持续更新,没有热污染和微粒物质污染。水力发电的重要性,在不同的国家有所不同。挪威、瑞典、加拿大、瑞士等国境内多山,雨量充沛,在需要大量电力的工业区附近的有利地点建有许多水力发电厂。在美国、俄罗斯、中国、印度和巴西,也有较大规模的水力发电厂,但其在电力生产总量中所占份额要小得多。

hydrofoil 水翼 平直的或曲面形的水下翼片,利用水对翼片的反作用力举升运动中的水上船艇。使用水翼的船称为水翼船。船速提高时水翼可将船体举离水面而减少阻力,从而无需多费功率即可更快地行驶。现在使用的主要水翼系统有两种:水面型和水下型。水面型水翼刚刚划破水面,通常布置成V字形。完全没入水下的水翼则垂直下伸到水中。静止或缓慢行驶时,水翼船靠自身浮力支承自重;但当速度提高时,水翼就承担越来越多的重量,直到船体完全升离水面。水翼船比按常规设计的船快,但只限于中等大小。第一艘成功的有人驾驶水翼船约是1900年由E.福拉尼尼在意大利建造的。直到20世纪50年代建造了一些军用和商用品种之后,水翼船才得到广泛应用。到20世纪70年代,许多地方都有水翼船在运行,速度达到80节。

hydrogen 氢(H) 一种无色、无臭、无味的可燃性气态物质,最简单的化学元素。氢原子含有一个由带1单位正电荷的质子构成的核和一个带1单位负电荷并与这个核相联系的电子。虽然氢在地球上的丰度在元素中只占第九位,为地球质量的0.9%,可是在宇宙中,氢是最丰富的元素,约占所有物质质量的75%。靠万有引力聚积在星球中的氢,由核聚变而变为氦,这一过程供给星球(包括太阳在内)能量。氢与碳及其他元素形成化合物存在于所有动植物中。氢以烃类的形式成为石油和煤的一个组分。氢约占水的质量的11%。因为氢气不断逸入太空,所以留在地球大气中的氢含量较低。16世纪德国-瑞士炼金术士帕拉切尔苏斯发现金属溶于酸中产生一种可燃性气体而制备出氢。1766年,英国化学家H.卡文迪什将氢与其他可燃性气体明确地区分开来,他测定出了氢的密度以及一定量的酸和金属反应所得到的氢的数量。1776年,第一次观察到氢燃烧生成水。氢这个名称是1781年由法国化学家A.-L.拉瓦锡提出的。氢的两种较重的同位素氘和氚分别在1931年和1935年被发现。用氢充填气球始于1783年,虽然用氦充填载客飞艇具有不可燃的优点,但氢至少沿用到第二次世界大战前。现在最大量的氢气是用于氨和甲醇的合成、石油燃料的脱硫以及从某些炼油厂副产品生产稳定的挥发性产品。氢还用于有机化合物的氢化,以制备溶剂和化学试剂(如从苯制备环己烷);制造食品,如从动物、植物的脂肪和油制取人造黄油和糕点起酥油。氢与氯或溴反应生成氯化氢或溴化氢。少数金属特别是钨和钼,可用氢还原其氧化物或盐的方法来制备。液态氢用于实验室产生极低的温度及用于拍摄核微粒踪迹的气泡室中。液氢与作为氧化剂的氧或氟在一起用作火箭燃料在空间探测中很重要。氢的同位素氘是*热核弹*(**thermonuclear bomb**)的关键组分。氢气与氧气一起燃烧可产生约2 600°C高温,用电弧或加热钨丝将氢分子离解为氢原子,然后使这些原子重新化合时甚至可产生3 400°C以上的高温。通常用锌与硫酸作用可制备少量氢气。工业上用水蒸气或氧与碳氢化合物(如甲烷)作用来制备氢气。氢气也是各种发酵过程、石油炼制操作以及用电解反应制备苛性碱和氯气时的副产品。氢原子易反应,能与另一氢原子化合成对形成双原子的氢分子,用分子式 H_2 表示。正氢分子中,两个核的自旋方向相同;仲氢分子中,两个核的自旋方向相反。常温下,氢由约75%的正氢和约25%的仲氢所组成,但如果降低温度则正氢分子变为仲氢分子;同样,升高温度则仲氢分子变为正氢分子。氢是最轻的化学元素,具有最高的导热率以及所有气体中最高的扩散系数。氢的化学性质与周期表Ⅰ和Ⅶ两族元素相似。在适当的条件下,氢与大多数较轻的元素和许多较重的元素直接化合。在与金属形成的化合物中,氢原子获得第二个电子,变成带负电荷的氢离子 H^-。在与非金属形成的化合物中,氢原子与非金属原子共用其电子,形成共价键分子,如甲烷、氨、水和氯化氢。在某些情况下,共价键易于断开形成氢离子 H^+,而原先分子的其余部分形成带负电的离子。大多数酸尤其是在水溶液中的酸,其各种性质都是因存在氢离子而产生的。甚至在极低温度下,氢与氟也会发生猛烈的反应。在加热或催化剂作用下,氢也跟许多其他元素反应。自然界存在的氢由三种同位素组成:氢1即氕,占99.985%;氢2即氘(**deuterium**),占0.015%;氢3即氚(**tritium**)的量极微。氚可人工合成,它是半衰期为12.26年的放射性同位素。氢原子序数1。原子量1.007 97。熔点 -259.2 °C。沸点 -252.8 °C。密度0.089 88克/升(0 °C,1大气压)。氧化态 -1、+1。电子组态 $1s^1$。

hydrogen-3 氢3 参阅 **tritium** 氚。

hydrogen bomb 氢弹 参阅 **thermonuclear bomb** *热核弹*。

hydrogen chloride 氯化氢(HCl) 氢和氯两种元素生成的化合物。在常温常压下为气体。氯化氢的水溶液叫盐酸。氯化氢可由氯气(Cl_2)和氢气(H_2)直接化合而成;温度高于250°C时,反应迅速。以反应式 $H_2 + Cl_2 \longrightarrow 2HCl$ 表示的反应伴随有热的放出,而且似乎能被湿气加速。在实验室和工业中,一般均用氯化钠(NaCl)和硫酸(H_2SO_4)反应制备氯化氢。也有用另外一些氯化物(如三氯化磷 PCl_3、氯化亚砜 $SOCl_2$)与水反应来制备。氯化氢还是许多有机物(如甲烷、苯)氯化反应的副产品。氯化氢气体溶于水便得盐酸。因盐酸具有腐蚀性,故常用陶瓷、玻璃或钽制的容器。市售盐酸通常是含氯化氢28%~35%(按重量计)的水溶液,即所谓浓盐酸。无水液态的氯化氢虽也有出售,但需有重而昂贵的容器盛装,故其用途有限。氯化氢是有强烈气味的无色气体。在 -85 °C液化。-114 °C凝固。极易溶于水,20 °C时1体积水溶解477体积氯化氢气体。由于氯化氢气体的溶解度大,故在潮湿空气中形成酸雾。重量浓度为20.24%的氯化氢水溶液在110 °C沸腾,且其组成不变(恒沸混合物)。氯化氢在其水溶液中以很大比例电离为水合氢离子(H_3O^+)和氯离子(Cl^-);在稀溶液中,几乎完全电离。故盐酸为强酸。气态氯化氢与活泼金属及其氧化物、氢氧化物、碳酸盐反应,生成氯化物。这类反应只有在湿气存在下才容易发生。完全干燥的氯化氢化学反应性很低。盐酸的反应就是典型强酸的反应,例如与金属作用置换出氢气的反应、被碱性氧化物和氢氧化物中和生成氯化物和水的反应、与弱酸盐作用置换出弱酸的反应。盐酸还参与那些对氯离子来说是特征的反应,例如盐酸作为氯化剂与各种无机化合物和有机化合物发生的反应、盐酸与某些金属及其氧化物进行的形成含氯离子的络离子反应(例如,与铂反应形成 $PtCl_6^{2-}$,与铜反应形成 $CuCl_4^{2-}$);这后一类反应,解释了为什么某些金属及金属化合物易溶于盐酸,而缓慢溶于相同强度的其他酸(例如硫酸或硝酸)中。因此,盐酸广泛应用于金属的工业处理和某些矿石的富集过程。人体胃液中含盐酸,盐酸分泌过多会引起胃溃疡;盐酸分泌显著不足,损害消化功能,有时是贫血症的主要原因。人在氯化氢体积浓度为0.1%的空气中停留几分钟便会死亡。浓盐酸能使皮肤灼伤和发炎。

hydrogen cyanide 氰化氢(HCN) 又称甲腈。易挥发、无色、剧毒液体,沸点26 °C,冰点 -14 °C。其水溶液称为氢氰酸。1782年由瑞典化学家C.W.舍勒从普鲁士蓝颜料中制得。氰化氢及其化合物用于许多化学过程,包括熏蒸消毒、钢铁硬化处理、电镀和选矿,也用于制取丙烯腈以生产丙烯酸系纤维、合成橡胶和塑料。氰化氢因能抑制细胞氧化过程,而具有剧毒。成年人在氰化氢浓度为 $(5\sim6)\times10^{-5}$ 的空气中停留1小时无严重后果,但浓度为 $(2\sim5)\times10^{-4}$ 时,停留半小时一般就会死亡。一种处以死刑的方法就是给犯人通入致死剂量的氰化氢气体。在某些植物中存在着与糖结合的氰化氢,可从中分离出少量氰化氢。实验室和工业上所用的大量氰化氢是由下述三种主要方法合成的:①用硫酸处理氰化钠;②甲烷-氨混合物的催化氧化;③甲酰胺($HCONH_2$)的分解。氰化氢虽是多种盐的优良溶剂，但因有毒很少用作溶剂。纯氰化氢为稳定化合物，但在氨或氰化钠等碱性物质存在下，容易聚合。氢氰酸盐用于选矿、电解和钢铁处理。与有机化合物的重要反应有：与环氧乙烷反应形成一种可转变为丙烯腈(CH_2 ═CHCN)的中间产物；与醛和酮反应形成氰醇。

hydrogen ion　氢离子　严格讲，是分离出电子后的氢原子的核，即由带单位正电荷的微粒——*质子*(**proton**)所构成。因此以符号 H^+ 表示的孤立的氢离子通常也用于代表质子。由于裸露的原子核容易与其他微粒(电子、原子和分子)结合，所以孤立的氢离子只能以气态形式存在于几乎无粒子的空间(高真空)中。氢离子一词的普通用法是指水溶液中以化合态分子 $H^+ \cdot H_2O$ 形式存在的氢离子。分子式 $H^+ \cdot H_2O$ 通常也写作 H_3O^+，表示水合氢离子。水溶液中氢离子的数量用作物质酸性的一种度量标准，氢离子浓度愈高，溶液的酸性愈强，pH 值(**pH**)也愈低。

hydrogen peroxide　过氧化氢(H_2O_2)　无色液体，通常制成不同浓度的水溶液。主要用于棉织品和其他织品以及木质纸浆漂白、其他化学试剂的生产，用作火箭推进剂，以及用于化妆品和医药中。过氧化氢含量超过 8% 的溶液对皮肤有腐蚀作用。在 1818 年首次被确认为化合物的过氧化氢是一种最简单的*过氧化物*(**peroxide**)。有好几种方法可用于制备过氧化氢，其中主要的方法是利用空气中的氧与某些有机化合物特别是蒽醌或异丙醇进行反应。主要商品级是含过氧化氢 30%、50%、70% 或 90% 的水溶液，其中尚含抑制过氧化氢分解的少量稳定剂(一般为锡盐和磷酸盐)。受热或当许多物质特别是金属铁、铜、锰、镍或铬的盐存在时，过氧化氢分解成水和氧。它与许多化合物化合而形成结晶体，可用作温和氧化剂，其中最著名的是过硼酸钠($NaBO_2 \cdot H_2O_2 \cdot 3H_2O$ 或 $NaBO_3 \cdot 4H_2O$)。过氧化氢与某些有机化合物反应，可形成氢过氧化物或过氧化物，其中有几种能用于触发聚合反应。过氧化氢虽可被少数几种化合物如高锰酸钾氧化，但在大多数反应中，是过氧化氢氧化其他物质。纯过氧化氢冰点 -0.43 °C，沸点 150.2 °C，密度比水大，且能以任意比例溶于水。

hydrogen phosphide(gas)　**磷化氢**　参阅 **phosphine** *膦*。

hydrogen sulfate　硫酸氢　参阅 **sulfuric acid** *硫酸*。

hydrogen Sulfide　硫化氢　由*硫*(**sulfur**)与氢形成的无色、剧毒的气态化合物。

hydrogenation　氢化　通常在催化剂存在下，氢分子和元素或化合物之间的化学反应。这种反应或者是氢简单地加到其他分子结构中连接两个原子的双键或三键上，或者是加氢引起分子解离或分解(称为氢解或破坏性加氢)。典型的加氢反应有氢和氮合成氨的反应、氢和一氧化碳合成甲醇或合成烃类的反应(取决于所选用的催化剂)。几乎所有含连接两原子的多重键的有机化合物，在催化剂存在下都能和氢反应。有机化合物的氢化(通过加氢和氢解)是一类具有重要工业意义的反应。加氢反应用于从液体油类生产食用脂肪；在石油工业中，生产汽油和石油化学产品的许多过程是基于烃类破坏性加氢反应。20 世纪末通过煤的氢化生产液体燃料像石油抽提一样已经引起人们的普遍注意。加氢反应最常用的催化剂是金属镍、铂、钯及其氧化物。高压加氢广泛应用的催化剂是亚铬酸铜和载于多孔而疏松的硅藻土上的镍。

hydrography　水道测绘学　编制地球表面为水覆盖区域的海图或地图的技术和科学。水道测绘学和水道测绘学家这两个词起源于 16 世纪中期。水道测绘学的原义仅代表对海洋深度以及海流方向和强度的研究；诸如温度剖面或矿物含量等方面则属于水文和海洋科学的内容。1795 年，英国海军任命了第一个水道测绘学家；1854 年，美国建立了海洋观测站和水道测绘处。其后，许多沿海国家都设立了水道测绘局，向其海员提供海图以及为在其领海和世界各大洋航行所必需的其他出版物。在联合国的赞助下于 1970 年得到特许，水道测绘信息通过国际水道测绘组织进行交换。最早的航海者都是让海岸线始终保持在视野之内，从一个岬角航行到另一个岬角，因此不需要海图。直到 1187 年磁性罗盘问世，人们已经能够从一个海港径直驶往另一个海港时，海图就成为必需的了。早期的海图是手绘的，价格昂贵。这种海图完全是基于磁方向和一种假设经度 1 度与纬度 1 度等长的地图投影法绘制的。该假设对于地中海并无多大影响，但是在绘制高纬度地区时就会造成严重失真。在 19 世纪后半期，人们开始重视远离海岸的各大洋的海图。20 世纪 50 年代以来出现的海洋科学的一个特点使得在海底某些选定地区的水深测量越来越详细。水道测绘包括两类作业：测定海面上各点的平面坐标(定位)和这些点处的水深。海图的比例尺表示图上的给定距离与它所代表的地球表面实际距离之间的关系，其变化范围很大：小到 1:5 000 000(1 厘米 = 50 千米)的远洋航行海图，大到 1:50 000(1 厘米 = 0.5 千米)的港口海图，甚至更大。除了两极地区之外，实际上所有的海图都是用通常的*墨卡托投影*(**Mercator projection**)来代表地球表面。

hydroid　螅形类　刺胞动物门水螅纲螅形目动物。生活史包括三期：①自由游泳的浮浪幼体，约 1 毫米长；②附着生活的水螅体，由浮浪幼体固着后发育而成，通常成群体；③水母体，由水螅体释出。该生活史的实例如广布世界的*薮枝螅水母属*(**Obelia**)。在进化过程中，许多螅形类的水母体被保留在水螅体群体上以阻止水母体生长。水螅体群体一般高 5～500 毫米，有分支，分支上生有个体——水螅体。水螅体管状，由外胚层、中胶层和内胚层组成，顶端有口，周围有一圈触手。水螅体的基端和与群体等长的一根有生命的总管(共肉)相连，个体间可通过共肉交换食物。共肉外面有一个粗糙的几丁质鞘(围鞘)保护。群体随着水螅体数目的增多而生长，但也进行有性生殖。群体上间断地出现有生殖能力的水螅型(子茎)，由此释出浮浪幼体或水母体(随种类而异)。有些种类的水螅体能缩入水螅鞘内，水螅鞘是围鞘的扩展部分，但有的无水螅鞘。多数种类生活在海中，但有的在淡水中。实例如*水螅属*(**Hydra**)的种类，该属还有一个与其他种类不同的特征：单独生活。螅形目约有2 000种。

hydrolase　水解酶　能催化几类化合物的水解反应的酶，共 200 多种。酯酶包括脂肪酶(能分解脂肪的酯键即羧酸与醇之间的键)及磷酸酯酶(作用与之类似，作用于磷酸酯)。核酸酶是磷酸酯酶的一个亚类，为水解核酸的磷酸酯酶。糖苷酶能切断碳水化合物中糖分子间的键。肽酶水解蛋白质分子中的肽键(一个氨基酸的羧基和另一个氨基酸的氨基之间的键)。特异性水解酶也能催化分解醚键(C—O)、非肽键的碳-氮键(C—N)、酸酐键、碳-碳键(C—C)或磷-氮键(P—N)的反应。参阅 **proteolytic enzyme**。

hydrologic cycle　水分循环　包括水在地球-大气系统内连续流通的循环。包括在水分循环的许多过程当中，最重要的是蒸发、蒸腾、凝结、降水和径流。虽然在循环中，水的总量基本上保持恒定，但是，在各不同过程中，水的分布是连续变化的。作为循环中主要过程之一的蒸发，就是水从地球表面转入到大气中。通过蒸发，液态的水转变成了气态或水汽状态。这种转化，发生在水体中一些分子具有充分的运动能量，足以使它们从水表面逸出之时。影响蒸发作用的主要因素是温度、湿度、风速和太阳辐射。蒸发作用的直接测量，虽然是值得进行的，但却很困难，并且只能在点位上进行。水汽的主要来源是大洋，然而，蒸发作用也发生在土壤、雪和冰中。从雪和冰蒸发，也就是直接由固体转化为水汽，叫做升华。蒸腾是水通过植物叶片中的细管或细孔的蒸发作用。为了实际应用目的，从所有的水、土壤、雪、冰、植被和其他表面的蒸腾和蒸发都归并在一起，叫做蒸发-蒸腾，或总蒸发。水汽是大气水分的原始形态。水汽虽然在大气中的含量比较少，但它在形成露、雾、霜、云和降水的水分补给中，是极为重要的。实际上，大气中所有的水汽都只局限在对流层(10～13 千米高度以下的区域)。从水汽状态过渡到液态的过程叫做凝结。当空气所含水汽比起它在普遍的温度下通过蒸发而能从自由水表面得到的水汽更多时，凝结即可发生。由于冷冻或由于不同温度的空气团相混合的结果，这种条件就出现了。由于凝结作用，大气中的水汽就被释放出来，形成降水。落到地球上的降水，以 4 种主要方式分布：一些通过蒸发而重回大气中；一些可以被植物截取，然后由叶片表面蒸发掉；一些通过渗滤和浸入土壤中；剩下的则直接作为地表径流而流入海洋。渗滤的降水中，有一些后来可以作为地下水径流而渗进小溪中。径流的直接测量，通过河道测流量

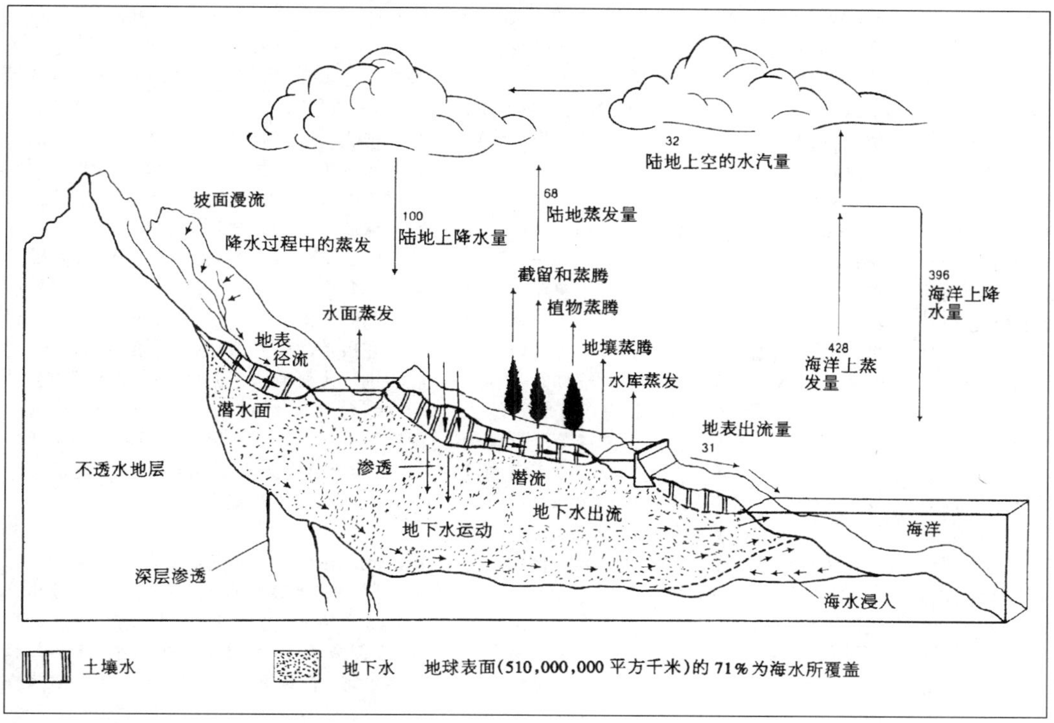

水分循环图示

及在水文图上相对时间作标绘而进行。大多数地下水来自通过土壤渗滤下去的降水。与地表水相比,地下水的流动速率是很缓慢的,且是可变的,其变动范围以每天几毫米到每天几米。地下水的运动,通过示踪技术和遥感来进行研究。在水分循环中,冰也很起作用。地球表面的冰和雪,以不同的形态而存在,如霜、海冰和冰川冰。当土壤中的水分冻结时,冰也存在于地球表面之下,形成苔原气候带的永久冻土。大约在18 000年前,冰川和冰帽,覆盖了地球陆地表面大约 1/3 的地区。今天,陆地表面的大约 12% 仍然为冰体所覆盖。

hydrological map　水文图　表示水文特征(如河流)的地图。制图目的及其内容随所在国家而异。有的水文图被用作详尽文字说明的补充,而有些如美国地质调查局的水文考察图集,只附有简单的一般性说明的讨论。由于水文学包括许多关于水的分支系统,故可绘制单一分支系统特征的或综合多个分支系统特征的水文图。

hydrology　水文学　研究地球上水的科学分支学科,其研究内容包括水的赋存、分布、通过水文周期的循环及其与生物之相互作用。它还研究水在其各种状态下的化学特性与物理特性。水文学作为其初始研究对象的,还有对于水与其环境之间相互作用的研究。因为水文学主要是研究接近地表的水,所以它集中研究水分循环中存在于地表附近的那些部分,即降水、蒸腾、径流和地下水。水文学各个不同的次级分支学科就是研究这些现象的不同方面。例如,水文气象学集中研究大气圈下部边界层的水,而水文测量学则涉及地表水,特别是河川径流的测量。水文地理学承担的研究任务是地表水大型水体,如湖泊、内陆海与大洋的描述与制图。另一方面,地下水水文学集中研究饱和带的地下水,而土壤水物理学则集中研究不饱和带的地下水。水文学从地质学、化学、土壤科学和植物生理学的分支学科中汲取养料,采用这些学科的很多原理和方法。研究者们越来越多地依靠天然水文系统的计算机摸拟,并且依靠遥感技术,例如,当利用装备有红外线照相机的地球轨道卫星来探测被污染的水体或跟踪热泉流时就是这样。水文学的研究在水资源的开发、管理和控制当中是重要的。水文学的应用包括灌溉系统开发、洪涝和大地侵蚀的控制、废水处置与处理、污染的减轻、水的再度利用、鱼和野生生物的保护、水能发电,以及水工建筑设计。

hydrology, chemical　参阅 **chemical hydrology** 化学水文学。

hydrolysis　水解　化学和生理学术语,水作为反应物之一的复分解反应。如果某一化合物以 AB 表示,A 和 B 为原子或原子团,水以 HOH 表示,则水解反应可用可逆化学方程式 $AB + HOH \rightleftharpoons AH + BOH$ 表示。水以外的其他反应物和水解产物或者是中性分子(如大多数有机化合物的水解),或是离子型分子(如酸、碱、盐的水解)。有机化合物的水解可用水与羧酸酯的反应来说明。所有羧酸酯都具有通式 RCO—OR′,式中 R 和 R′为化合基(若 R 和 R′都是甲基 CH_3 时,则为醋酸甲酯)。水解过程包括若干步骤,最慢的一步是水分子中的氧原子与酯中碳原子之间形成共价键。以后各步,即酯的碳-氧键断裂、氢离子脱离原有水分子并与初生的醇结合,则非常迅速。总反应方程式为:

$$RCO—OR' + H_2O \longrightarrow RCO—OH + R'—OH$$

式中 RCO—OH 为羧酸分子,R′—OH 为醇分子,短线表示反应中断裂与形成的共价键。酯和许多其他有机化合物的水解特征是:第3 种物质(通常是酸或碱)可以提高所发生的化学变化的速率。在消化的生化过程中,消化道分泌出来的酶催化复杂分子水解为生物体可吸收的形式。如蛋白质分解为氨基酸,脂肪分解为脂肪酸和甘油,淀粉及复杂糖分解为葡萄糖和其他的单糖;这些过程可分别被蛋白酶、脂肪酶和淀粉酶所催化。离子化合物的水解可用醋酸钠水溶液中发生的化学变化来说明。在溶液中,盐的离子组分(醋酸根离子和钠离子)分离开来了,水分子与醋酸根离子反应形成醋酸和氢氧根离子,醋酸可逆地离解成醋酸根离子和氢离子,但是离解度很小,所以溶液中主要含钠离子和氢氧根离子,溶液呈碱性(能使红色石蕊试纸变蓝)。

hydromagnetics (physics)　参阅 **magnetohydrodynamics** 磁流体力学。

hydrometallurgy　湿法冶金　经制备金属盐的水溶液和从该溶液回收金属的途径从矿石提取金属。操作过程通常包括:浸取,即用含适当添加剂的水溶液溶解矿石中的金属或金属化合物;液-固分离和浸取液净化;用化学或电解法从浸取液沉淀金属或其纯化合物。最普通的浸取剂是稀硫酸。湿法冶金始于 16 世纪,由于从低品位矿石提取黄金等的需要,在 20 世纪获得重大的发展。离子交换、溶剂萃取以及其他方法的出现,导致湿法冶金极广泛的应用。目前用以生产的金属达 70 余种之多。除了绝大部分的金和很多银外,大量铜和锌也采用湿法冶金生产。

hydrometeor　水汽凝结物　又称水凝物。大气中或地表面由凝结或升华所形成的水滴或冰粒。从地面被风吹入大气中的水滴或冰粒亦属水汽凝结物。水汽凝结物为云、雾、雨、雪、雹、露、雾凇、雨凇、高吹雪和高吹飞沫。

hydrometeorology　水文气象学　气象学的一个分支。研究水循环、水收支和暴雨降水统计等问题。其界限并不明确。水文气象学家所研究的问题与气候学家、水文学家、云物理学家和天气预报专家所研究的问题有一定重叠。着重点是,从理论和经验上确定气象变数与最大降水量之间的关系。上述分析通常可作为设计控洪和用水结构,首先是设计大坝和水库的基础。研究范围还包括确定降雨概率,降雨和蒸发的时空分布,主要风暴、融雪、径流的间隔时距以及水库中可能出现的风暴潮和波浪。有关水的质量和供给方面的整个问题,在水文气象学中已日趋重要。

hydrometer　比重计　测量液体特性如密度、比重的仪器。包括一个载重的、封闭的长颈玻璃球管,浸没在待测液体中,浮起的高度取决于液体的密度,玻璃管颈上的刻度代表密度、比重或其他有关特性的读数。实际上,通常是把漂浮的玻璃球管置于一个圆柱状玻璃筒中,筒的上端设一橡皮球,用以将液体吸入筒内;以玻璃球浸没深度的刻度代表所测的特性。最常用的一种是蓄电池比重计,用它来测量蓄电池液的比重,确定蓄电池的工作状况。另一种是散热器比重计,它的浮子是按冷却液的冰点刻度的。有的比重计用于测量酒精溶液的度数或糖溶液的含糖百分比。以法国化学家 A.玻美的姓氏命名的玻美比重计有两个等间距的刻度尺,一个量重于水的液体的比重,另一个量轻于水的液体的比重。

hydropathy　水疗　一整套治疗体系,据称能用水(水浴或饮水)治疗所有疾病。虽然水疗现已用于治疗多种疾病,但一般认为其效果非常有限。多认为,许多疾病和创伤可通过水的松弛作用而间接得到改善。水疗是经过西里西亚的农民 V.普里斯尼茨(1799～1851)的提倡而开始流行的,他相信自己地里的井水有治疗作用。参阅 **hydrotherapy**; **spa**。

hydrophobia(disease)　**恐水病**　参阅 **rabies** 狂犬病。

hydrophone　水听器　把水下声波转换成电信号的器件。工作原理类似传声器,主要用于探测水下声源(如潜艇)发出的声波。通常使用水听器阵列来确定声源的方位:将水听器阵列与一电路相联,该电路使各水听器上声波的相位差得到电的补偿,因而无须使这些水听器运动就能使整个阵列对准声源的方向。

Hydrophyllaceae　田基麻科　双子叶植物的一科,包括约 18 属,至少 250 种。广布于热带和温带地区,在北美西部有很多具代表性的种。最熟知的是几种一年生园艺植物。该科多为草本,稀灌木。叶互生,常被毛。花整齐,花冠裂片 5 枚,深裂至花筒中部;子房 1 或 2 室。田基麻属(*Hydrolea*)约有 20 种热带草本植物,其中刺毛田基麻(*H. spinosa*)原产热带美洲,多年生,高达 1 米,叶广椭圆形,有黏性,被毛;花蓝色,车轮形,花径约 1.3 厘米。螯毛麻属(*Wigandia*)为灌木,高达 3 米;叶大,广椭圆形,被螯毛;花蓝色,穗状花序,原产热带美洲,如加拉加斯螯毛麻(*W. caracasana*)。弗吉尼亚水迹叶(弗吉尼亚田梗草,*Hydrophyllum virginianum*)高达 1 米,花淡紫色或白色。

hydroponics　溶液栽培　又作 aquaculture、nutriculture, soilless culture, tank farming。又称水培、营养栽培、无土栽培或桶箱农业。一种栽培方法:把植物浸入富含营养素的水中栽培,用或不用惰性培养基(如沙或砂砾)作为机械的支承。长期以来为了对植物的营养进行科学研究,而把植物的根浸在有肥料的水溶液中栽培。早期的商业性溶液栽培就采用这种方法。但因不易把植物支撑成正常的直立生长的位置,也不易往溶液充注空气,所以就用砂砾栽培代替单纯的溶液栽培,把植物种在装有砂砾的不漏水的植床或长槽内。各种不同的砂砾和其他材料都能有效使用,这包括页岩和黏土以及花岗岩碎片。定期泵入肥料溶液,泵入的频率和溶液的浓度决定于植物和周围的条件,如光和温度。溶液排入桶内,泵液通常为自动进行。溶液的成分是各种肥料级的化合物,含有不同量的氮、磷、钾等植物生长所需的常量元素和各种微量元素,如硫、镁和钙。溶液可以长期使用,定期测定是否还需要添加某种化合物或水。通常这些化学成分可以在干燥状态混合并贮藏起来。随着植物的生长,增加溶液的浓度和泵入的次数。许多蔬菜和花卉可在砂砾内生长良好。溶液栽培的主要优点是:因为浇水和施肥都是自动的,所以节省人工。缺点是装置的费用高并且需要常常测定溶液。产量与田间栽培大致相同。

hydroquinone　氢醌　苯醌经化学还原而成的无色晶体有机化合物。参阅 **quinone**。

hydrosphere　水圈　地表或接近地表的不连续的水层,包括液态的和冻结的所有地表水体、土壤和岩石中持有的地下水以及大气中的水蒸气。近期的研究强有力地指出,地球上水的总量在过去 10 亿年间一直保持基本稳定,不管水圈的个别组成部分在整个地质历史上有过什么改变。例如,过去有相当大量的大洋水在大冰川作用期间被转化成了大陆冰盖。地球上的水的总积存估计约 14 亿立方千米,其中大洋约占 97%;极地的冰盖和冰川持有略大于 2%;各种淡水体(如湖泊、河流、池塘)、地下水、植被及大气中的水蒸气等总共占有其余部分。水圈中的所有这些水体实质上都处在永恒不变的循环流动中。它们通过水分循环(**hydro-logic cycle**)运动。大体说来,这个循环涉及水分从大洋经过大气到大陆再返回大洋的转移:从陆地表面之上或以下,靠蒸发、蒸腾、降水、截流、渗滤、地下渗透、坡面流、径流以及其他各种复杂过程进行。尽管水圈的这些组成部分都在经历着这样一种持续不断变化的状态和位置,但水的总积存始终总是平衡的。水圈的这些组成部分和水分循环本身通过现代社会的活动已遭到严重影响。比如,有毒化合物及其他工业废物的排放已经污染了江河与溪流,而矿物肥料经地下水渗漏和倾倒污水进入湖泊已造成富营养化(**eutrophication**)现象,即磷、氮及其他植物养分的逐渐增多。由于矿物燃料的燃烧以及毁林习惯带来的刀耕火种的耕作,大气中二氧化碳及其他所谓温室气体的增加,可能在 21 世纪后期之前就会使全球地表平均温度升高 5 °C之多。这样一种温度的上升势必会加速水分循环,并因而会破坏各个不同地区,特别是在北半球的中纬度内的水的平衡。全球的变暖,通过使目前圈在极地冰盖和高山冰川里的冰融化,可能会进一步影响水分循环。融化水理应会被转移到大洋里,经过几个世纪可能造成海平面显著上升。也可能出现北极海冰的融化现象;从而会造成风暴活动向北转移以及北半球春秋两季降水量减少。

hydrotherapy　水疗法　将水作用于人体表面以治疗疾病和创伤的方法。水主要用作施热或退热的介质。热水疗法有助于减轻疼痛、改善循环、促使肌肉松弛催眠;在某些精神疾患,还能对激动、兴奋的患者起镇静作用。冷水疗法能降低体温,使血管收缩,导致血流量减少,因此能减轻并有助于防止创伤后的肿胀和减轻由挫伤、扭伤和劳损引起的疼痛。用毛巾、呢绒或其他布料进行湿敷能减轻头痛、减慢鼻流血、缓和肌痉挛、使感染和挫伤所致的皮下出血局限化,以及降低热病患者的体温。水下体操用于加强无力的肌肉,恢复受伤关节的活动能力,使烧伤的肌肤保持清洁并促进其愈合,帮助脑血管意外患者的肌肉恢复功能,并可治疗关节炎等疾患中出现的畸形和疼痛。水下按摩可用漩涡浴槽和哈伯德氏水池,治疗时水不停地在患肢或患者整个身体周围旋动,可促进外伤治愈。淋浴时水流可喷向某些特定部位,也可喷向全身,用以促进循环。参阅 **physical medicine and rehabilitation**。

hydrothermal ore deposit　热液矿床　又称水热矿床。由饱含矿物质的热水(热水溶液)析出固态物质而生成的矿体。热水溶液可能由于地下深部的环流水被岩浆加热形成,也可能由于放射性元素的衰变或因断层作用释放出的能产生的其他热源。这种水溶液沉淀成的矿床可具有或不具有可证明的经过火成岩的成岩作用。这种热水可在岩石的空穴中沉淀出其中所溶解的矿物,而将空穴充填或以其溶液与岩石交代形成所谓交代矿床。这两种作用也可同时发生,即在沉淀作用充填空穴的同时,可伴随发生空穴岩壁的交代作用。生成热液矿床的必要条件包括:①存在有溶解和运送矿物的热水;②岩石中存在有允许溶液流动的互相联通的空穴;③具有矿床沉淀的场所;④导致矿床沉淀的化学作用。沉淀作用受温度与压力的变化影响最大,当温度与压力下降时,溶解度减低,因此产生沉淀作用。虽然热液矿床可在任何基岩中形成,但某些种类的岩石会对沉淀作用产生影响或使它局限在某处。例如,在墨西哥某些地方的铅-锌-银矿出现于白云质石灰岩中,而不存在于纯石灰岩中;与此相反,在圣欧拉利娅，庞大的硫化物矿床在石灰岩和白云岩的接触带会突然地尖灭。

hydrothorax 胸腔积水 胸膜腔内积有水样液体。最常见于慢性心力衰竭、肺淤血、炎症和肿瘤。水气胸指胸膜腔内同时积有液体和空气。

hydrous mica 水云母 又作 hydromica。伊利石族黏土矿物，包括伊利石、钠伊利石、海绿石等。水云母在结构上与云母有关；海绿石也是普通云母族中的矿物。水云母在页岩和泥岩中占优势，但也出现在其他沉积物中。它们存在于土壤里的黏土矿物中间，基本上是不膨胀的，并能使土壤成为极好的耕地，但是它们同钾离子和铝离子都结合成为植物不能吸收的形式。参阅 **illite**。

hydroxide 氢氧化物 含有一个或几个由一个氧和一个氢原子键合在一起的负离子（OH^-）基团的化合物。这类化合物的带正电荷的部分虽然也可以是有机基团，如胍基或四甲基铵基，但通常为金属离子，如钠、镁或铝等。在有机化合物［如羟基醋酸（$CH_2OHCOOH$）］中，常冠以词头“羟基”表示共价结合的非离子型的羟基（OH），而在甲醇中的羟基则在英文中以词尾-ol 表示，在配位化合物［如四羟基合金酸钾 $KAu(OH)_4$］中的羟基，则以词头羟基加“合”表示。氢氧化物包括实验室和工业过程中常用的碱。碱金属锂、钠、钾、铷和铯的氢氧化物是最强的碱，也是最稳定和最易溶的氢氧化物。氢氧化钠（NaOH），又名苛性钠或烧碱，在工业上非常重要。碱土金属钙、锶和钡均能生成可溶性氢氧化物，虽然都是强碱，但不如碱金属的氢氧化物稳定。其中氢氧化钙［$Ca(OH)_2$］，通常称熟石灰，最为常见。除氢氧化铊（TlOH）以外，其他金属如镁、铁、铋、镍、钴和铜等的氢氧化物只微溶于水，但可中和酸。铍、铅、锌、铝、铬（三价）、锡（二价）、金（三价）和其他一些金属的氢氧化物既具有酸性又具有碱性，即它们既溶于酸也溶于碱的水溶液。具有这种双重性质的氢氧化物和其他物质如氧化物和硫化物等，均称作两性化合物。

hydroxylamine 羟胺（NH_2OH） 氨的氧化衍生物。用于从醛和酮合成肟。肟容易还原为胺，后者用于制造染料、塑料、合成纤维和药品。环己酮的肟能转变为其异构体己内酰胺，用后者可制造尼龙 6。羟胺及其无机盐都是强还原剂，用于制备聚合物；也是照相显影剂的组分。羟胺可用好几种方法制备，技术上比较先进的有两种，即硝基烷烃（RCH_2NO_2）的水解和一氧化氮（NO）催化加氢。纯羟胺是无色结晶固体（熔点33.05 °C），是不稳定化合物，可分解成一氧化氮和氢气。通常将其制成盐的形式使用。

hydroxylapatite 羟磷灰石 磷酸盐矿物，为氢氧根的磷酸钙［$Ca_5(PO_4)_3OH$］。呈玻璃状晶体和块体，常为绿色。自然界中纯的矿物少见，常与氟磷灰石混合产生，在氟磷灰石中氟置换了分子中的氢氧根（OH）。这一混合物称为固溶体系列，是这两种纯物质之间的连续的化学变种。胶磷矿以及骨化石和磷酸盐岩中的磷灰石属于这个系列。参阅 **phosphate mineral**（表）。

hydroxylysine 羟赖氨酸 只存在于胶原（**collagen**）中的生糖氨基酸，是哺乳动物皮肤和结缔组织中的主要结构蛋白质，也是某些相似结构的植物蛋白质中的主要结构蛋白质。其羟基与糖形成化学键，使半乳糖类单糖和葡糖基-半乳糖类双糖与蛋白质相连，赋于胶原以不寻常的柔韧性和回弹性。胶原是不溶性的，但在水、稀酸和碱中煮沸时却是热变性的，会产生可消化和可溶性的明胶。

hydroxyproline 羟脯氨酸 由结缔组织蛋白质（如胶原和弹性蛋白）水解所得的一种氨基酸，约占胶原重量的 14%，其他蛋白质中罕见。其分子结构中含有一个二级氨基（ >NH ）而不含许多氨基酸特有的一级氨基（$—NH_2$）。羟脯氨酸于 1902 年首次由白明胶中分离获得。为非必需氨基酸，动物可由谷氨酸合成而无需从食物中摄取。羟脯氨酸排泄量异常是马尔方氏综合征的一个症状。

Hyele（ancient city） 参阅 **Elea 爱利亚**。

hyena 鬣狗 又拼 hyaena。鬣狗科3种粗毛犬形食肉动物的统称。分布于亚洲和非洲。以食腐肉著称。特点是每足 4 趾，前腿颇长，爪不能缩入，颌极为有力，牙能够咬碎

斑鬣狗（*Crocuta crocuta*）
美国不列颠百科全书公司供图

大骨头。单独或成群出没，可在夜间或白天活动。在很多地区依靠大型食肉动物剩下的残余尸体为食。一般相当胆小，但当尸肉和小猎物很少时，也会攻击不能自卫的动物，如绵羊、山羊和幼兽。斑鬣狗（笑鬣狗，*Crocuta crocuta*）分布在非洲撒哈拉以南大部分地区；长约 2 米（包括 30 厘米的尾长），肩高约 90 厘米，体重约 80 千克；毛色为浅黄或浅灰，带深色斑点。斑鬣狗是最强健和最大胆的鬣狗，当食物缺乏之时，会攻击睡着的人，并能叼走幼儿；叫声似悲号和“笑声”；一窝产 1 ～ 2 仔，妊娠期约 3 ～ 3.5 个月。鬣狗属（*Hyaena*）有两个种：条纹鬣狗（*H. hyaena*）和棕鬣狗（*H. brunnea*）。两者均比斑鬣狗小，背和颈上长有粗糙、可竖立的鬃毛，体长 0.9 ～ 1.2 米，尾 30 厘米，体重 25 ～ 55 千克。条纹鬣狗产于亚洲西南部和非洲北部及东部，浅灰或浅黄色，有垂直的棕色或黑色条纹。棕鬣狗栖息在非洲南部，深褐色，头为灰色，腿上有灰色条纹。两者的妊娠期均为 3 个月左右，一窝通常产2 ～6 仔。条纹鬣狗主要食尸肉，在非洲某些地区，人们让条纹鬣狗进入村庄以食垃圾。棕鬣狗有时捕杀家畜，因而遭捕杀使数量大减，主要生活于狩猎公园及保留地中。非洲猎狗（**African hunting dog**）有时也称 hyena dog（鬣狗状狗）。

Hyenia 歧叶节蕨属 一个小灌木状的化石植物属。属蕨类植物楔叶纲（或亚门）歧叶节蕨目（Hyeniales），见于泥盆纪岩层（4.08 亿年前至 3.60 亿年前）。雅致歧叶节蕨（*H. elegans*）从地下茎生出多数直立茎，稀分枝；叶狭窄，分叉，轮生。福格特氏歧叶节蕨（*H. vogtii*）侧生分枝多而规律，这被认为是叶的可能起源，所以该种引起人们的兴趣。

Hyères 耶尔 法国最南部的地中海海滨区最古老的游览胜地和温泉疗养地。在普罗旺斯山-蓝岸大区瓦尔省，土伦东面。耶尔新城距海 5 千米，在地中海海滨区的西端，城内宽阔的林荫道旁有美丽的棕榈树。从 18 世纪起就以疗养胜地闻名。历史上相继属于马赛的希腊人、罗马人、福斯和马赛的封建领主以及普罗旺斯伯爵。1481 年归属法国国王。是几个法国国王的住地。13 世纪路易九世（圣路易）从第七次十字军东征归来，就在此驻足，此时耶尔尚为一海港。城东南的耶尔海滨的松林边上有沙滩。附近偏南沿海和近岸的耶尔群岛上也有许多海滨胜地。耶尔还有一个直接与巴黎通航的飞机场。人口 31 890（1982）。

Hyesan 惠山 北朝鲜北部城市，鸭绿江上游的边境城市。李朝（1392 ～ 1910）时期为要塞。北朝鲜冬季最寒冷的地区之一，1915 年的低温记录为 - 42 °C。为鸭绿江水运起点。附近白头山区有国内最丰富的森林资源。原木由该城编排筏沿江而下。朝中边境的白头山为朝鲜最高峰，海拔2 744米。工业有木材与造纸。

Hygieia 许革亚 希腊宗教中的健康女神。最早对她进行崇拜的是科林斯以西的提塔尼，在那里她和医药之神阿斯克勒庇俄斯同受崇拜。起初她和阿斯克勒庇俄斯之间并无特殊关系，但她逐渐被看成是他的女儿，后来在文学作品中，她又成为他的妻子。对她的崇拜和对他的崇拜同时得到传播并于公元前 293 年从埃皮达鲁斯引入罗马，这时她又逐步与萨罗斯（**Salus**）相等同。后来许革亚和阿斯克勒庇俄斯变成了保护神。她的动物是一条蛇；艺术作品中，这条蛇被表现为从她手中的盘子里饮水。

Hyginus, Saint 希吉诺斯，圣（？，希腊？～约 140，罗马） 教皇（约 136 ～约 140 在位）。据《教皇志》载，他是神职等级制的创始人，但另说此事应归功于教皇何尔米斯达斯。在位期间罗马出现诺斯替派异端。

Hyginus, Gaius Julius 希吉努斯(活动时期1世纪) 拉丁作者兼学者,据苏埃托尼乌斯(《论语法》,20),奥古斯都曾委任他为帕拉丁图书馆馆长。他曾作为奴隶或战俘从西班牙或亚历山大来到罗马,后由奥古斯都给以自由。他是学者科尔内留斯·亚历山大波利希斯托的弟子,也是奥维德的朋友。写有许多著作,其中包括风土志和传记文章,关于海尔维乌斯·辛纳和维吉尔诗篇的注疏,以及论农业和养蜂的专著,但无一留存。

hygrometer 湿度计 气象科学中测量大气湿度或水蒸气含量的仪器。在微气象学领域需要快速测量薄层大气中相对湿度的巨大变化,湿度计尤为重要。用以指示相对湿度

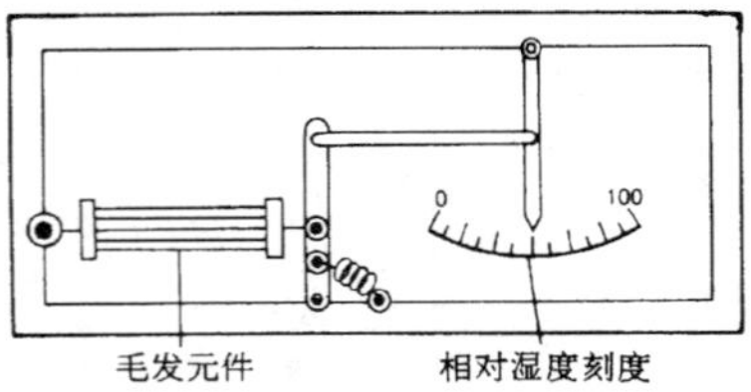

用毛发作感受元件的机械式湿度计

的湿度计有3种主要类型。(必要时可由相对湿度定出绝对湿度)。机械式湿度计所依据的原理是:有机物质(特别是如牛肠衣线和人的头发等较细的物质)会因相对湿度的变化而胀缩。如附图所示,毛发(总是用金黄色的头发)元件的胀缩致使弹簧去推动度盘上的指针。电学湿度计测量的是相对湿度变化所引起的氯化锂薄片或半导体器件的电阻改变量。另一些湿度计则是感受相对湿度变化所引起的不同物质的重量、体积或透明度的改变。典型的露点湿度计是由一面抛光的金属镜片构成的。镜片在恒定气压和恒定水蒸气含量下被冷却,直至水气刚刚在其上凝结为止。水气开始凝结时的金属温度即为露点。*干湿表*(**psychrometer**)则利用两只温度计,即湿球温度计和干球温度计,通过蒸发来测量湿度。

Hyksos 西克索人 公元前18世纪居住在埃及北部的民族,其族源是闪米特-亚细亚混血人。大约公元前1630年西克索人夺得政权,成为埃及第十五王朝(约公元前1630～前1521)的统治者。西克索人之名,最初由生活于公元前300年的埃及历史家曼内托提出。据公元1世纪的犹太史学家约瑟夫斯记载,曼内托将"西克索人"译为"王者牧人"或"俘虏牧人"。约瑟夫斯意欲显示犹太民族的历史悠久,乃将西克索人同《旧约》中的希伯来人相提并论,合二为一。尽管有可能希伯来人进入埃及时正好是西克索人的统治期间,或许有些西克索人是某些希伯来人的祖先,现代大多数学者对约瑟夫斯之说并不赞同。"西克索"一词几乎可以肯定是指西克索人所建立的王朝而言,并非指称其整个民族。传统记载虽然也说西克索人建立了第十六王朝,但其统治者大都只是十五王朝诸王的臣属和附庸。西克索人似乎同当时中东其他地区的民族大迁徙也互有影响。西克索人曾把马、战车、弓弩、改良的战斧和先进的防御技术传入埃及。他们在东北三角洲的阿瓦利斯(即现今的达巴村)前已攻占的一个"中部王国"城镇的废墟上兴建都城,构筑营地,加强防卫。自20世纪60年代开始发掘以来,已经出土的有:一座迦南式神庙、数处巴勒斯坦型墓葬(包括马的墓葬)、一批巴勒斯坦形制的陶器和大量精良武器。西克索人所崇奉的主神是埃及的风暴与沙漠之神塞特,他们把塞特与一个亚洲的风暴之神视为一体。他们自阿瓦利斯发号施令,统治着下埃及与上埃及的大部地区,其政令所及,直达赫尔莫波利斯。他们通过一些埃及封臣,延伸其统治势力南达库塞,甚至一度超出该地范围之外。后来底比斯人在塞克纳尔及卡莫斯的领导下发动叛乱,当时西克索法老阿波皮一世曾试图与库施统治者结盟,但未成功。库施统治者曾在埃及第十三王朝后期(约公元前1650)入侵埃及的努比亚。底比斯人的叛乱在卡莫斯领导下向北推进,约在公元前1521年,卡莫斯的继承人和第18王朝的创建者雅赫摩斯率叛军攻陷阿瓦利斯,结束了西克索人对埃及108年的统治。尽管自哈特谢普苏特在位之时起埃及人曾对西克索人有所诋毁,西克索人却曾以法老之尊统治过埃及,且在都灵纸莎草纸中列为合法的国王。西克索人至少在表面上已埃及化,而且他们统治埃及期间,对于政治范畴之外的埃及文化,未曾进行过干涉。

Hylacomylus 参阅 **Waldseemüller, Martin** *瓦尔德塞弥勒*。

Hylobatidae 长臂猿科 树栖类人猿的一科,著名的种有*长臂猿*(**gibbon**)及*合趾猿*(**siamang**)。

hylomorphism 形质说 英语作matter and form。哲学中的一种形而上学观点。按照这一观点,自然界的每一物体均由两个内在的本原组成。一个是潜能,亦即原初物质;另一个是现实,亦即实体形式。这是亚里士多德自然哲学的中心理论。一方面人们必须寻找原始的元素,亦即不是由其他物体派生出来的,却是构成其他一切物体的东西。另一方面,人们必须寻找内在的条件;一个物体凭借这些条件而存在,或最终成为人所理解的物体。为了解决这一问题,亚里士多德提出了形质说。质料和形式不是两个单独的物体,只有通过二者的组合才能存在和活动。作为物体的形而上学本原,只能用理智分析间接地认识。他的论证主要以"生成"或实体变化的分析为基础。如果一种存在物变成另一种存在物,那么一定存在着某种永久不变的东西为两个时期所共有;否则就没有转化而仅仅是前后相继而已,前者消失和后者产生。这种永久不变的、共同的东西自身严格地说不是一个存在物,因为一个存在物业已存在,而非生成,并且因为"动作中的"存在物不可能是具有其自身统一性的存在物的内在部分;因此,它必然是"潜在的"存在物,是潜在的、被动的、不确定的本原。同时,在变化的两个时期,必须还有一个现实的、能动的、确定的本原。这种潜在的本原是质料,能动的本原则是形式。注解亚里士多德的希腊学者和阿拉伯学者,以及经院哲学家,接受了形质说并给以各种解释。托马斯·阿奎那的论述尤为充分。

hylozoism 物活论 哲学中任何一种认为万物均有生命的学说。它或者认为物本身即有生命,或者认为有一种世界精神或某种类似的要素在起作用。从逻辑上说,物活论既不同于将自然人格化的早期万物有灵论,又不同于将某种意识或感觉归于万物的万有精神论。根据物活论来解释自然界,在思想发展史中已屡见不鲜。早期的希腊哲学家就曾经探索过万物的起源。例如,泰勒斯认为水是原始物质,并把一切物都看成"充满着神";阿那克西米尼认为使世界生机蓬勃的是空气,而赫拉克利特则认为是火。逍遥学派斯特拉顿把一切实在归结为物质,一切心理活动归结为运动,他也同样赋予物质以生命。早年的物活论在中世纪和文艺复兴时期经过改头换面又重新出现,虽然有时物活论者和万有精神论者之间很难区别。物活论这一名词由17世纪时剑桥的柏拉图主义者R.卡德沃思所创。他和H.莫尔(另一剑桥的柏拉图主义者)一起谈到"可塑自然",亦即一种控制并组成物质的无意识的精神本体(类似植物灵魂),从而产生自然的活动。D.狄德罗、P.-J.-G.卡巴尼斯、J.B.罗比耐等18世纪的百科全书派支持一种对自然界能动的、唯物的观点(和斯特拉顿有相似之处),这一观点到19世纪时为进化论哲学家所接受。例如,E.海克尔认为:如果生命由物质所产生,那么一切物质就一定包含着生命。这种论点很快受到突生进化论者的非难。

Hyman, Libbie Henrietta 海曼(1888-12-06,美国艾奥瓦得梅因～1969-08-03,纽约市) 美国动物学家、作家。她编写的无脊椎动物及脊椎动物教科书和参考书被广泛采用。她于1915年获芝加哥大学哲学博士学位,1916～1931年在C.M.蔡尔德领导下主要研究扁虫。1937年后在纽约市美国自然博物馆担任义务研究任务直至去世。重要著作有《初等动物学实验手册》(1919)、《比较脊椎动物实验手册》(1922)、《比较脊椎动物解剖学》(1942)、《无脊椎动物》(6卷,1940～1968),最后一书是她去世时尚未完成的不朽著作。1959～1963年任《系统动物学》编辑,1959年任系统动物学会会长。

Hymans, Paul 海曼斯(1865-03-23,布鲁塞尔附近伊克塞勒～1941-03-08,法国尼斯) 比利时政治家,第一次世界大战后作为比利时出席巴黎和会代表,帮助起草国际联盟盟约。1898～1914年在布鲁塞尔自由大学教授议会史。1900年进入下院。不久成为自由党领袖。1915～1917年任驻英国公使,后任经济事务大臣。1918～1920年任外交大臣,曾代表比利时出席巴黎和会。1920年在日内瓦召开国际联盟第一次大会时任主席。1921年参加建立比利时和卢森堡的关税联盟。1924年在谈判道威斯计划时起过主要作用。此后担任司法大臣(1926～1927)、外交大臣(1927～1935)、内阁大臣会议委员(1935～

1936)。著有《自由主义札记》(1936)。

Hymen 许门 希腊神话中的婚姻之神，他的名字源自古代结婚歌的叠句。通常人们认为他是阿波罗和缪斯之一(可能是卡利俄珀)所生的儿子。另一个传说说他是狄俄尼索斯和阿佛洛狄忒的儿子，这样他便会是一位丰产之神了。据阿提卡传说，他是一个英俊少年，从一群海盗手中救出几个姑娘，其中有一位是他所爱恋的。作为回报，他得到了这个女孩并娶她为妻，后来人们由于他们生活美满，都在结婚歌中向他祈求。

hymenium 子实层 担子菌纲(Basidiomycetes)和子囊菌纲真菌生长孢子的组织层。由菌丝的顶端细胞形成。

Hymenogastrales 腹菌目 担子菌纲真菌的一目。约225种，是一个异形类群。与牛肝菌和伞菌类都有亲缘关系。根须腹菌属(络丸属，*Rhizopogon*)，广布北美，约150种。灰包菇属(*Secotium*，*Endoptychum*)25种，主要产于澳大拉西亚。

hymenopteran 膜翅目昆虫 昆虫纲第三大目——膜翅目(Hymenoptera)的昆虫，11万多种，包括蜜蜂、蚁类、叶蜂、姬蜂、黄蜂、小蜂及角尾蜂等。因为多数传粉昆虫及寄生于昆虫的昆虫属于膜翅目，故膜翅目可能是昆虫纲中经济上最重要的目。除南极地区外，膜翅目昆虫为世界性分布，在热带及亚热带地区尤多。最早的膜翅目昆虫可能早在二叠纪末(约2.25亿年前)已出现，侏罗纪中叶(1.5亿年前)肯定已存在。最早的蜜蜂类出现于中新世(2 600万年前至2 000万年前)。膜翅目昆虫的体型各异，小者如柄翅小蜂，体长仅0.21毫米，大者如长腹姬蜂，体长超过5厘米，但大多数膜翅目昆虫的体长在2.5厘米以下。本目分为两个亚目。其一，广腰亚目(Symphyta)，分四个超科。①锯蜂超科(Megalodontoidea)，包含长节锯蜂科(Xyelidae)及卷叶锯蜂科(Pamphiliidae)。②叶蜂超科(Tenthredinoidea)，包含筒腹叶蜂科(Pergidae)、三节叶蜂科(Argidae)、锤角叶蜂科(Cimbicidae)、锯角叶蜂科(Diprionidae)及叶蜂科(Tenthredinidae)。③树蜂超科(Siricoidea)，包含杉蜂科(Syntexidae)、树蜂科(Siricidae)、长颈树蜂科(Xiphydriidae)及伏牛蜂科(Orussidae)。④茎蜂超科(Cephoidea)，含茎蜂科(Cephoidae)一科。其二，细腰亚目(Apocrita)，分9个超科。①姬蜂超科(Ichneumonoidea)，包含角头蜂科(Stephanidae)、茧蜂科(Braconidae)及姬蜂科(Ichneumonidae)。②小蜂超科(Chalcoidea)，包含柄翅小蜂科(Mymaridae)、纹翅小蜂科(Trichogrammatidae)，寡节小蜂科(Eulophidae)、扁股小蜂科(Elasmidae)、Thysanidae科、Eutrichosomatiidae科、Tanaostigmatidae科、跳小蜂科(Encyrtidae)、旋小蜂科(Eupelmidae)、蚁小蜂科(Eucharitidae)、巨胸小蜂科(Perilampidae)、无花果小蜂科(Agaonidae)、长尾小蜂科(Torymidae)、刻腹小蜂科(Ormyridae)、金小蜂科(Pteromalidae)、广肩小蜂科(Eurytomidae)、Chalcidectidae科、小蜂科(Chalcididae)及褶翅小蜂科(Leucospidae)。③瘿蜂超科(Cynipoidea)，包含枝跗瘿蜂科(Ibaliidae)、光翅瘿蜂科(Liopteridae)、环腹瘿蜂科(Figitidae)及瘿蜂科(Cynipidae)。④细蜂超科(Proctotrupoidea)，包含旗腹蜂科(Evaniidae)、Gasteraptiidae科、长腹细腰蜂科(Pelecinidae)、离颚细腰蜂科(Vanhorniidae)、窄腹细蜂科(Roproniidae)、柄腹细蜂科(Heloridae)、细蜂科(Proctotrupjdae)、分盾细蜂科(Ceraphronidae)、Diaphriidae科、绿腹细蜂科(Scelionidae)及广腹细蜂科(Platygasteridae)。⑤肿腿蜂超科(Bethyloidea)，包含青蜂科(Chrysididae)、肿腿蜂科(Bethylidae)、Sclerogibbidae科、螯蜂科(Dryinidae)及钩腹蜂科(Trigonalidae)。⑥土蜂超科(Scolioidea)，包含臀沟土蜂科(Tiphi-idae)、拟柄土蜂科(Sierolomorphidae)、双刺蚁蜂科(Mutillidae)、刺角胡蜂科(Rhopalosomatidae)、土蜂科(Scoliidae)、寡毛土蜂科(Sapygidae)及蚁科(Formicidae)。⑦胡蜂超科(Vespoidea)，包含胡蜂科(Vespidae)及蛛蜂科(Pompilidae)。⑧泥蜂超科(Sphecoidea)，包含长背泥蜂科(Ampulicidae)及细腰蜂科(Sphecidae)。⑨蜜蜂超科(Apoidea)，包含分舌蜂科(Cclletidae)、Adrenidae科、隧蜂科(Halictidae)、准蜂科(Melittidae)、切叶蜂科(Megachilidae)及蜜蜂科(Apidae)。

膜翅目昆虫的身体亦分为头、胸、腹三部分。多数种类的胸、腹之间隔以细腰。多数种类有翅2对，其中前翅较大。前后翅间以位于后翅前缘的小沟交锁。口器为嚼吸式。头顶部有两对复眼，一般有3只单眼。触角构造各不相同，但是多为中等长度，少数种类的触角长于身体。各种蜜蜂类有携带花粉的构造——花粉刷，为位于足部或腹部腹侧的由长毛形成的花篮状毛网。产卵器位于腹端。叶蜂的产卵器为锯状，用以割开叶子产卵其中。其余膜翅目昆虫的产卵器适于穿刺。许多蜜蜂类腹部腹侧有蜡腺，分泌的蜡用以建造蜂房作为抱窝或贮藏营养物质之用。膜翅目昆虫的视觉及嗅觉是昆虫纲中最发达的。蜜蜂类对各种波长的光线(包括紫外线)敏感。能靠阳光及其他各种容易看到的标志物辨认自己身在何处，甚至能感受偏振光，故在多云的日子也能定位。司护卫蜂群的工蜂借嗅觉鉴别进入蜂巢的每一个个体是否具有该群体的气味。蚁类会在外出活动时随处留下气味标志，供作回巢路线的指示物。许多膜翅目昆虫借气味寻找配偶。膜翅目昆虫的幼虫一般有头、3节的胸及9～10节的腹部。广腰亚目种类的幼虫通常为毛虫状，胸部有6足，腹部的足数更多，但钻木及钻茎种类的幼虫腹部无足。细腰亚目种类的幼虫一般无足，形似蛆。蜜蜂类及黄蜂类分布于所有生长有显花植物的地方。蚁类的种类数及个体数于热带地区最为丰富，少数蚁类见于较冷的气候条件下。有些膜翅目昆虫如叶蜂类及蜜蜂类某些昆虫为植食性。有些种类如多种黄蜂及姬蜂寄生于其他昆虫。南美的行军蚁亚科种类食任何找得到的动物和植物。有些类群如许多黄蜂、叶蜂及某些蜜蜂类为独栖。其余的种类包括所有蚁类及许多较为进化的蜂类，属于最为人熟知的社会性昆虫之列。已知独栖性黄蜂有约20 000种，其中大部分种类将一只麻痹了的昆虫或蜘蛛置于巢中，每个室中产有一枚卵，并放置一只麻痹了的昆虫或蜘蛛，供以后孵出的幼虫食用。姬蜂超科种类的雌体将卵产于各种昆虫寄主的幼虫体外或体内。社会性昆虫则形成群体，每个个体在群体中有其明确的职责，这些个体离开群体后通常不能存活。较为进化的种类的群体中有一只具生殖能力的雌体——母虫(蜂王或蚁王)，还有各种生理上或行为上各不相同的类型以维持该群体。占群体中个体数大部分的职虫(工蜂或工蚁)为无生殖能力的雌体。雄体仅于每年中一个很短促的生殖季节才是必要的。职虫建造并保卫巢穴，并照顾、喂养幼虫；有的种类的职虫在形态上分化为专司建造、作战、内部劳务及外部劳务的个体，但有的种类的职虫无形态的分化。蜜蜂群体中从事不同工作的工蜂在外形上无差异；不同年龄的工蜂从事不同的工种。蜜蜂演化出一种通信方式，用舞蹈状动作将信息通知同巢的伙伴。舞蹈动作的方向、持续时间、角度等可将新食物源的数量、质量、距离、方向等信息告诉同伴。当蜂巢变得太拥挤时，老蜂王会将蜂群中的一半个体带走，去寻找新的营巢地点。该分蜂群先派出一些蜂去侦察，侦察蜂回来时又用舞蹈形式向同伴描述所找到的地方在何处，是否可以营巢。许多膜翅目昆虫对人类十分重要。蜂类是显花植物最重要的传粉媒介之一，人们早就饲养蜜蜂以取蜂蜜及蜂蜡。许多寄生蜂在控制害虫方面起重要作用，如木胡蜂寄生于天牛；寡节小蜂寄生于介壳虫；臀沟土蜂寄生于日本的金龟。极少数膜翅目昆虫是重要的经济害虫，如欧洲云杉叶蜂(*Gilphinia*属)、落叶松叶蜂(*Pristiphora erichsonii*)及小麦茎叶蜂(茎蜂科)等。

hymenostome 膜口虫 膜口目纤毛均匀分布的原生动物。本目的草履虫属(*Paramecium*)常被用作实验材料。四膜虫属(*Tetrahymena*)分布更广且容易培养，用于生物化学和

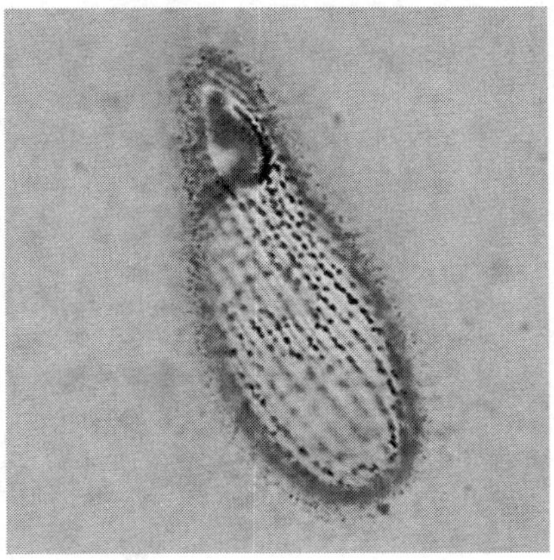

膜口虫(*Tetrahymena pyriformis*)
美国不列颠百科全书公司供图

生理学研究。膜口虫的特点：口腔腹位，一面覆有由纤毛融合成的3条小膜，另一面则为一波动膜。在口帆虫属(*Pleuronema*)，此膜扩大成为囊状食物铲。本目亦有寄生类型，如小瓜虫属(*Ichthyophthirius*)侵染淡水和水族箱鱼类的皮肤。本目还包括楯纤毛虫，数目众多，大部海生。

Hymettus, Mount　伊米托斯山　现代希腊语作 Óros Imittós。希腊雅典东南的石灰岩山。最高点海拔1 026米。山岭长 18 千米,从皮尔纳里峡谷处分为两支。当地有古代采石场和墓地。罗马时代诗人奥维德曾描绘过的山坡上芬芳植物花草早已绝迹,但自古已有的养蜂业至今犹存。第二次世界大战后,山区进行了颇有成效的大规模绿化。有小修道院坐落于一泉水处,该泉在古代以其医疗性能知名。

hymn　赞美诗　此词源自希腊语hymnos,原指颂扬神、英雄或著名人物的赞歌。严格地说是基督教徒用于崇拜上帝的歌曲,通常由会众咏唱,其唱词基本上为诗体分节歌,不用《圣经》经文。基督教的赞美诗源自希伯来圣殿的诗篇咏唱。完整保存下来的最早歌词(约公元 200 年或更早)是用希腊语的《放吧,喜悦的光》。但赞美诗有系统地发展是在君士坦丁皇帝给予基督教合法地位(313)以后。它最早盛行于叙利亚。圣厄弗冷(4 世纪美索不达米亚基督教助祭、诗人和赞美诗作者)被誉为"基督教赞美诗之父"。在西方,圣奚拉里(普瓦蒂埃的)约在 360 年写了一部赞美诗歌词。不久圣安布罗斯(米兰的)制定了会众唱的诗篇歌和赞美诗。在诗体(每节 4 行、抑扬格、8 音节诗句)方面,这些早期赞美诗(显然是用简单的、可能是民间曲调歌唱)源自当时的基督教拉丁文诗歌。至中世纪晚期已由训练有素的唱诗班代替会众咏唱赞美诗。虽然创作了一些新的、常常是装饰华丽的旋律,许多早期旋律也经过精致的加工,但以一个音唱一个音节的做法仍司空见惯。直到宗教改革时期德国信义宗教会才恢复由会众在礼拜仪式中咏唱。早期的*众赞歌*(**chorale**)是不配和声的无伴奏歌曲,到后来才出现由合唱组、管风琴和会众咏唱的、配有和声的唱本。早期的重要赞美诗集有路德与 J. 瓦尔特(1524)以及 G.劳(1544)编选的版本。17 和 18 世纪虔信派把一种新的抒情和主观的色彩引进了德国赞美诗中。瑞士及其后的法、英格兰和苏格兰的加尔文宗提倡把祈祷用的诗篇译成韵律诗(参阅 **psalmody**)来加以咏唱,采用朴素的无伴奏的齐唱方式。英国唱赞美诗的主要动力来自 17 世纪末独立派即公理宗赞美诗作者 I.瓦茨。其后,18 世纪中叶循道宗创始人卫斯理兄弟所倡导的福音奋兴运动,开创了英格兰和美国的赞美诗风格。C.卫斯理写的很多诗试验各种韵律的变化;J.卫斯理的译本收入了许多最卓越的德国赞美诗。圣公会直到 1820 年才正式接受赞美诗歌唱,那是在设菲尔德教堂咏唱赞美诗而引起的争论之后。1833 年开始的牛津(高教会派)运动,促进了新作品的创作,以及中世纪赞美诗的翻译和素歌曲调的运用。虽然意大利韦尔多教派受当地民歌和歌剧风格影响而培养会众咏唱赞美诗,可是欧洲大陆的赞美诗咏唱在很大程度上受信义宗的影响。16 世纪中叶的反宗教改革促成了许多优秀的天主教赞美诗作品,而 19 世纪末对赞美诗重新发生兴趣则终于导致在英格兰出现了《威斯敏斯特赞美诗集》(1940)。在20 世纪 60 年代末再度在弥撒中采用会众咏唱,也促进了新赞美诗作品的创作,并因此而采用了很多非天主教的赞美诗。参阅 **Armenian Chant; fuging tune; se-quence; spiritual; Te Deum laudamus**。

Hyndburn　海恩德伯恩　英格兰兰开夏行政、历史郡一区(自治市)。位于布莱克本和伯恩利两城市区之间。南为罗塞恩达尔森林的沼泽地,北为以农为主的里布尔河谷。面积 73 平方千米。利兹-利物浦运河穿过该区中部。19 世纪随棉纺织业的兴起发展起来。詹尼纺纱机的发明者 J.哈格里夫斯曾在当地的斯坦希尔居住。随纺织业出现的机械工业现仍重要。阿克灵顿是该自治市最大城镇和行政中心。人口约79 400(1998)。

Hyndman, Henry Mayers　海德门(1842-03-07,伦敦～1921-11-22,伦敦)　英国第一个重要的马克思主义者,对其他主要的英国社会主义者有强大的影响。剑桥大学三一学院毕业。1871 ～ 1880 年在伦敦当记者。1880 年阅读《资本论》后,开始信仰马克思主义,并与另几个激进分子创建民主联盟。他为联盟第一次会议(1881-06)所写的《英国是全体英国人民的英国》,是 19 世纪 30 年代 R.欧文的改革运动衰落后英国出版的第一部阐述社会主义的著作。1884 年,民主联盟改称社会民主联盟。许多盟员,包括 W.莫里斯、J.E.伯恩斯和 G.兰斯伯里在内,都是在海德门指引下走向马克思主义的。但不久,莫里斯等人在 F.恩格斯帮助下与之决裂,组成社会主义联盟。虽然从此他对英国社会主义的领导被削弱,但由于一般人相信是他领导了 1889 年伦敦码头工人大罢工,因而声名达到最高点。第一次世界大战开始时,他认为英国受到"德国的威胁",采取爱国和亲法的路线,因而被英国社会党开除党籍。他后来组织国家社会党,后恢复社会民主联盟的名称。大战期间,他任粮食部顾问。著有《革命的演变》(1920)等。

Hyōgo　兵库　日本本州西部县。北濒日本海,南临濑户内海,面积(包括淡路岛)8 381平方千米。首府神户与其他南部沿海城市构成大阪-神户都市区之一部分。生产钢铁、纺织品和木材。农、林业和铁路交通发达。历史上为日本西部与亚洲大陆的联系枢纽。神户是日本重要的外贸港口之一。其他重要城市有西宫、尼崎、明石、宝塚。人口约 5 436 664(1991)。

hyoscine(drug)　参阅 **scopolamine** *东莨菪碱*。

Hypatia　希帕蒂娅(约370,埃及亚历山大～415-03,亚历山大)　新柏拉图主义哲学家,第一位著名的女数学家。她是数学家兼哲学家泰昂的女儿,是亚历山大城公认的新柏拉图主义哲学学派领袖。她以口才、谦逊、美丽以及非凡的才智吸引了大量学生,其中有昔兰尼的叙涅修斯,此人后来是托勒密的主教(约 410)。他给希帕蒂娅的信有几封至今尚存。希帕蒂娅是学术和科学的象征;而在西方历史上,那时的学术和科学被早期基督徒看成是邪教。因此她在基督教徒和非基督教徒之间的紧张关系和骚乱中成为一位中心人物。这种骚乱曾使亚历山大城多次遭难。在西里尔就任亚历山大城大主教(412)后不久,她于 415 年遭到尼特里亚的修士和追随西里尔的一群狂热基督教暴徒的野蛮杀害,大约是因为她同该城信奉异教的市长关系密切之故。不论谋杀的确实起因是什么,不久之后,许多学者的离去标志着作为古代学术中心的亚历山大城衰落的开始。据《苏达辞典》记载,希帕蒂娅曾为亚历山大人丢番图的《算术》,为佩尔加人阿波罗尼奥斯的《圆锥曲线》以及托勒密的天文学原理作过评注。这些著作均已失传,但从这些名著的书名以及叙涅修斯的书信(信中同她讨论制造星盘和水钟的问题)可以看出,她特别致力于天文学和数学的研究。她是否写过真正的哲学著作,则不得而知。

Hypecoaceae　角茴香科　罂粟目的一科,特征居于本目其他两科(罂粟科和荷包牡丹科)之间。仅含角茴香属(*Hypecoum*)一属,15 种,草本,含水样液体。叶互生,灰色,覆以蜡质粉,深裂。花小,整齐,雄蕊 4 枚;花瓣 4 枚,2 轮,内轮花瓣常分裂。见于地中海至东亚温暖地区。平铺角茴香(*H. procumbens*)原产于欧洲南部,茎高 30 厘米,花杯状,鲜黄色,聚成雅致而松散的花簇。耐寒,一年生,常栽培为庭园植物。

hyperactivity　多动症　又称注意功能障碍。一种儿童行为障碍。典型症状是不能集中注意力、散漫、躁动、片刻也坐不住、不能静下心来集中精力去做任何事情;情绪不稳定、爱激动、易烦躁、攻击性强。学龄儿童的多动症可致严重后果,因为无法让他们坐在教室里安心学习、注意听老师讲课,学习成绩当然也就无从谈起。因为这些孩子的行为意识差,故颇具破坏性。不过,多动症的儿童并无智力障碍。多动症的病因不明,据信,遗传和环境都有关系。此症曾有"轻微脑功能不全"之称,改用现名是因为多动症儿童并无知觉、情绪和神经功能障碍。多动症儿童约占学龄儿童的 5% ～ 10%,男、女比例为 3:1。利他林(中枢兴奋药,盐酸哌甲酯)可缓解多动症症状;除可极大地改善患儿的注意力外,服药后的患儿还能以一种建设性的态度和家长们交往,接受他们的帮助。随着年龄的增长,多动症的症状可获缓解,但注意力不集中仍然时常困扰着他们。

hyperbaric chamber　高压舱　又称减压舱、复压舱。一种密闭舱,其中维持一种高压的环境,用于治疗某些疾病,如减压病。实验性复压舱最早约于 1860 年开始使用。最简单的形式为高压装置,是能容纳一个或几个人的金属圆筒,外层门有用以密封的橡皮垫。通过压缩机往舱内打气,舱内压力随打进的空气量成比例地增长。随着舱内空气的压缩,其密度和浓度也相应增高。高压舱的工作压强多为3 ～ 6个大气压,人在 6 个大气压的环境下呼吸,所吸入的氧气量亦为正常情况下的6倍。有些细菌(如破伤风杆菌和气性坏疽杆菌)不能在含氧的环境中生存。用高压舱治疗这种患者已获成功。有些先天性心脏病的患婴(如青紫婴儿),借助于高压舱获得更多的氧气后,为他们施行的心脏手术成功率亦可有所提高。高压舱的另一功能是治疗与压力有关的疾病,如空气栓塞、减压病等。使患者回复到高压环境中,使气泡压缩,缓慢地被组织吸收。然后使气压逐渐恢复正常,使气体通过呼吸道排出。

hyperbaton 倒置法 希腊语,意为"换位"或"倒装"。将通常的词序换位或倒装。经常用于诗歌中,如A.蒲柏的《夺发记》(1712～1714)中第二诗章第13行:"Bright as the sun, her eyes the gazers strike"。

hyperbola 双曲线 一种圆锥截线(**conic section**),是圆锥面和截其两叶(参阅**cone**)的平面的交线,分成张开的两支曲线。作为平面曲线,它可以定义为一个点在平面上运动的轨迹,这个点在运动中保持它到一个定点(焦点)的距离和到一条定直线(准线)的距离之比是大于1的常数。双曲线是对称的,它有两个焦点。双曲线还有一种定义,即它是到两个定点(焦点)的距离之差等于一个常数的动点的轨迹。圆锥面和与它的两叶相交并经过其顶点的平面的交线(两条相交的直线)是退化的双曲线。作经过焦点的直线并向远方延长,得到双曲线的横截轴;过连接焦点的线段的中点并与横截轴垂直的直线,是双曲线的共轭轴。这两条轴的交点就是双曲线的几何中心。与双曲线的两支在无穷远处相切的直线,经过这个几何中心,它们就是双曲线的渐近线。经过焦点并与横截轴垂直而端点在曲线上的直线段是正焦弦;由于对称性,有两个正焦弦。双曲线绕它的一个轴旋转,即形成一个双曲面(**hyperboloid**)。对于其横截轴为x轴、共轭轴为y轴的双曲线,有方程$x^2/a^2-y^2/b^2=1$,经过曲线与坐标轴的交点作以渐近线为对角线的矩形,a和b就是它的长和宽的一半。

hyperbole 夸张 辞格之一。故意夸大其辞,以达到强调或取得喜剧性的效果。夸张常见于爱情诗歌中,用于传递情人对其所爱者强烈的思慕之情,例如下面一段形容富家嗣女鲍细霞的话:"要是有两个天神打赌,各自拿一个人间的女子做赌注,如其一个是鲍细霞,那么还有一个必须另外加上些什么,才可以彼此相抵,因为这一个寒伧的世界还不能产生一个跟她同样好的人来。"(莎士比亚:《威尼斯商人》)。当夸张不能体现出戏剧效果,它就显得荒谬。夸张的例子还见于描绘君主或勇士的英雄行为的传说、荒诞不经的故事和希腊罗马神话中。

hyperbolic functions 双曲函数 又称双曲三角函数。它们是双曲正弦(sh$z$)、双曲余弦(ch$z$)、双曲正切(th$z$)、双曲余割、双曲正割和双曲余切。这些函数常常用指数函数(**exponential function**)定义,即:$\mathrm{sh}z=(e^z-e^{-z})/2$,$\mathrm{ch}z=(e^z+e^{-z})/2$,其他的双曲三角函数可以用类似于通常的三角函数的方式定义。

hyperbolic geometry 双曲几何 又称罗巴切夫斯基几何。欧几里得的第五公设("平行"公设)在其中不成立的一种非欧几里得几何(**non-Euclidean geometry**)。简单地说,欧几里得的这条公设是:经过不在给定直线上的一点,恰好有一条直线平行于此直线。在双曲几何中,经过不在给定直线上的一点,至少有两条直线平行于给定直线。然而,双曲几何却容许欧几里得的其他4条公设仍然成立(参阅**Rie-mannian geometry**)。虽然双曲几何的许多定理和欧几里得几何是一致的,但有许多却不一样。例如,在欧几里得几何中,两条平行线是处处等距的,但在双曲几何中,两条平行线在一个方向上收敛而在另一个方向上发散。在欧几里得几何中,一个三角形的内角和等于两个直角;而在双曲几何中,这个和小于两个直角。在欧几里得几何中,不同面积的多角形可以相似;而在双曲几何中,不同面积的相似多角形却不存在。说明双曲几何存在的第一部著作,是俄国数学家N.I.罗巴切夫斯基在1829年发表的。匈牙利数学家F.鲍耶和J.鲍耶父子在1831年也独立地发表了这方面的著作。

hyperboloid 双曲面 与由双曲线(**hyperbola**)绕它的两条轴之一旋转所生成的曲面相类似的开曲面。如果曲面的横截轴在x轴上,中心在原点,而a、b和c是它的主半轴,则曲面的一般方程是$x^2/a^2\pm y^2/b^2-z^2/c^2=1$。双曲线绕它的共轭轴旋转产生单叶双曲面,其形状像一个计时用的水漏(见左图),对于它,上述方程中的第二项是正的。

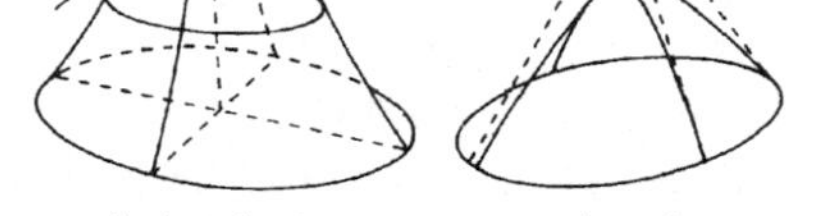

单叶双曲面　　双叶双曲面

曲面同平行于xz或yz平面的平面的交线是双曲线,而同平行于xy平面的平面的交线是圆或椭圆。双曲线绕它的横截轴旋转产生双叶双曲面,这是两片分开的曲面(见右图),对于它,一般方程中的第二项是负的。曲面同平行于xy或xz平面的平面的交线是双曲线;对于与yz平面平行的截平面,当它同原点的距离大于$|a|$时,所得到的交线是圆(若$a=b$)或椭圆(若$a\neq b$)。

Hyperborean 极北居民 在希腊宗教里,指同德尔斐的阿波罗和提洛岛的阿耳忒弥斯的崇拜有密切关系的神秘民族。他们的名称同波瑞阿斯即北风神有关。他们住在极乐地区,寿长千岁,如果有人不想活这么久,就戴上花环跳入大海。据希罗多德记载,原先有一些极北居民的少女奉派带着祭品去提洛岛,祭品交付后,少女也死了。自此之后,他们就把祭品用麦秆包起来交给他们的邻人传下去,这样依次相传直到最后到达提洛岛。

Hyperborean languages 希佩博雷安诸语言 参阅**Paleosiberian languages**古西伯利亚诸语言。

hypercatalexis 冗余音节 韵律学中指在一诗行最末一个韵律完整的音步后多出的一个音节,尤指二音步诗中最末一个韵律完整的二音步诗行后多出的一个音节。

hyperfine structure 超精细结构 在光谱学中,由核效应使谱线分裂成若干分支的现象。若不借助于干涉仪,则普通分光镜无法观察到这种现象。在精细结构(**fine structure**)中,谱线的分裂是电子自旋-轨道藕合(由电子的轨道运动与自旋产生的力之间的相互作用)产生能量变化引起的,可是在超精细结构中,谱线分裂的原因除了原子中电子自旋外,还有原子核绕本身轴线的自旋。原子的能态将会分裂成对应于稍许不同的能级。对于每个这样的能级都可赋予一个量子数,称之为量子化能级。这样,当元素的原子辐射能量时,在这些量子化能级之间就发生跃迁,引起超精细结构。具有偶原子序数和偶质量数的原子核,其自旋量子数为零,因而在它们的光谱线中看不到超精细结构。其他原子核的光谱则显示超精细结构。通过对超精细结构的观察,就能够计算核自旋。在元素中,因原子的质量差异而引起的与谱线分裂类似的效应称为同位素结构或同位素移位。这些谱线有时称为超精细结构,但在那些具有零自旋同位素(偶原子序数和偶质量数)的元素中也能观察到它们。观察到同位素结构而没有真实的超精细结构与之相伴随的情况是很少见的。

hyperfragment 超碎片 又称超核。含有Λ^0超子(比一个质子或中子重的亚原子粒子)的原子核。例如,氢超核(^{4}H)由一个Λ粒子,一个质子和两个中子构成。超碎片是1953年M.丹尼兹和J.纽斯基发现的。研究这种短寿命的碎片可以取得关于核结构以及Λ^0超子的自旋和使Λ粒子与质子和中子结合的核力(或强作用)等信息。

hyperglycemia 高血糖 血液中葡萄糖水平升高超过正常范围的现象,是诊断糖尿病(**diabetes mellitus**)的主要实验室依据。高血糖的原因是人体胰岛素分泌相对不足,造成正常糖代谢调节的障碍。因为胰岛素在将葡萄糖从血流中清除并增加肝糖原储备的机制中起重要作用,所以胰岛素相对不足造成葡萄糖在血循环中积聚。糖尿病患者的持续高血糖可造成口渴和视物模糊等典型症状。血液循环中葡萄糖含量过高直接对神经系统有害,引起麻木和针刺感。

hyperhidrosis 多汗症 又作hyperidrosis。全身或局部出汗过多的一种征候。人在激动、恐惧或焦虑时，腋窝、掌、蹠及前额可大汗淋漓。交感神经炎也能引起局部多汗症。战壕足或浸泡足(由于足部长期浸泡在水中和受冷所致)及脑炎亦可引起多汗症。全身多汗可发生于患发热性疾病或处于高温环境时及服用阿司匹林、饮酒或热饮之后。大量全身出汗可见于疟疾、伤寒、结核病、布鲁斯氏杆菌病、糖尿病或甲状腺功能亢进。脑炎及间脑性癫痫亦能引起此种类型的出汗现象。

Hyperides 希佩里德斯(公元前390～前322) 雅典演说家，曾率领他的城邦参加雅典反抗马其顿统治的最后一次决战——拉米亚战争(公元前323)。他是富家子弟，据说是柏拉图和伊索克拉底的门生。他最早以作辩护词为生。公元前346～前324年前某个时间，他支持反马其顿的政治家狄摩西尼，但是在狄摩西尼因侵吞公款而受审时(公元前323)，他又是10位检察官之一。在拉米亚战争中他领导爱国派参战，雅典舰队在色萨利败绩后，他被马其顿将领安提帕特俘虏并被处死。在他名下的77篇演说词中只有6篇的片断传世，即《斥菲利庇德斯》(公元前336～前335冬)、《利科夫龙辩护词》(公元前333)、《欧克色尼浦斯辩护词》(约公元前330)、《驳阿塞诺格尼》(公元前330以后)、《斥狄摩西尼》(公元前323)和一篇悼辞(公元前322)。

Hyperion 土卫七 土星的一颗较小卫星，是1848年美国的W.邦德、G.邦德和英国的W.拉塞尔各自独立发现的。土卫七每21.3天绕土星旋转一周，距土星为1 481 000千米，位于土卫六和土卫八轨道之间，轨道偏心率较大($e=0.1$)，倾角则不大($i=0.4°$)。土卫七为一外形不规则的天体，其大小是410千米×260千米×220千米，它具有较高的反照率(30%)，这是它表面覆盖着冰霜所致。

hyperkeratosis 表皮角化症 又作x-disease，又称x病。牲畜表皮角质层发炎和变厚的一种疾病，其他症状为体重减轻、口内疣状肿胀、流涎和流涕。重者常死亡。本病病因一度认为是病毒，今知是饲料磨碎机的润滑油中的氯化萘污染了食物，为牲畜食入所致。表皮角化症一词亦指人类表皮角质层肥厚的一种疾病。

hyperkinesia(disorder) **运动过度症** 参阅 **chorea** 舞蹈病(狗的)。

hypermastigote 超鞭毛虫 超鞭毛目原生动物。构造复杂，单核，多鞭毛，在白蚁、蟑螂以及木蜚蠊等的消化系统中寄生或共生。鞭毛排列成簇，或排成螺旋状或横行。靠寄生吸收作用摄食。通过体表吸收营养，或靠伪足摄取木屑、淀粉或其他食物。无性(分裂)或有性生殖，有时形成包囊。披发虫属(*Trichonympha*)在寄主木蜚蠊脱皮以前，即开始包囊形成和有性生殖。生活于白蚁体内的种对白蚁的消化是必不可少的，其重量可占寄主

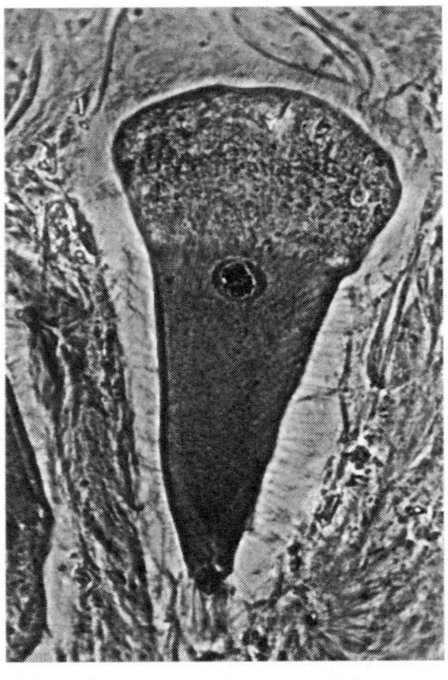

超鞭毛虫(*Trichonympha campanula*)
美国不列颠百科全书公司供图

总重量的一半。代表属为寄生在蟑螂中的缨滴虫属(*Lophomonas*)以及白蚁中的全鞭毛虫属(*Holomastigotoides*)。某些超鞭毛虫则只能生活在一定的白蚁体内。

hypernephroid tumour 肾上腺样瘤 又作hypernephroma。肾癌(**renal carcinoma**)的一种类型。

hypernucleus 超核 参阅 **hyperfragment** 超碎片。

hypernumbers 超数 实数与复数的推广。超数的公理从实数与复数的公理修改而得到。实数(正、负整数，分数与无理数)的熟知性质可以用公理来叙述，这些公理有交换律：$a+b=b+a$，$ab=ba$；结合律：$a+(b+c)=(a+b)+c$，$(ab)c=a(bc)$；分配律：$a(b+c)=ab+ac$。此外，存在零元素0和单位元素1，具有性质：$a+0=a$与$1\cdot a=a$(对一切a)。如果c不是零且$ca=cb$，那么$a=b$(消去律)。最后，如果a不是零，则存在乘法的逆元素a^{-1}使得$aa^{-1}=1$；而加法的逆元素$-a$满足$a+(-a)=0$。如果对于某种数，上述所有命题都成立，这类数就组成一个域。最早定义的超数要求乘法交换律可以违背，并用新规律$ab=-ba$来代替。实数可以用水平的实数线表示，线上在零右边的数是正的，左边的是负的；实数线上的每个点都对应于一个实数，反之亦然。初等代数包含了实数的一个推广，这就是复数，它服从域的所有公理。复数是形如$z=a+\mathrm{i}b$的数，其中(a,b)是实数，而$\mathrm{i}^2=-1$。复数可以用复平面表示(图1)，当$b=0$时，它包含了实数线。

早期定义超数的企图，是希望把实数与复数的性质用自然的方法推广到三维空间，当第三个坐标等于零时，它包含了复平面。在这些研究中，复数的性质起了主要的作用。因此有必要回忆一下那些性质。复数也满足实数的规律，只要取下面的定义：零元素$0=0+\mathrm{i}0$，单位元素$1=1+\mathrm{i}0$，$z_1=a_1+\mathrm{i}b_1$与$z_2=a_2+\mathrm{i}b_2$相加定义为$z_1+z_2=(a_1+a_2)+\mathrm{i}(b_1+b_2)=z_2+z_1$，相乘定义为$z_1z_2=[(a_1a_2-b_1b_2)+\mathrm{i}(a_1b_2+a_2b_1)]=z_2z_1$。上述的最后一点在以后的发展中是最重要的。形式上，它是i的运算的结果，i可以看作一个普通的量，只要将i^2代之以-1。z的共轭复数，用$\bar{z}=a-\mathrm{i}b$表示(图1)；乘积$z\bar{z}=a^2+b^2$是复数长

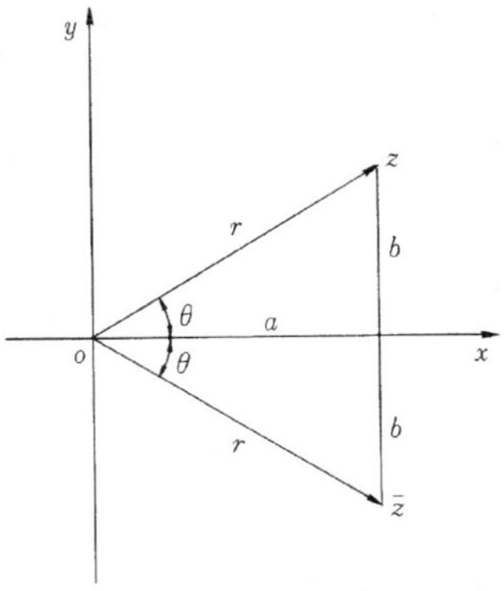

图1 复数的复平面表示法

$z=a+\mathrm{i}b=r(\cos\theta+\mathrm{i}\sin\theta)$，$r$=振幅，$\theta$=辐角

度的平方，称为z的模，用N(z)(或|z|)表示。若z不为零，则$1/z=\bar{z}/z\bar{z}=(a-ib)/(a^2+b^2)$。容易验证$(a^2+b^2)(c^2+d^2)=(ac-bd)^2+(ad+bc)^2$，即$N(z_1)N(z_2)=N(z_1z_2)$，这等于说两个复数乘积的长度等于它们长度的乘积。如果要有唯一可能的除法，这个要求是本质的。从几何上看，两个复数的加法等价于向量相加的平行四边形规则(图2)。乘法的几何解释可

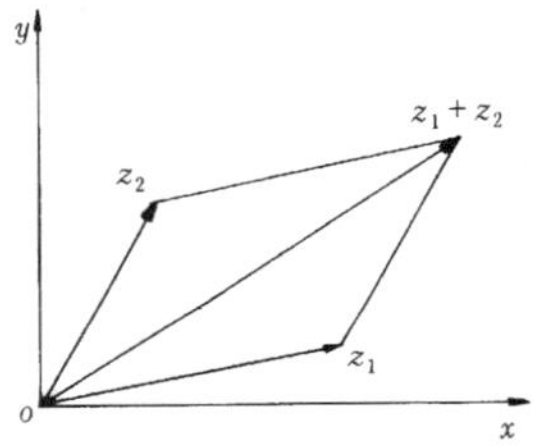

图2 复数加法的平行四边形规则

以从初等的正弦与余弦的和角公式推出。由图1，可以记$z=a+\mathrm{i}b=r[\cos\theta+\mathrm{i}\sin\theta]$，于是$z_1z_2=r_1r_2[\cos\theta_1+\mathrm{i}\sin\theta_1][\cos\theta_2+\mathrm{i}\sin\theta_2]=r_1r_2[\cos(\theta_1+\theta_2)+\mathrm{i}\sin(\theta_1+\theta_2)]$，这表明，如果两个复数相乘，那么乘积的振幅等于因子的振幅r_1和r_2的乘积，而乘积的辐角等于因子的辐角θ_1和θ_2之和。复数的运算显然与平面中旋转的几何问题有关。因此，探求超数的合适定义的中心问题是研究空间的旋转。

探索域的公理以及运算性质时自然产生一个问题：怎样才能推广到三维空间使得域的要求全部满足？为了使这样的推广是有成效的，需要找到乘法的规律，使得不仅所有公理成立，而且性质也能保持。例如，乘积的模等于模的乘积，以及方程$ax=b$永远有解，只要a不为零。上述形式的推广被证明是不可能的，所有在空间中寻求乘法规律的企图，都导致这样的结果：ab可以为零而无需a或b为零。W.哈密顿(1805～1865)最后终于引出了第一种超数，他称之为四元数，四个实数(a,b,c,d)的集合。这样做，就不得不对他的三个单位(i,j,k)放弃乘法交换律；他的定义是(图3)：$i^2=-1$，$j^2=-1$，$k^2=-1$，$ij=-ji=k$，$jk=-kj=i$，$ki=-ik=j$。他可以保留所有其他的公理，并适当地推广复数的所有结果。两个四元数

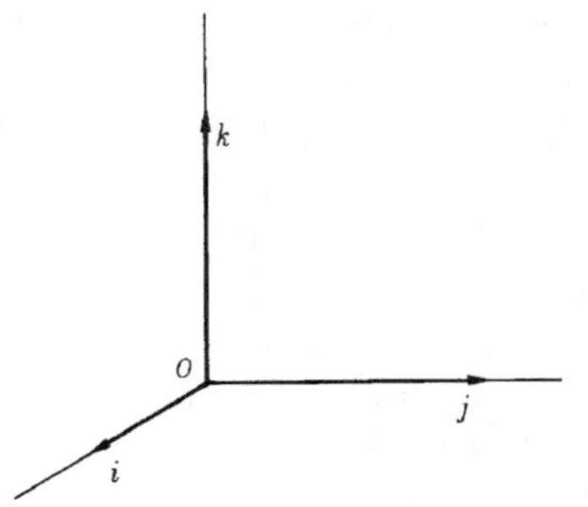

图 3 单位向量

$q_1 = a_1 + ib_1 + jc_1 + kd_1$与$q_2 = a_2 + ib_2 + jc_2 + kd_2$的乘积定义为

$$q_1 q_2 = (a_1 a_2 - b_1 b_2 - c_1 c_2 - d_1 d_2) + i(a_1 b_2 + a_2 b_1 + c_1 d_2 - c_2 d_1) + j(a_1 c_2 + a_2 c_1 + d_1 b_2 - d_2 b_1) + k(a_1 d_2 + a_2 d_1 + b_1 c_2 - b_2 c_1),$$

它并不永远等于$q_2 q_1$或$-q_2 q_1$。两个四元数的和用下式定义：

$$q_1 + q_2 = (a_1 + a_2) + i(b_1 + b_2) + j(c_1 + c_2) + k(d_1 + d_2),$$

定义q的共轭四元数为$\bar{q} = a - ib - jc - kd$；乘积$q\bar{q} = a^2 + b^2 + c^2 + d^2 = N(q)$为$q$的模。哈密顿希望保持下述性质：$N(q_1 q_2) = N(q_1)N(q_2)$，并通过直接而冗长的计算给予证明。这个结果把在两个变量(复数)时已知的性质推广到四个变量。但是类似的结果对三个变量是不成立的。这可以从数字 $3 \times 21 = 63$ 得到解释，$3 = 1^2 + 1^2 + 1^2$；$21 = 1^2 + 2^2 + 4^2$，但63不能表成三个平方数之和(平方数只能从1,4,9,16,25,36与49中选择，允许重复)。以四元数为最简单例子的超数表明，不是所有代数的普通公理(域公理)都是每一个确定的数学系统所必须满足的。从历史上说，四元数开辟了建立其他代数系统的道路，并最终导致近代的*抽象代数*(**abstract algebra**)。另外，用于力学、物理与几何的熟知的向量代数产生了四元数分析。所谓数量积(同功的概念有关)与向量积(同对一条轴的力矩作用效果有关)都被包含在两个四元数的积中，只要第一项a_1取作数量而其余的项取作向量$\mathbf{V}_1 = ib_1 + jc_1 + kd_1$，$q_1 = a_1 + \mathbf{V}_1$。这时乘积$q_1 q_2 = [(a_1 a_2 - \mathbf{V}_1 \cdot \mathbf{V}_2) + (a_1 \mathbf{V}_1 + a_2 \mathbf{V}_2 + \mathbf{V}_1 \times \mathbf{V}_2)]$，其中$\mathbf{V}_1 \cdot \mathbf{V}_2$是数量积，$\mathbf{V}_1 \times \mathbf{V}_2$是向量积。就像复分析那样，我们也可以定义零四元数$0 = 0 + i0 + j0 + k0$与单位四元数$1 = 1 + i0 + j0 + k0$。向量关于轴的旋转可以通过四元数的积表示，因此几何的推广是显然的。最后，$-q = -a - ib - jc - kd$而$q^{-1} = (a - ib - jc - kd)/(a^2 + b^2 + c^2 + d^2)$，这是因为$qq^{-1} = 1$，只要$a, b, c, d$不全为零。

另一种超数是通过一个实数与七个单位构成的，就是凯莱数或八元数。这时，又有一个公理被抛弃，即乘法结合律$(ab)c = a(bc)$；所有其他的规则仍然保留，包括模的乘法规则。后来被证明，在上述情况以后，关于平方和不能再有任何进一步的推广。

hyperon　超子　亚原子粒子中重子族的准稳态成员，其质量大于核子(质子和中子)。按质量增大顺序，超子包括一种Λ^0超子、Σ超子三重态、Ξ超子二重态和Ω超子单态。七种超子都有反粒子。这些超子分别在1947～1964年期间探测到；Ω^-超子是经强子(强相互作用粒子)分类的*八重法*(**Eightfold Way**)的启发后才发现的。超子是粒子以接近光速穿过亚原子粒子直径这段时间内由强相互作用产生的。因为由弱相互作用(出现于放射性衰变中)引起超子衰变的时间，要比产生时间长亿万倍，所以超子和K介子常一起产生，合称为奇异粒子。

hyperopia　远视　又作 farsightedness 或 hypermetropia。一种屈光不正，眼球在静止状态时，将远距离目标的视像焦聚于视网膜后方。远视眼的前后径较正常眼稍短且晶状体弹性减弱，不能增加曲度。矫正远视需用双凸透镜片。

hyperparathyroidism　甲状旁腺功能亢进　甲状旁腺激素分泌过多而引起的内分泌疾病。多由肿瘤或甲状旁腺组织增生肥大所致。表现为血钙及尿钙增高、尿磷增高及血磷减低(不正常)。甲状旁腺激素促进骨钙释放，可致骨质软化，且易发生骨折。又可致肾结石和神经肌肉兴奋性减低。治疗通常为切除肿瘤或过多的甲状旁腺组织，术后可致暂时性*甲状旁腺功能减退*(**hypoparathyroidism**)。

hypersensitivity　超敏反应　一种获得性的免疫状态，对刺激物(如引起变态反应的物质或诸如光之类的物理因素)的异常迅速或过度的反应。超敏反应常用作变态反应的同义词。参阅 **allergy**。

hypersthene　紫苏辉石　属于*斜方辉石*(**orthopyroxene**)系列的硅酸盐矿物。

hypersthene granite　紫苏辉石花岗岩　变质岩的*紫苏花岗岩*(**charnockite**)系列的一员。

hypertension　高血压病　又作 high blood pressure。以动脉血压异常持续升高为主要表现的慢性病。血压是循环血液对血管壁的压力。正常情况下，心脏的泵动使循环血液产生节律性的脉动；而血管的弹性足以应付这种压力变化，使血压保持稳定。正常成人的血压约为120(收缩压)/80(舒张压)毫米汞柱。但有很多原因会导致血管壁的弹性下降、血管壁平滑肌异常收缩，血液流动得也就不再那么顺畅。为了保证进入组织毛细血管床的血量正常，心脏必须代偿性地成倍地加大收缩强度才能有效地克服狭窄动脉的阻力，同时也使收缩压极大地升高。显然，这种状态首先就会伤及心脏(代偿性心肌肥厚、心腔扩张)；此外，持续的血压高会损坏毛细血管前小动脉，使肝、肾、脑和心脏等重要脏器的血液供应发生障碍。高血压病最主要的病损器官就是心、肾、脑。充血性心力衰竭、高血压性肾功能衰竭、脑出血中风是晚期高血压病的三大合并症。因为早期高血压病可多年无明显症状，故素有"冷静杀手"之称。

在城市化社会，高血压病在老年人群中十分常见；虽然自然预后不好，但对治疗却相当敏感。根据病因，可将高血压病分为原发性和继发性两大类；继发性高血压病可源于多种疾病。缺血的肾脏可导致血压升高；引起肾脏缺血的原因很多，如各种炎症、肾动脉粥样硬化等。反之，高血压病最终也可导致肾萎缩和内分泌腺疾病，如肾上腺皮质功能亢进(库兴氏综合征)、肾上腺髓质嗜铬细胞瘤、垂体前叶细胞瘤。继发性高血压病的原因还有主动脉缩窄、妊娠、口服避孕药等。原发病治愈后，继发性高血压多可恢复。90%以上的高血压病患者都是原发性的。研究表明，原发性高血压的发病和以下因素有关：高血压病家族史、肥胖、高盐饮食、吸烟、情绪和精神压力等。据信，精神高度紧张和情绪障碍在原发性高血压的发病机制中占有重要位置。在原发性高血压病的早期，治疗多以自我控制为主，如低盐饮食、减肥、戒烟、保证睡眠、适度运动、学会控制情绪等。自我控制如不能有效降低血压，就需服用利尿药和交感神经阻滞剂。利尿药可增加钠和水分的排泄，从而降低血容量。服用利尿药时需注意补钾。美多心安、萘羟心安、心得安等β受体阻滞剂可以降低心输出量和外周循环阻力，是最常用于治疗高血压病的神经阻滞剂。病情如再严重，就需口服盐酸肼苯哒嗪、敏乐啶等血管扩张药以降低血压。血管扩张后，血流量就会反射性地增加。为防止血流量再次增加，这些口服血管扩张药多和利尿药、神经阻滞剂联合用药。一旦开始服用这些药物，就需坚持终生。严重的、危及生命的高血压病称为恶性高血压病，不管是原发性的，还是继发性的，都需住院治疗，加以严密监护，包括静脉注射降压嗪等血管扩张药。

hypertext　超文本　又称超链接(hyperlinking)。指通过电子联系将相关的信息片断连接起来，以便用户可以方便地取用。超文本是某些计算机程序的一种特色，这类程序让电子媒介的用户可以从文本中选择一个词语，从而得到与该词语有关的进一步的信息资料，如该词的释意或文本中相关的参考材料等。例如，在一个电子百科全书的鲸鱼条中，在提到蓝鲸处有一个超文本连接，读者只要用鼠标点击蓝鲸这个词就可读到这一种属的有关条文。超文本连接通常以不同的字形或颜色来标示一个有关的词或短语，以便人们识别。超文本连接还可以将文本与图像、声音或动画连接起来。在文件的不同部分或不同的文件间的超文本连接创设了一种分支或网状结构，这种结构可以不经中介直接跳跃到相关的信息片断上去。举例来说，超链接的信息形成一种树状结构，它与印刷的百科全书或词典不同，后者只能经静态的、线性的字母顺序排列来查找其词条内容，而超文本连接则意味着一种相互参照系统，可以直接读取想要得到的信息片断。在大量信息按较小的相关片断组合起来，且用户每次只需一小部分信息时，这样的连接最为有效。在90年代初步入商业运用的交互式多媒体计算机系统中，超文本获得最为成功的运用。

hyperthyroidism　甲状腺功能亢进　以甲状腺素过度分泌为特征的内分泌疾病，常伴有甲状腺组织增生、基础代谢率增高及自主神经系统活动过强。女性发病率为男性的4～5倍，多发生于青中年，可有家族史。最常见的类型格雷夫斯氏病(弥漫性原发性增生或突眼性甲状腺肿)是自身免疫性疾病，其甲状腺呈弥漫性原发性增生，体积为正常时的二至数倍。毒性、结节性甲状腺肿(普鲁麦氏病)也是导致甲状腺功能亢进的重要疾病。据信，它和甲状腺腺瘤有疾病发生上的联系。常伴随眼球突出、眼睑收缩等眼征。血中甲状腺素水平增高，引起心排血量增高，伴以心动过速、心悸、气短、心房纤颤及抗洋地黄性心力衰竭。常见神经质、过度兴奋、坐立不安、失眠、情绪不稳、体重下降、肌肉无力、消瘦及腹泻等。治疗包括口服放射性碘、碘剂或某些酶阻断剂(如硫氧嘧啶类)，重症病例可行手术切除全部或部分甲状腺。治疗后许多症状得到控制，但某些眼征不能消失。

hypertrichosis 多毛症 又作hirsutism。局限性或全身性毛发异常增多的一种现象。据认为是胎毛持续不退或毛囊发育过度的结果。全身性多毛症可见于肾上腺皮质功能亢进(库兴氏综合征)或六氯苯中毒。女性的局限性毛发(尤其颜面部)过度生长并不少见。

hyperventilation 换气过度 一种病理生理现象，呼吸急速而浅，吸入氧气过多，体内二氧化碳不足。通常是焦虑或癔病的一个症状，亦见于高空驾驶密封程度不够的飞机的飞行员。过度换气时身体排出的二氧化碳的量超过正常呼吸时排出的量。当血内二氧化碳水平异常降低时，体内的小动脉往往扩张，导致血压下降。过度换气最显著的症状为手、足及面部感到麻木或刺痛，还有头晕、目眩、晕厥等感觉，有时可致昏迷。

hypervitaminosis A 参阅 **vitamin A excess 维生素A过多症**。

hypervitaminosis D 参阅 **vitamin D excess 维生素D过多症**。

Hyphasis(India) 参阅 **Beās River 贝阿斯河**。

Hyphochytridiomycetes 丝壶菌纲 或译前毛壶菌纲。真菌门的一纲。多为海生。含15种。以前端具一条鞭毛的游动孢子进行无性繁殖。尚未发现有性生殖现象。

Hypnos 许普诺斯 拉丁文作Somnus。希腊、罗马的睡神，尼克斯(夜神)的儿子和塔那托斯(死神)的兄弟。对他的说法不一，或说他住在地下世界，在辛梅里安人的国土上，或说他住在利姆诺斯岛上一个阴暗多雾的洞穴里。忘川的水流经他的居室。他卧在一张柔软的床榻上，由许多儿子守护身旁。他们都能托梦。其中主要的有：莫耳甫斯托人的梦，伊刻罗斯托动物的梦，方塔苏斯则托无生命物的梦。在荷马的《伊利亚特》里，许普诺斯在赫拉的争取下哄得宙斯入睡，这样她便可以帮助希腊人进行反特洛伊的战争。作为服务的回报，许普诺斯得到美惠女神当中的一位帕西忒亚作妻子。

hypnosis 催眠 一种特殊的心理状态，确有生理机制的参与。这种状态仅在觉醒水平上与睡眠状态相似而非与正常的意识状态相同。这种状态的特征是个体对其内部的感觉的接受性和反应性增强，而这种反应通常仅是对外部刺激才会有的。在这种状态下，被催眠者似乎只与催眠者保持联系，自动地不加批判地按照其暗示来感知刺激，即使催眠者的暗示和实际刺激明显不符时也是如此。暗示甚至还能改变受试者的记忆和自我意识，而且其效果还延续到催眠后的觉醒活动中。催眠的历史几乎与古代巫术和魔法及医学一样悠久。其有科学涵义的历史始于18世纪后期。当时的维也纳医师F.A.梅斯梅尔(**Mesmer, Franz Anton**)在欧洲用"动物磁性"治病，实为催眠现象，他错误地认为有一种神秘的力量从催眠者身上传到了被催眠的人身上。他的工作引起大量从医者的兴趣。直到19世纪中叶，人们才结束了这种只用其术，不问其理的催眠历史。英国医生J.布雷德(**Braid, James**)深入研究了这种现象，并为之命名为"催眠"。19世纪80年代A.-A.利埃博和H.伯恩海姆在南锡施行催眠术，认为这是暗示引起的心理反应，而与生理过程无涉。大约与此同时，正在法国访问的奥地利心理学家S.弗洛伊德对这种治疗技术深感兴趣。回到维也纳之后他也用这种方法帮助神经症患者恢复记忆。后因忙于建立他的精神分析学说的理论体系，出于在催眠术的运用中在病人身上遇到的困难，弗洛伊德放弃了催眠术，转而采用自由联想。尽管他对催眠术的这种先肯定、后排斥的态度具有很大影响，但在两次世界大战期间对士兵中出现的战争神经症者施行精神分析治疗时，仍然结合采用了催眠术方法；而且后来仍在临床上得到一定的应用。

多年来，人们对催眠的研究和理论假说一直见仁见智，至今也还没有哪一种学说能够很好地解释这一现象。被催眠者的意愿及信任、合作的态度对诱导催眠十分重要。催眠的诱导方法是令被催眠者舒适地放松，眼睛注视某一物体，催眠者用低沉的声音不断地暗示：被催眠者感到越来越放松，眼睛越来越疲劳以至就要合上眼睛等等。过不多时，受试者的眼睛感到疲劳并且紧闭，全身放松，呼吸规则。此时，受试者就被认为是进入了催眠状态。一个人要想得到最佳催眠感受性，他必须确信：他能被催眠；给他施行催眠术的医生有特别值得他信任的医术和医德；催眠术安全、可靠，是他的治病良方。一句话，良好的医患关系是催眠成功的前提条件。催眠开始时采用常规方法进行的诱导几乎无一例外地为所有受试者所接受，在此阶段无论是催眠者或是受试者都无法说明受试者的反应是催眠所致还是合作的现象。进一步的暗示则涉及知觉或记忆的歪曲(如受试者无法睁开眼睛等)。诱导催眠的方法不止一种。诱导时间从几秒钟到几个小时不等。催眠反应性因人而异。治疗目的不同或催眠深度不同时，催眠反应也不同。催眠状态有不同的深度分级，而没有固定的表现；但总的来说，进入催眠态时的行为的特点有：简单、直接、刻板，而且情绪反应幼稚。这些令人惊异的催眠行为能力的形成原因中可能有一部分是某些受试者的注意力过于局限在催眠任务或情境之中，他们对其他无关事件的正常意识定向能力也受到了限制的结果。催眠中最重要的现象就是受试者对催眠医生所作暗示和刺激的心理感受性和反应性增强的现象即暗示性。深度催眠状态下的被试者可出现多种心理学反应、异常感觉和动作反应，如变聋、变哑、变瞎、瘫痪、幻觉、错觉、失去记忆、痛觉缺失、不会调节体位以求舒服，以及各种所谓"催眠合理"性行为反应。催眠后暗示和行为引起了人们极大的兴趣。所谓催眠后暗示是指恍惚状态结束之后，被试者仍执行在催眠中所接受的暗示。由于对催眠过程中的情况失去记忆，受试者不会意识到他为何会出现某种强制性行为。尽管如此，若试图用催眠后暗示迫使别人执行背离他愿望的命令通常是做不到的。催眠后遗忘指不能回忆在深度催眠中所经历的事件，这是深度催眠的自然结果，还是完全由于暗示而产生还不得而知。失去的记忆可以是催眠状态下所有的事情，也可以是部分事件，还可能是一些与催眠无关的事情。催眠后遗忘可以用催眠暗示的方法去除。相反，记忆增强是另外一种类型的催眠行为。例如，因为被催眠者的不加批判的意愿状态和解除了觉醒状态下源于思维判断的行为抑制因素，他能生动地回忆起许多早已忘却的经历，而且还能极详尽地描述事件经过。这在正常意识状态下是不可能的。

弗洛伊德在研究发掘病人的所谓潜意识记忆的过程中，特别看重这种技术和其效果。催眠作为一种治疗技术已在世界范围内得到医学、精神病学、牙科和心理学等不同学术组织的认可。目前常用于进行麻醉前以提高药效，减少药量；分娩时可用以减轻不适，并可避免婴儿的药源性生理功能损伤。催眠在临床处治顽固性疼痛方面有独到的功效，如对晚期癌症患者。牙科操作引起患者的恐惧反应十分常见，催眠可以解决这个问题。在心身医学领域中催眠也得到了广泛的应用。对某些慢性病如高血压、头疼和某些功能性疾病患者的治疗，可以教给他们一套自我放松的方法和一些行之有效的练习动作，让他们在没有催眠医师在场的时候自己操作，也可以取得较好疗效。催眠亦以多种不同的方式在心理治疗中得到了应用。例如，在对战争性神经症患者进行治疗时，采用催眠再现战争场景以达到进一步宣泄情绪去除创伤性源泉的目的。虽然催眠术本身并不需要许多专业训练和特殊技能，但在具体治疗过程中绝对不能任用那些对疾病的诊治一无所知者。各类医学社团、学会反复强调：为了防止催眠术的负面效应，必须取缔娱乐营业性催眠服务。许多国家的政府已明令禁止商业性经营和娱乐表演性催眠项目。

hypocaust 地下暖坑 在建筑中，设在地板下的空间，用火炉中的烟气加热地板，并使热空气通向上面的房间，以增加温度。是古罗马人使用的采暖方法,不仅用于大浴场的温水浴室和热水浴室中,而且在北部各省的私人住宅中普遍使用。在德国和英国的古罗马住宅遗址中可见到许多实例,一般是从地下室设竖直的烟道通过需采暖房间的墙内,再将烟气排向室外,当需要较高温度时则在墙内设几条烟道,有时用很多瓦管从火坑通到房间四周的墙内。地下暖坑的构造通常在混凝土上铺砌一层地砖作为坑底,在其上建20厘米见方的墩子,相距60厘米,作为地板的支柱。上层地板用混凝土或大型方砖作底层,再铺设大理石块或镶嵌砖拼花面层。

hypochondriasis 疑病症 一种神经官能症,表现为过分关注自己的健康,并常依据一些无关紧要的征象企图证实个人有病。疑病症者或是无中生有,或是夸大其辞,总认为自己有病。主要是认为内脏有病,尤其是心脏、胃肠道、生殖器的功能障碍。疑病症可为许多精神病的症状,亦可作为独立的疾病存在。即便医师通过检查,给疑病症者下没病的保证,也只能起暂时的效果。疑病症并非"疾病妄想",疑病症患者承认他们的担心并没有事实根据,但他们还是整天地跑医院,试图为他们的想象谋求一个医学上的说法。有的疑病症患者只关注一种病,有的则是"听风就是雨",把道听途说的消息当成自己的心病。本病多见青春期年轻人,男女比例相似。据信,本病源于对紧张的社会环境的心理调控失常。治疗上,心理治疗和行为疗法均有效。

hypocoly (*Hypocolius ampelinus*) **灰连雀** 中东的一种鸣禽。有人认为与蜡翅鸟(太平鸟科)有亲缘关系,但常分立为灰连雀科(雀形目)的唯一种类。体细长,淡灰色,长约18

灰连雀(*Hypocolius ampelinus*)
美国不列颠百科全书公司供图

厘米,面有黑色面罩状区,有微小的羽冠。翅黑色,末端白色。喙短厚而颇宽。尾中等长度。羽衣似蜡翅鸟那样光滑,外表洁净。栖居于伊拉克及其邻近地区的半干旱的开阔地和耕地,非繁殖季节飞往远处,可到印度、阿富汗南部,也很可能到非洲。

Hypodorian mode 亚多里亚调式 在音乐中,指中世纪8种教会调式中的第2种。参阅 **church mode**。

hypoglycemia 低血糖 血清中葡萄糖浓度降低到正常水平以下的现象,常是治疗糖尿病时的并发症。甚至血清中葡萄糖水平短暂的下降,也会产生严重的脑功能障碍。正常人有一个复杂的血糖调节系统,可通过减少胰岛素(在清除血流内葡萄糖的机制中起重要作用)的产生和动员肝脏与脂肪的能量储备,快速控制低血糖。当这一调节系统不能正常运行(如给胰岛素依赖性糖尿病患者使用了过多的胰岛素)时,可导致血循环中葡萄糖水平的突然剧烈下降。空腹时的血糖降低可以是一致命问题,最常出现在对糖尿病人治疗不适当,突然给予大剂量胰岛素时,也见于未进食及进行运动而未补充葡萄糖消耗时。这一状态也可出现在某些患有产生胰岛素的肿瘤而其他方面正常的患者,也可以是饥饿或其他代谢性疾病的晚期并发症。低血糖的症状是由中枢神经系统能量不足引起的,包括情感障碍、精神错乱、嗜睡和癫痫发作。在严重病例中,低血糖可引起昏迷和死亡。根据同时发生的这些神经系统症状和循环血中葡萄糖水平过低可作出诊断。快速口服与静脉注射葡萄糖可减轻病人的症状,也是一般的治疗措施。

Hypolydian mode 亚利底亚调式 在音乐中,指中世纪8种教会调式中的第6种。参阅 **church mode**。

Hypomixolydian mode 亚混合利底亚调式 在音乐中,指中世纪8种教会调式中的最后一种。参阅 **church mode**。

hypoparathyroidism 甲状旁腺功能减退 以甲状旁腺激素分泌不足为特征的内分泌病。病因多为甲状腺手术时不慎将大量甲状腺组织切除,偶因甲状旁腺功能缺陷。甲状旁腺激素不足可致血钙降低,血磷增高,常引起手足搐搦;可发生白内障及基底节钙化。治疗包括增加饮食中钙的摄入、服用维生素D或双氢速甾醇、注射甲状旁腺激素等。

hypophosphatemia 低磷酸盐血症 血清中磷酸盐浓度降低的现象,可破坏人体的能量代谢,减少经血流向组织的氧气供应。低血磷通常与其他代谢障碍并存。这些障碍影响着血循环,营养物的肠吸收,磷从肾脏的丢失和骨、红细胞磷酸盐贮存之间的正常平衡。上述任何一方面的缺陷(常常是多种缺陷并存)都会降低血磷水平。急性低磷酸盐血症可产生神经症状,例如无力、针刺感、反射减弱、震颤和精神错乱。慢性低磷酸盐血症,由于长期磷酸盐缺乏,减少了体内正常的磷贮存,产生全身虚弱、无力及厌食等症状。不论是急性还是慢性低血磷,治疗均为纠正引起低血磷的代谢失调,提供磷酸盐以补充人体必需的磷酸盐贮存。家族性低磷酸盐血症是一种性连锁的遗传疾病,这是发达国家中发生佝偻病的主要病因。由于代谢缺陷,磷酸盐经肾脏丢失,使血磷降低,进而使骨中磷酸钙(维持骨硬度的物质)沉积减少。结果,患儿出现骨弯曲和骨发育障碍,即佝偻病(**rickets**)的主要症状。

Hypophrygian mode 亚弗里季亚调式 在音乐中,指中世纪8种教会调式中的第4种。参阅 **church mode**。

hypophysis (anatomy) 参阅 **pituitary gland 垂体**。

hypopituitarism 垂体功能减退 垂体激素分泌不足的内分泌疾患,原因为垂体的损伤或疾病。垂体全部切除或整个垂体分泌不足可导致全垂体功能减退,有时表现为西蒙兹氏病(**Simmonds' disease**)。

hypostyle hall 多柱厅 建筑中由柱子支承屋顶的大厅。多用于古代寺庙、宫殿或公共建筑。在古埃及和波斯应用很广泛,例如凯尔奈克的阿蒙神庙和波斯波利斯的宫殿遗址。虽然数量甚多的大柱占去厅内大量面积,但因在柱上刻有英雄或宗教事迹而形成独特风格。在近代,由于屋顶有了更好的支承方法,这种多柱厅已很罕见。

hyposulfite of soda 硫代硫酸钠 最重要的硫代硫酸盐。是硫(**sulfur**)的一种不稳定化合物。

hypotension 低血压 血压低于正常的一种病理现象。原因为血容量减少或血管容量增加。本身不是一个独立的疾病,常继发于其他疾病。血容量减少的原因有大量出血、大面积烧伤(丢失大量血浆)、出汗过多和腹泻(使水盐从组织丢失,血中水分流入组织)、寒冷(使血中水分进入组织)、长久站立(如站立半小时可使多达15%的血中水分一时性流入腿部组织)。直立性低血压似为自主神经系统功能失调的结果。在正常情况下,当一个人站立时,小动脉和静脉可反射性地收缩以抵消重力的影响。血管容量增加引起的低血压是昏倒和晕厥(**syncope**)的一个发生因素。在脊髓灰质炎、休克和巴比土酸盐等抑制药中毒时,也可出现低血压。

hypothalamus 下丘脑 脑的一部分,位于丘脑的下方,构成第三脑室的底部。它有一个植物神经系统众多功能的控制中心。由于下丘脑与位于其下的垂体间有复杂的关系,所以下丘脑与内分泌系统也有着很重要的联系。下丘脑和垂体通过神经和化学途径相互作用。来自下丘脑的神经束刺激垂体后叶,使之释放催产素和加压素(引起循环和生殖系统平滑肌收缩的激素)。下丘脑分泌的激素进入通向垂体前叶的门静脉后,引起垂体释放生长激素、促肾上腺皮质激素、黄体化激素以及其他重要的脑垂体产物。除影响内分泌系统外,下丘脑还有体温稳定的"调定点",可影响人体热量的摄取和体重的调节;并能随外界温度变化调节产热与散热以使体内温度恒定,还包含有一个决定睡眠与觉醒的中枢,并调节对液体的摄入量及口渴感。影响下丘脑的一些损伤或疾病,一般都能引起脑垂体的功能障碍或尿崩症。患尿崩症时下丘脑不能分泌抗利尿激素(促使肾脏对水的重吸收的激素),从而引起频繁排尿以致很快失水。下丘脑疾患还可引起失眠症和体温的异常波动。

hypothec 抵押财物 在罗马法中，指一种债务的抵押品，债权人对它既没有所有权也没有占有权。它通常出现在以下这种情况：租赁人需要继续交付租金而用它来作为担保的财物，通常就是在他租用的土地上劳动时所必需的工具或设备。债权人只有在债务人无法偿付债务或无法偿付地租的情况下，才可以占有这些工具或设备。近代的抵押财物见于诸如法国和德国等民法法系的国家中，在概念上它是近似于抵押契据，只是它不把所有权和占有权给予债权人。虽然以往它专门适用于不动产，但现在在某些情况下也同样适用于动产。抵押财物包括对物的权利，但不包括所有权。抵押财物的持有人作为最后的措施可以占有该抵押的财产，而不管该项财产在谁的手里；此外，经过法院的同意，该持有人还可以把它出卖。凡是在不偿还债务的情况下，上述这些权利就可以生效。法国有3种类型的抵押财物：即契约上的、司法上的和法律上的。契约上的抵押财物是个人之间商订的，但必须经过证人以公证人身份加以证实。在文件中还要说明担保财物的数目。司法上的抵押财物是法院给债务人的所有财产(现有的和将来的)设定的。法律上的抵押财物是指赋予已婚妇女对其丈夫的财产，以及赋予儿童和无行为能力的人对其监护人财产的权利。这是为了保护他们，以免其丈夫和监护人对他们各自的财产或共同财产的管理不当。

hypothermia 体温过低 热血动物体温异常降低的一种现象。伴有生理活动普遍减慢。冬眠中的动物，其体温可降到仅稍高于周围的气温，需要时可迅速复温；但这种低温对非冬眠动物就会致命。对人类来说，在进行某些外科手术时，在控制某些癌症时，均可人工降低体温(常采用冰浴)以降低对氧的需要。取出某些器官以供移植之用时，可采取上述措施以降低其温度，抑制其代谢率，延长其存活期。意外事故造成的体温过低可危及生命，这种情况属于一种急症。仅仅环境温度过低，如浸在冰冷的水中，或严冬季节在雪地逗留时间过长，也可引起体温降低。不过这种情况发生前，常已存在其他疾病，如脑血管病、甲状腺功能减退、严重感染、酒精或药物中毒等。体温低于35 °C，情况即十分严重。体温降至32.2 °C，正常的战栗反应即停止，这时需要急救处理。由于生理过程减慢，脉搏、呼吸减慢，血压下降。有时患者看似死亡，但治疗恰当，仍可复苏。对事故造成的体温过低，治疗时应给患者缓慢加温，可用毛毯包裹等措施，不可直接加热。体温回升不可快于每小时1～2℉。加温过快，会造成心血管系统的衰竭。

hypothetico-deductive method 假设演绎法 为创立一个科学理论所采取的程序。这种科学理论将说明直接观察和实验所得的结果，并借助推理预言进一步的效应，这些效应可以通过得自其他实验的经验证据予以证实或证伪。该方法系由17世纪晚期伊萨克·牛顿爵士提出，但是被科学哲学家们称为假设演绎法，则是在更晚些时候。假设演绎法认为，正确构成的理论产生于对需加解释的可观察材料的概括。但这些假设只有通过另外的观察和实验证实其逻辑结果方能最终确立。该方法与笛卡儿的理性主义相一致，将理论看作演绎系统，用相关的普遍原则和定义说明特殊的经验现象。与笛卡儿不同的是，它否认这些普遍原则和定义是自明的，认为它们的有效性由其结果确定，即正确地解释先前未曾解释的现象，正确地解决现实的科学问题。

hypothyroidism 甲状腺功能减退 血循环中能发挥生理作用的甲状腺激素缺乏所引起的内分泌疾病。病因甚多，包括碘摄入不足、甲状腺激素合成缺陷、摄入过多能阻断碘代谢的药物(如钴、间苯二酚、氰酸盐)、先天性甲状腺激素代谢异常、垂体前叶促甲状腺激素分泌不足及体内存在甲状腺抗体等。地方性甲状腺肿常见于某些土壤及水中含碘量低的地区，故名。或称胶性甲状腺肿，表现为甲状腺弥漫性增大，以代偿碘摄入的不足。克汀病，一种见于婴儿或幼儿的综合征，由于胎儿期或出生后不久甲状腺激素缺乏并未经有效治疗。幼年型黏液水肿症状与克汀病相同。人工合成的或天然的甲状腺素制剂疗效甚佳。治疗必须长期持续进行。参阅 **cretinism; myxedema**。

hypotrich 腹纤毛虫 腹毛目背腹扁平、卵形、有纤毛的原生动物，广布于淡水和咸水中。腹面有纤毛丛而非简单的纤毛，供爬行之用。背面常有几列短刺毛，可能用司触觉。

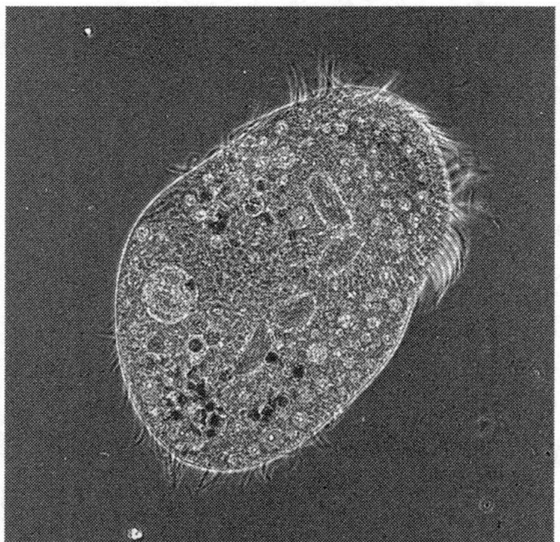

腹纤毛虫(*Onychodromus grandis*)
美国不列颠百科全书公司供图

行有性的接合生殖(核交换)和无性性二分裂生殖。在许多情况下形成包囊。代表属为椭圆形的尖毛虫属(*Oxytricha*)、淡水的角口虫属(*Gonostomum*)、时现紫色或玫瑰色的棘尾虫属(*Uroleptus*)，以及最为人熟知的游仆虫属(*Euplotes*)。

hypoxia 低氧 身体组织得不到充分氧气的一种状态(严重时组织完全得不到氧气，即为缺氧)。见于血液病、心血管病、肺部疾病等。可分四型：①低氧血型——流向组织的血液中氧分压过低，血红蛋白未能饱和。见于飞行员、登山运动员及高海拔地区的居民。高海拔地区气压低，可供呼吸的氧气含量不足(参阅 **alti-tude sickness**)。②贫血型——有功能正常的血红蛋白含量过低，因此血液携氧能力降低。原因为血红蛋白总量过低(如贫血或大出血后)或现有的血红蛋白丧失了功能(如一氧化碳中毒及正铁血红蛋白尿时，血红蛋白受有毒因子的影响而失去带氧能力)。③郁积型——血液成分可能正常，但通往组织的血流量减少。又可分全身郁积型(见于血液循环受到损害的心脏病、静脉血回流受阻和导致休克的外伤等)及局部郁滞型(见于身体任何部位血液循环减少或阻滞时。如雷诺氏病、伯格氏病、使用止血带、麦角中毒、身体某一部位暴露于冷处等)。④组织中毒型——组织细胞因中毒而不能恰当地利用氧气，而血液中氧的含量及分压可能均正常。如氰化物、麻醉品、酒精、甲醛、丙酮及某些麻醉药中毒。

Hypsilophodon 棱齿龙属 鸟脚亚目棱齿龙科(Hysilophodontidae)的一属，小型至中型的草食性恐龙，繁盛于晚侏罗世至早白垩世(1.15亿年前至1.10亿年前)。是原始的鸟足龙，演化出另外两个主要类型——鸭嘴龙和禽龙。棱齿龙属的种类体长约2米，体重约60千克。前肢短，每肢5趾。后肢较前肢长得多，每肢4趾。颊牙高，有沟槽，可自行磨快，适于磨碎植物性食物。角质喙上有切牙样的牙齿，用于掐取植物为食。棱齿龙属的种类可能也有一排骨质鳞片沿背脊排列，但此点尚未确定。过去几十年来，古生物学家曾认为棱齿龙属的种类的指、趾很长，故能生活在树上，但现在认为它是奔跑迅速的地栖动物，以植物为食，并借高速奔跑逃避肉食动物的捕食。

Hypsithermal Climatic Interval 高温气候期 根据孢粉研究而确定的全新世(开始于10 000年前)中的一段时期。大约开始于9 000年前，结束于2 500年前。以北方气候期为开始，又细分一些较小的时间单元。位于前北方气候期之后，亚大西洋气候期之前，是一个气候比较温暖的时期。变暖趋势导致许多原适应较凉气候的动植物聚落消失，从而引起一些种属绝灭。无论在新大陆或旧大陆，中石器和新石器时代文明都与该气候同时。在高温气候期这个期间世界上许多地区的松树林让位于以栎树为主的森林。

hypsometric curve 高深曲线 又作hypsographic curve(陆高海深曲线)。地球表面或其某部分累积高度出现频率的曲线。实质上是通过标绘相对面积与相对高度来表示地表不同高度的陆地区域所占面积比例的图像。在整个地球表面的高深曲线上，有两个最大的频率，即海拔100米和－4 700米，相当于大陆低地和深海底的平均平面。高深曲线所揭示的这种地球表面状态，支持了大洋地壳由硅镁物质(橄榄岩，比重约3.3)构成，大陆地壳由硅铝物质(花岗岩到辉长岩，比重约2.7)构成的假说。

hyrax 蹄兔 又作dassie。蹄兔目小型有蹄哺乳动物的统称。蹄兔和与其无亲缘关系的鼠兔(兔形目)有时亦称岩兔;但岩兔一词用于蹄兔会使人产生误解,因蹄兔既非兔又不栖于岩石上。《圣经》中所称的"沙番"(cony)原意为兔,但实指蹄兔。蹄兔原产于非洲及亚洲最西南端。外形似啮齿动物,头部形圆;颈、耳及尾短,其解剖学特征在于后足第1和第3趾上有小蹄(中趾有爪),背部有香腺,有一对弯曲而不断生长的上切牙,4颗凿状的

岩蹄兔(*Heterohyrax*)
美国不列颠百科全书公司供图

下切牙,磨牙似犀牛磨牙。岩蹄兔属(*Heterohyrax*)和蹄兔属(*Procavia*)均为地栖动物,群栖于岩石间,白天活动。树蹄兔属(*Dendrohyrax*)的种类称为树蹄兔或薮蹄兔,栖于树上,独居,夜间活动。蹄兔主要为草食性。体长约30～50厘米。体重4～5千克。动作敏捷,善用脚上特有的爪垫攀缘。妊娠期7～8个月,产仔1～3只;幼仔被毛完全。其天敌是蟒、鹰和大型猫科动物。非洲蹄兔系统发生的亲缘关系不明。从其基本特征看,这一类群可能起源于有蹄哺乳动物系统中的古老却又不太进化的旁系。已发现在渐新世初期(约3 000万年前)的化石。

Hyrcania 希尔卡尼亚 古波斯语称瓦尔卡纳(Varkana)。古代地区,在里海东南。都城为扎德拉卡尔特(今戈尔甘)。先后属米底、阿契美尼德、塞琉西和安息诸帝国。

Hyrcanus 海尔卡努斯 参阅 **John Hyrcanus I** 海尔卡努斯一世;**John Hyrcanus II** 海尔卡努斯二世。

Hyre, Laurent de La(French painter) **伊尔** 参阅 **La Hire, Laurent de** 拉伊尔。

hyssop(*Hyssopus officinalis*) **海索草** 唇形科庭园草本植物,花和常绿叶用于多种食品、饮料调味,以及作为民间药物。植株味甜带苦辛,其叶加蜂蜜配制的浓茶是治疗鼻咽病和肺病等的传统药物,有时外用于治疗挫伤。在中世纪的欧洲将其炖食,今天用于肉、鱼、蔬菜、沙拉、糖果以及苦艾酒等饮料的调味。用海索草花粉酿成的蜂蜜非常佳美。叶含海索草油,用制香料。海索草为多年生小草本,高约0.5米;茎纤细,木质,四棱形;叶窄,椭圆形,具腺点,长2～3厘米,宽不过1厘米,成对着生于茎上;半轮形的穗状花序长而多苞片,花小,紫蓝、粉红、红或白色,于6～9

海索草(*Hyssopus officinalis*)
美国不列颠百科全书公司供图

月开放。原产南欧及中亚地区,现已在北美归化。篱海索草指玄参科水八角属(*Gratiola*)草本植物,原产于欧亚大陆及北美的沼泽地。药用水八角(*G. officinalis*)产于欧洲,茎圆柱形,叶比海索草大两倍,花单生于叶腋;植株几乎无气味,但有令人恶心的苦味;内服少量有通便、利尿、催吐等功能。在瑞士,药用水八角大量生长于潮湿牧场,对牛群造成危害。《圣经》中的"海索草"指一种生于墙上的植物,用于麻风病人的净化仪式,并非*Hyssopus officinalis*(不产于巴勒斯坦),而可能是一种山柑或香薄荷。

Hystaspes 希斯塔斯普 古波斯文为Vishtaspa,古波斯统治者之名,按年代顺序分列于后,并各以 ● 为标记。

● **Hystaspes 希斯塔斯普**(活动时期公元前7～前6世纪) 又称古希塔斯(Gushtasp)。伊朗先知琐罗亚斯德的拥护者和信徒。希斯塔斯普是琐罗亚斯德教经典《阿维斯陀》称为亚利安纳·韦贾地方的统治者。该国可能是公元前6世纪中叶被阿契美尼德王朝的居鲁士二世灭亡的大花剌子模城邦。

● **Hystaspes 希斯塔斯普**(活动时期公元前6世纪末期) 又译希斯塔斯皮斯。波西斯国王阿萨姆斯之子,阿契美尼德王朝国王大流士一世之父。根据希罗多德的记述,在居鲁士大帝二世和冈比西斯二世时代,他任波西斯总督,曾随居鲁士出征。公元前522年为安息和希尔卡尼亚总督。公元前521年镇压当地的叛乱。

hysterectomy 子宫切除术 切除全子宫(子宫全切)或切除子宫保留宫颈(子宫次全切除)的手术。用于治疗恶性肿瘤,良性纤维瘤及生长较快、体积较大、引起大量出血从而影响机体健康的良性肌瘤等。剖腹产时,如果发生不能控制的出血、严重感染或宫颈癌等并发症,亦需行子宫切除术。

hysteresis 磁滞现象 铁磁材料(如铁)的磁化滞后于起磁场变化的现象。将铁磁材料置于载流线圈中,由电流产生的起磁场(或磁场强度 *H*)就会使材料中一些或所有原子磁体沿磁场排列。此排列的净效果是增加总磁场(或磁通量密度 *B*)。排列过程不是同时发生的而是要滞后于起磁场。若起磁场强度逐渐增大,则磁通量密度 *B* 上升至最大(或饱和)值时,所有原子磁体沿同一方向排列。起磁场减小时,磁通量密度的减小也滞后于磁场强度 *H* 的变化。实际上,当 *H* 减至零时 *B* 仍为正值,称为剩磁、剩余磁感应或顽磁性;永磁体有高的顽磁值。直至 *H* 变为某一负值时,*B* 才降为零。*B* 为零时的 *H* 值称为矫顽力。*H* 沿反方向继续增大,使磁通量密度调转方向,且当所有原子磁体完全沿相反方向排列时,*B* 最终达到反向饱和。持续一周则磁通量密度滞后于磁场强度的曲线为一个

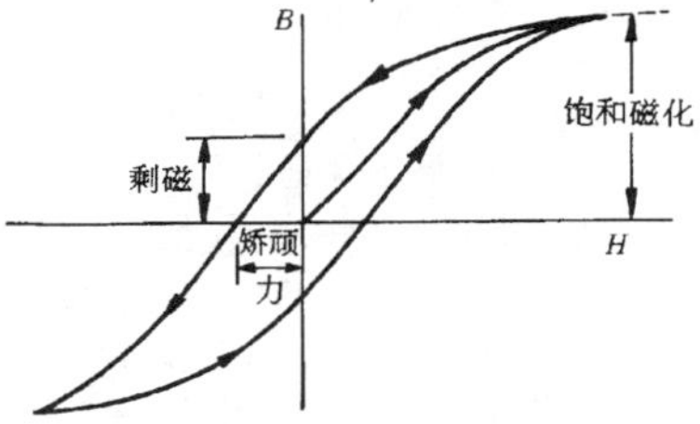

磁滞回线

完整的回线,称为磁滞回线。使材料的磁化逆转所损耗的能量(以热的形式)称为磁滞损耗,其值与磁滞回线的面积成正比。因此,做变压器铁心的材料的磁滞回线要窄,以使热形式的能耗小。

hysteria 癔病 又称癔症,或音译为歇斯底里。精神障碍的一种类型,可表现为各种各样的感觉、运动或精神障碍。无任何器质性病变,传统上归属于神经症。癔病一词来自希腊语"子宫"——在古代认为此病是子宫功能障碍引起的妇女疾病。实际上,男性和女性均可患此病,并可发生于儿童和老年人,不过处在青春期的病人最多。天真幼稚的人较世故懂事的人、智能低的较之智能高的人更易于患癔病。近几年癔病的发病率在世界许多地区渐趋减少,究其原因是人们在心理上变得更加世故、在性的问题上拘谨和压抑少了、家长权威制的家庭结构也减少了。19世纪临床家们所描述的那种经典的癔病病例已经十分罕见。目前在临床实践中,神经症多取"混合"形式,因此癔病症状可夹杂有别的神经症症状。孤立的癔病症状也可见于重性精神病。癔病的感觉和运动障碍表现形式极多,并被称为转换性反应,这是因为病人潜在的焦虑被认为转化成了躯体症状而表现出来。感觉障碍由感觉异常、感觉过敏、直到完全的感觉缺失,并可遍及全身皮肤,也可局限于某个部位,但分布范围一般均与神经系统的解剖学分布情况不符。中世纪至17世纪末,这种身体上有奇特的感觉缺失区的人被视为具有巫术者。癔病性感觉障碍还可涉及视、听、味、嗅等特殊感觉器官,有时虽然感到剧痛却找不到器质性病变。运动障碍有完全瘫痪、颤抖、抽动及痉挛(癔病性癫痫发作)。罹患部位的神经病学检查显示反射、电活动及对电刺激的反应均正常,说明神经肌肉均无损害。癔病的运动障碍有时还表现为失音、咳嗽、恶心、呕吐、呃逆等。癔病的精神症状亦多种多样,通常称为分离性反应。遗忘症的表现较为突出,患者记不起自己是谁或记不起任何

与自己有关的事情。梦游也是一种癔病性分离性反应。癔病患者偶尔亦表现出多重人格。癔病的治疗涉及心理疗法,该疗法的目的是使病人意识到引起症状的知觉、思想和冲突。治疗专家和病人的家人、朋友的支持和鼓励是该治疗方法的重要组成部分。

hystero-epilepsy　癔病性癫痫　表现类似癫痫的癔病发作。在诊断上必须与癫痫鉴别。在癔病性癫痫,躯体受累部位的反射与对刺激的反应正常,脑电图不表现有意义的异常脑波。患者通常能被疼痛刺激唤醒,神志亦不丧失。惊厥常于有人在场时发生,极少自伤或尿失禁。参阅 **epilepsy**。

Hythe　海斯　英格兰肯特行政、历史郡谢普韦区城镇(堂区)。濒临英吉利海峡和皇家军用运河。在拿破仑威胁要入侵英国的时候,运河是作为防御护城河而修建的。在拉姆尼沼泽东端。旧城地处山麓;新城位于运河与海岸之间,是海滨胜地。早在撒克逊时代就已辟为港口。1205年设镇。港口曾一度繁荣,后因砂砾沉积堵塞而衰落。人口14 569(1991)。

Hyundai Group　现代集团　产品多样化的韩国大公司,向国外提供从船只到立体声设备等一系列产品。总部设在首尔。1947年创建时为建筑公司,1965年前一直在国内创业。1965年开始在泰国修筑公路,这标志着公司发展成为跨国联合大企业的开端。1967年公司迈出建筑业,组建现代汽车公司。现代汽车公司逐渐成为韩国最大的汽车制造商,现向远东各地出口轿车和卡车。1973年公司组成现代重工业公司,跨进造船业市场。现代重工业公司制造各种船只,小到海关快艇,大到超级油轮。现代集团还设有一些分部,制造和出口柴油机车和电气机车、铁路客货运车厢、近海石油钻井和开采设备等。出口到国外的产品从重工业设备到消费品都有,如水泥、钢琴、军装和消费电子产品。除澳大利亚外,该公司在各世界大洲都有代理,控制着许多国际子公司。

Hyvinkää　许温凯　芬兰南部新地省城市。为芬兰毛纺工业中心和重要铁路枢纽。铁路通汉科、赫尔辛基和波尔沃诸港口。有铁路工厂、花岗石采石场和橡胶制品厂。因气候温和和茂林环绕,成为南面55千米处的赫尔辛基的居民喜爱的冬季旅游和矿泉疗养地。人口城市区37 965(1983)。

Hywel AB OWAIN GWYNEDD　**海韦尔·艾布·欧文·格威内德**(?～1170)　威尔士武士和王子、抒情诗人。他尚存的八篇作品中包括早期威尔士宫廷诗人作品中唯一的爱情诗。在这8篇中还有抒发爱国热情的诗篇,也许为威尔士文学之首见。他是欧文·格威内德之子,在格威内德家族占领塞雷迪金(卡迪根郡)一事(约1153)中起了重要作用。大概在安格尔西的彭特赖斯附近与异母兄弟们作战时阵亡;被安葬在威尔士的班戈。

Hywell THE GOOD(Welsh king)　**好人豪厄尔**　参阅 **Howel Dda** 豪厄尔(好人)。

I

I Am movement　真神自有永有派　美国的宗教派别，该派认为自有永有的上帝是力量之源，是万人所仰赖的为生之本。20世纪30年代采矿工程师巴拉德（1878～1939）及其妻埃德娜（1886～1971）共同创立这个教会，据《圣经》所载上帝回答摩西说"我是自有永有的"（《出埃及记》，3:14）一语取名。巴拉德夫妇的宣传有时自相矛盾，但他们的主要教义是：任何人都可以通过崇奉耶稣和圣日耳曼等升天大师而获得自有永有之神力。升天大师则通过驻世界使者巴拉德夫妇和他们的儿子唐纳德发言。据估计，1938年该派极盛时期有100万～300万名信徒，但无官方统计数字。美国若干大城市的一些最大的教堂往往挤满几千人谒见巴拉德夫妇，听他们讲演。该派有若干地方机构，并出版月刊《自有永有真神之声》，总部设在芝加哥。1939年巴拉德死，其妻秘密将尸体火化，然后在会上宣布巴拉德已升天，成为升天大师。此时很多信徒脱离该派，因为巴拉德夫妇曾说，信徒不必经历死亡即可升天而永脱躯壳束缚和轮回转世之苦。巴拉德夫人继续领导该派，经常传达巴拉德自天堂下达的指示。1940年有人控告巴拉德母子和该派其他首脑骗取信徒钱财，该派势衰，但1971年巴拉德夫人死时依然有一批忠实信徒。

I-ch'ang（China）　参阅 **Yichang** 宜昌。

I Ching（Confucian text）　参阅 **Yijing**《易经》。

I-ch'un（China）　参阅 **Yichun** 伊春。

I-go（board game）　参阅 **Go** 围棋（碁）。

I-hsin（Chinese prince）　参阅 **Yixin** 奕䜣。

I li（Confucian classic）　参阅 **Yili**《仪礼》。

I-n-Salah　因萨拉赫　又拼Aïn Salah。阿尔及利亚中部绿洲城镇。在塔德马伊特高原南缘。曾是连接中、北非贸易的重地。在现代由于运输费用高昂和工人流往西南100千米处的天然气田，地位下降。有四个各有围墙和堡垒的村庄，其中一个的居民全为非洲黑人部族。村外有椰林和果、菜园，灌溉靠自流井。人口20 733（1987）。

I-ning（China）　参阅 **Kuldja** 伊宁。

I novel　私小说　20世纪日本文学的一种形式或门类，其特点为采取自我暴露的叙述法，通常以作者为中心人物。"私小说"产生于20世纪初期在日本文坛占有主导地位的自然主义运动。这一术语用于描述两种不同类型的小说，一是忏悔小说，特点是冗长的、往往是自我菲薄的暴露；一是"心理状态"小说，作家在小说中探索对于日常生活琐事的内心思想或态度。私小说的著名作家有：葛西善藏、宇野浩二、嘉村礒多、网野菊、泷井孝作和尾崎一雄。

I-pin（China）　参阅 **Yibin** 宜宾。

I-Thou　我与您关系　M.布贝尔等20世纪犹太教哲学家提出的神子教义，论述事物之间全面而直接的相互关系。人与上帝（永恒的您）之间的关系就是这种关系的最纯粹的根本表现形式。人与人之间的关系应以此为模范。事实上，人与上帝的关系总是我与您，但人与人之间的关系往往是我与他，即一方总以另一方为思想和行为的对象。布贝尔认为，人与他者的关系有时可以接近甚至进入我与您的领域。他的《我与您》（1923）一书是论述这个主题的经典之作。

I-yang（China）　参阅 **Yiyang** 益阳。

IAAF　参阅 **International Amateur Athletic Federation** 国际业余田径联合会。

Iacchus　伊阿科斯　古希腊埃勒夫西斯秘仪所崇奉的一位次要神明。根据某些材料，伊阿科斯就是巴克斯，即酒神狄俄尼索斯，也有人说他是宙斯和得墨忒耳所生之子或得墨忒耳的丈夫。还有人说他是科勒或狄俄尼索斯之子。在美术作品中他手持火炬走在仪仗的前头。

Iacocca, Lee　亚科卡（1924-10-15，美国宾夕法尼亚阿伦敦～　　）　美国汽车公司行政官员。在担任克莱斯勒汽车公司总裁兼董事长时，公司濒临倒闭，他曾争取到一笔给予私人公司数额最大的联邦援助贷款。亚科卡为意大利移民之子，1945年毕业于宾夕法尼亚州伯利恒的利哈伊大学，1946年获普林斯顿大学工程硕士学位。后受雇于福特汽车公司，任工程师，不久就展露其高超的推销才能。至1960年，亚科卡已升任福特汽车公司分部的总经理兼公司的副总裁。由于他推销轻便而廉价的"野马"式汽车成功，他在福特公司的影响力大增。1970年被任命为福特公司总裁，但因性情急躁、行事不合传统而于1978年被免职。翌年他为克莱斯勒汽车公司所雇用。当时该公司因油价上涨而积压大批耗油量大的汽车，濒临破产。他吁请联邦政府提供援助，他相信在国民经济萧条之际，联邦政府不会让克莱斯勒公司倒闭。尽管他的请求引起了一场关于在市场经济中政府的作用的激烈争论，但1980年国会仍同意，只要该公司能另外筹措20亿美元，即可保证给予15亿美元的贷款。于是亚科卡另觅新的信贷财源，缩减业务，关闭工厂，并说服工会接受解雇员工和减薪。然后将公司的重点转移到生产节油型的汽车上，同时积极开展广告宣传，亲自上电视作广告。至1981年，克莱斯勒公司已有小额盈利，3年后宣布创纪录获利24亿美元以上。亚科卡成为全国闻人。其著作《亚科卡自传》（1984）和《坦率陈言》（1988）皆为畅销书。1992年退休时为克莱斯勒公司总经理。

IADB　参阅 **Inter-American Development Bank** 美洲开发银行。

IAEA　参阅 **International Atomic Energy Agency** 国际原子能机构。

iamb　抑扬格　一个短音节（如在古典诗歌中）或一个非重读音节（如在英诗中）之后跟着一个长音节或重读音节的音步，如bĕl caúse。古希腊人认为抑扬格同讲话的自然节奏相近，所以把它广泛应用于戏剧对话、抨击文字、讽刺文字和寓言。抑扬格，特别是抑扬四步格和五步格也适应于英语的抑扬顿挫，因此成为英诗的主要格律。在基本上是抑扬格的诗篇中，人们常把其他音步加进去，以增加格律的变化。英国谣曲就是抑扬格诗篇的例子，谣曲每节4行，交替使用抑扬四步格和抑扬三步格的诗句。

iambe　讽刺诗　由8音节诗行和12音节诗行交替组成的法国讽刺诗体。行数不确定。希腊作家，尤其是阿尔基洛科斯，用抑扬格写的讽刺诗作为讽刺的一个载体，但到18世纪后期和19世纪初期A.谢尼埃等人的讽刺诗集出版，该词才作为一种诗体名在法国使用。

Iamblichus　扬布利科斯（约250，科埃莱叙利亚哈尔基斯[今在黎巴嫩]～约330）　新柏拉图主义哲学学派的重要人物，该学派叙利亚分支的创始人。虽然他只有一些短篇的哲学著作保存下来，但是5世纪希腊哲学家普罗克洛斯的著作曾谈到他的学说，从中可了解其体系的基本理论。著有《论埃及的秘密宗教仪式》。其他著作有：《论毕达哥拉斯的生平》、《为哲学进一言》、《论普通数学科学》、《论尼科马科斯的算学》和《神学的算学原理》。人们认为他积极致力于把3世纪的希腊思想家柏罗丁所宣传的新柏拉图主义变成一种僵硬的、复杂而又深奥的异教宗教哲学，从普罗克洛斯的著作中可以明显地看到这一点。他企图把将宗教诸说混合的异教所有的一切礼拜仪式、神话和神祇都包括起来，发展成为一种神学。在新柏拉图主义者中他是第一个用巫术和魔法来取代柏罗丁的纯精神的和灵智的神秘主义的人。在柏罗丁提出的作为"善"的同义语的"一"之外，扬布利科斯认为还有一个超出人类认识范围、无法形容的"一"。在新柏拉图主义现存的三种伦理德行（政治的、道德净化的、模范的）之外，他又加上一种冥思的德行。居于这四者之上的则是适于教士的，或有统一作用的德行，人们凭借这种德行就可愉快地同"一"结合。由于他强调巫术并推崇非理智的德行，在随后的两个世纪中，人们称他为“神圣的”或“有灵感的”人物，尽管他曾常常受到不公正的批评，说他用神秘主义代替哲学。

Iangiiul（Uzbekistan） 参阅 **Yangiyul** 扬吉尤利。

Iao Valley 艾奥山谷 美国夏威夷州毛伊岛毛伊县山谷。在普库库伊山东坡。由破火山口侵蚀形成，其火山喷发造成西部半岛。内有一狭窄、陡峻的峡谷，长5英里（8千米），两侧峭壁高近1英里，树木茂密。火成岩石柱“艾奥石针”从谷底拔地而起，高达2 250英尺（686米）。谷口附近有州立凯帕尼怀公园和承嗣花园，其园林反映出多种夏威夷文化。谷中有水坝拦截艾奥河，形成涉水滩和游泳池。

Iapetus 土卫八 土星卫星系统中的一个外围卫星，以其表象而显异常。G.D.卡西尼于1671年发现。土卫八以79.33个地球日环绕土星一周，与土星的距离为3 561 000千米。土卫八的半径730 ± 10千米，质量为$1.88 \pm 0.12 \times 10^{24}$克，表明其整体密度是$1.16 \pm 0.09$克/厘米^3。一个具有如此小的密度的固态天体只能是主要由冰组成。已观测出土卫八的自转周期等于其公转周期，这和地球的月球的情况相同。按照同一理由，土卫八的固态表面受近距的其他大行星的引力作用也出现潮汐。其结果是土卫八的一面在其轨道运动中总是朝前，而另一面总是后随。朝前的半球只反射出照射其上的日光的一小部分而显得特别黑暗，而后随的半球却是一个比朝前的半球亮10倍的良好反射体。在太阳系所有天体中，它是亮度变化幅度最大的一个。20世纪80年代初，“旅行者”号航天器在朝前的半球上发现有陨击环形坑，但在后随的半球上没有。明亮的后随半球的表面物质中，可以肯定的是有水冰，不太肯定的是甲烷和其他的冰的混合物。朝前半球表面上的黑暗物质被认为是有机分子化合物，或许来自土星最外围的卫星——土卫九，或许是太阳紫外辐照冰中的甲烷而就地形成的。若是后面一种方式，甲烷冰的快速蒸发，以及受微陨石的轰击将表面物质从朝前半球弹道式传输到了后随半球，这或许可以解释前后两半球的亮度不对称性。

Iarmhí, An（Ireland） 参阅 **Westmeath** 韦斯特米斯。

Iaşi 雅西 罗马尼亚东北部的县，面积5 469平方千米，东面与摩尔多瓦接壤。南流的普鲁特河构成本县在东面与摩尔多瓦的边界，锡雷特河向南流经本县的多山地带。雅西县原是封建的摩尔多瓦公国的一部分。雅西市为县城，并拥有化学、纺织、食品等工业。丘雷亚与赫尔勒乌出产建筑材料，帕什卡尼有机械工厂。农业活动为种植谷物并饲养家畜。于雅西市以北的锡里克是划船游乐胜地。雅西市以南建有堡垒的隐修院，为杜嘉大公于1672年所建。其他城镇有勒杜克内尼、默迪尔扎克和希波泰等。伯尔诺瓦森林及岩石中有大量化石的雷佩登山自然保护区为本地区著名的胜景。雅西县设有大学及几所工学院和职业学校。有几条公路和铁路通过雅西市、特尔古弗鲁莫斯及帕什卡尼。雅西市附近有机场。人口约819 044（2002）。

Iaşi 雅西 德语作Jassy。罗马尼亚东北部城市，雅西县县城。位于摩尔达维亚平原，巴赫卢伊河与普鲁特河汇合处附近；在其与摩尔多瓦边界以西8英里（13千米），距布加

雅西市的库扎大学
美国不列颠百科全书公司供图

勒斯特320千米。7世纪已明显有人定居。15世纪中叶成为摩尔达维亚君主的住处。1564～1859年，在罗马尼亚诸公国联合之前，雅西为摩尔达维亚首府。数次遭土耳其人、鞑靼人和波兰人掳掠，有一次被焚为灰烬，1734年还遭受瘟疫；然而雅西却作为经济文化中心而存在下来。1640年卢普大公在三祭司长教堂建立学校和印刷所，这里发行了第一本摩尔达维亚印出的书。古建筑物有库扎大学、圣尼古拉教堂、阿列克山德里国家剧院和新哥特式文化宫。市内设有若干教育和研究机构，还有罗马尼亚科学院的分院。铁路、公路交通便利；工业产品有化学品、药品、塑料、食品饮料和纺织品。人口321 580（2002）。

Iasion 雅西昂 在希腊神话中，又称雅西奥斯（Iasios）。他是谷物女神得墨忒耳爱上的克里特青年。女神曾同他在耕过三遍的休耕地上交合。他们的儿子是普路托斯（**Plutus**），即土地里的财富。一说雅西昂想强奸女神，但被宙斯用雷电击倒。雅西昂最初可能是同丰收仪节有关的一位古老的农业神。参阅 **Demeter**。

Ibadan 伊巴丹 尼日利亚奥约州首府，位于平均海拔200米的7座小山上，距大西洋海岸160千米。为全国仅次于拉各斯的第二大城市。据口头传说，最早的居民为附近村庄的逃犯。有记载的历史始于1829年，部族战争的胜利者在此建兵营，形成现代城市的核心。英国殖民政府于1893年控制该城。1901年与拉各斯通铁路，1912年铁路向北延至卡诺，该城重要性不断提高。伊巴丹的经济活动包括农业、商业、手工业、制造业和服务业。农业人口很多，但不断减少。也是重要的商业中心，集市众多。地方手工业发达，有纺织、印染、制陶、铁工、磨粉、制革、铁木家具制作、印刷、照相、旅馆业、汽车修理和其他修理业。但几乎没有现代制造业。公路发达。市区和郊区有私人出租汽车和公共汽车。设有伊巴丹大学和1所理工学院。大学图书馆藏书居全国首位。国家档案馆在大学内有分馆。有6个公园，最重要的是阿戈迪公园，还有动物园、植物园及一些体育设施。人口约13 080 000（2002）。

Ibagué 伊瓦格 哥伦比亚中部托利马省城市。位于中安第斯山脉东麓，海拔1 285米。建于1550年，后因印第安人进攻，迁至现址。1854年曾短期为共和国首都。1890年后，山坡上种植咖啡的面积迅速扩大，促进经济发展。平原及其邻近谷地生产可可、烟草、稻米和甘蔗。位于从亚美尼亚城到波哥大的公路上。这一位置使它成为重要商业中心。有托利马大学（1945）。人口412 820（2003）。

Ibáñez, Vicente Blasco 伊巴内斯 参阅 **Blasco Ibáñez, Vicente** 布拉斯科·伊巴内斯。

Ibáñez del Campo, Carlos 伊瓦涅斯·德尔·坎波（1877-11-03，智利奇廉～1960-04-28，圣地亚哥） 1927～1931年和1952～1958年的智利总统。虽同外国反动派关系密切，但在国内实行了多项建设性的改革。在军界供职30年。1924年9月参加反对A.A.帕尔马政府的暴乱。1925～1927年先后任陆军部长和内务部长，实际上控制了国家。1927年迫使E.F.拉腊因总统辞职，自任行政首脑到

美洲国家组织供图

1931年。在军队的支持下流放或监禁了所有反对派。他的政府致力于发展经济，特别是硝酸盐工业。成立主要依靠美国资本的垄断公司——智利硝石公司，企图挽救硝酸盐工业，但宣告失败。世界经济萧条，外国投资中断，智利经济亦随之崩溃。由于对他独裁统治的不满日趋明显，他在1931年7月逃亡阿根廷。1937年5月回国。次年9月在智利纳粹分子支持下企图发动武装暴乱未遂。1939年8月再次进行叛乱，又告失败。因屡屡政变不成，加之观点反动并与纳粹分子合作，1942年竞选总统失败。1952年在极端反动力量的支持下（他同阿根廷总统J.庇隆关系密切），再度竞选总统。因迎合下层市民和农业工人的要求而当选，时年75岁。任职期间一反20世纪20年代的独裁作法，与反对派和解，改组政府部门以提高效率，鼓励发展工

业，尽管如此，在 81 岁离职时，智利经济仍极为窘困。

Ibani (Nigeria)　**伊巴尼**　参阅 **Bonny** 邦尼。

Ibar River　伊巴尔河　塞尔维亚西南部河流。源出莫克拉山脉，向东流至科索夫斯卡-米特罗维察，转向北，注入西摩拉瓦河。全长 276 千米，流域面积 8 000 平方千米。主要支流有拉什卡河、斯图德尼察河和锡特尼察河。附近高地有森林覆盖，但河谷地带有耕地，当地居民点多为密集成群的小村。

Ibara (people)　**伊巴拉人**　参阅 **Bara** 巴拉人。

Ibara Saikaku　参阅 **Ihara Saikaku** 井原西鹤。

Ibaraki　茨城　日本本州中部县。濒临太平洋，在关东平原东北部，面积 6 090 平方千米，南以利根川为界，包括部分水乡筑波国家公园，其中有日本第二大湖霞浦湖、溪渠纵横的利根川三角洲、神道教的鹿岛神社和潮来町的旅游中心。经济以农业为主，产谷物、马铃薯和烟草。有煤和铜矿。20 世纪 60 年代工业发展，建有石油化工厂和电机厂。1956 年在东海村建立第一座核能研究所。首府水户，市内的偕乐园为日本著名园林之一。人口 3 002 449(1999)。

Ibarbourou, Juana de　伊瓦尔沃罗(1895-03-08，乌拉圭梅洛～1979-07)　乌拉圭女诗人，南美洲最负盛名的女诗人之一。她的诗作语言简练，感知形象丰富，主题大都为爱情和大自然。著有《钻石之舌》(1919)、《野性的根》(1922)、《罗盘》(1930)、《迷失的女人》(1950)，后者表述了晚年的失望。虽然后期诗作缺少早期作品那种激情和感触，她在南美仍是最受欢迎的诗人之一。1950 年当选为乌拉圭作家协会主席。

Ibarra　伊瓦拉　全称圣安东尼奥-德伊瓦拉。厄瓜多尔中北部城市。位于安第斯山中一谷地，海拔 2 200 米。建于 1606 年。1868 年地震中受破坏很大，但仍保留着殖民地时代风貌及一些建筑物。为该地区农产品贸易中心，农产品有棉花、甘蔗、咖啡、谷物和牲畜。有一个很大的炼糖厂，以木刻和本地纺织品及银器而闻名。名胜古迹有仁慈圣母神殿、附近的卡兰基人遗址(据说是印加帝国末代国王阿塔瓦尔帕的诞生地)和亚瓜科查湖(血湖，以卡拉人和印加人之间一场战斗后，死尸被抛入湖中而得名)。为罗马天主教教区。泛美公路经此，有铁路通往基多。人口约 119 243(1997)。

Ibarra, José María Velasco　伊瓦拉　参阅 **Velasco Ibarra, José María** 贝拉斯科·伊瓦拉。

Ibárruri (Gómez), (Isidora) Dolores　伊巴露丽(1895-12-09，西班牙毕尔巴鄂附近加拉尔塔～1989-11-12，马德里)　笔名“热情之花”。西班牙共产党领导人。她在西班牙内战时期成为充满激情的演说家，赢得了传奇般的声誉，创造了共和国的战斗口号“不准他们得逞!”出身于比斯开的一个矿工家庭，15 岁时因贫困而被迫辍学谋生。具有激进思想之后，1918 年伊巴露丽在《比斯开矿工报》上发表文章，第一次使用笔名“热情之花”。两年后加入新成立的西班牙共产党。由于进行政治活动，曾几次入狱。几经风雨之后，成为共和国议会中的共产党议员之一。1936 年西班牙内战爆发时已成为闻名全国的人物。她经常在电台和街头发表激烈演说，1936 年 7 月提出一些著名的警句，如“宁可站着死，不能跪着生”。1939 年佛朗哥取得胜利后，她乘飞机逃往苏联。多年以来，她代表西班牙共产党出席克里姆林宫的代表大会，直到 1960 年卡里略继她之后任总书记为止。尽管她被认为是老资格的斯大林主义者，但在 1968 年，她反对苏联入侵捷克斯洛伐克。佛朗哥死后大约 18 个月、西班牙政府重新承认共产党的合法地位 34 天之后，她于 1977 年 5 月 13 日回国。同年她重新当选为西班牙议会的议员，后因健康状况不佳而辞职。她一直是西班牙共产党名誉主席，一生中几乎总是身着黑色服装。伊巴露丽于 1915 年与鲁伊斯结婚，30 年代两人分居。她的 6 个子女中，只有 2 人度过了童年。其子鲁文系苏联红军军官，在斯大林格勒战役中阵亡。1962 年她出版回忆录《唯一的道路》(英译本名为《他们不能得逞》)。

Ibb　伊卜　也门西南部城市。位于也门高地崎岖的沙马希山上，海拔 2 050 米。据阿拉伯神话记载，该城远在基督教《圣经》年代即已存在。长期以来为行政首府。20 世纪为半独立的酋长国所在地。40 年代酋长国被君主政体的行政改革废除。地处富庶农业区的中心，海拔 1 200 ～ 1 800 米，大部耕作区已修为梯田。出产谷物(小麦、大麦、小米)、水果、蔬菜、咖啡和“卡特”(一种温和麻醉剂)。牧业分布广泛，主要饲养绵羊。城市景色优美，四周城墙坚厚，约有 60 座清真寺。也门城市建筑中典型的精美楼房为数甚多。从附近山上引水，配以小型的现代供水系统，向许多人家输送自来水，在国内具有特色。现为农牧业区的贸易中心，并生产手工艺品等。有公路连接旧港口穆哈和首都萨那。该城 1982 年曾遭受地震。人口 103 300(1994)。

IBEC　参阅 **International Bank for Economic Cooperation** 国际经济合作银行。

Iberia　西班牙航空公司　西班牙航空公司。1940 年 6 月 7 日成立，受权在国内经营客货空运业务。第二次世界大战后的 1946 年始扩展业务，开辟了到伦敦和拉丁美洲的航线。1954 年开辟到纽约的直达航线。现在该公司班机可远达欧洲、非洲和南北美洲各地。1944 年公司被国有化。20 世纪末，西班牙政府开始对航空公司进行私有化，2001 年出售了其拥有的剩余股票。拥有 200 多架飞机。是伊比利亚集团的一部分，该集团拥有一些地方航空公司和一家航空运输公司。

Iberian　伊比利亚人　西班牙南部和东部的史前民族之一。半岛之名即得自这个民族。公元前 8 ～前 6 世纪凯尔特民族迁到西班牙北部和中部，南部和东部的土著伊比利亚人未受影响。希腊地理学家把埃希罗(伊比鲁斯)河一带居民称为伊比利亚人，到希罗多德时就把埃希罗河与韦尔瓦河之间居民统称之为伊比利亚人。在古典文学作家所提到的伊比利亚部落之中，从领土上看，巴斯特泰尼人是最强大的，它占有阿尔梅里亚地区和格拉纳达山区。巴斯特泰尼人西面的部落通常集结在一起，按照希腊人给该地区起的名称塔特索斯而称为“塔特西人”。瓜达尔基维尔谷的图尔德泰尼人是这群集结部落中最强大者。从文化上看，希腊人在恩波里昂(现今安普里亚斯)及阿利坎特地区的聚居区对东北部和巴伦西亚沿海的部落影响很深；而东南部部落则受到来自马拉加、塞克西(阿尔穆涅卡)及阿德拉的腓尼基商业侨民的影响。东海岸的伊比利亚人似乎曾组成独立城邦，南部还出现过王国。该地区产陶瓷，其出口陶瓷制品在法国南部、撒丁和非洲都曾有所发现；希腊常有进口。该地区农业发达，有采矿和冶金业。伊比利亚语不属于印欧语系，到罗马帝国早期仍在通行。

Iberian Peninsula　伊比利亚半岛　欧洲西南部半岛，西班牙和葡萄牙所在地。以古代居民伊比利亚人而得名。东北的比利牛斯山脉形成同欧洲其他部分的天然分界。南端以直布罗陀海峡与北非隔开。西岸和北岸接大西洋，东临地中海。葡萄牙的罗卡角是欧洲大陆的最西点。

Ibero-Maurusian industry　伊比利亚-莫鲁斯文化期工艺　又称奥兰文化期工艺，是武木冰期晚期北非石器工艺，距今约 16 000 年。名称之所以加上“伊比利亚”这一前缀，是因为过去推测这种工艺曾经扩展到西班牙。但是后来的研究表明，伊比利亚-莫鲁斯文化期工艺可能是从尼罗河流域一种称为阿勒法的文化衍化出来的，后者的年代可追溯到约公元前 17 000 年。伊比利亚-莫鲁斯文化期石器常常与人类化石遗存一同出土，似乎其制作者是名为梅哥塔-阿尔比族的一个居民集团，亦即克罗马农人的一个北非分支。伊比利亚-莫鲁斯文化期工艺比加夫萨文化期工艺(公元前 8000 ～前 2700)的分布区要广阔得多，在北非沿海地区和摩洛哥、突尼斯、利比亚昔兰尼加(拜尔盖)等内陆地区都有分布。其特点是，有大量小背石叶，与加夫萨文化相比，则没有雕刻器。

Ibert, Jacques(-François-Antoine)　伊贝尔(1890-08-15，巴黎～1962-02-05，巴黎)　法国作曲家，所作音乐以其色彩绚丽、技艺精湛和妙趣横生的新古典主义风格见称。曾就学于巴黎音乐学院，1919 年以康塔塔《诗人与仙

中国大百科全书出版社供图

女》获罗马奖。在罗马创作了他最受人喜爱的作品交响组曲《停靠港》(1922)。1937 ～ 1960 年任罗马法兰西学院院长。作品几乎包括各种体裁。7 部歌剧中以《天使般的》(1926)最为成功。其《嬉游曲》(1930)才思敏捷、妙趣横生,是一部流行的管弦乐曲。

Iberus River(Spain)　参阅 **Ebro River** 埃布罗河。

Iberville　伊贝维尔　加拿大魁北克省南部蒙特利尔行政区上黎塞留县的自治区城镇。在黎塞留河东岸,与圣让市隔河相望。1854 年为纪念法国探险家伊贝维尔更现名。为铁路与公路枢纽,又是圣让的住宅区。经济部门包括木制品、乳制品、锯木、采石、铸铁以及化工制品和陶器制造业。人口 9 352(1991)。

Iberville(et d'Ardillières), Pierre Le Moyne d'　伊贝维尔(1661-07-20 受洗, 玛丽村-德-蒙特利尔[今蒙特利尔]～ 1706-07-09,哈瓦那)　法裔加拿大海军英雄和探险家,以代表法国在哈得孙湾和路易斯安那地区探险和作战而知名。其父 C.L.莫因为著名蒙特利尔毛皮商。他少年时代即参加攻打在哈得孙湾的英国贸易站。1686 年指挥法国远征队攻下詹姆斯湾 3 个英国要塞。此后 10 年主要保卫法属加拿大不受英国人的侵犯。1697 年在哈得孙湾战役得胜使他成为法国最受尊崇的英雄,是年到密西西比河三角洲建立殖民地。1699 年考察墨西哥湾北部海岸,重新发现密西西比河的出口。同年在今密西西比州比洛克西湾建立了莫雷帕斯堡。次年在今新奥尔良附近建立第 2 个法国居民点,1702 年又在莫比尔河建立新居民点路易斯堡。上述活动使法王路易十八开始在路易斯安那殖民。由于法英两国重启战端(西班牙王位继承战争[1701 ～ 1714]),他指挥西印度群岛舰队,于 1706 年进攻尼维斯岛和圣克里斯托弗岛,迫使英军投降,俘获 24 艘舰船、6 000 奴隶和1 700殖民者。

ibex　北山羊　又称羱羊。偶蹄目牛科山羊属(*Capra*)几种步履稳健、强壮的野生动物的统称,栖息在欧洲、亚洲和非洲东北部的山区。北山羊的指名亚种(欧洲北山羊、阿尔卑斯北山羊,*C. ibex ibex*)有代表性。肩高约 90 厘米,毛浅褐灰色,腹部颜色更深。雄体有须,还有半圆形大角,前表面宽而有横脊。栖息在永久雪线上,群居,但年老的雄体常单独活动。以前在阿尔卑斯山的高处常见,但现数量已大减。在意大利境内阿尔卑斯山地区受保护。与欧洲北山羊有密切亲缘关系的亚种是西伯利亚北山羊(亚洲北山羊,

比利牛斯北山羊(*C. pyrenaica*)
美国不列颠百科全书公司供图

C. i. sibirica,体形更大,角更长;努比亚北山羊(*C. i. nubiana*)体型较小,角细长。其他北山羊包括北山羊埃塞俄比亚亚种(*C. i. walie* 或 *C. walie*)和比利牛斯北山羊(西班牙北山羊,*C. pyrenaica*)。参阅 **tahr**。

Ibi　伊比　尼日利亚贡戈拉州河港和城镇。位于贝努埃河南岸。19 世纪 50 年代创建。曾为贩奴站。19 世纪末,英国皇家尼日尔公司的商人发现豪萨商人在镇内销售锡制品,遂投资探矿,后于 1904 年在乔斯高原发现丰富的锡矿藏。现为芝麻和大豆的集散地及南面 37 千米的武卡里镇的港口。当地朱昆人种植高粱、粟、薯蓣、稻和豆类。设有公立诊疗所。人口 27 759(1983)。

Ibibio　伊比比奥人　主要居住在尼日利亚东南地区克罗斯河州。操尼日尔-刚果语族

伊比比奥人男舞蹈者头饰上的木雕人像
美国不列颠百科全书公司供图

克瓦语支的埃菲克-伊比比奥方言。主要由以下几部分人组成:埃菲克人、北方人(埃尼翁人)、南方人(埃克特人)、三角洲人(安多尼-伊贝诺人)、西方人(阿囊人)和东方人(正统伊比比奥人)。伊比比奥人大都是在雨林中从事薯蓣、芋头和木薯种植,主要出口产品有棕榈油和棕榈仁。伊比比奥人以精湛的木雕著称。村庄由环绕庭院的一组组长方形房屋组成,每栋房屋有房数间。村民可达 500 人,分为若干父系家系;村庄则分为若干街区,有时也分为若干小型自然村落。若干村落组成更大单元,单系传宗,共同拥有图腾,共奉一保护神。男、女秘密会社在伊比比奥人村庄组织中是颇为重要的。

ibis　鹮　鹳形目鹮科鹮亚科(Threskiornithinae)的 20 种中等体型的涉禽(鹮科亦包括琵鹭)。除南太平洋岛屿外,分布于所有温暖地区。涉行于浅潟湖、湖泊、海湾和沼泽,

圣鹮(*Threskiornis aethiopica*)
美国不列颠百科全书公司供图

用细长下弯的嘴寻找小鱼和软体动物为食。体长约 55 ～ 75 厘米。飞行时颈和腿伸直,交替地拍动翅膀和滑翔。常聚成大群繁殖,在灌丛和树林下层以树枝建造结实的巢。每窝产卵 3 ～ 5 枚,卵暗白色或具褐斑。彩鹮(*Plegadis falcinellus*)和亲缘关系很近的白面鹮(*P. chihi*)体小,具淡红褐色和有光泽的浅紫色羽毛。两个种可见于全球所有比较温暖的地方。非洲的泽鹮(*Hagedashia hagedash*)体色淡绿,鸣声响亮。蓑颈白鹮(*Threskiornis spinicollis*)仅见于澳大利亚,与其他鹳相比生活环境离水较远,主要以蚱蜢类为食。隐士鹮(*Geronticus eremita*)是濒危种,栖息于北非和中东;嘴和头部裸露的皮肤发红;曾繁殖于欧洲南部和中部、叙利亚和阿尔及利亚,但现在仅见于土耳其和摩洛哥。朱鹮(*Nipponia nippon*)体白色,脸红色,也是濒危种,20 世纪晚期趋于绝灭。产于阿拉伯南部和非洲撒哈拉以南的圣鹮(埃塞俄比亚白鹮,*Threskiornis aethiopica*)体长约 75 厘米,体白色,翅黑色,后背羽毛色深,头和颈裸露,黑色;从前亦见于埃及,古埃及人视之为圣鸟。红鹮(*Eudocimus ruber*)栖息于南美洲北部,白鹮(*E. albus*)分布于中美和北美。林鹳(林鹳属[*Mysteria*])有时称为林鹳。参阅 **stork**。

ibisbill(*Ibidorhyncha struthersii*)　**鹮嘴鹬**　一种亚洲鸻形目鸟类。嘴长色红,向下弯曲,似鹮嘴,故名。用嘴探觅溪流和池塘石下的食物。体矮胖,长约 40 厘米,腿短于同科(反嘴鸻科)的反嘴鹬和长脚鹬。体羽灰色,具一

鹮嘴鹬（*Ibidorhyncha struthersii*）
美国不列颠百科全书公司供图

条黑色胸纹，面黑色。营巢于喜马拉雅山3 000米或更高处，越冬于山脚下。

Ibiza　伊维萨岛　又拼Iviza或Ivica。西班牙巴利阿里省一岛。位于地中海巴利阿里群岛马霍卡岛西南80千米处，面积572平方千米。自古为战略要地。最早的居民有腓尼基人和迦太基人。岛上农业生产以自给为主，

伊维萨市及其港口
美国不列颠百科全书公司供图

但亦出口扁桃、干无花果和杏。海盐是主要出口物资（年产约7万吨），亦有旅游业。全岛唯一的城市和中心是伊维萨市。人口：市32 700（1999）；岛80 538（1991）。

Iblīs　易卜劣厮　伊斯兰教用语，是恶魔的名字。它很可能来自希腊语diabolos（魔鬼）一词。相当于犹太教和基督教撒旦的易卜劣厮，也被称为"安拉的敌人"、"敌人"；当他被描绘成引诱者时，被称为"恶魔"。安拉创造人类始祖阿丹后，乃命令全体天神向阿丹俯首听命。易卜劣厮不服，自称优于人类，因为他是用火所造而人是用泥所造。安拉因他骄傲抗命而把他赶出天园，以待最后审判日予以惩处。届时，他和属下都要入永恒火狱。而在此之前，他可以引诱除真正信奉安拉者以外的众人走向邪恶。易卜劣厮的首次恶行是潜入伊甸园（此时他名为晒依陀乃），引诱好娃吃永生树的果实，因而使阿丹和好娃失去天园。易卜劣厮还曾伪造哈提夫（阿拉伯神话中提及的一种神秘声音），诱惑穆罕默德的女婿阿里，妄图阻止他为穆罕默德遗体行净礼。

IBM　参阅 **International Business Machines Corporation** 国际商用机器公司。

Ibn ʻAbbād　伊本·阿巴德（1333，西班牙龙达～1390，葬于摩洛哥巴布富图）　伊斯兰教教义学家，14世纪北非最重要的神秘主义思想家。原习法律，后转修神秘主义知识，仰慕摩洛哥各宗教学院的名声，迁到该地。1359年定居于塞拉，加入苏非派神秘主义沙兹里教团（亦称沙杜里教团）。对于这个教团的教义在北非传播，伊本·阿巴德的讲课和著作起了很大作用。由于该教团和伊本·阿巴德的温和神秘主义倾向，他们与摩洛哥传统的教义学家之间不存在冲突。1375年摩洛哥统治者任命他为伊玛目。他的两部书信集包含对门人的宗教修持指示和教诲。

Ibn Abbās　伊本·阿巴斯　参阅**ʻAbd Allāh ibn al-ʻAbbās** 阿布杜拉·伊本·阿巴斯。

Ibn Abī ar-Rijāl, Aḥmad（ibn Ṣāliḥ）　伊本·阿比·里贾尔（1620-07，阿拉比亚阿什-沙巴特～1681-03，萨那）　也门学者、伊斯兰教教义学家，他是鲜为人知的也门伊斯兰教什叶派栽德支派史料的最好提供者。他曾在也门栽德派宗教与世俗统治者伊斯玛仪·艾尔·穆泰瓦基勒手下任秘书及宫廷演说官。在现存他的著作中，特别著名的是《月升海汇》，是1 300位也门和伊拉克栽德派领袖传记集。

Ibn Abī ʻAṣrūn　伊本·阿比·阿斯鲁恩（1099或1100-02，巴格达哈里发管区内的哈迪塞～1189-10或11，大马士革）　又称哈拉比或迪马什契。伊斯兰教学者、沙斐仪学派（伊斯兰教四大教法学家之一）重要的教义学家、阿尤布哈里发管区主要司法官。研习教义学之后在伊拉克历任各种宗教、司法职务。1154年应邀到大马士革讲授宗教课程并管理宗教基金，其后在叙利亚等地担任其他各种司法职务。1177或1178年阿尤布苏丹萨拉丁任命他为叙利亚最高教法官，1179或1180年因失明而辞职。

Ibn al-Abbār　伊本·艾巴尔（1199-02，巴伦西亚酋长国巴伦西亚[巴伦西亚]～1260-01-06，突尼斯）　历史学家、神学家、幽默大师，伊斯兰西班牙最杰出的学者之一。以出任巴伦西亚酋长国的穆斯林总督的秘书开始他的官宦生涯。巴伦西亚陷落（1238-09）后，移居突尼斯，任哈夫西德王朝统治者艾布·宰卡里亚·叶海亚及其继承人穆斯坦绥尔的大臣。在突尼斯期间从事学术研究，重要作品《古代珍品》，是一本研究穆斯林西班牙的伊斯兰诗人的主要著作。他是一个幽默作家和具有特殊才能的讽刺作家。他的失势和最后被处决，可能是由于一首针对穆斯坦绥尔的讽刺诗所致。

Ibn al-ʻArabī　伊本·阿拉比（1165-07-28，巴伦西亚穆尔西亚～1240-11-16，大马士革）　全名穆哈伊丁·艾布·阿卜杜拉·穆罕默德·伊本·阿里·伊本·穆罕默德·伊本·阿拉比·哈提米·塔依尔。又称艾什·谢赫·阿克巴。著名的伊斯兰神秘主义哲学家。他使伊斯兰思想中的神秘主义教义第一次成为完全成熟的哲学表述。其主要著作为《麦加的启示》和《智慧的珠宝》。早期曾在当时著名的伊斯兰文化中心塞维利亚受教育。在该地长达30年之久，学习传统的伊斯兰科学。他跟随许多神秘主义大师学习，智慧超人。在此期间，他曾多次旅行，到过西班牙及北非洲的若干城市。在旅途中，曾见过亚里士多德派的大哲学家伊本·路西德（即阿威罗伊），伊本·阿拉比神秘主义的造诣使这位老哲学家甚为赞赏。1201年去东方旅行，先到麦加。在该地，他"接受真主旨意"，开始写他的主要著作《麦加的启示》。该书有560个章节。书中包括他自己懂得和曾经体验过的伊斯兰神秘科学，以及有关其内心生活的有价值的知识。1201年由麦加至埃及，然后由埃及到科尼亚，继而到巴格达和阿勒颇，1223年到大马士革定居。此时他已闻名整个伊斯兰世界。1229年，他在大马士革撰写了他的另一部神秘主义哲学的重要著作《智慧的珠宝》。该书虽然只有27章节，篇幅大大少于《麦加的启示》，但作为伊本·阿拉比成熟的神秘主义思想的反映，其重要性如何强调都不为过。

Ibn al-Ashʻath　伊本·艾沙斯（？～704）　伍麦叶王朝的将领，反抗伊拉克总督赫贾吉的叛乱领袖。699年赫贾吉调遣孔雀军去镇压喀布尔斯坦（今阿富汗）发生的叛乱。进入喀布尔斯坦以后，担任总指挥的伊本·艾沙斯决定等到来春再继续作战。但是，赫贾吉却命令立即采取行动。由于两人的争吵，伊本·艾沙斯及其部下举行叛乱。他率兵西进伊拉克，沿途得到阿拉伯人和非阿拉伯人的支援。第一次交战获胜。第二次受挫，被迫从巴士拉撤回库法。赫贾吉得到叙利亚人的增援，在库法城外与伊本·艾沙斯的20万大军一决

雌雄。701年9月伊本·艾沙斯败北。叛乱不久被镇压下去。他逃往喀布尔避难。704年被谋杀或自杀身亡。

Ibn al-Athīr **伊本·阿西尔**(1160-05-12,哈里发帝国杰济拉伊本欧迈尔岛～1233,摩苏尔) 有影响的阿拉伯历史学家。他在摩苏尔过学者生活,但常去巴格达。一度参加萨拉丁驻叙利亚的军队,后来住在阿勒颇和大马士革。他的主要著作是《历史大全》。

Ibn al-ʿAwwām **伊本·阿瓦姆** 12世纪后半叶活动于塞维利亚的穆斯林农学家,他用阿拉伯文撰写的关于农业问题的著作《耕作札记》是中世纪杰出的农业著作。该书中的35章在19世纪最初10年被译成西班牙文,其中包括农学、养牛、家禽饲养以及养蜂等。它描述了585种植物,介绍了50多种果树的栽培方法,并包括许多关于土壤、肥料、植物嫁接和植物病害等方面的论述。书中的许多材料来自希腊和阿拉伯文献,特别来自伊本·瓦西亚的有关农业的论述。但伊本·阿瓦姆以自己的知识和经验对之进行了补充。

Ibn al-Bawwāb **伊本·拜瓦卜**(10世纪晚期,伊拉克～1022或1031,巴格达) 又称Ibn as-Sitrī。阿拔斯王朝(750～1258)的阿拉伯书法家,曾设计草书拉伊哈尼手写体和穆哈加格手写体,因而著名。他把一个世纪前的书法家伊本·穆格拉创造的几种书法形式包括纳斯基字体(**naskhī script**)和塔乌吉字体在内都加以改进,使之臻于完善,并为他的学生收集和保存了伊本·穆格拉的许多真迹手稿。伊本·拜瓦卜出身贫寒,他的名字直译之意为"阍者之子",但受过系统的法学教育,据说能背诵《古兰经》。伊本·拜瓦卜受穆罕默德·伊本·阿萨德的启迪而喜爱书法,并受业于穆罕默德·伊本·萨姆萨玛尼,这两人均为伊本·穆格拉的弟子。伊本·拜瓦卜共誊写64本《古兰经》,其中最精美的一本用拉伊哈尼手写体书写,现存伊斯坦布尔拉莱利清真寺,是奥斯曼苏丹谢里姆一世(1470～1521)所赠。伊本·拜瓦卜在当时被公认为名家;他所创办的书法学校在他死后两个世纪内一直弦诵不辍,后来巴格达陷于蒙古人之手,学校关闭。

Ibn al-Fāriḍ **伊本·法里德**(1181-03-22或1182-03-11,开罗～1235-01-23,开罗) 阿拉伯诗人,他对苏非派神秘主义的表述被认为是阿拉伯语中的佼佼者。父亲是叙利亚出生的继承法法官。本人初习法律,后弃法隐居在开罗近郊的穆盖塔姆山中修行。在麦加度过几年,遇见有名的苏非主义者巴格达的苏哈拉瓦迪。他生前就被人尊为"圣者",死后葬在穆盖塔姆山中,其墓至今仍有人朝觐。他的许多诗歌属于抒情颂诗(格西特),描写情人渴望团聚。通过这一传统的格式,表达了他重返麦加的深沉渴望,即与第一个神性反映的穆罕默德的精神合一的愿望。他把这个主题在《神秘的进程》中发挥得淋漓尽致。另一篇《酒颂》与之齐名。这首长诗描写了神圣的爱酒的感受。尽管他的诗歌在风格上有些矫揉造作,并有修辞上的美饰和因袭下来的比喻,但是他的诗篇中有些段落仍包含着动人的艳丽和深刻的宗教感情。

Ibn al-ʿIbrī (medieval Syrian scholar) 参阅 **Bar Hebraeus** 巴尔·希伯来。

Ibn al-Jawzī **伊本·贾夫齐**(1126,巴格达～1200,巴格达) 伊斯兰教法学家、教义学家、史学家、传教师和教师,后成为巴格达统治集团的重要人物和伊斯兰教传统主义者的主要发言人。热烈拥护罕百里派教义,得历任哈里发宠幸。1178或1179年主持五所学院,成为罕百里派在巴格达的主要发言人。自1170～1180年达到权力顶峰,任半官方的异端裁判官,搜索异端邪说,抨击他认为偏离严格正统伊斯兰教义的人,使他们遭受迫害。苏非派和什叶派教义学家尤其为他所痛恨。1194年,素来与他友善并支持他的伊本·尤努斯因事被捕,当年他自己也被捕,流放到瓦西特。死前不久得到部分昭雪,放回巴格达。他的主要著作《神秘主义的特征》是内容详尽的神秘主义史。他在该书中指出,真正的神秘主义者应以圣门弟子为榜样。

Ibn an-Nafīs **伊本·安·纳菲斯**(?～1288) 阿拉伯医师。首次描述了血液的肺循环。他发现室间隔实质无孔,驳斥了伽伦关于血液自右心直接进入左心的观点。他正确地指出,血液必须经过肺脏才能从右心到左心。他的论点的重要性一直未引起人们注意,可能根本不为西方国家医学界所知。直到20世纪他的著作才被发现。伊本在大马士革学医,后去埃及主持开罗的纳塞尔医院。写过不少有关眼病及饮食的论文,并注释了希波克拉底、阿维森纳和侯乃尼的医学著作。

Ibn ʿAqīl **伊本·阿齐尔**(1040,巴格达～1119) 伊斯兰教教义学家、罕百里派学者。该派在伊斯兰教法学派中最坚持经典传统。自1055～1066年在罕百里派导师教诲下学习伊斯兰教法律,此时对为正统派教师所指摘的开明教义学思想发生兴趣。在这种开明思想中,穆尔太齐赖派主张根据逻辑推理理解并解释教义;哈拉智神秘主义,特别是其中关于现象统一的学说,则认为苏非派所谓的统一与正统教义学中所说的启示法律可以互相调和。伊本·阿齐尔既然倾向于这种思想,就在罕百里派保守分子所控制的巴格达信徒中丧失威信。1066年仅26岁就担任曼苏尔清真寺大师,益发招人嫉恨。他受到有势力的人物阿布·曼苏尔·伊本·优素福的支持,但此人于1067或1068年死去,于是他被迫辞职,1072年被迫在正统派教义学家面前公开表示悔过,至此争论宣告结束。他最著名的著作《科学之书》是内容广泛的百科全书,据说共有200～800卷,现仅存1卷。

Ibn as-Sitrī 参阅 **Ibn al-Bawwāb** 伊本·拜瓦卜。

Ibn Bābawayh **伊本·巴巴瓦伊**(约923,伊朗呼罗珊省～991,赖城) 又拼Ibn Babūyā。伊斯兰教教义学家、什叶派十二伊玛目支派的权威经籍《四圣书》之一的作者。966年自呼罗珊到达巴格达,可能是投奔该地区统治者亲什叶派的白益王朝。不久成为十二伊玛目派的发言人和主要学者。所著《什叶派信条》是研究该派教义形成发展的重要资料。

Ibn Babūyā (Muslim theologian) 参阅 **Ibn Bābawayh** 伊本·巴巴瓦伊。

Ibn Bājjah (Arab philosopher) **伊本·巴贾赫** 参阅 **Avempace** 阿文帕塞。

Ibn Baṭṭūṭah **伊本·拔图塔**(1304-02-24,摩洛哥丹吉尔～1368或1369,摩洛哥) 中世纪阿拉伯最伟大的旅行家,著有历史上著名的《游记》。该书记述他长达120 000千米的广泛旅程,几乎遍及全部穆斯林国家,并远达中国和苏门答腊。他出身于摩洛哥的穆斯林法官世家,受过法律和文学教育。21岁去麦加朝觐时开始旅行,在埃及、叙利亚、汉志受业于著名穆斯林学者和伊斯兰苏非派圣者的门下,取得许多学业证件(主要在大马士革),身价倍增,他从陆路取道突尼斯和的黎波里来到埃及,心中激起一股不可抑制的旅行热情,他决定尽可能地访问世界上更多地区,并立下一条规则"决不走重复路线"。他旅行的目的是认识新的国家和人民。开始时以学者身份,后来以旅行家身份,到处受人尊敬,所遇到的许多苏丹、大臣、总督都对他隆重接待,馈赠优厚,使他得以继续旅行,遍游各地。他先到上埃及,经叙利亚抵达麦加。1326年朝觐完毕,穿越阿拉伯沙漠到达伊拉克、伊朗南部、阿塞拜疆和巴格达。1327～1330年定居于麦加和麦地那两地。1330年率领一批追随者由吉达出海,沿红海海岸到达也门;又从亚丁启程,沿东非海岸访问一些贸易城邦,最远到达基卢瓦岛,即现在的坦桑尼亚,回程经阿拉伯半岛南部、阿曼、霍尔木兹和伊朗南部,横渡波斯湾,于1332年回到麦加。以后他计划到印度,因无直达的交通,绕道埃及和叙利亚,渡海到小亚细亚的拉塔基亚。他在这片突厥人土地上纵横交错地穿行,因为当时安纳托利亚分成许多小邦。因此他的游记对于该地区在塞尔柱人势力结束与奥斯曼帝国兴起之间这一段历史提供重要资料。伊本·拔图塔受到当地的所有统治者和宗教兄弟们的热诚接待。他继续横渡黑海到克里米亚,转北高加索到伏尔加河下游的金帐汗国首都萨拉伊。根据他自己的叙述:他在这段时间曾到过拜占廷首都君士坦丁堡,他称赞这座活跃的都城为"第二个罗马";从萨拉伊到中亚细亚,访问了古城布哈拉、撒马尔罕和巴尔赫;还取道呼罗珊和阿富汗,越过兴都库什山脉而于1333年到达印度。印度苏丹穆罕默德对他很慷慨,任命他为德里大法官,1342年派他充当赴中国的特使。东行途中屡经波折,历时数载才由海路到泉州,再由河道前往北京。《游记》中关于这一段的叙述非常简短,行程和日期多有舛误,真实性令人怀疑。其归途,经苏门答腊、马拉巴、波斯湾到巴格达和叙利亚,《游记》叙述也很简短。在叙利亚,他目睹了1348年的黑死病

(鼠疫)的浩劫,再度访问了那里及埃及的许多城镇,完成最后一次麦加朝圣。然后决定回家。由亚历山大起航到突尼斯,再到撒丁岛及阿尔及尔,1349年11月回到故乡非斯。第二年又去西班牙的格拉纳达王国,1352年到苏丹西部。最后一次旅程是穿过撒哈拉沙漠到马里帝国。1353年底回摩洛哥,口述旅行的回忆,由伊本·朱扎记录和修饰。伊本·拔图塔逝于1368或1369年,当时正任摩洛哥一城镇的法官,被葬在他的出生地丹吉尔城。这位"伊斯兰的旅行家"的毕生旅程,在蒸汽机时代以前无人超过。他在小亚细亚、东非和西非、马尔代夫群岛和印度旅行的记述,是这些地区史料的主要来源;对阿拉伯和伊朗近东地区的叙述,反映了当时社会和文化生活各个方面大量而详细的情况,总计他访问过至少60位各地的统治者以及大量总督和高官,他《游记》中记录的人物多达2 000人以上,都是他自己熟悉的,或访问过他们的墓地。这些人物都有史料可核,伊本·拔图塔对他们的姓名和年月的记述很少有错。因此他的《游记》具有持久的历史和地理价值。

ibn Daud, Abraham ben David Halevi 伊本·达乌德(约1110,卡斯蒂利亚托莱多~约1180,托莱多) 又称拉巴德一世。医学家、史学家,是在哲学方面系统地运用亚里士多德著作的第一位犹太学者。他的史学著作《传统之书》在今天比他的主要哲学著作《诚信之书》更受人重视。两书现存希伯来文本及德文译本。《传统之书》他驳斥卡拉派独尊《圣经》而贬低《塔木德》的观点,力求阐明自摩西以降,犹太教经师师承未断,书中提供了当时西班牙境内犹太人会堂及宗教活动的珍贵资料。在《诚信之书》中,达乌德根据11世纪医学家兼哲学家阿维森纳及其他伊斯兰作者的理论,提出了自己的亚里士多德学派的观点,企图解释"自由意志"这一问题。全书分为3部分,论述有关物理学与形而上学、宗教信仰以及道德学。12世纪犹太拉比迈蒙尼德的著述中亚里士多德学说的观点更加明确,使达乌德此作未免逊色。

Ibn Durayd 伊本·杜赖德(837或838,伊拉克巴士拉~933-08-13,巴格达) 阿拉伯语文学家,诗人,著有阿拉伯语大词典《语言大全》。伊本·杜赖德的家系属于阿曼的阿拉伯部落。871年发生黑奴叛乱,巴士拉城遭洗劫,因而移居阿曼。返回巴士拉不久又到法尔斯(伊朗西南部),于920年在巴格达定居,曾接受阿拔斯王朝哈里发穆格台迪尔所给的养老金。百科全书编撰家艾布尔·法拉杰·伊斯法哈尼是他的学生。《语言大全》在法尔斯写成,颇受哈利勒所撰《阿因书》的影响,所收单词按字母顺序排列,而词根之语义变化则一起列出。另著有关于阿拉伯人名的《词源学》及人们出于无奈诅咒用的《双关语》等书。伊本·杜赖德亦长于诗歌写作。

ibn Ezra, Abraham ben Meir 伊本·埃兹拉(1092或1093,萨拉戈萨酋长国图德拉~1167,西班牙卡拉奥拉) 伊斯兰西班牙诗人、语法学家、旅行家、新柏拉图派哲学家、天文学家。曾游历北非、欧洲,以评注《圣经》闻名。他的评注虽然基本上是解释词义,但也间有哲学评述,这些评述表明他是新柏拉图派泛神论者。同时,他认为自存的、永恒的事物也是由上帝赋予形质的,而这一点又同新柏拉图派的说法有矛盾。有人认为他的背离正统的圣经诠释是17世纪伟大哲学家斯宾诺莎的先声。除若干语法译著外,伊本·埃兹拉还精通天文学和占星术,信奉数字命理神秘主义。

ibn Ezra, Moses (ben Jacob ha-Sallaḥ) 伊本·埃兹拉(约1060,西班牙格拉纳达~约1139) 希伯来语诗人和评论家,西班牙犹太人黄金时代(900 ~ 1200)最优秀的诗人之一。他是首创世俗诗的犹太诗人之一。绰号"哈·萨拉赫"(希伯来语意为"忏悔诗的作者")是因为他写过忏悔祷文。其阿拉伯语名字叫艾布·哈龙·穆萨,出身于西班牙希伯来的名门望族(他的3个兄弟都是著名学者),是诗人和圣经诠释者亚伯拉罕·伊本·埃兹拉的亲属。他陷于情网,爱上了亲侄女。她虽然也爱他,却遭到父亲的拒绝,把她嫁给了年少的兄弟。这段恋情对他影响颇深,使他与几个兄弟疏远了,并离开了格拉纳达,后来他的诗歌均受到影响。人们普遍认为他的宗教诗和世俗诗,在希伯来语言、结构和风格方面的精湛程度是无与伦比的。他有很多世俗诗收在《塔希什诗集》里,歌颂爱情、饮酒的欢乐和鸟语的美妙,悲叹背信弃义和老之将至。他的后期作品大都是反省、悲凉格调的忏悔祈祷诗。有许多收集在用于新年和赎罪日祈祷的《赛法迪姆》祷词集("赛法迪姆"意即西班牙或葡萄牙裔犹太人)中。在他先前的情人因生产而死时,他写了一篇感人肺腑的悲歌,祭吊亡人。他用阿拉伯文写过一篇有关诗的艺术的重要专论《谈话与回忆》,论及阿拉伯、卡斯蒂利亚和犹太诗歌。这一著作乃是一部重要的西班牙文学史。他还用阿拉伯文写过一部哲学专著,其中一些段落已翻译为希伯来语,改名《香料之源》,论及上帝的属性和人的微观世界的性质等问题,大体上是其他哲学家的思想汇编。

Ibn Falaquera 伊本·法拉奎拉(约1225~约1295) Falaquera又拼Palquera。全名谢姆托伯·本·约瑟夫·伊本·法拉奎拉。西班牙出生的犹太教哲学家、翻译家。主张调和犹太教正统派教义与哲学;维护迈蒙尼德斯的《迷途指津》,批驳传统派对该书提出的攻击。著作甚多,有《哲人与虔信者对话集》、《解忧录》、《启智录》、《冥思录》及节选伊本·盖比鲁勒的诗作《生命泉》的希伯来语本等。

Ibn Gabirol 伊本·盖比鲁勒(约1022,科尔多瓦哈里发帝国马拉加~约1070,巴伦西亚王国巴伦西亚) 阿拉伯文名艾布·阿尤布·苏莱曼·伊本·叶海亚·伊本·盖比鲁勒。拉丁文名称阿维丝布龙或阿维丝布鲁勒。摩尔西班牙的犹太"黄金世纪"的一位杰出的文学界和知识界人物。他代表当时希伯来宗教诗和世俗诗的顶峰,也是一位重要的新柏拉图主义哲学家,被誉为西班牙第一位哲学家。生于西班牙马拉加。柏柏尔人占领科尔多瓦,他的双亲便移民至此。曾在萨拉戈萨受高等教育,与当时的犹太知识分子一样,不仅学习完整的希伯来文学遗产——《圣经》、《塔木德》及其他犹太教经典,尤其是希伯来语言学,也学习阿拉伯语,包括《古兰经》、阿拉伯诗歌、哲学、语言学,甚至医学文献。渊博的知识为他的创作打下坚实的基础。16岁时即以希伯来文写宗教赞美诗,赢得声誉,并获得国王宠臣、名学者伊本·哈桑的保护和指教。后者在1039年被处决后,盖比鲁勒又投靠柏柏尔人的格拉纳达王国的重臣、犹太政治家、文学家伊本·纳格雷拉,并成为宫廷诗人。盖比鲁勒被卷入关于希伯来语言问题的论战,并因他表现出的世俗倾向被斥为骗子,后逃离萨拉戈萨,来到格拉纳达。这段经历在他的《冲突之歌》中有详尽的描述。约1070年在巴伦西亚与世长辞。

他的诗作极其丰富,但其诗集已失传,现残存的世俗诗约有200余首,题材极其广泛,其中最生动的一首为悼念蒙冤被杀的伊本·哈桑的挽歌。他的许多宗教诗搜集在世界各地的犹太教《祈祷书》中。有韵散文诗《王国的冠冕》,是一首默想诗,描绘了宇宙的浩瀚和自己的渺小可怜。他的诗歌模仿阿拉伯人写成,从诗中可以看出作者深受阿拉伯著名吟游诗人穆太奈比和厌世诗人阿拉-麦阿里的影响。他不顾保护人的劝阻,热衷于研究新柏拉图主义。其哲学代表作《生命泉》是以拉丁文化名阿维塞卜洛署名的。这部作品对犹太教神秘主义的喀巴拉派和基督教的经院哲学产生较大的影响,但圣托马斯·阿奎那曾指责他把概念与现实等同起来。

ibn Ḥayyān, Jābir (alchemist) 伊本·赫扬

参阅 **Jābir ibn Ḥayyān, Abū Mūsā** 查比尔。

Ibn Ḥazm 伊本·哈兹姆(994-11-07,科尔多瓦王国首都科尔多瓦~1064-08-15,塞维利亚附近的曼塔-利萨姆) 全名阿布·穆罕默德·阿里·伊本·艾哈迈德·伊本·赛义德·伊本·哈兹姆。伊斯兰西班牙的穆斯林文学家、史学家、法学家和神学家。他以硕果累累的文学成就、渊博的学识和精通阿拉伯语而著称。出生在科尔多瓦的名门贵族。其父是一位虔诚的教徒和学者,在哈里发希沙姆二世统治时期曾任要职。他自幼在统治阶层中成长,受到良好教育,孜孜好学,观察力敏锐。1008年,统治西班牙近两个半世纪之久的伍麦叶王朝瓦解,内战持续到1031年。由于他一贯主张由伍麦叶王朝的后人继任哈里发,以致数次身陷囹圄。1031年左右,隐居家族庄园中著书立说。据他的一个儿子说,他的著作多达约400部8万页,但残存至今的尚不足40部。他的著述活动涉及广泛的领域:法学、逻辑学、史学、伦理学、比较宗教、神学。他很欣赏阿拉伯语的表达法,并巧于运用诗和散文,这在他的作品中至为明显。一个令人欣喜的例子是《斑鸠的项圈》,论爱的艺术。他的法律和神学著作最有名,对此基本的要求是熟谙《古兰经》和《圣训》。他是法学方面的直解学派的主要阐述者之一,该派主张仅仅按《古兰经》和《圣训》字面含义去解释法律。他把直解学派的原则创造性地扩大到神学领域，对当时的多种宗教作了一番比较研究，这种研究由于选择历史材料精确而极受重视。人们曾经由于他的政治主张和神学观点回避他，诽谤他。在他的部分作品被当众焚毁时，他说这样的行为不能抹煞它们的内容。伊本·哈兹姆去世后仍遭攻击，但也出现了好些维护他的人。他是几乎不可能被忽视的。后人常常有力地援引他的话，以至于“伊本·哈兹姆说过”成了一句谚语。

Ibn Ishāq **伊本·伊斯哈格**（约 704，阿拉比亚麦地那～ 767，巴格达） 伊斯兰教先知穆罕默德的传记作者，作品经伊本·希沙姆校订后成为了解先知生平的重要来源之一。他父亲和两个叔父收集和转述先知在麦地那的事迹，他很快就成为有关先知征战方面的权威。他最初在亚历山大学习，后移居伊拉克，最后住在巴格达。在这些旅行途中遇到了解情况的人都为他写穆罕默德传提供了大量资料，比他去世晚约 60 年的伊本·希沙姆为传记作了校订，由于这一校订，现今它才为人所知。这本内容广泛的传记包括穆罕默德的家系和诞生、布道的开始、《古兰经》的宣示、迁徙麦地那、多次征战，最后写到去世。阿拉伯历史学家塔百里等人的著作中均有《先知传》的引文。伊本·罕百里承认他在记述征战方面的权威性，但对于先知的传说具有法律效力一说则不以为然，理由是伊本·伊斯哈格在提到他所撰述的依据时不是经常准确无误的。

Ibn Janāh **伊本·杰纳赫**（约 990，科尔多瓦～约 1050，西班牙萨拉戈萨） 别名拉比·杰纳赫或拉比·马里努斯。可能是最重要的中世纪希伯来语语法学家和词典编纂家，曾提出《圣经》注释中的若干规则并阐明许多疑难章节，被奉为希伯来语句法研究之先导。他受医学教育并曾从医，但出于深挚的宗教信仰，还用许多时间对希伯来语进行科学研究，为圣经注释奠定牢固的语言学基础。其处女作《论补语》，像他的其他著作一样系用阿拉伯语写成，对科学的希伯来语法创始者犹大·本·大卫·海尤季的动词研究作了批判和补充，因而引起他和海尤季的门徒长期激烈论辩，其论辩词虽已散佚但论辩内容具见于其主要著作两卷本《穷诘之书》中。该书上卷《百花卷》大部讨论严格意义上的语法以及词类与前缀，而且提出名词变格细则。其中论句法一节尤为精辟，无出其右者。下卷《词根卷》是一部希伯来语词典，展示词根的细微差别，并以实例说明之。伊本·杰纳赫曾把希伯来语同阿拉伯语作广泛比较研究，从而辨明许多词义，为《圣经》许多深奥章句之注释提供条件，现代《圣经》版本校勘家所作订正，均可于其著作中究其原委。

Ibn Jubayr **伊本·朱拜尔**（1145，巴伦西亚酋长国巴伦西亚～1217-11-29，亚历山大） 西班牙穆斯林，以赴麦加朝觐的游记著称。文官之子，曾任穆瓦希德王朝格拉纳达总督的秘书。1183 年，他离职去麦加朝觐，1185 年回格拉纳达，将沿途见闻写成一部生动的《游记》。该书成为研究当时历史的宝贵史料来源，令人难忘地描绘了他搭乘热那亚帆船横渡地中海，与基督教和穆斯林海关收税员不愉快的遭遇，萨拉丁时代的开罗，上溯尼罗河抵达上埃及，横渡红海前往吉达、麦加、麦地那，以及取道伊拉克、叙利亚和西西里回国。他还去过东方两次，但无记载。第二次是在 1189 ～ 1191 年；第三次 1217 年出发，只到埃及就去世了。

Ibn Kathīr **伊本·卡锡尔**（约1300，拜占廷帝国布尔萨～ 1373-02，大马士革） 全名为伊马德丁·伊斯梅尔·伊本·欧麦尔·伊本·卡锡尔。又译伊本·凯西尔。伊斯兰教教义学家、史学家，后成为 14 世纪叙利亚重要的学术研究者之一。1341 年完成学业后，接受了第一个官方职务。后历任各种半官方职务，1366 年任大马士革大清真寺大师。主要著作 14 卷伊斯兰教历史《自始至终》，采用当时所有资料，成为后世历史学家著述的重要依据。他还以研究圣训著名，所著《加米书》按姓名字母顺序介绍各圣门弟子及其所传述的圣训。

ibn Kemal Paşa, Şemseddin Ahmet ibn Süleyman **伊本·凯末尔帕夏** 参阅 **Kemalpaşazde** 凯末尔帕夏扎德。

Ibn Khaldūn **伊本·赫勒敦**（1332-05-27，突尼斯～ 1406-03-17，埃及开罗） 阿拉伯的历史哲学家、历史学家、社会学家。他是亚里士多德以后，马基雅弗利之前这一时期社会科学方面最著名的人物。他发展了最重要的历史哲学之一，曾写出一部权威性的穆斯林北部非洲史。其家族曾是西班牙显赫家族，后由于宗教原因迁至非洲。早年熟记《古兰经》，受过穆斯林法律的良好基本训练，对阿拉伯文学的杰作甚为谙熟，能写出流畅的诗篇。在完成正规教育后，又对哲学、历史、地理及其他社会科学进行深入的研究。他的生活极不安定，往往从一个地方迁至另一个地方。这种生活上极大的流动性，部分原因是由于那个时代动荡不定，另一个原因则是他本人的好动性格和常常树敌。1375 年为了求得安静，并脱离使人筋疲力尽的政治事务，他到萨拉马（今阿尔及利亚的弗伦达镇）避难，度过 4 年安静的岁月，写出大部头杰作《历史导论》。该书第 1 卷为社会学概论，第 2、3 两卷为政治社会学，第 4 卷为都市生活社会学，第 5 卷是经济社会学，第 6 卷为知识社会学。他的最初意图是撰写阿拉伯人和柏柏尔人的通史，但他认为，在此之前必须讨论历史学方法，提供辨别历史真伪的标准。他对社会性质和社会变迁的研究，导致一门新的科学，他称之为“文化学”，并定义说：“这门科学……有自己的对象，即人类社会；有自己的问题，即社会性质不断转换。”《历史导论》涉及范围甚广，对历史学、经济学、政治学和教育学都有精辟的见解。其核心概念是“社会凝聚力”，凝聚力则最初自发地产生于部族和较小的血亲群体，后为宗教意识强化和扩大，给统治集团的权力增加动力。由于心理、社会、经济、政治诸因素的复杂混合，社会凝聚力必然削弱，预示着帝国的衰落，为具有更强凝聚力的群体支撑的新帝国铺平道路。后来他获得允许，从萨拉马返回突尼斯，专心从事学术工作。1382 年当他 50 岁时获准去埃及。曾在一所著名的伊斯兰大学任教。晚年享有盛名。他的《历史导论》的一些章节于 18 世纪时被译成土耳其文。19 世纪 60 年代以后《历史导论》的法文全译本问世。

Ibn Khallikān **伊本·海利坎**（1211-09-22，伊拉克埃尔比勒～1282-10-30，大马士革） 出生于伊拉克的穆斯林法官，著有一本优秀的阿拉伯传记词典。他先后在埃尔比勒、阿勒颇和大马士革受教育。后任埃及总法官的助理，1261 年任大马士革总法官。他信奉伊斯兰法的沙斐仪派，并在最初几年里有其他三个主要派别的助理法官。1271 年被免职，后去开罗讲学，1278 年复职，回大马士革。伊本·海利坎以其所著《名人简历》著称。他早在 1256 年，便开始为写传记收集资料。全书在 1274 年脱稿后还不断增添旁注。内容方面，他没有列入先知穆罕默德、各哈里发及其他已充分熟知的情况。他以勤奋和学者的态度搜集关于传记的事实材料并以诗歌和轶闻的形式写成。对他的同时代人来说，该书是很有价值的资料来源。该书还从现已散佚的早期传记中摘引了片断。

Ibn Miskawayh **伊本·米斯凯韦**（约930～1030，伊朗赖城） 波斯科学家、哲学家、历史学家，他的学术著作成为后代伊斯兰思想家的典范。他的生平极少为人所知。他兴趣之广包括炼金术和诗歌，有 20 种著作归于他的名下。他最大的贡献是伦理学和历史学。他的伦理著作《性格修养论》曾受亚里士多德的中庸论影响，被认为是表述伊斯兰哲学的最佳作品之一。作为历史学家，他的波斯“民族主义”的偏见，和他认为各民族历史都能提供道德教训的信念，以及不把神话当作史料看待的作法，都是颇为有名的。他的一部 7 卷本巨著《各国经验》（英译本题名《拔斯哈里发帝国之盛衰》，于 1921 年出版）的突出之点在于采用了可以找到的一切资料，大大促进了伊斯兰史学工作的开展。

Ibn Muqlah **伊本·穆格拉**（886，巴格达～940，巴格达） 全称 Abū ʿAlī Muḥammad ibn ʿAlī ibn Muqlah。阿拔斯王朝（750 ～ 1258）第一流书法家之一，以创制阿拉伯草体字母纳斯基手写体而闻名，纳斯基体取代了角形库法体而成为伊斯兰书法的标准体。伊本·穆格拉把圆体曲线引入纳斯基手写体，后来加以完善，使阿拉伯书法流畅优美，因而著称。纳斯基字体原来用于抄写《古兰经》，到 11 世纪已广泛地用于皇家和平民通信以及建筑装饰。此外，他还设计了塔乌吉手写体和更加优美的苏卢斯体。伊本·穆格拉政治生活是多彩的，曾三次出任大臣而三次由于卷入政治阴谋遭到罢黜，禁锢终身，瘐死狱中（940）。

ibn Palquera, Shemtob ben Joseph 参阅 **Ibn Falaquera** 伊本·法拉奎拉。

ibn Paquda, Bahya ben Joseph 伊本·帕库达 参阅 **Bahya ben Joseph ibn Pakuda** 巴希亚(本·约瑟·伊本·帕库达)。

Ibn Qutaybah 伊本·古泰拜(828,伊拉克库费～889,巴格达) 知识渊博的伊拉克神学、哲学和文学评论家,他创始一种阿拉伯散文体,其特点是简洁、流畅,即"现代"风格。他的生平鲜为人知。祖先是呼罗珊人。约851～870年在迪纳瓦尔作宗教法官,约871年起至去世在巴格达执教。现存14部作品被最后认定为他的著作,其中包括:《秘书指南》,一部关于阿拉伯语惯用法及词汇集;《阿拉伯人之书》,为哈里发统治区阿拉伯文化优于伊朗文化辩护;历史手册《知识之书》;《诗歌与诗人》,一本按年代排列的早期阿拉伯诗歌集,并附有序言,说明他的文学评论准则;《故事源泉》,一本知识性的论文集,论述君王的权力、战争的指挥、高尚、性格、雄辩和友谊等专题,因摘自历史、诗歌和谚语中的引文丰富多彩而被珍视。

Ibn Rushd (Islāmic philosopher) **伊本·路世德** 参阅 **Averroës** 阿威罗伊。

Ibn Saʿūd 伊本·沙特(约1880,阿拉比亚利雅得～1953-11-09,沙特阿拉伯塔伊夫) 全名阿卜杜勒·阿齐兹·伊本·阿卜杜勒·拉赫曼·伊本·费萨尔·伊本·图尔基·阿卜杜拉·伊

美国不列颠百科全书公司供图

本·穆罕默德·沙特。阿拉伯部族与穆斯林宗教领袖。他建立现代的沙特阿拉伯国家,并倡议开采石油。在襁褓时,他家被敌对的拉希德人赶走,流亡到科威特。1901年,率领40名驼兵从科威特出发,作收复家园的斗争。翌年1月他的小队抵达利雅得,趁着夜色潜入城内,伺机杀死拉希德人总督,并夺取了城堡。这一英勇行动使过去拥护沙特王朝的人们欢欣鼓舞,他们集合到领袖身旁,经过两年奋战,伊本·沙特重新征服阿拉伯半岛中部的一半地区。拉希德人失败之后,请求土耳其人出兵援助。1904年6月15日,伊本·沙特被土耳其人打败。但是,他并没有被赶出阿拉伯半岛的中部地区,不久就重新组织起自己的队伍,后土耳其人终于被迫撤走。他是一个虔诚的穆斯林,严格按照《古兰经》的教导办事。同时认识到宗教狂热主义可以为他的远大抱负服务。为此,他建立一个军事宗教部族组织,称为易赫旺(**Ikhwān**)。在第一次世界大战中,他与英国签订条约(1915-12),接受英国的保护,英国政府向他提供军火和每月5 000英镑的津贴。1920～1922年,伊本·沙特出兵进攻伊本·拉希德,结束了拉希德人的统治。从此,伊本·沙特统治除红海沿岸汉志地区以外的整个阿拉伯半岛中部地区。汉志地区是麦加的谢里夫·侯赛因统治的领土,在第一次世界大战中,侯赛因成为汉志国王,1924年自立为哈里发(伊斯兰社会的领袖)。1921年侯赛因的儿子阿卜杜拉成为外约旦统治者,另一个儿子费萨尔成为伊拉克国王。伊本·沙特担心自己被这个拥有实力的王朝包围,决定先声夺人,入侵汉志。他依靠易赫旺去消灭对手,袭扰邻国。1924年易赫旺攻占麦加,汉志并入了伊本·沙特的版图。1932年伊本·沙特正式将他获得的领土统一成为沙特阿拉伯王国。他是独裁君主,既无健全的文官组织,也没有合格的行政管理人员,所有决策均由他或他自己指定的人作出。国库几乎没有储备,他对财政问题不感兴趣。1933年他与美国一家石油公司签署一项协定。直到1938年,这家美国公司才钻探到石油。在第二次世界大战期间,开采工作完全停顿。迄1950年为止,他的石油收入总共只有20万美元。但在3年以后,这一收入猛增到每周250万美元。但不知如何处理大量钱财,面临一场巨大的灾难,极端清苦的阿拉伯生活方式已经荡然无存。他经常处在迷惘、烦恼和苦闷之中,又因患关节炎行走不便,双目几乎失明,晚景凄凉。

Ibn Shaddād 伊本·舍达德(1145,伊拉克摩苏尔～1234,叙利亚阿勒颇) 阿拉伯作家、政治家,《萨拉丁传记》的执笔人。初在巴格达当教员,后在摩苏尔任教授。1187年从麦加朝圣回国后,参加萨拉丁在巴勒斯坦抗击基督教徒的队伍。他力促萨拉丁奋战到底,并呈献论文一篇,论述这次圣战的法律和惩戒,希望得到萨拉丁的恩宠。他始终矢忠于萨拉丁,多次衔命出国,并任职于民政部门。萨拉丁死后,他始终是萨拉丁之子马利克·扎希尔的朋友,被他任为阿勒颇市法官。他在那里捐资办学。马利克·扎希尔死后,其子马利克·阿齐兹年幼,伊本·舍达德独揽摄政大权,并利用权势奖掖学术。阿齐兹退位后,他也下野归隐。

ibn Shem Tov, Joseph ben Shem Tov 伊本·谢姆·托夫(约1400～约1460) 西班牙籍犹太哲学家、卡斯蒂利亚王国太医。当时犹太学者蔑视哲学;他针对这种情况,试图调和亚里士多德的伦理哲学与犹太教思想。他1442年所著《上帝的荣耀》一书最能体现他这种想法。他在此书中指出:哲学研究所得答案可以有利于人探索宗教教义甚至宗教原理;他积极倡导理智的研究,同时又认为,理性的发展不能保证灵魂不朽,必须依靠虔诚的宗教典仪;神秘主义和直觉也有利于人理解教规。

Ibn Sīnā (Persian physician) **伊本·西拿** 参阅 **Avicenna** 阿维森纳。

Ibn Taymīyah 伊本·太米叶(1263,美索不达米亚哈兰～1328-09-26,开罗) 伊斯兰教最有影响的教义学家之一。作为伊本·罕百里创立的虔修派的成员,他力主伊斯兰教回归其最初的教义根据:《古兰经》和逊奈。他还是18世纪中叶伊斯兰教原教旨主义瓦哈比派运动的思想先驱。1268年因蒙古人入侵成为难民移居大马士革并在该地就学。后来潜心研究虔修派理论。在《古兰经》、圣训、教律、教义学、哲学和苏非派神学方面也具有广博的知识。他一生屡受迫害。早在1293年他就同地方当权派发生冲突,当时有一个基督教徒因侮辱穆罕默德而被当局根据宗教法判刑,伊本·太米叶表示反对。1298年有人指控他妄把安拉人格化并且诬蔑、怀疑正统教义学。1299～1303年蒙古人入侵,大马士革被占领,他领导抗战派,谴责蒙古人及其盟友所奉的宗教。以后多年进行论战,批驳黎巴嫩什叶派的卡斯拉旺教团、苏非派的里法伊教团以及鼓吹"造物主与被造物合一"的伊提哈迪叶学派。1306年当地行政会议召唤他出庭阐明自己的信仰,他未受处罚而被押送到开罗,以妄以安拉比人罪受审,结果被囚18个月。不久又因为他声称崇敬圣人不合宗教法而于1308年被囚数月。1309年被押解到亚历山大软禁。1313年随苏丹出征,收复大马士革。暮年在大马士革生活15年。他被提升为经学院院长,聚集门生多人。因为不顾多次禁止坚持反对崇敬圣人,1326年开罗方面再次下令将他监禁,死于狱中。他留下大量论著,其中最值得一提的是《律法政治》和《圣行之道》。伊本·太米叶主张恢复伊斯兰教的最初教义根据,即《古兰经》和逊奈。他坚持认为,除非以《古兰经》或圣训为依据,否则公议本身毫无价值。在政治上他承认最初四位哈里发,认为没有必要将各国归于一位哈里发统治,主张容许许多酋长国共存。伊本·太米叶对最近200年近代伊斯兰教,对那些提出重新系统阐释传统意识观念的各种改革运动,均有很大影响。

ibn Tibbon, Jacob ben Machir 伊本·提本(约1236,马赛～约1312,法国蒙彼利埃) 法国医生,阿拉伯文翻译家和天文学家,哥白尼和但丁都曾引用过他的著述。他作为一位医生曾受到人们高度尊敬,并担任过蒙彼利埃大学医学院的董事。他是著名的翻译家塞缪尔·本·犹大·伊本·提本的孙子。伊本·提本把大量著作译成希伯来文,其中包括阿拉伯文本的欧几里得《几何原本》(Elements)和托勒玫的百科全书式天文巨著《天文学大成》(Almagest)。他还翻译了加扎利(1058～1111)和阿维罗伊的阿拉伯文著作。作为一个特别爱好天文学的学者,伊本·提本曾描述他发明的象限仪。这一仪器被海员们所采用,并被称为"犹太象限仪"。但丁在其《神曲》中曾引用过他写的有关天文表的书(原名为 *Luḥot*,意为"表")。他和其堂兄弟犹大·本·莫塞斯·伊本·提本(蒙彼利埃的一位教士,也是一位翻译家)共同积极支持迈蒙尼德的追随者。这些迈蒙尼德信徒用寓言方式宣讲圣经,还研究科学和哲学。

ibn Tibbon, Judah ben Saul 伊本·提本(1120,西班牙格拉纳达～约1190,法国马赛) 全名犹大·本·萨乌尔·伊本·提本。西班牙犹

太教医学家。率先将阿拉伯文犹太教著作译成希伯来文；在他的培养下，涌现出几代重要翻译家。西班牙迫害犹太人，伊本·提本乃于1150年自格拉纳达逃到法兰西南部的卢吕内尔行医。他的译著把阿拉伯和希腊文化传到欧洲各地。他在翻译工作中经常造出相应的希伯来名词。伊本·提本还翻译艾布·瓦利德·马尔万伊本·贾纳利的语法著作，后世希伯来语法家都以此书为依据。

ibn Tibbon, Moses ben Samuel 伊本·提本（生于马赛，活动时期1240～1283） 犹太医生、翻译家。他的译著使希腊和阿拉伯文化得以在整个欧洲传播。他翻译过一些原著，其中包括对《摩西五经》、《雅歌》、犹太教经典《塔木德》中《哈加达》的章节（不涉及犹太教律法部分）所作的评注，此外，还翻译犹太人和阿拉伯人写的有关哲学、数学、天文学和医学方面的阿拉伯文著作。他翻译中世纪犹太哲学家迈蒙尼德（1135～1204）的一些尚未译成希伯来文的阿拉伯文作品，如迈蒙尼德就《密西拿》（《塔木德》的两部分之一）所作的评注，他关于卫生、毒药和逻辑方面的专论，以及对《摩西五经》的613条戒律的分析。在阿拉伯人著作中，提本翻译了对后来基督教神学家深有影响的西班牙哲学家阿威罗伊（1126～1198）对亚里士多德著作的评论，还有波斯哲学家和医生阿维森纳（980～1037）撰写的一本医学纲要，以及穆斯林哲学家、亚里士多德的学生法拉比（878～950）撰写的一本哲学著作，以及欧几里得的《几何原本》。

ibn Tibbon, Samuel ben Judah 伊本·提本（约1150，法国吕内勒～约1230，马赛） 犹太翻译家、医学家，他把犹太教法学家迈蒙尼德所著《迷途指津》自阿拉伯文译为希伯来文，译文准确忠实。他与迈蒙尼德通信，就《迷途指津》中的疑难问题请教，约在1190年出版他的译本。这部著作对犹太教和基督教神学家都发挥影响。他在翻译过程中吸收阿拉伯语词汇并采用阿拉伯语的习惯，用实体词构成动词，从而使希伯来语更加丰富。

Ibn Ṭufayl 伊本·图菲勒（约1109或1110，西班牙瓜迪克斯～1185或1186，摩洛哥马拉喀什） 全名穆罕默德·伊本·阿卜杜勒·马利克·伊本·穆罕默德·伊本·穆罕默德·伊本·图菲勒·卡伊西。西班牙摩尔人哲学家、医学家、著有哲学小说《哈伊·本·耶格赞的故事》，叙述一个人自幼在荒岛度过50年孤独生活，经过自学，逐渐在哲学上取得进步。他还用阿拉伯文撰写医学论文数篇。

Ibn Tūmart 伊本·图迈尔特（约1080，摩洛哥小阿特拉斯山～1130-08） 又译伊本·突麦尔特。柏柏尔人的宗教和军事领袖，北非穆瓦希德联盟创始人（参阅 **Almohads**）。他所讲授的学说是根据对《古兰经》和圣训的研究，把安拉独一的概念与教法和清教主义的道德伦理改革结合在一起。

Ibn Waḥshīyah 伊本·瓦西亚（活动时期约900） 中东农业学家和毒物学家，据说曾著有《纳巴泰农业》，这是一部重要的阿拉伯文著作，论述了植物、水源和水质、气候条件、森林破坏的原因、土壤及其改良、作物栽培以及其他类似题材。该书材料主要取自希腊文著作，尤其是《农业》一书，并成为以后活动在12世纪后半叶的穆斯林农业学家伊本·阿瓦姆的论述的基本来源。

Ibn Zuhr 伊本·祖尔（约1090，西班牙塞维利亚～1162，塞维利亚） 又作 Avenzoar。中世纪伊斯兰最先进的思想家及西方哈里发国最伟大的临床医学家之一，出生于塞维利亚（今西班牙）。他极重实践而不喜欢医学推理，因此反对阿维森纳的学说。在其《治疗及饮食实用手册》中，描述了重症心包炎及纵隔脓肿，概述了气管切开术、白内障摘除术及肾结石取出术的手术程序，讨论了缩瞳及散瞳的问题，建议用麻醉性植物曼德拉草治疗眼病。他是穆斯林名医阿威罗伊的老师，在基督教欧洲的医学实践中有极大的影响。

Ibo 参阅 **Igbo** 伊格博人。

ibogaine 伊博加碱 致幻药，主要的伊博加生物碱。存在于非洲灌木 *Tabernanthe iboga* 的茎、叶，特别是根中，1901年自植物中提出，1966年人工合成。小剂量用作兴奋药，大剂量用为麻醉药。西非和刚果各部族的猎人在潜近猎物时服用伊博加提取物或咀嚼其根，以维持平静而警觉的心理状态。在化学上为吲哚类致幻，吲哚环可阻滞脑组织中的5-羟色胺。本品以固体结晶存在，能溶于乙醇及其他有机溶剂。其盐酸盐结晶状，溶于乙醇及水，曾用作抗抑郁药，但今已被更有效、毒性更低的药物所取代。

İbrahim 易卜拉欣（1615-11-04，君士坦丁堡～1648-08-18，君士坦丁堡） 奥斯曼苏丹（1640～1648在位）。即位不久，与波斯和奥地利建立和平关系，并从哥萨克手中收复亚速海地区。1644年派兵远征克里特岛，1645～1669年与威尼斯进行长期的战争。由于精神不够正常，日益被其后妃及宠臣所左右。他强征新税，引起普遍不满，1648年8月被起义者废黜，后处死。

Ibrāhīm, Tall（Iraq） 泰勒易卜拉欣 参阅 **Cuthah** 古塔。

Ibrāhīm al-Ḥāqilānī 易卜拉欣·哈吉拉尼（1605-02-18，叙利亚哈基尔～1664-07-15，教皇国罗马［意大利］） 拉丁文名为 Abraham Ecchellensis。天主教马龙派学者，以将《圣经》部分篇章译为阿拉伯文而著名。他原是助祭，先后在比萨和罗马教授阿拉伯语和古叙利亚语；1628年发表古叙利亚语语法著作。1640年开始同别人合刊数种文字对照的勒·杰版《圣经》，发表阿拉伯文、古叙利亚文和拉丁文的《路得记》译本以及拉丁文和阿拉伯文的《马加比传》第三卷译本。1652年着手于阿拉伯文《圣经》译本，该书于1671年出版。他的拉丁文译作有亚历山大各牧首的传记（1653）和古希腊几何学家阿波罗尼奥斯的3卷《锥线法》（1661）。

Ibrāhīm Lodī 易卜拉欣·洛迪（？～1526-04-21，印度巴尼伯德） 洛迪王朝最后一个阿富汗德里苏丹，是多疑的暴君。他是塞干达尔·洛迪的儿子，1517年11月21日继承父位。旋即面临王室与贵族之间持续不断的争端。旁遮普总督道拉德·汗·洛迪生怕自己被暴君屠戮，就向喀布尔的莫卧儿王巴伯尔请兵；巴伯尔向德里进军，在巴尼伯德首战即击败和杀死易卜拉欣。这场胜利导致莫卧儿帝国在印度的建立。

İbrahim Müteferrika 易卜拉欣·米泰费里卡（约1670，特兰西瓦尼亚科洛斯堡［今罗马尼亚克卢日-纳波卡］～1745，奥斯曼帝国君士坦丁堡［今土耳其伊斯坦布尔］） 奥斯曼外交家。因积极参加19世纪奥斯曼帝国的改革运动和引进印刷业而闻名。原为匈牙利人。后改奉伊斯兰教，进入奥斯曼帝国外交界。曾参加与奥地利和俄国的谈判，积极鼓吹奥斯曼-法国联盟（1737～1739）反对奥地利和俄国及奥斯曼-瑞典的反俄行动。1727年创办印刷厂，出版语言、史地和自然科学的著作。1731年写一篇分析奥斯曼衰落的原因及讲述欧洲政体和军事组织的论文。

İbrahim Paşa 易卜拉欣帕夏（约1493，帕尔加［希腊］～1536-03-15，奥斯曼帝国君士坦丁堡［今土耳其伊斯坦布尔］） 奥斯曼苏莱曼一世时期的首席大臣（1523～1536），对外交与军事事务曾起过关键作用。1524年远征埃及，巩固了奥斯曼帝国对埃及的统治。1526、1529和1532年3度指挥多瑙河战役。1533年代表苏丹同神圣罗马帝国皇帝查理五世进行关于匈牙利问题的谈判。在东部各行省，他曾镇压安纳托利亚土库曼部族的起义（1526）。奥斯曼帝国同伊朗的萨非王朝开战以后，他担任陆军司令，于1534年占领大不里士，不久又攻克巴格达。1536年易卜拉欣帕夏在君士坦丁堡同法国国王的代表就通商条约进行初步谈判。苏莱曼怕他篡夺王位，将他处死。

Ibrahim Pasha 易卜拉欣帕夏（1789，鲁梅利亚卡瓦拉［今希腊卡瓦拉］～1848-11-10，埃及开罗） 奥斯曼帝国驻埃及总督，才干卓越的将军。埃及总督穆罕默德·阿里之子（或养子）。1805年到其父任所，充当开罗行政长官。1816～1818年率兵镇压阿拉比亚的瓦哈比叛乱。1824年率远征军在希腊登陆，粉碎希腊人的叛乱，征服摩里亚。穆罕默德·阿里与奥斯曼苏丹失和后，1831～1832年率埃及军夺取叙利亚和阿达纳，1833年他成为这两个行省的行政长官。1839年奥斯曼军队入侵叙利亚，被易卜拉欣击败。欧洲强国唯恐奥斯曼帝国瓦解，通过谈判，缔结《伦敦条约》。穆罕默德·阿里放弃叙利亚和阿达纳以换取对埃及的世袭统治。1848年，其父年迈体衰，易卜拉欣接任埃及总督，但执政只有40天便去世。

İbrahim Şinasi Efendi　易卜拉欣·锡纳西·埃芬迪　参阅 Şinasi, İbrahim 锡纳西。

Ibsen, Henrik (Johan)　易卜生(1828-03-20,挪威希恩～1906-05-23,克里斯蒂安尼亚[今奥斯陆])　19 世纪晚期挪威最重要的剧作家。他为欧洲戏剧舞台引入了一种新的道德分析体制,以中产阶级严密的现实主义为背景,用简练的戏剧行动发展了精辟透彻的对话和严密深邃的思想。

易卜生的父亲原为商人。1836 年破产后家道中落。易卜生 15 岁开始谋生,在一家药房里当学徒,夜间努力学习为报考大学做准备。在此期间他利用空闲时间写了一个剧本。这部作品名为《卡提利那》(1850),源于易卜生准备大学考试而学习的拉丁课文。虽然说不上是个好剧本,但它表现出易卜生对戏剧和具体化主题的天赋爱好,具有叛逆性的主人公及其有害的情妇这类主题终其生吸引着易卜生。1850 年他去克里斯蒂安尼亚(1925 年以来又使用它的旧名奥斯陆),准备在那里报考大学。他把戏剧视作生命,在 23 岁时为自己在卑尔根一所新剧院里谋到编剧和舞台主任的职位,在那里他每年必须写一部新剧本。对于一个急于在戏剧中施展身手的年轻人来说,这真是一个绝好的机会,但同时又给易卜生带来一系列他还不具备能力处理的棘手问题。在中世纪冰岛语传说中,挪威拥有一种宏伟壮丽的英雄或朴素文学,但是,应该由这些文学题材来占据的舞台当时却被法国剧作家欧仁·斯克里布的客厅戏剧所统治,那些丹麦演员、表演传统和丹麦语言占据主要地位。年轻的易卜生被要求从这些题材中创造出一种"民族戏剧"。

1857～1862 年,易卜生先在卑尔根后来又在克里斯蒂安尼亚的挪威剧院,竭力设法从不调和的拼料中制作出可口的戏剧佳肴。这个时期他写剧本对他自己来说并不是件愉快的差使,对观众来说这些剧本也是难以接受的。除了写剧本之外,他还担任大量的导演工作。易卜生为挪威剧院创作的最后一批剧本中,有两部表现出具有新精神的迹象,浪漫主义幻觉讽刺剧《爱的喜剧》(1862)特别不受欢迎,但却表现出一种真正的反理想主义的主题。易卜生很快就把这种反理想主义作为自己的剧本主题,并且在《觊觎王位的人》(1863)中把这种神秘的内在权威加以戏剧化,正是这种权威才使得一个人成为真正的人、成为一位国王或一位伟大的剧作家。这部独特的剧本事实上正是易卜生长期探索寻求的民族戏剧,并且不久之后得到公认。可是这个日子来得太晚了,虽然剧本是好的,但克里斯蒂安尼亚的挪威剧院破产了,易卜生作为舞台编剧的生涯显然已经走向结束。

然而,他所在剧院的消亡对于作为剧作家的易卜生来说倒是一种解放。再也不需要顾及他认为是无聊而又没有文化的观众,也不需要再去考虑空洞而虚伪的传统,这时他能够开始为他自己而写作。他决定向国家申请一笔不大的补助金去国外游学。他得到部分补助金之后,于 1864 年 4 月离开挪威去意大利。接下来的 27 年里他一直住在国外,主要是在罗马、德累斯顿和慕尼黑,只是在 1874 年和 1885 年曾短期回到挪威。

易卜生在流亡途中一直带着原为长篇叙事诗后来改成诗剧的未完稿《布兰德》。剧本中心人物布兰德是位活跃的乡村牧师。他以一种强烈的真诚对待他的宗教职业,不仅想要超越,并拒绝一切形式的妥协,并且还要抹掉人类同情和热情的所有形迹。他立身处世的格言是"无所不有或一无所有",这既是他的上帝对布兰德的要求,同样也是布兰德对别人的要求。《布兰德》在挪威取得非常巨大的成功。

紧随在《布兰德》(1866)之后而来的《彼尔·英特》(1867),这是一部用押韵的同音节双行体诗写的戏剧,表现出一种完全相反的有关人类本性的观点。如果说布兰德是一位道德的独石柱,那么彼尔·英特就是个跳跃的行踪飘忽的人,一个轻快的并且以自我为中心的机会主义者。《彼尔·英特》的出现使《布兰德》在评论界失去光彩。但是这两个人物

美国不列颠百科全书公司供图

是互相依赖的和相互对立的两种类型,他们以各种不同的外表在易卜生绝大多数的作品中出现。像堂吉诃德和桑丘·潘萨一样,他们既是普遍的人物类型,又具有令人难以忘怀的个性。

易卜生用这两部诗剧在与世界斗争中取得了胜利,这时他要停顿一下以便为自己的前途拟订出新的计划。一部写罗马皇帝尤利安背叛宗教的哲学历史剧早已存在于他的脑海里,1873 年他完成此剧,题名为《皇帝与加利利人》,但是一部 10 幕剧对于舞台来说则过于冗长和松散。1869 年他写出一部现代讽刺剧《青年同盟》;接下来,经过多次初稿之后,又写出一部关于小城镇政治的散文讽刺剧《社会支柱》(1877)。然而,易卜生当时并未能找到他恰当的声音;在他后来找到这种声音时,其效果不仅是批评或改造社会生活,而且具有爆炸性效果。这种爆炸性效果是与《玩偶之家》(1879)同时到来的。观众感到愤慨,因为易卜生在《玩偶之家》里最后没有构成一个"幸福结尾",正如他同时代任何一个剧作家都会如此处理的那样,易卜生的写作方法就是去了解一个人,并且要忠实地去表现那个自我。娜拉的出走不仅证明她是个道德上的理想主义者,并且是个牺牲品,她的牺牲与布兰德的一样沉重。

《玩偶之家》的舞台布景简单明了,达到透明的程度。易卜生展开情节的方式冷静准确;处理问题的过程独到,以"分析式解说"闻名,这种舞台情节发展样式显得简明有力。易卜生常常使用这种技巧,并且因此赢得国际声誉。

易卜生在《群鬼》(1881)里制造的剧情甚至比他以前的剧本具有更加令人震惊和厌恶的效果。表面上这出戏的主题是表现先天的性病,但在另一个层面上,剧本写的却是根深蒂固的道德污染能力,将对已确定了的理想主义造成伤害。

紧接着一部写妻子抛弃家庭的剧本之后又写了一部关于梅毒的戏,给易卜生带来"坏老头"的名声,可是英格兰以及整个欧洲大陆的进步剧院都开始上演他的剧本。他的观众数量通常并不多,但是他们中有许多人很认真地对待他的剧本。具有传统头脑的评论家们也是如此,他们抨击易卜生,似乎他亵渎了所有神圣的和圣洁的东西。易卜生采用一种直接的戏剧反击形式回答他们。《人民公敌》(1882)的主角斯多克芒医生起到了易卜生代言人的作用。虽然斯多克芒医生被描写成一个牺牲品、一个"人民公敌",但他像布兰德之后易卜生笔下所有讲真话的理想主义者一样,在他本人身上也存在一种深刻的毁灭性气质。在《野鸭》(1884)中,易卜生完全改变了他的观点,在舞台上表现一个毫无必要带来毁灭的理想主义者,他的强行介入给一个孤立无援的家庭带来灾难性的惨祸。剧本展开的戏剧行动达到了一种令人悲伤的诗意效果,而这种效果在易卜生的保留剧目中还是相当新颖的。

在易卜生这套现代经典戏剧中,每一部都是通过延伸或反转从其前一部剧作中产生出来,从而组成一套联系紧密的系列剧。《罗斯默庄》(1886)是这套系列剧中的最后一部。在这出戏中,有破坏性的圣人(布兰德)和总是太过于有人性的恶棍(彼尔)的各式变种再一次要竭力亮出他们的身份。但这一次是在道德灵敏性的水平上,这种灵敏性赋予这出戏一种特别平静沉着的气氛。易卜生的编剧生涯决不是以《罗斯默庄》作为结束,而是从此之后转向一个更趋向自我分析和更具象征主义的写作风格,这种风格与那些为他赢得世界声誉的剧本则有相当大的不同。他晚期的剧本有《海上夫人》(1888)、《海达·加布勒》(1890)、《建筑师索尔尼斯》(1892)、《小艾友夫》(1894)、《约翰·盖布吕尔·博克曼》(1896)和《当我们死而复生时》(1899)。这些剧本中的《海达·加布勒》和《建筑师索尔尼斯》,因为有了一个像《卡提利那》中第一次出现的那种女性人物而显得富有活力,她是一个超人的理想主义者并且完全具有破坏性。在这些晚期作品中,另一使人着迷的角色是位上年纪的艺术家,他痛苦地意识到自己的力量正在丧失。易卜生把个人的和忏悔的情感注入到他晚期的许多戏剧作品之中,这种情感也许是起因于晚年他与一些年轻女人一系列神魂颠倒的调情。也许正是由于这些原因,易卜生决定于 1891 年返回挪威。返回挪威之后易卜生继续创作剧本,直到 1900 年中风,一年之后卧床不起直至去世。

易卜生是早期现代作家中的先驱者之

一，这类作家人们熟知的还有F.陀思妥耶夫斯基、F.尼采和W.布莱克，他们均被看作是最不安分的人。易卜生在剧本中写的大多是平凡而普通的人，然而从这些人身上易卜生洞察到他们毁灭性的直率、超常的敏锐和偶尔闪现出来的珍奇美感。他的剧本情节并非是设计巧妙的游戏，而是经过深思熟虑而写出来的几幕戏。剧中人物均被剥去他们长期聚集起来的层层伪装，不论他们是好是坏，均不得不坦露他们的真实自我。从而，易卜生使他的观众以痛苦的真诚来重新考察他们人生的道德基础。在19世纪下半叶，易卜生使欧洲戏剧舞台从其原来的样子——为厌倦的人们提供一种玩物和一种消遣的状态中重新摆脱出来，并使其恢复到它很久以前在古希腊人中间的那个样子，一种对灵魂进行裁决的工具。

ibuprofen 布洛芬 一种非类固醇抗炎药，通常用于治疗经痛和类风湿性关节炎。本药和阿司匹林一样具有抑制前列腺素（一群体内生化物质的总称，能帮助凝血、刺激神经末梢和产生发炎反应）合成的功能，故对消除轻微疼痛、组织肿胀和发烧十分有效。本药略具胃肠刺激性，且与部分药物合用时可能会产生不良反应。阿司匹林过敏者对本药亦可能过敏。本药不适于12岁以下的小孩服用。本药与阿司匹林、扑热息痛相同，若欲于怀孕期间使用须经医师处方。本药的商品名为Advil和Nuprin。

Ibuse Masuji 井伏鳟二（1898-02-15，广岛县加茂～1993-07-10，东京） 日本小说家，以生动、简明和满怀同情地描述庶民的弱点著称。井伏最初对诗歌和绘画有兴趣，但是1918年入早稻田大学时人们又鼓励他写小说。第二次世界大战后是他最受欢迎的时候，但是他在30年代就因发表讽刺小说《山椒鱼》（1929）和长篇历史小说《约翰万次郎漂流记》（1937）而闻名。井伏兴趣广泛，因而小说题材繁多，尤其是假借动物进行尖锐讽刺的知识性幻想作品、历史小说和乡村生活故事。他善于讽刺又有敏锐的幽默感，这使他的明显同情不致陷入伤感。战后，描写到医生诊所求诊的病人来刻画城镇的《今日停诊》（1949）和反军国主义的讽刺作品《遥拜队长》（1950）特别受到好评。他的长篇小说《黑雨》（1966）获得全国文化奖。该书以投到广岛的原子弹所造成的旷日持久的社会影响为题材。

Ibycus 伊比科斯（活动时期公元前6世纪 爱奥尼亚［希腊］萨摩斯） 抒情诗人。出生于希腊在意大利的殖民地雷基乌姆，被后世希腊文艺评论界公认为九大抒情诗人之一。他离开西西里到爱琴海萨摩斯岛，那里的僭主波利克拉特斯成了他的保护人。古代学者认为，他的早期作品和斯特西科罗斯的作品很难区别，但即使在伊比科斯抒情诗现存的少数片断中也可看出明显的个性。最出名的片断描述的是美貌青年的魅力和上了年纪的诗人对于堕入情网的恐惧。西塞罗认为他比阿尔凯奥斯和阿那克里翁更热衷于写爱情诗。晚期的一个传说记述伊比科斯在科林斯附近正要被强盗杀害时，他如何祈求正从他头上飞过的一群鹤为他作证。后来一个强盗看到鹤飞过科林斯，并不经意地把它们说成是伊比科斯的复仇者。这句话使谋杀者的身份终于败露。

IC analysis（linguistics） **IC分析法** 参阅**immediate constituent analysis** *直接成分分析法*。

Ica 伊卡 秘鲁南部省。1866年成立。包括安第斯山脉西坡，太平洋沿岸地区，沿海山脉北端和钦查群岛。除钦查和伊卡谷地外，人口稀少。广泛种植棉花、葡萄等。皮斯科和圣安德烈斯的渔业亦重要。省会伊卡镇生产白兰地酒。面积21 328平方千米。人口约527 400（1991）。

Ica 伊卡 秘鲁南部伊卡省省会，在利马东南275千米，位于伊卡河的极为干旱的、有密集灌溉设备的沿海谷地内。该地为东与安第斯山麓丘陵相接的一广阔高平原。该城原名巴尔韦德，约于1563年在附近兴建，1569年被地震摧毁后，迁到了现在伊卡市的地址。1640年正式重新命名为伊卡圣赫罗尼莫。该地区素以棉花和葡萄的种植与加工著称。该市于1961年设立一所大学，卡夫雷拉博物馆拥有附近的纳斯卡文化（约公元前200～600）的大量石刻和陶器的收集品。伊卡市有铁路和公路通往西北64千米处的皮斯科港。人口约152 300（1990）。

Icacinaceae 茶茱萸科 卫矛目的一科。热带乔木、灌木或木本攀缘植物。有55属以上。叶互生，革质，形似单叶；花小，白或淡绿色，两性或单性，簇生。彭南特氏木属（*Pennantia*）和维拉雷斯氏木属（*Villaresia*）的有些种可栽培为观赏植物。*Calatola costaricensis*产于热带美洲，坚果烤焙后可食或磨成粉与玉米粉混合为炊。

icaco（tree） 参阅**coco plum** *椰李*。

Icarus 伊卡洛斯 希腊神话中发明家代达罗斯的儿子，因插上蜡制的翅膀飞距太阳过近而死。参阅**Daedalus**。

Icarus 伊卡鲁斯 一颗轨道较扁的小行星，除彗星外，它比任何已知的太阳系天体都更靠近太阳（可近到30×10^{6}千米以内）。1949年，为加利福尼亚州海尔天文台（现帕洛马山天文台）的W.巴德所发现。它的轨道从火星以外一直延伸到水星轨道以内，它最接近地球时的距离不足6.4×10^{6}千米。1968年6月，第一次用雷达方法探测了这颗小行星，测得其直径约为800米，远小于原先的估计值。此外，还测得其自转周期约为2.5小时。

Icauna（France） 参阅**Yonne River** *约讷河*。

Icaza, Jorge 伊卡萨（1906-07-10，厄瓜多尔基多～1978-05-26，基多） 厄瓜多尔小说家，剧作家。因对厄瓜多尔印第安人被剥削状况的严峻的现实主义描写，使他获得国际名声，被认为是受压迫者的代言人。伊卡萨是以戏剧开始创作活动的。第一本小说是《瓦西蓬戈》（1934），书名是印第安语，意为地主给予印第安工人的一小块土地作为他们在庄园劳动的报酬。书中描写白人如何剥夺印第安人的瓦西蓬戈；印第安人起来反抗压迫者时如何被屠杀。有些评论家认为它仅仅是宣传品，另一些评论家则指出其结构上的缺点。但是它的铿锵有力的语言，使许多评论家称赞它是一本现实主义杰作。其他作品包括《在街上》（1934）、《惊愕的半生》（1942）、《瓦伊拉帕穆希卡斯》（1948）、《六次死亡》（1954）以及《低贱的罗梅罗·伊·弗洛雷斯》（1958）。在这期间，他也写了许多剧本。他的《选集》于1961年在墨西哥出版。作为一个作家，他通过主题以及他的现实主义风格，影响了厄瓜多尔以及整个拉丁美洲的一代作家。

ice 冰 水汽或液态水冻结而生成的固态物质。当温度降至0 ℃以下时，地面的水汽可结成霜而空中的云则变成雪片（雪片由单一的冰晶体组成），水也变成冰，如河冰、海冰、冰雹、商业用的冰块或家庭冰箱制造的冰块。参阅**glacier；pack ice；permafrost**。冰由许多晶体紧密聚集而成，但因水结冰时并未长出各晶面，因此上述聚集情形并不明显。水结冰的典型样品中，其晶体大小约为1～20毫米。古老冰河的冰晶体因长期连续的再结晶而变大，其直径可达50厘米。融化1克冰需79.8卡的热量（此值称为冰的熔解热）。冰的熔解热较多数其他物质为大，因而使冰用作冷冻剂或冷源。熔化中的冰保持0℃恒温。冰的密度为0.919克/厘米^3，0 ℃的水则为0.999 8克/厘米^3，因此，0 ℃时冰的体积比同质量的水的体积大9%，这就是水管中的水结冰时使水管破裂和冰浮于水时约有1/10的体积会露出水面的原因。水凝固时体积会增加，所以当压力增大时冰的熔点便会降低，平均每增大一个大气压其熔点即降低0.007 5℃。由滑冰及汽车在结冰路面上打滑的情形可见，冰表面的滑动摩擦很小，这是由于滑行物体压在冰上时可造成冰的局部融化而产生润滑效果所致。

结构 冰的晶体由水分子经氢键结合而成，氢键因水分子内的氢原子与邻近水分子内的氧原子互相吸引而生成，每个水分子则与其邻近的位于四面体的顶点上的4个水分子发生氢键结合，这种四面体结构促使水分子间的皱褶六边形环的生成，而这些分子尺度的六边形的生成则为冰晶体具有六边形对称的主因。上述六边形环更以边靠边的方式形成皱褶的六边形层面，这些层面则与六边形的轴互相垂直。无论水汽或冰的水分子皆为弯曲状，因而使水分子内的两个氢原子指向该水分子所键合的4个水分子中的两个。结果，每个水分子皆有6种不同的方位。在统计学上，它们的概率均等，但相邻水分子只有一个氢原子位于氢键线上且并未破坏氢键。此种分子方位在统计学上的无序现象对冰的物理性质影响很大，它是冰在绝对零度（－273.15℃）时仍具某固定熵值的主因。冰的结构特征使它无法与多数无机离子或有机分子键合，因此，冰自大多数物质的水溶液中凝固出来的纯度比溶液本身的纯度高得多，这就是凝固法海水脱盐的原理。

电学性质 因为水分子内的氢原子带有+0.33电子单位的正电荷，而氧原子带有-0.66单位的负电荷，所以水分子可视为一微小的电偶极。外加一电场时，将使这些分子电偶极排成一列，因而使水分子自6种可能的方位中的一种方位变成另一种方位。因此，冰具有相当高的介电常数(约100)。水分子变换方位的机制，包括晶体结构缺陷的生成，这些缺陷称为键缺陷，即晶体内氢键断裂处。这种氢键的断裂为键合线上缺少一个氢原子或同时有两个氢原子所致。上述键缺陷的比例很小，0 ℃时约为1千万分之一。但这种缺陷在晶体内的迁移却非常迅速，由某键跳至邻键，而每次跳跃的同时则使跳跃所经过的水分子发生旋转，因此，键缺陷的运动决定水分子重取向的速率。当交流电场频率大于50千赫时，水分子即没时间重新取向，因此其介电常数即降至3左右。冰在稳定电压下可传导稳定的电流，借质子(即氢离子)在晶体内的迁移而传递电荷。冰的电导率远大于除半导体外的大多数非金属晶体，因此，冰亦称为质子型半导体。冰晶体内的质子并非以游离的离子形式存在，而是与水分子结合成H_3O^+离子。H_3O^+离子再与等量的OH^-离子占据冰晶体内的水分子位置，因而形成冰结构中的第二种缺陷。这种离子型缺陷平均每10^{11}个水分子才有1个。冰晶体内一个H_3O^+缺陷的迁移，通过其三个质子之一沿着氢键跳到一个邻近水分子上而完成，从而又将该邻近水分子变成H_3O^+。上述冰晶体内离子型缺陷的迁移传递电荷，为冰具有质子型导电性的主因。

流动性质 很容易观察到，用铁锤或碎冰锥敲击冰时它易碎如玻璃，但在长期的低应力作用下，或在高应力的作用下而其破裂性因压力的作用受到抑制时，冰还可作塑性流动。冰晶体的六边形层面间尚可互相滑动，就像不同的纸张间的滑动一样，冰的这种滑动产生于冰晶体的错位现象。例如，冰河冰块的流动就是因各个晶体的这种变形所引起，不过，不同晶体的滑动方向不同，因而其滑动互相干扰。这种干扰阻碍冰河的流动并迫使冰晶体弯曲。这种弯曲不会很严重，因为旧的变形的晶体随即进行再结晶过程以不断地生成新的晶体。冰块内冰的流动有些像黏稠液体的流动，唯其黏度系数并非常数，冰的黏度系数随应力的增加而锐减，因此，冰的流动速率随着应力的增加而迅速增加。

ice age 冰期 又作glacial age。指大面积陆地被巨厚冰层所覆盖的地质时期。大规模冰川作用可以持续数百万年，并且可以使整个大陆的面貌发生剧烈改变。在地球的整个历史上出现过多次大冰期。已知最早的冰期发生于距今5.7亿年以前的前寒武纪。最晚近的广泛冰川作用期同更新世一致，距今约160万年前至1万年前。规模较小的近代冰川阶段叫小冰期，开始于16世纪，并间歇性地时进时退，达3个世纪之久，于1750年前后达高潮，当时地球上的冰川比第四纪大冰期以来的任何时候都要分布得广些。

ice bug 蛩蠊 蛩蠊目原始而罕见的昆虫，约15种。分布于日本、北美西部和西伯利亚东部的山区。无翅。体长15～30毫米。咀嚼口器，触角长，复眼小。常生活在山区融雪地带的石块下，或海拔较低处的朽木下。以其他昆虫为食。

ice cave 冰穴 冰中的洞穴或具有永久性积冰的地下洞穴。两种类型的冰穴完全无关。前者包括冰川底部融水河流的曲折通道，或河流和风在雪原凿出的隧洞。这类冰穴通常具有带扇形缘饰的透出蓝光的半透明的冰壁。当严寒的冬季空气沉入下斜洞穴而不复外流，或水分在冷气流中冻结时，出现第二类冰穴。其中常见的形成物有冰湖、冰柱、冰帷幕等。气流使极冷的水转向的地方还形成枝状冰柱。阿尔卑斯的石灰岩冰穴系统使美国西北部熔岩洞穴中形成的著名的冰沉积相形见绌。奥地利艾斯里森韦尔特(冰巨人世界)有延伸42千米的冰冻景观。

ice cream 冰淇淋 冷冻奶制品，由稀奶油、牛奶、糖及若干调味品制成。冰蛋奶冻及法式冰淇淋中都加蛋。冰淇淋的品味设计有数百种之多。以香草、巧克力及草莓等最受欢迎。冰冻甜点是自东方传到西方的，马可波罗到中国旅行后将中国的水果冰冻甜食介绍给欧洲。意大利厨师也发展了制作冰糕和冰冻奶食的技术和食谱。波翁塔伦蒂是随卡特琳·德·美第奇前往法国的厨师，他使法国宫廷第一次品尝到这种食品。1670年西西里人F.普罗科皮奥在巴黎开饮食店出售果汁冻及冰制品，生意兴隆。1676年，这种店在巴黎已有250处。18世纪末托同尼在巴黎开的咖啡馆首先制成了冰淇淋。在美国，G.华盛顿、T.杰斐逊和D.麦迪逊都以此招待客人。费城发展为冰淇淋制造业的中心。1874年又发明了苏打冰淇淋。1904年在密苏里州圣路易斯城世界博览会上首创能携带的冰淇淋蛋卷。商品冰淇淋是以液状牛奶、稀奶油、糖浆等配料持续搅拌，加热同时加入糖、稳定剂、干蛋粉和奶粉等形成的混合物，而后经杀菌和匀和等工序，存冰箱中数小时，再加切碎的水果、果仁及其他固体辅料制作而成。在冰冻过程中予以搅拌使进入适量空气以控制正在形成的冰晶体的大小。在未完成冻结时包装，然后冻硬。1939年发明所谓软吃冰淇淋，直接由冷冻机中取出供应，无须冻硬。家庭制作冰淇淋，常用煮开的蛋奶冻作基础，加调味品后倒入小罐，罐外裹以冰和盐，同时将罐内物搅拌，使冰淇淋凝结。有时移入冷冻机中冻硬。

ice dancing 冰上舞蹈 穿冰刀在冰上跳舞的艺术运动。现代冰上舞蹈据说是19世纪80年代由维也纳滑冰俱乐部的华尔兹舞改编而成。20世纪30年代后广泛发展。舞步有基里安、华尔兹、探戈、狐步舞等。舞步由花样滑冰动作组成。通常由不变化的一系列规定动作来完成。比赛包括两个规定舞：原来规定的花样，是照原先通知的节奏由运动员自选音乐和舞蹈设计把原来的舞蹈加以创作而成；自选舞蹈是由运动员自选随音乐和舞蹈设计表演的一个长节目，其音乐必须有

世界冰上舞蹈锦标赛中正在参赛的法国选手
美国不列颠百科全书公司供图

舞蹈节奏的特点。冰上舞蹈的裁判是根据其难度、舞蹈的独特性、音乐的艺术处理、节奏和协调性加以判断。冰上舞蹈类似双人滑，但不准引入与舞蹈不协调的力量或技巧动作(特别是托举)，而且舞者必须有一足不离冰面。首次世界冰上舞蹈锦标赛1950年由国际滑冰联盟主持举行。自1976年以来，冰上舞蹈一直是一个奥林匹克项目。世界冠军参阅 **Sporting Record**：Ice skating；并参阅 **Olympic Games**。

ice formation 冰块的形成 地球陆地或水域上一切冰块的形成。任何地方，只要有相当多的液态水冻结，并在某段时间内保持固体状态，就会有冰块形成。常见的例子包括：冰川、冰山、浮冰和永冻土(即严寒地区所见的经年冻土)所含的地下冰。地球大约3/4的淡水贮存在覆盖南极洲和格陵兰的冰层中，以及散布于地球其他地区的较小的冰冠、高山冰川和冰原内。这些终年不化的冰，在陆地上所占面积很广，是由于雪或其他形式的降水一年一年地堆积，并因相继各层重量的紧压和再结晶而形成。它们在任何地区都能发生，包括赤道的高山在内。地球上有许多地方会出现河冰和湖冰。这些冰层在地面水体上保持的时间长短不一。例如，南极洲的湖泊终年覆冰，从不间断，而美国大陆较冷地区的湖泊，冰期平均每年为100天左右。极区的海洋内，冰以浮冰(漂流冰)和冰山的形式出现。浮冰由盐水冻结而成，曾经破裂，后又被风压挤在一起，大多才形成一二年。在冬季会扩大，覆盖大面积的海洋。在春季和夏季期间，温度较高，浮冰会融化，因而使冰缘后退。同样天气情况下，冰川中靠海边缘的冰山会崩解破裂，然后这些大冰块(有些长达好几千米)随着海流向赤道漂移。永冻土通常由岩石和土粒与冰结合在一起而形成。这种冻土形成于温度低于0 ℃延续两年或两年以上的地区(如北极区或近北极区)。据估计，地球表面有近25%的陆地为永冻土。永冻土中含有不同形式的地下冰。其中以页状冰最著名，通常在永冻土中因温度而

收缩的裂缝内形成，呈楔形、垂直或倾斜的片状，宽2.5厘米至3米，深0.3～9.2米。另一种常见的形式为冰丘中的冰核，为水平或透镜状的冰块。

ice hockey　冰球　由每队6名球员组成的两队在冰上玩的游戏。球员把硬橡胶圆盘用棍棒击入对方的球门。据说冰球是由密克马克族印第安人从一种曲棍球式的球戏发展起来的，由移居者掺进曲棍球成分而成。19世纪60年代驻加拿大的英国士兵把它演变成一种简化曲棍球。1860年在安大略省金斯顿港首次用橡胶圆盘代替球。1875年在蒙特利尔麦吉尔大学，两个学生队按规则打了第一场冰球比赛。此后冰球迅速传及整个加拿大和美国。1917年在美国和加拿大组建全国冰球联盟(NHL)。1920年冰球成为奥运会比赛项目。1972年为同全国冰球联盟对抗，成立了世界冰球协会(WHA)。1979年两家合并。一场冰球比赛包括3局，每局为20分钟(在全国冰球联盟和美国大学队之间的比赛使用决胜期，即赛到规定时间比分相等，为决胜负而加赛)。冰球比赛过程中允许换人，因此，球员频繁上、下冰场，很少有人在冰上待2分钟以上。他们的任务是保护球门。冰球是一项富有进攻性的球戏，运动员必须穿戴护具。经常用击打或阻截的办法来夺走圆盘。很多击打的方式是犯规的，犯规动作要判罚。对小犯规的球员要求他离队2分钟；如果处罚期间，对方进球，受罚球员可回队。严重的犯规球员必须在场外坐上5～10分钟，但是可用替补队员，过分的暴力行为除外。斯坦利杯赛优胜者和世界业余冠军，参阅 **Sporting Record**：Ice hockey；**Olympic Games**。

ice plant　(*Mesembryanthemum crystallinum*)　**冰叶日中花**　又作 sea fig，sea marigold。番杏科(Aizoaceae)日中花属一年生矮生草本植物。该属75种，多数为原产于旧大陆的荒漠

冰叶日中花(*Mesembryanthemum Crystallinum*)
美国不列颠百科全书公司供图

草本植物，具肉质叶。冰叶日中花栽培最普遍，叶上有透明、反光的隆起，故名。盆栽或栽于花园，叶可食。在加利福尼亚已归化，用以覆盖路堤，可防水土流失。

ice shelf　冰架　又称冰棚。与陆地相连的厚层浮动冰体，由从陆地向冰雪遮盖的水域延伸的冰川舌形成并由它补给。在没有强海流的地方，冰部分地沉入海底并接触到岩石和岛屿。冰架被冰川压力推向前，直到海流阻碍其生长为止。它由降雪积累而成，在几百万年间保持相对稳定。这种现象现在仅在南极地区见到，最大的冰障——罗斯冰架，伸入罗斯海，大小约等于法国的面积。斯堪的纳维亚等地的许多峡湾，据认为就是由更新世冰架形成的。

ice show　冰上表演　职业选手滑冰的表演。有吸引人的托举动作，又有剧场的一切艺术效果：夺目的灯光、华丽的服装、悦耳的音乐和精心的指挥。节目中有一些穿插的表

迪斯尼冰上世界的演出班组在《美人与野兽》最后一幕中的表演
美国不列颠百科全书公司供图

演节目，如小丑表演、黑猩猩滑冰和双人舞等。双人舞是由一男一女表演的示范性冰上舞蹈，这两人一般是第一流花样滑冰或自由滑冰的运动员。最早的一次冰上表演于1915年在纽约市马戏场举行，由德国冰上芭蕾舞演员夏洛特表演的冰上舞蹈轰动整个纽约，从而产生了第一部以滑冰为主题的影片《冻冰警告》(1916)。从此，冰上表演花样不断翻新。另外一种最早的冰上表演是冰上活报剧，它由约翰逊、E.希普斯塔德和R.希普斯塔德于1936年首次演出。在30年中，观众达6 000万。以后在美国令人瞩目的演出有“好莱坞冰上检阅”，由挪威籍滑冰明星索尼娅·赫尼演出的冰上节目，在别出心裁的活动冰场上演出的“冰上假日”中还有可在户外用的提携式冰箱。北欧国家，特别英国、俄罗斯和斯堪的纳维亚国家在冰上演出的故事性哑剧非常为人喜爱。

ice-skating　滑冰　穿上把冰刀固定在鞋底的鞋在冰面上滑行的娱乐和运动。滑冰运动有三种主要类型：**花样滑冰(figure skating)**，包括各种跳跃、旋转和舞蹈动作的表演；**速度滑冰(speed skating)**，穿着冰鞋进行比赛；**冰上舞蹈(ice dancing)**。早在约公元前1 000年斯堪的纳维亚地区已开展了滑冰运动。第一副冰刀是用大角鹿、公牛等野兽的胫骨或肋骨制成。最终用金属制作冰刀，19世纪期间对冰刀式样进行改进，形成了现代的冰刀式样。中世纪以来荷兰的男男女女不断地在运河上滑冰消遣娱乐。17世纪英格兰流行滑冰。1742年第一个滑冰俱乐部在爱丁堡成立。18世纪40年代英国公务员将滑冰运动传入北美。大约在1776年法国宫廷也流行滑冰。玛丽·安托瓦内特也在滑冰。1781年拿破仑在欧塞尔滑冰。1814年首届速度滑冰比赛在英格兰举行。1823年为业余爱好者举行了首次比赛。1830年滑冰(花样滑冰)俱乐部在伦敦成立。1848年费城的E.W.布什内尔发明了夹在靴底的第一把全铁质冰刀。1860年纽约滑冰俱乐部成立。19世纪60年代中期芝加哥的舞蹈大师J.海恩斯在欧洲表演一种把舞蹈动作吸收进去的滑冰技巧。1867年海恩斯的想法被发展成一种维也纳滑冰学派，后成了现代国际**花样滑冰(figure skating)**学派。1868年在加拿大多伦多开办了第一个冰场。1877年瑞士开办了冰场。1876年在伦敦私人开办了一个冰雪馆，是第一个人工冻冰成的冰场。20世纪初期在墨尔本和约翰内斯堡也开办了类似的冰场。早在公元2世纪就有粗野的集体冰上游戏，但只是到19世纪才有明确目标的俄罗斯式冰球等冰上运动。冰上曲棍球也在北欧出现。1879年英国全国滑冰协会成立，1886年美国花样滑冰协会问世。1888年加拿大业余滑冰协会建起。这些组织再加上其他团体于1892年建立了国际滑冰联盟(ISU)，后成为速度滑冰、**冰上舞蹈(ice dancing)**和花样滑冰的世界性管理机构。19世纪90年代为速度滑冰(唯有男子)和花样滑冰开始举办世界锦标赛。从1924年冬季奥运会一开始就把滑冰列入竞赛项目：男子速滑和男、女花样滑冰。女子速滑从1960年才被列入冬季奥运会比赛项目。冰上舞蹈则从1976年起才被包括进冬季奥运会。关于世界冠军，参阅 **Sporting Record**：Ice skating。并参阅 **Olympic Games**。

iceberg　冰山　从冰川或极地冰盖临海一端破裂开的漂浮的大块淡水冰，通常多见于广海上，尤其是在格陵兰和南极洲周围。冰山大多在春夏两季内形成，那时较暖的天气提高了格陵兰冰盖、南极洲冰盖以及冰盖范围以外的较小冰川的边缘上产生(分裂出来)冰山的速率。例如在北半球，每年从格陵兰西部的冰川大约产生出1万座冰山，平均有375座漂过纽芬兰以南进入北大西洋航道，成为那里航海的障碍。

在冰川或冰架与大海相会的地点，冰架或冰舌底下海水的压强与向外运动的冰川互相作用。潮汐(升降范围在北冰洋内可达6米)，连同风和浪涛引起的海平面的小变化一起，造成对冰川或冰架突出端的压力的间歇性加强和减弱，结果便产生一大块整体漂流冰。冰山形成的另一种方式(对格陵兰南部冰川有代表性)是，冰川末端附近表层的融化或蒸发的速率大于其底侧受海水侵蚀的速率。这就形成了水下冰架，最后通过海水的继续侵蚀、水下潜冰的自然浮力和周期性的潮汐力以及其他各种水力的作用，冰架断裂下来，于是一座冰山浮到海面上。大多数南极冰山是当南极洲大陆冰盖向海岸方向变薄并突出到大洋里成为一架前沿有几百英里长的巨大冰架，逐渐断裂开来而形成的。

冰山产生的速率在北冰洋为每年将近280立方千米，在南极海则为每年将近1800立方千米。

格陵兰西部是北半球冰山的主要发源区。其东部的冰川往往向北运动，体积小，数量也少。北极海盆里也有少数冰山。巴伦支海中的大多数冰山发源区在法兰士约瑟夫地群岛。北太平洋内除在北纬55°～60°之间沿阿拉斯加-加拿大海岸一带的海湾里以外，找不到冰山。南半球的冰山大多数集中在南纬大约60°的南极洋流会合带以南。

北冰洋的冰山，大小变化范围是：小到大钢琴一般，称作小冰山，大到10层大楼一般。大多数冰山的比重为0.9，因此其质量的6/7在海面以下。北冰洋的许多冰山，高约45米，长约180米。南极海的冰山呈平板状，同北冰洋的冰山相比，不仅数量多得多，而且体积庞大。长度达到8千米的并不少见，其冰顶超出海面45米。

根据格陵兰已知的降水量，并从现在冰的量和降水量的比率同几百年前的情况大致相同这一设想出发，就能估算出冰山内的冰的平均年龄为5 000年。在高纬度上，北冰洋的那些冰的岛和南极海的巨大冰山都能维持10年之久。来自格陵兰西部的大多数冰山从母体冰川诞生后两年之内就全融化了。

一座北冰洋的冰山一旦诞生并向广海移动，通常在3个月到两年之内穿过巴芬湾，在此期间它将通过融化和周边分离出小些的冰块而经历某种分裂瓦解作用。结果，在冰山到达北大西洋的纽芬兰和大浅滩之前，其质量将减少约90%。大浅滩海域是墨西哥湾暖流与拉布拉多寒流相遇之处，当冰山进入此海域时，其寿命就只剩下几天的时间了。在海水温暖的条件下，冰山的损毁率，按其高度降低的速度为，在0～4 °C的海水中，大约每日2米，在4～10 °C的海水中，大约每日3米。

尽管冰山的主体在海面以下，但在许多情况下，其运动却主要受风的影响。比如说，巴芬湾海面上一年春季里的风速和风向就影响着当年和来年溜进北大西洋的冰山的数目。

冰山的逐日运动所受到的控制因素有：冰山的大小和形状，以前的风和现时的风，随风推动的表层海流，还有总的大洋流。评定冰山随风漂移情况时，最重要的因素是冰山的大小和形状。带翼的冰山，即中央主体周围有帆样顶的冰山，受风的影响非常大，在30节的稳定风速影响下，其运动速度可为1节，即每日44千米。冰山的动量极大，一旦动起来，在风停息之后，仍会继续动几小时。

冰山的漂移是洋流和风造成的结果。如风向多变或风速低于32节，而洋流高于0.5节时，则洋流居主导地位；但如有稳定的30节的风持续吹12小时以上，那时即使在洋流为1～2节的海域内，风的效力也变成重要的了。

冰山可将各种大小砾石和细粒物质的沉积物甚至动植物活体从其来源地区搬运几千千米。例如，从广泛散布在南到北纬48°的北太平洋洋底上的沉积物，和南半球内北到好望角纬度上的南大西洋里的沉积物，就能推断出万年前的冰川分布情况。

冰川由沉积物和来源地区冰架下面的浮游生物堆积以及冰川的蓝冰相结合而染成棕、黑、绿等颜色。

在开阔的大洋上，大多数冰体可用雷达观察到，观察到的距离取决于冰体水面以上轮廓的大小，但较小的冰山或小冰山就只能在海面平静时才能看到，而且那时也只能在距离大约1.6千米内看到。声呐在探测冰山时是有效的，不过，探测距离时常受到海水条件和商船航速的限制。对于北半球的冰山防护，则需要在冰山顺拉布拉多洋流来到时就跟踪它，并将这些漂浮的危险物的行踪每日向所有北大西洋的船只提供多达两次的报告。

iceboating　冰上驶帆运动　坐着改装过的船在冰上行驶和竞赛的冬季运动。冰船基本上是在冰面上行驶的一艘架在薄冰刀上的帆船。小船首先包括称作骨干的单个纵向船身。它可作为容纳船员的座舱。船壳牢固地安装在一块宽而有弹性的横梁上，两头各拴有钢桅索。供驾驶掌舵用的第三根桅索安装在船头或船尾，由舵手用舵柄加以操纵。一根垂直的桅杆挂1～2个帆。小冰船可坐1～2名船员。现代冰船是由高强度钢建成。早在公元前2 000年据说在现斯堪的纳维亚地区已有冰上驶帆运动。17、18世纪确定在冰冻的里加海湾和荷兰运河内用冰上驶帆当作冬季运输工具。冰上驶帆运动始于19世纪中叶。1865年成立了波基普西冰上帆船俱乐部。1870年哈得孙河冰上帆船俱乐部建立。1901年瑞典俱乐部组成。1928年欧洲冰上帆船俱乐部宣告成立，拥有拉脱维亚-立陶宛、爱沙尼亚、瑞典、奥地利和德国等会员。19世纪时木质船较大可乘坐6～7名船员。冰上帆船是一项有钱人玩的运动。1900年哈得孙河俱乐部的船队拥有50多艘船，其中包括6艘一级船，这些大的冰船是当时运输工具中速度最快的。1885年速度达172千米/时。至约1931年，威斯康星州的S. 梅耶设计的船壳，其操纵舵装在船头，滑座轨道板装在船尾，同先前大多数设计的船是相反的，在船头操舵的船在竞赛中获胜。较小型的冰上帆船带有仅7平方米帆幅，表明能行驶安全且快速。1940年按此设计的艇迅速发展。在几十年公开比赛中，其行驶速度能同较大的冰船较量，尚占优势。标准小艇的艇身长6.7米，DN-60艇的帆幅为5.6平方米。DN标准艇长3.6米，帆幅5.6～7.4平方米。冰船在顺风情况下行驶速度可相当于风速的4倍。创纪录的时速为220千米。顺风行驶的冰船速度不比风速大，但当它侧风行驶时冰船本身的运动，使船速产生风而大大加强了自然风。第二次世界大战后冰上驶帆运动在欧洲不如过去流行，但仍为美国和加拿大特别是其东北部地区人们喜爱。那里的管理机构是东部冰上帆船协会（1937）。1912年由美国中西部的威斯康星、伊利诺伊、密歇根和安大略俱乐部组建成西北冰上帆船协会。

icefish　冰鱼　一些不同种类的鱼类的俗称，其中鲈形目带腭鱼科（Chaenichthyidae 或 Chaenichthyidae）内的一些鱼，因为吻部形状似鳄，又称鳄冰鱼。又因为体内缺少红血球及血红素亦称为白血鱼。其血液携带的氧气较具红血球的鱼少得多，但其心脏及鳃血管较大，循环血量较大，能从含氧丰富的南冰洋水中吸取足够的氧。鳄冰鱼约有16种，多数分布在南极，主要以甲壳类和小鱼为食。此外有些种银白鱼及银鱼属（*Salanx*）的银鱼亦称为冰鱼，这些鱼类则分属鲑形目内的一些不同的科。参阅 **icicle fish**。

Iceland　冰岛　冰岛语作Ísland。全称冰岛共和国。北大西洋岛国，位于挪威和格陵兰岛之间，面积102 819平方千米。首都雷克雅未克。冰岛介于北纬66°30′和63°15′之间，由北至南约350千米；西经24°15′和13°45′之间，由东至西约540千米。最近的欧洲邻邦为英国的苏格兰，位于该国东南约800千米处。冰岛崎岖不平的海岸线全长超过4 800千米，北临格陵兰海和北极圈，东濒挪威海，南和西南临大西洋，西北濒丹麦海峡，将其与320千米外的格陵兰岛隔开。人口约256 000（1990）。

土地　冰岛全境可依气候及海岸特征分为4个地区。北部3个区域气候较为寒冷干燥，海岸线曲折，多峡湾。南部地区多雨，气温较高，海岸线较平直，多沙滩和潟湖，潟湖由大面积的岸外河口沙洲形成。在北部各区中，西北地区为一被陡峭山谷切割而成的半岛高原；中北地区的特征为宽阔的谷地和多草的低地；东北地区则有许多峡湾，可成为良港。南部地区地形富于变化，既有宽阔的低地，也有该国最高峰华纳达尔斯峰（2 119米）。该山峰位于瓦特纳冰川（冰岛最大的冰川）的南缘，这片冰川覆盖面积达8 390平方千米以上，相当于欧洲大陆全部冰川面积的总和。冰岛的大约200座火山当中，至少有30座火山在冰岛有人定居后曾经爆发，总计在150次以上。地震虽时有发生，但很少造成严重损失。

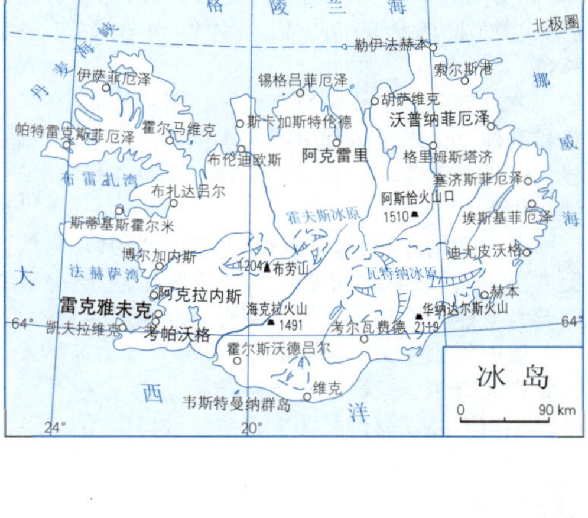

美国不列颠百科全书公司供图

冰岛最长的河流是肖尔索河,全长230千米,流域面积也最大,达7 530平方千米。该河与冰岛其他众多河流一样,均源自含有大量砂砾的冰川融化而成的溪流。冰岛只开发了其水力发电潜能的1/10。全国有约250处温泉,为该国主要的天然资源之一,如雷克雅未克即完全由附近地热泉的热水供热。

冰岛气候同时受到热带和极地气流以及两大洋流(墨西哥湾流和东格陵兰极地洋流)的控制。虽然东格陵兰极地洋流有时会给岛上带来北极浮冰,但墨西哥湾流的缓和作用则使冰岛这样一个靠近北极本应十分寒冷的国家暖和许多。该国7月平均气温(除内陆山区外)约11 ℃,1月平均气温也不低于0℃。降水量分布不均,东南部某些地区为4 100毫米以上,中北部地区则只有406毫米。

冰岛全部土地面积中仅有不足1%为可耕地。森林面积经过20世纪60和70年代的重新造林计划之后,亦只不过略多于总土地面积的1%。但在沿海谷地,几乎到处都有牧草地,占土地面积的1/5以上。其余大部分地区或为遍布泥炭沼的冰封地区(约占12%),或为熔岩荒漠。该国的许多江河湖泊中盛产鲑鱼和鳟鱼。

人民 冰岛人口种族极为单一。历史学家们对冰岛人确切的起源和种族的构成观点不一,但都认为60%～80%的人口具有北欧血统,大多来自挪威。其余人口来自苏格兰和爱尔兰,多数具有凯尔特血统。在拓居时期(9～10世纪)主要语言为古诺尔斯语,后来逐渐演变成现在全国通行的冰岛语。从16世纪中叶起路德教一直为当地主要宗教,时至今日几乎所有冰岛居民都是定为国教的福音信义会信徒。

冰岛人口增长率较低,近似于其他工业发达国家。20世纪末的平均预期寿命男性为77岁,女性81岁,属世界最高之列。

冰岛经历了由乡村到都市的大量人口迁移活动。城市人口比例已由1900年的大约1/10上升至今日的大约9/10。有一半以上人口居住在雷克雅未克及其周围的城市区。冰岛的中部地区则渺无人烟。

经济 虽然政府对产业的所有权在逐渐增加,尤其是在重要的渔业,自由市场经济仍在冰岛居主导地位。国民生产总值的增长没有人口增长快。冰岛人均国民生产总值高于欧洲平均水平。

冰岛的农田需要大量施肥。冰岛的肉类和奶制品可自给自足,毛纺织业已在发展。渔业在国民生产总值中约占1/6,雇用了约1/9的劳动力。冰岛的出口商品大部分为鱼产品。渔业产量的2/3以上为鳕鱼和毛鳞鱼。

冰岛的电力主要来自水电厂。雷克雅未克和其他几个居民区都由温泉水供热。岛上建立的许多温室(总面积约14 500公顷)亦靠地热供暖。

政府鼓励外国公司投资开发本国能源以促进工业增长;挪威和瑞士已在该岛建立起需要大量能源的加工工厂。制造业在国民生产总值中约占1/10,雇用了1/10的劳动力。主要产品有铝、矽铁、硅藻土和纺织品。

出口产品以海产品为主。主要进口产品包括机械、运输设备和矿物燃料,主要来自丹麦、德国和英国。出口产品主要销往英国、德国和美国。贸易收支一般为顺差,然而20世纪80年代中期,由于鱼产品出口减少而大受影响。

冰岛无铁路,主要公路大都沿海岸而建。冰岛航空公司和各地方航空公司作为对有限的公路系统的一种补充起到重要作用。雷克雅未克是该国主要海港。

政体与社会状况 冰岛为多党制民主国家。总统由成年人普选投票产生,任期4年。总统作为政府名义上首脑,任命一位行使该国实际行政权的总理。总理对冰岛的一院制议会负责。冰岛议会是世界上最古老的立法院之一。议会成员以按比例代表制的一种混合方式选出,任期4年。有6个主要政党。1944年由公民投票通过的宪法将最高司法权赋予最高法院。冰岛为北大西洋公约组织成员国。

由于冰岛在全国实行义务健康保险,该国的医疗卫生水准在世界上属于最高之列。医院服务完全免费,其他医疗服务收费亦很低。福利事业包括失业保险、养老及残疾津贴、家庭补助和疾病救助。

冰岛所有的学校(从小学到大学)几乎都实行免费制。16岁以前属义务教育,中学和高等教育非常普及。学生年满15或16岁即可报名进入4年制学院。学生毕业后可进入冰岛大学,这所大学于1911年创建于雷克雅未克。

历史 古代地中海的航海者很可能已知道冰岛的存在,岛上最早的居民似乎是爱尔兰的一些隐士。一般认为这些隐士在9世纪末挪威异教徒抵达该岛时即已逃离。

根据有关冰岛的最早资料,冰岛第一个永久性挪威人居民点系由阿纳尔松和他的妻子于874年在今雷克雅未克一带建立的。到9世纪末,新来的居民逐渐增加,且大多来自挪威。到930年前后,冰岛联邦成立,设立议会。基督教于10世纪传入该地,据说议会曾协助进行传教工作。到1000年,冰岛全国均为基督教徒。

自10世纪起,挪威即欲控制冰岛。13世纪内部纷争引起冰岛内战,冰岛贵族遂承认挪威人的统治权(1262～1264)。1380年丹麦和挪威的联盟导致冰岛的统治权转给丹麦。宗教改革运动以前,冰岛在政治上享有相对自治的地位,但自17世纪中叶起,丹麦王室逐渐加强在该地的控制。自此冰岛经济趋于衰退,其中部分原因是丹麦的极权统治允许丹麦商人垄断对外贸易,并准许冰岛地主垄断渔业。18世纪80年代,该国有1/5的人口死于饥荒。议会于1800年被废除。

主要在J.西于尔兹松的推动下,19世纪独立运动兴起。重新建立议会,进行了一些现代化改革。1874年,丹麦的克里斯蒂安九世准许冰岛拥有自己的宪法,但紧张状态仍然存在,直到1904年冰岛获准在雷克雅未克建立自己的政府。1918年《联盟法案》通过后,冰岛成为一个完全独立的国家,仅只是共戴丹麦君主的联合并奉行共同的外交政策。

20世纪40年代德国军队占领丹麦期间,英、美两国军队相继占领冰岛并利用该岛建战略空军基地。1944年议会宣布建立共和体制,断绝与丹麦的一切官方联系。此项举措在全国公民投票中被批准。

冰岛的战后问题主要涉及冰岛水域的捕鱼权。经过与邻近各国(尤其是英国)的几次冲突之后,320千米的渔业作业范围最终得以确立。

1980年6月芬博阿多蒂尔当选冰岛总统,这是全世界第一位由选举产生的女国家元首。

Iceland, National Church of 参阅 **National Church of Iceland** **冰岛国定教会**。

Iceland moss (*Cetraria islandica*) **冰岛藓** 一种直立的分枝状灌丛状地衣。从深棕色到灰白色,可高达7厘米。分枝槽形,叉开成为边缘具短毛的扁平裂片。分布北半球高山地区及冰岛的熔岩坡地和平原,是驯鹿、北美驯鹿、麝牛和麋(驼鹿)的重要食料,也用作牛、羊的补充饲料。可能是第一种被人类食用的地衣。可将其浸泡、干燥后制成粉,与谷类食物和马铃薯混和,用于面包、汤、沙拉和各种果子冻或肉冻中。冰岛藓味稍苦,约含70%的地衣多糖和一种可提取的褐色染料。又可制取甘油,可用于肥皂工业和冷霜制造。

冰岛藓(*Cetraria islandica*)
美国不列颠百科全书公司供图

Iceland spar **冰洲石** 又作iceland crystal。一种用作偏振光棱镜的透明*方解石*(**calcite**)。

Icelanders' sagas **《冰岛家族萨迦》** 又称《家族萨迦》。英雄散文故事中的一类,写于1200～1220年,叙述930～1030年间住在冰岛的大家族。它们对西方文学是一个独特的贡献,在其描写之现实,风格之克制客观,人物刻划之富于感染力以及作品洋溢着悲剧的尊严感上远胜于任何中世纪文学。《家族萨迦》代表冰岛古典时代的萨迦作品的最高发展成果。它们在艺术上的完整、详尽和复杂性,使大部分现代学者确信,这些故事是个别作家写下来的作品,但认为它们是口头作品的意见依然有人拥护。关于它们的历史真实性也是人们长期争论的一个问题。

Icelandic language **冰岛语** 冰岛语作Islensk。冰岛国语。与挪威语和法罗斯语都属北日耳曼语支西斯堪的纳维亚语分支。由9～10世纪挪威西部移民用的诺尔斯语发展而来。古冰岛语通常称为古诺尔斯语。中世纪时曾用它写出过《埃达》、北欧传说及吟唱诗篇。它具有几个方言特征可以把它和挪威语区别开。在语法、词汇和正字法上，现代冰岛语是斯堪的纳维亚诸语言中最保守的语言，它的名词还有三个“性”（阳性、阴性、中性），四个“格”（主格、属格、与格、宾格），有几种词尾变化形式，代词和动词体系复杂，从整个语言来说，自古以来很少变化。因此冰岛人现在阅读古冰岛语的北欧传说并不困难。但自古诺尔斯语时期起，它的发音方面已有许多变化。冰岛语有凯尔特语、丹麦语、拉丁语，罗曼语借词，可是绝大多数借词自19世纪初以来都已被用纯粹的冰岛语形式所代替，这是语言纯化运动发展的结果。现在所有技术术语和抽象名词，都只用冰岛语成分构成。参阅 **Old Norse language**。

Icelandic literature 冰岛文学 冰岛文作品的总称，它包括那些从古冰岛语（又称古挪威语）到现代冰岛语的作品。冰岛文学也许以它在古典时期（相当于西欧文学中的早期和中世纪时期）的丰富多彩著称，特别以它的诗体《埃达》（**Edda**）和它的“萨迦”著称。这种创作在14和15世纪开始衰落，16世纪由于受宗教改革运动影响，它专注于宗教作品；17世纪则以许多枯燥的学术著作和正统的宗教作品为特色；18世纪依然平平淡淡，无甚建树。现代冰岛散文作品是19世纪70年代后期发展起来的，20世纪初期，戏剧才逐渐成熟。参阅 **Scandinavian literature**。

Icelandic low 冰岛低压 在冰岛和格陵兰南部之间形成的大范围低气压中心。这个低气压中心引起冬季北大西洋上的强风。冬季海洋较大陆温暖，这种温差是控制北大西洋大气环流的冰岛低压位置的主要因素。夏季低压减弱，常分裂为两个独立的单体。它的1月份平均海平面气压为996毫巴。湾流使冰岛低压向北移动。

Iceman 冰人 又拼Ice Man，又称Ötzi（厄茨人）。一具迄今发现的最古老的完整人体干尸。1991年9月19日，由德国旅行者H.西蒙在意大利与奥地利边界处蒂罗尔州阿尔卑斯山厄茨河谷锡米拉温冰川发现。经放射性碳14年代测定其时间为公元前3300年，是一名年约25～35岁的男性，身高约1.6米，体重约50千克。他显然是在翻越阿尔卑斯山时因气候恶劣或筋疲力尽冻馁而死。他死时僵卧在内的那个小小岩洞很快被冰川冰盖而“保护”起来。5 300年以后，这里的冰碰巧融化时他的尸体被现代人发现。他的别名“厄茨人”就是由他被发现的阿尔卑斯山厄茨河谷而来的。冰人的尸体没有疾病的症状，不过他的鼻梁折断，有几根肋骨骨折。他所剩无几的头发提供了人类“理发”的最早的考古证据。与尸体同时发现的各种衣物装备确实引人注目，因为它们提供了新石器时代旅人的穿着和器物。冰人最主要的一件衣服是无衬里的皮袍，由一片片野山羊皮、岩羚羊皮和鹿皮缝缀而成。一件草编的披肩和一顶皮帽为他提供了更多的御寒物。他脚上穿有皮制的鞋，鞋里塞有草。冰人的其他装备有：一把铜刃小斧和一把燧石短剑，斧和剑都装有木柄；用荚迷和山茱萸枝条做成的14支箭，其中2支有燧石箭头和羽毛；一个皮制的箭囊和一张紫杉木做成的弓；一个可能当做大袋的草网；一个小皮袋；还有一个U型的木架，显然是当做背负器械来携带这套行装的。他带的很少一点食物包括一个黑刺李、一些蘑菇和几根啃过的野山羊骨。2001年的X光检查表明，冰人的左肩有一箭头，表明他可能是在被射中后流血过多致死。

Iceni 爱西尼人 古不列颠部落，居住在现诺福克和萨福克地区。国王普拉苏塔古斯是罗马人的傀儡，罗马人企图在他死（公元前60）后并吞爱西尼。因此，王后布狄卡（博迪西亚）领导全东英吉利进行反抗。不列颠人初战获胜，但最后被击败。罗马人大杀爱西尼人。结果，爱西尼人只剩下一个小部落，首府为文塔艾斯诺拉姆（现诺福克郡的凯斯特·圣埃德蒙）。

Ichang Series 宜昌统 中国南方奥陶纪的地层单位（奥陶纪始于约5亿年前，延续约0.7亿年）。位于艾家山统之下，是中国奥陶系最下面的一个统。宜昌统进一步细分为两个阶：印渚埠阶（下部）和宁国阶（上部）。

Ichihara 市原 日本本州千叶县城市。西临东京湾。1962年由市原等5个城镇合并而成。第二次世界大战前以农、渔业为主，战后农业衰落，空气污染严重。现为京滨工业区之一部分。沿海填筑地区发展起石油化工业和钢铁工业。人口约275 129（1994）。

Ichijitsu Shintō（Japanese religion） **一实神道** 参阅 **Sannō Ichijitsu Shintō** 山王一实神道。

Ichikawa 市川 日本本州千叶县城市。临江户川。德川时代（1603～1867）由千叶大道上的三个产盐的驿镇（市川、八幡和中山）合并而成。1894年起为东京的商业、工业和住宅郊区。设有教育机构。市北高地产蔬菜和水果。人口444 468（1994）。

Ichikawa FAMILY 市川家族 日本歌舞伎演员世家。17世纪起在东京起家，代代相传，其中最为著名的（艺名）是团十郎、海老藏、团藏和海老十郎。根据歌舞伎的传统，当市川家族的嫡子或养子的演技能够有资格去继承著名的先人的衣钵时，他便采用这些艺名。因此，过去已经有12个团十郎（最高尊称）和10个海老藏（次高尊称）。市川家族中为人所熟知的是团十郎一世（1660～1704），他是元禄时代（1688～1703）最著名的演员，曾创始市川家族独特的“武打戏”，出场武士佩带一把大刀，脸上勾画红、蓝、黑3色线条。团十郎七世（1791～1859）是德川时代（1603～1867）末期最伟大的演员，他曾确定市川家族的特殊剧目——“歌舞伎十八出大戏”。团十郎九世（1838～1903）在明治时代（1868～1912）重新振兴歌舞伎，明治天皇看过他的演出。团十郎十一世（1909～1965）在第二次世界大战后是歌舞伎的重要演员，演出传统和现代剧目。市川海老藏十世是青年歌舞伎演员——东京五大后起之秀之一，1985年获团十郎十二世称号。

Ichikawa Kon 市川崑（1915-11-20，日本伊势～2008-02-13，东京） 日本电影导演。20世纪50年代将玩世不恭的西方喜剧引入日本，后来转而注重反战情绪和现代人对本身价值的探索这类较严肃的题材。1942年进入东宝影片公司，1946年为新东宝影片公司拍摄了他的第一部影片。《三百六十五夜》（1948）是他第一部最为叫座的影片。20世纪50年代在诸如《碍事的女人》（1953，这是一部早期默片喜剧的新翻版）以及《普先生》（1953）中，他在日本开创一种妙语联珠的喜剧类型。《缅甸的竖琴》（1956）和《野火》（1959）是出色的反战影片。这些影片以其对题材的精致处理和每个场景中惊人美丽的视觉构图而受到普遍推崇。

Ichinomiya 一宫 日本本州中部爱知县城市。德川时代为运输中心，现为名古屋工业区之一部。生产和服和西服所用棉、毛衣料。人口267 136（1994）。

ichneumon 白腹鼬 □（**mongoose**）的一种，小型食肉动物。

ichneumon 姬蜂 膜翅目姬蜂科昆虫，有重要经济意义，分布很广，约4万种。成虫的形状、颜色、大小各异，一般1.2厘米长。北美洲最长的长针姬蜂属（*Megarhyssa*）达5厘米。许多种的腹部细长而弯曲，像黄蜂，与黄蜂的区别一般在于触角较长，节较多。产卵器通常比身体长。许多种的前翅有一黑点。寄生在蜘蛛以及多类昆虫上，尤其是鳞翅目（蝶、蛾）和其他膜翅目昆虫。由于寄生在许多害虫上，总的来说是益虫。雌体在寄主的幼虫或蛹（很少在卵或成体）上产卵。幼虫取食寄主的脂肪和体液，长成后织一丝质茧。如果寄主生活场所不是隐蔽的，则通常寄生在寄主体内；若宿主生活在隐蔽处（如树木孔道内），则常寄生在寄主体外。一个寄主身上在多数情况下只有一个幼虫，但有时也可有多个幼虫寄生。有时姬蜂一词泛指姬蜂超科的种类，包括角头蜂科（锤腹姬蜂科，含几百种，分布于热带）、茧蜂科（种类多，分布广）及姬蜂科的种类。

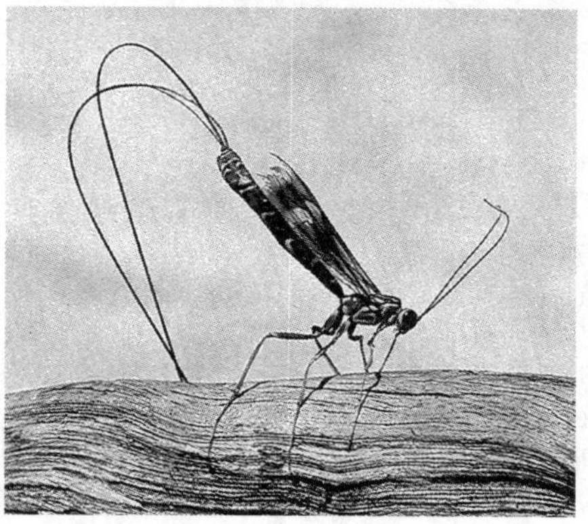

姬蜂
美国不列颠百科全书公司供图

ichthyology 鱼类学 研究鱼类的科学，像其他研究某一生物大类群的学科一样，包括一些专门的分支学科，如分类学、解剖学（或形态学）、行为学、生态学和生理学。因为鱼类是人类的重要食物，经济鱼类学是重要的鱼类学分支学科。古希腊博物学家，特别是亚里士多德，在鱼类生物学的许多方面有很渊博的知识。直到19世纪末，鱼类学的主要发展在分类学方面，如新种的描述和已知种亲缘关系的阐明。到20世纪中叶，人们对海洋学的兴趣大增，与之相关联的水下观察新技术和新设备（特别是水肺）有了很大进展，这都为研究鱼类在自然条件下的行为和生态学开辟了很多新途径。鱼类水箱饲养方法的改进，扩大了以鱼类为实验动物的应用范围，人们更广泛地将鱼用于研究行为学、生态学、功能解剖学，甚至毒理学和寄生虫学等。养鱼爱好者养育了鱼的很多种类，其中少数人进行了一些很有价值的鱼类行为观察。然而，绝大部分的鱼类研究还是在研究所的水族馆内进行（那里有大的水族箱，能模拟鱼类的自然环境），也在大学和博物馆进行（那里收藏保存大量标本）。大多渔业研究则由政府机构的实验室进行，任务是控制管理自然鱼类种群，使之成为可更新的资源。

Ichthyornis 鱼鸟属 鸟类的一个绝灭属，约6个种。化石见于美国大平原区的上白垩统（9 900万年前至6 500万年前）。鱼鸟目（Ichthyornithiformes）唯一具有发育强壮的翼的飞鸟属，是美国古生物学家O.C.马什的著名发现。两个最著名的种约像家鸽一样大。有迹象表明该属没有齿，像其现代亲缘种类。由于以前认为这些种类有牙，故将其与另一绝灭的海鸟（黄昏鸟属，*Hesperornis*）归为一类。鱼鸟的脑大于黄昏鸟，但小于现代鸟类。另一原始特征是脊椎像原始的爬行类。胸骨大，有强大的龙骨突。翼骨长而发达，肩带似善飞的现代鸟类。腿强壮，胫骨短，趾长，后趾小而略高。尾有发育完善的尾综骨。有迹象表明鱼鸟善飞，可能具蹼足，一般体形似现代海鸥和燕鸥。这种相似性被认为是表面的，因为鱼鸟脊椎的形态不同于上述种类，然而，鱼鸟被公认为新颌亚纲（Neognathae，现代鸟类）的成员。这两类为人广泛注意的白垩纪鸟是潜水鸟类，也可能具水生习性。因为在古新世和始新世的鸟类化石中发现了现代鸟科的代表，看来除黄昏鸟属和鱼鸟属以外，其他鸟类在早第三纪以前的白垩纪也已经存在。直到白垩纪岩层中发现明确的其他与现存潜鸟、鹈鹕、红鹳、鹤、滨鸟类等有亲缘关系的鸟类化石，这些知识才为人所知，这表明鸟纲很早就出现多样化。

ichthyosaur 鱼龙 一类绝灭的水生爬行动物之任一成员，其外形和习性很像海豚。鱼龙是适应水生环境、最高度特化的爬行类。地理分布广阔，并且经历了几乎整个中生代（2.48亿年前至0.65亿年前），但在侏罗纪和三叠纪期间（2.48亿年前至1.44亿年前）种类和数量最多。德国南部下侏罗统细粒页岩内有极好的化石标本，保存着身体的轮廓，包括发育完善的肉质背鳍。代表属是鱼龙属（*Ichthyosaurus*）。鱼龙即由鱼龙属得名。侏罗系的鱼龙格外著名。外表很像鱼，身体呈流线型、没有明显的颈部，头很自然地与身体融合，四肢已改变成桡足状器官，起推动身体运动的作用。利用发育完善的鱼状尾鳍和身体

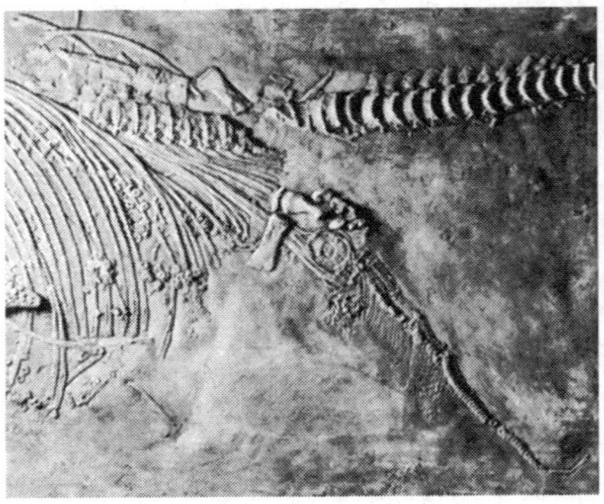

德国符腾堡出土的鱼龙化石，可能是分娩期死去的雌性动物和胎儿
美国不列颠百科全书公司供图

的摇摆行进。脊柱由圆盘状的脊椎组成，脊柱向下弯到尾鳍的下叶，尾鳍的上叶没有骨头支撑。早期的复原图曾画出具有笔直的脊柱，直到发现了保存完好的化石，才明了脊柱弯曲的自然状态。鱼龙头骨长，颌部非常细长，有许多尖齿武装。眼很大，鼻孔位于头顶的很后方，是对水生生活的另一种适应。长约3米。大概能高速游泳。很可能主要以鱼和其他海生动物为食。鱼龙因水中生存而如此高度特化，以致不可能冒险登陆。假如在海岸搁浅，就会像冲上海滩的现代的鲸或海豚一样，无力自拔。它逐渐形成能在水中繁殖的机制。已知的几个标本中，较大的个体里面保存着未成年的小鱼龙骨骼化石。尽管有人推测是被吞食的小鱼龙，但更可能是分娩期死去的雌性动物和胎儿。鱼龙的祖先尚不十分清楚。一些中生代早期的代表已有大部分属于此类特征的特化现象，它们适应于不同习性，一种类型以软体动物为食，齿改变成扁平的压磨结构；另一种类型，下颌缩短，上颌长而尖、构造上类似现代箭鱼。鱼龙至中生代末逐渐稀少，绝灭于中生代结束之前。

ichthyosis 鱼鳞病 又作fish-skin disease或xeroderma。又称干皮病。由皮肤角质层过度增生所致的皮肤干燥、脱屑的遗传性皮肤病。皮肤角质层死细胞不能正常地脱落而粘连在皮肤表面形成鳞屑。较重的病例可有角质斑块及丘疹。本病患者的皮肤对刺激的耐受性较差。气候寒冷时，容易出现严重的龟裂。鱼鳞病在初生时多无症状。随儿童年龄增长，即出现干性糠样鳞屑，四肢伸侧较为显著。鱼鳞病有时可伴汗腺缺乏，偶伴毛发、牙齿及指（趾）甲发育不良。轻型的寻常性鱼鳞病可能是最常见的遗传性皮肤病。

Ichthyostega 鱼石螈 两栖动物的绝灭属。化石见于格陵兰东部的上泥盆统（泥盆纪始于距今约4.08亿年，延续约4 800万年）。是已知最早的能称作两栖类的脊椎动物之一，保留许多像鱼的特征。长约1米，沿尾部边缘有一个小背鳍，尾部有一连串骨质支撑物（见于鱼类的典型尾部骨质支撑物）。其他像

鱼石螈（*Ichthyostega*）模型
美国不列颠百科全书公司供图

鱼的特征，包括较短的口鼻部，颊部具前鳃盖骨（在鱼中是作为鳃盖的一部分），身上有许多小鳞片。与较进步的两栖类具有共同的进步特征，包括典型的早期两栖动物的四肢和肢带，没有鳃，强大的鳍条。鱼石螈及其近亲代表着似乎接近产生进步两栖类的演化线的类型。鱼石螈类可能延续到密西西比纪。

icicle fish 银鱼 又作icefish或glassfish。又称冰鱼、玻璃鱼。银鱼科银鱼属（*Salanx*）多种半透明鱼类的统称，见于东亚咸水和淡水中，在中国被誉为美味。体细长，似鳟鱼，无鳞或具细鳞，很少长于15厘米。口大并有大的尖牙。为掠食性鱼。

Ickes, Harold L(eClair) 伊克斯（1874-03-15，美国宾夕法尼亚弗兰克斯敦～1952-02-03，华盛顿[哥伦比亚特区]） 美国社会活动家，F.D.罗斯福总统新政时期民主党政府重

美国国会图书馆供图

要成员。1907年进入伊利诺伊律师界，经常免费受理有关公民自由的案件，积极提倡市政改革和限制公用事业公司股份。他长期摇摆于两大政党之间，1932年选举中说服开明的共和党人倒向反对党，因此作为进步共和党人被罗斯福总统选任内政部长。他积极拥护、推行新政，为保护自然资源免受私人资本染指而奋斗不懈。1933～1939年任公共工程署署长期间声誉日增。但花钱过于审慎，使不少工程项目（自公路、公共建筑至大型西部水坝）进展缓慢，未能及早振兴萧条的国民经济。他主持的公共工程合同，经费多达50多亿美元，但绝少贪贿情事。他对消费者的宝贵贡献之一是确立计算电费"尺度"。后因与H.S.杜鲁门总统发生争吵而于1946年2月辞职。遗著有《H.L.伊克斯秘密日记》（3卷，1953～1954）。

Icknield Way 伊克尼尔德驿道 横穿英格兰的著名史前小道。从诺福克郡到威尔特郡，途经东安格利亚山岭、奇尔特恩丘陵和伯克郡丘陵。初指伯克郡西部路段，现泛指泰

晤士河以北的道路。

icon 圣像 东派基督教的传统，指以壁画、镶嵌画或木屏画等形式表现神、圣者及圣迹。8、9世纪间有人反对崇拜圣像，认为这种作法在宗教上既无补益又无意义，于是引起争

14世纪初期的君士坦丁堡圣像画《圣母领报》
美国不列颠百科全书公司供图

论。其后，东派教会提出拜像理论：既然上帝可以通过耶稣基督的身体取得物质形象，当然也可以表现在图画中。东派教会认为圣像是教堂中的不可缺少的组成部分，拜像是礼拜仪式中的重要内容。祭台前立有**圣像屏**(**iconostasis**)，上绘《新约》故事、节日故事和著名圣徒轶事，用以教育未受过教育的信徒。根据古典的拜占廷与正教传统，圣像是象征的而不是写实的艺术，其作用是以线条和色彩来表达教会的神学教义。

Iconium(Turkey) **伊康** 参阅 **Konya 科尼亚**。

Iconoclastic Controversy 圣像破坏之争 8、9世纪拜占廷帝国内部关于使用圣像的争执。反圣像派提出种种理由，包括《旧约》十诫中关于禁止拜偶像的诫命(《出埃及记》20:4)，主张废除圣像。拜圣像派强调圣像的象征意义和受造物本身的可崇敬。730年拜占廷皇帝利奥三世禁用圣像，迫害拜圣像派。继利奥三世之位的君士坦丁五世迫害尤其严厉。787年皇后伊林娜在尼西亚召开第七次普世教会会议，宣布恢复使用圣像。815年利奥五世即位，反圣像派又得势。815年公会议再次禁用圣像。842年皇帝狄奥斐卢斯死，843年皇后宣布恢复圣像崇拜，圣像破坏运动从此结束。

iconography 图像学 对视觉艺术中的符号、主题或素材进行鉴别、说明、分类和解释的学科。也可指艺术家在某一作品中对这种图像的运用。19世纪，图像学从考古学中分出，主要研究基督教艺术作品中宗教符号的出现和含义。20世纪，除继续进行基督教艺术的图像研究外，欧洲艺术的世俗图像研究和古典图像研究也在探索中前进，同时开始了对东方宗教艺术的图像学研究。

iconostasis 圣像屏 设在遵守拜占廷传统的东派教会教堂中的屏壁，常立于至圣所与中殿之间，或木或石或金属结构。圣像屏中部有正门，门有帷幕，至圣所即在其后。两侧各有一侧门。正门左侧绘"道成肉身像"，显示圣母及圣婴，右侧绘"基督复临图"。从正门内窥可以见到圣体圣事所用的圣体，象征两次君临世界之间的耶稣基督。门板上分别绘有马太、马可、路加、约翰四位传福音使徒

莫斯科克里姆林宫天使长大教堂内1505～1509年的圣像屏
美国不列颠百科全书公司供图

像；"圣母领报图"和"最后晚餐图"。屏壁上分别展示天使长加百列、天使长米迦勒、十二使徒、教会节日、《旧约》众先知等像或图，画中人物都分别面向各门。

ICSH (interstitial-cell stimulating hormone) 参阅 **luteinizing hormone 黄体化激素**。

ictalurid 鮰鱼 鮰科(Ictaluridae)鱼类的统称，包括北美及中美淡水鲶鱼，约35种。鮰鱼为"典型的"鲶鱼，头大而宽；体长，向后渐细；无鳞，有口须8条。本科包括斑鮰(海峡猫鱼)及其他北美鲶类(参阅 **catfish**)，以及**石鮰**(**madtom**)和**牛头鮰**(**bullhead**)。

Icteridae 拟黄鹂科 雀形目燕雀亚目的一个鸣禽科，由新大陆88种在体型、习性和食

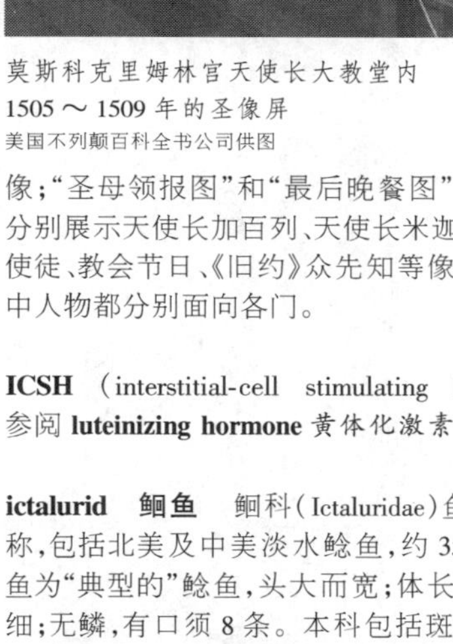

拟黄鹂(*Icterus icterus*)
美国不列颠百科全书公司供图

性上差异很大的鸟类组成，分布于南北美洲。体长16～54厘米，喙圆锥形，脚强健，翼长而尖。多为不同程度的黑色。本科包括黑鹂(黑鹂属[*Agelaius*])、拟八哥(拟八哥属[*Quiscalus*])、黄鹂(拟黄鹂属[*Icterus*])、草地鹨(草地鹨属[*Sturnella*])、牛鹂(牛鹂属[*Molothrus*])和食米鸟(长刺歌雀，*Dolichonyx oryzivorus*)等常见属种。热带的属种有拟黄鹂(*Icterus icterus*)、拟椋鸟(拟椋鸟属[*Psarocolius*])和酋长鸟(酋长鸟属[*Cacicus*])。

Ictinus 伊克蒂诺(活动时期公元前5世纪) 又拼 Iktinos。古希腊雅典最负盛名的建筑师之一，以其作品雅典卫城的帕台农神庙、埃莱夫西斯的秘密宗教神庙和巴赛的阿波罗·伊壁鸠鲁神庙闻名于世。据维特鲁威所著《建筑十书》记载，帕台农神庙为伊克蒂诺和卡利克拉特合作设计。他还与考罗勃斯、梅塔吉尼合作进行位于埃莱夫西斯的得墨忒耳和珀耳塞福涅神庙中台雷斯特里厅的重建和扩建工程，该厅为举行秘密宗教仪式的所在，厅内有岩石凿成的座位。伊克蒂诺可能在建成帕台农神庙之后，于公元前430年左右，前往埃莱夫西斯从事此项工程。巴赛的阿波罗·伊壁鸠鲁神庙被认为是伯罗奔尼撒半岛上最美丽的神庙之一。大部分殿柱至今屹立如昔，一段爱奥尼亚式檐壁保存在英国不列颠博物馆内。

id 本我 源出拉丁语，意为"它"。又译伊特、伊德、原我。S.弗洛伊德精神分析学说中，本我与**自我**(**ego**)、**超我**(**superego**)是构成人类人格的三个基本力量。在发育过程中，它是精神领域中最古老的，它包含与躯体的原始本能(尤其是性和攻击)有关的心理内容，以及构成人体的一切遗传的、与生俱存的物质。本我不以外界环境和时间的流逝为转移。它毫无组织，既不知逻辑又不识理性，还包藏着许多并存但又互相矛盾的冲动。它完全根据趋乐避痛原则发挥作用，本我包含着冲动或寻求立即的满足，或互相联合以求妥协性的满足。本我为有意识的精神生活提供发展和继续运转的能量，尽管对于成人来说这完全是无意识的(在儿童则非完全无意识)。意识清醒的人说走嘴时、在俏皮话中、在创作的艺术中、在其他至少在某种程度上是偶然的表达方式中，本我的内容会以改头换面的形式表现出来。根据弗洛伊德的理论，揭露本我的内容的主要方法，是对梦的分析和自由联想。许多精神分析家现在认为本我的概念过于简单，但对于分析甚至存在于最正常的人中的、非理性和反社会冲动来讲，这个概念仍然有用。

ʿĪd 尔德 阿拉伯语"节日"之意。突厥语称作"拜朗姆"。指伊斯兰教两大节日，即开斋节(亦称肉孜节)和宰牲节(亦称古尔邦节)。前者又称小节，接伊斯兰教历赖买丹月(斋月)之后，为闪瓦鲁月(10月)的头三天。在这期间，举行正式宴请，拜访亲友，朋友互相祝贺，馈赠礼品，着新衣，游坟悼念亲人。后者又称大节，在都尔黑哲月(12月)10日及其后三天。在所有穆斯林地区，凡有能力者，此时要以规

定的牲畜(绵羊、山羊、骆驼或牛)作为牺牲献祭。宰牲肉在自己、穷人、朋友和邻居之间平均分配,以纪念伊斯玛仪以羊替代获赎。

Id al-Adha 古尔邦节 亦称宰牲节。穆斯林两大节日之一。参阅ʻ**Īd** 尔德。

Ida 艾达(?～559) 盎格鲁人在不列颠群岛建立伯尼西亚王国后不久即位的国王(547年起)。他建筑了贝班伯赫(即现在的班巴勒)要塞。其王国领域未越过蒂斯河以南。死后王位依次传给他的6个儿子。

Ida (Greece) 参阅 **Idi** 伊季山。

Ida 伊达 现土耳其卡兹山,为小亚细亚西北部山脉,在古代特洛伊城遗址附近。伊达山脉是古典神话传说中的圣地,据说帕里斯曾在这里评判过比美的女神们,也是侍童该尼墨得斯被掳的地方。最高峰约1 800米,据说诸神曾在峰顶观看过特洛伊战争。伊达(伊代、伊迪或普西洛里蒂)也是克里特最高山峰(2 456米)的古代名称,是另一个古典神话圣地,据说宙斯被抚养长大的洞穴即在此处。

IDA 参阅 **International Development Association** 国际开发协会。

Idah 伊达 尼日利亚贝努埃州城镇。在尼日尔河东岸的砂岩陡崖上。原为伊加拉人的传统首府。16世纪初为贝宁王国所有。19世纪为繁荣的港口,向欧洲出口棕油、棕仁和橡胶,并将谷物、棉花、土布、马匹等牲畜以及刀具、罐子等运往南方的伊博人地区。现为沿河棕榈产品、薯蓣、木薯、稻米、水产的主要销售中心,亦生产独木舟、鱼网、肥皂、手工艺品和棉织品。附近有石灰石开采业。东北偏东109千米处的安帕附近有煤矿。居民主要为伊加拉人,多信伊斯兰教。自从19世纪60年代以来,基督教传教士在伊加拉人中很活跃。设有基督教会中学、师范学院、联邦工学院、手工艺学校和一所医院。有公路通恩苏卡和阿扬巴。人口约55 860(1991)。

Idaho 爱达荷 1890年7月3日成为美国第43州,是落基山诸州之一。该州也经常被划为太平洋西北区的一部分,这个区的东部以大陆分水岭为界,整个地区实际上就在哥伦比亚河流域之内。州名过去认为是一个印第安人的名字(Ee-dah-hoe),意为“山之珍宝”,实际上是虚构的。

爱达荷面积216 432平方千米,包括2 986平方千米的内陆水面,相当于新英格兰地区6个州总面积的一倍。州界的划分有历史和地理两方面的依据。北面沿49°纬线与加拿大的不列颠哥伦比亚省接壤,南面则沿42°纬线与犹他州和内华达州相连;两条州界线均根据条约确立,北面界线由美国和英国于1846年划定,南面界线由美国和西班牙于1819年划定。东北沿大陆分水岭在该州的锅柄状地区与蒙大拿州相邻;东面跨越黄石国家公园的一小部分与怀俄明州连接;西面与俄勒冈州和华盛顿州相连的州界,是一条770千米长的直线边界,但在刘易斯顿与韦泽之间以斯内克河的赫尔斯峪谷为天然分界线。州府博伊西。

爱达荷的形状很像一只伐木工人的靴子,恰巧反映了境内山峦起伏,森林茂密,伐木和采矿业发达的情况。该州保留着几处美国尚未遭受破坏的大面积自然区域,包括约1 012 000公顷的莽原和未开垦的土地,这里几乎没有道路和车辆。太阳谷自1936年开放以来,已成为世界驰名的冬季运动胜地。爱达荷有丰富的地下水资源。温泉在该州许多地方都可找到,在博伊西的一些家庭及公共建筑中被用于取暖。博伊西的名字源自法语 boisé,意为“林木茂盛”,表明当年的开拓者们在跨越荒凉的斯内克河平原时视其为一片绿洲,适合拓居。开拓精神至今仍明显地表现在投票的独立性上,选举已超越党派的界线,对自由派的观点和候选人表示支持时尤为如此;在一个其他方面还是相当保守的环境里这种事情已很常见。

自然地理和人文地理

土地 该州自然环境的特点是景观的多样化,使得社会生活、政治、经济及文化发展反映出许多地方色彩,动植物和土壤类别也多种多样。在影响该州气候的因素中,海拔高度比纬度更为重要。北部地区的平均海拔比中部和南部大部分地区低得多。来自太平洋的西风几乎吹遍全州,特别是北部和西南部地区。东南部各县较干燥寒冷,大陆性气候更为明显,但爱达荷的气候与大陆分水岭以东同纬度的多数州相比较为温和。

地形与流域 4个主要自然地理区各有一部分位于爱达荷境内:北落基山、中落基山、哥伦比亚流域以及盆地和山脉区。北落基山自加拿大边境延伸至爱达荷中南部,占全州面积近一半。在爱达荷中部,常见3 000～3 700米高的山峰;洛斯特里弗岭的波拉峰高3 859米,是该州最高峰。这一地区的著名山岭还有索图斯岭、派厄尼山、大陆分水岭、比弗黑德山和比特鲁特岭。山峰高度向北逐渐变低,至加拿大边境约高6 000英尺。

中落基山是沿爱达荷-怀俄明州界伸展的狭长地带,包括几条南北走向和西北至东南走向的山脉,高度在7 000～10 000英尺之

爱达荷州诺雷特恩莽原的萨蒙河
美国不列颠百科全书公司供图

间。各山脉之间为禾草和艾灌丛覆盖的高原和山谷，以及几个小湖泊。

盆地和山脉区一直延伸至爱达荷东南部，是大体上呈三角形的沙漠地带，三角形的底边为爱达荷和犹他两州的州界。数条南北走向、较低矮的岩石断层山岭将砾石盆地分隔成若干小块。

爱达荷的其余部分构成斯内克河高原，属哥伦比亚河流域。斯内克河像宽宽的弯月沿着高原流过该州南部和西部，是州内仅次于北落基山的重要自然地貌。斯内克河源于东南部山区，与黄石国家公园的数条支流汇合后，由东向西流经"艾草爱达荷"。庞大的开垦工程使河谷拥有全州大部分水浇农田。斯内克河途经的赫尔斯峪谷深2 400米，为北美最深的峡谷；沿河还有肖肖尼瀑布，高212英尺。斯内克河谷是一组复杂的地质构造，有湖泊、熔岩层、平顶山、孤山、峡谷和荒漠景象，最有象征性的是月球火山口国家公园的火山口和火山锥。

爱达荷有约2 000个湖泊，水是该州的最大资源。工业、农业和人口主要分布于斯内克河沿岸。该州利用斯内克河丰富的水源发展成为全美国最大的灌溉区之一，并建有水力发电站。

气候 爱达荷多山的地形形成多样化的气候类型。通常，海拔增高雨量也随之增大，而平均温度则下降。爱达荷东部的高山不同程度地挡住了来自蒙大拿和怀俄明的冷空气，使该州的平均气温高于同纬度和同海拔高度的州，以及更靠近大陆中部的地区。1月平均气温在中部山区的戴德伍德水坝为-8°C，而在锅柄状地区中部的奥罗菲诺则为-1°C。7月平均气温在戴德伍德水坝为16°C，在西南部的格兰德维尤为25°C。

爱达荷西部位于华盛顿和俄勒冈山脉的雨影区，只有海拔较高地区有充沛的雨量。斯内克河高原大多数地方年降雨量不足250毫米，为全州最干旱地区。另一极端例子是：北落基山的许多地段年降雨总量在50英寸以上，多数为降雪。

动植物 爱达荷的动物种类繁多，包括许多种鸟、哺乳动物、鱼、两栖动物和爬行动物。它们分布于6个生态区，从斯内克河高原的艾草平原到高海拔山脉的高山草地，生态各不相同。广阔的常绿林覆盖的多山地带占全州面积的2/5。北部森林主要产西部白松、白枞、其他冷杉属树木及黄杉等；南部森林主要产黄杉、美国黑松、美国黄松等。高山的低坡处，特别是北部山区，则盛产颤杨、槭、柳、白桦、椤和花楸。

爱达荷是有灰熊和狼出没的少数几个州之一，但数量很少。位于该州东南角的格雷斯湖国家野生动物保护区，长期养殖北美濒危鸟类之一的美洲鹤，并用沙丘鹤代为孵化，以便进一步扩大鸟的数量和分布范围。在爱达荷还存在着其他几种濒危动植物，包括麦克法兰紫茉莉和林地北美驯鹿。

爱达荷以莽原区及冷水鱼而闻名。该州许多河段和溪流中均可以捕到鲑，包括凯姆卢普鱼及硬头鳟等品种。美国一些最偏远的山村，如弗兰克彻奇-里弗诺雷顿、塞尔韦-比特鲁特、戈斯佩尔赫姆鲁等莽原区，是爱达荷的腹地，也是美国本土48州中最大的连成一片的莽原区。这些莽原区及毗邻的林区是捕猎驼鹿、落基山山羊、大角绵羊和黑尾鹿的理想场所。爱达荷还是有大量艾草榛鸡和尖尾松鸡的少数几个州之一。

住区模式 许多种因素，如宗教、农业、交通、地形、工业、文化纽带和地区自豪感等，对爱达荷多样的区域特色起了一定作用。多年来政治家和作家一致把爱达荷分成北爱达荷(北部10县)和南爱达荷(其余各县)。但是对选举态度的研究表明有4个选举形式明显不同的地区：北部10县和南部3个相互分隔的地区，大体分为西南区、中南区和东南区。而更加实际的区域性却是围绕贸易和市场中心形成的，有时还跨越州界。这些具有共同特色的区域包括北方的刘易斯顿和华盛顿州的斯波坎；南方的博伊西、特温福尔斯、波卡特洛和爱达荷福尔斯；还有犹他州北部的洛根-奥格登-盐湖城轴线。

除矿区和伐木区的居民点外，爱达荷南部的居住区大多沿斯内克河而建。有一条狭窄的农业地带自波卡特洛向东北延伸；农业地区向西延续到全州人口最集中的博伊西谷。帕卢斯和卡默西草原地带属农业区，刘易斯顿一带工业和服务性行业则比较发达。在北方，采矿、伐木及农业都很重要，乡村分布于社区生活中心的周围。为方便当地居民，每个社区都有教堂、学校、商业贸易机构、银行及各种服务行业。

人民 爱达荷各县的乡村人口不断流向城市，农场和牧场也不断扩大。入境移民大多来自西部、中北部以及南部各州，而出境移民大多前往西部。95%的人口为白人，其祖先多数来自英国、德国、爱尔兰、法国、意大利和波兰。美国印第安人为第2大种族，还有相当数量的亚洲人、黑人和西班牙人。

爱达荷近半数人口信仰基督教，其中约一半人为摩门教徒。其他几个较大的教派为天主教、卫理公会和长老会。由于接近盐湖城的摩门教总部，与犹他州有十分牢固的宗教纽带，东南部若干城市有90%以上的居民信奉摩门教。人口1 293 953(2000)。

经济 爱达荷的经济地位介乎高度发达和欠发达的州之间。在20世纪，工业的发展已取代了对农业、伐木和采矿业的依赖。该州的旅游收入在美国名列前茅。政府提供的资金为该州第2大财源。除农业和小型商业外，劳动力组织有序。

农业和林业 草原地带和山区高原均大量饲养肉牛和羊。爱达荷拥有部分美国最肥沃的农田，尤其是斯内克河平原的灌溉区。在各种农作物中，马铃薯几乎成为爱达荷的同义语，但小麦、小扁豆、大麦、燕麦、甜菜、豌豆、菜豆类、苜蓿也是重要的农业收入来源。该州总面积的2/5为林区，每年从商业林场砍伐大量原木。主要树种为黄杉、美国黄松及西部白松。

采矿 虽然昔日金矿的发现和随之而来的淘金热开创了爱达荷的采矿业，但如今黄金对该州经济已不再重要。爱达荷的银、铅、锑及钼的产量均已跃居全国前3名。东南部磷酸盐的开采及加工亦比较重要。

水电大多由斯内克河上的各水电站提供，是企业及私人用户的主要能源来源。天然气和油的用量逐渐增加，而废木材产品的重要性随之下降。位于阿科附近的爱达荷国家工程实验室主要是联邦政府核反应堆的研究和试验基地，也用以提供能源。

工业 制造业的产值超过农业对经济的贡献。大部分收入来源于食品加工、林业和矿业产品，表明该州经济在很大程度上仍依赖于初级产品。

运输 莽原和山脉给交通运输带来不便。连接爱达荷南部和北部的主要公路只有一条，几乎所有经过该州的州际公路都是东西向的。有3条横贯大陆的铁路穿过锅柄状地区。南部则只有一条铁路。地理条件对空运也同样有影响，为此建有许多小型机场向该州偏远地区提供运输服务。这些机场主要由私人或承包飞行员使用。爱达荷有一条水路自刘易斯顿经斯内克河和哥伦比亚河通向太平洋。由于平潮期远洋驳船可在刘易斯顿码头停靠，该市已成为重要的工业和航运中心。

行政与社会状况 **政府** 爱达荷根据最初于1889年制定的宪法进行运作，它具有南北战争后加入联邦的一些州的特征，其宪法规定行政、立法和司法三权分立，但限制州长的权力。宪法很详细，包括属于各项法令的许多规定；它已被修订过90多次。

1890～1914年政府中的唯一变动是成立了许多不属州长领导的服务性和指导性委员会或局。第一次世界大战后行政机构改组，为更能与民主政体相适应，这些单位被合并。30年代经济大萧条时期又出现了数十个新的委员会和局，并继续发展。1974年州政府又再次改组。行政部门包括6名选举产生的官员，不受州长及19个部的支配，部下设100多个局、委员会和政务会等机构。州长和其他行政官员的任期为4年，连选连任。州议会每年召开一次，由42名参议员和84名众议员组成，议员任期均为2年。司法职能由州最高法院、上诉法院、7个地区法院以及各县地方法院执行。地区法院可承办案件，也可以听取上诉。

在美国，很少有选民能像爱达荷选民那样具有独立性，党派的凝聚力难以保持；官员们一旦当选，往往在党派的态度和思想观念上表现各异。这种独立性在州及全国选举中往往体现在对问题的争论上，而在本地选举中则体现在对人物的看法上。两大主要政党通常左右着爱达荷的政治生活。选民们选举共和党候选人的次数稍多一点，但通常侧重自由和问题的跨党派投票能使任何全州选举的结果难以预料。共和党长期控制州议会，而州长人选往往是来自民主党。预先决定候选人提名的政党代表大会已为开放预选所取代。

爱达荷地方政府，包括县、自治县、学区、特殊目的区等，共有1 000多个部门；特殊目的区具有有限征税权。地方政府下属机构的特殊职能多数由县和市执行。县长兼有立法与行政职能，权力很大。州议会多年来一直拒绝通过地方自治法规。

宪法规定州的债务应不超过200万美元。由于联邦及州政府拥有爱达荷70%左右的土地，为健全的公共财政体系取得一个公平基面的难度增大。州政府的主要税收来自个人和企业的所得税以及消费税，而这些收入的大部分要返给公立学校区。除对酒类销售外，州政府实际上对企业或公用事业公司并不加以控制，而政府仅作为服务机构而不是管理机构的态度也更有利于企业的发展。

教育 19世纪60年代开始移民时，传教团设立的印第安人学校便增设白人学生班，建州后又成立了由政府赠地兴办的大学。1912年起，设州教育委员会，负责管理教育经费，审查教师资格，并执行其他职能。1939年设立的地区性初级学院系统到1965年已遍及全州。国家资助的爱达荷大学(1889，建于莫斯科)、爱达荷州立大学(1901，建于波卡特洛)、博伊西州立大学(1932)，以及私立爱达荷学院(1891，建于考德威尔)和西北拿撒雷恩学院(1913，建于楠帕)，都可授予高等学位。爱达荷大学既是一所农业大学，又是该州的主要教育机构，对与该州经济有关的各个学科，例如工程、采矿、林业、野生动物和牧场科学，授予学士以上学位，并对商业、教育、艺术和文学等学科授予同样等级的学位。

保健与福利 爱达荷选民对经济事务一般持保守态度，但对社会福利及教育计划却比较慷慨，并且两党都赞成。全州税收的近1/5用于公共保健和政府补助计划。此外，社会公德感及一部较好的民权法也是这些显著成就取得的基础。因为劳动合同按照全国的模式而生活费用则低于许多州，生活水平相对较高。

爱达荷分几个保健区向全州提供公共保健服务。尽管医生与人口的比例偏低，许多农村医院也难以维持，但保健服务的范围却比得上美国大多数州。所有大城市都有高水平的医院和出色的私人医疗服务机构。

文化生活 矿工村的几个剧场曾演出过多种多样的音乐剧及严肃戏剧，是爱达荷最早的“文化”。长期以来，文化发展的模式由传教士和教会组织制定。爱达荷大学在发展音乐、艺术、建筑、创作和戏剧等文化活动中发挥了重要作用。除当地律师和医生外，该校学生回到小城镇后往往是社会上唯一受过大学教育的人。其他高等教育机构也创造出许多感人的艺术节目。

爱达荷年轻的文化孕育了不少广受赞誉的艺术家，如小说家V.费希尔，其作品强烈谴责专制和暴虐；C.R.布林克，他既为成年人又为孩子们写书。E.海明威住在爱达荷时写了许多部书，他很欣赏爱达荷的莽原景观。

所有大学和学院都成立了交响乐队、合唱团和剧团。在一些城市，如博伊西、波卡特洛和莫斯科，还有管弦乐团。爱达荷大学以及科达伦和刘易斯顿两市均有夏季剧场。爱达荷艺术委员会在全州范围内赞助和推动艺术展览、讲座、文学、电影、戏剧和音乐等活动。

爱达荷的公园遍布全州。此外，还有几个国家公园，黄石国家公园的一部分也在爱达荷。月球火山口国家公园是美国稀有的地质奇观之一。美国林务局在全州设立了许多露营园。

历史

早期历史和移民 19世纪40年代以前，当野牛群已消灭，前往加利福尼亚的篷车队开始到达时，印第安人已在爱达荷一带居住了至少10 000年。在北部居住的是库特内族、语言相同的萨利什族(卡利斯佩尔人)、科达伦族和内兹佩尔塞族。北派尤特居住在中西部地区，西肖肖尼族和北肖肖尼族则分布于南方一带。大多数部族散居于小村落中，每个村落由若干家庭组成。他们随捕鱼、狩猎和采摘的季节而迁徙，彼此间很少联系。各部族如今仍大致生活在原地区，有些居住在州内的保留地。

1805年刘易斯和克拉克探险队抵达爱达荷时，那里仅大约居住着8 000名印第安人。1809年在北部的庞多雷湖建立起第一个贸易站。此后，传教士随着毛皮商人也来到这一地区。1848年，成千上万名淘金者经过该地前往加利福尼亚，但在1860年爱达荷北部发现金矿后，许多人又向东返回。随后到来的大批移民要求土地，要求政治稳定，这在当时还是没有保证的。以后农业逐渐在经济上居于主导地位。

准州时期 爱达荷最早属俄勒冈地区，该地区先后被西班牙、俄国、英国和美国占领。在英美两国达成协议以纬线49°作为美国北部边界后，俄勒冈准州于1848年成立。俄勒冈准州包括现今的爱达荷、俄勒冈、华盛顿及蒙大拿的一部分。自1853～1859年爱达荷被划入俄勒冈及华盛顿准州，以后又全部归入华盛顿州，直至1863年单独成立爱达荷准州。

1863年爱达荷准州的人口还不到17 000人，到1890年建州时已增加到90 000人。新移民大多是南部邦联难民，在南北战争结束后的年代里，他们经常控制着州议会，反对联邦政府任命的共和党州长。政治上的倾轧和治安维持会是准州年代边远地区生活的基本组成部分。这一时期该州政治和社会生活中具有特色的事件和趋势是：一夫多妻制的摩门教徒(后期圣徒基督教派)和其他教派之间的矛盾；将准州分成不同地区的严重地方主义；强调个人权利和成就的民主先锋；铁路竣工促进了经济和人口的增长；铅矿和银矿的开采在山区开始；1889年建州前的最后一次准州议会决定成立爱达荷大学。

州的地位 19世纪90年代爱达荷的特征是劳工的不满往往引发为暴力行动。参议员W.博拉于1907年控告世界产业工人联盟(IWW)的组织者W.D.海伍德，虽不成功，但他在有生之年却成了爱达荷最重要的有全国影响的人物。20世纪期间，爱达荷一直致力于发展农业、林业和工业，同时在自然莽原的边缘保持着现代生活某些令人满意的方面。

Idaho City 爱达荷城 美国爱达荷州西南部博伊西县县城(1864)。在博伊西东北博伊西国家森林的山区中，埃尔克河与莫雷斯河交汇处以上。为爱达荷州早期最有名的新兴城镇。1862年在淘金热中建立，后成为该州中部和西南部运输、商业和社会活动中心。但采矿业很快衰落，人口锐减。几经灾变，城市已面目全非。现保存有共济会堂、旧沙金矿山、天主教堂、博伊西盆地博物馆和布特山公墓等。旅游业为主要经济支柱。人口458(2000)。

Idaho Falls 爱达荷福尔斯 美国爱达荷州东南部城市，邦纳维尔县县城(1911)。在斯内克河上游。1863年始有人定居，1890年设镇，1900年设市。早期为铁路路段站，后成为灌溉农业区的中心。有各种工业，然而主要经济来源为马铃薯种植、畜牧和旅游业以及附近的爱达荷国家核工程实验站。摩门教堂(1944)为河畔名胜。人口50 730(2000)。

Idalium 伊达利厄姆 又称伊达里昂，塞浦路斯南部古代城市，在今达利附近。在希腊前即已存在，是亚述国王以撒哈顿(公元前680～前669年在位)棱柱体碑(多边形碑)上

伊达利厄姆出土的约公元前600年的红陶土神庙模型

美国不列颠百科全书公司供图

所列10个塞浦路斯王国之一。伊达利厄姆最后在腓尼基城市基提翁的统治下，成为崇拜爱神阿佛洛狄忒和希腊-腓尼基之神瑞舍夫-阿波罗的中心。此处曾发现一红陶土模型，现藏罗浮宫，据称是该地瑞舍夫-阿波罗神庙的模型。

Idar-Oberstein 伊达尔-奥伯施太因 德国西南部莱茵兰-普法尔茨州城市。濒临纳厄河的伊达尔河口。1933年由伊达尔和奥伯施太因(均于1865建市)等地合并而成。17世纪以来一直有宝石研磨、钻石加工、贵重金属制品业。有著名的宝石博物馆。人口34 238(1998)。

ʿiddah 伊札 又译伊达。伊斯兰教用语，指丧夫或被休的穆斯林妇女再嫁之前依法必须等待的期间。根据《古兰经》第2章第228节的规定，妇女如是在经期内被休须待3次月经过后方可再订婚约，如非在经期则须等待3个太阴月。丧夫妇女须待4个月又10天后才能另订婚约。这些规定是为了判明在离婚前或丈夫去世前，妻子是否已怀有身孕。假如在这之前妻子已怀孕，她要等到孩子出生后再结婚。孩子的生父将是其合法父亲。对离婚的夫妇来说，伊札也为双方复婚提供一次机会。

Iddesleigh, Stafford Henry Northcote, 1st Earl of　伊德斯莱伯爵(第一)　参阅 **Northcote, Sir Stafford Henry** 诺思科特。

Iddings, Joseph Paxson　伊丁斯(1857-01-21,美国马里兰巴尔的摩～1920-09-08,马里兰布林克洛)　美国地质学家,他证明在岩浆活动同一个阶段中形成的相邻的各种火成岩之间有成因的关系。1880年进入美国地质调查局。1883～1890年参加黄石国家公园调查队。1895年任芝加哥大学岩石学教授。他参与编制《火成岩的定量分类》(1903),后来又出版《火成岩》(1909～1913)、《造岩矿物》(1906)和《火山作用问题》(1914)。根据研究各种岩石的结构和化学成分的等级划分,他断定物理条件影响着岩石的主要矿物成分以及晶体构造,并指出晶体的各种变化取决于温度和冷却速度;这就反驳了那个受到广泛支持的意见——粒状的岩石仅在很深处的大岩体中产生。

ide(*Idus idus*)　**圆腹雅罗鱼**　又作orfe。鲤科常见的垂钓鱼和食用鱼,广布于欧洲及西西伯利亚的江河湖泊。体细长,粗壮,蓝灰色或淡黑色,两侧和腹部呈银白色,长约

金雅罗鱼(*Idus idus*)
美国不列颠百科全书公司供图

30～35厘米。以其他鱼类、昆虫和其他无脊椎动物为食。金雅罗鱼是生命力较强的淡金红色的变种,常蓄养于池塘和公园湖泊中。

ideal gas(physics)　**理想气体**　参阅 **perfect gas** 完全气体。

ideal language　理想语言　在分析哲学中,仿照符号逻辑设计的一种精确的、不含糊的、结构清晰的语言,同日常语言形成对照,后者是含糊的、使人误解的,有时是自相矛盾的。在《逻辑哲学论》(1921)中,维也纳出生的哲学家L.维特根斯坦认为语言的作用是提供一幅"实在的图画"。真理就是提出与实在相符合的逻辑命题。一种理想语言可以被看作是确定关于世界的陈述有意义或无意义的必然准则。

ideal solution　理想溶液　不同物质的均匀混合物,其物理性质与各纯组分的性质呈直线关系。这种情况的典型叙述为拉乌尔定律。该定律适用于极稀溶液与少数浓稠溶液,即在溶液内,溶质与溶剂分子间的相互作用有如每一物质本身的分子间作用。苯与甲苯的分子结构类似,二者组成的溶液为理想溶液;二者组成的任何混合物的体积等于两成分各自体积之和,且在混合过程中,不放出或吸收热量;其溶液的蒸气压,在数学上,可由分子组成的线性函数来表示。而非理想溶液各成分混合时,混合物的体积与各成分体积的和,通常有差异,而且有热量放出或吸收。这类溶液的性质,常用它与理想溶液的偏差来描述。例如,丙酮与氯仿的混合物即显示出与理想情形有负偏差:其蒸气压较根据分子组成的线性关系所算出的为低。另一方面,丙酮与二硫化碳的溶液的蒸气压高于理想溶液。

ideal type　理想类型　社会科学研究中,根据可观察的现实提出的一种构想;这推衍过程由于难免带有简化和夸张的偏象,往往造成理想类型与现实的不能完全一致。这种推衍得出的类型,并不是因为它具备出类拔萃之处,也不是因为它符合平均水准从而被称为"理想"的;它的合乎理想之处,倒是因为通过选择和强调某些要素而使其本身合乎逻辑,以用来规范现实使之秩序井然。理想类型这一概念是由20世纪初期德国社会学家M.韦伯提出并用于其历史研究中的。某些作者把理想类型的概念用于一般的、超历史的现象,如那种出现于不同时期和不同地点的官僚体制,而韦伯本人则把它只用于独特的历史事件,如他那著名的基督教新教伦理学中所论列的诸问题。运用理想类型要注意避免那种聚焦于极端现象而忽略诸现象之间的互相关系这一倾向;同时也要极力克服困难,把理想类型及其各种要素尽量纳入整个社会体系之中的这一概念显示出来。

Idealism　唯心主义　一种哲学观点,强调观念或精神在解释世界方面的主要作用。唯心主义认为,世界或实在本质上是作为精神或意识而存在的;在实在中,抽象和规律比感性事物更加根本。唯心主义的典型信条有:"真理是整体,或绝对";"存在就是被感知";"实在在其最高地位(精神)中比它在其最低地位(物质)中更加真实地揭示它的最终本质";"自我既是主体又是客体"。

唯心主义的基本论点是:①存在就是被感知。这是18世纪英国主教G.贝克莱提出的论点。根据这个论点,客体的一切性质都是感觉的性质。这些性质只有当它们被某些具有感觉器官的主体或精神感觉到的时候,才是存在的。贝克莱否认物质客体的存在。②相关性论点。与"存在就是被感知"的论点密切联系的是主体和客体相互依赖的论点。作为一个主体,它的本质意义就是意识到一个客体;而作为一个客体,它的本质意义就是被主体意识到。因此,一个完全的实在是主体与客体的统一,也就是一个非物质的理想,一个具体的一般概念。③神秘主义的论点。根据这个论点,唯心主义者认为最终的实在是精神性的,只能通过人的直觉直接地去把握它。这样,神秘主义者就回避了正常的认识,而把感性客体和他们的知觉之间的复杂认识过程归结为直观的直接把握。④本体论的论点。这个论点是安塞姆提出的,作为对上帝存在的证明。他提出,一个被设想为绝对完满的事物必定是存在的,否则它就会有缺陷了。上帝的完满性要求他的存在。

哲学唯心主义以文化来区分,有东方和西方两种类型。在属于西方类型的唯心主义流派中,有贝克莱的主观唯心主义、康德的先验唯心主义、费希特的道德唯心主义、谢林的美学唯心主义及黑格尔的辩证唯心主义。费希特、谢林与黑格尔的唯心主义体系都是在康德所奠定的基础上产生的;与贝克莱的主观唯心主义相对照,它们都是客观唯心主义。但是,如果不是与贝克莱相比较,则费希特常常被称为三观唯心主义者,因为他把主体看得高于客体。与费希特的主观唯心主义相对照,谢林的哲学就称为客观唯心主义,而黑格尔哲学就称为绝对唯心主义。所有这些流派形成了当代西方唯心主义的背景,大部分现代西方唯心主义都是以康德、费希特、谢林、黑格尔的唯心主义作为基础的。

现代唯心主义者的一个学派提出了"回到康德去"的口号,因此被称为康德学派的唯心主义者,或先验唯心主义者。另一个唯心主义学派提出"从康德向前进"的口号,建立了新康德主义的马堡学派,或者叫科学的唯心主义。一神论唯心主义是由医学教师R.H.洛采创立的,他的理论受到一神论哲学和基督教新教神学家的欢迎。在英国,有T.H.格林、B.博赞基特、F.H.布拉德利等人的绝对唯心主义。在美国,有所谓"美国黑格尔学派唯心主义"运动(兴起于19世纪末叶)。美国宗教哲学家B.P.鲍恩建立了另一支重要的美国学派——个人人格至上论。除了这些类型,还有法国反唯理智主义者H.柏格森的生机论或创造的进化论。以上是西方类型的唯心主义。

属于东方类型的主要有印度、中国和日本的唯心主义派别。印度和中国的唯心主义典型的形式是神秘主义;在印度有吠檀多哲学,在中国有谶纬学派和慧能学派,它们都是神秘主义的。除了谶纬和慧能学派,中国唯心主义的著名学派还有:程颢、朱熹的二元论哲学,王阳明的主观唯心主义以及熊十力的"新唯识论"。日本的西田几多郎用黑格尔的辩证法解释禅宗佛教关于"无"的学说,在日本创立了有影响的绝对唯心主义体系。

以上是按文化划分的类型。按哲学部门划分,唯心主义又可以区分为形而上学的唯心主义、认识论的唯心主义、价值论的唯心主义、美学唯心主义和伦理学唯心主义等等。唯心主义派别之间是有斗争的;例如,精神一元论和精神二元论是对立的;个人人格至上论和绝对唯心主义是对立的;无神论的精神多元论和有神论的精神多元论是对立的。除了唯心主义内部的斗争,剑桥哲学家G.E.穆尔、实在论者B.罗素以及逻辑实证主义者,语言哲学家也都对唯心主义进行了攻击。

马克思及其继承者们借用了黑格尔的辩证方法,并以此有效地发展了辩证唯物主义,而成为一切唯心主义的劲敌。

Idealism, absolute(philosophy)　参阅 **absolute Idealism** 绝对唯心主义。

Idealism, subjective (philosophy) 参阅 **subjective Idealism** 主观唯心主义。

Idealism, transcendental (philosophy) 参阅 **transcendental Idealism** 先验的唯心主义。

Idelsohn, Abraham Zevi 伊德尔松(1882-07-14,俄罗斯帝国拉脱维亚菲利克斯堡～1938-08-14,约翰内斯堡) 犹太教堂乐长、作曲家、现代犹太音乐史研究的创始人、最早的重要民族音乐学者之一。曾在莱比锡、雷根斯堡和约翰内斯堡任教堂乐长,1905年移居耶路撒冷,任教堂乐长,并于1910年创立犹太音乐研究所。前一年他由维也纳科学院资助,开始根据口述的传统收集欧洲、亚洲和北非等不同犹太群体的音乐,汇编成10卷《希伯来东方音乐旋律宝库》(1914～1932)。该书与伊德尔松灌制的1 000余张唱片为犹太教圣经吟诵的最早的比较研究奠定了基础,并且证明即使是地理上遥相隔离的群体在宗教圣咏上也有着内在的统一。他的研究,特别是对也门犹太人圣咏的研究导引他对犹太人与早期基督教人圣咏间的密切关系作了进一步的探讨。他也对《玛加玛特》,即伊斯兰教音乐中所运用的旋律结构,作出重要的初步研究。他创作了第一部希伯来语歌剧《耶弗他》(1922),另一部歌剧《以利亚》未能完成。他的著作有:《犹太音乐的历史发展》(1929)、《犹太教仪礼》(1932)和2卷本的《歌曲集》(1913～1922),这是在巴勒斯坦出版的第一部希伯来语歌曲集。

Idemitsu Kōsan Co., Ltd. 出光矿山公司 日本石油化学制品公司。1911年创立,称为出光商会;1940年改组为股份有限公司,采用今名。总公司设在东京。公司原建于日本北九州之门司,为一杂货贸易公司,经销谷物和散装的燃料、润滑油等各种货物。1914年已开始在亚洲大陆扩张,在大连开设办事处,扩大销售网,从华北、朝鲜、台湾直至华南。第二次世界大战爆发时,在欧洲已闯入英、美、荷兰各公司占据的贸易领地。1945年,由于战争丧失海外市场而陷入困境。直到1949年,才从占领军当局获得经销石油产品的权利。先是专营销售,建造油轮、油站和仓库;到1957年,开始炼油,从海外各地输入原油加工。1976年,该公司已在日本海近海生产本国的石油和天然气。同时,1964年设立了子公司出光石化公司,开始生产各种从原料到成品的石化产品,如塑料、合成纤维等。

identity theory 同一论 在哲学中,近代唯物主义的一种观点。这种观点认为心与物尽管在逻辑上可能加以区别,但在现实中不过是单一物质实在的不同表现。它强调经验所证实的论题:"思想归结于脑的运动"。两面论与此观点相似,只有一个显著差别,即实在不是物质的,而是精神的或中性的。后种情形可用起伏不平的曲线表示;每个面透过局部全面地表现整个实在。

Idéologie 观念学派 法国18世纪末至19世纪初的一种哲学运动,将认识论问题(认识的本质或基础)归类为心理学问题,然后导出伦理和政治问题。观念学派经过分析观念后认为,孔狄亚克的感觉论的简单感觉因素,通过不断的综合,构成心理的和精神的思想的总和,并且最后构成社会、道德和政治思想的总和。该名最早由德斯蒂·德·特拉西提出;运动的中坚分子是孔多塞、曼恩·德·比朗和卡巴尼斯。

ideology 意识形态 社会哲学或政治哲学的一种形式。其中实践的因素与理论的因素具有同等重要的地位;它是一种观念体系,旨在解释世界并改造世界。最早采用这一名词的是法国革命时代的一位名叫A.L.C.德斯蒂·德·特拉西的哲学家,他用这个名词表示他所称谓的"观念科学",与那些解释性的理论、体系或哲学是有区别的,它是一种负有使命的科学;它的目标在于为人类服务,甚至拯救人类,使人们摆脱偏见,而为理性的统治作好准备。特拉西及其信徒曾设计一种国民教育制度,以期把法国转变成一个理性的科学的社会。他们的学说把对个人自由的信念和精心设计的国家计划纲领结合起来,因此曾一度成为法兰西共和国的法定学说。拿破仑起初支持特拉西及其同伙,但不久就转而反对他们,并且于1812年12月将法国军事上的失利归咎于"意识形态"的影响。因此,从那时起意识形态一词不仅在法国而且在德、英、意大利等国,都兼有褒和贬的双重含义。

从广义上说,意识形态可以表示任何一种注重实践的理论,或者根据一种观念系统从事政治的企图。从狭义上说,意识形态有五个特点:①它包含一种关于人类经验和外部世界的解释性的综合理论;②它以概括、抽象的措词提出一种社会政治组织的纲领;③它认定实现这个纲领需要斗争;④它不仅要说服,而且要吸收忠实的信徒,还要求人们承担义务;⑤它面向广大群众,但往往对知识分子授予某种特殊的领导任务。据此五个特点,就可知道意识形态的体系是多种多样的,例如,法国哲学家孔德的实证主义、共产主义和其他各派社会主义、法西斯主义、纳粹主义和各种国家主义,所有这些主义都是19和20世纪的产物。在这个时期,现世的信念日益取代了传统的宗教信仰。

意识形态同宗教有严格的区别。宗教理论是非现世的,它求诸灵性,强调信仰和崇拜,目的在于拯救和净化人的灵魂,而意识形态则是现世的,它诉诸团体、国家和阶级;宗教讲启示,而意识形态则讲理性。但在一些宗教运动,如基督教改革运动中,还可以看到近代世界最早的意识形态的因素。

黑格尔和马克思都曾经把意识形态作为"虚假意识"的代名词。黑格尔认为,人民是历史的工具,他们承担那些由他们不了解的力量指定给他们的任务,他们不了解历史的意义。只有哲学家能够了解事物的本来面貌和性质。有些批评家认为黑格尔的这种论点是企图提出一种维持现状的意识形态,因为如果人们真是些无关重要的人,他们的行动都由外界力量所决定,那么改变或改进政治环境和其他方面的环境的意图就没有什么意义了。这是马克思采取的一种批判,也是他在其《德意志意识形态》中予以发挥的论点。就此意义说,意识形态不过是人们用以欺骗自己的一套信念,是与真理相反的虚假意识而已。但马克思使用意识形态一词也不是始终如一,因为有些地方他也认为意识形态是实况的反映。20世纪的马克思主义者几乎都完全抛弃了意识形态一词所有的贬义含义,而把马克思主义本身也说成是一种意识形态。当代的德国社会学家M.韦伯和K.曼海姆等都把各种思想体系看成是一定利益集团的表现,将这些思想体系称为意识形态,意味着其真实性质是隐蔽着的。

有些政治理论家认为意识形态的成长对政治本身的继续存在是一种威胁。他们提出文明社会是个利益和目的都不相同的集团和个人所组成的复合体,目的的多样性是文明社会的特点。存在主义者加缪认为意识形态在现代世界中的兴起已经增加了人类无数的苦难;尽管大多数意识形态的最终目的是为了减轻人类的苦痛,但良善的目的并不准许采用罪恶的手段。

第二次世界大战期间,英、美两国反对纳粹主义。F.罗斯福总统因怀疑英、法帝国主义,竭力提出比较进步的意识形态,令人惊奇地容忍了苏联斯大林的策略。第二次世界大战后,有些意识形态著作家不仅使用火药味的语言,而且坦率地表示使用暴力的愿望。例如法国的政治哲学家G.索列尔,与其说是一位社会主义者,不如说是一个法西斯主义者。50年代可以说是一个意识形态对抗的冷战时期。共产主义固然是一种意识形态,而非共产主义或反共产主义又何尝不是一种意识形态。60年代有些著作家振振有词地提倡暴力;例如法国哲学家萨特竟认为"恶劣手法"在政治策略上是必要的,一个不赞成流血的人是不能干革命事业的。说到国际战争与意识形态之间的关系,最显著的实例就是过去的历次宗教战争。如十字军东征,天主教徒与耶稣教徒的战争及《旧约》中提到的许多次宗教战争,都是意识形态的战争。现代的一个特点是意识形态的因素在宗教战争、政治战争及外交方面日益处于统治地位。

Idfū 伊德富 又作Edfu,古埃及语作Djeba,科普特语作Atbo。又称贝赫代特,希腊语称阿波利诺波利斯。上埃及阿斯旺省城镇。位于尼罗河西岸。这一古代城市的主神是飞行之神何露斯,称作贝赫达铁特。他的配偶是丹达拉的女神哈托尔。以后的帝国每年用船载着她的雕像到此进行礼仪性访问。古代伊德富的主要纪念物是何露斯的巨大砂岩寺庙(138米长,76米宽)。现存寺庙始建于公元前237年,完成于公元前57年。经过对古城和墓地的发掘,已发现丰富的古代陶版和莎草纸文书。在城镇西面和北面的大墓地上,发现有古王国官员的长方形平顶斜坡坟墓和一些中期王国的墓葬。现在的城镇是谷物、棉花和海枣的贸易中心,并有一座糖厂。通过尼罗河上的大桥与开罗—阿斯旺铁路相连。人口约45 737(1986)。

Ídhra (Greece) 参阅 **Hydra** 伊兹拉岛。

Idi 伊季山 又拼Ida。希腊南部雷西姆农州克里特岛中西部山地，有两座山峰，其中提米奥斯峰海拔2 456米，为全岛最高点。多山洞。米诺斯彩陶在卡马雷西洞中首先发现，世称卡马雷西陶器。地质构成为石灰岩形成地下水库，为周围农村的泉水供水。村民务农，种植橄榄、柑橘、蔬菜、葡萄、大麦、燕麦、小麦。山坡上也牧羊。

idiopathic respiratory distress (medicine) **特发性呼吸窘迫** 参阅 **respiratory distress syndrome** 呼吸窘迫综合征。

idiophone 体鸣乐器 乐器的一个分类。这类乐器由共鸣好而质地结实的材料（如木材、金属、石头）振动发声。它的8种基本类型为：冲击型、摩擦型、碰击型、拨动型、刮磨型、摇动型、槌击型、脚踏型。在许多情况下，如锣，振动材料本身就是乐器的主体。其他的例子包括木琴、哗啷器。拨动型的体鸣乐器，像单簧口琴或八音盒，通称舌鸣乐器。当需要按音响学对乐器进行精确分类时，就用体鸣乐器和膜鸣乐器（例如鼓）等名称代替不太精确的“打击乐器”这个名称。参阅 **aerophone**；**chordophone**；**electrophone**；**membranophone**。

idiorrhythmic monasticism 旷野隐修 又称荒漠隐修（eremitic monasticism）。埃及基督教圣徒安东尼（约250～355）所发起的独特的隐修方式。修行者隐居荒漠，完全脱离社会，坚持祈祷默念。

Iditarod Trail Dog Sled Race 艾迪塔罗德小道狗拉雪橇赛跑 每年3月在美国阿拉斯加州的安克雷奇与诺姆之间举行的狗拉雪橇赛跑。男女一起参加比赛。1967年老雷丁顿和D.佩奇组织了一次90千米的短距离赛跑，这项比赛于1973年发展成为1 790千米的艾迪塔罗德小道赛跑。小道沿着1910年开辟的从尼克到诺姆的一条狗拉雪橇古邮道延伸。艾迪塔罗德这个名字是为了纪念1925年白喉病流行期间一个著名的急救团向诺姆输送药品的事迹。艾迪塔罗德小道穿过两条山脉（阿拉斯加与卡斯科奎姆），沿着育空河延伸241千米，并跨过诺顿湾等冰封水道。单年和双年的赛跑路线略有不同，单年跑的是另外一条南线。1973年首次比赛时，优胜者花了20多天才跑完全程。到了20世纪90年代，时间缩短到大约11天。1976年美国国会指定艾迪塔罗德为国家一级历史性小道。

Idjil (Mauritania) **伊吉勒** 参阅 **Fdérik** 弗德里克。

Idkū 伊德库 又拼Edkou。下埃及布海拉省北部城镇。位于尼罗河三角洲西北部，阿布基尔湾沙坝上。城南的伊德库湖是潟湖，面积150平方千米，沿海岸伸展35千米，最大宽度约26千米。利用潟湖和地中海的渔场发展渔业。其他行业有碾米和丝织。有沿海公路和铁路通往亚历山大城和罗塞塔（拉希德）。人口约70 729（1986）。

Idlib 伊德利卜 叙利亚西北部城镇。位于阿勒颇与拉塔基亚之间的肥沃盆地。为重要纺织业中心和农业区的集市中心。主要农产品有棉花、谷类、番茄、芝麻、橄榄、无花果、葡萄和杏仁等。工业有纺织和橄榄油榨制等。人口70 000（1992）。

Ido 伊多语 法国逻辑学家和世界语学者包富龙创造的一种人造语言，于1907年在“选用国际辅助语代表团会议”上提出。它是世界语（**Esperanto**）的再加工，其创始人认为世界语有缺点，企图对它加以改进。事实上，伊多语的名称源自表示“衍生”的世界语词汇的后缀，亦即源于世界语之意。虽然伊多语的拼法不太遵守世界语的每字一音规则，但对普通欧洲人来说，比世界语的拼法却更为自然些。伊多语摈弃了世界语的专门重音字母（ĉ，ĵ，ŝ，ĝ，ĥ）而使用更为随便的形式（如*ch*，*j*，*sh*）；而相当于世界语的ĝ音（英语*j*音）和ĥ音（希腊语*ch*音，俄语*kh*音）都无专门形式。它规定*qu*为世界语的*kw*，*x*为世界语的*ks*，*y*为世界语的*j*。伊多语的语法也类似世界语，但它体现出更多的罗曼语特征，例如，动词不定式如西班牙语，以-*ar*，-*er*，-*ir*结尾，名词复数如意大利语，以-*i*结尾，动词变化像拉丁语或国际语。伊多语问世的最初一二十年，曾流行过一个时期，但后来趋于衰落。

idocrase (mineral) 参阅 **vesuvianite** 符山石。

idolatry 偶像崇拜 犹太教和基督教用语。指把上帝以外的某人或某物当作上帝崇拜。十诫第一诫即禁止偶像崇拜：“除我之外，你不可有别的神。”偶像崇拜有几种形式：崇拜某人或某物如太阳、帝王、动物或塑像，称为公开偶像崇拜。尽管没有公开崇拜，但把本应归于造物主的信仰、忠贞与虔诚加之于某一受造物，就是隐晦的偶像崇拜。同时，基督教坚持圣徒代求的教义，有人指责尊重代求圣徒就是崇拜偶像，但基督教反对这种指责。在圣母马利亚和其他某些圣徒的代求作用上，基督教内意见不一。根据基督教教义，尊敬代求圣徒，并不是崇拜他本身，而是崇拜他所代表的上帝。参阅 **aniconism**。

Idoma 伊多马人 居住在尼日利亚南部尼日尔河与贝努埃河交汇处以东地区的部族。如阿加拉、伊亚拉、奥克波托、恩孔和伊古瓦尔等都是操尼日尔-刚果语族克瓦语支而各具特点的伊多马方言的部族。虽然这些部族中缺乏文化和政治的统一性，但在伊多马方言丛内，彼此说话可以理解到相当的程度。社会结构的基本单位是大家庭，通常包括一个男人、他的几个妻子、他们的子女，以及儿子们的妻子和子女。血统和继承以父系为本，每个家族都定居在同一片土地上，氏族则可能是由大的家族形成。祖先崇拜是伊多马固有宗教的基本原则。伊多马人的居住地几乎都是热带稀树旷野（有空旷林地的热带高原），有些地方则变成空旷草原或雨林。伊多马经济的特色为雨季的农业和旱季的狩猎。大大小小的集市在各行政区域轮流举办。在一般的区域之内，已经发展了纺织、染布和打铁等技术。

Idomeneus 伊多墨纽斯 希腊传说中丢卡利翁的儿子，弥诺斯和帕西淮的孙子，克里特国王。他曾向海伦求爱并在特洛伊战争中建立卓著功绩。据荷马史诗《奥德赛》，他平安返抵家园，但据后来的传说，他曾遭受猛烈的暴风雨袭击，因此许愿在他到家时把遇到的第一个活物作为牺牲奉献给波塞冬。但第一个碰到他的却是他的儿子，这样他就把自己的儿子杀死。结果发生了一场瘟疫，他被赶出家门。后来他逃到卡拉布里亚，随后去了小亚细亚的科洛丰，在那里的克拉里亚的阿波罗神庙附近定居下来。

Idrīs 易德里斯 伊斯兰教传说中永生不死的人物，《古兰经》称之为先知。根据伊斯兰教的主要教派逊尼派的圣传，易德里斯生活于阿丹之后，努海之前，著有几部书传达安拉的启示。他没有死，而是以肉身被接进天园与安拉共享永生。据说他发明书写、缝纫和几种占卜术，是工匠和穆斯林骑士的守护圣者。有些学者认为，易德里斯就是《圣经》中提及的以诺。

Idris I 伊德里斯一世（1890-03-13，利比亚昔兰尼加贾拉布卜～1983-05-25，开罗）利比亚国王。1902年继其父任以昔兰尼加为中心的伊斯兰教赛努西教团领袖。初因年幼，大权旁落。1916年后直接统治，首先对付于1911年入侵利比亚力图建立北非帝国的意大利人。《阿尔科马和约》（1917）实际上确认了他在昔兰尼加内陆的权力。根据1919年的另一协议，建立了昔兰尼加议会，并给予伊德里斯一笔贷款。他不能也不愿应意大利的要求解除他的部族支持者的武装。意大利人于1922年春入侵的黎波里塔尼亚内地，他未抵抗，亡命埃及。1947年回利比亚定居，领导一个正式政府。他的主要支持者是保守的部落首领，他们希望赛努西政府统治整个昔兰尼加。但年轻的、城市化的人士主张建立三省联盟。1949年11月联合国决定由昔兰尼加、费赞和的黎波里塔尼亚3省代表组成国民议会，以决定国家的前途。后来国民议会决定建立君主立宪制，并把王位授与伊德里斯。1951年12月，利比亚宣告独立。即位后，他对议会和军队严格控制，并得到城市富

美国不列颠百科全书公司供图

人、强大的部族首领和西方盟国的支持。但许多青年军官和城市中产阶级对他的保守政策和置身于阿拉伯民族主义浪潮之外的态度表示不满。他在土耳其治病期间，卡扎菲上校领导军队于1969年9月推翻他的政府。他先去希腊，后在埃及避难。1974年被缺席审判犯有贪污罪。他一直在开罗过流亡生活。

Idris ibn Raja Iskandar, Sultan 伊德里斯·伊本·拉贾·伊斯坎达尔(1849，马来亚霹雳～1916-01-14，马来联邦瓜拉江沙) 马来亚霹雳的苏丹(1887～1916)。在他统治期间，霹雳成为马来联邦的一部分，中国和印度移民大批增加，锡和橡胶的出口使经济发达起来。在当时马来亚的所有苏丹中，他肯定是最有影响而且可能是最精明的。虽然他臣属英国，所受的又是旧式贵族教育，但他极力顺应时代的潮流，满足国家和人民的需要。他关心教育事业，马来半岛两所一流高等学府马来学院和苏丹伊德里斯师范学院均与他有密切关系。前者是他赞助建立，后者以他的名字命名。

Idrīsī, ash-Sharīf al- 伊德里斯(1100，摩洛哥萨布塔～1165或1166，西西里或萨布塔) 12世纪的阿拉伯地理学家，西西里诺曼王罗杰二世的顾问，撰写有中世纪地理学最伟大的著作之一《一个想周游世界者的愉快旅行》。伊德里斯是先知穆罕默德的后裔，其先祖是一系列的王储和哈里发，他的直系祖辈是统治西班牙和北非的短命的哈木德王朝哈里发(1016～1058)，他们是穆罕默德长孙哈桑·伊本·阿里王朝的支脉、摩洛哥的伊德里斯(789～985)。他生于萨布塔(今西班牙在摩洛哥的飞地海港休达)。早年曾在北非和西欧许多地方包括葡萄牙、西班牙北部、法国大西洋沿岸及英格兰南部等地旅行，16岁时还到过小亚细亚。1145年到达西西里，为西西里国王罗杰二世服务。这是他一生事业的转折点，在西西里度过了他的后半生，从此他的一切伟大成就都和巴勒莫的诺曼宫廷密不可分。学者们对这位穆斯林为何进入基督教宫廷服务说法不一。据14世纪一位阿拉伯学者萨法迪的意见，是罗杰二世聘请伊德里斯到西西里替他制作世界地图的。他在地理学上的巨大贡献：①制成了一个银质平面球体图(世界地图)；②绘制了一张有70个区域的世界地图，即将赤道以北划分为7个气候区，每个气候区按经线分为10等分；③撰写了一部被称为《一个想周游世界者的愉快旅行》(又叫《罗杰之书》)的地理巨著，作为对他的平面球体图的注解。伊德里斯在这本著作中使用了阿拉伯和希腊地理著作中的材料以及实地观察的第一手材料。国王和他的这位阿拉伯地理学者挑选了一些人，包括擅长绘图的，派他们到各国去观察，并记下见闻。伊德里斯在罗杰二世逝世前不久，即1154年1月完成这本巨著。银质平面球体图已佚，但世界地图和巨著还在。一位德国学者K.米勒在其出版的《阿拉伯制图学》(1926～1931)中刊出了伊德里斯的地图，以后在米勒著作的基础上，伊拉克科学院(巴格达，1951)出版了一幅修订的世界地图。20世纪70年代初，一位意大利学者组成的委员会在国际专家组的合作下，巨著的校勘版开始问世。伊德里斯的著作是一块重要的地理纪念碑，特别在有关地中海及巴尔干地区的材料上有其特别的价值。他除地理学外，对医学、阿拉伯文学和语言学也很有研究。在他的医学著作《常用药物》一书中，用12种文字列举出药物名称。此外，保存至今的还有他的诗作。关于他晚年的情况没有记载。

Idrīsid DYNASTY 伊德里斯王朝 789～921年统治摩洛哥柏柏尔人地区的阿拉伯穆斯林王朝。缔造者伊德里斯一世(789～793在位)是穆罕默德后裔，他逃脱阿拔斯人的迫害，向西逃亡，后征服摩洛哥北部和部分大西洋沿岸平原的柏柏尔部族。其子伊德里斯二世(803～828在位)继续他的未竟事业，808年定非斯为首都，后来非斯成为政治和宗教的中心。伊德里斯人首先组织中央政府，在摩洛哥确立谢里夫的传统，并使摩洛哥北部部分地区采用阿拉伯语。可是，在伊德里斯二世逝世后，这个小王国四分五裂，最后被科尔多瓦的哈里发和开罗的法蒂玛王朝瓜分。985年伊德里斯人的最后一个统治者被杀。

Idua Oron (Nigeria) **伊杜阿奥龙** 参阅 **Oron** 奥龙。

Idukki 伊杜基 印度西南部喀拉拉邦城镇。位于柯钦东南130千米，戈德亚姆东北127千米。以庞大的水力发电工程著称。贝里亚尔河上的伊杜基坝高169米，1974年建成。同另外两座大坝(高839米、925米)一起构成一巨型水库，主要用于防洪和提供电力。该地区农业为经济基础，种植水稻、木薯、豆类、甘蔗、姜、油籽、栗、椰子、胡椒、槟榔、茶树和豆蔻。工业有腰果加工、咖啡加工、卷烟、制茶、锯木和造纸等部门。也有水产加工业。人口：镇10 228(1991)。

Idun 伊顿 北欧神话中司春天和重返青春的女神。她是诗神布拉奇的妻子，使人长生不老的仙苹果的守护神。诸神必须食用这些仙苹果，才能保持青春。惯于恶作剧的神洛基诱使巨人蒂亚西把伊顿和仙苹果一起掠到了巨人界之后，诸神迅速衰老。于是他们起来迫使洛基去营救伊顿。洛基化作一头母鹰，又使伊顿变成一硬壳果(一说变成麻雀)，鹰用爪抓住硬壳果，飞出了巨人界。

idyll 田园诗 描写田园或农村的短诗，内有某种风景要素的描绘或暗示。在古希腊和罗马时代，该词指各种简单题材的短诗，其中也有对各种自然景物的描绘。公元前3世纪，亚历山大诗派，尤其是忒奥克里托斯、彼翁和摩斯科斯发展了田园诗的传统，而忒奥克里托斯的《田园诗》成为这种类型诗歌中流行主题的源泉。文艺复兴时期，人们又恢复使用该词，那时有些诗人用它来区别叙事田园诗与对话田园诗。由于V.德·拉普拉德的《英雄田园诗》(1858)和丁尼生的《国王田园诗》(1859)这两部作品的流行，人们在19世纪又普遍使用(或误用)这个词。其实，这两部作品无一与田园诗传统有关。此后，人们不加区分地用这个词，指多种题材的作品。虽然我们不可能把田园诗说成是一种确定的文学形式，但该词的形容词形式idyllic却逐渐变成“农村的”、“牧人的”和“宁静的”等词，亦即亚历山大诗派首创的氛围的同义语。参阅 **eclogue**。

Ieper (Belgium) **伊珀尔** 参阅 **Ypres** 伊普尔。

Iesi (Italy) 参阅 **Jesi** 耶西。

If 伊夫 地中海小岛。距马赛港3.2千米。岛上由法国国王弗兰西斯一世于1524年建造的城堡后改为国家监狱。19世纪法国作家亚历山大·大仲马在其小说《基度山伯爵》(1844～1845)中将该城堡作为背景之一，因而闻名。

Ifat 伊法特 1285～1415年在埃塞俄比亚绍阿东部昌盛一时的穆斯林国家。13世纪末由瓦拉什马建立。他在逐步战胜新成立的国家法塔贾尔、达瓦罗、巴莱，并且征服了绍阿和阿法尔一些地区后，建立了伊法特国。1328年成为埃塞俄比亚的附属国。几经抗争终于在1415年被埃塞俄比亚的耶沙克一世吞并。

IFC 参阅 **International Finance Corporation** 国际金融公司。

Ife-lodun (Nigeria) **伊费-洛顿** 参阅 **Ile-Ife** 伊莱-伊费。

Iffland, August Wilhelm 伊夫兰(1759-04-19，汉诺威[德国]～1814-09-22，普鲁士柏林) 德国演员、戏剧家兼剧院经理，对德国剧坛影响甚大。18岁时，不顾父母反对，毅然脱离神学学习，参加哥达宫廷剧团，在K.埃柯夫指导下学习表演。1779年埃柯夫去世，他随剧团前往曼海姆，成功地饰演了席勒《强盗》一剧中的穆尔，从而声望大增。随后他实际上控制了曼海姆剧院，制订了比较保守的政策和剧目。1796年应歌德之邀，在魏玛宫廷剧院任客席演员，因真实而又独具一格地饰演过一些忧郁和轻松幽默的中产阶级角色而使观众倾倒。作为剧作家，他在家庭剧和感伤喜剧的领域中获得同样声誉。1798年被任命为柏林国家剧院经理，1811年又被任命为普鲁士所有皇家剧院的总导演。其自传《我的戏剧生涯》于1798年出版。

Ifni 伊夫尼 摩洛哥西南地区的一部分，位于大西洋沿岸，原为西班牙的北非飞地。是山地和海岸平原构成的一块半沙漠干旱地区。1476年加那利勋爵迪戈·加西亚·德·赫雷拉定居于此，成为西班牙设防的捕鱼、贩奴和贸易活动地点。该地于1524年因疾病流行和摩尔人战争而被舍弃，1860年根据西班牙-摩洛哥条约又重新开拓。直到1934年才真正被西班牙人再次占领。1946年该飞地成为西属西非的一部分,1958年又改为领地总督管辖下的一个省。1969年伊夫尼被割让给摩洛哥。居民主要是柏柏尔人,从事捕鱼和牧羊、牧骆驼。主要城镇西迪伊夫尼是当地的手工业中心,也是与加那利群岛进行贸易的小型港口。

Ifrane　伊夫兰　摩洛哥中北部城镇。城建于1929年。位于中阿特拉斯山区,海拔约1 650米;近郊为摩洛哥主要冬、夏季游览区,现代城镇接待国际旅游者。附近雪松覆盖的死火山口辟有高山滑雪道。镇西南17公里处海拔1 204米的艾兹鲁为古老的柏柏尔人居民点,现发展成为常年游览地。当地贝尼姆吉尔德部族人放牧羊群并制作优质地毯。人口7 717(1982)。

ifrit　易夫里特　伊斯兰神话中一类凶恶的地下镇尼。力大而狡诈,躯体雄伟而质如烟,生有两翼,或雌或雄,长住地下,出没于废墟之间。他们的社会与古代阿拉伯部族相同,有国王、部族和氏族之分。易夫里特通常与同类通婚,偶尔与人通嫁娶。凡俗武器和力量不能制服他们,但可以魔法杀死或捕获而奴役之。如同镇尼一样,易夫里特既可以是伊斯兰教徒,亦可以是异教徒,善恶兼能,但多为邪恶无情的恶魔。参阅**jinni**。

Ifugao　伊富高人　菲律宾吕宋岛北部以水稻种植为主要经济活动的一个群体,聚居于多山地区。他们属于马来民族,所操语言为澳斯特罗尼西亚语,又称马来-波利尼西亚语。虽然他们的语言同毗邻诸族相同,但他们的文化发展特征却同其邻族迥异。伊富高人在1939年为数近7万,第二次世界大战使其人口锐减,到1948年只剩下5万人。不过,到20世纪晚期,伊富高人已增加到19万左右。伊富高人宏大的水稻梯田灌溉体系举世闻名,而其工程则颇为简单。梯田各层依等高线沿陡峻的山坡构筑,围以石墙,呈梯状,顶部向内微有倾斜,以使灌溉之水得以潴存,发挥效益。除水稻以外,尚以盛产番薯著称,番薯多栽种于山麓地块之上,是贫苦阶层的主要食品。伊富高人也饲养猪与鸡群,这些主要用于多样的祭祀仪式或献祭场合。

伊富高人居住在水稻梯田之间,每5～10户聚为一个小村落。他们的住房结构使得早期西班牙传教士们深为叹服。住房的修筑无需刀锯斧凿之助而有雕饰彩栋之妙,家家如此。伊富高族的社会结构几乎完全以亲缘为基础。每一个"亲族圈"以一人为其中心,扩充至第3代堂(表)兄弟(姊妹),构成一个单元。在从前盛行的世仇宿怨和猎头活动中,此种亲族圈的作用举足轻重。伊富高人并无政治结构而是一直依靠亲族间的联姻关系及贸易协议维系。他们承认临时性调解人根据不成文法所进行的排难解纷的职能。那些构成社会上层阶级的贵族们,则以不定期的宴飨活动来保持其声望。伊富高人的宗教包含着一套繁杂的宇宙学说,并有一千以上的神祇,分属不同阶层。他们每逢生病或遭遇其他困难时,就祈求祖灵或其他神明相助,求神方式多为以米酒献祭或举行宴会。

IG Farben　法本化学工业公司　德文全称Interessengemeinschaft Farbenindustrie Aktiengesellschaft(染料工业公司辛迪加)。自1925年成立于德国时起,至第二次世界大战后被盟国解散时止,是世界上最大的化学康采恩或卡特尔。该IG("辛迪加"或照字义称为"企业联合组织")由德国一批化工厂、制药厂和染料厂(Farben)部分地按照美国早期托拉斯的模式合并而成。其主要成员即今日的巴斯夫公司、拜耳公司、赫希斯特公司、阿克发-吉伐集团(1964年由阿克发公司与比利时的吉伐公司合并而成)和卡塞拉染料公司(1970年起成为赫希斯特公司的子公司)等。联合之举始于1904年赫希斯特公司与卡塞拉公司的合并;这次合并直接促进了巴斯夫公司与拜耳公司的竞争性合并,后来阿克发公司也加入(称为"三联企业")。1916年第一次世界大战高潮期间,这些竞争集团和军队联合起来并吸收其他公司参加,成立德国煤-焦油染料工厂辛迪加。该"小IG"只是一个松散的联合企业:各成员公司保持独立,同时划分生产和市场并分享信息。1925年,经过持久的法律和财政谈判,形成了"大IG":所有成员公司的资产合并,所有股份兑换成巴斯夫公司股票;控股公司巴斯夫公司易名为法本化学工业公司;总部设在法兰克福;中央管理部门的人员从所有成员公司的总经理中抽调。卡塞拉公司起初被拒之门外,直到1937年才被法本公司吸收。虽然决策统一了,但是经营分散了。从地区上看,生产分为五个工业区——上莱茵、中莱茵、下莱茵、德国中部和柏林。按照垂直领导原则,公司的生产分属3个技术委员会,各管理不同系列的产品。市场分属四个销售委员会。在20世纪20年代末期和30年代,法本化学工业公司也成为国际性机构,在主要欧洲国家、美国和其他各地都有信托协定和业务。第二次世界大战期间,法本化学工业公司在奥斯威辛建立一合成油和橡胶厂,以利用廉价的奴役劳动;该公司还用活犯人作药物实验。战后公司一些高级职员被判有战争罪(9人犯有在占领区掳夺和抢劫罪,4人犯强迫奴役劳动和对市民和战俘实行非人道待遇罪)。1945年法本公司由盟国当局管辖,所属各企业(与其他德国公司一起)被撤销或分解,据称旨在"防止任何对德国邻邦或世界和平的威胁"。但是在德国西部,特别是随着冷战的加剧,这个意向逐渐淡薄,趋于取消。最终西方大国和西德同意将法本公司分散为三个独立的单位,即赫希斯特、拜耳和巴斯夫三家公司(前二者重建于1951年,巴斯夫公司重建于1952年)。

Igala　伊加拉人　尼日利亚穆斯林民族,住在尼日尔河与贝努埃河汇流处下游左岸,语言属于尼日尔-刚果语系克瓦语支。伊加拉人的统治者(称为"阿塔")传统上也统治另两个部落,即巴萨·恩格人和巴萨·恩科姆人;这两个部落住在伊加拉人与贝努埃河之间的地带。伊加拉社会传统上是专制王国,并有人祭及猎头风习。伊加拉人主要是农业民族,种植薯蓣、芋头、西葫芦、南瓜、玉米、木薯、花生等。棕榈油及棕榈仁是重要经济作物。1865年以来,基督教传教士在伊加拉人中传教,使城镇和较大村庄里有不少人改信基督教;然而,伊斯兰教的势力仍然较强。

Igarashi FAMILY　五十岚家族(活动时期15～17世纪)　日本漆器艺术家族,擅长莳绘技术,即把极细的金、银、铜屑撒在漆底上制成图案。五十岚艺术家族的创始人信斋改善了两种漆器设计的技术,对这种技术作出贡献:一种叫高莳绘,使用漆油灰、白铅、灯黑、粉末、樟脑加上金箔或银箔的混合物撒在漆底上,十分鲜明突出;另一种叫梨子地法,即先后涂上多层油漆,每层均撒上金屑或银屑,然后磨光,显出像金色或棕色梨皮的色泽。信斋的儿子方斋为幕府将军丰臣秀吉服务,他的孙子道甫为加贺国(现在石川县)前田家族工作,创造加贺莳绘漆器的图样。道甫和他的家族与前田家族的交往,延续到道甫的儿孙辈。

Igarka　伊加尔卡　俄罗斯中部克拉斯诺亚尔斯克边疆区城市。位于北极圈以北100千米,坐落在叶尼塞河畔,距海673千米,为可通海轮的港口。建于1929年。是俄罗斯重要的木材输出港,也是锯木中心。设有永冻土研究站。人口约18 800(1991)。

Igbira　伊格比拉人　又拼Ebira。居住在尼日利亚中部尼日尔河和贝努埃河汇合处的东北和西南地区的居民,其语言通常被划入努佩语的一种,属尼日尔-刚果语族的刚果语支。伊格比拉人地区有两个主要的聚居区,一个是沿尼日尔河和贝努埃河的茂密的落叶林地,另一个是远离河流的丘陵草原。伊格比拉人大部务农,主要种植薯蓣,也种豆类、粟、玉米等。河流产鱼并有交通运输之便。贸易工作大部由妇女来进行。伊格比拉人以大家庭为基础,由父系近亲组成,最年长的男性成员为一家之长,继承和氏族成员资格都以父系计算,实行族外婚。氏族是血缘集团,用狮子、鳄、豹、蟒蛇等动物作为图腾。实施社会控制的主要机构是"伊莱格巴",即神祠,有关宗教事务或社会犯罪等方面的裁决都在此作出。伊格比拉人在村落范围内轮流从统治家族支系中选出酋长。村议事会仲裁纠纷。不同地方在选择首领和继承方面的具体做法也不相同。伊格比拉人信仰统治宇宙的最高神希耐格巴,也视祖先为希耐格巴的代理人。20世纪初期以来,越来越多的伊格比拉人改信伊斯兰教,有些则信奉基督教。

Igbo　伊格博人　又称伊博人(Ibo)。非洲民族,主要居住在尼日利亚东南部,操尼日尔-刚果语族贝努埃-刚果语支的伊格博语。伊格博人按下列文化区域划分:北部奥尼察人,南部奥韦里人,西部伊卡人,东部克罗斯河人及东北部阿巴卡利基人。欧洲人殖民之前，伊格博人并未联合为一个民族而是分别生活在自治的地方社区之内。到20世纪中，一种强烈的民族认同感得到发展，尼日利亚东部的伊格博人1967年想组成独立的比夫拉(**Biafra**)国家。21世纪初，伊格博人超过2 000万。多数伊格博人是自给自足的农民，主要作物为薯蓣、木薯和芋头，其他作物有玉米、甜瓜、秋葵、西葫芦、豆类等。土地属亲属集团所共有，而个人可用以耕种和营造。他们也饲养少量牲畜，作为获取声望的重要手段和用作祭品。主要出口商品是棕榈油和棕榈仁。在伊格博人的经济领域中商业、地方工艺和雇佣劳力都占有重要地位。尼日利亚独立后几十年，由于识字率的提高，很多伊格博人得以担任公职或经商。现在伊格博妇女也经商并在当地政治中有影响力。除东北部外，伊格博人居住在雨林地区。村庄通常为父系家系所占据。殖民统治之前，村庄联盟是最大政治单元，人口可达5 000之众，共有集市和会所，供奉保护神及祖先，由族长和有钱、有势的人所组成的议事会管理联盟事务。在东部，此种联盟常称为部落或氏族。伊格博人信仰一位创世主即大地女神和其他许多神灵，并且崇奉佑护后代子孙的祖先。现在很多伊格博人已是基督教徒。

Ighil Izane（Algeria） **伊吉勒伊赞** 参阅 **Relizane** 埃利赞。

Igilium（Italy） **伊吉利乌姆** 参阅 **Giglio Island** 吉廖岛。

Iglau（Czech Republic） **伊格劳** 参阅 **Jihlava** 伊赫拉瓦。

Iglesia Filipina Independiente 参阅 **Philippine Independent Church** 菲律宾独立教会。

Iglesia ni Kristo **基督会** 菲律宾最大的土著基督教会。该会宣称，1914年马纳洛创立此教会，乃使早期教会在上帝特选之国菲律宾复兴。1945年后该会迅速发展，到20世纪后半期，信徒已达60万人左右，在全国各地建有教堂，中央机构资力雄厚。教会首脑指示信徒按字面意义解释《圣经》，要求个人捐献及投票，使教会成为重要政治力量。在教义方面信奉上帝一位论。讲道和礼拜用菲律宾语，宗教音乐是菲律宾民族音乐。该教会代表宗教上独立的菲律宾群众民族运动。

Iglesias **伊格莱西亚斯** 意大利撒丁区西南部卡利亚里省城镇和主教区。位于卡利亚里市西北偏西。镇内大教堂可追溯至1288年，还有一座15世纪的圣方济各教堂。为附近铅、锌、银矿区和硫酸产区的中心。有采矿学校，内有矿物学博物馆。人口：城市区30 428(1991)。

Iglesias, Pablo **伊格莱西亚斯**(1850-10-18，西班牙埃尔费罗尔～1925-12-09，马德里) 西班牙政治领袖，在发展西班牙民主社会主义及工会运动中发挥过重要作用。在育婴堂长大，后成为印刷工人。1879年5月参加建立西班牙社会党，不久任该党书记。1882年组织了君主制复辟后的第一次罢工。1885年任社会党中央委员会主席。次年任《社会主义报》主编。1888年任全国工人联合会主席。他组织能力强，强调纪律性，严格执行革命路线，领导着发展缓慢的社会党。1905年当选马德里市议员，1910年进入西班牙议会。1921年阻止了社会党参加共产国际。

igloo **伊格鲁** 加拿大和格陵兰因努伊特人(爱斯基摩人)冬季或狩猎场的临时住所。伊格鲁通常以雪块筑成，圆顶，仅在马更些河三角洲和拉布拉多之间的地区使用，这里的因努伊特人夏季住海豹皮帐篷，近来住布帐篷。在修筑伊格鲁时，营造者选择雪质细密而紧凑的厚雪堆，用雪刀将其切成许多雪块。雪刀是剑形工具，原系骨制，现多以金属制成。雪块为长方形，长宽约60厘米×120厘米，厚20厘米。在平展的雪地上先将雪块摆成一圆圈，然后将雪块的顶面削出一个倾斜角，以便形成第一层蜗旋。往蜗旋上添加雪块时内收，直至构成圆顶，仅在顶端留一通风孔。雪块接合处和裂缝用松雪填塞。在壁上嵌进一片透明的冰或海豹肠作为窗户。伊格鲁的入口有一条狭窄的半圆柱形通道，长约3米，上有存放生活必需品的拱顶。为使主室不进贼风，在通道外口挂一海豹皮门帘，有时还在洞端外一米左右处筑一半圆形低影壁挡风。主要家具是一个浅盆，用以燃烧海豹脂肪取暖和照明，还有一个很低的雪炕，下垫柳枝，上铺鹿皮。伊格鲁的大小不等，但一般只适于一家居住。一个熟练的因努伊特人能够在1～2小时之间筑起一所雪伊格鲁。在营造伊格鲁时，现也使用草皮、石块和木材。

IGN 参阅 **Institut Géographique National** 国家地理学会。

Ignarro, Louis J. **伊格那罗**(1941-05-31，美国纽约布鲁克林～) 全名Louis Joseph Ignarro。美国药理学家，由于发现氧化氮在心血管系统中充当信号分子，而与R.F.弗奇格特、F.穆拉德共获1998年诺贝尔生理学或医学奖。就读于哥伦比亚大学，1962年获药理学学士学位。1966年获明尼苏达大学药理学博士学位。1979年成为新奥尔良图兰大学医学院教授，直到1985年任加利福尼亚大学洛杉矶分校药理学教授。三人的研究成果是研制治疗阳痿药伟哥的理论基础。

Ignatius of Antioch, Saint **依纳爵(安提阿的)，圣**(?～约110，罗马) 叙利亚境内安提阿主教。他在因信奉基督教而被押往罗马服死刑途中所写的7封书信是了解公元2世纪初基督教会的重要资料。被捕以前的事迹无可考，但从这7封书信中可以了解他的为人和他对基督教的影响。他是基督教从犹太人的宗教演化为希腊罗马宗教的过渡时期的代表性人物，为日后确立下来的教理奠定了基础。他提倡以主教为中心的教会组织体系，坚持基督确有人性。他满怀热情地殉教。在安提阿主教任上被捕，但不能肯定他是否是当地土著。他在书信中正告宣传谬误教义的人，主张在教务上服从主教等神职人员以维持和睦；但又对收信人说，不要为他们自己的教会担心，此话只是叮嘱而已，只有在致非拉铁非教会的信中才具体指明有些教会趋于解体。在致士麦那教会的信中暗示有背离正道的人。依纳爵所反对的显然是两派异端：一是犹太派，他们否认《新约》的权威，拘泥于守安息日等犹太教习俗；另一派是幻影派，他们认为受苦和被害都是基督的幻影。依纳爵谆谆教导说，《新约》是《旧约》的应验，基督确有人性；基督的受难、死亡和复活是信徒得以在复活的基督里面享受永生的必要保证。他指出，世上的主教代表真正的主教基督，在信仰和教务上与主教保持一致，就是与基督结合。他首先使用"公教"一词。

Ignatius of Loyola, Saint 参阅 **Loyola, Saint Ignatius of** 依纳爵(罗耀拉的)，圣。

Ignatyev, Nikolay Pavlovich, Graf(Count) **伊格纳季耶夫**(1832-01-29[旧历01-17]，俄罗斯圣彼得堡～1908-07-03[旧历06-20]，基辅克鲁波德尼齐庄园[今在乌克兰]) 俄国泛斯拉夫主义者、伯爵、外交家和政治家。17岁当军官。1856年参加巴黎会议，开始外交生涯。1858年率使团去中亚，与布哈拉汗缔结友好和贸易条约。翌年到北京。1860年利用英法军包围北京的机会，说服中国人签订了《北京条约》，在该条约中，中国承认俄国领有黑龙江(阿穆尔河)左岸及乌苏里江与太平洋之间的全部土地。回国后任外交部亚洲司司长。1864年任驻君士坦丁堡大使。他受泛斯拉夫主义影响，希望解放奥斯曼帝国统治下的基督徒斯拉夫人。他力主塞尔维亚人自治，从而引起塞尔维亚对土耳其人的战争(1876～1877)。他主张保加利亚人进行反土耳其人的叛乱(1876)。俄土战争(1877～1878)后，代表俄国缔结了对俄国极为有利的《圣斯特凡诺条约》，但无力阻止西欧大国的反对并以《柏林条约》(1878)取代之。他被迫退休。亚历山大三世即位(1881)任命他为内政大臣，制定对付革命的非常治安条例，并听任屠杀犹太人的惨案发生。1882年因建议重建缙绅会议引起沙皇不快而被解职。此后，虽担任改革中亚俄罗斯领地政府的委员会主席，但再未出任要职。

igneous rock **火成岩** 由熔融地球物质冷却凝固而形成的各种各样结晶质或玻璃质岩石之任何一种。火成岩构成3大主要岩类之一，另外2种主要岩类是变质岩和沉积岩。

火成岩以侵入或喷出的形式出现。深成侵入岩在离地表深处凝固，并以岩基、岩瘤、岩盖和岩脉的形式存在。它们包括花岗岩、正长岩、闪长岩、辉长岩和橄榄岩。浅成侵入岩(也就是在地表以下中等距离内形成的岩石)以岩墙、岩床和其他类似小岩体的形式存在，以斑岩、玢岩、辉绿岩和煌斑岩为代表。喷出火成岩是火山岩，并且是以熔岩流的形式被发现的。它们包括黑曜岩、珍珠岩、流纹岩、粗面岩、安山岩、玄武岩和碱玄岩。火成岩也可以火山碎屑喷出物的形式出现，这种喷出物就是爆炸式火山喷发的碎屑状产物。火山碎屑岩的例子是集块岩和某些类型的角砾岩与凝灰岩。

虽然火成岩的不同类型在成分上变化很大，但它们的大多数都由不到 12 类矿物组成。这些矿物就是石英、长石、辉石、闪石、云母、橄榄石、霞石、白榴石和磷灰石。火成岩在结构和构造上也显示出相当大的变化。例如，深成侵入岩冷凝缓慢，结果，它们的晶体粗大、形状发育好，并且几乎是等大的。因为结晶作用进行得完全，就没有玻璃质物体存在。在结晶作用的晚期阶段，深成岩里普通发育有微细的晶洞（不规则的孔穴），它们常常被蒸气沉积物所填充。喷出火成岩与空气接触时冷凝快，照例是细晶状的，或者至少有细粒的基质，这基质代表喷发之时还是液态的、黏稠的、半结晶的熔岩流的哪一部分。这时，它们只暴露在大气压力之下，它们所含的气体可以自由逸出。各种各样重要的变形都由此而发生，最引人注目的就是大量气孔的存在，它们常拖曳成拉长形，并且随后就由于渗滤作用而被矿物充填。因为结晶作用是在熔岩沿地表向前蠕动之时进行的，最晚形成的矿物一般以遵循运动方向的近平行的蜿蜒线条而排列。在有些情况下，熔岩冷凝速度极快，形成非晶质岩石（也就是像黑曜岩和玄武玻璃那样的玻璃质岩石）。玻璃质岩石的一般特征是存在着圆化物体（小球粒），它是由从中心向外放射的不完整长石晶体之细小发散状纤维组成的。

ignimbrite　熔结凝灰岩　压实的火山喷出物组成的岩石（参阅 **tuff**）。

ignition system　点火系统　在汽油发动机中，用来产生电火花以点燃燃料-空气混合气的装置。混合气在气缸内燃烧产生动力。点火系统包括蓄电池、感应线圈、使感应线圈产

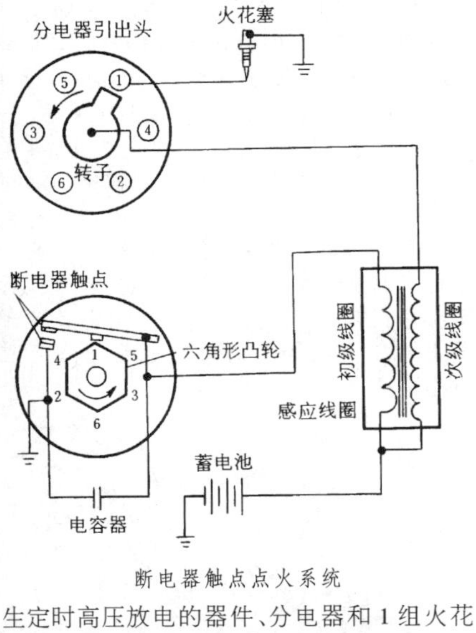

断电器触点点火系统

生定时高压放电的器件、分电器和 1 组火花塞。蓄电池供给低压电流（通常是 12 伏），由这个系统将它转变成高压电流（约 4 万伏）。分电器将相继突发的高压电流按点火次序，分别配送到各火花塞。在旧的点火系统中，高压脉冲由旋转的分电器凸轮控制的断电器触点产生。当触点闭合时，通过点火线圈的初级线圈形成闭合电路。当触点被凸轮分开时，闭合电路断开，从而在点火线圈的次级线圈中产生高压电动势。在新式汽车中，断电器触点多改用电子装置。现在使用最多的是磁阻器。它由分电器轴驱动，产生定时的电信号。信号经放大后，用以控制通向感应线圈的电流。新式点火系统比较可靠，能更好地控制发动机的工作，并向火花塞输出更高的电压。在固态点火系统的发展中曾有许多改进。如有些点火转换系统采用晶体管以延长断电器触点的寿命；在晶体管中，由输入端（断电器触点电路）的小电流控制输出端（感应线圈的初级电路）的很大电流。

ignitron　引燃管　一种具有把交流电变为直流电的整流作用的电子管。每个导电周期都由加于点火电极的外加电压启动。它的阴极汞池旁边有一个小的点火电极与汞接触。外加电压于点火电极使汞表面释放电子，从而引起管内阴极和阳极间产生导电电弧。在引燃管的板极电压下降到电弧无法再保持之前，电弧一直持续着。大的引燃管设备用真空桶代替玻璃外壳。电焊设备用引燃管作为大功率继电器。

Igor　伊戈尔（约877～945，杰列瓦地区［俄罗斯］）　又称因格瓦尔。基辅大公，可能是诺夫哥罗德大公留里克的儿子，伟大武士和外交家奥列格（约 879 ～ 912 在位）的继承人。912 年即位。据 12 世纪《俄国初期编年史》的描述，他是一个贪得无厌、掠夺成性的家伙。913 ～914 年率兵侵入外高加索，遭到惨败。941 和 944 年两度远征拜占廷，但他的许多船只都被“希腊火”烧毁。他曾征服在黑海北岸草原上居住的突厥族佩切涅格人和东斯拉夫的德雷夫利安部族，但当他前去德雷夫利安部族的驻地勒索贡物（945）时，被人杀死。

Igor Svyatoslavich　**伊戈尔（斯维亚托斯拉维奇）**（1150～1202）　俄国诺夫哥罗德-谢韦尔斯基［今在乌克兰］公爵（1178 起）、契尔尼哥夫公爵（1198 ～ 1202）。1185 年征库曼人，全军覆没，伊戈尔被俘。1186 年脱逃，回诺夫哥罗德-谢韦尔斯基重新当政。他的远征不仅在《俄国编年史》中有所描述，而且成为俄国叙事诗《伊戈尔远征记》的主题。

Igorot　伊戈罗特人　他加禄语，意为“山民”。菲律宾吕宋岛北部山区的诸不同种族集团之一，迄今仍保留传统的宗教信仰和生活方式。有些住在山脚的热带森林里；多数住在较高处的草地和松林地带。20 世纪末人口约 50 万人。语言属澳斯特罗尼西亚（马来-波利尼西亚）语系菲律宾语族北吕宋语支。伊戈罗特民族是蒙古血统的南岛人，从前他们以善战及猎头著称。西班牙人统治时期，曾对伊戈罗特人推行绥靖政策，美国在菲律宾取得优势后，绥靖过程始告完结。伊戈罗特人可分两大支系：一支人数很多，住较高地带，耕作梯田，种植水稻；另一支由低地雨林区诸部落组成，实行田园轮作，种植旱稻。伊戈罗特民族普遍擅长金工，以铜铁为原料，

伊戈罗特人表演猎头舞
美国不列颠百科全书公司供图

还善于纺织和以动物献祭，相信各种精灵和祖灵，祭祀仪式复杂。没有氏族或部落组织，政治组织一般仅限于农村一级。父系制和母系制并行不悖，可延至第三代堂表兄弟姐妹一辈。

Igor's Campaign, The Song of　《伊戈尔远征记》　古俄罗斯文学的一部杰作，叙述诺夫哥罗德-谢韦尔斯基公爵伊戈尔于 1185 年远征波洛夫齐人（钦察或库曼人）遭到失败的故事。像法国伟大史诗《罗兰之歌》中的情形一样，伊戈尔的英雄自豪感驱使他去进行一场寡不敌众的战斗。伊戈尔虽遭失败，但他最终得以逃脱。该书作者不详（成书于 1185 ～ 1187 年）。它难以归类，既不是抒情诗，也不是史诗，而是两者的混合体，也有些像政治小册子。这是一个熟悉口头诗歌、编年史和历史记叙的作家才能写出的作品。现今主要因其对后世的影响而著名。

Iguaçu Falls　伊瓜苏瀑布　又拼 Iguassú 或 Iguazú，西班牙语作 Cataratas del Iguazú，葡萄牙语作 Cataratas（或 Saltos）do Iguaçu。伊瓜苏河上的大瀑布，在阿根廷和巴西边界上该河与巴拉那河汇合点上游 23 千米处。为马蹄形瀑布，高 82 米，宽 4 千米，是北美洲尼亚加拉瀑布宽度的 4 倍，比非洲的维多利亚瀑布还要宽一些。悬崖边缘有许多树木丛生的岩石岛屿，使伊瓜苏河由此跌落时分作约 275 股急流或泻瀑，高度 60 ～ 82 米不等。该瀑布和河的名字来自一个意为“大水”的瓜拉尼语词汇。11 月至 3 月的雨季中，瀑布最大流量达 12 750 米^3/秒。8 ～ 10 月的旱季流量最小。年平均流量约为 1 756 米^3/秒。伊瓜苏河向西流，然后向北流，形成宽阔河面，从巴拉那高原边缘落入一个狭窄的峡谷，形成此瀑布。上方大小岛屿将水流分成多支，旋又重新汇合，泻入被称作“鬼门关”的峡谷，其景象被形容为“一个大海泻入深渊”。此景象在巴西一侧和阿根廷一侧都能看到。一些瀑布在中途被突出的边缘击破，使水流偏转、水花飞溅升腾，产生如彩虹幔帐般的景色。从瀑布底部向空中升起近 150 米的雾幕，与彩虹辉映，蔚为奇观。圣马丁岛坐落在伊瓜苏河阿根廷一侧，从岛上可以很好地眺望瀑布的

阿根廷-巴西边界伊瓜苏河上的伊瓜苏瀑布
美国不列颠百科全书公司供图

阿根廷境内部分。处此优越地位可以眺望名为圣马丁、博塞蒂、姐妹花、米特雷、三剑客的诸多瀑布。在巴西一侧河岸上可望见瀑布全景,巴西一方的瀑布有本雅明康斯坦特、德奥多罗、弗洛里亚诺等。第一个访问该瀑布的是1541年到达的西班牙探险者巴卡。1897年巴西军官巴罗斯设想在伊瓜苏瀑布建一个国家公园。巴西和阿根廷在校正边界之后,分别建立了各自的国家公园——巴西的伊瓜苏国家公园和阿根廷的伊瓜苏国家公园。两个公园的建立都是为了保护与瀑布有关的植物、野生动物和景观。有3个机场可为该地区服务,分别设在巴西、阿根廷和巴拉圭。

Iguaçu River 伊瓜苏河 又拼Iguassú,葡萄牙语作Rio Iguaçu,西班牙语作Río Iguazú。流经巴西南部巴拉那州和圣卡塔琳娜州,由源出库里蒂巴附近马尔山的溪流汇集而成,大致向西穿过高地1 320千米后,在阿根廷、巴拉圭和巴西3国交界处注入巴拉那河,并形成巴西和阿根廷边界的一小部分。该河虽有部分河段可以通航,但主要以壮丽的伊瓜苏瀑布而著名。河上的塞格雷杜、奥索里乌和圣地亚哥等瀑布处有水电站。

Iguala 伊瓜拉 墨西哥中南部格雷罗州中北部城市。1750年有人居住。位于伊瓜拉谷地,濒临科库拉河。海拔731米。为地区贸易中心和交通枢纽,也是该州许多地区所产农产品(玉米、豆、甘蔗、花生、柠檬和稻米)的集散地,有榨芝麻油和生产肥皂等小工厂。在墨西哥城—阿卡普尔科高速公路和墨西哥城—巴尔萨斯河铁路线上。有国内航空线。人口:城市区101 170(1990)。

Iguala Plan 《平等计划》(1821-02-24) 阿古斯丁·德·伊图尔维德发表的告人民书。他是克里奥尔人(白人后裔)地主,原为西班牙军队中的军官,1820年曾是墨西哥独立运动的领导人。他的"计划"号召建立一个独立的墨西哥,由一位欧洲亲王统治,如果找不到欧洲的亲王,就由一个墨西哥亲王(指他自己)统治。"计划"中说,墨西哥的一切权力由天主教会掌握;克里奥尔人和半岛人(双方都是西班牙祖先,分别出生在墨西哥和西班牙)享有平等的权利;取消财产充公的做法。此计划不久得到墨西哥有影响的派别的赞同,但它完全忽视了低层阶级的权利。1821年8月24日伊图尔维德与西班牙总督胡安·欧多诺茹签署《科尔多瓦协约》,西班牙勉强接受了《平等计划》,同意撤走它的军队。1822年西班牙政府拒绝接受《科尔多瓦协约》,但伊图尔维德已经自立为墨西哥皇帝。

iguana 鬣鳞蜥 蜥蜴亚目鬣鳞蜥科(Iguanidae)13种大型蜥蜴的统称,体长达1米余。英语中iguana一词有时也包括本科较小型蜥蜴,但鬣鳞蜥类最好称为"iguanid"。普通鬣鳞蜥(*Iguana iguana*)产于墨西哥至巴西一带。近缘的西印度鬣鳞蜥(*I. delicatissima*)分布在加勒比海上的几个群岛上。犀牛鬣鳞蜥(*Cyclura cornuta*)产于海地。荒漠鬣鳞蜥(沙鬣鳞蜥,*Dipsosaurus dorsalis*)产于墨西哥和美国,海鬣鳞蜥(鸡冠状钝鼻蜥,*Amblyrhynchus cristatus*)和陆鬣鳞蜥属(*Conolophus*)产于加拉帕戈斯群岛。

普通鬣鳞蜥(*Iguana iguana*)
美国不列颠百科全书公司供图

iguanid 鬣鳞蜥类 蜥蜴亚目鬣鳞蜥科(Iguanidae)动物。广布美洲,从加拿大南部到南美南端。隔离种见于马达加斯加和斐济群岛。本科包括美洲热带的巨鬣鳞蜥、加拉帕戈斯群岛的海鬣鳞蜥以及常见的安乐蜥属(*Anolis*)的200个种。具蜥蜴的基本特征,眼、尾和四肢发达。许多种林栖,多有领域性和求偶表演。

Iguanodon 禽龙 大型草食恐龙类的属。化石见于欧洲、北非、亚洲东部广大地区的上侏罗统和下白垩统(年代为1.59亿年前至9 900万年前)。身长10米多,头部离地面4米。这种两足行走的动物的后肢很发达,长而粗的尾起平衡作用。前肢也较发达,具异常的前掌,朝上生长硬如尖钉的拇指与掌的其余部分成直角。牙有锯齿状刃口。禽龙是被发现和研究得深入细致的恐龙。已找到许多完整个体的化石,有些成群被发现,表明它们曾成群行走。有人提出它具有部分水生的习性,当受到威胁时,会进入河或湖中避难。

禽龙
美国不列颠百科全书公司供图

Iguassú（falls and river, South America） 参阅 **Iguaçu Falls** 伊瓜苏瀑布；**Iguaçu River** 伊瓜苏河。

Iguazú（falls and river, South America） 参阅 **Iguaçu Falls** 伊瓜苏瀑布；**Iguaçu River** 伊瓜苏河。

Iguvine Tables 伊古维翁铜表 1444年在翁布里亚伊古维翁镇（现意大利古比奥城）发现的镌有文字的一套青铜铭表，7块仍保存在古比奥城博物馆中，另外两块可能1540年已运往威尼斯而在那里丢失。铜表采用翁布里亚语，其中4块全用翁布里亚字母刻写，第五块只有部分用翁布里亚字母，其余则全用拉丁字母。最早者可追溯至公元前3或前2世纪，最晚者可溯至公元前1世纪初。铭文刻的是阿梯地兄弟会礼拜仪式，对于研究古代意大利语言和宗教有很大意义。第一块是在伊古维翁有关圣所斋戒及禳灾的戒律。第六和第七两块实际上与第一块内容相同，但其文字较长，语言较晚。第二、第三、第四各块描述某些不同的献祭礼仪，语多晦涩。第五块铜表刻写兄弟会的会务规章，包括对该会会长之职责、薪给及奖惩等规定，最后内容为兄弟会与伊古维翁两部分居民之间的共同义务的声明。

Ihara Saikaku 井原西鹤（1642，日本大阪～1693-09-09，大阪） Ihara 又拼 Ibara，原名平山藤五。日本诗人和小说家，17世纪日本文艺复兴时期最有才华的作家之一，他饶有风趣地记述了商人阶级和娼妓界的谈情说爱和经商理财，从而使读者倾倒。他早年即以在俳句（由17个音节组成的诗）和幽默的连歌方面表现出惊人的才能而知名。1671年他曾在"一天一夜里"写出1 600句诗。但是他不满足于一分钟写一句诗的速度，而逐步提高他的本领，于1680年做到在24小时内写出4 000句诗。1684年则达到令人难以置信的23 500句。这大约是每分钟写16句（俳谐）以上了，因而得到"二万翁"的绰号。西鹤用比较正常的速度继续作诗，但是他的风格被认为如此怪诞，乃至他的对手诗人称之为"荷兰"西鹤，以表示其外国味道。但他却以写小说著称，他文笔流畅，简洁，喻意性强，这种风格来源于他作为俳句诗人的修养。小说内容从多种角度反映了当时的日本社会，当时商人阶级的地位显著提高，他们的爱好不但在艺术中占主要地位，他们的一时情趣连花街柳巷也要逢迎。《好色一代男》（1682）是西鹤许多小说中第一部涉及花柳区的，描写主人公世之介如何寻花问柳，从他6岁时的早熟经验一直写到60岁时赴女人岛为止。在同一情调的其他作品中，写得最出色的是《好色五人女》（1686）。西鹤还写过以武士（贵族战士阶级）为题材的小说，但是，一般认为这些小说不如他的爱情小说或反映商人生活的小说，例如《日本永代藏》（1688）这部短篇小说集就是写如何发家致富（或败家）的。不论处理什么题材，西鹤都显示出辛辣的幽默，以及抓住一个细节突出一个人物性格或环境的技巧，而这正是通过作俳句取得的。虽然他最擅长于描述大阪的活跃气氛，但是他写的却是整个日本。他的《西鹤诸国奇闻》（1685）记录了他旅途中听到的许多奇闻异事。他是一个到处都受到欢迎的作家，他对小说的影响一直持续到死后。

Ihering, Rudolf von 参阅 **Jhering, Rudolf von** 耶林。

ihram 受戒 伊斯兰教用语，指穆斯林在大朝或小朝时必须进入的圣洁状态。在朝觐开始时，穆斯林停在指定的地点履行一定的净身仪式；在披挂白色、未缝制的戒衣前，男人要理发、修剪指甲胡须。妇女的服饰没有具体规定，传统着长袍。朝觐者在受戒期间与安拉发生特殊关系，因此必须禁戒房事、剃发和修剪指甲等事。

Ii Naosuke 井伊直弼（1815-11-29，日本彦根～1860-03-24，江户［今东京］） 日本封建领主和政治家，在1858～1860年间为日本权势最大的政治人物，曾负责签订第一个日美商务条约，向西方开放门户。井伊家为谱代大名，领有彦根，在德川幕府中占有重要地位。井伊直弼是井伊直中的第14子，当他出生时，父亲已把权力交给了长子。父亲死后，除长子为继承人外，根据日本惯例，其余诸子都要过继给别的大名或降为家臣身份。直弼因无人过养，遂进入自己家创办的一所书院读书。除了学习日本传统文化外，作为一个武士，他也被传授兵法。他发展成为一个意志坚强而有独立性的人。31岁时他忽然交了好运，由于长兄的儿子死去，他被立为大名的后嗣。1850年长兄去世，由他继承彦根的领地，当时35岁。1853年M. 佩里准将率领美国舰队来临，代表美国政府要求日本放弃锁国政策，与外部世界发生联系。德川幕府面对美国的优势威力，打破惯例，征求封建贵

东京国际教育情报学社供图

族们的意见。井伊属于赞成同西方发展联系的一派，他的理论是：日本的力量还不够强大，不能在外国的侵略下保卫自己，与外国交往最终能使日本具有重新推行独立政策所必要的力量。1858年井伊直弼任大老，直接掌握政权。在他执政之前，德川幕府已经请求天皇批准日美条约，但受到反对派的阻挠。井伊直弼授权谈判代表不待天皇批准就在条约上签字。1860年3月25日井伊直弼偕侍从和卫士赴将军城堡，途中遭到反对派的袭击，经过一场搏斗，他被袭击者割去头颅。

Iio Sōgi 饭尾宗祇（1421，日本～1502-09-01，日本箱根） 又称宗祇。日本僧人，杰出的连歌师，室町时代中期最有代表性的诗人。也曾在京都当禅宗僧人，30多岁时成为专业连歌师。1466～1472年京都战争频仍，他主要居住在日本东部。1473年回到京都，进入最多产的时期。1480年到九州（他的《筑紫途中记》中有记载）。他的声誉主要来自两部连歌集：《水无濑三吟百韵》（1486）和《汤山三吟百韵》（1491），在这两部集子里，由他开头，另外两位诗人轮流吟短句，联成一诗，情调和倾向变化多端。

iiwi（*Vestiaria coccinea*） **镰嘴管舌鸟** 夏威夷的鸣禽，雀形目管舌鸟科的最常见种类之一。取食花蜜，鸣声为短促而尖的ee-ee-vee声，故得其英文名。长15厘米，体红色，

镰嘴管舌鸟（*Vestiaria coccinea*）
美国不列颠百科全书公司供图

翅黑色有小白斑，尾黑，嘴红色、镰刀状。

Iizuka 饭冢 日本九州福冈县城市。位于远贺川上游。19世纪90年代为采矿中心。第二次世界大战后矿山逐渐关闭，现为商业和铁路运输中心。人口81 868（1985）。

Ijaw（people） 参阅 **Ijo** 伊乔人。

Ijebu-Ode 伊杰布奥德 尼日利亚西南部奥贡州城镇。在沙加穆—贝宁城公路线上。建于16世纪，为伊杰布人（约鲁巴人分支）的主要城镇，后被定为伊杰布王国的京都，曾控制拉各斯泻湖各港口与约鲁巴内地之间贸易达数百年之久。在19世纪末约鲁巴人的内战中，伊杰布人反对伊巴丹人，封锁了通往海岸的贸易之路。1892年英国在伊杰布奥德击败伊杰布国王，摧毁了伊杰布人对贸易的垄断，并使其他约鲁巴人的王国就范。现为农产品（可乐果、可可、棕油和棕仁）集散地，亦为当地所产薯蓣、木薯、玉米、棕榈产品、柑橘、橡胶和木材的销售市场。有印刷和出版业，并以其手工炼铁工艺著称。有地方政府参议会、奥贡州立教育学院、伊斯兰教初等师范学院、基督教初等师范学院、公立职业学校、传染病医院和麻风病人村。人口约138 000（1991）。

Ijill（Mauritania） **伊吉勒** 参阅 **Fdérik** 弗德里克。

ijmāʿ 公议 伊斯兰教用语，指穆斯林社团，特别是穆斯林学者在任何时候，对任何伊斯兰教教理的一致正确意见。据圣训说，“我的人决不会一致为非行错”，因此，穆斯林以公议为伊斯兰教法四项原则中的第三原则。实际上，公议在解释其他三项原则以及制定穆斯林社团的教义与习俗方面发挥首要的作用。在伊斯兰教历史上，公议总是参考或近或远的过去达成的一致意见，而同时代形成的公议从不被作为参照依据。在现代穆斯林用语中，公议已不合传统权威的意义，而只是一种民主制度和改革手段。

IJmuiden 艾默伊登 荷兰西部阿姆斯特丹市港口和北荷兰省费尔森市的一部分。位于北海运河西端。为生产化肥、水泥的工业中心和主要渔港，有国营鱼市。有3座巨型船闸连接运河和北海。运河防波工程伸入海中近1.6千米。

Ijo 伊乔人 又拼Ijaw。居住在尼日利亚境内尼日尔河三角洲森林地带的民族。该民族由许多以前的自治群体组成。他们操尼日尔-刚果语系中克瓦语支的一种语言。在尼日尔河主要河口的西面，各群体皆占有一簇村庄，村与村之间由松散的合作加强联系（主要是为了对付外人）。伊乔人都声称出自共同的祖先。在群体和村一级，通常由祭司主持的长老会议进行管理。经济以捕鱼、采集棕榈油和漫滩农业为基础。当过去经济以捕鱼为主时，各群体都有不同的政治自治和文化。然而随着1500年左右与欧洲商人发生接触后，邦尼、卡拉巴尔和嫩克等群体便开始进行奴隶贸易，然后又进行棕榈油贸易。富裕的商人变得很有势力，与世袭的君主一道在长老会议中进行统治。为了使更多的人融入本社区中自己这一部分，每个商人都为自己买进许多奴隶；如果商人没有合适的继承人，则由一个能干的奴隶继承他。由于同其他群体在内地市场上的竞争和由于文化隔离的影响远远胜过共同血统的联系，能力大小变得比家世更为重要，所以出现了一些诸如卡拉巴尔群体的乔治和奥波博群体的贾贾这类奴隶出身的领袖。

Ijoid languages 伊乔诸语言 尼日尔-刚果语族中最小的一个语支，发现于尼日利亚相对狭长的尼日尔河三角洲沿岸地区。其中包括约有200万人使用的伊乔语，以及很少有人使用的单独的德法卡语。伊乔人属于第一批与欧洲人接触的西非人，伊乔语被认为是第一批有书面文字的尼日利亚语之一。

ijolite 霓霞岩 主要由霞石和碱性辉石（一般为霓辉石）组成的侵入岩。是同火山岩中的霞石岩和霞石粒玄岩相对应的深成岩。典型特征是，辉石结晶完好，并被霞石包围。副矿物有黑色石榴子石、榍石、钙钛矿、磷灰石、钙霞石和方解石。霓霞岩类是碳酸盐岩-碱性火成岩杂岩体中有特征性的岩石，如瑞典阿尔讷、挪威芬恩、俄罗斯的科拉半岛等地区含有丰富的硅灰石，还有美国科罗拉多州铁山等处的杂岩体。美国阿肯色州马格尼特谷，加拿大不列颠哥伦比亚省爱斯河（冰河）以及南非德兰士瓦省塞库昆尼兰德都是发现这类岩石集合体的著名代表地区。名为磷霞岩（科拉半岛）和暗霓霞岩（挪威芬恩附近）的岩石基本上是类似的组合；前者主要以霞石占优势，而后者则是含有过量辉石的变种。

IJssel River 艾瑟尔河 荷兰的河流，莱茵河的一支主要支流。在荷兰阿纳姆东南离开下莱茵地区向东北流113千米，在东北和东弗莱沃兰圩田之间注入艾瑟尔湖。可通航。水流缓慢，沉积大量淤泥。代芬特尔、兹沃勒和聚特芬是沿河的重要大都市。

IJsselmeer 艾瑟尔湖 又作Lake IJssel。荷兰中北部浅淡水湖。1932年筑堤把须得海南部与须得海北部及北海隔开后形成。水坝高出海面约8米，长31千米。位于北荷兰省和

艾瑟尔湖的湖堤北段
美国不列颠百科全书公司供图

弗里斯兰省中间。沿坝顶有公路和自行车道。湖堤筑船闸，可通驳船及小型海轮。船闸可调节引入艾瑟尔河河水，使含盐湖水变成淡水，为北荷兰、南荷兰和弗里斯兰3省提供水源和改善其盐碱沼地。淡水渔业代替了昔日咸水渔业，主要养鳗鲡。该湖3 440平方千米中的大部分已用拦堤抽水办法改为圩地。整个工程完成后，荷兰土地面积约可增加1 620平方千米的肥沃圩地。

IJsselmeer Polders 艾瑟尔圩地 荷兰中部4块圩地。由艾瑟尔湖围填而成。大部在湖南沿东岸一带。须得海工程于1920年开工。包括构筑拦海大坝（1932年建成）围成艾瑟尔湖和以后的围垦工程。维灵厄梅尔圩地、东北圩地和东弗莱沃兰圩地先后于1930、1942和1957年完成。南弗莱沃兰圩地于1968年竣工。另有第五块马尔凯尔瓦尔德圩地工程正在进行中。须得海工程由政府负责，并对新围垦地区进行行政管理。位于北荷兰省东北沿岸的维灵厄梅尔圩地被并入该省，东北圩地、东弗莱沃兰圩地和南弗莱沃兰圩地则于1986年合并组成弗莱沃兰省，以新城镇莱利斯塔德为其中心。这些圩地使荷兰的土地面积增加1 620平方千米。原来仅计划种植玉米、小麦、油料作物、甜菜和马铃薯，现亦兴办工厂、旅游点和新建住宅区。

ijtihād 伊智提哈德 又译创制。伊斯兰教法学用语，意为“尽力而为”，指对《古兰经》、圣训和公议都没有论及的问题所提出的独创性解释。在早期穆斯林社团，凡有资格的教法学家都有权提出意见、类比等独立判断；用此种方法分析案件的人称穆智台希德。阿拔斯王朝统治期间（750～1258）各教法学派逐步定型，逊尼派在伊斯兰教历3世纪提出：伊智提哈德时代已过，任何学者都再无资格作穆智台希德。而少数派什叶派仍然尊本派主要法学家为穆智台希德，尽管此派教法并不比逊尼派教法更为灵活。19、20世纪，改革主义运动提出恢复伊智提哈德，以此作为清除若干世纪以来在伊斯兰教内出现的有害的“比达阿”（标新立异）的手段，作为使伊斯兰教适应当代生活需要的改革工具。

IJzer River（Europe） 参阅 **Yser River** *伊瑟河*。

Ikare 伊卡雷 尼日利亚翁多州城镇。地处约鲁巴丘陵。与奥沃、奥凯内、卡巴和阿多埃基蒂通公路。为当地约鲁巴人农产品（薯蓣、木薯、玉米、黄秋葵、南瓜和稻米）销售中心，也是可可、棕榈产品、烟叶及棉花的集散地。是阿科科北方地方政府参议会所在地。有穆斯林中学、基督教中学、商业学校和医院。人口约124 300（1991）。

Ikbāl, Sir Mahomed（Indian poet） 参阅 **Iqbāl, Sir Muḥammad** *伊克巴尔*。

Ike Taiga 池大雅（1723-06-06，京都～1776-05-30，京都） 日本江户时代画家。农家出身，自幼习书法，后成为大书法家。最初根据中国的《八种画谱》（约1620）学习南画，后来结识日本老一辈南画家柳里恭和祇园南海，受到他们的影响。他不仅临摹南画名作，而且发展了一种自由奔放、富有生气的明朗风格。与谢芜村共同创立了日本南画派，流传至今。

ikebana 插花 日本编排花枝的古典艺术。这一术语的意义后来扩大到包括所有式样的日本花道。插花在6世纪由中国高僧传入日本，他们把对佛献花定为正式仪式。*池坊*（**Ikenobō**）是最早的花道流派，7世纪初由小野妹子创立。池坊以外较大的流派有古流、小原流和草月流。

Ikeda 池田 日本本州大阪府城市。在大阪市西北，福知山铁路线上。史前时期已有人居住。德川时代为贸易中心。19世纪末通铁路后成为大阪市居民卫星城。有酿造、木工和机车制造业。四周地区有果园。人口约104 268（1992）。

Ikeda Hayato 池田勇人（1899-12-03，日本广岛县～1965-08-13，东京） 日本首相（1960-07～1964-10），对第二次世界大战后日本经济高速增长有主要作用。出身于清酒酿造商家庭。1925年在京都帝国大学法学院毕业后，入大藏省工作。后升为次官。1949年当选众议员，并在吉田茂内阁中任大藏大臣，成为吉田派的骨干。1952年任通商产业大臣。此后历任大藏、通产和国务大臣。曾任自民党干事长和政调会长。1960年继岸信介

为自由民主党总裁，出任首相。他推行经济高速发展政策。1961年与美国总统肯尼迪在华盛顿举行会谈，决定日美两国每年举行部长级会议，商谈两国间的经济事务。他访问南亚和东南亚国家，加强对这些地区的经济和技术援助。1962年访问西欧，建议美国、西欧和日本应该成为“三根支柱”，以增强自由世界的团结。1963年在《部分禁止核试验条约》上签字，并为以后签订的《日韩条约》打下基础。1964年因病辞职。

Ikeja 伊凯贾 尼日利亚西南部城镇，拉各斯州首府。在联邦首都拉各斯西北17千米处。初为约鲁巴人创建。至19世纪中叶，常遭掠奴者们的洗劫。20世纪初成为拉各斯的农业腹地，是全国最早种植可乐果的地方。1901年拉各斯—伊巴丹铁路开通，拉各斯发展成为海港，伊凯贾成为拉各斯的住宅和工业郊区。60年代中期建立工业区。1976年设为州首府。有一些全国最大的棉纺厂，还有毛纺织厂。生产鞋靴、化妆品、医药、塑料、纸张、软木塞、陶器、颜料、火柴、灯泡，有食品加工厂和一家很大的啤酒厂。还有钢铁制品、拖车制造、金属线、铝、橡胶制品以及印刷、出版诸行业。设有拉各斯州立科技学院(1977)、联邦工业研究所(1955)、拉各斯州广播电台。为地方政府参议会所在地。尼日利亚航空公司总部和穆尔塔拉-穆罕默德国际机场也在此。人口约60 370(1983)。

Ikenobō 池坊 日本最古老的花道流派。池坊一词后来泛指所有的日本插花艺术。池坊(原意为池边僧舍)派原由日本遣唐使小野妹子创于7世纪初。小野妹子皈依佛教成为高僧，驻六角堂(即后来京都的一小寺)。在那里，作为佛教仪式的一部分，规定立花样式插花准则，一种直立的正规样式，一般使用窄口高脚瓶或细高花瓶。

Ikere-Ekiti 伊凯雷埃基蒂 尼日利亚西南部翁多州城镇。在阿库雷—阿多埃基蒂公路线上。为埃基蒂人(约鲁巴人分支)农产品销售中心和可可集散地。是埃基蒂南部地方政府参议会所在地。有公立和基督教的师范学院。也有一家医院。人口约176 800(1983)。

Ikeya-Seki, Comet 池谷-关彗星 包括大彗星1882Ⅱ在内的掠日彗星群中的一员，轨道与1882Ⅱ相似。它是两位日本业余天文学家池谷熏和关勉于1965年9月18日发现的。

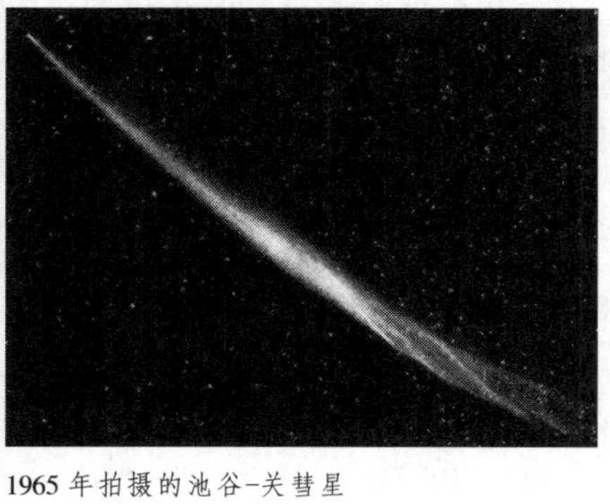

1965年拍摄的池谷-关彗星
美国不列颠百科全书公司供图

1965年10月21日最接近太阳(近日点只有470 000千米，小于太阳半径)。当时它的亮度足以在白昼用肉眼看见。像壮丽的彗星1882Ⅱ一样，它在靠近太阳时也出现分裂。池谷-关彗星的发现，使天文学家在1882年以后第一次有机会能在这种条件下研究彗星。

Ikhnaton (Egyptian king) 参阅 **Akhenaton 阿肯那顿**。

Ikhshīdids DYNASTY **伊赫什德王朝** 935～969年统治埃及和叙利亚的穆斯林突厥人王朝，穆罕默德·伊本·图格吉创立。935年图格吉任埃及总督，两年后从阿拔斯哈里发那里获得伊赫什德(波斯文：君主)的称号，遂巩固了他在埃及和叙利亚的地位。946～968年，他的两个儿子乌努朱尔和阿里虽然是名义上的统治者，实权却落到大臣艾布·米斯克·卡富尔手中。969年，法蒂玛王朝推翻该王朝末代君主，即图格吉的孙子。

ikhtilāf 伊赫提拉弗 伊斯兰教名词，特指在教义问题上的意见分歧。根据伊斯兰教教义，只要不损害伊斯兰教的基本原则，可以保持这类歧异。伊赫提拉弗与公议相区别，根据伊赫提拉弗原则，穆斯林可以选择适合本身情况而又无害的宗教学说。由此伊斯兰教内形成四个正统教法学派，即马立克学派、哈乃斐学派、沙菲仪学派和罕百里学派。各派内部对同一段经文也可能有不同解释。伊斯兰教义学家之间的分歧通常集中于法定习俗礼仪方面的一些细节问题，虽不涉及大的信仰原则，但与日常生活有着密切关系。

Ikhwān 易赫旺 阿拉伯语，意为“兄弟”。指一个宗教和军事组织一兄弟会的成员，他们在伊本·沙特领导下统一阿拉伯半岛的斗争中起了卓越的作用，今天他们组成沙特阿拉伯的国民警卫队。1912年伊本·沙特为培养一支精锐部队开始组织易赫旺，叫他们定居在称作希吉拉的居民点中，放弃游牧的生活方式。每个希吉拉居住10人至1万人不等，内有住宅区、清真寺、学校、农业工具和武器弹药等。宗教教师用原教旨主义训练他们，使之成为极端的传统主义者。1918年易赫旺成员参加伊本·沙特的精锐部队。翌年，他们发动一场反对半岛西北哈希姆王国的战役，在图赖拜击败侯赛因·伊本·阿里国王。1924年，当侯赛因宣布为麦加哈里发时，他们指责侯赛因阻碍他们去麦加朝觐，于是向外约旦、伊拉克和汉志同时进军，包围麦加城外的塔伊夫，屠杀数百居民。后来，麦加、吉达和麦地那相继失陷，他们为伊本·沙特夺得整个汉志。1926年，伊本·沙特由于引进电话、汽车和电报等新技术并把他的儿子送往国外留学，受到易赫旺的猛烈攻击。他们故意袭击伊拉克军队，侵犯中立区，挑起国际冲突。因此，英国人轰炸了内志省。1928年10月，伊本·沙特召开会议，免除叛乱头子伊本·侯迈德、达维什和伊本·希斯莱恩的职务。可是，伊本·侯迈德等仍然进行捣乱。1930年1月，伊本·沙特派兵包围叛乱分子，迫使他们在科威特向英国人投降。当然不是所有的易赫旺都参加了叛乱。那些效忠于伊本·沙特的易赫旺仍居住于希吉拉，得到政府的供养。他们后来参加了沙特阿拉伯国民警卫队。

Ikhwān al-Muslimūn, al- 参阅 **Muslim Brotherhood 穆斯林兄弟会**。

Ikhwān aṣ-Ṣafā' 精诚兄弟会 英语作 Brethren of Purity。阿拉伯秘密宗教团体。创立于伊拉克境内巴士拉。10世纪后半叶曾出版哲学宗教百科全书《精诚兄弟会论文集》。该会认为，个人灵魂是从普在灵魂发出的，人死后个人灵魂返归普在灵魂，普在灵魂在最后审判日与真主结合。《精诚兄弟会论文集》的宗旨是使灵魂摆脱谬误而了解实在的本质，以便死后幸福。

Iki 壹岐 日本长崎县岛屿。位于对马海峡东部，距九州海岸16千米。面积134平方千米。大部为台地。生产谷物、柑橘、烟叶。

壹岐岛民在晾墨鱼干
美国不列颠百科全书公司供图

渔产有鲭鱼与墨鱼。乡浦(主要城镇)、胜本和芦边等地有碇泊港。为中国和朝鲜文化输入的门户。人口35 089(1995)。

Ikire 伊基雷 尼日利亚奥约州城镇，地处伊巴丹至伊费的公路上。为当地经济作物(可可、棕榈油和棕榈仁)的收购地，也是薯蓣、玉米、木薯、棕榈产品、棉花和可乐果的贸易中心。棉纺为约鲁巴居民的传统工业。有天主教中学和公立中学、医院、诊疗所和妇产科诊所。人口约111 435(1991)。

Ikirun 伊基伦 尼日利亚西南部奥约州城镇。与拉各斯通铁路，与奥绍博、伊尼萨、伊巴贾和伊拉通公路。主要居民为约鲁巴人。19世纪富拉尼族战士洗劫该镇掠夺奴隶。现为农产品(薯蓣、玉米、木薯、豆类、秋葵等)销售中心和经济作物(棉花和烟草)集散地。有传统的棉纺手工业。设有公立的文法学校、诊疗所和产科诊所。人口约76 565(1991)。

Ikorodu 伊科罗杜 尼日利亚西南部拉各斯州城镇。位于首都拉各斯西北23千米，在贝宁湾的拉各斯潟湖附近。初为阿沃里人

(约鲁巴人支系)创建。19世纪中叶发展成拉各斯—伊巴丹商道上的重要贸易站。在伊巴丹-伊贾耶战争(1860～1865)期间,伊科罗杜商人决定反抗他们的伊杰布主人,偷运武器去伊巴丹。1865年埃格巴人决定惩罚伊科罗杜,英军进行干预,在伊科罗杜击败埃格巴军队。现为鱼类、家禽、木薯、玉米、棕油、棕仁、秋葵、凤梨、香蕉等农副产品的集散地。镇郊有种菜区。制陶为当地重要手工业。公路通拉各斯、沙加穆和埃佩。人口约184 674(1991)。

Ikot Abasi　伊科特阿巴锡　又称奥波博,前称埃关加。尼日利亚南部阿夸伊博姆州港口城镇。地近尼日尔河三角洲东部的伊莫(奥波博)河口。与阿巴和哈科特港通公路。19世纪为贩奴基地。1870年伊博人在此建奥波博王国。1887年英国在此建商埠。现为当地伊比比奥人的农产品(薯蓣、木薯、鱼、棕榈产品、玉米和芋)销售中心。亦以造船业著称。为地方政府参议会所在地。有中学、公立医院、产科诊所。人口约71 410(1991)。

Ikot Ekpene　伊科特埃佩内　尼日利亚南部阿夸伊博姆州城镇。在卡拉巴尔—阿巴海岸公路线上。为棕油、棕仁出口区的农贸中心(薯蓣、木薯、芋、玉米和棕榈产品)。居民以阿囊人为主,擅长编篮筐和制做棕藤家具。有联邦师范学院,为地方政府参议会所在地。人口约119 402(1991)。

Iktinos　参阅 **Ictinus** *伊克蒂诺*。

Il-76 (Soviet aircraft)　参阅 **Ilyushin Il-76** *伊尔-76*。

Il Domenichino (composer)　**伊尔·多梅尼基诺**　参阅 **Sarti, Giuseppe** *萨尔蒂*。

Il-Khanid DYNASTY　**伊儿汗王朝** (1256～1353)　统治伊朗的蒙古王朝。成吉思汗之孙旭烈兀约于1253年受命率蒙古军队13万前去征服伊朗。1256年他建立伊儿汗王朝,1258年他占领巴格达及伊朗全境,使该地区历经数百年的支离破碎后重建了政治和领土的完整。马哈茂德·合赞在位时期(1295～1304),伊儿汗国与留在中国的蒙古大汗失去一切联系。马哈茂德·合赞本人也成为伊斯兰教的逊尼派。1310年其弟完者都(1304～1316在位)改宗什叶派,因而引起内乱。他死后,其子艾卜·赛义德(1317～1335在位)又改信逊尼派,才算免除战祸。但宗派争执与内部纷乱继续扩大蔓延。艾卜·赛义德无嗣,王朝分裂。各伊儿汗王族实行地区统治,直到1353年。

Il Zazzerino (composer)　**伊尔·扎泽里诺**　参阅 **Peri, Jacopo** *佩里*。

Ila　伊拉人　又称 Baila, Sukulumbwe 或 Shukulumbwe。非洲民族。操班图语,住在赞比亚首都卢萨卡以西地区。伊拉-汤加集团约有12个方言群体,如洛齐人、科巴人、伦杰人、汤加人、托特拉人、伊拉人等等。伊拉人以农牧为业;男子狩猎、捕鱼、清理耕地;妇女采集食物并担负大部农作。他们种植玉米、高粱、黍稷、豆类、花生。20世纪早期,实行锄耕轮作,以后改用畜力耕作。他们饲养大批牛,食用大量牛乳。伊拉人没有集中的政治机构,村自为政,各由头人及长老议事会进行管理。他们似乎根据不同条件和目的,分别采用父系制或母系制传宗。婚姻聘礼为牛、地毯、贝壳及锄等,主要由丈夫家的母系亲属提供,而由父系亲属予以协助。婚后从夫居。传统上伊拉人相信最高神莱札和祖灵,但在20世纪20年代西方传教士曾在那里开办学校,不少伊拉人现在已是基督徒了。

Ila　伊拉　又拼Illa,又称伊拉奥兰贡。尼日利亚西南部奥约州城镇。地处约鲁巴丘陵,阿多埃基蒂—奥穆阿兰公路东侧。是约鲁巴人最早居民点之一。现为烟草和棉花的集散地。当地销售商品主要有棕油、棕仁、薯蓣、木薯及玉米。有一所中学和医疗机构。人口约89 900(1991)。

Ilacomilus　参阅 **Waldseemüller, Martin** *瓦尔德塞弥勒*。

Īlām　伊拉姆　伊朗西部城市。该市外貌具有乡村风味,位于伊拉克与伊朗的边界附近。有多条公路将该市与边境市镇梅赫兰和代赫洛兰相连。居民大多为库尔德人。当地的工业能生产砖、布、粗地毯和麻袋布。周围地区是美索不达米亚谷地的延续,由被侵蚀的扎格罗斯山脉沉积物构成。经济落后。以农业为主。种植大麦、小麦、水稻、油料作物、马铃薯和椰枣。还有少数油田。这个市有一所气象站和一座小型热电厂。人口126 346(1996)。

ilang-ilang (tree)　参阅 **ylang - ylang** *伊兰伊兰*。

Ilaro　伊拉罗　尼日利亚西南部奥贡州西部城镇。地处热带雨林区,在奥约帝国至波多诺伏港(现为贝宁首都)的古商道上。18世纪末创建时为埃格巴多人的首邑和主要贸易中心。19世纪初埃格巴多王国的宗主国奥约王国衰亡后,埃格巴多王国遭达荷美人抢掠,19世纪40和50年代被并入埃格巴王国,成为该王国的商埠。60年代欧洲传教士进入该镇,建约鲁巴圣公会传教团。1890年埃格巴多人要求英国保护,同年英国派驻军队。现为农产品(可可、棕油、棕仁、可乐果、稻米、秋葵和水果)集散中心。棉织和土法染布为传统手工业。附近有石灰石和磷矿石开采业。设有联邦工艺学校、师范学院和医院。在拉各斯—恩古鲁铁路的支线上。为地方公路交会点。人口约42 410(1992)。

Ilchester　伊尔切斯特　英国萨默塞特郡南萨默塞特区一城镇。濒临约河。曾为罗马人的林迪尼斯镇和早期北方部落的首府。10世纪建立王室造币厂,14～19世纪为郡首府。区内曾有7座堂区教堂,现仅存圣马利亚主教堂。人口1 768(1981)。

Ildigüzid DYNASTY　参阅 **Eldegüzid dynasty** *埃尔德古兹王朝*。

Île-de-France　法兰西岛　法国大区。包括法国中北部的瓦勒德瓦兹、塞纳-马恩、塞纳-圣但尼、巴黎、上塞纳、瓦勒德马恩、埃松、伊夫林等省。范围大致相当于前法兰西岛区。首府为巴黎。该大区面积12 011平方千米。巴黎周围地区原叫做法兰西亚,法兰西一名即由此演变而来。在墨洛温时期(476～750),法兰西亚指莱茵河与塞纳河之间地区。加洛林王朝时期法兰西亚仅限于埃纳、瓦兹、塞纳三河流域。10及11世纪则仅限于塞纳、马恩、伯夫龙、瓦兹等河流域。法国大革命中,法兰西亚划分为若干省。法兰西岛是法国人口最稠密的地区。1850～1968年,人口增加4倍多。法国政府决定分散巴黎行政权后,人口流入已告停止。仅塞纳-马恩、瓦勒德瓦兹、伊夫林三省农业较重要。塞纳-马恩农业高度机械化,主要作物为甜菜。瓦勒德瓦兹、法兰西维克新和法兰西岛的平原地区均产甜菜和小麦。工业高度发达。制造业有电子、航空设备等。企业、研究试验机构雇用了该国许多数学、电子计算机工程师和专家。人口约10 952 011(1999)。

Ile-Ife　伊莱-伊费　又称伊费或伊费-洛顿。尼日利亚西南部奥约州城镇,位于通往伊巴丹(其西64千米处)、伊莱沙和翁多之公路的交会处。是约鲁巴人较大的集中点之一,很可能是他们最古老的城镇,被当地人视为圣城和传说中的人类诞生地。人们认为此城由天神奥杜杜瓦的一个儿子所建,肯定是11世纪早期以前一个信誉卓著的王国(很可能就是以预言神伊发[Ifa]之名命名)的首都。12世纪末或13世纪初,此地工匠已制造出逼真的赤陶头像以及用脱蜡法制作的青铜器,伊费王国因此而为人们所熟知。伊费在政治上和文化上对东南邻邦埃多人的贝宁王国有极大影响。虽然贝宁和古奥约(即卡通加)后来成为政治上更重要的王国的活动中心,但伊费城仍为约鲁巴人的主要宗教中心。奥约的阿拉芬(alafin,意为"王")加冕时都被授予在伊费迎请来的御剑(ida oranyan,象征着神的权威),作为回报,国王必须保证不进攻伊费。1793年阿沃莱王欲侵入伊费领地掠夺奴隶,遭到国内激烈反对,之后一系列战争毁灭了建于16～19世纪的奥约帝国。富拉尼穆斯林袭击约鲁巴兰的其他部分时伊费总算没有受到其攻击,但在19世纪20年代,因与西南方的奥伍人争夺国内奴隶的贩卖权而国势大伤。伊洛林城被富拉尼穆斯林征服后,伊费的奥尼(oni,意为"王")允许来自那里的约鲁巴奥约难民在伊费城外建起有城墙的莫达凯凯镇,后来这位奥尼被毒杀。1882年伊费向伊巴丹宣战,但军队在进攻莫达凯凯时被击退。不久,伊费几乎被伊巴丹和莫达凯凯的联军毁灭。

现代的伊费镇中心有约鲁巴人精神领袖现任奥尼的宫殿,它保存着贝宁的奥兰米扬

(Oranmiyan)王的神柱——5.5米长的象牙形花岗岩独石。宫殿也是伊费博物馆(1954)所在地,内收藏有用脱蜡法制作的青铜铸件和赤陶雕像,这些艺术品一部分是由德国考古学家L.弗罗贝尼乌斯于1910年收集到的,嗣后在翁莫尼杰村寨的挖掘(1938～1939)及在伊塔耶穆附近的挖掘(1957)又陆续得到补充。1961年在城北建立全国主要高等学府之一奥巴费米·阿沃洛沃大学(原名伊费大学),附设教学医院和大型图书馆。附属的农业研究和培养中心设有沼泽地种植园,供农业研究之用,以及全国最大农业专科图书馆。镇内有大学附属教育学院(设有流动图书馆)及体育学院。伊费镇内有尼日利亚历史学会(1955)及几所师范学院、一所工学院和几所医院。1948年在此举行奥杜杜瓦后裔协会首次会议,奥杜杜瓦后裔是一群约鲁巴民族主义者,他们形成了行动小组(一个全国性的政党)的核心。

伊费是可可和棉花的主要集散中心,也栽培生产棕油、棕仁、薯蓣、木薯、玉米、南瓜和可乐果供应当地市场。居民大都为住在镇内的农民。人口约261 900(1991)。

Ilebo　伊莱博　旧称弗朗基港。刚果(金)中南部城镇。为开赛河河港。有铁路通卡南加和卢本巴希。是加丹加(沙巴)省的铜和其他矿产运往金沙萨和马塔迪的重要转运站。又是工商业和农业中心。有为20世纪20年代比利时国王阿尔贝特一世正式访问建造的棕榈饭店。人口约67 392(1994)。

ileitis　回肠炎　一段或几段小肠的慢性炎症;但严格来讲,"回肠炎"特指末段小肠,即回肠的炎症。那种病情更为严重的、同时累及大肠和小肠的特殊性炎症则称为"克隆氏病"——即节段性回肠炎。回肠炎无明显性别、年龄差异,但以20～50岁最为常见。本病症状变异很大,基本症状是慢性、间断性腹泻,有时带血,并伴痉挛性腹痛;比较常见的症状有发热、虚弱、体重下降、贫血等。克隆氏病患者常伴有进行性体衰,而且,肠梗阻和相邻肠管间的肠瘘也不在少数。回肠炎在最初急性期发病急骤,易与阑尾炎混淆,但单纯的急性回肠炎可完全康复;可是,克隆氏病有它自己的病程——慢性进行性、缓解、复发交替,并可持续多年。克隆氏病可导致肠壁增厚、肠管变窄和黏膜溃疡形成。克隆氏病的最后诊断是根据腹部X射线照片——小肠和(或)大肠肠道明显变窄和黏膜溃疡切迹。单纯性回肠炎的病因可以是肠道感染,也可以是各种外来刺激或是肠梗阻,甚至肠道吸收功能障碍或情绪紧张都可以引发急性单纯性回肠炎。而克隆氏病则被认为是一种自家免疫功能缺陷性疾病;治疗上无有用药物,主要是卧床休息;实在不行时,就必须手术切除病变的肠管。

Ilek Khanid DYNASTY　**伊莱克汗王朝**　参阅**Qarakhanid dynasty** 喀喇汗王朝。

ileostomy　回肠造口术　自回肠通出腹壁的人工肛门成形术。参阅**ostomy**。

Îles du Salut(French Guiana)　参阅**Salut, Îles du** 萨吕群岛。

Ilesha　伊莱沙　尼日利亚西南部奥约州城镇。地处约鲁巴丘陵。与伊莱伊费、奥绍博和阿库雷通公路。为约鲁巴兰最古老的居民点之一。在19世纪约鲁巴人内战中是反对伊巴丹人的重要军事中心。现为伊莱沙人(约鲁巴人支系)的传统文化中心和重要的可可集散地以及当地农产品(棕油、棕仁、薯蓣、木薯、玉米、棉花、可乐果)的销售市场。生产铁钉、地毯和啤酒。还有录制和出版业。有石英岩。采金业也重要。设有州立教育学院、韦斯利·吉尔德医院(1913)、奥约州高级法院分院、清真寺、集市广场和酋长王宫。人口约342 400(1992)。

ileum　回肠　小肠最后和最长的一段,主要担负维生素 B_{12} 的吸收和结合胆汁盐的重吸收。回肠约4米长,从空肠(小肠的中段)延伸到回盲瓣,后接结肠(大肠),通过肠系膜悬挂于腹壁。回肠肠壁的平滑肌比小肠其他部分的肠壁要薄,其蠕动收缩也要慢些,回肠壁的通透性也要比其上部的小肠要差。肠壁内包埋有小的集合淋巴组织(派尔氏淋巴集结),胆汁盐和维生素 B_{12} 的特异性受体均包含于回肠壁上,回肠吸收了肠容物中大约90%的结合胆汁盐。2%的成年人天生就有回肠畸形,称之为梅克尔氏憩室,这是一条约不足5厘米长的始于一侧肠壁的隧道样结构,出现这一畸形的原因是在胎儿时从脐通向小肠的导管未能萎缩和闭合。这种畸形常引起肠出血和炎症,一经发现通常需手术切除。回肠的末端因外伤或疾病可造成维生素 B_{12} 缺乏症,并有剧烈腹泻(胆汁盐干扰了大肠吸收水过程的结果)。

Ilex　冬青属　植物的一属。其种类称为冬青(**holly**)。

Ilf, Ilya; and Petrov, Yevgeny　伊里夫和彼得罗夫(伊里夫1897-10-03[新历10-15],俄罗斯帝国敖德萨[今在乌克兰]～1937-04-13,莫斯科;彼得罗夫1903-11-30[12-13],敖德萨～1942-07-02,克里米亚)　伊里亚·伊里夫是伊里亚·阿诺尔多维奇·费恩茨尔贝格的笔名,叶夫根尼·彼得罗夫是叶夫根尼·彼得罗维奇·卡达耶夫的笔名。苏联两幽默作家。他们在20世纪20年代末和30年代的亲密的文学合作产生了大量著名的讽刺作品。伊里夫出身于贫苦的犹太人家庭,1923年赴莫斯科,开始专业作家的写作生涯。彼得罗夫则是教师的儿子,1923年赴莫斯科,任职业新闻记者。起初,伊里夫在中央铁路职工报《汽笛》编辑部工作,那时彼得罗夫在讽刺杂志《红色辣椒》工作,1926年,彼得罗夫调到《汽笛》。两人形成独特的文学合伙关系。1928年,他们出版了两人合作的第一个成果《十二把椅子》。这是一部欢乐的流浪汉小说,讽刺了新经济政策时期的苏联生活,充满滑稽的冒险故事。这部作品发表后立即获得成功,它的流氓英雄奥斯塔普·本杰尔一夜之间变成俄国小说中最出名的人物。在《十二把椅子》的结尾中本杰尔被杀死,在续集《金牛犊》(1931)中却又复活。这是一部同样幽默、但更严肃和锋利的讽刺作品,集中讽刺那些宣称自己是一位已故苏联英雄的儿子的冒充者。1936年,两人去美国旅行后,写了《一层楼的美国》一书,这是关于他们乘汽车横越美国的诙谐旅行报道,其中大部分揭露追求物质享受和缺乏文化教养的美国生活,但也表明资本主义社会的许多方面对作者仍有吸引力。这部作品的续集是长篇故事《冬尼亚》(1937),它以恰当的讽刺笔触描写被迫住在资本主义社会中的苏联人民的生活。从1932年起,伊里夫和彼得罗夫还为《真理报》合写了大量幽默和讽刺小品。1937年伊里夫死于肺结核。彼得罗夫继续他的文学事业,为《文学报》和《星火》杂志写作。1942年,他在从被围的城市塞瓦斯托波尔赴莫斯科途中遇难。

Ilha do Bazaruto(Mozambique)　参阅**Bazaruto Island** 巴扎鲁托岛。

Ilhéus　伊列乌斯　巴西东北部巴伊亚州东南部城市。位于伊塔布纳东面,濒临大西洋伊列乌斯湾,近卡舒埃拉河口处。古老的葡萄牙殖民点。1881年建市。该地所产可可占巴西产量的一大部分,伊列乌斯为世界最重要的可可港之一。亦输出可可油、橡胶、化工品、棕毛和木材。作家J.亚马多在描写巴西社会的作品中,就以该市为背景。有良好的公路与航空线通州首府萨尔瓦多。市西北有水电站为该地区提供电力。人口约161 898(2000)。

Iliad　《伊利亚特》　有关特洛伊战争的一部史诗,传统认为出自古希腊诗人荷马之手。

Iliamna Lake　伊利亚姆纳湖　美国第二大淡水湖。位于阿拉斯加州西南部,库克湾西面。长130千米,宽40千米。面积3 000平方千米。湖水从西南排出,经克维查克河,注入白令海布里斯托尔湾。以鲑鳟、尤以虹鳟闻名。湖区东北部有伊利亚姆纳活火山(3 053米)。

Iliescu, Ion　伊利埃斯库(1930-03-03,罗马尼亚奥尔泰尼察～　　)　罗马尼亚政治人物。曾在莫斯科学习工程。1953年参加共产党,原是齐奥塞斯库的门生。但后来失宠,1971年齐奥塞斯库免除了他的所有职务,只保留了中央委员,派到边远地区降职使用。1984年被逐出中央委员会。1989年12月齐奥塞斯库被推翻并处死后,他成为临时政府主席。1990年当选总统,1992年再次当选,但并未积极进行社会改革。1996年大选失败。然而4年后,作为社会民主党主席又当选总统。在这一任期内使罗马尼亚进入北约,并支持参加欧盟的谈判。

Iligan　伊利甘　菲律宾棉兰老岛北部城市。位于伊利甘湾东南岸。为主要工业城市和伊利甘河口的重要港口。因邻近阿古斯河而发展起来,玛利亚·克里斯蒂娜瀑布有巨大的水电能量。工业包括钢铁、碳化钙、铁合金、化肥、水泥、胶合板。有机场。1950 年设市。人口约 285 000(2000)。

Ilinsky, Igor (Vladimirovich)　伊林斯基 (1901-07-24[旧历 07-11],俄国莫斯科～1987-01-13,莫斯科)　俄国舞台剧演员和电影演员。尤以饰演风趣幽默的中产阶级滑稽角色、流浪汉、乡下笨汉、无赖和城市骗子等最为著名。他在新剧院上演的莎士比亚戏剧《温莎的风流娘儿们》中首次登台,然而直到20 年代他加入迈耶霍尔德的实验演出时才得以出名。在迈耶霍尔德导演的剧作中他饰演的知名角色有维尔哈伦《黎明》(1920)中的依斯特伦,克罗姆兰克《大奸夫》(1922)中的布鲁诺和马雅可夫斯基《臭虫》(1928)中的普里赛普金等。最令人难忘的是果戈理《钦差大臣》(1926)中的切列斯塔柯夫,伊林斯基于1938 年在小剧院再次饰演这个角色。他从1938 年起在该剧院担任演员和导演直至退休,即他 85 岁去世的前两年。其电影生涯与他的舞台演出同时,1924 年首次在 Y. 普罗塔扎诺夫导演的《艾莉塔》中饰私人侦探克里夫科夫。1967 年被授予列宁勋章。写有自传《关于我自己》(1961)。

iliocostalis muscle　髂肋肌　身体背部、脊柱两侧的深层肌。为骶棘肌的一部分,功能为使脊柱伸直、侧弯或旋转。可分为三部分:下部为腰髂肋肌,位于髂骨与下部肋骨之间;中部为背髂肋肌(或称胸髂肋肌),起于下部肋骨,止于上部肋骨;上部为项髂肋肌,起于上部肋骨,止于颈椎横突。

iliofemoral thrombophlebitis (medicine)　**髂股血栓性静脉炎**　参阅 **milk leg** *股白肿*。

Ilion　伊林　美国纽约州中部赫基默县一村。濒临莫霍克河和纽约州运河。在尤蒂卡东南偏东 18 千米处,与莫霍克村相邻。1725 年始有德国人定居,1852 年设村。1825 年伊利运河修成,促进了工业发展。1828 年建于运河岸边的雷明顿兵工厂是庞大军火工业的先驱。该公司所产各型枪支均展出于雷明顿兵器博物馆。雷明顿公司并于 1873 年制出第一台实用打字机。随着产品的多样化,又研制出通用自动电子计算机。1966 年设赫基默县社区学院。人口 8 610(2000)。

Ilium　伊利乌姆　参阅 **Troy** *特洛伊*。

Illa (Nigeria)　参阅 **Ila** *伊拉*。

Illahun (ancient Egyptian site)　参阅 **Lāhūn, al-** *拉洪*。

Illawarra　伊勒瓦拉　澳大利亚新南威尔士州南部沿海地区。北起鲍尔德山,南至肖尔黑文河和巴特曼斯贝,东临海洋,西达东部高地的伊勒瓦拉岭。沿海岸绵延 180 千米,面积 5 800 平方千米。包括伍伦贡工业城、布利煤矿、富饶的乳制品产区、海滩游览地,并有兴旺的海洋渔业。主要港口肯布拉港是金属制造业重要中心。伊勒瓦拉潟湖位于悉尼南面 80 千米,面积 3 400 公顷,盛产对虾。

Ille-et-Vilaine　伊尔-维莱讷　法国西北部布列塔尼大区省份。由过去布列塔尼省的东北部组成,北濒英吉利海峡和芒什省,面积6 775平方千米。气候温暖多雨。埃梅洛德海岸以东,圣米歇尔山海湾的平坦海岸地带已被开垦,用于养羊和种植蔬菜。康卡勒附近有牡蛎养殖场。经济上,海滨胜地已变得比渔业更为重要。雷恩盆地土壤肥沃,种植谷物,尤其是小麦、饲料和豆荚。畜牧业已扩大。专做苹果酒的苹果园仍很兴旺。雷恩地区已建立起一些工业,主要是汽车制造业。富热尔专门制造女式鞋靴。探险考察加拿大的 J. 卡蒂埃和作家夏多布里昂出生于圣马洛。全省设雷恩、圣马洛、富热尔和勒东 4 个专区,属于雷恩教育区。人口约 867 818 (1999)。

illegitimacy　非婚生　指在婚姻关系外受孕并出生的子女的地位。很多法令或是明文规定,或是可被解释为,如果父母明确地认为他们是合法结婚的,即使这种婚姻无效,所生子女通常也不是非婚生。同样地,宣告婚姻无效也不能使子女成为非婚生。关于婚生的法律的历史趋势已经倾向于比较人道地对待非婚生子女。在早期罗马、西班牙、英国的法律中,非婚生子女被剥夺了继承权。在中世纪,欧洲各国把非婚生子女视为不受法律保护。关于是否婚生的诉讼通常涉及子女的继承权或者是向一个不承认父子关系的父亲要求付给生活费。一般地说,除非有明确的反证,否则就应推定是婚生关系。关于母亲名声不好的证据,不足以表明没有父子关系。非婚生子女通常由其生父母抚养,母亲有抚养的优先权。以前,非婚生子女的父亲没有供养他们的义务,但是许多法令已经修改了这一点。母亲的合法丈夫通常没有义务供养他们,除非婚姻是在这种子女出生以后缔结的。非婚生子女的地位可以通过一种被称为合法化的法律诉讼予以改变,赋予他婚生子女的一切权利——但已经给予当然婚生子女的财产或金钱不能再转给有权获得其中的一部分的合法化的子女。在某些地方,如果父母后来结了婚,或者如果母亲嫁了其他人,或父亲公开承认并供养这种子女,合法化的程序就自动完成了。许多法令授权法院宣布一个子女合法化,现代的趋势是强烈倾向合法化。

Illiciales　八角目　一个原始的双子叶植物目。含八角科(Illiciaceae)和五味子科(Schisandraceae),共 3 属,多为热带和亚热带木本植物。花辐射对称,靠甲虫传粉,花被无萼片和花瓣的区别。八角目因具古代裸子植物的原始性导管等特征,而具有植物学意义。据认为八角目与木兰目有共同的起源,并与毛茛目的祖先有亲缘关系,因此在显花植物的进化中占重要地位。八角科仅八角属(*Illicium*)1 属,42 种,灌木或乔木。叶常绿,有香味;花两性,内层花瓣逐渐变为雄蕊,雌蕊由 7～15 个排列成单轮形的心皮组成,每心皮各有 1 枚胚珠;果为独特的木质蓇葖果,成环状排列,每一蓇葖沿缝线裂开,释出一粒种子。八角(真八角、星状茴香,*I. verum*)为灌木,干果所含八角油可制香料或用于糖果、甜露酒调味。五味子科 2 属;五味子属(*Schisandra*)25 种;南五味子属(*Kadsura*)22 种,为攀缘藤本植物,雌雄异株。该科植物每个果结 1～5 粒种子。仅有几种可供观赏和入药,如中国五味子(五味子,*S. chinensis*),花白色或粉红色,有香味。日本南五味子(*K. japonica*)果实成串,猩红色。

Illinois　伊利诺伊人　又译伊利诺斯人。操阿尔冈昆语的小型印第安部落联盟,原分布于今威斯康星州南部、伊利诺伊州北部以及密苏里州和艾奥瓦州的部分地区,最著名部落是:卡霍基亚人、卡斯卡斯基亚人、米奇加米亚人、皮奥里亚人及塔马罗亚人。伊利诺伊人大多从事狩猎,少数人整年猎捕森林哺乳动物;大多数村庄参加冬季草原共同围猎野牛的活动。妇女种植玉米及其他蔬菜,以为补助。村落住房均以蒲席覆盖,每所住房容纳几个家庭。对于伊利诺伊人的社会组织,我们几无所知,但很可能与迈阿密人相同:有一名文职首领,由村庄议事会成员选出,另一名军事首领,按照其领导袭击的能力选出。17 世纪中叶前,大多数伊利诺伊人曾集中于伊利诺伊河沿岸,其范围自饥岩以至密西西比河。这是由于达科他人、福克斯人及其他北方部落不断入侵的结果。易洛魁人的攻击使伊利诺伊人口大减。1832 年,残存的伊利诺伊人卖掉其土地,迁往堪萨斯州,然后又到俄克拉何马州。

Illinois　伊利诺伊　1818年12月3日被接纳为美国第 21 州,该州在整个 20 世纪一直处于极度分裂状态。它既位于所谓的老工业区,又位于美国富饶的农业中心地带。芝加哥为全国第 3 大城市,它的存在使该州大部分是城市区的东北部与城乡居民更为平衡的南部地区之间出现了明显差别。由于该州很长,南部和北部区域的特点在这里均有体现。更深层的差别来自该州居民种族的复杂性。

这些内在的差别并非伊利诺伊所独有,但由于该州在全国经济和政治生活中的重要作用,或许更显突出。丰富的煤炭及石油蕴藏和极易获取原料与运输成品的理想地理位置,使伊利诺伊在出口商品值、农业收入以及制造业附加值等方面均排在各州前列。芝加哥是全国的铁路运输枢纽;该市的奥黑尔国际机场是世界上最繁忙的机场之一,伊利诺伊的公路和水路商业运输也十分繁忙。伊利诺伊在政治上仍然是个"摇摆州",它的投票结果常常反映出在不断增长但财富分配不均的经济繁荣下面隐含的时起时伏的社会摩擦。

伊利诺伊的面积为 56 345 平方英里(145 934 平方千米),从北边的威斯康星州到南边被称为"小埃及"地区(该地区比弗吉尼亚州的里士满还要偏南)的开罗为 385 英里(620 千米)。除与威斯康星州相邻外,该州东北濒密歇根湖,东接印第安纳州,东南邻肯塔基州,西与密苏里州和艾奥瓦州交界。该州的名称取自伊利诺伊的印第安人。州府斯普林菲尔德。

伊利诺伊州中部梅肯附近农场的玉米田
美国不列颠百科全书公司供图

自然地理和人文地理

土地 *地形和水系* 伊利诺伊境内900多条小河大部分流入密西西比河水系，原先经密歇根湖流入圣劳伦斯水道的芝加哥河和卡柳梅特河，现因开凿运河改经伊利诺伊河注入密西西比河。俄亥俄河在该州南端与密西西比河交汇。

伊利诺伊的大部地区为平坦的大草原，西部、北部和南部有一些不整齐的平原。伊利诺伊最南端一带未受到冰川作用的影响，在许多方面与该州其他地区不同。肖尼国家森林是伊利诺伊州内唯一的联邦林区，占该地区很大一部分。伊利诺伊南部为坡度平缓的开阔丘陵地带。西北部为一片绵延起伏的丘陵，其中有该州最高点，海拔1 235英尺(376米)。全州平均海拔约为600英尺。整个伊利诺伊的地下是天然地下水库。芝加哥及其周围许多郊区从密歇根湖取水，但该州北部的大部分用水则从地下井中汲取。有些地区正面临着供水日益减少的问题；乔利埃特周围地区的地下水位，在过去100年中下降了700英尺以上。州内大多数湖泊为人工湖。

伊利诺伊北部和中部大部分地区为深黑色土壤，异常肥沃，是世界上最适于农业种植的土壤之一。占该州1/3的南部土壤远不如其他地区适于耕种。

气候 由于其地理位置及很长的南北轴线，伊利诺伊的季节和地区温度差别甚大，有典型的寒冷多雪的冬天和炎热的夏天；密歇根湖周围地区的极温有所减弱。冬天北方的平均温度约为 - 6 °C，南方约为3 °C；夏天北方为23 °C，南方为27 °C。年平均降水量北方约为34英寸(864毫米)，南方为46英寸。生长季节的差别很大，南方为205天，而最北端各县仅有155天。

动植物 伊利诺伊的植被分为北部和中部的费耶特大草原区和西部及南部地区的橡树-山核桃树森林区。在白人移民到来之前，橡树-山核桃树林在北部也很多。移民对燃料和建材的需求以及伐木业的兴起，造成大量树木被砍伐，伊利诺伊只有10%的森林被保留下来。剩下的森林面积约有400万英亩，其中70万英亩以上在肖尼国家森林区内。该州由于南北很长，生长着种类繁多的北方植物和南方植物，不仅有五针松、美洲落叶松、胡桃、柏、水紫树这些不同种类的树木，北方和南方的野花也都在该州生长。

1800年以前，大量的野生动物生活在大草原上和森林中，但现在美洲野牛、熊、狼、美洲狮和美洲赤鹿均已消失。鹿是1910年绝迹的；但在1933年资源保护部养殖了一小群，此后鹿的数量又有所增加。鹌鹑和雉鸡是准予捕杀的鸟，现在已不如以往年代多，但大量水禽仍在春天和秋天的迁徙季节出现。水的污染使许多鱼种几乎绝灭，但鮰鱼、鲤鱼、鲇鱼依然很多。

拓居模式 除了前面提到的芝加哥地区同该州南部乡村地区在聚居模式上有明显不同外，伊利诺伊在经济和社会特征上又可分为明显不同的三大地区。高度城市化地带(其间有广阔的农业区)在北部从芝加哥穿过该州，延伸到密西西比河沿岸的罗克艾兰-莫林联合体，并包括坎卡基、乔利埃特及罗克福德等地。大部分农田，虽然无疑属乡村地区，但很接近较大的城市中心。芝加哥和其他城市中心周围的重工业区，有一个庞大和发展迅速的近郊区综合体，其中有购物中心、独家住宅和公寓楼。

占该州1/3的中部地区有以下城市：斯普林菲尔德、布卢明顿、皮奥里亚、尚佩恩、丹维尔、盖尔斯堡、昆西、迪凯特。这个地区的经济基础是农业。有的城市，如皮奥里亚有农业机械和建筑设备制造业；其余则为社会机构的中心，如斯普林菲尔德为州政府所在地，尚佩恩-厄巴纳为伊利诺伊大学所在地。交通和运输的中心分散在四五个大都会区。人们的性格趋向于维持乡村或小城镇的状态，且十分崇尚传统和历史。

密苏里州的圣路易斯控制着伊利诺伊的南部地区。东圣路易斯、贝尔维尔、奥尔顿和格拉尼特城是中等规模的城市，但它们仅位于两个县内，其余各县多为农业县。由于这个地区是最早的移民定居区，大部分社区都比北部的邻区有更悠久的历史传统。伊利诺伊南部有煤矿、油井以及占据了10个县部分地区的肖尼国家森林。该地区为典型的南方山地区，由于城市较少和经济不景气，生活节奏缓慢。位于卡本代尔的南伊利诺伊大学促进了该地区的经济和文化发展。

人民 由于法国人与印第安人之间的战争使得大多数法国人离开了伊利诺伊，此后，英国移民和盎格鲁-撒克逊裔的殖民者从弗吉尼亚、田纳西和肯塔基来到这里。新英格兰人和纽约人则从大湖地区或国家公路来此。当美国经历着自19世纪40年代开始的大规模欧洲移民浪潮时，大批德国人和爱尔兰人来到伊利诺伊的北部；后来从19世纪80年代到第一次世界大战，又有许多移民从波兰、匈牙利、意大利、挪威、瑞典、奥地利、俄罗斯来到这里。1910年，在国外出生的人中德国人占首位，奥地利人和匈牙利人居第2位，其后分别是俄罗斯人、斯堪的那维亚人、爱尔兰人和意大利人。虽然犹太居民在19世纪就已在当地立足，但该民族的人数在第二次世界大战之前猛增，特别是在芝加哥地区。战后，从阿巴拉契亚来的白人和印第安人在各大城市中寻找工作。最近一个时期，当地移民大多来自各个不同的种族，其中亚洲人和拉丁美洲人的数量不断增加。

自1719年第一次贩运进奴隶后，伊利诺伊就有黑人居住，但在南北战争以前，人数一直不多。1870年，黑人人数为29 000人，到了1910年，南部各县均有黑人移入，总数共达109 000人。随着第一次世界大战的爆发，进入各主要工业中心城市的黑人稳步增加，到了20世纪后期，伊利诺伊的黑人已约占全州人口的15%，其中4/5居住在芝加哥和库克县。

伊利诺伊的人口由于来自不同种族，宗教信仰也各异。早在19世纪初，循道宗的巡回牧师便在整个伊利诺伊培养了一小批信徒，时至今日，循道宗仍保持着强大影响。爱尔兰人、少数德国人以及后来的南欧人和东欧人，将天主教传入各大城市，芝加哥的天主教大主教管区的信徒人数在全国居第2位。这个城市还有许多东正教和基督教新教教堂以及犹太教会堂。

伊利诺伊的人口特点和全国的情况相似：白人继续离开城市迁往近郊区，同时大城市中的黑人在数量和百分比上均呈上升趋势。人口12 600 620(2002)。

经济 该州经济的多样性特点——制造业、农业、金融、采矿、运输、管理和服务等方面的优势——使伊利诺伊成为全国经济的缩影。在其他各州因行业范围较窄而处境困难时，这种多样性能使该州在总体上保持稳定。

州政府和私人的商业机构十分注意发展伊利诺伊的均衡经济。伊利诺伊商业和社会事务部在外国城市设有办事处，以促进伊利诺伊产品的输入。该州为黑人及其他少数民族发展企业提供服务，并向私人企业提供有关新技术发展的信息。私人机构在有吸引力的行业中、在城区的发展以及技术的创新上都起了相当显著的作用。

在伊利诺伊，工会组织在政治和经济上势力都较强，但无论是他们还是雇主集团都没有强大到足以把自己的意愿强加给对方。当劳资双方发生纠纷时，政治人物常常出面进行调解，尤其是在芝加哥，这里的工会依靠某些政党及其领袖已是公认的生活现实。

资源 伊利诺伊在整个煤矿的储量上居全国第2位，烟煤居第1位。虽然伊利诺伊不是国家主要的煤炭生产地，但煤在价值上却是该州主要的矿产品。石油产量在1940年曾达到顶峰，但此后便日趋下降。伊利诺伊是萤石、硅藻土以及工业用砂的主要产地。

煤和石油在电力生产中占主导地位，但核能发电能力已在该州逐年增加。伊利诺伊有12个这样的发电厂，超过美国其他各州。莱蒙特附近的阿尔贡国家实验室和巴达维亚的费米国家加速器实验室是美国能源部主要的研究和开发设施。

工业 伊利诺伊除印刷和出版业十分发达外，在组合金属制品、食品、橡胶制品和电机的制造方面也领先各州。该州也是非电动机器的主要产地之一，产品在该州出口总值中占最大份额。全州各地均有工业园区，最集中的地方是芝加哥都会区。

农业 伊利诺伊最大的自然资源是肥沃的黑土地。农田占全州面积的80%以上。伊利诺伊多年来一直是全国主要的大豆产地，该州玉米的产量与艾奥瓦州不分伯仲。伊利诺伊的猪肉和乳制品、谷物和食用牲畜的生产也很出名。家庭农场在伊利诺伊的农场中占多数。

金融 该州对银行分行业务的禁令使独立银行激增。这个问题在斯普林菲尔德发展成长期的复杂的政治斗争，常常发生与此有关的指控以及间或暴露的政治贿赂。观察家认为反对改变禁令主要来自两个方面：首先是该州南部地区的小银行，它们害怕被芝加哥大银行所取代；其次是收取很高服务费的货币交易所，尤其是在不可能建立独立银行机构的市中心地区。

伊利诺伊不仅银行业兴旺，保险业也十分发达。芝加哥除了有中西部证券交易所和芝加哥谷物交易所外，还是联邦储备银行第7区的所在地。虽然在交易额上极大地低于纽约证券交易所和美国证券交易所，但中西部证券交易所的交易量仍然相当可观。芝加哥谷物交易所是全国最古老、最大的商品市场，经营谷物、大豆及其制品、银、胶合板和木材、牲畜以及乳制品等。其他交易所还有芝加哥商业交易所。

运输 伊利诺伊以美国的运输中心而闻名。其他地区很少拥有如此之多的运输手段。该州的铁路网从芝加哥向四面辐射，是全国分布最广的铁路网之一。芝加哥是美国全国铁路客运公司的主要中心，还经营近郊客运铁路运输。芝加哥还是全国公路系统的一个主要枢纽，几乎州内所有重要城区都至少有一条州际高速公路通过。

当密歇根湖在1948年经由伊利诺伊-密歇根运河（将芝加哥河同伊利诺伊河连接起来）与密西西比河相通后，水路运输变得更加方便。圣劳伦斯航道促进了芝加哥港的扩建。南芝加哥的卡柳梅特港可停靠远洋货轮。芝加哥建有两个主要机场，奥黑尔国际机场和米德韦机场；另有一个是梅格斯机场，位于滨湖区，供小飞机起降，2003年关闭。全州共有700多个机场。

行政与社会状况 **政府** 第1、2、3部州宪法分别于1818、1848、1870年通过，此后100年一直保持不变。1970年12月通过的宪法给《伊利诺伊人权法》增加了新的内容，禁止依据种族、宗教信仰、肤色、民族血统或性别，在就业或在地产的出售或出租上进行歧视，禁止歧视生理或心理上有残疾的人。

行政职务包括州长、副州长、州务卿、司法部长、财政部长和审计长，所有当选者任期4年，当选次数不限。根据新宪法，州长被赋予改组州政府的权力，州长由于有权减少拨款和反对立法中某些内容而又不必否决整个法案，他的否决权因此得到加强。

伊利诺伊议会由59席的参议院和118席的众议院组成。参议员每届任期4年，众议员2年。1980年的一次公民复决投票废除了独特的众议院选举模式，按照这种模式，每个选区选3名众议员，确保该区少数党拥有1席。现在众议员的选举是每区选1人。

司法系统最高机构为7位法官组成的最高法院，法官任期10年。另外还有上诉法院、巡回法院和申诉法院，后者负责听取与州政府有牵连的申诉。虽然支持通过《密苏里法》的声势很大（根据该法，法官候选人和现任法官要先由超党派的委员会复审，然后再由州长任命），但是由党派推举法官的做法依然照旧。法官们凭自己的业绩竞选留任，选举人只表示“赞成”或“反对”。

伊利诺伊的地方政府分为三级：县、镇、自治市，再加上许多特别区。县划分为有镇县和无镇县。库克县因包括芝加哥及其周围主要郊区，自成一类。所有县均选举一定数目的行政官员。85个有镇县由分区选举或普选产生的官员组成委员会治理，17个无镇县由普选产生的3人委员会治理，库克县由17人委员会治理，其中11人来自芝加哥，6人来自郊区。

镇的建制主要是作为道路养护和一般性援助单位。镇的年度会议，即所有合格投票人的一次聚会，是当地政府保持了数世纪的一项重大活动。市政府通常采用市长-政务会体制，虽然其他形式也允许；乡村则采用村长-受托人体制。

伊利诺伊总共有6 400多个地方政府单位，结果造成行政、教育、公园、消防、公共卫生、污水处理、排水及其他特别区建制的重叠。大多数单位是为了规避旧宪法中的种种限制而建立的，结果自身反倒成为长存不废的了。税收模式同样混杂。州税包括个人所得税和营业所得税，烟、酒及零售税。房地产税主要用于支持当地学校和其他服务工作，虽然州从所得税收入中给市和县提供“无附带条件的”拨款。

教育 伊利诺伊教育委员会设立于1975年，在此之前的1970年宪法规定，管理公共初等教育和中等教育的责任应由选举产生的督学移交给一个任命的公民委员会。委员会的17名委员由州长征得参议院的同意后予以任命。芝加哥学校的资金问题长期以来一直是市和州激烈争吵的焦点。

在高等教育领域，伊利诺伊提供了大量的机会，并常常因学术上的成就而受到嘉奖。芝加哥大学（1890年领特许状）是国内最著名的高等学府之一。埃文斯顿的西北大学在一些领域里有杰出的教学人才，芝加哥的伊利诺伊理工学院、卡本代尔和爱德华兹维尔的南伊利诺伊大学也是如此。除上面提到的最后一所学校外，州的教育系统还包括8所州立大学和在尚佩恩-厄巴纳及芝加哥设有分校的伊利诺伊大学，以及50多所社区学院。全州各地均有属于教会和不属于教会的私立学院。

保健与福利 州和当地政府都提供保健与福利的援助与服务，这些服务大都接受来自不同联邦部门的资金，但最需要服务的低收入群体代表常常与地方官员在谁应掌握资金和执行这些计划上发生冲突。

芝加哥的公共住房基本上由市负责，联邦给予援助。无论是先前由联邦政府资助的模范城市计划，还是现在的芝加哥住房局，都碰到了反对将公共住房建在白人居住区的提议。对贫困家庭、受扶养儿童以及其他群体的福利援助在斯普林菲尔德的立法机构中受阻，而单独在城市低收入的黑人和讲西班牙语的居民区建立住区免费诊所的打算又遭到当地的反对，而且也缺少足够的资金。

虽然伊利诺伊大部分地区的医疗设施是全国最好的，而且芝加哥又是医疗和精神病治疗和培训中心，许多伊利诺伊人所接受的服务却并不充分。尽管伊利诺伊在人均收入上位居全国最高之列，公共补助的负担看来远未得到解决，甚至在目标上也未取得一致。

文化生活 到1900年，芝加哥的建筑师们所设计的商业建筑和私人建筑，已成为世界各地现代建筑的样板。在20世纪10～20年代，该市是文艺活动的中心；今天，这里有许多公共和私人图书馆。该市的美术馆、科学与工业博物馆、菲尔德自然历史博物馆以及城市中具有历史意义的其他建筑物拥有世界上最完备的收藏品和研究设施。在好莱坞于大约1910年发展电影业之前，芝加哥是美国电影业的中心，该市现在的戏院上演一系列题材广泛、优秀和实验性的剧作。舞蹈表演很广泛，芝加哥交响乐团和歌剧团也属于美国音乐界最优秀的演出团体之列。

芝加哥以外的社区也有丰富多彩的文化生活，通常围绕许多学院和大学的戏剧、音乐、美术和各种理工院系以及社区的剧团或乐团开展活动。贝尔维尔以拥有国内第2个历史最悠久的交响乐团而自豪，该团建于1867年。1898年由雕刻家L. 塔夫脱建于俄勒冈的鹰巢艺术家庄园有许多伊利诺伊有名望的艺术家，1950年由北伊利诺伊大学接管。

伊利诺伊艺术委员会是该州于 1965 年建立的,它作为主要的代理机构为数种艺术在全州或地方上的活动计划提供资金。该会得到州和联邦代理机构全国艺术基金委员会的支持。

全州有很多具有历史意义的地方。一些旧城位于密西西比河畔,包括:加利纳市,这里有 U.S. 格兰特总统的故居;诺伍市,由摩门教徒建于 1839 年;以及摩门教徒 1846 年准备乘牛车前往犹他州时的出发地。斯普林菲尔德附近的新塞勒姆是一个木屋保护区,A. 林肯年青时曾在此地居住过。伊利诺伊中部地区的"林肯足迹"旅游路线将与总统有关的地点连接起来,包括在斯普林菲尔德的家和他同参议员 S.A. 道格拉斯进行辩论的几处地方。伊利诺伊中北部的斯蓬河旅游路线穿过因诗人 E.L. 马斯特斯而闻名的地区。著名风景区有西北部的密西西比岩壁州立公园和苹果河峡谷州立公园,有中北部的瘦石州立公园以及南部的林区。奥克帕克是现代派建筑师先驱 F.L. 赖特的家乡,这里有他的许多早期作品。

伊利诺伊最美的公共游乐场所有从芝加哥到威斯康星边界的密歇根湖沙岸和森林保护区。虽然伊利诺伊几乎没有什么莽原区,但在全州各地有许多露营地,州内许多湖泊和河流均可划船和垂钓。

全州约出版 70 种日报和 700 种周报。发行量最大的报纸为《芝加哥论坛报》,在出版商 R.R. 麦考密克的长期管理下,该报成为全国公认的中西部政治和社会保守主义的象征,并继续在整个中西部拥有很大的发行量。它的观点在某种程度上被芝加哥第 2 大日报《芝加哥太阳时报》所抵消。《芝加哥卫士日报》的主要读者是黑人。伊利诺伊南部地区也受到圣路易斯的报纸和广播的影响。

芝加哥是排在纽约和旧金山之后的美国第 3 大出版中心。许多出版公司专门出版教育、百科全书、医学和商业方面的书籍。

历史

考古学家在伊利诺伊南部发现了大约公元前 8000 年古印第安人文化的遗迹。密西西比人的宗教中心位于伊利诺伊西南部的卡霍基亚,在墨西哥北面密西西比洪泛区他们组成了大概是哥伦布到来之前(约公元 1300 年)的最大的社会。在伊利诺伊的印第安部落均为阿尔冈昆人。基卡普人、萨克人、福克斯人在北部流浪,波塔瓦托米人、渥太华人、奥吉布瓦(奇珀瓦人)人占据了密歇根湖地区,卡斯卡斯卡人、伊利诺伊人、皮奥里亚人在中央大草原狩猎,卡霍基亚人、塔马罗阿人在南部流浪。

拓居 1673 年,法国探险家 L. 若利埃和 J. 马奎特勘察了密西西比河和伊利诺伊河,这是欧洲人首次来到伊利诺伊地区。在现在的皮奥里亚附近,拉萨尔建立了法国人的第一个据点克雷夫科尔堡,随后又在渥太华附近建立了圣路易斯堡。在 18 世纪 60 年代的法国-印第安人战争之后,法国人将密西西比河以东占为己有的土地割让给英国。以后的年代并不安定:英国的政策对当地经济的发展不利,印第安人怨恨英国人,新拓居地没有文官政府。到 1773 年,定居人数下降到约 1 000人,另有数百个奴隶。

1778 年,美国人攻占了英国人的统治中心卡斯卡斯基亚,使伊利诺伊成为弗吉尼亚的一个县。当时芝加哥的第一个新拓居地是 1779 年由黑人开拓者 J.-B.-P. 杜萨布尔建立的。1800 年 7 月 4 日西北准州被划分成数块,伊利诺伊划归印第安纳准州;1809 年伊利诺伊又从印第安纳准州划分出来,成立了伊利诺伊准州,9 年后正式建州。

建州初期 1818 年,2/3 的居民住在伊利诺伊南部的东缘和西缘地区,主要从事毛皮生意。同印第安人的最后一次冲突是 1832 年的黑鹰战争。

19 世纪初期,伊利诺伊的南部和中部仍是该州大量殖民的地区。1848 年伊利诺伊-密歇根运河竣工,将密西西比河-密歇根湖分水岭两侧伊利诺伊河上的各居民点连接起来。由于铁路的扩建,许多城镇繁荣起来。国道从马里兰州起往西一直延伸到万达利亚,给伊利诺伊送来了许多定居者。

1818 年的伊利诺伊宪法给了黑人以契约仆役的身份,奴隶制度本来也可以合法化,只是担心此种举措会妨碍伊利诺伊进入联邦才作罢。1824 年,伊利诺伊的选民拒绝了召开宪法会议的提案,其隐含目的是想使奴隶制度合法化。随着 19 世纪 30 和 40 年代美国北部各州的人纷纷涌进伊利诺伊北部,奴隶制在该州逐渐失去市场,废奴主义的情绪最终转化为 1848 年的宪法,该宪法取消了奴隶制度,并禁止输入奴隶。

南北战争爆发时,伊利诺伊北部继续忠于联邦和白宫里的伊利诺伊人林肯。一场企图使伊利诺伊南部同南部邦联结盟的运动以失败告终。约有 25 万伊利诺伊人为联邦而战,其中包括他们最干练的将军和未来的总统格兰特。

经济和社会的成熟期 芝加哥 1871 年的那场大火在该城向一个工业巨人的转变过程中只起到短暂的抑制作用。该市的工厂、调车场、屠宰场中既有来自欧洲的移民,也有 19 世纪 60 年代来到伊利诺伊的自由黑人。进入 20 世纪后的很长一段时期,伊利诺伊一直是美国劳工运动的主要焦点。芝加哥爆发的两次事件,1886 年的秣市骚乱和 1894 年的普尔曼罢工事件,成了各工会中激进势力上升的里程碑。

在这同一时期,伊利诺伊却是社会立法的先行者。1877 年建立了州保健委员会;1883 年通过了一部义务教育法;1893 年通过了可对工厂进行检查并限制使用童工的"血汗工厂条例";同年又提出限定童工每日工作 8 小时,每周工作不超过 48 小时的条例。1893 年的世界哥伦比亚博览会是在美国举办的第一个国际性展览,展出了美国在 19 世纪所取得的科技巨大进步。

20 世纪 在包括 20 世纪 20 年代和 30 年代的数十年间,芝加哥的名字已成为非法酿酒、强盗行为、罪犯辛迪加的国际绰号。伊利诺伊的南部地区也是众所皆知的暴力地区。"血腥的威廉森"县是世仇的地点,最初开始于 1868 年来自田纳西和肯塔基的 5 个家庭。在卡本代尔附近一家小酒店人们为玩纸牌游戏而发生的一场争吵,后来发展成长达 8 年的相互争斗,他们在谷场、酒吧和乡村商店进行伏击或在夜晚进行谋杀。这一暴力传统一直持续到 20 世纪 20 年代,同时发生的还有反对黑人的三 K 党十字军,煤矿工人罢工以及谢尔顿、伯尔吉和其他非法帮派间的冲突。

在使州政府和市政府为之震惊的暴力和丑闻中,伊利诺伊的经济和文化获得长足的发展。1917 年州政府的改组将 100 多个独立的机构和委员会置于州长控制之下,此举成了其他许多州效仿的榜样。芝加哥在 19 世纪 80 年代成为美国第 2 大城市,1933 ～ 1934 年间举办的"进步世纪博览会"再次引起人们对工业新成就的关注。1942 年,世界上第一个受控的原子链式反应在芝加哥大学试验成功,宣告了原子时代的开始。

从南北战争以来,共和党和民主党之间的激烈竞争成为伊利诺伊州政治生活的主要内容。这个因素及该州的大量选票使它成为总统选举的主要战场。3 个明显不同的政治区分别是:芝加哥,主要为民主党的地盘;芝加哥近郊大都会区和伊利诺伊富裕的北部和中部农业区,主要为共和党的地盘;伊利诺伊南部,该地区选民在民主党和共和党之间摇摆。如今两党在该州几乎处于势均力敌的状态。

在伊利诺伊,民主党和共和党从小选区到全州的大选区都组织完善。在该州的历史上,两党经常因腐败和欺骗行为而受到抨击,以致伊利诺伊的政治在全国得到了盛衰无常的名声。芝加哥市长 R.J. 戴利从 1955 年到他 1976 年去世期间,在民主党内建立起全州范围以至全国范围的巨大权力,他主要是通过对整个城市及库克县各机构的有效行政管理和任命。如果州长是一位共和党人,他通常能领导党,但一般无法控制芝加哥庞大的集团选票。

J.R. 汤普森是一位来自芝加哥的共和党人,1976 年首次当选州长,并 4 次连选连任,创该州的历史纪录。在他任期的大部分时间内,他所面对的是民主党控制的众议院和参议院。结果,汤普森运用了他广泛的否决权——整体否决、分项否决、拨款-削减否决、修改否决——从而影响了立法。

Illinois Central Railroad(IC) **伊利诺伊中央铁路公司** 美国的前铁路企业,1972 年由伊利诺伊中央铁路公司和海湾-莫比尔-俄亥俄铁路公司合并组成。1999 年与加拿大国家铁路公司(CCN)合并。铁路蜿蜒于 13 个州,北从芝加哥,南至新奥尔良和其他海湾港口,东从印第安纳波利斯和路易斯维尔,西到堪萨斯城、奥马哈和南达科他州的苏福尔斯。然而 1985 年该公司将其东自芝加哥向西延至艾奥瓦、奥马哈之各铁路线售出。该公司货运收入来自煤、农产品及各种工业材料的运输;为全国铁路客运公司(Amtrak)代营客运,并在芝加哥地区经营上下班市郊客运。该公司是 IC 工业公司全资拥有的子公司。IC 工业公司是 1962 年成立的、拥有从软饮料到汽车配件等工业子公司的持股公司。

Illinois River 伊利诺伊河 美国伊利诺伊州中北部通航河流，由德斯普兰斯和坎卡基两河在格兰迪县境内汇流而成。流向西转南，汇入密西西比河。全长440千米，流域面积75 000平方千米。1848年在拉萨尔附近建成一条从芝加哥河至伊利诺伊河的伊利诺伊-密歇根运河，实现了该两河间的通航。1933年伊利诺伊水道工程竣工，使五大湖和墨西哥湾之间可经由该水道和密西西比河而通航。支流有斯蓬、桑加蒙、福克斯、弗米利恩、麦基诺和拉莫因河。沿河城市有莫里斯、渥太华、拉萨尔、珀鲁、皮奥里亚、北京、哈瓦那和比尔兹敦等。沿河有州立公园3处。

illite 伊利石 一种云母型的黏土矿物，广泛分布于海相页岩和相关的沉积物中。伊利石的水分比真正的云母多，但含钾少，具有云母一般的层状结构，而结晶不好，与白云母和蒙脱石一起形成一个化学系列。它是白云母的风化产物，而它本身在潮湿条件下又蚀变成为蒙脱石。其化学式、结构和物理性质，参阅 **clay mineral**（表）、**mica**（表）。

illuminated manuscript 装饰画手抄本 用金、银、鲜艳的色彩、精心的设计或用细密画装饰过的手写书籍，在欧洲有悠久的传统。在现代，这里的“装饰画”一词则泛指中世纪手抄本的插图和装饰，而不论是否使用金粉。在装饰画手抄本的辉煌时代，装饰画艺术在艺术发展史上起过重要作用。总地说来，手抄本绘画与大型绘画的发展是平行进行的。15世纪下半叶，欧洲印刷术发展以后，手抄本装饰画遂为版印插图所取代。参阅 **miniature painting**。

Illuminato（Christian heretic） 参阅 **Alumbrado 光照派**。

illusion 错觉 对实际存在的刺激产生歪曲的知觉经验。但错觉并非是一种简单的知觉错误，而是在某些客观刺激作用下引起的一种不正确知觉。错觉和幻觉不同，前者源

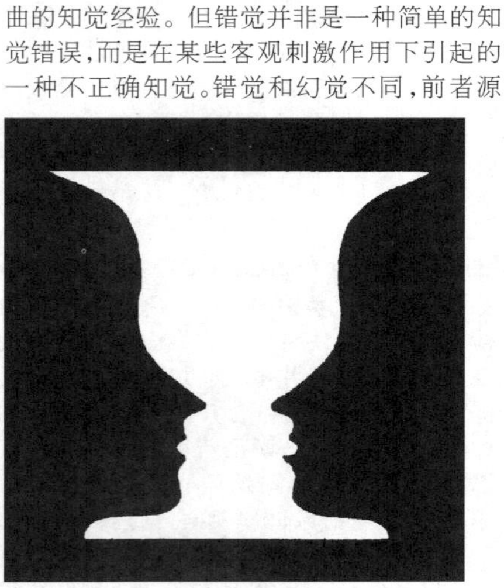

两可图形

于某些实际存在的知觉刺激，而后者则否。错觉可根据原因分类。刺激歪曲性错觉是指感官所接受的刺激因周围环境条件改变了刺激实体的形象而使人产生的错觉。典型例证有：因光线折射之故，入水筷子会变弯；远远看去，日光下的柏油路面和沙漠会宛如粼粼一池清水；当火车呼啸着错你而过时，你会觉得呼啸声陡然而降（听力刺激歪曲性错觉）——此即多普勒效应。知觉歪曲性错觉是指人对外界刺激的感知、处理和解释发生误导时出现的错觉。例如，当长时间用冷刺激局部皮肤后再给予热刺激时，受试者却感到一种特别的凉——冷错觉。人类感官会以某些方式去适应外来刺激，这种适应就会导致错觉。例如，已经适应了某种强度光线的视网膜会暂时减小其灵敏度范围，这时马上再令他直视另一相同强度的光线，他会觉得没第一个那样亮，因为此时的视网膜灵敏度较低。许多人类错觉系被大脑对感觉资料的正常解释过程所愚弄，但这种错觉却引起一场电影技术的革命（参阅 **movement perception**）。所谓感觉闭合过程，是指人脑往往能够将一幅未完成的图画作为一个完整的画面去认识，这是因为即使视野中的部分景象正好成像在视网膜的盲点上，大脑也会通过补偿作用，使人感觉不到缺陷。此外，人们很容易在作图时留下“两可性视觉信号（competing visual cues）”，用来误导图像的视觉性质。这类视觉错觉图像中有许多早已为人们所熟悉，它们大多是想让人把直线看成曲线，或把大小不同的东西看成一样大。有些错觉则是因为视觉信号本身的意义就不准确所致。这类图画中有一幅流行很广，画的好像是两个面对面的黑色头像剪影，但实际上人们很难说清：这幅画究竟画的是两个头像剪影，还是画的位于中间的白色花瓶。如果想准确地定义这幅画，就必须首先定义什么是背景。还有些错觉同时涉及两种感觉，故又称联觉——一种感觉的客体被当作另一种感觉的客体来体验的过程。最常见的联觉涉及声觉和色觉：人们可以在美妙的音乐旋律中完成一种色彩体验，反之亦然。此外，“画饼充饥”、“望梅生津”都是生动的联觉体验。

Illustrated London News 《伦敦新闻画报》 伦敦出版的新闻与艺术画刊，H. 英格拉姆于1842年创办时为周刊，1971年改为月刊。它是第一家广泛使用木刻和版画并首次使用图片的刊物。第一期载有16页文字和32帧木刻，一经问世就获得成功。起初它的插图着重于英国社会生活，后来把范围扩大到一般新闻和艺术，并派出画家赴世界各地去记录刚刚发生的事件。1912年率先采用轮转凹版印刷。改为月刊后，以刊登世界瞩目的文化活动和世界大事的重要图片而著称。到21世纪初一年发行两期。

Illyria 伊利里亚 巴尔干半岛的西北部，约从公元前10世纪起，印欧民族的一支伊利里亚人就居住在这里。在伊利里亚人的鼎盛时代，他们的疆界北起多瑙河，南到亚得里亚海安布拉基亚湾，西起亚得里亚海，东达沙尔山。伊利里亚人属哈尔施塔特（**Hallstatt**）文化。分为若干部落，每一个部落为一自治的村社，由元老会议及一选举的酋长治理之。强悍的酋长可以把几个部落组成一个王国。最后而最闻名的伊利里亚人王国的首都就在斯科德拉（今阿尔巴尼亚的斯库台）。该王国最重要的一个统治者是阿格隆王（公元前3世纪后半叶），曾与马其顿王德米特里二世结成同盟，击败了埃托利亚人（公元前231）。然而阿格隆猝死，其子尚幼，由他的遗孀托伊塔摄政，因反对罗马，罗马人派遣了一支大型舰队到亚得里亚海的东部沿岸。马其顿王腓力五世援助邻邦伊利里亚人，由此开始了一场以罗马人征服整个巴尔干半岛为结局的持久战。伊利里亚的末代王根修斯于公元前168年归降。罗马帝国伊利里亚省南到德里隆河（今阿尔巴尼亚的德林河），北到伊斯的利亚半岛（今斯洛文尼亚和克罗地亚），东到萨瓦河。行政中心在达尔马提亚的萨洛尼亚（斯普利特）。随着罗马帝国沿多瑙河流域的扩张，伊利里亚分成达尔马提亚（**Dalmatia**）和潘诺尼亚（**Pannonia**）两省。在罗马帝国统治下，伊利里亚曾实现高度繁荣。境内有一条罗马大道，港口城市成为罗马与现称东欧的地域之间的重要贸易和转运站。铜、沥青、银矿得到开采，酒、油、干酪和鱼类产品输往意大利。3～5世纪期间伊利里亚被西哥特人和匈奴人所蹂躏，但是这些人没有在伊利里亚留下持久的痕迹。然而斯拉夫人在6世纪开始入侵巴尔干半岛，到7世纪末，除现在阿尔巴尼亚所包括的地区之外，已全部改变了伊利里亚语地区的民族结构，只有阿尔巴尼亚人仍保留着古代伊利里亚人的直系后裔。参阅 **Balkans**。

Illyrian language 伊利里亚语 前罗马时期通行于亚得里亚海东部沿岸和意大利东南部的印欧系语言。在意大利发现的这些伊利里亚语的片断，常称为梅萨比语。某些学者认为现代阿尔巴尼亚语（**Albanian language**）就是由伊利里亚语衍生而来的。参阅 **Messapic language**。

Illyrian Provinces 伊利里亚行省 达尔马提亚沿岸地区，1809～1814年为拿破仑法兰西帝国的一个组成部分。1809年奥地利战败，被迫把一部分南部斯拉夫人土地割给法国。拿破仑将卡尼奥拉、西卡林西亚、戈兹（今戈里齐亚）、伊斯特里亚、克罗地亚和达尔马提亚的一部分以及拉古萨（现在的杜布罗夫尼克）合并，组成伊利里亚行省，并入他的帝国。他的主要目的是要切断奥地利通向意大利和地中海的道路。1814年法国被迫将伊利里亚行省归还奥地利帝国，由此结束了法国的统治。这个地区不但在文化与经济方面获得进步，而且发展了斯拉夫人的凝聚感和民族意识，这在19世纪30～40年代的强大的伊利里亚文学与政治运动中体现出来。

ʿilm al-ḥadīth 圣训学 伊斯兰教传统派在伊斯兰教历3世纪时（公元9世纪）所开创的学科，旨在考证鉴别各家所传圣训的真伪。在伊斯兰教头两个世纪的领土扩张时期，产生了一种需求，即适应伊斯兰社团多种多样的文化。于是圣训数量倍增，往往有人伪造圣训以适应当时情势。结果，关于教法和教义的各种早期观点、各教派的预言和其他期望都以圣训的形式阐述。穆斯林学者试图进行鉴别，判明其中的伪造或可疑的传述。他们在原则上认为，只要有原文可据的圣训就

应予以承认，鉴别范围仅限于传述世系是否可靠（参阅 **isnād**）。所有可承认的圣训分为三大类：①真实的，指有可靠的和无中断现象的传述世系，其内容与正统信仰无抵触；②良好的，指传述世系有中断现象或传述者的权威性不能确定的；③虚弱的，指其内容或传述者经常遭到批评的。许多学者编写圣训集，最早者是阿赫默德·伊本·罕百里所著《穆斯纳德圣训集》，按传述世系编排。但得到伊斯兰教正统派承认为正典的只有布哈里（1870卒）、穆斯林·伊本·哈加吉（875卒）、阿布·达伍德（888卒）、提尔米迪（892卒）、伊本·马哲（886卒）以及奈萨仪（915卒）等人所编的按内容分类的六大圣训集；其中布哈里和穆斯林·伊本·哈加吉的著作尤为著称。

Ilmen, Lake　伊尔门湖　俄罗斯西北部诺夫哥罗德州湖泊。位于伊尔门平原的中部；平原系起伏冰川低地，多由注入该湖的诸河流排水。为沃尔霍夫河河源。湖水浅，湖盆几乎充满河流沉积物。湖面积随河川径流而明显变化（733～2 090平方千米）。夏季可通航，平均深度10米。约有50条河流注入，其中较大的有姆斯塔河、波拉河、洛瓦季河和舍隆河。

ilmenite　钛铁矿　很重的铁黑色金属氧化物矿物——铁和钛的氧化物（$FeTiO_3$），是钛的主要来源。与钛镁矿和红钛锰矿形成固溶体系列，在这两种矿物中，镁和锰分别置换晶体结构中的铁。这3种矿物呈浸染状或脉状产生在辉长岩、闪长岩或斜长岩中，例如在魁北克、纽约及挪威。钛铁矿也可形成大块体，例如在怀俄明州的艾恩山以及俄罗斯的伊尔门山脉（此矿物即由该山而命名）。也可少量出现于铜矿脉、伟晶岩、黑色海滩砂和砂矿床中。关于其详细的物理性质，参阅 **oxide mineral**（表）。

ILO　参阅 **International Labour Organisation** 国际劳工组织。

Ilobasco　伊洛瓦斯科　萨尔瓦多中北部城镇。地处富饶农业区（牛、咖啡、甘蔗和木蓝）。以泥塑娃娃（旅游商品）以及用本地黏土制成的各种陶器而闻名。1954年在伦帕河建成一个水坝和水电站，附近又修建了一个湖泊休养地，后旅游业有较大发展。在20世纪80年代初期，因政府军和左派游击队的战斗而逃来许多难民，人口猛增。人口：城镇区约67 214（1987）。

Ilobu　伊洛布　尼日利亚西南部奥约州城镇。濒临奥雄河的支流。在奥博莫绍—奥绍博公路线上。为约鲁巴人农产品（薯蓣、玉米、木薯、棕油、棕仁、豆类和秋葵）销售中心和经济作物（棉花、烟草、可可）集散地。棉纺为传统工业。人口约175 600（1991）。

Ilocano　伊洛卡诺人　菲律宾第三大文化-语言集团。16世纪西班牙人发现他们时，住在吕宋岛西北部海岸伊罗戈区的狭窄平原上。后来因人口增长，许多人迁居邻近省份，以及棉兰老和夏威夷。其语言同吕宋北部的其他语言极相近，都属澳斯特罗尼西亚语系（马来-波利尼西亚语系）。20世纪70年代中，使用伊洛卡诺语的约有4 686 000人。伊洛卡诺人居住的各省，人口稠密。他们主要在狭小的稻田中种植水稻，依靠雨水灌溉；也种蔬菜，饲养猪、鸡、山羊等。烟草为主要经济作物。婚姻一般都按阶级界线进行安排，由男方家庭以土地作聘礼。多为天主教徒。

Ilocos Norte　北伊罗戈　菲律宾吕宋岛西北角的省。面积3 399平方千米，包括狭长的沿海农业区和平行于海岸的伊罗戈山脉。西临南海，北接吕宋海峡，南与南伊罗戈省相邻。以烟草著名。水稻和玉米为主要作物，渔业和林木业也居重要地位。省会拉瓦格是北吕宋最大城市。巴塔克为主要贸易中心。有北吕宋英雄山国家公园和帕瓦伊湖国家公园。该省主要民族为伊洛卡诺族，语言以伊洛卡诺语为主。山区为廷吉安人和阿帕耀人聚居地。人口514 000（2000）。

Ilocos Sur　南伊罗戈　菲律宾吕宋岛西北沿海一省。面积2 580平方千米，西临南海，东北邻北伊罗戈省。土地低产；由于人口向南方诸岛迁移，人口增长率低。主要作物有烟草、水稻和玉米。省会美岸。城镇集中在沿海低地。有贝桑山口国家公园和古迹蒂拉德山口，菲律宾人1898年在此对美国人作最后的抵抗。主要民族为伊罗戈人，其次是坎坎奈人。人口514 000（2000）。

Iloilo　伊洛伊洛　菲律宾班乃岛东部省份。包括米沙鄢海中的近岸岛群和吉马拉斯海峡中的吉马拉斯岛，面积5 324平方千米。西部多山地，东北多丘陵，辟有布拉博格-普蒂安国家公园。海岸线曲折，北岸的埃斯坦西亚港为渔业中心。哈劳德河流经中部及沿海地区的伊洛伊洛盆地，土壤肥沃，多种植双季稻，甘蔗、椰子、香蕉和玉米也有种植。木材和纺织工业也占重要位置。卡巴端、哈尼瓦伊韦、波托坦、圣巴巴拉和新巴罗塔克都是重要的贸易中心和稻米加工地。直辖市伊洛伊洛城为省会。人口1 541 000（2000）。

Iloilo City　伊洛伊洛城　菲律宾班乃岛东南沿海伊洛伊洛省省会和直辖市。位于伊洛伊洛海峡的哈罗河口，吉马拉斯岛为其天然屏障。为班乃岛的商业和食糖出口中心、主要渔港。附近的内格罗斯岛大量出口食糖，促进了该市的发展。内格罗斯人工港的建成使伊洛伊洛货运量减少，但客运量仍高。有紧凑的城市中心，比国内大多数城市更为都市化。1899年大火后的建筑受西班牙影响显著。古老教堂，所产生丝和全丝薄纱都很著名。设有中菲律宾大学、圣奥古斯丁大学等高等院校。有铁路通岛北岸的罗哈斯。建有大型机场。1936年设市。人口366 000（2000）。

Ilokano　参阅 **Ilocano** 伊洛卡诺人。

Ilongo（people）　**伊隆戈人**　参阅 **Hiligaynon** 希利盖农人。

Ilopango, Lake　伊洛潘戈湖　萨尔瓦多中南部湖泊。位于圣萨尔瓦多、拉巴斯和库斯卡特兰三省交界处。在死火山口处。海拔442米。面积100平方千米。1880年水位上升，

伊洛潘戈湖和伊洛潘戈火山
美国不列颠百科全书公司供图

湖东面形成一条天然水道，湖水泄出后，湖心形成一火山岛，称伊洛潘戈火山。1928年水位再次上升，毁坏沿岸房屋。此后该湖为著名旅游地。

Ilorin　伊洛林　尼日利亚西部夸拉州城市、州首府和世袭酋长国。城市濒临尼日尔河小支流阿武恩河，与拉各斯通公路和铁路。18世纪末由约鲁巴人创建，为臣服于奥约帝

正在包装可口果的伊洛林居民
美国不列颠百科全书公司供图

国的一个王国都城。约1829年富拉尼穆斯林建伊洛林酋长国，向索科托哈里发称臣。后征服约鲁巴兰数座城镇，并于1837年摧毁奥约帝国京城旧奥约。继而发动"圣战"向海岸进军，1840年被伊巴丹人阻止。在整个19世纪中，该市为北面的豪萨人和南面的约鲁巴人之间的贸易中心。曾坚决抗击英国的统治，1897年英国皇家尼日尔公司攻占东面的比达，该市遂受英国管辖。1900年伊洛林酋长国划入北尼日利亚保护国，1967年属夸拉州。现居民以信奉伊斯兰教的约鲁巴人为主。其世袭酋长为操约鲁巴语的富拉尼人。该市为伊洛林地方政府参议会所在地，旧城中心有传统的红泥墙茅顶平房和多座清真寺。新区是工商业和教育中心。销售当地所产薯蓣、木薯、玉米、高粱、黍类、稻米、胡椒、花生、牛油果、可乐果、棉花、牛、皮革和家禽。手工业有制陶、制革、木雕、服装和草编。新兴工业有食品加工、软饮料装瓶、火柴生产、制皂、炼铁和制糖。还有金融和保险业。设

有伊洛林大学学院、夸拉州立理工学院、尼日利亚图书馆协会总部、联邦农业与乡村管理研究所、师范学院和商业学校。有国际机场。人口：市约420 000(1991)。

Ilos 伊罗斯 希腊神话中伊里昂(特洛伊)的缔造者。伊罗斯(或称扎金索斯，一个克里特的名字)被等同于厄里克托尼俄斯的兄弟或被等同于特洛斯的儿子、厄里克托尼俄斯的孙子。据传说，弗里吉亚国王送给他一头花母牛作为角力奖品，要他在母牛第一次卧倒的地方建一座城。母牛选择了阿忒山，伊罗斯就在那里标出伊里昂的城界。在向宙斯祈求一个标记之后，宙斯赐给伊罗斯一座帕拉斯·雅典娜神像作为该城的标记。他为神像修造了一座神庙。他的儿子拉俄墨冬继他之后成为城市的统治者，而他的孙子普里阿摩斯是伊利昂最后一位国王。

iltizām 国库收入承包制 奥斯曼帝国所采取的招标承包国家财政收入的制度。中标承包人在收税之后，要分期将固定数额之税金上缴国家，剩余部分归于自己。该承包制的内容有：土地税的承包、城市税的承包、若干商品(如葡萄酒、食盐等)的包产和若干劳务的包供。该制度始于苏丹穆罕默德二世在位期间(1444～1446，1451～1481)，1856年被正式取消。

Iltutmish 伊尔杜德米什(?～1236-04-29) 又拼Altamsh。又名沙姆斯-乌德-丁·伊尔杜德米什。德里奴隶王朝第三代和最伟大的苏丹。出身奴隶，与主人顾特卜-乌德-丁·艾伯克的女儿结婚。1211年继承艾伯克的王位。他巩固和扩大北印度的穆斯林帝国，并且迁都德里。他是一个精明强干的政治家。当他继位的时候，伽色尼的统治者泰-乌德-丁·伊尔杜兹正在要求继承穆罕默德所征服的一切地方，印度教徒也要收复他们的失地。1215年伊尔杜德米什捉住伊尔杜兹。1225年他逼迫桀骜不驯的孟加拉总督承认德里的权威。他能够保卫自己的国家，使其不受蒙古侵略军的蹂躏。他还成功地为帝国建立一套行政机构。他在德里兴建供水设备、清真寺和其他设施，使德里成为一个良好的首都。他的统治受到同时代人的赞扬。伊尔杜德米什的长子早夭，余子皆不成才。遂使其女拉齐亚接受良好教育，继承苏丹位。

Ilulíssat(Greenland) **伊卢利萨特** 参阅 **Jakobshavn** 雅各布港。

Ilumquh 伊伦库赫 又称瓦德、阿姆。阿拉伯人在伊斯兰教兴起之前所信奉的月神。其重要性超过阿拉伯半岛南部地区的太阳女神沙姆斯和金星男神阿特塔尔。此神护佑城市，是阿拉伯半岛南部主要城市的守护者，庙宇甚多；并被称为阿特塔尔金星之神阿特塔尔之父和阿拉伯半岛南部各民族之父。

Ilya OF MUROM **伊里亚(穆罗梅茨)** 最早流传的古俄罗斯“壮士歌”(即歌颂英雄的传统民歌)中的主人公。他是10世纪基辅的圣弗拉基米尔一世宫中的主要勇士。伊里亚出身农民，从一出生就被认为是一个没有希望的孩子，因为他直到30多岁才学会走路。后来他得到一匹神驹，从此形影不离，并告别双亲前往弗拉基米尔宫中。在那里他成为首席侍臣，并因力大无比屡建奇功。伊里亚虽然对君主慷慨忠诚，但从不奴颜婢膝。一次，弗拉基米尔举行舞会没有邀请他，伊里亚一怒之下，推倒了基辅全部教堂的尖塔。当弗拉基米尔派人请他时，他的怒气却又立刻平息了。因为伊里亚纯朴耿直、力大无敌，他一直是东斯拉夫人崇敬的象征。R.格里爱尔以伊里亚的传奇故事为蓝本创作了第3交响乐《伊里亚·穆罗梅茨》(1909～1911)。

Ilyushin, Sergey Vladimirovich 伊柳辛(1894-03-30[旧历03-18]，俄罗斯沃洛格达迪利亚列沃～1977-02-09，莫斯科) 苏联飞机设计师，曾设计第二次世界大战中苏联空军使用的著名的伊尔-2装甲强击机。战后他设计的民航机有：伊尔-12双发动机客机(1946)，伊尔-18莫斯科型四发动机涡轮螺旋桨运输机(1957)，伊尔-62涡轮喷气式客机(1962)和伊尔-86空中客车，后者是1976年首飞的。伊柳辛在1914年应征参加俄国陆军。1917年调入陆军航空兵，取得飞行员证书。后来他参加红军，并于1922年进入莫斯科的茹科夫斯基空军工程学院，1926年毕业。此后他在不同的军用和民用航空研究所内担任设计主任。他经常驾驶飞机出差，1938年4月21日出差时，他被迫单人紧急着陆而负伤，在额上留下永久性伤疤。他最后成为苏联红军工程技术勤务上将，并且是他母校的教授，曾获得三次苏联劳动英雄奖章和多枚列宁勋章。

Ilyushin Il-2 伊尔-2 又称Stormovik。一种单座的强击轰炸机，是第二次世界大战期间苏联空军的主力。伊尔-2被公认为第二次世界大战期间世界最好的地面攻击机。1938年由S.伊柳辛开始设计，1940年投入生产，是一种单发动机下单翼飞机，机长11.6米，翼展14.6米。早期伊尔-2的武器是安装在机翼上的2门23毫米航炮和2挺7.6毫米机枪，该机还能携载450千克炸弹或少量火箭。后期的机型装2门37毫米航炮，双座型则增加一个机尾射击员。整个飞机的前部做成一个整体的装甲硬壳，以最大限度地保护飞行员。伊尔-2飞机的火炮和其他武器使该机能特别有效地摧毁坦克，1941～1943年使用该机突击德国装甲师，使战场形势向有利于苏军的方向扭转。斯大林提及伊尔-2时说：“对红军来说，它就像空气或面包一样不可缺少。”战争期间大约生产了3.6万架，比历史上任何一种飞机都要多。

Ilyushin Il-76 伊尔-76 又称Il-76。苏联军用运输机，1971年首飞，1975年起生产。由伊柳辛设计局设计的大型运输机，有效载荷大于88 000磅(40 000千克)。装有两台桥式吊车，后跳板折叠可作为起重机。它与大多数军用运输机不同，后炮塔装有两门炮。4台涡轮风扇发动机，每台推力26 455磅。平飞最大速度528英里/时，升限50 850英尺(15 500米)。客舱可载30～90人。

Imabari 今治 日本四国爱媛县城市。临濑户内海的来岛海峡，是四国第一个对外开放的贸易港。1922年通铁路。18世纪初即有棉纺织业，现有工厂近150家，生产日本所需大部分棉织品。是与本州、九州诸城市联系的繁荣商港，与邻岛间有渡运。人口约123 314(1988)。

今治的毛巾厂
美国不列颠百科全书公司供图

ʿImād ad-Dawlah 伊马德·达拉(892～949) 又称阿里·伊本·白益。伊朗白益王朝创建者之一。曾是齐亚尔王朝创建者马尔达维兹·伊本·齐亚尔的追随者，934年起兵发动叛乱，占领伊朗南部的法尔斯省。建都设拉子，在那里进行统治一直到死。

ʿImād ad-Dīn Ismāʿīl ibn ʿUmar ibn Kathīr 伊马德丁·伊斯梅尔·伊本·欧麦尔·伊本·卡锡尔 参阅 **Ibn Kathīr** 伊本·卡锡尔。

ʿImād ad-Dīn Zangī ibn Aq Sonqur(Iraqi ruler) **伊马德·丁·赞吉·伊本·阿克·桑库尔** 参阅 **Zangī** 赞吉。

imaginary number 虚数 形式为ai的任何乘积，其中a是实数，i为虚数单位(等于$\sqrt{-1}$)。参阅 **number system**。

imaging, diagnostic 影像诊断学 参阅 **diagnostic imaging**。

Imaginism 意象主义 俄国革命后出现的诗歌流派，主张以一系列引人注意的和异常的意象作为诗歌的基础。它与同一时期出现的20世纪英、美诗歌流派“意象主义”没有关系。1919年由诗人S.A.叶赛宁(**Yesenin, Sergey Aleksandrovich**)倡导。意象主义者同未来主义者一样，在很少有出版物的社会动乱时期，经常在咖啡馆里朗读诗歌。但是，他们和未来主义者不同之处在于，他们不能适应苏联生活的要求，并以不负责任的放荡行为表现出离心倾向。1925年叶赛宁自杀后，意象主义流派趋于瓦解。

Imagist 意象主义者 20世纪初英美一些强调用确切的视觉意象写诗的诗人，他们的主张约于1912年由E.庞德系统地提出,并受到T.E.休姆关于文学评论的见解的启发。属于这派的还有H.杜利特尔、R.奥尔丁顿和F.S.弗林特。意象主义是法国象征主义运动的继承者,但是象征主义和音乐有着密切关系,而意象主义则力求和雕塑相联系。庞德1914年转向旋涡主义后,该派主要由洛威尔领导。其他意象主义诗人中有J.G.弗莱彻和H.门罗,而C.艾肯、M.穆尔、W.斯蒂文斯、D.H.劳伦斯和T.S.艾略特也受意象主义诗歌的影响。意象主义的4部诗选《意象主义者》(1914、1915、1916、1917)及美国和英国杂志《诗歌》(1912年起)、《利己主义者》(1914年起)分别发表了十几位意象主义诗人的作品。

Imalayan, Fatima-Zohra　伊马拉扬　参阅 **Djebar, Assia** 杰巴尔。

imam　伊玛目　阿拉伯文原意为"师表",是伊斯兰教社会的首脑。这个词在《古兰经》上出现数次,用以指领导者和易卜拉欣。伊斯兰教社团中的各种派别对伊玛目教职的来源和根据的理解各不相同。这是导致逊尼派和什叶派分裂的政治和宗教的原因之一。在逊尼派中,伊玛目同哈里发同义,他继承了穆罕默德具有的行政与政治职责。但不具备其先知的宗教身份。逊尼派认为伊玛目应由众人推选。尽管他有可能犯错误,但即使他有罪,信徒也应服从他。穆罕默德的女婿、第四代哈里发阿里死后,在其职位继承问题上的政治分歧推动了什叶派伊玛目的观念朝着分离方向发展。阿里的信徒认为,整个伊斯兰社团的领导权只能由阿里的后裔继承。在什叶派中,伊玛目成为拥有绝对宗教权威的和绝对重要的人物。什叶派认为,只有阿里和其后继伊玛目才能明晓和解释《古兰经》的奥秘涵义。伊玛目是真主所选定,不会犯罪。此外,伊玛目又被用作一种荣誉称号,获此称号的有哈里发阿里·伊本·艾比·塔列布和教义学家阿布·哈尼法、沙斐仪等人。有时,受过专门训练在清真寺内主持礼拜者亦被称作伊玛目。

Imam Bondjol　伊玛目邦佐尔(1772,苏门答腊本加丹戎甘榜河[今在印度尼西亚]～1864-11-06,西里伯斯万鸦老)　米南卡保人的宗教领袖,比达里宗教战争中比达里人一方的关键人物。这次战争导致了苏门答腊米南卡保人民的分裂。约1803年,有3名受瓦哈比教派思想影响的朝觐者从麦加回国,提倡改革和净化米南卡保人所信奉的伊斯兰教。伊玛目邦佐尔是这一运动早期和热情的归附者,他在家乡阿拉汉潘姜山谷建立邦佐尔村社,传播比达里教义。在比达里宗教战争中,他领导群众进行圣战。1821年荷兰军队前来镇压,但因不久发生爪哇战争,他们只好弃此顾彼。伊玛目邦佐尔趁机扩大了自己的地盘。荷军1837年占领邦佐尔村社,伊玛目邦佐尔投降,后被流放。

Imāmīs (Islām)　**伊玛目派**　参阅 **Ithnā ʿAsharīyah** 十二伊玛目派。

Imari　伊万里　日本九州佐贺县城市。西临伊万里湾。曾为日本海盗活动基地。德川时代成为其南10千米有田所产细瓷的贸易和转运中心,后来伊万里南部的大河内山亦产瓷器。现在还有木材、水产加工和石油化工等行业。人口62 044(1985)。

Imari ware　伊万里瓷器　又称有田瓷器,即肥前藩有田窑烧制的日本瓷器。其中有上釉的白瓷,浅灰蓝色或淡灰绿色的上釉青瓷,黑瓷和釉下绘有图案的青花瓷,还有釉上珐琅彩瓷。16世纪后期,随着上釉陶器生产的发展,类似瓷器的陶瓷产品开始出现,大量生产则据传是1616年开始的,当时以陶工名师李参平为首的朝鲜工匠在有田发现了制瓷黏土。一种为瓷器生产所必需的先进连续阶梯式室窑,使有效的成批生产得以实现。因受到佐贺采邑封建主保护与严格垄断政策的鼓

江户时代的伊万里青花瓷瓶
美国不列颠百科全书公司供图

励,瓷器制造很快成为该地区的重要工业。产品被运送到全国各地,并由荷兰东印度公司通过伊万里港大量输出,转运到世界各地。1800年之前,瓷器生产分布到日本各地。在开始形成瓷器制造业的时候,有田瓷器曾受到朝鲜工匠推动和中国瓷器流传的影响,但自从17世纪中期以来,日本本土的设计开始取得支配地位,尤其是在釉上珐琅彩瓷器方面,诸如,锅岛、柿右卫门和老伊万里瓷器等。锅岛瓷器最早出现在17世纪后期。其特点在于吸取纺织品的绘画装饰,采用狩野画派和土佐画派所喜爱的主题,并运用江户时代流行的装饰基调,匀称精美,但有时缺乏活力。柿右卫门瓷器是17世纪中期最先出现的珐琅彩瓷器,其设计图案源自称为大和绘的典型日本风格的绘画。老伊万里瓷器出现于17世纪40年代,其最突出的特点在于极端豪华的装饰色调和设计,绘画装饰一般遍布器皿表面,也出现了从纺织设计套过来的纯装饰性图样,有时和绘画图式配合使用。

Imatra　伊马特拉　芬兰东南部屈米省城镇。位于拉彭兰塔东北,濒临武奥克萨河,靠近俄罗斯边境。1948年设镇。伊马特拉急流

伊马特拉镇附近的武奥克森尼斯卡教堂
美国不列颠百科全书公司供图

长983米,原落差约18米;20世纪20年代建成拦河坝和发电站,为芬兰南部提供电力,伊马特拉也成为重要工业中心。伊马特拉急流虽被河坝夺去了大部分冲力,但仍不失为一旅游胜境。工业有纸浆和纤维厂、木材厂、炼铜厂和化工厂。人口:城镇区约33 525(1991)。

Imbangala　因班加拉　又拼Mbangala。17世纪初安哥拉中部的斗士群体。约在15世纪离开隆达人的沙巴国。约1563年他们从安哥拉东部的基地与沿海一带的葡萄牙人建立联系。到17世纪的第二个10年时,已与葡萄牙人合作从事奴隶贸易。约于1618年在宽果河和宽扎河之间建立卡桑杰王国。卡桑杰王国反对葡萄牙人进入内地,1911～1913年被军队推翻。

Imbe ware (Japanese pottery)　**伊部陶器**　参阅 **Bizen ware** 备前陶器。

Imber, Naphtali Herz　伊姆贝尔(1856,加利西亚～1909,美国)　漂泊不定的希伯来语诗人,他的诗《希望》配上音乐,1933年成为犹太复国运动的正式颂歌,1948年成为以色列非正式国歌。他的《晨星诗集》(1886)收有《希望》和犹太复国主义歌曲《守望约旦河》。

Imbize, Jan van (Flemish Calvinist leader)　参阅 **Hembyze, Jan van** 亨比泽。

imbrex　盖瓦　又称槽瓦、筒瓦。古代希腊及罗马建筑中覆盖在平瓦片拼缝上的拱形瓦。连续搭接的盖瓦可在成行的平瓦上形成长条的瓦脊。盖瓦一般有两种类型。较常用的一种,其式样接近半圆形;而在宏伟的大理石建筑中,盖瓦两侧垂直,中间顶部为三角形。每一行瓦脊端部的盖瓦都有檐饰。

盖瓦图示

Imbros（Turkey） **伊姆布罗斯** 参阅**Gökçeada**格克切岛。

IMCO **政府间海事协商组织** 参阅**International Maritime Organization**国际海事组织。

Imerina(people) **伊梅里纳人** 参阅**Merina**梅里纳人。

IMF 参阅**International Monetary Fund**国际货币基金组织。

Imhoff, Gustaaf Willem, baron van **伊姆霍夫(男爵)**(1705-08-08，荷兰莱尔～1750-11-01，荷属东印度群岛巴达维亚[今印度尼西亚雅加达]) 荷属东印度群岛总督(1743～1750)，他倡导改革，力图重振衰败中的荷兰东印度公司而未能成功。贵族出身。1725年作为荷兰东印度公司雇员前往东印度群岛。1732年成为东印度群岛顾问委员会成员。1736年任锡兰地方长官。由于反对残暴镇压华人起义，于1740年奉召回国。不久出任东印度群岛总督，他主张把荷兰东印度公司的活动限制在群岛东部，并鼓励荷兰人定居从事农商。他放宽对亚洲地区的自由贸易，但未见收益。爪哇马打蓝王国的统治者与其兄弟发生争执，伊姆霍夫介入其中，引起第三次爪哇王位继承战争(1749～1757)，结果使马打蓝分裂成两个王国。在爪哇另一王国万丹，统治者家族内部发生争执，伊姆霍夫支持不得人心的一派，又引起一次人民起事，从而使荷兰人陷入困境。

Imhotep **伊姆霍特普**(活动时期公元前27世纪，埃及孟菲斯) 希腊文作Imouthes。古埃及圣贤、占星家、建筑学家，埃及第三王朝第二代国王左塞(公元前2630～前2611在位)的宰相。后世埃及人和希腊人尊他为医神，希腊人并把他与希腊医神阿斯克勒庇俄斯融为一体。尼罗河上流第一座伊德富庙据说是他所设计，而且，由于他设计孟斐斯城塞加拉陵墓的阶梯式金字塔，因而被誉为旧王国(约公元前2575～约前2130)文化的前驱。这座金字塔是举世闻名最古老的石砌建筑，分为6层，高达61米。伊姆霍特普善于理国，他在宫中地位显赫，长于文笔，死后仅100年便被尊为医神，可见他确实医术高超。公元前525年波斯征服埃及，此时伊姆霍特普才被尊为真正的神灵。对他的崇拜于希腊-罗马时代达到极盛阶段。

imidazole **咪唑** 以含有3个碳原子和2个不相邻的氮原子组成环状结构为特征的杂环有机化合物的总称。其中结构最简单的一种化合物也称咪唑，分子式$C_3H_4N_2$。1858年首次制得咪唑。其他咪唑类化合物则知道得更早，如1800年发现的尿囊素，1837年从尿酸制得的仲班酸。组氨酸及其分解产物组胺，以及人和酵母生长的要素生物素都具有咪唑结构。

iminoglycinuria **亚氨基甘氨酸尿** 肾小管转运系统的先天性损害，表现为肾小管不能对甘氨酸、脯氨酸及羟脯氨酸进行重吸收。患有这种疾病的幼儿尿中甘氨酸、脯氨酸及羟脯氨酸浓度增高，有时还伴有惊厥、脑脊液蛋白质含量增高以及智力发育迟缓。影响特殊氨基酸吸收的其他遗传性疾病有色氨酸吸收不良综合征(或"蓝色尿布综合征")和蛋氨酸吸收不良综合征(或"干燥窑尿病")。它们分别表现为肠道对色氨酸和蛋氨酸吸收不良。影响氨基酸转运的其他遗传性疾患可参阅胱氨酸尿症、哈特纳普氏病及德托尼-范可尼二氏综合征(**cystinuria**; **Hartnup disease**; **de Toni-Fanconi syndrome**)。

imipramine **丙咪嗪** 合成药，第一个三环类抗抑郁药，20世纪60年代开始应用，是已知最有效的抗抑郁药之一。用于治疗精神抑郁症以前，曾试用为抗精神分裂症的安定药。一般口服给药，但亦可肌肉注射。丙咪嗪及其他三环抗抑郁药(阿密替林、去郁敏、去甲替林和普罗替林等)均属二苯氮䓬类及二苯氮䓬衍生物。

imitation **模仿** 感知到别的动物或人的动作，并作出类似动作的过程。模仿过程必须有一个模型，模仿者对之注意并作出反应。"模仿"是一个描述性的术语，涉及大量的社会适应现象。在自然生境中对哺乳动物进行观察后可以发现，幼小动物在重复同种年长动物的活动，幼小动物在玩耍时也互相仿效。模仿被用以描述大量的人类行为：如日常生活中，别人打呵欠时自己也打呵欠，以及很多无意识地、被动地习得的对社会行为的重复；也包括那些自觉地、有意识地采用别人的观点和习惯。对婴儿的研究表明，6～12个月的婴儿能模仿出现于他面前的动作，如抬臂、微笑和试图说话。1～2岁的幼儿开始模仿别人对事物的反应。儿童在成长的过程中能遇到各种各样的模型，如身体姿势、语言、基本技能、偏见及意向、道德观及禁忌等，其中大多数决定于他所处的文化背景。儿童模仿行为的动力主要决定于社会和文化的指导，并为赏罚所控制。模仿的事实已被公认，但要作出解释，还是相当困难。人们之间表现出同样的或相似的想法和动作，但这并不都产生于相同的或相似的心理动机或机制。各人的处境、动力及学到的适应方式千差万别，不能轻易地用模仿来解释。许多早期的心理学家想当然地认为，模仿是由本能，至少是由遗传素质所决定的。但后来又有人认为模仿的机制是学习，这就要区分是由简单的条件反射(即通过尝试错误学习)引起的模仿，还是由高级思维过程引起的模仿。

Imitation of Christ **《效法基督》** 基督教灵修著作，成书于1390～1440年间。其作者是谁，有争论，但此书与肯培有关。无论作者身份如何，但肯定是新虔信派(**devotio moderna**)及其分支共同生活弟兄会和温茨海姆会的代表人物。该书第一部分提出"有用于灵性生活的规劝"；第二部分劝人要关心生活的精神侧面而不是物质侧面；第三部分强调全心专注基督必得安慰；最后，第四部分指出，人必须参加圣餐才能坚定信德。该书文笔朴实无华，简明直接地启发个人的宗教感情，这大概就是这本小书如此广传而具有如此影响力的主要原因。

Imittós, Óros(Greece) 参阅**Hymettus, Mount**伊米托斯山。

Immaculate Conception **圣母无原罪始胎** 天主教会信条。谓耶稣之母马利亚自怀耶稣之始就已脱离亚当的罪即原罪的影响。神学家常引用《圣经》的《新约》、《旧约》经文证明这一信条，但它显然起源于早期教会所流传的关于马利亚圣洁的观点。431年以弗所会议郑重宣布马利亚为上帝之母，其后大多数神学家都怀疑，马利亚与上帝关系如此密切，怎么可能有犯罪经验。12世纪，英格兰有纪念马利亚成胎之事，引起许多争论，于是才明确提出：马利亚也免除了人类原罪中所固有的犯罪癖好。影响这方面的讨论的，既有中世纪人们关于成胎的生物学认识，也有另外一种想法，那就是：不能让关于耶稣普遍救赎世人的信仰受到威胁。这后一种顾虑(特别是13世纪托马斯·阿奎那所提出的)不久就由方济各会神学家邓斯·司各脱所打消，他提出：基督的救恩施之于马利亚，使罪不能及于她的灵魂；由于这种特殊的干预，马利亚所领受的救赎是更完美的救赎。因此，马利亚所受的特惠是出于上帝的恩宠，不是出于她本身内在的善功。几代教皇(特别是15世纪教皇西克斯图斯四世)的教诲以及巴塞尔会议(1439)和特伦托会议(1546)的决定都表明，邓斯·司各脱的观点逐渐为人所接受。但是直到1854年12月8日，教皇庇护九世才在全世界天主教大多数主教的敦促下庄严地在通谕中宣告：关于圣母无原罪的教义是上帝的启示，全体天主教信徒必须坚信不疑。圣母无原罪始胎瞻礼日定为12月8日。

Immanuel Ben Solomon **伊曼纽尔·本·所罗门**(约1260～约1328) 又称马诺埃罗·朱迪欧。希伯来诗人，大部时间居住在罗马，被人认为是用希伯来文写世俗诗的创始人。他可能以四处教书为业，是个多产的希伯来诗作者。所写诗作有宗教诗，也有世俗诗(有些世俗诗纯为情诗)，收于《伊曼纽尔诗集》，此诗集1491年以来经常出版。诗集最后一部分仿但丁风格，描写天堂和地狱的景象，写于1321年但丁死后不久。他还以写意大利诗出名，其中包括他就但丁之死和B.达·古比奥互相唱和的十四行诗。他还为《圣经》写注释，运用十四行诗的形式写希伯来文诗，此后，这种形式的希伯来诗非常流行。

immediate constituent analysis **直接成分分析法** 又称IC分析法。语言学的一种语法分析体系。它把句子分成相连续的层次或成分，直至最后一个层次。每个成分只能由一个词或一个词的自成意义的部分组成(一个成分是进入某种更大结构的任何词或结构)。在The old man ran away(这个老人逃跑了)这个句子中，直接成分的第一层划分是the old man和ran away，the old man的直接成分是the和old man。在下一层划分中old man被分成

old和man。直接成分分析法是1933年由美国语言学家L.布龙菲尔德提出的，虽然他所依据的原理对传统语法分析方式及许多现代语法分析体系都适用。

Immermann, Karl Leberecht 伊默尔曼 (1796-04-24，萨克森马格德堡～1840-08-25，普鲁士杜塞尔多夫) 德国戏剧家、小说家。作品包括德国文学史中的两本先驱性作品：《后裔》和《奥伯霍夫》。出身公务员家庭，曾中断在哈雷攻读法律的学业而参加反抗拿破仑的战争。在明斯特军事法庭工作期间(1819～1824)，曾热恋普鲁士将军、吕措男爵之妻伊丽莎。1824年初，在马格德堡刑事法庭任法官，三年后调至杜塞尔多夫省法院任职。在杜塞尔多夫，他设计并修造了一座“典范”剧院。根据歌德的理论，他特别注意培养剧团。1839年，同20岁的M.尼迈尔结婚，这次婚姻给他带来的新生活和幸福表现在他那首未完成的叙事诗《特里斯坦和依索尔德》之中，可惜该诗因他的去世而未完成。伊默尔曼的写作深受当代过渡性的影响，他亲眼看到旧贵族阶级的衰亡、资产阶级的崛起以及工业主义和自由主义的大行于世。他的戏剧作品有《提罗尔的悲剧》(1828)、《麦林》(1832)、三部曲《亚历克西斯》(1832)等。然而，伊默尔曼的长篇小说，由于对时代作了尖锐的批判，因而更加重要。在《后裔》(1836)里，他对自己那个时代作了一番剖析，既痛惜贵族的没落，也悲叹激进主义和金钱崇拜招致的危险。这部小说描绘出一个社会面临痛苦地向工业化社会转变时的悲惨画面。《闵希豪生》(1838～1939)由两部分组成：第一部分是一个懒惰虚伪的贵族的可笑的讽刺画像，第二部分则真实生动地描绘了植根于劳动和乡村的农民。在第二部分中，伊默尔曼赞美了农民的刚强可贵的品格，在他们身上看到了民族遗产的力量和复兴之道。

immersed tube 沉管法 又作sunken tube。水下隧道施工技术，1903年美国工程师W.J.威尔格斯在修建穿越底特律河的密歇根中心铁路隧道时首创。先在河床上挖好沟，把一节节钢管浮运到预定位置下沉，由潜水工把各节接在一起，再把管内的水抽出。这项技术虽经不断改进，但其基本方法至今仍为世界水下隧道施工所沿用。

immersion foot 浸泡足病 又称战壕足病。长期的湿冷环境或长时间的冷水浸泡导致的双脚皮肤、神经和肌肉的损伤。参阅**frostbite**。

Immigration Restriction Act 《限制入境移民法案》(1901) 澳大利亚历史上的新澳大利亚联邦的根本法，它禁止所有非欧洲移民入境，加速了种族隔离的白人社会的发展。这个立法主要针对亚洲人，因为欧洲人从中国劳工涌入的经验上来看，亚洲人被认为不易同化，而且是对欧洲生活水平的威胁。但这个法案实际上也排斥非洲人。法案的主要条款没有具体指明要排斥的种族或集团，而是对可能的移民者进行一种欧洲语言的听写测验；对一个有英语知识的东印度人可能进行法语、德语测验，甚至在需要时进行立陶宛语测验。尽管仍然有效，这个法案从第二次世界大战以来作了一些修改。在1947～1981年间，澳大利亚的非欧洲裔的人数增加了一倍以上。20世纪晚期，在新移入澳大利亚的总人数中，约40%为亚洲人。

immortality 不朽 在哲学和宗教中，指人死后其精神继续存在。这一概念应与肉体复活的概念加以区分。E.B.泰勒爵士与詹姆斯·弗雷泽爵士等早期人类学家提出有力的证据证明，对来世的信仰广泛流行于原始文化地区。在很多民族中，这一信仰都曾长期承继。

不过，对来世生存的性质则有各种各样的想法。正如泰勒指出的那样，在已知的最早时期，今世的行为与来世生活之间几乎没有伦理关系。M.贾斯特罗写道，在古代巴比伦尼亚和亚述，“对死者几乎完全不作任何伦理上的考虑”。有些地区，人们声称战死的武士将升入幸福之境。以后则普遍兴起一种关于来世生活是现世行为的一种奖惩的说法。因此在古代埃及，人在死亡时即被视为接受对其生前行为的审判。波斯琐罗亚斯德的信徒们认为人死后要跨过一座桥，对善者则桥宽，对恶者则桥窄，致使恶者自桥上坠下，堕入地狱。在印度，关于一系列未来化身生活的上升或下降的各个阶段都一直被看作是现世实际生活的行为和态度的结果。中世纪许多基督徒以及当代基督教各派的许多成员也持这种来世奖惩的观点；相反，当代大部分世俗思想家则宣称趋善避恶乃是依据于善恶自身，与对未来生活的任何信念无关。对于不朽的信仰虽曾在整个历史时期均甚普遍，但并不能由此而证明其真实性。它也许是一种产生于梦境或其他自然经验的迷信。因此，从人开始进行理智的反思以来，人们就从哲学上对这一信仰的可靠性提出怀疑。印度的纳西克塔曾说过：“关于人死后(其灵魂)是否存在的疑问——有人持肯定看法；有人则否定。我所知者仅此而已。”《奥义书》是印度绝大部分哲学的基础，人性及其终极命运是该书讨论的主要问题。不朽也是柏拉图思想的首要问题。他根据实在本身是精神的这一论点，力图证明不朽性，主张灵魂不灭。亚里士多德认为理性是永恒的，但他认为灵魂不可能脱离肉体而存在，因而并不坚持人的不朽性。伊壁鸠鲁派根据唯物主义立场认为死后即无意识，因此死亡并不可怕。斯多葛派大多认为理性的宇宙作为一个整体是永恒的。个别的人，如马可·奥勒利乌斯所说，仅仅是在人生的舞台上有着自己有限的岁月。而西塞罗最终承认了人的不朽性。奥古斯丁信奉新柏拉图主义，认为人的灵魂在本质上是永恒的。穆斯林哲学家阿维森纳声称灵魂不朽，然而与他同教的阿威罗伊则更接近亚里士多德的观点，只承认普遍理性的永恒性。阿尔伯特·马格努斯坚持不朽观，理由是灵魂自身即一本原，它是一种独立的实在。约翰·斯科托斯·埃里金纳争辩说灵魂不朽既不能由理性证明，也不能以理性来否定。斯宾诺莎把上帝看作终极实在，从整体上讲坚持其永恒性，但并不认为在他之内存在个人的不朽性。莱布尼兹论证道，实在由精神性的单子所构成。作为有限的单子，人类没有能力组合创造，而是被上帝创造。上帝也可以消灭他们。但是上帝赋予人们一种追求精神上的完善的意图，因此可以相信他将确保人们继续存在，使其有可能实现这一意图。康德承认灵魂不可能由于分解而中止，但认为灵魂可能由于失去其自身能力而终结。不朽性不能用纯粹理性加以证明，但它可以作为一种道德基本原理而被人信仰。神圣性，即“意志与道德律的完全一致”，要求无穷尽的进步，它“只有基于同一理性之存在及人格的永恒持续(这叫作灵魂不朽)这一假定上方可能”。约瑟夫·巴特勒坚持可能性是人生的指导，他根据和康德类似的伦理上的理由主张将不朽性作为一种可能性予以接受。有些人解释黑格尔的哲学，说它表明在绝对之中有限个体的断绝，另一些人则说它表明有限个体作为绝对的要素而持续存留。叔本华认为从人生的痛苦中获得最终的解脱，犹如从有意识的人格转入到无意识的普遍意志。以上系哲学讨论中对不朽的各种主要观点。

immovable (legal concept) **不动产** 参阅**movable and immovable** *动产和不动产*。

immunity 免疫 生物学概念。生物体抵御各种抗原侵袭的能力。免疫的概念还包括异种大分子物质进入或侵入机体所导致的组织反应。每种动、植物都有其特异性或非特异性的自然免疫功能，主要是基于它们的各种自然屏障(如皮肤、黏膜)和某些生物功能。身体某些分泌物和排泄物(如皮脂腺、汗腺、尿、胃酸、胆盐、胆酸等)中都含有能够抑制或破坏入侵微生物的特殊蛋白成分，如眼泪中的溶菌酶。如果致病微生物穿过这道自然屏障，感染部位的机体组织就会出现许多变化(症状和体征)。实际上，这些变化都是因机体免疫系统对感染所表现出的一系列反应所致。炎症病灶除淤血、渗出外，因受趋化性作用，嗜中性多形核白细胞立即游向感染灶，开始吞噬入侵的微生物；巨噬细胞(进入组织的血液单核细胞)也向感染灶聚集，吞噬组织碎片和细菌。所谓脓液其实就是由渗出的组织液、出血、坏死的白细胞、坏死组织和坏死细菌等构成的混合物。炎症的主要症状红、肿、热、痛都是源于炎症的这些基本病变。如治疗不当，局灶性炎症还可蔓延到全身，引起血液白细胞计数增加、发烧、全身不适等症状。自然免疫只解一时之需，并不能使机体对某种疾病产生持续性的免疫能力。如果自然免疫功能不能阻止致病菌进一步入侵，机体就要动用第二道免疫屏障，即获得性免疫功能。这是一种以抗体形成，以及因此而产生的短期或长期免疫能力为特点的免疫现象。抗体能促进吞噬细胞的功能、中和致病微生物的毒素、激活补体系统后溶解致病菌。这种免疫功能可以是短期的，如流感；也可以是长期的，如麻疹等。各种淋巴细胞是免疫系统中最重要的成分之一，主要来自淋巴组织，如胸腺、脾和淋巴结，然后进入血液循环；其免

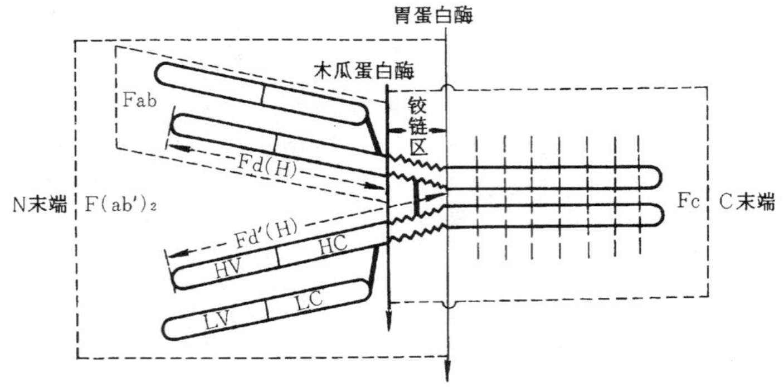

免疫球蛋白结构模式图

疫潜能是无限的。淋巴细胞分为B细胞和T细胞两类。受到抗原刺激后，B细胞就迅速增生、形成细胞克隆(有相同生物学行为的细胞群)，并产生大量特异性的抗这种抗原的抗体(即Ig，免疫球蛋白)。因为这些抗体是以血浆蛋白的形式执行其免疫功能的，故名体液免疫。T细胞源于胸腺，不产生抗体，而是直接攻击抗原，故名细胞免疫。此外，有一种特化的T细胞可调节B细胞功能。另一类白细胞即巨噬细胞，不仅能吞噬抗原，而且能非特异性地增强抗原激发淋巴细胞的能力，并最终消灭抗原。正常血浆中还有一组参与免疫反应的蛋白酶系列，即补体系统，和抗体结合后杀灭入侵的细菌等抗原物质。T细胞还能识别和杀灭未经与受体组织认真配型的异体组织移植物。人们还利用T细胞监视和杀灭恶性肿瘤细胞。免疫还有主动和被动之分。被动免疫是一种直接接受抗体而获得的免疫功能，如母婴之间的免疫传递。因机体本身的免疫系统并未被激活，故被动免疫的时效甚短。主动免疫则是通过免疫接种、或是因直接感染了病原微生物而获得的免疫功能，故属于机体本身的免疫机能，最长可为终身免疫。正常情况下，机体的免疫机制并不会对自身构成威胁。但如果这一保护性机制出了毛病，就会发生自家免疫性疾病，如类风湿性关节炎等。AIDS病是80年代初才发现的一种低γ球蛋白血症。患者体内的抗体生成量极低或为零，故极易受到各种感染。由于这种病有明确的病因，故名为获得性免疫缺陷综合征(AIDS)。参阅 **antibody**；**antigen**；**immunization**。

immunity 豁免 在法律上，指免除责任或不必负责。在英国和美国，议员对其在议会辩论期间发表的讲话不负民事责任；而且，即使因犯罪而受到追诉也不受刑事逮捕。法国的法律和实践禁止在议会开会期间未经议会批准而逮捕任何议员。在其他许多国家中也实行这种做法，例如比利时、瑞士、意大利、西班牙和日本。根据国际条约，外交代表不受当地的民事或刑事管辖。这种豁免扩大适用于使馆馆舍和外交代表的官邸。检察官对被怀疑有犯罪活动的证人，有权免予起诉，作为对他作出不利于其他嫌疑犯的证词的奖励。在美国法律上，有两种类型的刑事豁免：使用豁免和处理豁免。处理豁免意味着不对被豁免人所参与的犯罪行为的任何方面起诉。使用豁免则只意味着被豁免人为了获得豁免而作的证词，不得作为在检察官给予豁免前并不知悉的罪行的不利于被豁免人或其同谋犯的证据。

immunization 免疫法 人类和动、植物获得或被诱导产生免疫功能的过程。免疫法的基本目的是激发机体产生抗体。在致病性抗原微生物尚未进入细胞内或靶组织之前，就在细胞外(血液、细胞外液、黏膜表面或病毒)发生抗原-抗体反应，将病毒(抗原)破坏或灭活。免疫接种还能动员起淋巴细胞和巨噬细胞的免疫功能。

免疫法有主动和被动之分。被动免疫法就是给人注射取自病后患者或致敏动物的血清，实际上就是注射抗体。自然被动免疫见于母婴之间通过胎盘进行的免疫物质的传递，新生儿在半年内可对多种致病微生物具有免疫能力。产妇初乳也含有多种抗体，故母乳喂养也是一种被动免疫过程。主动免疫是通过接种疫苗使人体获得对某种特定抗原的特异性免疫能力。自然获得性主动免疫源于某些致病微生物的感染，有些传染病只需患过一次便可获终生免疫。因为在患病期间，机体自然产生了能够识别和中和致病微生物的特异性抗体。人工诱导性主动免疫法就是接种疫苗。疫苗是用具有抗原活性的、但已被减毒或灭活的致病微生物或其代谢产物(毒素蛋白)制成。疫苗能有效地刺激抗体形成，但并不致病。接种疫苗是一项很古老的技术，但直到1796年，英国医生E.詹纳才第一次澄清接种疫苗的理论原则。他通过给人接种牛痘而使其获得对天花的免疫能力。这是第一例有确切研究证据、有明确免疫方向的疫苗。

疫苗有两类：一类是用抗原的结构成分去激发抗体；另一类是用解毒毒素(抗原微生物的代谢产物)刺激抗体形成。前者是用活的、减活的、或灭活的抗原微生物制成，疫苗效力则按顺序递减；后者称为抗毒血清，可预防疾病的发生，但不能抑制抗原致病菌的生长。主动免疫法是预防疾病的有效方法，但应在机体可能受到抗原感染之前进行，留下足够的时间以满足抗体形成。主动免疫法是长效免疫技术，当机体受到相同抗原的再次感染时，机体的免疫机制就被迅速激活。参阅 **antibody**；**antigen**；**vaccine**。

immunoglobulin 免疫球蛋白 参阅 **antibody** 抗体。

immunology 免疫学 研究身体如何抵抗外来生物入侵(即免疫)的科学。从医学的角度来看，是研究机体抵抗致病微生物的系统及有关疾病的医学。至少从1796年E.詹纳用牛痘预防天花后，西方已知道人工诱发免疫。但直到一个世纪后人们认识了下列现象，免疫学的科学基础才确立：①微生物在体内繁殖引起多种传染病；②体内有些化学和细胞成分能识别和破坏体内的外来物质(抗原)。这些新知识带来了非常成功的免疫技术，可动员和刺激体内抵抗传染病的自然防御机制。

抗体和抗原反应性淋巴细胞是免疫系统中两大活性成分，对它们的形成、动员、作用和相互作用，到20世纪才有一个全面的认识。现代免疫学除用疫苗接种等基本技术外，还越来越能用各种药物和其他手段选择性地操纵身体的免疫系统，以达到所需治疗目的。变态反应即体内免疫系统对某些无害抗原(如花粉)产生过敏反应，因此治疗变态反应类疾病须了解免疫学。免疫抑制技术是指用药物抑制机体免疫功能，目的是使机体接受器官移植时，防止排异反应的发生。对自身免疫性疾病(免疫系统将自身组织误认为外来物质而加以攻击)的研究也日益显得重要。

Imo 伊莫 尼日利亚南部一州。北临阿南布拉州，东临阿比亚州，南部和西部与河流州相接。英国人于1901年进入这一地区，建立了哨所。该州由尼日尔河东部的沿海低地组成。大部分热带雨林植物被油棕树丛取代。主要居民是伊博人，该州人口密度居全国首位。当地人主要从事农业，以种植薯蓣、芋头、玉米、稻和木薯为主，油棕是主要经济作物。伊莫州是全国主要陆上产油地区之一，其他矿物资源有煤和天然气。州首府奥韦里是工业和教育中心，生产饮料、镀锌铁皮、皮革制品和肥皂。设有伊莫新(联邦)大学和阿尔万伊科库学院。有主要公路网连接奥韦里、阿巴、乌穆阿希亚和奥基圭等地。人口约2 485 499(1991)。

IMO 参阅 **International Maritime Organization** 国际海事组织。

Imola 伊莫拉 意大利北部艾米利亚-罗马涅区博洛尼亚省城镇和主教区。位于博洛尼亚东南。原为古罗马艾米利亚大道的一站。6世纪被拜占廷皇帝查士丁尼破坏，后由伦巴第人重建。1499年并入教皇辖地。伊莫拉城的著名建筑有中世纪城堡、15世纪的宫殿、圣多明我教堂、罗马式大教堂等。有一著名的博物馆和图书馆，内藏有极佳的古版本书和手稿。位处博洛尼亚—巴里铁路干线上。为工业中心，生产陶器、农业机械、玻璃器皿等。有天然气开采业。也是水果栽培中心，尤以草莓最为著名。人口：城镇区约61 700(1991)。

imou pine 参阅 **rimu** 柏木陆均松。

Imouthes(Egyptian vizier) 参阅 **Imhotep** 伊姆霍特普。

impact(physics) 参阅 **collision** 碰撞。

impala（*Aepyceros melampus*） **黑斑羚** 羚偶蹄目牛科的羊，奔跑疾速，常大群栖息在非洲中部和南部的稀树草原和开阔林地，靠近有水的地方。黑斑羚姿态优美，善跳跃。受

肯尼亚内罗毕国家公园内的雄黑斑羚（*Aepyceros melampus*）群
美国不列颠百科全书公司供图

惊时跳着逃跑，一跃能达 9 米远，3 米高。体轻巧，肩高 75～100 厘米。毛金黄色至浅褐红色，腹部白色，大腿上有垂直的黑色条纹，后蹄后侧有黑色簇毛。只有雄体有里拉琴状长角。

impasto 厚涂法 一种油画技法。使用大量颜料高出画布或画板表面。17 世纪的画家，如鲁本斯、伦勃朗、哈尔斯和委拉斯开兹等，常用厚涂法突出画中的某些特征。在19

凡高用厚涂法绘的《向日葵》(1888)
美国不列颠百科全书公司供图

世纪，画家马奈、凡高等进一步发展这种技法以获得更强的质感。20 世纪有些画家也采用此法，以饱蘸颜料的画笔或油画刮刀厚涂画面或者直接挤出颜料作画，用色之厚几成立体。

Impatiens 凤仙花属 凤仙花科（Balsaminaceae）的一个大属，草本植物。凤仙花广布亚洲、非洲和北美。有些被视为杂草，有些是广为栽培的园艺植物。单叶，互生，株端叶轮生。花不整齐，发自叶腋，单生或簇生，紫色、黄色、粉红色或白色。成熟果实一经触动即将种子弹出。凤仙花（*I. balsamina*）原产于亚洲热带，世界温暖地区早有栽培。许多园艺

好望角凤仙花（*I. capensis*）
美国不列颠百科全书公司供图

类型是最鲜艳的庭园花卉之一，较易栽种。一年生，高约 75 厘米，花除蓝色外几乎各色均见。二花凤仙花（*I. biflora*）、水金凤（*I. nolitangere*）和苍白凤仙花（*I. pallida*）是北美东部常见的杂草。二花凤仙花高 60～90 厘米，一年生，花橙黄色，具棕色斑点。好望角凤仙花（*I. capensis*）高 1.2～1.5 米，一年生，花橙色，有红色斑点。苍白凤仙花高 1.2～1.5 米，似好望角凤仙花，但花更大、更黄。

impeachment 弹劾 在普通法中，指立法机关为反对某个政府官员而提起的一种刑事诉讼程序。在英国，弹劾诉讼由下议院充当检察官，由上议院充当法官；在美国，由众议院提起弹劾诉讼，由参议院充任法官。在英国，如果弹劾案成立，将判处罚金、监禁甚至死刑；但在美国，最重的惩罚也不过是撤职。弹劾开始于 14 世纪，当时是作为根据“群众呼声或舆论”提起刑事诉讼的一种方式。1376 年强有力的议会树立了第一批公认的弹劾案例，其中最重要的当推对于与爱德华三世政府有密切联系的威廉·拉蒂默男爵第四提起的弹劾案。此后，弹劾的对象通常多为王室大臣之类的政治人物。拉蒂默一案标志着弹劾不仅是一种提起刑事诉讼的手段，而且也是审判的一种方式。15 世纪中叶以后，弹劾被弃置不用。到了 17 世纪，议会又重新把它作为解除不得人心的大臣职务的一种手段。这些被解除职务的大臣往往是受到国王保护的宫廷宠臣。从 1621～1679 年，有许多王室的显要官员被议会这种强有力的武器拉下马或至少是被弄得岌岌可危，其中有白金汉公爵（1626）、威廉·劳德大主教（1642）、斯特拉福德伯爵（1640）、克拉伦登伯爵（1667）和丹比伯爵 T.奥斯本（1678）。在审理丹比伯爵一案时还作出决定，国王的赦免权不能阻止对其大臣的弹劾。从这以后，弹劾的使用逐渐衰落。到 18 世纪末叶，人们认为，弹劾作为一种政治手段未免过于粗率，而对于王室大臣也无需采取一种国王无权阻止的刑事诉讼程序。因此自 1806 年起，英国就不再使用弹劾诉讼。在美国，弹劾程序用得很少，最著名的案例是对安德鲁·约翰逊提出的弹劾，他也是唯一受到弹劾的总统。他被指控为企图违法免除 E.斯坦顿的陆军部长职务和诱使一位陆军将领违反国会的法令，以及蔑视国会。结果约翰逊以一票之差被宣告无罪。1974 年众议院司法委员会投票表决通过了弹劾尼克松总统的三项条款，但是尼克松在国会开始弹劾诉讼之前就辞职引退了。除俄勒冈州外，其他各州都有用弹劾方式免除行政和司法官员职务的规定，具体的实施程序各州虽有一些差别，但都与联邦的弹劾程序相类似。1998 年 12 月，众议院以做伪证和妨碍司法公正为由试图弹劾克林顿总统，但弹劾失败。

impedance, acoustic（physics） 参阅 **acoustic impedance** 声阻抗。

impedance, electrical 参阅 **electrical impedance** 电阻抗。

Imperia 因佩里亚 意大利西北部利古里亚区因佩里亚省省会。位于圣雷莫东面的西部海岸。1923 年由毛里齐奥港、奥内利亚及若干村庄合并而成。毛里齐奥港曾为古罗马港口，先后属于热那亚、法国、萨丁王国、萨伏依王朝、皮埃蒙特。现存新古典主义的圣毛里齐奥大教堂（1779～1781）、省大厦（1910）和市政厅（1932）等著名建筑。该城在热那亚—文蒂米利亚—尼斯铁路和公路上，为工商业中心和港口。以生产并出口橄榄油和花卉闻名。有旅游业和化学工业，生产意大利式细面条、香水、药物和水泥。人口：城市区约 40 171（1991）。

Imperial Ancestral Temple 太庙 中国明、清两代（1368～1911）皇家的祖庙。位于北京天安门东侧，现为劳动人民文化宫。始建于 1420 年，1545 年重建后形成现在的规模。坐北朝南，平面呈矩形，有两重围墙。围墙内建筑严格按中轴线对称布置。外重南墙于正中开 3 间琉璃砖门，门内有金水桥和 7 座石桥，桥北正中是第二重墙的戟门，5 间单檐庑殿顶。门内是广阔的殿庭。中轴线上建有前、中、后 3 座大殿。前殿、中殿共建在一座工字形的 3 层汉白玉石台基上。前殿重檐庑殿顶，殿内中部构架漆金色，祭祀时在此行礼。中殿单檐庑殿顶，殿内后半部隔成 9 个单间，存放皇帝祖先牌位。中殿后有隔墙，墙外跨第二重墙的北墙建后殿，形式与中殿近似，放置年代久远、前殿容纳不下的牌位。后殿北墙有门通至外部。前、中、后 3 殿东西均有配殿，安放功臣的牌位。整组建筑均用黄琉璃瓦顶、红墙。墙外翠柏簇拥，墙内空无一树。建筑严格对称，主次分明，外形凝重，气氛庄严肃穆。现存的戟门和前殿、中殿等都是明代建筑。

Imperial Chemical Industries PLC（ICI）**帝国化学工业公司** 英国一家大型公司，1926 年合并英国 4 大化工公司后组成。4 大公司分别是：布仑纳-蒙德公司（旧译卜内门公司）、诺贝尔工业公司、联合制碱公司、英国染料公司。在两次世界大战间隙期间，它是德国法本化学工业公司（比帝国化学工业公司早一年即 1925 年成立的卡特尔）主要的竞争对手。现总部设在伦敦，拥有 500 多家子

公司和联号。这些机构除英国外，遍及欧洲和其他各洲。1926 年 4 大成员公司合并时生产化学品、染料、炸药、化肥、合成纤维、有色金属和油漆；现在生产的化学品、油漆、药品、合成纤维(特别是聚酯和尼龙)和塑料，范围更广，名目更多。1997 年收购了联合利华的特殊化学品部。

imperial city　帝国直辖市　又称自由帝国直辖市。神圣罗马帝国时代只属于皇帝，即德意志国王的任何城市和市镇，根源于皇帝领地(个人地产)。自由帝国直辖市有时可与帝国直辖市互换使用，但只适用于 7 个城市：巴塞尔、斯特拉斯堡、施派尔、沃尔姆斯、美因兹、科隆和雷根斯堡。这些城市从教会领主手中赢得了独立，因此其地位与帝国直辖市的地位就难以区分。欧洲中世纪时期，许多其他市镇赢得了令人垂涎的帝国直辖市地位，有些是通过赠与，有些则通过购买；有些通过武力，有些是趁乱篡夺。德意志南部的自由市镇比北部多得多。有些自由市镇落入帝国的各诸侯手中，有些则自愿地置于他们保护之下。美因兹是在 1462 年被征服臣属于大主教的。有些市镇，如特里尔，就因为不可避免的财政负担放弃了独立。后来特里尔重申其帝国直辖市地位时，皇帝于 1580 年明确地将它归属于大主教。同样，多瑙沃特于 1607 ～ 1608 年由皇帝判给巴伐利亚。其他的一些自由市镇则被其他国家征服而脱离帝国。贝桑松于 1648 年归属西班牙；巴塞尔已将其命运与瑞士邦联联系在一起，与此同时，斯特拉斯堡、科尔马、阿格诺和其他一些自由市镇则被法王路易十四所夺。自由市镇在已有的权利之外又赢得了一些可贵的特权，其中较富有的如吕贝克、纽伦堡和奥格斯堡简直是国中之国，它们可以宣布战争和缔结和约，不受外部干扰地统治自己的人民。但他们也知道联合就是力量。他们互相之间组成联盟，用于进攻或防守，这种联盟在 13 ～ 15 世纪的德意志历史进程中有极其重要的影响。1489 年法兰克福议会正式承认自由城市在帝国议会中的代表权力，大约同一时期，他们又将自己分成两大集团，或称议席，即莱茵集团和士瓦本集团。根据 1648 年的《威斯特伐利亚和约》，他们被正式任命为议会中的第三选举团，后来成为帝国的第三集团。1422 年所制的一份清单，上列有 75 个自由城市，1521 年的另一份清单所提的自由城市为 84 个，但时至 1789 年法国大革命时，数目已减至 51 个。各不相同的帝国直辖市有各不相同的内部体制，但它们均受一个镇议会管辖，这种议会一般是寡头政治性质，有时就被控制在少数贵族手中，但有时因贸易行会的代表的进入而减弱。拿破仑时代的帝国直辖市的数目极大地减少了。1815 年德意志联邦成立时，只有汉堡、吕贝克、不来梅和法兰克福被承认为自由城市，前三者在后来的德意志帝国中仍保持这种地位；1866 年战争结束后，美因河畔法兰克福被强行并入新成立的普鲁士的黑森-拿骚省。1937 年希特勒将吕贝克并入普鲁士石勒苏益格-荷尔斯泰因省(1946 以后设州)；只有汉堡与不来梅在德国州的结构中继续保持独立实体的地位。

imperial-court decorative painting　院体画　中国宋代(960 ～ 1279)翰林图画院及其后宫廷画家形成共同风格的绘画。也专指南宋(1127 ～ 1279)画家作品，或泛指非宫廷画家而效法画院风格之作。如宋代黄筌画派、宣

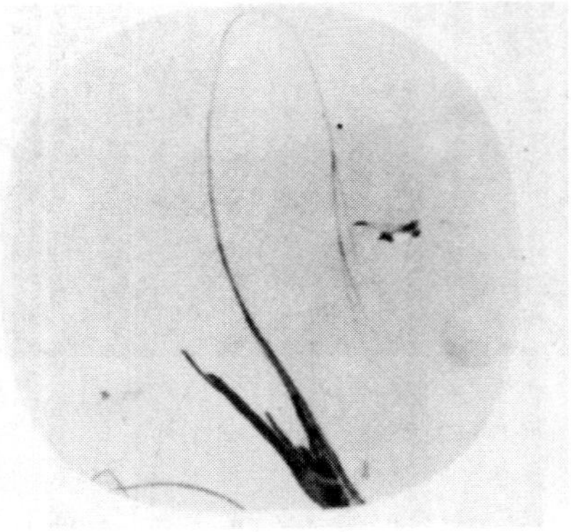

宋代院体画《秋柳双鸦》
中国大百科全书出版社供图

和体与马远、夏圭之作，均有院体之目。这种作品为了适应帝王的审美要求，大抵法度谨严，风格华丽。但亦因时代好尚有异，艺术风格不尽相同。汉、唐已有宫廷画家，五代西蜀、南唐始有画院，但画家之共同风格尚未形成。到北宋翰林图画院，画宗教人物者有高文进，“画院学者咸宗之”，尤以画花鸟之黄筌、黄居寀父子之工稳华丽风格，为画院艺术标准达百余年之久，共同风格已逐渐形成，故《图画见闻志》与《宣和画谱》均称黄氏此类风格为“院体”。到了宋徽宗，画院制度更加严密，皇帝经常亲临指导，画院共同风格亦更进一步形成，此即“色色毕具”花鸟画中之“宣和体”。这是一种新的风格。造型准确，用笔工细，设色鲜丽，更加强调法度和神似，还追求发人深思的诗的意境。实际上不只花鸟画为然，山水画、人物画也是如此。传为赵佶作品的《芙蓉锦鸡图》、《腊梅山禽图》以及《听琴图》，还有王希孟的《千里江山图》均是当时院体画之代表作。甚至于张择端的《清明上河图》也因为他曾供职画院，才能绘制出这幅惊人佳作。南宋重整画院，花鸟多继承宣和院体；而李唐、刘松年、马远、夏圭的山水画更形成一种新的比较相近的风格，尤以马、夏二家更受到后人的重视。其后元、明、清三朝未设立专门机构，但仍罗致画家服务宫廷，虽各具时代特点，亦多向宋代画院学习。明代画院山水画多学习南宋马远、夏圭，明代著名画家周臣、唐寅、仇英未入画院，亦多学习宋代院体。故院体画对中国绘画艺术的发展所产生的影响不可轻视。又宋徽宗时朝鲜画家李宁来汴京，帝令画院待诏王可训、陈德之等从之学；明宪宗时日本画家雪舟(Sesshū)来北京，曾与画院画家李杜、张有声等交流画艺。

Imperial Crown　帝冠　又称查理曼冠。制作于 10 世纪，供神圣罗马帝国诸皇帝加冕用。尽管是为奥托大帝(912 ～ 973)而制的，但仍用第一代神圣罗马帝国皇帝的名字查理曼命名。此冠由 8 片铰接在一起的圆顶金板构成，内衬一定形铁圈，外面有拜占廷风格的珠宝和珐琅装饰。另一个皇冠是 1602 年为神圣罗马帝国皇帝制作的，带有较多的文艺复兴时期风格。在中央拱条两侧有两块在冠圈内竖起的金片，并使它们向中心弯曲。这样就使皇冠带有头盔或卡美拉琼帽的样子。这两个皇冠都作为国宝保存于维也纳。

Imperial Group, PLC　帝国集团公司　英国最大的烟草业制造商。总公司在伦敦。生产卷烟、鼻烟和雪茄，还经营啤酒、食品与包装。由于美国烟草公司的 J.B. 杜克试图接管英国的烟草工业，一些英国烟草制造商协议联合、增强实力，于 1901 年成立帝国烟草公司。烟草在其经营的产品中长期占据主导地位，直至 1968 年公司盈利还有 90% 来自烟草制品。此后发展了多种经营，为了反映此种变化，1973 年从公司名称中取消了“烟草”字样。1981 年公司重新注册为公开招股有限公司，取名帝国集团公司。1986 年该公司被汉森信托公司所收购而成为后者的子公司。帝国集团公司还生产和销售许多食品。

imperial preference　帝国特惠制　历史上帝国成员国互相提供优惠税率(即低于一般水平的关税率)的商业制度，其中也可包括其他优惠内容，如公共合同配额上的有利考虑、运输方面的间接补贴、资本市场的优惠待遇等。20 世纪上半期，大部分有殖民地的国家都推行这种制度，其中以 1932 年英国实行的帝国特惠制为最重要。英国通过 1931 和 1932 年在关税政策上的重大改变，废除了对食物进口的关税的禁令，导向实行系统的帝国优惠政策。根据“本土生产者第一，帝国生产者第二，外国生产者最后”的原则所制定的政策，是 1932 年在渥太华帝国经济会议上经过协商，并采取了一系列以 5 年为期的双边协定形式而固定下来的(这些协定未经正式展期却在 1937 年后继续执行)。渥太华会议后，帝国成员国之间的贸易有所增加；但特惠制不是唯一的因素，其他因素如初级产品价格的回升和英镑集团的存在也有其作用。第二次世界大战期间与战后，汇兑问题、商品协定和其他因素对贸易的影响大于优惠关税。1947 年签订的《关税及贸易总协定》(GATT)——渥太华协定的参加者也签了字——禁止扩大现存的优惠。在后来的谈判中英国及其伙伴同意缩减一些优惠幅度。这时，由于通货膨胀和贸易自由化，残存的关税优惠制已无多大价值；另外，英联邦中许多新独立的成员国也纷纷取消过去给予英国商品的优惠条件。

Imperial Valley　因皮里尔河谷　北美洲科罗拉多沙漠灌渠地区。大部在美国加利福尼亚州东南部因皮里尔县境内。自索尔顿湖南端向南延伸 80 千米入墨西哥境内。为科切拉谷地和加利福尼亚湾之间槽地的一部分，几乎全在海平面以下；索尔顿湖边缘低于海平面 72 米。原为加利福尼亚湾的一部分，后被科罗拉多河三角洲的冲积扇切断。当地具有炎热的沙漠气候，气温日差较大。谷地四周为沙丘和荒山环抱。1901 年因皮里尔运河开凿以前无人居住。1905 ～ 1907 年洪水泛滥，灌溉渠道被毁并形成索尔顿湖。胡佛坝(1935)和泛美运河(1940)建成后开发迅速。

灌渠总长4 800千米，受益面积约20万公顷。农产品有蔬菜、苜蓿、棉花和甜菜；并有牧业。商业中心为埃尔森特罗、布劳利、卡莱克西科和墨西哥的墨西卡利。

Imperial War Museum　帝国战争博物馆　英国的国家博物馆，系为纪念和记录英国和英联邦人民在战时所作的努力和牺牲而建。1920年开馆时，展品重点在于第一次世界大战，嗣后其范围即扩及第二次世界大战和后来的历次战事。帝国战争博物馆的收藏包括战争的军民两个方面。其丰富的馆藏有世界战争交战双方的各种运载工具和飞行器。代表第一次世界大战的有英国的马克V型坦克和骆驼骑兵。保存下来的第二次世界大战实物有美国谢尔曼坦克、英国马克I型喷火式战斗机、德国汉克尔He162型喷气式战斗机和德国V-1型飞弹及V-2型火箭。更多的飞机展于剑桥附近的分馆达克斯福德机场。其他分馆有伦敦塔附近泰晤士河上停泊的第二次世界大战时期的巡洋舰“贝尔法斯特”号和位于伦敦查理国王街W.丘吉尔使用过的内阁作战室。该博物馆拥有大量照片档案和著名艺术藏品。该馆提供真实的视听材料、互动设施和模拟场景，让参观者有一种身临其境之感。

imperialism　帝国主义　国家扩大势力和版图的政策、行为和主张，特别是通过直接占领领土或对其他地区进行政治和经济控制来实现。由于帝国主义总是同强权连在一起，无论是使用军事力量或采取更为阴险的手段，因此人们通常认为对帝国主义应在道义上严加谴责，这个词在国际宣传中也就常常被用来公开指责和诋毁对方的外交政策。近代建立庞大的帝国——主要是殖民帝国——经历3个时期。15世纪至18世纪中叶，英国、法国、荷兰、葡萄牙和西班牙在南北美洲、印度和东印度群岛建立帝国。此后约一个世纪，由于对帝国主义反应强烈，在建立帝国方面相对平静。接着是19世纪中叶至第一次世界大战，这数十年再次以强烈的帝国主义政策为其特点。俄国、意大利、德国、美国和日本作为新来者加入帝国主义国家的行列，而间接的控制，特别是财政控制，成为帝国主义更愿采取的一种形式。1931年日本进攻中国，重又开始建设它的帝国。新的帝国主义时期，在日本、法西斯意大利、纳粹德国和苏联等极权国家的领导下，开始于30年代和40年代。关于近代形式的帝国主义形成的原因及其价值的论点可分为4大类。第1类包括经济论点，并常常围绕帝国主义是否有利这个问题展开。一些人争辩说，它的确能够解决帝国所面临的人力和物质资源的问题，解决货物、投资资本和过剩人口的出路问题。他们的反对者，其中有亚当·斯密、李嘉图和J.A.霍布森，承认帝国主义可能对少数人的受惠集团有利，但对整个国家来说决非有利。马克思主义理论家把帝国主义解释为资本主义后期，这时国家资本主义经济已成为垄断经济，在同其他资本主义国家进行竞争时，被迫为其过剩的生产和剩余资本争夺出路。列宁和布哈林等人即持这种观点，在他们看来，资本主义与帝国主义是相同的。第2类论点把帝国主义与人的本性和人类集体诸如国家的性质联系在一起。马基雅弗利、F.培根、L.贡普洛维奇、希特勒和墨索里尼等不同的人物，在不同的基础上提出各自的论点，但却得出相似的结论。他们都把帝国主义看作是人类本能地为生存而斗争的一部分。在他们看来，优等民族注定要统治所有其他民族。第3类论点与战略和安全有关。持这一观点的人说，为了安全的原因，应敦促国家去获得基地、战略物资、缓冲国、“天然的”疆界和控制交通要道，或阻止其他国家占有这些。那些否认帝国主义为达到这些目的而具有价值的人指出，这样做是得不到安全的。一个国家超越其边界控制别国的领土和民族，这种扩张很可能导致摩擦，从而是不安全的，这是因为互相竞争的国家所划定的安全区和势力范围势必或迟或早会发生重叠的缘故。第4类论点以道义上的理由为基础，有时带有强烈的传教的含义。帝国主义被辩解为是把人民从专制统治下解放出来或祝福他们具有优越的生活方式的一种方法。帝国主义是由许多原因结合在一起而产生，其中经济压力、人类的好斗和贪婪、对安全的追求、对权力和威望的追逐、民族主义的感情、人道主义以及其他许多因素在不同程度上起作用。帝国主义作为这些因素的混合物，要消灭它很难，却使得那些认为自己有可能成为牺牲品的国家很容易把并无帝国主义意图的一些政策也怀疑是帝国主义。第三世界的一些国家谴责前殖民主义列强和其他新殖民主义国家。它们担心为其经济和技术发展而给予援助和提供技术人员可能是帝国主义的一种伪装。参阅**colonialism**。

imperium　帝权　罗马国家至高无上的行政、军事和司法大权，最先由诸王行使；共和时期由执政官、独裁官、行政长官等行使。共和国晚期总督、省长等也拥有帝权。帝权由库里亚大会(人民会议)授予，为期1年。共和末年才规定1年以上的特殊期限，如庞培就被授予帝权3年。奥古斯都在位期间，每隔10年或5年由元老院授予帝权一次。这一制度后来延续下去。随着罗马势力的扩张，帝权具有了“帝国”的含义。

impetigo　脓疱病　细菌感染性炎症性皮肤病。初发损害为表皮的一个水疱，破裂后成糜烂面，有渗液，渗液干燥后结痂。本病由葡萄球菌或链球菌引起。接触性感染在成人中少见；在儿童，特别是新生儿中则常见。除了发生于妊娠妇女的罕见的疱疹状脓疱病外，可局部应用广谱抗生素，对无并发症的脓疱病疗效较好。若脓疱病延及身体较大面积(特别是婴儿)，应早期全身应用抗生素。

Imphāl　因帕尔　印度东北部曼尼普尔邦首府。位于曼尼普尔河河谷，海拔760米。1944年英印联军在此战胜日本缅甸方面军。居民主要为曼尼普尔人。为重要公路交叉点与贸易中心。以织布、铜器制造等小工业著称。设有因帕尔学院及培训中心、达纳曼贾里学院和技术学校等。有铁路通往阿萨姆邦的迪马布尔，有公路通往缅甸。有班机通往加尔各答和高哈蒂。人口156 622(1981)。

implantation　着床　受精卵附着在子宫内膜或生殖道黏膜的现象，目的是使卵子在适宜的环境中生长发育成新的子代。精子排入女性生殖道后，进入输卵管与卵子结合，卵子受精后开始进行细胞分裂，经过7天形成一个大约有200个细胞的小球并且到达宫腔。子宫内膜适合于受精卵着床和生长；在卵巢黄体分泌的孕激素影响下，子宫内膜的血液循环、水分、糖原(组织和卵子发育的养分)分泌均增加，为受精卵着床作好准备。如果子宫没有作好准备，则受精卵不能着床。孕激素可抑制子宫肌肉的收缩，防止流产。受精卵进入宫腔后通常1天左右即附着于子宫内膜上。与子宫壁接触后，受精卵外层细胞生长很快，融破局部子宫内膜，并向内膜深部运动，在受精后第11天完全植入内膜深部组织。人类正常受精卵发育成胎儿需9个月。

impleader(law)　**控告**　参阅**joinder and impleader 联合诉讼和控告**。

implication　蕴涵　在逻辑学中，两个命题间的一种关系，其中第二个命题是第一个命题的逻辑结论。在大部分形式逻辑系统中，采用一种称为实质蕴涵的较为广泛的关系，读作“如果 A，那么 B”，用符号 $A \supset B$ 或 $A \rightarrow B$ 表示。复合命题 $A \supset B$ 的真假，并不取决于这两个命题意义之间的关系，而仅依赖于 A 和 B 的真值；当 A 真 B 假时，$A \supset B$ 为假；在所有其他情况下，$A \supset B$ 为真；$A \supset B$ 通常可以等价地定义为 $\sim(A \cdot \sim B)$ 或者 $\sim A \vee B$ (其中 $\sim$ 意指“并非”，$\cdot$ 意指“与”，$\vee$ 意指“或”)。对 $\supset$ 的这种解释导致所谓的实质蕴涵悖论：据 $\supset$ 的这种定义，“草是红的 $\supset$ 冰是冷的”为真命题。在试图构造一种与直觉的蕴涵概念更为接近的形式关系时，以概念实用主义闻名的C.I.刘易斯于1932年采用了严格蕴涵的概念。严格蕴涵被定义为 $\sim\Diamond(A \cdot \sim B)$，其中 $\Diamond$ 意指“是可能的”或“不是自相矛盾的”。因此，A 严格蕴涵 B，如果 A 和 $\sim B$ 不可能同是真。这种蕴涵概念 B 依赖命题的意义，而不单单依赖它们的真或假。最后，在直觉主义的数学和逻辑中，采用了一种初始的蕴涵形式(不用其他基本联词定义)：这里 $A \supset B$ 为真，如果存在着一个**证明**(**proof**)，如果它与 A 的一个证明相联合，便产生 B 的一个证明。参阅**deduction**；**inference**。

imposition of hands　参阅**hands, imposition of 按手礼**。

impotence　性无能　又称勃起功能障碍。一般指男性无法维持阴茎勃起以致无法进行性交。广义的性无能可泛指所有无法被性欲激起者，不分男女。但在传统的用语中，它通常单指男性的性功能障碍。当性治疗专家在分辨性无能的两种形态时,他们不太爱用性无能这个词。因为性无能一词在大众用语中含贬义且定义含糊,故在专业用语上已被除去。不能勃起是指无法在性交过程中保持阴茎勃起,也是传统上所称的性无能。它可能是由于生理或心理因素,前者如酗酒、内分泌疾病或神经性疾病,后者则包括厌恶或害怕性伴侣、工作压力或非性关系的情感冲突。老年人的不能勃起虽然有部分原因是年龄所致,然而大多数是其他老年性疾病(如前列腺肥大)所致。不能射精的患者虽能勃起,但在性高潮时却无法射精。他们能够维持长时间的勃起,甚至在女性伴侣达到性高潮后仍然如此。这种形态的性无能几乎完全是心理因素而非生理因素所致。心理疗法、婚姻咨询、性治疗对于治疗心理或情绪原因造成的性无能可能是有帮助的。对于纯粹因为生理原因造成的性无能,有其他各种疗法,包括真空装置、阴茎注射、阴茎假体。但此类机械性或物理性的侵入性疗法已经在很大程度上被药物所代替。

Impressionism 印象主义 19世纪末至20世纪初主要形成于法国的一个重要的运动,先是在绘画界,以后发展至音乐界。绘画包括自1867～1886年期间一批持有相近观点

C.莫奈绘《博尔迪盖雷》(1884)
美国不列颠百科全书公司供图

和采用相近技巧的画家的活动。这些画家个性十分鲜明,非常讲究实际,没有确定的共同遵守的具体原则,但印象主义最明显的特点则是,力图客观地描绘视觉现实中的瞬息片刻,主要是表现变化中的光与色的效果。主要的印象主义画家有C.莫奈、C.毕沙罗、P.-A.雷诺阿、A.西斯莱、B.摩里索、A.吉约曼和F.巴齐耶,他们一起工作,相互影响,并一起独立展出作品。E.德加与P.塞尚在19世纪70年代初也曾一度以印象主义风格作画。E.马奈的作品在60年代对莫奈及其他印象主义画家影响甚大,他本人则在约1873年采用印象主义的手法。这些画家在其早期的创作生涯中,就对统治欧洲艺术达两百年之久的种种清规戒律表示不满。19世纪60年代后期,马奈的艺术反映了一种新的美学观点,有史以来第一次把画家从传统上占统治地位的以题材为中心的创作方法中解放出来;他主张把重点严格地放在绘画艺术的组成部分——颜色、色调与材料上。在大约同一时间内,莫奈、毕沙罗、雷诺阿、西斯莱和巴齐耶在风景画中努力探索一种更直接的方法来描绘灿烂的光和色。莫奈以他出类拔萃的敏锐目光一马当先。当时这方面的科学研究表明:颜色不是物体所固有的特性,而是物体反射出来的光线。在这种观点影响下,这些画家努力探索一种有效的方法,以突破物体的单一的、表面看来一成不变的"固有"色;他们力图捕捉物体在特定时间内所自然呈现的那种瞬息即逝的颜色,那种受一时的气氛条件、距离和周围其他物体影响的颜色。他们从画水开始,把水波反射出来的许多颜色完全按照他们亲眼目睹的那样表现出来。他们把这一做法扩大到从建筑物到天空的所有其他物体,笔触简单明了,远看是一堆混合的颜色,其实是用未经调合的颜色,以此描绘阳光反射所产生的形形色色的颜色。在马奈的"纯绘画"实验启发下,他们努力寻找色彩最鲜明的题材,通常不再注意感情色彩和文学特性。他们到户外直接作画,而不是根据速写稿在画室内完成作品。1874年,这批画家首次举行独立画展,以与法国美术学院的官方沙龙相抗衡,后者一再拒绝展出他们的大部分作品。莫奈的《日出印象》一画(1872,巴黎马摩坦博物馆),最初曾使人们用印象派这一名称讥笑这批画家。他们后来陆续举办了七次画展,最后一次在1886年举行。在此期间,他们继续发展自己的个人和个性风格。80年代中期,印象派团体宣布解散。其存在时间虽然很短,但在艺术史上却完成了一次革命,使西方后来产生的各种绘画得以从画家和题材之间的既定束缚关系中解放出来。

在音乐方面,C.德彪西通常被认为是主要的印象主义者。德彪西的音乐从他的第一部作品到最后一部作品,都各有不同的特点,因此只有约1892～1903年间完成的乐曲和一些风格上同这个时期乐曲酷似的后期作品,才可以说具有一般含义上的印象主义。他的印象主义作品有歌剧《佩利亚斯与梅丽桑德》(1902年首演),交响诗《云雾》(《夜曲》之一,1899年作)和钢琴曲《帆》(见《两套前奏曲》第一册,1910)。其他被认为属于印象派的作曲家有M.拉威尔、F.戴流士、O.雷斯皮吉、K.席曼诺夫斯基和C.格里福斯。音乐上的印象主义往往被认为是指一种微妙脆弱、消极杂乱、情绪暧昧的音乐。印象主义音乐的特点,说得确切些则是拘谨、克制、平静,一种由于作曲家把纯音响想象为美和神秘的目的本身,从而形成的丰富多彩的效果。印象主义虽被认为是摆脱浪漫主义的一种运动,但其许多特点可以在一些又被称为表现主义的浪漫主义先驱者的作曲家如F.李斯特、R.瓦格纳和A.斯克里亚宾的作品中找到根源。

impressment 强征入伍 又作crimping。用粗鲁甚至暴力的方法强迫不愿当兵的壮丁到军队服役。在19世纪初以前,世界各港口城市都盛行这种做法。一般说,只有爱国主义才是克敌制胜的重要因素,这种强迫服役是不可能得到有战斗力的人员的。被强征者大多是从社会下层抓来的,这些人往往是流浪汉甚至是囚犯。抓人的地方是城市中滨水地带的小客店、妓院以及与官府早有勾结的小旅馆。在19世纪初叶,英国皇家海军往往拦住美国的船只,搜查英国逃兵,往往把船上已入籍的美国公民也强征入伍。这种做法是1812年第二次英美战争爆发的原因之一。19世纪期间,强征入伍逐渐减少。随着军队对人力的需要继续增加,有必要逐渐采用了有组织的征兵制度。

imprimatur 准予印行令 天主教名词,指主教根据现行教会法规定在审查有关《圣经》的著作或对宗教、神学和道德具有重大影响的著作以后所发给的许可证。它不能解释为教会批准某著作的内容或保证它的教义正确,而仅是说明未在该著作中发现违背信仰或道德的内容。

imprinting 印记 又译印刻、铭记、印随。一种学习形式。幼小动物把注意力集中于它所看到、听到、接触到的第一件对象上并追随这一对象。在自然状态下这个对象几乎总是父母,在实验条件下可为其他动物或无生命物体。人们仅对鸟类(尤其是鸡、鸭、鹅)的印记现象作过深入的研究,发现幼禽的印记过程数小时即可完成,但孵出30小时后对印记刺激的感受性即消失。许多哺乳动物、鱼和昆虫幼体显然也有印记过程。

impromptu 即兴曲 19世纪的一种钢琴曲,旨在造成"信手拈来即兴创作"的错觉。在这一基本前提下,即兴曲就难有特定的曲式,虽然采用三段曲式和回旋曲较为普遍。这种乐曲的风格与同时期的其他乐曲,诸如幻想曲、随想曲和音乐小品相类似。"即兴曲"一词最早于1822年被波希米亚作曲家J.H.伏日谢克和德国作曲家H.马尔施纳用作钢琴曲的标题。舒伯特的作品90号和142号,肖邦的作品29号、36号和51号均在最著名的即兴曲之列。

improvisation 即兴创作 又作extemporization。在音乐中,指即兴创作或自由演奏一段音乐,通常在某种风格规范之内,但不受特定音乐内容的一些规定特征的限制。音乐产生于即兴演奏,在东方传统和现代西方爵士乐传统中,仍有大量的音乐即兴演奏。许多伟大的西方古典派作曲家都是即兴演奏大师,尤其是键盘乐器大师,这些乐器为巴赫、莫扎特、门德尔松和肖邦等著名作曲家兼演奏家提供了发挥其丰富音乐想象力的无穷无尽的天地。这样产生的一个个构思,其中有许多最终成为记写下来的作品。有些作曲家将即兴演奏视为创作的必不可少的"热身活动"。在西方的器乐时代之前,在系统化的音乐背景环境之内进行即兴创作的活动大多局限于把复调音乐中的声乐声部加以装饰性的变化,或是把声乐作品改编为器乐曲。另一方面,起源于1600年左右的单声部歌曲织体都是一些现成的曲调,事实上它们多半有待于即兴的提高,不仅是其高声部,而且也包括其低声部,因为低声部用数字标示时所提示的只是一个最简单的和弦轮廓。在主要是单声部的音乐文化中,无论是西方的还是非西方的,即兴演奏一直都十分重要,哪怕只是因为独奏者进行即兴创作,也比演奏小组更容易成功。人们通常认为,早

期欧洲音乐，从罗马天主教圣咏到中世纪复调音乐，均植根于一些即兴的实践，诸如将教堂调式（参阅 **church mode**）中的一些动机的潜力加以发挥，或是在一个事先存在的旋律（即固定旋律）上增加第二个旋律。在西方，固定旋律即兴演奏给予大量器乐以灵感，从文艺复兴晚期的在顽固低音之上进行即兴演奏开始，一直延续了几个世纪。管风琴家总是把即兴创作视为主要音乐活动，与记谱作曲无高下之分。而键盘乐器上的即兴演奏则造就了过去3个世纪以来数以百计的前奏曲、托卡塔和幻想曲中那种具有联想自由的特性的作品。在现代，即兴演奏作为爵士乐的主要特点之一而存在下来，其中的过程通常也是受到所讨论的模式（不论它是一首著名的流行曲调还是一个基础低音）的显著特点的启发，并根据这些特点（无论多么松散地）进行组织。20世纪后半叶，在某些先锋派作曲家和演奏家中出现了一种倾向，即摒弃一切传统结构，一丝一毫也不要；这一实验乐派的"作品"可以完全不用传统的记谱，情愿只要文字的说明、关于时值的指示或是独特的图形编码。有些作品要求演奏者将作曲者提供的简短乐句或整段音乐的"砌块"随机结合起来；人们认为这样的过程所体现出的作曲者和演奏者之间的创造性合作要比诠释一首完全记谱的作品更为深邃。参阅 **aleatory music**。

improvisation　即兴表演　在戏剧中，不用事先写好的对话，少用或不用事先决定好戏剧活动的戏剧表演场面。这种方法在戏剧演出史中曾用于各种不同的目的。以"即兴喜剧"知名的戏剧演出形式尽管通过多次重复表演，并且其人物已发展了定型的台词和舞台动作表情，其剧情大纲也获得相当规范的形式，但仍具有高度的即兴表演性质。亚洲的舞蹈及戏剧活动大多包含即兴安排的定型场面、动作和语言。20世纪不少剧团采用即兴表演。

imram　航海故事　早期爱尔兰文学中有关航海的惊险故事。这种类型的故事包括爱尔兰圣徒前往冰岛和格陵兰的故事，以及描述异教英雄游历冥界的寓言故事。其中一个突出典范是《布朗航海记》，描写到魔境女人国的一次旅行。似乎一年之后，布朗和他的同伴返回家园，发现任何人都记不起他们的航行，仅在古代的文献中有所记载。

Imrédy, Béla　伊姆雷迪（1891-12-29，匈牙利布达佩斯～1946-02-28，布达佩斯）　匈牙利右翼政治家、总理，第二次世界大战期间与纳粹狼狈为奸。受过法学教育。最初在财政部工作。1928年任匈牙利国家银行经理，参加过几次国际货币会议。1932～1935年任财政部长，后任国家银行行长。1938年5月纳粹德国兼并奥地利后出任匈牙利总理，极力限制犹太人的活动，并取缔人民的集会和新闻自由。后来更采取亲轴心国的对外政策。1939年2月因反对派揭露他本身就是犹太人的后裔而辞职。1944年任经济部部长，使匈牙利经济服从德国的战争需要。第二次世界大战后，由人民法庭定为战犯，被处决。

IMRO　参阅 **Internal Macedonian Revolutionary Organization** 马其顿内部革命组织。

İmroz Adası（island, Turkey）　**伊姆罗兹岛**　参阅 **Gökçeada** 格克切岛。

Imru' al-Qays　乌姆鲁勒·盖斯（？～约550）　全名乌姆鲁勒·盖斯·伊本·胡杰尔。阿拉伯诗人，被先知穆罕默德、第4位哈里发阿里和古巴士拉学派阿拉伯评论家认定为伊斯兰教以前时期最卓越的诗人，著名的长诗集——《悬诗》的7位作者之一。关于他的身世，至今说法不一。一般认为他是肯德人的末代国王胡杰尔的幼子。由于他酷爱写色情诗歌，两次被逐出王宫，但他甘愿过流浪生涯。贝都因人拜努·阿萨德的部族谋反，杀死胡杰尔，于是盖斯下半生一心致力于为父复仇。他成功地攻击并击溃阿萨德部落，但却未能如愿地得到其他部落的进一步援助。加萨尼王国（位于阿拉比亚北部）国王哈里斯把盖斯引荐给拜占廷皇帝查士丁尼一世，皇帝同意借兵帮他复国。据传说，在他带兵返回途中，查士丁尼派人送他一袭有毒的斗篷，使他死于安卡拉。巴士拉学派的语言学家认为盖斯不仅是最伟大的一位"悬诗"作者，而且是古典诗歌形式的首创者。中世纪阿拉伯学者编了3部他的诗集，共68首诗，但是其中大部分是不可信的。

in medias res　插叙　拉丁语，意为"在事物的中心"。在叙事技巧上被推崇的一种习用手法。即抓住一系列事件中最具关键性的一件，来作史诗或小说的开端。这个关键情境，既是以前各个事件的延续，又是以后行动的发端。叙述一直往下进行，而早先的事件则通过倒叙来说明。这一方法，是从荷马的《伊利亚特》和《奥德赛》的创作实践中得来的。例如《伊里亚特》中一开始就戏剧性地描写了阿喀琉斯与阿伽门农之间的争吵。古罗马诗人和评论家贺拉斯曾指出，这样的开头，比把故事从头讲起，即从阿喀琉斯的诞生讲起，更能引人入胜。

In Memoriam stanza　悼念诗节　由抑扬格四音步诗行组成的四行诗节，韵律为 a b b a。该格式以丁尼生勋爵的"In Memoriam"（悼念）诗篇名为名。在11诗节的序言之后为：

I held it truth, with him who sings
To one clear harp in divers tones,
That men may rise on stepping stones
Of their dead selves to higher things.

in nomine　圣号经　在音乐中，指16和17世纪的一种英国器乐曲体裁。原文意为"以上帝的名义"，源自J.塔弗纳（约1490～1545）所作《天主圣三荣耀弥撒曲》的《以色列颂》中"圣号经"一节的第一句唱词。塔弗纳的作品是以三一节晚祷礼拜所唱的对唱曲《荣耀归于您，天主圣三》中的一个素歌旋律为依据的类似乐曲的范本。尽管器乐风格发生了变化，这一标题和固定旋律却一直用到普赛尔的时代（约1659～1695）。

In Ruad Ro-fhessa（Celtic religion）　**大智赤神**　参阅 **Dagda** 达格达。

in vitro　fertilization（IVF）　**试管受精**　又称体外受精、试管受孕。将成熟卵子自妇女体内取出，在体外与来自男性的精子结合使之受精，再将其移入同一妇女或另一妇女子宫内经历正常妊娠过程的医学操作。虽然在动物育种方面，早就实行试管受精，并将受精卵再植入母畜体内，但直至1978年才首次诞生了一个通过试管受精育成的人类婴儿，这一过程是由英国的P.斯特普托和R.G.爱德华兹完成的。试管受精施行之前通常必须进行详尽的检查分析，证实确系不孕。试管受精适用于输卵管阻塞或无输卵管的女性、精子数量过低的男性以及原因不明的不孕配偶。试管受精的施行步骤包括：以针吸的方法抽取成熟的卵，将卵置于培养液中培养，收集、准备精子并将其加入培养液中，受精一般发生于12～48小时内。然后将受精后的胚胎置于生长液中，对其进行定期观察，受精胚胎分裂，经2细胞期、4细胞期、8细胞期。此时预定接受胚胎的妇女接受孕酮，使子宫内膜为胚胎植入作好准备。此时的胚胎称为胚泡，胚泡经子宫颈注回子宫，在子宫腔会悬浮3天半左右。如果操作成功，胚泡会植入子宫壁，于是妊娠开始。试管受精操作各环节中会出现多种问题，胚胎成功植入似乎是最薄弱的一环。对此可作如下解释：试管受精生成的合子与体内受精生成的合子相比，其发育的速率较慢，因此试管合子的生长与子宫内膜组织的发育不能完全同步。试管受精的研究从一开始就引起道德、伦理和宗教方面的争论。虽然争论双方都可以见到属于所有宗教派别的人士，但主要的反对势力来自天主教会，1987年天主教会发表正式声明，表示反对试管受精，理由如下：不用于植入的人类胚胎将受到杀戮；试管受精所用精子的供体可能不是丈夫，因此生儿育女便发生在与婚姻关系无关的情况下；婚姻行为与生儿育女间的本质联系被割断。提得更多的另一些伦理问题涉及这种担心，即有人会以胎儿为实验材料。与试管受精有关的技术，如将卵、精子或胚胎冷冻以供将来植入的技术，也引起许多至今仍无法解决的争论。

in-yō（in Eastern philosophy）　参阅 **yinyang** 阴阳。

Inaccessible Island（Atlantic Ocean）　**伊纳克塞瑟布尔岛**　参阅 **Tristan da Cunha** 特里斯坦-达库尼亚群岛。

Inanna（Mesopotamian deity）　**伊南那**　参阅 **Ishtar** 伊什塔尔。

Inari　稻荷神　日本神话中的护稻神。受商人、兵器匠人的奉祀，也受妓院的崇奉。在神道教神话中，稻荷神就是风神素戋呜的儿

日本德川时代的稻荷神木雕像

巴黎吉梅博物馆供图

子仓稻魂。有些神道教派把他与女神保食神一同奉祀。稻荷神之像被描述为长须男子骑白狐,有时则为手执稻捆的披发妇人。既作好事又作坏事的狐狸有时被认为是稻荷神的使者,奉祀稻荷神的神社内外都有大批狐像。稻荷神社的其他特点是红房深邃,鸟居(牌坊)层层成长行,还有宝珠球(如梨状,上附有花纹如雪花)。京都附近的伏见稻荷神社是稻荷神社中最著名者。

Inari, Lake 伊纳里湖 芬兰北部拉皮省最大湖泊。邻近俄罗斯边界。海拔 119 米,最长处约 80 千米,最宽处约 40 千米,面积 1 102 平方千米,深约 61 米。伊瓦洛河自西南流入湖内,经东面的帕茨河注入北冰洋。西南岸的伊纳里镇为拉皮省商业中心。湖区宜垂钓和划船,游客甚多。

Inazawa 稻泽 日本本州爱知县城市。地处尾张平原,德川时代为一乡村小镇。第二次世界大战后,发展成为名古屋的工业和居民卫星城。生产纺织品和机械。人口 96 277(1990)。

inbreeding 近交 亲缘关系较近的个体之间的交配。而远交是遗传上不相关的个体之间的交配。近交可用以保留某些所需要的性状,或淘汰某些不需要的性状。但因为父本和母本有害的隐性基因可能结合,所以近交常可使子代的生活力、体型、生育力下降。亲缘关系最近的近交是自交,或称自体受精,即同一生物体产生的雄性细胞和雌性细胞相结合。品系繁育是一种近交方法:从某个具优良性状的祖先的后裔中,选择亲缘关系较嫡亲稍远的个体进行交配。回交是一种常用的近交方法。

Inca 印加人 南美印第安人,1532年西班牙入侵时,曾统治着一个帝国,其幅员沿太平洋海岸及安第斯高原自北而南延伸,约为今厄瓜多尔北境以至智利马乌莱河这一片土地。12 世纪时,印加人定都于库斯科。15 世纪初开始扩张,对将近 1 200 万安第斯高地的居民进行统治达 100 年之久。他们吸收了诸如奇穆人这些被征服民族的技术和制度。他们的文化也掺入了 600 ～ 1000 年的早期瓦里文化和蒂亚瓦纳科文化的成分。印加人的社会等级森严,皇帝依靠贵族官僚机构进行统治,用严厉镇压手段推行政令。印加人的技术和建筑是高度发展的。在整个安第斯山脉,至今还能看到他们的灌溉系统、宫殿、寺庙和碉堡。经济以农业为基础,主要作物是玉米、马铃薯、番薯、南瓜、番茄、花生、辣椒、可可、木薯和棉花。他们饲养豚鼠、鸭、美洲驼、羊驼和狗。衣服用驼毛和棉花制成。房屋是石头或土坯的。实际上每个人都是农民,衣食自给自足。印加帝国境内道路纵横,有两条南北干道,一条沿海岸修筑,约长3 600 千米;一条沿安第斯山脉贯穿内陆,长度大致相同。另外建有许多隧道及藤桥,道路网的使用只限于政府公务及军事任务,并设有通讯驿站,以结绳方式传送信息,每日约达 240 千米的距离。印加人的传统宗教为万物有灵、拜物及崇拜自然神灵的混合形式。主神为太阳神"因蒂",另有造物神及雨神等。宗教仪式复杂,有占卜、人祭及牺牲献祭等。印加人最重要的社会集团是以松散的亲属关系为基础的"阿伊鲁"。"阿伊鲁"拥有土地;每年轮流有人主持有关作物轮种及土地分配等事宜,机会均等。每个家庭按照需要耕作一块土地。公地的收入则归中央政府和地方神祠。西班牙征服者使印加帝国变成附属于西班牙的殖民地。印加人统一的等级制度为无数独立的地方等级制度所代替。由于殖民经济的需要,特别由于着重银矿开采,使居民重新分布到新建的各大城市中心去。很多印第安人东迁以逃避开矿和殖民制度。印加人的后裔是今安第斯山脉操盖丘亚语的农民,可能占秘鲁人口的 45%。他们用简单的传统技术,农牧结合。乡下的居民点可分为 3 种:农舍在各自耕地中央的家庭、土地在居住中心之外的真正村社和这两种类型的混合形式。城镇是混血居民的中心。印第安人的社区是紧密结合的,各家庭常常通婚。很多农活都是协作的。宗教则已是一种杂入异教神灵的天主教。

incandescent lamp 白炽灯 靠加热适当材料到高温而发光的灯。一般来说,当借助于燃烧或对电流形成电阻而加热某一固体或气体时,它们就会发出由其材料特性所决定的某种颜色的光。1801 年,H.戴维演示了铂条在空气中通电受热而白炽发光的现象,但是铂条不能持久。1841 年,英格兰的 F.德·莫林斯被授予了白炽灯的第一项专利,他用的是在两根铂线之间加热木炭粉的方法。在发明了好的真空泵之后,最初的实用白炽灯泡才得以问世。英国的 J.W.斯旺和美国发明家 T.A.爱迪生先后于 1878 和翌年各自独立地制成了真空玻璃泡中带炭丝的灯。爱迪生因发展了为在实用的照明系统中装设白炽灯所需的输电线和其他设备而获得了主要的声望。1911 年生产出了拔制的钨丝;1913 年钨丝做成了螺线形,灯泡中还充入了惰性气体。最初只用氮气,后来则根据灯泡瓦数而充入不同比例的氮、氩混合气。这些做法提高了灯泡的效率。自 1925 年起,灯泡内表面又用氢氟酸做成磨砂的,以消除无遮掩的灯丝的刺眼亮光,而获得漫射光。碳弧灯能发出极亮的光,故常用于聚光灯和电影放映机中。碳弧灯由两根碳电极构成,电极间产生高强度电弧使碳极受热并使弧间气体电离发出强光。不用电的白炽灯有煤气灯,它有一编织网袋,袋经硝酸铈和一种或多种金属(钍、铍、铝或镁)的溶液浸透,网袋被固定在一个能喷出可燃气体的喷头上,喷头上有细孔,可燃气体为天然气、煤气、丙烷、苯蒸气或其他燃料。可燃气体点燃后,网袋上混合物开始不断燃烧,编织纤维被烧掉,留下一个脆的金属氧化物栅格,栅格被燃气加热而发光。煤气灯不使用网罩也可点燃而发光。灰光灯是一种极亮的气灯,1825 年发明 ,直到 1900 年一直用作剧场照明。灰光灯是用块状的氧化钙置于氢氧焰中加热而发光的灯具。

Incarnation 道成肉身 基督教的中心教义。谓取得人的性质并成为人,其形式是耶稣基督,亦即上帝的儿子、三位一体上帝中的第二位。耶稣基督因此的确是神,又的确是人。根据这种教义,耶稣的神人二性并非互不关联地并行存在,而是联合为一,形成一位,这就是传统神学所称的位格合一。神人两性联合之后,任何一种性质都没有减弱,两者也没有相混,各自保持其个性。道成肉身可以指三位一体真神的第二位的神性开始在童贞马利亚腹中与人性结合的一瞬间,也可以指神人两性联合于耶稣一身的永久实际。道成肉身教义实质在于,先于创世而存在的道成为肉身,即拿撒勒人耶稣这个人。据《约翰福音》说,这个人与圣父实现位格合一,因此基督宣传福音所讲的话就是上帝的话。早期教会期间,在耶稣的神性、他的神人二性之间的关系等问题上产生各种曲解,针对这些曲解,比较完整的道成肉身教义逐步形成。325 年尼西亚会议规定,基督是"上帝所生,非上帝所造",因此,基督不是受造物,而是造物主。这种说法的根据就是耶稣与父同体的原理。451 年卡尔西顿会议更加明确宣称,耶稣具有纯全的神性和纯全的人性,这两性常存于耶稣基督的位格中。

Ince, Thomas H(arper) 英斯(1882-11-16,美国罗得岛纽波特～ 1924-11-19,加利福尼亚好莱坞) 美国电影导演先驱,第一个把生产电影的方法组织成有条理的制片体制的人。1910 年,作为演员和单本短片导演,在 D.W.格里菲思的比沃格拉夫电影制片厂开始其导演生涯。5 年之内,因导演由哈特任主角的西部牛仔片而蜚声世界。1915 年,与另外两个著名导演 M.森纳特和格里菲思合伙,组建三角影片公司。在英斯维尔制片厂里,他首创了影片生产的体制:把工作人员分成若干个小组,每个小组由制片经理领导,负责监督根据英斯最后同意的详细拍摄脚本所进行的拍摄工作。用这种体制,他可以同时控制多部影片的制作。英斯的影片特别注重故事。《匪徒与女郎》(1914)和《意大利人》(1915)等影片都是通过巧妙的剪辑构成紧凑的戏剧结构的范例。三角影片公司于第一次世界大战结束时关闭,英斯继续其导演生涯。

incense 香 用树脂制成的颗粒，有时掺有香料，焚烧时发出香味。使用香大多是为了奉神。香通常是撒在点燃在香炉中的木炭上。古埃及人从阿拉伯和索马里沿海地区引进香料树，把香当作宗教仪式（如对太阳神阿蒙-瑞神像的每日礼拜）上的重要用品，也用之于丧葬，因为人们认为，死者的灵魂乘焚香的火焰升天。使用香可以抵制恶臭，祛除恶魔，也是为了体现神祇的在场，因为香气是神的特征之一，而且还是为了求得神的欢欣。巴比伦人在祈祷或占卜时往往焚香。以色列人在被掳往巴比伦（公元前586～前538）之前引进了香，并信其神奇的能力；到了公元前5世纪，一些祭坛专供焚香使用。但是目前犹太教礼拜中却根本不使用香。印度教特别是湿婆派正式礼拜和家常礼拜都奉香；佛教在节日法会、传戒和日常功课中都焚香。在中国，在节日和敬祖拜神的列队行进时焚香。日本神道教也焚香。从公元前8世纪起希腊人就焚烧木头和树脂以供奉神明和祛除恶魔，俄尔甫斯教徒就是这样作的。罗马人先是焚烧香木，后来引进了香，焚香在公祭和私祭上以及崇奉皇帝时越来越显得重要。在4世纪，早期基督教会开始在圣餐上焚香，象征信徒的祈祷上达于天，又表示圣徒的功业。中世纪以前，西派教会焚香不如东派教会普遍。在宗教改革运动以后，英格兰圣公会偶或焚香，在19世纪的牛津运动的影响下，圣公会广泛恢复了焚香的习俗。此外，天主教和东正教在礼拜和列队行进时焚香，是一直维持至今的惯例。历史上，当作香的物质主要是乳香、没药等树脂，加以芳香的木、树皮、种子、根和花。古代以色列人在宗教礼仪中使用的香是由乳香、安息香、麝香贝和古蓬香脂混和而成，再加盐防腐。17和18世纪，天然物质逐渐为香料工业中所使用的化学药品取代，这种在制香工艺中采用合成代用品的趋向目前仍在继续。

incense burner 香炉 烧香时使用的容器，配有布满小孔的盖，一般由青铜或陶器制成。

河北满城刘胜墓出土的西汉错金博山炉
美国不列颠百科全书公司供图

虽然欧洲使用香炉，但在东方更为普遍。中国汉朝时期（公元前206～公元220）使用一种称为山形香炉（博山炉）的器皿。明朝（1368～1644）的香炉制成两种基本款式：四足方香炉和三足圆炉。19世纪日本制造过许多大型青铜香炉出口，其特点是用深浮雕，常配以龙的图案，而且通常用人工使铜生绿锈借以仿旧。参阅 **thurible**。

incense cedar（*Calocedrus decurrens*） **北美翠柏** 又作 white cedar。又称白翠柏。柏科常绿球果乔木，主要原产于北美喀斯喀特山脉和内华达山脉西坡海拔900～2 500米

北美翠柏（*Calocedrus decurrens*）
美国不列颠百科全书公司供图

处。树高30～45米，直径达5.5米。树干直立，树皮淡红色，具沟，枝条开展，末端成分散的小枝，上被深绿色叶。叶揉碎时有香气，故俗名香翠柏。幼叶和成熟叶常同时存在。木材用于制铅笔、箱柜、室内装饰、家具以及做篱笆桩，也是常见的观赏树种。

inceptisol 始成土 土层刚开始发育时的土壤类型。全世界共有10个土纲，所占面积各不相同，始成土列为第三位。始成土见于各种气候带，但在北美、欧洲及亚洲北极冻土带尤为普遍。在许多地方，始成土在一定深度下有一永久冻层，表面因反复冰冻和融化而形成微地形。在热带的火山灰上亦可见始成土。据认为这些始成土是老成土与氧化土的前驱，在热带地区广泛用于栽培甘蔗及咖啡等。

incest 乱伦 又称血亲婚配。因亲缘关系而为法律或习俗禁止婚配的人们之间的两性关系。因为从多种文化观点来看，乱伦与其说是一种法律问题，毋宁视为一种情感所造成的后果，所以，禁忌一词要比禁止一词通常更适于对此种现象的评断。人类学的研究证明，乱伦禁忌为人类社会普遍遵循，只是不同社会各有不同的实施范围，而且对于违反禁忌的理解亦因不同社会而又众说纷纭。

一般说来，两人之间的遗传关系越近，阻止或妨碍他们之间性关系的禁忌就越发严格而更具有强制性。所以，父女、母子或兄妹之间的性交行为几乎普遍受到禁止。叔父与侄女或舅父与外甥女之间、姑母与侄子或舅母与外甥之间的性关系，也普遍受到禁忌，而在某些社会中，第一代亲堂表兄弟姊妹之间的两性关系同样属于应禁忌的范围。

不过，对于近亲属之外的乱伦禁忌，其内容往往彼此大不相同。例如，在美拉尼西亚的母系社会中，禁忌的范围可由生物学意义上的兄弟姊妹扩展到所谓同族类的兄弟姊妹，亦即按照同一母系而追溯其血统的氏族成员们。因之，在美拉尼西亚社会中，乱伦禁忌在人们中间是有区别的：在那些按照欧美亲属关系体系可以称做第一代亲堂表兄弟姊妹的人们之中，有些被明显地禁止成为夫妻，另一些则被认为是理想的配偶。巴厘人的传统中有一种文化观点另具特色，认为出生于低种姓家庭的孪生兄妹为乱伦之例证，其理由是这一对初生儿早在母亲妊娠期间已在子宫之内有机会进行性活动。但是，出生于统治阶级种姓之家的孪生兄妹则要被迫结为夫妻。像以上这些看法之多样，使得人类学家们对乱伦禁忌的论述，不能拘泥于狭隘的生物遗传学说，以免妨碍一种具有普遍意义的解释得以产生。

不过，对这一问题是可以归纳出几项一般性界说的：①乱伦行为几乎为举世所谴责，而且通常为人们极度憎恶；②基于文化上的原因而承认乱伦禁忌不应实施的情形是存在的，但为数极少，最重要者是皇室兄弟姊妹间毫无选择自由的婚配；③由于生物学上的近亲关系逐渐减少，对于男女间性亲密行为的禁忌可以放宽或消除。

人类学家对乱伦这个课题的研究，大多数包括对乱伦禁忌的内涵、功能以及较少涉及的禁忌的起源等进行分析和作出解释这两方面。对于倾向于社会生物学论点的人类学者们来说，乱伦问题以及与之相关的族外婚和族内婚等问题，主要是一种遗传学的研究内容。那些盛行近亲繁殖的群体都已降低了其优生率而变成遗传障碍的基因库。

从功能上看，有些学者认为，乱伦禁忌有助于维持核心家庭之正常存在而免于因性妒忌而酿成的不和睦气氛，这种论点可被引伸以用来说明族外婚的各种规章律令。进化论者提出，某一群体中的乱伦禁忌及其相应的族外婚制要求男性在本群体以外去寻求其婚媾伙伴，并通过与另一群体互换女子的作法而与该群体的男性建立行之有效的联盟。

另一种理论强调乱伦禁忌乃人类群居生活所必需，认为它是控制儿童时期性爱冲动的一种重要手段，可使他们进入成人社会之后，对此具有完善的克制精神以进行社交。弗洛伊德的精神分析学说在这方面提出另一见解，以为乱伦所招致的普遍憎恶是由于一个人对自己的近亲所怀有的既爱又憎的矛盾感情造成的，而且这种憎恶也约束了应予禁止的与家庭中异性成员进行性活动的强烈欲望。

当代许多学者，在试图解释不论是乱伦禁忌所以产生的根源还是其长期存在的理由时，都持审慎态度，以避免作出一元论的说法，不管这种一元论是遗传上的，还是历史上的，或是社会方面的。另外，人们也提出了这样的问题：是否只存在一种单一的乱伦现象？这个提法暗示，不论兄妹、母子或父女之间的两性关系，都不妨理解为只是理论上对乱伦形式的不同划分而已。

inch 英寸 英国法定度量衡制和美国习用度量衡制的长度单位，等于1/36码。源自古

英文 unce 或 ynche，这两字都来自拉丁单位盎西亚（uncia），它是拉丁尺（pes）的“1/12”。拉丁字 uncia 也是另一个英制单位——盎司——的来源。约 1150 年苏格兰王戴维一世把 ynche 定义为一个男人拇指指甲底边的宽度。为了维持英寸的一致，通常以身材大、中、小 3 个男人指甲宽度之和的平均值为准。14 世纪初爱德华二世在位时，把英寸定义为“3 个干而圆的大麦粒头尾相接的长度”。后来，英寸也曾被定义为 12 粒罂粟子并排的长度。从 1959 年起，法定 1 英寸为 2.54 厘米。

Inchbald, Elizabeth　英奇巴尔德（夫人）（1753-10-16，英格兰萨福克～1821-08-01，伦敦）　英国小说家、剧作家和演员。所作传奇《一个简单的故事》（1791）和《自然与艺术》（1796），写得十分成功，是早期情感小说的范例。她 18 岁到伦敦，从事舞台演出，与演员英奇巴尔德结婚，并同去外地演戏。1779 年丈夫去世后，继续演出并开始改编剧本及写富有独创性的滑稽剧和喜剧，如《我要告诉你》（1785）。她演技不高，但因美貌和人品而为人们所钦佩。

Inchcape Rock（reef, North Sea）　**因奇凯普罗克**　参阅 **Bell Rock** 贝尔罗克。

Inch'ŏn　仁川　韩国西北部京畿道的港口城市，靠近汉江口，位于汉城西南偏西 40 千米处，有高速公路和铁路直通首都汉城，是其主要海港。1981 年被升为特别市，其行政地位相当于道。自李朝时期（1392～1910）起为一渔港，1883 年成为三个通商口岸之一。日本占领前（1910～1945）已成为国际性商贸港口。日本占领期间，现代工业和港口设施均得以发展，并建造了潮汐水坞以克服 10 米的潮汐水位差。1950 年 9 月中旬，联合国军队在仁川登陆，阻止了朝鲜军队向南挺进。为了纪念这一事件，在该城公园内竖立着麦克阿瑟将军的巨大雕像。朝鲜战争结束后，建造了玻璃板厂、钢铁厂、炼油厂和一个新的船坞。其他工业包括化学制品、木材加工和制盐。仁哈技术学院设在此处。仁川的一些海滨和附近岛屿辟为海水浴场和其他公众娱乐场所。人口约 2 466 338（2000）。

inchworm　参阅 **measuring worm** 尺蠖。

incidental music　戏剧音乐　又译“配音音乐”或“配乐”。为伴随或强调戏剧艺术、电影、广播、电视或录音中戏剧表演的情节或情绪而作的音乐，为幕中过场、前引、收场演奏的音乐都称戏剧音乐。它是为加强非音乐媒体而作的，大部分艺术价值不高。但也有一些配乐因其自身价值而传世。这些有持久价值的作品中有贝多芬为歌德《埃格蒙特》（1810）写的戏剧音乐、F.门德尔松为莎士比亚《仲夏夜之梦》作的配音音乐、G.比才给都德《阿莱城的姑娘》的配乐和 E.格里格为 H.易卜生《彼尔·英特》写的戏剧音乐。但是戏剧音乐在 20 世纪最重要的发展是在电影和电视领域之中。这两种媒体都相当依赖片断的音乐来帮助故事情节发展或烘托情绪。当代的很多戏剧音乐都属平庸之作，电影和电视中还存在着完全不用配乐的趋势，然而这毕竟是一个可以扩展试验和创造机会的领域。

incinerator　焚化炉　焚烧垃圾的容器或大规模的垃圾焚化设备。后一种装置包括一个装填和点燃垃圾的炉子（通常用煤气喷烧器）、一个使垃圾在高温下完成燃烧过程的第二室和将烟气输送至烟囱的若干烟道。辅助设备包括一些蒸汽锅炉以便利用废热发电或给附近建筑物供暖，以及一些除去灰尘及污染物的设备。通常与短周期卸除和贮藏垃圾的设备配套使用，以便均匀地给炉子供料，有时还可以对垃圾进行粗略的拣选或分类。焚化垃圾可减少住宅区的固态废料，使之缩减为原体积的 10%，从而减轻垃圾处理的困难，但容易造成污染。

incipit　引言　中古时期西方手稿开始处的一个或几个单词，在没有扉页的情况下，可据以识别、查阅和抄录文字内容。引言（拉丁语意为“由此开始”）如同以后印制的书籍的扉

《基拉西乌斯圣礼书》（750～770）的引言页
美国不列颠百科全书公司供图

页或主要部分一样，可为某种风格的字母提供一个展示的机会，也可为夸张性的书法装饰创造一个条件。中古手稿文本结束处写有“explicit”一词（拉丁语意为“卷终”），这是西方约在公元 300 年采用（散页）手抄本之前，书卷形式中提醒两部分文本之间要分开抄录的一个专用语。

inclined plane　斜面　由倾斜面组成的简单机械，用于提升重物。沿斜面向上移动物体

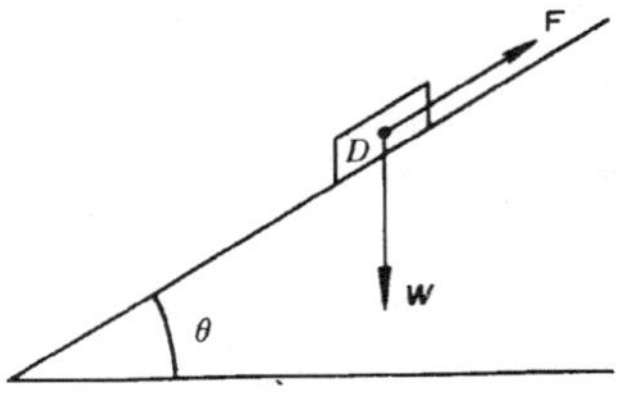

斜面

所需的力，小于被举物体的重量（摩擦力忽略）。斜面越陡，所需的力就越接近物体的实际重量。其数学表达式为：沿无摩擦的斜面向上移动滑块 D 所需要的力 $\boldsymbol{F}$，等于滑块重量 W 乘以斜面与水平面夹角 θ 的正弦，即 $\boldsymbol{F} = \boldsymbol{W}\sin\theta$。斜面原理得到了广泛应用，例如，在螺钉和螺栓中，沿螺旋线升角施加一小的力，就能产生大得多的力。

inclosure（land tenure）　参阅 **enclosure** 圈地。

Incomati Rio（Mozambique）　**因科马蒂河**　参阅 **Komati River** 科马蒂河。

income and employment theory　收入和就业理论　指一种经济分析法，重点是要了解经济运作的水平——即产出、就业和价格的相对水平——是如何确定的。了解这些因素相互关系的实际目的是要提供预测，并将预测作为制订稳定经济政策的基础。

自 1936 年 J.M.凯恩斯发表《就业、利息和货币通论》以来，现代收入和就业理论已有所发展。美国和欧洲经济大萧条十分严重，当时经济分析诸方法又不能解释高失业率的持续性和工商企业运作的低水平，这些就引发了人们对收入和就业的关注。古典经济思想不能说明这一怪现象；有人建议大大增加捐税、迅速降低货币供应量，这的确又使这一问题更加严重。

要了解经济活动水平的波动情况，必须要考察收入、产出和支出各因素之间的相互关系。由于交易是两方面的，一人的收入就是另一人的支出。这种关系可用一简单的等式表示：$Y = O = D$，其中 Y 为国民收入，O 为国民产值，D 为国民支出。这一等式的含义是：有效需求等于收入（即购买力），也等于支出。由于消费者可将其收入花费掉或储存起来，则 $Y = C + S$；其中 C 为消费，S 为储蓄。同样，从产出方面看来，产品或是出售给最终消费者，或是投资于存货或新的资本设备和厂房，则 $O = C + I$，其中 C 为对最终消费者的销售额，I 为投资额。所以，$C + S = C + I$，则 $S = I$。然而，从会计观点看来储蓄与投资虽可相等，而实际上计划储蓄与计划投资可不尽相同。正是在这一差距中，埋下了经济不稳定的根苗。

假如在某一特定时期内，储蓄上升高于前期的水平，其结果必然是当前的需求减少而未来的需求预期增加。如果——由于巧合——追加的资本形成（如在存货中的投资）也按同一数额增长，则生产性资源便继续全力运作；经济活动水平不致有变化，经济仍会保持平衡。可是，如果资本形成并不增长，则生产性资源被闲置或被浪费，即工人失业、丧失其当期的收入。降低收入便进一步降低消费需求，还降低储蓄率。假如制造商并不改变其投资计划，则经济最终可在较低收入水平上达到平衡。实际上，不稳定的并不是储蓄，而是投资水平，降低投资正如增加储蓄一样会产生性质完全相同的反应；相反地，增加投资或提高消费开支便会产生与之相反的效果。

这一简单的收入模式,说明了国民收入为适应计划储蓄或投资的变化而产生的变化,但这并不能表示变化的程度大小。变化的程度大小是由凯恩斯称之为"消费函数"所确定的。为便于说明,现按一般情况假定消费者将其收入的10%储存起来。如果平衡被投资的无计划增长所破坏,这便会如前所述产生增加的收入和增加的储蓄,直至在较高的水平上达到新的平衡。在每一阶段上,储蓄的增加是收入增加的10%。收入的增加最终会是投资扩大的10倍。这一系数10,名叫乘数;它是储蓄与收入之比的倒数。

凯恩斯提出其理论的主要目的是要表明:在一定条件下,经济可能处于不平衡状态,生产性资源过剩(即工人失业率高)而收入和产出不能充分提高、足以达到平衡。简而言之,他的主张是:当工商企业由于无效需求而不愿或不能增加投资时,政府追加开支定会起到使经济脱离不平衡点的同样效果。**财政政策(fiscal policy)**的利用——如增加政府开支或裁减税收——就是为抵消缺乏私人需求而规定的补救措施。

一种与此相抗争的收入和就业理论认为货币的数量可发挥控制作用。分析增加或减少货币供应量的效果,是差不多与分析消费与储蓄关系相类似的。从这两种理论所推导出来的经验法则,实际上可以结合起来:对货物的超额需求或货币的供应过剩(两种现象可以视作一种现象的两个方面)是与收入不断提高相关联的;同样,货物的供应过剩或对货币的超额需求是与收入的不断下降相关联的。货币(或数量)理论的支持者主张政府利用**货币政策(monetary policy)**作为恰当的反周期工具。

第3种理论,甚至其最简单的形式也远为复杂许多;它通过金融市场及其主要特点——市场利率——阐述前两种理论之间的必然联系。

income tax 所得税 政府当局对其管辖范围内个人或公司企业的各种所得所征收的税。在私人企业发达的国家中,所得税是政府岁入的主要来源。

公司所得税 虽然各国公司所得税的细节和税率大不相同,而实际上所有国家都按公司净利润征收所得税。在美国,1909年开始实施联邦公司所得税。第二次世界大战以前,公司所得税的税收通常比个人所得税还要多;然而以后个人所得税却超过公司所得税,到60年代个人所得税的税收已等于公司所得税的两倍还多。3/4的州现也征收公司所得税。

公司所得税主要是统一收费率的税,而不是税率随所得升高的累进税。在各工业化国家中,通常税率约为50%,有时对小公司按降低的税率征收。公司所得税可按投资回报率——而不按利润的绝对大小——分等级征收;超额利润税正是为此而制订、实施的。不过,如何准确确定投资价值和选择恰当的正常回报率却有严重的困难。

公司所得税的经济效果如何是个颇有争议的问题。传统的观念认为,赋税并不会在短期间价格中得到反映,因此必须从利润中予以支付。如果公司试图获取最大利润(按古典学说利润只能依存于价格),赋税并不能成为公司变更价格的理由。这种推理同样适用于竞争性强的、竞争性弱的或完全垄断性的行业。不过这一理论并未具体说明赋税的长期效果会怎样。另一种观念认为,在许多行业中价格受到少数最大公司行为的决定性的影响;这些公司并没有短期最大利润的目的,但却有为期数年的目标回报率。当公司所得税率增加时,这些最大公司为了保持其目标回报会提高价格,其他公司也会跟进。

对投资征收公司所得税可产生反面效果,不过通过折旧备抵(即折旧减免)可将新机械和新建筑物的成本费用从应税所得额中冲销;这种反面效果通过加快冲销成本费的速率便可减少。税额抵免就是从应付所得税中减少新投资费用的百分之几。投资贴补、税额抵免及类似计划皆可降低新厂房、设备的成本费用,因而使投资更加有吸引力。研究与开发的经费是要在数年期间内产生收益的,这些经费经常得到特殊处置。在美国,公司和个人纳税人可从下列两种方式中选用其一:①投资中全额降低研究与开发费用;②在费用使用期限内,逐一确定投资额并加以削减。

个人所得税 个人所得税是以个人或家庭为单位按其实际收入计算而征收的。个人所得税由纳税的个人负担,因而通常被划分为直接税。

1799年为应付拿破仑战争而筹措资金,英国开始征收个人所得税,它是第1个征收普遍所得税的国家。嗣后这种所得税一再被废除又重新开征,直到19世纪80年代它才被普遍接受为一种永久性的税。美国在南北战争期间首次试征所得税。1881年虽不再征收所得税,但最高法院认为征收所得税符合宪法。可是1894年又一次征收所得税时,却被法院宣布为违宪。1913年批准第16次宪法修正案,个人所得税被定为永久性的赋税。

征收个人所得税的公平性是基于下列前题:即个人收入是个人有能力为支援政府做出贡献的最好的单一的指标。在一种个人所得税可以算作完全公平之前,它必须经受横向和纵向公平的测验。横向公平规定,有同样收入的人们在类似的情况下要交付等额的税款。纵向公平要考虑:收入水平不同的个人所交付的税款应有多少等级划分,这类等级划分应覆盖多大个人收入的范围。一些累进税率的正确性现已从多方面获得了验证。利益说认为,个人交付的税款应与其从政府作用中所享受的利益有紧密关联。牺牲说认为,公平的税是一种强使不同收入水平的个人做出同等牺牲的赋税。横向公平要求,如果人们的境况不同,则其纳税义务也应有所差异。为此,所得税法规通常规定有个人备抵或免除(区分家庭单位的大小)及对某些类型开支给以优待以减免。关于减免,各国做法(例如美国和英国)大不相同。有些国家还对某些类型的和一定数额的个人储蓄给以所得税减免。

迄今有人认为:因为所得税是(而消费税不是)由储蓄且可用于投资的所得来负担的,所得税不及消费税对经济发展有利。还有人认为:税率激增的累进所得税可减少对人们工作的鼓励。许多国家(例如美国)征收所得税的工作已大大简便,只是从工资和薪金中扣除税款而已。

incomes policy 收入政策 指政府通常采用限制工资和物价上涨的一套办法,以达到控制劳动收入与资本收入的目的。这个术语常用以指为控制通货膨胀所采取的对策,但也可用以指改变工人之间、行业之间、地方或职业团体之间收入分配的措施。用高度集中方式调整工资的国家,总是订出公众或集体调整工资和价格水平的最高限度。荷兰规定,调整工资在实施以前须经政府核准,而提高物价须经经济事务部审批。在斯堪的纳维亚诸国集中的工资协商的作用在于为地方工资谈判提出极限,而不是规定出实际支付的工资率,结果地方工资率常与集中决定的工资率脱节。法国、英国、德国、奥地利和美国都在探索限制工资与物价上涨的途径,它们通常宁可寻求劳资双方自愿的合作,而不愿建立行政管理机构。对于工会人士来说,收入政策通常是难以接受的。

incompatible mating 匹配禁忌 参阅**heterospecific mating 异型婚配**。

incongruent melting 非同成分熔化 固体熔化时,由于分解或发生反应而产生另一种固体和成分不同于原固体的液体的过程。例如顽辉石($MgSiO_3$)在低压下经非同成分熔化而成为镁橄榄石(Mg_2SiO_4)和浓集硅石(SiO_2)的液体,而其在2 500～5 500巴(1巴 = 10^5帕斯卡)压强下的熔化为同成分熔化。

incremental repetition 渐增反复 口头吟唱世代相传的诗歌中,尤其是英格兰和苏格兰的叙事诗歌中,所使用的一种手法。诗中,在上下文已变的情况下或在重复部分内容略有变化的情况下,一诗行被重复。叙事诗《兰德尔勋爵》中下列诗节可用来说明这种手法:

"O where ha' you been, Lord Randal, my son?
And where ha' you been, my handsome young man?"
"I ha' been at the greenwood; mother, mak my bed soon,
For I'm wearied wi' huntin', and fain wad lie down."
"And wha met ye there, Lord Randal, my son?
And wha met you there, my handsome young man?"
"O I met wi' my true-love; mother, mak my bed soon,
For I'm wearied wi' huntin', and fain wad lie down."

incrusted cameo(glass) 镶嵌宝石 参阅**crystallo ceramie 水晶陶瓷**。

incubation 孵育 维持温度及湿度的恒定以促使卵发育,或在实验室条件下促使某种实验生物(尤其是细菌)发育的过程。孵育期指从孵育开始至孵出的一段时间。一些蛇(如蟒)、所有的鸟及单孔目动物采取可控孵育的方式,通常它们用自己的体温维持卵的温度。也有一些动物用腐烂的植物、日光甚至火山热来维持卵的温度。incubation period 一词亦指动物感染病原体后到症状出现之间的一段时间(潜伏期)。

incubator 恒温箱 一种隔热箱,里面的温度、湿度及其他环境条件可根据孵化、生长和繁殖所需的最佳条件来调节。有3个主要类型:孵卵器、婴儿保育箱和细菌培养器。孵卵器用以保持受精鸡蛋温暖,直到即将孵化为止。这是最古老的恒温箱。古埃及人和中国人用火加热暖房来孵鸡蛋。后来,孵卵器使用煤油灯加热鸡蛋周围的空气或水。现代的孵卵器是用电加热的暖房,用大型电扇使空气循环,可保持温度均匀,鸡蛋一天至少自动翻转八次。大型的商业孵卵器一次可容纳75 000只鸡蛋。婴儿保育箱可为早产婴儿或不能保持正常体温的其他婴儿提供温暖的环境。婴儿保育箱是一种相当小的、玻璃壁的箱子,开有装配长橡胶手套的小窗口,通过它们护士能接触和护理婴儿。大多数婴儿保育箱装有控制箱内氧气浓度的专门仪器,因为有些婴儿由于具体的疾病而需要的氧气量较多或者较少。婴儿保育箱还能调节内部的湿度。细菌培养器提供可控制的环境以促进细菌或其他微生物在各种培养基中生长。这是一种隔热箱,可进行恒温调节,以保持温度恒定。热空气在放有佩特利氏培养皿、烧瓶或其他培养基的架子或搁板上方循环。在医学上,这种培养器用于鉴定取自病人的致病微生物。将病人的血液、痰、黏液或其他分泌液试样放于培养器内的培养基中,当试样中的微生物繁殖后,即可较准确地鉴定出来。细菌培养器也可用于微生物学和生物化学、乳制品及其他食品加工业、水和污水处理工厂中。

incubator bird 恒温箱雉 参阅 **megapode 营冢雉**。

incubus 梦淫妖 趁女子在睡梦中同她交合的男妖;又,趁男子在梦中同他交合的女妖称为女梦淫妖。中世纪欧洲传说,女子与这种妖怪交合生女巫、妖精或丑人。近代心理学所云梦魇,即使人感觉胸腹部受压的恶梦,英文也用 incubus。

incunabula 古版书 活字印刷术创始时期印刷的出版物,泛指从15世纪50年代印刷术在欧洲发明时至15世纪末叶这一时期的出版物。这一术语最早约出现于1653年。限定范围合适但不甚明确,因为印刷术发展史上并无特殊事件与之有关。G.W.潘策尔的《活字印刷术发明编年史》(共5卷,纽伦堡,1793～1797)首次为古版书编制目录,把出版物名称按年代顺序列于按字母顺序排列的印刷厂名称之下。后来,随着藏书兴趣日增,许多其他各种语言编目亦仿效此法。15世纪欧洲印刷的出版物,总数约在35 000种以上。此外还有相当数量的昙花一现的印刷品(例如:活页、廉价故事书、民歌、宗教传单),它们有的早已绝迹,有的只留下碎片残页,为人们所秘藏。

Indefatigable Island(Galápagos Islands) **因迪法蒂格布尔岛** 参阅 **Santa Cruz Island 圣克鲁斯岛**。

Independence 独立城 美国堪萨斯州东南部城市、蒙哥马利县县城(1870)。濒临弗尔迪格里斯河,靠近埃尔克城水库。初建于1869年。1870年设市。1881和1903年先后发现天然气和石油田,曾一度繁荣。现为农产品贸易加工中心和石油天然气的生产中心。还生产水泥、船舶、机械和电子仪器。建有社区初级学院(1925)。人口9 846(2000)。

Independence 独立城 美国密苏里州西部城市、杰克逊县县城。在堪萨斯城东侧。为H.S.杜鲁门总统故乡。1827年始有人定居。1849年设市。靠近密苏里河运输线西部终端,为圣菲、俄勒冈、加利福尼亚几条商路的起点。后成为去加利福尼亚金矿车队的会合点。有新月形H.S.杜鲁门图书馆和博物馆(1957),杜鲁门墓和故居,还有摩门教会世界总部。有均衡发展的农业和制造业。人口112 301(1990)。

独立城的H.S.杜鲁门图书馆和博物馆
美国不列颠百科全书公司供图

Independence, Declaration of 《独立宣言》 在美国历史上,由大陆会议于1776年7月4日通过的文件,是宣布北美英属13个殖民地脱离英国的文件。它解释了为什么大陆会议于7月2日由12个殖民地投票(纽约弃权)一致决议:"这些联合起来的殖民地是,并且按其权利必须是自由和独立的国家。"因此,虽然在美国以7月4日这个独立宣言通过的日子作为国庆日或独立日加以庆祝,但正式投票决定最后脱离英国的日子是7月2日。

1775年4月19日,英国与13个殖民地(未来的美利坚合众国的核心)之间的武装冲突爆发了,美国人宣称,他们仅在英帝国范围之内寻求他们的权利。这时,很少有殖民地人民有意识地要求与英国脱离。1755～1776年,随着战争的进行,英国采取扩大军队的办法来维护其统治权,而对和解只是作出一种姿态,于是大多数美国人越来越认识到,他们必须在帝国范围之外来取得他们的权利。战争所造成的损失和施加的限制极大地扩大了殖民地与宗主国之间的裂缝。此外,有必要强调独立,以获得尽可能多的法国援助。

1776年4月12日,革命的北卡罗来纳代表会议特别授权其代表在大陆会议上投票赞成独立。5月15日弗吉尼亚代表会议指示其代表R.H.李于6月7日提出一项决议案,并于7月2日最后通过。这时大陆会议已采取许多措施来割断与英国的关系。早在1775年12月6日,它就否认英国议会对殖民地拥有统治权,并于1776年5月10日宣告,国王的权力必须"全部废止",建议几个殖民地全都建立它们自己选择的政府。但李的决议案的通过被推迟了,这有几个原因:有些代表尚未获得授权投票赞成分离;有几个代表反对采取最后措施;包括J.迪金森在内的几个人认为,在这之前,必须先成立一个中央政府,以期获得外国援助。但随即于6月11日选出由T.杰斐逊、J.亚当斯、B.富兰克林、R.谢尔曼和R.R.利文斯顿组成的委员会,来起草一项声明,以便如果主张独立的决定被通过,就可说明这项决定的正确性。文件拟好后,尽管迪金森方面强烈反对,有9个代表团于7月1日投票赞成分离。第2天,除纽约代表团由于尚未获得投票的许可因而弃权外,李的决议案被通过了(纽约代表会议于7月9日授权同意,纽约代表团遂于7月15日投票赞成)。7月19日大陆会议指令将文件用大字书写为《美利坚合众国十三个州一致通过的宣言》,抄写在羊皮纸上,可能是费城的T.马特拉克书写的。8月2日在场的大陆会议代表在这份羊皮纸文件上签名,其他代表以后签了名。最后的签名者是特拉华州的T.麦基恩,他的名字在1777年以前没有写在文件上。

《独立宣言》主要是由杰斐逊起草的,他在1774年出版的《英属美利坚权利概观》一书中已显示了其政治哲学家和雄辩家的才华。在委员会委员的要求下,他写了初稿。委员们仅在文字上作了一些修改,并对指控国王的部分稍作增加。大陆会议作了较为实质性的修改,删去了对英国人民的谴责、提及"苏格兰和外国雇佣军"的一处(大陆会议里有苏格兰人),以及对黑人奴隶贸易的谴责(这将触犯南方和新英格兰的一些代表)。

可以说,如J.亚当斯所言,宣言在政治哲学上并没有什么真正新的东西,这种政治哲学来自J.洛克、A.西德尼和其他英国理论家。还可以说,宣言中所作的辩论在历史和逻辑上并不是没有缺点的,宣言实质上放弃在英国人权利的基础上进行争辩,而是提出关于自然权利和根据社会契约建立政府的更为根本的学说。宣言在宣称英国议会从未真正拥有对殖民地的统治权,以及拥有权利的君王仅是根据契约行使其权利后坚信,乔治三世在"假的"立法机关的支持下,一贯违反他作为统治者和作为被统治者的美国人之间达成的协议。宣言提出长长的指控证实这一点。革命的权利和义务于是由此产生。现在几乎不再有人像洛克和杰斐逊所说的那样,宣称政府是在人们中间建立起来的;同时社会契约论在政治学家中间也已经过时。同样正确的是,从英国的观点看,议会和国王是不能分开的,而1607年以后的殖民地历史也并不完全与这一说法相一致,即英国议会按其权利从未拥有对殖民地的统治权。不仅如

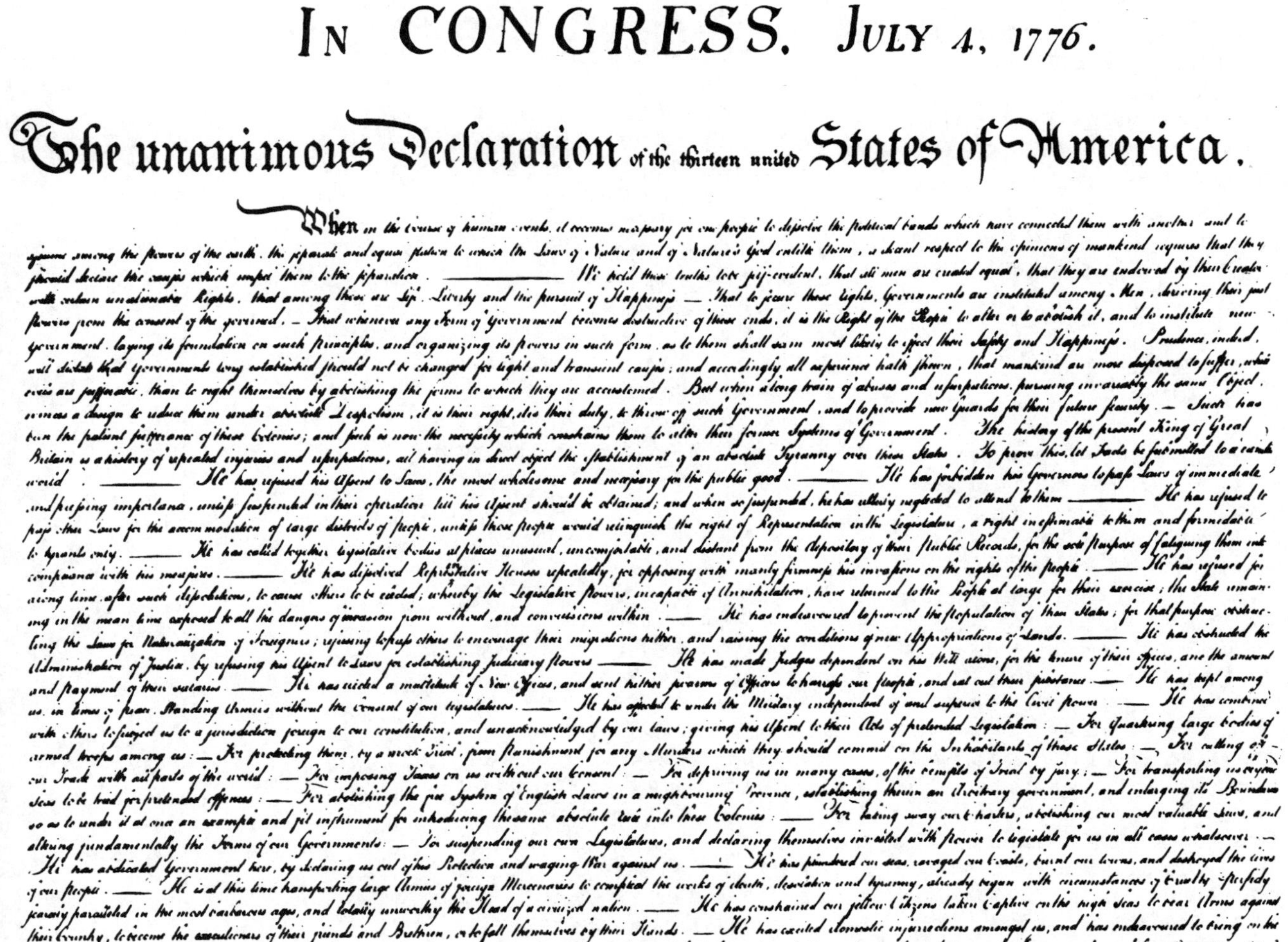
IN CONGRESS, JULY 4, 1776.

The unanimous Declaration of the thirteen united States of America.

《独立宣言》

美国新闻检查署供图

此,对国王提出的具体指控是具有党派性偏见的,并非全都具有说服力,而关于他企图建立"专制的暴政"的总的指控是缺乏根据的。还必须指出,某些最严重的具体指控所谴责的英国政府的行动是在战争爆发之后采取的。

但宣言的缺点不足以得出结论说,文件是不完善的。恰恰相反,其实质在道义上是正义的,在政治上是有根据的。如果说革命的权利不能建立在历史的基础上,那么它可以牢固地建立在道德的基础上。殖民地人民的最终由他们自己选择政府的权利是正当的。宣言的一些词句对美国持续地产生着深刻的影响,特别是宣言的这一部分:"我们认为这些真理是不言而喻的:人人生而平等;他们为造物主赋有某些不可让渡的权利,其中包括生命、自由和追求幸福的权利。"虽然这些词句的含意及由此而得出的结论一直被无休止地争论着,但宣言证明着美国政治和社会民主的延伸是有正当的理由的。

《独立宣言》对美国以外的世界来说也是

一个鼓舞的源泉。它鼓舞纳里尼奥和米兰达为推翻南美西班牙王国而斗争;米拉波在法国大革命期间也满腔热情地援引了这一宣言。它是伟大的历史里程碑,其中包含着关于一个民族按其权利建立他们自己选择的政府的第1个正式声明。洛克个人主张的东西,由美国人民作为一个国家加以宣告;同时他们用武力来实现这一理论。

自1952年起,《独立宣言》的羊皮纸文件原件一直陈列于华盛顿(哥伦比亚特区)国家档案馆的展览大厅里。

独 立 宣 言

(1776年7月4日)

在人类历史的进程中,一国人民有时不得不解除他们同另一国人民相联系的政治纽带,而在世界列国之间取得为自然法则和自然上帝法则所赋予的独立和平等地位;在这样的时候,为了对人类公意表示应有的尊重,有必要宣布分立的原因。

我们认为这些真理是不言而喻的:人人生而平等;他们为造物主赋有某些不可让渡的权利,其中包括生命、自由和追求幸福的权利;为了保障这些权利,政府便在人们中间成立起来,由被统治者同意而取得正当的权力;任何政府形式一旦变得有害于这些权利,人民就有权加以变更或废除而另设新政府,把新政府的基础放在他们认为最能促进自己的安全和幸福的原则之上,并按照符合这一目的的形式组织新政府的权力。当然,为了慎重起见,设立已久的政府不应以轻微的、暂时的原因而加以更换;以往的一切经验也告诉我们,当邪恶还可以忍受的时候,人类总是宁愿忍受而不愿废弃他们所习惯的形式来恢复自己的权利的。但是,当一长列暴行和苛政一贯追求同一目标,显然图谋陷他们于绝对专制统治之下,那么,推翻这样的政府并为自己今后的安全创设新的保障,既是他们的权利,也是他们的义务。我们这些殖民地过去耐心忍受,而现在不得不改变原有的政府制度,原因就在这里。当今大不列颠国王的历史是一部一再残害和蹂躏人民的历史,其直接目的全部在于对各州建立专制统治。为了证明这一点,我们要在公正的世界面前陈述一下事实。

他拒绝批准对公共福利最有益、最必要的法律。

他禁止他的总督们批准迫切必要的法律,除非把这些法律悬置起来暂不生效,等待他的同意;但是,当这些法律悬置起来以后,他却完全置之不理。

他拒绝批准便利广大地区人民的其他法律,除非他们放弃自己在立法机关中的代表权,但这种权利对他们有无上价值,只有对暴君才是可怕的。

他把各州立法团体召集到异乎寻常的、不方便的、远离它们的档案库的地方去开会,唯一目的是使他们疲于奔命,不得不顺从他的意旨。

他解散各州议会,因为它们坚决反对他侵犯人民的权利。

他在解散各州议会之后,又长期拒绝改选新议会;但立法权是无法取消的,因此这项权力重归广大人民自己行使;这时各州仍然处于危险的境地,既有外来侵略之虞,又有发生内乱之患。

他极力防止我们各州增殖人口;为了达到这个目的,他阻挠外国人入籍法的通过,拒绝批准其他鼓励外国人移居各州的法律,并提高分配新土地的条件。

他拒绝批准建立司法权力机关的法案来阻挠司法工作的进行。

他使法官的任期、薪金的数额和支付完全由他个人的意志决定。

他滥设新官署,派遣大批官员到各州骚扰我们人民,吃尽他们的生活资料。

他在和平时期,未经我们的立法机关同意,就在我们中间设置常备军。

他使军队脱离民政的节制,并高居民政之上。

他同其他人勾结起来迫使我们处于一种不合我们的宪法、不为我们的法律所承认的管辖之下;他批准了那些人制造出来的下列伪法案:

在我们中间驻扎大批武装部队;

用伪审讯来包庇他们,使他们在谋杀我们各州居民时能逃避应得的惩罚;

割断我们同世界各地的贸易;

未经我们同意便向我们征税;

在许多案件中剥夺我们享有陪审制的利益;

以虚构的罪名押送我们到海外去受审;

在一个邻省废除英国的自由法制,在那里建立专制政府,并扩大该省疆界,企图把该省变成一个先例和称手的工具,以便向我们各殖民地输入同样的专制统治;

取消我们的宪章,废除我们最宝贵的法律,从根本上改变我们的政府形式;

把我们自己的立法机关悬搁起来,并宣称他们自己有权就一切事宜为我们制定法律。

他宣布我们不在他的保护之内,并对我们作战,从而放弃了在这里的政务。

他在我们的海上实行劫掠,骚扰我们沿海地区,焚烧我们的城镇,残害我们人民的生命。

他此时正在运送大批外国雇佣兵来完成屠杀、破坏和压迫的勾当,这种勾当早就开始,其残酷卑劣连最野蛮的时代都难于找到先例,完全同一个文明国家的元首不相称。

他强迫我们在公海上被掳获的同胞拿起武器来反抗自己的国家,使他们成为残杀亲人和朋友的刽子手,或是自己死于亲人和朋友的手下。

他在我们中间煽动内乱,并且教唆那些残酷无情的印第安蛮族来侵害我们边疆的居民,而众所周知的印第安人作战方式是不分年龄、性别和情况一律屠杀。

我们在遭受这些压迫的每一阶段,都曾经用最恭顺的词句请求矫正,然而我们一再请愿所得到的答复却是一再的暴行。一个在性格上表明是无恶不作的暴君的君主,是不配充任自由人民的统治者的。

我们对于不列颠兄弟也不是没有呼吁过。我们曾屡次提醒他们注意他们的立法机构企图把不合法的管辖强加在我们身上。我们曾提请他们考虑我们向这里迁徙和定居的具体情况。我们曾经向他们的正义感和仁爱心呼吁,我们曾经以同种之情恳请他们谴责这些势必破坏我们之间的关系和友谊的暴政。然而,他们对这种正义的、血肉之亲的呼声置若罔闻。因此,我们不能不认为我们有必要实行分立,并且把他们和其余的人类同等看待,即在战争中是敌人,在和平中是朋友。

因此,我们聚集在总会议中的美利坚联合诸邦的代表们,祈求世界最高裁判者明鉴我们的目的的正义性,以各殖民地的善良人民的名义和权威,庄严地发表和宣布,联合殖民地从此成为而且理应成为自由和独立的邦国;它们从此解除对不列颠王室的一切臣属关系,它们同大不列颠的一切政治联系从此完全解除,而且理应完全解除;它们作为自由和独立的邦国,有全权宣战、媾和、结盟、通商并采取凡是独立国家都有权采取的其他一切行动和事宜。

为了拥护本宣言,我们怀着坚定地仰赖上天保佑的信念,彼此以我们的生命、我们的财产、我们的神圣的荣誉互誓不渝。

J. 汉考克

新罕布什尔州
J. 巴特利特
W. 惠普尔
M. 桑顿

马萨诸塞湾
S. 亚当斯
J. 亚当斯
R.T. 佩因
E. 格里

罗得岛
S. 霍普金斯
W. 埃勒里

康涅狄格州
R. 谢尔曼
S. 亨廷顿
W. 威廉斯
O. 沃尔科特

纽约州
W. 弗洛伊德
P. 利文斯顿
F. 刘易斯
L. 莫里斯

新泽西州
R. 斯托克顿
J. 威瑟斯庞
F. 霍普金斯
J. 哈特
A. 克拉克

宾夕法尼亚州
R. 莫里斯
B. 拉什
B. 富兰克林
J. 默顿
G. 克莱默
J. 史密斯
G. 泰勒
J. 威尔逊
G. 罗斯

特拉华州
C. 罗德尼
G. 里德
T. 麦基恩

马里兰州
S. 蔡斯
W. 帕卡
T. 斯通
C. 卡罗尔

弗吉尼亚州
G. 威思
R.H. 李
T. 杰斐逊
B. 哈里逊
T. 纳尔逊(小)
F.L. 李
C. 布拉克斯顿

北卡罗来纳州
W. 胡珀
J. 休斯
J. 佩恩

南卡罗来纳州
E. 拉特利奇
T. 海沃德(小)
T. 林奇(小)
A. 米德尔顿

佐治亚州
B. 格威内特
L. 霍尔
G. 沃尔顿

Independence, United States War of 参阅 **United States War of Independence** 美国独立战争。

Independence Day 美国独立纪念日 又作Fourth of July。美国第二次大陆会议通过《独立宣言》(1776-07-04)的周年纪念日,为美国最重大的非宗教节日。实际上,大陆会议是在7月2日通过脱离英国而独立的决议,7月4日只是起草宣言,7月8日才公开宣读。次年在费城举行宣言的一周年纪念。只是到了1812年战争以后,才每年一度举行纪念活动。人们有意识地把民主理想、公民的权利与义务同独立纪念日的爱国热忱结合起来。许多公益事业也在7月4日开始,如:1817年开凿伊利运河;1828年修建巴尔的摩—俄亥俄铁路(美国第一条铁路);1850年为华盛顿纪念碑奠基;1946年正式承认菲律宾独立。在20世纪后期,虽然独立日仍然是全国性的节日,以游行、爱国音乐会以及烟火表演等形式进行纪念,但作为政治纪念日的重要性有所下降。独立日仍然是国家力量和崇尚自由的美国特质的有力象征。

Independence Island (Kiribati) **独立岛** 参阅 **Malden Island** 莫尔登岛。

Independent 独立派 又称分离派(Separatist)。16、17世纪要求脱离圣公会而主张仅由真正信奉基督的人们组成独立的地方教会的英格兰基督教徒。他们后来通称公理宗。1649～1660年克伦威尔共和政府时期，独立派在英格兰政治影响最大，因为克伦威尔本人也是个独立派。其后该派历经镇压而不衰，逐渐成为除圣公会外最重要的教派。独立派一批信徒于1608年迁往荷兰，其中又有一些人于1620年移居今美国马萨诸塞州普利茅斯，1630年与定居于马萨诸塞湾的清教徒合作。

Independent Christian Churches 参阅 **Undenominational Fellowship of Christian Churches and Churches of Christ** 独立基督会。

Independent Television（ITV） **独立电视台** 由英国几家与英国广播公司竞争的私营公司组成的联营企业经营的电视网。由独立广播局（前身为独立电视局）管理。独立电视台由英国议会于1954年通过的一项法案授权成立，它被准许可以使用一个频道播出节目，以改变由英国广播公司全部垄断无线电广播和电视的局面。经过激烈的政治争论后，这一革新终于实现，但独立电视台却与美国商业电视的模式有所不同，它只使用一个频道播出，而且播出的广告受到严格得多的限制，并含有较大范围的节目内容。起初有4家公司订约分用独立电视台的单一频道：电视转播公司、格拉纳达、联合电视公司与联合英国公司，这4家公司都是建立在巩固的电影业和娱乐业的基础之上的，它们很快就开始提供在高峰时间播出的备受欢迎的节目，包括综艺表演、高奖金比赛、流行音乐节目，以及没完没了的系列片和连续剧。联合电视公司的《伦敦帕拉狄昂的星期日夜晚》13年来一直是周末播出的主要节目；格拉纳达的描绘英格兰北部工人阶级生活的《加冕街》每周播出两次，受到很大的欢迎。特别是联合电视公司在L.格拉德（后受封为勋爵）有力的领导下，制作了《圣徒》、《危险人物》等一系列情节紧凑动人的传奇节目。独立电视台很快受到普遍的欢迎，给英国广播公司以很大打击。独立电视台的总收入从最初的200万英镑猛增到6 000多万英镑。英国广播公司为作出反应，在黄金时间增播通俗节目；而独立电视台的节目编排者则通过发展其在时事报道和纪录片方面的优势来大大提高自己的声誉。

Indes, Compagnie Française des 法国印度公司 参阅 **French East India Company** 法国东印度公司。

Indes Orientales, Compagnie Française des 参阅 **French East India Company** 法国东印度公司。

indeterminacy 不确定性 在文学中，对特定的文本要素有多种可能的解释。该词由解构理论家赋予其文学含义。按《新批评》的描述，"不确定性"一词与"歧义"相似，但"不确定性"不仅用于文学，也用于对文本的解释。

indeterminacy principle（physics） 参阅 **uncertainty principle** 不确定性原理。

indeterminate sentence 不定判 法律术语，指在宣判的最长监禁期间内灵活掌握其刑期的做法。假释资格由假释当局决定。在这方面，不定判与定判的不同点就在于，规定定判的法律往往对于假释资格要限定在服刑超过全部刑期的一定时间之后才能取得，在大多数国家，这段时间要占原判刑期的1/2至2/3。不定判的作法始于19世纪最后25年，是随感化运动而产生的。不定判的获释资格要视服刑期间的进步表现而定，而不是根据司法部门作出的宣判。近代的作法是，按照不定判获得假释时，首先要由监狱当局、现场管理人员及假释当局提出，然后付诸实施。犯人的狱中表现，犯罪性质，犯人的经历，犯人在其所在社区的各种前景预测，犯人的综合品质，犯人的认罪态度，凡此种种都是决定假释合格的条件。

index fossil 标准化石 在岩石中，为某个地质时期或地质环境所特有的，具有明显特征的动植物化石。它们必须特征明显，易于鉴定，又很丰富，而且要地理分布广泛，经历时间短暂。标准化石是确定地质年代和进行地层对比的基础。在海相地层中，常用的标准化石包括带有硬体部分的单细胞原生动物和比较大的生物（如菊石类）。在新生代（开始于大约6 640万年前）的陆相沉积物中，广泛用哺乳动物化石来确定年代。所有这些动物都具有贝壳、骨骼、牙齿之类硬体部分，并且演变得很迅速。

Index Librorum Prohibitorum 《禁书目录》 曾被天主教会当局列为对天主教徒的信仰和道德有危险的禁书的目录。1966年开始停止刊行这种禁书目录。禁书目录原由官方检查员编制，是天主教会的教育工具之一：指出神学上有错误或不道德的书籍名称，用以防止污染信仰或败坏道德。因此，禁书目录既不等于教会管理天主教徒在阅读书籍上的全部立法，也从来不是禁读的全部书目。第1版禁书目录由罗马教廷异端裁判所（圣职部的前身）于1559年发表。最后一版即第20版禁书目录发表于1948年。

indexation 按指数增减 又称指数化。在财政政策中，从某一基点（通常为物价指数）出发来衡量货币的"实际价值"，抵消通货膨胀或通货紧缩所产生的影响，这种方法叫按指数增减。例如，如果社会保险福利金按固定费率不变，在通货膨胀时期不按指数增加，则福利金的收受人就会遭受损失。在此情况下，按指数增减的方法也适用于为支持社会保险计划所征收的赋税。有些国家常利用按指数增减来抵消"税级潜升"；在任何累进税（**progressive tax**）制中，通货膨胀将纳税人推向更高的所得税等级时，就会产生税级潜升现象。按指数增减（指数化）还可指将工资率、金融票据与物价指数联系挂钩。

India 印度 印地语作Bhārat或Bhāratavarsha。全称印度共和国。位于南亚的共和国，面积居世界第七，人口居世界第二。印度西北接巴基斯坦，东北连中国、尼泊尔、不丹，东邻缅甸；东北部从三面包围孟加拉国；东南临孟加拉湾，西南濒阿拉伯海。在东南部，与岛国斯里兰卡隔海相望。首都新德里。面积3 165 596平方千米。人口约1 029 991 000（2001）。

土地 印度自北向南可分为三个主要的自然地理区划：喜马拉雅山及其相连山脉，北部平原，以及兼具高原和平原、地形不一的南部地区。喜马拉雅山脉从西北到东北构成一个巨大的弧形，其中有许多高峰都在海拔7 600米以上。北部平原的高度差不多均在300米以下，主要由三大河系的冲积土沉积而成：西边的印度河（大部在巴基斯坦；在印度平原地带的主要是它的支流）；印度最重要的，也是平原核心组成部分的河流——恒河；东边的布拉马普特拉河。恒河三角洲横跨印度和孟加拉国边界，并且在这里同布拉马普特拉河三角洲会合。平原的西端连接印度大沙漠，或称塔尔沙漠，它向西延伸，进入巴基斯坦。南部为德干高原，它包括该国地质上最古老的部分，多由平缓的高地构成，高出海拔1 000米以上的地方不多。南方的主要高地还有构成其西北边缘的阿拉瓦利山、东西横亘的温迪亚山以及东、西高止山。两高止山山势较低，走向与海岸平行。位于其侧的海岸平原一般不宽。所有北部平原的大河都发源于喜马拉雅山间或它的北面。比起半岛（即中印和南印）上的河流，它们的水势较为平稳。后者在夏季季风的大雨时节常发生洪水。半岛上的大多数河流，从北到南包括默哈讷迪河、哥达瓦里河、克里希纳河、高韦里河等，都是自西向东的。自东向西两条最重要的河流是讷尔默达河与达布蒂河。

印度的热带季风气候主要分为三季：从3～5月，热而干；从6～9月，热而潮湿，一年中的大部分雨量集中于此季；从10～2月，冷而干。平均年降雨量因地而异，多至梅加拉亚邦乞拉朋齐的约11 430毫米，少到塔尔沙漠的不足100毫米。在该国的大部分地方，降雨量从东向西呈减少趋势，一般在1 500～500毫米之间变化。不过，半岛的西岸面风，形成了一个降雨量颇高的地带。

印度土地有近3/5是可耕地，已开垦的土地中有1/4可以灌溉。名义上境内近1/4的国土为森林所覆盖，但其中有很大一部分只是生长着低等的灌丛。余下的森林地区繁育着各种野生动物，有几种猴子、虎、豹、野牛、羚羊、象和犀牛等。

人民 印度人民构成广泛，来自各个人种的不同混合，他们有的在史前时期已经定居于次大陆，有的则是以后的入侵者，其历史来源十分清楚。北印度是一个文化核心区，印度教、佛教、耆那教以及很久以后的锡克教，都诞生在这里。由于过去两千年同外界的接触，在这些本土的信仰之外又加上了伊斯兰教和基督教。印度教在这里扎根最深，其信仰者约占全部人口的4/5。穆斯林为印度最大的少数民族，约占人口的1/9。其次是基督教徒、锡克教徒、佛教徒和耆那教徒。部落民的万物有灵论者为数众多，大半也算作印度教徒。

印度的语言极具多样性。居民的3/4说属于印-欧语系印度-雅利安语族的语言，它们皆可最终溯源于梵语，其中包括民族语言

美国不列颠百科全书公司供图

印地语，以及阿萨姆语、孟加拉语、古吉拉特语、克什米尔语、马拉塔语、奥里雅语、旁遮普语、信德语和乌尔都语等。它们都具有官方语言的地位。近1/4人说属于达罗毗荼语系的语言，其中坎纳达语、马拉雅拉姆语、泰米尔语和泰卢固语具有官方地位。不到5%的人说着其他分属于若干语系的数百种语言。英语作为辅助性官方语言通行于全印度。

由于计划生育观念的改变，以及政府的政策在一定程度上获得了响应，人口的自然增长率已有降低，只是对于为求明显改善大量人口的生活水平而正在发展的印度经济来说，这一比率犹嫌太高。人口从农村迁往城市地区的速度较大多数发展中国家缓慢，不过现在住在城市的人口已占全部人口的1/4。按规模大小排列，主要城市有孟买、加尔各达、德里、马德拉斯、海得拉巴、班加罗尔、艾哈迈达巴德等。

经济 印度发展中的混合经济兼具公营和私营成分。农业依然要用大约2/3的劳动力，而所提供的国内生产总值却只有1/3。服务业提供2/5，一直平稳发展的制造业提供1/5。尽管自1947年独立以来印度的经济增长相当稳定，但其人均国民生产总值仍是处在世界最低水平。虽然有一个殷实并在不断扩大的中产阶级，但印度还是有很大比例的人口生活在十分艰难的贫困线以下。

有关土地改革的立法已经很多，但是拥有土地的农民还是不到一半，而且他们大多数也不过仅能糊口而已。农民无地、租佃耕种和债务仍旧是头痛问题。绿色革命已经在农业若干确曾受惠的领域内带来了引人注目的变化。其所提高的产量已足以使印度经受住几次恶劣的季风，而不致像过去一样出现灾荒。主要的谷物是稻米和小麦，其次还有小米、豆类、玉米、油菜籽等。主要经济作物是棉花、甘蔗、椰子、香料、黄麻、烟草、茶叶、咖啡和橡胶等。印度牛和水牛的总数远超其他国家，居世界第一位。山羊、绵羊和骆驼的数量也很大。正在迅速减少的森林资源大部由政府管理。虽然林业工作取得了一定进展，但是在林木采伐中仍有过度滥砍现象。

采矿业大部分由中央政府控制。煤矿资源丰富且分布广泛，吸收了大部分印度的矿业工人。散布各地有若干油田，但是石油产量尚不足以供应迅速增长的国内需求的一半。其他矿石或矿产品还有铁矿石、铝矾土、铁合金等。

印度的制造业多种多样，拥有一系列高科技重工业和消费品工业。该国主要的制造业有纺织、钢铁、水泥、化肥、其他化学制品、汽车、造船、自行车、纺织机及其他机械、电器、电子产品、药品等。电力主要靠火力发电供应，其次是水电站。工会多与不同政党结合，在现代经济活动的各方面起着重要的作用。印度主要的贸易伙伴是美国、日本和欧盟成员国。

政体与社会状况 印度是一个民主共和国，由28个邦和7个中央直辖区组成。其1950年宪法在很大程度上是以英国议会政治模式为蓝本的。立法权归两院制的议会。联邦院（Rājya Sabhā）成员不超过250人，其中大多数由间接选举产生，任期6年，每两年改选1/3。人民院（Lok Sabhā）成员不超过550人，经直接选举产生，任期5年。总统为宪法规定的国家元首，由选举团选举产生，任期5年，其职责基本上是礼仪性的。行政权属经任命组成的部长会议，由议会多数党或党派联盟指定的总理领导。自独立至1977年，政府始终由国大党所控制，后时有其他党派或党派联盟掌权的情况。

许多人的健康状况仍然不佳。人口平均预期寿命仅约64岁。痢疾、疟疾、肺结核、霍乱、丝虫病等疾病经常肆虐，主要是由于许多地方缺乏干净的饮水。肠道疾病成为儿童死亡的首要原因。营养不良也是一个普遍存在的严重问题。

教育基本上由各邦政府负责。识字率总体上已超过了50%，但妇女识字率比男子低得多。初等教育免费，大多用方言进行。尽管如此，中、低等教育的发展步伐却远不如依然大多使用英语的大学教育快。

独立以后，印度的新闻出版业普遍享有程度很高的自由。国内所有主要语言都有自己的报纸，但最有影响的还是英语报纸。广播、电视的覆盖面迅速扩大，电话、手机、计算机的拥有者也日益增多。

印度历届总理

姓名	党派	任期
贾瓦哈拉尔·尼赫鲁	国大党	1947～1964
拉尔·巴哈杜尔·夏斯特里	国大党	1964～1966
英迪拉·甘地	国大党	1966～1977
穆拉尔吉·德赛	人民党	1977～1979
查兰·辛格	人民党	1979～1980
英迪拉·甘地	国大党（英迪拉派）	1980～1984
拉吉夫·甘地	国大党（英迪拉派）	1984～1989
维·普·辛格	人民党	1989～1990
钱德拉·谢卡尔	人民党（社会主义派）	1990～1991
那罗新哈·拉奥	国大党（英迪拉派）	1991～1996
阿塔尔·比哈里·瓦杰帕伊	印度人民党	1996
德韦·高达	人民党	1996～1997
因德尔·库马尔·古杰拉尔	人民党	1997～1998
阿塔尔·比哈里·瓦杰帕伊	印度人民党	1998～2004
曼莫汉·辛格	国大党	2004～

文化生活 印度的文化传统是世界上最丰富和最古老的文化传统之一。参阅 **Indian architecture; Indian dance; Indian literature; Indian music; Indian philosophy; Indian sculpture**。

历史 农业在印度的出现可以追溯到公元前7千纪，而印度河流域的城市文明从巴基斯坦扩展到印度则在公元前3千纪中叶。公元前1500～前1200年，有若干雅利安部落在西北印度取得优势地位。此后几个世纪，他们向东推进，穿过恒河平原，到达今比哈尔邦一带。他们的文化植根于吠陀宗教和梵语之中，并以众多的小城市国家为特征。

佛教和耆那教在公元前6世纪创立，主要是为了抵制婆罗门至上的种姓社会，这一社会乃是从吠陀教及其后继宗教发展而来的。5世纪中叶，位于今比哈尔邦的摩揭陀国征服了整个恒河平原，为日后的孔雀帝国（约公元前321～前185）打下了基础。这一泛印度国家在皇帝阿育王（卒于公元前238）时代达于鼎盛。在此后18个世纪中的大部分时间里，政治分裂成为常规，不过笈多帝国（约公元320～540）时期是个例外，印度古典文学在笈多时期至为繁荣。穆斯林的入侵始于公元1000年左右。1206年，历时颇长的德里苏丹国建立，并在14世纪初叶图格卢克王朝治下达于极盛。此后，一度为图格卢克王朝征服的南印度若干地区脱离出去，开始了同维查耶那加尔王国旷日持久的争夺霸权的斗争。直到17世纪初衰亡以前，后者始终是幸存下来的主要印度教国家。印度所有穆斯林国家中最伟大的是莫卧儿帝国，它于1526年取代了德里苏丹国。到17世纪后期，它实际上已经扩张到了整个印度。

1498年，瓦斯科·达·伽马航至印度，延续数世纪的葡萄牙、荷兰、英国和法国之间的商业竞争就此发端。在1757年英国战胜莫卧儿同法国人的联军之前，夺取领土并不是首要考虑。这次战争使英国人取得了孟加拉的最高统治权。以后英国的征服活动迅速扩展。1818年，它打败了信仰印度教的马拉塔人，后者曾在17世纪后叶起来反对莫卧儿王朝，并且夺取土地，建立了自己的大帝国。到1849年打败锡克王国时，实际上整个印度已在英国的统治之下。但是，印度兵变（1857～1858）动摇了英国的稳定统治，致使英国政府在1858年取代东印度公司而对印度实行直接统治。印度的民族情绪通过1885年印度国民大会党的建立而具体地表现出来。国大党最初效忠英国，但是以后愿望越来越高，提出了让印度人在议会中拥有更多发言权的要求。由于印度教人口居优势地位，印度穆斯林担心自己利益被置于前者的利益之下，遂于1906年成立了穆斯林联盟。1919年印度政府法案为印度人提供了有限的自治权。尽管如此，国大党在甘地的领导下，还是从1920年起发动了一系列不合作运动和非暴力反抗运动。1935年印度政府法案扩大了中央和各省所选立法机构的权力，为印度的完全独立奠定了基础。1947年，英国最后给印度以完全的独立。此时穆斯林联盟和印度教徒掌握的国大党之间的隔阂已经无法弥补。英国和国大党只能承认穆斯林提出的要求，即建立一个独立的巴基斯坦国，这个国家由印度的西北和东北两个穆斯林占多数的地区构成。（后一地区在1971年成立了独立的孟加拉国）这次划分伴随着两国关于克什米尔问题的争战，双方都声称对该地区享有主权，这一问题依然是双方冲突的焦点。

作为国大党的领袖，贾瓦哈拉尔·尼赫鲁成为印度首任总理。此后除少数几年外，他以及他的女儿英迪拉·甘地（1984年遇刺）、外孙拉吉夫·甘地始终引导着民族的命运，直到1991年拉吉夫遇刺。在这一时期，世俗民主的印度作为殖民地时期之后不结盟国家的政治经济领袖有了很大发展，曾与巴基斯坦和中国发生军事冲突，回应国内多次发生的多种族独立运动。20世纪70年代之后，其他政党开始掌权，重又崛起的印度教民族主义也威胁着国家的世俗基础。

India, Air- (airline) 参阅 **Air-India** 印度国际航空公司。

India, House of 印度公司 又称几内亚公司，或几内亚-米纳公司，或米纳公司。葡萄牙文作 Casa da Mina。15世纪葡萄牙企业，经营来自海外殖民地的产品。开始时为加工来自几内亚之产品，故称为几内亚公司。原先设立在葡萄牙南部拉各斯一所货栈中，1460年航海者亨利亲王逝世时，公司在里斯本重新建立。由于来自非洲黄金海岸圣乔治·达·米纳（现为加纳的埃尔米纳）的贸易增加，人们称之为几内亚-米纳公司。直至1499年，几内亚公司实为葡萄牙殖民部的雏形，它负责货物的仓储，征收进口税，管理葡萄牙的商船队和安排商船的航班。自从1497～1498年瓦斯科·达·伽马绕过好望角之后，由于与东方发生接触，葡萄牙的海外贸易急剧增长。因此，公司改名为印度公司，随后又分设为若干分部，经营香料贸易、财务、船期安排与船舶维修、海员培训、文书与通信、法律和司法事务等。后来公司又掌管葡萄牙在巴西的殖民工作，最后发展成为政府的殖民部。

India ink 印度墨 又称中国墨。棒状黑色颜料，润湿后用于写字及绘画，或制成墨水。墨水是由这种黑色颜料均匀分散在加有黏结剂的液体介质（如水）中制成的。棒状或块状墨由特别制备的灯黑或炭黑构成，并混有树胶或动物胶，往往也含有香料。在公元前数世纪，中国、埃及就使用印度墨，它不透明且耐久，是最好的墨之一，现在仍受珍视。在印度作为印度墨原料之一的炭黑是由骨头、焦油、沥青及其他物质烧制而成的。

India rubber plant (*Ficus elastica*) **印度橡胶树** 又作 India rubber tree。原产于亚洲东南部及其他温暖地区的大乔木，但在别处则为常见的室内盆栽植物。具大而厚的长圆形的叶，长可达30厘米。果像无花果，成对生于小枝两旁。具乳状液汁，曾是次等天然橡胶的主要来源。幼树抵抗力强，在不理想的室内条件下生长良好。栽培的变种中，Decora有较阔及较深绿色的叶，少数具花叶的品系有灰色具大理石纹、奶油色及白色的叶，或是绿色叶而有白色或黄色边缘。

Indian 印第安人 参阅 **American Indian** 美洲印第安人；**American Indian geographic race** 美洲印第安地理人种。

Indian architecture 印度建筑 印度次大陆过去和现在的传统建筑。印度建筑的历史至少始于公元前2000年，主要具有宗教的功能，为佛教、印度教、伊斯兰教和耆那教服务。印度最早的建筑物是佛教和印度教的庙宇，初为木造，后用砖造。另外还有在坚固岩石中刻凿出来的庙宇，称为石窟。到公元前4世纪，石头成为一般通用的建筑材料；此后一系列的印度文化群体在刻凿和营造石材建筑物方面获得了高度的技巧。孔雀帝国时期（公元前4～前2世纪），一方面刻凿了石窟，一方面建造了巨大的窣堵波（穹顶形佛教神龛）以及直线形的庙宇和寺院。笈多王朝时期（公元4～6世纪），印度建筑开始臻于鼎盛，并出现它最具特色的结构：庙的底座是方形，附有一个轮廓或为直线或为曲线的尖塔，装饰极为丰富，既有建筑艺术装饰，也有人物或动物的画像。公元7～11世纪，这种庙宇形式在风格上达到了顶峰，而印度教庙宇建筑本身在平面设计、布局方式以及建筑类型方面都变得规模更大和形式更加精美。这一时期，建筑上出现了许多不同的地方风格，它们全都集中表现在庙宇建筑上面。公元11和12世纪，伊斯兰教传入印度，从而引进典型的穆斯林建筑形式，把穹顶、尖拱和伊斯兰教的装饰用于清真寺、陵墓以及其他各种结构。有一些学者认为：与过去的本土建筑的壮丽辉煌相比，这一时期处于衰落状态。但是，像泰吉·马哈尔陵之类的奇观乃是16～18世纪穆斯林莫卧儿王朝统治的结果。由于欧洲殖民以及后来英国统治印度，结果印度引进和模仿了欧洲的各种建筑风格，到20世纪中叶印度独立时，印度建筑几乎已经完全采取现代的形式、风格和材料。

Indian Association 印度人协会 印度民族主义团体，主张地方自治。1876年巴内杰亚和鲍斯在孟加拉建立。主要得到孟加拉青年知识分子的拥护。在孟加拉以外的印度其他各省也设有支部。该协会反对降低参加文官考试的年龄，抵制窒息印度新闻界的新闻法，鼓吹地方自治和佃户的权利。1885年印度国民大会党成立后，该协会逐渐衰落。1888年以后湮没无闻。

Indian Botanic Garden 印度植物园 原称皇家植物园。在加尔各答的一所植物园。以广泛收集兰花、竹类、棕榈、灌木和露兜树著称。占地109公顷，约有1 700种植物。1787年由东印度公司建立，主要用以培育有商业价值的新植物和种植贸易用香料植物。1793年植物学家威廉·罗克斯伯格主管植物园后，将该园方针作重大改变，从印度各地收集植物，建立大型标本室，最后该标本室成为印度中央国立植物调查标本室，有250万件标本。多年来，植物园的一部分一直对外开放。还种植多种植物供科学观察。20世纪70年代植物园的规划是引进改良作物品种和对印度人民有经济效益的其他品种。园内最有名的景物是一棵巨大的榕树,树围超过 300 米,据信已有 200 年历史。

Indian buffalo 参阅 **water buffalo** 印度水牛。

Indian corn 印第安玉米 参阅 **corn** 玉米。

Indian dance 印度舞蹈 印度的各种舞蹈传统和风格。印度舞蹈可以分为古典、民间和现代 3 种类型。古典的传统舞蹈至少已有 2 000年的历史,在历史的进程中,它的影响遍及东南亚的许多地区。印度曾经推出一种古典舞剧的类型,把动作、姿态、歌唱、音乐和服装结合到一起。舞蹈演员利用既具有高度象征性,又善于诱发情感的程式化的姿态,通过舞蹈把故事情节表达出来。所表演的故事全都来源于印度宗教和神话。古典舞剧一方面给人以美的享受,一方面深深影响人的心理。它已经得到全世界的公认,为古典舞蹈中最美妙的形式之一。印度民间舞蹈多种多样,一个地区与其他地区不同,一个文化语言集团与另一个文化语言集团也相异。在印度庞大的电影工业中,舞蹈也是一个重要的、甚至不可缺少的组成部分。

Indian grass (species *Sorghastrum nutans*) **黄假高粱** 又称印第安草,即俯垂黄假高粱。早熟禾科多年生高大饲草,是北美高草草原的重要组成植物之一。花簇窄长,分枝多。

黄假高粱(*Sorghastrum nutans*)
美国不列颠百科全书公司供图

小穗黄色,生有白毛,外观金银相杂。该植物与细弱假高粱(埃略特氏假高粱,*S. elliottii*)和侧生假高粱(*S. secundum*)近缘。

Indian hemp (plant of the pea family) **印度麻** 参阅 **sunn** 菽麻。

Indian hemp (species *Apocynum cannabinum*) **印度大麻** 又作 hemp dogbane。又称印度夹竹桃麻。即似大麻罗布麻。夹竹桃科多年生植物。原产于北美。株高达 1.5 米,茎分枝。叶对生,叶缘光滑。花小,绿白色。印第安人用其茎纤维织袋、席、网和搓绳。其乳状树液可生产橡胶。印度大麻和近缘植物(*A. androsoemifolium*)的干根可制心脏兴奋药。栽培大麻(真大麻,*Cannabis sativa*)有时亦称印度大麻。

Indian languages 印度诸语言 通行于印度次大陆的语言。印度次大陆的语言分属于印欧语系(特别是印度-伊朗语族)、达罗毗荼语系、奥斯特罗-亚细亚语系(特别是蒙达语族)和汉藏语系。印度宪法所规定的 14 种语言是:印地语、乌尔都语、旁遮普语、孟加拉语、奥里雅语、马拉地语、古吉拉特语、梵语、阿萨姆语,均属印欧语系印度-伊朗语族印度-雅利安语支;克什米尔语,属印欧语系印度-伊朗语族达尔德语支;泰卢固语、泰米尔语、建那陀语(坎纳达语)、马拉亚兰语,均属达罗毗荼语系。阿萨姆邦的曼尼普尔语和尼泊尔的尼瓦尔语以及博多语支诸语言均属汉藏语系藏缅语族。蒙达诸语言属奥斯特罗-亚细亚语系,以桑塔尔语和卡西语的使用人数最多。巴基斯坦使用的语言有:信德语、旁遮普语和乌尔都语,均属印度-雅利安语支;布拉灰语,属于达罗毗荼语系。孟加拉国使用孟加拉语。参阅 **Indo-Aryan languages; Indo-Iranian languages**。

Indian law 印度法 指印度的法律惯例与法律制度。概括印度法的历史是一些有案可查的接受与移植的判例。一些外国法曾被"引进"了印度次大陆,例如应果阿印度人的要求,接受了葡萄牙民法;又如印度独立后颁布的《遗产税法》(1953)、《著作权法》(1957)、《商船运输法》(1958),实质上都是英国模式的翻版。我们从英国-穆斯林法和印度法中可以看到,外国法常常被"移植"到本地的法律中来。由外国政府介绍进来的法律制度,或是因为它们适应当时的潮流,或是因为它们适应新的需要,所以很容易为印度人所接受。1947 年印度的独立加速了上述进程。印度法由此有许多渊源。印度的制度起源于 3 000年以前的吠陀和同时代的非雅利安人的习惯。它是通过混合、比较和分析逐渐形成的。在公元 8 世纪阿拉伯人入侵以后,有些地区,特别是北方,引进了伊斯兰法。孟买、加尔各答、马德拉斯高等法院执行的剩余财产法是英国的普通法;有时候则借助于英国有关的成文法,如代表原东印度公司法院的所有其他管辖区实施的剩余财产法。该法院自 1781 年以来当印度还没有成文法或人法准则的时候,曾将"正义、平等、公道"作为法律规则的补充。葡萄牙人和法国人在各自的殖民地实行自己的法律。在英属印度,适用英国的某些成文法,而有一些直到现在依然有效。各地政府都根据当地情况制订它们的法律。在 1860 ～ 1882 年间,印度通过的著名的盎格鲁印度法典不但反映了英国法与盎格鲁印度法模式的影响,而且也反映了法国法与美国法的影响。在那个时期,特别是在马德拉斯高等法院曾经广泛地引用罗马法(民法)和大陆司法理论,从而使印度能够从最适合用的法律中获益,但是经过法典编纂及其他的影响,这个渊源不久就干枯了。为解释宪法引进了一些美国原则,并按英联邦其他地方的判例法制订了福利与工业方面的成文法。西方的影响还表现在如何对待人法方面。一般说来,印度的法律是一种适用于总人口 85% 的人法,并且成为印度文明中司法方面的主要成果。"信奉印度教的人"一词并非是指严格的宗教正统性,它所强调的是种族胜过教义。印度自独立以后,致力于编纂统一的民法典(宪法第 44 条),而废除了人法,以便在实际上尽可能地把不同的印度学派与适用于不同社会的习惯统一起来。现代印度的法律是由 1955 年的《印度婚姻法》和 1956 年通过的《印度未成年人和监护法》、《印度继承法》、《印度收养与赡养法》所组成的。在 1955 和 1956 年以前,凡是能证明一种习惯是充分确定的、延续的、年代久远的而且不是与公共利益准则相抵触的,印度人就有权要求不受人法的约束。如今在习惯方面所允许的范围是很窄的。这种变更的一个例子是 1954 年的《特别婚姻法》,其中规定任何配偶不论其社会地位如何,都可以按西方文明的方式结婚,他们的离婚和继承方面的人法也由此自行不再适用。此外,在新的离婚法中还规定,夫妻分居一年并又等了一年后,享有双方协议离婚的权利。另一方面,自从 1861 年颁布了《印度刑法典》以来,印度的刑法变化极小。T. B. 麦考利对《印度刑法典》提出的原草案仍然保留下来作为法典的核心。他的草案并非仅以当代英国法为基础,有许多定义和特点是英国法所没有的,而该草案也未体现英国法以后的一些发展。但是,印度法院为了解释法典的条文,常常参考英国的判决。尽管法典的文字的解释是那么严谨,还是有许多违法者能够逃之夭夭,印度仅在介乎两可中间的地方对它作了修改。考虑到该法典与 1861 年以前印度实施的刑法相一致的这种极其罕见的情况,这是很值得注意的。对比之下,1898 年的《刑事诉讼法典》则是一个货真价实的英国-印度混合物,以后经过了进一步修改以适应印度的特殊情况和舆论要求。

Indian literature 印度文学 指印度次大陆上的作品,这些作品用各种语言写成,其中包括梵语、普拉克利特语、巴利语、孟加拉语、比哈尔语、古吉拉特语、印地语、坎纳达语、克什米尔语、马拉雅拉姆语、奥里萨语、旁遮普语、拉贾斯坦语、泰米尔语、泰卢固语、乌尔都语与信德语。最早的印度文学为梵语写成的印度教典籍吠陀。《梵书》与《奥义书》系对吠陀的散文注释。梵语文学的创作从约公元前 1400 年持续到公元 1200 年,在公元 1 ～ 7 世纪发展到顶峰。除了宗教和哲学作品外,艳情诗、虔诚诗、宫廷诗、戏剧和叙事民间故事等类型都已出现。由于梵语与吠陀的婆罗门教有关系,佛教和耆那教一类改革运动分别采用了其他文学语言,即巴利语和半摩揭陀语。北印度的近代语言即从这些语言及其他派生语言演变而来。这些近代语言写成的文学作品主要取材于古代印度,包括梵语史诗《摩诃婆罗多》与《罗摩衍那》、《薄伽梵往世书》中所述的黑天的故事、其他《往世书》传说以及各寓言集。此外,梵语哲学还在后世文学中成为富有哲理的作品的源泉;在许多近代文学中,梵语各修辞学派对于宫廷诗歌的发展有着极其重要的作用。南印度泰米尔语是这种梵语影响模式的一个例外,因为它有自己的古典传统。乌尔都语和信德语出于伊斯兰教背景,亦属例外。从 19 世纪始,英国和西方的文学的典范一般都对印度文学产生了巨大影响,最显著的结果是大规模采用白话散文。长篇与短篇小说这些前所未知的形式开始为印度作家所采用,现实主义和对社会问题以及心理描写的新的兴趣亦复如此。

Indian Museum　印度博物馆　位于加尔各答。印度最古老的博物馆,也是东方最丰富的博物馆之一。其藏品展现了从史前到穆斯林时期的印度文化史。现在的建筑开放于1875年,由地质学、生态学、工业、考古、艺术和人种学等部分组成。钱币厅里有世界上最大的印度钱币收藏,还有非常漂亮的珍宝。艺术部分以纺织品、地毯、漆器、料器和陶器而闻名。美术馆有波斯和印度绘画。地质部分是亚洲最大的,也是世界上最重要的地质收藏馆之一。还藏有许多代表不同亚洲文明的铸像和青铜器,包括人和动物的等身模型。

Indian music　印度音乐　印度次大陆人民的音乐传统、形式与风格。包含多种多样的器乐与声乐传统,有古典的、宗教的、通俗的、戏剧的和现代的,其中在国际上最为知名的是古典音乐。北印度(以及巴基斯坦)的古典音乐称为印度斯坦音乐;南印度的称为卡纳塔克音乐。印度古典音乐的基础是"拉加"(建立在一套特定的音上的旋律框架,供即兴演奏时用)和"塔拉"(这是一个可与"拍子"或"节拍"等同的概念)。通常由至多5～6位乐师组成的小型合奏组演奏。即兴演奏在其中起主要作用,最典型的特征是速度逐渐加快,导至最后的高潮。旋律即兴演奏可借助各种拨弦乐器如锡塔琴或维那琴、小提琴、双簧管式的乐器或长笛来完成。诗琴式的持续低音乐器塔姆布拉琴确立并保持作品的基音,而塔布拉鼓或其他手指击奏的小鼓则提供节奏式伴奏。古典音乐也包含各种声乐形式,它们也运用即兴演奏。

Indian Mutiny　印度兵变(1857～1858)又称士兵起义。由为英国东印度公司服役的印度士兵发动的普遍但未能成功的反对英国统治的起事。首先在密拉特发动,德里、阿格拉、坎普尔和勒克瑙也纷纷响应。起事的借口是新式恩菲尔德步枪的引进。为这种步枪装子弹时,须用牙咬掉子弹壳的一端。据说子弹壳上所涂润滑剂是猪油与牛油混合而成,而命令穆斯林和印度教徒咬这种子弹都被认为是侮辱。1857年4月末,驻密拉特的一些士兵拒绝领受这种子弹,英国人把他们关进牢狱。这种惩罚激怒了他们的伙伴。5月10日发生兵变,击毙英国军官,并向德里进军。德里没有英国军队,当地士兵也参加起义,拥原莫卧儿皇帝巴哈都尔沙二世出掌政权。从占据德里起,这次兵变的军事行动分为三个阶段:第一阶段是1857年夏季在德里、坎普尔和勒克瑙的浴血奋战,第二阶段是1857年冬以勒克瑙为中心的战斗,第三阶段是1858年春天的战斗。在镇压兵变时,英国人疯狂进行报复,屠杀大批的印度士兵。兵变的直接后果是英印政府进行全面改组,撤销了东印度公司,而由英国政府直接统治印度。兵变的另一后果是开始了和印度人协商的政策,1861年的新立法会议有了印度人成分。兵变也对印度人民产生了影响,复兴过去和排斥西方的希望破灭了。印度传统的社会结构开始崩溃,而为西方化的阶级体制所代替,产生了强大的有着浓郁民族主义意识的中产阶级。

Indian National Congress　印度国民大会党　简称国大党。印度基础广泛的政党,1885年成立。该党在印度脱离英国的独立运动中起了主导作用,从印度独立到20世纪90年代中期,大部分时间都为执政党。1885年12月举行第一次代表大会。在历次年会中通过一些温和的改革决议,1917年党内"极端主义"的"印度自治"派在提拉克和贝赞特的领导下接管了党的领导权。20年代和30年代,圣雄甘地领导的国大党发起多次不合作运动,以抗议1919年宪法改革的软弱和英国进行这些改革时所采取的态度。国大党的另一派主张在现行制度下开展工作,以印度自治党的名义参加1923年和1937年的选举,在后一次的选举中获得重大胜利。第二次世界大战开始时,英国没有同印度议会磋商,便把印度作为交战国,于是国大党宣布:在没有获得完全独立之前,印度将不支持战争。1942年国大党发起群众性的非暴力反抗运动,要求英国"离开印度"。1947年印度独立法案成为法律,1950年1月,印度作为独立国的宪法生效。

尼赫鲁从1951年到1964年逝世,一直领导国大党。在1951～1952年、1957年和1962年的几次选举中,国大党都取得压倒性胜利。国大党在1964年一致选举夏斯特里、1966年一致选举英迪拉·甘地(尼赫鲁之女)为党的领导人和印度总理。然而,1967年英迪拉·甘地为了保持自己的地位,不得不镇压公开的反抗。1969年她与党的一些领导人(辛迪加派)分裂,他们把英迪拉·甘地开除出党。可是在1971年的选举中,英迪拉·甘地的新国大党大获全胜。从1975年起,甘地夫人的政府日益趋向独裁,因而在反对派中引起了不安和骚动。在1977年3月的议会选举中,反对派人民党取得巨大胜利,获295个议席,而国大党只获153席。甘地夫人被人民党对手击败。1978年1月2日,甘地夫人和她的支持者退出国大党,另组他们所谓的"真正"印度国民大会党,但是人们都称该党为国大党(英迪拉派)。同年11月,英迪拉·甘地再次当选为议会议员,1980年重新担任总理。其子拉吉夫·甘地于1982年成为该党名义上的领袖。1984年10月英迪拉·甘地遇刺身亡,他接任总理。拉吉夫·甘地及国大党(英迪拉派)在1989年11月的大选中失败。1991年5月,拉吉夫·甘地也遇刺身亡,该党的前途如何,一时成为谈论的话题。随后,纳拉辛哈·拉奥继任国大党领袖,于1991年6月出任总理。他放弃了该党一直以来的社会主义政策,实行经济自由化政策。到1996年,国大党的形象因为一系列腐败事件而受到影响,在该年的选举中沦为议会的第三大党。拉奥先后辞去了总理和党主席的职务。1998年,为了赢得大众的支持和大选的胜利,国大党推举拉吉夫·甘地的遗孀索尼娅·甘地担任领导人。虽然在当年的选举中,人民党领导的联合政府掌握了政权,但国大党的表现也比预计的好,观察家将之归功于索尼娅·甘地的个人魅力和积极的竞选工作。1999年举行的全国选举中国大党的选举结果达到历史最差水平,但在2004年的选举中获得出人意料的胜利,重新执政。索尼娅·甘地拒绝了出任总理的邀请,支持前财政部长曼莫汉·辛格担任总理。2004年5月,辛格成为印度第一位担任总理的锡克教徒。

Indian National Trade Union Congress (INTUC)　印度全国工会大会　印度最大的工会联合会,在同印度国大党合作的情况下于1947年成立。它主张工会运动不要像全印工会大会那样好斗。它基本上是反共的,是国际自由工会联合会的成员。

Indian Ocean　印度洋　世界第3大洋,居太平洋与大西洋之后。位于亚洲(北)、澳洲(东)、非洲(西)和南极洲(南)之间;西南接大西洋,东及东南接太平洋。包括红海与波斯湾在内,面积7 344万平方千米;平均深度3 890米,最深处在爪哇海沟(7 450米)。边缘有红海、阿拉伯海、波斯湾、安达曼海、孟加拉湾、帝汶海及阿拉弗拉海。主要岛屿为马达加斯加岛、斯里兰卡岛和马斯克林群岛。印度洋的大陆架狭长,平坦,平均宽度120千米;在孟买海岸与澳大利亚西北海岸宽达300千米。主要海岭体系是呈倒Y形,为地震活跃的海底山脉,自阿拉伯海向东南和南延伸至印度洋中部,分为西南与东南两支。主要无震海岭中著名者为南北走向的东经九十度海岭,绵亘4 500千米。印度洋面的洋流受当今风向的影响,分成两大环流体系。南纬10°以北的北部环流体系,洋流方向与季风有关,随季节变化;赤道以南的南部环流体系是由若干主要洋流组成的有规律的逆时针方向环流体系。印度洋底有丰富的矿物资源。波斯湾一带大陆架有石油和天然气;据认为,别处也有。红海海底发现有铁矿和铜矿藏。洋底有大量巨型锰结核的积聚。

Indian paint brush　印度画笔草　又作painted cup,painted lady,paint brush。又称彩杯草、画笔草。玄参科火焰草属(*Castilleja*)植物的俗称。约200种,寄生或半寄生。花小,管状,二唇形。花簇被色彩鲜艳的叶片或叶尖围绕,宛如插在红色、橘黄、黄色、粉红色或白色的花盆中。该植物为寄生性,从其他植

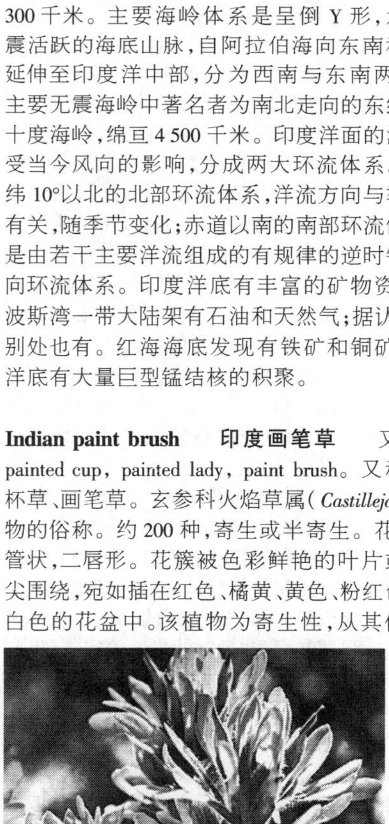

一种盛花的印度画笔草(*Castilleja*)
美国不列颠百科全书公司供图

物的根中吸收营养，花园栽种很少成功。

Indian philosophy 印度哲学 由印度次大陆文明发展出来的思想和反省体系。分为正统和非正统两大类：承认吠陀权威的称为正统的，有正理、胜论、数论、瑜伽、前弥曼差和吠檀多；不承认吠陀权威的称为非正统的，有斫婆伽、佛教和耆那教。印度哲学涉及各种哲学问题，其中有：世界的本质（宇宙论）、实在的本质（形而上学）、知识的本质（认识论）、逻辑、伦理和宗教。三个基本概念形成印度哲学思想的基石：自我（或灵魂）、业和解脱；其中以业的概念（人的行为的道德功效）最有印度特色。除了斫婆伽派，所有印度哲学派别都以各自的方式接受这三个概念。

吠陀是公元前2000年的颂诗集，现存最古老的记载——关于人类头脑造神的过程和导致宇宙概念的创造神话的心理进程。《奥义书》含有一种最早的关于普遍的、无所不在的精神实在的概念，也含有早期的关于自然、生命、思想和肉体的印度思辨。大史诗《摩诃婆罗多》中的哲学内容表现出综合各种不同宗教和哲学思想的倾向。其中的《薄迦梵歌》在印度教的生活和思想中占重要地位。

印度哲学发展的一个突出特点是每一派别都以“经”的形式对其理论加以系统化，将哲学教义压缩成易记的格言、公式或规则。而要读懂这些“经”，必须借助注释，因此许多哲学著作都采取经注形式。

前弥曼差派主要探讨吠陀指令的性质，并由此发展出解释经典的原则和理论。《弥曼差经》大约产生于公元前4世纪，作者是阇弥尼。他认为吠陀指令不仅规定行为，而且把这些行为当作达到愿望和目的的手段。他着重考虑的是愿望对象——“正法”，认为它只能由经典的指令性陈述证实，而不能由感觉或推理证实。《弥曼差经》的主要注释者是夏伯拉（3世纪）。他和阇弥尼一样，认为举行吠陀祭祀有助于到达天堂。他精心阐述弥曼差的认识论，确立经验的内在可靠性。其他两位重要的前弥曼差哲学家是鸠摩利罗和普拉巴格拉。鸠摩利罗比较忠于阇弥尼和夏伯拉的观点，而普拉巴格拉则更广泛地探索吠陀经文的意义。

吠檀多的奠基人是与阇弥尼同时代的跋达罗衍那，他著有《吠檀多经》。吠檀多和前弥曼差都是阐释吠陀思想的，但不同的是：前弥曼差强调吠陀的礼仪部分，强调“业”和“正法”，而吠檀多则强调吠陀的哲学部分即《奥义书》，强调知识和“梵”，即绝对真实。《奥义书》、《吠檀多经》和《薄伽梵歌》构成吠檀多派的共同经典。但在吠檀多派内部，围绕对“梵”的本质、现象世界的地位、有限个体与“梵”的关系、解脱的本质、现象世界的地位、有限个体与“梵”的关系、解脱的本质和方法等问题的不同看法，分成商羯罗的“纯不二论”、罗摩奴阇的“适任不二论”、摩陀伐的“二论”、薄斯迦罗的“异同说”和宁巴尔迦的“二不二说”等流派。其中，商羯罗对印度哲学产生的影响是无可比拟的，但在实际的宗教生活中，其他的有神论吠檀多的影响要比商羯罗大。

数论是一种古老的哲学体系，现存最早的经典是自在黑的《数论颂》（公元前2世纪）。《数论颂》认为存在许多自我（“原人”），每一个都是纯意识的；现象世界以及物和人的区别是由原初物质演化而成的；物质按其内含的三“德”——“喜”、“忧”、“闇”——的不同比重而性质各异；知识的来源有三种：感觉、推理和言词证据。在《数论颂》中没有神的地位，而后期的数论著作倾向有神论，如14世纪的《数论经》和16世纪维加纳·比柯苏的《数论疏解》。

瑜伽现存的最早经典是波怛阇利的《瑜伽经》（公元前2世纪）。瑜伽与数论有密切关系，它在数论的种种原则上，增加一个至高的神——自在天，所以也被称为“有神数论”。瑜伽与数论的区别在于：数论强调通过玄奥的理性知识达到解脱，而瑜伽强调通过严格的自我控制达到解脱。在《瑜伽经》中，波怛阇利提出八重瑜伽修习方式：禁制、遵行、坐姿、调息、制感、执持、禅定和等持。波怛阇利的瑜伽也被称作“王瑜伽”，还有一种诃陀瑜伽，特别强调坐姿、调息和洁身，以达到精神的完美，其基本经典是15世纪的《诃陀瑜伽之光》。

胜论的经典是《胜论经》，作者是羯那陀（约2～4世纪）。《胜论经》提倡原子宇宙论和多元的本体论。它认为物质的宇宙产生于地、水、火、风四种原子的结合；存在的范畴有六种：“实”（实体）、“德”（性质）、“业”（行动）、“同”（普遍）、“异”（特殊）、“和合”（内在联系），后来又加上第七种“无”（非存在）。

正理的经典是《正理经》，作者可能是乔答摩（约公元前2世纪）。《正理经》提出通过16个知识范畴达到解脱：知识手段、知识对象、怀疑、目的、例证、结论、论式、论证、确定、论议、论争、毁灭性批判、谬误、诡辩、驳斥、对方的弱点。《正理经》认为可靠知识的来源有四种：感觉、推理、类比和言词证据。推理采用五段论式：宗、因、喻、合和结。正理和胜论大约在10世纪融合成一个派别，称作正理-胜论，其主要代表人物有：帕萨尔沃吉纳（10世纪）、沃罗德拉吉（12世纪）、盖瑟沃·密斯罗（13世纪）、安纳姆·帕德（17世纪）等。

斫婆伽是印度最早的唯物主义派别之一，也称顺世论，意思是“世俗流行的观点”。斫婆迦的著作已经失传，有关这一派的材料散见于后来的印度教著作，如摩陀伐的《摄一切见论》、师子贤的《大派哲学概述》等。斫婆迦认为唯有感觉才是可靠的知识手段，一切超越感觉的对象如“来世”、“命运”或“灵魂”，都是不存在的。一切存在由地、水、火、风四大元素组成。意识是人体物质结构的产物，并随同人体消亡。

佛教是在公元前5～6世纪作为对婆罗门教的对立面兴起的。在早期佛教中，佛陀教诲“四圣谛”：苦谛，即一切皆苦；集谛，即痛苦有因；灭谛，即苦能灭寂；道谛，即灭寂有道。要获得解脱和涅槃，必须遵行八正道：正见、正思维、正语、正业、正命、正精进、正念、正定。涅槃是一种完全灭寂的状态，一种摆脱因缘束缚、彻底自由的极乐境界。佛陀死后300年，佛教徒结集编订了“三藏”佛典。后来，大乘佛教兴起。以龙树为首的中观派的哲学是“空论”，以世亲和无着为首的瑜伽行派的哲学是“唯识论”。佛教的两位逻辑大师是陈那（5世纪）和法称（7世纪），前者著有《集量论》、后者著有《正理一滴》。在莫卧儿王朝时期，存在着综合伊斯兰教和印度教思想的倾向，其中著名的人物有罗摩难陀、迦比尔、那纳克和达拉·希高赫等。19世纪接受西方思想影响最突出的是以罗姆莫罕·拉伊为首的梵社运动；19世纪后期出现神秘主义的复兴，并认为各种宗教道路通向同一目标，代表人物是罗摩克利希那及其门徒辨喜。

现代印度哲学家中值得提及的有：奥罗宾多（1872～1950）、罗宾德拉纳特·泰戈尔（1861～1941）、圣雄甘地（1869～1948）、穆罕默德·伊克巴尔（1877～1938）、K.C.帕达恰利耶（?～1949）和S.拉达克里希南（1888～1975）。奥罗宾多试图将吠檀多超然的和囊括一切的“梵”的概念与一种突生进化的理论协调一致。他阐明瑜伽不是个人解脱技巧，而是为了配合宇宙的进化要求，使人类达到一种更高的、超精神的意识阶段。泰戈尔的哲学思想同样依据《奥义书》，但他所作的解释更加接近毗湿奴有神论和虔信派。他将绝对描绘成至高的人，将爱置于知识之上。甘地将存在的统一称作真理，并认为能通过“不杀生”的实践获得实现。伊克巴尔认为现实由自我组成，是创造性的，本质上是精神的。拉达克里希南主要向西方世界介绍印度思想，他对吠檀多传统的解释受到英国新黑格尔主义的影响。帕达恰利耶对主观的各个阶段作出现象学的描述：肉体的、心理的和精神的，认为绝对摆脱客观是精神的要求。

Indian pipe（*Monotropa uniflora*） **水晶兰** 又作 corpse plant，convulsion root，fits root。俗称印第安烟斗草。水晶兰科（Monotropaceae）腐生性草本植物。产于亚洲及整个北美，常见于潮湿阴蔽处，植株从成团的细根上长出，

水晶兰（*Monotropa uniflora*）
美国不列颠百科全书公司供图

无叶绿素，从死植物遗体上获取营养。株高15～25厘米，呈白色、粉红色，较少为红色，干后则成黑色。花单生于枝顶，杯状，下垂，无气味，花瓣4～5枚。叶退化成鳞片状。蒴果卵形。

Indian region (zoographic area) **印度区**
参阅 **Oriental region** 东洋区。

Indian Removal Act 《印第安人移居法》 (1830-05-28) 违背美国尊重印第安人权利的政策的第一项重要法规。根据这项法规，总统可以选定(主要是东南部)各州境内的印第安人居住区，命令印第安部族迁出，前往西部草原定居。密西西比河东地区的迅速移民，使人早在19世纪20年代中期就看出白人决不会容忍即使是和平的印第安部落留在该地。A.杰克逊总统(1829～1837年在任)大力推行移居法包含的新政策。尽管这项法规规定通过谈判签订条约，但合众国政府却使用武力执行这项法规，于是发生动乱。在东南部地区，5个开化部族(奇卡索、乔克托、塞米诺尔、切罗基和克里克)拒绝用他们的农田换取关于印第安准州中的所谓永久地产权的诺言。在19世纪30年代，约有10万部族人在合众国政府的军事胁迫下西迁，25%的印第安人，其中许多人戴着手铐，死于途中。切罗基人于1838～1839年西迁所走之路，世称“切罗基人眼泪之路”(参阅 **Cherokee**)。佛罗里达的印第安人尤其不愿离开故土，1835～1842年进行第二次塞米诺尔战争，奋战7年，反对迁居。

Indian Reorganization Act 《印第安人重新组织法》(1934-06-18) 又称《惠勒-霍华德法》。美国国会采取的旨在减少联邦对印第安人事务的控制，加强印第安人自治和责任的法令。为报答印第安人在第一次世界大战中为国家所作的贡献，国会于1924年决定建立梅里安调查委员会，调查保留地的生活状况。1928年提出了调查报告。报告列举的根据《道斯分配土地法》(1887)形成的令人触目惊心的生活条件激起了改革的要求。该法令吸收了报告书中的许多改革建议，决定不再进一步分配部落土地，并把剩余的土地返回给部落而不作为宅地。法令还支持把印第安人管理自己事务的权利写入宪法，批准建立一项循环贷款计划，用于购置部落土地、支持教育和部落组织。法令曾长期是关于印第安人事务联邦立法的基础。20世纪60年代和70年代关于进一步把保留地事务的行政责任转交印第安人(联邦政府继续提供财政支持)的做法，强化了该法的基本目的。

Indian sculpture 印度雕刻 印度次大陆诸文明的雕刻传统、形式和风格。印度次大陆喜欢用雕刻作为艺术表达的手段。印度的建筑物有大量的雕刻装饰，实际上往往与雕刻是不可分离的。印度雕刻的主题几乎一律是抽象化了的人形，用以向芸芸众生晓喻印度教、佛教或耆那教的教义。裸体雕刻既用于表现作为精神象征的躯体，也用于揭示想象中的神的形象。印度雕刻几乎完全压抑个性，这是因为他们所构思的形象要比在人类个体的仅仅昙花一现的外形中所能寻求的任何形态都更加完美无缺。印度教诸神被雕刻成多头多臂，是出于认为必须表现出这些神的权力具有多方面的功能。印度雕刻的传统可追溯至公元前2500～前1800年的印度河流域文明，当时制作了小的赤陶人像。孔雀帝国时期(公元前3世纪)有巨大的圆形石柱和雕刻的狮子；到公元前2至前1世纪，印度的象征性雕刻已经成熟，完全确定了印度教和佛教的主题。在随后的若干世纪里，印度各地纷纷兴起各种各样的风格和传统。但是到了公元9～10世纪期间，印度雕刻发展成一种长久固定的形式，迄今无大变化。识别这种雕刻，不是造型体积和丰满度的感觉，而是它的线条特征，形象的设计立足于它的轮廓，而形象本身则优美、纤细、四肢柔和。从10世纪起，这种雕刻主要用作建筑装饰的一部分，并为此目的制作大量的一般质量的较小人像。

Indian Shaker Church 印第安震颤派教会 美国西北部印第安人中间带有强烈基督教色彩的先知崇拜组织；与安·李所发起的震颤派没有关联。1881年美国华盛顿州奥林匹亚附近斯卡克松族伐木工人、天主教徒约翰·斯洛克姆声称曾魂游天堂，奉上帝旨意宣讲人生新道。次年其妻玛丽患阵发性寒战，据说是圣灵在作用，以免约翰患更严重的疾病。夫妇二人创建震颤派教会，采用震颤和舞蹈等宗教仪式改良和取代了印第安人传统的治病法。该会起初曾受迫害，1907年俄勒冈州、1910年华盛顿州、1932年加利福尼亚州先后承认该会为合法团体，不再迫害。20世纪后期该派20多处教会联合组成松散的协会，拥有约2 000信徒。

Indian summer 印第安夏 美国中部和东部在10月末或11月天气干燥、异常温暖的时期。这个名词源出新英格兰，也许因为印第安人在此期间搜集冬季贮存品的活动。这个秋暖期也出现在欧洲，在英国称为万圣夏(All-hallown Summer)或老婆子夏(Old Wives' summer)。有些年内出现几次印第安夏，而在另一些年内完全没有。它往往持续一周以上。夜间寒凉，可能有霜；白天有阴霾和轻风。少云使白天日益温暖。在美国，当浅薄的极地冷气团停滞下来，变成深厚的暖高压系统时，便出现印第安夏。在这种高气压中心低空出现强烈的逆温，从而产生稳定层结。结果，阻挡空气垂直运动，使烟尘集中在地面附近而形成阴霾。

Indian Territory 印第安准州 原指密西西比河以西除密苏里和路易斯安那两州或阿肯色准州以外的全部土地，不久即缩小到今俄克拉何马州，但狭长地带和格里尔县除外。1830～1843年，乔克托、克里克、塞米诺尔、切罗基和奇卡索等部落被强制迁居至此。1834年6月30日通过的法案划定为印第安人的居住地(后称印第安准州)。1866年印第安准州的西半部并入合众国，合众国政府于1889年向白人开放这一地区。1890年这一部分土地称为俄克拉何马准州。1907年印第安准州与俄克拉何马准州合并，改为俄克拉何马州。

Indian tobacco (species *Lobelia inflata*) **印第安烟草** 即膨果半边莲。半边莲科一年生植物。原产于北美，见于开阔林地。植株(尤其是根部)含催吐性生物碱，曾药用，现认为有毒。花穗多叶，高约1米，花小，自下而上开放，淡蓝色，两侧对称。成熟时果实膨胀，呈卵形。基生叶有齿，广椭圆形，茎生叶狭窄。在一些地区是草场杂草。

印第安烟草(*Lobelia inflata*)
美国不列颠百科全书公司供图

Indiana 印第安纳 印第安纳虽然正式划为美国中北部偏东的一州，但大概是所有北部诸州中最具有南方特点的一州。这主要反映出该地区的早期移民来自南部山地，他们给当地带来了奴隶制及对联邦政府的强烈不信任感。印第安纳94 309平方千米的面积使它成为除夏威夷以外，阿巴拉契亚山脉以西最小的州。首府自1825年起设在印第安纳波利斯，比印第安纳于1816年12月11日被接纳为联邦第19州晚9年。该州名称通常认为有“印第安人家园”之意。

印第安纳的制造业十分发达；其北半部位于从宾夕法尼亚州和纽约州至伊利诺伊州的工业地带的主要地段。然而，该州的许多人仍然珍视源于19世纪的美国人形象：主要以白种人为主，献身于新教徒的严肃道德观和勤奋、趋向于小镇和中等城市以及热衷于维护本地区的自决权。并非巧合的是，印第安纳州的联邦援助按人口计算是全美最低的一州，而印第安纳人的绰号“山地人”仍然是美国口头传说中的一种象征，代表着纯朴的智慧、机智及友善，这一般被看作是属于一个从容不迫和较少世故的历史时期。

印第安纳州正如它的铭文中所说的那样，位于“美国的十字路口”，该州北接密歇根湖和密歇根州，东连俄亥俄州，南邻肯塔基州，西与伊利诺伊州交界，是中西部的结合部。该州的西北部各城市同邻近的芝加哥构成了一个工业、经济和社会的连续统一体。这里的大量黑人居民和黑人的政治抱负同俄亥俄河边各城镇的生活形成强烈反差。该州既是北方的又是黑人的，既是南方的又是白人居统治地位的，存在着这两者所伴随的一切问题。虽然一般认为这里是保守派和共和党人的堡垒，但印第安纳州在州和全国的选举中选出了几乎相同数目的自由派和民主党人。

自然地理和人文地理

土地 *地形和水系* 印第安纳州是中东部低地区的一部分，地势从阿巴拉契亚山脉向密西西比河倾斜。全州约有5/6的面积受过冰河运动的影响，留下了大量沃土和大面积的砂地和砾石。该州南部受侵蚀较严重，成为中部平原的一部分，这是一个非常肥沃的农业带，有许多大型农场，印第安纳北部大部分是平坦的冰湖盆地和冰碛地带。境内最高点在东部沿俄亥俄州边界附近，海拔383米，最低点在西南部沃巴什河与俄亥俄河汇合处，海拔98米。全境90%的面积海拔在150～300米之间。

印第安纳沙丘州立公园内密歇根湖南岸景色，右上角的浓烟来自加里炼钢厂

美国不列颠百科全书公司供图

整个地势和水系大体向西南倾斜，但在东北部一个几乎不易察觉的地隆形成了圣劳伦斯-密西西比分水岭。沃巴什河、俄亥俄河以及怀特河的东西两条支流顺势而下，构成密西西比河流域的一部分。北部的圣约瑟夫河蜿蜒流入密歇根湖，东部的莫米河流向东北方的伊利湖。该州北半部小湖泊星罗棋布，其中也包括全州最大的几个湖泊。几乎全部森林地带均为商业部门所拥有。密歇根湖边的许多沙丘在该州地形中十分令人注目，其中绝大部分沙丘由于工业和建造私人住宅已被从公共场地搬走。这种情况随着1972年印第安纳国家沙丘湖滨区的开辟而在某种程度上有所改善。中南部布朗县附近地区是该州风景最秀丽的地方。

气候 该州气候温和，四季分明，通常无严寒酷暑。1月平均气温从杰斐逊维尔（位于俄亥俄河旁）的约3°C到北部南本德的-4°C不等。7月上述两地的平均气温从约26°C至23°C。年平均降水量中南部为1 120毫米，北部为890毫米。一年中的降雪期有时超过6个月，年平均降雪量在560毫米以上，北部州界诸城镇的降雪量经常超过2 800毫米。印第安纳西北部的气候，受密歇根湖的影响很大。冷空气经过较温暖的湖面上空时，在秋冬两季造成大量降水，尤其是冬季降雪量较之该州其他地区多数倍。此外，由于这个“湖泊作用”的结果，日平均温度秋季较暖，春季较凉爽。在印第安纳州，秋季大概是最美好的季节，槭树、栎树、郁金香树（黄杨树）以及其他各种各样的树木将秋季装扮得五颜六色，十分好看；而春季则没有什么规律，也不稳定。春季还是龙卷风时常出现的季节。印第安纳州地处中西部诸州经常发生这类剧烈风暴的地带。

动植物 印第安纳是美国中北部偏东地区在树木、飞禽和小型可捕猎动物的种类方面有代表性的一州，像相邻的各州一样，随着岁月的流逝，该州上述动植物的数量和种类也大为减少，包括许多一度在沙丘地带常见的动物。农业、城市区和工业的稳步发展以及由此造成的污染使野生动植物不断减少。空气和水污染在密歇根湖的南端一带最为严重。

住区模式 印第安纳的3个主要地区按自然地理划分为：以工业和蔬菜农场为主的北部区；富饶的中部平原区；为森林覆盖和有岩洞及石灰石矿场的广大南部地区。

每天夜晚，印第安纳州西北部地区的天空便被炼钢炉喷出的火焰照亮；而在白天，像加里和哈蒙德等市的上空则因烟雾和空中工业废气的遮盖变得昏暗不清。由于自从20世纪初以来，这里严重的空气污染、内陆和湖水受到的损害以及工业对沙丘和其他滨湖地区的不断侵蚀，这一地区一直是环境保护主义者的国内目标。南部的沃巴什河流域是肥沃的农田，多半是经过排水和砍掉沼泽地上面的灌木改造而成。东部的南本德是重要的制造业城市和著名教育中心。州的东北部主要为林区和牧场，虽然也有埃尔克哈特和韦恩堡这样的大工业城市。

印第安纳波利斯是仿照法国的凡尔赛和美国首都华盛顿设计的一座城市，它控制着中央平原。这是一个有着强烈保守情绪的城市，该市的发展主要是通过乡村地区的移民和地区合并。印第安纳波利斯作为一个铁路和公路枢纽，成为周围农业带产品的包装和发送中心，同时也是一个重要的工业城市。

工业和铁路的出现，结束了印第安纳南部早期以俄亥俄河和沃巴什河航运为基础的优势地位。该地区的主要城市埃文斯维尔也为邻近的肯塔基州和伊利诺伊州的一些地区服务，在它和北部的特雷霍特之间是该州大部分油田和煤矿的分布区。一些典型的南北战争以前的建筑坐落在河边的城镇上。拓荒者从肯塔基前往西部大草原时走过的一条旧野牛小路，从新奥尔巴尼以及肯塔基州的路易斯维尔越过俄亥俄河，通向温森斯市的沃巴什河。布卢明顿往南是宽阔的石灰石带，下面是许多岩洞，这使该州成为美国主要的石灰石产地。布朗县仍是主要的森林地区，小木屋遍布于山边的农场。

人民 山地人绝大多数是白人，即父母和他们自己都是在美国出生的美国人，其祖辈最早来自英格兰、苏格兰、爱尔兰和德国。属于少数民族的人大多集中在大都市区。黑人占加里人口的70%、东芝加哥人口的30%、印第安纳波利斯人口的20%以上。祖籍波兰的公民是南本德最大的白人种族集团，同在这一地区的还有匈牙利人、比利时人、意大利人及墨西哥人，他们的人数在整个美国北部地区占有很大比例。该州缺乏种族和语言上的相互融合，这也有助于说明山地人地方观念顽强存在的原因。

印第安纳州2/3以上人口是新教徒（他们是一个有组织的宗派的一部分），这个数字大大高于全国的平均数。天主教徒在印第安纳北部人口中有相当大的比例，他们大部分集中于城市，大多是欧洲大陆人和爱尔兰人，特别是在南本德市。犹太人在全州人口中只占很小比例，而且几乎全部住在城市中心。在东北部有一小群阿曼派信徒居住在米德尔伯里、纳帕里和戈申及周围地区。他们在纳帕里的阿曼派土地上经营一个模范农场。门诺派信徒也居住在这一地区，在戈申建有一所学院。

该州约2/3的人口居住在城市区。1/5以上的人口居住在印第安纳波利斯大都市区，在加里-哈蒙德-东芝加哥综合区居民的人数也很多。美国离开中心城市迁往郊区居住的潮流在该州普遍发生过，例如在南本德居民逐渐减少的同时，其周边各县的人口却明显增加了。人口减少的县市大部分位于南部。人口6 080 485(2000)。

经济 印第安纳州的经济主要集中在3个部门：制造业、服务业和零售业。制造业约占该州全部工作岗位的1/3、全部个人收入的40%。劳动力和生产所需的原料充足以及该州得天独厚的地理位置和发达的州际高速公路，均促进了印第安纳州制造业的发展。然而，高度工业化却使该州经济易受经济衰退的影响。

美国铁路工会，美国的第1个工业工会（有别于行业工会），于1893年由E.德布兹在特雷霍特建立，德布兹曾5次作为社会党的总统候选人参加竞选。次年，该工会组织的普尔曼罢工事件遭到联邦军队的干预，德布兹因此受到监禁。之后，印第安纳州发生了劳工纠纷，特别是在钢铁工业中。但总体说来，公司、政府和工人都在维护一种对工业有吸引力的气氛。

资源 印第安纳州是美国建筑石料的主要产地，采石场位于贝都福-布鲁明地区。产自西南部的烟煤是该州供热和发电的主要能源。该州的天然气需要通过管道从外州输入，而在19世纪80年代期间，印第安纳的“天然气带”从该州中部向南延伸至俄亥俄河，一度成为世界最大的天然气产地。州政府曾为保存天然气资源做过一些努力，然而到1898年，该项资源的储量实际上已经枯竭。印第安纳-密歇根电力公司在密歇根州西南部建造的核电站于1975年开始发电。

农业 农业、林业和渔业雇用的劳动力共计约占劳动力总量的3%。技术的进步意味着尽管农场数目和土地面积在减少，而产量却会增加。按农业市场取得的现金收入计算，印第安纳州居全国的前列。农作物主要有玉米、大豆、小麦，蔬菜主要有番茄。猪是数量最多的家畜，牛、羊、家禽也很重要。

工业 自19世纪50年代起，以钢铁工业为主体的制造业逐渐成为该州主要的收入来源。埃尔克哈特以生产乐器享有盛名，韦恩堡生产的钻石研磨工具占世界产量的很大比例。总体说来，印第安纳州的制造业位居全国前10名之列。

运输 印第安纳州在征收公路通行费的标志中称该州为“中西部通衢”，这或许是对它在州际运输（公路、水路、航空、铁路）方面的地位所作的公正评价。连接印第安纳波利斯市的公路比美国国内其他任何城市都要多，全国最大的几家运输公司都将其总部设在该市。

市、县、州和联邦政府均负有建设和保养公路的责任。县和州的公路部门经常受到酬庸制度的困扰，由于这项制度政府换届时会有许多人事变动，导致管理工作的不稳定。然而，印第安纳州每平方千米的公路长度在全国仍位居前列，而且农村地区的道路也几乎全部铺上了路面。虽然公路建设有时过于追求进度而忽视了质量，但实际上州内所有的旅客和许多商品的运输都是通过公路。印第安纳州有一个比较密集的铁路网。从芝加哥和圣路易斯往东的所有铁路均经过该州。可是也和其他州一样，全国铁路客运公司系统自1971年开始运营后，大大缩减了客运服务。该州各主要城市均有商业空运服务，州内建有300多个公共和私人机场。

俄亥俄河连接印第安纳州和密西西比河水系，其所载运的低运费货物比巴拿马运河所载运的还要多。印第安纳港湾位于加里以东16千米处的密歇根湖，是靠人工建成，1970年启用，该港湾借助圣劳伦斯航道将印第安纳州同世界商业联系起来。

行政与社会状况 *政府* 印第安纳州的行政、立法和司法机构，除了几点显著的不同之外，均与其他各州相似。州长由选举产生，4年为一任期，12年内任期不得超过两届。因此，在州政府执政的后两年州长对州议会的影响往往变弱。州长对立法机关审议的事项享有否决权，但两院可以通过简单多数票使否决无效。州长的权力主要是任命和撤换几乎所有部门、委员会和公共管理机构的主管。有数千个职位会受到酬庸制度的影响。

两院制的州议会包括50名参议员（任期4年）和100名众议员（任期2年）。他们可以连选连任，但中途不干者大有人在。1970年选民投票通过了两院的年度会期。州宪法要求立法机构根据每6年统计一次的人口重新分配议员名额。可是，这项法律在1923～1963年间一直没有受到重视，在此期间，乡村地区所施加的影响与当地不断下降的人口远远不成比例。在美国最高法院的压力之下，该州终于在1965年根据“一人一票”原则重新分配了名额。

司法系统的最高机构为州最高法院，由5名法官组成，他们是由州长和司法提名委员会在审查程序完成以后任命的。一位新法官任职两年后，如继续获得留任，可再任职10年。上诉法院由3个地区法院组成，每个地区法院有3位上诉法官和第4位全州选举产生的法官。该州还设有巡回法院、高级法院、市法院和县法院。

该州地方政府的4种主要类型分别是：县、镇、自治市和学区。镇政府可以行使学区和镇的双重职能，但如今，这两种职能的重要性已大大降低；福利事业现在是镇的基本职责。县政府兼有行政权和立法权，而县议会几乎只关心财政事务。市选民选举市长和市议会。1969年印第安纳波利斯同马里恩县合并。

印第安纳是两党制的州，自19世纪最后的25年以来，共和党人就一直占微弱优势，特别是对州政府和议会的控制及总统的选举。选举结果表明全州大约有1/3的县赞成共和党人，1/3的县赞成民主党人，另有1/3的县没有明确表态。1988年印第安纳州选举出该州20年中的第一位民主党州长。

就全国范围来说，该州可以宣称出过一位总统——B.哈里森（W.H.哈里森之孙）——和5位副总统。1940年印第安纳州的本地人W.L.威尔基成为共和党的总统候选人。

教育 该州教育系统由教育委员会和一个负责公共教育的主管领导。印第安纳在全国属于学生人均支出费用较少的一州，尽管它将总收入的1/3花费在教育上。该州有良好的初级和中级教育系统，但这些并不被认为是创新精神或出色的成绩。

然而，印第安纳州在高等教育领域却取得了显著的成就。该州3所主要大学分别是位于布卢明顿的印第安纳大学、位于西拉斐特的珀杜大学和南本德附近的圣母大学。印第安纳大学创建于1820年，因在英语、外语、生物学、医学、法律等领域的教学工作而闻名全美国，它的大学出版物也是全国最出色的之一，尤其是在艺术书籍方面。该大学的音乐学院世界闻名，其排演的一部分节目每年都被歌剧院搬上舞台。珀杜大学作为赠地学院建于1869年，现在是全国著名的工程和农业学院之一。

圣母大学始建于1842年，是众所周知的美国最重要的天主教大学。这所大学有10多个系招收研究生，其师资已被承认具有国家水平，从而有助于克服该校只注重体育运动的形象。圣母大学最初只是一所男子学校，1972年开始从同样位于南本德附近的圣玛丽学院中招收女生。

保健和福利 印第安纳州人总体上对支持公共福利事业的计划并不十分热心。印第安纳是美国比较富裕的州之一，但它却没有将该州的财富用于公共计划。例如，直到20世纪70年代，印第安纳的每周平均失业救济金才刚刚超过全国平均水平。

同美国其他各州相比，印第安纳州的人均公共福利资金投入明显不足。该州将总收入的不到10%用于福利事业，而在保健和医院上的投入也仅为10%左右。印第安纳州每1 000人中接受一般援助的人数大大低于全国平均数。对联邦各种计划的不信任已妨碍最大限度地利用可以得到的援助，因而使得州和地方政府须继续征税，这就造成了老人、工薪阶层、工人及中下层人士的很大负担。该州在公共福利计划的资金筹措上所面临的这个问题，既是观念上的，也是财政上的。

文化生活 在印第安纳州的大多数主要城市，甚至某些小镇中，美术创作相当繁荣。印第安纳波利斯交响乐团在全国的交响乐团中占有一席之地，该市引以为豪的还有印第安纳波利斯艺术博物馆和全国历史最悠久并从未中断过演出的市剧院。南本德和韦恩堡也有交响乐团，而美国最有名的艺术家聚居地之一就在布朗县的中心纳什维尔。

对美国通俗文学有一定贡献的印第安纳州人包括诗人J.W.赖利，小说家B.塔金顿、L.华莱士和K.冯内古特，讽刺作家G.艾德以及第二次世界大战的战地记者E.派尔。国内一些最流行的歌曲的作者为该州的H.卡迈克尔（《星尘》）、C.波特（《跳起比津舞》）、J.R.鲁宾逊（《玛吉》）、A.V.蒂泽尔（《带我去打球》）和小说家T.德莱塞的兄弟P.德莱塞（《在遥远的沃巴什河岸上》）。印第安纳州最著名的喜剧作家包括H.施伦纳和R.斯克尔顿。

几乎每个成年人都要参加“山地人的歇斯底里”活动，即该州一年一度的高中篮球锦标赛。圣母大学以高水平的美式足球运动而闻名，每年都要同珀杜大学和印第安纳大学举行校际比赛，为该州居民提供出色的体育竞技表演。印第安纳大学现已成为篮球运动和一些世界著名游泳运动员所向往的“圣地”。印第安纳波利斯以每年在阵亡将士纪念日举行的汽车越野赛而闻名世界。第一次比赛于1911年举行，当时该城还只是一个汽车制造中心。每年5月都在忙于为这场赛事做准备，同时举行的还有职业高尔夫球赛及一些其他活动。印第安纳波利斯还是职业橄榄球青年队的大本营，每年一次的美国土地网球锦标赛的举办地,吸引了许多世界高手前去参加。1987年,它成为美国第2个举办泛美运动会的城市。

喜欢户外活动的印第安纳州人爱去州立公园和林区以及水库、自然保护区和有野生动物出没的地方。印第安纳州有许多博物馆和历史遗迹,包括L.科芬的住所(为喷泉城地铁的一站)和白水运河(位于梅塔莫拉,有暗渠)。

历史

史前时期和探险活动 考古学家在俄亥俄河畔靠近埃斯维尔的一个考古发掘地安琪尔丘岗,发现了当地早期居民的遗址。早期历史记录证实,阿尔冈昆印第安人曾将该地区各部落组成迈阿密联盟,这是为保卫这片土地不受怀有敌意的易洛魁人的侵犯而建立的。其他重要的印第安部落有波塔瓦托米人和德拉瓦人。17世纪法国人同易洛魁人签订数项协议,允许他们同迈阿密联盟通商。

1679年,莎莱勋爵卡维里尔从密歇根乘小船来到圣约瑟夫河。在南方,来自南北卡罗来纳和宾夕法尼亚的商人居住在俄亥俄河和沃巴什河岸边,对法国商人构成了威胁,因为他们认为这一地带是连接加拿大和路易斯安纳的必经之地。为保护通往密西西比河的道路,法国人于1704年修建了迈阿密堡;1719年在今拉斐特附近修建了奎塔农堡;1732年又修建了温森斯堡——阿巴拉契亚山脉以西的首批永久性白人聚集地之一。

1763年,该地区(部分地方后来成为西北地区的一部分)割让给了英国,英国禁止该地继续作为白人安置区。这项禁令并没有受到严格遵守,到1774年,英国国会将这片土地并入魁北克省。美国独立战争期间,弗吉尼亚、康涅狄格和马萨诸塞州均对这片土地提出领土要求,1779年G.R.克拉克带领他的军队从卡斯卡斯基亚出其不意地赶到温森斯,夺取了该地区。

准州时期 1783年根据《巴黎协定》,西北地区被割让给美国,从而结束了这场战争。1784年美国的第1个殖民地在该州南部的克拉克维尔建立。印第安人和白人之间的战争一直不断,直到1794年A.韦恩将军在福伦廷伯斯附近(今俄亥俄-印第安纳州界附近)的一场战斗中打败印第安人,印第安人被迫让出了他们的土地。1800年以后,大批白人移民从南部各州进入这一地区,印第安人再次起来反抗。1811年,双方最后一次重要的遭遇战——蒂珀卡努战役——在拉斐特附近爆发,W.H.哈里森将军成为这场战役的胜利者。1820～1840年间,印第安人的主要部落纷纷离开这一地区。创建西北地区的1787年法令禁止买卖奴隶,但并未废除已经存在的奴隶制,1800年该区至少还有175名奴隶。由于印第安人不再抵抗,移民安置工作加快,1816年建州。地区首府科里登成为第一个州府。

建州时期 随着移民不断从该州南部向北扩展,乡村生活和地方自治的模式在19世纪上半叶也建立起来。西南部沃巴什河畔的乌托邦社区新哈莫尼是1815年由G.拉普所建,1825年由R.欧文接管。1801年第一所学院建于温森斯,1820年创立了印第安纳大学。1834年,一辆由马在铁轨上牵引的单车抵达谢尔比维尔。1851年的宪法(现仍是州政府运作的基本准则)在当时几乎不允许该州借债,增强了地方政府的权力并建立了靠税收支持的公共学校系统。宪法第13条禁止黑人进入州内,但此项内容在1866年被美国最高法院以与是年的联邦《民权法案》相抵触而否决。1850～1900年间是该州农业和工业的发展期。南北战争促进了工业化的发展,该州北部成为一个主要的工业区。1906年建立了钢铁工业城市加里,这里地处明尼苏达州梅萨比岭的铁矿和南印第安纳及伊利诺伊的煤矿的中间地段,随后南本德的汽车制造业又有了很大发展,印第安纳州从一个农业州变成了一个工业基地。可是,构成1851年宪法基础的孤立、独立及杰斐逊和杰克逊的民主精神,依旧给该州留下了它们的印记。这部宪法起草时,该州的经济和交通还很落后,从城镇到乡村要花费数天时间,而不是几小时和几分钟。直到1970年,一年一次,而不是两年一次的立法会议才予以通过。这部宪法的其他特点仍是有效管理20世纪社会和政治问题的障碍,而且地方主义观念依然根深蒂固。

Indiana Dunes 印第安纳沙丘 美国密歇根湖南岸的州立公园和国家湖滨区,位于印第安纳州北部。州立公园建于1923年,1926年开放。面积8.8平方千米。内有湖岸地带、沼泽、沙丘、树林,还有5千米的白沙滩。有宿营、野餐、钓鱼和徒步旅行设施。公园东端有著名的"大卷风"奇观:树林被湖风形成的沙丘所覆盖,形成一片"树林墓地"。移动性沙丘有的高达60米。为防止沙丘被工业化侵占,1966年专门设立了国家印第安纳沙丘湖滨区,使34平方千米的沙丘和湿地得到保护。湖滨区在候鸟迁徙路线上,三面围绕州立公园。区内有湖滩、高丘、洼地、多林木深谷及沙丘之间的潟湖和沼泽地。冰川时期遗留下的沼泽为该地所特有。沙丘中各种气候类型的植物无不应有尽有。经过护园队的努力,到20世纪80年代,沙丘面积进一步扩大,总面积达62平方千米。

Indianapolis 印第安纳波利斯 美国印第安纳州首府、城市和马里恩县县城(1822)。靠近州的中部,濒临怀特河。1821年建立,1825年正式成为州首府,1847年设市。市区面积966平方千米。坎伯兰公路(1827)和铁路的修通促进了该市的发展。19世纪80年代开始,肉类加工业和金属加工业成为主要工业,后者促使汽车制造业发展为该市主要经济。1911年,首次500英里汽车赛在市郊汽车跑道上进行,当地生产的"玛蒙"汽车名列第一。此后,每年在纪念日举行的印第安纳波利斯500英里汽车赛成为著名的国际性赛会,观众多达30万人。在19世纪末期该市还是劳工组织的聚集中心,许多有影响的行业工会的总部设在该市。印第安纳波利斯地处公路、铁路和空运的中心,是世界上人口最稠密而处于不通航水域的城市之一。该市陆空交通便利并处于玉米带的中部,加以邻近大煤田和消费市场,因而成为重要的商业、金融和工业中心。主要工业产品有药品、化学产品、塑料制品、机械、木材、纸张、运输与电器设备。该市还是一个主要的谷物交易市

印第安纳波利斯市的士兵和水手纪念碑
印第安纳州商业厅供图

场。作为主要的教育和文化中心,当地设有巴特勒大学等近10所高等院校。市内有世界大战纪念广场、陆海军士兵纪念碑、美国军团全国总部大楼、市交响乐团总部所在的环形剧院、表演艺术中心克洛斯纪念厅、现代化会议-展览中心、美术馆、州议会厅和州交易会址。以B.哈里森总统名字命名的要塞和这位总统的故居分别在市东北和市内。1970年实行单一的市-县都会区行政管理体系。人口:市738 907;都会统计区1 536 665(1999)。

Indianapolis 500 印第安纳波利斯五百英里赛 别称Indy 500。美国汽车赛。1911年以

1971年的印第安纳波利斯五百英里赛
美国不列颠百科全书公司供图

来每年举行(战争时期的 1917 ～ 1918 年及 1942 ～ 1945 年除外),原来日期在阵亡将士纪念日(5 月 30 日),后来在这个节日之前的星期六或星期日,地点在印地安纳州印地安纳波利斯汽车跑道。跑道于 1909 年设计,在举行首次比赛前路面铺了砖。1935 年和 1962 年铺上沥青,但留下有历史意义的 91 厘米砖路。4 023 千米跑道有 2 段 1 006 米直道,2 段 402 米直道和 4 段 1/4 英里倾科弯道。从 1912 年起(1931 ～ 1933 除外),经 4 圈预赛用时最短的 33 辆车进入下一轮,每 3 辆一组并排起跑。早期比赛中欧洲车和车手成绩优异。第二次世界大战后,汽车变得更加高度专门化。到 80 年代该比赛奖额高达 150 万美元以上。1956 年以前,该比赛受美国汽车协会约束。1956 年～ 1997 年,由美国汽车俱乐部支持。与其相竞争的车队锦标赛(CART,卡特车赛)开始于 1979。到 90 年代中期,卡特车赛替代美国汽车俱乐部成为印第赛车比赛的领导力量。1996 年,赛道所有者托尼·乔治成立印第赛车联盟(IRL)对抗卡特车赛的影响力。1997 年以来,一直由印度赛车联盟监督五百英里赛。

Indianista novel　印第安主义小说　19 世纪巴西文学的一种体裁。它把南美洲印第安人的简朴生活予以理想化。印第安主义小说的情调是一种柔弱的思绪和一种深沉的忧郁以及葡萄牙和巴西文学特有的对自然的崇敬。从 18 世纪末期起,印第安人开始作为小说人物在巴西文学中出现。但是直到 19 世纪,J. 德·阿伦卡尔的两部著名小说《瓜拉尼人》(1857)和《伊拉塞玛》(1865)出现,才使巴西的印第安主义小说得以流行。

Indianola　印第安诺拉　美国艾奥瓦州中南部沃伦县城市。位于得梅因南 27 千米处。1849 年建为县城。1863 年建市。有饲料加工和多种制造业(包括农业用品、塑料、汽车配件和光学设备)。有辛普森学院和州立阿夸比湖公园。每年 8 月举行全国热气球锦标赛。人口 12 865(1999)。

Indias, Casa de las (Spanish trading house) **印度署**　参阅 **Contratación, Casa de** *贸易署*。

Indias Occidentales　参阅 **West Indies** *西印度群岛*。

Indic geographic race　印度地理人种　Indic 又作 Hindu。居住在印度次大陆的一个居民集团(包括诸地域人种及少数人种)。印度诸民族按体型论:居住在北部和西部的民族与欧洲人(高加索人种)相似,居住在南部的民族(即所谓吠陀诸民族)与澳大利亚原居民(澳大利亚人种)相似。由于长时期实行近亲通婚,印度某些社会种姓与宗教种姓可以看作是地域人种。印度诸民族的特征是:皮肤色素沉着中等程度乃至浓重;直发或波型发;身材细长(纤细,瘦削);骨密度低;B 型(ABO 血型系统)血型出现率高,Rh 阴性血型(Rh 血型系统)出现率低。印度诸民族大多数外表上像欧洲人,而血型上却与其东邻蒙古人种相似。

Indic languages　印度语支　参阅 **Indo-Aryan languages** *印度-雅利安诸语言*。

Indic local race　印度地域人种　又称雅利安地域人种,是印度地理人种的一个亚群,在遗传上大致相当于一个繁殖种群,主要由印度北部和中部操印-欧语系语言的居民组成。其主要体征是:肤色由淡褐至深褐色;中等身材;直发或波型发,通常是黑色;窄鼻,多呈鹰钩形;双眉紧蹙。这个居民集团的上层种姓在文化选择上倾向于皮肤较白和更近似于高加索人种的诸特征。参阅 **local race**。

Indic writing systems　印度诸文字体系　包括古印度佉卢音节文字和婆罗米半拼音文字在内的文字体系。没有任何文字体系是从佉卢文字发展而来的,但婆罗米文字则被认为是印度、中国西藏地区、东南亚和印度尼西亚所有文字的祖先(某些当地文字体系已被拉丁字母、阿拉伯字母或汉字所取代的地区除外)。婆罗米文字的北方形式发展为笈多体文字,笈多文字派生出藏文及和田文字体系(和田文字也受过佉卢文字的影响)。藏文又派生出锡金土著居民雷布查人的文字体系以及八思巴文字体系,而八思巴文曾一度在中国元朝(1279 ～ 1368)的内廷使用。婆罗米文字的南方形式发展为格兰塔字母,又由格兰塔字母衍生出印度南部的达罗毗荼诸语言的文字体系(例如泰米尔语、马拉雅拉姆语、泰卢固语和坎纳达语);另外锡兰的僧伽罗语,东南亚的高棉语和孟语,印度尼西亚的加维语(古爪哇语),其文字体系也都是由格兰塔字母发展而来的。学术界认为:泰语的文字体系是从高棉语文字体系派生而来,缅甸语和老挝语文字体系是从孟语文字体系派生而来,而印度尼西亚的布吉语和巴塔克语文字体系则是从加维语文字体系派生而来的;除老挝族和掸族之外,操傣语诸方言的人所用文字是从缅甸语文字体系派生而来的;原来居住在越南南方操奥斯特罗尼西亚语(马来-波利尼西亚语)的民族所留下的古占语铭文,也使用一种源于南印度的文字。参阅 **Brāhmī; Grantha alphabet; Gupta script; Kharoṣṭī**。

indicator (economics) **指标**　参阅 **economic indicator** *经济指标*。

indicator species　指示种　可作为该地点环境条件的指标的生物(通常是微生物或植物),例如,肉叶刺茎藜指示盐土,苔藓常指示酸土,颤蚓指示不宜于饮用的贫氧死水。在某个地区存在某些植物种可以提供引入其他物种是否能良好生长的信息。

Indicopleustes (ancient geographer) **因第科普劳斯提斯**　参阅 **Cosmas** *科斯马斯*。

indiction　十五年历　古罗马的财政年度。公元 3 世纪的通货膨胀期间,帝国政府曾通过发出食物、布匹订单或强制购买以供应宫廷和军队雇员。这种诏示属非常行为,不平等,往往具有压制性。戴克里先时期的改革措施规定基于土地和人口的统计数字进行一年一度的税额估计。财政年度制即由此而来。由 9 月 1 日起算,每 15 年为一循环。8 世纪晚期查理曼采用十五年历后,这一历法传入法国。16 世纪以后不再使用该历法,但在某些历书中仍然出现。

indictment　起诉书　在美国(和直到最近为止在英国),指正式的书面控告状,由大陪审团批准并提交法院,以便对被告人进行审判。英国现行法律规定,当治安法官把被告人提交审判时,必须提出一份起诉书。起诉书必须确认法院对该案的管辖权,并向被告人充分说明他被指控的理由,使法院能在定罪时作出判决和防止对同一罪行第二次起诉。现代英国的起诉书由 3 部分组成:序文、罪行说明和罪行细节。在同一起诉书中可以列举任何数目的重罪和轻罪。在美国,《联邦刑事诉讼规则》(1946)规定,起诉书"应当是通俗、简明、精确地说明构成所指控的罪行的基本事实的书面文件"。序文和结论不要求有规定的格式。在美国,和在英国一样,起诉书可以包括几条罪状,每条罪状必须说明一项单独的罪行。几条罪状也可以说明同一罪行的不同方面,但说明不同罪行的几条罪状可以综合在同一起诉书内。如果指控的罪行被认为是由一个以上的人实施的,可以根据同一起诉书对所有被指控的人进行审判。在英国罪行被划分为应起诉的和可以简易审判的。应起诉的罪行包括叛逆罪、重罪和某些轻罪。根据现代英国的法律,某些规定为简易审判的罪行也可以通过起诉审判,如果该项罪行的法定刑是监禁 3 个月以上的话。在美国,起诉书只是指控罪行的 3 种主要方法之一,另外两种是告发书和被害人或警官对轻微罪行的指控。在美国,对于是否可以或必须通过起诉书对被告进行审判有不同的意见。宪法第 5 修正案规定"死罪或丧失名誉罪"根据大陪审团提出的起诉书进行审判。有些州(但不是所有的州)准许被告放弃由起诉书审判的权利。19 世纪初,许多州废除了大陪审团,规定所有的罪行都由告发书指控。

Indies, Council of the　西印度事务院　西班牙在美洲殖民地的最高行政机构(1524 ～ 1834)。由国王任命的 6 ～ 10 名委员组成。这个事务院以国王名义制订和颁发管理殖民地的一切法规,批准一切重要的条例和殖民官员的开支,并且成为各殖民地法庭关于民事诉讼案件的最终裁决机构。到 18 世纪,它已大大失去其重要性。

Indies, Laws of the　《西印度法》　16、17、18 世纪西班牙王国政府为治理欧洲以外,主要是美洲殖民地,而颁布的法律的总称。是由王国政府授权编纂出版的一套法令汇编,称《西印度各国法律全书》(1680)。从开拓美洲殖民地时起,各殖民地基本上是实行卡斯蒂利亚的私法。但是由于情况特殊,王国政府专门为美洲殖民地制定了一些公法。这种立法的一个重要的方面是使卡斯蒂利亚的行政和司法制度适应治理新大陆的需要。如1512年12月27日由阿拉贡的斐迪南二世颁布《布尔戈斯法》以调整西班牙人与印第安人之间的关系，着重保障受虐待的印第安人精神上和物质上的财富。1542年查理一世曾制订《西印度新法》(1542)，以纠正以前施行的法典的不当之处，由于遭到美洲殖民者的武装抗拒，1552年放宽了规定，重新予以颁布。同年，为贸易署颁布了商业法典。1563年对殖民地法院的权力和程序作了规定。1573年颁布《发现条例》，禁止未经批准而对独立的印第安人作战。法典于1624年开始编纂，先后由两位著名的法官罗德里戈和佩雷拉负责监督。在1681年颁布前又由帕尼亚瓜进一步校订和缩编。法典共收入法律6 377条，分为218章，共9册。其内容大致为：①教会的管理和教育，②西印度事务院和法院，③政治和军事机构——总督和都督，④发现、殖民和市政管理，⑤地方政府和低级法院，⑥印第安人，⑦刑法，⑧公共财政，⑨航海和商业。以后的一些新的立法，特别是18世纪后期查理三世统治时期(1759～1788)颁布的关于商业和行政的法律，使该法典变得过时了。1805年西班牙王国政府开始重新编纂法典，但始终未完成。该法典在西班牙旧殖民帝国的残余地区(古巴、波多黎各、菲律宾)沿用到1898年失去这些地区为止。法典虽受到种种批评，但毕竟是一个殖民帝国所曾有的最全面的一部法典，并且在对待印第安人方面确立了一些合乎人道的原则(尽管这些原则经常被忽视)。

indifference　无异原则　数学概率论中的一条古典的原则。该原则首先由伯努利提出，再由英国经济学家J.M.凯因斯在其《论概率》(1921)一书中加以系统陈述并且命名：两个事件，如果没有理由认为其中一个更有可能，则二者发生的机会均等。这个原则是用来处理概率的全距理论问题的。全距理论讨论一个处境中所有可能的选取项时，仅根据这些选取项的数目，而无需援用它们的相对频率或概率。

indifference curve　无差异曲线　经济学中表示两种物品(通常是消费品)的不同组合对于个人产生等量满足或效用的曲线图。无差异曲线经英国经济学家F.Y.埃奇沃思提出后，广泛应用于消费者行为特别是关于消费者需求的研究方面。作为一种分析工具，它还应用于福利经济学。无差异曲线绘成后，自左至右向下方倾斜，并凸向坐标的原点。若要消费者从无差异曲线上的任何两点作出选择，他就会不知所措，因为这些点所代表的商品组合，对于他都是同样称心的，不同的组合对于他是无关紧要的。对于称心的和不称心的两种物品的组合，也可绘制出无差异曲线；不过这种曲线却与上述曲线形状不同。

Indigenismo　土著主义　拉丁美洲主张在印第安人居多数的国家里让他们在社会和政治中占统治地位的运动。土著主义严格区分印第安人、欧洲人或欧洲人后裔。在墨西哥，这一运动于1911年墨西哥革命开始时兴起，影响逐渐扩大。在秘鲁，这一运动称作阿普拉主义，并且主张将拉丁美洲改称为印第安美洲。

indigestion　消化不良　又作dyspepsia。消化系统的功能障碍，表现为腹部不适、嗳气、胃肠胀气、厌食、恶心、呕吐、腹泻、便秘及胸骨后烧灼感等。病因甚多，包括消化系统外的器质性疾病(如贫血、肺结核、心力衰竭和尿路感染等)；消化系统器质性疾病(如胰腺炎、胆囊疾患、胃癌和慢性阑尾炎等)；功能性疾病(如恐惧、焦虑所致的心因性消化紊乱和饮食不调、食物过敏、吸烟过多、喝酒或咖啡过度所致的消化功能障碍)等。消化不良可通过避免某些可能引起消化不良的食品和饮料以及戒烟来缓解。

Indigirka River　因迪吉尔卡河　俄罗斯远东地区萨哈共和国(雅库特)河流。西伯利亚东北部主要河流之一。源出上扬斯克山脉，向北流经切尔斯基岭和广阔的因迪吉尔卡低地(多冻原植被)，并穿过广阔的三角洲注入东西伯利亚海。全长1 726千米。有两大支流：莫马河及谢连尼亚赫河。每年6～9月，河水解冻，从北极圈上的霍努镇以南1 074千米河流可通航。流域人口稀少，居民从事狩猎和伐木业。上游有金矿区。

indigo　木蓝　豆科木蓝属(*Indigofera*)植物。灌木或草本，主要产于温带。通常被毛。叶常分裂成数枚小复叶。花小，粉红色、紫色或白色，聚生成总状花序。荚果，种子间常具

一种木蓝(*Indigofera*)
美国不列颠百科全书公司供图

薄隔膜。有的种，尤其是苏门答腊木蓝(*I. sumatrana*)和直立木蓝(*I. arrecta*)曾是靛蓝染料的重要原料。直至20世纪初叶，栽培木蓝和提取靛蓝仍是印度的一项重要经济产业。但天然靛蓝逐渐为此时研制成的合成靛蓝所取代。

indigo　靛蓝　有重要价值的还原染料。约在1900年以前，一直是从木蓝属和菘蓝属植物获得。早已为古代亚洲、埃及、希腊、罗马、英国和秘鲁所知。在美国主要用于染工作服用棉布；在很长一段时间，用以使羊毛得到深的色调(海军蓝)。天然存在的靛蓝前体是靛甙，一种无色、溶于水的物质，易水解为葡萄糖和吲哚酚，后者在空气中缓慢氧化而变成靛蓝。1883年A.von拜耳发表了靛蓝的化学结构。19世纪90年代末期，一种工业上可行的生产方法获得通用。直到现在全世界仍沿用此法，在苛性钠和氨基钠的混合物中熔融苯基甘氨酸钠以合成吲哚酚。靛蓝可转变成许多较简单的化合物，其中唯一具有实际价值的化学反应是把它还原成可溶的黄色靛白，后者施于纺织品上，然后再氧化成靛蓝。泰尔红紫是古代重要染料，可从地中海的海螺(染色骨螺)分泌物中获得，其化学结构和靛蓝非常近似。一直未在工业上合成。

indigo snake(*Drymarchon corais*)　**靛青蛇**　又称森王蛇，游蛇科爬行动物，驯良，无毒，分布在美国东南部至巴西一带。为美国最大的蛇类(最长的达2.8米)，也是游蛇科中最长

靛青蛇(*Drymarchon corais*)
美国不列颠百科全书公司供图

的蛇之一。美国的个体为蓝黑色，美国以南地区的个体身体前部为褐色，热带地区的森王蛇属种类被称为褐蛇。森王蛇以小型脊椎动物(包括毒蛇)为食。取食方法为用上下颌咬死或将身体盘起来压死猎物，而不靠身体的缢缩。自卫时发出嘶嘶声，摆动尾部，但不进攻。可与沙龟同居一洞，常称沙龟蛇。到20世纪70年代末期，生存的数目很少，被列为濒危种。

Indio　印第奥　美国加利福尼亚州南部里弗赛德县城市。地处科切拉谷地，在棕榈泉(西北)和索尔顿湖(东南)之间。1876年始建，1930年设市。初为有矿泉的荒漠疗养地和农产品(枣、柑橘属水果、葡萄、蔬菜和棉花)转运中心。轻工业、旅游业、附近退休社区对农业经济起补充作用。1949年凿通全美利坚运河后发展迅速。20世纪60年代建立贾尼尼(实用物理)研究所，兴办电子和冷冻机制造工业。市东40千米有约书亚树国家保护区。圣贝纳迪诺国家公园在该城西部。人口49 116(2000)。

indirect relief printing　间接凸印　参阅dry offset千胶印。

indium(In)　**铟**　化学元素，周期表Ⅲa主族硼族的稀有金属。具有明亮的银白色光泽。1863年F.赖希和T.里希特在鉴定锌矿试样时发现了铟，并因光谱中有一突出的靛蓝色谱线而命名为铟。铟比铅软，颇具塑性，用指甲便可划痕，几乎可任意变形。纯铟像锡，弯曲时会发出尖锐的响声。铟大约跟银一样稀少，地壳中平均约含0.05ppm重量的铟，铟既不能以游离态存在，也不能形成独立的矿物，在许多矿物中以痕量元素存在，主要从锌、铅矿物中以副产品形式提取。铟具有

一种特殊性质，即熔融时能贴附或润湿清洁的玻璃和其他材料的表面，对玻璃、金属、石英、陶瓷和大理石之间的密封工艺很有价值。铟可用作飞机发动机轴承的镀层，这是由于铟可改善其耐腐蚀性并能使轴承表面保留较厚的黏附油膜的缘故。铟也用作灭火器龙头、防火门栓以及易熔消防栓的某些低熔点合金的组分。金属铟广泛用于生产半导体器件，并可用于焊接锗晶体管和锗整流器的各种部件。铟也用于测量核反应堆的热中子通量，并监控中子以保护人员和设备安全。天然铟是两种同位素的混合物，铟 113(4.28%)和铟 115(95.72%)。常温下铟在空气中不变化，赤热时燃烧，呈蓝紫色火焰，生成黄色的氧化物 In_2O_3。金属铟溶于无机酸，但与氢氧化钾或沸水不反应。加热时可与卤素或硫直接化合。虽已制备出几种 1 价铟的化合物(如卤化物)，但在化合物中铟通常呈 3 价。铟与 V 主族元素可形成具有半导体性质的化合物(磷化铟、砷化铟、锑化铟)。铟原子序数 49。原子量 114.82。熔点 156.61 ℃。沸点 2 080 ℃。比重 7.31(20 ℃)。化合价 1,3。电子组态 2,8,18,18,3 或(Kr)$4d^{10}5s^25p^1$。

individual psychology　个体心理学　奥地利精神病学家 A.阿德勒的学说。认为人类思想和行为的主要动机是为个人的自尊和权力而奋斗，部分地在于补偿其自卑感。按这种观点，每个人都是独特的，而他的人格结构(包括他为此而奋斗的独特目的和方法)在他的生活方式中表现出来，而这生活方式又是个人自身创造力的产物。然而，不能认为个人可以和社会分离，一切重要的问题，包括一般的人际关系、职业以及爱都是社会性的。这一学说对心理正常与异常的解释如下：虽然社会兴趣发展良好的正常人会从在生活的有益方面所作出的努力上得到补偿(即为公众福利作出贡献从而克服通常的自卑感)，但有神经症倾向者的特征是自卑感增强，社会兴趣发展不充分，有一个夸大的、不相称的自尊心目标，表现为焦虑和某种公开的攻击言行。神经症倾向者用一种以自我为中心的强调自我感觉的方式(而不是以工作为中心的强调集体观念的方式)来解决他的问题，从而导致失败。一切形式的顺应不良都有上述特点。治疗方法是以通过与患者进行精神病学交谈而获得的材料入手，帮助患者对他的错误生活方式产生顿悟。

individualism　个人主义　一种政治和社会哲学，高度重视个人自由，广泛强调自我支配、自我控制、不受外来约束的个人或自我。创造这个词的法国政治评论家亚历克西·德·托克维尔把它形容为一种温和的利己主义，它使人们仅仅关心自己家庭和朋友的小圈子。

作为一种哲学，个人主义包含一种价值体系，一种人性理论，一种对于某些政治、经济、社会和宗教行为的总的态度、倾向和信念。个人主义的价值体系可以表述为以下 3 点主张：一切价值均以人为中心，即一切价值都是由人体验的(但不一定是由人创造的)；个人本身就是目的，具有最高价值，社会只是达到个人目的的手段；一切个人在某种意义上说在道义上是平等的，下述主张最好地表达了这种平等：任何人都不应当仅仅被当做为另一个人谋取福利的工具。

个人主义的人性论认为，对于一个正常的成年人来说，最符合他的利益的，就是让他有最大限度的自由和责任去选择他的目标和达到这些目标的手段，并且付诸行动。这一信念来自这一思想，即每个人是自己利益的最好的判断者，并且在有受教育机会的情况下，能够发现如何推进这些利益。它也基于这一设想，即作出这些选择的行为，有助于个人的发展，并有助于社会的福利——这后一点是因为个人主义被认为是促进生产努力的一种最有效的刺激。

因此，作为一种总的态度，个人主义包括高度评价个人自信、个人私生活和对他人的尊重。从消极的意义讲，个人主义反对权威和对个人的各种各样的控制，特别是国家对个人的控制。它还期望和尊重“进步”，并为达到这个目的而主张个人有权不同于其他人，有权同其他人竞赛，有权超过(或落后于)其他人。

习惯上个人主义的体现是以上述原则为根据的。只有极端的个人主义者才信奉无政府主义，而所有的个人主义者都认为政府干预人们生活应保持在最小限度；政府的主要职能以维持法律和秩序、防止个人对别人的干扰和监督执行自愿缔结的协议(合同)为限。个人主义者往往把国家看做是一种不可避免的弊病，赞赏“无为而治”的口号。

个人主义也指一种财产制度，即每个人(或家庭)都享有最大限度的机会去取得财产，并按自己的意愿去管理或转让财产。结社的自由扩大至参加或拒绝参加任何组织的权利。

完善的个人主义理论似乎首先出现在英国，特别是在亚当·斯密、J.边沁及其追随者在经济和政治理论方面的思想发表之后。亚当·斯密的自由竞争理论基于对个人意志自然调和的强烈信仰，而 J.边沁的功利主义是以“一人算一个，谁也顶不了俩”为主要准则，这两种理论为这方面的发展提供了基础。

虽然经济上的个人主义与政治上的个人主义一度曾以民主的形式一起向前发展，但它们最终证明是互不相容的。在 19 世纪的过程中，新拥有选举权的选民越来越要求政府干预经济进程。

在 19 世纪后期和 20 世纪初期，随着大规模社会组织的兴起，个人主义思想的影响有所削弱。其后果之一，就是产生了各种提倡按照与个人主义截然相反的原则组织社会的理论(参阅 **collectivism**)。然而，在自由主义的各民主国家，个人重要性的概念重新恢复，它制止了由于集体主义导致的抹煞个人作用的倾向。

Indlandsis (Greenland)　参阅 **Greenland Ice Sheet 格陵兰冰原**。

Indo-Aryan languages　印度-雅利安诸语言　又称印度语支。印欧语系印度-伊朗语族的一个语支，通行于印度、斯里兰卡、巴基斯坦和孟加拉国。印度-雅利安语的最早文献是用梵语写成的，梵语现为印度古典语言及宗教语言。由梵语及其有关诸方言发展为中古印度-雅利安诸语言，即普拉克里特语，约 1100 年以后又发展成为现代印度-雅利安诸语言。现代印度-雅利安语可分为 5 个主要分支：①东部分支有阿萨姆语、孟加拉语和奥里雅语。②西北部分支有旁遮普语、拉亨达语、信德语、帕哈里语和达尔德语。③西部和西南部分支有古吉拉特语、马拉塔语、孔卡尼语、马尔代夫语和斯里兰卡的官方语言僧伽罗语。④中部分支有印地语诸方言，其中包括印度官方语言印地语，巴基斯坦官方语言乌尔都语，东部印地语和西部印地语。⑤拉贾斯坦语诸方言，兼有西部印地语与信德语、古吉拉特语特点。有时达尔德语也与印度-雅利安诸语言共同划入印度-伊朗语族。印度-雅利安诸语言有悠久而丰富的文学历史，最早作品是《梨俱吠陀》(约公元前 1500)。

Indo-European languages　印欧诸语言　通行于欧洲大部地区和欧洲移民区以及西南亚及南亚多数地区的语系。

印欧诸语言源于一种单一的无文献记载的语言。据认为该语言 5 000 多年前通行于黑海北部干草原地区，约于公元前第三千纪分裂为多种方言。这些方言被迁徙的大小部族带至欧洲和亚洲，很快就发展成各自独立的语言。有些语言留下不同时期的文献。此类过去和现在的语言可分为以下的主要语族：安纳托利亚语族，其主要代表是赫梯语；印度-伊朗语族，包括梵语、阿维斯陀语、现代印地语和波斯语；希腊语族；意大利语族，包括拉丁语及其现代诸代表，亦即罗曼诸语言，其中有法语、意大利语、西班牙语、葡萄牙语及其他语言；日耳曼语族，包括哥特语、现代英语、德语、荷兰语和斯堪的纳维亚诸语言；亚美尼亚语族；凯尔特语族，包括爱尔兰语和威尔士语；阿尔巴尼亚语族；吐火罗语族(已消亡)；波罗的语族，包括已消亡的古普鲁士语、现代拉脱维亚语和立陶宛语；斯拉夫语族，包括古教会斯拉夫语、俄语、捷克语、波兰语、塞尔维亚-克罗地亚语及其他语言。基于许多共同特征，学术界往往为后两个语族提出一个单独的波罗的-斯拉夫原始母语之说。

按照语言的系谱分类，假定的同源词可以相互比较并能建立合乎规律的语音对应关系。每组对应关系都有原始母语的音段成分，根据“语音定律”或规则，它的发展轨迹贯穿在各个子语言中。语音或书写形式的相似形式本身并不能提供建立同源的判断依据：如法语 feu(火)和德语 Feuer(火)并不同源，而亚美尼亚语的 erku(二)则在系谱方面很有规律地和英语 two(二)相对应。

某些印欧语言(希腊语、拉丁语、梵语、日耳曼语、凯尔特语)之间有系谱关系的设想是由 W.琼斯爵士于 1786 年首先提出的。他认为这些语言均衍生于某一“共同根源”。在其后的世纪中琼斯的论断有了详尽佐证，其他许多语言也被视为印欧语系语言。19 世纪初叶，丹麦人 R.拉斯克和德国人 J.格里木根据语音对比建立起语言系谱关系 。格里木还进一步把日耳曼语同希腊语和拉丁语中诸等值词的语音进行比较，建立起它们之间的对应关系。

19世纪，根据语音变化确定母语和子语间关系的资料越来越准确并更趋完善。从前视为不合规则的一些例外，后来被证明其自身也合乎规律。如格里木定律建立了日耳曼语和其他印欧语的塞音和擦辅音间的对应关系（在拉丁语 pater 中塞音 p 和英语 father 中的擦音 f 相对应），但也留下一些未能根据这一定律加以解释的形式。这些遗留问题后来从格拉斯曼定律和维尔纳定律中得到解释。前者分析希腊语和梵语送气音的异化，后者指出重音的原部位对日耳曼语中印欧语辅音有条件的反映形式所具有的作用。语音音变的显著的规律性促进19世纪70年代兴起所谓“新语法学派”的一个新的语言学学派。K.勃鲁格曼的多卷本《印欧语比较语法纲要》极充分地对印欧语系做了分析。

印欧原始语具有丰富的并充分发展的语音系统，包括唇音、齿音、腭音、软腭塞音，并有清音、浊音及送气浊音等发音动作。大多数学者认为原始语可能有过另外3个或4个塞音或擦辅音，并称之为喉音而以 H_1 H_2 H_3 H_4 表示之。只有安纳托利亚语族似乎能提供喉音的直接证明，如：H_2 和 H_3 在赫梯语中以 ḫ 音出现。喉音之有条件的反映形式表现在其他印欧语言中元音的长度（即元音之后紧接着出现一个喉音加辅音）及其音值上：据认为，H_2 可能使相邻的基本元音 e 获得 a 的“音色”，H_3 使相邻的 e 获得 o 的音色。印欧语的响音跟阻塞音相反，在不同方言的音系发展上非常稳定。响音与元音的共鸣度相当，与辅音持阻的时间相当，事实上印欧语中响音 r、l、y、w、m、n 在某些环境里起着构成音节的作用，而在另一些条件下则为非音节音。（这种音节性语音变体是 r̥、l̥、i、u、m̥、n̥）。

元音系统相当简单。它的基础元音是 e（“常位”），在某些语法环境中可能消失（零位），或变成 o（o-位），或加长成 ē（长 e-位）或加长并演变成 ō（长 o-位）。这种语法上制约的诸交替模式叫做元音交替。印欧语系的语音系统中后来的诸元音都是喉音影响下的产物。

Indo-Gangetic Plain　印度河-恒河平原
印度次大陆中部的广阔地区。从东部的孟加拉湾延伸到西部阿富汗边境与阿拉伯海。印度河-恒河平原为南亚次大陆最富庶、人口最稠密地区。平原大部由恒河、布拉马普特拉河（东部）与印度河（西部）冲积而成。东部平原冬季少雨或干旱；夏季雨量很大，大片土地被水淹没。向西北渐趋干燥，至巴基斯坦西部形成沙漠。

Indo-Hittite languages　印度-赫梯诸语言
由印欧诸语言和安纳托利亚诸语言所组成的假定语系。提出这个术语的学者们认为，赫梯语及与之密切相关的安纳托利亚诸语言与全部印欧语处于同等地位，而不是印欧语的个别语族（如：凯尔特语族、日耳曼语族等）。换言之，他们认为过去曾经有过一种原始语（印度-赫梯语），后来分化为安纳托利亚语和印-欧语两部分（由印欧语以后又衍生出各种不同的语支）。可是，绝大多数学者都认为包括赫梯语在内的安纳托利亚诸语言仅是印欧语系的一个语族。

Indo-Iranian languages　印度-伊朗诸语言
印欧语系极东端的主要语族。它通常分为两个主要语支：印度-雅利安语支或印度语支，主要通行于印度、巴基斯坦、孟加拉、斯里兰卡、尼泊尔和喜马拉雅山区其他地方（吉普赛语或称罗曼尼语，亦属印度语支）；伊朗语支，主要通行于巴基斯坦、伊朗、阿富汗、塔吉克斯坦。

印度-雅利安诸语言和伊朗诸语言在语法和词汇上有很近的同源关系，具有许多共同特征，因而使它们能作为印欧语系中1个语族而单独予以划分。印度-伊朗诸语言的发源地可能在现今阿富汗以北，即现称为土耳其斯坦的那片地区，当地现仍通行伊朗诸语言。伊朗人由此迁徙至南部和西部，印度-雅利安人则往南和往东。大约公元前2千纪初期以前，印度-雅利安人和伊朗人发生分裂，其原因不详。至少自公元前1千纪开始，印度-伊朗诸语言就一直作为行政语言和文学语言广泛使用。佛经、耆那教和印度教经典都用印度-雅利安语，琐罗亚斯德教和摩尼教经典则用伊朗诸语言。

印度-雅利安诸语言的发展分为3个主要时期：古代、中古和现代。梵语为古代印度-雅利安诸方言的共同代表。中古印度-雅利安语包括普拉克里特语和阿帕布罗萨语。现代印度-雅利安语包括印地语和孟加拉语，这两种语言约始于公元10世纪。

吠陀语（约公元前1500～前1200）是最古老的梵语。吠陀梵语最有区别性的特征之一是其重音系统，元音有低调、高调或合调之别。在吠陀语发展中，元音诸特征中的重音已经消失，语言变得更简练。古典梵语便是这种发展的结果。约在公元前6世纪语法学家帕尼尼著文提出语法规则，成为古典梵语正确用法的标准，此后千百年间许多重要诗作（kāvya）、剧作（nāṭaka）、故事集和专门论著都使用梵语写作，甚至直至今日亦复如此。

雅语梵语（Saṃskṛta），即严格遵守帕尼尼语法规则的梵语，是受过教育的上层人物的语言，可是最广为流行的却是统称为俗语梵语即普拉克里特语（Prākṛtā）的各种中古印度-雅利安语的本地语言。普拉克里特语从公元前3世纪到公元4世纪用作碑铭及文学语言。巴利语是最古的普拉克里特文学语言，公元前5世纪佛经即用此语写成。早期的耆那教经典用阿德哈马伽底语，其后则用阿帕布罗萨语。非宗教的耆那文献用马哈拉施特拉语。史诗、戏剧、故事集等均用各种不同的普拉克里特语写作。

现代印度-雅利安诸语言从古代及中古印度-雅利安语发展而来，其某些文学传统可溯至10世纪。孟加拉语、阿萨姆语、印地语、马拉塔语、古吉拉特语和克什米尔语从14世纪或更早时期均有文学作品留传下来。以民族语言集团为基础的南亚各国家的出现以及印度各邦的建置，增强了在更广泛交往中使用标准方言的要求。但语言的歧异继续发展使印度政府企望把印地语作为单一的民族语言的方针受到操其他语言者的阻挠。

一般地说，古代、中古、现代印度-雅利安诸语言的发展倾向是趋于简化，名词格的数目减少，但印地语和某些其他语言中都出现后置词。双数已经不用，动词的某些时态已经消失。

伊朗诸语言划分为3个时期：古代、中古、现代伊朗语。

两种古代伊朗语，即阿维斯陀语和古波斯语由公元前6世纪的典籍与碑铭中而为世所知。阿维斯陀语可能曾通行于伊朗东北地区，古波斯语曾通用于伊朗西南部。证据说明还有其他古伊朗语，如米底语。琐罗亚斯德教经典用阿维斯陀语，琐罗亚斯德教徒编写的诗歌（公元前7～前6世纪）是现存古代伊朗语最古的文献。古波斯语是阿契美尼德王朝宫廷语言，主要从大流士一世和薛西斯一世的楔形文字碑铭而见知于世。阿维斯陀语在古代时期以后虽不再通用，但在古波斯语和中古波斯语之间仍存在一段时期。

中古伊朗语言包括中古波斯语和安息语。中古波斯语是萨珊王朝（公元3～7世纪）官方语言；3～10世纪的琐罗亚斯德教和摩尼教文献也用中古波斯语。安息语通行于伊朗东北和西北，但几乎没有文献留传下来。中古波斯语和安息语可以互通，但其他中古伊朗语如粟特语、萨卡语、和阗语、花剌子模语、大夏语及古奥塞梯语与之区别甚大。

现代伊朗诸语言通用最广的是波斯语，它作为一种共同语由中古波斯方言发展而来，并包括许多其他语言的借词。波斯语是伊朗的官方语言，是阿富汗的第二语言，伊朗东部的普什图语则是阿富汗国语。库尔德语、俾路支语是通用于散处几个国家内的数百万人的语言。

总之，伊朗诸语言简化了从印欧诸语言继承下来的屈折变化系统，如格的数目减少，同样地减少了动词的词形变化系统。伊朗诸语言使用许多不同的文字。

Indo-Isfahan carpet　印度伊斯法罕地毯
印度手工织制的铺地用品，尺寸大小不等，直

17世纪的印度伊斯法罕地毯（细部）
美国不列颠百科全书公司供图

接模仿赫拉特地毯(**Herāt carpet**),主要生产于17世纪。似曾由东印度各公司大量出口到欧洲,特别是葡萄牙和低地国家,并常可从17世纪荷兰绘画中见到。常见的大地图案为精细的葡萄叶和叶尖相对的成对花瓣,由卷曲的蔓藤连在一起,配以弯曲的羽毛般的尖状叶、云朵和许多小花,大地呈浅紫酒红色。大边多为蓝色或蓝绿色,中间常为类似的花瓣和5个一组的小花瓣相间排列。20世纪80年代中期起,印度产的伊斯法罕地毯开始受到那些产于伊朗的伊斯法罕地毯的挑战。传统的陶瓷和手织机纺织业仍在继续。

Indo-Scyth (ancient Asian people) 参阅 **Yue-zhi 月氏**。

Indochina 印度支那 1950年以前又称法属印度支那。先是属于法兰西帝国,后为法兰西联邦一部分,包括越南、老挝和柬埔寨三个国家。因该地区的文化受到印度和中国的混合影响而得名。在1858～1893年间逐渐确定了其宗主权之后,法国人建立第一个印度支那联邦。法国总督府主管外交、财政、国防、关税和公共工程。原越南、柬埔寨和老挝的王室仍然存在,但要听命于法国总督。1940年日军开始占领印度支那,但当地法国的维希政府仍被允许留了下来。1945年3月日军拘留了在印度支那的法国官员,宣布成立越南自治国。同年8月日本投降,胡志明领导的越盟立即宣布成立越南民主共和国。不久,法国重新占领老挝和柬埔寨,并建立印度支那联邦。第一次印度支那战争期间,法国人分别与越南、老挝和柬埔寨订立条约,承认它们为法兰西联邦内的独立的、自治的国家,从而结束了这些国家共同组成“法属印度支那”的概念。但这些国家仍是傀儡当权,直到1954年日内瓦会议以后,印度支那各国才获得真正的独立。

Indochina wars 印度支那战争 20世纪在越南、老挝和柬埔寨境内进行的战争,卷入战争的主要有法国(1946～1954)和后来的美国(从50年代开始)。这些战争通常称为法国印度支那战争和**越南战争**(**Vietnam War**),又称为第一次印度支那战争和第二次印度支那战争。后者于1975年4月结束。19世纪下半叶,法国逐渐占领越南,先将它作为保护国(1883～1939),后改为属地(1939～1945)。1945年9月2日胡志明宣布越南独立,越南的统治权才回归该国。1946～1954年,法国人反对越南独立,爆发第一次印度支那战争,胡志明领导游击战争抵抗法国人,1954年5月7日越南人的奠边府大捷,结束了这场战争。1954年7月21日在日内瓦签订的协定规定以北纬17°线为界,暂时把这个国家划分为共产党领导的北方和美国支持的南方。南方亲共势力的活动,导致美国于60年代中期发动第二次印度支那战争,即越南战争,这场战争造成巨大的破坏和人员死亡。1973年1月27日签订停战协定,美军开始从南越撤走,战争暂时告一段落。不久战火重又燃起。1975年南越政府垮台,建立了共产党统治的政权。1976年7月2日,两个越南实现统一,成为越南社会主义共和国。柬埔寨自1863年以来为法国的保护国,在诺罗敦·西哈努克亲王的领导下于1953年获得独立。在越南战争中,西哈努克采取中立立场,默许越南共产党人使用柬埔寨境内的庇护所。1970年3月18日,他为军队内的右翼分子发动的政变所废黜。同年5月1日,美国和南越军队入侵柬埔寨,企图摧毁沿柬越边境的共产党庇护所。柬埔寨新领导这时面临称为“红色高棉”的柬埔寨共产党的日益增长的威胁。美国对柬埔寨农村地区进行了一系列密集轰炸,企图阻止红色高棉的活动,轰炸直至1973年才结束。经过5年的内战之后,柬埔寨首都金边于1975年4月17日为红色高棉所占领。越南军队于1979年1月入侵柬埔寨,不久即成立傀儡政府。从19、20世纪之交的时期起,老挝成为法国的保护国。1946～1954年,老挝逐步获得独立。右派和中立派交替掌权。1962年与称作巴特寮的老挝共产党组成以梭发那·富马亲王为首的联合政府。当共产党人和非共产党人争夺老挝边沿省份时,该联合政府继续进行统治。在南越于1975年垮台后,巴特寮在北越的支持下控制了整个老挝。

indole 吲哚 又称苯并吡咯。存在于茉莉花、香橙花等的精油以及煤焦油和排泄物中的杂环有机化合物。用于香料及一种必需氨基酸色氨酸和促进植物插条根发育激素吲哚乙酸的生产。1866年首次分离出吲哚,分子式为 C_8H_7N。尽管发现其他若干吲哚的制法但一般由苯肼和丙酮酸合成。除色氨酸、靛蓝和吲哚酸外,从植物或动物得到的许多化合物都含有吲哚分子结构。这些化合物最出名的是吲哚生物碱类。从植物已分离出有30多种,如二甲-4-羟色胺,二甲-4-羟色胺磷酸、利血平和士的宁。吲哚为无色固体,其极稀的溶液具有令人愉快的芳香气味,熔点52.5°C。

indomethacin 消炎痛 一种止痛药,消炎作用强。治疗类风湿性关节炎及痛风有效,适用于阿司匹林控制疼痛无效的患者。副作用多,如肠胃道功能紊乱、精神错乱及早晨剧烈头痛等。

Indonesia 印度尼西亚 全称印度尼西亚共和国。东南亚大陆岸外岛国,由大约13 670个岛屿组成。国境西起苏门答腊岛,东至新几内亚岛,长约5 100千米,南北宽约1 600千米。东接巴布亚新几内亚和阿拉弗拉海,南和西濒印度洋,西北抵安达曼海,北临马六甲海峡、南海、苏禄海、西里伯斯海和太平洋西部洋面。首都雅加达。面积1 922 570平方千米。该国人口居世界第4位,约209 342 000(2000)。

土地 大多数岛屿为密布热带森林的崎岖火山山脉。岛链的外围或南部(由西至东)各岛为苏门达腊、爪哇、巴厘、龙目、松巴哇、弗洛勒斯及帝汶等岛。岛链的北部是婆罗洲(属于印度尼西亚的部分称加里曼丹),为世界第3大岛,岛上多丘陵、山地。西里伯斯(苏拉威西)岛位于婆罗洲东侧,岛形奇特。西里伯斯岛东侧为摩鹿加群岛的北部。再往东则是新几内亚岛。该岛的西半部属于印度尼西亚,称为伊里安查亚。印度尼西亚约有220座活火山,其中包括闻名世界的喀拉喀托火山。1883年,这座火山曾从苏门答腊和爪哇之间的巽他海峡海底爆发。

印度尼西亚全境属高温潮湿的热带气候。沿海平均气温最高,为25～31°C。全国的年降水量很大,大多为季风带来的午后雷阵雨。可耕地仅占全国土地总面积的1/10,其中一半种植水稻,爪哇中北部和苏门答腊西南部为双季稻区。热带雨林约占国土总面积的2/3。海拔超过1 500米的地区有温带高地森林。苏门答腊、加里曼丹沿海及伊里安查亚东南部地区为红树林沼泽。

印度尼西亚分属两大动物区系区,西部为亚洲区系区,东部则为澳大利亚区系区。亚洲区系动物群包括犀牛、猩猩、貘、虎和象。澳大利亚区系动物群则有凤头鹦鹉、园丁鸟及凤鸟等鸟类。

人民 印度尼西亚境内有300多个种族集团,讲大约250种语言。大多数人具有马来血统,使用以澳斯特罗尼西亚语系(马来-波利尼西亚语)为基础演变而来的语言,信奉伊斯兰教。其中最大的一个分支是爪哇人,其语言也是该国最主要的语言。

该国多种族的人口大致可分为3个群体。第1个群体为高度印度化的穆斯林,他们以种植水稻为主,分布在爪哇岛及其临近的岛屿上,占全国总人口的2/3以上,包括爪哇人、巽他人、马都拉人及巴厘人。第2个群体为信奉伊斯兰教的沿海民族,包括苏门答腊岛上的马来人和南西里伯斯的望加锡人。第3个群体为达雅克人及其他少数部族。这些部族人数很少,基本上与该国生活的主流相隔绝。人数最多的非本地民族为华人,他们大多已侨居本地数代之久。

该国官方语言是巴哈萨印度尼西亚语,由苏门答腊东部占碑地区的马来方言演变而来。除爪哇和苏门答腊南部等开放地区外,主要的宗教全由沿海逐渐传向内地。全国约4/5的人信奉伊斯兰教,但大多数人也受到印度教、佛教以及较古老的泛灵论信仰的影响。印度教徒主要分布在巴厘岛,华人则主要信奉佛教和儒教。偏远地区还存有一些部落宗教。

在人口密集的爪哇岛上,居民人数占全国总人口的一半以上。马都拉岛、巴厘岛、苏门答腊的部分地区及西里伯斯的人口密度也很大。1960～2000年该国人口增长速度较快,增长了近一倍,但自70年代以来,由于大力推行晚婚、避孕方法及计划生育政策,人口出生率明显下降。爪哇中部地区的出生率下降得尤其明显。婴儿和儿童的死亡率也有所下降,这主要归功于国内保健措施的改善及生活水平的提高。该国15岁以下的人口占总人口的2/5。平均预期寿命男性为66岁,女性70岁。

经济 印度尼西亚的经济为发展中的混合型经济,主要以农业和制造业为基础。国民生产总值的增长速度高于人口增长速度,但人均国民生产总值仍较低。

农业占国内生产总值的1/5,占用2/5以上的劳动力。主要粮食作物为水稻,政府努力推动种植园现代化,使水稻产量大幅度增加。农业生产主要依靠独立的农户,而生产出口经济作物的种植园也很重要。印度尼西亚是一个主要的天然橡胶生产国。其他经济作物有咖啡、茶、烟草、椰子、香料(丁香和豆蔻)及油棕产品。

印度尼西亚的林业已有发展,木材及制品与石油和天然气同为主要出口产品。砍伐过度已使该国广大的雨林显著减少,并促使政府限制成片伐木和实施人工造林计划。

印度尼西亚的矿业以石油、天然气的生产为主,大多分布在苏门答腊和加里曼丹一带。石油资源的所有权属政府,外国石油公司可作为开发承包商,提供必要的熟练工人和资金。炼油生产则控制在印度尼西亚国营石油公司波坦米那手中。天然气,尤其是液化天然气,成为日益重要的出口产品,其生产设施正在进一步扩建。印度尼西亚还是世界上重要的锡矿生产国之一。其他开采的矿产品有镍、铝土矿、黄金、铜及铁矿砂等。

自20世纪80年代中期以来,该国的制造业有了长足发展,开始成为国民经济中的一个主要部门。许多大型工业,如生产资本货物或加工矿产品的工业,都由国家经营,而消费品则主要由私营公司生产。制造业的主要产品包括化学品、电子元件、水泥、橡胶轮胎、纸及纺织品。一个由华人社团控制的管理完善的商业部门业已成形。近几年来,印度尼西亚政府为放宽对经济的控制和鼓励私营企业发展做出了很大努力。

印度尼西亚一般是靠出口原料换回制成品。石油、天然气、木材、服装及橡胶是该国主要出口产品。进口产品主要包括生产设备、消费品和食品。最重要的贸易伙伴是日本、美国、新加坡和德国。

政体与社会状况 根据1945年宪法,印度尼西亚属共和政体。总统行使行政权,由国家最高权力机构人民协商会议选举产生,任期5年。人民协商会议每5年至少召开会议一次,制定政府的大政方针。人民代表会议行使立法权,其500多位代表中约有1/5由政府任命,其余则经直接选举产生。该国主要的政治党派为专业集团联合秘书处,一个受政府倡议组建的组织,支持1967年上台执政的苏哈托总统。它控制着全国的政治。最高法院为终审上诉法院。

印度尼西亚不但缺乏医务人员,同时也面临着国民(尤其是儿童)营养不良的问题。教育体制为6年小学义务教育,加上非义务教育的3年初级中学和3年高级中学教育。识字人口约占总人口的4/5。有许多公立和私立大学、学院及师范学院。

印度尼西亚有许多日报和周报。广播电台和电视台大都由政府控制,但也有几家独立的地方广播电台和电视台。印度尼西亚的通信卫星传送无线电、电视和电话信号,有效地把全国所有的通信网络连为一体。

文化生活 许多世纪的文化融合使当地文化富有多样性。8～10世纪,爪哇中部建有许多印度教寺庙及大乘佛教的塔婆罗浮屠。爪哇和巴厘岛著名的傀儡剧哇扬戏,将音乐、舞蹈和戏剧融于其中。装饰艺术品包括金属制品及石雕、木雕、骨雕和象牙雕刻等。巴蒂克印花法为当地传统的染布技艺,利用防色蜡来染制复杂的图案。该国的传统文学包括口头及书面的文学作品。

历史 从新石器时代至公元前1000年左右,最早讲澳斯特罗尼西亚语的马来民族,由亚洲大陆移居到印度尼西亚各岛。他们是现在印度尼西亚大多数人的祖先。约在公元初年与中国的通商便已开始,从印度传入的印度教和佛教文化开始在岛上生根。9～13世纪,室利佛逝马来王国一直繁荣兴盛,领地包括马来半岛、爪哇西部及苏门答腊等地。12世纪末,室利佛逝马来逐渐衰退为一个小王国,爪哇的麻喏巴歇王国开始统治印度尼西亚。

13世纪,印度穆斯林商人把伊斯兰教传到了苏门答腊北部。之后的两个世纪里,伊斯兰教又传播到了其他岛屿。只有巴厘岛仍保持着印度宗教及文化。至15世纪晚期,麻喏巴歇时代已告结束。16世纪,一些新建立的穆斯林贸易王国之间相互竞争,并与内地贵族争夺各岛的主权。1511年葡萄牙人到达摩鹿加群岛(香料群岛),西班牙人、荷兰人及英国人也紧随其后,相继到达该岛。他们挑动当地统治者相互为敌,从而轻易地夺得了控制权。最后,专门从事贸易的荷属东印度公司得以在爪哇、苏门答腊及摩鹿加群岛等地实行殖民统治。该公司总部设在巴达维亚(今雅加达)。

至17世纪末,荷兰人几乎控制了所有岛屿的政治和经济。除1811～1816年短时中断外,荷兰人的统治一直持续到20世纪中叶。1927年,苏加诺领导的印度尼西亚民族党成立。1929年,苏加诺及其他领导人因进行反对荷兰、争取民族独立的活动而被逮捕。1942年,日本军队入侵印度尼西亚,但因当时他们被视为荷兰殖民统治的解放者而未遇到多少抵抗。

1945年日本向盟军投降后,苏加诺宣布

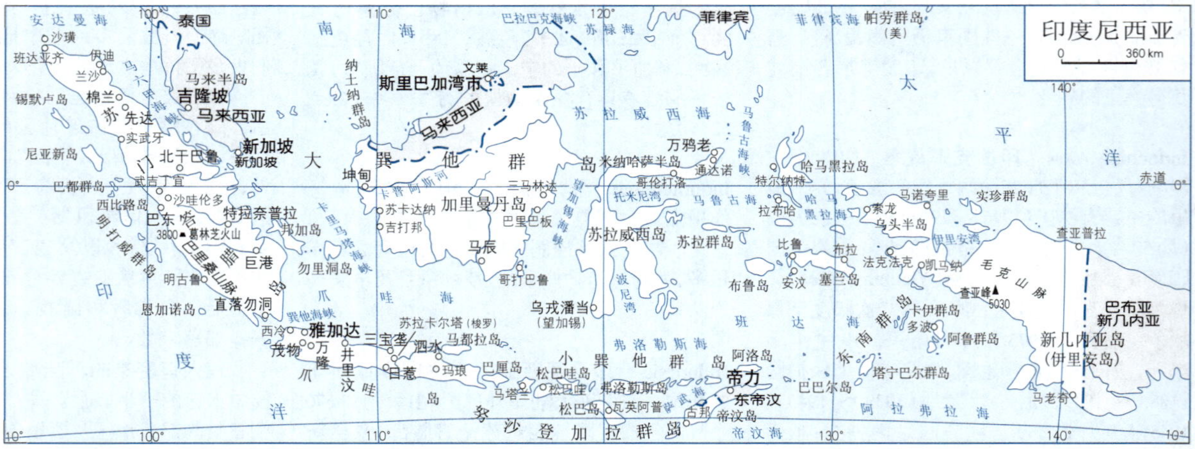

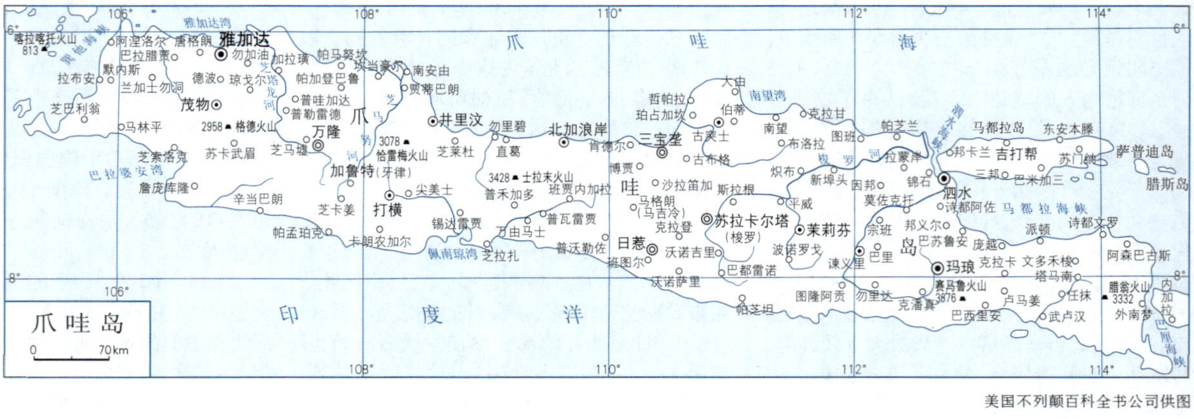

美国不列颠百科全书公司供图

印度尼西亚独立。其后4年中荷兰人一直企图重新取得该地的控制权，但最终在1949年承认印度尼西亚独立，仅保持着名义上与荷兰的联盟。印度尼西亚合众国成立，苏加诺任总统。伊里安巴拉特（西新几内亚，今称伊里安查亚）的前途问题在1949年的协定中没有得到解决，这显然有损于荷、印尼两国间的关系。由于荷兰人继续控制着伊里安巴拉特，印度尼西亚遂于1954年取消了与荷兰的联盟。1962年，荷兰把伊里安巴拉特临时交给联合国，1969年该地并入印度尼西亚。1965年的一场政变使苏哈托将军上台执政，他于1968年出任总统。1975～1976年，苏哈托政府将前葡属东帝汶并入印度尼西亚。苏哈托连任总统至90年代，1998年下台，继任总统是哈比比。1999年，印度尼西亚废除与东帝汶的合并，瓦希德成为总统，2001年，副总统梅加瓦蒂·苏加诺普特丽（苏哈托之女）取代他成为总统。2004年，在该国第一次直接总统选举中，前任安全部长苏西洛·班邦·尤多约诺战胜梅加瓦蒂当选总统。

Indonesia Botanical Gardens 印度尼西亚植物园 印度尼西亚语作Kebun Raya Indonesia。位于印度尼西亚西爪哇茂物的一个热带植物园。占地87公顷，原先荷兰人用以将世界上其他地区的热带植物引入该地区。1817年正式改为植物园，用作培训热带植物学专门人才的基地。该植物园建立于大片原始热带雨林的基础上，这片原始热带雨林一直得以保存其自然状态，从而为科学研究提供高质量的研究材料。植物园在收集棕榈、竹、仙人掌、兰花及观赏乔木方面成绩亦十分卓著。印度尼西亚植物园管理其他3个植物园：爪哇东南部的普尔沃达迪植物园、爪哇西部的奇博达斯山植物园以及巴厘岛上的“埃卡·卡里亚”植物园。

Indonesian Democratic Party of Struggle 印度尼西亚民主斗争党 印度尼西亚政党，1973年强制合并五个非伊斯兰政党组成，是政府正式承认的两个反对党之一。虽经常支持苏哈托的政策，但其中由梅加瓦蒂领导的反政府派别促成了1998年苏哈托的下台。1973年苏哈托限制反对派力量，只允许三个政党存在：亲政府的专业集团和两个反对党——印尼民主党与建设团结党。印尼民主党本是由三个民族主义集团与两个基督教政党合并而成，没有一致的政治思想，在选举中表现不佳。但得到担心穆斯林建设团结党会构成威胁的政府的支持。20世纪80年代和90年代初，印尼民主党得到对社会经济不平等极其失望的选民的支持，选票迅速增加。政府策划推翻梅加瓦蒂，引起在雅加达的抗议和暴动。梅加瓦蒂及其支持者组成新的印度尼西亚民主斗争党，与政府对抗；1999年成为第一大党。2001年梅加瓦蒂当选总统。但在2004年连选中失败，专业集团成为议会第一大党。

Indonesian language 印度尼西亚语 印度尼西亚语作Bahasa Indonesia。印度尼西亚官方语言。约2 200万人作为第一语言使用，国内其他居民则作为第二语言使用。它的基础是马来语，马来语有一个时期曾作为占支配地位的商业语言，并成为操不同语言和方言的印度尼西亚人之间的共同标准语。印度尼西亚语于1945年被宣布为官方语言。许多操印度尼西亚语者都是多种语言的使用者，把它用作第二语言、学术或专业用语言，作为自己的补充语言。印度尼西亚语用拉丁字母书写。

Indonesian languages 印度尼西亚诸语言 又称西澳斯特罗尼西亚诸语言。这个语族包括：通行于新几内亚以西的大多数澳斯特罗尼西亚语言以及密克罗尼西亚的查莫罗语支及帕劳语支。印度尼西亚诸语言与通常称为大洋洲语族的东澳斯特罗尼西亚语族是相对而言的。印度尼西亚诸语言通用地区主要在马来西亚、西印度尼西亚、菲律宾、马达加斯加、北西里伯斯以及越南和柬埔寨（占语语支）。爪哇语是使用最广泛的印度尼西亚语言，人数超过8 000万人。

Indonesian literatures 印度尼西亚文学 指以爪哇语、马来语、巽他语和印度尼西亚其他语言所写的诗歌和散文作品。它既包括先由口头流传后由印度尼西亚人民以书面形式保存下来的作品，又包括西方人类学者和人种学者记录的口头文学作品，以及20世纪初受西方影响而开始出现的现代文学。许多口头流传的诗歌表达了具有宗教作用的传说。在这类诗歌中即兴创作发挥了很大作用，而且有理由相信，在它的现有形式中，大部分诗歌都没有长久的历史。口头流传的散文包括神话、动物故事和“动物寓言”、传说、谜语、逸事以及冒险故事。这些故事中神似的英雄和神异的动物，显示了印度文学以及其他毗邻文化书面文学作品的影响。本土书面文学作品已被留存在苏门答腊的各种语言，以及爪哇、巴厘、龙目以及西里伯斯的更加重要的语言中。无论从数量或质量而言，最为重要的是爪哇语和马来语文学。现存最早的爪哇语文学典范可以追溯到公元9或10世纪。印度两大史诗《摩诃婆罗多》和《罗摩衍那》的爪哇语散文体和诗体翻译改写本在这一早期文学中占重要地位。伊斯兰教于15世纪传入爪哇后，先后对爪哇语文学和马来语文学产生影响。这两种文学在18和19世纪荷兰殖民统治的冲击下衰微。直到20世纪，现代印度尼西亚文学才伴随民族主义运动和民族语言新理想兴起。在20世纪50年代和60年代初，在苏加诺总统的统治时期，文学表达的自由被剥夺。1965年的政变解除了对作家的许多限制，至20世纪60年代后期，人们更加重视重新发现印度尼西亚文学和文化的传统根源。

Indonesian Union（student organization） 参阅 **Perhimpunan Indonesia** 印度尼西亚联盟。

Indore 印多尔 又拼Indur。印度中央邦西部城市。傍锡普拉河支流，为重要公路干线和铁路枢纽。始建于1715年，为讷尔默达河河谷中的市场，现为中央邦最大城市以及该邦西部的商业与工业中心。主要工业有谷物加工、制瓦、水泥、毛毯、化工、帐篷制造、家具、体育用品、铸造、机动车修造、机械等部门。有多家阿育吠陀和反抗疗法医院和培训机构，以及高科技原子研究中心和印度管理研究所。该城的旅游胜地包括因陀罗什瓦尔寺庙、哈西迪寺庙和多处皇家宫殿。设有印多尔大学。人口1 597 441（2001）。

Indra 因陀罗 印度教吠陀经籍所载众神之首。此神好战，是典型的雅利安神灵。他征服人间和魔界无数敌手，降服太阳，杀死延续季风雨的巨龙费栗多。他以雷电为武器，

18世纪拉贾斯坦绘画中骑白象爱罗婆多的因陀罗

美国不列颠百科全书公司供图

饮用祭礼中所奠苏摩汁，从而有大力以完成这些业绩。他的盟友有驾云降雨的楼陀罗（或摩录多）、阿湿波（双生兄弟马夫）以及毗湿奴。在绘画和雕塑中，因陀罗常骑白象爱罗婆多。因陀罗也出现于印度耆那教和佛教神话。

Indraditya 因达迪耶 参阅 **Sri Indraditya** 西·因达迪耶。

Indravarman I 因陀罗跋摩一世（活动时期9世纪，柬埔寨） 高棉吴哥（柬埔寨）王国的统治者（877～889在位）。他可能篡夺了堂兄阇耶跋摩三世的王位。在位时期围绕吴哥城开凿了一个大人工湖。此湖后来成为一个庞大灌溉系统的最初部分，使不毛之地得以种植水稻。

Indre 安德尔 法国中部大区一省。由前贝里（**Berry**）省西部地区和奥尔良（**Orléanais**）省、马尔什（**Marche**）和图赖讷（**Touraine**）小部分地区组成。面积6 778平方千米。地处中央高原西北坡。卢瓦尔河支流安德尔河流经本省。安德尔河从东南部流经本省省会沙托鲁（**Ch°teauroux**），又经比藏赛至西北角的沙蒂永。西部多小湖泊和沼泽地；中部和北部多林木；东北部为农区；南部山林环绕着克勒兹河谷，河谷有水坝和水电站。中北部气候温和，南部较冷。经济以农业为主。工业

多分布在沙托鲁地区，有飞机制造、纺织、金属加工和制革等。克勒兹河谷多游客。瓦朗赛有文艺复兴式城堡。在讷维-圣塞皮尔克有一座11世纪圆形教堂和其他坐落在中西部的中世纪教堂。作家乔治桑的别墅现在是一博物馆，位于诺昂镇上。省下设沙托鲁、勒布朗、拉沙特尔和伊苏丹4个专区。属奥尔良教育区。人口约236 000(1993)。

Indre-et-Loire 安德尔-卢瓦尔 法国中西部中部大区一省。由前图赖讷(Touraine)省大部和奥尔良、安茹小部地区组成。面积6 124平方千米。有"法国花园"之称。卢瓦尔河贯穿境内，流经省会图尔(Tours)，接纳谢尔(Cher)、安德尔(Indre)和维埃纳(Vienne)3条河。气候温和，夏暖冬温。谷地有青草茂盛的牧场、果园、葡萄园、商品菜园和多座法国最著名的城堡。图尔是这一城堡之乡的旅游中心。生产名葡萄酒。图尔地区有化工、医药和电气工业。阿瓦讷有核电站。巴尔扎克、维尼和库特林均出生于本省。下设图尔、希农和洛什3个专区。属奥尔良和普瓦捷教育区。人口约538 600(1993)。

Indre River 安德尔河 法国中西部河流，是卢瓦尔河左岸的支流。源出中央高原北麓。向西北流经安德尔和安德尔-卢瓦尔两省，在希农西北汇入卢瓦尔河。全长265千米，流域面积约13 500平方千米。沿途流经农业区、拉沙特尔和诺昂，后者是法国19世纪作家乔治桑生活过和逝世的地方，在她的小说中常描写此处的乡间景色。在图尔南面的蒙巴宗，安德尔河转向西流经过树林和茂盛的草场，以及15和16世纪城堡，在阿弗安-希农核电站处与卢瓦河汇合。

indri (*Indri indri*) **大狐猴** 大狐猴科，身体纤细、四肢很长的灵长动物。栖息于马达加斯加森林中，是现存马达加斯加最大的狐猴。体长约60～70厘米，尾退化，手脚均大，头

大狐猴(*Indri indri*)
美国不列颠百科全书公司供图

圆，脸尖，耳圆而被毛。通常黑色，头、喉、上肢和臀部为白色。昼行性，树栖，几乎不下地面，站立和爬树都呈直立姿势。可能主要以嫩枝、果实和植物其他部分为食。分布局限于马达加斯加东北部边远的森林地带，《红皮书》中已列为濒危种，受法律保护。

Indriidae 大狐猴科 马达加斯加树栖灵长类的一个科。参阅 **avahi**; **indri**; **sifaka**。

indriya 根 按照印度哲学的说法，指人直接感知外部世界的工具。根有两种，能动的和感觉的。能动的官能是说、抓、走、射出与退出的官能。感觉的官能或感觉是听、触、看、尝和嗅的官能。这两种官能分别同五种元素有关，它们是：以太、风、火、水和土。感官同时取得的个别印象由"意"(思想)加以调节，"意"往往被称为第十一根，它保证人分别感觉到的是同一对象。

Induan Stage 印度阶 下三叠统两个阶中最下面的一层，代表三叠纪印度时期24 800万～24 500万年前在全世界沉积的岩石。阶名源于巴基斯坦盐岭的印度河。按照最初的界定，印度阶是盐岭奇德鲁层之上，上齿菊石石灰岩之下的地层。印度阶细分为格里斯巴赫阶和迪纳尔阶。有六个含菊石头足类动物标准化石的生物带与印度阶海相地层有关。其中已命名的类型中有五个在北美洲。但这些生物带不适用于非海相岩石。印度阶位于下三叠统的奥伦尼克阶之下，上二叠统畅鞘阶(即长兴阶)之上。

inductance 电感 导体(经常为线圈状)的一种性质，用导体中感生的电动势或电压与产生这电压的电流变化率之比来量度。稳恒电流产生稳定的磁场；不断变化的电流(交流)或起伏的直流产生变化的磁场，这变化的磁场又反过来使处于这磁场中的导体感生电动势。感生电动势的大小与电流的变化率成正比。比例因数称为电感量，并定义为导体中感生的电动势值除以引起感应的电流变化率的大小。如果一个电流的变化在另一导体中感生电动势(如变压器)，则此现象称为互感。然而，导体中变化电流产生的变化磁场也在载运此电流的导体本身感生电动势。这一现象称为自感，并把感生电动势与电流变化率之比定为自感量。自感电动势反抗引起自感电动势的变化。因此，当电流开始流过线圈时，除了受到金属导线的电阻外，还受到对电流增大的扼阻。另一方面，当载有稳恒电流的包含线圈的电路突然断开时，消减着的磁场会产生趋向于阻止电流减小和磁场消失的感生电动势，并在开关的触点之间产生电火花。因此可以把线圈的自感设想为电磁惯性，它阻止电流变化和磁场变化。电感量与给定导体的大小和形状有关，如果导体是线圈，则也与匝数有关，还与邻近这导体的材料种类有关。绕在一软铁心上的线圈比空心的相同线圈远为有效地扼阻电流的增加。铁心使电感量增大；即在线圈中电流的变化率相同时，会出现更大的反电动势来扼阻电流的变化。电感的单位是亨利，以纪念首先发现自感现象的19世纪美国物理学家J.亨利。1亨利等于1伏特除以1安培/秒。如果电流变化率为1安培/秒，感生电动势为1伏特，则电路具有1亨利的电感，这是一个比较大的电感量。

induction 诱导 胚胎中因一种组织的存在而影响其他组织发育的现象。某些组织，特别是胚胎早期的组织，显然能决定邻近细胞的分化。若无诱导组织，则被诱导的组织不发育或发育不正常。反之，在胚胎非正常部位加入额外的诱导性组织，常导致异位的被诱导组织的出现。只有某些组织能在一定时期为一定的结构所诱导。例如：眼杯从大脑向皮肤方面生长，接触任何邻近的上皮时，就将其转变为晶状体。诱导晶状体发生的刺激的确切性质未明，核糖核酸可能是信息因子。

induction 诱导作用 酶学中一种能增加酶的合成率的代谢调节机制。在诱导作用中，当细胞接触到某种底物时，就能合成某种专一性酶——诱导酶(如大肠杆菌的β-半乳糖苷酶)，该酶作用于底物，并有产物生成。β-半乳糖苷酶的产生受调节基因控制，由调节基因负责指定一种阻遏蛋白，该蛋白与脱氧核糖核酸(DNA)中指导该酶合成的区域相结合。若有底物存在，底物就作为诱导物而与阻遏蛋白相结合，从而使阻遏蛋白不能与DNA结合，结果，酶就得以合成，也就是说微生物合成酶的过程受到诱导。这种机制在细胞中十分重要，可防止细胞合成无用的酶。例如，仅其底物(乳糖或半乳糖)存在时细胞才合成β-半乳糖苷酶。

induction 归纳 逻辑学中从部分到整体、从特殊到普遍、从个别到一般的推理方法。用于20世纪的逻辑体系，该词有些过时。传统的逻辑学家区分了演绎逻辑(结论必然从前提得出的推理，推出的新命题已经隐含在前提中)和归纳逻辑，现在认为，早先的归纳问题属于自然科学的方法论，逻辑学通常用来指演绎逻辑。

induction, electromagnetic 电磁感应 由于同电路耦合的磁通量的变化而在电路中产生的感应电动势。参阅 **Faraday's law of induction**。

induction, electrostatic 参阅 **electrostatic induction** 静电感应。

induction heating 感应加热 把导电材料置于交变电磁场中使之升温的方法。与电源绝缘的物体中感生的电流以热的形式产生功率消耗。感应加热在金属加工中用得最广，焊接、回火和退火时都用它来加热金属。这一方法还用于感应炉以熔化和加工金属。感应加热法的原理类似于变压器的升温。用一个水冷线圈或电感线圈缠绕待加热工件，前者类似于变压器的初级绕组，后者(工件)类似于次级绕组。当交流电流过初级线圈时，就会在工件中感生涡电流，使工件变热。涡电流对工件的穿透深度和工件内热的分布均取决于初级交流电的频率以及工件材料的磁导率和电阻率。感应淬火作为一种广泛用于提高钢的抗磨损能力的工艺，只需短时间将工件置于高频电场中即可实现。加热非导电体的相应方法是电介质加热。

indulgence 免罪罚 天主教名词，指所犯之罪经过告解圣事获得赦免之后免除应得的一

部分现世惩罚。关于免罪罚的神学理论所依据的观念认为，罪总是邪恶的，罪行和永世的惩罚固然在告解圣事中获得赦免，但是根据天主的慈心，根据正义，罪人必须为自己的罪行付出代价。谬行和永世的罪愆，一经告解，即已被抹掉；但一部分惩罚还有待在今世或炼狱中执行。免罪罚的历史与早期基督教会的告解制度密切相关。告解往往被称为第二次洗礼，要求受礼人作出更大努力，受礼人争取摆脱的不仅是罪责，而且还有现世的惩罚。为此，规定了教会法上的补赎期，其作用在于补偿罪恶所招致的惩罚之债。但是，悔罪人无须动用自己的财力，他可以指望获得代表全体基督教徒的教会的援助。后来，在中世纪初的欧洲，形成了一种惯例，即不再维持漫长的补赎期而代之以一定期间的斋戒（通常是40天）、单独特别念经、施舍和缴纳钱财，这种钱是要用之于宗教目的的。第一位颁赐绝对免罪罚的人是教宗乌尔班二世，其场合是第一次十字军行动（1095）。他的有关免罪罚的谕旨有一段说："凡出于纯粹的虔诚而非沽名求财者，可以前往耶路撒冷解放天主的教会，该人此行即可视为履行全部的补赎。"12世纪以后，免罪罚更为经常地见于文献史料。教宗英诺森二世宣布，朝谒克吕尼大教堂并为装饰该堂捐款者（1132），可获得40天免罪罚。其后不久，凡有一定名声的教堂也纷纷用颁赐免罪罚的方法收取钱财以进行自己的营造工程。要求人们奉献财物作为获得某种免罪罚之条件的作法，势必为严重的舞弊行为大开方便之门。欧洲的宏伟的大教堂、古老的大学、医院、桥梁和其他社会及文化设施，都足以证明，利用免罪罚聚敛的大量钱财，确实用之于合法的目的，然而，有不少却入了贪得无厌的神职人员和专职收捐员（度支官）的私囊。

1517年马丁·路德张布在维滕贝格万圣教堂（城堡教堂）门上的《九十五条论纲》（**Ninety-five Theses**），在一定程度上就是抗议免罪罚的滥用，它同其他因素一道，触发了关于免罪罚之争。直到决定厉行整顿的特伦托会议（1562）之后，与免罪罚有关的滥用权力情事才停止。收捐员（度支官）这个职称和职位及其有关的特权一律废止。5年后，教宗庇护五世将附有捐款和施舍规定的一切免罪罚一律废除，并命令各主教将颁赐这类免罪罚的敕书一律销毁。但是，在有关惩罚之罪可用教会功库中偿付这一条教义上，天主教会依然坚持其本来立场。为此，天主教会力图使信徒记住，圣徒相通，教会全体成员在基督妙体中息息相关，而这一条慰藉人心的教义即是关于免罪罚的教义的基本内容。

根据当代天主教的教义和惯例，人为了争取免罪罚必须使自己处在求恩的状态（必须在良心中没有未得赦免的不可饶恕的大罪），必须有求得免罪罚的意愿，也必须完成规定的善功。免罪罚也可施于死者的灵魂。在此情况下，教会不能直接颁赐，对死者的免罪罚是"乞而得之"而非"赐而与之"。

Indur（Andhra Pradesh, India） **因杜尔** 参阅 **Nizāmābād** 尼扎马巴德。

Indur（Madhya Pradesh, India） 参阅 **Indore** 印多尔。

induration 固结成岩作用 指岩石受热或焙烧后的硬化作用；也指沉积物因胶结或压实（或两者兼有，但没有引进热的作用）而发生的硬化。典型的例子是一种称为角页岩的岩石，它是与火成岩侵入体接触生成的，在此过程中侵入岩浆中的热量和液体使围岩重新组合成结构致密坚硬的燧石岩。它通常也是由碳酸盐沉积岩与页岩的固结成岩作用形成的。

Indus civilization 印度河文明 又称印度河流域文明（Indus valley civilization）或哈拉帕文明（Harappān civilization）。印度次大陆已知的最早的城市文化。1921年第一次在旁遮普邦的哈拉帕发现，1922年又在信德邦境内印度河畔的摩亨约-达罗发现（现在这两个地方都属于巴基斯坦）。后来，在卡拉奇以西480千米，靠近阿拉伯海岸的苏特克根多尔，在卡拉奇东北1 600千米西姆拉山麓的鲁伯尔，在卡拉奇东南800千米西海岸南部的坎贝湾，以及在德里北边50千米的亚穆纳河盆地，都发现这一文明的遗迹。它比稍早的美索不达米亚文明和埃及文明分布更广。

印度河文明包括哈拉帕和摩亨约-达罗两个大城市以及100多个较小的城镇和村庄。两个大城市方圆都超过5千米，由其规模可推测是两个大邦的政治中心或是一个大帝国轮流以两地为京城（印度历史上原是有一国两都之制的），但也可能是哈拉帕继摩亨约-达罗之后成为京城所在地，因为摩亨约-达罗不止一次受到大洪水的破坏。卡提阿瓦以及更往南的南部文化区比主要的印度河地区起源较晚，这种文化具有文字，字符约有250～500个，部分已被试作解读，此种语言已暂被归入达罗毗荼语族。该文明的中心时期约在公元前2500～前1700年，但在公元前2千纪出现的南部地区文化可能延续到更晚的时候。

印度河文明显然是由邻近地方或古时的村庄演变而来。采用美索不达米亚的灌溉农耕方式，一则有足够的技术在广阔肥沃的印度河流域收获作物，再则可控制每年一度既能肥沃土地又能制造祸患的水灾。新文明一旦在平原区取得立足点并能应付切身问题，无疑将使人民温饱，人口数量增加，下一步当然是沿着大河道两侧向前扩展。虽然零星的商业在此出现过，人民仍依赖农业为生。除了栽种小麦和六行型大麦外，也找到紫花豌豆、芥末、芝麻以及一些枣核和些许最早栽植棉花的痕迹。驯养的动物有狗、猫、瘤牛、短角牛、家禽等，还可能饲养过猪、骆驼、水牛。象可能也被驯养，象牙的使用颇为普遍。由于冲积平原没有矿产，矿物有时自外地运来。黄金由南印度或阿富汗输入，银和铜自阿富汗或印度西北（今拉贾斯坦）输入，青金石来自阿富汗，绿松石来自伊朗（波斯），另有似玉的白云母来自印度南部。

印度河文明最著名的工艺品也许是一些图章，通常以块滑石制成，种类有别而独具特色。图案包括各式各样的动物，既有象、虎、犀牛和羚羊这类真实的动物，亦有幻想或拼合而成的动物，有时也雕刻人形。还发现过少量印度河石雕品，通常很小且为人像或神像。此外也发现过很多动物和人的小型赤陶雕像。

印度河文明何时结束及为何结束仍未能确知，如此广布的文化实在不必假定它有一致的结束时间，不过，摩亨约-达罗的灭亡是知道的，且带有戏剧性和突然性。它在公元前2千纪中期遭到入侵者袭击并洗劫而去，在原地留下这座死城。侵入者为谁，仍有待考证。这一段历史似乎在时空上可与古书《梨俱吠陀》（Rigveda）提及的古代雅利安人攻打印度河地区相符合。其中描述新来的人攻击土著居民的"有围墙的城市"或"堡垒"，雅利安战神因陀罗破城"就像时间消蚀一件袍子般"。可以确知的一点是，摩亨约-达罗在遭受致命一击之前，经济与社会状况已经严重衰败，大洪水不止一次淹没大部地区，房屋建筑越来越粗劣，而且有过分拥挤的现象。致命一击似乎来得突然，但这个城市确实已在凋零中。有实据可以证明，继该文明之后的印度河流域文化极度贫瘠，小部分汲取次印度河文化的遗产，也汲取来自伊朗与高加索山方面的成分；实际上，总的来说是受到雅利安人入侵的影响。有数百年之久，印度次大陆西北部的城市文化是死寂的。

然而，南部的卡提阿瓦以及再往南的情况似乎不大相同，这里仍然可见晚期印度河文明与铜器时代文化间的实际文化衔接，此种文化衔接也是公元前1700～前1000年印度中、西部文化的特征。这些文化在原来的印度河流域文明与公元前1000年左右在印度发展的铁器时代文化之间，构成重要的桥梁。

Indus River 印度河 南亚地区一条横贯喜马拉雅山的大河，是世界上最长的河流之一，全长2 900千米。印度河发源于海拔5 500米的西藏西南部，然后沿喜马拉雅山麓向西北越过边界流入查谟和克什米尔。札斯加尔河、什约克河、希格尔河、吉尔吉特河和阿斯多尔河及其他一些河流从喜马拉雅山主脉，喀喇昆仑山脉，南伽山断层带和科希斯坦高地带着积雪和冰川融水流入印度河。印度河越过克什米尔西部边界后转向南和西南方向流入巴基斯坦境内，再从巴基斯坦丘陵地带奔流直下，在斯瓦特和赫扎拉地区的中间形成一条湍急的河流，横切盐岭后进入半干旱的旁遮普平原。在旁遮普（意为"五河之地"）平原，来自东面的几条最大的支流汇入印度河，其中包括杰赫勒姆河、杰纳布河、拉维河、贝阿斯河和苏特莱杰河。此后印度河的河道便明显变宽，流速减缓，一路上有大量的泥沙沉积下来。为防止洪水泛滥，印度河两岸已筑起堤坝，但堤坝有时被冲毁，致使两岸大面积的土地被泛滥的洪水淹没。印度河在德达附近形成一个三角洲，然后分成若干支流在卡拉奇东南分别注入阿拉伯海。印度河流域面积为1 165 500平方千米，年水流量比尼罗河多一倍。由于印度河水系的主要河流以高山融雪为水源，这些河流一年中不同时期的水流量变化很大。冬季水流量最小，春、夏两季水位增高，每年7月至9月，雨季季风常造成洪水泛滥。这些河流的水流量在它们流经山脚下的时候最大，在平原地区，因为地面水已大部分蒸发掉或者渗进土层，很少有地面水流进河里。印度河鱼类资源颇丰，最有名、最重要的一种可食鱼叫做帕拉。巴基斯坦信德省境内的德达、戈特里和苏库尔是重要的渔业中心。很久以来，印度河水提供的灌溉为半干旱的巴基斯坦平原的农业丰收打下了基础。印度河水系上的世界现代化大型渠道灌溉系统之一是在1850年后由英国行政当局修建的。然而经验证明，因为水涝和水中含有大量盐分，除非能对此加以小心控制，渠道灌溉对耕地会造成很大的损害。约在1880年以前，印度河水系的河流上曾有船只航行，但是铁路的出现以及灌溉系统的不断扩大使得除有小型船只在印度河下游河段行驶外，其他河段已不再有任何船只航行。

Industrial Bank of Japan 日本兴业银行 日本的前大商业银行。经营一般银行业务与外汇业务，在国内外有分行。1902年成立。专门经营中长期工业建设融资。总行及国外分行在外汇市场中很活跃，附属机构在世界各地办理商业银行和国际银行业务、信托和非银行融资等业务。总部设在东京。2000年9月，该银行与第一劝业银行和富士银行合并成立了瑞穗金融集团。

industrial design 工业设计 对大规模的工业为大量销售而生产的产品所进行的设计。产品设计首先规划产品的构造、作用和外观，然后对产品能有效地适应生产、批发和零售程序作出规划。显然，外观只不过是这一复杂过程中的因素之一，但普遍认为，外观设计在工业设计中起主要作用，特别是在消费品的设计中。就是这个最不重要的部分常常受到纯理性的分析，并且像过去手艺上的秘密一样，成为商业竞争中的王牌。另一方面，设计生产设备、服务设备和运动设备要求具有实用性，不过在这些产品中，外观设计也日益显得重要。

制造商依靠3类设计者进行工业设计：由一家公司单独雇用的在职设计师；合同设计师，可同时为几家雇主服务，但一般避免发生利害冲突；无固定雇主的设计师，向愿出高价的制造商出售其设计和使用权契约 。第一位工业设计家的工作令人赞叹不已：彼得·贝伦斯(1868～1940)于1907年受聘为德国通用电气公司的建筑师、工业设计师和书画刻印设计师——事实上是为一家巨大企业的众多活动塑造出统一的视觉特征。除此之外他还有其他主顾和专业工作。建筑艺术家贝伦斯将建筑学的规范和伦理观应用于他作为工业设计家的工作上。1907年他与其他人共同创办具有重要意义的设计家和实业家协会，其直接结果是许多德国的和瑞士的这类协会都成为建立得很好的工业设计者的专业组织。美国和英国的工业设计者开始建立得到法律承认的、具有行为准则和教育标准等的工业设计师协会。在伦敦，皇家美术学会指定经过考核的开业者为皇家工业设计师。美国工业设计师协会和工业设计师学会都只吸收在业务法规和限制惯例上签名的人为会员。在英国，工业设计师理事会于1944年成立，从事设计咨询、推荐设计师、提供对商业和公开展览的设计进行评定的程序。国际工业设计协会理事会于1957年在伦敦成立，在25年内它拥有40余个会员国。

工业设计没有统一的方式，即使是在手工操作很少的工业部门也是如此，但存在4种主要的趋向。第一种是贝伦斯所倡导的强调非人格化，工业设计无论是由个人或由集体决定，都表现出一定程度的不偏不倚。非人格化一方面被誉为大生产、大市场的自然属性，符合民主社会的一般鉴赏力；另一方面又被指责为屈从于机器，与自由、个性表现相矛盾。但这种趋向一直持续到现在。工业设计中的第二种趋向是高效而美观的包装，这就是说设计师为产品设计一种保护性容器，容器里面的产品则由工程师负责。成套的机械化和电气化包装设备已普遍投入使用；要求保护性容器安全可靠，并具有整洁的外观，在这种情况下，工业设计者有时因一种适于包装设计和时尚的外表装璜而受到非难。第三种趋向是流线型化。这个设计原则于20世纪30年代由雷蒙德·洛伊等人首先提出来，现在仍被广泛采用，虽然这个术语本身业已过时。正如名称所暗示的，流线型化的特点是通过外形设计以减小在流体(如空气)中运动的阻力，原先用于列车、汽车和其他运载工具上。流线型的弹丸形状和柔滑线条被工业设计师用于本来与速度无关的产品设计。第四种趋向是人为地加快废弃的过程，也就是说，设计的改变有意地诱使顾客在因正常磨损或根据已有的习惯须要更换前，频繁地购买新的替换商品。在工业化国家里，人为的废弃开始只存在于时新款式方面，现在已好像有点成为一种习尚，它的运作是通过广告宣传、价格涨落、效用的变化和改进，以及由设计师设计出的外观变化等因素而形成的。必须根据广泛的社会和经济理由，而不仅仅是根据设计上的意义对这种趋向作出评价，特别是在设计汽车和大型家用器具时，人为的废弃受到强烈的批评，可是它带来了明显的经济效益，因此使用日益广泛；它在流行的时尚产品中是一个重要因素，在使用后随即抛弃的保健和卫生产品中受到广泛的支持。

工业设计是一门正在成长的专业，它既受到世界经济、个人效益和乐趣、艺术、工程、尤其是教育的影响，同时也影响上述因素。它对经济活动的贡献大于美学成就，而许多人把美学成就看作是对它的最大要求。纽约市现代美术博物馆等艺术团体试图承认工业设计的突出贡献。

industrial diamond 工业用金刚石 瑕疵太多、形状不规则、颜色不好或颗粒太细不能作为宝石的任何金刚石。金刚石的工业用途是那样重要，以至于工业用金刚石的缺乏将会引起现在金属加工工业的崩溃并严重损害大规模生产。有3种天然品种：①半刚石。又叫放射纤金刚石、弹丸圆粒金刚石，由微细金刚石晶体呈同心圆排列成的球形体组成。极硬，极韧，难以劈开。主要来源地是巴西和南非。巴西半刚石据说是两者中更硬的。②圆粒金刚石。是一种灰色至黑色的块状金刚石，颜色由其中包裹体和杂质引起。此名称也用于颜色不好的、有瑕疵的或形状不规则、不适于作宝石用的金刚石晶体。钻探用圆粒金刚石为小而圆的、平均每克拉约20粒的金刚石，用于镶嵌金刚石钻头。研磨用圆粒金刚石(最低级的金刚石)在钢研钵中磨碎，而后分为粒度不同的磨料，此种金刚石世界产量的75%来自刚果(金)。主要用途是生产用于磨快硬质合金的金属切削工具的砂轮，但也可以作为悬浮于油中或水中的松散颗粒用来研磨或抛光。③黑金刚石。在商业上叫炭精，是黑色不透明的金刚石。它与结晶的金刚石一样硬，但脆性较小；并且由于它的构造稍微呈多孔状，所以比重较低(3.51～3.29)；无解理，适于制造金刚石镶嵌的工具。往往呈小块体，产于巴西巴伊亚的含金刚石砾石中，同时也产于婆罗洲。广泛用于勘探新矿床的岩心钻，就是把金刚石镶嵌在中空的金属钻头周围的边缘上。黑金刚石的其他重要用途有：制造切割岩石和其他坚硬物质的锯片，制造车床以及其他类型的切削工具，制造玻璃刀、唱机的唱针、硬度测试仪以及拔丝模具等。工业用金刚石也能用人工合成。参阅 **synthetic diamond**。

industrial engineering 工业管理学 又译工业工程学。应用工程原理和科学管理技术，使工业企业在最优化成本下保持高水平的生产能力。19世纪80年代被称为现代工业工程学之父的F.W.泰勒为对工作进行科学测量的先驱。经过多次对工作的研究，他向他的公司提出一个获得最大产量的公式，此一公式后来为多家生产企业所采用。几乎在同时，F.吉尔布雷思和L.吉尔布雷思夫妇则在加强他们的时间-动作研究，把生产过程进行精密的分析，消除不必要的动作或步骤，而且简化主要的步骤，把所需时间减至最少。因此，简化了生产过程，提高了工人的产量。工业工程师(或称管理工程师)要依靠系统工程、管理科学、作业研究和人类因素工程学等领域的知识。他的责任包括选择材料与工具，使公司的生产成本最低而效率最高；他也可能决定生产的次序和装置设备或工厂的设计。工业工程师做决定时，常依靠管理上的专门知识，例如他要指导时间-动作研究，根据对工作所需技术的评价来决定工资等级表，为竞争的产品制定必要的质量管理程序。

industrial espionage 产业情报 又译工业谍报。从企业竞争对手那里获得行业机密资料。它是技术革命的副产品，它是许多商人为了保护或扩展其市场占有额，而在设计、蓝图、配方、制造工序、研究工作和未来计划方面保守机密所产生的一种反应。有相当数量的竞相寻求的资料来自一般的和平凡的渠道。例如，一些大型零售连锁商店，雇用大批的代理人通过比较性的选购商品来查核竞争对手的产品和价格。一般的信息传递，如推销员报告、贸易杂志、业务通讯、行业会议、商品交易会和展销会，以及与供货者接触，都同样富有成效。分析竞争对手的产品，仍然是商业情报的另一重要渠道。实际的商业机密,可以有好几条渠道进入公开的市场。接近重要商业情报的不忠诚的雇员,可能偷偷寻找竞争对手,把机密资料兜售给最高出价者。一种更普通的方式是集体密谋:几个雇员(通常是技术人员和高级职员)脱离公司,利用所获得的机密作资本,开设一个竞争性企业。另一种竞争方式是:对手以高工资和福利诱走有价值的雇员,希望他能提供所累积的机密以资应用。雇主发觉其行业机密已被竞争对手使用时,常采取法律步骤以防止其商业秘密受到进一步侵犯。

industrial medicine 工业医学 又作occupational medicine。以研究职业病为主要内容的医学分支学科。包括维护一线工人的身体健康、预防和治疗各种工伤、劳动事故及职业环境所致疾病。过去,工业医学的范围仅限于工伤事故和工人在生产过程中所得的病。现代概念上的工业医学涵盖了所有的职业类型,甚至连学生健康计划都被认为是工业医学的有效延伸。职业病的概念始于古埃及和古罗马。17世纪的意大利医生B.拉马齐尼指出:医生要想明确患者的诊断,就必须掌握他的职业特点。这被世人公认为现代工业医学的起点。随着工业化进程的发展,从事有害健康工种的工人数量迅速增加。除工伤事故外,业内和业外人士都开始认识到工业粉尘、有毒气体对工人造成的危害。现代工业医学改变了过去的以治疗为主的作法,把预防作为第一原则。人们在机器的旋转或切旋部位都装上各种防护设备;制定各种规章制度;改善车间的通风,把各种工业粉尘和有毒气体及时排走;更新原料以减少环境污染;严格操作程序,保证安全第一;工人上岗要带好防护面具、头带安全帽、身着工作服。随着防护性措施的完善和落实,职业病的发病率有了大幅度的下降。不过,工业医学和工业技术一样都在不断地发展、进步,只要有新材料、新技术出现,就会出现新的工业医学问题。当人们了解到接触铍元素可致肺病后,就应该警惕其他潜在的可导致肺病的有毒物质。有毒和无毒是个相对概念,受到物质的理化形式、使用方式、接触剂量、配伍增效等诸多因素的影响。人们对职业病的关注导致对工人健康问题的关注,这不仅是因为这个问题直接关系职工福利,而且也关系到企业效益。一套完备的职工保健制度不仅可以极大地改善劳资关系,而且能减少缺勤、减少临时工、提高生产率。在多数情况下,用于工伤赔偿的钱要比为职工保健医疗所付的钱多。职工保健制度多有差异,大型企业有能力对职工健康大包大揽,而小企业就没有这个能力。一个全面的保健制度除了要保证看病吃药以外,还负责职工的定期体检。目前,世界各国对职业病的认识并不充分,文献资料当然也就不可靠。文献中的职业病数字和工伤数字比起来,前者更不准确。因为煤矿瓦斯爆炸时的死亡人数很容易统计清楚,而职业病则不然。而且很多工业粉尘、废气、化学物质或物理能量对身体造成的损害,常常要过许多年才能看出来。此外,很多疾病很难和职业病联系起来,因为其症状、体征和某些非职业病相似。即便这种病就是因为长期、小量接触某种化学物质所致,那也会因时间周期太长、变数太大、无法明确因果关系等原因而不能认定,而且这种试验也是不会有结果的。因此,要认定新的职业病,会有很多困难。

industrial melanism 工业黑化 生活在环境为煤烟熏黑的工业地区内的动物种群皮肤、羽毛、毛皮变黑的现象。动物种群的黑化增加了其成员存活和生殖的概率。黑化是在许多世代中发生的,是自然选择的结果,因掠食者将色彩较淡、目标明显的个体捕食。

Industrial Organizations, Congress of 产业工会联合会 参阅 **American Federation of Labor-Congress of Industrial Organizations** *美国劳工联合会-产业工会联合会(劳联-产联)*。

industrial psychology 工业心理学 又称职业心理学。将实验心理学、临床心理学和社会心理学的概念和方法应用于工业的心理学分支。主要研究工业中人与人、人与机器以及人与组织的基本关系。20世纪初首先在美国产生,以后通过人员管理和机关管理而在世界其他地区的产业管理中得到应用,特别是在觉得需要对产业工人的问题进行系统、科学考察的那些国家。

industrial relations 劳资关系 又称产业关系。指对工作场所中人的行为之研究,着重研究这类关系对企业生产率所具有的影响。古典经济学家把工人当作生产工具,就如同原材料和制成品一样受供求经济规律的支配。19世纪90年代美国工业工程师F.W.泰勒设计了"科学管理"制度,将这一观念发展到逻辑的顶端。他利用时间与动作研究将工作分解成各组成工序,并计算出每项动作所需的时间。利用这种研究,他既为各单项工序又为整个工厂引导出最有效率的管理方法。这种自由放任主义方法并不考虑如何将工人们作为一个整体,鼓励他们工作得更有成效。在20世纪20年代后期,E.梅奥(又译梅约)研究了位于伊利诺伊州西塞罗的西方电气公司霍桑工厂的生产率。他发现工人工作环境的改变并没有产生什么影响,而仅仅是由于某些工作被选出作试验却提高了生产率(霍桑效应)。尽管这一结论现已受到质疑,然而它却标志着系统研究劳资关系的开端。工人开始被视为是可以对心理的——以及经济的——刺激做出反应的。工业革命将大量的工人在无以名状的而经常是不愉快的情形下集合在一起。随着产业公司的增大,为了控制和协调工人,一个经理和工头的等级制度日渐成为必要。各式各样的管理战略演变产生。

管理方式可分成两大流派,即自由放任主义的和家长式的。前者的特点是笃信自由市场的威力;这类经理们对工作场地之外的雇员并不感到负有任何责任,因为公司的主要目标是追求最大限度的利润。然而家长式的管理方式认为,公司对工作场地之外的工作人员以及范围更大的社区负有责任。文化因素也影响管理方式。许多北美公司的特点就是经营管理分权化。在拉美和欧洲,公司决策比较集中,等级制度比较严格。日本经理强调合作与协商;工人常将公司和同事视作第二家庭。

除工资和附加补贴外,有许多因素对工人有吸引力。按生产率付酬的奖励制度是激励工人业绩的重要措施。管理纪律是一项可变因素;直接监督量的大小和监督人员与工人的比例,各家公司不一样。管理部门同工会的关系,既有冲突的一面,又有合作的一面。大多数工会是为要求管理部门提高工人工资和改善工人工作条件而组织起来的。谈判已成为工会代表的主要职能;多数谈判代表是愿意妥协的,特别是当管理部门趋向缓和冲突时更是如此。公司各分部经理之间的关系及各经理与其上司之间的关系,也如同经理-工人关系一样复杂。例如,销售主管必须关心质量管理、生产进度和顾客服务;工厂经理必须对副总经理及工头负责。因此,经理们常被一整套复杂的要求所支配,左右为难。

Industrial Revolution 产业革命 指现代历史中从农业和手工业经济转变到以工业和机器制造业为主的经济的过程。这一过程是18世纪在英国开始的,又从英国传播到世界各地。以前法国的著名作家也曾使用过"产业革命"这个词,而最初使这个词大众化起来的却是英国经济历史学家A.汤因比(1852～1883),他用"产业革命"来描写1760～1840年间英国的经济发展。从汤因比以后,这个词就被更加广泛地应用了。产业革命的主要特点,既是技术方面的,又是社会经济和文化方面的。技术方面的变化有:①采用新的基本原料,主要是钢铁;②采用新的能源,包括燃料和动力如煤、蒸汽机、电力、石油和内燃机;③发明新的机器,如詹妮纺纱机和动力织布机,有了这些新机器,才有可能以较少的人力来增加生产;④出现一种被称为工厂制度的新的工作组织,使劳动分工精细和作用专门化;⑤在运输和通讯上有了重大的发展,如蒸汽机车、轮船、汽车、飞机、电报、无线电;⑥将科学应用于工业日益增多。由于这些技术上的变化,才有可能大力使用自然资源和批量生产制成品。在非工业领域内,也有了许多新发展,如:①农业进步,能为更多的非农业人口提供粮食;②经济变化,带来了财富分配更为广泛,与日益增长的工业生产相比,土地作为财富资源的作用日渐减少,国际贸易大为增加;③政治变化,反映出经济权力的转移以及适应工业化社会需要的新国策;④激烈的社会变化,如:城市的兴起、工人阶级运动的发展、新型权威的出现;⑤大规模的文化变革,工人获得了卓越的新技术,他们同工作任务之间的关系有所改变,他们不再是使用手工工具的匠人,而是受工厂纪律约束的机器操作者。最后,还有心理上的变化,那就是,人类提高了能够利用资源和征服自然的信心。

第一次产业革命 1760～1830年期间,产业革命大体上仅发生在英国。尽管英国禁止输出机械、熟练工人和制造工艺,但其垄断不能持久。欧洲大陆上,比利时是最早在经济上发生变化的国家。像英国一样,比利时的产业革命也集中于铁、煤和纺织品。法国产业革命比英国和比利时晚,也不及它们那样彻底。到1848年,法国已成为工业强国,尽管它在第二帝国时期工业大有发展,但仍落后于英国。其他的欧洲国家则落后得更远,它们的资产阶级缺少英国、法国、比利时那样的财富、权力和机会;国内的政治形势也阻碍了工业的发展。例如德国,虽然它拥有丰富的煤、铁资源,但直到1870年国家统一以后才开始发展工业。此后,德国的工业生产便迅速增长,在20世纪到来之前,它的钢铁生产已经超过英国,化学工业已跃居世界首位。在19和20世纪,美国工业的发展远远超过欧洲国家。日本进行产业革命也取得了惊人的成就。20世纪初,东欧各国还是落后的。苏联直到执行几个五年计划后,才成为大工业强国,它在短短数十年内走完了英国耗时一个半世纪的工业化过程。20世纪中叶,产业革命又传播到像中国和印度那些过去不曾工业化的国家。

第二次产业革命或新产业革命 虽然19世纪末和20世纪到来的新产业革命同第一次产业革命有不少重叠之处,但它的到来已日渐明显。以基本原料而论,人们已开始利用过去从来不曾利用过的许多天然和人造资源,如:轻金属、新合金、塑料等合成产品,还利用新的能源。跟这些利用相结合的是机器、工具和计算机的发展,从而产生了自动化工厂。虽然某些工业部门在19世纪初期至中期几乎已全部机械化了,但自动化操作(与生产装配线不同)却在20世纪的后半个世纪才显示出重大的意义。生产资料所有制也发生了变化。作为19世纪产业革命特征的生产资料少数人所有制让位于扩大了范围的所有制,这种变化是由于个人和像保险公司那样的集体组织可以购买普通股票而造成的。在20世纪,欧洲有许多国家已将某些经济的基础部门社会化了。在政治学说上也有了变化:在古典产业革命的经济、社会思想中,自由放任观念占有主导地位,而现在许多国家的政府都已着手干预社会、经济,以适应更为复杂的工业社会的需要。

industrial truck 工业用搬运车辆 在厂区内以最大机动灵活性搬运材料的车辆。大多数工业用搬运车辆都能机械化装卸货物,以消除人力起升和搬运。按动力来源,工业用搬运车辆可分为手推车辆和机动车辆。两轮手推车可使大部分重量由轮子承受,但推车人必须承担一部分重量,使车辆运行时保持平衡。常见的两轮手推车有粗腰桶车、箱车、圆筒车、倾卸车、冷藏车、纸卷装卸车和运输斗车。四轮手推车种类更多,有台车、高底盘和低底盘平板车、手拖车和装架车,以及各种装有起升重物用的机械或液压升降机构的手动起升车辆。机动车辆由蓄电池和电动机驱动,或由内燃机通过机械或电气传动驱动。某些机动车辆用丙烷和柴油机代替汽油机。非起升用的平台车只作搬运用,但其他机动车辆则装有液压机构以起升重物。叉车前端有货叉,用以从堆垛台上拾取重物,把重物起升到所需高度,运走,再卸在要求的地点和高度上。吊杆车有外伸的吊杆,以运送成卷的材料。起升车辆是装在工业用搬运车辆上的

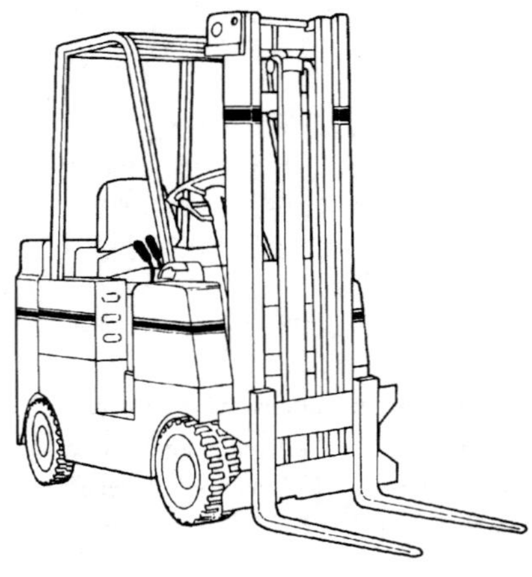

叉车式工业用搬运车辆

轻便悬臂式起重机,可与吊钩、抓斗,以及吊运成捆或成卷材料的吊具配合使用。跨车类似于装在4个充气轮上的龙门起重架,司机坐在一倒U形框架上,木材、钢条、管子等重物支承在起升横梁上。其他常见的有高升程和低升程平台车,装有电动机的手扶货车,侧面夹料车,牵引车和侧面装载车。

industrial union 产业工会 代表一个工业部门的所有熟练工人和非熟练工人的工会。约在19世纪末的英国,在进行大规模生产的工业部门中,由于半熟练工人和不熟练工人被排斥在原有的熟练工人的工会之外,他们便自行组织工会。稍晚,在其他国家也有类似的发展。现在很少有工会是局限于按某一行业或工业部门单独组织起来的。大的产业工会,可能在其管辖范围内为特定的行业工人设置专业分会。同业工会也可能补充吸收非熟练工人而变成产业工会。参阅**craft union**。

Industrial Workers of the World (IWW) 世界产业工人联盟 又称Wobbly。1905年美国43个团体的代表在芝加哥组成的激进的劳工组织。这一组织反对美国劳工联合会承认资本主义、拒绝非熟练工人加入行业工会之类的政策。世界产联的创始人有西部矿工联合会的W.D.海伍德、社会劳工党的D.德莱昂以及社会党的E.V.德布兹。1908年世界产联分裂为两派:一派主张采取政治行动以达到自己的目标;另一派则主张避开政治,采用总罢工、联合抵制以及破坏等行动。后一派在海乌德的领导下占了上风,于是世界产联便成了一个革命组织,致力于通过工人以取得生产工具的控制权。世界产联的一些最辉煌的胜利是在沿太平洋的西北部的采矿业和伐木业中取得的。世界产联是反对美国参加第一次世界大战的唯一劳工组织;战争期间其领导人试图阻止西部各州的铜矿生产。联邦政府作出了反应,根据新制定的《破坏与间谍法》对某些领导人提出起诉定罪。第一次世界大战后,美国地方官员根据选民的激进主义情绪,打击并进一步控告世界产联。至1925年,世界产联的会员人数已变得微乎其微。

industrialization 工业化 转变为以工业为主的社会经济体系的过程。某些农业社会如何或为何转变为工业国,这一问题并未完全得到充分了解。已确知的是,在18世纪后期和19世纪的产业革命中英国发生的变化为西欧和北美工业化国家提供了一个典型。工业化过程及其技术成分(例如劳动机械化和依靠无生命能源)引出了意义深远的社会发展。把劳动力从封建的和习俗的束缚中解放出来,创造了一个劳动力自由市场,一种特殊的社会类型企业家在其中起了关键作用;城市吸引许多人,使他们离开土地;将工人聚集在新的工业城镇和工厂中。以后实行工业化的国家企图控制住这些因素中的一部分。例如,苏联的工业化基本上以强迫劳动为基础,并消灭了企业家。而在日本,国家的有力参与,起了鼓励和支持企业家的作用。其他国家,特别是丹麦和新西兰,实现工业化的主要方式是使农业商业化和机械化。虽然城市-工业生活为个人的流动性和个人自由提供前所未有的机会,但是要求付出很高的社会和心理代价。K.马克思和E.涂尔干等各派观察家援引"异化"、"失范"来描述面临似乎毫无意义的任务和迅速变化的目标的个体工人。大家庭和社区的瓦解可能使个人孤立,抵消传统价值观念。工业主义以其发展机制本身似乎创造了一种新的贫困,其受害者由于种种原因没有能力依照工业秩序的规则进行竞争。在20世纪后期的大工业化国家中,自动化技术、日益扩大的服务部门和不断扩大的郊区化等发展表明,某些观察家称之为的后工业社会正在出现。

industry 产业 指制造或提供货物、劳务或收入来源的各种生产性企业或组织的群体。经济学中通常将产业划分为第一产业、第二产业和第三产业;其中第二产业还可划分为重工业和轻工业。第一产业可划分为两类经济部门:①自然生长业,其中包括农业、林业、畜牧业和渔业。这些产业都有赖于科学、技术的改进与提高,以开发其再生资源;②采掘业,其中包括矿石、石料、矿物燃料等的开采。欠发达和发展中国家的经济大多是第一产业占主导地位;不过随着第二和第三产业的发展,第一产业在经济产业中所占的份额总是日渐减少。第二产业又称为制造业。①它将第一产业所提供的原材料加工成消费品;②它将其他第二产业的制成产品进行进一步加工;③它建造用于制造消费品和非消费品的资本货物。第二产业还包括能源业(例如水电业)及建筑业。第二产业可分成重(或大型)工业和轻(或小型)工业。重(或大型)工业一般要求在厂房和机械设备上有巨额投资;可为巨大而多样化的市场(包括其他制造业)服务;产业组织复杂,常需要熟练的专业化的劳动力;可生产出大量产品。这类产业的例子有:石油提炼、钢铁制造、汽车与重型机械制造、水泥生产、有色金属冶炼、肉类加工、水力发电等。轻(或小型)工业的特点是:制成品不耐用,在厂房和机械设备上投资较

少;轻工业可能有非标准化的产品,如按顾客具体要求制造的物品或工艺品。劳动力的技能可能很低(如纺织、制衣、食品加工、塑料制造等),也可能很高(如电子和计算机硬件制造、精密仪器制造、宝石加工、工艺品等)。第三产业又称为服务行业。它包括各种提供服务或无形收益、或产生财富而不生产有形商品的行业。在自由市场经济和混合经济中,本经济部门一般都是私营和国营企业的混合结构。第三产业的行业有:银行、财政、保险、投资、房地产等服务,批发、零售和转售贸易,运输、信息、通讯等服务,专业、咨询、法律、个人等服务,旅游、旅馆、餐厅和娱乐,修理与维护服务,教育与教学,健康、社会福利、行政管理、警察、安全、防卫等服务。

Indy, (Paul-Marie-Theodore-) Vincent d' 丹第 (1851-03-27,法国巴黎~1931-12-01,巴黎) 法国作曲家及教师。因曾尝试按C.弗兰克的路线对法国交响乐及戏剧音乐进行改革,并取得部分成功而引人瞩目。作曲曾师从弗兰克。1874年入巴黎音乐学院管风琴班,同年,他的第二首《华伦斯坦序曲》公演。他认为法国19世纪音乐和巴黎歌剧院、巴黎音乐学院传统乃至法国"装饰性的"交响乐是肤浅、浮夸的,无法与条顿风格的巴赫、贝多芬、瓦格纳的传统竞争。他在和声和对位上狠下功夫,但自由的、非传统的节奏在后期作品中时有流露。最重要的舞台作品有《钟之歌》(1883)、《费尔瓦尔》(1895)、《圣克里斯托弗传说》(1915)和《森尼拉的梦》(1923)等。交响乐作品中,根据他在阿尔代什地区所收集的一首民歌而作的《山歌交响曲》(1886)和《伊斯塔尔》(交响变奏曲,1896)代表了他的最高成就。他的105部作品中有键盘乐器作品、世俗和宗教合唱曲及室内乐,包括《五重奏》(1924)、《长笛、弦乐三重奏及竖琴组曲》(1927)和《第三弦乐四重奏》(1928～1929)。还写了在维瓦赖搜集的几百首民歌的改编曲。1894年成为巴黎圣歌合唱学校创办人之一,并通过该校的课程传播他的理论,重新引起人们对格列高利素歌及16和17世纪音乐的兴趣。还出版了研究弗兰克(1906)、贝多芬(1911)和瓦格纳(1930)的论文。他的法国学生有P.杜卡斯、A.鲁塞尔和D.德·塞韦拉克等。在国外,尤其在希腊、保加利亚、葡萄牙和巴西等地,他对有志于将民间音乐引入交响曲的作曲家有深远的影响。

Indy 500 (motor race) 参阅 **Indianapolis 500** 印第安纳波利斯五百英里赛。

Ine 伊尼 (?～726或以后) 又拼Ini。688～726年西撒克逊(或韦塞克斯)的盎格鲁-撒克逊国王。阿尔弗烈德大王以前西撒克逊最强大的统治者之一,也是第一个颁布法典的西撒克逊国王。该法典是了解英格兰早期社会结构的重要资料。在卡德沃拉国王退位后继承王位。710年,南撒克逊(或苏塞克斯)国王努纳援助他抗击科尼什不列颠人,但在722和725年,因南撒克逊人包庇一个与他争夺王位者,他又与之作战。726年逊位后隐退罗马。他的法典作为阿尔弗烈德法律的附录而保存下来。它主要涉及法律程序,列举对各种犯罪行为的惩罚。

inertia 惯性 物体对抗改变其运动状态的一种属性。要使静止物体动起来,或改变运动物体速度的大小和方向,都会受到惯性的阻碍。惯性是被动的,除了对抗主动力与转矩外,不能使物体主动做任何动作。运动所以能保持,不是由于它的惯性,而是因为缺少使它减慢、加快或改变路径的作用力。物体惯性有两种数值量度:物体的质量(mass),决定着对作用力的抵抗;物体对给定轴的转动惯量(inertia, moment of),决定着对该轴的转矩的抵抗。

inertia, moment of 转动惯量 物体旋转惯性的定量量度,即当物体由于扭矩(旋转力)的作用而改变它绕某个轴的旋转速度时所表现出来的阻碍作用。轴可以在物体内部,也可以在其外部;可以固定,也可以不固定。可是,转动惯量总是相对于轴线而定的,并被定义为给定物体内各质点的质量与该质点到轴线距离平方的乘积的总和。如图所示,连接在一根棒 AB 上的两个钢球,该棒连在杆 OQ 上的 C 点。忽略棒的质量,并假定每个球所有质点的质量都集中于与 OQ 轴距离为 r 的地方,转动惯量 I 等于它们的乘积,即 $I = 2mr^2$。转动惯量的单位在国际单位制(SI)中是千克·米²。形状规则的物体,其转动惯量可用数学公式来表示,转动惯量的数值通常用积分运算得到。在示意图中,圆盘对 OQ 轴的转动惯量,可以将圆盘近似地切割成许多细的同心圆环,求出这些圆环的质量,并逐个地将圆环的质量乘以圆环到 OQ 轴距离的平方,最后将这些乘积求和。应用

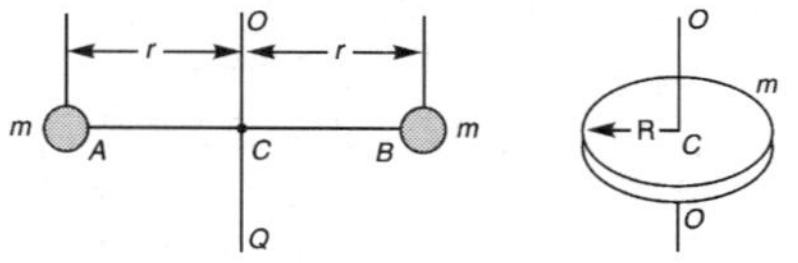

转动惯量

积分计算,得到惯量的值为:$I = (mR^2)/2$。对于数学上形状不规则的物体,转动惯量可由实验得到。方法之一是利用扭摆的摆动周期和悬挂物体的转动惯量之间的关系。假如图中的圆盘由一根在 O 点固定的金属线 OC 悬挂,如果扭转后放松圆盘,它将绕 OC 旋转摆动,完成一次摆动的时间取决于线的刚度和圆盘的转动惯量,惯量越大,时间越长。

inertial guidance system 惯性制导系统 一种不需要与地面站或基地联络的电子系统,能连续不断地监视运载工具(通常指潜艇或导弹)所在的位置和运行的加速度,从而提供导航数据或控制方法。惯性制导系统中主要的装置是陀螺仪、加速度计和电子计算机。陀螺仪提供固定的参考方向;加速度计测量系统的速度变化;计算机将运载工具的方向和加速度的变化信息处理后,把结果输给导航系统。一部像装在导弹上用的典型惯性制导系统,都采用三只陀螺仪和三台加速度计。为了确定三台加速度计的取向,装在万向支架上的三只陀螺仪沿着运载工具的横滚、俯仰和偏航角的取向建立一个参考系。三台加速度计测量这三个方向上的速度变化。计算机将惯性制导系统送来的数据做两个积分:首先,对加速度数据进行积分,求得运载工具当时的运行速度;然后再将计算出的速度做积分,求得运载工具当时的位置。这些信息一直连续不断地同要求的(原先计算并编好程序的)过程进行比较。无论是加速度计的量测功能不佳或是陀螺仪平衡不准引起的微小误差,都会使惯性制导系统提供的信息出现重大误差。因此,这些仪器必须做工精良,认真维护,由一个独立导航系统,如全球定位系统,仔细校正,频繁重新预置。

INF Treaty 参阅 **Intermediate-Range Nuclear Forces Treaty** 中程核武器条约。

infallibility, papal 参阅 **papal infallibility** 教皇永无谬误论。

infamy 丧失名誉 指公开的耻辱或丧失声誉,被判犯有某些刑事犯罪后的后果之一。早期普通法规定:犯有丧失名誉罪的人没有充当证人的资格。认定丧失名誉罪的标准是,罪犯是否被视为不可信任。因此,这一概念原先只限于所谓虚伪罪(crimen falsi),如伪证罪,并扩及任何涉及诈欺或贪污的罪行。但到后来,所有的重罪均视为丧失名誉罪。然而,因丧失名誉而不能作证的规定,在英国和在美国已由法令废除。《美国宪法第5条修正案》规定,对于任何"死罪或丧失名誉罪",要求由大陪审团起诉。因此,丧失名誉罪取决于可能施加的刑罚而不取决于罪行的性质。一般地说,任何可被判处在州监狱中监禁的罪行是丧失名誉罪,任何可被判处监禁一年以上的联邦级罪行也是丧失名誉罪。

infancy 婴儿期 儿童期的早期阶段,医学上通常将出生后至一岁末这段时期或至开始独立行走(通常为13～15个月)这段时期称作婴儿期。婴儿的生存和健康状况在很大程度上取决于胎儿期的情况。母亲身体健康、饮食恰当而充足,而且生活制度合理,胎儿就可能得到保证最佳发育所需的营养。若母亲于妊娠期患某些传染病,滥用药物或酗酒、吸烟,则胎儿的发育会受到不利影响。良好的健康状态及营养对母亲极为重要,不仅在妊娠期是如此,在怀孕以前也可能是如此。足月产的正常婴儿体长平均约51厘米,体重平均3.4千克。一般情况下,婴儿出生后48小时内体重丢失5%～10%。此后的3个月内体重平均每周增加170～200克。生长发育继续进行,但增长率逐渐下降,12个月后体重每周平均增加60克。影响身高、体重的因素包括遗传、营养及疾病。肥胖的母亲更容易生下肥胖的孩子,身材矮小的父母则容易生下小个的婴儿。新生儿的头围平均约35厘米。婴儿期头部生长迅速,1岁时头围达45厘米。出生时,头顶部有柔软的地区——囟门,由紧韧厚实的组织保护,以后该组织由骨质代替。通常囟门于婴儿期之末闭合。新生儿的头发在颜色、数量和质地方面差异极大,但其质地往往较以后的时期更纤细。新

生儿出生时通常没有牙齿，约6个月时开始出牙。开始出牙的时间个体差异甚大，但出牙顺序却固定不变，一侧中间下切牙先萌出，到一岁末，通常共萌出6枚牙齿(4枚上切牙和2枚下切牙)。虽然新生儿的感觉仅得到部分发展，但他们对环境的感觉能力比从前认为的要强得多。例如，研究者发现，婴儿能分得清他爱喝的和不爱喝的水，也能区分舌上的触觉刺激和味觉刺激。新生的婴儿不会注视，他们的眼睛会转向各个方向，其运动不协调。强光会引起不适。但到一个月之末，婴儿能短暂地注视物体，在以后的两个月内，眼的功能日益完善，开始能辨认物体。他们的眼能随移动的物体转动。刚出生的新生儿几无听觉，但听力迅速好转。很快新生儿就能对响声、说话声、音乐声作出反应。震摇或触摸也容易使婴儿感到不适。新生儿对疼痛可能不如较年长的儿童敏感，对这点尚有争论，但刚出生的儿童即有屈肌反射，能对疼痛刺激作出反应。吸吮是一种反射，足月产的新生儿吸吮反射发育充分，而未成熟儿的吸吮反射较弱。当正常新生儿的嘴唇或面颊受到触觉刺激时，即开始寻找乳头(或奶嘴)，找到后即开始吸吮动作。其他生来就具备的反射包括吞咽反射、咳嗽反射、瞬目反射及呕吐反射。新生儿饥饿、寒冷或因其他原因而感不适时便会啼哭。当食欲得到满足，感到温暖、舒适时，新生儿大部分时间都在睡眠。在出生后的第一年内，正常的发育过程按一个相同的模式进行，但有很大的个体差异。一般情况下，到6周或2个月以后才会对亲人的接近报以微笑。(不要将有意思的微笑与面部的扭弯相混淆，后者似乎可见于腹部不适时。)约3个月时婴儿开始有目的地使用手指，4个月时会用胳臂进行某些动作。大约3个月时婴儿会大声笑，有人对他说话时会将头转向说话者，并能将头竖直。在坚硬的表面上能翻身。5个月时能用手触物品，不久又学会将物品抓起。约7个月时开始独自坐起。约10个月至1岁时开始说1～2个音节的词，并开始对一些简单的命令作出应答，这表明他已能理解这些词的意义。约9个月时婴儿开始会爬。到1岁岁末婴儿能学会弯腰摸到自己的脚。约1岁时能在扶持下走几步。约13个月时能开始独自走动，但方向不稳，并常常跌跤。后数月之内便能步伐稳定地行走。学习新技巧的速度每个儿童都不相同，但学习的过程则是一致的。总的说，发育的顺序是从头到脚或从中心到末端。例如，头的运动先于身体的运动，腿的运动则是发育最晚的技巧；同样，婴儿先能抬起上臂，然后才能用肘部动作，协调的手指动作以后才出现。

infant school　幼儿学校　参阅**kindergarten** *幼儿园*。

infante　王子　13世纪起，西班牙和葡萄牙君主的儿子所享有的称号。如果是君主的女儿或王子的夫人，则称公主(infanta)。自卡斯蒂利亚国王约翰一世(1379～1390在位)起，君主长子改称“阿斯图里亚斯亲王”(príncipe de Asturias)而不称王子。同样，在巴西脱离葡萄牙独立之前，其君主之长子称为“巴西亲王”(príncipe de Brasil)。西班牙君主的子女生而成为王子或公主，但君主可将此称号颁赠给其他王族成员，颁赠之权，仅属于君主。

infanticide　杀婴　杀死新生婴儿。杀婴一直被说成是控制生育的主要方法和消除群体内病残儿童的原始性手段。但大多数社会都积极提倡生育，只是在特别情况下，才杀死婴儿(或让其自然死亡)。例如，爱斯基摩人的生活条件非常艰苦，女婴常在出生后即被杀死，唯恐将来找不到丈夫去养活她。波里尼西亚因人口密度常常很高，杀死女婴的现象十分普遍。杀婴现象往往出于文化上的忌禁或约束，包括非正常婚生(如乱伦或婚外性关系)、畸形及其他类似情况。很多先进社会实行杀婴，认为这样可以保证健康、福利和一般生育率。宗教献祭第一胎婴儿之习，见于《圣经》及古埃及、希腊、罗马史书中的记载以及印度的做法。现代社会，避孕和人工流产可以控制人口，因而大大减少了杀婴现象。

infantile cortical hyperostosis　婴儿骨皮质肥厚　又称卡菲氏综合征。一种并不罕见的骨科疾病，发生于婴儿，特征为上臂、肩胛带、下颌的骨膜及骨皮质肿胀。婴儿骨皮质肥厚病有遗传性。症状尚有发热及烦躁不安。本病周期性地反复加剧，后可自行缓解。

infantile paralysis　参阅 **poliomyelitis** *脊髓灰质炎*。

infantry　步兵　徒步作战的军队，尽管要用马、船、飞机、坦克和其他摩托化车辆、滑橇或其他交通工具把他们运送到战场上去。步兵一词也指古代使用矛和剑与现代使用自动步枪和火箭发射筒等随身武器的军队。作为步兵，他们的目标始终是夺取并固守土地，必要时要占领敌国领土。自古以来，步兵在西方军队里一直占最大的比例，虽然在封建时期骑兵曾一度占统治地位。

infarction　梗塞　一部分组织死亡的病理现象，病因是动脉血管阻塞，组织无血液供应所致。阻塞原因可能为血凝块或血管腔狭窄。*心肌梗死*(**myocardial infarction**)是冠状动脉阻塞所致的一部分心肌的死亡，常伴发于冠状动脉血栓。其他严重的梗塞发生于肺部(肺梗塞)和脑部(参阅 **stroke**)。孕母在妊娠期间血循环不良，可产生*胎盘梗塞*(**placental infarction**)，但往往不损害胎儿。

infection　感染　临床医学概念。各种病原微生物(包括细菌、病毒、霉菌、原虫、蠕虫等)及其毒素对机体的侵害，及因此而出现的机体反应。如有侵害但无症状，名曰亚临床感染；如感染已损害健康，名为感染性疾病。感染途径多种多样。普通感冒和流感是病毒侵犯上呼吸道黏膜所致；肺炎是各种病原体引发的下呼吸道感染。如果细菌、病毒等病原体进入循环血液，则心血管系统和中枢神经系统受感染的可能性就相当大，如风湿热和脑炎、脑膜炎等。各种消化道感染，从沙门氏杆菌食物中毒到致命的伤寒、霍乱，都是由于不洁饮食所致。性传播疾病是因为性交过滥或不洁性交所致。脓疱病、麻风等皮肤病是致病菌侵犯皮肤所致；破伤风是由经皮肤破溃处侵入机体的破伤风杆菌引起的败血症；骨髓炎和化脓性关节炎是致病菌侵入骨、关节的结果。有些病可有不止一条感染途径。如炭疽就可经呼吸道、皮肤损伤或经消化道感染。某些虫媒传染病，如疟疾、黄热病等，是当蚊子咬人时将疟原虫、病毒传入体内的。伤寒等传染病患者虽已痊愈，但很长时间内仍是带菌者，他们是伤寒病的重要感染源。兽媒感染性疾病，如狂犬病，其病毒是被病畜咬伤后感染人体；钩端螺旋体病是在人、畜接触过程中传播至人体的。局部感染后，进入血液的致病微生物就会激发机体的免疫机制，包括白细胞、巨噬细胞的吞噬活动、淋巴细胞的体液和细胞免疫机制等。在机体反应中，最重要的就是主动免疫的形成，有些是终生免疫，如麻疹；有的是短期免疫。这种现象为人工主动免疫接种提供了理论基础。被动免疫就是给患者注射抗体或抗毒素，以解一时之需。因其最终将被感染耗尽，故被动免疫的时效很短。感染时体温升高是常见的机体反应。最近又有新发现的致病微生物，如 *Legionella pneumophila*(致退伍军人协会会员病，1976年)、HIV艾滋病病毒(致AIDS[艾滋病]，20世纪80年代)；有些感染性疾病的传播方式(如性传播)很难有效地得到控制。但有些恶性传染病确已被消灭，如天花(20世纪70年代)；在发达国家和地区已基本消灭的传染病还有麻疹、白喉和脊髓灰质炎。但在广大发展中国家和地区，因贫穷、饥饿、环境污染、居住环境恶劣等原因，还时有传染病大流行和致死人命的现象发生。

infectious enteritis (disease of cats)　**传染性肠炎**　参阅 **feline distemper** *猫瘟热*。

infectious jaundice　传染性黄疸　参阅 **leptospirosis** *钩端螺旋体病*。

infectious mononucleosis (disease)　**传染性单核细胞增多症**　参阅 **mononucleosis** *单核细胞增多症*。

infectious myxomatosis (disease of rabbits)　**传染性黏液瘤病**　参阅 **myxomatosis** *黏液瘤病*。

inference　推断　统计学中，对未知的总体分布得出某种结论的过程。统计推断理论的两个主要分支是假设检验和参数估计。所谓参数估计就是通过样本，对未知总体的某些参数进行估计。估计理论中有两种主要的估计方法。一是贝叶斯估计，它是基于对参数的后验判断而作出结论。二是似然方法，对给定的试验结果，所有的结论来自参数的似然函数。所谓似然函数就是将分布密度函数中的试验结果固定，把它看成参数的函数。

inferiority complex　自卑情结　某些精神病学家和心理学家(特别是A.阿德勒的追随

者)用以形容那种完全无意识的或部分无意识的自卑感的术语。阿德勒常用自卑感一词,认为许多杰出的成就、某些反社会行为和人格的固定特征均源于对这种感觉的过度代偿。“情结”一词后为人接受,用指一切与自卑感有关、带有感情色彩、但部分或全部受压抑的思想。“自卑情结”一词已被人滥用误用,例如身材矮小的人表现出任何抱负,也被随随便便地解释为自卑情结。

infertility (reproduction) **不育** 参阅 **fertility and infertility** 生育力和不育。

infinite series 无穷级数 对无穷个有次序的数进行求和的一种数学概念。由于相加的概念只对有限个数有定义,所以无穷个数相加($a_1+a_2+a_3+\cdots$)这样一个无穷级数的概念本身就超出了初等算术的范围。然而开头任意若干项(例如 n 项)总是可以相加的:$S_n=a_1+a_2+\cdots+a_n$,这就形成级数的一个“部分和”。这里 n 可以任意大(即可以有 $n\to\infty$)。如果当 $n\to\infty$ 时,这些数 S_n 趋向一个固定数 S,就说级数是收敛的,在这种情形下,称 S 为级数的和。不收敛的无穷级数称为发散的,这种情形级数没有和。例如,无穷级数 $1+1+1+\cdots$ 的前 n 项相加得到的部分和 $S_n=n$,随着 n 无限增大,不趋向于任何有限数,因此这个级数发散。又例如级数 $1+(-1)+1+(-1)+\cdots$,其部分和为 $S_1=1$,$S_2=0$,$S_3=1$,$S_4=0$,等等,由于 S_n 在0,1间来回摆动,不趋向于任何一个固定的数,所以它也是发散的。收敛级数的一个基本例子是 $1+\frac{1}{2}+\frac{1}{4}+\cdots+\frac{1}{2^n}+\cdots$,其中 $S_n=2-\frac{1}{2^{n-1}}$。当 $n\to\infty$ 时,S_n 趋向于2,它就是这个无穷级数的和。事实上,级数 $1+r+r^2+\cdots+r^n+\cdots$ 当 $0<r<1$ 时收敛到 $1/(1-r)$;而当 $r\geqslant 1$ 时发散。这个级数称为“公比为 r 的几何级数”,是数学中最重要的级数之一。

有一些标准的判别法,可以用来判断给定的级数是收敛或发散,但并非一切级数都能判断。如果级数 $a_1+a_2+a_3+\cdots$ 收敛,那么当 $n\to\infty$ 时,数 a_n 一定趋向于0。另外,对一个级数加上或减去有限项,不影响级数的收敛或发散。进一步,如果一级数 $a_1+a_2+a_3+\cdots$ 的每项都是正的,那么部分和 S_n 就随着 n 增大或者趋向于某个有限数而收敛,或者无限增大而发散。由此得到一个比较判别法:如果对所有的 n 都有 $0\leqslant a_n\leqslant b_n$,又如果 $b_1+b_2+b_3+\cdots$ 收敛,那么 $a_1+a_2+a_3+\cdots$ 也收敛。当取 $b_1+b_2+b_3+\cdots$ 为几何级数时,稍作变形就得到比值判别法:如果 $a_n>0$,又如果对一切 n 都有 $\frac{a_{n+1}}{a_n}\leqslant r$,其中 $r<1$ 是一个固定的正数,那么 $a_1+a_2+a_3+\cdots$ 收敛。例如用比值判别法就知道级数 $1+\frac{1}{2}+\frac{1}{3\cdot 2}+\frac{1}{4\cdot 3\cdot 2}+\cdots$ 收敛,因为 $\frac{a_{n+1}}{a_n}=\frac{1}{n+1}\leqslant\frac{1}{2}$ 对一切 n 成立。还有一些判别法,可以用来判断不是所有项都是正的级数的收敛或发散。首先是莱布尼兹判别法:如果 $a_n\geqslant a_{n+1}\geqslant 0$,对一切 n 成立,那么交错级数 $a_1+(-a_2)+a_3+(-a_4)+\cdots$ 收敛,只要当 $n\to\infty$ 时,a_n 趋向于0。其次,如果 $a_1+a_2+a_3+\cdots$ 是任意一个级数,而相应的正项级数 $|a_1|+|a_2|+|a_3|+\cdots$ 收敛,那么 $a_1+a_2+a_3+\cdots$ 收敛。这时说 $a_1+a_2+a_3+\cdots$ 绝对收敛。

在许多方面,收敛级数很像有限和。例如,如果 $a_1+a_2+a_3+\cdots$ 与 $b_1+b_2+b_3+\cdots$ 是两个收敛级数,其和分别为 s 与 t,那么级数 $(a_1+b_1)+(a_2+b_2)+(a_3+b_3)+\cdots$ 也收敛,其和为 $s+t$。然而也有某些十分显著地不同于有限和的特点。特别对有限和来说,项的次序是无关紧要的,但在无穷级数中,项的排列次序却可能有影响。如果级数绝对收敛,那么项的重新排列不影响级数的收敛性以及它的和。如果级数收敛但不绝对收敛,那么可以重新排列它的项使得到的级数收敛到任意一个预先给定的值,也可以使得它发散。这个意想不到的结果是德国数学家B.黎曼发现的,是级数这个课题中最有名的结果之一。

无穷级数在数学的许多部分以及物理、化学、生物、工程等学科中都有很大的用处。最重要应用之一是把某种称为函数的数学对象表示成(常说“展开成”)级数。函数是把一个量依赖于另一个量的思想抽象出来的一个数学概念;它是一个规则,描述如何从第一个量 x 的值计算出第二个量 y 的值 $y=f(x)$。在应用中,许多函数都是用类似于 $f(x)=x^2$ 这样的公式给出的,它明显地表明 $f(x)$ 怎样依赖于 x。三角函数 $f_1(x)=\cos x$,$f_2(x)=\cos 2x$,$\cdots f_k(x)=\cos kx$,$\cdots$ 以及 $g_1(x)=\sin x$,$g_2(x)=\sin 2x$,$\cdots g_k(x)=\sin kx$,$\cdots$ 就是十分特殊且很好理解的函数。特别地,它们是以 2π 为周期的,即对一切的 x 都有 $f_k(x+2\pi)=f_k(x)$,$g_k(x+2\pi)=g_k(x)$。设 $a_0,a_1,a_2\cdots$ 与 $b_1,b_2,b_3,\cdots$ 是给定的数,等式

$$\begin{aligned}f(x)=a_0&+(a_1\cos x+b_1\sin x)\\&+(a_2\cos 2x+b_2\sin 2x)\\&+(a_3\cos 3x+b_3\sin 3x)+\cdots\end{aligned}$$

就定义一个函数 $f(x)$,如果这里的无穷级数对所有的 x 收敛的话。奇怪的是,本质上任意以 2π 为周期的函数都可以写成这样一个正弦与余弦的无穷和。这一点的重要性在于,对于许多依赖于一已知函数的数学问题,当函数是正弦或余弦函数时,问题是可以直接并容易解决的。如果函数是任意时,首先把它分解成正弦与余弦的和,然后由于对于特殊的三角函数问题已经解决了,便可把相应的解加起来就得到最终的解。把很任意的函数分解为类似于上式的级数的过程称为傅里叶分析,它是研究各种波动现象(如电磁、热、声)的很有力的工具。此外,假如不从三角函数出发,而从幂函数 $h_0(x)=1$,$h_1(x)=x$,$h_2(x)=x^2\cdots$ 出发,这时级数 $a_0+a_1x+a_2x^2+\cdots$ 就称为幂级数(**powerseries**)。这种级数的一个特点是使得它收敛的实数 x 的全体永远是以 $x_0=0$ 为中心的一个区间。在这个区间内部,由等式 $f(x)=a_0+a_1x+a_2x^2+\cdots$ 定义的函数是异常光滑与规则的。不幸,并非每一个实变量的光滑函数都可以写成一个收敛的幂级数,但是每一个复变量 z 的光滑函数却是可以这样做的。这个展开组成了复变函数理论即复分析的基础。一般说来,复分析是数学中最有用的、最中心的分支之一。

infinitesimal 无穷小 数学中,绝对值小于任意有限量但又不等于零的量。尽管在实数系中不存在这样的量,但早期微积分的许多工作却是根据无穷小来推理的:导数定义为无穷小的极限比;积分通过宽度无穷小的矩形求和进行计算。因此,微积分最初也被认为是无穷小分析。这个术语因极限、连续与实数概念相继清楚而逐渐消失。

inflammation 炎症 活组织(主要是小血管、血液和血管周围组织)对损伤的局部反应。无论是烧伤还是肺炎、结核、风湿性关节炎均属炎症。任何能损伤活组织的有害因素——细菌或病毒感染、过冷或过热、机械创伤、酸和碱、放射线等——均能引起炎症。不同器官和组织的炎症表现均十分类似。1世纪时罗马医生切尔苏斯便总结了炎症的4个基本征象:红、肿、热、痛;这4个征象和后人又加上的“功能障碍”一项,一直沿用至今。炎症的早期病变表现为:组织损伤后首先出现小动脉痉挛,局部血流量减少。数分钟后小动脉即转为麻痹性扩张,局部血流量增多,出现红、热的征象。正常情况下小血管壁可容水与盐分子自由通过,但只容极少量蛋白质分子透过。此时麻痹性扩张的小血管壁通透性增加,蛋白质分子从血液渗至组织间。由于胶体渗透压增高,水分聚集在组织间而造成水肿。水肿液压迫神经末梢产生疼痛。血浆蛋白质主要从小静脉及毛细管逸出。纤维蛋白原逸出到组织中在局部的凝血酶作用下转变为纤维蛋白并结合成网。另一种逸出的蛋白质是抗原刺激后产生的抗体(γ球蛋白),可使细菌凝集和溶解或促进吞噬细胞的吞噬及消化作用。损伤组织内可发现多种称为介质的生物活性物质。介质的释出及作用是急性炎症时血管通透性增加的重要原因。损伤早期局部即有组织胺和血清素(5-羟色胺)释放。以后,炎症灶中蛋白质降解产生的各种多肽类、多种前列腺素、组织和细胞崩解的或激活的酶,以及血浆补体系统的激活、神经系统的作用和血管壁的直接损伤均可能引起血管的改变。炎症是一种机体的防御性反应。除了以上所述现象之外,由于血流缓慢,白细胞自血流中心移向边缘,紧靠小静脉内壁,并与内皮细胞粘连(着边现象)。随后白细胞依靠阿米巴样运动伸出伪足穿过内皮细胞间的连接带游走入组织间隙中,成为小噬细胞,吞噬和消化病原体或组织崩解产物。许多微生物(尤其是细菌)具有吸引白细胞的化学物质,这种现象称为化学趋向性。血液中各种成分通过血管壁进入组织中形成炎症渗出物,而多量中性白细胞的渗出是急性炎症的主要特点。急性炎症的全身表现有血液中白细胞总数增加、发热和血沉加快。严重组织损伤时全身血液循环及新陈代谢还会发生其他变化(如休克)。一切炎症开始时均表现出为急性单纯性炎症,以后可能向4个不

同的方向发展:消散、机化、化脓或转为慢性。轻度炎症的一般结局是炎症消散:在损伤性刺激停止或病原体被消灭后,炎症灶中开始有多量单核白细胞渗出,并转变为大噬细胞,以清除死亡的病原体和组织碎屑,使损伤处恢复正常的结构与功能。化脓菌感染可引起大量中性白细胞渗出。金黄色葡萄球菌是最重要的化脓菌。白细胞和组织细胞中毒死亡和液化后变成脓液,并聚集成脓肿。组织为炎症破坏后,必须通过再生(炎症灶中各种活组织细胞的分裂繁殖)和机化(新生小血管和纤维母细胞构成的组织长入炎症灶内再建纤维结缔组织进而转变为瘢痕组织)两个过程才能修复和痊愈。慢性炎症是长期持续的炎症反应。有些慢性炎症具有特异性的、有诊断意义的组织学结构(特殊性炎症),如结核、麻风、雅司、梅毒、类风湿性关节炎等。而非特殊性慢性炎症则以"肉芽肿性""纤维化病变为主要组织学结构,如慢性肾炎、慢性肝炎、肝硬化、慢性胆囊炎等。其基本病变是某些细胞的浸润,这包括巨噬细胞、上皮样细胞、淋巴细胞、浆细胞、巨细胞和纤维母细胞等,其组成因病因而异。大多数慢性炎症灶中渗出的细胞系骨髓源的血液单核细胞,后转变为巨噬细胞或上皮样细胞,巨噬细胞还可融合成为巨细胞。炎症慢性化的原因在于病因既不能使患者迅速死亡也不能被身体的防御机制迅速破坏或消除。这种现象的原因可能是某些微生物有特殊的化学构成或巨噬细胞的消化功能有缺陷,也可能有身体免疫功能障碍或机体对自身免疫产物过敏以及变态反应等因素。治疗炎症时首先应消除炎症的原因。因此对细菌性炎症使用抗生素,对异物性炎症则行外科手术去除异物。可使用皮质类固醇类或水杨酸类抗炎药物以减轻炎症的症状与体征。局部治疗方法有冷敷或热敷、外用擦剂或抗刺激药。在治疗炎症时绝不应当忽视炎症性应答所具有的重要的防御作用,因此应用肾上腺皮质激素类药物时必须格外小心。

inflation 通货膨胀 在经济学中,指货币供应量、货币收入或物价总的上升。一般认为通货膨胀是物价总水平超常上涨。从理论角度看,通常至少有4种基本的、用来考察通货膨胀的不同理论。

货币数量论 第一种也是最古老的观点认为,物价水平是由货币数量决定的。此理论最简单的表述是:每年想要实现的交易值与持有的货币存量比率(或其相反的比率,称为货币流通速度),取决于工资支付频率、经济结构以及储蓄与购物习惯等因素。只要这些因素保持不变,价格水平与货币供应量直接成正比,与产出的实物量成反比。此即著名的数量论。数量论至少可以追溯到18世纪D.休谟的理论。但此理论假定生产能力是得到充分使用或几乎是充分使用的。事实上,由于生产能力运用的程度有相当大的差异——有时的确超过了物价水平——数量论在第一次世界大战和第二次世界大战之间失宠了。20世纪50年代和60年代,由M.弗里德曼和其他芝加哥大学的经济学家复兴的数量论,论点精辟。其基本表述是:货币供应的短期变化,事实上将导致(经过一段不确定的间歇后)货币收入和货币流通速度的改变,虽然货币流速受货币供应量影响短期内会发生某种程度的波动,但从长期看往往是相当稳定的。由此,他们认为,货币供应量不是控制短期经济活动的可靠工具,但可有效地控制较长期的物价动向。维持稳定的办法是,通常以相当于可估计的经济扩展的比例增加货币供应量。

凯恩斯论 第二种基本理论以凯恩斯的收入决定论为代表。关键点是假定消费者倾向于花掉他们收入的增长部分中一个固定比例,所以,对于任何水平的国民收入,在收入和消费支出之间都有一个大小可以预料的缺口。要确立和维持国民收入水平,只需将在所有非消费品和服务项目上的支出维系在填补这一缺口的水平上。除了政府开支外,这一非消费性支出的主要组成部分是私人投资。凯恩斯假设投资对于利率相当敏感。反过来说,他设想后者与所有闲置资金是反向相关的(实际上与货币流通速度是正向相关的)。而且,他坚持认为,不管货币流通速度有多慢,还是存在长期利率不会继续下降的底限,利息与闲置资金之间的这些联系,已经得到实证。

凯恩斯学说最重要也是最有新意之处在于为政府提供了一种框架,即政府可试图通过改变政府收支或影响私人投资水平来管理经济活动。这在最近几十年已经成为许多工业国家主要的政策基础。实际执行中的困难是,由于潜在的量比以及操作时滞不能确定或发生变化,很难有效处理未能预见的偶发事件。造成困难的另一个原因是,利率与私人投资间的联系是不确定的、微弱的。然而,仍然有许多经济学家认为,这种办法利于更有效地控制就业和实际短期收入的变化。

然而,就上述方法而言,凯恩斯并未就价格水平的变化提供更深刻的见解。最简单的替代基于这样的观点:通货膨胀完全是由于对商品及劳务的有效需求超过了实际供给,亦即超过了在充分就业水平下所能生产的产品。例如,如果政府开支高于按充分就业水平生产与消费之差,就会出现一个通货膨胀缺口。市场运作中会通过价格上涨弥补收入与消费之间的缺口。对开放经济而言,通过进口顺差就可以全部或部分弥补缺口。凯恩斯理论不能说明自第二次世界大战后,在不存在通货膨胀缺口的情况下,几十年通货膨胀存在的事实。

成本推动论 分析通货膨胀的第三种方法是,假定商品价格由其成本决定,而货币的供应量根据需求来决定。在此情况下,成本增加就会产生通货膨胀的压力并在"物价-工资螺旋上升"中持续下去。这一假设认为,工资收入者和利润获得者(暂不考虑经济中其他的集团)意欲得到的收入总计超过充分就业时他们的生产总值。这样,其中的一个或两个集团一定会在某一既定时刻感到不满。工资收入者如果不满,会要求增加工资,对此,雇主在讨价还价中予以接受(至少一部分)。雇主初始会牺牲利润,之后,会提高物价来反映其高成本。这样,雇主在恢复了利润的同时,也削减了工资收入者的实际收入,给新一轮要求增加工资埋下了种子。如果货币供应量是固定的,这过程会加强银根紧缩,增加工资和购买刚涨过价的商品所需的融资将更加困难。当然,对生产和分配可以进行一般性融资。如前所述,货币流速在某种情形下可急剧提高,使有限的货币量大有作为。事实上,货币供应与需求相适应,部分原因是货币当局不愿看到如果银根紧缩导致利率大幅上升,引起资本市场混乱的局面。

20世纪60年代,对以英国经济学家A.W.菲利普斯命名的学说(其雏形可以追溯到更早时期的作者)有很多讨论。菲利普斯学说认为,工资增加的比例与失业水平呈现相反的变化。这可以解释为:与经济活动萧条时相比,经济活动繁荣时物价-工资螺旋上升更为迅速。菲利普斯曲线的实证并不令人完全满意,而且在某些地方,曾经令人激动的希望,即高位但政治上仍可以承受的失业率会减少或终止通货膨胀,被随后几十年严重经济衰退中出现的工资迅速膨胀所动摇。

经济结构论 第四个关于通货膨胀进程的基本理论与刚讨论过的学说并非毫无关联。它的特征是强调经济结构上的失衡。其中一种学说的根据是简单的,即对削减货币工资的反抗如此剧烈,以至于从来都很难实现。若果真如此,所有的工资调整,考虑到不同行业和职业对劳动力供求关系的变化,必须通过绝对增加所有的工资(除开那些市场能力很弱的工人)才能完成。工资膨胀率总体上在与经济结构变动率成比例时可以看出。

另一种观点对一些发展中国家有效。即强调进出口之间的缺口。在那些国家,与传统出口业的支付能力相比,进口倾向快速增长(因为对工业品需求增加)。由于难以国内产品替代进口,一方面国内市场太小,以至于不能支持需要的产业;一方面也由于制造业自身的发展需要机械、建筑材料的大批进口,结果自然是该国货币的国际价值持续承受着下跌的压力,该国国内物价也持续承受着上涨的压力。

换言之,此类国家的通货膨胀,可能是因为农村人口急速增加,涌入城市,社会和政治上有提供就业机会的压力,由于缺少储蓄,以这样那样的方式过分增加新贷款,导致直接"需求拉动的"通货膨胀。一些拉丁美洲国家慢性通货膨胀的趋势,都可归因于这种机制。

inflection 屈折变化 又称屈折或词尾变化,从前叫词形变化。语言学上所指词的形式变化。表示时态、人称、数、性、语态、语气和格的区别(英语一般是增加词尾)。英语屈折变化用来表示名词复数——cat(猫,单数),cats(猫,复数);现在时单数第三人称——I, you, we, they buy(我,你,我们,他们买),he buys(他买);过去时——we walk(我们步行,现在时),we walked(我们步行,过去时);动词的非谓语形式——called(叫,过去分词),calling(叫,现在分词);比较级——big(大),bigger(较大),biggest(最大)。词干内部或词的主要部分的变化是另一类型的屈折变化,如sing(唱,现在时),sang(唱,过去时),sung(唱,过去分词);goose(鹅,单数),geese

(鹅,复数)。以古冰岛语——u 词干名词 *skjǫldr*(盾)的词形变化为例,它既包括内部变化,又加后缀;主格单数形式是 *skjǫldr*,所有格单数形式是 *skjaldar*,主格复数形式是 *skildir*。拉丁语、西班牙语、法语和德语等语言都有更为繁复的屈折变化系统。例如,西班牙语动词有人称和数的区别,"我生活,你生活,他生活,他们生活"这些形式用 *vivo*, *vives*, *vive*, *viven* 来表示。许多语言,尤其非印欧诸语言,用加前缀和中缀的方法表示屈折变化。词的屈折变化并不影响词类的改变,因之与派生不同。

派生词通过加前缀和后缀(例如 *in-*, *-tion*)以形成新词(例如 *inform*, *deletion*),然后再采取屈折变化。"发生屈折变化"和"屈折变化的"术语,在语言的类型分类中,有些时候适用范围比较狭小,专指综合语,例如拉丁语。从屈折变化这个术语较宽阔和更广泛的意义来讲,所有综合语都有屈折变化。

inflorescence 花序 花在花枝上排列的方式。花序可按花在主轴(花序梗)上的排列方式或开花的时间顺序分为有限花序和无限花序两大类。

有限花序 在有限花序中,若花序梗长,则最后开的花位于花序梗的基部,若花序轴有侧轴则位于其外侧。开花时,顶端的分生组织先产生一个花芽,因而花轴停止生长。聚伞花序是一种平顶的花序,花序中心的花先开,周围的花后升,例如葱属(*Allium*)植物。二岐聚伞花序是主轴顶端先开一花,主轴较短,随后该花下面又生一对侧轴,侧轴较长,顶端各生一花。例如森林繁缕(*Stellaria nemorum*)。

无限花序 在无限花序中最后开的花在长花序梗的顶端或短花序梗的中心。无限花序包括总状花序、圆锥花序、穗状花序、柔荑花序、伞房花序、伞形花序、佛焰花序和头状花序。总状花序具一长花轴,不分枝,上生许多花,花柄短,各花柄长度相等。例如金鱼草(*Antirrhinum majus*)。圆锥花序是分枝的总状花序,每一分枝即为一个总状花序,如落新妇属(*Astilbe*)植物。穗状花序与总状花序相似,直立花轴上着生许多无柄的两性花,如大麦属(*Hordeum*)植物。柔荑花序与穗状花序相似,但花为单性。整个花序通常下垂。花被可退化或缺失。例如栎属(*Quercus*)植物。伞房花序是下部花柄长于上部花柄的总状花序,整个花序的顶部平,所有花几乎排列在一个平面上。如山楂属(*Crataegus*)。伞形花序中各花柄差不多从花序梗顶端的同一点生出,各花柄长度相等,整个花序外形似伞。如球兰属(*Hoya*)植物。佛焰花序又称肉穗花序,基本结构似穗状花序,但花轴肥厚,肉质化。常见于天南星科,如喜林芋属(*Philodendron*)植物。花序外面包有一片苞片,称为佛焰苞。头状花序是花轴短、无柄、花密集的穗状花序。各花直接生于宽阔扁平的花序梗上。整个花序的外形似一朵单独的花。如蒲公英属(*Taraxacum*)植物。

influence, sphere of 势力范围 在国际政治中,一国对外国某一地区或领土提出的排他性或占支配地位的控制权。这一术语可指政治上的排他性控制,其他国家可以承认其事实,也可以不承认;也可指一种合法的协议,根据协议,别的国家或国家集团保证不干涉某一势力范围内的事务。根据后者的涵义亦即合法协议的意义,这个术语在 19 世纪 80 年代开始流行,当时的欧洲列强对非洲、亚洲的殖民扩张活动正接近完成。到了扩张活动的最后阶段,所有主要的殖民国家都是通过和平协议的程序,竞相争夺殖民地。关于势力范围的协议就是为这个目的服务的。1885 年 5 月,英国和德国达成的协议第一次使用这一术语,提出"在几内亚湾各个领地上,划分并确立各自的势力范围"。接着出现许多类似的协议。随着第一次世界大战的结束,殖民扩张活动亦告终止,合法意义上的势力范围便失去大部意义。以后,势力范围这一术语多用于大国片面的政治要求,要求对其他国家领土特别是邻国的领土拥有支配的地位。因此,也可以说,门罗主义曾将西半球划为美国的势力范围,尤其是自 T. 罗斯福总统(1901 ~ 1909 在任)推行此项政策之后,更形成此种局面。第二次世界大战所造成的后果,就是使苏联作为一种政治事实在东欧国家的领土上建立起自己的势力范围。

influenza 流行性感冒 又作 grippe 或 flu。一种上呼吸道和(或)下呼吸道的急性病毒感染。主要症状有发热、寒战、浑身乏力、肌肉酸痛,伴有不同程度的呼吸道炎症、头痛,有时还表现为腹痛。流行性感冒的病原体是 A、B 和 C 型三个黏液病毒株种,其中以 A 型最为常见。临床上根据病毒的表面蛋白、地域起源、分离日期等因素的不同,又把 A 型流感病毒分成几个亚株。因此,虽然各种流感病毒所引起的症状都差不多,但它们的抗原性之间却毫无共同之处,故无交叉免疫。流行性感冒在世界上的流行大致呈波浪状:A 型的流行周期是 2 ~ 3 年;B 型 4 ~ 5 年。例如,A 型流感病毒有一个亚型 H2N2,或称"亚洲流感病毒株",它曾于 1957 年年初起于东亚,至年中即已流行全球。流行性感冒可袭击任何年龄的人群,尤以儿童和年轻人为甚;早春和冬季容易集中流行;经呼吸道传染,如吸入流感病人的咳嗽和喷嚏飞沫等。当病毒颗粒进入身体后,它们选择性地侵袭和破坏上呼吸道,包括气管支气管的黏膜的纤毛柱状上皮。本病的潜伏期为 1 ~ 2 天,此后,症状出现极快,像突发寒战、疲劳、肌肉酸痛;体温迅速升至 38 ~ 40 ℃(101 ~ 104℉);并有弥散性头痛和全身肌肉酸痛伴咽喉刺激性干痛。3 ~ 4 天后,体温开始下降,病情逐渐好转;但呼吸道炎症的相关症状,如咳嗽和流鼻涕,却变得更明显,而且浑身乏力和虚弱的症状要持续很长时间。流行性感冒本身一般不会造成死亡,但每次流行的结果不尽相同。大部分死亡病例都死于并发症,如肺炎、支气管炎等,尤其是那些体弱多病的老人。抗病毒药三环癸烷胺对包括 A 型在内的各型流感病例都有效,此外就是卧床休息,服用阿司匹林和其他解热镇痛药缓解症状,以上是标准的流感治疗方案。流行性感冒的预防主要是注射流感病毒疫苗。用鸡胚培养流感病毒,然后去除其感染性。标准的市售疫苗制剂有 B 型和 A 型的几个亚型。一次预防注射很少能管一年,因此每年都须做预防注射,特别是那些对流行性感冒非常易感者,或平时体弱多病,感冒后会出现严重并发症者。但医学专家并不主张对正常健康人群作常规免疫接种。流行性感冒的流行病学记载已有很长历史。最早、最详细的一次是 1610 年的大流行。近代最严重的流行发生在 1889 ~ 1890 年的一次和 1918 年的一次。1918 ~ 1919 年爆发了历史上最严重的一次流感。该次流感是由 A 型流感病毒的一种亚型(H1N1)引起的。估计全球有 2 500 万人死于这次流感。因为早期病例主要发生在西班牙,所以被称为"西班牙流感",但其实际似乎发源于美国。后来的流感爆发的严重性都不及 1918 年流感。1957 年初,A 型流感病毒的一种亚型(H2N2),也称"亚洲流感",在东亚出现。到该年年中,已经传遍全球。经过 10 年的变异后,亚洲流感在 1968 年消失。但很快就出现了一种新的 A 型流感病毒亚型 H3N2。该种病毒被称为"香港流感",目前仍在流行。1997 年,禽流感在香港的家禽中爆发,并感染了少数人,一部分感染者死亡。该病毒 H5N1 于 2003 ~ 2004 年冬再次在东南亚的鸡群中爆发,部分被感染的人死亡。

Influenza Epidemic of 1918-19 1918 ~ 1919 年流感大流行 亦称西班牙流感大流行(Spanish influenza epidemic)。20 世纪爆发的最严重的一次流行性感冒(简称流感)浪潮,从死亡总人数来说是人类历史上最惨重的一次流行病。流行性感冒是由病毒引起的,透过空气中的呼吸道分泌物在人与人之间传播。如果出现一种新株流感病毒,人们对它没有免疫力时就会爆发流行。1918 ~ 1919 年的流感流行就是这样发生的。这种世界流行病的极端致命性的原因尚不清楚。这场世界流行病的发生经历了三个阶段。第一阶段明显起源于第一次世界大战期间美国堪萨斯州的芬斯顿军营,时间是 1918 年 3 月初。美国军队于 4 月到达西欧,据说是他们带去了病毒,到 7 月时已经播散到波兰。第一阶段流感是比较温和的;然而到夏季,发现了一种更加致命的疾病,到 1918 年 8 月显现这种疾病往往很快发展成肺炎,出现流感症状后两天通常就会死亡。例如,在美国马萨诸塞州的戴文斯军营,在报告第一例流感病例后 6 天就发生了 6 674 例。第三阶段流行发生在冬季,到次年春季时病毒才结束。在后两阶段流行中,约半数死者的年龄都是在 20 ~ 40 岁之间。几乎世界每个人类居住的地方都爆发了流感,首先发生在港口,然后沿主要交通路线从一个城市扩散到另一城市。据说印度在这场世界流行病期间总共死亡约 1 250 万人。美国约有 55 万人。全世界总共估计有 2 500 万人死亡,多数是在第二和第三阶段流感的肆虐下丧命。西班牙流感的其他几次爆发发生在 20 世纪 20 年代,但致命性已大大减弱。

information processing 信息处理 信息的获取、记录、组织、检索、显示以及传输的过程。近年来，这一名词特别应用于以计算机为基础的操作。过去几世纪里，人类对信息的记录、存储和复制等方面所具有的能力曾取得巨大进展。从1450年发明活字印刷术开始，随后研制出照相术、电话，并在20世纪后半期以电子数字计算机的大量生产达到顶峰。保存和传送声像信息的新技术（例如数字声带、光盘存储以及光学纤维等）更进一步提高了信息处理的技能。高速数字计算机加上它的外部设备，使处理和修改存储的数据达到极高的效率。依靠这种计算机的信息系统能完成多种多样的工作任务。例如，这种系统能实行科学及工程计算，翻译不同语言的技术资料，协助查索文献，对各种科目提供指导性讲解，帮助进行多种设计和制造工作，或利用专门的软件系统对非数字性的复杂问题（例如关于医疗诊断或矿藏勘探等）作出判断。再者，如果将各计算机联网，数据档案及程序都符合共同的通信约定，则各计算机间可互相联络，从而极大地加强了它们的功能。所有这些技术性的进展已经使信息成为与物质和能量资源同样重要的一种新的基本资源。

information science　信息学　研究信息的储存与传递方法的一门学科。它力求把诸如图书馆学、计算机科学与工程学、语言学、心理学及其他应用科学的概念与方法结合起来，用于发展有助于信息处理——即信息的收集、组织、储存、提取、解释与应用——的技术和装置。信息在时间上的传递要求要有一种储存的媒体，这就是文献，由此也就产生了文献学这一术语。从历史上看，“文献学”作为一门独立学科出现于20世纪初，是与提供其主要课题来源的经验性研究平行发展的。这门学科的成长是对作为科学报告的主要传播媒体期刊的大量增加的反应。如果说对书籍的管理需要通过编目和分类，那么，期刊则需要索引和摘要，才能把分散发表的基本信息集中起来提供给研究者。信息学科的根源在于第二次世界大战后的三大发展：香农-韦弗的信息论模型、N.维纳的控制论的提出和电子计算机设计与制造的迅猛发展。这些新事物引向一个新的研究领域，把许多学科融为一个统一的观念，即“信息”。自从佐治亚理工学院于1963年开设第一个正式的信息学课程以来，这一学科得到了迅速的发展，在许多大学或是作为一门独立的研究领域，或是作为图书馆学系、计算机科学系或工程学系的一项专业。

信息学在其早期阶段主要涉及将当时新开发的计算机技术应用于文献的处理，其涉及的范围是：对信息储存与提取的有效性的模拟性研究；人机交流的模式；信息容量与涵盖的形式之效应；信息发生、传输与转化的处理方法；以及解释和预测信息现象的一般原则的确立等。后来，信息学的计算机应用技术以及较晚近的理论研究则已渗入许多其他学科，并为一些新的研究领域所借用，各自赋予对本课题更具说明性的名称。因之，信息学并未成为一门独立的学科，而专事研究和实践的人数也很少。计算机科学与工程学倾向于吸收这一领域内以理论与技术为目标的诸课题，管理科学则倾向于吸收有关诸信息系统的课题。现有有关信息科学的专业学会上百个，为人们交换有关信息处理方法的见解提供论坛。

information theory　信息论　关于影响信息传递与处理的各种条件与参数的数学表示。这个理论源于美国电子工程师C.E.香农的开创性工作，他在1948年出版了富有生命力的著作。从那时开始，信息论便迅速发展，它不仅影响了通信系统的设计，也影响到自动控制、信息科学、心理学、语言学和热力学等领域。一般性的通信系统都含有下列的基本要素：信息源；传递装置，利用特殊的工具将信息转换成适合传递的形式；通信工具或信道，通过它将信息或“消息”传递出去；接收装置，将消息转译回近似于它原来面貌的形式；消息的目的地或预期接收者；噪声源（即干扰或扭曲），它以不可预测的方式改变传递过程中的消息。须注意的是，在信息论中的“信息”，与消息中固有的意义无关；它其实是一种秩序的等级，或者非随机性的程度，它能够测量或用数学方法处理，就像质量、能量或其他物理量能用数学方法进行处理一样。将一般化的通信系统用数学方法描述后，产生了一些重要的量，包括：信源产生信息的速率、信道处理信息的容量和在任何特种形式的消息中信息的平均量。信息论所用的方法，在很大程度上是从数学的概率论引伸出来的。例如，在已知的噪声干扰条件下评估一给定信息时，传递的准确度就是一个概率的问题，许多编码和译码的方法也与概率有关，这些方法发展至今已将不确定性和误差降至最低限度。

infrared astronomy　红外天文学　通过观察天体发出的红外辐射而进行的天体研究。包括太阳系行星、恒星、星云和星系在内的各类天体都发出波长在电磁波谱红外区（即从约1微米到1毫米）的能量。许多这类天体发出的光学波长的光被星际尘粒所掩蔽，因此地球上的观测者无法看到它们。红外天文技术却可以帮助观测者观察它们。红外天文学始于19世纪初英国天文学家W.赫歇尔研究太阳光时对红外辐射的发现。20世纪20年代美国天文学家W.W.柯布伦茨、E.佩蒂特和S.B.尼科尔森等首次对星体进行系统的红外观测。现代的红外技术，例如采用低温探测器系统以消除探测设备本身释放红外线造成的障碍和装在地面望远镜上的特殊干涉滤光器等，都是20世纪60年代初期才开始采用。至60年代末，美国的G.诺伊吉保尔和R.莱顿以2.2微米的相当短的红外波长作巡天观测，仅北半球天空就证认出近20 000个红外源。此后，用气球、火箭和航天器进行红外波长为35～350微米的观测。这段波长的辐射会被大气中水蒸气吸收，所以望远镜和光谱仪必须被带到高于大多数吸收辐射的分子的地方才能观测。如*柯伊伯机载天文台*（**Kuiper Airborne Observatory**）等装有特殊仪器的高空飞机，已能进行近微波频率的红外观测。1983年1月，美国、英国和荷兰合作发射“红外天文卫星”（IRAS），为一沿轨道运行的无人观测台，装有一具57厘米的红外望远镜，能接收波长为8～100微米的红外波谱。在该波谱，“红外天文卫星”有一些意外的发现，最重要的是发现在织女一、北落师门和若干恒星周围有固粒云。这种现象充分显示行星系的形成和太阳相似。其他重要的发现有正在形成新星的星际气体云和尘埃云以及一个被定名为1983TB的天体。据认为该天体为“双子座流星群”的前身。

infrared radiation　红外辐射　电磁波频谱的一部分，从可见光的长波端（即红端）到微波的一段。人眼看不见，但可从皮肤的温暖感察觉它的存在。红外辐射一般分成三个区：近红外，中红外和远红外。近红外区最靠近可见光谱，波长从0.78到约2.5微米（1微米 = 10^{-6}米）。中红外区的波长从约2.5～50微米。远红外区的波长在50～1 000微米范围。大部分中等受热表面的辐射是红外辐射，产生的是连续频谱。分子激发也产生大量红外辐射，但是为不连续的线状或带状频谱。

infrared source　红外源　天文学名词。凡可测出其在电磁波谱的红外区的辐射能量的各种类型天体的统称。这种天体包括太阳、行星、某些类型的恒星、星云和星系。有些已知的红外源可以在可见光波段观测到，而在某些特定情况下，还能在射电和X射线波段得见。太阳辐射的能量大体上有一半是以红外线形式发射，而其余的一半主要表现为可见光。太阳辐射致热行星，并使它们成为亮红外源。木星、土星和海王星本身也有内部热源，使其红外亮度约加大一倍。在2微米左右的近红外波段，在太阳系外已观测到的最亮天体是又大又冷的红超巨星，例如猎户座的参宿四。它们均是真正的红外源，但科学家在并非冷的波段也探测到它们的辐射。这类恒星在所有的波段都是明亮的，在可见光或紫外波段当然最亮。但由于星际介质中的尘埃对短波辐射的阻碍，致使只能在得以绕过尘埃粒子的红外波段探测到它们的红外辐射。大多数在10～20微米辐射的红外源是尘埃云，为它们附近的恒星致热，使其温度从星际空间的平均周边温度（ – 270 °C）上升到室温上下。这种红外源可划分为二类：一类是老年超巨星抛射的星周尘埃壳；一类是较为致密的尘区，它位于其中正有恒星在形成的星云之内，它被附近新诞生的恒星致热。在银河系的银盘中，有许多这类激活的恒星形成区。猎户星云就是一个著名的例子，它是猎户星座内的一个电离氢区。这个星云和迄今已发现的一个最奇特的红外源成协，它叫贝克林 – 诺伊格鲍尔天体。它在猎户星云之后的一个巨型分子云中，在红外波段有很强的辐射，但在光学波段几乎没有发现。许多天文学家推测，该天体可能是一个新诞生的大质量恒星。

天文学家在10微米波长处，在银河系核附近，观测到快速运行的电离气体云。根据这些热气体云的高速度，极有理由令人认为在银心存在一个超大质量天体，或许就是一个*黑洞*（**black hole**）。在许多河外星系的中心，尤其在具有活动星系核的旋涡星系(即塞弗特星系)，也明显地有强红外辐射。据推测，环绕一个黑洞的炽热吸积盘极有可能是这类星系的红外辐射源，正像银河系的情况那样。已检测到来自遍布于银河系中的弥散的尘埃的波长更长——约100微米——的红外辐射。测量资料表明，这种很冷的尘埃的质量至少和通过分析可见光波段的散射星光求出的星际尘埃一样多。根据求出的尘埃总质量，可以认为，这类大量的冷尘埃乃是天文学家长期以来就认为存在的银河系的"短缺质量"的相当主要的一部分。

infrasonics 次声 弹性介质中的振动波或应力波，其频率低于人耳所能察觉到的声波频率，即低于20赫兹。次声的频率范围下延到周期为100秒或更长的地质振动。自然发生的次声振动以潮汐运动或地动的形式出现。用地震仪监测很小的地动是有价值的，它可以作为火山活动或强烈地震的一种早期报警手段。用地下爆炸可以产生人工地震，借此可以鉴别和测绘隐伏的地下岩石构造。用地震检波器布成阵列，可以通过计算机获得全息图。极灵敏的地震检波器的发展，为监视地下核爆炸试验提供了一种手段。伴随强烈地震，往往出现大气层的次声扰动，其范围可达地表以上50千米。这种波可围绕地球传播可观的距离。人类对在空气中传播的低频声波的感受能力没有明确的截止点。似乎声波在约18赫兹以上时始有音调，低于这一频率时，则有可能区分出单个的压缩波。驾驶敞开窗子的汽车可能产生次声共振。超声速飞机的声爆中含有声平显著的次声。在某些场合下，面对次声的职业性辐照会很严重：变电室、压缩机车间和发动机房等都会产生很高声平的次声并引起不适。人类通过什么机制感受到次声以及次声的生理学效应目前尚未完全了解。

Inga Falls 因加瀑布 刚果河(扎伊尔河)下游的急流。在马塔迪港上游约40千米处，为全世界最大的水力发电工程之一的所在地。刚果河在14千米内落差96米，流量约43 000立方米/秒。水力发电第一期工程已于1972年竣工，为一座浓缩铀厂供电。第二期工程于1979年竣工，有高压输电线输往刚果(民)东南部沙巴地区。第三期工程规模最大，包括建设拦河坝、大水库。

Ingalik 因加利克人 阿拉斯加内地的印第安部落，操阿塔巴斯坎语，居住在卡斯科奎姆河上游及育空河下游各地区。此地多山，有林地，也有冻原；鱼、鹿、熊、驼鹿及其他猎物产量丰富，因加利克人以此为生，尤以干鱼和鲜鱼为主。因加利克人的文化深受爱斯基摩人风俗和工艺技术的影响：穿着风雪大衣、裤子及其他爱斯基摩人服饰；修筑半地下式的草泥覆盖的房屋，与西部爱斯基摩人住房相似；使用与爱斯基摩人的武器类似的鱼叉、梭镖投掷器及其他武器。因加利克人喜用桦木小舟而不用兽皮船。因加利克人的诸群体住在村庄里，有永久住房，也有季节性居地，诸如夏季捕鱼营地，可容一、两个家庭之用，冬季住房可以供整个群体之用。村庄生活集中于一所大型半地下式建筑物里。这种建筑物名"卡希姆"，主要用作蒸汽浴室，供男子每日发汗之用，也用作议事会所、俱乐部、殡仪馆、巫医或萨满教僧举行宗教仪式的场所和其他各项男人公共活动的中心。因加利克人喜爱竞技运动，举行各种庆典和散财宴。散财宴多在婚、丧大事及获致荣誉之际举行，普遍布施，以示财物丰饶、声势煊赫，在因加利克人中间极为重要。因加利克人信仰一名造物主，一个魔鬼，并相信冥界诸灵附于万物之上。此外，因加利克人还有若干仪式、禁忌和迷信，都是同动物、狩猎及保管工具和其他实用物件有关的；他们认为生存的能力和各项活动的成功，都要与自然界事物保有良好关系，才能获得。现今只剩有数百名因加利克人，大部已融入西方现代文化。

Ingathering (English festival) 参阅 **Harvest Home 收获节**。

Ingavi (Paraguay) **因加维** 参阅 **Mayor Pablo Lagerenza 巴勃罗·拉赫伦萨市长镇**。

Inge I HARALDSSON **英格一世**(1135，挪威～1161-02-01，挪威) Inge 又拼 Ingi。挪威国王(1136～1161)，在内战第二阶段中代表上层贵族和高级教士的利益。哈拉尔四世的唯一婚生子。其父死时，他尚在襁褓中，与异母兄西居尔二世共继王位，击败了觊觎王位的西居尔·斯伦比和前统治者瞎子马格努斯四世。1142年，埃斯泰因自称系哈拉尔四世之子，与英格及西居尔二世联合，分得王国版图1/3。在3位统治者中，英格因同上层贵族及教士的关系牢固，势力最大。1155年，西居尔二世和埃斯泰因阴谋推翻英格，但两人均为英格所杀。1157～1161年间，即挪威内战第二阶段，上层贵族利益的代表者英格击败业主利益代表者西居尔二世的私生子哈康(后为国王，人称宽肩哈康二世)觊觎王位的挑战，但最后却为哈康所部击败杀死。

Inge, William (Motter) 英奇(1913-05-03，美国堪萨斯独立城～1973-06-10，加利福尼亚好莱坞希尔斯) 美国剧作家。最著名的剧本有《回来吧，小希巴》(1950；1952拍成电影)、《野餐》(1953；1956拍成电影，该剧为他赢得普利策奖)和《公共汽车站》(1955；1956拍成电影)。英奇曾就读于劳伦斯的堪萨斯大学和田纳西州纳什维尔的乔治·皮博迪师范学院。1937～1949年任教师，1943～1946年兼任密苏里州圣路易斯的《明星时报》戏剧版编辑。他将第一部剧本《远离天堂》(1947)寄交T.威廉斯，由威廉斯推荐在得克萨斯州达拉斯上演；10年后该剧改编成百老汇的舞台剧《楼梯顶上的黑暗》(1960拍成电影)。英奇是最先描写中西部小镇生活气息的美国剧作家之一，在整个50年代获得显著成就。他的后期作品如《失落的玫瑰》(1960；1963拍成影片《脱衣舞女》)、《自然的爱》(1963)、《爹在何处》(1966)和《最后居室》(1970)等不太成功。1961年以《天涯何处无芳草》获得奥斯卡最佳电影剧本奖。较短的作品有《花之荣耀》(1958)、《致长刺歌雀》(1962)、《地下室的男孩》(1962)和《巴士赖利回乡了》(1962)。

Inge, William Ralph 英奇(1860-06-06，英国约克郡克雷克～1954-02-26，伯克郡沃灵福德) 英国神学家、基督教柏拉图主义者和伦敦圣保罗大教堂司祭长。以敏锐的智慧和悲观的见解知名，有"忧郁的司祭长"之称。曾就读于伊顿公学和剑桥大学的国王学院。后来成为伊顿公学的助理校长(1884～1888)、国王学院的特别研究员(1886～1888)、牛津大学赫特福德学院拉丁文及希腊文指导教师和特别研究员(1889～1904)、剑桥大学耶稣学院神学教授和特别研究员(1907～1911)。1911年被指派为圣保罗大教堂司祭长时，他已完成若干著作，包括《基督教的神秘主义》(1899)、《宗教中的真与假》(1906)和《信仰》(1909)。这些作品均成为神学经典著作。他于1934年在圣保罗大教堂退休。任职期间，他成为全国的知名人物，曾为伦敦《标准晚报》撰稿达25年之久。在英奇的几十部作品中，最重要的可能是他的演讲集《柏罗丁的哲学》(1918)，其他知名著作还有《直言小品》(2卷，1919和1922)和《一个司祭长的凡俗思想》(2卷，1926和1931)。

Ingemann, Bernhard Severin 英厄曼(1789-05-28，丹麦道基尔斯特鲁普～1862-02-24，索勒) 丹麦历史小说家、诗人。他那些美化丹麦中世纪历史的作品，为后世数代人传诵。他的大多数作品未能获得历久不衰的称誉，但他质朴无华的《晨曲和晚歌》(1837～1839)及充溢爱国情绪的组诗《丹麦人霍尔格》(1837)，至今仍脍炙人口。曾就学于哥本哈根大学，又曾在德国和意大利游历，后任索勒学院教师和院长。在那里写下六部曲历史小说，第一部为《瓦尔德玛和他的随行》(1824)，第六部为《玛格丽特女王》(1836)，均为诗体，其余四部为散文。他那首赞美诗《怀疑和悲伤的一夜》的英译文也极为有名。

Ingenhousz, Jan 因根豪茨(1730-12-08，荷兰布雷达～1799-09-07，英国威尔特博伍德) 荷兰生英籍医生和科学家。因发现光合过程而著称。光合是指绿色植物在阳光下吸收二氧化碳并放出氧气的过程。1765～1768年间在伦敦行医。他是种痘的早期提倡者，用取自较轻的天花病例的未经加工的活病毒进行接种以预防天花。1768年他在维也纳为奥地利女王玛丽亚·特雷西亚的家族种痘，后任其御医。1779年返回伦敦后发表了一篇对植物生理的化学效应的天才研究《植物研究：发现植物在阳光下有净化空气的强大能力，但在阴暗处及夜间却可破坏空气》。英国化学家J.普里斯特利当时已证明，空气有一种性质为动物生存所必需，动物可破坏它，但植物却可恢复它。因根豪茨发现：①这个复原过程(光合作用)需要光；②只有植物的绿色部分可以进行光合作用；③植物的一切活组织都可以"破坏"这个性质(呼吸作用)，但绿色植物的恢复作用远大于它的破坏作用。因根豪茨具有多方面的科学兴趣。他还发明了一个改进的可产生大量静电的器械(1766),并对金属棒的导热作用作了首次定量测定(1789)。

Ingersoll, Robert G(reen) 英格索尔(1833-08-11,美国纽约州德累斯顿～1899-07-21,纽约州多布斯费里) 政治家和演说家。他普及了人文主义哲学、科学的唯理论以及对于《圣经》的较严正的批判。人们称他为"伟大的不可知论者"。他尽管几乎未受过正规教育,却于1854年在伊利诺伊州取得律师资格,后在皮奥里亚(伊利诺伊州)、纽约市和华盛顿执行律师业务。在1861～1865年内战中服役后,成为坚定的共和党人。1867～1869年任伊利诺伊州司法部部长,并在总统竞选时担任过共和党发言人。虽然他对他的政党贡献很大,但他的非正统的宗教观点使共和党行政机构不能任命他参加内阁或担任他所希求的外交官职务。他是全国闻名的演说家,人们争相聘请他演讲。他一个晚上演说的收入达3 500美元。他以其卓越的口才和机智揭露他那个时代的传统迷信。已出版的主要演说集有《摩西的一些错误》(1879)和《为什么我是个不可知论者》(1896)。

Ingham 英厄姆 澳大利亚昆士兰州东北部城镇,位于赫伯特河口以上31千米处。始建于1864年。1879年设郡。为重要的甘蔗种植园区服务中心。该地区也产烟草、牛肉和木材。有铁路与公路通东南1 199千米的布里斯班。人口5 202(1986)。

Ingi I(Norwegian king) 参阅 **Inge I** 英格一世。

inglenook 炉边椅 固定在宽大壁炉两边的木座椅或高靠背木长椅,在17世纪英国的住宅和村舍里很普遍。自使用暖气之后,这种家具就被淘汰了。19世纪末随着村舍式房屋的复兴,它又被重新采用。

Inglewood 英格尔伍德 美国加利福尼亚州洛杉矶县城市。位于洛杉矶市西南郊。1873年始建,1887年规划,1908年设建制。初为家禽饲养中心。后随洛杉矶大都会区发展而发展。设有好莱坞公园赛马场。设有诺思罗普大学(1942)和西部诸州工程学院(1946)。市西南有洛杉矶国际机场。人口112 580(2000)。

Inglis, Charles 英格利斯(1743,爱尔兰多尼戈尔郡格伦科伦基尔～1816-02-24,新斯科舍哈利法克斯附近) 加拿大传教士和教育家。1757年到北美洲,在宾夕法尼亚州兰开斯特的教会学校当校长。1758年在莫霍克印第安人中传教。1765年任纽约市圣三一教会副教区长。因在美国独立战争中支持英国人,其教堂被焚毁,财产被没收。1783年到新斯科舍,1787年成为圣公会在新斯科舍及其属地(纽芬兰、爱德华王子岛、魁北克和百慕大)的第一任主教。1789年在温莎创办教会书院,后改大学。1809年任新斯科舍政务会议委员。

Ingolstadt 因戈尔施塔特 德国南部巴伐利亚州城市。濒临多瑙河和舒特尔河。806年首见记载,1250年设建制。1472年建巴伐利亚大学,该大学在德意志人文主义运动和反宗教改革运动中起了重要作用,1802年迁至兰茨胡特,1826年转迁至慕尼黑。旧城的一部分有14世纪的城墙围绕和别致的十字城门。城内有许多中世纪的房屋和教堂。名胜古迹有用巨砖建成的晚期哥特式圣母马利亚大教堂(1425～1500)、公爵城堡(1420)等。一系列公园环绕旧城,将其和周围的工业区和住宅区分开。现为重工业、铁路运输和炼油业中心。有输油管通意大利热那亚、的里雅斯特和法国的马赛。人口约119 528(2003)。

ingot 铸锭 铸造成一定尺寸和形状(如棒、板、薄板)以便储存、运输和加工成半成品或成品的金属。特别是金、银和钢通常先铸成锭,再进一步加工。钢锭规格可从几磅重的矩形小锭块直到超过500吨有锥度的八角形大铸锭。锡锭是许多产品的原料,可用来与其他金属组合成合金、转变成另一种形状、镀覆于别的金属表面或转变成化合物。

Ingraham, Hubert 英格拉哈姆(1947-08-04,巴哈马大巴哈马岛派恩里奇～) 全称Hubert Alexander Ingraham。巴哈马政治领袖。曾在巴哈马当地学校接受教育。1972年成为私人执业律师,并在各公共机构任职。20世纪70年代进入执政的进步自由党高层决策圈。1977年当选众议院议员,1982年再次当选。1982～1984年任住房、国家保险和社会服务部长。1984年因平德林领导的政府受到腐败指控而被解职,但1987年再次以无党派身份当选众议院议员。1990年加入自由民族运动,1990～1992年成为反对党领袖。自由民族运动在1992年的众议院选举中获胜,取代林登任总理。1997年自由民族运动在议会选举中赢得绝对多数,连任总理,任期五年。

Ingram, John Kells 英格拉姆(1823-07-07,爱尔兰多尼戈尔坦普尔卡尔恩～1907-05-01,都柏林) 爱尔兰历史经济学家、学者、诗人。1843年毕业于都柏林三一学院,在数学及古典文学方面显露才华并早以诗人闻名。1852年任该院演说术教授,撰写了大量评论莎士比亚戏剧的文章。1866年任希腊文教授,1879年为图书馆员。一向喜好研究经济学,1847年协助创建都柏林统计学会。早期著作大多与济贫立法有关。受法国社会学家A.孔德影响,反对孤立研究经济现象的传统方法,寻求按孔德方法建立一种统一的社会科学。著名论文为《政治经济学的现状与展望》(1878)。有数学天才但不愿在经济学上使用演绎和数学程序,其经济思想史著作后来对经济学家R.T.伊利有影响。

Ingres, Jean-Auguste-Dominique 安格尔(1780-08-29,法国蒙托邦～1867-01-14,巴黎) 继J.-L.大卫之后的法国新古典主义画派的领袖。画风线条工整,轮廓确切,色彩明晰,

安格尔自画像,约1800年
美国不列颠百科全书公司供图

构图严谨,对以后不同风格的艺术家如德加、雷诺阿、毕加索等人的绘画发展都有影响。其父是装饰雕刻家、肖像画家和音乐家,又是他的艺术启蒙导师。1791年他入图卢兹学院学习素描、人物画和风景画,成绩出类拔萃。1797年到巴黎进新古典主义画家大卫的画

安格尔绘《穆瓦泰谢尔夫人画像》
美国国立美术馆供图

室。两年后考入美术学院,1801年画《亚加米农的使者》,获一等罗马奖。此后几年内画了许多家庭成员的肖像画和自画像。1806年到罗马,在罗马的画室里创作了大量的作品,其中包括名作《浴女》,并画了许多线条坚实明确的铅笔素描肖像。1820年迁到佛罗伦萨,在那里接受了大批肖像画订件,创作小幅历史画,并为家乡蒙托邦大教堂创作巨幅祭坛画《路易十三的宣誓》。1824年回到巴黎,立即获得很高的荣誉。第二年初被选为美术学院院士,年底自设画室,教授上百名学生。1829年任美术学院教授,后历任副院长、院长。1835年再次到罗马,6年间创作完成了一系列肖像素描和油画。1841年回到巴黎。在19世纪40年代末和50年代,画了大量优秀的肖像画,其中有《自画像》(1858),以及名作《泉》(1856)和《土耳其浴室》(1862)等。一生推崇拉斐尔和古代大师,87岁时还在认真研究他们的作品。其最后一件素描就是逝世前一周根据佛罗伦萨画家乔托作品的构图画

的。主要作品还有:《画家格拉奈像》(1806)、《奥德利斯克与奴隶》(1839)等。

ingress 入凌 又称初切。天文学名词,指当较小天体在较大天体与观测者之间通过时,前者在表观上进入后者圆面的瞬间状态。例如卫星或其影子进入行星圆面的一瞬。这一名词亦可用来指月食开始时月球进入地影以及太阳进入黄道星座的那一瞬间。

Inguri Dam 因古里坝 世界上最高的拱形坝之一(1980年竣工)。位于因古里河离开高加索山脉之地,该河由此奔向格鲁吉亚的黑海。大坝为一272米高的巨型双曲拱坝,最大跨度680米。在加固的石灰岩基岩上浇铸互相连结的水泥柱而成。该坝上的5个电站的装机容量为1 600兆瓦。

Ingushetia 印古什 俄罗斯西南部的共和国。南部大高加索山脉的分水岭是它和格鲁吉亚的边界,东邻俄罗斯的车臣共和国,西部和北部与北奥塞梯接壤。2002年首府由纳兹兰迁往马加斯。北部低地区与诺盖草原的南端相连,有些地方海拔仅200米,但印古什的大部地区海拔至少500米。南部山区散布的高加索山峰高达3 000米以上。捷列克河的支流孙扎河从西到东横贯北部地区,孙扎河支流阿萨河是该区的主要河流。气候因地势而不同,但基本属干旱大陆型。多数居民为印古什人,为高加索山区穆斯林民族之一。社会以氏族、部落为基础。传统上低地以种植业为主,山区牧牛。重要性日益增长的石油开采主要集中在马尔别贝克附近地区。1810年印古什成为俄罗斯的臣民。和大多数的邻人不同,印古什没有参加19世纪中叶反对俄罗斯占领高加索的战争,也没有参加1920～1922年反对苏维埃俄罗斯的叛乱。印古什自治州成立于1924年,后来与车臣自治州联合。后者的居民基本是车臣山民、穆斯林,语言和印古什极为相近。1936年成立车臣-印古什自治共和国。第二次世界大战期间,车臣-印古什共和国被撤消,两族居民被指责与德国人合作而放逐到苏联的亚洲地区。1957年重建车臣-印古什共和国,流放者获准返回故土。1991年苏联解体后,形成了两个独自的共和国:印古什与车臣(**Chechnia**)。人口467 294(2002)。

Ingvar (Kievan prince) **因格瓦尔** 参阅 **Igor** 伊戈尔。

INH (drug) 参阅 **isoniazid** 异烟肼。

inhalation therapy 吸入疗法 参阅 **respiratory therapy** 呼吸疗法。

Inhambane 伊尼扬巴内 莫桑比克东南部城镇、莫桑比克海峡(印度洋)的伊尼扬巴内湾内商业海港。为集市中心,主要行业为腰果加工。当地亚热带气候和多水源地理条件适于种植水稻。腰果树和制皂原料的楝科树得到商业性利用。萨韦河以南多草地,主要民族聪加人从事放牧业。主要农产品除稻米外还有腰果、椰干、蚕豆和玉米。人口约47 764(1991)。

inheritance 遗产继承 又作succession。在财产所有人死后将其财产转移给一个或多个继承人。

古代曾将死者生前遗物毁掉,以保护生者不受其灵魂的骚扰。另一信念是将死者衣物火化,以为其灵魂之用,在石器时代及青铜时代即已有之。但另一种对待死者遗物的方法,是将财物分配与其亲族或朋友。某些马克思主义著作家则认为,人类早期对财产普遍实行共有,至少是土地如此。在原始及古老的农业社会,群体所有制较盛行,如欧洲的条顿民族、斯拉夫民族以及近代印度和亚非部分地区,仍然流行这种制度。西欧对牧场及森林地带采用共有制度,是乡村土地共有制的残余。虽然10～13世纪日耳曼人在易北河以东地方垦殖新地皆采群体所有制,而18～19世纪欧洲人在北美、澳洲、南非等地殖民,对于土地皆采个人所有制,以促使有效的利用。至20世纪,社会主义思想,再加上大规模机械化,遂产生新式土地共有制,如苏联的集体农庄、中国的农村公社及以色列的集体农场。凡共有的土地,当群体中的一个成员死后,其遗产问题并不表现于继承方面,而是表现为对土地生产物或其使用权的再分配方面。

人们对继承遗产所提出的批评意见,主要是此种制度使受益者无功而得财物,成为收入不平等之主要原因。此种谴责不但来自激进派——其社会理想乃收入之完全平等,而且也来自较温和的思想家——他们认为,财富分配之过于平均,与现代关于人类尊严的概念不相容。对于这种意见,人们又根据经济的及道德的理由,对于遗产继承又加以维护。据说在私有财产制的社会里,遗产继承是使企业得以延续的保证,否则长久的经济活动力不能发挥和兴盛。但今日公司的组织形式是将管理权交由专家而非业主自行经理,此说已失去其意义。不过,如果没有将一人工作的果实传及下代的吸引力,竞争及整个经济的运转,将受损害。人们可以想象,一种社会制度,财产所有者的产权随他死亡而终止。这样,他的遗产若不交给另一个人,势必终归社会所有,私有财产制亦当终止。确定何人为新所有者可有四法:①最先占有者——此法引起纷争而乱秩序;②由政府分派——此种权力有害于自由社会;③按大家公认之惯例再分配;④按死者之意旨再分配。最后二法为今日遗产继承制所采用:即财产按无遗嘱法办理或按死者遗嘱办理。在一切社会,继承遗产皆以亲族之近疏关系而定,除非死者能传及其子孙,则终非其志。如继承之范围出乎此者,则视其与死者之关系如何而定。

在城市化、高度工业化、人口流动性甚大之国家,家庭关系之纽带渐松,感情只限于夫妻子女之间。在政府财政负担日趋繁重的时代,人们大多认为,与其将死者财产交与疏远之亲戚,或消耗于诉讼,还不如归入国库。1925年英国法律规定,无遗嘱财产之遗赠范围以死者之祖父母、叔父、姑母为最大限度。苏联的法律限制更严,规定无遗嘱财产只分给死者之遗孤、遗孀、祖父母、兄弟、姊妹及其死前一年扶养之残废人。另一种范围是按死者与继承人的亲疏关系,愈疏则愈加重交纳遗产税。在美国遗产税主要按财产额之多少征收,其附加遗产税则专以亲疏关系为准。此法已为多数国家所仿效,亦为减少财富分配不公平之社会政策。1999年,法国法律将无遗嘱死亡继承的对象从配偶扩大到死者的通常同居的未婚生活伴侣。

inheritance tax 继承税 某人死后,对接受其遗产的各受益人所征收的税。继承税常按受益人所得遗产的数额大小及其与死者的关系(如果有的话)的亲或疏而计算。有些税制,将受益人原有的财产价值也计算在内。继承税较遗产税执行困难,因为分给各受益人的遗产价值必须确定,且确定这些价值常需复杂而精确的计算。继承税是一项古老税种,可上溯到罗马帝国,当时在继承财产上征收1/20税款以支付老兵养老金。现代继承税的基础是在中世纪确立的。在封建制度下,所有土地和财产最终均属君主所有,死者财产的转移均需取得君主许可。若死者无直系子孙,则其亲属须缴纳一笔"继承领地税",然后方可取得财产的继承权。欧洲许多国家,包括英国,荷兰,西班牙,葡萄牙,现代继承税都来源于这种"继承领地税"。在美国,继承税一向由各州征收,而联邦政府则征收遗产税。1826年宾夕法尼亚州第一个征收继承税。从此继承税额有了巨大的增长,近几年曾作出一些减税措施。继承税反对者认为,它挫伤经营积极性,减少储蓄额,并且扣押国民资金。支持者则认为,继承税数额微小,又一次征收,减少储蓄额要远比同等收益的所得税为小,它是重新分配财富的一项有用的工具。参阅遗产税(**estate tax**)。

inhibition 抑制作用 一种酶学现象:结构上多与底物类似的抑制剂与酶起作用而形成一种复合物,该复合物或不能像通常那样起反应,或不能形成通常的产物。抑制剂可以在底物常常结合的位点上与酶结合而起作用(竞争性抑制剂),或者在另一些位点上起作用(非竞争性抑制剂)。在后一种情况下抑制剂并不阻碍酶与底物结合,只是有效地改变催化活力所在位点的形状,从而阻止催化。

inhibition 抑制 自觉或不自觉地限制或取消某种过程或某种行为,尤其是取消那些冲动和欲望的心理学现象。对某些基本的社会功能来说,抑制可用来限制和防止某些不顾后果的盲动(如在盛怒之下动手打人)和克服动不动就沾沾自喜、得意忘形。有意识的抑制性行为在日常生活中并不少见,尤其是必须在二种互相矛盾的欲望之间作出选择的时候,如面对好吃的甜点和正在减轻的体重。精神分析理论认为抑制主要是一种调节超我(良心)和本我(原始冲动)的潜意识机制。像乱伦和谋杀等各种恶行都已成为即使没有成文的法律,也不为社会所容的禁忌行为。丧失抑制的极端形式可能都属于反社会行为范畴和某些精神病的症状,如行为异常患者、反社会性病态人格和精神分裂症患者等。不过，超限抑制也可能有损人性，招致在需要感觉和表达某些情绪时，却表现精神性无能，如阴冷和阳萎。酗酒和服用某些药物，尤其是安定剂和镇静剂（如利眠宁和安定）、安眠药（如氟胺安定）及某些麻醉剂也可产生抑制。药物所致抑制的程度因人而异。抑制过程在建立条件反射和学习过程中也发挥着重要作用，因为一个人要想学会新的行为模式，就必须学会克制某些本能的行为方式或是节制旧的行为习惯。在生理心理学中，抑制一词指的是低水平的神经生物电活动。

Ini（Anglo-Saxon ruler） 参阅 **Ine** 伊尼。

Inis（Ireland） 参阅 **Ennis** 恩尼斯。

Inis Ceithleann（Northern Ireland） 参阅 **Enniskillen** 恩尼斯基林。

Inisa 伊尼萨 尼日利亚西南部奥约州城镇。在通至拉各斯的铁路线上一火车站附近，在拉各斯东北 215 千米处。地处伊基伦至奥法和伊洛林的公路上。为稀树草原地区的市场中心（薯蓣、木薯、玉米、南瓜、豆类、黄秋葵）。主要居民为约鲁巴人。也是经济作物（棉花和烟草）的收购地。有公立中学、保健站和妇产科诊所。人口约 97 140（1988）。

Initial Teaching Alphabet 初步教学字母表 皮特曼爵士为帮助儿童更好地阅读英语而设计的 44 个书写符号。该表以英语音素系统为基础，使用罗马字母表，再加上其他14个

皮特曼爵士的初步教学字母表
美国不列颠百科全书公司供图

书写符号，而以每一个别音标代表一种音素所组成。该表严格依从传统表音法，但只包括小写字母；它保留了英语拼写的某些惯例，如以 c 和 k 表示同一音素及双辅音。在实验的基础上，该表曾被英格兰和美国的一些学校采用；前者始于 1960 年，后者始于 1963 年。

initiative（electoral process） **创制权** 参阅 **referendum and initiative** 全民公决和创制权。

initiator 引发剂 可以引发起化学反应的化学物种，该物种与单体（能形成化学键的单个分子）反应生成中间体，从而不断地与大量其他单体连接成聚合物。使用最广的引发剂能产生游离基（含有奇数电子的活泼原子或原子团），例如用于氯乙烯、甲基丙烯酸甲酯及其他单体聚合的过氧化物和脂肪族偶氮化合物。带痕量水的三氟化硼等能形成酸的体系与单体反应，生成阳离子中间体。这种引发作用使异丁烯转变成丁基橡胶。金属钠与联苯反应生成阴离子引发剂，能引起两端都具有活泼部位的聚合物链的形成，进而用另一种单体处理，生成嵌段共聚物。聚丙烯和高密度聚乙烯用齐格勒催化剂制得，这种催化剂就是有机金属化合物与三乙基铝和四氯化钛等金属卤化物组成的引发剂。

injunction 禁令 在民事诉讼中，指法庭要求一方当事人作或不作某个或某些特定行为的命令。凡禁止作某一行为的，是禁止令；凡命令作某一行为的，是强制执行令。对不服从命令的，可以蔑视法庭罪处以监禁。禁令也可分为永久性的和临时性的。临时性的禁令通常是在诉讼开庭审理前或者更早一些时间内下达，其目的在于保存现状，或者防止在案件审理结束前发生不可弥补的损害。14 世纪末，英国的大法官法院开始将禁令作为对普通法法院判决不当的一种救济。因为常常发生判给的损害赔偿金不足以充分保护原告人的情况，例如被告人虽然付了损害赔偿金，但企图继续侵占原告人的土地或者违反契约。19 世纪，英国的普通法法院与衡平法法院融合成一个体系以后，新的体系有权给予法律上规定的或者衡平法上规定的各种救济。用禁令限制的行为范围很广，例如：违反不得参与竞争性交易契约的违约行为；妨害或侮辱他人的侵权行为；在原告人土地上筑墙一类的侵害他人财产的行为；非法将某人开除出俱乐部或工会；非法泄露机密等。在美国，禁令保留了它在衡平法上的主要特性，和英国的情况一样，它广泛适用于各种损害行为或者可能的损害行为。美国对禁令所作的最重要发展是把它同劳资争议、行政管理以及宪法权利的保护联系起来。禁令这种救济方法，在行政管理领域使用得最为广泛。联邦和州有许多法律专门规定，准许使用禁令代替刑事定罪。禁令是比刑罚更为常用的一种强制执行联邦法律和州法律的有效手段。禁令还渐渐被用来保护受宪法保障的权利，特别是为了防止对于集会自由、言论自由和宗教信仰自由权利的侵犯，以及防止仅以种族原因而否定平等的权利和就业机会。相对地说，除德国以外，民法法系国家都很少使用禁令。在德国，禁令被用来防范对财产的侵犯，并作为软弱无力的诽谤法的补充。

ink 墨水、油墨 各种颜色的液体或糊状物，但通常是黑色或深蓝色，用于书写和印刷。它由一种颜料或染料溶解或扩散在称作载体的液体中而成。书写墨水大约在公元前 2500 年的古埃及和中国就已使用。它是灯黑同动物胶或树胶的溶液一起研磨，模制成棒状，自然干燥而成。使用前，墨与水混合。植物、动物和矿物的各种颜色的汁液、萃取物和悬浮液也用作墨水，其中包括茜素、靛蓝、十蕊商陆浆果、胭脂虫和乌贼分泌液。可溶性铁盐和单宁萃取物的混合物，几百年来用作书写墨水，也是现代蓝黑墨水的基础。现代墨水通常含有硫酸亚铁作为铁盐，带有少量矿物有机酸。得到的溶液是淡蓝黑色，如果单独用在纸上，看起来很浅淡，放置之后，颜色变深，而且不溶于水，因而能保持永不退色。为了使书写颜色深一些，一开始就能很清楚，需加进染料。现代彩色墨水和可洗墨水，就含有可溶性合成染料作为唯一的着色物质。写出的字迹在强光下逐渐退色，在可洗织物上能够洗掉，但是如果不受强光又不洗濯，则可保持很多年。印度墨是一种水与炭黑的悬浮液，用各种物质来稳定悬浮液，包括硼砂溶液里的虫胶、肥皂、明胶、动物胶、阿拉伯胶和糊精。这种墨主要用于绘画。现代印刷油墨通常不像书写墨水那样流动。油墨的成分、黏度、密度、挥发度和扩散度各有不同。中国早在公元 500 年就用植物性物质和色土、煤烟或灯黑试验印刷。当 J. 谷登堡于 1440 年左右在德国发明活字印刷时，油墨是用清漆或煮沸的亚麻籽油与灯黑混合制成的。这种油墨连续使用了 300 多年，其组成没有多大改变。1772 年，英国发表了第一项制造彩色油墨的专利。19 世纪出现了化学干燥剂，因而能用各种各样的颜料来制彩色油墨。后来研制出各种浓度的印刷调墨油来制造供各种纸张和印刷机用的油墨。当采用高速报纸印刷机时，油墨中的清漆改为矿物油，油基快速渗入白报纸并很快干燥。直到 20 世纪初，油墨制造才成为一种复杂的化学工业方法。现代油墨的制造考虑到所印的表面、采用的印刷方法和印制工作所需的特殊要求，例如颜色、阻光度、透明性、亮度、耐光性、表面硬度、柔韧性、可湿性、纯度和无气味等。印刷书籍常用的低速凸版印刷油墨，是用炭黑、浓漆和干燥剂配制成的，也可使用其他许多载色剂、颜料和调节剂。凹版油墨是由石脑油、树脂和煤焦油溶剂构成的。凹版印刷法主要用于印刷轮转凹版报纸副刊、卡片、标签和包装纸。塑料通常用苯胺油墨来印，这种油墨含有甲醇、合成树脂和虫胶。

ink painting 水墨画 中国画中纯用水墨、不用色彩的一种画体。在中国绘画史上占有重要地位。与着色画并称“水墨、丹青”，成为中国画的代称。古代绘画重视用色，故“随类赋彩”为“六法”之一。唐吴道子的“吴装”淡彩重视笔墨的运用；王维、张璪的泼墨山水更将墨色分成深浅浓淡多种层次进行表现，奠定了水墨画的地位，故张彦远在《历代名画记》中说：“水晕墨章，兴吾唐代。”由于这个单一色具有充分发挥“如兼五彩”的特殊表现功能，历晚唐、五代、宋初更经过荆浩、关仝、董源、李成、范宽等大师的努力，于是便有“画道之中，水墨为上”之说。其后郭熙、李唐、马远、夏圭、梁楷、牧溪法常等在这方面的成就亦极为突出，更有文人画家文同、苏轼、米芾父子、杨无咎等在梅、竹、山水等方面的倡导，加以纸张的广泛使用，纸墨相遇相得益彰，比画在绢上更能收到“运墨而五色具”的艺术效

果。元四家之后至扬州八怪形成了水墨画高步画坛的局面。这种画体大致可以说始于唐,成于宋,定于元,盛于明、清。这种画体对日本室町时代(1338 ～ 1573)影响很大。李唐、马远、夏圭、梁楷、牧溪法常等对日本的影响更为突出。周文和雪舟两位日本绘画大师便是著名的代表人物。

Inkatha 因卡塔 全名为因卡塔自由党。南非黑人政治组织,主要获得祖鲁族的支持。于1975年由祖鲁族酋长、夸祖鲁"黑人家园"首席部长蒙古苏图·加查·布特莱齐于该家园创建。其宗旨为反对种族隔离制度(南非当局实行的一种种族隔离政策),鼓舞黑人的政治和文化斗志。在布特莱齐的领导下,因卡塔主张逐渐地展开反对种族隔离制度的斗争,并宣告,如果在南非结束种族隔离之后不能实行多数统治,它愿意接受特殊的权力分配安排。据称,到21世纪初,因卡塔自称其党员已超过150万人,使它成为南非最大的政治组织。但因卡塔并没有超越祖鲁族的范围。该组织被非洲人国民大会(ANC)和其他更为激进的黑人反种族隔离组织的成员批评为是通敌者和在种族之间进行离间。80年代后期和90年代,因卡塔和非洲人国民大会的追随者常常卷入流血冲突,这种冲突带有强烈的种族色彩(即祖鲁族对非祖鲁族)。1991年南非政府承认,在因卡塔与非洲人国民大会的敌对状态越来越激烈时,它曾秘密地资助过因卡塔。在南非种族隔离废除后的第一次选举中,该党赢得了10.5%的选票,在国民大会中有43个席位。布特莱齐由总统曼德拉任命为内务部长。在后来的10年中,该党的势力衰退。

inkblot test 墨迹测验 一种心理测验。要求被试者描述形状不规则的墨迹图。此种测验中最有名的是罗夏测验(**Rorschach Test**)。

inkstand 墨水瓶架 存放钢笔、墨水和其他文具的器物。15 ～ 18世纪这种用品在英格兰称作墨水台。用银、白镴、铝、陶器或瓷器制成。在整个18世纪银是最流行的材料。

18世纪初叶装有封缄纸盒(左)、吸墨粉盒(中)和墨水池(右)的银制墨水瓶架
美国不列颠百科全书公司供图

以后的墨水瓶架装有各种附件,诸如(插细蜡烛的)烛台、吸墨粉盒(用于喷吸墨粉,一种使墨水附着纸上的粉胶)、(装封信封的封缄纸的)封缄纸盒、削鹅毛笔的小刀和鹅毛笔。20世纪初自来水笔完善供用后,墨水瓶架逐渐不再使用。

inky cap 墨伞菌 伞菌目鬼伞属(*Coprinus*)真菌的俗称,含100余种世界性分布的蘑菇。孢子散后,菌盖化为液态如墨汁状,曾

墨汁鬼伞(*C. atramentarius*)
美国不列颠百科全书公司供图

用于书写,故名。生长于林下和粪肥上。墨汁鬼伞(*C. atramentarius*)及毛头鬼伞(*C. comatus*)幼时菌褶变黑前可食。

Inland Passage 参阅 **Inside Passage** 内海航道。

Inland Sea 濑户内海 日语拉丁字母转写作Seto-naikai。在日本本州、四国和九州之间。东西长约440千米。海岸线曲折,数百岛屿分布其间,以淡路岛为最大。东经丰后水道和纪伊水道与菲律宾海和太平洋沟通;

濑户内海
美国不列颠百科全书公司供图

西经下关海峡与东中国海相连。是日本关西地区和亚洲大陆之间交通中心。沿海工业随商港、渔港及大阪-神户商业中心的繁荣而发展。第二次世界大战前曾为主要产盐区,现已废弃,代之以新兴的石油化工业。濑户内海全境及濑户内海国家公园为度假胜地。

inlay 镶嵌艺术 观赏艺术中,以不同颜色或不同种类的材料镶嵌在浅或扁平的底子或表面上组成装饰性花纹、图案或风景的各种装潢技术的总称。用于珐琅制品、家具装饰、漆器和金属制品中,虽然严格地讲,细木镶嵌和薄片镶嵌不能列入镶嵌艺术,但却包括在这种技术之内。

Inman, Henry 英曼(1801-10-28,美国纽约州乌蒂卡～1846-01-17,纽约州纽约) 美国肖像画家。曾师从著名肖像画家J.W.贾维斯。1844年,所画人物有英国大法官科顿哈姆伯爵、诗人W.华兹华斯、T.查尔默斯和麦考利伯爵;所画美国人物有美国总统M.范布伦和最高法院院长J.马歇尔等。他的画惟妙惟肖,赋予对象以潇洒和典雅的特色。

inn 客栈 供旅客住宿有时也供膳食及娱乐的公共建筑。大多已为旅馆和汽车旅馆取代。但客栈一词仍在使用,以示其古风余韵,殷勤好客之传统。客栈在古代称为驿站,建在商旅经过的地方,相间约8千米,常为设有岗楼的堡垒。古代波斯各地的干道上均设有驿站。古罗马的驿站采用与别墅同样的布局,以一个或几个院子为中心,周围设置供住宿和膳食的房间以及马厩。中世纪初期,只有隐修院才能供旅客住宿。中世纪晚期由于商业的复兴、十字军以及朝圣的盛行等原因,隐修院、商会或个人都建造了客栈。到16世纪晚期英国约有6 000所客栈。当时欧洲的客栈多建在庭院四周,有几层楼,楼上有拱廊或围有栏杆的走廊。

Inn River 因河 多瑙河右(南)岸主要支流。全长510千米。源出瑞士吕吉诺湖,在瑞士境内一段称恩加丁(**Engadin**)河。经奥地利流入德国南部,接纳支流萨尔察赫河,形成奥地利-德国一段边界,在德国的帕绍与多瑙河汇合。中、下游流域为农业区。有几段用于水力发电。

innate idea 天赋观念 假定人心中与生俱来的观念。它和那些来自经验或由经验汇集而成的观念形成对照。这种理论主张至少有些观念必定是天赋的(如上帝、无限、本体等概念),因为不能从经验上为它们找到令人满意的来源。这种理论盛行于17世纪,笛卡儿是其最杰出的阐述者。该理论有各种形式。有的主张新生婴儿能明确意识到天赋观念;更多的则认为它们最初是潜在的,或者是一种禀性,或者是一种潜伏的能力,需要适当的经验条件才能显露出来。17世纪后期,洛克对这种理论进行猛烈批评,不仅反对天赋原则,而且也反对表现天赋原则的天赋观念。18世纪哲学家康德以"先验概念"的问题取代天赋观念。他不讲这些概念的来源,只讲它们作为人们取得客观世界经验条件的必要性。20世纪N.乔姆斯基主张要解释语言的可能性,就必须假定天赋观念。

inner ear 内耳 又称内耳迷路。耳的一部分,包含听觉器官及平衡器官。骨迷路是颞骨内的骨腔,分为前庭、3个骨性半规管及与听觉有关的耳蜗3部分。膜迷路于骨迷路内,也分3部分:3个膜性半规管、球囊和椭圆囊(均于前庭内)及蜗管(内耳听力器官,在耳蜗内形成隔板,将耳蜗分为前庭阶与鼓阶两部分)。全部内耳均浸泡在缓冲液中;膜迷路内的液体称内淋巴,骨迷路与膜迷路之间的称外淋巴。在耳蜗、骨迷路和耳蜗管旋绕如蜗牛壳状坐落在基底膜上。基底膜上排列着由感觉细胞(毛细胞)和支持细胞形成的科尔蒂氏器。因为在基底膜的不同部位的厚度不同,故各部分对不同波长的声波敏感程度亦不同。声波传过中耳听骨时,中耳与内耳间的膜性开口(卵圆窗)随镫骨往复振动,引起前庭阶内的外淋巴的波动。外淋巴的波动又激动前庭膜,使内淋巴也发生波动,并使毛细胞变形,产生神经冲动,冲动沿耳蜗神经入脑,产生听觉。外淋巴的波动使覆盖卵圆窗

的膜向中耳膨出，从而减弱了外淋巴的波动。前庭和3个膜性半规管与平衡觉有关。椭圆囊与球囊各有听斑，由一组毛细胞及含碳酸钙的耳石构成。头部的运动使耳石牵拉毛细胞，刺激前庭神经发出信息指明头部的空间位置。3个半规管均互相垂直，各条膜性半规管的末端都膨大成为壶腹，内有含毛细胞的壶腹嵴，头部向不同方向运动，可引起内淋巴流动，壶腹嵴能对之作出反应，并通过前庭神经传出头部空间位置变化的信息。

Inner Hebrides　内赫布里底群岛　苏格兰西部沿海岛群。分属高地行政区的斯凯、洛哈尔什、洛哈伯区和斯特拉斯克莱德行政区的阿盖尔-比特区。南北延伸240千米，隔小明奇海峡和赫布里底海与外赫布里底群岛相望。最大岛屿有斯凯岛、马尔岛、朱拉岛和艾莱岛。高地行政区洛哈伯区的小岛拉姆岛于1957年成为自然资源保护研究中心，专门进行植物和地质方面的研究并研究当地的赤鹿、野羊和高地的牛和小马。泰里岛在群岛最西面，属斯特拉斯克莱德行政区的阿盖尔-比特区，其经济以经营小农场、种植球茎植物、饲养家畜、捕鱼、旅游业和开采大理石为主。艾莱岛在群岛最南端，属斯特拉斯克莱德行政区阿盖尔-比特区。经济以农业、饲养家畜、制酪、麦芽威士忌酿造业和旅游业为主。主要城镇鲍莫尔是行政中心。群岛中还有科尔、科伦塞、吉厄、奥龙赛和斯塔法等小岛。

Inner Himalayas (mountains, Asia)　**内喜马拉雅山脉**　参阅 **Lesser Himalayas** 小喜马拉雅山。

Inner Light　内心之光　又称Inward Light。基督教公谊宗独创的教义命题，指人直接意识上帝的存在，人有了这种意识，即能知道上帝在他身上的旨意。此说为17世纪公谊会创始人福克斯所提出。公谊会大多数信徒认为，内心之光不应仅是神秘的体验，而应落实到为他人谋利益的工作上。

Inner Mongolia　内蒙古　又作Nei Monggol、Nei-mengku。中国内蒙古自治区的简称。位于中国北部，戈壁大沙漠以南的地区。介于北纬37°24′～53°23′，东经97°12′～126°04′。东起大兴安岭东麓，西至河西走廊西北端马鬃山，呈向东南凸出的大弧形。北界蒙古和俄罗斯，国境线长4 200多千米；自东而南与黑龙江、吉林、辽宁、河北、山西、陕西、甘肃等省和宁夏回族自治区相连。除蒙古族外，有汉、回、满、达斡尔、鄂温克、鄂伦春等共44个民族。设3个盟、9个地级市、21个市辖区、11个县级市、17个县、49个旗、3个自治旗。面积1 197 547平方千米，约占全国总面积的1/8。自治区首府呼和浩特市。

自然条件　自治区为一向北缓缓倾斜的高原，大部分海拔1 000米左右。阴山山地横亘中部，东西长1 000多千米，海拔1 500～2 000米。其东端与北东走向的大兴安岭相连，其西端与南北走向的贺兰山遥遥相望，形成一条山带。山带的北侧为内蒙古高原，包括东部的呼伦贝尔高原、西部的阿拉善高原；山带的南侧为平原，东部为松辽平原的西部边缘，南部为黄河冲积而成的河套平原。在河套平原之南，三面被黄河所围绕的地区是鄂尔多斯高原，自治区由于地势高，位置偏北，离海较远，湿润的海洋性气流难以深入，冬季深受西伯利亚蒙古高压影响，属温带、寒温带大陆性季风气候。冬季严寒漫长，夏季凉爽短促，降水较少，日照充足，春常旱，风沙大。气温自东北向西南逐渐递增，年平均气温大部地区在－4～8 °C，7月平均气温为16～26 °C，1月平均气温为－10～－32°C。各地气温年温差达34～48°C。降水分布与气温递增方向相反，即由东北向西南减少，年降水量50～450毫米。内蒙古高原的东部和中部，鄂尔多斯高原的东部，广泛分布着禾本科、菊科、豆科的草原，天然植被覆盖良好。沙漠广布，除西部地区有流动沙丘、沙丘链外，多为固定和半固定沙丘，并且局部成为沙地草场。西北部戈壁仅生长稀疏的耐碱草类和灌木，呈现一片荒漠景观。阴山山地以次生的白桦林为主，大兴安岭北部地区有大片的原始森林，主要为落叶松、白桦等。矿产资源丰富，已探明储量的有80多种。以煤、稀土、铌、硫铁矿、天然碱、石膏、玛瑙储量最大。

沿革　自古为中国北方各民族交错居住区。战国属赵、燕等国及匈奴、东胡之地。秦汉之际，冒顿单于统一匈奴各部。西汉元朔二年（公元前127）设五原、朔方、云中等郡。宣帝甘露二年（公元前52）匈奴呼韩邪单于因受排挤南迁附汉，并在汉朝的支持下，呼韩邪终于恢复了对匈奴全境的统治。元帝并在竟宁元年（公元前33）嫁以宫人王昭君，促进了长期的和好关系。东汉光武帝建武二十四年（公元48）匈奴分裂为南北对抗的两支。居住漠北的为北匈奴，和帝永元元年（公元89）一部分西迁，一部分后来为鲜卑所并。南下附汉的为南匈奴，屯居在朔方、五原、云中等郡，均在内蒙古境内。南匈奴人因长期与汉人杂处，逐渐与汉人融合。北匈奴西迁后，鲜卑族进入匈奴故地，势力渐盛。桓帝（147～167）时首领檀石槐建庭立制，组成了军事行政联合体。檀石槐死后，联合体瓦解，首领轲比能等各拥所部，附属汉、魏。4世纪初鲜卑族拓跋部在该区和山西北部等地建立代国，后来改国号为魏，即北魏。4世纪中叶，源于东胡的柔然在蒙古的鄂尔浑河流域等地游牧，附属拓跋部。拓跋珪南迁建北魏京都于平城（今山西大同）后，柔然进居阴山一带。5世纪初柔然迁居漠北，合并邻近各部组成联盟，但和北魏仍有经济、文化联系。6世纪原属柔然的突厥逐渐兴起。西魏元钦元年（552）破柔然，建政权于鄂尔浑河流域一带，有文字、官制、刑法、税法，与北朝经济、文化交流很频繁。隋代分裂为东、西突厥，后来相继为唐所灭。隋、唐曾置丰、胜、夏等州。唐天宝三年（744）回纥灭东突厥余部，建政权于鄂尔浑河流域，曾助唐平“安史之乱”，与唐王朝保持着良好的合作关系，但在开成五年（840）被黠戛斯所破而西迁。蒙古族初居额尔古纳河流域，后逐渐向西发展到鄂嫩河、克鲁伦河上游肯特山一带。13世纪初成吉思汗统一大漠南北各部，建立了统一的政权。他制定军事、政治、法律等制度，开始使用文字，促进了蒙古社会经济和文化的发展。1271年忽必烈建立了元朝，该地属上都、集宁、全宁、净州、应昌等路（府）。明代蒙古族又分为多部，接受明的册封。清康熙三年（1664）清政府以大漠为界，划漠南地区为内蒙古，漠北地区为外蒙古，并将内蒙古划分为6个盟，51个旗。1928年以后，内蒙古地区分别属于黑龙江、吉林、辽宁、热河、察哈尔、绥远、宁夏等省。1947年成立内蒙古自治区。1949年后，行政区域范围不断扩大。

经济　1949年以前，内蒙古实业不振，交通闭塞，文化落后，虽有牲畜、毛皮和蘑菇、药材等物产，但只能交换少量的砖茶、烟草、火柴、盐等日用品。蒙古族牧民长期过着贫困的游牧生活。1949年以后，经济逐渐好转，社会生产总值平均年递增70%以上，国民收入平均年递增6.5%以上。农业总产值平均年递增4.6%，工业总产值平均年递增11%。工业总产值已达工农业总产值的50%以上，实现了经济结构的历史性转变，使自治区由小农和游牧经济跻入现代工业经济的行列。在漫长的历史时期，内蒙古一直以牧为主，近100多年来，农业从不同方向向草原渗透，在水土较好的地区，种植业迅速发展。现在土地利用结构以草地比重最大，占全区土地面积的55.47%，林地占15.89%，耕地占6.00%，水域占1.32%，城乡居民和工矿交通用地占1.00%，难以利用的土地面积较大，占全区土地面积的20.32%。自治区制定了“林牧为主，多种经营”的生产方针。与此同时，大力进行农田、草牧场基本建设和改善生产条件、生产环境的建设，促进了农牧业产量不断提高，经济效益不断增长。主要农产品有小麦、玉米、薯类、大豆、稻谷、甜菜、油料等，畜产品有猪、牛、羊肉、牛奶、羊毛、羊绒、禽蛋等。工业已发展了煤炭、化工、电力、稀土、钢铁、建材、毛纺、乳品、制糖、木材加工、林业等门类。呼和浩特、包头、乌海、赤峰、通辽、海拉尔等已成为新兴的工业中心。满洲里和二连浩特是对外贸易的主要口岸。内蒙古的交通运输以公路为主，形成了以109、110、210国道为骨干、与地方公路相结合的一个干支线纵横交错的公路网络，呼包高速公路已建成通车。公路里程达70 000千米（2004）。铁路集中东部和南部，有京包、包兰、集二、京通、集通、丰准、包神等主要干线，营运里程达6 000千米（2004），运力严重不足。水运由于与铁路平行，故未能发挥其作用，只在局部地区有水运。20世纪80年代以来，随着经济的发展，航空运输事业发展较快，以呼和浩特为中心，自治区内可通往包头、赤峰、呼伦贝尔、锡林浩特等，自治区外可通往北京、上海、广州等20多个大、中城市。

文教卫生和古迹　自治区成立前人口中90%以上是文盲，医疗卫生极度落后，病疫横行，婴儿死亡率达31%。现已建立了许多医院和医疗卫生网，控制和消灭了曾在牧区流行的传染病和多发病，医疗卫生条件大有改善。有大专院校约19所，中等专业学校90余所，中小学遍布各地。蒙古族人民多信仰喇嘛教，明清时建有许多寺庙，较大的有百灵庙、甘珠尔庙、五当召等。它们不但是重要的宗教活动场所,也是草原上著名的古迹。人口23 600 000(2005)。

Inner Mongolian Plateau 内蒙古高原 横贯中国内蒙古自治区的高原。位于大兴安岭以西,长城以北,马鬃山以东,北抵中蒙国界线,包括内蒙古自治区大部分地区及甘肃省的北部。一般海拔1 000～1 200米,地势起伏平缓,南高北低,西高东低。其中鄂尔多斯、锡林郭勒、乌兰察布高原地势较高,呼伦贝尔、乌珠穆沁、居延海盆地地势较低。内蒙古高原东部为草原,是中国的重要畜牧业基地;西部气候干燥,为干草原、荒漠草原与荒漠。向西沙漠面积增加,戈壁广布。

Innes, Michael(Scottish writer) **英尼斯** 参阅 **Stewart, J(ohn) I(nnes) M(ackintosh)** 斯图尔特。

Innes, Ralph Hammond 英尼斯 参阅 **Hammond Innes, Ralph** 哈蒙德·英尼斯。

Inness, George 英尼斯(1825-05-01,美国纽约纽堡～1894-08-03,苏格兰斯特灵布里哲夫阿伦) 美国画家,其风景画以表现外光和气氛的杰出技巧闻名。主要靠自学成名。早期

美国不列颠百科全书公司供图

作品如《拉克万纳溪谷》(1855)显示了哈得孙河画派对他的影响。以后受荷兰风景画家雷斯达尔和霍贝玛自由开阔画风的影响,摆脱了哈得孙河画派精细描绘细部的手法。1854年第三次欧洲之游后,其作品中的巴比松画派的影响更加明显。在他创作中期的20年间(1855～1874)其作品如《特拉华水峡》(1861)和《特拉华峡谷》(1865),在艺术表现上达到很高水平。《和平与富足》(1865)是他创作中少见的表现人体特征的作品。他的小幅画作颇有特色,有的表现了很广阔的内容,有的描写了生活小景,受到柯罗的影响。他通过控制比例关系和画幅的大小,运用素描和色彩,在画面中表现抒情和安详的气氛。他的后期作品如《秋天的橡树林》(约1875),具有感情高度凝聚的特色,有重色彩、轻造型的倾向。他的儿子小乔治·英尼斯(1854～1926)也是一位画家,并继续忠实于巴比松画派和具有反抗精神的印象画派。

Innisfail 因尼斯费尔 澳大利亚昆士兰州东北部城镇。位于海岸与巴特尔·弗里尔山之间,在南、北约翰斯顿河汇合处。雨量丰富(年降雨量3 658毫米)。主要出产甘蔗、乳品和热带水果。镇南侧的莫里连港有散装货运设施。附近有帕默斯顿国家公园。人口7 933(1981)。

Inniskilling(Northern Ireland) 参阅 **Enniskillen** 恩尼斯基林。

Innitzer, Theodor 因尼策尔(1875-12-25,波希米亚韦佩尔特～1955-10-09,维也纳) 奥地利天主教枢机主教。饰带工匠的儿子。1902年受神职。他曾在维也纳神学院任教。1910年在维也纳大学讲授《新约》评注。1918年任该大学神学院院长,1928年任大学校长。一度任联邦社会福利部部长。1932年9月20日成为维也纳大主教,1933年3月成为枢机主教。1938年德国占领奥地利以后,他起初支持纳粹政权,但新政权所采取的一系列世俗化措施以及纳粹暴徒袭击主教府(1938-10-08),很快使他失望。经在教皇庇护十一世对他作出指责后,他不再赞成纳粹。他的住宅后来成为犹太人的避难所。1945年他创办维也纳公教学院,培训在俗信徒。

Innocent 英诺森 若干代天主教教皇的称号,按年代顺序排列于后,并各以●为标记。

● **Innocent I, Saint 英诺森一世,圣**(?,坎帕尼亚阿尔巴诺～417-03-12,罗马) 教皇(401～417在位)。可能是前代教皇阿纳斯塔修斯一世之子。404年召集宗教会议,谋求恢复君士坦丁堡牧首克里索斯托的职务,由于英诺森一世的使者被扣在君士坦丁堡,会议未能举行。但407年克里索斯托得到死后昭雪。408～410年西哥特领袖阿拉里克率兵围困罗马。西罗马皇帝霍诺留逃往拉韦纳,410年英诺森一世曾赴该地进行和谈。414年他承认亚历山大为安提阿主教,从而使罗马教会与安提阿教会恢复关系。417年谴责贝拉基主义,将其创始人贝拉基处以绝罚。

● **Innocent II 英诺森二世**(?,罗马～1143-09-24,罗马) 原名帕帕雷斯基(Gregorio Papareschi)。教皇(1130～1143在位)。教皇霍诺留二世死亡的当夜,少数枢机主教推选他继位,但其后不久多数派另选枢机主教皮耶埃尔莱奥尼,称阿纳克莱图斯二世。英诺森二世仓促中行礼登位,但1130年被阿纳克莱图斯二世所迫逃往法兰西。明谷隐修院院长圣贝尔纳使法兰西教会以及英格兰国王亨利一世转而支持英诺森二世,萨克森境内马格德堡大主教诺贝尔特则于1130年把德意志教会和德意志国王洛泰尔二世(亦称三世)争取到英诺森二世方面。1131年英诺森二世在列日会见洛泰尔,劝说他出兵反对阿纳克莱图斯二世。1132年德意志军人侵意大利,次年6月占领罗马全境,阿纳克莱图斯派只占据一部分地区。但当洛泰尔撤离意大利时,英诺森二世不得不逃往比萨,在该地召开会议,谴责阿纳克莱图斯二世。1136～1137年洛泰尔再次攻入意大利南部地区,驱逐阿纳克莱图斯二世的主要支持者西西里国王罗杰。阿纳克莱图斯二世于1138年死去,罗杰地位不稳。虽然继阿纳克莱图斯二世之人迅速选出,是为敌对教皇维克托四世,但在贝尔

美国不列颠百科全书公司供图

纳的劝说下,维克托四世不久逊位。1139年英诺森二世召开第二次拉特兰会议,谋求结束分裂局面,终于决定绝罚罗杰。1139年罗杰俘虏英诺森二世,强迫英诺森二世承认他为西西里国王,同年两人协议互相承认各自称号。在1140年桑斯会议上,英诺森二世宣布神学家、哲学家阿伯拉尔和他的追随者阿诺德(布雷西亚的)为异端分子,公开支持贝尔纳对他们提出控诉。

● **Innocent (III) 英诺森(三世)**(?,教皇国赛泽～?,阿普利亚拉卡瓦) 原名朗多(Lando di Sezze)。敌对教皇(1179～1180在位)。出身日耳曼裔家族。在教皇亚历山大三世在位期间,先后共有四代敌对教皇出现,英诺森(三世)是其中最末一代。最后被亚历山大三世放逐到意大利南部拉卡瓦隐修院。

● **Innocent III 英诺森三世**(1160或1161,教皇国坎帕尼亚-迪罗马加维尼亚诺堡[今在意大利]～1216-07-16,佩鲁贾) 原名塞尼的洛泰尔(Lothar of Segni)。教皇(1198～1216在位)。青年时代在巴黎攻读神学,又到博洛尼亚攻读教会法。1190年教皇克雷芒三世(可能与洛泰尔有亲戚关系)将他从副助祭提升为枢机助祭。继克雷芒三世任教皇的切莱斯廷三世于1198年1月死,洛泰尔当选为教皇;2月受司铎职,随即被祝圣登教皇位。1215年,第四次拉特兰会议举行,这次会议不仅是英诺森三世个人事业的也是中世纪教廷的鼎盛时期,各国教会首脑云集,通过许多重要决议,例如,确认变体论(即认为圣体礼上的饼与酒经神职人员祝圣后果然变成基督的肉与血);规定天主教徒每年至少一次告解,复活节必须领圣体;禁止神职人员参与决斗或其他解决纠纷的残酷手段;在神职人员与平信徒中间发动重大改革运动,使教会在其后300年间得以克服内外危机。在英诺森三世继位时,罗马城实际不受教廷管辖,不久他

恢复了教廷权威。历时不几年间，他平息豪门之间的斗争，获得大多数人的拥护。在德意志国王人选问题上，神圣罗马帝国诸侯意见不一。一派拥护士瓦本公爵霍亨斯陶芬家

美国不列颠百科全书公司供图

族的腓力，另一派拥护不伦瑞克公爵（日后称奥托四世）。英诺森三世赞成奥托。然而，几年后腓力实力超过奥托，英诺森三世不得不同他谈判。未几，腓力突然被暗杀，于是英诺森三世为奥托加冕，称神圣罗马帝国皇帝奥托四世。不久奥托四世的举措危及教廷对教皇辖区的统治，并蓄意吞并西西里。于是英诺森三世宣布绝罚奥托四世，转而支持西西里国王腓特烈。腓特烈继帝位后，称腓特烈二世，他以德意志国王身份宣布，要将西西里的统治权完全移交给他的幼子亨利。1214年，腓特烈二世在法兰西国王腓力二世的援助下击败奥托四世和与他结盟的英格兰国王约翰。此时，德意志王位之争与英法两执政王朝之争交织在一起，英诺森三世竟无可奈何。英诺森三世在位期间曾发动两次十字军行动。1202～1204年的第4次行动进攻矛头中途转向君士坦丁堡以迎合威尼斯。英诺森三世批准发动另一支十字军讨伐法国南部阿尔比派异端。英诺森三世对教会各方面的活动都有重要规定，宗教法学者在他在位期间就编纂颁行他的教令，其中由柯利瓦西努编订的《三编》经英诺森三世本人正式批准刊行。英诺森三世的许多敕令收入《教会法大全》的第二部分和教皇格列高利九世所编的《补编》。1216年，英诺森三世积极准备再次发动十字军行动收复圣地时病死。

● **Innocent IV** **英诺森四世**（12世纪末，热那亚～1254-12-07，那不勒斯） 原名菲耶斯基（Sinibaldo Fieschi）。教皇（1243～1254在位）。当时正值教廷与神圣罗马帝国之间的长期斗争达到顶峰。他于1225年任意大利境内阿尔本加主教，1227年由教皇格列高利九世任命为罗马教会副教长兼卢奇纳圣劳伦斯教堂枢机司铎，1235年任安科纳边境教区长。在继教皇之位前和其后都竭力推行教皇格列高利九世的方针。神圣罗马帝国皇帝腓特烈二世曾企图以强大的意大利国家政权为基础重振皇权。1243年英诺森四世登位，腓特烈二世立即同英诺森四世谈判，要求他撤销格列高利九世对他所判绝罚处分。尽管两人已达成协议，英诺森四世仍不信任腓特烈二世，感到在罗马不安全，因而逃离罗马，中断谈判。1244年底，英诺森四世宣布次年夏召集里昂会议。这次会议谴责腓特烈二世，宣布臣民可以自由背叛他，并以伪誓、渎圣、异端嫌疑等罪名将他废黜。英诺森四世告谕德意志诸侯另选皇帝。1250年1月腓特烈二世死，英诺森四世于1253年胜利返回罗马，继续与腓特烈二世之子康拉德四世斗争，并物色西西里国王人选。1254年5月康拉德四世死，幼子康拉丁继位，腓特烈二世的私生子曼弗雷迪任摄政，率军击败教廷军。其后不久，英诺森四世死于那不勒斯。英诺森四世曾敦促法国国王路易九世发动十字军行动，1250年路易九世被囚，此役宣告结束。1245～1247年英诺森四世还曾派遣加尔宾尼率使团谒见蒙古统治者大可汗，意在制止蒙古在东欧的前进势头。

● **Innocent V, Blessed** **英诺森五世（蒙福者）**（约1224，萨伏依塔朗泰斯～1276-06-22，罗马） 原名塔朗泰斯的皮埃尔（Pierre de Tarentaise）。教皇（1276在位）。是多明我会会士中当选教皇的第一人。他继承前代教皇格列高利十世的遗志，再次发动十字军行动，恢复希腊教会与罗马教会的联合并平息意大利境内各国的战争。曾注释12世纪神学家隆巴德的《教父言论集》。

● **Innocent VI** **英诺森六世**（?，法国蒙市～1362-09-12，普罗旺斯阿维尼翁） 原名奥贝尔（Étienne Aubert）。教皇（1352～1362在位）。在位期间限制教士职禄，规定主教必须驻守本教区并整顿当时驻在阿维尼翁的教廷。1352年释放里恩佐，此人原是罗马护民官，因发动叛乱反对神圣罗马帝国而被定为异端分子，处以绝罚，并被布拉格大主教埃内斯特监禁。英诺森六世利用里恩佐支持教廷国代理主教阿尔伯诺兹以恢复教廷在罗马的势力，以期日后教廷自阿维尼翁迁回罗马。1354年里恩佐死于罗马暴乱中。英诺森六世继承前代教皇克雷芒六世的政策，与波希米亚国王查理四世保持同盟关系。经过他的斡旋，1360年英格兰与法兰西签订《布雷蒂尼和约》，结束百年战争的第一阶段。英诺森六世晚年积极筹划十字军并就罗马教会与东派教会恢复统一问题进行谈判。

● **Innocent VII** **英诺森七世**（1336，西西里王国苏尔莫纳～1406-11-06，罗马） 原名米格里奥拉蒂（Cosimo de' Migliorati）。教皇（1404～1406在位）。他当选时罗马和阿维尼翁都有人反对。罗马发生激烈纷争。阿维尼翁有人又另推敌对教皇本尼狄克十三世，于是1378年开始的西方教会分裂局面继续延续。后来罗马发生革命，反对教皇干预世俗事物，那不勒斯国王拉迪斯拉斯率军到罗马镇压。英诺森七世为了嘉许拉迪斯拉斯，授教会卫士称号，并向他保证，除非敌对教皇本尼狄克十三世承认拉迪斯拉斯有权统治那不勒斯，否则不与他进行谈判。1404年英诺森七世宣布要在罗马举行大会以解决分裂局面，但这次大会未能举行，因为英诺森七世的侄子枢机主教米格利奥拉蒂家族的卢多维科在拉迪斯拉斯平息骚乱后又杀害骚乱首领，致使罗马再次发生暴乱。英诺森七世逃往维泰博，1406年返回罗马。

● **Innocent VIII** **英诺森八世**（1432，热那亚～1492-07-25或26，罗马） 原名西博（Giovanni Battista Cibo）。教皇（1484～1492在位）。1484年发布通谕，承认巫术迷信存在，

菲奥伦蒂诺所制大纪念章上的英诺森八世像
美国不列颠百科全书公司供图

予以谴责并派异端裁判所法官前往德意志审讯巫师。1486年迫害文艺复兴时期柏拉图主义的重要倡导人米兰多拉，谴责他的理论并禁止辩解。英诺森八世号召组织十字军进攻土耳其，未能成功。1489年他与苏丹巴耶塞特二世达成协议，把同巴耶塞特二世争夺王位失败后外逃的兄弟杰姆亲王扣押在梵蒂冈，巴耶塞特二世则每年付给金钱并交出基督受难时罗马士兵用以刺伤基督的长矛。英诺森八世在意大利政局中同样不择手段，1489年因为那不勒斯国王斐迪南不能支付积欠贡金而将他废黜。他与意大利境内各国屡次作战，以致教廷财力枯竭，只好出售神职。

● **Innocent IX** **英诺森九世**（1519-07-20，教皇国博洛尼亚～1591-12-30，罗马） 原名法契内蒂（Giovanni Antonio Facchinetti）。教皇（1591在位）。1566年任教廷驻威尼斯大使。

1591年大纪念章上的英诺森九世像
美国不列颠百科全书公司供图

后由教皇格列高利十三世委派参加罗马异端裁判所，1576年任耶路撒冷牧首，1583年任枢机主教。教皇格列高利十四世多病，一切事务全部委托给他，英诺森九世继格列高利十四世之位两月后去世。

● **Innocent X 英诺森十世**(1574-05-07，罗马～1655-01-07，罗马) 原名庞菲利(Giovanni Battista Pamphili)。教皇(1644～1655在位)。在位期间，各国在解决和平与战争问题时已不再征求教皇的意见，教皇提出异议也不为各方所理睬。英诺森十世同亲属关系暧昧，维护裙带关系，教廷事务大都由其姻亲姐妹贪婪分子马伊达尔齐妮操持。英诺森十世支持西班牙的哈布斯堡王朝，拒绝承认与西班牙交战的葡萄牙的独立。他抨击前代教皇乌尔班八世的亲族巴尔贝里尼家族勒索钱财，并没收他们的财产。该家族逃往巴黎，受到枢机主教马萨林的庇护，于是英诺森十世与法兰西发生争执，法兰西以武力相威胁，英诺森十世被迫让步。1653年发布通谕，谴责詹森派创始人詹森就救恩性质问题所提出的五点主张。

● **Innocent XI, BLESSED 英诺森十一世(蒙福者)**(1611-05-19，米兰公国科莫～1689-08-12，罗马) 原名奥特斯卡尔奇(Benedetto Odescalchi)。教皇(1676～1689在位)。继位时教廷入不敷出，赖他改革赋税制度、厉行节约、争取各天主教国家经济支援得以避免崩溃。英诺森十一世资助波兰国王约翰三世和神圣罗马帝国皇帝利奥波德一世与土耳其作战，1683年结束维也纳的被围困状态。1673年法兰西国王路易十四发布谕令，宣布国王有权任命主教以填补空缺，法兰西有两位主教拒不遵守此项谕令，英诺森十一世就此与路易十四发生争执。路易十四遂召集法兰西宗教会议，颁发《高卢条款》，主张限制教皇权力。英诺森十一世宣布，凡与此次会议有关的神职人员一律不得提级，于是僵局更加恶化。英诺森十一世鉴于必须容忍新教才能维持和平，因而反对路易十四迫害胡格诺派。法兰西驻教廷大使馆滥用政治庇护权，以致罪犯纷纷窝藏在大使馆周围，1685年英诺森十一世对该大使馆采取行动，使决裂危险更加严重。在教义问题上，英诺森十一世多少同情詹森派。虽然与西班牙神秘主义寂静派创始人莫利诺斯友善，却听任教廷警察逮捕莫利诺斯，以道德败坏和异端罪审讯。莫利诺斯被判无期徒刑，他的学说于1687年受到英诺森十一世的谴责。

● **Innocent XII 英诺森十二世**(1615-03-13，两西西里王国斯皮纳佐拉～1700-09-27，罗马) 原名皮尼亚泰利(Antonio Pignatelli)。教皇(1691～1700在位)。1693年法兰西国王路易十四接受他的劝告，宣布废除1682年为了反对前代教皇英诺森十一世而颁发的《高卢条款》，从而解决路易十四与教廷之间的僵局。作为交换，英诺森十二世承认国王有权管辖空缺主教区。1699年根据路易十四的要求谴责法兰西神秘主义者费奈隆所著《圣徒格言》(寂静派的重要著作)，费奈隆立即承认错误。

美国不列颠百科全书公司供图

● **Innocent XIII 英诺森十三世**(1655-05-13，教皇国帕莱斯特里纳附近波利～1724-03-07，罗马) 原名戴孔蒂(Michelangiolo dei Conti)。教皇(1721～1724在位)。登位之次年将那不勒斯王国的统治权授予神圣罗马帝国皇帝

1721年大纪念章上的英诺森十三世像
美国不列颠百科全书公司供图

查理六世。他承认企图夺取英格兰王位的詹姆斯为英格兰国王，并向他保证，如果詹姆斯在英格兰恢复天主教，教廷将给予补助。在中国的耶稣会传教士为广收信徒修改天主教仪礼以适应中国习俗，英诺森十三世不赞成这种态度，命令耶稣会遵从1713年教皇克雷芒十一世禁止中国式礼仪的通谕。

Innocent VENIAMINOV, SAINT 英诺森·维尼亚米诺夫，圣(1797-09-06，俄罗斯帝国伊尔库茨克省安金斯科耶～1879-04-12，莫斯科) 原名伊凡·叶夫谢耶维奇·维尼亚米诺夫。19世纪最著名的俄罗斯正教传教司祭、莫斯科都主教。在俄国教会中得到追认。1839年以前先后在东西伯利亚首府伊尔库茨克和阿拉斯加任堂区司祭。在阿拉斯加学会阿留申语，设计阿留申语字母并编写阿留申语语法。1840年在圣彼得堡取名英诺森，随即被任命为新设立的堪察加教区主教。1868年因工作卓有成绩而当选为莫斯科都主教，就任后创建正教国外传教会，在俄国革命前传教会一直进行工作。

Innocents' Day 参阅 **Holy Innocents, Feast of the 悼婴节**。

Innoko River 因诺科河 美国阿拉斯加州中西部河流，育空河最西的主要支流。源出卡斯科奎姆山地，先北流后转向西南，在霍利克罗斯附近汇入育空河，全长约800千米。该河流域为6 500平方千米。1907年淘金热时淘金者涌入谷地建起几座采矿营地；但因沙金不多，谷地至今仍大片荒芜。该河流经因诺科国家野生动物保护区。

Innoshima 因岛 日本本州西部广岛县城市。在濑户内海一小岛上。早年为海盗居住地。日俄战争后建立日立船舶修造厂，1964年建造出当时最大油轮(10.08万吨)。1953年设市。人口30 300(1995)。

Inns of Court 律师学院 又译律师协会。指英国林肯律师学院、格雷律师学院、内殿律师学院和中殿律师学院。它们是一组相当古老的机构，地址在伦敦，历史上一直负责法律教育。它们各自的主管机构拥有正式批准律师开业的专属权利。这几个律师学院是没有领取执照、没有严密组织和没有接受捐赠基金的自愿团体。因此，它们早期的历史无从查考。但是，从中世纪创立时起，它们一直致力于专门研究英国法，而不研究在各大学里讲授的罗马法(参阅 **Doctors' Commons**)。以前，法律是在工作过程中学习的，一些基本原理也许是在跟某些官员当私人秘书时学到的。到13世纪中叶，当普通法已经变得内容广泛和庞杂时，产生了一批有学问但不是专业的人士，他们创立了并统治了法律专业，而且建立了这几个律师学院以解决法律教育的问题。他们用法文而不是用拉丁文编写了一些手册和书籍。学生在法庭上旁听辩论，并在他们当中讨论法律。除了那些在法庭上的开业律师以外，还需要大量管事和法律顾问，以帮助土地所有者处理一般事务和主持领主法庭。这些人需要具有普通法的基本知识，但不需要精通。一大批法律事务代理人和日益增多的簿记和文书人员的情况也是这样。他们的知识大部分是从衡平法协会得来，这个机构训练人们起草供衡平法法院使用的令状和其他法律文件。14世纪期间，大法官办公室的许多室务工作人员(至少拥有低级职位的工作人员)聚集在上述的衡平法协会里，往往被接收下来作为学生加以训练。到14世纪末时，这些协会有被一大批未来的法律事务代理人和学生挤满的危险，这些人利用衡平法协会作为进入律师学院的准备。最后，每个律师学院控制了一个或几个衡平法协会并监督其事务，任命高级讲师在其中讲课，最后往往将其建筑物买下，成为其业主。到15世纪时，这几个律师学院由其主管委员们管理，他们以前至少传授过两门学科，而且主持过模拟辩论，学生们在他们面前辩论法律上的疑难。由于法律的高度专门化，只有学完律师学院所规定的课程以后才能运用自如。因此在实际上，各律师学院垄断了法律教育。但是，在15世纪和16世纪时，许多学生进入律师学院的目的是获得一般的教育而不是法律训练。到16世纪末叶，律师学院开始把法律事务代理人和初级律师排斥在外，并拒绝让他们取得律师资格，其结果是法律事务代理人尤其要求助于衡平法协会，终于逐渐形成了一种与高级律师不同的职业(参阅 **solicitor**)。到16世纪开始时，几个律师学院实际上已经有了地产，并开始建筑富丽堂皇的会馆，这一过程持续了整整一个世纪。各种原因使这种教育制度

衰落了。就拿一件事来说，印刷机的巨大作用使学生们更多地依靠印刷材料，结果是他们忽视听讲解和讨论。这个制度在英国内战时期完全破坏了；讲解于1677年停止，只有收费还保持下来。只要交纳了费用，学生就被认为完成了学习任务。由于没有高级讲师来推荐学生担任律师，四个律师学院在18世纪终于同意让那些在学院中住宿已满规定若干学期的人担任律师。后来决定吃过三顿晚宴等于上了整个学期。与此同时，几个衡平法协会也不宜再收容如此众多的法律事务代理人和初级律师，因此，后来这些人建立了他们自己的团体。在19世纪时，普通法的政府官员对几个律师学院做了调查，结果是采取步骤恢复了它们的教育职能，重新建立讲师制度，聘请律师担任教学，以便让未来的高级律师通过由代表4个律师学院的法律教育委员会主持的各种考试。

Innsbruck 因斯布鲁克 奥地利西部城市，蒂罗尔州首府。濒临因河，在锡尔河河口。1180年首见记载，为小集镇。因地处要冲，为西欧各大商路的交叉点，得以迅速发展。旧城街道狭窄，有古老房屋和拱廊。最著名的

因斯布鲁克市的菲尔施滕堡，图中左下处为有镏金铜瓦顶的阳台
美国不列颠百科全书公司供图

建筑物之一是菲尔施滕堡，有覆以镏金铜瓦顶的阳台。其他著名古迹有：霍夫城堡（1754～1770）和宫廷教堂（1553～1563）。大学为利奥波德一世皇帝于1677年所建；图书馆很大，是玛丽亚·特蕾西亚皇后在1745年捐赠的。有四所大博物馆：斐迪南博物馆（有史前文艺、工艺及自然历史收藏品，并有画廊）、蒂罗尔民间艺术博物馆、帝国步枪队博物馆、安布拉斯城堡（内有斐迪南二世大公一部分收藏品）。是中欧负有盛名的旅游、疗养胜地和冬季运动中心之一。1964和1976年冬季奥林匹克运动会曾在此举行。为铁路枢纽和贸易中心。生产纺织品、靴鞋、啤酒和乐器，并有木工、金工及食品加工等行业。人口111 752（2000）。

Inoceramus 叠瓦蛤 斧足类（蛤类）的绝灭属。化石见于侏罗系到白垩系（延续年代为1.9亿年前至6500万年前），在白垩系中尤其重要并分布广泛。有独特的壳：大而厚；壳上

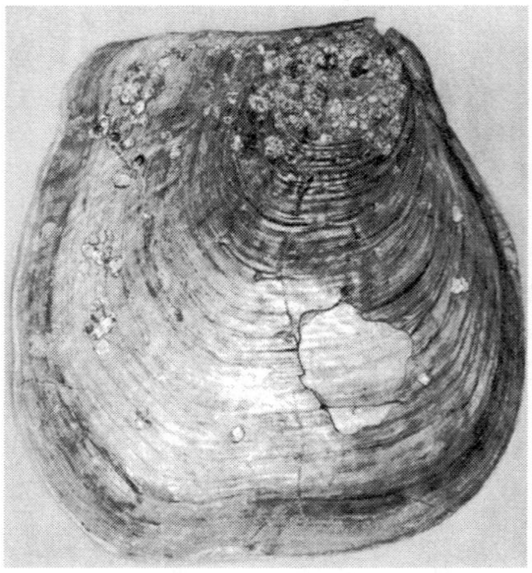

叠瓦蛤（*Inoceramus*）
美国不列颠百科全书公司供图

褶皱呈同心状，易鉴定。背部的许多坑是闭壳韧带的固定点。

inoculation 接种 一种医疗操作：经划破的或有吸收能力的皮肤表面施用传染性制剂以获得人工免疫，而不采用注射方法。广义上亦常指任何将抗原物质导入组织的操作。常用的疫苗中仅牛痘苗常规用接种法。参阅 **immunization**；**vaccine**。

İnönü, İsmet 伊诺努（1884-09-24，奥斯曼帝国士麦那～1973-12-25，安卡拉） 土耳其军官、政治家、凯末尔的继承人。曾在埃迪尔内第三方面军总参谋部供职，后在也门任军参谋长。第一次世界大战期间，1916年在叙利亚任第四军团司令，1918年在君士坦丁堡任陆军部次长。此后参加凯末尔领导的革命运动，抵抗协约国占领安纳托利亚。1920年当选为奥斯曼议会议员。1921年任参谋总长，在伊讷尼率兵两次击退入侵的希腊人。1922年任安卡拉大国民议会政府外交部长。1923年10月29日土耳其共和国成立后出任总理，直至1937年。1938年凯末尔逝世后，他当选为总统，并成为共和人民党终身主席。第二次世界大战期间，在他机警圆通的领导下，土耳其始终保持中立。1960年，军事政变推翻民主党政府后，他在1961～1965年间3次组成联合政府。但在1965和1969年大选中他领导的共和人民党遭到惨败。这时，他受到凯末尔主义者和党内社会主义派别的批评，批评他与保守派合作。在这种压力下，他宣布自己的意识形态属于"中左"，从而与党内中派分子疏远。1972年B.埃杰维特取代了他的共和人民党主席之职。

inorganic compound 无机化合物 由两个或更多的碳以外的化学元素化合成的物质。碳的化合物除碳化物、碳酸盐、氰化物和其他少数的化合物外都归为有机化合物。参阅 **chemical compound**。

inosilicate 链状硅酸盐 过去称偏硅酸盐。具有硅酸盐四面体排成链特征结构的一类无机化合物。硅酸盐四面体是由位于四面体角上的4个氧原子围绕一个中心硅原子所组成。每个四面体都同其他四面体共用两个氧原子，形成一种可能为无限延伸的链。可能有单链（化学式中有多倍的SiO_3）、双链（化学式中有Si_4O_{11}）或更复杂的链。矿物实例有辉石（单链）和角闪石（双链）。

inosinic acid 肌苷酸 代谢作用中的一种重要化合物。肌苷酸是6-羟基嘌呤的核糖核苷酸，是有机体中嘌呤合成时首先生成的化合物。从肌苷酸可衍生出一些重要化合物，如核酸中的嘌呤核苷酸和在细胞中贮存化学能量的高能三磷酸腺苷嘌呤核苷酸。

inositol 肌醇 称环己六醇。分子结构与简单碳水化物相似的立体异构的醇类，有数种，其中肌醇最为熟知。肌醇于1850年首次从肌肉组织中获取因而得名。肌醇对于酵母及其他真菌的生长不可缺少，广泛分布于动、植物，并大量存在于人体中。在人体内，主要作为磷脂的组成部分大量存在于脑组织中。肌醇作为植酸（肌醇六磷酸）存在于谷类植物中，因此可从谷物中直接获取肌醇。

Inoue Enryō 井上圆了（1858-03-18，日本越后藩～1919-06-06，中国大连） 日本哲学家、教育家。试图重释佛教观念，以使之与西方哲学学说相应。他是热情的民族主义者，致力于使佛教成为一种可以从理性上接受的取代西方宗教教义的选择。1885年毕业于东京帝国大学哲学系。他反对日本人过度西化，特别反对许多政府首脑改信基督教。1887年创立哲学馆，提倡研究佛教。他认为佛教集中体现了东方哲学，获得许多信徒，遂在他们的帮助下开始出版高度民族主义的杂志《日本人》，并踏上在国内和欧洲的系列演讲之旅。井上晚年倡导教育运动，破除日本民间迷信，在东京创立妖怪学会，因此绰号"妖怪博士"。死于在中国大连的演讲之行中。

Inoue Kaoru, Kōshaku (Marquess) 井上馨（1836-01-16，日本长门藩长州～1915-09-01，东京） 明治时代（1868～1912）统治日本的寡头政治集团成员。武士家庭出身，伊藤博

美国不列颠百科全书公司供图

文少年时代的好友，伊藤后成为日本的第一个首相。两人立志要把外国人驱逐出日本，一起参加了对英国驻江户（今东京）公使馆的袭击。失败后，他们开始意识到自己软弱无力，决心对外国人进行实地研究。1863年他们离开日本，一路上作为普通的水手前往英国。

翌年，因他们一伙的人炮轰外国船只而触发日本危机的消息传来后，匆忙回国，敦促议和，但他们的努力失败。1603～1867年一直统治日本的德川幕府被推翻后，权力回到明治天皇手中，井上成为政府中的主要人物，历任大藏、工部和外务大臣。1885年伊藤博文任首相，他先后任外务、内务和大藏大臣。1898年退出政治舞台。但作为元老，仍对国家事务有重要影响。日俄战争(1904～1905)期间，被任命为大藏省特别顾问，并在天皇的要求下参加所有重要的国务会议。1907年封侯爵。

Inoue Tetsujirō 井上哲次郎(1855，日本丰前藩～1944) 日本哲学家。认为基督教不能与日本文化相融和，主张保留传统的日本价值观；同时运用西方哲学方法建立系统的东方哲学史，试图综合西方哲学(主要是德国)与东方哲学。自东京帝国大学毕业(1880)后在教育部任职，1882年重返母校讲授东方哲学史。在德国海德堡大学和莱比锡大学进修(1884～1890)后，任东京帝国大学哲学教授，后升任文学系主任(1897～1904)。1890年发表论文《帝室与宗教的关系》，产生巨大舆论影响(正值当年颁布教育诏书要求无异议接受帝国意志和权威)。论文抨击基督教而主张保持日本独特传统。次年发表最为重要的反基督教论著《国家与耶稣教之冲突》一文。1900年发表《日本阳明学派之哲学》一书，对由王阳明学说发展形成的日本哲学进行了研究。所著《释迦牟尼传》以及关于日本江户时期儒学中古学一派的研究著作《日本古学派之哲学》均于1902年问世。1905年发表有关日本朱熹学派哲学研究的著作，题名《日本朱子学派之哲学》。1923年离开东京帝国大学，去学习院和东洋大学讲学。1925年作为皇室的提名人进入参议院，次年辞职。

Inowrocław 伊诺弗罗茨瓦夫 波兰中北部库亚瓦滨海省城市。位于南欧和波罗的海之间古贸易通道上，1185年以商业居民点首见记载。后成为库亚维(Kujawy)自治公国之首都。现为工业城镇，铁路和公路交通便利。有岩盐矿床，产量占波兰食盐量的1/6。已建为矿泉疗养地。岩盐也是该镇化学工业的基础。12世纪的圣母教堂藏有波兰最古老的一些雕塑。人口约77 986(2002)。

input-output analysis 投入-产出分析 20世纪俄国出生的美国经济学家W.列昂捷夫所创立的经济分析方法。通过把各个生产部门的产品视为最终消费所需要的商品，同时也视为生产本商品及其他商品的要素，来观察某一经济各生产部门间的相互依存关系。需做出某些简化的假定，如生产若干最终产品时须含有若干份额的生产资源，然后才可能决定要得到一定数量的最终消费量必须生产其他各种产品的总量。此项分析通常要制作一表格。每一横行表示某一生产部门的总产品在各个生产过程和最终消费之中是如何分配的。每一竖行表示某一生产部门所消耗的各种生产资源的组合。例如表格第一横行表明卡车总生产量的分配，就须表明在生产更多卡车中所用的卡车的一定数量，用作生产农产品的一定数量，用作造房屋的一定数量，还有家庭自用的一定数量等等。横行中数字相加就得出卡车生产的总量。此表可表明各个生产部门对其他部门产品的依赖关系。例如，要增加食品生产，从表中可以看出也要求增加卡车的生产。投入-产出表可制成用以表现整个经济的情况，也可制成用以表现某一经济中各地区的情况。在规划为了达到特定的消费目标所必需的各生产部门产量的水平时，投入-产出分析表很有用；在分析经济某些组成部分产生变化给整个经济所带来的影响时，此表也很有用。这种分析方法已极其广泛地应用于计划经济国家和发展中国家。

input / output device 输入/输出设备 又称电脑外围设备。把信息和指令送入电子计算机以进行存储或处理，并把所处理的数据传送给操作员，或在某些情况下传送给由计算机控制的机器的各种装置(包括传感器)。这样的装置即构成了现代数字计算机系统的外部设备。外部设备同系统的中央处理器联合操作时称为联机；外部设备独立工作时称为脱机。输入设备把输入进来的数据和指令转换成计算机能理解的二进制代码(即0与1的组合)的电子信号形式，而输出设备则把数字信号转换成用户可理解的形式。穿孔卡片阅读器和纸带阅读器曾是用得很广的输入设备，现已基本上被效率更高的设备所取代。这些输入设备包括由阴极射线管、打字机式键盘以及光笔、转球或操纵杆之类交互式图形装置组成的视频显示终端。其他的直接输入装置是可以阅读条形码或光学字体的光学激光扫描器(例如，供零售商店使用的销售点终端)以及可以理解简单口头命令的声频识别设备。输出设备包括视频显示终端、高速打印机、控制台打字机以及把文本和其他已处理的数据转换成语音的答话器，有些输出设备也可以用于输入。某些辅助存储设备，例如，磁带和磁盘装置，既可以用于输入，也可以用作输出设备(参阅**computer memory**)。

inquest 勘查 指由法院指派的人员所进行的司法勘查。最普通的是为了查明明显的非正常死亡的死因而进行的勘查。需要询问证人，并由专门的陪审团就死亡原因作出裁决。在英国，遇到火灾引起损失或伤害时，也需要组织勘查。只有存在验尸官制度的普通法国家，才实行这种尸体勘查。欧洲的民法法系没有类似的尸体勘查程序，但是有在法庭上采用医学证据和专业鉴定人的悠久传统。参阅**coroner's jury**。

Inquisition 异端裁判所 又译宗教法庭。天主教教廷的司法机关，用以镇压异端以及炼丹术、巫术和魔法，在中世纪和近代初期权力很大。英文名称源出拉丁文inquiro，意为"调查"，这就是说，异端裁判官不待有人起诉而设法搜寻出异端分子和其他罪犯。天主教会在中世纪早期巩固了它的权力以后，异端分子被视为社会公敌。11、12世纪异端派别，特别是清洁派和韦尔多派，纷纷涌现，教皇格列高利九世在1231年设立教廷异端裁判所以拘捕审判异端分子。异端裁判所的办案程序十分繁复。一般先给涉嫌异端罪的人一段时间，容他忏悔自赎。此期限一过，被告即被送交异端裁判官，受询问和审问，动员证人提出证词。起先不用刑逼供，也不强迫被告检举其他异端分子，1252年教皇英诺森四世批准使用这些方法。被告承认有罪或被认定有罪之后，即公开宣判，量刑轻重不同，从念经祈祷、封斋禁食、没收财产和监禁乃至终身监禁。被宣告为异端而拒绝放弃异端信仰或曾表示悔过但重新犯异端罪者，即被移交给世俗当局，只有世俗当局才能判处死刑。中世纪异端裁判所在欧洲北部活动范围有限，它主要活动于意大利北部和法兰西南部。在西班牙复地运动期间，各天主教国家也仅仅是偶尔使用。但是，在穆斯林被逐出之后，阿拉贡和卡斯蒂利亚的国王决心实行宗教和政治上的一元化，要求成立专门机构以惩治已信天主教而又背判天主教的犹太人和穆斯林以及光照派等异端。于是，1478年，教皇西克斯图斯四世批准设立西班牙异端裁判所。最初的一批西班牙异端裁判官在塞维利亚开展工作，他们办案极其严酷，以致教皇西克斯图斯四世出面干涉。但是，西班牙国王不肯放弃这件武器，教皇力图限制异端裁判所的权力而无效。1483年，教皇在他人的建议下授权西班牙政府在卡斯蒂利亚成立大异端裁判所，同年，将阿拉贡、巴伦西亚和加泰罗尼亚置于异端裁判所权力之下。第一任大异端裁判官是多明我会会士托尔克马达，此人使用酷刑，没收被告财产，以收镇慑之效，成为一切异端裁判官的典型。托尔克马达在任期间以火刑处死的人数可能有2 000人。西班牙异端裁判所的办案程序一般与中世纪异端裁判所相同。公开宣判罪犯的仪式隆重繁复，叫作"信仰行动"。异端裁判长及其最高裁判会议下设西班牙国内14个地方法庭以及几个设在殖民地的法庭，包括墨西哥和秘鲁。西班牙异端裁判所于1517年发展到西西里，还准备在那不勒斯和米兰设立而未果。神圣罗马帝国皇帝查理五世于1522年在尼德兰设立异端裁判所，但其清除新教的意图未能得逞。西班牙异端裁判所于1808年为国王波拿巴所取缔，1814年国王费迪南德七世予以恢复，1820年撤销，1823年再恢复，终于在1834年又撤销。第三种异端裁判所是罗马异端裁判所，是1542年教皇保罗三世为了对付新教而成立的，由6名枢机主教组成的异端裁判所部管理。该部完全独立，较之中世纪异端裁判所更为不受各地主教控制。有人认为，设立该部的目的在于：正当意大利大片国土受西班牙统治之际以此与严酷的西班牙异端裁判所分庭抗礼。在教皇保罗三世和尤里乌斯三世在位期间(1534～1549；1550～1555)，罗马异端裁判所的办案并不严格，尤里乌斯三世还指示：异端裁判所虽有一般权力，但其活动应该限制在意大利境内。以后各代教皇仿效这两代教皇的温和作法，只有保罗四世(1555～1559在位)和庇护五世(1566～1572在位)例外。在保罗四世在位期间，异端裁判所几乎把各方人士都作为异己。庇护五世原是多明我会会士，本人曾任异端裁判官，他虽避免保罗四世的过分举措，但他一登位就申明，信仰问题是一切事务的纲，并且宣布：他的第一要务是镇压一切异端、伪教义和谬论。他亲自参加异端裁判所的许多活动。后来，新教不再是威胁意大利宗教统一的严重危险，罗马异端裁判所也就逐渐变成教廷的日常机构，负责在天主教徒中间维持良好秩序、良好习俗和纯正信仰。1908年教皇庇护十世改组罗马教廷时，取消异端裁判所一词，负责维持信仰纯洁的圣部为圣职部。1965年，教皇保罗六世根据进一步民主化的原则改组圣职部更名为信理部。

inquisitorial procedure　讯问式程序　在法律上，指在法庭上揭示证据的两种方式之一（另一种是对抗式程序［**adversary procedure**］）。讯问制是民法法系（或罗马法系）国家里的典型制度。按照讯问式程序，为了提出一项可能的起拆书而进行的审前讯问，通常是由一位法官主持，他的责任包括对案件的所有方面进行调查，不论是对起诉方或对被告方有利或不利的方面。还要听取证人的证言，也可以听取由律师代表被告方的发言，但是他不必一定发言，如果他发言，也不必经过宣誓。在德国，起诉方参加调查；在法国，起诉方只能在讯问结束时提出建议；在法国和德国，负责调查的法官只有在他认为有足够的犯罪证据证明被告人有罪时才建议举行审判。被告方可以看到预审程序中的全部档案材料。在审判中，法官再一次担任一个直接的角色，主持询问证人，往往根据预审档案材料提出问题。无论是起诉方或被告方都没有交叉询问的权利，但他们可以提出有力的总结性陈述。陪审团不参考预审档案材料，只依靠审判中提出的事实。

inrō　印笼　日本服饰中系在腰带上的小盒子。"印笼"两字，顾名思义即放印章的容器，这种由中国进口的器物原是用来放印章的。16世纪左右，日本人改用以盛放药品、烟草、

德川（江户）时代的鸳鸯纹案印笼
美国不列颠百科全书公司供图

糖果及其他小件物品，并使它成为日本男子传统装束的一部分。印笼通常呈椭圆形或圆柱形。分2～5格，格子互相套住，由几根丝绳沿边串起，丝绳则由一颗称作"绪缔"的收口珠子收拢。印笼再加上个根付（也即系在绳端的刻花小坠子），以防它从和服的腰带里滑出。早期的印笼通常涂有纯黑的日本漆，17世纪中叶后常用刻漆、画漆及饰金，使之成为日本德川（江户）时代（1603～1867）工艺品中的珍品。从19世纪晚期到20世纪，收集印笼变得特别普通。

insanity　精神错乱　在刑法上，指解除一个人对其行为所应负的刑事责任的精神失常或精神不健全状态。关于精神错乱有各种各样的检验标准。法律上使用的检验标准不是想要对精神失常作出科学的定义，而是希望指出这样一些人，他们的无能力属于这样的性质和程度，以致根据社会利益和正义应当免除他们的刑事责任。英美法系（包括印度）中主要根据"姆纳顿"一案衡量刑事责任。在该案（1843）中，英国的法官们认为"要确定以精神错乱作为辩护理由，必须明显地证明被告在实施犯罪行为时处于因精神病造成的缺乏理性的状态，以致不能知道他正在实施的行为的性质；或者，即使他知道这一点，他不知道他的行为是错误的"。美国一些法院对于因某种"不可抗拒的冲动"采取行动的人免除其刑事责任。1954年在对"德拉姆诉美国"一案的判决中使用一项新标准：如果被告人的非法行为是精神病或精神不健全的产物，则不负刑事责任。这个标准和日本的相似，即"精神不健全的人的行为不受惩罚"。美国很多州和一些法院采用美国法学会提出的检验标准：如果被告在实施行为时，由于精神不正常或精神缺陷，"实际上不能认识其行为的犯罪性质，或者不能使他的行为符合法律的要求"，即可作为刑事控告的一个辩护理由。在强调意志和认识这一点上，该检验标准与欧洲的一些法典相同，例如，意大利刑法典解除一个"没有理解或认识能力"的人的责任。

insect　昆虫　昆虫纲（Insecta）动物。昆虫纲是节肢动物门最大的纲，而节肢动物门又是动物界最大的门。科学界至今已描述过的动物物种中，昆虫约占5/6。已知的昆虫有约100万种，而昆虫学家估计还有100万～400万种未被描述。昆虫也具有节肢动物共有的特征：肢体分节，并以关节与身体相连；身体分节，覆以坚硬的外骨骼，由蛋白质和几丁质构成。此种外骨骼有保护作用，并供肌肉附着。在生长期间外骨骼必须定期脱落。昆虫与其他节肢动物不同之处为：只有3对足（所有其他节肢动物有4对乃至更多对附肢），大部分昆虫具翅（所有其他节肢动物均无翅）。与大部分其他节肢动物不同，昆虫的身体可分为头，胸，腹3部分。

昆虫的形态千差万别，除最原始的昆虫外，其他种类每个个体的幼虫和成虫的形态也有或小或大的差异。昆虫的大小亦差异极大，小者肉眼勉强可见，大者体长或翅展达数英寸；寿命从数小时到数年；独栖或为社会性群居。昆虫以植物、动物或有机碎屑为食；昆虫与其食物资源之间的关系为互惠共生到寄生到掠食。尽管昆虫成虫的形态多种多样，但也有一些共同的基本外部和内部解剖特征，例如，头部均有感觉器官和口器。大部分

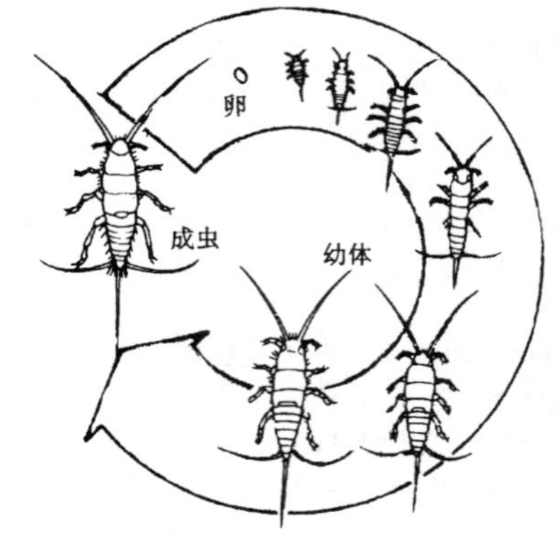

无变态

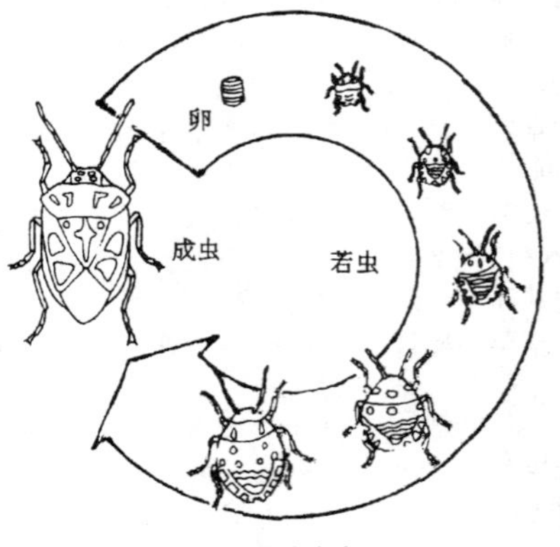

不完全变态

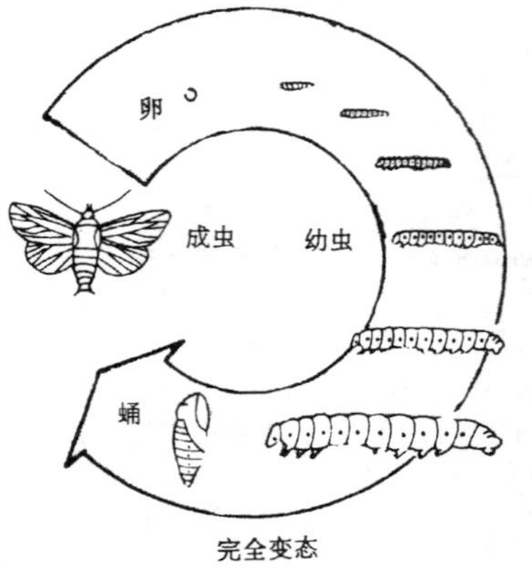

完全变态

昆虫的发育型

昆虫的口器可分为一片上唇、一对大颚、一对小颚和一片下唇。基本的口器可发生显著的形态变化以适应不同的取食方式：咀嚼，吸血，吸食植物汁液，以及吸蜜。头部的感觉器官包括一对触角（上面一般有许多司触觉和嗅觉的刚毛）和眼。大多数高级昆虫有两种类型的眼：单眼和复眼。单眼仅用以感受明暗和运动；复眼由几十个至几千个分开的晶体组成，可能形成镶嵌像。胸部由3节组成，这些体节可能愈合。每个胸节有一对足，足的形态可能变化以适应步行、跳跃、捕捉、挖掘或游泳。大部分昆虫后两对胸节上每节具翅一对，但有些种仅有翅一对，有些种完全无翅。腹部由11节构成，若有一些腹节愈合则节数较少。腹部无附肢，但有些种类腹部有外生殖器或尾须等。

昆虫有消化系统、循环系统、呼吸系统、神经系统和生殖系统。消化道由位于头部和胸部的前肠和位于腹部的中肠和后肠构成。唾液腺和中肠的细胞分泌消化酶；消化的食物主要在中肠吸收，未消化的食物残渣通过肛门从后肠排出。昆虫具开放式的循环系统，其血液称为血淋巴，并非仅在血管网络内流动，在一些部位被泵入内部体腔中，在这些地方直接浸泡着内部组织。事实上，昆虫只有一条背血管，在身体的背侧走行；血管在腹部的部分称为心脏(或泵器官)，在胸部和头部的部分称为主动脉。血液从主动脉排入头部，靠附属泵通过头、胸、腹部循环，并被逼入足部。血液通过体腔循环时将从中肠或脂肪体(昆虫重要的贮藏组织)吸收的营养物质供应组织。血液将废物带走，然后通过开向中肠后端的马尔皮吉氏小管系统排出，最后血液通过称为心门的小孔回到心脏。与大部分其他无脊椎动物(以及所有脊椎动物)不同，昆虫并不依靠循环血液将氧气带到身体细胞和将二氧化碳废气带走。昆虫的呼吸系统由许多通过成对的气孔开向胸部和腹部表面的气管组成。气管反复分支，终于纤细、薄壁的微气管，这些微气管达到身体每个部分。氧气通过微气管壁弥散入身体细胞，同时二氧化碳从细胞弥散入微气管。昆虫有中枢神经系统，由两条腹神经链借神经节连接而成。每个神经节均向一个或多个体节供应神经，这些神经中含感觉神经细胞(可将来自感觉器官的信息传递到中枢神经系统)和运动神经细胞(可将中枢神经系统的指令传递到肌肉或腺体)。头部3个大神经节愈合成脑，脑向眼、触角和其他头部器官发出神经。除头部有感觉器官外，大部分昆虫身上覆以触毛，触毛十分敏感，可感受到空气的震动。有些昆虫还有发达的听觉器官，如蚱蜢类的腹部有鼓膜。昆虫进行有性生殖。雄性生殖系统包括两枚产生精子的睾丸，两条输送精子的输精管，以及有助于将精子送入雌性体内的交接器。雌性生殖系统包括两枚产生卵的卵巢，一对输卵管，其前端联合形成阴道。阴道的功能是接受精子和将卵产出；某些种类的雌体腹部有附肢变成的产卵器，用以产卵。

昆虫纲分为两个亚纲：①无翅亚纲(Apterygota)，较原始，无翅，包括原尾目(Protura，无管蚖)，缨尾目(Thysanura，衣鱼、缨尾虫)，弹尾目(Collembola，弹尾虫)，双尾目(Diplura，双尾虫)。②有翅亚纲(Pterygota)，较为先进，有翅或继发无翅(祖先类型有翅，后消失)，个体发育过程中有变态。现存27个目：鞘翅目(Coleoptera，甲虫、象甲)，双翅目(Diptera，蝇、摇蚊、蠓、蚊)，蜉蝣目(Ephemeroptera，蜉蝣)，异翅目(Heteroptera，蝽象)，同翅目(Homoptera，蚜虫、叶蝉、蝉)，膜翅目(Hymenoptera，蜂、蚁)，等翅目(Isoptera，白蚁)，鳞翅目(Lepidoptera，蝴蝶、蛾)，脉翅目(Neuroptera，草蛉)，蜻蜓目(Odonata，蜻蜓)，直翅目(Orthoptera，蚱蜢、蝗虫、蟋蟀、树螽)，蚤目(Siphonaptera，跳蚤)，缨翅目(Thysanoptera，蓟马)，毛翅目(Trichoptera，石蚕)，广翅目(Megaloptera，泥蛉)，蛇蛉目(Raphidiodea，蛇蛉)，网翅目(Dictyoptera，蟑螂)，蛩蠊目(Grylloblattodea，蛩蠊)，竹节虫目(Phasmida，竹节虫)，虱目(Phthiraptera，虱)，食毛目(Mallophaga，啮虱)，革翅目(Dermaptera，蠼螋)，纺足目(Embioptera，足丝蚁)，襀翅目(Plecoptera，石蝇)，缺翅目(Zoraptera，缺翅虫)，半翅目(Hemiptera，水黾、臭虫)，长翅目(Mecoptera，蝎蛉)。

化石表明原始昆虫从中泥盆世(约3.8亿年前)开始形成，可能来自无翅的陆生节肢动物。据信有翅昆虫早在石炭纪(约3.6亿年前)已出现。一般认为爆发式进化(大量新形式于相对较短的时期内形成)出现于石炭纪和二叠纪，在这段时间内出现了今天已知的各目和化石。

昆虫的生活周期始于受精卵，从卵孵出幼虫，因为坚硬的外骨骼妨碍生长，所以必须定期脱落，并由表皮细胞产生的一个新层所取代。幼虫两次蜕皮之间的时期称为龄期。在无翅目，各龄期的幼虫间以及各龄幼虫与成虫之间外形无明显差别。在有翅目，发育过程中通常有变态，变态分为不完全变态和完全变态。不完全变态时幼虫仅于最后一次蜕皮后外形才发生明显变化，变成具完全成型的翅和生殖腺的成虫。完全变态的实例如蝴蝶，幼虫蜕皮后变成蛹，蛹再变为成虫。昆虫成虫大部分仅为生殖而生存。事实上，在某些昆虫成虫生存的唯一目的就是生殖，甚至不进行取食。昆虫的交配行为千差万别，但无论雌体还是雄体都常常产生效率极高的性引诱剂——信息素。

昆虫见于几乎所有陆地和淡水生境。昆虫的数量极大，而且其习性差异极大，所以昆虫具有许多重要的生态学功能。昆虫能促进有机物质的腐败和土壤的形成；有助于许多植物的传粉(事实上昆虫与植物一道进化)；又是许多食物链的主要部分。昆虫与人类的相互作用也多种多样，两者可以竞争食物(在野外或在仓库中)，有些给人带来骚扰。有些昆虫是农作物、牲畜或人类疾病的病原携带者，有些能侵害并破坏建筑物、服装或地毯。另一方面，一些贵重的商品，如蜂蜜、丝、蜡和染料取自昆虫；有些昆虫在控制其他可能有害物种的种群方面有极为重要的意义；事实证明一些昆虫在科学研究和医学研究方面非常有用。

insect wax　虫蜡　参阅 Chinese wax 中国蜡。

insecticide　杀虫剂　用于杀死昆虫的有毒物质。杀虫剂主要用于控制侵扰作物的害虫或者在具体地区消灭传染疾病的昆虫。

杀虫剂可根据其化学结构、毒杀作用或渗入方式等进行分类。在后一种分类中，根据它们是被昆虫摄食(胃毒剂)、吸入(熏蒸剂)或渗入其体壁(接触性毒剂)而加以分类。但是大多数合成有机杀虫剂均能经由上述三种途径进入虫体，因而根据其化学结构来区别较好。除合成有机物外，还有些天然存在于植物中的有机化合物，像某些无机化合物一样，也是有效的杀虫剂。多数杀虫剂喷撒至昆虫所经过或被昆虫吞食的植物体和其他物体的表面。

胃毒剂只有经口器摄入后才有毒，并对具有叮咬式或咀嚼式口器的昆虫(如毛虫、甲虫和蝗虫)最有效。主要的胃毒剂是含砷制剂，例如巴黎绿(乙酰亚砷酸铜)、砷酸铅和砷酸钙，以及含氟化合物(其中有氟化钠和冰晶石)。它们以喷雾剂或粉剂的形式喷洒至目标昆虫食用的植物叶茎上。胃毒剂已逐渐被合成有机杀虫剂所取代，后者对人类和其他哺乳动物的危险性较小。

接触性毒剂可渗入害虫的体壁，并用于杀死节肢动物，如刺吸植物表面并吸吮其浆汁的蚜虫等。接触性杀虫剂主要可分为两类：天然存在的化合物和合成有机化合物。天然存在的接触性杀虫剂包括烟碱(取自烟草)、除虫菊素(取自除虫菊[*Chrysanthemum cinerariaefolium*]的花)、鱼藤酮(取自鱼藤属[*Derris*]种类及亲缘植物的根部)和石油产品。虽然这些化合物最初主要来自植物提取物，但是由它们一部分中提取的毒剂(例如除虫菊酯)现已合成出来。天然杀虫剂喷洒在植物上，通常在短期内有效，不能对长期的侵扰提供保护。除了除虫菊素外，它们已大量被新型的合成有机杀虫剂所取代。

目前，合成接触性杀虫剂是控制昆虫的主要药剂。一般说，它们容易渗入昆虫体内，并对多种昆虫有毒。主要的几类合成接触性杀虫剂是氯代烃类、有机磷酸酯和氨基甲酸酯。

氯代烃类杀虫剂：是在发现了滴滴涕(**DDT**)的杀虫性能(1939)后于20世纪40年代初才开始发展的，该系列的其他例子还有六氯化苯(六六六，BHC)、高丙体六六六、乙酯杀螨醇、甲氧氯和环二烯类(包括艾氏剂、狄氏剂、氯丹、七氯和异狄氏剂)。这些化合物中有些很稳定并有长期残存作用，因此特别适用于需要长期保护的地方。对它们的毒杀作用，尚未完全了解，但是已知它们损害神经系统。

有机磷酸酯杀虫剂：目前是需要量最大和效用最广的一类杀虫剂。其中应用最广的两种化合物是对硫磷和马拉硫磷，其他还有二嗪农、二溴磷、甲基对硫磷和敌敌畏。它们对于吸吮式昆虫，如食植物浆汁的蚜虫和螨虫等特别有效。使植物吸收这些化学药品的途径为：喷在叶上或将这种化学药品的溶液洒入土壤中，使它由根部摄入。有机磷酸酯的残存作用时间通常较短，因此适用于因容许残存量而限制了选用杀虫剂的地方。它们的毒性一般比氯代烃类更大。有机磷酸酯可抑制胆碱脂酶(为神经系统的功能所必需)，以此杀死昆虫。

氨基甲酸酯杀虫剂：是相当新颖的一类杀虫剂，包括氨基甲酰、灭多虫和卡甲呋喃等化合物。它们很快就被解毒，并从动物组织内消失。它们的毒性被认为产生于与有机磷酸酯有些相似的机理。

熏蒸剂：是经由昆虫的气门或呼吸孔进入呼吸系统的毒性化合物。它们包括氰化氢、萘、烟碱和溴代甲烷等化学药品，主要用于杀死储藏物资中的昆虫，或用于烟熏苗木。

20世纪中叶合成有机杀虫剂的出现，使得对于昆虫和其他节肢动物类害虫的控制大为见效。尽管这些化学药品对环境有害，但在现代农业中仍有必要。1945～1965年，世界有些地区由于使用现代杀虫剂而防止了作物损失，提高了农产品的质量并降低了耕作的成本，作物的收成提高了50%之多。有机杀虫剂在增进人类及家畜的健康方面也已十分重要，疟疾、黄热病和斑疹伤寒等传染病在世界许多地区均已大为减少。

但是，使用杀虫剂也产生一些严重的问题，其中主要的是环境污染和有害虫种产生的抗药性。由于杀虫剂是有毒化合物，它们除了不利于有害昆虫外，也可能危害其他有机体。有些杀虫剂在环境中的积累，实际能对野生生物和人类造成威胁。许多杀虫剂的寿命短或可被摄食它们的动物所代谢，但是有些却有持久性，并且当大量使用后会危害环境。当一种杀虫剂施用后，很大一部分进入土壤；地下水也可因直接渗入或经由用药地区流出而被污染。土壤的主要污染物是氯代烃类，如滴滴涕、艾氏剂、狄氏剂、七氯和六六六。由于重复喷洒，这些化学药品可在土壤中积累到多得惊人的程度（每英亩10～100磅）；当进入食物链后，它们对于野生生物的影响大为加强。滴滴涕及其相关物的稳定性，使它们积累在可成为其他动物（食物链中更高的一级）食物的昆虫的身体组织内，并使这些动物中毒。猛禽类如鹰、隼和猎鹰等，通常受影响最严重，它们数量严重减少的原因，已追溯到滴滴涕及其相关物的作用。因此，20世纪60年代这种化学药品的使用开始受到限制，70年代在许多国家已完全禁止。

人体的杀虫剂中毒事例偶有发生。1991年在美国，因对硫磷（一种常见的有机磷酸酯）对于直接接触它的农业劳动者的毒性作用，它的使用被大幅度削减。

杀虫剂带来的另一问题是，当有些目标昆虫种群中敏感的个体被杀死后，其他个体就会产生抗药性并多倍地繁殖，可能最终在总数中占优势，以至整个目标昆虫种群都有了抵抗力。抵抗力意味着，先前对某杀虫剂敏感的某种昆虫，不能再用该杀虫剂控制在正常规定的比率。已有数百种有害昆虫对不同的合成有机杀虫剂产生了抵抗力；并且对一种杀虫剂产生了抵抗力的种群，可能对于作用模式与第一种杀虫剂相似的第二种杀虫剂也有抵抗力。抵抗力一旦产生后，可能在没有该杀虫剂的条件下延续一段时间，其长短视抵抗力的类型和昆虫的种类而定。杀虫剂也可能因消灭了原本牵制有害昆虫的天敌而助长了有害昆虫总数的增长。无特效的广谱化学药品，对于有害和有益昆虫均大量存在的情况，更易产生上述非预期的影响。

由于这些问题与大量使用一些化学杀虫剂有关，目前控制昆虫的办法是将杀虫剂的使用与生物学方法结合起来，称为综合控制法。采用这种方法时，可尽量少用杀虫剂，并配选抗害虫的作物品种，采用抑制害虫增殖的作物增产方法，释放出这些害虫的捕食者或寄生虫，以及释放出不育害虫以破坏害虫的繁殖。

参阅 **chemosterilant; fumigant; miticide; pest**。

insectivore　食虫类　食虫目（Insectivora）哺乳动物。较原始的有胎盘哺乳动物。体小（如有些鼩鼱属［*Sorex*］和麝鼩属［*Crocidura*］种类体重仅2.5克，最大的个体也仅似穴兔），外形差异甚大。许多鼩鼱形似鼠，但无凿状切牙。鼹鼠和金鼹体呈筒状，穴居，四肢短粗，尾与眼退化。刺猬与马达加斯加猬体

马达加斯加猬
美国国家动物园图表和展览管理处供图

粗短，背有短刺。象鼩后腿长，似更格卢鼠或跳鼠。食虫类的头骨低平，顶面观呈三角形。大脑皮质不发达，嗅囊大，嗅觉发达。吻尖而长，适于觅食。中耳腔全部或部分包于鼓骨中。许多食虫类有外耳壳，沙漠刺猬的外耳壳特别发达，穴居的鼹鼠则无外耳壳。鼩鼱和马达加斯加猬对高频声敏感。树鼩和象鼩眼大，视觉发达。鼹鼠和金鼹的上、下眼睑并拢，可能仅对光的强度差异有感觉。食虫类齿数26～44枚（有胎盘类牙齿的最高数目），切牙3～6对。沟齿鼹下颌第二切牙长，具沟，颌下腺分泌的毒液由牙基部的管道输入沟中。鼩鼱上、下颌第一切牙各有1个或1个以上的附尖，有助于捕捉小型无脊椎动物。树鼩下切牙有梳状结构，用于理毛。食虫目犬牙小。刺猬和鼹鼠犬牙有双根，在哺乳类中相当特殊。磨牙为原始有胎盘型，牙冠有若干锥形牙尖，排列成三角形。鼩鼱在母体子宫中即换掉乳牙。四肢骨骼保留许多原始有胎盘类的性状。除獭鼩外，均有锁骨联接肩胛骨和胸骨。上肱骨有内上髁孔，是为原始的特征。前足5趾。鼹鼠前足宽适于拨土。猬及象鼩后足4趾。除象鼩外，均蹠行（行走时整个足底着地）。被毛多为棕、灰或黑色。刺猬或某些马达加斯加猬的被毛变为棘刺，鼹鼠的被毛能向各个方向倒伏。金鼹的被毛有特殊的金属光泽。食植物的树鼩和象鼩有盲肠，食虫的种类则无盲肠。除树鼩外，无阴囊，鼹鼠和马达加斯加猬的睾丸接近会阴表面，有阴茎骨。象鼩的阴茎三叉形。食虫类子宫有双角，呈“Y”型。鼩鼱代谢率高，24小时所吃的食物为其体重的3.3倍。

多数种类地栖，仅树鼩林栖，而水鼩和水鼹等水栖。除南极洲、澳大利亚和南美大部地区外，几乎广布全世界。温带种类如鼩鼱、鼹鼠和刺猬的繁殖有周期性。冬末或初春，雄兽睾丸变大，产生精子，而此时雌体卵巢中的卵泡变大，准备排卵。雌刺猬若交配未孕，接着便有若干次发情；但鼩鼱与鼹鼠每交必孕。大多数热带种类全年繁殖，多数在将近雨季时产仔，这与无脊椎动物数量增多的季节一致。鼩鼱妊娠期2～3周，象鼩和树鼩为50～60天。鼩鼱和鼹鼠妊娠期短，幼仔初生时无毛，眼未睁开，不能独立生活。刺猬妊娠期略长，幼仔初生时已有柔软的棘刺。树鼩妊娠期长，但初生幼仔却不能生活自理。象鼩、树鼩、沟齿猬和金鼹每窝产1～3仔。刺猬每窝产1～7仔。亚洲热带地区无刺的毛猬每窝通常产2仔。鼹鼠每窝产2～5仔。鼩鼱的产仔数为2～8，温带地区者略多于热带地区者。*Centetes*属的马达加斯加猬每窝产仔多达25只。大多数鼩鼱、鼹鼠、刺猬和马达加斯加猬初生的幼仔1周左右睁眼，3～4周断奶。热带的麝鼩和象鼩5周性成熟。马达加斯加猬和其他热带食虫类性成熟需2个月。温带的鼩鼱、鼹鼠和刺猬于第二年性成熟。食虫类寿命均短，估计鼩鼱可活6周，某些鼩鼱及鼹鼠一年以上。在饲养条件下，鼩鼱能活2.5年，象鼩3年，刺猬10年。食虫类的食物全部或部分为动物性。鼩鼱主要食无脊椎动物。鼹鼠食土壤无脊椎动物如蠕虫。刺猬食蛙、小鼠、鸟、蜥蜴和蛇，在饲养条件下亦食面包、牛奶。金鼹食缺肢蜥、蚯蚓、昆虫蛹和幼虫。树鼩杂食，食昆虫和水果。象鼩食蝗虫。水鼩食小鱼。獭鼩食蟹、鱼和两栖动物。树鼩爱喝水和洗澡。象鼩不喝水。多数食虫类从食物或由露水中获取水分。多数食虫类夜间活动，象鼩和树鼩昼间活动。主要靠嗅觉、触角及听觉，而不靠视觉定向。鼩鼱及某些马达加斯加猬有回声定向。刺猬和马达加斯加猬具刺，遇敌时身体卷成球状，将无刺的腹部卷到里面。鼩鼱和沟齿鼹分泌有毒的唾液，可能有御敌的作用。多数食虫类不结群，只在繁殖期结成母子群。多种鸟、兽和蛇是鼩鼱的天敌，但其胁腺分泌有浓烈气味，故不为天敌所喜食。鼹鼠与金鼹营地下生活，几乎无天敌。沟齿鼹的天敌是食肉类。鼩鼱成体的领域面积约0.1～0.4公顷，其胁腺分泌的一种有特异味的油质可用来标志领域。鼹鼠的领域行为与之类似。树鼩有明显的巢域，雄兽用喉腺或胸腺的分泌物标志领域。

食虫目对人经济意义不大。食虫类可控制无脊椎动物及某些小脊椎动物的数量，本身又为其他动物所食。象鼩可患疟疾，某些鼩鼱可传播鼠疫，但均非重要的疾病携带者。鼹鼠等的毛皮偶用于制服装。鼹鼠会损伤植物根系，其穴可为啮齿类所栖。有些食虫类为民间传统的题材，如爱斯基摩人相信鼩鼱属动物会攻击人并在其体内穿穴至心脏。化石证据表明，鼩鼱和鼹鼠的祖先可能由始新世晚期和渐新世早期貌似刺猬的祖先衍生；而马达加斯加猬、獭鼩和金鼹则由假古猬（三角齿兽）所衍生。食虫目共400种，分9个科：猬科（Erinaceidae），10属，14种；鼹科（Talpidae），15属，约22种；鼩鼱科（Soricidae），24属，291科；沟齿猬科（Solenodontidae），2属，2种；马达加斯加猬科（Tenrecidae），9属，20种；獭鼩科（Potamogalidae），2属，3种；金鼹科（Chrysochloridae），5属，11种；象鼩科（Macroscelididae），5属，约28种；树鼩科（Tupaiidae），5属，15种。有14个原始的科已绝灭。

insectivorous plant　食虫植物　参阅 **carnivorous plant** 食肉植物。

inselberg　岛山　在德语中，insel是岛，berg是山。在发育很好的平原上的孤立小

山，看起来很像是高出海面的孤岛。该术语虽较常用，有时仅指热带和亚热带条件下，通常由花岗岩和片麻岩之类深成岩构成的小山，并以光秃岩石构成的陡峭曲坡为特征。

津巴布韦伊尼扬加附近的花岗岩小山
美国不列颠百科全书公司供图

岛山常以山脊、山岭或孤立小山的形式出现。其形成是由于构造的不规则性抵抗侵蚀的结果。光秃的岩石穹窿高出周围平原可达450米，称为穹窿状岛山，具有像剥洋葱头般层层剥离的同心岩壳(厚度由几厘米到6米)。岛山基部往往存在山前侵蚀平原，或者是微向上凹的低角度山坡，山与平原结合部通常很陡。岛山的晚期可发育成由一堆大顽石构成的残丘。同岛山相似而是在非热带条件下形成的孤立的丘陵，称为孤山。

Inside Passage　内海航道　又作Marine Highway。美国华盛顿州西雅图和阿拉斯加州斯卡格威间的海上天然有屏障航道。长1 600千米。沿途水道、海峡因有两侧岛屿(如

阿拉斯加州境内的内海航道
美国不列颠百科全书公司供图

加拿大温哥华岛和美国亚历山大群岛)及大陆作为屏障，可免受太平洋风暴袭击。大部航段为深水水道，可通行各种船只，沿岸多锚地。沿途风景优美，水势平稳，去阿拉斯加的航运多循此路线。途经城镇有加拿大的维多利亚、温哥华、普林斯鲁珀特和美国阿拉斯加的凯特奇坎、朗格尔、彼得斯堡和朱诺。

insight　顿悟　一个学习理论的概念，指未经明显的尝试与错误的试探性行为而能迅速而清楚地学习或理解的现象。人们发现可以帮助他们解决新问题的关系(或产生关于事物或行为的新的联想)时，则是在人类学习过程中发生了顿悟。许多关于顿悟现象的科学知识来自20世纪德国格式塔派心理学家W.克勒对动物行为的研究。在一个实验中他把一只饥饿的黑猩猩苏丹关在笼内，笼外放上香蕉。又给苏丹两根棍棒，但都太短，不足以够到香蕉，然而把两根棍棒对接插上就可够长。苏丹分别用两根棍子试着够香蕉，均未成功；又用一根棍子把另一根棍子推过去，虽然碰到香蕉，但仍够不到手。它几乎要放弃希望时，偶然把两根棍子对接起来一看，就马上跑到笼边，用长棍把香蕉够到手。实验情景再次出现时，它会马上解决问题。但实验结果很难解释。因为可能是由于偶然解决了问题，而非顿悟。

insight　顿悟　佛教术语。佛教关于修行方式的主张，与渐悟相对。“顿”有两个意义：一是无需长期持久的修习，只要一旦把握佛教真理便可即时成佛；一是说必须经历长期的修习磨砺，直到某个时候触发出顿然之机，一次而完整地把握了宇宙实相，从而成佛。中国南北朝时的僧人道生，否定了七住时的小顿悟主张，认为只有达到十住境地，最后一念生出金刚道心，才有可能顿悟。理由是“理不可分”，佛教真理与最高真实只能一次性地获得，只能“以不二之悟，符不分之理”。不二之悟便是顿然领悟。顿悟成佛说在道生时便多有争论，唐代时形成剧烈争执并形成宗派对立。禅宗以主张顿悟著称，内部又有南顿、北渐之说。南宗顿悟说以惠能为代表，北宗神秀则倡渐修。

insolvency　资不抵债　指个人或企业的全部债务超过其资产总值以致不足以清偿债权人的财务状况。确定资不抵债主要有两种办法：一种是衡平意义的资不抵债，另一种是用资产负债表决定资不抵债。衡平意义的资不抵债，是指在平常的营业过程中债务人无力偿还到期的债务。资产负债表上的资不抵债，是指债务人的全部债务超过他的资产总值。资不抵债与破产是有区别的。破产指的是要经司法机关确定和宣告的一种特殊的法律地位。对于将被宣告破产的一方还必须具备某些附加条件，例如要有破产行为等。因此，资不抵债是确定破产的主要因素，但非唯一因素。

insomnia　失眠　得不到充分睡眠的一种症状。形式和程度上差别很大。其原因可以是躯体性的(如睡眠条件差，循环、呼吸系统或脑部疾病)，也可以是心理性的(如紧张、抑郁、精神苦闷等)。偶尔失眠对健康无害，多睡几个小时即可恢复。但经常失眠则会损害身体其他系统和功能。轻度失眠可用改善睡眠条件、睡前洗热水浴、喝些牛奶或全身松弛疗法等方法治疗。严重或慢性失眠，则需暂时应用巴比妥酸盐类、安定药、催眠疗法或心理治疗(因许多慢性失眠为心因所致)。呼吸暂停及其所致失眠则需去看专科医师求治。长期服安眠药会产生有害的作用，机体会产生耐受性，必须逐渐加大剂量，甚至成瘾。

installment credit　分期付款信贷　又称分期付款计划或租购计划。工商业发放信贷的条件是在一特定的时期内分期(按固定间隔的时间)偿付全部货款。分期付款信贷是个人购买大多数耐用品如汽车和大型家用器具所使用的方法。它涉及将信贷从售方(和贷方)延伸到购方；购方掌握其所购货物的实际所有权和使用权，而售方在每一次分期付款偿付完毕之前仍保留货物的法定所有权。通常在第一次偿付部分货款(称作预付定金)后，购方可预先提取货物。如购方不能履行某次分期付款之义务，则售方可没收以前各次所付的款项，还可收回该货物。分期付款购货的诱惑力在于：它能使未来的买主从其将来的收入中逐渐偿还货值，而不必首先从其收入中抽取、储存足够的货价，现在便能占有一项比较昂贵的货物。分期付款信贷可以大大提高一般顾客的购买力。利用分期付款信贷购买耐用消费品，是在19世纪美国家具行业中首先出现的。不过这种信贷措施，只是在第一次世界大战前后被美国广泛应用于购买汽车时才显示了巨大的经济重要性。现在，购买汽车、昂贵的家用器具和家具等消费品时大多采用分期付款信贷。称作金融公司的专业公司，可为应用分期付款的零售商和消费者双方服务。参阅 **finance company**。

instinct　本能　动物对外界刺激作出的无意识的应答，表现为一种可预见的、相对固定的行为模式。本能行为具有遗传性、模式的复杂性、适应功能以及在外部条件变化下的稳定性等主要特征。一个物种中，至少同一性别的成员的本能行为，总是按一定的和可预测的模式进行。各个物种行为的稳定性，如同身体结构一样，可作为物种的特征，例如孔雀的求偶炫耀动作、蜘蛛的织网活动、鼬或狼的捕食习性、松鼠贮藏食物的活动、羚羊的吃草方法等等。在攻击行为、从属的性行为以及各种形式的格斗行为中，本能的遗传本质表现得最为突出。获取食物的方法、舐身和清洁行为、搔抓行为、躲避捕食者的行为、社群行为、休息睡觉的姿势等也是如此。虽然这类遗传本能初看起来似乎很少被动物经验所左右，但是许多本能行为在细节上，仍然依据个体经验有所改变。本能不单单是对简单刺激作出的有限的反应，而是按预定程序进行的一系列行为活动，鸟及鱼的筑巢行为就是如此。本能行为的延续时间有长有短，有的几秒钟就完成，有的则需数分钟或数日。本能行为既具遗传性质，所以受到自然选择的压力，并逐渐变得有益于维护个体的生存或维系种的延续。因此，本能活动是有适应意义的，有助于动物的性成熟和繁殖。本能似乎不依赖于学习或实践，这表明了本能的内源性质。但从本质上说，本能还是间接地依赖于外源性刺激。在隔离状态下饲养动物

进行试验，就可以发现哪些行为属内源性，哪些是被外部刺激所控制。因此要区分本能和学习这两个术语时，可以增加在改变着的环境中是稳定的还是不稳定这项指标。如筑巢活动、惊叫、鸟的求偶行为等，无论环境条件怎么改变都是很稳定的；另一方面，觅食和取食活动则随环境条件而有较大的变化。没有一种动物能脱离环境而存在，一俟从卵或子宫中孵化或出生，即暴露于各种环境中。卵或子宫的内环境，与自由生活的动物所栖息的丰富多样的环境，有着极大的区别。例如昆虫的卵在不透水的壳内，温度和供氧条件非常稳定，孵化后，许多行为和身体结构一样被遗传下来，这类行为不为环境条件所左右，这种稳定性是本能行为的一个标志。本能行为也是反射活动。昆虫的一足或肌肉作前进运动时，所提供的刺激可使另一足或肌肉按同样的方式运动，随着又产生了反馈系统或一系列的反射弧活动。在这类行为中，还有一些神经细胞与身体其他部位进行通讯联系。这就使反射反应可能具有条件反射的性质。在高等动物或昆虫等动物中，许多链反射并不是简单地联合起来的系统，而是在脊髓或脑的神经细胞协调下形成的反射系统；甚至没有反馈刺激链存在，行为也会整合得很顺利。例如狗进食时，有11块肌肉或肌群的动作按准确的时间间隔顺序发生，并且都在神经系统控制之下，这类动作称为固定的动作模式。当它们构成某些活动的终点或高潮时，称为完美动作。固定的动作模式在雄招潮蟹的求偶炫耀行为中表现最为明显。雄蟹的一只螯极大，用于攻击和求偶表态。这类仪式化动作是物种的一个特征。动作的速度、幅度和强度是定型的，个体变异很小。这里可能存在着某些激素和神经调控的整合作用。昆虫、鱼和鸟也显示这类动作。由此可知，像先天的运动行为范型的显示能力一样，也存在着同样复杂的感受能力的本能系统。某些本能行为虽然有固定的动作范型，但仍能被条件反射或其他学习过程所改变，故称为可改变动作范型。如寒鸦或秃鼻鸦会叼着小树枝作下扫、侧扫运动，使小枝与预定的筑巢地点（如岩石的突出部或树枝）相触，当遇到阻力时，侧扫运动显著加剧，并变为一系列急速的震颤动作；越是遇阻，愈加强这个运动，直至小枝楔牢为止。而没有经验的寒鸦首先尝试叼取便于携带的小物体，甚至小冰块和小电灯的金属残片。但这些物体经不起颤推运动，因而不能成为筑巢材料。随后寒鸦渐渐通过尝试和错误学会了鉴别哪些物体才能筑巢。观察发现，许多鸟巢几乎主要是由一种树的树枝构建而成的。和寒鸦相反，许多小型鸣禽选择筑巢材料的能力是先天的。如由人养大的金丝雀，虽然从未见过长而易弯的材料，但一到筑巢期，总是选择这些材料建巢；最后还拔下自己羽毛排列在巢内。在笼中喂养的金丝雀，虽然无建筑材料，又无窝巢，但仍然不断地叼着自己的羽毛作筑巢活动。在繁殖季节中，这类鸟的行为受外界刺激、体内激素、神经功能和生殖系统发育等的综合影响。若使鸣禽自幼与成鸟分开，在隔音室中喂养，那么它只能显现最基本的发声范型。若雏鸟与其他同类个体一起生活，那么嗣后该鸟表现完整的鸣唱本能趋向，因为除了正常发育外，还有仿随学习加以补充，使本能行为更加完善。这表明了先天的生理活动和个体经验的共同作用。许多哺乳动物由于具有较发达的脑，固定的动作范型往往被习得的范型所掩盖，但仍能表现出来。例如，不给褐家鼠建窝材料时，它们表现出用尾代之的行为，这有点类似前述金丝雀的表现。褐家鼠搜集了建窝材料后，便将其堆建成略呈圆形的墙，接着轻轻地拍打，把内壁弄光滑。可是一旦给这些没有经验的家鼠以纸条或其他柔软材料时，它会陷于惶恐状态，搜集、堆筑、弄光滑等行为顺序完全搞乱了。即使有经验的鼠往往也难于对付上述情况。有时在没有筑巢材料的前提下，动物仍在从事搭墙等动作，只有在动物经过学习，有了足够经验后，才会抑制这些本能的动作。所有动物都有本能。一般说，动物进化程度越高，行为越灵活。在哺乳动物，习得的行为常超过固定的行动范型。在人类，行为受社会化过程影响极大，遗传与环境哪个起更大作用的问题仍在争论。

Institut Canadien　加拿大学会　19世纪法属加拿大的一个同天主教会发生冲突的文学和科学团体。1844年12月17日在蒙特利尔建立，不久即成为讨论时事问题的论坛，它拥有蒙特利尔最大的免费开放的图书馆。加拿大学会蒙特利尔总会的会员达700人。在加拿大的所有法语区都设立了分会。该学会成为一个言词激烈和思想自由的、既不赞成也不尊重魁北克当局和教会坚持正教的保守主义的运动中心。学会公开陈列教会认为“不良”的书籍。由于这些倾向，学会受到教会领袖的攻击，最激烈者为1840～1876年蒙特利尔主教I.布尔热。到1858年，除蒙特利尔总会外，所有分会都停止了活动。不过，总会拒绝改变方针，并于1865年向罗马发出呼吁。1868年加拿大其他主教亦宣布支持布尔热的立场。1869年教会正式谴责此运动，多数活动分子退出。蒙特利尔学会存在到19世纪末，但已无很大影响。

Institut Géographique National（IGN）　国家地理学会　法国地图绘制及地理学研究的最主要中心之一。专门从事空中和地面测绘及制图工作。会址在巴黎。前身为1719年创建的工程师和地理学家军事地图绘制组。这个小组绘制了几帧法国大地测量图和三角测绘图。路易十五时期，该组在皮革上刻绘出第一幅法国地图并保存在学会图书馆内。1794年该组织改为工艺学校。1887年分为军队地理服务处和军队历史服务处两部分。1940年军队地理服务处改称全国地理学会，1967年成为国家机构。该学会管理着国立地理学学校并且有范围广泛的专业图书馆，还拥有一小队空中测量用飞机。

Institutes of the Christian Religion　《基督教原理》　拉丁文作 Christianae Religionis Institutio。基督教归正宗创始人J.加尔文的主要著作，撮要阐明圣经神学，成为归正宗的标准教义文献。最初发表于1536年。第一版用拉丁文写成，出版于巴塞尔，共六章，包括了大多数加尔文成熟思想的主题。经加尔文本人多次修订后的最后定本于1559年在日内瓦以拉丁文出版。其篇幅相当于第一版的四倍多，编为四卷，分别论创造天地的上帝、救主基督、圣灵及教会。主要强调上帝有至高威权，上帝施恩于人，上帝救赎本来没有资格得救的罪人。该版先后以法文（1560）、英文（1561）和其他多种文字出版。

institutional economics　制度经济学　又称制度主义。20世纪20年代和30年代期间盛行于美国的经济学派，它把经济制度演变看成是文化发展广阔进程的一部分。美国经济学家T.凡勃伦以批评传统的统计经济学理论奠定了制度学派的基础。他试图用更现实的人类形象代替一般的人类的概念，即影响人的是不断变化着的习惯和制度，而不是经济决策者。他认为美国经济制度的基本动力是金钱而不是技术；经营企业是为了积累钱财，而不是生产货物。另一位制度学派的经济学家是J.R.康蒙斯，以美国劳动经济学家闻名。他强调经济中不同团体的集体行动，并观察其在逐渐演变的制度与法律体系中的作用。其他制度经济学派人物有美国的R.特格韦尔、J.M.克拉克和W.C.米切尔，还有英国的韦布夫妇和R.H.托尼。虽然制度学派从未成为经济思想上的主要学派，但其影响，尤其在寻求解释经济问题（至少部分是对更广泛的社会和文化现象）的著作中流传下去。制度学派的方法对分析发展中国家的问题很有用，在这些国家，社会制度的现代化常是工业进步必备的条件。

Institutional Revolutionary Party　革命制度党　西班牙语作 Partido Revolucionario Institucional（PRI）。1929年成立的、到20世纪末一直垄断墨西哥政治生活的唯一政党。自该党成立后，墨西哥全国性及地方性的政治生活中的一切重要人物实际上都属于该党。因为提名一个革命制度党党员为担任公职的候选人，几乎就等于他已当选。该党原称国民革命党，1938年改名为墨西哥革命党，1946年取现名。该党由前总统卡列斯及其支持者建立，当时正处于与天主教教会冲突、军队发生叛乱及与美国争执之时。实际上，该党体现了墨西哥革命（1910～1920）后出现的新权力机构的制度化，是全国各地区和地方的军政要人与劳工、农民领导人组成的联盟。这个统治联盟谋求较保守的变革（尽管常以革命为名）和建立较稳定的政府。在新的党政制度下，党的控制体现在中央执行委员会；委员会主席由墨西哥总统指定，其任务是除总统职位以外，批准党对全国所有重要职位的提名。在职总统挑选自己的继任人。中央执行委员会负责促进各州和中央官员之间以及党内各派别之间的共同认识。

革命制度党的建立使权力从一些军政首脑手中转移到政府的党组织手中和代表农民、城市劳工和军人的党内各个部门手中。卡德纳斯总统（1934～1940执政）加强了农民部的权力，并且设立所谓人民部以平衡党内各部门的力量。人民部代表一些互无联系的群体，如公务员、从事脑力劳动的专业人员、小商人、小农、手工业者、青年和妇女。40年代初军事部被解散，鼓励其成员参加人民部，于是人民部成为党内最大的组织。人民部、劳工部、农民部各有其全国性组织，三者分别向党提供财政支持，并向党组织选举自己的代表。党组织在制定政策的人和一般群众之间起沟通信息和调解人的作用。

70年代末期，反对党在下议院得到若干席位，致使革命制度党在政治上的垄断地位受到严重挑战。革命制度党虽仍占多数，但在后来的选举中陆续失去一些议会席位。1988年反对党在上议院64个席位中获得4席，这是59年中革命制度党第一次承认在上议院选举中受挫。1989年革命制度党在州长竞选中首次失利。90年代中后期，有几个州选举了非革命制度党州长。1997年，非革命制度党候选人当选墨西哥市市长。2000年，革命制度党候选人被国家行动党候选人文森特·福克斯击败，结束了革命制度党长达71年的统治。但是，该党仍然控制了很多州和地方政府，在众议院和参议院仍是一支主要势力。

Instruction of Catherine the Great 参阅 **Catherine the Great, Instruction of**《叶卡捷琳娜大帝诏令》。

instrument landing system（ILS） **仪表着陆系统** 一种使飞行员在低能见度条件下能对准跑道中心线进行着陆的电子制导系统。它的地面设备包括两部定向发射机，从跑道中心线的两旁向飞近的飞机发射无线电波束。有时采用微波的频率（高于1 000兆赫）。无线电脉冲被机上仪器接收，经处理后转变为精确的航向与高度的信息。这种数据在仪表上以水平线和垂直线形式显示出来，供飞行员判断飞机与跑道的位置关系，操纵飞机，使其正确地对准跑道。该系统可与机载自动驾驶仪联用，这时地面设备导引飞机进入正确位置，机上设备则通过自动风门来控制飞行速度。

Instrument of Government（English constitution, 1653） 参阅 **Government, Instrument of**《政府约法》。

instrumental 器乐曲 又译演奏曲。没有人声的流行音乐，有多种类型，但特别盛行于20世纪50年代晚期和60年代早期的摇滚乐中。节奏与布鲁斯和摇滚乐的演奏曲主要以舞曲形式在50年代中期开始出现于排行榜，打头阵的是B.多格特以管风琴和萨克管主奏的器乐曲《低级舞厅》（1956）。此后，器乐曲唱片经常高居榜首。到60年代早期，美国顶尖的器乐曲乐队是"冒险"，普及了冲浪音乐。节奏与布鲁斯在60年代也有自己的热门器乐曲。随着60年代晚期流行乐变得更加成熟，保罗·莫里亚的《爱是忧郁》（1967）等由交响曲启发的歌曲也成为热门单曲。然而，一般来说，随着不列颠入侵的乐队重新重视人声，器乐摇滚的兴盛期在60年代早期已告结束。在70和80年代，器乐曲以电影原声带的方式大为流行，但在90年代随着新世纪音乐和轻爵士乐受到欢迎而重登排行榜。然而，器乐摇滚黄金时代的遗产是它对摇滚乐技巧的长远影响。

instrumentalism 工具主义 又称实验主义。J.杜威所提出的一种哲学。这种学说认为事物或观念中最重要的是它作为行动工具的价值；一个观念的真理在于它的效用。杜威喜欢将其教育观点所根据的哲学称为工具主义或实验主义而不愿称为实用主义。这一学派主张认识的展开不是为了思辨的或形而上学的目的，而是为了进行成功调节的实际目的。他们认为观念是工具，在遇到问题时消解由此产生的困难，以得到圆满的解决。

instrumentation 仪器仪表化 应用科学中精确测量设备的研制与使用。虽然人体感官的反应非常灵敏，但是为了研究和监控各种现象，现代科学技术则需要依靠更加精确的测量和分析工具。最早的测量仪器是用于天文学和航海的。浑天仪是已知最古老的天文仪器，它主要由一个骨架状天球构成；它的几个环代表天空的大圆。浑天仪知名于古代中国。古希腊人也熟悉它并对之作了改进，制成了星盘；从星盘可以了解时间或昼夜的长度，并可测量太阳和月球的地平纬度。罗盘是最早的能够无需参照恒星位置而测向的仪器，它是11世纪前后的一大进步。望远镜是主要的天文学仪器，是荷兰光学仪器制造者H.利珀希约在1608年发明的，并首先为伽利略所广泛应用。早期的一种仪表控制的系统是荷兰发明家C.德雷贝尔（1572～1634）研制的恒温炉，它靠连杆和杠杆系统控制炉温。约在同一时期，出现了测量和控制锅炉中蒸汽压强的装置。1788年，苏格兰人J.瓦特发明了离心调速器，用于将蒸汽机保持在预定的转速。在18～19世纪工业革命时期，仪器仪表有飞速的发展，尺寸测量、电学测量和物理分析的仪器仪表发展尤为迅速。当时的制造工艺要求测量线性尺寸的仪器的精确度要达到新的标准。螺旋测微器部分地满足了这一要求，特殊型号的能达到0.000 025毫米（0.000 001英寸）的精确度。工业对电力的应用，需要有能够测量电流、电压和电阻的仪器。应用显微镜和分光镜的分析方法变得日益重要。分析发光物质放出的光辐射波长的分光镜开始用于鉴定化学物质和恒星的成分。到20世纪，现代工业的壮大、计算机化的进展和空间探索的出现更进一步推动了仪器仪表化的发展，特别是电子器件的发展。换能器是将一种形式的能量转换为另一种形式能量的仪器（如光电管、温差电偶和传声器等）；人们时常用它将待测能量的样品转换为更易于处理和存储的电脉冲。20世纪50年代，电子计算机问世。它以其巨大的信息处理和存储能力而引起了仪器仪表化方法的一场革命，原因在于它能够对大量的信息同时进行对比分析。几乎与此同时，反馈系统也得到了完善。在这种系统中，监测某一过程各个阶段的仪器仪表所给出的数据能够即时得到整理，并被用来调整影响该过程的各种参数。反馈系统对于自动化过程的运转是至关重要的。大多数生产过程都依靠仪器仪表来监测各种化学、物理和环境特性以及生产线的运行状况。监测化学特性的仪器有折射仪、红外分析器、色谱仪和pH传感器。折射仪测量光束从一种物质进入另一种物质时的弯曲度；这类仪器用于测定食糖溶液的成分或调味番茄酱中番茄酱的浓度等。红外分析器可通过物质所发射或反射的红外辐射的量和波长来鉴别物质。色谱法是对物质的极少量样品进行灵敏而快速化学分析的方法，它是靠物质对不同类型分子的不同吸收率进行分析。溶液的酸碱度可用pH传感器测量。也可以用仪器仪表测量物质的物理特性，例如物质的混浊度或溶液中特定物质的含量等。浊度计测量溶液对某种特定波长的光的吸收量，可用以监测水的纯度和石油精炼过程。比重计测量已知体积的物质浸没于被测液体中时所受的浮力，用于测定液态物质的密度。涡轮式流量计测量浸没于被测流体中的涡轮自由转速，用于测量物质的流率。测量流体黏度的技术则有多种，包括测量该流体对一个钢叶片的振动所施阻尼的大小。正如工业中的仪器仪表一样，用于医学和生物医学的仪器仪表也是多种多样的。较简单的医学仪器有测量体温、血压（血压计）和肺活量（肺活量计）的仪器。较复杂的仪器有X光机、脑电流描记器和心电图描记器，用于探测人脑和心脏所发生的电信号。现在所用的两种最复杂的医学仪器是CAT（计算机化轴向层析X射线照相）和NMR（核磁共振）扫描仪，它们能使人体各部分成为三维可视的图像。细胞组织样品的分析需采用十分复杂的化学分析方法，在生物医学研究中也很重要。

instrumentation 乐器法 又称管弦乐法（orchestration）。在音乐中，指为乐器编配或创作音乐作品的过程。"管弦乐法"一词通常用于为管弦乐队写的音乐，而乐器法则可指非西方的音乐合奏以及为不具备严格管弦乐结构的音乐组合配器；从这一意义来看，"管弦乐法"的含义要比"乐器法"狭窄。在大多数情况下，配器是作曲的一个组成部分，但亦有这两种活动由不同表演传统来完成的情况，例如莫扎特就曾改编过韩德尔的《弥赛亚》，又如巴赫作品的管弦乐版本是20世纪初由埃尔加、勋柏格等人编写的。乐器法的历史不可避免地与管弦乐队史密切相关（管弦乐队最早发源于17世纪初期）。蒙特威尔地的室内剧《唐克雷迪与克洛林达之战》是最早以总谱形式将配器具体化的作品之一，虽然它只标明4行弦乐器。自蒙特威尔地以后，弦乐器就被视为管弦乐队的基础，而18世纪的作曲家又常常增加双簧管、大管和圆号。另外一些乐器则一般留作特殊场合之用，例如用长号表示庄严肃穆，而小号和鼓则渲染战争色彩。至18世纪末这几种乐器开始更加频繁地得到运用，而不再给人以此类联想。随着单簧管的引用，乐队进一步扩大。这些都是莫扎特特别喜爱的，他为管乐器所编的总谱至今无出其右者。同一时期乐器设计的改进也增加了管乐器的灵活性；至贝多芬时代管弦乐队已经规范为现今的编制，即5组弦乐器（小提琴2组、中提琴、大提琴和低音提琴各1组)加上木管乐器组的长笛、双簧管、单簧管、大管和铜管乐器组的圆号、小号、长号以及定音鼓。进一步的发展接踵而至。韦伯开始探索以管弦乐队进行形象描绘的可能性,以及它表达阴暗色彩、林区景色、严寒酷暑的能力,特别是在歌剧《自由射手》中。柏辽兹支持韦伯的描绘性手法,并在管弦乐队中又加了新的乐器以求得特殊效果,例如在他的《幻想交响曲》中就用了竖琴、英国管、钟和其他打击乐器。他还写了最早的管弦乐法论著之一。对管弦乐队的潜力的这一崭新理解得到19世纪后期大多数作曲家的认可,特别是李斯特、瓦格纳、柴可夫斯基和施特劳斯。19世纪时作曲家的习惯做法是先写出某种形式的草稿(可能是钢琴稿),然后进行配器。但是20世纪的许多作曲家却把管弦乐队用得细微精妙而又斑驳多彩,因此必须毕其功于一役,直接写成管弦乐总谱,而没有任何中间阶段。在这种情况下,配器必然成为作曲的一个部分,德彪西的音乐可能就是如此。另外一些人,例如拉威尔和梅西昂,却把配器看作一个单独的过程,他们甚至把自己原先为键盘乐器而写的作品加以配器。如果说乐器法是一种在固定的一套乐器范畴内探求新音响的艺术,那么我们大概可以说20世纪最杰出的大师是斯特拉文斯基。

Insubres 因苏布雷人 意大利北部山南高卢区最强大的凯尔特民族。尽管公元前222年他们在克拉斯蒂迪乌姆(现代的卡斯泰焦)被罗马军队打败,但仍然是难以对付的,在第二次布匿战争(公元前218～前201)中曾援助迦太基将军汉尼拔。因苏布雷人最后于公元前196年被罗马征服;随着城市公社的兴起,逐渐失去了自己的特征。公元前89年被授予拉丁人权利,40年后得到完全的罗马公民权。

insula 贫民住房 古罗马和奥斯蒂亚的成群建筑或单幢建筑,大都为地价昂贵人口稠密地区的低廉出租住房,主要为劳动人民居住,以别于上层社会的私人住宅。住房用砖建造,上覆混凝土,虽有高度限制(奥古斯都时规定为21米,图拉真时为17米),但一般为5层或超过5层。底层常为手工业作坊和店铺,上层住房由内部公用楼梯进入,沿街面和内天井采光。许多住房周围有开敞或封闭的木制或混凝土制阳台。抽水设备只能将水送达较下几层,较上几层住户须使用公用的供水和卫生设备。由于构造简陋,供水不足,往往引起坍塌和火灾。

Insular script 岛风字体 在书法中,指罗马人占领英格兰之后和诺曼征服之前,不列颠群岛上形成的几种字体。爱尔兰和英格兰书籍艺术家们除了著名的书籍与字母装饰图案之外,最重要的成就是岛风半安色尔字体,以标准安色尔字体(**uncial**)为基础,但采用诸如上升字母(如b,d,f,h,l)下行字母(如f,g,p,q)以及字母连写等草体特征。《林迪斯芳福音书》和《凯尔斯福音书》是这种字体最著名的里程碑。第二种与众不同的岛风字体是尖角小字体,8世纪开始用此体抄录书稿,可以长者比德的《英吉利教会史》约731年的抄稿为例。两种岛风体字母都由传教士带到欧洲大陆,遂流行于全欧。

insulator 绝缘体 能阻止或延缓电流或热量流动的物质。尽管通常认为绝缘体是不导电的材料,但实际上更确切地说应为不良导体或高电阻的物质。因此,绝缘材料和导电材料是通过电阻率这个材料常数来进行比较的(参阅 **semiconductor**)。电绝缘体用来使导体的位置固定;使导体彼此隔开并同周围的构筑物隔开。绝缘体把电路的不同带电部分隔开,使电流局限于导线或预定的流通路径之中。电路的绝缘条件对于所有电气或电子设备的成功运转是必不可少的。能作电气绝缘的材料有许多种,如何选择,则主要应根据用途的具体要求而定。如在家庭或工厂中作输电导线的铜导体用橡胶或塑料彼此绝缘并同建筑物绝缘;架空输电线是用陶瓷绝缘子支承的,可以长期暴露于户外;在高压和高温下工作的大型发电机和电动机则常常用云母来绝缘。在某些设备中,固体绝缘可与液体或气体绝缘结合使用。例如在高压变压器中,固体绝缘提供机械的牢固性;而用油或其他液体提高绝缘强度并使设备散热。在集成电路的微细结构中,使用氮化硅一类材料作绝缘,其厚度可小至1微米。隔热材料包括玻璃纤维、软木和石棉。石棉是一种将硅质岩、石灰岩或矿渣融熔后经高压蒸汽喷吹而成的矿物棉。上述的以及其他的低导热性物质可减缓热量的流动速度;利用它们对热辐射的不传导性以及其中混有的大量空气隙来阻断热量的流通路径。对某种给定的材料来说,其热导率往往不是恒定的,它随温度而变化。对多数的金属和其他晶态固体,热导率随着温度的升高而降低;但对像玻璃一类的非晶态物质却会变大。

insulin 胰岛素 调节血液内葡萄糖水平的激素,由胰脏内朗格汉斯氏岛的β细胞产生。血液内葡萄糖水平升高(如进餐后)时胰岛素分泌;当血糖水平降低时胰岛素分泌停止,肝脏将葡萄糖释放入血液。胰岛素是简单的蛋白质,由两条多肽链通过两个二硫键相连。胰岛素促进葡萄糖往细胞内转移,细胞将其氧化向身体提供能量。在脂肪组织,胰岛素帮助葡萄糖的贮存和向脂肪酸的转变;胰岛素又减缓脂肪酸的分解。在肌肉中胰岛素促进氨基酸的摄入以制造蛋白质。在肝脏内胰岛素帮助葡萄糖转化为糖原(动物储存碳水化合物的形式),并抑制糖原异生作用(非碳水化合物转变为葡萄糖)。胰岛素的作用与胰高血糖素(胰脏分泌的另一种激素)和肾上腺素相拮抗。胰岛素产生不足可引起糖尿病,严重的糖尿病患者需要定期注射提取自猪、绵羊、和牛的胰岛素。胰岛素是1921年加拿大科学家F.G.班廷和C.H.贝斯特最先分离的。20世纪80年代早期用遗传学方法改变某些菌株使之能产生胰岛素。

Insull, Samuel 英萨尔(1859-11-11,伦敦～1938-07-19,巴黎) 英国出生的美国公用事业巨头。他庞大的中西持股公司企业在20世纪30年代崩溃。在T.A.爱迪生的一个伦敦代办处工作后,1881年赴美国任爱迪生的私人秘书。1889年爱迪生通用电气公司在纽约州的斯克内克塔迪创办时,他任副总经理。3年以后,成为芝加哥爱迪生公司的总经理。1907年,他的公司(此时已改称联邦爱迪生公司)可供应芝加哥的全部电力。1917年,公司使用中心发电站,供电网延伸到伊利诺伊州的大部分地区和邻近各州的部分地区。20世纪20年代,除使用中心发电站外,他又组织一些持股公司,其中第一个是中西公用事业公司(1912),供电网又迅速扩大。由于大萧条原因,1932年英萨尔的杰出的公司垮台,进入监管状态。英萨尔逃至欧洲以躲避引渡。1934年他被迫回到芝加哥,并因为欺诈,违反联邦破产法及侵吞罪而受审3次,但每次均宣告无罪。他的余生大部分是在欧洲度过的。

insurance 保险 一种通过众多当事人之间分摊风险以减少个别人意外事故损失的合同。在发生投保人受到保险合同或保险单承保的意外事故损失时,承保人负责赔付投保人或其受益人指定的金额。在任何指定期限内,承保人分摊大批保单持有人的出资及"可保风险",特别能比个别未投保者更容易承受损失。例如,在交通事故中,一辆汽车的毁灭会带给个人严重的财务损失,此种损失由于在很多汽车上收取了足够的保费,对承保人来说却相对地很小。

"可保风险"对人和财产组成整个次级风险并具有下列特征:首先,风险必须有分摊的可行性并对双方有利。即投保的事故必须有足够的频率及类似之点,以便合理精密估算承保人对整个投保人承受损失的责任;损失的结果必须非常严重以刺激投保人对其投保;投保的事故必须是不太可能发生的,以缩小(通过过高的保费)个人与他人分摊风险时的得益。其次,保险标的物的等级必须是同时失灭的可能性减到最低程度。(从历史上说,很多火险公司,在经常出现的整个城市毁灭中由于对一特定城市或邻近地区的保单持有者注意力过分集中而失败)。第三,可能的损失必须纯属偶然性质而不是投保人能使其发生的。第四,保险合同所承保之风险必须是可以预测所受之损失是否由所保之意外事故所引起并达到何种程度。另外,保险协议须更多合乎合同法的基本要求,如双方之法律权限,意图之合法性等。

有许多不同类别的保险。以保险标的物、投保之偶然事件及保险费与保险赔偿金之支付方式三种重叠类别来考虑,其不同显而易见。保险标的物在财产及人物之间又可进一步区分(包括联合企业之类的"法人")。保险财产包括几乎每种形式的有形财产:个人财物、家庭及其他房地产、银行存款、汽车、平板玻璃窗、飞机及船只、运输中的各种货物等。投保的人身险包括生命及四肢、健康、就业及工作能力、退休收入,以及生意上有关雇员欺诈及盗用公款财物等。投保的偶然事件包括大宗自然灾害如火灾、爆炸、洪水、风灾、闪电、地震、疾病等。还有大批由法律责任产生的疏忽行为,其中有职业上的渎职、无力清偿、个人意外事件,甚至公司董事管理公司不当的个人责任。保费及赔偿金的支付方式因保单不同而异,但在人寿险方面差异最大。定期保险由一人付出若干保费作一定期限的投保,与任何意外险方式完全相同,没有共同赔偿问题。终身人寿保险特别需要投保人在一生中或直至保险到期日,定期交纳定额保费,并可以延续累计一现金值。通用人寿险保单,用以取代定期人寿保险合同,提供综合储蓄及保护险,保单持有人可在一生中根据变化的需要增加或减少储蓄或死亡保险。年金与人寿险不同,由于此项合同系用清偿本金数额而不是死亡赔偿。人寿险承保人定期付给投保人一笔包括本利的收入,使其活着一直有收入。保单设计本金在投保人死亡时耗尽。

最早的保险格式叫做船运押船合同,是在公元前3千纪楔形文字文献中发现的。此项保险一般采用对船主贷款的格式,贷款的偿还视航行的安全完成而定。押船合同发展成完全成熟的海洋运输保险,同时扩至陆路运输,始于欧洲中世纪末期,此系长途贸易的结果并激发了该项贸易的扩展。

其次出现的保险形式是火险,这是1666年的大火促使伦敦商人举办的。此时合股公司已经合法确立,很多新的火险公司采取了这一形式。其他(相互保险公司)保留了传统中古城市互助会相互自助的外形。17世纪,人口统计科学及统计学出现,火险、人寿险合股公司组织扩展起来,或多或少与早期提供水上运输险的非正式保险联合组织相对应(伦敦劳埃德保险社也许是世界上最有名的保险机构,以保留后一形式而著称)。

19世纪,意外灾害保险进一步扩展,承保新工业技术工具及产品:火车头及锅炉、铁路、平板玻璃窗等。至19世纪末,特别是20世纪上半叶,工人、工会的政治权力增长,引进了不同形式的社会保险,如社会治安、工人的补偿费、失业与残疾保险、健康保险。20世纪保险业发展的另一特征是多种责任险合同的作用大大提高。突出的是汽车责任险。

intaglio 阴刻 一种雕刻形式,指把构图从石头或木头之类表面上剜出,使所有线条都处于石面或木面之下,亦称为凹雕。阴刻用于翻铸时,把构图按相反方向刻在石膏模子上,然后把翻铸的材料填充上去,从模子翻铸出浮雕。阴刻常用于镌刻印章与宝石。

intaglio 凹印 版画艺术中四种主要印制技法之一,与其他三种方法(凸印,孔版印和平印)不同之处在于画面图形是由印版凹下去部分的油墨印出。凹印技法有**雕版(engraving)**法、**蚀刻法(etching)**、**干刻法(drypoint)**、**飞尘腐蚀法(aquatint)**和**美柔汀法(mezzotint)**。凹印与凸印相反,是以印版平面之下的油墨印出的。用雕刻、刮削或化学腐蚀等方法将图形刻在印版表面上。版可以是铜、锌、铝、镁、塑料或有覆盖层的纸。将油墨涂进刻制的沟纹中,然后抹干净版面。与凸印不一样,凹印实际上是把纸压进凹入条纹的过程,需有相当的压力。凹印也许是各种印制方法中用途最多的一种,因为用不同的技法可以产生多种多样的效果。实际上所有的凹印都是以类似的方法用辊筒压力机印制。辊筒机主要由两个带轴承的滚筒中间夹着一块能水平移动的印板组成。用一个辊子将黏性油墨挤进凹版的刻缝里,抹掉多余的油墨。着墨的印版面朝上放在印刷机的底台上,上盖一张湿的印刷用纸,再覆盖一块橡皮布(保证压力均匀)。然后转动印刷机的上方滚筒,底台从中拉过去;几吨重的压力通过橡皮布把湿纸压进印版上有油墨的刻缝里,于是印出图形。

多种颜色的凹印方法有两种。在名为玩偶法(à la poupée)的方法中,是用类似玩具娃娃的布捆,在同一块版上的不同部位涂上不同的颜色,然后按通常的方法进行印刷。另一种方法则是用几块不同的版,每版一色,按照次序套印在同一张纸上;在用这种多版法时,必须细心确保每一种后加的颜色都印在准确的位置上,保证颜色准确到位的最佳方法是用针眼来对准校正。

Intef II 因提夫二世(活动时期公元前21世纪) 又称瓦汗·因提夫。埃及第十一王朝(公元前2081～前1939)第3代国王。在其长久的统治时期,曾与赫拉克来俄波利斯人的同盟者进行战争,并获得胜利。赫拉克来俄波利斯人是埃及第九和第十王朝中埃及和下埃及(即埃及北部)的统治者。公元前2065年因提夫二世继承父位。其父曾宣布脱离赫拉克来俄波利斯人而独立,并将上埃及最南部5个省(行政区)置于自己的控制之下。因提夫二世执政后,大力向北挺进。其墓志说明他曾通过征服手段来扩张王国疆域,从而获得两个很重要的地区——阿比多斯和提尼泰省。阿比多斯是中王国的主要宗教中心(奉祀俄赛里斯);提尼泰是统一的埃及早期诸国王的故乡。大约在战争获胜之后,因提夫与赫拉克来俄波利斯人缔结了和约。他在位50年,国家繁荣昌盛。死后被安葬在西底比斯的一座陵墓中。

integral 积分 数学中,一个函数的积分或者是一个数,它的值等于在某个区间上函数图形下的面积(定积分),或者是一类新的函数,其导数等于原来的函数(不定积分)。这两种意义是有联系的,因为可以求积分的任意函数的定积分,可以通过不定积分与微积分基本定理的推论求出来。函数 $f(x)$ 的定积分(又称黎曼积分)可表示为

$$\int_a^b f(x)\mathrm{d}x$$

并等于曲线 $y=f(x)$[设 $f(x)$ 在 $x=a$ 与 $x=b$ 之间是正的]、x 轴、直线 $x=a$ 与直线 $x=b$ 所围成的区域的面积。函数 $f(x)$ 的不定积分是其导数等于 $f(x)$ 的任意一个函数 $F(x)$;从而 $F(x)+C$(C 是任意常数)是 $f(x)$ 的不定积分的一般表达式,记为

$$\int f(x)\mathrm{d}x = F(x)+C$$

它是其导数等于 $f(x)$ 的一类函数。求不定积分的过程称为**积分法(integration)**。

integral equation 积分方程 数学中,在积分号内含有未知函数的方程。例如

$$f(x) = \int_{-\infty}^{+\infty}\cos(xt)\phi(t)\mathrm{d}t$$

其中 $f(x)$ 是已知的。如果对所有的 x 有 $f(x)=f(-x)$,那末一个解是

$$\phi(x) = \frac{2}{\pi}\int_0^{\infty}\cos(ux)f(u)\mathrm{d}u$$

integral transform 积分变换 由积分公式

$$\mathscr{T}f(x) = \int_D f(t)T(t,x)\mathrm{d}t$$

定义,它把一个实变量 t 的函数 $f(t)$ 变换成一个复变量 x 的函数 $\mathscr{T}f(x)$。其中 D 是给定在实轴上的一个(有限或无限的)线段,$T(t,x)$ 是事先给定的函数,对一切 t 和复平面上的一个区域 R 内的 x 有定义。我们只考虑使公式右边的积分存在的函数 f 以及它与积分变换 $\mathscr{T}f$ 之间的关系。这种把 f 变成 $\mathscr{T}f$ 的算子 $\mathscr{T}$ 是线性算子,即若 $F_1=\mathscr{T}f_1$,$F_2=\mathscr{T}f_2$,而 c_1 和 c_2 是常数,则 $\mathscr{T}(c_1f_1+c_2f_2)=c_1F_1+c_2F_2$。在纯数学、数学物理和统计学中最广泛使用的两个积分变换是**拉普拉斯变换(Laplace transform)**$\mathscr{L}$ 和**傅里叶变换(Fourier transform)**$\mathscr{F}$,其公式分别为

$$\mathscr{L}f(p) = \int_0^{\infty} f(t)\exp(-pt)\mathrm{d}t$$

$$\mathscr{F}f(x) = (2\pi)^{-1/2}\int_0^{\infty} f(t)\exp(-ixt)\mathrm{d}t$$

拉普拉斯变换 $\mathscr{L}f(p)$ 也用 $\mathscr{L}[f(t);p]$ 表示,例如对一切使 $\mathrm{Re}(p-a)>0$ 的复值 p 有 $\mathscr{L}[\exp(at);p]=(p-a)^{-1}$。傅里叶变换 $\mathscr{F}f(x)$ 也用 $\mathscr{F}[f(t);x]$ 或 $\hat{f}(x)$ 来表示,例如对一切实值 x 有

$$\mathscr{F}[\exp(-|t|);x] = (2/\pi)^{1/2}|x|(1+x^2)^{-1}$$

应该指出,并非每个函数都有指定类型的积分变换。例如,由 $f(t)=\exp|t|$ 定义的函数,对位于半平面 $\mathrm{Re}(p)>1$ 中的 p 值有拉普拉斯变换,但对一切实值 x 都没有傅里叶变换;而函数 $\exp(t^2)$ 在复平面的任何部分中既没有拉普拉斯变换也没有傅里叶变换。若 $F=\mathscr{T}f$,我们记 $f\equiv\mathscr{T}^{-1}F$,并称 f 为函数 F 的逆变换。任何一个给出逆算子 $\mathscr{T}^{-1}$ 的公式的定理都叫做反演定理。在线段 D 是无穷长的情形下,反演公式的形式通常是

$$\mathscr{T}^{-1}F(t) = \int_A F(x)U(x,t)\mathrm{d}x$$

当 A 和 D 重合而且 $U(x,t)=T(t,x)$ 时,f 和 $F=\mathscr{T}f$ 之间的关系是对称的,这时我们说核 $T(t,x)$ 是傅里叶核。最简单的傅里叶核属于形式 $T(t,x)=K(tx)$,这时反演公式是

$$F(x) = \mathscr{T}f(x) = \int_D f(t)K(tx)\mathrm{d}t$$

$$f(t) = \mathscr{T}^{-1}F(t) = \int_D F(x)K(xt)\mathrm{d}x$$

换一种说法就是,若 $\mathscr{T}$ 是相应于一个傅里叶核的算子,则 $\mathscr{T}^{-1}=\mathscr{T}$,或 $\mathscr{T}^2=I$ 是恒同算子。

在分析和物理中更方便的是汉克尔变换

$$\mathscr{H}_\nu f(x) = \int_0^{\infty} tf(t)J_\nu(xt)\mathrm{d}t$$

其中 J_ν 是 ν 阶的第一类贝塞尔函数。汉克

尔变换是对称的：$\mathscr{H}_\nu^{-1} = \mathscr{H}_\nu$。

另一种常用的变换是梅林变换

$$\mu f(s) = \int_0^\infty f(t)\,t^{s-1}\,\mathrm{d}t$$

integraph 积分仪 数学仪器。用于绘制由图形定义的函数的不定积分。大约在1880年左右，两种这样的仪器独立地由英国物理学家C.V.博伊斯和立陶宛数学家B.A.阿巴卡诺维奇发明，后来由其他人修改和改进了。当积分仪按给定曲线的轮廓描绘时，就自动画出要求的积分曲线。

integrated circuit（IC） **集成电路** 电子元件的集合。把有源半导体元件(晶体三极管和二极管)和无源元件(电容器和电阻器)以及它们的互连线都制造在一块叫衬底(最常用的衬底材料是硅)的小芯片上，制成一个单元，组成一个整体结构。因为一个集成电路的尺寸很小，所以有时也称微型电路。

第二次世界大战期间，减小电子设备尺寸的需要促使工程师们研究减小电路结构的方法。首先在电路结构上采用印刷法：在陶瓷块上镀以金属膜，在膜上印刷连接电子元件的图形，刻蚀出图形后，把电子元件装在适当的位置。1947年晶体管的发明使电子电路多方面革命化。晶体管不仅是第一个有放大作用的固态器件，而且证明了半导体的巨大潜力，它也能做得很小，并很快地用于印刷电路技术中。1958年制造了第一个在衬底上的电路单元，叫做单片集成电路。不久发展了电路集成的基本技术和设备。早期的IC是在一块3毫米见方的硅芯片上包含约10个分立元件。到20世纪70年代初，大规模集成(LSI)的发展使差不多同样大的硅芯片上可以容纳几千个晶体管和其他元件。这项技术产生了微处理器。一个微处理器芯片上包含有完成数字计算机的中央处理器所需要的全部数学、逻辑和控制电路。20世纪80年代发展起来的甚大规模集成(VLSI)更大地增加了微处理器的电路密度，同时存贮器和配套芯片也一样。这项技术生产的微处理器，在小于4厘米见方的芯片上包含有多于300万个晶体管。

集成电路有几种类型。单片集成电路也叫作半导体或硅集成电路，它是重叠几层不同材料和不同图形所构成的三维电路块。其中的电路元件是由一些特定的图形和在制造这多层结构中使用的导电层、半导体层和绝缘层的布局而形成的。

集成电路能完成的电子学功能很多，包括数字电路(例如计算机中的逻辑电路)和模拟电路(例如放大器电路)。在许多应用领域中，集成电路的性能比一般电路优越得多。因为它们的尺寸小，功率消耗小，热量产生得少，价格适中，可靠性高，工作速度快，所以可制成用其他方法办不到的电子系统。例如，如果没有集成电路，计算机技术将受到很大地限制。集成电路技术使航空器、航天器和弹道导弹的测试操纵设备革命化。集成电路也容易维修，因为它是一个完整的电路单元，很容易替换。

集成电路的尺寸不断缩小，同时变得更精致和复杂。价格的优越性和大量生产使得这种技术适用于电子工业的所有领域。自动调焦照相机、程序控制的微波炉和个人计算机等所显示的家用电子设备的革命，如果没有集成电路技术是不可想象的。

integration 积分法 数学中指构造并计算某种称为黎曼和的无限和。通常说的积分法更恰当地是指反微分的技巧，虽然微积分基本定理证明这两个过程是等价的。积分法是要求函数 $g(x)$，它的导数 $Dg(x)$ 等于已知的函数 $f(x)$，用积分符号 $\int$ 把它记作 $\int f(x)$，通常称为函数 $f(x)$ 的不定积分(经常加上符号 dx，它仅仅表示 x 是变量)。定积分记为 $\int_a^b f(x)\,dx$（a 与 b 称为积分限），它等于 $g(b)-g(a)$，其中 $Dg(x)=f(x)$。

只要回忆那些其微商为已知的函数，一些函数的反微商就可以算出来，而积分的技巧差不多就是把函数进行分类，根据它结构的类型把它化为其反微商很容易求得的形式。例如，容易看出，$1/(x+1)$ 是函数 $\ln(x+1)$ 的微商。而函数 $(x^2+x+1)/(x+1)$ 的反微商就不容易看出，但如果把它写成 $x(x+1)/(x+1)+1/(x+1)$，就很容易看出它是 $x^2/2+\ln(x+1)$ 的微商。一个有用的积分法是分部积分法：

$$\int f Dg = fg - \int g Df$$

也就是说，如果被积函数是另外两个函数(一个函数 f 与一个可以看出是某函数 g 的微商的函数)的乘积，那末计算它的积分可以换成计算乘积 gDf 的积分。例如，若 $f=x$，$Dg=\cos x$，则

$$\int x\cdot\cos x = x\cdot\sin x - \int \sin x$$
$$= x\cdot\sin x + \cos x + C$$

反微商可以用来计算像面积、体积、作功等这样的量，一般说可求任意一个通过某种方法能化为曲线下的面积的量。

integrator 积分器 完成数学上积分运算的仪器或一组器件。积分运算对求解微分方程和积分方程以及生成许多数学函数是重要的。现代的积分器有多种型号和大小，最早的形式是叫做*求积仪*(**planimeter**)的机械仪器。有一种简单的由盘和轮组成的机械积分器，其主要部分装着互相垂直的轴，带有一个装置能确定与盘(或转台)相摩擦接触的轮子的位置。使用时，盘的角位移 dx 引起轮子相应地转动一个量 dz。积分轮(半径为 a)的大小引进了一个数量因子，而它在盘上的定位表示被积函数 y。因此从微分的角度看，z 的微分通过一个形如 y/a 的乘数因子和 x 的微分连系起来了。积分轮转的有限圈数(盘也转了有限圈)将是 z，表示为从 x_0 到 x 的不定积分，其中 x 的初值是 x_0。被积函数(或距离 y)的值可以是正或负，根据由问题的条件所确定的与轮子的接触点位于盘子中心的哪一侧而定。在电子和计算机工业中，电子积分器或电子积分电路已经大量地取代了机械积分器。插图表示一个起积分器作用的电路。对于随时间变化的输入，如果在示意图中显示的电阻 R 比之于电容器 C 的容抗 X_C 大得多，则电流的相位几乎和输入电压 E_{in} 的相位一致，但输出电压 E_{out} 的相位滞后于输入电压 E_{in} 的相位将近90°。因此输出电压是输入电压的时间积分，也是电流和容抗的积。从相似的观点看，许多普通的仪器可以看作是一个积分器，例如，路程计和电表。

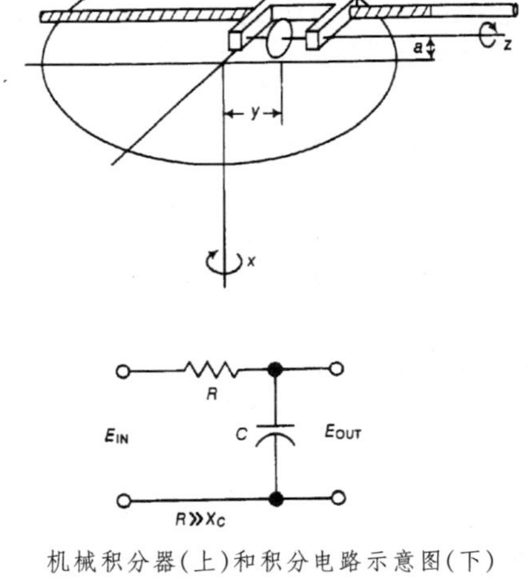

机械积分器(上)和积分电路示意图(下)

integument 外皮 被覆生物外表面的界面组织及其衍生物，主要起保护及感觉作用。在单细胞生物主要指细胞膜及其分泌层。在植物和无脊椎动物则为表层细胞及其分泌层。但只有脊椎动物才存在复杂的外皮系统，包括种种衍生物。随着动物由水到陆，对外皮保水、保温及防止损害的功能要求越益增加，外皮的结构也更加完善。

植物的外皮与动物的外皮相比，显得较为脆弱。低等植物因体小、多生于潮湿地方，外皮很不发达。至高等植物才分化出上皮细胞。例如叶的上皮为单层细胞，外侧胞壁加厚，透水性小，有气孔供二氧化碳、氧及水交换。很多维管植物有毛样突起，有的分泌挥发油，有的分泌刺激性物质。根的上皮吸水，故薄而角化不显著，并具大量根毛以扩大吸收面积并具锚定作用。

无脊椎动物的外皮因种类不同而异，又可分为：①细胞成分。多孔动物、刺胞动物及其他一些水生无脊椎动物体表有一层上皮细胞(外胚层)。陆生无脊椎动物大多具表皮结构。这些外皮中常可见感觉细胞、刺细胞等衍生物。有些物种的外皮下有腺体，开口于外皮上。②非细胞成分。单细胞生物也可有蛋白质或纤维素的表层，其中可含硅质或碳酸钙，放射虫甚至在细胞内有硅质内骨骼。一部分无脊椎动物靠液压来维持坚实度，更多的是靠分泌在体表的骨质。低等无脊椎动物的外壳仅负保护之责，但在节肢动物中肌肉附着其上组成运动系统。珊瑚分泌钙质骨骼。某些海生环节动物在体外分泌有管状外壳。棘皮动物(如海胆)体表具钙质硬甲。软体动物的贝壳由外套膜分泌而成，由外而内分为角质层、棱柱层和珍珠层3层。节肢动物的外骨骼最为完善，由几丁质构成，许多甲壳动物的外表皮还含钙质，故甚坚硬。陆生节肢动物的外表皮为活组织，除作为外骨骼外，还具腺体以分泌蜡等隔水物质，并可衍生

出感觉毛、鳞片、爪、翅等。在个体生长过程中,外骨骼必须定期脱落(蜕皮)。

脊椎动物外皮也主要营保护和感觉功能,也是活系统,能防菌、隔水且感觉灵敏,外皮在口、鼻、肛门等处与黏膜相连。皮肤分为表皮及真皮两层。表皮最外层为角质层,经常磨蚀剥落,由基层再生替补。下面为真皮,含结缔组织及神经末梢,血运丰富,并由此衍生出膜成骨(骨鳞、骨片及部分头骨)。皮肤腺为单细胞或多细胞,单管或分枝,连续或定期分泌甚或只分泌一次。黏液腺分泌黏液,用于润滑体表以利行动。浆液腺包括汗腺,另外还有皮脂腺、蜡腺、乳腺、毒腺等等。深海动物的发光器官亦为皮肤腺衍生物。皮内常具色素,有的可随环境的亮度和颜色而变。表皮鳞在爬行动物最发达,鸟和哺乳动物的暴露部分亦有,为角质,常定期脱落。响尾蛇的尾、豪猪的刺和穿山甲的角质片均为表皮鳞衍生物。爬行动物以上的动物均有爪,但指(趾)甲和蹄只见于哺乳动物。角为皮肤衍生物,某些动物角的基部有骨质。鹿角则主要为骨质,但在幼时外覆上皮。鸟羽和哺乳动物的毛也是表皮特化产物。至于真皮衍生物,真皮鳞主要见于鱼类和某些爬行动物(龟、鳄、某些蜥蜴和几种蛇)。龟鳖类的真皮鳞形成骨板,且与脊椎及肋骨相连。随着进化,表皮衍生物增多,真皮衍生物减少,在鸟中已无真皮鳞,哺乳动物中仅犰狳还具真皮鳞,在鸟类和哺乳类,尚存的真皮衍生物还有脑颅的膜骨、下颌骨和锁骨。

脊椎动物的皮肤在进化过程中越益复杂,圆口类中七鳃鳗光滑无鳞,几层上皮细胞中杂有黏液腺细胞。鱼类具真皮鳞并富有黏液腺,软骨鱼尤甚。软骨鱼如鲨鱼的皮厚,具楯鳞,上有刺状突起,其组织构造似牙,中心为牙骨质,外层为釉质(由外覆表皮所分泌,故当楯鳞穿出皮肤后釉质即不再增加)。硬骨鱼具骨鳞,外覆皮肤。鲤鱼等具圆鳞,更进化的类型如鲈科鱼具栉鳞,鳞片后缘呈梳齿状。现代两栖类皮肤裸露,缺乏鳞、毛等衍生物。陆生两栖类皮较厚,外有角质层。蟾蜍皮的疣状突起系局部加厚所致。两栖类皮肤兼营呼吸作用,故富血液。黏液腺及毒腺亦常见。爬行动物皮肤更厚,具表皮鳞但无或几乎无腺体。滑行者鳞片叠置且光滑,但龟类骨片则为真皮衍生物。鸟类的皮肤松而薄,缺乏腺体,大部覆羽裸露处覆以鳞片。羽分3类:正羽为飞行器官,毛状羽和绒羽主要起保温作用。色素只分布于羽和鳞片上。鸟类定期更换羽毛。哺乳类的一个特点是皮肤具毛。哺乳类真皮富含纤维,经鞣制后可作皮革制品。毛发主要起保温作用,许多动物口鼻眼周的长触毛感觉极为灵敏。体毛常附有立毛肌,遇冷时可使毛耸立以增加空气层的厚度。哺乳类还有多种皮肤衍生物,大部为表皮来源,如鳞、指(趾)甲、爪、蹄、角等,仅犰狳有真皮鳞(骨片)。哺乳类和鸟类体表常具彩色,或具保护作用,或为同种辨认和两性吸引的信号。

胚胎发育中,外胚层衍生出表皮,真皮则由中胚层分生出来。在脊椎动物中最能看出由水到陆的进化过程。在进化过程中,表皮较皮肤的其他部分发生更多的适应性变化。鱼具鳞,体表覆以黏液,以减少游动阻力并防止水分进出体内。两栖类开始上陆,以水栖为主者皮薄而富黏液,以陆栖为主者皮较厚有角质。至爬行类皮更厚,富角质,能耐干旱。鸟类能飞行,羽毛用作飞翼、水翼和起保温作用,皮肤变得松而薄。哺乳类皮肤则随多种环境而变得更为多样化,由平滑的海兽直到多毛的北极熊。皮肤的主要功能一是保护,防御伤害、异物和病菌的侵入;二是信息交换,皮肤富含神经末梢,感觉锐敏。恒温动物的皮肤兼管体温调节。皮肤色有同种辨识和两性吸引的作用。皮肤再生能力强,可迅速封闭伤口。真皮的防御功能还表现在炎症反应。事实上,皮肤栖息的菌丛与宿主形成一种生态平衡。

Intel Corporation　英特尔公司　美国半导体计算机电路制造商。该公司除微处理机外,还制造微型控制器(单芯片计算机)、存储器芯片、计算机模型和计算台、网络和会议用产品以及并行超级计算机。总部设在加利福尼亚州圣克拉拉。

该公司于1968年由R.诺伊斯和G.穆尔所创建。二人在费尔柴尔德半导体公司工作时,曾发明集成电路。他们为制造大规模集成(LSI)电路,便组建了自己的公司NM电子公司。很快A.格罗夫前来入伙,直至20世纪90年代中期格罗夫仍为公司主管。不久新公司改名为英特尔公司。该公司1968年后期开始制造的大规模集成电路就是半导体存储器;当时这种存储器较磁芯存储器(那时的工业标准)贵出10倍。该公司1970年制造出1103,取得第一次突破性进展;1103为1-千字节动态随机存储器(DRAM),它是世界上第一枚可储存大量信息的芯片。1971年该公司推出4004,它是由2 300个晶体管组成的芯片,也是世界上第一台微处理机。由于有了这些产品,英特尔公司的半导体芯片便开始代替磁芯作为计算机存储器。该公司1974年推出8080;它是8-位微处理机,即:可一次以8位(二进制数字)处理信息。8080这种世界上首批通用的微处理机,有些是用作首批微型计算机装配在现金进出记录机、自动出纳机和许许多多消费用品上。国际商业机器公司(IBM)在其第一台个人计算机(IBM PC)上选用了英特尔公司1978年推出的8088微处理机;由于国际商用机器公司的个人计算机设计被广泛采用,8088及其以后英特尔公司出产的微处理机成为所有一切PC-型计算机的标准配件。在以后的年月里,英特尔公司生产了一系列更快、功率更大的微处理机,著名的有16-位的80286(1982年推出)、32-位的80386(1985年推出)、80486(1989年推出)和奔腾信息处理机(1993年推出)。该公司主宰了微处理机的市场,是世界上最大的半导体电路制造商。到20世纪末,英特尔的顶尖微处理器奔腾4包含4 200万个晶体管和一个可以运行到1.7G赫兹的中央处理器。虽然在90年代英特尔面临日益加剧的竞争,但80%以上的新个人电脑安装的都是英特尔处理器。

intelligence　情报　在政府工作中经过评价的有关其他国家(通常是、但不一定是敌国)的实力、活动和可能的行动的信息。

情报机构旨在提供有助于领导人决策的经过评估的情报。要得到这样的情报大致有三个步骤。首先必须决定要了解什么,然后搜集相关的情报,最后进行评估和分析。第一步——决定要搜集什么情报——有多种可能性。政治情报——最希望得到的情报——也许是最不明确的,因为对一个国家的政治情况很难作出正确的分析。政治情报包罗万象,从关于党派组织和意识形态上的敌人的情报到所有重要人物甚至次要人物的详细传记。其次要搜集的是军事和科技情报。这些被称为"硬"情报,因其可以用数量表示和可以被证实(如利比亚战斗部队的数量),不像"软"的政治情报(如下一届玻利维亚政府将由谁组成)。有关经济、社会、宗教活动、农业、气象及其他有关国家运作的信息也是重要的情报。

搜集情报可能必须使用许多种方法。与间谍电影给人们的印象相反,大多数情报是通过公开渠道获取的,诸如外国的报纸、广播和电视以及政府报告。外交官员也可提供信息。其他的情报则采用秘密手段搜集,如通过卫星、破译机密电文及在外国的特工人员搜集。

情报这个概念并不新鲜。早在公元前400年,中国的军事理论家孙子所著的《孙子兵法》一书中就提到使用间谍人员和准确的情报的重要性。洞悉敌人的意图是至关重要的,因此自古就运用情报系统。然而直至18世纪末期,国家的国内安全保卫任务和国外的情报任务才得以分开。人们曾经认为,第一次世界大战的发生就是糟糕的情报工作的部分结果,因为被卷入战争的国家没有一个曾蓄意进行战争。这是一次重大的教训,此后由于科技进步(尤其是电子学和航空技术的突飞猛进),20世纪20、30年代情报机构得到发展,并在第二次世界大战期间急剧壮大。在其后的冷战年代中,世界上各敌对国家更多地是通过谍报机构而不是通过军队进行斗争。

20世纪后半叶,著名的谍报机关有美国的中央情报局,苏联的克格勃,英国的军事情报第五处、第六处,法国的国外安全总局,中国的国家安全局和以色列的摩萨德(Mossad)。

世界各国的主要情报机构可分为三种基本的类型:一种是美国型(例如,日本和韩国使用此类型);一种是苏联型(为共产党集团的成员国所仿效);一种是英国型(许多西欧国家属于此类型)。第二次世界大战期间,美国主要的情报机构是战略服务处,战争结束后不久,由战略服务处发展而成中央情报局。尽管成立中央情报局的目的是要使美国的情报工作集中化,但事实上它只是美国情报"社会"中的一员,这个情报社会包括军事情报部门,以及国务院、能源部、国家安全局和联邦调查局。虽然这些部门从理论上说是平等的,但中央情报局是其中最突出的。中央情报局从成立以来,其主要活动是搜集情报,反情报,和有时进行最有争议的通过隐蔽的军事行动或其他手段直接干预别国内政。中央情报局的首脑由总统任命,是总统的主要情报顾问。中央情报局分为四个主要部门：行动处、科技处、行政处和情报处。行动处负责秘密活动；科技处保持与世界范围的情报与科技的发展同步；行政处负责招募、训练人员和储存情报；情报处负责搜集情报并提出最后的报告。该局的正式报告称为“国家情报评估”。该报告经情报委员会审查后送呈总统，它代表中央情报局工作的完成。

苏联的克格勃于1954年由原有的情报和安全机构组成，是1917年成立的布尔什维克的秘密警察机关“契卡”的直接继承者。从各方面来看，克格勃是苏联情报界的中心，它发挥着三项主要功能，即情报、反情报和国内安全。早在克格勃首脑尤里·安德罗波夫于1982年升任苏联领导人之前，观察家就发现克格勃首脑拥有极大的权力。克格勃分成若干个总局，其中的三个分别是第一总局（从事反情报工作），第二总局（负责搜集国外情报），第三总局（负责国内安全，据说包括Smersh——从俄语smert shpionam而来，意为“杀死间谍”）。在1991年苏联解体之后，克格勃以前的许多权力被剥夺，处于俄罗斯民选政府的控制之下。

英国情报机关的特点是高度机密性。它分为秘密情报处和安全处，分别以它们在战时的名称军事情报第六处和第五处而闻名。这些机构的内部工作情况鲜为人知，这种模式的保密为法国和其他西欧国家的情报机关所效法。

intelligence 智力 一种心理品质，它体现了一个人通过经验进行学习的能力，对新环境的适应能力，理解和运用抽象概念的能力和运用已学到的知识改造他所处环境的能力。智力理论的流派虽多，但一致的观点认为：智力是一种具有生物学物质基础的心理潜能，而不是一种熟练掌握的技能。智力是被个人的经验和学习（源于生活）塑造过的中枢神经系统（源于遗传）的功能活动，是一个先天遗传和后天学习的混合物。

智力可以通过*智力测验*（**intelligence test**）加以量化。主要的智力测验有斯坦福-比奈智力等级测验和维-贝二氏智力等级测验，量化标准是智商（IQ）。IQ最初的计算方法是：IQ = 智力年龄/生理年龄 × 100。但现在人们普遍认为智力年龄的概念已经过时，故IQ的现代概念认为：在统计学上，人群中的IQ完全呈正态曲线分布，一个人的IQ实际上是他在这个正态分布曲线上所占据的一个点。智力高低并不能决定一个人的社会成就，无数的事实证明用智商预测人生是靠不住的，尤其是走出学校、步入社会以后，更是前途难测。如何将智力转化为实际的社会成就还是一个尚待解决的问题。现在还无法对人的遗传性智力功能作出客观评价，因此，也就无从了解环境因素在智力形成上的准确作用。人们曾将同卵双胞胎生后即放在不同环境下抚养，但也没有得出肯定的结论。有必要明确这样两个概念：智力水平和智力模式，前者是一个人的智商综合得分，后者是此人在不同能力单元上表现出的智力差异。如一个人的智商是120分，但他的语言能力可能比他的数学能力差得多。此外，如果一个人在他早年教育中各种能力的发展长期不平衡，到了25岁，他的总体智力水平就可能明显下降。因此，作为一个综合性智力评估，智商只代表此时、此地、此种试题组合条件下的综合性智力水平。它既不能为日后智力的均衡发展提供有任何价值的信息，也没有考虑到各种文化、经济环境的影响。20世纪50年代以后，J.P.吉尔福德提出了一项当时最具影响力的智力理论，认为智力包括三大类（逻辑操作、内容和产品），共计120种能力。进入70年代以后，人们开始直接对构建智力基础的精神过程及其在各种环境背景下的运作方式进行研究，从而使得吉尔福德的智力结构定量研究又得到进一步的补充和发展。此外，人类认识过程的计算机程序模型的建立，以及对智力活动之神经生物学基础的研究，都在人类智力的研究中有着光明的发展前景。智力水平日益明显地受到现代社会经济结构的影响，研究表明，来自不同文化背景但具有相同社会层次的人有明显的智力差异。在遗传性智力结构能否有效地转化为实用的智力功能方面，营养状态、教育水平、家庭生活、儿童福利、社会稳定等因素都起着至关重要的作用。

J.皮亚杰曾对儿童智力发展研究作出了划时代的贡献。他通过对个体儿童的研究得出结论：儿童的智力功能是严格地遵循着生理年龄的增长而发展的，没有超越年龄的智力。皮亚杰的智力发展理论筑就过历史的辉煌，今天仍有广泛的影响。

intelligence, artificial（computer science） 参阅 **artificial intelligence** 人工智能。

intelligence test 智力测验 由对人们的抽象思维、学习和应对新情境能力进行测量的、成套的作业项目构成。应用最广泛的智力测验是斯坦福-比奈智力量表和韦氏智力量表（包括成人量表、儿童量表和幼儿量表）。斯坦福-比奈智力量表是法国的比奈-西蒙智力量表的美国修订本，最初由斯坦福大学心理学教授L.特曼于1916年引入美国，并先后于1937、1960和1972年三次修订；这种个别测验主要是用于评价二岁及二岁以上的儿童；测验题目按年龄分组，问题解决涉及算术、记忆、词汇等技能，测量结果用智商（IQ）来表示——这个最初由德国心理学家W.斯特恩提出的概念后被特曼应用于斯坦福-比奈量表中。IQ最初的计算方法是：IQ = 智力年龄/生理年龄 × 100。智力年龄就是某儿童通过的智力测验的年龄等级。这样，如果一个10岁的孩子通过了12岁级别的智力测验，那他的IQ就是120。根据这一概念，IQ = 100者，智力均常；高于100者，智力高于平均水平；低于100者，智力低于平均水平。但现在人们普遍认为智力年龄的概念已经过时，很少有测验再计算智力年龄了。但仍有许多量表用智商（IQ）来表示测量结果，而这个智商（IQ）是根据具有某一智商（IQ）的人占总人群的百分比计算出来的。智力测验的分数呈近似正态分布，也就是说，大多数人的分数在分布曲线的中段，远离曲线中点的分数下降得相当快。例如，有15%的人的IQ都在85～115之间，95%的人的IQ在70～130之间，IQ在130以上者被视为天才，而低于70者被认为是智力发育不全。智力测验引发了很多争论，这些争论大都是有关构成智力的心理能力，以及IQ能否准确的反映出这些心理能力的问题。争论的焦点是测验结构中存在着的文化偏见，以及测验程序的标准化问题。持批评态度者认为：智力测验对富裕阶层多有关照，而对地位低下的少数民族、种族和社会集团却多有歧视。因此，心理学家就试图编制一种能准确地反映出个体的自然能力的所谓“无文化背景”测验。20世纪60年代早期L.罗森伯格编制的、测量学龄前儿童智力的约翰斯·霍普金斯知觉测验就是其中之一。其中有一个项目是让孩子做不规则形状的拼图（不使用像圆、方、三角形等规则的几何图形，因为孩子们对它们的熟悉程度不同）。还有一个解决办法就是根据儿童不同的生活环境制定不同测验内容，例如对城市儿童应选择城市和非农村的情景。渥太华的心理学家试图测量受试者的基本神经效能，测试技术包括用计算机处理闪光信号的脑电图表现，而不直接测量IQ。

Intelsat 国际通信卫星组织 International Telecommunications Satellite Organization的缩写，又称国际通信卫星联盟（1964～1973）。这个组织由美国通信卫星公司发起，在其他17个国家的电信机构的参加下于1964年建立。卫星和卫星地面控制站属国际通信卫星组织所有，设在各成员国的发射和接收设备，则归这些成员国所有。几年间，该组织的成员已遍及世界上大多数国家。该组织同美国国家航空和航天局签订发射卫星的合同。它的第一颗卫星“早鸟”号后来改名为“国际通信卫星1号”于1965年发射到大西洋赤道上空的同步轨道上。几年内国际通信卫星系列的其他卫星发射到太平洋和印度洋上空，建立了一个在地球上任何地方都可以利用的商业通信网。

intendant 总督 法国旧制度下的行政官，担任国王派驻各省或财政区的代表。约1640～1789年，总督的设置成为王朝实现行政统一与集权的主要体制。总督体制的起源不详。最初可能由于王朝需要对购买官职的朝廷官吏进行监督管理而兴起。朝廷通过委任状派遣拥有明确权力的代表或特派员，在指定时间内，为了一个特殊目标在各省巡察。但到了1555年，亨利二世则向他们指定特殊地区。特派员被派往特别骚乱的地区，并向省长或驻军报告视察情况，后来，他们称作总督。17世纪初，在某些特殊的省，总督成为永久性的职位。1635年后，几乎所有各省均派有总督。到了17世纪30年代，特派员成为与省级平行的行政官，使朝廷可以以他们的权力取代省军事长官或其他地方官员的权力。到了17世纪40年代，特派员成为地方当局的对手，甚至实际上取而代之，特别在各省财政职能方面，尤其如此。地方官员的愤懑是造成投石党起义（1648～1653）的因素之一，迫使路易十四于1648年取消除某些边远省份外的总督享有的权力。这一决定并无持久的结果,1653年又重设了司法、警察、财政等总督。路易十四亲政(1661)后,总督成为正规的王朝代表。1789年,法国的34个财政区中设有33名总督。他们负责执行中央命令,监督地方官员,对地方自治机构(特别是省议会)代表国王,并向中央报告当地经济形势与公众舆论。他们的任务始终是提供情况,而不是作出决定。如需采取行动,必须请求王政会议颁发命令,而命令通常都按照他们建议的方针起草。作为司法总督,可主持地方法庭,停止不称职的司法行政官的职务,成立特别法庭,镇压盗匪和叛乱。作为财政总督,可决定地区赋税,与议会商讨年度征税总额;至17世纪末,则负责征收新税。他们负责公共秩序时,协调宪兵司令的活动,有时也干预私人事务,请求颁发密札(**cachet, lettres de**)。他们还兼管市政。他们享有的权力使人民不满。为了纠正他们权力过大,1787年设立省议会。1789年总督权力被废除。

intendente 督统 18世纪西班牙波旁王朝的国王仿效法国的总督(intendant)而任命的官员。他们是王室实行中央集权和行政改革的工具,但往往由于与地方特权发生冲突而受到抵制。在西班牙的殖民地中,此制曾于1765年实施于古巴。拉普拉塔新总督区建立后,此制在全区推行,到1776年共有布宜诺斯艾利斯及波托西等12个督统辖地。

intension and extension 内涵和外延 逻辑学中表明一个名词或概念的两个互相关联的单词。"内涵"指的是构成其形式定义的一个名词或概念的内在内容。"外延"指的是:通过对一个名词或概念所表示的某些特定事物加以命名,以说明其适用的范围。例如,"船"作为一个名词的内涵是"水上的运载工具",而它的外延则包含货船、客船、军舰和帆船等。内涵和外延与"包摄(内含)"和"概述(外延)"并不相同,尽管都是逻辑学术语。

intensive agriculture 集约农业 对农田投入大量劳力和资金的一种栽培制度。施用肥料、杀虫剂、杀真菌剂和除草剂来栽培作物,就需要大量的劳力和资金。为了购买和维修效率很高的种植机、中耕机和收获机,以及为当地所必需的灌溉设备,资金尤其重要。由于恰当地使用这些材料和机械,农作物的单位面积产量大大高于投入资金或劳力很少的粗放农业。因此,实行集约农业的农场与实行粗放农业的农场相比,所需土地较少即能得到相同的收益。但实际上,集约农业的收益和效率提高后,农场经营者受到鼓舞,便往往经营大片的土地,以使他们在机械上的投资得到充分的利用。从理论上来说,集约农业的生产率高,能够使农场主使用一块较小的、靠近市场的土地,这种地方地价与劳力和资金相比为高,在世界上许多地方确实存有这种情况。如果劳力费用、购买机械和化学制品的费用以及储藏和运输费用太高的话,那么,农场主就会发现转向粗放农业较为有利。但实际上许多经营规模较小的农场主把集约农业和粗放农业结合起来,其中许多人在离市场较近的地方经营。许多搞大规模经营的农场主,特别是加拿大和美国这样一些幅员辽阔农业先进的国家的农场主,在地价较低、远离市场的地区实行集约农业,耕种大量土地,产量很高。可是,在这样的社会里,生产过剩常会引起价格下跌,从而降低了利润。

intention 意向 经院哲学中逻辑学和心理学的术语,用来描述一种存在或关系的样式。在认识中,心灵被说成"意指"或"趋向"它的对象,而被认识的事物或在认知心灵中的事物,则有一种"意向的存在"。意向或者意味着认知的心灵或者意味着知识本身,其用法类似于知觉概念,或者指感知活动或者指被感知的事物。第一意向是对事物本身的认识,第二意向是对所知事物的认识。因此,人这个词在"人是有死的"这一陈述中属于第一意向,而在"人是一个种"中属于第二意向。经院哲学家认为逻辑学由对第二意向的研究组成。

intentionality 意向性 现代文学理论中,指对文学作品中作者的创作意图以及该创作意图对文本解释的相应实用性的研究。第一次世界大战后,随着"新批评论"占领支配地位,对意向性的许多争论都是针对外部信息能否帮助确定作者的创作意图这个问题。1946年W.K.温萨特和M.比尔兹利在《塞万尼评论》发表有影响的论文《意图谬误》,进一步质疑探求作者的创作意图的价值。而E.D.希尔斯等另一些评论家则强调:要确定一篇作品是否成功,就必须了解作者的创作意图;他争辩说,如不了解作者的创作意图,就无法确定作品是否满足了作者原先的创作意图。

intentionality 意向性 在现象学中,是指意识的特点,意识凭意向性觉识某物;换言之,意向性就是指向一个对象。意向性这一概念使现象学者能研究"内在的-超验的"问题——在意识之内的事物和超越意识之外的事物这二者之间的关系——其研究方式有别于许多哲学家所采取的方式。许多哲学家一直主张一个经验到的、表象的、记忆所及的对象(如一株树)是在意识之中的(内在的),至于真实的对象本身则在心灵之外(超验的)。这些哲学家把这种区别作为怀疑事物的存在和怀疑认识事物的可能性的基础。现象学学者指出,这种区别本是一个意义问题,因此属于反思的或本体论的水平;不过,这种区别是在日常世界的水平上(即自然态度的水平上)做出的。为了达到意义的水平,现象学学者不同于其他哲学家,采用了现象学的还原法,把存在加上括弧(即不考虑事物的存在或不存在的问题),并且只注意不可置疑的事物:意识和意识的直接给予的证据。在这种水平上,内在的东西就是适当给予的东西(如人看到树的前面),超验的东西就是人们意向的东西(树)。因此,如何从"内在的"变为"超验的"的问题,试分析一下对象如何对意识具有意义和意识如何与对象相联,便可解决。这个程序叫作意向分析或称为建构意义的分析。对象的每个剖面均指示整个对象(就像能够全方位地感知它)。因此,整体对象就是将许多知觉活动给予的所有剖面统一起来的东西。每一知觉预示其他的知觉,知觉是一个充盈过程。非直接给予的要素统称作内视域,对象得以显现的背景称作外视域。因此,对象的建构是意识活动的统一,是一切剖面与内外视域的统一。

Inter-American Development Bank (IADB) **美洲开发银行** 国际性组织,1959年由20个美洲国家政府所创建,目的是资助西半球的经济与社会发展。过去最大的认股者是阿根廷、巴西、墨西哥、委内瑞拉和美国。现在认股者有近30个美洲国家、日本、以色列和15个欧洲国家。该行所发放的许多贷款都用以改善低收入者的环境。在最初的40年中,银行发放了850亿美元的贷款。到21世纪初,其年度贷款发放额超过了100亿美元。

Inter-Governmental Maritime Consultative Organization (IMCO) **政府间海事协商组织** 参阅 **International Maritime Organization** 国际海事组织。

interaction, fundamental 参阅 **fundamental interaction** 基本相互作用。

interactionism 身心交感论 在笛卡儿哲学和心灵哲学中,这种二元论学说主张心灵与身体(简称心与身)尽管是分离的、有区别的实体,但都是互为因果地交相感应的。身心交感论者断言,一个心理事件,例如J.多伊想踢砖墙,能够成为一个身体行动——用脚去踢墙——的原因。反之,他的脚踢墙的身体事件也能够成为他感觉到剧痛的心理事件的原因。17世纪时,笛卡儿给身心交感论作了经典式的陈述。但他对于交感如何发生,却未作出令人满意的说明。这个问题直接地引来了17～18世纪法国笛卡儿哲学的信徒马勒伯朗士所主张的机缘论(他认为:是上帝在愿意的时候使脚移动)和其他种种关于身心关系的说明。其中包括17～18世纪的德国哲学数理学家莱布尼兹的理论,主张身与心之间有一种经上帝在创世时所预先设定的和谐;以及17世纪犹太籍荷兰理性主义者斯宾诺莎拒绝二元论而赞成一元论的理论:"身和心是一个基本实体的两种属性"——即所谓身心平行论的观点。身心交感论面临两个困难:①身与心作为两个实体,性质截然不同,何以能彼此影响;②用机械论的观点解释,物理学展示的结构根本不能为非物质的因素所渗入,这对于人脑同样适用。

interactive multimedia 交互式多媒体 内含电子计算机,使用户能控制、组合、操纵不同类型的媒体(例如文本、声音、影像、计算机图形和动画)的电子系统。交互式多媒体把电子计算机、存储设备、数字化(二进制)数据、电话、电视及其他信息技术集成在一起。其最常见的应用有电教节目、影像游戏、电子百科全书及旅行指南。交互式多媒体使用户由观察者变为参与者,被认为是下一代电子信息系统。技术上可以把采用常规磁盘存储器的个人计算机系统作为一类交互式多媒体。更高级的交互式系统从20世纪中期研制出计算机以来就一直在使用，例如在航空航天工业中用作飞行模拟装置。但在90年代初期，这一术语广泛用于描述带高容量光（激光）存储设备和数字音响系统的个人计算机。最常见的多媒体机由带数字扬声器和**小型只读光盘（CD-ROM）**驱动器（借助光学方法检索CD-ROM盘上的数据和指令）的个人计算机组成。许多系统还集成了用于同计算机通信的手持工具，例如小型控制键盘或控制杆。这样的系统使用户能阅读存储在高容量CD-ROM盘上的文本、活动图像和声音，并能重新安排它们的顺序，带一次写多次读光盘（WORM）驱动器的系统，使用户能建立和存储声音与图像。有些以个人计算机为基础的多媒体设备还集成了电视和收音机。到90年代中期，正在进行商业性开发的交互式多媒体系统有带计算机接口的有线电视，使看电视的人能自行制约电视节目；有高速交互式音像通信系统，靠光纤线路或数字化无线通信传送数字化数据；还有虚拟现实系统，能建立小范围的人造感觉环境。

intercalation 置闰 把若干日子插入一种历里，以便使它同太阳年（回归年）一致的一种方法。在当今普遍使用的格雷果里（格列高利）历中定期插入闰日（2月29日）就是一例。由于一个太阳年所包含的月相周期是一分数（12和13之间），要使太阴历（如印度历）中的月份能保持在应有的季节里，必须定期插入或舍弃一个整月。在天文学不发达的社会中，置闰和舍弃全凭经验，只要发现季节同它们有关的月份出现明显不一致，就随时置闰或舍弃。

interceptor 截击机 用于拦截敌机的**战斗机 fighter aircraft**。

intercolumniation 柱距 支承拱或檐部的柱子的间距。在古典建筑及文艺复兴式和巴罗克式建筑中，柱距以公元前1世纪罗马建筑师维特鲁威制订的规则为根据。柱距以柱子的直径（*D*）为单位来计算和表示，而在不同的建筑物中每单位的实际尺寸则随使用的不同古典柱式而变化。维特鲁威制订了5种柱距标准：即1.5*D*、2*D*、2.25*D*（最常用的比率）、3*D*和4*D*以上的柱距。虽然有这5种标准比率，但实际建筑中常有变化。在多立斯柱式的神庙中，转角上的柱距有时为正面和侧面柱距的一半。

intercourse, sexual 参阅 **sexual intercourse 性交**。

interdict 行政禁令 在罗马法和民法法系中，指行政长官就其权力范围内所发布的补救办法，以补救违反民法时尚未规定救济办法的情况。这种禁令可以是临时性质的禁令（为今后的诉讼做准备），也可以是最终性质的禁令。展示性的禁令一般包含对财物的权利，它要求有人或财物出现的一种命令。恢复性的禁令则是要求某人将拿走的财物归还的一种命令，或将已成的事实恢复原状，或终止对某种权利的特定的干扰。在中世纪的教会法中，禁令涉及阻止某人参加某种圣礼，甚至阻止某地区设教士职务，通常是强制某种形式的服从。对国家、对主教管区施加禁令的权力属于教皇及教会的总委会，但个别的教区，团体或个人可以由本地的主教给予禁令处分。在欧洲整个中世纪期间，禁令常常不是实际上被用作就是威胁性地被用来作为对付跋扈君主的手段。

Interessengemeinschaft Farbenindustrie AG（German cartel） 参阅 **IG Farben 法本化学工业公司**。

interest 利息 使用信贷或金钱所支付的代价，可用金钱多少或付款比率表示之。利息也可看做是由他人将来支付款项的契约性承诺所派生的收入。问题是："今天一项一年后付给100美元的承诺，其价值是多少？"如果答案是100美元，则未产生任何利息收入。不过，多数人需要有诱因，才愿今天放弃100美元，为期一年。如果5美元是充足的诱因——即人们愿以95美元购买这种承诺——则正好按5%的比率产生了5美元的利息收入。现有解释和阐述利息的各种学说，其中比较著名的有奥地利经济学派（或边际学派）的时间偏好学说和J.M.凯恩斯所提出的流动偏好学说。按照时间偏好学说，利息是从事耗时，但更富有成果的活动的诱因。按照流动偏好学说，利息成为取得非流动的契约性债务而牺牲流动倾向的诱因。值得提及的还有马克思学说的利息，它同资本一样是资产阶级凭借其政治权力所剥夺的劳动力的一部分。

interest group 利益集团 又称特殊利益集团（special-interest group）。广义言之，是指一种由个人组成的集团，以共同利益或要求为基础，在社会中对别的集团或社会整体提出权利或财产等要求，以巩固或促进自己的地位或目标。利益集团可以按动机、结构和政治活动三个方面来理解。以动机构成的利益集团可以有两种相反的类型，第一是常规性的利益集团，如像工会、农会、雇主公会等，这些集团最基本的目的是为了维护其成员的利益。第二类是公益性的集团，如像防止虐待儿童协会或各种志愿性的救济团体，它们的最基本的目的不是为了其成员自己的利益，而是为了全体居民，有时对其成员是不利的。以结构来理解利益集团，可以分为自然型的和社团型的。自然型的利益集团多出现在原始社会或发展中的社会，它们是建立在亲属、家系、邻里或宗教信仰的基础上。社团型的则多在工业化的社会里，如工会或反对核军备运动等。以政治活动来理解的利益集团，如像那些以自己的利益去影响政府，以达到自己的目的而形成的压力集团。

压力集团与政党不同。政党要有组织机构，并可选派成员担任公职，压力集团的宗旨是既要对政府施加影响，也要对政党施加影响。但压力集团往往最终形成政党，英国工党即其一例。所有的压力集团都愿意挑选政府最有影响的机构与之打交道，但最有影响的机构不一定是容易接近的。那就必须寻找另一个最有影响且易于接近的机构。一个利益集团的战略是要决定哪些机构是最有影响并能接受意见的，其战术则是使用一切手段和步骤，并制造一定舆论，要求国家行政部门和立法部门和有关党派，采取措施，并在立法上达到自己利益集团的目的。

interface 界面 物质两相的分界面，每一相可以是固态、液态或气态。界面并不是几何面，而是一个与任一侧物质性质都不同的薄层。水与空气之间的面就是常见的界面，它显示出表面张力之类的性质，表面张力使界面略似绷紧的弹性膜。界面效应，也就是在界面发生的过程，包括液体的蒸发，洗涤剂和化学催化剂的作用，以及金属对气体的吸附等。

interference 干涉 物理现象，指沿相交的或重合的路径传播的两个以上波列组合之后的净效应。这种效应是指受两个以上的波影响的每一点处诸单个波振幅相加的效应。如果其中两个分量的频率和相位是相同的（即它们以相同的速率振动并同时达到最大），则波的振幅增强，产生相长干涉。但是，如果两个波的相位相差1/2周期（即一个分量为最大时，另一个为最小），就导致相消干涉，若它们的振幅相等则产生完全消振。图A、B和C中的实线代表两个振幅略有不同而波长相等的波（虚线）的合成。图A中的两个分波相位相同，图B和C中的两个分波相位各相差1/4周期和1/2周期。若向水塘中投两粒石子，则有波从每个波源向外传播，在它们重叠的地方就发生干涉。一个波顶与另一个波顶相重合处发生相长干涉。来自双缝的两列光波发生干涉时的效应是一幅可在屏幕上看到的图样，表现为一组交替出现的亮带和暗带，分别是由于在两个光波同相和异相的点上光增强和减弱而造成的。两列同方向运动但波长或频率不同的波也发生干涉。合成的效应是一个复波。当二者的波长略有不同时，就形成一个脉动频率，称为拍。图D、E和F所示为由两个相干涉的分波（虚线）合成的复波（实线），它们的波长比为1:2，振幅比为1:3。沿相反方向行进的波之间发生干涉时形成**驻波（standing wave）**。

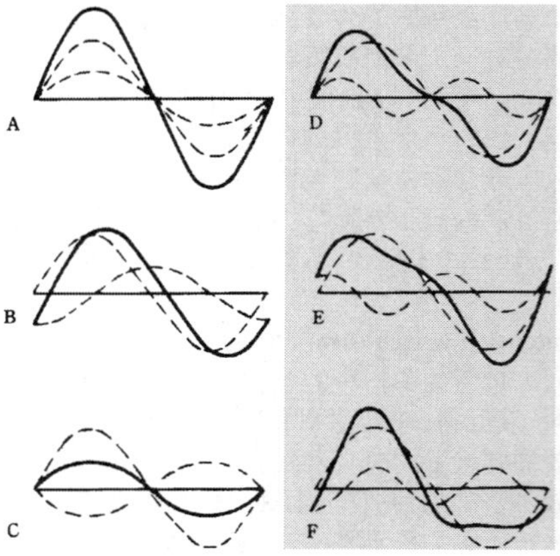

分波及其合成

interferon 干扰素 受病毒感染的机体细胞所产生的几种相关蛋白，这是机体的一种保护性反应。干扰素可抑制细胞内病毒的复制，这是机体对病毒感染所产生的最重要的、也是最迅速的防御性反应。绝大部分病毒感染并无致命危险的主要原因就是有干扰素的作用。所有脊椎动物和某些无脊椎动物在受到病毒感染或其他异物刺激时都能产生干扰素，但干扰素并不是直接地抑制病毒复制。侵入细胞的病毒首先激活细胞的干扰素基因，也就是细胞开始按照干扰素基因进行蛋白合成，这一过程大约需要一个小时左右的时间。干扰素蛋白再刺激周围细胞产生另一类能抑制病毒复制的蛋白质。据信，这种抑制作用源于这种蛋白质的合成过程不为病毒复制所接受。人们已经找到可靠的证据，表明干扰素和大多数病毒感染的自然痊愈之间的因果关系。目前已鉴定出的干扰素有α、β和γ三种类型，产生哪一型的决定因素是：产生干扰素的细胞类型和致病病毒的类型。一般讲，α和γ干扰素是由淋巴细胞产生的，而各种组织细胞则可产生β干扰素。干扰素是A.伊萨克和J.林德曼在1957年发现的。60年代的研究表明干扰素可防止和抑制恶性肿瘤细胞的生长。70年代发现人的白细胞干扰素可有效地控制人的病毒感染。80年代初，人们成功地用基因重组技术解决了产量低这个难题。人们把编码干扰素蛋白的基因片段整合到酵母的基因序列中，然后大量培养酵母，再从酵母蛋白中提取干扰素。这样可充分满足市场对干扰素的需求。在病毒性疾病和恶性肿瘤的治疗上，α干扰素的治疗效果十分显著，如控制普通感冒，治疗流感、带状疱疹、慢性乙型肝炎；用干扰素治疗眼睛的病毒感染和皮肤乳头状瘤等好像也有一定疗效。此外，毛细胞白血病（一种少见的白血病类型）和卡普西氏肉瘤（常为艾滋病的合并症）好像对α干扰素特别敏感，治疗效果甚佳。

interior design 室内设计 人造空间的规划和设计，为环境设计的一部分，与建筑艺术有密切关系。室内设计的任务是组织和美化室内空间，为预计要在这些空间内进行的人类活动创造一个协调的、适宜的环境。室内装饰是室内设计的一个重要部分，有时这两个术语是通用的，虽然严格地说，室内设计着眼于空间的较大范围构思和全盘组织；而室内装饰则限于选择最佳的织物、家具、颜色和附属陈设，以美化整个室内空间。室内设计人员要考虑外部建筑的形式和性质，内部空间的位置、大小、性质和照明，各种房间的功能，准备利用这些空间的人们的生活方式和社会经济需要，设计中采用的所有细节是否恰当。设计者的目标是创造一个协调的、和谐的整体，把室内的建筑、位置、功能与观感统一起来，使人身心舒畅。在室内设计中，尺度是一个极其重要的因素。家具和附属品必须与它们所占据的空间以及与人类的需要相称。空间的特色也同样极为重要，例如，空间给人的“感觉”究竟是要庄严肃穆，还是要随意自如。居住空间的设计和装饰要表达居住者不同的身份、趣味和生活方式。这种内部设计可以千变万化但整个良好的设计标准，如和谐的色调、织物、照明、尺度以及悦目的比例等，依然是最重要的。非居住空间（如办公室、医院、商店和学校）的设计要求设计者进行比较标准化的处理，往往要首先努力妥善安排室内空间的功能，然后考虑审美方面的问题。室内设计者用以产生效果的基本材料包括颜色、照明、织物、家具、墙面、地面和各种附属品。室内设计者可以按照自己的意愿设计室内的特殊构件，如家具或绘画，也可以从制造商和设计家们的五花八门的成品中选取现成的东西。窗户、壁炉、地面和天花板的处理也是室内设计的重点。

Interior Lowlands 内陆低地 在区域地质和自然地理学上指北美大陆中部开阔、平坦的地区。构造学上指在以往地质时期基本未受造山运动影响的北美大陆地区。范围北起加拿大北部的马更些河三角洲，南达沿海平原，西以西科迪勒拉山脉（落基山）为界，北、东以加拿大地盾和阿巴拉契亚山脉为界。在该地区美国部分，指中西部中央低地和大平原地形区，与之毗连的高地有苏必利尔高地、阿巴拉契亚高原（不包括阿巴拉契亚山脉）、内陆低高原和欧扎克高原。

interior monologue 内心独白 在戏剧性和非戏剧性的小说中，一种展示掠过主人公内心的思想的叙事手段。这些想法可以是松弛的近于联想的互有关联的印象，也可以是结构比较合理的系列的概念和情感。内心独白包括好几种形式：戏剧化了的内心冲突，自我剖析，想象的对话（T.艾略特的《普鲁弗洛克的情歌》），以及合理思考。这可以是直接的第一人称的表白，显然没有作者的选择或支配的成分，如小乔伊斯所著《尤利西斯》中M.布鲁姆的独白。或者可以采用第三人称的处理方法，以“他想”或“他一转念想起”这类的词开始。内心独白这个术语常常可以与“意识流”交替使用。内心独白既可以反映一切影响人物意识的思想片断、印象和联想，也可以只限于对人物的合理思想作有条理的表现。与自言自语的戏剧中的独白场景密切有关的内心独白，首先是由E.迪雅尔丹在《月桂树被砍掉了》（1887）一书中开始广泛运用。以后，它就成了20世纪心理小说的特有的手法。参阅 **consciousness, stream of**。

Interlaken 因特拉肯 瑞士中部伯尔尼州城镇。位于伯尔尼高地，阿勒河畔。地处布里恩茨湖和图恩湖之间，海拔568米。是瑞士最古老和游客众多的旅游胜地之一，夏季游客尤多。主要街道两旁有成排的旅馆。在因特拉肯可以眺望城南壮丽的少女峰（4 158米）山色，也是到阿尔卑斯山许多游览地的出发点。有纺织业和钟表业。人口5 176（1990）。

阿勒河畔的因特拉肯镇
美国不列颠百科全书公司供图

interleukin（IL） 白细胞间素 对活化淋巴细胞十分重要的天然蛋白质。被视为人体免疫系统中至关紧要的组成成分，发现于20世纪70年代，现仍陆续有新种类被发现。白细胞间素-1（IL-1）和白细胞间素-2（IL-2）是其中最为人知的两种。IL-1由巨噬细胞产生，巨噬细胞是一种负责吞噬和消化异物颗粒（抗原）及微生物的白细胞，当接触到抗原时会分泌IL-1，并将抗原“转呈”给辅助T细胞。辅助T细胞是一种淋巴细胞，被抗原活化后，IL-1又促使辅助T细胞分泌IL-2，IL-2又刺激更多的辅助T细胞和细胞毒T细胞（一类淋巴细胞，可以杀灭被感染的体细胞）分裂和繁殖。如此，IL-1和IL-2能动员大量T细胞来对抗特定感染原。20世纪80年代，研究人员开始实验性地用IL-2治疗癌症。自癌症患者血中取出淋巴细胞，在实验室中与遗传工程制造的IL-2一起培养，然后将这些经过IL-2刺激后的淋巴细胞（现称为淋巴因子活化细胞，LAK）注射回患者身上并辅以适量IL-2。初步实验结果显示，药物可产生毒性反应，并似乎仅对某些类型的癌细胞有轻微效果。

Interlingua 国际语 又称无屈折拉丁语，是拉丁语的一种简化形式，准备用作国际第二语言。原系意大利数学家G.皮亚诺于1903年发展而成的。但是，拉丁语中哪些部分被保留，哪些部分被扬弃，却不甚清楚。结果出现多种“方言”，混乱使热心者完全消失。20世纪40年代末和50年代初，根据国际辅助语协会的倡议，语言学家A.戈德将国际语重新制定，予以恢复，并提倡在国际科学界使用这种语言。经过重新修订的国际语的语法并不比世界语的语法复杂多少，它只有一种名词形式（取自拉丁语的夺格），没有性和格，复数以-s结尾，形容词只有一种形式，不与名词发生一致关系。另有一个定冠词。动词无人称和数的变化。有些国际科学期刊用国际语出版文摘和综述文章。但总的来说，这种语言还未广泛通用。

Interlochen 因特洛肯 美国密歇根州西北部未设建制的度假村。位于特拉弗斯城南16千米的水果产区。为因特洛肯全国音乐营所在地。该营建于1922年，初为因特洛肯营（州办夏令营）。1927年成为全国高中管弦乐队营，1931年为全国音乐营。1942年起附属于密歇根大学。该营使中学生音乐爱好者有机会同杰出的职业音乐家合作。6、7、8三个月几乎每天举办音乐会。1960年成立的因特洛肯艺术学会全学年进行音乐、戏剧及相关艺术活动。占地76公顷的州立因特洛肯公园与音乐营毗邻。

interlocutory decree 中间判决 一般是指非终局的司法判决或者对于争讼的非主要问

题作出的判决。例如美国关于离婚的中间判决，或者像英国在指定期间内不提出异议即行生效的离婚判决，都是暂时宣告双方离异，但在一定期间届满前并未终止婚姻关系的司法判决。这样一段时间之所以需要，是为了阻止轻率离婚，鼓励和解，并使法院得以监督双方对婚生子女作好安排。在英国，这段时间也使法院有机会去发现双方是否有合谋欺骗法院的行为。这段时间，在英国是六周；在美国，需要在离婚判决前先作一个中间判决的那些州，延续的时间为三个月至一年。参阅 **judgment**。

interlude 插剧 英国戏剧娱乐活动的早期形式，有时被视作中世纪道德剧和都铎王朝戏剧之间的过渡。由职业游方诗人或业余演员在宫廷或豪门巨宅里利用其他娱乐节目的间隙演出。尽管大多数插剧均为一些非宗教性质的幽默短剧，但被称作插剧的某些剧作今天则被归入道德剧范畴。J.海伍德是这种插剧最著名的作家之一，并使该类戏剧形式臻于完善。

intermediate goods 中间货物 参阅 **producer goods** 生产者货物。

Intermediate-Range Nuclear Forces Treaty 《中程核武器条约》 缩写为 INF Treaty。美国和苏联于 1987 年达成的销毁现存的能携带核弹头的中程和短程陆基导弹的核军备控制条约。该条约规定射程 1 000 ～ 5 500 千米的导弹属于中程弹道导弹和陆基巡航导弹；射程 500 ～ 1 000 千米的导弹为短程弹道导弹。70 年代后期，在欧洲部署中程弹道导弹成为军备控制问题。当时苏联用三弹头的精度更高的 SS－20 导弹取代了单弹头的SS－4和SS－5导弹；美国则在欧洲部署了“潘兴Ⅱ”式和“战斧”式巡航导弹。这些导弹命中精度相当高，可以摧毁加固的指挥所和导弹发射井。这在政治上促使美苏双方从 1980 年 10 月开始通过军备控制谈判削减此类武器。该条约的基础是美国于 1981 年 11 月提出的“零点方案”。经过 5 年艰苦谈判，苏联终于同意销毁而不是减少所有陆基中程弹道导弹，在 1987 年将该方案扩展为“双零点方案”。该方案不仅要求超级大国销毁中程弹道导弹，而且要销毁短程导弹。短程导弹包括美国的“潘兴 1A”和苏联的 SS－12 和SS－23。美国同意此方案，苏联则同意现场核查销毁导弹。1987 年 12 月 8 日，该条约在华盛顿由美国总统里根和苏共中央总书记戈尔巴乔夫签署。翌年，美国参议院和苏联最高苏维埃相继批准该条约。中程核武器条约要求在 3 年时间里逐步销毁 2 619 枚导弹，其中2/3为苏联的导弹，其余为美国的导弹。条约允许保留弹头和制导系统，但需销毁运载火箭及各种保障设备。双方的专家可对销毁过程进行核查。为确保永久销毁中程导弹，双方有权在 13 年时间里定期检查导弹基地和保障设施，并对一个中程核武器的生产工厂进行监督。

intermediate vector boson 中间矢量玻色子 同统一形式下的电磁力和弱力相关联的一类玻色子。参阅 **W particle**。

intermetallic compound 金属间化合物 任何一类由两种或更多元素金属按确定比例而不是按连续变化比例（如固溶体）组成的物质。其晶体结构和特性，随其成分不同有显著差别。除了组分的正常化合价之外，原子的相对大小以及价电子总数与原子总数之比对金属间化合物的组成都有重要的影响。参阅 **alloy**。

intermezzo 间奏曲 又译幕间剧。在音乐和戏剧演出中，幕间表演的娱乐性节目；也指轻松的器乐作品。15 世纪末和 16 世纪，无论是古典的还是当代的戏剧，演出时都带有由当时最优秀作曲家写的幕间音乐，包括独唱歌曲、牧歌及其他主调合唱曲、舞曲，偶尔还有对白。题材常是寓言性和田园风格的。到 1600 年，幕间节目往往是精心设计的各式精彩节目，比戏剧本身更引人注目。17、18 世纪，在正歌剧的幕间常演出喜剧性的幕间剧。它们通常由女高音和男低音演唱，而且从头唱到尾，推动了意大利典型的喜歌剧形式即滑稽歌剧的产生。G.B.佩戈莱西的著名而且影响深远的滑稽歌剧《女佣做主妇》原为其正歌剧《高贵的囚徒》的幕间剧。19 世纪“间奏曲”常用作轻快器乐曲的标题。例如 F.舒伯特和 J.勃拉姆斯的钢琴间奏曲。P.马斯卡尼的独幕歌剧《乡村骑士》中的管弦乐间奏曲，成为歌剧两个部分之间的幕间曲。

internal-combustion engine 内燃机 燃料－空气混合物在机器内部完全燃烧所产生的热气体燃烧产物直接对其运动部件（如活塞或涡轮转子叶片）表面产生作用的发动机。在当今动力产生系统中，内燃机是一种应用最广泛的发动机，包括汽油机、柴油机、燃气轮机、喷气发动机以及火箭发动机等。内燃机是一类热机，其动力直接或间接来源于放热反应（如燃烧）；另一类热机为外燃机，以蒸汽机和斯特林发动机为其代表。与内燃系统不同，外燃机利用置于燃烧室和产生动力的构件之间的一辅助流体进行工作。例如，在蒸汽机中，燃料在机外炉膛中燃烧，释放出的部分能量通过锅炉或热交换器外壁传给辅助流体（由水组成）。水转换成蒸汽后通过管路传输到发动机，在那里蒸汽压强作用于活塞或涡轮转子。实际上，蒸汽机和其他外燃系统的运作依靠的是液体受热蒸发膨胀产生的高压工作介质。另一方面，内燃机利用的是大容积热燃烧产物，当它们受到约束时，就会成为高压气态介质。内燃机通常分为两类：连续工作式内燃机（如喷气发动机）和间歇式内燃机（如往复活塞式汽油机）。前者是靠其中的一个稳定火焰维持定常流入其中的燃料和空气的连续燃烧；后者在其工作循环中对间断进入其中的燃料和空气进行周期性点火。

internal energy 内能 热力学中，在没有毛细作用和外电场、外磁场以及其他外场作用下确定物质能量的态函数。与其他态函数一样，其值由物质的状态决定，而与物质到达该状态所经历的过程的性质无关。根据热力学第一定律，当系统只因作功而引起状态变化时，这个功就等于内能的改变。如果体系的状态发生变化时既涉及到热量又涉及到功，内能的改变就等于供给系统的热量减去系统所作的功。内能是一个广延量（即其值取决于给定状态下的物质量）。内能的值通常以某一标准状态为基准来计算，而不用绝对值表示。

Internal Macedonian Revolutionary Organization（IMRO） 马其顿内部革命组织 19 世纪末 20 世纪初旨在使马其顿成为一个自治国家的秘密革命组织，但后来在巴尔干政治中成为为保加利亚利益服务的机构。1893 年 11 月在达米扬·格鲁耶夫、戈策·德尔切夫和亚内·桑丹斯基的领导下成立于雷斯纳。它的口号是“马其顿人的马其顿”，其纲领是使马其顿从奥斯曼土耳其统治者手中获得自治并建立马其顿与其他巴尔干国家以平等资格共同参加的巴尔干联邦。它很快便在马其顿信奉基督教的斯拉夫居民中赢得了广泛的支持，1897 年开始了激烈的反土耳其活动，1903 年发动了一次大规模的但是没有成功的起义。后来它发生了蜕变，在马其顿从土耳其人手中夺回，并被塞尔维亚和希腊瓜分（巴尔干战争，1912 ～ 1913）后，它配合保加利亚旨在再次强行瓜分马其顿的外交政策进行恐怖活动。到第一次世界大战结束时，这个组织由于无原则地滥用恐怖手段而失去了马其顿和保加利亚的支持。在图多尔·亚历山德罗夫的领导下，这个组织重新成为巴尔干政治中一个有影响的因素，它参加了推翻和暗杀曾试图缓和同其他巴尔干国家关系的保加利亚首相斯塔姆博利伊斯基的行动（1923-06）。后来它又得以控制保加利亚的佩特里奇（即马其顿）地区并在保加利亚陆军部非正式的同意和保护下以及在意大利政府的暗中支持下继续在保加利亚和南斯拉夫从事恐怖活动。在亚历山德罗夫被暗杀（1924）后，这个组织分裂成敌对的两派，为了消灭对方经常在索非亚进行枪战。1934 年 5 月基蒙·格奥尔基耶夫在保加利亚夺取政权后，逮捕了该组织领导人并解除了其成员的武装。

internal medicine 内科 有关成人疾病的诊断及其药物疗法（相对于外科疗法）的医学专业。广义的内科包括外科以外的所有医学领域，以病人整体为研究对象而不注重某一特定器官，因此可以说是其他医学专科（如心脏病学、皮肤病学和胃肠病学）之母。1936 年，美国内科委员会成立，旨在负责内科医师资格的审核，审核的标准为：毕业于正规医学院校，接着受过一年以上的实习医师训练。再加上一个为时更久的强化训练过程和临床经验。此种训练过程的核心为二至三年的住院医师训练。此外可上一些与内科医学有关的临床调查的或基础科学研究。训练课程以解剖学、微生物学、病理学、药理学、生物化学和生理学为主。训练完成后，必须通过委员会举办的口试和笔试然后方能取得执照。

内科医学作为一门科学学科而发展，始于 T.西德纳姆在 17 世纪发表的对疾病的新看法。他在仔细观察许多病人的临床表现后，反对当时笼统地认为病患皆由“体液”不平衡所致的看法，而认为可能存在各种明确的“疾病”实体。他的工作为疾病分类奠定了基础。1763年，F.B.de 萨维基斯发表第一本详尽描述疾病症状的疾病分类学。由于当时人们不了解疾病原因，该书以症状作为疾病分类的基础。自从萨氏以至20世纪，内科医师在治疗上一无良策。外科医师能切除患部，而内科医师却无特效疗法。多数所谓“治疗”不但不能治好病人，还常使病况加剧。当时衡量内科医师的医术，只视其能否正确诊断疾病和预估其预后。20世纪初，各种疾病的特效疗法陆续发现，内科医师也开始能治好病人而不再只用支持疗法照顾病人。其后，由于愈来愈多特效的药物和疗程的出现，再加上医学知识不断累积，许多专攻一个器官系统的专科陆续自内科分出，而留下内科医师负责处理成年病人的各种健康问题。

internal pair production　内电子偶产生 一种电磁过程，属于 γ 衰变的一种形式。参阅 **gamma decay** 和 **pair production**。

internal rhyme　中间韵 指一诗行中某词与同一诗行末尾一词押韵，或与另一诗行中一词押韵。见 P. B. 雪莱的《云》一诗最后一诗节四行诗中的第二和第四诗行：

I am the daughter of Earth and Water,
And the nursling of the Sky;
I pass through the pores of the oceans and shores,
I change, but I cannot die.

International, First　第一国际 正式名称为国际工人协会，是工人团体的联合组织，尽管它的队伍中存在着思想分歧，但它19世纪后期在团结工人方面起过很大作用。第一国际于1864年9月28日在伦敦举行的群众集会上成立，命名为“国际工人协会”。创建者是当时英、法最有影响的工会领袖。马克思虽未参加组织这次集会，仍被选为临时总委员会的32个委员之一，并立即担任领导职务。其最高机构是代表大会，每年在各个不同的城市举行，制订原则和方针政策。总委员会由大会选举产生，总部设在伦敦，行使执行委员会的权力。第一国际成立伊始，因内部存在各种对立的社会主义思想流派（诸如马克思主义、蒲鲁东主义、布朗基主义以及在意大利、西班牙和法国-瑞士的联合会中盛行的巴枯宁无政府主义等）而四分五裂。由于马克思的集权制社会主义同巴枯宁无政府主义的冲突，1872年第一国际在海牙代表大会上分裂。为了阻止巴枯宁分子控制协会，总委员会在马克思的敦促下，把总部迁至纽约，直到1876年7月在费拉德尔菲亚代表会议上正式宣布解散。担任第一国际领导职务的巴枯宁分子自1873～1877年每年召开一次代表大会。1877年在世界社会主义者根特代表大会上，社会民主党人因提出恢复第一国际统一的提议遭到无政府主义多数派的否决而退出大会。但无政府主义者也未能使国际继续存在下去。1881年无政府主义者在伦敦举行代表大会之后，第一国际已名存实亡。国际早期即在下列各国遭到禁止：德国、奥地利、法国和西班牙。值得注意的是，国际当时被认为是一支拥有数百万会员和无限资源的令人生畏的力量，但其实际力量与这一声望并不相称，其会员骨干可能不超过2万人。尽管它被指责煽动1868年席卷法国、比利时和瑞士的罢工浪潮，实际上它并未组织这些罢工。但它对罢工的支持以及传闻中的支持却产生了很大影响。

International, Second　第二国际 又称社会党国际，是社会党和工会的联盟。从19世纪最后10年到第一次世界大战初，对欧洲工人运动的思想、政策和方法有很大影响。第二国际于1889年在巴黎代表大会上成立。与第一国际不同，其成员都是各国的党和工会。它不像第一国际那样是一个中央集权的组织，而是一个松散的联盟，成立11年之后才设立执行机构——国际社会党执行局。总部设在布鲁塞尔，1891年在那里召开了社会党国际的第2次代表大会。历次代表大会在几个城市不定期地召开，不是每年一次。到1912年，第二国际已包括所有欧洲国家以及美国、加拿大和日本的社会党和社会民主党，拥有将近900万张选票。它虽然没有强制性的权力，但是各成员党承认其为道义上的最高权威。

第二国际主张议会民主，在1896年伦敦代表大会上终于把反对议会民主的无政府主义者开除出去。但是经过许多辩论之后，第二国际摒弃了逐步实现社会主义和与政府中的非社会主义政党合作的理论，重新肯定马克思主义关于阶级斗争和革命不可避免的学说。然而，它主要关心的是防止一场欧洲的全面战争。经过长时间辩论之后，它摒弃用总罢工来防止欧洲大战迫在眉睫的危险。它要求设立强制性的仲裁法院来解决国与国之间的争端、裁减军备并以彻底裁军为最终目标。然而，在列宁、卢森堡和马尔托夫起草并经1907年斯图加特代表大会通过的决议中，第二国际保证各交战国的成员党将利用战争引起的社会和经济危机来促进社会革命。第一次世界大战期间，列强的各个组合使各交战国的社会党处于进退维谷的两难境地。除塞尔维亚和俄国的社会党人外，所有这类党都支持本国进行战争。在这种形势下，第二国际陷于分裂：党内日益发展的少数派指责多数派背弃第二国际的反战原则。1915年在瑞士齐美尔瓦尔德代表会议上，这些“国际派”号召立即停战，并根据“不割地、不赔款”的原则进行和平谈判。但是，反对战争的社会党少数派内部又分裂，列宁领导的左派力主将帝国主义战争变为超越国界的阶级战争，反对恢复当时已停止活动的第二国际。

战后，协约国各社会党领导人委员会于1920年在日内瓦召开第二国际代表大会，试图重建第二国际。但是，战前的第二国际成员党只有很少一部分参加这次大会。由于在多数社会党奉行的战争政策上的分歧，这些党又敌视已引起许多工人同情的布尔什维克革命，国际社会主义运动产生的裂痕已破坏了重建第二国际的共同基础。

1923年仍忠于第二国际的人们与几个国家的社会党组成**工党和社会党国际**（**Labour and Socialist International**）。但这个反对苏联把持第三国际（或共产国际）的社会党人联盟从未获得第二国际的权威和影响，1940年希特勒的征服破坏了它在欧洲的大部分基础。第二次世界大战后，**社会党国际**（**Socialist International**）逐步重建，1951年在德国美因河畔法兰克福举行了战后第一次代表大会。

International, Third　第三国际 又称共产国际，别名 Comintern。各国共产党的联合组织，成立于1919年。虽然其公开声明的宗旨是促进世界革命，但共产国际主要是作为苏联控制国际共产主义运动的一个机构。

共产国际是由于社会党的第二国际在对待第一次世界大战问题上分裂为3派而出现的。构成第二国际“右”翼的多数社会党愿意支持本国政府进行战争以反对在他们看来更加敌视社会主义目标的敌人。第二国际的“中”派谴责右派的民族主义，要求第二国际在世界和平的旗帜下重新统一。列宁领导的“左”派既反对民族主义也反对和平主义，主张进行社会主义运动，变国家间的战争为超越国界的阶级战争。1915年列宁提出成立一个新的国际，通过对士兵和工人的宣传，促进“国内战争，不要国内和平”。两年后，列宁领导布尔什维克在俄国夺取了政权，1919年在莫斯科召开了共产国际第一次代表大会，着重反对中派试图恢复第二国际的活动。只有19个代表团和少数当时在莫斯科的非俄国共产党人参加第1次代表大会，但1920年在莫斯科举行的第2次代表大会有37个国家的代表参加。在这次代表大会上，列宁确定了加入共产国际的21项条件，这些条件要求所有的党都必需按苏联的模式和纪律建立自己的组织机构，并把温和的社会党人和和平主义者清除出去。

共产国际的管理机构与苏联共产党相似：代表大会闭会期间由执行委员会进行工作，人数更少的主席团则是主要执行机构。后来，权力逐渐集中于这些上级机关，其决定对共产国际各成员党具有束缚力。再者，苏联很早便确立了对共产国际的控制。第三国际是苏联倡议成立的，总部设在莫斯科，苏联党在管理机构中享有不成比例的代表性，大多数外国共产党人忠于世界上第一个社会主义国家。

鉴于世界革命不可能很快爆发，共产国际于1921年采取新的政策，以争取广大工人阶级的支持。它要求建立工人的“联合阵线”，以便对现存制度提出“过渡性要求”，这项政策在1923年共产国际左翼一度取得控制权时曾被抛弃。但斯大林对本党的左派进行打击，1926年罢黜共产国际的第一任主席季诺维也夫，并同温和的社会主义进一步接近。随后，斯大林反对党内右翼的举措，使共产国际再次转变政策。1928年第6次代表大会采取了斯大林提出的“极左”政策：温和的、社会党人和社会民主党人又被当作工人阶级的主要敌人，法西斯运动抬头的危险却被忽视。30年代初，在德国，共产党人集中攻击社会民主党人，甚至与他们自称较不惧怕的纳粹党人合作，以摧毁魏玛共和国，世界革命再一次被认为迫在眉睫，尽管斯大林自己专心致志“在一国建设社会主义”。在1935年召开的共产国际第7次(即最后一次)代表大会上,苏联的本国利益决定了新的政策转变:为讨好反对德国的潜在的盟国,对革命热情泼冷水,打败法西斯被宣布为共产国际的首要目标。要求共产党人同温和的社会党和自由派集团结成反法西斯的**人民阵线**(**popular front**),共产国际至此成为苏联外交政策的工具。各个人民阵线的纲领因斯大林1939年同希特勒签订条约而告终。不久,德苏交战,斯大林为使盟国消除对共产党颠覆活动的疑惧,于1943年正式解散了共产国际。在苏联看来,莫斯科确信有能力控制外国的共产党,无论如何,共产国际组织大部分完好地保留在苏联共产党中央委员会内。1947年斯大林设立了新的国际控制中心,即**共产党和工人党情报局**(**Cominform**),它延续到1956年。由于苏联与中国愈加分裂等因素,国际共产主义运动在1956年后瓦解。

International, Fourth　第四国际　托洛茨基派组织的多国机构,最初是为反对斯大林控制的第三国际的政策而成立的。第四国际的想法最先是苏联领导人斯大林的各个对手(特别是托洛茨基的追随者)在20世纪20年代后期提出的。托洛茨基起初反对这种想法,及至1933年7月纳粹主义在德国获胜后,他呼吁成立第四国际,因为他反对共产国际宽容法西斯主义。托洛茨基还想使第四国际联合全世界从共产党分裂出来的各种反对斯大林的小派别。然而,成立这个新的国际很困难,因为斯大林的秘密警察在1934～1938年期间杀害了许多潜在的托洛茨基分子,致使托洛茨基运动成员稀少。尽管如此,成立会议于1938年在法国佩里涅举行。会议宣告第四国际的建立,并通过一个纲领,要求实现介于最低限度的改良(例如,提高工资、改善劳动条件)和最高纲领(即推翻资本主义,然后过渡到社会主义)之间一系列广泛的目标。

托洛茨基死于1940年。第二次世界大战后,第四国际的领导权落入两个比利时托洛茨基分子M.巴勃罗和E.热尔曼手中。1949年巴勃罗预言“蜕化变质的工人国家将经历几世纪之久”,因此,他号召解散第四国际。一场派别斗争遂爆发,并于1953年达到顶点,第四国际分裂为两派——国际委员会和支持巴勃罗的国际书记处。第四国际的重要性主要在于向分属这两个分裂组织的许多极端左翼集团传播信息。

International, Labour and Socialist　参阅 **Labour and Socialist International** 工党和社会党国际。

International, Socialist　社会党国际　参阅 **International, Second** 第二国际。

International, The (anthem)　参阅 **Internationale, L'**《国际歌》。

international agreement　国际协定　国家及其他国际法主体(诸如某些国际组织)对其相互间有关之事作出规定的文件。协定可采用各种不同的形式和体例,但它们均受条约法的约束,而条约法则是习惯国际法的一部分。

条约是国际关系典型的文件。1969年《维也纳条约法公约》给条约下的定义是:“国与国之间以书面形式缔结的并受国际法约束的协定,不论其体现为一单项文件或两项以上相互有关的文件,亦不论其特定名称为何。契约性条约指缔约各方同意交换领土或解决争端和索赔问题的条约,即缔约各方处理特定事务问题的条约。自第二次世界大战以来在数量上和重要性上均有巨大的发展的造法性条约,指缔约各方为其今后的行为制定基本原则和具体规定的文件。”

某些多边协定旨在为某一特定目的或多种目的而建立一国际组织,为此可被称为组成协定。《联合国宪章》(1945)既是多边条约,也是联合国的基本约章。美洲国家组织宪章(《波哥大宪章》)于1948年建立美洲国家组织,乃是地区性协定而起组成协定作用的一个例子;而建立一国际组织可以是范围更为广泛的多边条约的一部分。例如,《凡尔赛和约》(1919)第一部分载有《国际联盟盟约》,第八部分载有国际劳工组织章程。

“超国家”这个术语是近代才出现的。它用以指由法、德、意、荷、比、卢等6个西欧国家所最先发展起来的条约结构模式。第1个条约是1951年签订的巴黎条约,它建立了欧洲煤钢共同体;第2个是1957年签订的罗马条约,它建立了欧洲经济共同体;第3个是同一天签订的另一个罗马条约,它建立了欧洲原子能共同体。欧洲煤钢共同体条约中有一项条款规定,执行机关的成员完全独立于任命他的政府之外。

然而,条约并不是缔结国际协定的唯一文件。有些缺乏正式条约形式的特殊文件,称为商定纪录、协议备忘录或临时协定;另外一些正式的文件,称为公约、协定、议定书、宣言、宪章、盟约、协约、规约、最后文件、总议定书和教约(与罗马教廷所签订之协议的惯用名称);最后还有一些较为不正式的协定,其中包括两个或更多的文件,譬如换文(exchange of notes)或换函(exchange of letters)。

在缺乏国际性立法机构的情况下,为了使国际法能适应因科技发展迅速及国家间日益相互依赖所产生的环境变化,多边条约乃成为特别选定的文件形式。尽管国际协定种类极多,根据它们在国际社会中所提供的功能来区分,仍然是可能的。可以看到3个明显的功能,即国际法的发展与编成法典、国家之间合作与一体化的新水平的建立以及现实的与潜在的国际冲突的解决。

《维也纳条约法公约》中为某些类型的争端载明一妥协性条款(依此条款订约国同意在有争议时,服从仲裁或诉诸国际法庭),并为其他争端载明调解程序。国家对于强制性仲裁与判决之不服从,表明他们对通过法律规则获得普遍一体化只作有限的承诺。在这方面,欧洲经济共同体是个例外,只要是国际法庭根据3个组成条约所作的强制性裁决,它都接受,而国际法庭甚至对个人公开。值得一提的是,西欧曾经是国家主义及国家主权主义的摇篮,而今天它可能成为超国家一体化的摇篮。

International Association of Athletics Federations (IAAF)　国际田径总会　旧称国际业余田径联合会(1912～2001)。由160多个全国性协会组成的田径运动组织。1912年成立于瑞典斯德哥尔摩。国际业余田径联合会的主要宗旨是:在各会员之间建立友好合作;消除参加国际比赛种族、宗教或政治方面的障碍;编纂管理竞赛的规则和规程。是田径项目正式世界纪录的批准机构,得到国际奥委会的承认。其财政来源是会费、销售出版物以及推动锦标赛的举行。因为国际田径竞赛向专业化发展的趋势,该组织于2001年更名为国际田径总会。1912～1946年,总部设在斯德哥尔摩,1946～1993年在伦敦,现在设在摩纳哥。

International Association of Universities (IAU)　国际大学协会　1950年成立的非政府性教育组织,旨在促进各国大学以及其他高等教育和研究机构之间的国际合作。会员包括96国的大学和大学等级的学院。每5年召开一次全体大会,选出由主席和14名委员组成的行政委员会。协会的经费来源是会员的会费和联合国教科文组织的拨款。它在120个国家设有信息中心,同联合国教科文组织一起执行研究规划。英语和法语为协会的正式语言,但德语、俄语和西班牙语也可使用。出版刊物包括:《国际大学手册》(每3年出版一次)和《国际大学及其他高等教育学院一览表》(每2年出版一次)。

International Atomic Energy Agency (IAEA)　国际原子能机构　各国政府间的自治机构,其宗旨在于增进原子能对国际和平和福利的贡献,并确保该机构给予的援助不用于军事目的。该机构于1956年10月23日成立,同时通过一项章程,该章程于1957年7月29日生效。该机构的活动项目如下:研究有关原子能在医药、农业、寻找水资源及工业等方面的应用问题;举办学术会议、训练项目,进行学术交流以及出刊书报,以促进科技情报及技术的交流;提供技术支援,特别是对不发达国家的援助;建立并管理防止辐射的机构和设施。国际原子能机构大会包括所有成员国,每年召集会议一次,批准预算和各项计划;理事会由43个成员国组成,负责履行原子能机构的各项法定职能;秘书处由专业人员和工作人员组成,负责实施各项计划。总部设在维也纳。该机构及其总干事巴拉迪2005年获得诺贝尔和平奖。

International Ballet　国际芭蕾舞团　英国舞蹈团体,M.英格尔斯贝创建于1941年,以向新城区和外省观众介绍古典芭蕾舞为宗旨,在电影院和广场演出,也在其他比较传统的场所演出。演出剧目包括一些全出大型舞剧(特别是福金的作品)的恢复重排本,由N.谢尔盖耶夫担任芭蕾教师。它曾成功地在意大利、西班牙和瑞士等地巡回演出。该团已于1953年解散。

International Ballet Competitions 国际芭蕾舞比赛 世界上最有威望的舞蹈比赛之一。各国的男、女舞蹈演员均可参加,其宗旨与奥林匹克运动会极为相似。首届国际芭蕾舞比赛1964年7月于保加利亚瓦尔纳举行。保加利亚文化部组织了这次比赛,目的在于举办一次有国际影响的舞蹈活动,为舞蹈演员、编导、艺术指导、舞蹈教师提供展示和交流技巧的机会。1965、1966、1968年也举办过比赛,以后定为两年一次。其他比赛地点有莫斯科、东京和密西西比州的杰克逊。比赛共分3轮进行,由国际芭蕾舞比赛规则委员会指定的委员进行公正的裁判。由于许多评判委员所代表的国家在政治上有分歧,做出的裁决经常引起争议。通常第一轮是各种古典舞蹈及规定的1925年后创作的节目。参赛者从委员会指定的编导所编的节目中选定舞蹈项目。第二轮要求表演1974年后创作的节目。第三轮则表演更多种古典和现代的节目。参赛者按年龄分成年、少年两组,一、二、三名分别得金、银、铜奖章。许多大舞蹈家在此初次获得国际声誉。

International Bank for Economic Cooperation (IBEC) 国际经济合作银行 1963年10月,由保加利亚、匈牙利、东德、蒙古、波兰、罗马尼亚、捷克斯洛伐克和苏联签订一项协议而建立,其目的在于促进各成员国的经济合作,加速发展。1964年元月开业。随后,古巴和越南加入。银行职能包括:用可转账的卢布进行多边结算;为成员国预付信贷,以弥补因暂时贸易失调所需资金;以可转账的卢布形式承兑非保证资金的存款;承办黄金存款与可自由兑换货币的存储业务;处理套汇及其他金融业务;也经营其他银行业务。理事会为总决策机构,由10个成员国各派代表1名组成。由10人组成的董事会为执行机构。

International Boundary Waters Treaty 《国际边界水域条约》(1909) 美英两国签署的条约,其中规定建立一个美国和加拿大联合委员会,负责解决一切与两国边界水域有关的争端。该约于1909年1月11日正式签字。联合委员会每年召开一次会议,直至今日。现在会议内容为管理水域的利用和保证水质。总部分设于渥太华和华盛顿市。五大湖和圣劳伦斯湾海上航道,以及许多较小的湖泊和河流,均处于委员会的控制之下。

International Brigades 国际纵队 西班牙内战(1936～1939)中支援共和军国民军作战的外国志愿人员部队。之所以称国际纵队是因为其成员一开始就是来自大约50个国家,由总部设在巴黎的共产国际征集、组建和领导。大部分年轻的应召者在参战前就是共产党员,另外一些人在战争过程中加入共产党。法国志愿部队是最大的一支外国志愿部队(约有1万人),德国、奥地利、波兰、意大利、美国、英国、南斯拉夫、捷克斯洛伐克、加拿大和匈牙利的志愿人员也为数不少。第一批500名受训的志愿人员于1936年10月14日到达西班牙的阿尔瓦塞特,随着其他受训人员和苏联武器的到达,他们由共产国际的代表指挥。一共编有7个旅,每个旅按国籍分成若干个营(例如,法国-比利时巴黎公社营、美国林肯营、英国营)。志愿人员的人数在同一时间里可能从未超过2万人,但是总

1936～1937年国际纵队印制的招贴画《国际纵队队员和西班牙人联合起来打击侵略者》,帕里维亚设计

美国不列颠百科全书公司供图

数,包括少量妇女,约达3.7万人。从1936～1938年,虽然遇到了一些困难,但国际纵队为共和军进行了卓有成效的作战,他们的编制被共和军的其他部队所模仿。从1937年开始,国际纵队不再征募新兵,阵亡和开小差者主要由西班牙共产党员补充。当苏联开始减少对西班牙共和国的支援时,国际纵队于1938年下半年正式从西班牙撤退。国际纵队参加的最后一次战役是埃布罗河战役。1938年11月15日在巴塞罗那为志愿人员举行了告别阅兵式。

International Brotherhood of Teamsters, Chauffeurs, Warehousemen and Helpers of America 美国卡车司机、汽车司机、仓库工人和佣工国际工人兄弟会 参阅Teamsters Union卡车司机工会。

International Bureau of Weights and Measures (BIPM) 国际计量局 根据1875年5月20日在巴黎签订、1876年1月生效的公约建立的国际组织,旨在统一计量制度,建立和保管基本国际计量标准和原器,检验各国计量标准,确定各种基本物理常数。1921年又签订了修订的公约。公约规定:国际计量局每4年举行一次全体大会,研究计量标准的改进或修正;建立由全体大会选出的18位科学家组成的国际计量委员会(每年开会一次);设立若干咨询委员会。总部设在法国塞夫尔,作为主要国际标准的存放处和检验与对比各国标准复制物的实验室。至1990年已有47个会员国。

International Business Machines Corporation (IBM) 国际商用机器公司 又译国际商业机器公司。美国最大的计算机制造商,在美国国内和国外市场上都占有很大的份额。总部在纽约州阿蒙克。公司于1911年合并3家较小的公司组成,取名计算-制表-记录公司,1924年在T.沃森的领导下取现名。沃森有出色的销售技能,1914年任公司总经理,1924年掌握了公司的全部控制权。他将当时这家摇摇欲坠的公司建成美国最大的穿孔卡片制表系统制造商。他还为公司培植起一支训练有素并富有竞争性的销售力量,他们可改变公司定制的制表系统以适应特殊顾客的需要。1933年该公司收购电动打字机公司,从此进入电动打字机领域,最终成为这一行业的领导厂商。第二次世界大战期间,该公司帮助建成数种电动机械计算器,它们都是电子计算机的先驱。在小沃森(沃森之子)时代之前,该公司从未生产过这类电子数字处理系统。1952年小沃森任公司总裁,他发动了向该领域全面进军的运动。由于公司规模庞大,公司能够大量投资于开发,加上它在办公计算机器方面的优势、销售经验与技能以及对自家产品保证修理和服务的承诺,公司很快便在美国计算机市场上取得了领先地位。到60年代,公司生产全世界电子计算机的70%和美国所使用的计算机的80%。该公司的专长在于制造主机计算机,即能够高速处理数据的价格昂贵的大中型计算机。1981年前,它并未进入日益增长的个人计算机市场,1981年它才推出IBM个人计算机。这一产品虽取得较大的市场份额,然而该公司作为一家个人计算机制造商并不能像往常一样发挥其支配作用。以半导体芯片为基础的新技术正使计算机日益小型化且日渐容易制造,这就使一些小公司得以进入计算机领域并利用其新的发展成果如智能终端、计算机网络、计算机制图等。国际商用机器公司的庞大规模阻碍了它对这些加速发展中的技术变化做出迅速的反应,到90年代该公司已大大缩小了其规模。1995年该公司收购了一家大的软件制造商洛特斯发展公司(Lotus Development Corporation)。国际商用机器公司的产品实际上包括各种用于信息处理、储存和检索的设备。除作为世界上最大的计算机制造商之外,该公司还生产电动打字机、电子现金出纳机及其他商用机器。

International Campaign to Ban Landmines (ICBL) 国际禁雷运动 又称国际地雷联盟。1992年建立的国际组织,旨在禁止杀伤性地雷的生产、销售、储存和部署。1997年该运动及其主要协调人、美国的J.威廉斯分享了诺贝尔和平奖。当时,该组织已与50多个国家的1 000个人道主义的、医疗的和发展的组织结成联盟。在美国越战老战士基金会领导下,它的指导委员会由9个国际组织组成。1991年9月两个公众服务机构:美国越战老战士基金会和以德国人为基础的国际医疗组一致同意于翌年创建国际禁雷运动并由威廉斯掌管。该运动希望致力于1980年日内瓦非人道武器公约未能解决的问题——未能有效地绝对禁止杀伤性地雷;尽管后来与会国在90年代中期再次聚会达成地雷生产标准化协议。该运动成功地协调了排雷活动并影响了一些国家销毁储存的地雷,通过立法限制地雷的生产、出口和使用。1997年9月,89国在挪威奥斯陆接受绝对禁止杀伤性地雷的条约是该组织取得的最高成就。该条约定于

1997 年 12 月在加拿大渥太华签署并于 20 世纪末生效。国际禁雷运动组织在调查和宣传比反坦克地雷较小、使用更普遍的杀伤性地雷问题上起了推动作用。杀伤性地雷因其易于部署及其突发性和恐怖性而在 20 世纪后期的战争中广为使用。在 21 世纪初,估计有 18 000 人每年因杀伤性地雷而残废或死亡,其中大部分是平民。国际禁雷运动仍在参与地雷的搜寻工作,并通过《地雷监察报告》宣传地雷的危险。

International Church of the Foursquare Gospel 万国四方福音会 由著名女奋兴布道家*麦克弗森*(**McPherson, Aimee Semple**)于 1927 年在洛杉矶创立的五旬节派教会。麦克弗森在加利福尼亚州奥克兰主领奋兴会,声称见到四只活物的异象,类似《旧约·以西结书》(1:5 ～ 10)中所述。她解释这四只动物的脸(狮子脸、人脸、牛脸、鹰脸)象征纯全。她认为,纯全、四方而完美的福音应当强调四个主题:重生得救、圣灵的洗礼、祈祷治病、基督复临。她在讲道时专门讲这四点,不久人们纷纷参加她的布道会。不出两年,她为她的天使堂主持献堂礼拜,作为四方福音协进会的"母会"。自 1923 年起,该会逐渐在国内和国际上具有了一定影响。麦克弗森自任该会会长,掌握统治权和发言权,并有否决权。教会工作人员的任命、人员的雇用、薪金的高低,都由她决定。她的儿子亦即她的继任者,保持了这一传统。在教义方面,该会与神召会接近。到 20 世纪后期,四方福音会已经成为最大的圣灵降临节集会教派之一。1997 年,该福音会在美国有231 522名成员和1 832 个教会,总部设在洛杉矶。1996 年,相关的加拿大四方福音会有3 063名成员和 54 个教会,总部设在不列颠哥伦比亚的素里。

International Civil Aviation Organization (ICAO) 国际民用航空组织 联合国专门机构,其宗旨在于:发展安全而有效的国际航空运输事业,使之用于和平目的;保障每个国家经营国际航空公司的合理机会。1944 年,美国邀请 54 国代表在芝加哥召开国际民航会议,会上签署了一项国际民用航空公约,以替代 1889 年的巴黎公约和 1908 年的哈瓦那公约。在 26 个国家批准公约后,1947 年 4 月 4 日正式成立国际民用航空组织,同年 10 月成为联合国的专门机构,永久性总部设于蒙特利尔。该组织成员几乎包括世界各国,由如下机构组成:成员国代表大会、成员国代表委员会、空中导航委员会、各常设委员会。业务范围是:制订有关人员执照、飞机使用、飞机技术状态、电信、气象以及航空章程等方面的国际标准,并检查其执行情况;保证各国在获得合适的空运设备方面互相协作;根据联合国发展计划,向不发达国家提供技术援助。以上业务活动不仅根据 1944 年公约来管理,也根据由代表委员会及规定技术领域标准和程序的部门采纳并周期增修的"附件"来管理。

International Confederation of Free Trade Unions (ICFTU) 国际自由工会联合会 国际劳工组织,1949 年由一批因同世界工会联合会中的共产党工会发生严重不和、从世界工联中分裂出来的工会联合会组成。该组织的主要创办机构包括美国劳工联合会-产业工会和英国职工大会。这个新的工会联合会宣称其宗旨是保证"全世界自由和民主工会运动之间的合作"。国际自由工会联合会的基本力量是西欧和英联邦的工会联合会。美国劳工联合会-产业工会联合会于 1969 年退出该组织,但后来又重新加入。总部设在布鲁塞尔。到 20 世纪末,拥有 200 多个成员组织,代表了 140 个国家和地区的 1.25 亿名工人。

International Convention for the Protection of Literary and Artistic Works 《保护文学和艺术作品的国际公约》 参阅 **Berne Convention**《*伯尔尼公约*》。

International Council of Women 国际妇女理事会 1988 年成立,以促进卫生、和平、平等与教育为宗旨。1888 年 3 月在华盛顿召开第一次大会,有英、美等 9 国 49 名代表参加。其最初目标是提高妇女地位。章程规定国际大会每 5 年举行一次,各国每 3 年开会一次。20 世纪 20 年代其常务委员会与国联协作,第二次世界大战后成为联合国咨询机构。现有成员国 70 个,总部设在巴黎,在世界卫生组织等国际机构中派有代表。

International Court of Justice 国际法院 又称世界法院(World Court)。联合国的主要司法机构,它在第二次世界大战后继承了国际常设法院的地位。联合国的所有会员国都是国际法院规约的当然当事国,非会员国也可以在安理会推荐并经联合国大会根据个别情形决定的条件下成为规约的当事国(有些国家,例如瑞士和圣马力诺,虽不是联合国会员国,却是国际法院规约的当事国)。国际法院由 15 名法官组成,其中不能有两名是同一国家的国民。法官由联合国大会和安理会选举。他们不是终身任职,而是当选后任期 9 年,可以连选连任。

国际法院设在荷兰海牙,但在它认为必要时可在任何地方开庭。1946 年 4 ～ 5 月在海牙首次开庭。

国际法院是一个常设机构。它经常开庭。它也是一个自治机构,自行选举院长和副院长,任命书记官,并任命其他可能需要的官员和书记人员。院长和书记官必须在海牙居住。

由于国际法院的任务是对主权国家之间的争端作出判决,因而只有主权国家才能成为提交法院的案件的当事人。国际法院对规约的所有签字国开放,也对所有符合联合国安全理事会规定的条件的其他国家开放。

除非经过一个国家同意,否则不得在国际法院对它提起诉讼。不过,世界范围内的许多国家间条约和国际协议是赋予国际法院在签字国之间发生争端的情况下强制性管辖权的。根据国际法院规约第 36 条,任何国家可向联合国秘书长提交一份表示接受国际法院强制性管辖权的声明。声明可以是无条件的,也可以其他国家也接受为条件,或者只在某一时期内接受为条件。

国际法院根据体现在下列各项中的国际法裁决争端:国际公约、国际惯例、文明国家公认的一般的法律原则、司法判决以及最有资格的国际法专家们的著作。

国际法院的官方语言为法语和英语;当事国可以使用其中任何一种。以一种语言提出的书面申诉和口头辩词要翻译成另一种语言。判决和意见同时以法文和英文写出。

案件可以由有关各方达成一项特殊协议后以通知的形式向法院提出,或者由其中一方单方面以向书记官递交书面申请的形式提出。程序分两部分进行,书面程序和口头程序。法院可以听取证人证词,并在必要时任命专家委员会进行调查和提出报告。这两项程序都在"科孚海峡"案(联合王国诉阿尔巴尼亚,1949)中采用过。

国际法院的审议是秘密进行的,但经多数表决通过的判决则在法庭上公开宣读。在两种意见票数相等时,院长可投决定性的一票。任何法官如果不同意判决的全部或一部,他可以提出一个单独的意见。判决代表了法官们的一致意见的时候是很少的。判决是最终的,不得上诉。

国际法院曾对发生在下列问题上的争端作出过裁决:国际水域的权利、领水的界线、对政治领袖的庇护权、前国际联盟的托管地西南非洲的地位。

一个经常提出的问题是,国际法院的判决如何执行。国际法院本身没有执行的权力,但是,根据《联合国宪章》第 94 条:"遇有一造不履行依法院判决应负之义务时,他造得向安全理事会申诉。安全理事会如认为必要时,得作成建议或决定应采办法,以执行判决。"

然而,应当指出,在提交国际法院或其前身国际常设法院的案件中,只有两个已知的例子是一方拒绝执行法院的判决。在科孚海峡案中,阿尔巴尼亚拒绝支付由法院裁决的给与联合王国 843 947 英镑的损害赔偿。1984 年(在"尼加拉瓜诉美国"案中)美国暂时(为时 2 年)撤销了它以前对有关中美洲争端的强制性管辖权的承认。在法院进一步审议并(以 12 票对 3 票)判决美国破坏了国际法并应向尼加拉瓜支付赔偿费以后,美国阻碍了向联合国安理会的申诉。

规约第 65 条规定国际法院有权根据联合国大会、安全理事会或经联合国大会授权的联合国的其他机关和专门机构的请求,就任何法律问题发表咨询意见。这些意见中有一项便是国际法院裁定:如果一个国家加入联合国的申请被安全理事会的一个常任理事国否决,就可以拒绝它成为会员国。

International Criminal Court (ICC) 国际刑事法庭 根据 1998 年通过的《国际刑事法庭罗马公约》成立的永久性司法机构,专门起诉被控灭绝种族、战争罪、违反人性等罪状的个人。该法庭在达到法定国家数量(60 个国家)签署同意《罗马公约》(已有大约 140 个国家签署同意)后,于 2002 年 7 月 1 日开始运作。针对某些国家法庭对罪大恶极案件无法起诉或不予起诉的情况，国际刑事法庭的建立为此类案件的审理提供了一个最终选择。法庭总部设在海牙。到2002年，中国、俄罗斯、美国已婉拒参与国际刑事法庭，美国更积极地运作使美国公民豁免该法庭的审判。

International Criminal Police Organization 国际刑事警察组织 参阅 **Interpol** 国际刑警组织。

international date line 国际日界线 又称日界线。联结地球南北极的假想线。它把每个历日同次日分开。国际日界线的绝大部分同经度180°线相合，只在通过白令海峡处向东偏，以免把西伯利亚分为两部分，接着又向西偏，以便把阿留申群岛和阿拉斯加合在一起。在赤道以南，也有一处向东偏，以便使某些群岛和新西兰有相同的日子。日界线是使用世界时系统的产物，该系统使各地的地方时正午同太阳过当地子午线的时间基本一致。如果一个绕地球一周的旅行者在他进入一个新时区时就把所带的表拨快或拨慢一小时。而且每当他的表指子夜时就撕去一张日历，则当他回到出发点时，就会发现他的日期和留在出发点的人的日期不同。日界线就是提供一种标准方法来作必要的调整：当旅行者自西向东跨过日界线，应把撕去的一天日历贴回去；而自东向西跨过日界线，则应多撕去一天。

International Development Association（IDA）**国际开发协会** 联合国专门机构，附属于国际复兴开发银行，但在法律地位上及金融管理上有别于银行。1960年9月建立，以比世界银行灵活的条件提供贷款。其成员国必须是开发银行的成员国，银行的官员是协会的当然官员。总部设于华盛顿。资金大部来源于各成员国的认定份额及追加款项，主要由26个最富裕国家分担。较富有的成员国以黄金或可自由兑换的货币支付其认定份额，欠发达的国家可以此方式付定额的10%，其余用自己的货币支付。

international exchange 国际汇兑 又称国外汇兑（foreign exchange）。为了各种交易，人们需要将一国货币兑换成另一国货币；这种买卖不同国家货币的市场叫做国际汇兑市场。外汇的买方和卖方有出口商、进口商、多国公司、想赠送金钱给亲友的人们和政府。货币市场的运作与其他任何市场极其相同，参与者有对交易感兴趣的业主和安排交易从中得利、也从而帮助维持一套稳定而有组织的价格的中间人。国际汇兑市场与其他货物市场之间主要的区别是多种通货都确定有平价——即不同的货币按一定的比率形成购买力相等（可互相买卖）的法定价格。某种货币的平价是根据该国政府向联合国国际货币基金组织注册的黄金估价而确定的。市场上报出的实际价格经常波动，几乎总是与平价不同，不过偏离平价不能超过一定的限额；如超过此限额，政府就要进行干预使价格恢复到适当的范围之内。中间人的技艺是套利（**arbitrage**），其效用就是消除临时的价格差距，套利人从中获利，由此也减少官方进行市场干预的必要。当必要进行干预时，通常采取的方式总是由中央银行大量抛售外国通货以满足那驱使外国通货与本国通货价比上涨的特别大的需求。政府运用的另一手段就是操纵短期利率鼓励资金向国外或国内流动。一种货币直接兑换成另一种货币的交易叫现汇交易。许多交易是通过签订合同在规定的未来日期、按规定的汇率兑换货币而完成的，这些交易叫远期外汇交易。在远期外汇交易中，为了获取利息平价必须考虑有关国家短期利率的差额。此外，在远期交易中，套利者的中介作用以及偶尔发生的政府干预皆可消除汇价的波动。远期交易中，债务人和债权人为了保护自己，以防汇价可能发生的巨变（即货币的贬值或升值），可以购进或抛售与在本交易中将来支出或收入相反方向的、未来日期交割的外汇。远期交易中还允许进行套头交易，资产持有人可借此用上述类似方法防止由于汇率巨大变化而产生的损失。当预期有这种巨大的汇率变化时，还可引发外汇投机，由此还常常成倍加速国际市场上资金流动。

International Exhibition of Modern Art 国际现代艺术展览会（1913） 参阅 **Armory Show** 军械库展览会。

International Federation for Information and Documentation（FID） **国际文献联合会** 建于1895年的国际图书馆组织。当时名为国际目录学学会，旨在促进图书分类法的统一。1938年改用现名。该会现在的目标是通过国际间的合作促进在自然科学、社会科学及人文学科的信息和文献管理的研究与发展。它从手工方式和电子方式两方面关注其机构、汇集、检索、传播和评价等问题。该会与许多国际组织保持咨询往来。20世纪后期拥有50多个会员国，并有300多个附属机构和个人会员。总部设在荷兰海牙。

International Finance Corporation（IFC） **国际金融公司** 联合国专门机构，为国际复兴开发银行（世界银行）附属单位，但在法律地位上为独立单位。其宗旨在于：当成员国私人企业资金不足时，可以提供资金，以刺激经济发展。1956年7月24日正式成立，其资助目标以不发达地区为主。国际复兴开发银行的执行董事会也是金融公司的领导机构。总部设于华盛顿。公司贷款仅仅对私人企业提供援助，无需政府为企业偿还作保。与其他同类机构不同，金融公司不能规定其贷款资金用途。贷款期限按个别项目议定，偿还期通常为5～15年。金融公司努力使其投资多样化；投资范围有旅游业、饲养业、出版、钢铁、化肥及纺织品等。最初成员国为31个国家，到21世纪初已经增长到175个。从1956年到21世纪初，IFC向近125个国家提供了250亿美元的资金用以支持各种项目，并另外安排了近180亿美元的额外融资。2000年一年就在近80个国家中为250个项目提供了40亿美元的资金。

International Fund for Agricultural Development（IFAD） **国际农业发展基金** 总部设在意大利罗马的一个联合国组织。旨在援助贫穷国家和地区发展粮食生产。根据1974年11月世界粮食会议通过的决议于1976年6月成立。主要任务是向各种项目提供资金和其他资源，从而帮助贫困农牧民以及农村地区的无土地人员和土著人口。其主要决策机构是监管理事会，由160多个成员国的代表组成；由18个成员组成的执行董事会监督日常运作。在20世纪的最后几十年中，出资支持了100多个国家中的500多个项目。

International Geophysical Year（IGY） **国际地球物理年** 世界性地球物理学研究活动，自1957年7月至1959年12月期间实施。该项活动的内容为对地球及其行星环境作系统的研究，包括地球物理11个领域：极光与大气辉光、宇宙线、地磁、冰川学、地心吸力、电离层物理学、经纬度测定、气象学、海洋学、地震学及太阳活动。由于地球物理年的时段正好选在太阳黑子最大的期间，在此期间太阳耀斑及其他扰动普遍存在，因而对太阳的研究更有意义。1950年，由美国科学家L.V.伯克纳所领导的地球物理学家小组曾提议开展第三次"国际地极年"，这是一项国际科学活动，旨在利用1932～1933年第二次国际地极年以后仪表、火箭技术和信息处理等方面的进展。上述提议不久即从地极研究的领域扩大为更广泛的一系列地球物理学研究。国际科学组织的上级机构——国际科学联合会理事会批准这项扩大的研究活动，即"国际地球物理年"。于是许多国家的科学组织均成立了"国际地球物理年"委员会，最后有70多个国家参加"国际地球物理年"活动。国际地球物理年率先使用火箭实施高空和上大气层现象研究。50年代末期，苏联和美国最先发射的人造卫星，被用来搜集国际地球物理年活动所需的资料。

回顾过去，国际地球物理年的最重要成就也许是在1958年证实了科学家们的假说：在海底存在一个连绵不断的环绕全球的洋中山脊系统。到了20世纪70年代，由于认识到板块构造为地壳的基本现象，才了解此一地球上最大山脉的意义。国际地球物理年的另一重大成就，是发现在数百和数千千米高空有环绕着地球的范艾伦辐射带。内范艾伦辐射带是于1958年由"探险者"号卫星携带的仪器测定的。其后不久，太空探测卫星"先驱者"3号和4号发现第二条范艾伦带。各项具体的发现只是国际地球物理年技术成果的一部分。大部分的努力是搜集气象资料，即提供纵览地球物理现象所需的资料。国际地球物理年的成就鼓舞了若干国际合作研究活动的开展，其中著名者有"国际宁静太阳年"（1964～1965）、"国际水文十年"（1965～1975）以及"国际海洋考察十年"（1970～1980）等。

International Harvester Company 国际收割机公司 参阅 **Navistar International Corporation** 纳维斯塔国际公司。

International Herald Tribune（IHT） **《国际先驱论坛报》** 巴黎出版的日报，是欧洲的美国移民、旅行者和商人主要的英语新闻来源。被认为是第一份全球性的报纸。该报的前身是《巴黎先驱报》，由小贝内特于1887年创立。在这之前数年，他曾派斯坦利到非洲为他的《纽约先驱报》征聘利文斯敦。1918年小贝内特去世后，芒西买下了纽约市的《先驱报》和它的巴黎版。芒西原想买下《纽约论坛报》，使之与《先驱报》合并，但未成功；于是他转而将《先驱报》出售给《论坛报》，终于使两报以相反方式合并。作为《纽约先驱论坛报》的巴黎版，《巴黎先驱论坛报》享有盛名。许多巴黎人亲切地称之为"纽约"。该报的报道文章与《纽约先驱论坛报》共有，亦可采用后者刊载的报道。第二次世界大战期间德军占领巴黎时，该报曾停刊4年。但在60年代，它恢复了往日的锋芒，并且销路很好。这时《纽约先驱论坛报》却因成本提高、岁入降低和长期罢工，经过一连串的合并而终告停刊。由于《纽约时报》、《华盛顿邮报》和惠特尼通讯社的联合投资，巴黎版的《先驱论坛报》保留了下来，并更名为《国际先驱论坛报》。2003年，纽约时报公司购买下了其全部所有权。该报总部仍设在巴黎，但它利用卫星手段在世界各大城市同时印刷，包括雅典、博洛尼亚、美茵河畔法兰克福、雅加达、吉隆坡、马德里、马赛、纽约、巴黎、特拉维夫-雅法、东京、香港、新加坡、伦敦、海牙和苏黎世。

International Ice Patrol **国际冰情巡逻队** 1912年英国客轮"泰坦尼克"号触冰山沉没后，1914年从事北大西洋海运的16国协议建立的巡逻队。巡逻队找出北大西洋中冰山位置，跟踪并预测它的漂流，向附近的船只发出警告。由美国海岸警卫队用飞机普查，飞机上装有雷达，除了海上波涛最汹涌的情况之外，能在任何其他条件下探测冰山。海岸警卫队与加拿大冰情服务部门交换信息，并从过往船只获得报告。巡逻季节通常为3月至8月。在此期间，海岸警卫队每天两次通过国际海洋卫星（Inmarsat）和高频无线电传真进行广播，发布有关海上冰情和冰山的报告。每年追踪的冰山约有1 000座。也曾尝试毁掉危险的冰山，但收效甚微。

International Investment Bank **国际投资银行** 共产党国家的国际银行。1970年建立，1971年开始营业，其宗旨为向成员国提供基本建设的中、长期贷款。创建时的成员国有：保加利亚、古巴、捷克斯洛伐克、东德、匈牙利、蒙古、波兰、罗马尼亚、苏联和越南。总部设在莫斯科。理事会每年至少开会2次。该行向成员国的银行和企业提供信贷。1991年该行同经济互助委员会一起被国际经济合作组织所代替，这一组织是为促进东欧各国之间在市场经济（不是中央计划经济）基础上的合作而设立的咨询机构。

International Labour Organization（ILO） **国际劳工组织** 联合国专门机构，其宗旨在于促进全世界劳动条件的改善和生活水平的提高。第一次世界大战后根据《凡尔赛和约》于1919年成立，隶属国际联盟。1946年划归联合国，成为后者的第一个专门机构。其职能是：发展并提高各国的劳工立法标准，以保护并改善工作和生活条件。在社会政策和管理方面，在人员训练和使用方面，提供技术援助；促进合作组织和农村工业的发展。编纂劳动统计资料，研究国际竞争、失业与半失业、劳资关系、经济发展及技术改进等社会问题。保护国际移民，保障工会权利。1969年被授以诺贝尔和平奖，以示对其工作的赞赏。它鼓励各国政府、工人、雇主等方面的代表和国际劳工组织的工作人员交换意见。第二次世界大战后，欧洲殖民帝国的解体和发展中国家提出的要求，给国际劳工组织带来了新任务；劳工组织的会员不再由欧洲经济发达国家占优势，第三世界不发达国家的会员越来越多。21世纪初，约有175个国家为国际劳工组织的会员。各国派驻国际劳工组织的代表每年举行一次国际劳工大会。该组织的行政权力授予理事会，理事会由大会选举产生。国际劳工局设于日内瓦，由常设秘书处和专业人员组成，处理国际劳工组织的日常事务。劳工局由一位委任的局长进行监督，并派出国际公务员和技术援助专家至世界各国工作。国际劳工组织与其他国际机构的不同之处在于其大约175个成员国家不仅有它们的政府人员代表，同时也有各国的工会和雇主组织代表。它最重要的刊物是《国际劳工评论》和《劳工统计年鉴》。

International Ladies' Garment Workers' Union（ILGWU） **国际妇女服装工人联合会** 美国和加拿大妇女服装工业工人的产业工会。1900年建立时，其大部分会员是被称之为血汗工厂所雇用的犹太移民。它于1909年和1910年在纽约市举行的成功的罢工，产生了妇女服装业劳资之间签订的《和平议定书》。该议定书大大地改善了服装工人的工作条件，增加工资，减少工作时间，服装工厂主承认工会，并建立了仲裁委员会以处理劳资纠纷。20年代，D.杜宾斯基（后于1932～1966年任该工会主席）领导了一次斗争，成功地击败了共产党夺取该工会控制权的企图。1935年，当允许行业工会把大生产工业工人组织起来的决议案被劳联代表大会否决后，国际妇女服装工人联合会同另外7个工会一起组成了产业工会委员会。1937年这8个工会全被开除出劳联。1938年当产业工会委员会改组为产业工会联合会时，妇女服装工人联合会退出，并在2年后重新加入了劳联。在杜宾斯基的领导下，工会会员从1932年的4.5万人增加至60年代的45万人。他将该组织从一个闹派别斗争的、无力偿还债务的地区性工会改造成为一个强大的和进步的国际组织，成功地提高了会员的工资并改善了会员的工作条件。该组织还创立了纽约州自由党。70年代以后，国际妇女服装工人联合会成员数量减少，因为美国企业的许多生产成衣的活计移至亚洲和拉丁美洲，以利用当地的廉价劳动力。1995年，国际妇女服装工人联合会与服装和纺织工人混合工会合并组成成衣业、工业和纺织业雇员联合会。

international law **国际法** 又作 public international law 或 law of nations。指适用于主权国家之间以及其他具有国际人格的实体之间的法律规则的总体。国际法又称国际公法，以区别于国际私法或法律冲突，后者处理的是不同国家的国内法之间的差异。国际法也与国内法截然不同，国内法是一个国家内部的法律，它调整在其管辖范围内的个人及其他法律实体的行为。

国际法是西方世界的三重发展过程的产物：即中世纪的欧洲社会瓦解，进入近代欧洲社会的过程；近代欧洲社会向外扩张的过程；处在发展中的世界社会里，权力逐渐集中到数量迅速减少的主要世界强国手中的过程。

《国际法院规约》第38条将国际法的主要造法方式即国际法规则形成的方式归结为三：条约、国际习惯法和为各文明国家承认的一般法律原则。这已得到几乎是普遍一致的赞同。

条约 条约和其他经一致同意的协议是具有法律拘束力的，国际法主体可以通过它们（如果是国际习惯法不要求任何形式）宣布、修改或发展现行的国际法。它们也可以通过条约将尚未组织起来的国际社会转变为联合的或凌驾于国家之上的全球性或区域性的国际社会。

国际习惯法 国际习惯法实质上就是适用于尚未组织起来的国际社会的国际法。国际习惯法的构成有两个要素：①普遍的或区域性的国家实践；②这种实践为有关国家承认为法律。国际习惯法常常是以早期条约的某些条款为其渊源，这些条款后来就被承认为法规。但是也有个别的国际法规则是由世界列强的大致相同的实践发展而成的。

为各文明国家所承认的一般法律原则 这些原则只有在国际习惯法或条约法没有相应的规则与之抗衡的情况下才起作用，所以它的造法作用是辅助性的。这种原则必须是一般的法律原则，而不是作用范围有限的法律规则；它还必须得到有相当多的文明国家（至少包括世界上所有主要的法律体系）的承认。

在尚未组织起来的国际社会里的国际法 国际习惯法的主要规则可以概括为7个基本原则：即主权、承认、同意、信实、公海自由、国际责任和自卫。

主权：依照国际法，共处的各主权国家一律平等。它们只能对在其领域内的人和事行使管辖权，只有在特殊情况下（如从领海到公海的紧追权或者报复权）才被允许对在其领域外的人和事行使管辖权。各个国际法主体除受普遍适用的国际习惯法的规则约束外，不经它同意，不得令其承担任何外加的国际义务。

承认：承认的主要作用是，承认一个实体作为国际法主体而存在，或者承认它的首脑为该国的代表并希望与该国维持外交关系。承认的主要形式是承认一个国家或政府在一块领土上行使事实上的或法律上的管辖权，简称为事实上的承认和法律上的承认。承认可以是无条件的，也可以是有条件的；可以是明示的，也可以是默示的。承认也可能并不是全面的，而只限于承认一群人为交战团体或叛乱团体,如果这些叛乱者事实上已经控制了该国部分领土。承认在原则上是可以自行斟酌决定的,但过早地承认别国的交战团体或叛乱团体是和该国专有的国内管辖权不相容的,因而也是非法的。

同意:国际法主体在订立协定时,在不损害第三者权利的情况下,可以修改和补充国际习惯法的某项规则或者为各文明国家所承认的一般法律原则。遵循国际法的要求所作出的同意,为缔约双方确定了相互之间的权利与义务。经缔约双方同意所订立的协定,其中止、修改和终止也应经缔约各方的同意或默认。

信实:在国际法发展的早期阶段,所谓信实主要是指不背信弃义。以后,信实的含意逐渐与公平合理、符合常识的要求一致起来。缔约双方或者应对自己的单方面行为负责的一方,必须恪守信义地解释和执行协定。

公海自由:公海航行自由的规则不准许任何国际法主体占用公海的任何部分。在和平时期,一个国家只能对有权悬挂该国国旗的船舶行使管辖权;而在战争时期,则可根据海战规则和捕获法规干扰敌国及中立国的航运。对于公海、公海上空和海床的利用,必须合理照顾其他国家的利益。海盗行为和贩运奴隶都是对公海的非法利用。

国际责任:关于国际责任的规则要有两个前提。①国际法主体的下属机构违反国际义务,构成了不法行为或国际侵权行为;②这种国际侵权行为引起赔偿的责任。这些规则所规定的义务是独立于任何个别的国际法主体的意志之外的,但是它们可以经过同意和默认加以修改,它们也可以用双方同意的规则规定类似国内刑法的那种处罚来加以强化,或者通过默认和不行使权利而予以放弃(也称消灭时效)。

自卫:国际习惯法允许国际法主体对其他国际法主体的不法行为采取自卫措施,也可以对不受任何其他国际法主体保护的个人、船舶或飞机的行为采取自卫措施。自卫必须是迫不得已、刻不容缓的。只有为了击退即时的、紧迫的入侵才有权采取自卫行动。

支配国际法基本原则的各项规则相互作用的结果,又规定了一些次要规则和法定地位,其中最重要的有:领土、外交法及豁免、保护国外的侨民、贸易和航行自由、引渡和政治避难、国际权利与义务的继承。

在有组织的国际社会里的国际法 在有组织的国际社会里,像国际联盟和联合国这样的机构是在各国一致同意和联合的基础上形成的全球性的综合性组织。它们对国际法的影响表现在三方面:①经各成员国明示同意,对以国际法的基本原则为基础的那些规则进行修改。例如《联合国宪章》限制了国际法主体按照国际习惯法可以以武力相威胁或者诉诸武装报复和战争的权利。②通过联合国大会的决议对国际法的规则进行间接的修改,联合国大会虽然不是行使造法职能的机构,但是它的许多决议具有间接的造法作用,因为这些决议确定了国际法的新规则,如果联合国的大多数成员国和联合国的绝大多数主要机构都接受这些国际法规则,认为它们具有法律上的约束力,那末,这些国际法规则迟早终究会过渡成为新的法律。③对国际法作进一步的编纂和发展。国际法委员会作为联合国大会的下属机构,担负着编纂国际法的任务,但它同时也在开拓许多新的国际法领域。事实上,国际法委员会并未将下述两项任务即编纂国际法(重申现行的国际法)和发展国际法(通过起草新的国际法规则——包括变更现行的国际习惯法),加以严格区分。除此之外,政府间海事协商组织、国际劳工组织和海牙私法会议也曾分别就海洋法、国际劳工法、国际私法等专题完成了准立法性的起草工作。这种情况如能继续下去,国际法的发展就有可能会突破联合的水平而向联邦的方向发展。然而在这种发展尚未达到世界性之前,国际法在一些区域性集团的相互关系中,仍然是必不可少的。

International Load Line (marine engineering) **国际载重线标志** 参阅 **Plimsoll line** *载重线标志*。

International Maritime Organization (IMO) **国际海事组织** 原名政府间海事协商组织(1948～1982)。联合国专门机构。为国际海运事业提供合作机构,以建立技术规程,推广技术应用;促使各国政府采取最高标准的海事安全设施及航运设备;劝阻国际贸易中的歧视和限制行为,制止船舶公司的不公平做法等。1948年举行的联合国海事会议拟订一项公约,规定成立这一组织,该公约于1958年3月17日生效。这一组织于1959年1月举行第一次大会。1982年5月22日改用现名。决策机构为大会,每两年召开一次。理事会由24个理事国组成,后来增加到40个,每年开会两次,并在大会休会期间负责全面管理。理事会成员分为3类:①在提供国际船运服务中有最大利益的10个国家;②在提供国际海运贸易中有最大利益的10个国家;③在海上运输中有特殊利益的20个国家,其选择要体现各个地区代表权平衡的原则。海事安全委员会由16个成员国组成,每年开会一次,负责向大会提出安全建议。还有若干小组委员会负责专门事务,诸如运输危险品问题、无线电通信、防火、船舶设计及装备、救生用具以及货物与集装箱等。1973年建立了海上环境保护委员会。设有秘书处,总部在伦敦。1992年,国际海事组织建立了全球海事遇难和安全系统,该系统是一个统一的通信系统,通过卫星和地面无线电通讯向发生海难的船只提供援助。1999年,该系统投入使用。

International Monetary Fund(IMF) **国际货币基金组织** 联合国专门机构,1944年成立,以便保证国际货币合作、稳定汇率及扩大国际清偿能力。以往的殖民地得到独立,货币基金组织成员随即增加。总部设于华盛顿。各成员国保证维持有秩序的汇兑安排、降低黄金在国际货币交易中的作用、扩大本组织实现其宗旨的能力。成员国货币机构之间继续保持联络使货币基金组织成为咨询合作的便利工具和国际货币问题调研及统计资料出色的中心。流动资金由各成员国政府根据其国际贸易规模的大小、国民收入及国际储备能力分配认定份额。成员国发生国际收支困难时,可以用其国家货币向货币基金组织购买所需外汇。由这种提款扩展国际清偿能力的情况,在偿还提款之后即行消失。帮助成员国对暂时出现的国际收支困难进行解决的额外措施还包括:1952年的《备用协定》使成员国在有实际需要时能提前洽商贷款;根据1961年10国协议所制定的《借款总协定》提供备用货物;还有1963年制订而于1966年放宽其范围的出口波动补偿贷款使发展中国家能应付出口收汇的突然下降而不实施外汇管制或严重的通货紧缩。国际贸易规模的日益扩大和不断发生的金融货币危机,产生了增加储备以结算国际收支的需要。1969年10月,在基金组织年会上批准了特别提款权,这项办法使国际清偿能力可以长期扩大。1986年国际货币基金组织与国际复兴开发银行开始筹措新的几十亿美元资金来为世界上最穷的国家服务。

International Olympic Committee **国际奥林匹克委员会** 国际体育组织。1894年成立于巴黎。负责举办、宣传和管理现代*奥林匹克运动会*(**Olympic Games**)。

international organization **国际组织** 任何有两个或两个以上的主权国家作为会员加入的机构,能够作出安排和拥有设备以促进其会员进行持续的活动。国际组织的创立主要是20世纪的一种现象,现有的国际组织中仅有很少一部分成立于1850年以前,约有90%是在1900～1956年间建立的。20世纪80年代中期,共有2 500多个国际组织,其中约750个是在第二次世界大战后建立的。这个数字包括130多个政府间机构,其中最著名的有联合国及其附属机构,以及区域性组织诸如欧洲经济共同体、北大西洋公约组织、美洲国家组织和经济互助委员会等。20世纪广泛建立国际组织的倾向主要源于通信技术、交通和战争的发展,以及源于工业化的普及。这些发展在世界各国人民之间形成互相依赖,从而促使承认建立系统的国际合作的必要性,以避免危险、解决问题和得以利用各国社会所面临的机遇。同时这些发展为计划在世界范围内建立各种组织并使之运作提供空前的可行性。这些机构在地理范围方面可以有很大的不同,从地区性组织到几乎包括全世界的全球性组织不等。有些机构仅涉及单一的和较狭窄的问题,而有些机构(例如联合国)则处理大量的各种不同的重大问题。此外,国际组织可以是政府间机构,也可以是非政府机构。第二次世界大战后,联合国成为一"屋顶组织",下设各主要机构,以进行系统的国际合作。根据《联合国宪章》,联合国与政府间经济、社会、文化、教育、卫生和有关领域机构达成协议,以进行协调。虽然大部分国际机构的日常运作都是通过专门的国际行政机构进行,但最终的权力掌握在成员国手中。国际政府间机构通常与其他机构,包括非政府组织(例如绿色和平组织和大赦国际)紧密合作。这些非政府组织有很多职能与对口政府间机构相同,并且特别善于调动起公众的支持，监督国际援助的效率，并提供信息和专门技术。虽然有数千个非政府组织的活动集中于亚非的发展中国家，但大部分都是以发达的民主国家为总部。只有很少的非政府组织有国际性规模，但它们在国际关系中发挥着日益重要的作用。

International Organization for Standardization（ISO） 国际标准化组织 1947年设立于日内瓦的国际专业组织，从事所有科技与非科技领域内的标准化工作（电气与电子工程的标准化由国际电工委员会负责，不包括在内）。会员已超过100个国家，每个成员都是"最能代表本国标准化工作"的全国性团体，在西方工业化国家通常属民间组织，如美国国家标准学会（ANSI）和英国标准学会（BSI）；但在其余的多数国家里，则属政府组织。标准化的实施范围包括：度量衡的单位；符号的字母化与音译；零件、材料、表面、加工、工具、试验方法与机械的规范；甚至说明这些规范的格式也包括在内。有关标准化的具体问题，该组织根据需求组成国际"技术委员会"进行调查和处理，并将结果汇编成《国际标准》（IS）出版。由于科技的日新月异，ISO标准每5年便适当地复查（必要时加以修订）一次。

International Paper Company 国际纸业公司 美国主要的纸浆与纸产品的制造商。产品包括印刷纸、专用纸、包装材料、木材和建筑材料。在美国、加拿大、俄罗斯、新西兰和巴西拥有数百万英亩的森林。总部在康涅狄格州的斯坦福。原公司兼并了美国东北部的20家造纸厂，在1898年创立了国际纸业公司。后来1941年被国际纸张动力公司收购，沿用原名。公司虽有收购和兼并的历史，但专门致力于纸张及木材的生产。1986年，公司收购了哈默米尔纸厂，该厂系印刷纸生产商及大的纸张经销商。1995年收购了竞争对手联邦纸板公司，2000年又收购了旋骏国际。到21世纪初，国际纸业公司是美国最大的私人土地所有人。公司生产种类繁多的商业与工业用纸张（包括文具、精细的书写纸、印刷纸、新闻纸），包装材料（包括纸盒、纸袋及塑料袋）和木材产品。其附属机构在生产消费纸张、批发经销纸张、收获稻谷及金融方面很活跃。供应美国国内和海外纸张和包装设备。

international payment 国际收支 为清偿贸易债务，如为资本投资的单方面资金转移，或为其他某一目的而进行的国与国之间的收支。这类收支的起因、方法和会计都是经济学家和国民政府甚感关切的事情。

清偿国际债务的方式有：从外汇积累余额中扣除、债务人向债权人贷款、向国际货币基金组织（International Monetary Fund）提款或利用黄金移交。无论何时，只要这一过程是多边的而不是双边的，它便可提供额外的好处。例如，按照年度交易总额计算，英国对美国有欠债，对英联邦有盈余，而英联邦对美国有盈余，对英国有欠债；如果各贷方和各借方正好互相抵消，则最后有关各国的外汇头寸没有变动。不过，实际上事情并没有如此凑巧，在某一年或年与年之间贷方和借方头寸净额经常有很大波动。国家平衡其国际账户的方式是其国际收支平衡表中最重要的问题之一。

国际收支平衡表是一定时期内某国居民（包括政府）与他国居民（包括他国政府，为方便起见可称为外国人）之间一切经济交易的系统记录。表中交易按复式记账方式登载，每笔交易同时分登借贷双方，金额相等。因此，一国的国际收支平衡表，应该借贷双方平衡，总体上不可能有盈余或赤字。

例如，美国的国际收支平衡表记载有美国因进口向外国人支付的美元、美国旅游者在国外的支出、捐赠、向外放款活动等等。这些开支登在表内借方（付款）。贷方（收款）说明外国人交付美元的各种用途，如为美国出口而付款，为美国贷款而还本付息，等等。如果外国不能在一定时期内将付给它们的美元全部花掉向美国购买货物和劳务，则国际收支平衡表的贷方（收款）的外国持有的美元余额、外国购买美国的有价证券、美国出口的黄金或其他类似项目会出现增额。另一方面，外国付给美国的美元不足以偿付美国货物和劳务的出口，则其他美元只能通过外国在美国财产的清算、向美国输入黄金和需记入借方（付款）的类似的业务来补平。这就是说，将全部收入和支出项目计算在内，任何时期内以美元计算的收入应等于以美元计算的支出。

各国都十分关注引起外汇收支的交易形式，并关注这些收支如何进行数额上的比较。各国向国际货币基金组织报告其国际收支的标准表格划分为两大部分：经常项目和资本与货币黄金项目（简称资本项目）。经常项目又依次划分为两部分：一是记载货物与劳务，一是记载转让性付款。资本项目也可再划分为两部分：一是记载非货币部门的交易，一是记载货币部门的交易。

看来似乎有些矛盾的是通常人们所提及的国际收支中的盈余或赤字，实际上它们所指的常常是"贸易差额"（即商品贸易的贷方或借方净额）。虽然这是国际收支平衡表中重要部分，可是它本身却可能无甚重要意义。一项进口盈余可能被经济含义上极其相似于出售货物的劳务销售净额所对等冲销。这样从货物和劳务整体看来，就没有赤字。这种平衡比单纯的货物贸易平衡，范围更加广泛，意义更加重要。

人们谈到货物和劳务差额时，常将其看作经常项目差额。从总体上看，由于它是资本项目的对应部分，经常项目都一直极其重要。一国在经常项目总额上出现赤字，就其事实本身说来，就是在减少它的国外资产（包括黄金）或在增加它向外国人的欠债。一国经常项目有盈余，就是在获取国外的资产或减少国外的债务。

一国在货物和劳务平衡中出现赤字，并不一定表示汇率承受压力。赤字可由投资资本的流入所对等冲销，投资资本的流入可加强当前的外汇头寸并加强一国未来的出口能力。同样地，一国货物和劳务平衡中出现盈余，也不一定说明其外汇头寸强劲。

在公众谈论中，贸易差额中赤字常称作"贸易逆差"，而盈余常称作"贸易顺差"。这些术语，如果不是完全词不达义的话，那也是有严重缺陷的，以致现代人们论述这一课题时拒绝使用它们而代之以积极的和消极的或正的和负的贸易差额这类术语；其他所用的术语有出口盈余和进口盈余或贷方差额和借方差额。经常项目中总净额是比较重要的项目，在国家经常性收支平衡表中常被称作盈余或赤字。国家短期平衡表黄金外流净值加上外国财产净增值极其经常地被用以衡量一国国际收支中的赤字。这些净值被称为"调节付款"，它们仅在国际收支中其他项目出现这同样大小数额的缺口需要填补时才出现。虽然在实践中调节付款跟其他付款不易区分，可是调节付款却是一个很有用的理论概念。

International Peace Garden 国际和平公园 在美国北达科他州和加拿大马尼托巴省交界处。位于特特尔山谷中。位于北美洲地理中心以北50千米、北达科他州的迈诺特东北130千米处。面积898公顷（美国部分359公顷）。1932年作为美加两国间持久友谊的象征而建立。有野营及住宿设施。

International Phonetic Alphabet（IPA） 国际音标 国际音标是为帮助学生和语言学家准确地学习并记录各种语言的发音而发展起来的一套字母表。应用它可避免互不一致的传统拼写法和大量的单独注音系统所造成的混乱。国际音标的唯一目的是保证语言中每个有区别的语音，即用以区别此词和彼词的每个语音或音位都有一个唯一的符号。国际音标主要采用拉丁字母，另一些字母是从不同的文字（例如希腊字母）中借用并加以修改以使它与拉丁字母的写法相一致。采用各种发音符号以准确地区分语音并标示元音的鼻音化、音长、重音和音调。制订国际音标的设想是O.耶斯佩森在给国际语音学协会P.帕西的一封信中提出的，在19世纪末经A.J.埃利斯、H.斯威特、D.琼斯和帕西等人发展而成体系。国际音标分宽式与严式两种标音法。例如，对英语为本族语者来说，英语中只有一个t音。因而，采用宽式标音法，只需用一个符号来标出每一个t音。如果在英语中必需采用严式标音法时，可以增加一些发音符号来表示t音在"tap"、"pat"和"stem"等词中发音的细微区别。国际音标未取得设计者预期的巨大成功。在美国使用的普及程度不及欧洲。尽管作为包容广泛的音标体系仍有某些缺陷，但仍是使用最多的音标。就印刷和打字而论，国际音标的主要缺点是，除以拉丁字母为核心外，还采用了大量的特殊符号。为了节约和方便起见，就需要常常进行修改和用些替换字母。

International Physicians for the Prevention of Nuclear War 国际防核战医师组织 由一群医师组成的国际性组织，以反对核武器竞赛和将核战争可能造成灾难性的医学后果教育公众为宗旨。1985年获诺贝尔和平奖。该组织由B.洛恩和Y.I.恰佐夫分别领导数位美国和苏联医师于1980年成立，致力于研究核战争可能带来的医学、心理方面的影响和对地球生态的影响。获奖时成员达13.5万多人,分布于41国,其中美国约3万人,苏联约6万人。该组织受到某些人士的批评,认为它卷入苏联的反战宣传活动。

International Society for Krishna Consciousness 参阅 **Hare Krishna** 国际黑天觉悟会。

International Society of Christian Endeavor 国际基督徒勉励会 加拿大、墨西哥和美国的基督教青年信徒的跨会派团体。为1881年克拉克所创设,克拉克任会长到1927年。该会宗旨为"勉励会员过严肃的基督徒生活,增进相互了解,培养他们从事教会工作并能以种种方式为上帝和人类服务"。世界基督徒勉励会联合会成立于1895年,是由至少75个国家的基督徒勉励会联合组成的合作性机构。每4年召开会议。国际基督徒勉励会和世界基督徒勉励会联合会的总部都设在美国俄亥俄州哥伦布市。

International Space Station（ISS） **国际空间站** 利用多国联合企业提供的支持与组件,主要由美国和俄罗斯两国在地球轨道建造的空间站。该计划开始时只是美国独自承担,因为资金和技术问题而长时间拖延。最初由R.里根总统于20世纪80年代命名为"自由"号,90年代又重新设计,以降低成本和扩大国际参与,并于此时重新命名。由于俄罗斯的控制舱"曙光"号和美国的"团结"号连接舱发射升空,航天飞机的航天员在地球轨道将两者对接,入轨建设在1998年下半年开始。在2000年中,一个居住与控制中心"星辰"舱加入,同年年底国际空间站接受了它的第一批常驻人员,包括两名俄罗斯人和一名美国人。其他构件陆续添加到空间站,整个计划需要组装一套实验室和居住舱,挂在一个装有4组太阳能电池的长架构下。空间站最终至少会有16个国家参与,包括加拿大、日本、巴西以及欧洲空间局的11个成员国。该空间站预计至少在21世纪的前25年,可以作为人类在地球轨道活动的基地。国际空间站航天员的大部分前期研究工作侧重于在失重环境下长期的生命科学和材料科学调查。2003年2月"哥伦比亚号"航天飞机发生爆炸后,航天飞机全部停飞,空间站的扩展因此被中止了几年。与此同时,空间站的工作人员减少,其作用基本上处于维护状态,限制了原来可以进行的科研工作。

International Standard Book Number（ISBN） **国际标准书号** 一本书或一个版本在出版之前所取得的、用以代表它的编号。它以10位数字分别代表国家地理的或语言的区划,以及出版人、书名、版次和卷号。它是联合国国际标准化组织规定的国际标准书目(ISBD)的一部分,各国代表于1969年通过了这一编号体系。国际标准书目提供单卷本和多卷本出版物书目编排的标准。国际标准书号由相应的国家标准书号部门(例如,在美国是鲍克公司,在英国是标准书号公司)分配。国际标准化组织于2002年开始对ISBN系统进行修订,2004年7月通过修订标准,并于2007年1月1日开始实行。在10位ISBN前加978便可转换为ISBN－13。

International Standard Serial Number（ISSN） **国际标准刊号** 作为各种期刊简明代号的一种8位数字码。与国际标准书号ISBN不同的是,这个编号只用于识别刊物,而不反映学科门类、语种或出版人之类的特定内容。这一编号供图书馆人员、作者、出版人和期刊收订部门进行期刊的管理、保护版权、处理订购和编目时使用。国际标准刊号是由联合国国际标准化组织的一个技术委员会制定的。期刊编号及改变刊名的新编号,按照国际期刊数据系统(ISDS)规定的准则分配。国际标准刊号由美国国会图书馆进行例行登录。登录包括期刊目录卡片上的编号,可能时还包括《新期刊刊名》中的编号。巴黎的国际期刊数据系统还用缩微胶片出版物通报国际标准刊号的综合信息。

International Style 国际风格 20世纪20和30年代在欧洲和美国兴起的一种建筑风格,而在20世纪中期成为西方建筑的主流。国际风格最常见的特征,为直线轮廓的方正

科比西埃设计的国际风格建筑——法国普瓦西的萨瓦住宅,1929～1930年
美国不列颠百科全书公司供图

形式,不附加任何装饰的轻而平整的外墙,开敞的内部空间,以及利用悬挑结构(在金属支柱上向外挑出的钢筋混凝土结构)表现的轻巧外观。其独特的建筑材料为玻璃和钢铁,加上通常不太外露的钢筋混凝土结构。国际风格这一名词,首先是由H.-R.希契科克和P.约翰逊于1932年提出来的。当时现代艺术博物馆举行建筑图片展览会,他们两人为展览会编写的说明书,曾冠以下列的标题:"1922年以来的建筑——国际风格"。

国际风格是19世纪晚期建筑师面临的三种情况所产生的结果:①建筑师对继续套用各种历史风格的折衷主义建筑,日益感到不满,这种折衷主义建筑胡乱地搬用那些过去时代建筑风格的装饰,而毫不考虑功能上的需要;②各地都需要为迅速工业化的社会,修建大量的办公、商业和居住房屋;③建筑新技术的发展,而这种新技术集中于钢铁、钢筋混凝土和玻璃的应用方面。以上三种情况迫使人们去寻求一种真实、经济与功利主义的建筑,目的是可以使用新的建筑材料和满足社会对房屋的需求,同时还能符合美观的条件。要达到这一目的,技术是关键因素;大量生产而价格低廉的钢铁材料的问世,以及19世纪90年代人们发现可以用这些钢材制作主要的结构构件,使传统的砖石承重建筑成为过时的东西;再加上把钢筋混凝土用作辅助性支承部件(如楼板等),以及把玻璃作为房屋外部的覆盖层等新的做法,组成了修建现代房屋所需的一整套技术。于是建筑师运用这些技术创造了一种新的建筑,并坦率承认这种新建筑是建立在新技术的基础之上的。他们认为,现代房屋的格局和外貌应当是材料及结构的自然产物,并且应当表现它们的潜在性能,国际风格即是在上述口号之下应运而生的。在这种简朴和有条理的新建筑中,就要把艺术、功能和技术和谐地统一起来。

国际风格是在20世纪20年代由一批才华出众和思想新颖的建筑师创造出来的,他们在建筑领域内具有重大的影响。其中主要的人物有生活在德国和美国的W.格罗皮厄斯和密斯·范·德·罗厄,荷兰的J.J.P.奥德,法国的科比西埃,以及美国的R.诺伊特拉和P.约翰逊。格罗皮厄斯和密斯两人以设计玻璃幕墙的建筑物著称,这种玻璃幕墙悬挂在构成建筑物骨架的钢梁之上,格罗皮厄斯的重要作品有法古斯工厂(德国莱讷河畔阿尔费尔德,1911)、包豪斯学校(德国德绍,1925～1926)及哈佛大学研究生中心(美国马萨诸塞州剑桥,1949～1950),这些建筑都说明设计者致力于安排整洁有序的内部空间。密斯·范·德·罗厄及其美国的拥护者为国际风格有力的传播者,这可从他们设计的玻璃与钢铁摩天楼中获得非常明显的验证,密斯设计的湖滨大道公寓楼(芝加哥,1949～1951)以及他同P.约翰逊合作设计的西格拉姆大厦(纽约市,1958)即是例子。奥德给国际风格赋予了一些较为婉转和流畅的几何外形。科比西埃也喜欢对钢筋混凝土的形状进行较自由的处理,但他还采用了模数比例的设计概念,旨在使建筑物保持人的尺度,其最著名的国际风格作品有萨瓦住宅(法国普瓦西,1929～1930)。

20世纪30及40年代,国际风格从其发祥地德国及法国,流传至北美、南美、斯堪的纳维亚、英国和日本。此种风格的干净利落和讲究实效的几何形体,成为50及60年代美国摩天楼建筑词汇的基本组成部分。国际风格为外表光秃秃的摩天楼提供了美学上的依据,而这样的大楼在当时构成了美国大企业权势和进步的象征。然而到了70年代,许多建筑师开始对国际风格固有的拘束和限制表示不满。这种用赤裸裸的钢铁和玻璃"匣子"所体现的风格,令人感到它的荒谬和公式化。人们也因此开始反对这种现代主义的建筑,而重新探求新的设计和装饰途径。建筑师开始利用现代的建筑材料及装饰部件,以创造不同的新的外观,从而试图设计形式更自由和更富想象力的房屋。此项活动,到70及80年代早期具有较大的声势,世人称之为后现代主义。

International System of Units 国际单位制 又称SI制,法语作Système International d'Unités。十进的国际计量制是由米制导出并延伸的,1960年由第11届国际计量大会通过采用,在所有语言中都简称为SI。在19和20世纪,科学技术发展迅速,科学家为了临时满足他们学科的实际需要,发展了几个交叠的计量单位制。用来改进这个状况的早期国际单位制称为米-千克-秒(MKS)制。为了给定

义基本电单位作准备，国际计量大会于1937年增加了三个单位：①力的单位牛顿(newton)，定义为使质量为1千克的物体具有1米/秒^{2}加速度的力；能量单位焦耳(joule)，定义为1牛顿力的作用点在力的方向上移动1米时此力所作的功；③功率单位瓦特(watt)，即作功的速率为每秒1焦耳。这三个单位都以历史上的杰出科学家命名。1960年的国际单位制建立在MKS制的基础上。它的全部单位都从7个基本单位导出，它们的定义如下：①长度单位米，定义为光在真空中于1/299 792 458秒内所经过的距离；②质量单位千克(约2.2常衡磅)，定义为保存在法国塞夫尔国际计量局的铂铱国际千克原器的质量；③时间单位秒，定义为铯133原子的特定跃迁所对应的辐射的9 192 631 770个周期的持续时间；④电流单位安培，定义为真空中截面积可忽略的两根相距1米的无限长平行圆直导线内通以等量恒值电流，当两导线间的相互作用力为2×10^{-7}牛顿时的电流强度(或在电阻为1欧姆的导体两端施加1伏特电压时产生的电流强度)；⑤发光强度单位坎德拉，面积为1平方米、温度为凝固的铂的辐射腔发光强度的1/600 000(或近似为一支石蜡蜡烛的发光强度)；⑥物质的量单位摩尔，物质系统所含的基本单元数同0.012千克的碳12所含的原子数相等时的物质的量；⑦热力学温度开尔文(参阅 **absolute zero**)。

International Telecommunication Union(ITU) **国际电信联盟** 联合国专门机构，以促进各类电信事业的国际合作为宗旨。其业务由所属各机构负责进行，包括：维护无线电频率的分配秩序，研究技术操作方法并提出建议，以及援助各国发展其电信系统。国际电信联盟的起源可追溯至1865年，当时根据一项巴黎公约，组成了国际电报联盟。根据1932年《国际电报公约》和《国际无线电报公约》合并而成的《国际电信公约》，规定当其于1934年生效时，由国际电信联盟接替国际电报联盟。1947年国际电信联盟成为联合国专门机构，该公约曾几度修订。其组织机构有：①全权代表大会，为国际电信联盟最高机构，约每4年举行一次会议；②世界行政大会，根据技术需要召开会议；③国际电信联盟理事会，每年开会一次，负责执行全权代表大会的决议；④总秘书处，负责行政及财务工作；⑤无线电通讯部门，由前国际无线电咨询委员会和前国际频率注册委员会的活动内容合并而构成，负责无线电频率的分配；⑥电信标准化部门，由前国际电报电话咨询委员会和国际无线电咨询委员会的标准制定活动合并而构成，进行技术研究和制定国际电信标准；⑦电信发展部门，负责促进发展中国家的电信发展。总部原设于伯尔尼，1948年迁往日内瓦。

International Telecommunications Satellite Consortium **国际通信卫星联盟** 参阅 **Intelsat** 国际通信卫星组织。

International Telephone and Telegraph Corporation **国际电话电报公司** 参阅 **ITT Corporation** ITT公司。

international trade **国际贸易** 跨越国界买卖消费品或资本货物、劳务、原料、证券或黄金等。交易可以易货方式或更为典型的是通过交换国家货币来完成。跨越国界贸易与国界本身有同样悠久的历史，但无完全满意的理论来说明其各个方面。有关贸易的最早理论"重商主义"发展在16世纪，表达了崛起的商人阶层的利益。重商主义鼓励出口，遏制进口，坚决主张以黄金为国家积累财富，前后矛盾，最后成了自我幻灭的理论。英国的古典经济学家D.李嘉图提出一种比较有用的说法，特别能阐明：如让国际贸易自由发展，可以做到使双方都有利并增加有关方面的实际收入。在证明他的"比较利益原则"时，他不赞同一般的假设，说一国家生产东西的效率不高，成本就比较高，不会想与生产多的国家贸易。因为生产较多的国家将在贸易中一无所得。古典学派在贸易上的论点，由J.S.穆勒及其他经济学家在20世纪作出了进一步的论述，他们坚定地支持自由贸易和放任主义，论点是基于几个简化了的假设之上。这种假设限制了对某些真实世界情况的解释能力。例如作为必要的静止模式，它不可能在"资本雄厚的工业国和主要生产初级产品同时想建立起自己的工业基础的国家之间贸易"这样一个敏感题目上提供指导。自由贸易有史以来都是一种例外而不是一定的规则。政府有很多的理由一般选择设置障碍，从通过不同的规定简单地征收关税到公然禁止。设置障碍最普通的动机包括：从关税中获得财政收入；保护本国工业或就业；国防；自给自足或闭关自守以及外汇的持久平衡。

International Ultraviolet Explorer(IUE) **国际紫外探测器** 建于20世纪70年代的天文观测卫星，是美国国家航空航天局(NASA)、英国科学与工程委员会和欧洲宇航局(ESA)的一项合作项目。自1978年1月发射后，IUE一直工作到1996年9月30日，是历史上得到观测结果最多的天文仪器之一。圆柱形的卫星发射时长4.2米(13.8英尺)，重644千克(1 420磅)。除了遥测装置、计算机、电池以及供电用的太阳能电池板以外，IUE还携带了45厘米反射式望远镜，望远镜上装有连接摄像机的摄谱仪。摄谱仪覆盖了那些被地球大气吸收掉的紫外波段。IUE在地球同步轨道上观测宇宙并且受控于ESA在马德里附近的卡斯蒂略卫星跟踪站(每天8小时)和美国国家航空航天局在马里兰的戈德尔空间飞行中心(每天16小时)。IUE主要的设计目的是给天文学家们提供一个和地面操作类似的卫星观测站，实时观测并且核对收集到的数据。它的优点之一是对诸如彗星或超新星这些突发事件的快速反应能力。整个运行期间，有上千位天文学家使用过IUE，发表了超过2 500篇学术论文并收集了10万张光谱图像。IUE收集的所有数据都通过参与机构建立的档案保存起来以供使用。

International Unit(IU) **国际单位** 药理学用的单位：维生素、激素、毒素之类物质，按照国际公认的生物学程序进行试验时能产生一个额定效应的数量。某些物质高度提纯后，国际单位与重量之间的关系已经确定。如1克醋酸维生素A含2.904×10^6 IU。物理量(如质量、长度等)的国际单位见国际单位制(**International System of Units**)。

International Whaling Commission (IWC) **国际捕鲸委员会** 控制捕鲸的政府间组织，第二次世界大战后由同盟国成立。1946年同盟国召开管理捕鲸会议，有14国参加，通过一个程序规则，并成立国际捕鲸委员会以"谋求适当地保护鲸类并能使捕鲸渔业有序发展"。21世纪初，40个成员国各派一人在英国或其他地方开会，审查修订程序规则，并发表科学调查结果。委员会日常工作由财务和行政、技术和科学等分委员会执行，并由在英国剑桥的秘书和工作人员进行协调。科学委员会调查研究鲸类生活规律、评估鲸类数量和可承受的捕捞量。规则之执行由各国政府负责。最初10年间对禁渔期、禁渔水域和捕鲸配额都作了规定，但由于其权力只限于说服，效果有限。捕鲸数量由1946年的35 000头上升到1962年的66 000头。鲸类数量减少，1970年多数国家停止捕鲸。1972年联合国人类环境会议召开后许多非捕鲸国参加该委员会。1982年规定1986～1990年暂停商业捕捞，等候调查现存鲸类数量。1994年委员会赞同一个管理程序"以确保允许大量捕鲸的同时个别鲸类数量减少的风险没有严重增加"，并宣布无限期"停止商业捕捞"。

International Women's Day (IWD) **国际妇女节** 即三八妇女节，旨在对妇女取得的成就表示尊敬和促进妇女权利。1975年起由联合国倡导，成为许多国家的全国假日。国际妇女节源起于20世纪初为提高妇女权利，特别是选举权所做的努力。在妇女解放运动中，美国社会党于1909年首次举行全国妇女日，在全美各地进行群众集会，节日一直保持到1913年。1910年，在德国激进主义者C.蔡特金的提议下，国际社会主义大会通过创立美国式的国际性节日，并于1911年3月19日在奥地利、丹麦、德国和瑞士举行首次国际妇女节，有100多万人参加集会。其后，更多国家在不同日期庆祝国际妇女节。1917年3月8日(旧历2月24日)俄国彼得格勒(圣彼得堡)妇女举行罢工，抗议食品短缺和生活条件恶劣，反对第一次世界大战。这次"面包与和平"的罢工促使1917年爆发俄国革命，导致尼古拉二世于3月15日(旧历3月2日)退位。1921年，国际妇女节日期正式改为3月8日。在随后的几十年中，妇女参政运动的成功使人们对国际妇女节的重视有所下降。但由于20世纪60年代女权运动的发展以及联合国的倡导(1975年)，国际妇女节在20世纪末重获新生。现在，尤其是在发展中国家，这一天已成为宣传妇女问题，提高妇女权利的重要时机。

International Working Men's Association **国际工人协会** 参阅 **International, First** 第一国际。

Internationale, L' **《国际歌》** 原为社会主义者和共产主义者的正式歌曲，是第一、第二和第三国际的党歌，1944年以前为苏联国歌。现仍是许多社会党和共产党的非正式党歌。约在1871年，巴黎运输工人欧仁·鲍狄埃写下了这首歌的歌词（原为一首诗）。歌词开头是："起来，全世界受苦的人，"称颂"不要说我们一无所有，我们要做天下的主人！"不久，一名里尔的产业工人皮埃尔·狄盖特为它谱了曲子。译成俄文后，成为苏联国歌，1944年3月15日由《苏联赞歌》（原称《斯大林之歌》）所取代。

Internet **因特网** 又译国际互联网、互联网。把许多计算机网联结起来，并以同样的编址系统和通信协议（名为TCP/IP，即传输控制协议/网络互联协议）为基础的网络。自1983年建成以来，一直以很高的速度发展，已远远地超出原来只供科研使用的范围，成为日益增长的商业和大众媒介。到1994年年中，Internet联结了100多个国家的约200万台计算机，为大约2 300万用户提供服务。许多商业性计算机网和数据服务业也提供至少是间接的同Internet的联结。Internet的主要用途是电子邮件（通常称为e-mail）、文件传送（采用ftp，即文件传送协议）、公告牌与新闻组，以及远程计算机访问（telnet）。最近的发展已使得网上书刊出版、电视会议和声音广播成为可能。Internet的前身是1969年建立的阿帕（ARPA）网，即美国国防部高级研究计划局的计算机网。当时的目的，是给从事与国防有关的科研项目的组织提供安全的、能经受核攻击的通信网络。后来，其他领域的研究人员与学者也开始使用这一网络。最后，美国国家科学基金会（NSF，当时它已组建了与ARPA网类似的、并行的网络，名为NSF网）接收了ARPA网的许多TCP/IP技术，建立了这个能把许多通信量极大的网互联起来的分布式网络。现在，美国国家科学基金会还在负责维护这个网络的主干网（它以每秒45兆比特的速率传送数据），但Internet的协议开发由Internet体系结构委员会管理，计算机和网络的命名由Internet网络信息中心（InterNIC）管理。业余无线电台、有线电视线路、扩展频谱无线电台、卫星和光纤都被用来传送Internet服务。联网游戏、联网金融交易和虚拟博物馆都正在应用中开发，它们既能扩展网络的应用范围，又能用于测试网络的技术极限。在商务中的广泛运用迅速推动了因特网的普及。究其原因，一方面是80年代以来个人电脑和工作站的引入和价格的不断下降，另一方面是以太网和其他区域性网络的发展。1884年，美国电话电报公司重组，美国国家科学基金会（NSF）利用国家水平电子中枢服务的多样化发展了NSF网。1988年，美国国家研究推进机构被批准实验性地将商务电子邮件服务连入因特网，随后又有其他电子邮件服务供应商被批准，从而引起了因特网流量的第一次激增。1993年，美国联邦法律批准将NSF网中枢向商务用户开放。同年，伊利诺伊州大学推广了Mosaic网络浏览器，实现了因特网上更简便的点对点界面。1994年，网景公司成立，在Mosaic基础上进一步发展浏览器和其他服务器软件。很快，软件巨人微软公司也开始开发运用于个人电脑的因特网应用软件，推出了网络浏览器Internet Explorer。这些新的商务能力的实现促进了因特网的发展。早在1988年，因特网就以每年100%的速度发展，到90年代末，全世界有大约1万个互联网服务供应商（ISP）。其中一半以上在美国。大部分供应商只提供本地服务，依赖于区域性和全国性ISP实现更广范围的联接。同时，该产业也开始了兼并收购的过程，大型供应商收购了很多中小供应商。美国在线公司在20世纪末成为世界上主要的因特网服务供应商，到2000年，有2 500万用户。广泛使用的因特网门户网站有美国在线、雅虎等。这些网站由于流量巨大而获得丰厚的广告收入。20世纪末出现了因特网投机热，2001年，因特网泡沫崩溃。但通过因特网实现的电子化文件、图片、视频、音频记录传输已经带来了信息大爆炸，因此需要更强大的工具来管理网络信息。

interplanetary dust particle **行星际尘埃粒子** 简称IDP。也称微陨星、微流星或宇宙尘埃粒子。IDP是围绕太阳运行的粒子，尺寸大小一般小于几百微米，成分为硅酸盐矿物和玻璃瘤体，有些还含有硫化物、金属和碳质矿物。最早是根据黄道光现象证实存在行星际尘埃粒子。空间探测器曾在天王星轨道附近检测到IDP，从而表明整个太阳系都沉陷在集聚于黄道面的尘埃盘中。行星际尘埃粒子的轨道与太阳辐射和太阳风交会，小于0.5微米的细小粒子被吹出太阳系，而较大的粒子因曳引效应沿螺旋轨道飞向太阳。在此过程中，行星际尘埃粒子则会和行星、卫星以及空间探测器相撞。因此，行星际尘埃粒子也被称为微陨星。为了防止遭受每秒几十千米的高速粒子的撞击，国际空间站就安装了"尘埃缓冲器"。根据人造卫星的探测，每年约有3万吨大小为50微米～1毫米的行星际尘埃粒子进入地球高层。1999年发射的"星尘"号探测器于2004年初飞经彗星"怀尔特-2"近处，搜集了彗发粒子后返回地球。取自平流层的宇宙尘埃粒子样本的分析能提供46亿年前太阳系前身的太阳星云的温度、压力和化学成分的信息。早期地球对微流星的连续吸积能促使形成生命演化所需的有机化合物。有些微流星还可能含有来自太阳系之外的星际物质样本。

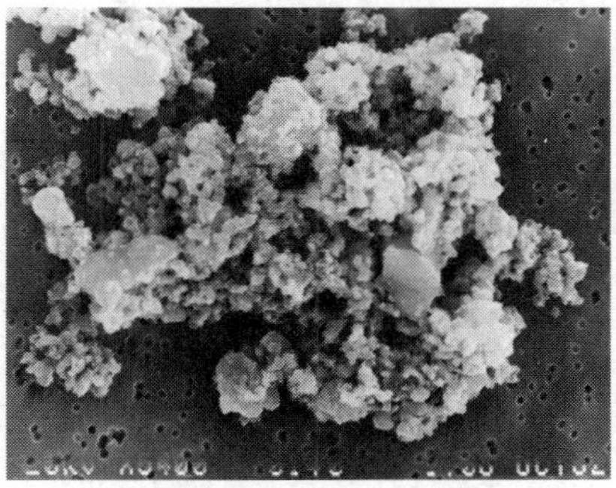

源于彗星的球粒陨石行星际尘埃粒子电子显微图

美国不列颠百科全书公司供图

interplanetary exploration **行星际空间探测** 用不载人的空间探测器考察太阳系内其他行星和天体（参阅 **space exploration**）。

和月球探测一样，苏联是第一个尝试行星际空间研究的国家。1960年10月苏联发射了两枚火星探测器，但这两次尝试都失败了。1961年初苏联的第一个金星探测器"金星"1号获得成功，在距金星99 000千米内掠过金星，但由于遥测系统失灵，未发回任何资料。1962年苏联继续发射行星探测器，其中只有一个探测器"火星"1号飞往预定目标，但又因无线电故障未发回任何资料。

美国于1960年3月11日发射了"先驱者"5号，开始作行星际空间探测。这个重43千克的探测器运作正常，从金星旁掠过并发回第一批深空测量数据（如宇宙线和磁场的强度等）。发射于1962年8月26日的美国"水手"2号探测器，在距金星不到34 600千米处掠过金星并发回行星资料。发射于1964年11月28日的美国"水手"4号探测器标志着首次成功地飞往火星。该探测器在距火星表面9 900千米以内发回首批照片。

60年代后半期苏联在探测金星上取得了可观的成就。1966年发射的"金星"3号是第一个坠落在其他行星上的航天器。1967年"金星"4号用降落伞投掷一个仪器舱到金星表面，成为第一个发回金星大气资料的探测器。美国则继续进行"水手"号计划和"先驱者"号计划。"水手"5号（1967）测量了金星的磁场和大气，"水手"6号和7号（1969）则分析并拍摄了火星表面的照片。"先驱者"6、7和9号（1965～1968）收集到有关深空状态的珍贵资料。

70年代行星际空间探测取得引人注目的成就，在美国尤其如此。美国的"水手"10号成为第一个飞抵水星的探测器。1974年3月29日它飞到距水星740千米以内并发回高质地的水星表面照片。更激动人心的是美国发射的"海盗"1号和2号探测器（1975），这两个航天器各包括一个轨道器和一个着陆器。着陆器装有多种仪器，是特别设置来寻找火星上细菌生命迹象的。探测器在数月内不断发回火星地形的近距详细照片和精确的气象测量资料，但生物试验则没得出确定的结果。其他重要的行星飞行有美国的"先驱者-金星"1号和2号，它们在1978年12月拍得了金星表面的雷达照片，并分析了其大气的化学成分。同一月，苏联的"金星"11号和12号在金星着陆之前发回了金星低层大气的数据。

对更大更远的行星也作了探测。1971～1977年，美国向木星共发射了4个行星探测器，其中3个在抵达目的地后又飞往土星。1973年12月"先驱者"10号成为第一个飞过木星的航天器。1974年12月"先驱者-土星"号在飞到距木星不到42 000千米处拍下了木星极区的照片。1979年9月探测器飞到土星近旁并发现另外两个环绕土星的光环。"旅行者"1号和2号分别于1979年3月和7月飞过木星，头一个探测器发现木星周围有一层薄薄的光环。1980年11月它掠过土星时又从124 000千米处拍摄了土星的照片。这些照片显示土星光环结构的复杂性，即使用地面上最精良的望远镜也无法加以辨别。“旅行者”2号于1981年8月掠过土星，记录下了土星大气及其最大卫星土卫六的资料。1986年1月它在距天王星81 000千米以内飞过，获得很多重大的发现，包括该行星周围有大磁场存在和另外10个新卫星。1989年8月“旅行者”2号在距离为4 800千米以内掠过海王星。比较大的发现有下列几项：行星周围存在着磁场和3个光环；大气中有强烈的风暴；至少有6个新卫星。1989年发射的“伽利略”探测器在1995年7月探测了木星及其卫星，并成为木星的第一颗人造卫星。

1986年哈雷彗星最接近地球时，对它的探测获得了许多有关彗星的资料。欧洲空间局(简称ESA)的乔托探测器发回哈雷彗星彗核和彗发的近距照片；而苏联“织女星”号航天器则分析了构成彗尾的尘埃成分。

interplanetary medium　行星际介质　存在于大行星和太阳系其他天体之间的稀疏的弥散物质以及遍布这一空间区域内的力(即磁力和电力)。行星际介质的物质成分有：中性氢、荷电粒子的等离子气体(主要是受太阳释放的氢的电离作用而产生的质子和电子)、宇宙线和尘埃粒子。在大部分行星际空间内已探测到极微量的中性氢，即在地球轨道上，非电离氢的浓度仅约为每立方厘米0.01个原子。从星际空间进入太阳系内的某些中性氢的数量因光致电离作用而减少，并受太阳风等离子体作用而荷电。太阳风是一股完全电离的气体流，密度为每立方厘米约100万个质子和100万个电子。太阳风出自日冕，连续不断地向外膨胀，遍及整个太阳系。这种外流的等离子体将存在于太阳表面的磁力场沿径向往外传递，它的作用在地球磁层之尾和彗尾的背向太阳处得到反映。大多数太阳系内的宇宙线都起源于太阳系边界之外，据推测，出自称为超新星的爆发型星。在太阳耀斑耀发期间，也发射一些宇宙线。所有这种原宇宙线均由原子核和一些电子组成。那些原子核主要是氢原子核(质子)和相当数量的诸如锂、硼、氖和磷一类的重元素的核。非来自太阳风粒子的宇宙线的特点是它们的接近光速的极高速度和以100万电子伏特计的极大动能，而太阳风粒子的动能只有800电子伏特。太阳系中的尘埃的含量相对地少，其大多数呈现在环绕太阳的行星轨道区域附近的平面上。大多认为，许多尘埃是在小行星之间的碰撞中产生的。尘埃粒子的密度变化幅度相当大，从每立方厘米2克到8克。起源于彗星的尘埃粒子的密度较小。受太阳的辐射压而快速吹向太阳系之外的尘埃粒子的大小以1微米计，甚至还更小些。据估算，每年进入地球大气的较大的行星际尘埃粒子达16 000吨左右。太阳的磁力线被太阳风向外带入空间，但磁力线仍和太阳表面保持接触。由于太阳的自转，磁力线呈旋涡结构状。和行星际磁场密切协同的是电力，它们对荷电粒子吸引或排斥。电场强度和磁场强度成正比，也与太阳风走向和磁场方向之间的夹角的正弦成正比。除了太阳外，已知地球、水星、木星、土星、天王星和海王星均有可测量的磁场。

Interpol　国际刑警组织　国际刑事警察组织的别称，这个组织的存在是为了使超过180个国家的刑事警察队伍在打击国际犯罪的斗争中能够进行合作。该组织的目标是促进各成员国的所有刑事警察当局在各国现行法律的范围内进行最大可能的相互协助，并建立和发展能够有效地预防和制止一般犯罪的各种组织机构。以秘书长为首的一个总部掌管国际刑警组织的日常工作。总部设在法国里昂。是唯一的全球性警察组织。

每个成员国都有一个国内情报中心，称为国家中央局(NCB)，各国的警察队伍可以通过该中心与总部或其他成员国的警察联系。电视和电影曾把国际刑警的人员描绘为从一个国家巡逻到另一个国家，随心所欲地在任何地方抓人。这种描绘是错误的，因为世界上的各国有不同的法律制度，它们在刑法、实际做法和程序上彼此有很大的差异。任何主权国家都不会准许任何外来机构撇开它的警察或无视它的法律。国际刑警组织手中的主要武器不是万能侦探，而是引渡条约。

国际刑警组织的主要对象是国际罪犯，其中主要的有3类：一类是在一个以上国家作案的，例如走私犯，主要走私黄金、毒品和其他违法药品；一类是虽不外出旅行但其罪恶影响其他国家的罪犯，例如伪造其他国家银行货币的伪造犯；一类是在一个国家内犯罪后逃往另一国的罪犯。在国际刑警组织设在法国里昂的总部里，保存有大量的从各成员国警方搜集来的关于国际罪犯和以后可能成为国际罪犯的人的记录，包括他们的身份、化名、同伙以及作案方式的详细资料。这些资料通过国际刑警组织的远距离电信网或机密函件进行传递。有4种类型的机密函件：要求拘留某个罪犯以便开始办理引渡手续的；不是要求拘留，而是详细通报有关罪犯及其作案方法等情况的；描述可能已从犯罪发生地所在国走私出境的财物的情况；针对一些未经查明的团体，并力求发现他们的身份。

国际刑警组织起源于欧洲，这是不足为奇的，因为许多欧洲国家有共同的边界，一个罪犯可以在一个国家(例如比利时)犯罪后于一小时内进入另外4个国家之一。第一次世界大战后，犯罪大量增加，受害最深的国家之一是奥地利。维也纳的警察首脑约翰·朔贝尔于1923年在其政府支持下将其他国家的刑事警察代表召集在一起，20个国家的代表们开会讨论他们面临的问题，同年成立了国际刑事警察调查团。维也纳是它的第一个总部所在地，朔贝尔成为它的第一任团长。1923～1938年，该组织十分活跃。1938年纳粹占领奥地利，同时占领了国际刑警组织总部，该组织的全部档案被运往柏林。第二次世界大战的爆发使国际刑警组织的活动陷于停顿。第二次世界大战后，法国政府在巴黎给国际刑警组织提供了一个总部，并给总部配备了包括法国警官在内的工作人员。这种援助被欣然接受，国际刑警组织就这样复活了。但是由于战前的所有记录丢失或被毁殆尽，该组织有必要彻底改组。

国际刑警组织蓬勃发展，成员国从1946年的19个增加到1955年的55个。一个现代化的和完整的组织规章于1956年得到批准。根据该规章，它的名称改为“国际刑事警察组织”。该组织不断改进，到21世纪初，成员国已超过180个。美国9·11事件以后，国际刑警组织于2001年进行改组。

interpolation　内插　数学上从函数$f(x)$的某些已知值来确定或估计$f(x)$的值。设$x_0<\cdots<x_n$和$y_0=f(x_0),\cdots,y_n=f(x_n)$已知，若$x_0<x<x_n$，则$f(x)$的值称为内插，若$x<x_0$或$x>x_n$，则$f(x)$的值称为外推。若$x_0,\cdots,x_n$和相应的值$y_0,\cdots,y_n$一起给定，可以把内插看作是确定一个函数$y=f(x)$，其图形通过$n+1$个点$(x_i,y_i)(i=0,1,\cdots,n)$，这样的函数有无穷多个，但最简单的是多项式$y=p(x)=b_0+b_1x+\cdots+b_nx^n$。若对于$i=0,\cdots,n$，有$p(x_i)=y_i$，就称$p(x)$为通过点$(x_i,y_i)$的多项式内插，而次数小于或等于$n$的这种内插多项式恰好只有一个。即使满足$f(x_i)=y_i$的准确函数$f(x)$并非多项式，多项式逼近也是有用的，因为多项式$p(x)$的值常常是$f(x)$的值的很好的近似。用微积分可以证明，误差$|f(x)-p(x)|$不超过$M_{n+1}|(x-x_0)\cdots(x-x_n)|/(n+1)!$，其中$M_{n+1}$是$f^{(n+1)}(t)$的最大值，$f^{(n+1)}(t)$是$f(t)$的$n+1$阶导数(假定它存在)；而最大值是在从$x$和$x_0$中的小者到$x$和$x_n$中的大者这个$t$区间(即包含$x_0$、$x_n$、$x$的最小区间)上取的。对于两点$(x_0,y_0)$和$(x_1,y_1)$，多项式插值称为线性插值，因这时$p(x)=a+bx$，可用解析几何的方法求出$b=(y_1-y_0)/(x_1-x_0)$(即直线$y=p(x)$的斜率)，从而得到方程$y=p(x)=y_0+b(x-x_0)$。例如，假定已知某城市的人口1970年是304 000，而1980年是335 000，可以用线性插值来估计1974和1987年的人口(后者的估计是外推)。这里$x_0=1970,x_1=1980,y_0=304$而$y_1=335$($y$是以千为单位)。有$b=(y_1-y_0)/(x_1-x_0)=31/10=3.1$，从而插值线是$y=304+3.1(x-1970)$，令$x=1974$，就求得$y=316\,400$作为1974年人口的近似；而令$x=1987$，就可以估计1987年的人口是356 700，后者这种外推也称为直线投影。当然，如果把上面得到的插值用到超出合理估计的范围是不行的，举例来说，很少有人认为直线投影到2100年或向另一个方向后推到1492年是有意义的(后者算出人口约－100万)。

对于$n+1$个点，只要x_i是等间距的，多项式插值易于计算。假定$x_{i+1}-x_i=h$，作差$\Delta y_i=y_{i+1}-y_i(i=0,\cdots,n-1)$，以及这些差的差，即二阶差$\Delta^2y_i=\Delta y_{i+1}-\Delta y_i(i=0,1,\cdots,n-2)$，等等，并记$a_0=y_0,a_1=\Delta y_i,a_2=\Delta^2y_i$等等，就得到过点$(x_i,y_i)$的多项式插值是

$$f(x)=a_0+\frac{a_1(x-x_0)}{h}+\frac{a_2(x-x_0)(x-x_1)}{2!h^2}+\cdots+\frac{a_n(x-x_0)\cdots(x-x_{n-1})}{n!h^n}$$

该公式以发明者 I. 牛顿命名。例如,假定已知 $f(3)=1.3106$, $f(3.1)=1.3200$ 和 $f(3.2)=1.3310$,要用二次插值来估计 $f(3.15)$。这里 $h=0.1$, $x_0=3$ 而 y 值依次是1.310 6,1.320 0,1.331 0,算得一阶差是0.009 4,0.011 0,二阶差是0.001 6,代入牛顿公式便得

$$f(3.15)=1.3106+0.0094\frac{0.15}{0.1}+0.0016\frac{0.15\times0.05}{0.1^2\times2}=1.3253$$

其中前两项给出了线性逼近值1.324 7。

若 x 不是等间距的,可以求得类似的公式,但计算要复杂得多。

interrex 临时执政 古罗马在合法统治者缺位时期代摄政务的人。在王政时期,当国王已死而继位者尚未选出时,(通常由元老院)先任命一名临时执政处理朝政。到共和国时期,当旧执政官已经卸职而尚未能召集民众大会选举新执政官时,则临时任命一名负责召集民众大会的官员,亦称临时执政。

interrogation 讯问 在刑法上,指警察为了获得证据而进行讯问的过程。这个过程大部分不属法律管辖,只有两点例外:关于通过讯问获得的供词是否可在审判中予以采纳的规则和关于警察在违反嫌疑人的意志将其拘押的权力上的限制。参阅 **confession**。在美国,关于警察进行讯问的权力有一些比较严格的限制。在"埃斯科比多诉伊利诺伊州"案(1964)和"米兰达诉亚利桑那州"案(1966)中,最高法院要求警察告知嫌疑人:他有权保持沉默和有权要求在讯问时有律师在场。人们批评这些决定,对在大大有损于法律实施的情况下它能否提供保护抱有怀疑。有些评论家指出,其他国家的法律程序里没有类似的限制 。多数人认为,在埃斯科比多案和米兰达案中,最高法院把宪法规定的有得到律师辩护的权利和不自我归罪的权利加以引伸,以便使贫穷的被告人获得社会公正的对待。在英国,讯问嫌疑人由"法官规则"加以规定。如果一位官员有足够的证据认为一项犯罪已经实施,他必须对嫌疑人提出警告。在嫌疑人被正式起诉后,讯问官须再次告知嫌疑人有权保持沉默。欧洲大陆各国赋予它们的警察讯问嫌疑人的权力要大得多,但拘留嫌疑人的权力和在英美国家一样受到限制。参阅 **arrest; search and seizure**。

Interrogation of the Old Men, The 《对古人的询问》 又作 Dialogue of the Ancients 或 Colloquy of the Ancients。爱尔兰盖尔语文学中优秀的古爱尔兰芬尼亚故事中的英雄故事。"古人"指"芬尼亚"诗人我相和考伊尔特。在加布拉战役中,他们的战友都遇难身亡,他们却幸免于死,从永恒的青春之国回到爱尔兰时,才发现自己离国已300年。他们遇见圣帕特里克,他向他们询问有关芬恩和往昔英雄的事迹。我相在一个仙山上和他母亲团聚;考伊尔特和圣帕特里克一起周游爱尔兰,并详细地描述他们所到之处的传说、历史和神话,圣帕特里克的抄写员布罗根把这些故事记录下来。这部作品是把传统的爱尔兰《地方志》、英雄传说和民歌结合在一起。《对古人的询问》也许在约1200年由一作者根据更早的原始材料和口头传说编成。它存留在16世纪手稿《利斯莫尔教长集》中,为间有韵文的散文,后来的《我相民谣集》就由此产生。

interstate commerce 州际贸易 在美国宪法上,指任何越过州界或涉及两个以上的州的商业交易或交往。传统的看法是,各州之间商业上的自由交流不应受到阻挠。这种看法一直被用来左右联邦的和州的管理条例的制定。当最高法院坚持1964年《民权法令》(**Civil Rights Act**)第二项(关于公共设施中的歧视性措施)时,有关贸易上的自由交流这种公认的说法进一步扩大了。最高法院裁决说,一个企业尽管只在一个州内经营,但由于有了州的限制性的法律规定,它就可以影响到州际贸易,从而与执行宪法中的贸易条款的联邦立法不符。还可以举出其他一些关于联邦政府采取行动管理州际贸易的具体的历史事例。1887年建立的州际商业委员会最初旨在管理铁路企业。以后扩大到管理卡车、轮船、货物运输和其他州际运输。管理条例涉及运费、路线、服务项目、联合经营、提货单以及由运输业者发行的证券。《谢尔曼法》(1890)及随后的《克莱顿法》(1914)作出了一些规定,旨在干预工厂、企业和所有非法的州际贸易投机业之间的自由竞争。《谢尔曼法》特别列入信托和垄断而《克莱顿法》则关心股份的获得与出售并禁止与董事会联系以阻止自由竞争,因此对自由州际贸易是个障碍。联邦贸易委员会是根据1914年的《联邦贸易委员会法》建立的,该法赋予该委员会为执行《谢尔曼法》和《克莱顿法》各项规定所需的司法、立法和行政权力。1937年的《公平交易法》对制造商加以保护,准许他们通过零售商索取较高的价格,以维持质量良好的形象。这些法律禁止减价商店以低于零售价的价格出售商品,因而被认为是保护州际贸易的,因为它们限制了无情的竞争。然而近年来,有人对这些法律提出了异议,这些异议被认为实际上是限制州际贸易而不是保护州际贸易。民用航空委员会(1938～1984)已在致力于建立州际航线以及给商业航空公司规定票价。随着航空业的调整,民用航空委员会的作用大为减小,其剩余部分由运输部承担。联邦电讯委员会的建立,是为了通过颁发许可证和检查电台和电视台的广播内容来保护公众收听收看的权利。还有,可适用于州际贸易的是,无线电广播(和电视)是属于全体美国人的,即使广播是地方性的,电台是由私人出资经营的,讯号只能通过州内电线收到的也是如此。实际上,大部州际贸易管理机构在州际商业委员会(铁路、卡车),联邦电讯委员会(广播)及联邦贸易委员会(反托拉斯条款)均可找到。有几个州还有权管理州际贸易的某些方面。根据关于州的警察权力的规定,可以禁止州际货运,并在不抵触联邦法律的情况下,各州关于管理公路交通的法律也必须严格予以遵守。在这两个例子中,对州际贸易施加的负担不能过重,以致超过了州的远大利益,或是超过了在没有国会立法的情况下州所拥有的不言而喻的管理权力。根据贸易条款的规定,一个州在某些情况下可以对州际贸易中的商品征税,但其条件是国会还没有公布实施禁止这种征税的法律。

Interstate Commerce Commission 州际商业委员会 美国政府的管理机构。它是美国成立的第一家这类机构,是独立的政府管理各机构的原型。参阅 **regulatory agency**。

interstellar medium 星际介质 恒星之间的区域含有的大量弥漫气体云和微小固态粒子。在我们地球所在的银河系的星际介质中的上述细微物质约占银河系总质量的5%。星际介质中充满的主要是气体氢。也还检测到相当数量的氦,以及占很小百分比的物质,顺次为钙、钠、水、氨和甲醛。此外,还有相当大量的成分不定的尘埃粒子。最后,还有原宇宙线穿行于星际空间,以及磁场跨越在区域内的多处。在大多数情况下,星际物质出现在云状聚集物中,有时其浓密度足以形成恒星。恒星则反而连续地耗损质量,有的以小型爆发形式,有的则灾变爆发为超新星。质量就这样又反馈回星际介质中,并与尚未形成为恒星的物质混合。星际物质通过恒星的这种循环,很大程度上决定宇宙云内重元素的含量。银河系内的星际物质主要发现于它的外围部分,即所谓的旋臂中,那里还有大量的年轻恒星和星云。星际物质紧密地向银道面集聚,该面为一扁平区域,通称为银盘。星际介质的研究方法有几种。20世纪中叶以前,实际上所有的信息都靠分析利用光学望远镜取得的星际物质对遥远星光的效应而获得。从50年代初期起,更多的研究改用射电望远镜进行,使天文学家得以研究和解释星际介质的各种不同成分发射的射电波。例如,中性氢(未电离的氢)以一个特有的波长,即21厘米波长,吸收或发射极小量的射电能。测量该波长并与相邻的波长比对,能够探测出吸收氢云或发射氢云。光学辐射和射电提供了大部分有关星际介质的信息。近年来,"环地卫星天文台"运载的红外望远镜的利用,也为提供星际介质的特性,特别是组成元素的相对丰度的知识做出贡献。

intertropical convergence zone (ITCZ) 热带辐合带 又称赤道辐合带。赤道附近环绕地球的南北信风相辐合并上升的一条带。上升空气经常产生雷暴和大雨;赤道无风带(稳静的海区)位于这个区内。热带辐合带随太阳向南、北作季节性位移。印度洋上热带辐合带的季节性位移特别显著,可达纬度40°～45°。

Intertype 英特铸排机 与莱诺铸排机相类似的排字机,能铸排包括一整行铅字的铅字条,早已普遍用于报纸排字。它由字符键盘、字模库、铸字机和还字装置(把已用过的字模送回字模库)组成。像莱诺铸排机那样,有的英特铸排机半自动地由代表字符和间隔的穿孔纸带控制。这两种铸排机现已基本上为照相排字机所取代。参阅 **Linotype; photocomposition**。

interval 音程 在音乐中，指同时(和声音程)或先后(旋律音程)发声的两个音之间的音高距离。8度或小于8度的是简单音程，超过一个8度的是复合音程，超过8度的复合音程听起来是简单音程的变体：10度(8度加3度；如c－c′－e′)听起来与3度(跨度为3个音；如c－e)相似。完全音程(P)有4个；1度或同度(P1)、8度(P8)、4度(P4)和5度(P5)；和泛音列中最低的音列一致。其他音程(2度、3度、6度及7度)有大(M)、小(m)之分，彼此相差半音。完全音程及大音程可以通过增加半音变成增音程(A)；例如c－e(M3)变成c－e♯(A3)；或c－g(P5)变成c－g♯(A5)。完全音程及小音程可以通过减少半音成为减音程(d)；例如e－g(m3)变成e－g♭(d3)，或f－c(P5)变成f♯－c(d5)。等音音程指12平均律调音体系中发音相同但记谱不同的音程，例如c－e♯和c－f。音程可按两音振频的比例来计算：如8度是2:1，因它的高音频率是低音的两倍。在计算平均律体系以外的音程，尤其是非西方音乐音程时，把一个8度分为1 200个音分，每个半音，即小2度，相当于100个音分。以小3度为例，它在平均律体系中包括300音分，在毕达哥拉斯调音体系中包含294音分，而在纯律中则为316音分。

interval estimation 区间估计 统计学中，用一个区间作为总体参数(如均值、标准差、比例等)可能取值范围的一种估计。以正态总体的均值的区间估计为例，设总体均值μ，方差σ^2为已知，则μ的区间估计为$(\bar{x}-u\frac{\sigma}{\sqrt{n}},\ \bar{x}+u\frac{\sigma}{\sqrt{n}})$，其中$n$为样本容量，$\bar{x}$是样本均值，$u$是一个常数，它是被一个概率值(通常取95%或99%)所确定。这个概率说明在多次重复地进行区间估计时，均值参数μ含于上述区间内的频率与这个概率值相等。这个区间称为置信区间，相应的概率值称为置信系数。

interval training 间歇训练 竞赛式训练方法，交替进行休息和有控制的持续训练中的间歇。休息时间多长通常需要让运动员的脉搏在下一个训练课时开始之前回到接近正常水平。运动后的间歇时间要保持略少于最大运动量的一定运动量。田径和竞技游泳教练常用此种训练方法。

intestate succession 无遗嘱的继承 在继承法上，是指对于未按合法的最后遗嘱处理的财产的继承。尽管在不同的司法制度下，有关无遗嘱继承的法律各不相同，它们之间的一个共同原则是，财产应在与死者有某种亲属关系的人们之间进行分配。但是，现代无遗嘱继承的法律似乎不强调传统上把财产根据血统传给后裔的做法。现代的做法还倾向于尊重未亡配偶的权利，无论他或她是否被视为亲属，而且(在大多数司法制度下)倾向于放松对非婚生子女继承权的限制。

intestinal diverticulum 肠憩室 肠壁的异常袋状突出物。可单发，或沿着小肠壁，更常见的是沿着结肠壁出现多数憩室(憩室病)。憩室病在40岁以上的人群中发病率为5%～10%。病因不明，但肠壁软弱及肠腔内压力增高可能是重要的致病因素。肠憩室多无症状，偶致出血，甚至无炎症时亦可出血。约20%憩室病患者可出现憩室炎，引起疼痛、寒战、发热、肠梗阻，重症者可出血、肠壁穿孔。对轻症、无并发症的病例，内科治疗即可；需要时可行手术切除结肠的感染节段。

intestinal gas 胃肠道内气体 消化管内的挥发性物质，主要由咽下的空气构成，一小部分则为消化过程的产物。人类的消化管内含气体150～500厘米^3。进食时，空气亦被咽入胃内，后部分经嗳气排出，部分进入肠道。胃内气体含氧15%～16%，二氧化碳5%～9%，其余成分为氮。空气中含氧约21%，被咽入胃部后，其中部分氧为胃的毛细血管所吸收。胃内气体中的二氧化碳是食物被胃液还原所产生。氮为惰性气体，不能为人体吸收利用，通常仅从消化管通过。小肠吸收部分二氧化碳及氧后，将其余气体迅速排入结肠。若小肠发生梗阻，则其中气袋可积聚多达3 500厘米^{3}的气体，小肠气袋扩张，引起剧痛，正常情况下，小肠内的气体随肠壁有规律的运动而通入结肠。结肠通常可容纳100～200厘米^{3}的气体，其中的氧多已吸收，而二氧化碳含量增多。结肠内的细菌发酵，产生气体，其中主要成分为氢，尚有甲烷、硫化氢、氨及硫醇等。部分气体吸收入血，最后从肺呼出。结肠内气体积聚较多时通过肛门排出。豆类、猪肉、洋葱、白菜、花椰菜等含硫较多，产气亦多。牛等动物以植物为食，胃肠道内产生的气体量亦较人多，每日可达数升。

intestinal juice 肠液 小肠及结肠的黏膜细胞和腺体分泌的水样液体，清亮乃至灰白或黄色，由激素、消化酶、黏液及具有中和作用的物质构成。肠液能中和来自胃部的盐酸，其中的消化酶能帮助食物消化及吸收。胃肠道激素又能进入血流。肠液分泌受激素、迷走神经及食物机械性刺激的调节。

intestinal obstruction 肠梗阻 消化道的功能性或机械性阻塞。功能性梗阻系肠平滑肌非正常蠕动引起。机械性梗阻的病因为肠道狭窄、肠粘连、肠内异物、肠外压迫、疝(**hernia**)、肠扭转(**volvulus**)及肠套叠(**intussusception**)等。高位梗阻时常因呕吐而致水和电解质丢失。低位梗阻如回肠、结肠梗阻时，胃肠内容物未吐尽，梗阻以上肠道积液、积气、扩张，肠腔内压力增高，可致肠壁坏死和通透性增高，毒物进入腹腔、血液。肠梗阻的症状、体征及治疗取决于病因及发病部位。

intestinal squeeze 肠挤压症 飞行员或潜水员自高压环境转至低压环境时，由于小肠或大肠内的气体膨胀而造成的疼痛甚至损伤。在常压下，气体在肠道内积聚亦可使人感到腹部不适，但气体排出后即可缓解。飞行员自地面飞至高空时，人体承受的压力下降，而体内气体则随压力下降而成比例地膨胀。潜水员沉入深水时，体外压力增加，体内气体被压缩。回到水面后，气体又开始膨胀。若潜水员在深水处吞入空气或肠内食物产生气体，就会遇到与飞行员升入高空时相同的问题。症状一般为腹胀、疼痛，若气体不能排出，则可发生肠组织破裂或剧痛乃至引起昏厥。飞行员或潜水员在工作前选食不产气的食品往往可避免肠挤压症的发生。因此充有碳酸气的饮料、卷心菜、豆类、水果、坚果和带香料的食物必须禁用。参阅 **decompression sickness**。

intestine (anatomy) **肠** 参阅 **large intestine** 大肠；**small intestine** 小肠。

Inthanon, Mount 因他暖山 泰语作Doi Inthanon。泰国北部清迈府境内的山峰，是泰国境内最高峰，海拔2 585米。位于清迈市西南部，在宗河与宾河之间他暖楝差岭的一条支脉上。

Inti 印蒂 又称阿普-旁绍(Apu-Punchau)。南美洲印加人宗教所崇奉的太阳神，据说是印加人的祖先，是众神之首，印加帝国各地必须崇奉他。此神表现形象一般为人形，面部如金盘，光芒四射。其妹和配偶是月神。20世纪克丘亚人有时将印蒂与耶稣基督或上帝混同。

Intimism 内景主义 19世纪末至20世纪初的一种绘画，以积极发掘室内景物题材为主旨。主要代表人物是P.勃纳尔和E.维亚尔，两人都是标榜以色和线表达思想感情的

E.维亚尔绘《扫地的妇女》(约1892)
美国不列颠百科全书公司供图

巴黎纳比派成员。为了表现室内的温暖舒适和与世隔绝的气氛，勃纳尔和维亚尔运用印象主义(**Impressionism**)画家的分解色块技法捕捉光线和瞬变的氛围。但是，不像印象主义画家那样严格观察可视世界以获得他们的色彩，而是以夸张和歪曲自然的色彩来表达情感。

Intolerable Acts 《不可容忍法》(1774) 又称《强制法》。美国独立前，英国国会为报复殖民地的反抗行动而通过的4项惩罚性法规连同《魁北克法》。为法国印第安人战争(1754～1763)之后割让给英国的地区确立了新的行政管理体系。英国政府在波士顿茶党案(1773)发生之后，下令关闭波士顿港口，要求赔偿损失。根据《马萨诸塞政府法》，废除

1691 年马萨诸塞殖民地的特许状，改名直辖殖民地，由 T.盖奇将军进行军管，不准市民自由集会。根据《司法行政法》保护英国官员，如犯死罪可去英国或另一殖民地受审。

P.道绘《波士顿人落难》(1774)
美国国会图书馆供图

根据《强制法》，对英军占住美国人民住宅作出新的规定，但它和早先的《宿营法》一样激起民忿。根据《魁北克法》，将俄亥俄河和密西西比河之间的土地和毛皮贸易划归魁北克省。《不可容忍法》不但未能使马萨诸塞殖民地屈服，反而成为 1774 年召开第 1 届大陆会议的起因。

intonation 语调 语音学术语，指话语的旋律模式。语调主要是声调(参阅 **tone**)的高低变化，但在像英语这样一类语言中也包括**重读**(**stress**)和节奏。语调传达言语所表示的意义差别(例如：惊奇、发怒、警惕)。在很多语言中(包括英语在内)语调也具有语法功能，可以区分不同类型的短语或句子。因此，像 Your name is John(你的名字叫约翰)这种句子，开始用中音调，结尾用低音调(降调)，表示简单的肯定。而像 Your name is John? (你的名字叫约翰吗?)这种句子，是用升调(以高音调结尾)，则表示疑问。

Intracoastal Waterway 沿海水道 美国东、南部大西洋沿岸和墨西哥湾沿岸的免税通航水道，全长 3 000 英里(4 800 千米)。沿途经过大小海湾、潟湖、河流和运河，许多航段可行深水船只。由联邦政府经管，多处与内陆航道相连。全线分为两部分：①大西洋沿岸航道，连接波士顿与佛罗里达州基韦斯特之间各港口，由数条重要运河组成。弗吉尼亚州和北卡罗来纳州迪斯默尔沼泽运河的最低控制深度为 6.1 英尺(1.9 米)。第二次世界大战期间为了避开沿海潜艇的威胁，航道显得尤为重要。在弗吉尼亚州诺福克以北工业高度集中的地区航道内可行驶远洋轮船和驳船；在诺福克以南主要只适于前往佛罗里达州度假地的游艇航行。②墨西哥湾沿岸航道。从佛罗里达州阿巴拉契湾至得克萨斯州布朗斯维尔，长 1 100 英里，宽 150 英尺，深 12 英尺。东端不直接与大西洋沿岸航道连接，须经墨西哥湾和佛罗里达州南部的奥基乔比水道才能彼此通航。沿岸港口以新奥尔良最为重要，并由此沟通密西西比河。货运以石油、石油产品、工业化工品、油管等油田用物资和硫磺为主。

Intramuros 因特拉穆罗斯 菲律宾马尼拉大都会内一市区，为有城墙的古城。因特拉穆罗斯这一地名来自西班牙语，意即“墙内”，指西班牙征服者 M.L.de 莱加斯皮于 1571 年后不久在帕西格河河口建立的有碉堡的城市。当时该城在形式上虽属墨西哥市的新西班牙总督辖区，实际上却是新西班牙岛领地的首府，并在 17～18 世纪期间兴盛起来。原来厚 6 米的城墙包围着的 59 公顷土地，内有马尼拉大教堂、圣地亚哥碉堡、圣奥古斯丁教堂、马尼拉市立大学以及该城当时具有政治和文化影响的其他建筑物。19 世纪晚期和 20 世纪初期稠密的城市人口逐渐将该遗址包围(护城河于 1905 年就填平了)，并慢慢地破坏了西班牙殖民时代的有特色的建筑而代之以政府办公大楼。1944 年美国的轰炸更使该城化为瓦砾。第二次世界大战后遗址得到清理，但重建工作十分缓慢。80 年代初期已对五角形城墙、七个城门和一些小广场进行修复，这些建筑使因特拉穆罗斯同周围的马尼拉的马来区和美国化区有所不同。

Intrepid 无畏者 参阅 **Stephenson, William (Samuel)斯蒂芬森**。

intrigue, comedy of 情节喜剧 又称情境喜剧。喜剧的一种形式，其中复杂的阴谋和计策支配着情节。这类喜剧的主情节和次要情节常常以可笑而设计巧妙的情境为基础，并使用大量的幽默笑料。莎士比亚《错误的喜剧》即情节喜剧的一例，以罗马喜剧作家普劳图斯(约公元前 254～前 184)的两个剧本《孪生兄弟》和《安菲特律翁》为蓝本，幽默风趣地描写了由两个孪生主人与他们的两个孪生仆人的混淆而造成的喜剧。

intrinsic factor 内因子 由幽门胃腺之胃壁细胞分泌的一种糖蛋白(由多糖和蛋白分子形成的络合物)，并在此与维生素 B_{12}(氰钴胺素)结合。这种结合的意义在于维生素 B_{12} 在最后被回肠(下段小肠)吸收之前，须在结合内因子的保护下安全地通过整个胃肠道，以免受消化过程和肠道细菌之破坏。有的人因缺乏内因子而导致维生素 B_{12} 缺乏。维生素 B_{12} 的重要性在于它能促进红细胞的成熟和发育，它的缺乏和吸收障碍均可导致恶性贫血。内因子一词首创于 20 世纪 20 年代的美国。内科医生 W.B.卡斯尔在研究恶性贫血病因时发现恶性贫血的发病和两种物质有密切关系，一种生于体内，一种源于体外；前者即内因子，后者即后来被鉴定为维生素 B_{12} 的外因子。机体所需的维生素 B_{12} 只能全部从食物中摄取。

introspection 内省 心理学概念。观察自己心理活动的过程，用以发现支配心理活动的规律。二元论哲学将物质世界的事物(物质，包括人体)与意识内容区分开来，并认为内省是心理学的主要方法。许多哲学家(如 T.霍布斯、J.洛克、G.伯克利、D.休谟、J.穆勒、J.S.穆勒、A.贝恩)及 19 世纪实验心理学的先驱(尤其是 W.冯特、O.屈尔珀、E.B.铁钦纳)都这样认为。他们相信，意识的内容似为直接的体验(所谓有体验便是认识到自己有体验)，因此，内省便是自我证实，不可能是谎言。冯特、铁钦纳及早期的屈尔珀(1893)认为，通过内省，可以发现感觉物质的动态混合体——感觉本身、意象以及与感觉极为相似的情感等。这种观点称为经典式内省，但这种观点在铁钦纳之后便告没落。后来的许多心理学家却在意识中发现了别的内容。动作心理学家认为，意识由感觉内容及更难以捉摸的动作组成。F.布伦塔诺及后期的屈尔珀便是最有影响的动作心理学家。对内省的结果多年来争论不休，到 1920 年左右终于弄清，内省并非万无一失。后来知道，内省之所以失误是因为它不是一种直接的方法，而是一个观察、推论的过程，既费时间，又受观察错误的影响。到 1940 年左右，美国的科学心理学界即很少用二元论的概念及内省一词，因为否认意识的重要性的行为主义在美国占了统治地位。格式塔心理学也是二元论哲学，但也不用内省一词。实际上现代实验心理学只是不用内省一词，而并未放弃其方法。内省法(非经典的内省法)在实际上仍用于下列场合：①现象学描述。格式塔心理学家用过，现象主义者和存在主义者(尤其是欧洲的)用过；这方法还在研究知觉时用于描述体验。②心理物理学用以测定意识事件(常为感觉性)与刺激强度的关系，尤其用于测定感觉阈限和感觉尺度。③用于患者向精神科医师或精神分析医师描述其意识状态，有时用于精神分析病床上的自由联想及用于罗夏墨迹投射测验。

introvert 内倾 心理学术语。用以指思想总是向内的人。与外倾(extravert)的人相反，内倾者不善于适应社会环境及表达情绪，耽于白日梦和自我思考，总是反复斟酌方下结论，在压力下会退缩是典型的内倾性人格。内倾、外倾两词均由 C.荣格所创。研究表明(荣格本人也这样认为)没有一个人是“典型的”内倾或外倾。

intuition 直觉 又译直观。在哲学中，指既不靠推理或观察，也不靠理性或经验便可获得知识的能力。人们认为它是原始的、独立的知识来源，因为它是用来解释其他知识来源所不能提供的那种知识。必然真理的知识和道德原理的知识就是用这种方式来解释的。首先，某些必然真理，如逻辑和数学的命题，能从其他的真理逻辑地推论出来。但并非都能如此：必定有某些不能推论出来的命题(即公理)。而且，理论体系的相互联结的特点，亦即命题从公理中的可推论性，是以推论的规则为前提条件的。公理的真理性和推论的基本规则的正确性是不能由推论来证实的，因为推论以它们为前提条件；同时也不能由观察来证实，观察决不能证实必然真理。

所以它们就被认作是直观的对象。公理通常是自明之理，因而不证自明就被当作直观的标志。“看到”一个命题从另一个命题而来，“看到”一个特殊的推论是正确的，就使人能够对所有这种推论的正确性作出“直观归纳”。其他非形式的必然真理(例如，没有既是全红的又是全绿的东西)也被解释为直观的归纳。人们通过一种特殊事例“看到”了普遍的和必然的联系。其次，道德哲学家，从巴特勒大主教和道德感学派到G.E.穆尔和牛津道德学家，均认为道德判断标明了一种特殊的知识。行为的公正是由特殊的道德机能发现的，这种机能看起来与观察的能力相类似(道德感学派)，或与直观逻辑原理的能力相类似(牛津道德学家)。正如那种认为逻辑原理是直观结果的学说一样，这种学说的根据是，它所涉及的论点是不证自明的和无可争辩的。针对这两种理论可以提出许多同样的论点。逻辑的和道德的“公理”并不需要特别的知识来源来为它们作解释，因为它们都未记载任何发现。更确切地说，它们记载了人们对于谈话和行为所采取的态度以及决定或常规，而不是关于世界的性质或人的性质的事实。这里简单地提一下直观这个词的两种较为专门性的含意。第一种意义来自康德，它指不以观察为根据，也不能由观察证实的一切实际知识的来源。第二种意义是由斯宾诺莎和H.柏格森提出的，在这里直觉指作为相互联系的总体的世界的具体知识，有别于由科学和一般观察所得到的零碎的和“抽象的”知识。

intuitionism　直觉主义　数学中数学思想的一个学派，20世纪初荷兰数学家L.E.J.布劳威尔所创立。他们主张数学讨论的原始对象是理智的构造。它们受自明的法则的支配。直觉主义者曾经对许多最古老的数学和逻辑学的原理提出异议，说它们不是构造性的，因而数学上是无意义的。参阅 **formalism; logicism**。

intussusception　肠套叠　一种消化系统疾病，表现为一段肠管套入邻近的另一段肠管中，引起机械性肠梗阻。原发性肠套叠可为先天性疾病，在肠管发育过程中发生，机制不明，3岁以上患者罕见。继发性肠套叠可发生于任何年龄，由赘生物(如肿瘤或息肉)突入肠腔引起。若赘生物附着处的肠管变薄，则当蠕动波把赘生物推向远端时，变薄的肠壁亦向肠腔卷曲，与之毗邻的近端肠管便套入远端肠管。套入部血供受阻引起坏死，肠腔狭窄或阻塞。治疗通常为手术切除赘生物及受累肠段。

Inugsuk culture　因努苏克文化　格陵兰爱斯基摩文化，12和13世纪从北部格陵兰的*图勒文化*(**Thule culture**)发展而来，其特点是狩猎时更多地使用单人海豹皮皮船和与此相关的其他工具。他们猎食海生哺乳动物(特别是鲸)和陆兽，辅以鸟、鱼。运输工具是狗拉雪橇和木框皮船。骨、木、鲸骨和石头均用于制造工艺品。还有形状特殊的鱼叉头以及反映出受挪威人影响的物品(在格陵兰南部发现有985～1500年时的挪威人村落)，如用制桶工艺生产的小型木制容器和教堂铸钟用金属材料与毛织品之类的贸易品。因努苏克文化沿格陵兰西海岸向南发展，直达其南端，然后又沿东海岸向北发展。移民分支则沿东海岸北进。在格陵兰东北部，他们与早期文化成分混合。大约从16世纪开始，形成东北部格陵兰的混合文化。18及19世纪时，因努苏克爱斯基摩人的后裔又与欧洲文化接触。东北格陵兰爱斯基摩文化于19世纪消失，原因不明。现代格陵兰文化是以欧洲文化和爱斯基摩文化的混合体为基础的。

Inuit (people)　因纽特人　又译因努伊特人。参阅 **Eskimo** *爱斯基摩人*。

Inuit language　因纽特语　又译因努伊特语。爱斯基摩诸语言的东北分支，通行于阿拉斯加、加拿大、格陵兰等地的北部。

Inukai Tsuyoshi　犬养毅(1855，日本冈山～1932-05-15，东京)　日本著名政治家，首相。他的被暗杀标志着第二次世界大战前日本政党政治的终结。藩士出身。早年当新闻记者。后追随民主政治家和首相大隈重信参加政府。1898年任文部大臣，随后创立新政党——立宪国民党。1913年领导民众运动，反对前陆军大将桂太郎的不得人心的军阀独裁政府。由于他的努力终于迫使桂太郎辞职，为议会选举内阁开辟了道路。1922年他组织另外一个新政党——革新俱乐部。翌年再度入阁，任递信大臣。1924年他加入立宪政友会，1929年成为该党总裁。1931年日本军队占领中国东北，他在前内阁倒台后，组成新阁，放弃金本位。这一行动促成了出口繁荣，使日本成为从世界性经济萧条影响下首先恢复的国家。他反对军部取代内阁决定政策，准备派代表和中国进行谈判，试图制止进一步的军事行动。正在此时，他被极端民族主义的海军军官暗杀。

inulin clearance　菊粉廓清率　通过测定菊粉从血浆清除的速率以判断肾小球滤过能力的一种临床试验。临床常用肌酐廓清率或尿素廓清试验，但准确性都不如菊粉廓清试验，原因是菊粉为惰性的小分子多糖，容易通过肾小球，而且不为肾小管上皮吸收或排泄。菊粉从血浆滤出的正常速率为100～150毫升/分；急性肾小球肾炎患者的菊粉廓清率明显降低。

Inuvik　伊努维克　加拿大西北地区西北部行政区，原为马更些区和富兰克林区一部分，20世纪70年代西北地区政府设此行政区。南起里格利，沿马更些河中段向北直至该河流在北冰洋波弗特海边的三角洲，还包括加拿大北极群岛中最西面的班克斯岛。该行政区地势特点是：西北与西南部分别有理查森和马更些山脉，中部有马更些河低地，东部有富兰克林山脉。大部位于亚北极区的针叶林覆盖的冻土地带。马更些河三角洲的伊努维克镇是行政区的商业、运输业和行政中心。经济原以产毛皮及捕鲸为主，现又开发石油、天然气资源。居民有北美印第安人、爱斯基摩人(因纽特人)和其他加拿大人。人口9 445(1996)。

Inuvik　伊努维克　加拿大西北地区伊努维克行政区城镇。位于育空地区北端正东，濒临马更些三角洲东水道。1954～1962年加拿大政府在此建居民点，以爱斯基摩语命名，意为“人之居处”。为伊努维克行政区政府机构所在地和主要商业和运输中心。设有学校、医院和旅馆。为毛皮野兽、海豹和海象猎捕者的活动中心和石油勘探的基地，特产有爱斯基摩手工艺品和服装。人口3 296(1996)。

伊努维克镇伊格鲁式的天主教堂
美国不列颠百科全书公司供图

Invar　因瓦合金　受热时膨胀极小的铁合金。由64%铁和36%镍组成。以前因瓦合金用作长度测定的绝对标准，现用于卷尺、钟表和其他各种感温元件。因瓦合金的商标名称由其发明者瑞士物理学家C.É.纪尧姆命名，表示加热时其尺寸恒定不变。

invention　创意曲　在音乐中，指自16世纪至今，凡结构形式与其他类型有显著不同的音乐作品。这一术语的确切定义从未加以明确，常用于一些新颖的、革新的乐曲，亦即不符合既定类别的作品。法国作曲家C.雅内坎在《音乐创意曲集》(1555)中最早使用这个名称，它显然是指作曲家的具有高度独创性的标题尚松——一种包含音乐以外的暗示(如模仿战场上的声音)的法国世俗主调合唱曲。J.S.巴赫的一套二声部钢琴创意曲和15首三声部钢琴创意曲(约1720)也许是最著名的创意曲，其中每一首都是以单一的旋律构思，用复调的发展加工而成。巴赫的这类乐曲可能是以意大利作曲家F.邦波尔蒂为小提琴与低音提琴所创作的《创意曲》(1712)为模型的。20世纪作曲家中以“创意曲”命名作品的有奥地利的A.贝尔格、德国的B.布拉赫尔和W.福特纳和俄裔美籍作曲家A.切列普宁。

inventory　存货　指厂商贮存备用的任何财物，如供销售用的制成品、正在生产加工的货物、原材料和其他生产出售产品过程中的易耗物品。存货是作为资产出现于公司的资产负债表之中的。存货周转率可用以表明物品变为现金的速度，是评估厂商财务状况的关键因素。存货到销售比率的波动被认为是对存货的投资或减少投资。存货的现金值也表现在收入账上，以决定售出货物成本。售出货物成本由期前手头存货购入成本及期间生产成本相加，再减去期末手头存货总值。对财务账而言，存货通常定价为①成本或②成本或市场价值，取其较低者。购进的商品及原料在一年中常有波动，需要决定何种成本用于存货。经常用3种办法：平均成本；先进先出成本计算法（将购入的最后一批成本转入存货，最初一批成本转入售出的货物）；后进先出成本计算法（与前者相反）。

Inveraray　因弗雷里　英国苏格兰阿盖尔历史郡阿盖尔-比特行政区敕许自治市（城镇）。濒临大西洋，近阿雷河口。城市建筑反映出18世纪的优雅风格，现受政府保护。1975年法国式古堡毁于火灾，失去许多艺术珍品。人口512（1991）。

Invercargill　因弗卡吉尔　新西兰南岛南端城市。位于怀霍派河畔靠近纽河河口湾。1853年新西兰公司从毛利人手中购得。1861年设镇。1930年设市。早期居民多为苏格兰人。为羊和奶牛饲养中心。有食品加工、毛纺、锯木、管件、铸造、机械等工厂和货栈。人口约53 241（1996）。

Inverclyde　因弗克莱德　英国苏格兰中西部的行政区，属伦弗鲁历史郡。1975年设置。面积158平方千米。北以克莱德河及克莱德河口湾为界，在格拉斯哥港口有码头、造船和船舶工程业。20世纪末，这些工业衰退，但格里诺克的集装箱港口仍为当地的船运和交通中心。当地经济现在受益于日益发展的电子制造业和服务业。沿岸为工业区；西部的高地为农区，有乳品制造业和养羊业。首府格里诺克。人口约85 190（1999）。

Inverell　因弗雷尔　澳大利亚新南威尔士州东北部城镇。位于新英格兰岭西坡，斯旺布鲁克河与麦金太尔河交汇处。1848年建为牲畜站。1858年设镇。为附近综合性农业区（产小麦、羊、烟草、水果、乳品等）服务中心。出产锡、银、铝土、金刚石、蓝宝石、锆石等矿。有锯木、机械、食品加工等工厂。通铁路和公路，有航空线通悉尼和布里斯班。人口9 378（1996）。

Invergordon　因弗戈登　英国苏格兰罗斯-克罗默蒂历史区罗斯历史郡的高地行政区北海小海港。是全国最安全、水位最深的港口。第一次世界大战时为皇家海军军港，但在第二次世界大战时被认为易受空袭，故将舰队转移到斯卡帕湾。工业化发展迅速。1960年建立全欧最大的酒精厂。后又开设英国熔铝厂，从加勒比地区进口铝矾土，尽管开工率只有一半，年产熔铝10万吨。20世纪末期铝厂关闭。北海石油开发后，工业进一步发展。有全国唯一的海底管道防护工厂。工业实现多样化，以免过分依赖近海石油业。人口约3 929（1991）。

Inverness-shire　因弗内斯郡　英国苏格兰北部的历史郡。是苏格兰最大的历史郡，包括苏格兰高地中部和北部的一部分地区、格伦莫尔以及赫布里底群岛中的一些岛屿。

Inverness　因弗内斯　英国苏格兰北部高地行政区的一个区。1975年设置。面积2 800平方千米。格伦莫尔裂谷将全区分为东北、西南两部分。境内的西北高地是切割很深、地势东倾的高原；东部是地势更高、更崎岖的凯恩戈姆山，南部有全国最高的本尼维斯山（1 343米）。低地较少，仅局限于沿海地区和冰碛谷底。6世纪时当地皮克特居民信奉基督教，9世纪受异教徒古代斯堪的纳维亚人统治。高地地区一直有人口外流问题。山区农业仅可勉强维持生活，而马里湾西岸和阿伯丁地区石油附属工业以及因弗内斯市都有较好的就业机会，因此山区人口现仍不断减少。西部和北部的经济以传统小农经济为主，主要是牧羊，种植燕麦、土豆，辅以捕鱼。较干旱的东部低地产大麦、燕麦和菜牛，并有大片贫瘠土地辟为森林、狩猎地和游乐场所（爬山和冬季运动）。传统工业有酿制威士忌酒、毛纺和造船业。北海石油的开发促进了因弗内斯和马里湾西岸的工业繁荣。在阿德西尔现有重要的石油钻台厂。因弗内斯是行政、商业和教育中心，也是重要旅游中心。人口约57 263（1982）。

Inverness　因弗内斯　英国苏格兰因弗内斯历史郡高地议会区，敕许自治市（城镇）。为苏格兰高地（**Scottish Highlands**）历史悠久的中心。位于内斯河最佳渡口处，跨内斯河

因弗内斯市内斯河畔的19世纪城堡
美国不列颠百科全书公司供图

和喀里多尼亚运河，为苏格兰北部地区交通枢纽。古时为皮克特王国都城。以后数百年为王家住地和要塞。临河有19世纪的城堡。现存古建筑有十字架教堂（1685）、尖顶教堂、高教会教堂（1769～1772）和圣安德鲁大教堂（1866～1871）。有毛织和食品加工等轻工业，但主要为该区商业、教育和旅游业中心。因沿海石油工业发展，制造和服务业兴旺。市东北有机场。人口41 234（1991）。

inversion　反转　化学术语。不对称分子中原子或原子团经空间重排后得到的产物的分子构型为原来分子的镜像的过程。通常是分子中一个原子或原子团被另一个原子或原子团所取代。1895年由德国化学家P.瓦耳登发现，所以有时称它为瓦耳登反转。英国化学家C.英戈尔德和E.D.休斯提出：反转是亲核取代反应的立体化学结果。

inversion　倒装　文学笔法，把句中的词和词组的正常次序加以颠倒。例如，英语中把形容词移置到它所修饰的名词之后：the form divine；把动词移置到主语之前：Came the dawn；或把名词移置到它的前置词之前：worlds between。倒装最常用于诗歌中，这既能满足韵律上的需要，又可达到加强语气的目的。单纯为了保持韵律的谐调而运用倒装，在文学创作上是一个缺点，虽然它在民谣中是一种常规。

inversion　转位　在音乐中，指重新安排音程、和弦、旋律或一组对位线条中的从上到下的各个因素的顺序。和弦及音程转位有多种用途，如产生低音旋律或与某些和弦一起转入新调。和弦或音程的转位就是把原来在底部的音符转到上面。例如：

一个音程（例如c′-f′）及其转位（f′-c′′）是互为补充的：它们一起构成一个8度。一个三和弦可从其根音位置转位两次。旋律和对位的转位使作曲家可以将一个基本的音乐素材加以发挥。这在赋格曲中是屡见不鲜的。旋律的转位意味着将上行的音程改变为下行音程或反之。例如：

在转位的对位中，对位线条的原来顺序得到重新安排，这时，一个原在某声部下方的线条转移到它的上方。例如：

invertase（enzyme）　**转化酶**　参阅 **sucrase** *蔗糖酶*。

invertebrate　无脊椎动物　一切无脊柱的动物，占现存动物的90%以上。分布于世界各地，体形上，小至原生动物，大至鱿鱼。一般身体柔软，无坚硬的能附着肌肉的内骨骼，但常有坚硬的外骨骼（如大部分软体动物、甲壳纲动物及昆虫），用以附着肌肉及保护身体。除了没有脊椎这一点外，无脊椎动物各类群之间并没有多少共同之处。无脊椎动物的分类学名词 Invertebrata 以前用于与脊椎动物的 Vertebrata（该词至今仍为一个亚门的名称）相对，但在现代分类法上已经不用。

investigative powers, legislative 参阅 **legislative investigative powers** 立法机关调查权。

Investigator Strait 调查者号海峡 在澳大利亚约克半岛(北)和坎加鲁岛(南)之间。东接南澳大利亚州的圣文森特湾,西通印度洋。长 100 千米,宽 50 千米。东部并入巴克斯泰斯海峡,西面入口有三个多岩石的奥尔索普岛群,高达 87 米。为通往阿德莱德市的门户和垂钓游乐区。

Investiture Controversy 主教叙任权之争 罗马教廷与神圣罗马帝国在 11 世纪末和 12 世纪初因世俗当局任命主教和大隐修院长而发生的一场权力斗争。主教和大隐修院长都掌握田产,往往除行使宗教职能外还行使世俗职能,因而世俗权力当局自然关注他们的人选,往往将代表职位的象征物授(过去是献)给他们。教皇格列高利七世先谴责世俗当局任命主教的做法(1075),随即与神圣罗马帝国皇帝亨利四世(1056 ～ 1106 在位)发生争执,因此,史家称这种争执和它引发的一系列后事为"主教叙任权之争"。其实,主要发生在亨利四世和格列高利七世之间的真正冲突是:究竟应当由教皇还是皇帝主宰教会。他们之间的斗争引发了德意志的内战,其政治后果十分深远。在德意志,皇权受损,诸侯权盛,而且形势不可逆转;在意大利北部,伦巴第城邦在罗马教廷的支持下纷纷兴起,削弱了帝国在该地区的权力。极端的拥教皇派逐步扩大反对范围,不许世俗当局以任何形式控制主教职位。1106 年,英格兰国王亨利一世废除由国王向高级神职人员授予职位象征物的惯例,而教会相应作出让步,主教在受祝圣之前先向国王致敬(这就是说,候选人先成为国王的人,后成为主教)。神圣罗马帝国皇帝亨利五世同教皇加里斯都二世所达成的沃尔姆斯宗教协定(1122)也包含类似的妥协。在德意志,皇帝获得了一项权利:主教的选举必须在皇帝面前进行;但是在勃艮第和意大利皇帝却无此项权利。

investment 投资 指在一定时期内期望在未来能产生收益而将收入变换为资产的过程。这样,当前时期内的消费,为了取得将来较大的回报就被放弃了。以经济作为整体来投资,总生产必须超过总消费。在整个资本主义历史中,投资主要是私人企业的职能;但在 20 世纪,实行计划经济的政府和各发展中国家已成为主要的投资者。如从个体的观点看来,投资可分为生产资料投资和纯金融投资。就个体而言,二者均对投资者提供货币报酬,但就整体而论,纯金融投资仅表现为所有权转移,并不构成生产能力的增加。20 世纪 30 年代以前,人们认为投资受当时利率的影响极大。利率跌时,投资率就可能上升。但从那时起,经验调查表明,企业投资对利率反应较少,却更多有赖于企业家对未来需求和利润的期望,生产技术的变化,以及预期劳动与资本的相关成本。投资能增加一国经济生产的能力,它是反映经济增长的因素。在一定时期内,为使经济增长平稳上升,需要使储蓄者打算存储的储蓄额与投资者打算投放的投资额相一致。如果储蓄额超过投资额,就会引起失业;反之,如果投资额超过储蓄额,就会导致通货膨胀。

investment, marginal efficiency of 参阅 **marginal efficiency of investment** 投资边际效率。

investment bank 投资银行 指发起、认购与分销公司企业和政府机构新发行证券的商号。投资银行以某价格买进一公司全部新发行的证券,再以包括有其推销费和利润的价格将小额新证券转售给投资大众。确定销售给大众所出的价格的主要责任在投资银行,因为它与市场有密切接触,熟悉当前的利率及收益,最能裁定发行的可能需求。在认购和分销发行证券中,大多组织一个投资银行辛迪加。如所需资本太大,单独一家投资银行无法认购全部证券,则那家同公司一起倡议发行证券的投资银行就组织几家投资银行成为辛迪加分担购买证券的任务,发起人就充任辛迪加的经理。如果认为辛迪加成员所控制的市场还不够用时,可选用经销商来进行更广泛的分销。证券折价售给经销人(称为减让)用以偿还经销人之费用。如分销能熟练完成,给予利润。公司要发行新证券时,大多先与关系密切的投资银行进行私人协商,请其发起这项发行。也可安排竞争性投标,公司本身定下发行条件,邀请所有银行进行投标,将发行的证券售给最高出价者。

investment casting 熔模铸造 金属成型的精密铸造技术。一项铸造青铜铸件的典型流程包括 6 个步骤:①在雕刻的实心模型外面浇一层胶质铸型;②从雕刻的模型上取下胶质铸型(分成两块或更多块),再向胶质铸型内浇注蜡或涂覆与最终铸件厚度相同的蜡层;③移去外部胶质铸型,沿蜡层外表面用耐火黏土做成第二铸型,蜡层内充填黏土型芯;④烘干后,黏土硬化,蜡层熔化并通过外部铸型的留孔流出;⑤硬化了的铸型埋在砂内,熔融青铜通过浇口浇入,填充蜡层熔化后留下的空间;⑥打碎铸型,留下青铜铸件。在现代铸造厂中,用塑料或用凝固的水银代替蜡,铸型用耐火水泥代替黏土制成,埋入多孔水泥中干燥、加热后,塑料熔化留下型腔,以备熔融金属填充。铸型通常由几块拼成。熔模铸造法用于制造贵重饰品、假牙、雕刻品和许多高精度小型工件。参阅 **lost-wax process**。

investment credit 投资减税 一种对赋税的鼓励。它允许企业除享有折旧的正常优惠外,还可从应缴纳的税款中减除某些投资成本的一定百分数。投资减税与投资优惠相类似,后者是允许企业从应纳税的收入中减除某些资金成本的一定百分数。除了全部折旧提存外,投资减税与投资优惠有别于在购进一笔资产时给予一定百分数减免的加速折旧。实际上它们是对投资的津贴。投资减税的赞成者认为,它较折旧优惠易于运用,而且它对所有企业或个人,不论税率高低均同等适用。反对者虽没有人否认投资减税对投资的刺激作用,但是认为投资减税对富有的投资者有利。1962 年美国为保护本国企业免受外国竞争,曾采用投资减税和投资优惠,但 1969 年《税务改革法案》均予以废除,试图抵消增长的通货膨胀。英国也试过投资优惠,60 年代后期,它将优惠改为直接政府津贴。

investment trust 投资信托公司 又称股份固定信托公司。它是集中本公司股票持有者的基金,将其投资于多样化的有价证券的金融组织。它与共同基金(股份不固定信托公司)或单位信托公司不同。后者发行代表其所拥有的多样化财产的股票(单位),而不是发行公司本身的股票。股份固定信托公司发行有固定数额的可在市场买卖的股票。股票价格既取决于有关证券的市价,也取决于这类股票的供求。大部分现代投资信托公司,管理当局已按一般特许条款审慎考虑其有价证券的搭配。英格兰和苏格兰早在 1860 年就已组织投资信托公司,普遍认为它们就是近代这类组织的原型。虽然这种思想也许始于 1822 年荷兰的威廉一世在比利时授权设立投资信托机构之时。1929 年美国股票市场崩溃,给投资信托公司带来巨大损失,许多公司破产;经过整个 30 年代的混乱时期之后,幸存下来实力雄厚的和新建的公司,受到广泛欢迎,在联邦新法规(特别是 1940 年投资公司法)管理下迅速发展。

invisible trade 无形贸易 经济学中,指国家之间无形项目的交换。无形贸易可与有形贸易区分,基本为三大类:劳务的收支;海外投资收益(利息、利润、红利)的收支;私人或政府从一国到另一国的货币转移。劳务在无形贸易中占压倒多数,其中包括货运、客运、银行业务、其他金融服务和保险、科技交流、国际旅游;海外投资的收益占第二位;私人和政府从一国到另一国的货币转移比重最小。多年以来,英国连续取得无形贸易的盈余,使国际收支顺差。劳务在无形贸易的盈余中贡献最大。在美国历史上无形出口的收入通常都超过无形进口的支出,盈余主要来自私人的海外投资。有些欧洲国家,无形出口对其国际收支的贡献很大;若干东亚国家和希腊(例如)从航运业获取收入;德国、法国、西班牙、意大利和奥地利从旅游业有收益;瑞士在旅游业有收入,在银行业和保险业还有很大的进款。许多发展中国家无形进口超过了无形出口,这一赤字往往同它们偿付外债和支付利息密切相关。许多发展中国家,如墨西哥、巴西及亚、非一些国家外债日增,无力还本和付息;这不仅威胁本国的经济,而且也威胁许多发达国家无形贸易海外投资的收益。

Inward Light (religion) 参阅 **Inner Light** 内心之光。

inyoite 板硼钙石 一种无色透明的硼酸盐矿物($Ca_2B_6O_{11}\cdot 13H_2O$),呈块状、粒状或球粒状集合体出现在硼酸盐矿床中。晶体结构为两个 $BO_2(OH)_2$ 四面体和一个 BO_2OH 三角形组成,而以钙和羟-氢键连结起来。板硼钙石部分脱水变为三斜硼钙石和硬硼钙石。二者均可用作制取硼酸和硼酸钠以及相关产品的原料。最初发现于美国加利福尼亚州的伊尼欧县死谷附近。在加拿大新不伦瑞克省的希尔斯伯勒和哈萨克斯坦曾发现于石膏矿床中。详细物理性质，参阅 **borate mineral**(表)。

Io 伊俄 希腊神话中阿尔戈斯的河神伊那科斯的女儿。伊俄在名叫卡利忒伊亚时，被视为宙斯的妻子赫拉的首席女祭司。宙斯与她相爱，为了保护她不受愤怒的赫拉的伤害，把她变成一只白色小母牛。但赫拉说服宙斯把小母牛交给她，并由阿耳戈斯(百眼巨人)看守。后来赫耳墨斯奉宙斯之命把阿耳戈斯哄睡后杀死。赫拉又送出一只牛虻去骚扰伊俄，使她到处游荡，越过爱奥尼亚海、博斯普鲁斯(意为"牛涉水之地")海峡，最后到达埃及，在那里恢复了原形，成为厄帕福斯的母亲。伊俄因而被等同于埃及的女神伊希斯，而厄帕福斯则被等同于神圣的公牛阿匹斯。据说由于赫拉的命令，厄帕福斯被带往叙利亚的比布鲁斯，但伊俄又在那里找到了他。传说的这一部分把伊俄同叙利亚的女神阿斯塔特联系到一起。无论埃及的还是叙利亚的部分实际上都反映了同东方的交往以及把外国神和希腊神加以等同的事实。

Io 木卫一 木星的四大伽利略卫星中最靠里边的一颗，1610 年为 G. 伽利略所发现。它是已确知在太阳系有活火山的几个天体之一，向来以同一面对着木星，自转周期和公转周期均等于 1.769 个地球日。近圆形轨道与木星赤道面呈 0.04°倾角，半径约 422 000 千米。其所处的轨道位置，多少可控制从木星传到地球波长为 10 米的无线电噪声。其质量为 8.92×10^{25} 克，直径约 3 630 千米，平均密度 3.5 克/厘米^3，这种密度表明木卫一为一石质卫星而非冰质卫星。它有一层很稀薄的大气，其中有一部分是二氧化硫。木卫一表面平滑，没有任何撞击坑的证据，主要由硫和硫的混合物覆盖。当 1979 年 3 月 5 日"旅行者"1 号航天器飞经木卫一时，卫星上有 9 座活火山正在爆发，所喷发出来的微粒高达数百千米之遥。这些喷出的物质含有钠、钾和硫等原子，它们沿着木卫一轨道散布成环，遮挡了木星周围的部分通道。在"旅行者"1 号和"旅行者"2 号航经木卫一的 4 个月里，卫星表面的特征发生了显著的变化，有一座火山停止喷发，另一座火山则开始爆发。在一些火山口附近可观察到有往下流的黑、红、橙等颜色的特征物。这些是由于硫的各种混合物随温度变化而造成的。木卫一外观色彩斑斓就是由大量的这种火山流动造成的。发生喷流的经常性和涉及范围的广延度，使整个木卫一的表面在几千年间厚度达几米。

Ioánnina 约阿尼纳 又拼 Yannina 或 Janina。希腊西北部城市。伊庇鲁斯区约阿尼纳州首府。位于约阿尼纳湖西面米齐凯利山脚下高原上。9 和 10 世纪首见记载。原为农商业中心。1913 年伊庇鲁斯分属希腊和阿尔巴尼亚，该市和伊庇鲁斯南部并入希腊。该市现为伊庇鲁斯的商业中心，以金属制造和刺绣闻名。1970 年建立约阿尼纳大学。人口：市约 56 699；州约 158 193(1991)。

IOC 参阅 **International Olympic Committee** 国际奥林匹克委员会。

iodate mineral 碘酸盐矿物 参阅 **nitrate and iodate minerals** 硝酸盐和碘酸盐矿物。

iodine 碘(I) 化学元素，周期表Ⅶa族卤族元素。碘为非金属，近于黑色的晶态固体。用于医学、一些有机药品的合成、染料生产、分析化学和照相术中。室温下，固态碘能升华成深紫色蒸气，对眼、鼻和喉均有刺激作用。碘溶于乙醇和稍溶于水而形成棕色溶液；溶于四氯化碳和二硫化碳而形成紫色溶液。在自然界从未发现非化合态的碘。海水中含有少量碘离子 I^-，每吨海水约含碘 50 毫克。多种天然盐水中含有相当量的碘。碘在动植物中的含量一般都很少，而海藻中却很丰富。碘作为痕量元素分散在岩石中，因而不足以高度聚集以形成独立的矿石。智利的硝石或硝酸盐矿床是碘工业生产的重要资源，其中碘以固体碘酸盐，特别是碘酸钙 $Ca(IO_3)_2$ 形式存在。1811 年，从事由海藻提取钾硝的法国制造商 B. 库图瓦在从海藻灰中提取可溶性物质的水溶液中发现了碘。此后，在法国和英国，以及最近在日本，都是从海藻中回收碘。碘是人体中不可缺少的微量成分，人体内平均含碘 14 毫克，大部分集中在甲状腺中。甲状腺分泌含碘激素，特别是甲状腺素，它们是维持人体所有细胞正常新陈代谢所必需的物质。在食物中含碘不足的地区，如北美的五大湖地区、荷兰和世界大部分山区，碘的主要来源是掺有碘化钾或其他碘化剂的食盐。缺碘会引起地方性甲状腺肿和黏液性水肿。碘在浓度高时有毒性，会严重损害皮肤和组织；碘的稀乙醇溶液(碘酊)或水溶液只用作局部消毒剂。在化合物中碘的常见氧化态有 -1(碘化物)、+5(碘酸盐)和 +7(高碘酸盐)。碘易与大多数金属和某些非金属化合而生成碘化物。碘离子是强还原剂，即容易给出一个电子。虽然碘离子无色，但空气中的氧可将碘氧化为游离碘而使碘化物溶液微带棕色。单质碘分子由两个原子组成(I_2)，可与碘离子结合而形成多碘离子(典型反应为 $I_2+I^-\longrightarrow I_3^-$)，这是碘在含可溶性碘化物的溶液中溶解度高的原因。碘化氢(HI)的水溶液称为氢碘酸，为一种强酸，用于与金属或其氧化物、氢氧化物、碳酸盐反应而制备碘化物。在中等强度的碘酸(HIO_3)中碘的氧化态为 +5，碘酸容易脱水而生成白色固体五氧化二碘(I_2O_5)。高碘酸盐可取例如偏高碘酸钾(KIO_4)或仲高碘酸银(Ag_5IO_6)等形式，这是由于中心碘原子半径大，能让较多氧原子与之靠拢，足以形成化学键。自然界存在的唯一碘同位素是稳定的碘 127。特别有用的放射性同位素是碘 131，其半衰期为 8 天。医学中用于检查甲状腺功能，治疗甲状腺肿和甲状腺癌，探测脑瘤和肝肿瘤。在科研中也用它追踪化合物的代谢过程。有几种碘的化合物在放射诊断中用作对比剂。在有淀粉存在的水溶液中，即使极少量的碘也能产生深蓝色。碘原子序数 53。原子量 126.904 4。熔点 113.5 °C。沸点 184 °C。比重 4.93(20 °C)。氧化态 -1、+1、+3、+5、+7。电子组态 2，8，18，18，7 或 $(Kr)4d^{10}5s^25p^5$。

iodine deficiency 碘缺乏 机体对碘元素摄入不足而引起的病态。碘元素直接影响甲状腺素的合成和分泌，而甲状腺素在很大程度上控制着心脏活动、神经对刺激的反应、身体生长速度及新陈代谢。单纯性甲状腺肿是最常见的缺碘性疾病，好发于山区及水源中含碘较低的地区，在沿海地区发病率最低。轻度缺碘时，为维持正常的激素水平，甲状腺对激素的合成增加，因此，尽管患者可能有甲状腺肿存在，但全身健康状况不受影响。严重或持续缺碘时，甲状腺激素水平降低，导致黏液水肿而出现皮肤干燥、毛发脱落、颜面浮肿、肌肉松弛无力、体重增加、精神萎靡及智力迟钝。预防碘缺乏，最简单的办法是经常食用海产品或含碘食盐。加拿大等国政府强制性地往食物中加入含碘添加剂。散发性甲状腺肿的起因未明，因为在其发病地区碘摄入量已超过正常需要。卷心菜、萝卜等食物中含有一种酶样物质，称为前甲状腺肿素，据信可抑制身体组织对碘的正常吸收。但在烹调加热过程中，这种物质通常被破坏。婴儿期间缺碘可引起克汀病，患儿的智力及身体发育发生严重障碍。孕妇经常进食富含碘的食物即可预防本病。

iodine value 碘值 又作 iodine number，又称碘价。油、脂肪或蜡的不饱和度的量度，为 100 克油、脂肪或蜡所吸收的碘的克数。饱和油、脂肪和蜡不吸收碘，因而它们的碘值为零。而不饱和的油、脂肪和蜡吸收碘(不饱和化合物分子含有双键或三键，它们易跟碘反应)，吸碘愈多，碘值愈高，油、脂肪或蜡的反应性愈高、稳定性愈差、质地愈软、对氧化和酸败愈敏感。试验中，通常将已知过量的碘(用一氯化碘)同已知重量的油、脂肪或蜡反应，再用滴定法测定未反应的剩余碘量。清漆和油漆工业中所用干性油碘值较高(约 190)，半干性油(如豆油)具有中等碘值(约 130)，非干性油(如制皂和食品工业中所用的橄榄油)具有低碘值(约 80)。

iodized salt 含碘食盐 添加少量碘(通常是碘化钾)的食盐，用以避免饮食中碘缺乏。使用含碘食盐的地方，特别是瑞士与美国，都没有地方性甲状腺肿的病例出现。在美国，含碘食盐的碘化物含量为 1:10 000；在瑞士则为 1:200 000。世界卫生组织推荐的含量是 1:100 000。参阅 **iodine deficiency**。

iodoform 碘仿 又称三碘甲烷。黄色晶体有机卤化物，是治疗一些皮肤病的杀菌剂组分。1822 年首次制得碘仿，现在由电解含有丙酮、无机碘化物和碳酸钠的水溶液生产。有的试剂可把碘仿转变成二碘甲烷。纯二碘甲烷为无色黏稠液体，常因存在痕量碘而带色，常用在重量分离法中作为重介质。1880 年，碘仿因杀菌作用被发现而成为重要的药物，但现已大部分被更有效的药物所取代。

Iogaila（Lithuanian duke） **亚盖沃** 参阅 **Władysław II Jagiełło** 弗瓦迪斯瓦夫二世。

Iol 约尔 今称舍尔沙勒。古毛里塔尼亚海港，位于今阿尔及尔以西。初建时，为迦太基的贸易据点，后改名凯撒里亚，公元前25年为毛里塔尼亚首府，以希腊文化的一个中

舍尔沙勒的凯撒里亚城遗址
美国国会图书馆供图

心而闻名，在罗马治下成为非洲海岸最重要的港口之一。今舍尔沙勒镇是一小渔港，面积小于原居民点。

Iolaus 伊俄拉俄斯 古希腊英雄，赫拉克勒斯的侄子、车夫和助手。伊菲克勒斯（与赫拉克勒斯同母的凡人兄弟）的儿子。曾帮助赫拉克勒斯完成第二件苦差，即杀死九头怪和与它结盟的螃蟹。他还随同赫拉克勒斯到西方很远的地方去夺取巨人革律翁的牛群。因此他同西西里岛和萨丁岛的一些地方有关系。在第比斯他被作为英雄受到崇拜，但是在别的地方他只是和赫拉克勒斯一道受到崇拜。

iolite（mineral） 参阅 **cordierite** 堇青石。

ion 离子 带有一个或多个正电荷或负电荷的原子或原子团。带正电荷的离子叫阳离子，带负电荷的离子叫阴离子。离子的形成途径有：由中性原子、中性分子或其他离子得到或失去电子；离子与其他粒子结合；当两个原子间共价键断裂时原来的两个成键电子只与一个成键原子结合。这些过程的实例有：钠原子与氯原子反应生成钠阳离子和氯阴离子；氢阳离子与氨分子加合生成铵阳离子；水分子离解生成氢阳离子和氢氧根阴离子。许多结晶物质都是由带相反电荷的粒子在相互引力作用下按一定几何方式排列的离子构成的。在电场作用下离子会迁移，而且在电解池中能成为电流的导体。

ion, carbonium（chemistry） 参阅 **carbonium ion** 碳正离子。

ion-exchange capacity 离子交换容量 不溶性材料离子置换能力的量度。离子置换是指原先在不溶性材料的结构中结合得不牢固的离子被周围溶液中带相反电荷的离子所取代。例如，用于软化水的矿物沸石，对于以钠离子（Na^+）交换硬水中的钙离子（Ca^{2+}）具有很大的容量。黏土矿物和许多其他具有离子交换性能的天然与合成物质的特征是阳离子交换容量大。

ion-exchange reaction 离子交换反应 两种物质（每一种均由带正、负电荷的粒子组成）间的、包含有一种或多种离子组分交换的化学反应。这类反应广泛应用于工业或实验室的纯化、浓缩和离子分离。在离子交换反应过程中，溶液中的离子与离子交换剂进行交换，并依附在或结合于不溶的离子交换剂的分子结构中。这个过程又可称交换吸附。离子交换剂基本上是不溶的酸或碱，它们的盐也是不溶的。离子交换剂既可与正电荷离子（阳离子）进行交换，又可与负电荷离子（阴离子）进行交换，前者称为阳离子交换，后则为阴离子交换。许多物质，无论是天然的还是合成的，都具有离子交换的性质，包括蛋白质、合成树脂、纤维素、骨头、活细胞、硅酸盐矿物质和土壤。商品和实验室中所用的无机离子交换剂包括天然沸石、海绿石、绿砂、合成分子筛如硅酸铝钠等。无机离子交换剂可从不溶盐、杂多酸和水合氧化物来制备，包括锆和钛的磷酸盐、锆和铝的氧化物以及磷钼酸铵和许多具有离子交换性质的不溶性的化合物。无机离子交换剂因为在某些特定条件下（如高温、电离辐射），较有机离子交换剂更稳定，而受到重视。最重要的有机离子交换反应用来合成树脂，合成树脂是一类可以通过化学修饰来增加其离子交换能力的塑料。离子交换剂可以制成各种形状和内部结构。最重要的形状是片状或膜状，广泛应用于电化学中。另一类离子交换材料是浸渍了交换物质的纸张，主要用来进行纸色谱分析。

离子交换树脂是一类带有可交换的离子化基团（功能团）的网状或主链结构的有机聚合物。一种非常有效的有机网状物是在大量的二乙烯基苯存在下由苯乙烯聚合而形成的，二乙烯基苯的作用是将长链状的苯乙烯交联成三维网状结构。然后再将功能团或其他离子交换剂引入到聚苯乙烯中。离子交换树脂可以制成小球或小珠状，一般用在水处理中的树脂颗粒直径为0.297～0.84毫米，对于难度较大的分离反应，可以用粒度更小的树脂。典型的离子交换反应可表示为：

$$A^+ + B^+Res^- \rightleftharpoons B^+ + A^+Res^-$$

Res^- 是固定一个离子的载体（树脂或其他类型的交换剂），A^+ 和 B^+ 为一价的阳离子。特性树脂含有对某些离子有特殊的或明显的亲和力的功能团。还有能参与氧化-还原反应的特性树脂，这类电子交换聚合物交换的是电子而不是离子。

溶液与离子交换剂之间的接触既可以分批量地进行也可以通过一个交换柱来实现。在分批量交换的过程中，树脂简单地与溶液混合，进行连续的或间断的搅拌直至达到平衡——其周期可以从几分钟到几天，视树脂和交换离子的类型而定。达到平衡后，用过滤的方法将树脂分离。这种分批量的技术在工业中不常使用，一般用在实验室进行离子交换反应机理的研究。交换柱的方法一般包含了固定床的操作，交换柱内的树脂用一个多孔的支座来支撑，而溶液一般是靠重力或加压从中流过。通常溶液向下流过树脂，向上流的操作方式一般不运用。固定床的循环通常包括下列几步：①用溶液来使固定床饱和直至所期望或不期望通过的离子突破预定的水平；②用再生溶液洗涤或去掉所含的离子；③冲洗床，除去再生剂。这样就可以循环重复使用。在循环使用之间，该床可以将体系用向上流过的方式来回流。

离子交换最广泛使用的是交换柱的操作，因为它分离完全、可使用自动化的仪器来操作。交换柱技术比类似于分馏过程的连续分批量的技术使用更广泛。

ion-exchange resin 离子交换树脂 经聚合方法合成，带有正、负电荷，从而能从周围溶液中吸引带相反电荷的离子的多种有机化合物的总称。常见的有苯乙烯-二乙烯苯共聚物（高分子量物质），也还有其他树脂如甲基丙烯酸-二乙烯苯和酚醛类聚合物等。带电基团通常是磺酸盐、羧酸盐或季铵盐。含有酸性基团的聚合物能交换氢、金属等阳离子，属于酸性或阳离子交换剂；含铵基的聚合物能交换氢氧根、卤素等阴离子，可以被认为是碱性或阴离子交换剂。离子交换树脂是轻而多孔的固体，通常做成颗粒、小珠或片状，当浸泡于溶液中时能吸收溶液而膨胀，膨胀程度取决于聚合物的结构和溶液中离子的总浓度。可随意合成具有适宜化学组成与物理性能的离子交换树脂，以供特殊的离子交换应用。在工业和家庭应用中，离子交换树脂用于净化水中的钙、镁、铁和锰盐（水软化）；食糖精制；从矿物中富集稀贵元素，如金、银和铀。在化学分析中，离子交换树脂用于离子成分的分离或富集。在化学合成中，有些树脂可用作有效的催化剂，尤其用于酯化和水解反应。还有两种不同的树脂即螯合树脂和电子交换树脂，虽然没有离子交换功能，但一般也划归离子交换树脂。螯合树脂是引入了亚胺基二乙酸基的苯乙烯-二乙烯苯聚合物，上述引入的官能团可与碱金属之外的所有金属形成络合物，其稳定性随金属不同而异，在分析化学中用于分离痕量金属。电子交换树脂可从溶液接受电子或把电子给予溶液，如由对苯二酚、苯酚和甲醛合成的一些聚合物，可用于氧化-还原反应。具有离子交换性能的矿物有沸石（**zeolite**）。

ion pair 离子对 在物理学或化学中，通指一对分别带正、负电的原子或分子。物理学中是指用足够的能量使中性原子或分子同时离解成带正电的粒子（正离子）和带负电的粒子（负离子）。例如，一个高能电子穿过或贴近通过氧分子 O_2，就可以使这分子中的一个电子脱出，从而得到一个离子对。化学中，离子对包括一个正离子和一个负离子，由两者之间的静电吸力暂时结合在一起。离子对在电解质（在溶解或在熔融状态下能导电）的浓溶液中存在，如氯化钠浓溶液中，正钠离子 Na^+ 和负氯离子 Cl^- 形成离子对。由于碰撞，正、负离子仅在短暂时间内结合在一起。虽然离子对的形成与离解是连续不断的，但平均看来在任一给定时刻总存在一定数量的这类离子对。

Iona 艾欧纳 苏格兰斯特拉斯克莱德行政区内赫布里底群岛中的一个岛。长5千米，宽2.4千米。海拔最高不及100米。隔1.1

千米宽艾欧纳海峡与马尔岛相望。艾欧纳岛地势连绵起伏,但有一些牧场。经济以旅游和小型农业为主。通往爱尔兰的海路交通方便。公元563年圣哥伦巴登岛,开始在苏格兰传播基督教,597年死后葬于该岛。795年至10世纪末,该岛遭古代斯堪的纳维亚人入侵,教堂被焚,修士被害。11世纪时古代斯堪的纳维亚人皈依基督教,重建教堂,该岛一直为圣地。宗教改革后教堂封闭。1912年重修教堂并公开开放供信徒礼拜。人口268(1981)。

Iona Community 艾奥纳团 基督教苏格兰长老会内部的传教团体,1938年由一部分神职人员和平信徒共同组成,发起人为格拉斯哥堂区牧师麦克利奥德。他推崇古代爱尔兰传教士圣哥伦巴在艾奥纳岛上所创立的隐修院,认为该院把灵修生活与物质生活融为一体的作法应成为教会的楷模。1951年苏格兰长老会总议会正式承认该团,并批准该团在艾奥纳岛重建隐修院。1959年回廊、至圣所、圣器所落成,遂正式开始活动。艾奥纳团成员每年大部时间在苏格兰各工业地区和其他地区以及国外工作,但每年夏季必须在艾奥纳岛居住一段时间,亲身参加该团的虔修生活并从事重建隐修院的体力劳动。每年夏天也有各教派的基督教团体和青年来艾奥纳岛参加活动。

Ionesco, Eugène 尤内斯库(1909-11-26,罗马尼亚斯拉蒂纳～1994-03-28,法国巴黎)罗马尼亚出生的法国剧作家。他的独幕"反戏剧"《秃头歌女》(1949)引起了戏剧技巧中的一场革命,帮助了荒诞戏剧的产生。1970年被选进法兰西学院。在婴儿时期即被带到法国,1925年返回罗马尼亚。在布加勒斯特大学取得法语学位以后,1939年去巴黎攻读博士学位,1945年以后在巴黎定居。他当校对时决心学英语,所读的教科书中刻板和夸张做作的老生常谈启发他精湛地写出一系列空洞无物的废话,它们构成了《秃头歌女》的内容。在该剧最著名的场景中,两个陌生人互相交谈,谈论天气、住所、有多少孩子等平淡无奇的东西,后来却吃惊地发现他们原来是一对夫妻。这就是尤内斯库一再写的自我疏远和沟通不易的主题的杰出范例。他连续写了不少戏剧,均发展了《秃头歌女》中的"反逻辑"思想。这些剧作有《功课》(1951)、《椅子》(1952)、《新房客》(1955),均取得成功。他的多幕剧有《阿美代》(1954)、《不为钱的杀人者》(1959)、《犀牛》(1959)和《国王死去》(1962)等。60年代他还写了《空中行人》(1963)和《饥与渴》(1966)等剧,前者是他最佳的剧作之一。1972年写的《麦克佩特》重述了莎士比亚《麦克白》中的故事。他的成就在于普及范围广泛的非表演的超现实主义技巧,以及使已惯于戏剧中的自然主义规范的观众能接受这些技巧。他的作品表明,他对精神上的怪人怪事关心较少,而对梦幻、潜意识的探讨较多。同时,他的政治态度硬化,曾自称是一个"右翼无政府主义者"。他的《散记》(1967)表明他反对任何一种左翼思想。

Ionia 爱奥尼亚 又译伊奥尼亚。古代一地区,在安纳托利亚(今土耳其)西部沿海的中段。北与埃奥利斯地区为邻,南接卡里亚地区,包括附近的岛屿在内。这一海滨狭长地带宽约40千米,北自赫尔莫斯河河口的福西亚,南至迈安德河以南的米利都境域,纵长距离约160千米。适于居住的地面主要为赫尔莫斯河(今格迪兹河)、凯斯特河(今门德雷斯湖)和迈安德河(今门德雷斯河)等3个平坦的河谷。这3条河从高达1 500～1 800米的山脉之间下流,注入爱琴海岸深深凹进的海湾。公元前1200年以前,这一地区与赫梯帝国接界。古代希腊人把这一特殊的滨海长条地带当作亚洲,而赫梯史料中的阿苏瓦可能指的就是此处。不过,在这一时期的任何记录中都不见爱奥尼亚的名称,荷马也没有确认古希腊时代在亚洲海岸有任何爱奥尼亚移民地。因此,必然是希腊的亚该亚人诸王国在多里安人的入侵之下崩溃以后才开始对此沿海地区使用爱奥尼亚一名。那时,希腊的爱奥尼亚人难民跨爱琴海东移。考古资料确定希腊人向安纳托利亚移民大约是在公元前1000～前900年,与之大致吻合。希腊人在这一地区的最初的移民地数目多而块很小,但是到公元前8世纪,他们已经巩固对整个海岸线的控制权,并且自己联合成为12个大城市——大陆上的福西亚、埃利色雷、克拉佐曼纳、提奥斯、勒贝都斯、科洛丰、以弗所、普里恩、米厄斯和米利都,以及希俄斯和萨摩斯两个岛屿。这些希腊爱奥尼亚人的城市形成一个单独的宗教联盟即泛爱奥尼亚会。爱奥尼亚各城市是公元前8～前7世纪希腊城市发展(还可能是宪法发展)的先驱者。公元前8世纪,它们对希腊人在地中海的航海事业似乎没有起多大作用,但是到公元前700年以后,米利都和福西亚的爱奥尼亚人海员在黑海地区以及今法国和西班牙滨地中海地带活跃起来,建立许多殖民地。据说,仅米利都就创设了90座城市。到公元前7世纪末,爱奥尼亚各城市通过贸易、殖民,以及制造陶器、生产纺织品和金属器皿,已经达到相当的繁荣。在这一时期,而且一直到公元前500年左右,爱奥尼亚人的理性思考在希腊的知识界占有统治地位。米利都的赫卡泰奥斯是希腊人研究地理的开山祖。他的故乡米利都城是以泰勒斯和阿那克西曼德为代表的自然哲学的发祥地。爱奥尼亚人不论在本土和海外(赫拉克利特、毕达哥拉斯和巴门尼德)都能为希腊哲学奠定基础。希腊语的爱奥尼亚方言变成了文学和学术的用语,爱奥尼亚的建筑、雕刻和青铜浇铸也很有影响。公元前7世纪,爱奥尼亚向海外扩张。部分原因是需要给人口找一条新的出路。在麦牟纳德王朝统治下,吕底亚的国势日强,爱奥尼亚人向内陆深入已经引起吕底亚的反对,并且发生冲突。在多次交火之后,克罗伊斯在位期间(约公元前560～前546),爱奥尼亚大部终于归吕底亚统治。克罗伊斯败于阿契美尼德王朝的波斯之手以后,爱奥尼亚各城市未能对波斯进行有力的抵抗。公元前499年左右,爱奥尼亚人举行一次反对波斯统治的起义没有成功;而5年之后,他们的舰队却在拉德洋面的海战中被歼灭。这次反抗波斯人的起义成为希波战争的开端。公元前480年,希腊人在萨拉米斯战役中击败波斯以后,爱奥尼亚各城市重新获得独立,并且促进成立以雅典为首的提洛同盟。但到公元前5世纪末,这些城市已受雅典的控制。在伯罗奔尼撒战争(公元前413～前404)的最后阶段,斯巴达在爱奥尼亚占有统治地位,但在公元前387年又把爱奥尼亚大陆部分让给了波斯。公元前334～前301年,先后在亚历山大大帝和安提柯一世的统治下,爱奥尼亚再度名义上取得独立。此后,这一地区成为塞琉西王国的一部分,后又并入阿塔里王国的版图。公元前133年爱奥尼亚转归罗马统治,成为罗马帝国亚细亚行省的一部分。在罗马帝国时期,爱奥尼亚的主要城市再度欣欣向荣,这些城市所留下的许多令人惊叹的遗迹全是那个时代的东西。以弗所、米利都、士麦那和希俄斯都是罗马世界最光辉夺目的城市,而且在拜占廷时代继续繁荣。

Ionian 爱奥尼亚人 古希腊民族一支重要的东部支系。安纳托利亚(今土耳其)西部海岸一地区即因这个支系而得名。希腊语的爱奥尼亚方言与阿提克方言关系最近,通行于爱奥尼亚和爱琴海许多岛上。

据说爱奥尼亚人是在约公元前1000年前后自阿提克和希腊中部其他地区迁到安纳托利亚的,正值多里安人推翻希腊本土的亚该亚王国而大举迁入以后的那段时期。这一过程可由下述事实证明:雅典人中间有4个相同的"部落"后来又在米利都和爱奥尼亚的其他城市居民中出现。荷马在其史诗中对爱奥尼亚人一提而过,但在亚述国王辛那赫里布在位期间即公元前704～前681年间所出现的一首荷马体诗作《阿波罗颂》中,爱奥尼亚人被描写为一个伟大而富足的民族,他们经常参加在提洛举办的阿波罗节日的庆典。由于辛那赫里布曾是迄今已确知的最早在书面文献中谈到爱奥尼亚人的一个国王,则上述《阿波罗颂》一诗中所述事实应是可靠的。

到希罗多德时代即大约公元前450年前后,有些希腊思想家就已提出一套详细的人种学理论,把爱奥尼亚人同希腊土著民族佩拉斯吉人视为一体,而把多里安人同迁到该地的北方海伦人相提并论。这种假说把种族主义的观点引入希腊城邦之间的争论之中。亚洲的爱奥尼亚人由于易为外族攻击,曾一度臣服于波斯,因而与伯罗奔尼撒半岛上的多里安人比较之下相形见绌:多里安人多为勇武而训练有素的军旅之士,爱奥尼亚人于是被贬为"软弱"之众。

大约自公元前700年开始,军事扩张及随之而来的移民垦殖活动把尤比亚岛上的爱奥尼亚人带往西西里岛的东部和那不勒斯附近的库迈城,同时也把萨莫斯人带到潘菲利亚的纳吉杜斯和塞林德里斯两地。在爱奥尼亚人所建城邦中,据说米利都曾拥有移民区90处,成为通向黑海的要冲;而福西亚则是地中海地区的重镇,曾在马西利亚即今马赛建有移民区。"爱奥尼亚人"一词,荷马史诗中称作爱奥昂尼人,波斯语称作亚乌纳人,希伯来语作耶瓦尼姆人,土耳其语和阿拉伯语作优纳尼人。不过,最终还是爱奥尼亚人这个名字成了东方人对所有希腊人的一致称呼，而且延续未变。

爱奥尼亚人对希腊文化所做的贡献极其重大，其中包括荷马史诗、早期挽歌以及抑扬格诗体。公元前6世纪时，爱奥尼亚式的理念思想支配着知识界的生活领域，促进了对地理和自然界的研究和对物质和宇宙进行的探索。爱奥尼亚人无论在希腊本土还是移居海外，都为希腊哲学的产生和发展、历史资料的收集和整理奠定了基础。在亚历山大大帝以后的年代，阿提卡-爱奥尼亚方言作为文学语言便成了共同希腊语的基础，而共同语又在实际上为后来包括《新约》在内的全部希腊语著作所采用，直至现代。爱奥尼亚人在建筑、雕刻、铸模青铜雕塑等领域中也是出色的艺术家。参阅 **Ionia**。

Ionian Islands　爱奥尼亚群岛　又译伊奥尼亚群岛。现代希腊语作 Iónioi Nísoi。沿希腊西海岸的岛群，从阿尔巴尼亚海岸向南延伸至伯罗奔尼撒半岛南端，常称作七岛。7个岛分别名为科孚岛（又名克基拉岛）、凯法利尼亚岛、扎金索斯岛、莱夫卡斯岛、伊萨卡岛（或伊萨基岛）、基西拉岛和帕克西岛，以及它们的小附属地。总计陆地面积为2 307平方千米。雨量充足并有大量可耕地，生产木材、水果、亚麻，还饲养猪、绵羊和山羊。出口产品有无核小葡萄干、葡萄酒、棉花、食盐、橄榄和鱼。粮食基本自给。港口所处位置比希腊大陆西海岸港口为佳，对国际航运更为便利。群岛常有强烈地震，1953年的地震使在凯法利尼亚岛、扎金索斯岛和伊萨基岛上的市镇和设施受到严重破坏。由于它们地处希腊和意大利大陆之间的海上战略位置，该群岛及其居民自古以来就备受外部干涉的影响。智者利奥四世（约公元890年）将所有的岛屿组成为拜占廷帝国的一个省，称为凯法利尼亚省。诺曼底的冒险家圭斯卡德夺取科孚岛（1081）和凯法利尼亚岛，但是他的逝世（1085）使一个王朝未能建立。拉丁帝国（1204～1261）在君士坦丁堡建立的时候，威尼斯人收买了科孚岛；但是1214年，伊庇鲁斯的希腊君主并吞了威尼斯人的第一个殖民地，接下来是长时期的伊庇鲁斯、西西里和那不勒斯-金雀花王朝的统治，直至1386年科孚自愿臣服威尼斯共和国。1479年土耳其夺占了凯法利尼亚、扎金索斯、莱夫卡斯和伊萨基诸岛，把它们归附于自己的帝国。在15和16世纪时，威尼斯人进行反击并夺回了它们。威尼斯人以授爵位和授职赢得了各岛当地主要家族的拥护。那里建起了天主教会，意大利人和希腊人也通婚了。除农民外，不再使用希腊语，农民仍旧忠于希腊正教会。1797年威尼斯共和国崩溃后，群岛被赏赐给法国，而法国的统治很快被俄土军队（1798～1799）结束。1807年法国要求收复群岛，并使之成为拿破仑领导下法兰西帝国不可分割的一部分；根据《巴黎条约》（1815），群岛被置于大不列颠帝国单独保护之下。爱奥尼亚参议院和立法院于1818年开始行使职责，但是真正的权力却掌握在一位英国高级行政长官手中。高等学府和司法部建立起来，但是居民们却对英国强硬统治所施加的种种限制憎恨不已。1848年之后，农民不时地叛乱，著名的有凯法利尼亚之乱，不得不以武力镇压，爱奥尼亚议会又投票赞成立即与新成立的希腊王国联合。1864年英国将群岛让与希腊作为庆祝希腊新国王就位的姿态，这位国王就是乔治一世（前格吕克斯堡的威廉·乔治亲王），即丹麦克里斯蒂安九世的儿子。随着它们的合并，群岛不如以前繁荣了；部分原因是它们失去在保护领地下所许可的特别税和贸易特权。第二次世界大战期间，群岛先后被意大利和德国占领。群岛与希腊其他地方于1944年获得解放。人口约191 003（1991）。

Ionian school　爱奥尼亚哲学学派　又译伊奥尼亚哲学学派。公元前6～前5世纪的一批希腊哲学家所形成的学派。其中有泰勒斯、阿那克西曼德、阿那克西米尼、赫拉克利特、安那克萨哥拉、阿波罗尼亚的第欧根尼、阿基劳斯、希蓬。尽管他们的最初活动中心是爱奥尼亚，但他们各自的结论却有很大差异，因而不能说他们代表一个特定的哲学学派。不过，他们共同关心的是从物质或自然力方面来解释现象，这使他们有别于后来的思想家。

Ionian Sea　爱奥尼亚海　又译伊奥尼亚海。地中海的一部分。在希腊（东）、西西里岛（西南）和意大利（西和西北）之间。地中海最深点（4 900米）即在希腊南面这一海域。通过墨西拿海峡同第勒尼安海相连；通过奥特朗托海峡与亚得里亚海相通。这一海区有意大利的斯奎拉切湾、塔兰托湾、希腊的阿尔塔湾、帕特雷湾和科林斯湾等海湾。沿岸主要港口有锡拉库萨、卡塔尼亚（西西里岛）、塔兰托（意大利）、克基拉（伊奥尼亚群岛）和帕特雷（希腊）。

Ionic alphabet　爱奥尼亚字母　古希腊字母最重要的东部变体。产生于公元前5世纪后期。前403年，使用于安纳托利亚城邦米利都的爱奥尼亚字母系统，为雅典人所采用。至前4世纪中叶，爱奥尼亚字母表成为有24个字母的通用的古典希腊字母表。

ionic bond　离子键　又称电价键。化合物中带不同电荷的原子之间的一种连接方式。当一个原子的价电子（最外的电子），永久性地转移给另一个原子时就形成这种键。失去电子的原子成为带正电荷的离子（阳离子），而得到电子的原子变成带负电荷的离子（阴离子）。电子在原子之间转移的概念是英国物理学家J.J.汤姆孙在19世纪末提出来的，并于1916年由德国科学家W.科塞尔发展成为离子键理论。离子键合产生离子化合物或电价化合物，碱金属和碱土金属的氢化物可能是这类化合物的最好的例子。在这类离子晶态固体中，异性电荷相吸引、同性电荷相排斥的静电力使每个离子为异性离子所包围，正、负电荷交替排列并相互平衡，而整个物质的总电荷为零。离子晶体中的静电力是相当大的，因此这些物质坚固而无挥发性。但是，它们的离子键在高介电常数的介质中被显著减弱。共价键是通过原子间共享价电子在两个（少数情况下为三个）原子之间形成的连接方式。与离子键合不同，共价键合并不发生永久性的电子转移。参阅 **covalent bond**。

ionic foot　爱奥尼亚音步　在韵律学中指由两个长音节和两个短音节，或由两个短音节和两个长音节组成的诗歌音步。前者亦称大爱奥尼亚音步；后者亦称小爱奥尼亚音步。

Ionic order　爱奥尼亚柱式　又译爱奥尼柱式。古典建筑柱式之一，其特点为前后两面的涡卷饰。参阅 **order**。

ionium-thorium dating　锾-钍年代测法　根据海洋沉积物所含锾和钍的量，测定其形成时代的方法。由于铀的化合物溶于海水，而钍的化合物相当难溶，所以由海水中的铀衰变产生的钍同位素很快就沉淀并混合在沉积物里。钍的同位素之一钍230（也叫锾），半衰期大约为8万年，这使钍230适用于测定年龄在40万年的沉积物的年代。因此，可以利用沉积物中锾的总量作为沉积物年龄的粗略度量。欲用锾精确地测定年代，则要求锾的沉淀速度不随时间改变，但这种假设对许多沉积物都不适用。海水中的钍232也会沉淀，因而可以把锾和钍232的衰变的比值作为时间的度量。这个方法并不要求锾的沉淀速度不变，而只要求两种同位素按固定不变的比例沉淀。锾-钍测年法的正确性基于以下的假设：①在待测样品的年龄限度内，海水中钍230（锾）与钍232的比值保持不变；②沉淀期间，锾和钍没有发生化学分馏，以致两者可按固定比例沉淀；③沉淀物中没有任何含大量锾、钍的碎屑物质；④沉淀后，钍的同位素没有在沉淀物内部迁移。当这些假设都成立时，就可以得到海洋沉积物年龄的精确数据。

ionization　电离　在化学和物理学中，电中性原子或分子转变为带电的原子或分子（离子）的过程。电离是带电粒子和X射线之类辐射转移其能量给物质的主要方式之一。在化学中，电离常在溶液中发生。例如，中性氯化氢气体分子 HCl 与相似极性的水分子 H_2O 反应，产生正的水合氢离子 H_3O^+ 和负的氯离子 Cl^-；在锌板和酸溶液的接触面上，锌原子 Zn 把两个电子传给两个氢离子，而变成无色的锌离子 Zn^{2+}。当电流通过低压气体时，就发生由碰撞引起的电离。如果形成电流的电子有足够的能量（每种物质的电离能是不同的），它们就迫使另外一些电子从中性气体分子中脱离出来，因而产生了离子对，每一离子对由脱离的负电子与因此而得的正离子组成。也有些电子依附在中性气体分子上而形成负离子。通过高温下分子间的碰撞也能使气体电离。当能量足够大的高能带电粒子或辐射能穿过气体、液体或固体时，通常会引起电离。放射性物质所放出的带电粒子，如 α 粒子和电子，沿途造成大规模的电离。高能中性粒子，如中子和中微子，穿透力较强，几乎不引起电离。辐射能脉冲，如X射线和 γ 射线的光子，通过光电效应能从原子中打出电子而引起电离。由吸收辐射能和由带电粒子通过而产生的高能电子会再次导致电离，称为次级电离。在地球的大气层中存在某种微弱的电离，这是由于连续吸收来自空间的宇宙射线与来自太阳的紫外辐射所致。

ionization chamber 电离室 一种用于测定辐射束的强度或计数单个带电粒子的辐射探测器。这种仪器主要是一个充气的圆柱形容器，加电压使容器壁带负电，使中心轴线的金属丝带正电，以维持容器中的电场。当一个光子或带电粒子进入电离室内，将某些气体分子转变为正离子和电子；在电场影响下，这些粒子分别移向器壁与金属丝，联接这两个电极的线路就产生可观察到的电流脉冲。正比计数器是改进的电离室，所加的是高电压，能使沿轴向金属丝附近的电场强度足以把靠近的电子加速到使之与气体分子碰撞时又造成新的电离。这一称为倍增的效应使输出的电脉冲与进入计数器的辐射所产生的电离成正比，因而可以把不同种类和不同能量的粒子鉴别出来。盖革-弥勒计数器用的电压比正比计数器的电压还高。不同种类不同能量的单个粒子进入计数器会产生大小基本相同的输出脉冲，于是这一仪器就成为最优良的计量单个粒子的计数器。在盖革-弥勒计数器中，气体混合物抑制了由单个辐射粒子造成的离子雪崩，因此，仪器在探测单个粒子后，就能恢复原状以便探测另一粒子。如果电压增加太高，两电极间的气体中就会有连续电流穿过，使仪器完全失效。

ionization potential 电离电势 又称电离能。在化学中，指从一个孤立的原子或分子移去一个电子所需的能量。各相继移去的电子，其电离电势互不相同。但是，最常用的是移去第一个（受束缚最小的）电子时的电离电势。化学元素的电离电势以电子伏特为单位，通常在一个放电管中测定，在此，电流产生的一个迅速运动着的电子与该元素的一个气态原子相撞，使后者放出一个电子。氢原子含有一个轨道电子，后者受由一个质子构成的核的束缚。对于氢来说，迫使该电子离开它最低的能级而完全脱离原子，需要13.6电子伏特的电离能。元素的电离电势的大小，取决于核电荷的结合效应、原子的大小及其电子组态。在各种化学元素中，从稀有气体中移去一个电子最难，而从碱金属中最容易。移去电子所需的电离能，随着原子失去的电子数而递增，因为原子核的正电荷并未变化，因此，每移去一个电子，则剩下的电子被束缚得更牢。电离电势是元素参与形成离子即给出电子的化学反应的能力的量度。它一般还与这些元素形成的化合物中化学键的性质有关。参阅 **binding energy; electron affinity**。

ionosphere 电离层 地球大气的一个层区，其中由于地球外面的（主要是太阳的）辐射作用到空气中的中性原子和分子上，产生大量的离子或带电粒子，足以影响无线电波的传播。从离地面约50千米的高度开始出现这种电离层，大约在80千米以上最为显著。电离层的发现已超过近一个世纪。早在1839年德国数学家C.F.高斯曾推测，大气中的导电区域可能是引起地球磁场发生变化的原因。关于导电区域的见解再度被其他人所援引，特别在1902年，美国工程师A.E.肯涅利及英国物理学家O.亥维赛，都用它来解释无线电信号可以沿地球表面的弧线传播，后来于1925年始获得肯定的证明。因此电离层被称为亥维赛-肯涅利层。电离层共分3层，最低一层是D层，白天电离程度很强，使短波及广播段的无线电信号受到衰减，这种效应在夜间则基本上消失；E层的位置较高，由距地面90千米一直延伸到140千米，此区域中多是被电离的气体分子，有很强的电流；从140千米往上是F层，电离的原子是此区域的特点，其中包括离子浓度最高的F2层。由于E和F区域能反射短波及广播段的无线电信号，因而远距离传播乃依靠这两个区域。从F层向上延伸的区域称为磁层，那里的离子运动主要受地球磁场控制。磁层包含范艾伦辐射带的高能带电粒子，但它们对层中的离子含量没有影响。在朝太阳一边8～14倍地球半径的距离处（大约51 000～89 000千米）和其外更远的地方，磁层和电离层终止于一界面上，超过它则是太阳风（来自太阳的电子和原子核的连续流动）的范围。电离层里的电离作用主要受太阳辐射中X射线和紫外线两种波长的影响。被电离的粒子以氮分子、氧分子和氧原子为主，但在大约1 000千米的高度有一称为质子层的区域，其中质子（氢原子核）的组分占优势。

iora 雀鹎 和平鸟最小的一类。参阅 **fairy bluebird**。

Iorga, Nicolae 约尔加（1871-06-18，罗马尼亚博托沙尼～1940-11-28，斯特雷日尼库）罗马尼亚政治家，最伟大的历史学家，一度担任首相。1895年任布加勒斯特大学世界通史教授。很早就以所著《罗马尼亚人民史》（1905）、5卷本的《奥斯曼帝国史》（1908～1912）和对十字军的研究出名。1907年选入议会，在政治方面起很大作用。自建民族民主党。1931～1932年任首相兼教育大臣。他精力过人，迄1933年已著书约800部，著文1万篇，并建立沃莱尼-德蒙泰人民大学和东南欧研究所，创办很多历史和文学杂志，后来还出版一部10卷本的《罗马尼亚史》（1936～1939）。他的著作和讲演充满民族主义感情，对整个罗马尼亚精神生活都发生影响。1940年11月被铁卫团的法西斯分子暗杀。

Ioshkar-Ola (city, western Russia) 参阅 **Yoshkar-Ola** 约什卡尔奥拉。

Iowa 艾奥瓦人 北美印第安民族，操苏语，史前期曾由大湖区以北往西迁徙，到达现今的艾奥瓦州各地。1836年，他们把土地割让给美国，迁往现今堪萨斯州-内布拉斯加州边境的保留地。有些人后来又迁往印第安纳准州（今俄克拉何马州）。18世纪艾奥瓦人约有1 100名，20世纪晚期，约有100名艾奥瓦人后裔住在堪萨斯州-内布拉斯加州的保留地，另100多人住在俄克拉何马州。他们不单纯以狩猎为生，而营半定居的农业生活，这与许多平原部落不同，反与东部林地诸部落相似。艾奥瓦人种植玉米，并与法国人进行生毛皮及瓦管等交易。平时居住土房，其形如炉灶，狩猎或作战时居住圆锥帐篷。艾奥瓦武士头顶束发，饰以鹿毛。战功分为三级：最高者是指挥制胜的谋略，其次是战场英勇杀敌，第三等是取下敌人首级或头皮。

艾奥瓦人首长“白云”
纽约美国自然史博物馆供图

Iowa 艾奥瓦 美国中北部一州，是东部森林区与西部高草原大平原草地之间的过渡地带。密西西比河为该州东部边界，地势向西逐渐升高，起伏不大。该州北接明尼苏达州，东连威斯康星州和伊利诺伊州，南邻密苏里州，西与内布拉斯加州和南达科他州交界。面积145 753平方千米。艾奥瓦以曾居住在该州的艾奥瓦印第安人命名，1846年12月28日被接纳为美国第29州。自1857年以来首府一直为得梅因。艾奥瓦在一般人心目中的形象，诸如生产玉米和猪，有平坦的大草原和人民比较保守等，并非完全错误；但它掩盖了细微的多样性及该州和其人民在经济、政治和地理上都基本居中这一事实。该州90%的土地用于农业，是美国和全世界的一个大粮仓。除此以外，该州工业大多与农业直接有关，农业人口仍然可观。艾奥瓦人多年来一直倾向共和党，但当他们感到时代要求采取另外的方针时也表现出一定的主见。艾奥瓦并没有分享到因国内其他地区的经济和人口的增长而带来的各种利益。其他地区遭受经济衰退时，对艾奥尼的影响也只涉及到农业。

自然地理和人文地理

土地 艾奥瓦的岩层和肥沃土壤是约160万年前至1万年前更新世时期间歇性覆盖该州的大陆冰盖的产物。早期冰盖沉积的冰碛填满了冰期前的河谷，这些河谷今已几乎无迹可寻。伊利诺伊冰盖曾覆盖艾奥瓦州东南及极东端小块地区，并在这一过程中迫使密西西比河改道，沿其西部形成的一条河谷至今依稀可见。大约2.5万年前至2万年前，威斯康星冰盖以舌形体向南推进，止于今得梅因市附近。约1.4万年前至1.3万年前，得梅因冰碛舌开始最后退缩。伴随冰川作用最后两个阶段的是大面积的风运淤泥沉积，或称黄土沉积，在艾奥瓦西部则起源于西面大平原的冰川作用。冰盖退缩时，融水携带的大量冰碛堆积在谷地。这些各种各样堆积物构成艾奥瓦地形的基础，是现代土壤的母体物质。

地形、水系和土壤 该州地形最多样的地区是曾被早期冰盖覆盖的东北部。密西西比河各支流深深切入底层基岩。密西西比河陡岸高耸于河谷之上90～120米，支流河网造成风景绮丽的山丘景色。该州大部地区底层为伊利诺伊冰川前的冰碛，至少受到相对密集的河网数十万年的侵蚀。冰川留下的湖泊或沼泽早已被自然侵蚀排干，结果该州大部地区是千篇一律的平缓起伏景观。西部州界上的密苏里河谷附近，基底冰碛层上堆有约24～30米厚的黄土层，形成一条约30～60米高的悬崖。该州最高点海拔509米，位于西北部。构成艾奥瓦主要形象的广阔平坦高地主要在得梅因冰碛舌地区，这是一片坡度缓慢，很少冲蚀的冰碛平原，覆盖该州中部和中北部32 000平方千米。该州多数湖泊位于该冰碛舌地区西北部。艾奥瓦大部分土壤在大草原植被下形成，层厚，色暗，富含有机物和矿物。只有在东北部和南部及东南部受沟壑切割的河谷两侧土壤颜色较淡，肥力较差。

气候 艾奥瓦的气候反映出该州地处大陆内地的特点。冬季寒冷，西北部月平均气温约－10 °C，东南部为－6 °C。降雪少于东部和北部各州。夏季温暖且较潮湿，7月白昼气温23 °C，但各地区有所不同。来自墨西哥湾的热带海洋气团经常为当地带来雷阵雨。6月降水量比冬季月降水量多4倍。西北部降水量在710毫米以下，东南部在890毫米以上。

动植物 大草原上曾长有无数种野花；虽然艾奥瓦大部分原始森林早已被砍伐，但仍有大约600 000公顷林地。锡达河沿岸曾大量生长的铅笔柏目前是当地唯一的长绿树。该州河流中生活着数十种鱼类。为获取毛皮而诱捕麝鼠和浣熊的活动仍然盛行，红颈雉（20世纪初引进）和鹌鹑代替近来几乎灭绝的野生吐绶鸡成为主要猎禽。此外该州还有各种小兽和其他鸟类。

住区模式 虽然艾奥瓦并不是一个毫无特色的平原，但其自然特性相对单一，地理学家及其他社会科学家将该州当作大规模均一性的范例。原始住区模式的基础大都为65公顷的方形土地。因此农庄和小镇一般为一个面积相等的方格，道路多为南北或东西向直线。正方形或长方形当中的农场住房常常有一排树用以挡风和提供遮蔽中部大陆烈日的树荫。最大城市得梅因大约位于该州中部，在得梅因河红岩水库以北。其他大城市位于西部边界密苏里河和东部边界密西西比河沿岸或东部的锡达河沿岸。

人民 艾奥瓦居民大多是来自其东部邻近各州和西北欧的移民。1850年以前该州南部1/3地区接受了许多从南方边境各州尤其是肯塔基州来的开拓者；但在北部地区更为重要的是从俄亥俄、印第安纳、伊利诺伊和新英格兰以及滨大西洋中部诸州涌入的移民。1850年以后，来自欧洲的移居者剧增。人数最多的一批来自德国，但多数移民还是来自英国和爱尔兰。19世纪后期，许多斯堪的纳维亚人在该州西部和中部各地定居。到1915年，除了在煤田区的克罗地亚人和意大利人以及佩拉附近的荷兰人之外，艾奥瓦南部几乎没有在外国出生的人。该州大城市，尤其是密西西比河沿岸城市，吸引了各种不同的群体。艾奥瓦现仍存在几个种族宗教集团，锡达拉皮兹的捷克人便是一例。在公社生活的几个试验地中，阿马纳殖民地是拓荒者早期艰苦年代的仅存遗迹；这是一个最初来自德国的宗教团体，1855年由纽约州布法罗迁至艾奥瓦。该团体于1932年改为一个合作组织，并成功地保护了它的完整性，只是将它的经济加以调整使之适应时代要求。住在艾奥瓦城以南及独立城附近的阿曼派团体有牢固的宗教社会传统，它们在州教育法方面与现代社会发生冲突。摩门教徒为躲避纽约州和伊利诺伊州的迫害穿过艾奥瓦逃往犹他州，一个人数不少的群体留在了艾奥瓦南部的拉莫尼。19世纪中叶贵格会在艾奥瓦城以东斯普林代尔-西布兰奇地区占有重要地位。该地区是南北战争前帮助奴隶逃离南方的地下交通网的重要的一环。J. 布朗经常访问斯普林代尔，H. 胡佛总统出生在西布兰奇一个贵格会信徒家庭。西布兰奇现在是胡佛总统图书馆的所在地。20世纪进入艾奥瓦的唯一值得一提的移民活动是黑人向大城市中心，尤其是得梅因和滑铁卢的迁移。尽管有州和国家的民权法，多数黑人集中在城市的衰落地区。19世纪联邦政府几次购买土地之后，多数印第安人向西迁移，但一些人又返回，在泰马附近购买了一小块保留地，称梅斯奎基保留地。艾奥瓦的多数人口是新教徒（主要是信义会和循道宗），因为移民大多来自西北欧。天主教在东北部、迪比克地区和大城市势力较大。就观点而论，艾奥瓦南部更倾向于基要主义；这产生了1963年以前的禁酒等社会结果。艾奥瓦州人口分配均匀。这一因素与该州自然条件相对划一的特点共同使该州成为检验地理和经济理论的一个最佳场所。大城市有得梅因、锡达拉皮兹、达文波特、苏城、滑铁卢和迪比克。其余人口大多住在该州各地的生活节奏不紧不慢的小城镇或分散的农场里。自20世纪中叶以来农业人口已在减少，80年代艾奥瓦各地都有人口流失现象。人口2 926 324（2000）。

艾奥瓦州中北部奥尔登附近的农场玉米收割
美国不列颠百科全书公司供图

经济 该州力求通过多种方式，特别是贸易代表团和经济开发部的活动，帮助工业发展和改善经济形势。公司所得税只占岁入的一小部分。政府负债不高，综合就业前景相对光明。失业率和停工现象往往低于全国的趋势。该州在家庭收入方面属全国中等水平，但这主要应归功于来自农业的一部分收入。生活费用一般低于东部和最西部的大都会，但高于南部和西南部。

农业 一般人认为艾奥瓦是一个农业州，这是完全正确的。艾奥瓦的农业以玉米和大豆的生产，以及牲畜的饲养与出售为基础。该州的猪、牛和小牛等牲畜的总产值在全国居于领先地位，在农产品出口总值方面也是3个最主要的州之一。该州土地肥沃，产量常常过剩，造成农产品价格下降；这是20世纪一个一直得不到解决的问题。

工业 该州地处美国工业带西缘。虽然其制造业、商业与服务业部门在收入上超过农业，但前者大多从事食品加工或农机制造。该州仅在很少几个与农业无关的领域对全国经济有重大贡献。锡达拉皮兹的电子器材生产、纽敦的家用器具、阿马纳的冷冻设备、得梅因的轮胎、麦迪逊堡的文具和贝滕多夫的轧制铝板便是少数例外。除硅酸盐水泥和石膏外，矿产资源的利用在该州经济中不占重要地位。

运输 20世纪20年代得梅因建成一个适合较低人口密度的广大农村道路系统。现在已有一个路面良好的公路网。该州运行的铁路线长度近年已经减少，许多城市已不再通铁路。该州还有240多座小型公共机场。沿密西西比河的内河航运占重要地位，一条2.7米深的航道从密苏里河上游通至苏城。

行政与社会状况 *政府* 1846年加入联邦时的艾奥瓦宪法已不适用，第二稿在1857年起草并得到批准。这部宪法虽已多次修正，但至今仍为该州基本法。此宪法规定，政府机构采取分权制，设有行政、立法和司法三个部门。行政部门的州长、副州长、州务卿、审计长、财政部长、农业部长和司法部长由选举产生，任期4年，可连选连任。一些委员会、局和部的行政长官由州长任命，但各部多数雇员受文职人员系统管辖。艾奥瓦民权委员会负责对公共场所、住房、就业和教育等方面的歧视提出的申诉进行调查、听证和判决。两院制议会每年开会一次；奇数年决定重要预算问题，会期较长。众议院有议员100名，任期2年；参议院有议员50名，任期4年。两院席位10年重新分配一次，以确保遵守美国最高法院“一人一票”的决定。州司法部门受最高法院领导，最高法院对下级法院有很大的管辖权。最高法院的9名法官选举他们自己的首席法官。法官由州长任命，一年后须经公众投票认可，8年任期届满后可申请下届的候选资格。该州分为14个司法区，各区法官人数依人口和承办案件数量而有所不同。多数大城市设有市法院，其余地方有治安法庭和市长法庭。没有市法院的市镇则选举治安法官。地方管辖权授予各县监督委员会，选举产生的审计官、县司法行政官、书记官、财政官和县检查官在其领导之下工作。县政府负责征收市税、教育税、县税和州税，管理福利，与州公路委员会合作经营公路系统。市政府只有州议会特别授予的那些权力。在立法机构受农村势力控制的时期，这曾是一个引起巨大争论的问题，但在20世纪60年代重新分配代表之后城乡争论随之减弱。在多数小市镇设有市长-政务会形式的政府，多数大城市有市长负责制或委员会形式的行政机构。艾奥瓦的政治一直是由共和党控制的。1848～1968年间只有7名民主党人代表该州进入美国参议院。30年代大萧条之前民主党始终未能选出一位州长候选人。但人们对农产品价格的忧虑多次为民主党带来数量可观的选票。

教育 1830年艾奥瓦州开办了第一所学校。该州长期以来一直以教育水平高而闻名，在平均每个学生的花费上高于美国半数以上的州。艾奥瓦城的艾奥瓦大学（1847创建）美术系特别著名，位于埃姆斯的艾奥瓦州立理工大学（1858）在基础科学、农学、兽医学及相关领域居美国和国际领先地位。此外该州还有许多其他公立和私立高等学府，私立学校几乎都与宗教有联系。

保健与福利 福利以及许多保健机构均由县一级管理，但有联邦和州基金对其活动进行资助。大城市有足够的保健设施（尤其是艾奥瓦城的艾奥瓦大学医疗中心），但农村地区仍缺乏医院和医生。医院通过联邦资助，设备正在逐步更新。艾奥瓦按人口计算的医生人数低于其他各州，吸引医生到农村行医的努力也没有成功；艾奥瓦各医学院培养的医生约有2/3在其他州开业。

文化生活 该州居民大多散布在各地的小城市里，使艾奥瓦人难以维持大城市中的许多文化娱乐设施。戏剧和舞蹈团、交响乐团和特约演员每年到该州各地巡回演出。主要文化中心是各大学和学院。艾奥瓦大学是著名的美术基地，本地画家伍德在那里完成了他的许多作品，这里的作家讲习班在全国都享有盛誉。艾奥瓦城和得梅因建有重要的美术博物馆。切罗基和迪科拉等城镇设有着重反映本地区殖民前的风貌或早期欧洲殖民者生活的博物馆，达文波特、得梅因、锡达拉皮兹、苏城、迪比克和道奇堡有博物馆或美术馆。在一个缺少大城市中心的地区，运动会便在文化生活中居重要地位。艾奥瓦大学参加篮球和足球运动的人数长期以来一直在全国居领先地位。该州每个大学城中，周末足球成为秋季友谊赛的中心。高校篮球和角力比赛在漫长的寒冬将尽之时引起公众极大兴趣。各种户外运动也极为普及，打猎、钓鱼、划船和露营尤受欢迎。阿马纳殖民地仍保留着民间传统，每年都庆祝“十月节”；佩拉的荷兰人社区每年都举行郁金香节；锡达拉皮兹的捷克人及其他地区也有各自的庆祝活动。

历史

史前时代 在得梅因冰碛舌地区仍处在冰川覆盖下的时期，今艾奥瓦所在地区的最早居民（古印第安人）大概已生活在无冰的土地上。但是，考古发掘表明，最早的人群定居是在大约8 500年以前。这一时期靠狩猎和采集为生的人一直挣扎在饥饿线上，时常遭受干旱，这一地区至今仍然常常发生干旱。即使在大约公元800年艾奥瓦西部定居农业时期到来之后，仍偶有整座村庄消失的现象。约在4～17世纪，艾奥瓦东部有象形土墩构筑者定居。许多早期印第安人使用苏语，但17世纪后艾奥瓦东部讲阿尔冈昆语的部落居重要地位，常常与西部各部落发生流血冲突后取而代之。白人来此定居的时期到来之前不久，艾奥瓦部落几乎已被消灭。19世纪30～40年代，所有印第安部落都通过协定和购地出让了他们的土地。1851年最后一次购地是艾奥瓦北部属于达科他人（苏人）的土地。

从准州到州 艾奥瓦的第一批欧洲人大概是1673年到达的法国探险家L.若利埃和J.马凯特。尽管在17世纪末，西班牙人的授地区已有人居住，他们主要是为开发迪比克周围的铅矿而来，但直到19世纪30年代初白人的永久定居地才出现在该地区。在其间，开拓者和印第安人穿过这一地区进行探险或狩猎。该州各地的许多地名可反映出法国人和印第安人在当地的印记：例如，得梅因、迪比克和勒马斯；奥塔姆瓦、基奥卡克和奥纳瓦。包括今艾奥瓦州在内的地区曾属于1803年美国从法国人手中购得的路易斯安那的一部分。1812年战争期间，一支美国驻军曾被逐出密西西比河畔的麦迪逊堡。19世纪30年代从索克和福克斯印第安人手中购得艾奥瓦的东部之后，美国移民迅速前来耕种这里的土地。1838年建立艾奥瓦准州，当时人口为23 242人。1846年艾奥瓦作为蓄奴的南方与自由的北方之间相互妥协的一部分，被接纳为联邦的一州。到1860年该州有近675 000人口，随着铁路的修筑，边界继续向西推移。19世纪50年代艾奥瓦人口增加了2倍以上，1857年斯波里特湖大屠杀是该州印第安人敌对行动的最后事例。南北战争爆发前夕的年代是艾奥瓦的开拓时代，移民社会不稳定的初期缺乏法治，治安维持会纷纷建立，有些地方设有私刑。艾奥瓦深深卷入了导致南北战争的争端的两边，该州按人口比例计算为南北战争提供的军队比其他任何州都要多。艾奥瓦境内实际上没有发生过大的战役，尽管1864年发生过一次邦联骑兵从密苏里突袭的事件。

经济稳定时期 南北战争结束、铁路延长和印第安人的威胁消除，使得东部诸州及欧洲一批批移民能够来到大草原定居。到1900年，该州已不再有多余的土地，此后10年间人口略有减少。带刺铁丝网的广泛利用使农业多样化成为可能，湿地的排干又使农业生产大幅提高，经常因收获过丰威胁州的财政稳定。从一开始，玉米便是该州农业的基础，几乎全部收获都用来发展畜牧业。第一次世界大战造成对农产品的短期大量需求和价格上扬。从此以后，该州反复发生农产品过剩、价格降低和地价提高。19和20世纪的多次经济恐慌和萧条对这种发展模式只不过是一种临时性阻碍。在19世纪，当农业危机成为重大问题时，艾奥瓦的政治家们在全国舞台上表现最为突出。最后一个开发自然资源的重大事例发生在艾奥瓦南部的煤田，始于19世纪中叶，在20世纪最初的20年达到顶峰。但是大部分煤矿很快被采掘一空，采矿者仍不停地干下去，留下一片荒废的城镇和破败的景观。第一次世界大战后，艾奥瓦的人口增长减慢。为使经济呈现多样化，曾尝试过多种向该州引进工业的办法，就像半个世纪以前牲畜的饲养使农业多样化一样。这些努力并未完全成功；艾奥瓦的经济还要被农产品市场的波动所左右。

Iowa City 艾奥瓦城 美国艾奥瓦州中东部城市，约翰逊县县城（1839）。北距锡达拉皮兹43千米，在艾奥瓦河畔。1839年建为准州首府，1853年设市。1857年首府他迁，但艾奥瓦大学（1847）仍留原址。1855年通铁路，成为西去移民的重要分散点。经济以大学和医疗中心为主，亦生产轻工业品和农产

艾奥瓦城艾奥瓦大学内的旧州议会大厦
美国不列颠百科全书公司供图

品。城东16千米处为H.胡佛总统出生地。人口:市62 220;都会统计区111 006(2000)。

Iowa Great Lakes　艾奥瓦大湖区　美国艾奥瓦州西北部狄金森县的主要旅游区。包括斯皮里特湖,东、西奥科博吉湖和锡尔弗湖。

艾奥瓦大湖区的奥科博吉湖
美国不列颠百科全书公司供图

位于明尼苏达边境以南。以斯皮里特湖最大(长6.4千米,宽4.8千米)。西奥科博吉湖以湖水清澈透明著称。湖区辟有数处州立公园,提供游泳、划船和钓鱼等设施。在斯皮里特湖镇正北的奥尔良有斯皮里特鱼养殖场。

Iowa River　艾奥瓦河　美国艾奥瓦州中北部河流,由东西两支流在赖特县境内贝尔蒙德附近汇成。东南流,经艾奥瓦城,与锡达河合流后在马斯卡廷城南注入密西西比河。在艾奥瓦城以上建有水坝形成水库和公园供防洪和娱乐用。全长约530千米。

IPA　参阅 **International Phonetic Alphabet** 国际音标。

Ipameri　伊帕梅里　巴西中南部戈亚斯州东南部城市。位于巴拉那伊巴河支流韦里西穆河和科伦巴河之间地势起伏的高地。为主要牲畜转运中心。有肉类加工和碾米厂。也收集和销售用于生产宝石的水晶和金红石。有铁路和公路通州首府戈亚尼亚。人口约18 798(2000)。

Ipatieff, Vladimir Nikolayevich　伊帕季耶夫(1867-11-21,莫斯科～1952-11-29,芝加哥)　Ipatieff又拼Ipatyev。俄国出生的美国化学家。烃类高压催化反应的创始人之一,并发明一种生产高辛烷值汽油的方法。1887年,任沙俄军队的军官,后来进入圣彼得堡米哈伊尔炮兵学校(1889～1892),任该校化学教授(1898～1906)。1897年,赴慕尼黑从事研究,在那里发现了异戊二烯(橡胶的基本分子单元)的结构,返回俄国后继续研究烃类,很快就掌握了控制与操纵高压催化反应的方法。第一次世界大战爆发时,任俄国政府化学委员会主席,在整个战争期间担任化学工业的行政工作。虽然他并不赞成共产主义,但在俄国革命后仍继续为政府工作。1930年离开苏联,接受了芝加哥环球石油产品公司的职务。在那里他发明了工业用催化法。这种发明最重要的用途是从低辛烷值燃料生产高辛烷值汽油。

Ipek(Serbia)　**伊佩克**　参阅 **Peć** 佩奇。

Iphicrates　伊菲克拉特斯(约公元前418～约前353)　雅典将军,主要以使用轻盾兵著名。他增加武器的长度,减轻盔甲重量,使士兵动作灵活。在科林斯战争(公元前395～前387)中他巧妙地运用轻盾兵,曾全歼一营斯巴达甲兵。战后去波斯当雇佣军将领,然后回雅典。当斯巴达人包围科基拉(公元前373)时,他曾率兵前去解救。在试图收复安菲波利斯的战斗中,他打了败仗。退到色雷斯之后,他替色雷斯国王科梯斯对雅典作战。但不久以后,雅典宽恕了他,派他率军去镇压反叛的盟邦(同盟战争,公元前357～前355)。由于拒绝在一场暴风雨中作战,他和两位同僚被卡雷斯将军控告。结果可能被判为无罪,但不久死去。

Iphigeneia　伊菲革涅亚　希腊神话中迈锡尼国王阿伽门农和他的妻子克吕泰涅斯特拉的长女。阿伽门农为使他率领的希腊舰队摆脱无风或逆风状态(阿耳忒弥斯用这种办法使舰队无法离开奥利斯港)以便启程围攻特洛伊,只得把伊菲革涅亚作为牺牲奉献给阿耳忒弥斯女神。伊菲革涅亚在一些希腊悲剧中是一个关键人物。这些悲剧是:埃斯库罗斯的《阿伽门农》、索福克勒斯的《埃勒克特拉》、欧里庇得斯的未完成的《伊菲革涅亚在奥利斯》和他较早剧本《伊菲革涅亚在陶里斯》。在后一剧本里,伊菲革涅亚为阿耳忒弥斯所挽救,因为阿耳忒弥斯用一头红母鹿把她替换下来。在后来作家的作品里,可以看到她的故事的各种不同的说法。在某些地方她被等同于阿耳忒弥斯,并且某些古代作家说伊菲革涅亚原来是赫卡忒女神。后世的欧洲剧作家也喜欢利用伊菲革涅亚的故事。拉辛的《伊菲革涅亚》和歌德的《伊菲革涅亚在陶里斯》便取材于她的故事。

Ipiales　伊皮亚莱斯　哥伦比亚西南部纳里尼奥省城市。位于瓜伊塔拉河岸,海拔2 897米,被称为"三座火山的城市"。1585年建立西班牙殖民点。市内有著名的印第安人集市和拉斯拉哈斯圣母教堂。为重要的地区制造业中心,生产毛织品、棉织品、西沙尔麻制品和啤酒。距厄瓜多尔边境4千米。有泛美公路通过该市。人口59 351(1997)。

Ípiros(Greece)　参阅 **Epirus** 伊庇鲁斯。

Ipiutak culture　伊皮尤塔克文化　阿拉斯加西北部的爱斯基摩文化,时间可能是2～6世纪。有人认为这种文化起源于西伯利亚,因为两种文化在丧葬方式和礼仪、兽形雕刻与设计、铁的用途等方面都有相似之处。不过这些证据尚不足以作出结论。伊皮尤塔克文化似乎与卡彻马克文化(**Kachemak culture**)及阿拉斯加西部、西南部的部分地区的文化也有联系。伊皮尤塔克人可能一年中只在春、夏季住于沿海地区,其他时间则移居内地。沿海住房是半地下式的茅屋。主要食物为海豹与海象,是在冰块边缘使用鱼叉猎捕的。亦用弓箭捕猎驯鹿、鱼、鸟,作为辅助食物。伊皮尤塔克人工具的显著特点,是使用

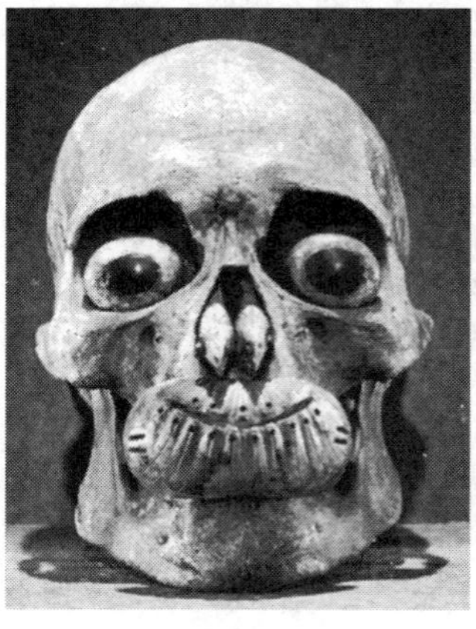

伊皮尤塔克文化的墓葬颅骨,眼珠用玉石和象牙制作而成
美国不列颠百科全书公司供图

燧石而不用磨过的石片。波因特霍普盛产燧石,可用作武器的尖刃、刀和刮削器。他们的手工制品较其他爱斯基摩文化有更多的装饰,或用几何图形,或用实物图形。象牙及鹿角雕刻品,或为真兽,或为想象的兽类,均甚精美。葬俗繁缛,拜鬼并拜熊,巫医流行。

Ipoh 怡保 马来西亚西部霹雳州首府。濒临坚打河。地处**坚打谷地(Kinta Valley)**平坦的冲积平原。除南面外,被陡峭的群山环抱。怡保取自当地一种树名,土著人曾借助其毒脂狩猎。新城建于19世纪90年代,当时英国锡矿公司的业务都从太平附近转到坚打的富矿。华裔在居民中占优势,现多经营露天锡矿。城北、南两面有巨大的石灰岩洞穴,华人用作寺庙。除锡以外,也产橡胶。霹雳河附近的真德罗水坝为附近工业区供电。怡保为全国的矿都,是吉隆坡—巴特沃思铁路线上最重要的一站,也是横贯坚打谷地公路枢纽。有机场同西海岸其他主要城市连接。设有翁姑奥玛工业学院(1969)。人口382 633(1991)。

Ipomoea 番薯属 又拼Ipomaea。旋花科的一属,约500种乔木、灌木、缠绕或蔓生草本植物。花漏斗状。主要分布于温暖地区。该属的一些种也常被另外分入山芋属(*Batatas*)、茑萝属(*Quamoclit*)、月光花属(*Calonyction*)、牵牛属(*Pharbitis*)和球根花属(*Exogonium*)等几个属。番薯(*I. batatas*)是多年生草本,可能原产于南美热带;叶广椭圆形,全缘或分裂;花直径5厘米,粉红色至玫瑰紫色;块根供食用。泻下球根牵牛(哈拉帕牵牛,*I. purga*)为直立草本;原产于墨西哥;花单生,淡红色;根芜菁状,苹果大小,很早就用做泻药,称药喇叭。堇菜紫色牵牛(*I. violacea*)为多年生缠绕草本;原产于南美热带,常栽于庭园;叶心形;花簇生,蓝色或淡紫色,有时白色,花径12厘米;种子含d-麦角酸和d-异麦角酸,结构似LSD,墨西哥的萨波特克印第安人用之于宗教仪式和医药。圆叶牵牛(普通牵牛、紫花牵牛,*I. purpurea*)为一年生蔓生植物;叶心形;花紫色、粉红色或白色,花径约7厘米,在北美东南部部分地区蔓生成杂草。月光花(*I. bona-nox* 或 *Calonyction aculeatum*)为多年生蔓生植物;叶大,心形;花白色,晚间开放,芳香,花径15厘米,为本属之最;具白色乳汁,可用以凝固美胶树橡胶。灌木牵牛(*I. leptophylla*)原产北美中部;茎直立,高约1.2米;具块根;花紫色或粉红色,直径7.5厘米。树状牵牛(*I. arborescens*)是几种相似的热带美洲乔木和灌木牵牛之一。

普通牵牛(*I. purpurea*)
美国不列颠百科全书公司供图

Ippitsusai Bunchō 一笔斋文调(?~1791) 日本浮世绘派画家,以日常生活为主题。初从狩野派画家石川幸元学画。以擅长用色著称。主要作品有:与铃木春信合绘的《舞台扇画册》(1770)、《山下京之助背面舞姿》和《中村松江的白布》。

Ippolitov-Ivanov, Mikhail (Mikhaylovich) 伊波利托夫-伊万诺夫(1859-11-19,俄国加特契纳~1935-01-28,莫斯科) 俄罗斯管弦乐与歌剧作曲家,其创作深受高加索与格鲁吉亚民歌的影响。在圣彼得堡音乐学院师承里姆斯基-科萨科夫。1882年任格鲁吉亚第比利斯音乐学校校长及交响乐队指挥。1893~1906年执教于莫斯科音乐学院,1906~1922年任该院院长,并于1899~1906年任马蒙托沃歌剧院指挥。1924~1925年,他将第比利斯音乐学校改建为国立格鲁吉亚音乐学院。1925年后任大剧院指挥。他在高加索逗留的11年使他终生对格鲁吉亚民间音乐保持着浓厚兴趣;他的好几部管弦乐曲都是在格鲁吉亚民间音乐启发下写成的:《高加索速写》组曲(1895)、《亚美尼亚狂想曲》(1909)及根据莱蒙托夫的诗写成的交响诗《新手》(1922)。这些作品在20世纪中叶以后即很少演出,所作7部歌剧亦未能继续流行。

iproniazid 异烟酰异丙肼 第一个单胺氧化酶抑制药,1958年起用于临床。在发现它对肝脏有损害以前一直用作抗抑郁药。其化学结构与异烟肼相似,故在作为抗抑郁药前曾被认为是抗结核病药。作用机制同其他单胺氧化酶抑制药,可抑制单胺氧化酶,使神经末梢处的去甲肾上腺素破坏减少。在抗抑郁方面,本药已被其他一些副作用较少的单胺氧化酶抑制药,如异唑肼、苯乙肼、反环丙胺及三环类抗抑郁药(如丙脒嗪、阿密替林、去甲替林等)所取代。

Ipsen, Bodil 易普生(1889-08-30,丹麦哥本哈根~1964-11,哥本哈根) 丹麦女演员。和她的舞台老搭档、性格演员鲁默特的合作,使易卜生和斯特林堡的剧作重放光芒。1909年首演于哥本哈根的皇家剧院。其戏路宽广且多才多艺,无论在喜剧角色(《皆大欢喜》中的罗莎琳)还是非喜剧角色(《玩偶之家》中的娜拉)的表演中均获得成功。成名后在舞台上主要表演具有戏剧性的角色。她所饰演的麦克白夫人声誉卓著,她在易卜生的剧作中所饰演的各种主角如(《群鬼》中的)阿尔文夫人等也为人们交口称誉;而她在斯特林堡剧作中所饰演的各种主角如《朱丽小姐》中的朱丽小姐和《死魂舞》中的艾丽斯,则使她获得了世界性的声誉。在她后期的各种角色表演中,与著名演员鲁默特的合作,可谓珠联璧合。早在1913年,她已出演丹麦的影片。在无声片中最广为人知的出色表演,是根据狄更斯的经典著作而改编的电影如《大卫·科波菲尔》(1922)和《小杜丽》(1924)中的角色。使她后期获得特别赞誉的是《跟我一起回家》(1941)一片。作为导演,她与劳里岑共同执导的两部影片《阿夫斯波雷特》(1942)和《红色牧草地》(1945)则是其最知名之作。

Ipsus, Battle of 伊普苏斯战役 公元前301年亚历山大大帝两派继承者在弗里吉亚的伊普苏斯交战,这场冲突使亚历山大的帝国在他死后加速瓦解。公元前302年色雷斯王利西马科斯、巴比伦的塞琉古一世、埃及的托勒密一世和马其顿的卡山得联合起来去反对小亚细亚国王安提柯一世(独眼龙)及其子德米特里一世。虽然塞琉古和利西马科斯联军的兵力稍比安提柯的7万步兵和1万骑兵逊色,但联军大象的优势却对胜利起了不可估量的作用。德米特里在大破骑兵之后追赶过远,大象拦住他使他不能回来救援自己的父亲。安提柯被杀,德米特里逃走,小亚细亚纳入了利西马科斯的版图。

Ipswich 伊普斯威奇 英格兰萨福克行政、历史郡北海港口和自治城镇(区),萨福克郡行政中心。濒临奥韦尔河口湾顶端。面积40平方千米。从中世纪到17世纪为繁荣的城镇,输出东英吉利亚纺织品。1200年约翰国王首先将特许状授予该城镇,使之享有自治城镇的特权;1446年设建制。曾一度衰落,19世纪建起轻工业后又开始复苏。现在轻工业和各种农产品行业在该市占重要地位。名胜有基督教堂(16世纪)、斯帕罗韦大厦(其一部分为15世纪建筑,并具有17世纪的白色涂料外观)和大白马旅店(见于《匹克威克外传》)等。伊普斯威奇不是一个重要的港口,但是萨福克郡广阔富饶农业地区的主要农产品市场和服务中心。人口约113 900(1998)。

Ipswich 伊普斯威奇 美国马萨诸塞州东北部埃塞克斯县城镇(乡)。位于波士顿东北偏北45千米处。濒临伊普斯威奇河。1633年创建。1634年设建制。初期不顾英国出口法的限制,私运机器以生产花边。现为以海味(伊普斯威奇蛤)著称的避暑胜地。轻工制造(主要是电子配件)、教育、服务、出版、贸易是主要经济收入。立有"反抗碑",以纪念1687年J.怀斯牧师公开宣布英国议会不设该镇代表席便无权在此征税的壮举。50多幢殖民时代的建筑至今犹存,如惠普尔宅第(1640)。面积85平方千米。人口12 987(2000)。

Ipuwer 伊普维尔 古埃及圣贤,可能是国王佩皮二世奈费尔卡拉(约公元前2294~前2200在位)统治后期的财政官,后人发现有关他向法老及宫廷陈词的手抄残卷,此外再无有关他的资料。这份手稿通称《埃及圣哲教诲》,因包括对古王国末期政治经济局势的评论而特别珍贵。

IQ　智商　IQ为intelligence quotient的缩写。用以表示一个人相对智力水平的数值。最初的智商是智力年龄与生理年龄之间的比例乘以100。如果10岁的儿童有12岁的智力年龄，他的智商就是120；如果他只有8岁的智力年龄，那他的智商就是80。也就是说，100表明智力年龄与生理年龄相同，也就是平均水平。现在的测试很少再涉及智力年龄的计算。

īqā' āt　伊卡阿　伊斯兰音乐的节奏型。在强、中、弱节拍中间以不同长度的休止。这类节奏型的一种发展完善的体系，由中世纪理论家们阐明。虽然在大部分论著中，只包括6种或8种基本节奏型，但实际演奏中则不仅此数。在一首作品中，不断重复的完整节奏型或段落，是由类似诗歌韵律音步的较小段落构成的。据说各种不同的节奏型都与宇宙的万物有联系，每一种都具有切合表现不同情感的音乐的特点。这种节奏型并没有明显的规律性，因为节奏重音不一定与旋律重音相符。人声或独奏乐器表演旋律，节奏则由打击乐器或拍打膝盖来补充。休止常由手势表示。如今，在阿拉伯音乐中伊卡阿仍被使用。中世纪时，伊朗音乐遵循着类似的节奏原则，现在在节奏上则较为自由。

Iqaluit　伊盖卢依特　原名弗罗比舍贝。加拿大努纳武特地区城镇和首府，也是巴芬区的首府。位于巴芬岛东南部弗罗比舍湾的顶端。"伊盖卢依特"在因纽特语中是"鱼之地"的意思。是加拿大东部北极圈的最大社区。1914年作为贸易站而建，第二次世界大战期间成为空军基地。后来是雷达站远程预警线的建设营地，另外还有一个气象观测站。因纽特人（爱斯基摩人）的手工艺品以此为出口港。嫩努塔-森纳克坦极特博物馆有北极圈的展品。人口：城镇4 220（1996）。

Iqbāl, Sir Muḥammad　伊克巴尔（1877-11-09，印度旁遮普锡亚尔科特［今在巴基斯坦］～1938-04-21，旁遮普拉合尔）　又拼Mahomed Ikbāl。印度诗人和哲学家。以致力于创建一个独立的穆斯林国家而著称。父亲是一位虔诚的穆斯林小商人。他曾就读于拉合尔公立学院，后赴英国剑桥大学深造，获哲学学位，又在伦敦获出庭律师资格，1908年获慕尼黑大学博士学位。他的论文《波斯的玄学的发展》揭示了欧洲前所未知的伊斯兰教神秘主义的某些方面。从欧洲返回后，以律师为职谋生，但他的名声来自他以古典风格写成的诗歌。他积极从事民族独立运动，主张伊斯兰教徒从印度分离出来，单独立国。1930年，在任全印穆斯林联盟安拉阿巴德年会的主席时，正式提出这一政治主张。积极从事伊斯兰教的改革运动，抨击并号召穆斯林摈弃古代伊斯兰教神秘主义者的禁欲遁世和自我克制的理论，认为创造性的自我肯定才是最基本的穆斯林德行。主张穆斯林应通过合法推进的原则建立一个新的社会和政治结构。伊克巴尔是用乌尔都文和波斯文写作的杰出诗人，英国政府因此于1922年授予他爵士头衔。他的诗歌广为流传，几乎所有受过教育的穆斯林都有引用他的诗句的习惯。主要著作有乌尔都文诗集《驼队的铃声》（1924），其中包括《控诉》、《答控诉》、《向导基兹尔》，他在这些作品中表露了穆斯林手中无权的苦闷心情。诗集还有《杰伯列尔的羽翼》（1935）、《格里姆的一击》（1937），及死后发表的《汉志的赠礼》（1938）。还著有波斯文长诗《呼谛的秘密》（意即"自我的秘密"）（1915）、《贝呼谛的秘密》（意即"非我的秘密"）（1918）。后来，他出版了三卷波斯文作品集。《东方的信息》（1923）是对歌德的《西东合集》（1819）的回答。讲演集《伊斯兰宗教思想的再建》（1934）阐述伊斯兰教改革理论。晚年长期病魔缠身，逝世后葬于拉合尔的巴德沙希大清真寺。被尊为巴基斯坦之父，每年巴基斯坦人都要庆祝伊克巴尔日。

iqṭā'　克塔　指伊斯兰教哈里发国家赐给军官一定时期的土地，以代替固定薪饷。9世纪时由于税收不足、战利品少，政府难以支付军饷而规定这一制度。政府用作"克塔"的，都是非穆斯林的土地。把这种土地授予穆斯林军官以后，军官不是亲自耕种，而是向原土地所有者收税。因为军官一般住在远离克塔的城市里，他对土地或者耕种的人没有多大兴趣。这种赐予物不过是一种薪饷而已，一旦地力或人力耗竭，就调换一块较好的土地。到塞尔柱王朝（1038～1194）末期，克塔的数目和规模激增，约占国土的一半，同时领有期限也加长了，有时变成世袭。这个制度在13世纪蒙古人入侵后仍幸存下来。嗣后在奥斯曼帝国统治时期，由一种基本上类似的措施所代替。

Iquique　伊基克　智利北部塔拉帕卡区首府和伊基克省省会。位于阿塔卡马沙漠岩石嶙峋的半岛上，俯临太平洋。港口泊位与外海之间有塞拉诺岛为屏障。伊基克建于16世纪。部分毁于1868年和1875年的地震。19世纪和20世纪初硝石贸易繁荣时曾为智利主要出口港。后因硝石跌价，发展停滞。为振兴经济，现已新建港口设施并创办工业。鱼粉厂和罐头食品厂已开工；海岸和近海岛屿的鸟粪资源和南部的盐矿已在开发；还正在引水灌溉，拓垦新地种植水果（特别是柑橘）、甘蔗和橄榄。旅游业也有经济收益。交通有泛美公路和铁路，并建有机场。人口：城市区约159 815（1999）。

Iquitos　伊基托斯　秘鲁东北部洛雷托省省会，亚马孙河港口。1864年建。19世纪末因橡胶业而成为地区主要转运港。1912年后生产下降，人口骤减。50年代开始复兴。有许多19世纪末的建筑物。有航空线通利马。设有国立亚马孙大学（1961）。现为秘鲁东部的文化、宗教、旅游中心和亚马孙地区石油开发中心。人口约334 013（1998）。

伊基托斯市中央广场，后为大教堂

美国不列颠百科全书公司供图

IRA　参阅 **Irish Republican Army** 爱尔兰共和军。

Iradier, Eduardo Dato　伊拉迪耶　参阅 **Dato Iradier, Eduardo** 达托·伊拉迪耶。

Iráklion　伊拉克利翁　又拼Herakleion，旧称干地亚。希腊克里特岛最大城市和主要港口。伊拉克利翁州首府。位于岛北岸。9世纪是萨拉森人在克里特的首府，1204年卖给威尼斯人，1669年让与土耳其，1897～

伊拉克利翁市威尼斯人修筑的要塞

美国不列颠百科全书公司供图

1913 年成为克里特国际保护地的一部分，后归属希腊。第二次世界大战后，商业高度繁荣，建起有防波堤的新港口、飞机场和旅游饭店。主要出口物有干和鲜葡萄、橄榄和橄榄油、葡萄酒、角豆、柑橘、杏仁、肥皂、蔬菜和皮革。1664、1856 和 1926 年发生大地震，当地古迹遭到破坏。市内新建博物馆收藏希腊米诺斯文化遗物最为齐全。人口：市 116 178；州 264 906(1991)。

Iran 伊朗 全称伊朗伊斯兰共和国。西南亚国家，面积 1 643 510 平方千米。首都德黑兰。

该国从西北至东南长约 3 540 千米，从东北至西南最宽处约 1 900 千米，北邻土库曼斯坦、里海、亚美尼亚和阿塞拜疆，东接巴基斯坦和阿富汗，南濒波斯湾和阿曼湾，西界土耳其和伊拉克。人口约 65 457 000(2002)。

土地 伊朗地处高原，海拔不低于 460 米，周围环山，平均高度在 2 000 米以上。国内堪称低地的仅有接近伊拉克边界的卡伦河流域、波斯湾和阿曼湾边狭窄的滨海地带，以及里海岸边的沼泽地。北部是厄尔布尔士山脉，那里高耸的火山中有伊朗最高的达马万德山(5 604 米)。厄尔布尔士山沿里海南岸展开，向东直到呼罗珊边界诸山。后者与其南边的俾路支斯坦诸山一起在东面构成了伊朗内部高原的外界。以巨大的盐碱荒漠为特征的高原多是不毛之地。扎格罗斯山是该国最大的山脉，从伊朗的西北边境与亚美尼亚接界的地方，绵延直至东南的莫克兰山脉。

伊朗的降水量通常很少，仅在里海沿岸的狭窄地区年降水量可达 2 000 毫米以上，而内地的盐碱荒漠则少于 50 毫米。伊朗的河流多为季节河，且大多数水系最后都消失在盐滩之中，不过其中还是有一些补充了伊朗的地下水源。卡伦河是唯一可以通航的河流。气温情况常趋极端，波斯湾附近夏季可达 55 °C，而西北部阿塞拜疆冬季的最低纪录则是 -37 °C。

伊朗有一半以上的土地荒无人烟，其中大部分是无法居住的盐碱性荒漠。大约1/3 的土地适于耕作，另有 1/4 宜于放牧。可耕地中近 1/3 有水灌溉，大多集中在荒漠和山地之间的丘陵地带。土地中还有约 1/8 覆有森林，大多在靠近里海的地方，主要树木有橡树、山毛榉、菩提树、榆树以及一些阔叶常绿树。丰富的野生动物有狼、狐、豹、山猫、瞪羚和鹿等，亦有野生的山羊和绵羊。

伊朗的石油资源已经探明，藏量巨大，主要集中在它的西南部，靠近波斯湾顶部的地方。其储藏量约占全球总量的 1/10，居世界第五位。伊朗还储藏有世界天然气的 1/7，以及大量的煤、铜和铁矿石资源。

人民 伊朗是一个多民族的和通行多种语言的国家。伊朗人(或称波斯人)是该国人口最多(约占全部人口的一半)、分布最广的民族。库尔德人为一游牧民族，居住在西部山区，一直在抵抗政府对他们的同化。住在西部山区的还有半游牧的卢尔人，一般认为他们是波斯土著。巴赫蒂亚里一些部落的人与他们关系密切，住在伊斯法罕西面的扎格罗斯山区。这两个群体都讲卢里语，它是波斯的方言之一。俾路支斯坦的俾路支人亦讲这种方言。亚美尼亚人世代相传，依然讲自己的印-欧语系的语言。

土耳其人的比例虽然不大，但是伊朗人中约有 1/4 说土耳其语。土耳其人 3 个主要分支是伊朗西北角的阿塞拜疆人、波斯湾东面设拉子地区的卡什加人以及东北呼罗珊地区的土库曼人。闪米特人在人口中比例很小，他们是犹太人、亚述人和阿拉伯人。

伊朗人大多数是穆斯林，主要属什叶派，什叶派伊斯兰教为其国教。库尔德人和土库曼人是逊尼派穆斯林。在宗教上属于少数的是基督教徒、犹太教徒、巴哈尔教徒和琐罗亚斯德教徒。

伊朗人的生育率很高，人口相对年轻，约 1/3 的人年龄在 15 岁以下。年人口增长率以前相对较高，21 世纪初期达世界平均水平。预期寿命男性是 68 岁，女性是 70 岁。

经济 伊朗实行以石油生产为支柱的混合型经济。受 10 年(1980 ～ 1990)伊朗-伊拉克战争的影响，该国在 20 世纪 90 年代初面临着巨额外债和严重的经济失调，同时人口却在持续快速增长。对此，伊朗努力恢复石油出口，并开始把经济转到和平时期的基础上来，取得了鼓舞人心的成绩。它的国民生产总值在中东最高。不过由于人口增长过快，它的人均国民生产总值还是低于该地区的平均水平。

农业部门收入占国内生产总值的约1/5，却占用全国 1/8 的劳动力。阻碍农业生产的是耕作方式落后、水源缺乏和市场开发不足。由于不能满足国内需求，伊朗食品严重依赖进口。最主要的农作物是小麦、土豆、大麦、葡萄、水稻、玉米、云豆、甘蔗和烟草。伊朗木材的年产量也很大。近海渔业亦居重要地位，可供应国内消费和出口(尤其是鲟鱼子酱)。

采矿业和制造业收入占国内生产总值的近 1/7，它们受石油生产的制约，使用约 1/8 的劳动力。伊朗的石油工业在 20 世纪 50 年代实行了国有化，但在 1980 年爆发的伊朗-伊拉克战争中遭到广泛的破坏，特别是油井、炼油厂(尤其是阿巴丹的炼油厂)和输出总站。到 90 年代初，石油产量仅及 1976 年的一半。伊朗的天然气资源丰富，公营的采集和分配系统是中东最大者之一。其他的矿产资源则大多未经开发。

此外，主要的工业产品还有纺织品(尤其是传统出口的织毯)、加工食品、汽车、电动机械、铁、钢和水泥。20 世纪 70 年代用石油收入对工业进行大笔投资加速了它的发展，但是问题依然存在，如熟练工人缺乏，基础设施不够，原材料不足等。

伊朗电力的 4/5 以上是由国产燃料生产的，其余的依靠水力。国家电力化网的基础已在 20 世纪 70 年代打好，但是后来发展缓慢。

1979 年革命以后，伊斯兰共和国对所有重要的工业、银行和保险公司实行了国有化。它向农业和若干工业部门进行了大量投资，以期最终实现经济独立；但是国内情况不稳和同伊拉克的战争，使得经济增长在 90 年代中期以前无法实现。中期以后，复苏的石油生产带来了国内财政的稳定，自由市场经济的提出也刺激了国内农业和工业生产的提高。

伊朗出口的几乎全是石油和石油产品，而其进口的产品则为非电动机械、铁、钢、食品和运输工具。其主要的贸易伙伴是日本、德国、意大利、法国和英国。

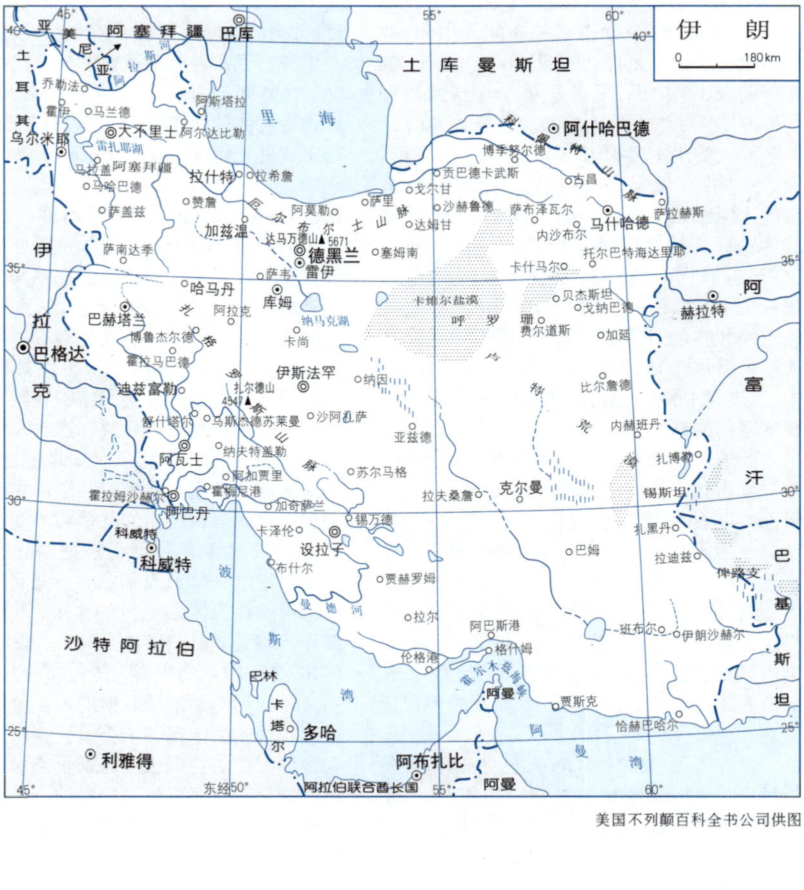

美国不列颠百科全书公司供图

政体和社会状况　1979年开始实施的伊朗伊斯兰共和国宪法将最高政治权力赋予了国家的精神领袖。如果无人胜任此职，则由一个选举产生的3～5位神学者组成的委员会行使其职权。精神领袖（或宗教领导集体）从12人“宪法监护委员会”中指定6人为执行成员。这个委员会审议由一院制的伊斯兰议会（Majles）通过的所有议案，以确定其是否违宪和是否符合伊斯兰教规。伊斯兰议会有290个成员，由民众选举，任期4年。行政职责由总统和总理分担。前者由人民投票选举，任期4年；后者则由总统提名并经议会认可。有几个政党竞选官职，而实际上，政治生活乃由伊斯兰共和党所左右。最高司法权归于宗教法理学家，他们组成最高法院和高等审判委员会。

除首都以外，其他地区卫生状况不佳。许多小镇和农村地区的环境卫生很差，并且缺乏医生和医疗设施。猩红热、百日咳、肺结核和伤寒等传染病普遍流行。婴儿死亡率以前是个严重的问题，现已降至世界平均水平。

5年初等教育是义务性的，但是由于家长反对或教育设施缺乏，许多农村儿童从未入学。中学教育体系不够发达，且多半是为少数准备受大学教育的学生服务的。识字率有大幅度上升，3/4以上的民众是识字的。

新闻报道受伊斯兰共和国新闻署监督并接受新闻检查。

文化生活　伊朗出现过很多举世闻名的诗人，如内扎米、菲尔多西、萨阿迪和欧玛尔·海亚姆等。它亦以建筑闻名于世，特别是它的清真寺。波斯地毯也始终以其艺术和工艺之精而备受赞赏。

历史　约公元前10万年伊朗已经有人居住，但是有记载的历史和文明是约公元前3000年胡齐斯坦的埃兰人创始的。公元前2000年后，属于印-欧语系的伊朗人出现，并开始组成王国。米底人活跃于约公元前728年～前550年之间，后被居鲁士大帝二世领导的波斯人所推翻（前550）。波斯人建立了一个巨大的中东帝国，直到罗马人来到以前，它始终是那一地区最大的国家。亚历山大大帝的入侵结束了这个巨大帝国的统治，但是其后的马其顿塞琉西国家被当地的安息人（公元前247～公元226）夺去土地；后者建立了一个讲希腊语的帝国。与罗马人几乎是无休止的冲突削弱了安息帝国，这一地区又落入了来自法尔斯的伊朗人（即萨珊人）的手中；而就在1 000年前，法尔斯也曾哺育过阿契美尼德波斯人。

萨珊人立琐罗亚斯德教为国教。萨珊帝国与拜占廷人的战争付出高昂代价，衰弱后，轻易为阿拉伯穆斯林所征服，时在公元640年。此后伊朗为非伊朗血统的穆斯林王公统治达850年之久，这些王公有萨法尔人、萨曼人、伽色尼人和塞尔柱人。1502年萨非人取得统治权，他们是伊朗人，只不过其所属族系到达这里时已是阿拉伯人前来征服之后。在萨非人统治时期，什叶派伊斯兰教成为伊朗国教。

萨非王朝（1502～1736）之后伊朗内部争战频仍。1779年卡扎尔人建立其统治，但是欧洲政治参与进来，极大地影响了伊朗的未来。俄罗斯帝国向南朝着中东的扩张威胁了英帝国在印度次大陆的存在。两国在伊朗展开了贸易和外交竞争，致使伊朗变成了一个半殖民地国家，在经济上受制于这两个欧洲强权。在20世纪的转折时期，发生了反对卡扎尔国王纳塞尔丁·沙阿统治的暴乱。他的儿子穆宰费尔丁·沙阿是个缺乏能力的统治者，1906年被迫召开了一次国民会议，同意颁布一部宪法。

第一次世界大战后，伊朗灾荒和破产严重，礼萨汗通过1921年的一次政变夺得权力。1925年，他废黜了最后一个卡扎尔统治者，自立为沙（称礼萨沙·巴列维）。1941年与纳粹德国的合作导致了他的退位。他的儿子穆罕默德·礼萨沙·巴列维接掌权力。巴列维上台后推行了一套现代化和西化的举措，由此限制了国内许多宗教领袖的权力，致使他们同他产生了隔阂。70年代出现了反对他的示威活动。1979年政府倒台，他逃离本国。同年，流亡巴黎的什叶派阿亚图拉卢赫拉·霍梅尼回国领导运动，建立了伊斯兰共和国。

经过这次革命，原教旨主义穆斯林法规制定出来，西方在伊朗的影响销声匿迹。1980年，伊拉克武装入侵伊朗，给两国的经济带来巨大灾难。后两伊战争演变成一场血腥而又代价昂贵的对峙，造成了无数的伤亡。1989年霍梅尼去世。1990年战争结束。此后伊朗表现出不再与国际社会相隔绝的趋势。马霍米特·哈塔米1997年当选总统后，进行了一系列政治改革。1999年2月的基层政府选举中，改革派再次大获全胜。很多妇女被选举为农村地区的政府官员。也出现了要求在宪法中取消反民主的“精神领袖”的呼吁。1999年7月，伊朗学生发起了争取自由民主的示威游行、静坐活动，遭到政府镇压。这是1979年革命以来第一次大规模学生运动。2001年，哈塔米以绝对优势连任，但民众对他进行根本性政治改革的信心已经有所下降。2005年8月哈塔米辞去总统职务，获得大选胜利的前德黑兰市市长艾哈迈迪·内贾德正式就任伊朗总统。

Iran-Contra Affair　伊-尼事件　美国国家安全委员会（NSC）违反国会的禁令和政府公开宣布的政策进行秘密武器交易和其他活动的美国政治丑闻。1985年初，国家安全委员会成员麦克法兰着手将反坦克导弹和地对空导弹出售给伊朗，误以为这将使被忠于伊朗的穆斯林什叶派恐怖主义组织在黎巴嫩扣押的一些美国公民获得释放。这次军售以及随后于1986年对伊朗的几次军售，直接违反了美国政府公开宣布的拒绝与恐怖主义分子交易和在伊朗与伊拉克的战争中不支援伊朗的政策，这一政策是基于伊朗是国际恐怖主义的发起者这一信念而制订的。国家安全委员会将伊朗购买武器支付的4 800万美元的一部分转移给美国支持的尼加拉瓜反政府武装，即企图以武力推翻尼加拉瓜的以马克思主义为目标的桑地诺政府的叛乱分子。这些钱的转移是由国家安全委员会官员诺思中校在接替麦克法兰担任国家安全委员会领导的波因德克斯特海军少将的批准下承办的。诺思等人并为尼加拉瓜反政府武装募集私人捐款。这些活动违反国会于1984年通过的禁止美国对尼加拉瓜反政府武装进行直接或间接军事援助的法律——博兰修正案。国家安全委员会的这些非法的活动于1986年11月被揭露后，立即在公众中掀起轩然大波。波因德克斯特和诺思因而去职，并被起诉。里根总统的公众形象受到玷污，美国反对恐怖主义的可靠性受到严重的（虽然是暂时的）损害。

Iran hostage crisis　伊朗人质危机　发生于1979～1981年的国际危机。伊朗激进分子在德黑兰美国大使馆劫持66名美国公民，扣押其中52人一年多。危机发生在伊朗伊斯兰革命（1978～1979）推翻巴列维君主政体之后的混乱时期，对美国国内政治有极大影响，并使美伊关系恶化长达几十年之久。伊朗革命极大地改变了伊朗和美国的国家关系。被废黜的伊朗国王巴列维与美国历届政府都保持着密切联系，因而使伊朗的革命领导人，无论是政界的左派或右派，都对美国产生强烈的怀疑和敌意。自1978年秋季开始，德黑兰的美国大使馆就一直是伊朗人反对美国在伊朗存在、频繁游行示威的地点。约在伊朗国王逃离伊朗的一个月之后，1979年2月14日美国大使馆遭到攻击，并一度被占领。在此次事件中有多人死亡和受伤。因此，在人质危机开始之时，大使馆人员已由伊斯兰革命前的1 400多人减少到约70人。此外，还曾做出努力以求与伊朗临时政府达成暂时妥协；而在春季和夏季，伊朗当局也设法加强大使馆周围的保安措施。伊朗国王于1979年10月22日抵达纽约治病。伊朗国内的反应起初还比较温和，但11月4日，一伙人，可能有3 000人之多，进攻美国大使馆，其中部分人携有武器。在短暂的围困之后，劫持了63名男女人员作为人质（另有3名美国外交官在伊朗外交部被逮捕）。在其后的几天里，美国总统J.卡特的代表和在德黑兰的其他国家外交官曾力求使人质获释，但均失败。在德黑兰，各派之间正进行着一场政治斗争，劫持人质显然是源于这一争端所形成的僵局。那些人质劫持者本身极可能是霍梅尼的支持者，他们要求美国引渡伊朗国王作为释放人质的条件。霍梅尼拒绝下令释放人质，导致总理巴扎尔甘于11月6日辞职。美国拒绝购买伊朗石油，冻结伊朗在美国的几十亿美元的资产，并在整个危机期间积极进行反对伊朗的外交活动。美国外交官在联合国安全理事会两次使反对伊朗行动的决议案（12月4日和13日）得以通过，美国还在11月29日在国际法院提出针对伊朗政府的诉讼（1980年5月宣判美国胜诉）。国际社会一致反对伊朗人劫持人质，各国外交人员纷纷介入以求解救人质。先前，霍梅尼曾于11月17日下令释放13名人质，均为妇女或黑人，理由为他们不可能是间谍。另一名人质病情严重，于1980年7月11日被释，这样人质人数最后为52人。在劫持人质的过程中，伊朗人威胁对人质以各种罪名（包括间谍活动）进行审判，作为谈判的砝码。几乎自危机发生之时起，美国军方就开始制定解救人质的方案。4月24日，一支特遣部队降落在伊朗东南部的沙漠中,但结果8名美国军人阵亡,他们的尸体被留在原地,后来被伊朗人在电视节目上炫耀地进行展示。卡特政府为行动失败和人员丧生而蒙受羞辱,费了很大努力才把尸体运回美国。进行的一切外交努力完全停顿,人质被转移到与外界隔绝的隐蔽地点。1980年5月,美国说服其最密切的盟国开始对伊朗实行经济上的禁运。后来的两件事似乎使危机有了较大的解决可能。第一,1980年8月中旬伊朗终于成立了新政府,卡特政府立即在外交上主动表态。第二,同年9月22日伊拉克入侵伊朗。禁运持续耗损伊朗的经济和伊朗抵御伊拉克军队的能力。同时,在伊朗总理拉贾伊10月间访问联合国时,世界各国的许多领导人向他阐明,只要伊朗关押美国人质不放,伊朗在与伊拉克的冲突中就不可能指望得到支持。于是,伊朗重又积极参加谈判。不过拉贾伊坚持不进行直接谈判,因而在其后的整个过程中,阿尔及利亚的外交官一直担任中间人的角色。谈判自1980年末持续到1981年初,在谈判中伊朗人的要求集中在伊朗资产的解冻和解除贸易禁运。谈判最后达成协议,1981年1月20日人质获得释放,时值美国新总统里根就职典礼之后不久。伊朗人质危机,对美国的民心和威望是一个沉重打击。人们普遍认为,正是此次危机使卡特在1980年的总统选举中被里根击败。

Iran-Iraq War　两伊战争(1980～1990)　20世纪80年代,伊朗与伊拉克之间旷日持久的军事冲突。战争始于1980年9月22日,当时伊拉克武装部队沿两国边界侵犯伊朗西部地区。两伊战争的根源在于两国间多起领土和政治争端。伊拉克一心要攫取油产丰富的伊朗边界省份胡齐斯坦。伊拉克总统萨达姆·侯赛因意欲重申该国对阿拉伯河两岸的主权;该河系由底格里斯河与幼发拉底河汇流而成,在历史上为两国边界。侯赛因还担心伊朗新的伊斯兰革命政府有意煽动伊拉克的什叶派多数起来造反。他决定先发制人,趁伊朗新政权显然还处在混乱状态及伊朗正规军士气低落之际,发动了攻击。1980年9月,伊拉克军队谨慎地沿着宽广的正面进入胡齐斯坦省。此举大出伊朗所料,伊拉克军占领了霍拉姆沙赫尔城,但未能取得炼油重镇阿巴丹。及至1980年12月,伊拉克的攻势意外地受到伊朗顽强抵抗而陷于伊朗境内80～120千米处。伊朗使用革命民兵(革命卫队)增强正规军,开始反攻,迫使伊拉克于1981年退却。伊朗先是驱退伊拉克军队迫其渡过伊朗的卡伦河,然后在1982年收复霍拉姆沙赫尔。同年稍后,伊拉克军队自动撤出所占领的一切伊朗领土,并开始寻求与伊朗达成和平协议。但伊朗在霍梅尼(个人深恨侯赛因总统)的领导下,仍拒绝让步,并继续进行战斗,力图推翻侯赛因。伊拉克军队在一旦转入保卫国土时,防御即得到加强,并在伊拉克境内及边界一带构筑工事:战争陷入胶着状态。伊朗一再发动步兵出击——使用部分由未受训练的新兵组成的人海攻击,皆为伊拉克的优势火力和空军击退,徒劳而无功。两国互以空军及导弹零星攻击对方城市、军事及石油设施,同时彼此攻击对方在波斯湾的运输油轮。由于伊朗的攻击波及科威特和其他海湾国家的油轮,激起美国和若干西欧国家在波斯湾派驻军舰,保护那些油轮。

由于受到空中攻击及油管关闭的影响,两国石油输出能力在不同时期均出现锐减,因而减少收入和外汇所得,致使两国的重大经济开发计划濒临停顿。伊拉克的战争行动得到沙特阿拉伯及其他温和的阿拉伯国家公开的财力支持,美国和苏联也予以秘密支援,而伊朗的主要盟邦只有叙利亚和利比亚。80年代中期,伊拉克继续求和,但因有该国对伊朗军队使用致命化学武器的报道,其国际威望大受影响。80年代中期,军事胶着状态继续存在,但伊朗因经济恶化及伊拉克在战场上最近屡屡得手,被迫于1988年8月接受了它先前拒绝的在联合国调停下停火。1990年8～9月间,正当伊拉克全力入侵科威特时,伊拉克与伊朗恢复了外交关系,伊拉克同意了伊朗的结束战争的条件:伊拉克自其占领的伊朗领土上撤军,划分阿拉伯河水道的主权,及交换战俘。双方参加战争的总人数不明,但双方都实行了全民总动员,到达法定年龄的大部分男性都配备了武器。死伤人数巨大,但也缺乏具体数据,估计总伤亡人数100万～200万。双方死亡人数总共约50万人,伊朗的死伤更为严重。在战争结束前的最后几个月中,有10万库尔德人被伊拉克军队杀害。战俘交换直到2003年3月才最终结束。

Iranian languages　伊朗诸语言　印欧语系印度-伊朗语族的一支,通行于伊朗、阿富汗,也通行于伊拉克、塔吉克斯坦、土耳其、印度等国的部分地区以及高加索山区。古伊朗语与梵语(古印度-雅利安语)关系密切,最早文献是琐罗亚斯德教的《阿维斯塔》经文和阿契美尼德王朝的古波斯楔形文字铭刻。中古伊朗语(公元前3世纪至公元8～10世纪)的特点是动词系统大大简化,在某些地区名词的屈折变化减少,其主要代表为安息语、钵罗钵语和粟特语。现代伊朗语主要包括通用最广的波斯语、库尔德语诸方言、阿富汗的官方语言普什图语和塔吉克语。现在通行的伊朗诸语言语音系统较早期更为简化,较早期伊朗诸语言复杂的动词变化亦渐为助动词所代替。

Iranian literature　伊朗文学　在传统上称为波斯的地区用近代波斯语写成的文学作品的总称。参阅 **Persian literature**。

Irapuato　伊拉普阿托　墨西哥中北部瓜纳华托州中西部城市。位于中央高原肥沃的巴希奥谷地,濒临莱尔马河支流伊拉普阿托河。海拔1 724米。1547年建城,并设印第安人医院和教堂。在殖民战争和革命战争中发挥重要作用。因有莱尔马河上游河水灌溉之利,该城成为重要的农牧业中心,并发展为全州第二大城市。气候凉爽干燥。以产草莓著称。出产玉米、小麦和豆类,饲养牛和猪。有铁路和公路连接墨西哥城—华雷斯城铁路和公路干线。人口319 148(2000)。

Iraq　伊拉克　全称伊拉克共和国。中东国家,位于波斯湾西北角,面积435 052平方千米,包括924平方千米内陆水域,但是1922年以来与沙特阿拉伯共管的中立地带未算在内。首都巴格达。从北到南长1 390千米,从东至西最宽处1 250千米。该国北邻土耳其,东接伊朗,南连科威特及沙特阿拉伯,西界叙利亚和约旦,东南则濒波斯湾。人口约24 683 000(2003)。

土地　伊拉克主要是很少超过海拔300米的低地,高于450米的不到15%。该国可分为4个主要的自然地理区:①中部和东南部底格里斯-幼发拉底河流域的冲积平原;②北部底格里斯河与幼发拉底河之间的杰济拉高地;③西部和南部的沙漠;④东北部的高地,包括称作库尔德斯坦的多山地区。底格里斯河与幼发拉底河的冲积平原几乎占国内土地的1/3,其特征为起伏不大,自然排水不佳和沼泽地多。冲积平原以北即杰济拉地区,为一干旱的高原。辛贾尔山坐落在这一地区,高1 500米以上。伊拉克的整个西部和南部是一片巨大的沙漠区域,约占全国土地面积的2/5。西部沙漠称瓦迪耶,高485米以上。南部沙漠西半有旱河、山岭和洼地;东半多沙,有灌木丛。包括称作库尔德斯坦的多山地区在内的东北高地,约占全国面积的1/5,为山地和低地之间的过渡地带。

同自然地理区域的变化一样,降水模式也大体依西北至东南走向发生变化。底格里斯河与幼发拉底河流域年降雨量约在400毫米左右,而西南沙漠则不多于100毫米。东北高地海拔最高处可达1 000毫米。底格里斯河与幼发拉底河流域夏季气候极其炎热,近河处亦很潮湿。

无限制的放牧和大力采伐,已使国家的森林面积降到不足全国土地的1/20,且大多在沿河地带。在高地西南的无树大平原上,原有的多年生灌木和低矮灌丛一类的植被,正在逐渐让位给荆棘和其他能够在干旱地方抵御盐碱的植物。在河流下游地区库尔纳以下的地方,沼泽地中长有芦苇、高草和蓑衣草等。

伊拉克已探明的石油藏量为世界第二,在与伊朗的战事和波斯湾战争以前的1980年曾为世界第二大原油输出国。有些石油储藏在波斯湾附近,但主要还是在该国北部。此外,天然气的储量亦很可观。

人民　伊拉克的人口绝大多数是穆斯林,3个主要群体是:阿拉伯什叶派、阿拉伯逊尼派和库尔德逊尼派。阿拉伯什叶派信徒占全部人口约3/5,主要居住在该国南部和东南部。阿拉伯逊尼派信徒约占人口的1/3,集中居住在伊拉克东部的中央地区,巴格达周围。库尔德人是逊尼派穆斯林,讲一种与法尔斯(波斯)语相近的语言,住在北部和东北部地区,差不多占人口的1/5。

伊拉克是中东唯一的一个什叶派信徒占多数,而又由逊尼派掌握政府的阿拉伯国家。该国的官方语言是阿拉伯语。

按照国际标准,出生率很高,死亡率相对较低。人口中几乎有45%在15岁以下。伊拉克有大约2/3的人居住在城市和市镇里。

经济　伊拉克的农业经济在1958年革命以后迅速工业化。到1980年已建立起中央计划经济。石油生产是经济支柱。1980年以后的一系列战争给经济带来严重破坏，特别是由于 90 年代联合国贸易禁运，伊拉克国内生产总值持续迅速下滑。

第二次海湾战争（2003）以后，经济制裁被取消，美国指派的官员控制了伊拉克的公共部门。很多国企被私有化。但经济已被完全破坏，而私营部门又大多缺乏经验。再加上巨额的外债、严重的通货膨胀、落后的石油开采技术和高失业率，经济面临巨大困难。

美国不列颠百科全书公司供图

伊拉克 1/8 的面积是耕地，另有 1/10 是永久性牧场。北部种植小麦、大麦，依赖雨水灌溉。两河流域的河水灌溉也是必要的。整个国家的耕地都需要精心管理以防止盐碱化。而上游国家土耳其和叙利亚平等分配两河水资源的意愿对保证灌溉水源也是重要的。农业占伊拉克国内生产总值的 1/4。主要作物包括大麦、小麦、大米、蔬菜、玉米、粟、甘蔗、甜菜、水果、产油作物、草料、烟草、棉花和椰枣。林业和渔业对经济贡献很小，大部分产品在本地消费。

石油生产占伊拉克国内生产总值的最大份额，是伊拉克几乎全部外汇的来源。海外公司于 1927 年在伊拉克首次发现石油。石油业在 1972 年国有化，1975 年所有外资石油公司也实行国有化。两伊战争中，石油生产和运输设施遭到严重破坏。伊拉克入侵科威特后，联合国禁止了伊拉克的全部出口，直至 1997 年。第二次海湾战争中石油产量再次下降，战争结束后，生产恢复进展缓慢。

1947 年建立的伊拉克中央银行拥有唯一的货币发行权。主要银行均为国有。1991 年给予私营银行有限权利，2003 年银行业实现自由化。1992 年巴格达证券交易所建立。

1991 ～ 2003 年禁运期间，除石油销售和人道主义需求外，国际贸易基本停止。主要的贸易伙伴包括法国、美国、澳大利亚和意大利。服务业一直占国内生产总值的重要份额。非宗教性旅游业几乎为零。与同地区其他国家相比，交通情况尚为良好。

政体与社会状况 第二次海湾战争以后，伊拉克政府处在转型期，从独裁统治转变为代表伊拉克多样化的民族、宗教现状的民主政府。2004 年 6 月过渡政府成立。过渡性宪法要求建立一院制立法机构、强有力的总理和独立的司法体系。总统的职责将多为礼节性的。实行普选制，男女均可参加选举。

伊拉克的小学和中学教育是免费的。在理论上，所有的儿童都应该上 6 年制小学；然而由于设施缺乏，许多农村的孩子事实上从未受过教育。小学毕业生可以注册接受 6 年制的中等教育，它分成普通中等和预科两个等级。伊拉克的文盲比率在中东相对较高，为此政府在 70 年代后期发起了一场扫盲运动。

在萨达姆·侯赛因统治期间，媒体是国有机构，出版物都要受到严格检查。2003 年以后，建立了各种新的报纸、杂志媒体，可发表多样化的政治、社会观点。

历史 伊拉克长期以来被称为美索不达米亚，其历史可以追溯到文明的起源之时。因为正是在这里，在肥沃的底格里斯河与幼发拉底河流域，诞生了世界上最早的有文字的城市文明之一。可能早在公元前 3500 年时，苏美尔人已经出现在两河流域的三角洲地带。他们发明了楔形文字，并且组成了城市国家联盟，其中有乌尔、乌鲁克、拉格什和基什。约公元前 2350 年，阿卡德人领袖萨尔贡将这些城市结合成一个帝国。随着阿卡德人的衰落，两个新的权力中心出现，即巴比伦人和亚述人。到公元前 7 世纪，亚述人已经创建了一个囊括大部分古代中东的巨大帝国。这个大帝国在公元前 609 年灭亡。在加尔底亚的领导下，巴比伦人再度复兴，但是到公元前 550 年左右，整个美索不达米亚臣服于波斯人。

公元前 330 年，亚历山大大帝征服波斯。他于公元前 323 年死去，该地遂为塞琉西王朝所统治，直至公元前 141 年。后来美索不达米亚沦为战场，先是安息人和罗马人相争，再是萨珊人和拜占廷人互斗。连年的兵燹，使得萨珊人轻易为公元 7 世纪入侵的阿拉伯穆斯林所败。对立的竞争者为夺取哈里发之位而战，伊拉克再度成为战场。

公元 8 世纪，巴格达成为阿拔斯哈里发帝国的首都和穆斯林世界的中心。1258 年，巴格达和阿拔斯哈里发政权一并为蒙古人所毁灭。

16 世纪奥托曼人占领了伊拉克，统治它直到 1917 年。这几个世纪发生了许多次内部的暴乱和外部的特别是伊朗人的侵略。欧洲人到波斯湾地区经商始于 17 世纪中叶，19 世纪活动扩大。1899 年德国人取得了一条奥托曼铁路的特许权，英国人由此警觉起来，在第一次世界大战中占领了伊拉克。1921 年在英国人的保护下建立了一个君主国，1925 年又通过了一部宪法。1932 年伊拉克取得完全的独立。

伊拉克在第二次世界大战中的亲德国态度，导致了 1941 ～ 1945 年英国对它的又一次占领。战后政治动乱此起彼伏。1958 年一场革命结束了君主制度。此后军事政变不断，直到 1968 年复兴社会党上台掌权。复兴党领袖萨达姆·侯赛因自 20 世纪 70 年代一直领导伊拉克，在他的极权统治下，利用伊拉克来自石油出口的大笔收入使国家工业化。1980 年伊拉克入侵伊朗，此后即在 80 年代卷入了一场旷日持久的战争。两伊战争在 1988 年达成停火协议。1990 年，侯赛因下令入侵邻国科威特，导致海湾战争（1991）爆发。在战争中，由联合国支持并由美国领导的反伊联盟将伊拉克军事力量逐出科威特。该国与国际组织的摩擦持续不断，在第二次海湾战争中冲突更是达到顶点。

Iraq-Iran War 参阅 **Iran-Iraq War 两伊战争**。

ʿIrāqī 伊拉基（约1211，伊朗哈马丹～ 1289-11，叙利亚大马士革） 13 世纪波斯最杰出的诗人之一，早期生活很少为人所知。有证据表明，他放弃教学生涯跟随伊斯兰教苏菲派流浪信徒或神秘主义教徒至印度，寻求更高深的神秘主义教旨。在木尔坦，师从拜哈丁·扎卡里亚，学习 25 年后，动身去汉志，又去安纳托利亚的科尼亚，在该地用诗歌和散文写下他生平最伟大的著作《光线集》。这是一部受神秘主义哲学家伊本·阿拉比（？～ 1240）启发写成的深奥作品。伊拉基后去埃及，最后去叙利亚。他是抒发神秘主义爱情的诗人。他还因如下著作而出名：《诗集》和一部以双行韵诗杂以抒情诗写成的神秘主义作品《情歌》（由 A．J．阿伯里编集并译为英文）。

Irazú, Mount 伊拉苏山 中科迪勒拉山中的活火山，位于哥斯达黎加中东部，为中科迪勒拉山最高峰，海拔 3 432 米。旅游者经常登此山，因在其火山锥上可眺望哥斯达黎加的大西洋和太平洋海岸。从卡塔戈市有公路直通火山口。1963 ～ 1965 年该火山喷发的火山灰堵塞了附近一条小河，卡塔戈市遭到水淹，并给咖啡生产带来严重损失。火山灰喷发也毁坏了牧场并一度带来很强的酸性雨水。

Irbid 伊尔比德 约旦北部城镇。其历史可上溯到青铜器时代早期。现代城镇为约旦工业地区之一，也为约旦最富饶地区的农业中心。该地区的许多泉水和耶尔穆克河为农作物的灌溉提供了水源。1976 年建立耶尔穆克大学，以阿拉伯语和英语教学，设有艺术系、科学系、经济系、教育系和工程系。人口约 208 329(1994)。

Irbīl 埃尔比勒 又拼 Arbil 或 Erbil，希腊语作 Arbela。伊拉克北部古老的城镇。西距摩苏尔 77 千米。为农产品贸易中心和铁路终点。有公路通土耳其、叙利亚及伊朗。该镇

埃尔北勒镇的古城堡
美国不列颠百科全书公司供图

于公元前 3 千纪末首见记载。亚述帝国时期为交通枢纽。公元前 331 年其附近为亚历山大大帝击溃大流士三世的战场。该镇属早期基督教城镇，后来（公元 340）基督教徒受到迫害，7 世纪被阿拉伯人征服后仍为基督教活动中心和主教驻地。13 世纪埃尔比勒的重要性被摩苏尔取代，但仍为该地区主要城镇。现今镇内有基督徒和伊斯兰教逊尼派的库尔德人杂居。有萨拉赫丁大学(1968)和农业技术学院(1976)。周围地区种植芝麻、玉米、黍类和水果。人口约 850 000(2003)。

Iredell, James 艾尔德尔(1751-10-05，英格兰萨塞克斯刘易斯～1799-10-20，美国北卡罗来纳伊登顿) 美国最高法院大法官(1790～1799)。其父曾是英国布里斯托尔的一位商人，后移居美国北卡罗来纳伊登顿。艾尔德尔于 17 岁时被任命为伊登顿海关的主计员。曾攻读法律并致力于美国独立事业。虽然迟至 1776 年 6 月还希望同英国重归于好，但他担任了新成立的北卡罗来纳州的起草和修订法律的委员。他在任该职期间协助重建了已经停止活动数年的法院。他曾短时期担任州高等法院法官和州检察长，而且在 1787 年受州议会委托编订州的法律；1791 年出版了"艾尔德尔修订版"。在争取批准联邦宪法的运动中，他是北卡罗来纳州联邦派的领袖之一。他那些为宪法辩护的信件，被认为是促使华盛顿总统任命他为最高法院大法官的原因。他是最高法院初期的最年轻的一位大法官。艾尔德尔在"考尔德诉布尔"一案(1798)中发表的意见有助于确立司法审查原则。但是，他为人们所称道的主要是他提出的那些异议，其中最著名的是他在"奇泽姆诉佐治亚"一案(1793)中提出的异议，他坚持认为，对州提起要求赔偿损害的诉讼，只有根据宪法的授权才能成立，从而给争取通过宪法第 11 条修正案的运动增添了力量。

Ireland 爱尔兰 爱尔兰语作 Éire。位于大不列颠西部岛屿上的国家，占据此岛大部分地区。国土南北最长 486 千米，东西最宽 275 千米。唯一邻邦是英国的北爱尔兰，位于该岛东北部。其余边界均为海岸，北、西、南三面临大西洋，东面濒爱尔兰海，有圣乔治海峡将其与大不列颠岛隔开。首都都柏林。面积 70 285 平方千米。人口约 3 917 203(2003)。

土地 爱尔兰的中北部为广阔的低地区，平均海拔 60～120 米，四周几乎全为沿海高地。低地区有许多低丘、湖泊、沼泽和低矮山脊分布其中。国土近 15% 在海拔 200 米以上。位于西南部高地区的最高峰卡朗图厄尔山，海拔亦只有 1 040 米。沿海山缘的唯一缺口在东海岸，由都柏林向北延伸。该岛西海岸极为曲折，多尼戈尔、梅奥、凯里诸山余脉从这里伸入大西洋，有深邃宽广的海湾相间。

香农河为该国主要河川，源于斯莱戈湾附近的高原地区，坡度不大，向南及西南平缓地流经中部广大低地，形成一系列湖泊。该河全长 259 千米，至利默里克已与潮水相平。

爱尔兰的气候异常温和，都柏林的平均气温 1～2 月在 5°C 以上，7～8 月也不超过 15°C。全岛没有任何地方距海超过 110 千米。墨西哥湾流带来的温暖海水使全岛天气温和宜人。年降水量在西部和西南部山地区为 2 500 毫米，东北部都柏林为 750 毫米。由于降水率高和全年低温的双重影响，岛上气候处于极度潮湿状态。该国的普遍潮湿与低洼地势有利于形成丰富的泥煤蕴藏。爱尔兰全国可耕地不到 1/8，但其中大部分极为肥沃，并有广袤草地可供大量牲畜放牧。该国森林面积不足 5%，极少本地野生动物。

爱尔兰矿产资源匮乏，但亦有一些可供开采的铅、锌和银矿蕴藏。虽然大量泥煤的储量对电力生产越来越重要，但有限的石油和天然气现在仍为其主要的能源资源。

人民 爱尔兰虽然在历史上曾先后受到凯尔特人、北欧人、诺曼人、英格兰人和苏格兰人的入侵和殖民，但民族和种族差异在今日的共和国却几乎并不存在。

爱尔兰居民几乎有 95% 信奉天主教。其他宗教团体包括爱尔兰圣公会、长老会、循道宗和犹太教。宪法规定爱尔兰语为第一官方语言，英语为第二官方语言。但是英语为通用语，而且当地所有学校均教授英语。

人口出生率和死亡率均与附近其他欧洲国家相近。1980～1985 年，年均人口增长率很低，只有 1.1%。爱尔兰的外迁人口比率居欧洲之首，大大超过该地区占第二位的国家，居住在国外但出生于爱尔兰的人据信大约为该国人口的一半。农业的衰退导致人口普遍由乡村向城市移动，尤以西海岸一带最贫困的地区为甚。全国人口中几乎有 3/5 居住在城市。

经济 爱尔兰属混合型市场经济，主要以农业、化学工业和服务业为基础。20 世纪 80 年代初经济增长曾一度减慢，80 年代中期又逐渐回升；但失业现象仍较为普遍。人均国民生产总值低于西欧邻国，但基本上仍属发达国家水平。

农业雇用了 1/8 的劳动力，在国内生产总值中约占 1/10。爱尔兰于 1973 年加入欧洲经济共同体，为该国的农产品提供了广大市场，这些产品占其全部出口的 1/4 以上。然而农业收入却因生产成本的上升而受到不利影响。爱尔兰政府虽然提供了大量援助并制定了许多管理措施，但从事农业的人口仍在下降。大部分农产品为牲畜和畜牧产品，尤其是牛。其他重要农产品有谷物、家禽及鸡蛋、甜菜和马铃薯。

第二次世界大战以后，国家开展了多次重新造林活动，取得了一些成果。渔业尽管近海资源丰富，但未充分发展。

1960 年开始的矿产勘探导致爱尔兰几种有价值的矿藏得以发现和开发。1977 年欧洲最大的铅锌矿井在纳文投入生产。其他矿产品包括石膏、重晶石、白云石、石灰石粉和混凝土骨料等。石油和天然气在科克郡南部的大西洋近海油气田中有少量开采。

矿业、制造业、建筑业和公用事业共计占国民生产总值的 1/3 以上，雇用了 1/4 的劳动力。工业发展局积极推动工业拓展，经常吸引外来投资，特别是计算机和电子类公司。其他重要行业有化工、金属和机械制造、食品、纺织品和烟草业。服务业在国民生产总值中所占份额高达 2/5，就业人数亦占同样

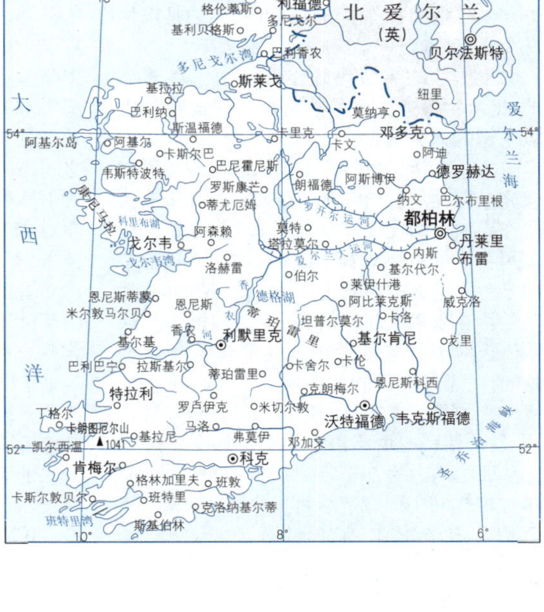

美国不列颠百科全书公司供图

比例。电力生产多使用进口燃料,不过亦有高达1/3的电力生产依靠国内资源,如泥煤、水力、煤气和煤炭。

在该国纯无形收入中,最大项目为旅游业。游客大多来自大不列颠、北爱尔兰、美国及西欧。爱尔兰具有很强的工会精神传统,约有一半劳工属于工会,其中绝大部分为爱尔兰工会代表大会的会员。1979年爱尔兰加入欧洲货币体系,1999年采用欧盟单一货币欧元。

爱尔兰贸易收支呈现顺差。主要进口商品有机械及运输设备,化工产品和矿物燃料。主要出口商品包括办公设备、牛肉、电器、机械、乳制品、纺织品和活牛。在高科技领域的投资已取得成效。爱尔兰在21世纪初成为电脑软件的主要出口国之一。爱尔兰一半的出口进入了欧盟,1/3进入了英国。

政体与社会状况 爱尔兰共和国为议会制民主国家。根据1937年经公民投票通过的宪法,爱尔兰总统为国家元首和第一公民。总统由全民直选产生,任期7年,可连选连任一期。总统一般在以总理为首的15人内阁协助下主政,但在行使某些方面的权力时,他也可向咨询性机构国务委员会进行咨询。在总理建议下,总统可以召集或解散议会。在某些情况下,总统可将议会通过的法案交由全民公决。议会分两院——众议院和参议院。众议院有议员166人,由成年选民按秘密投票方式选出,至少每5年选举一次。参议院有议员60人,从各种职业、经济和文化的选区选出,其中包括由总理提名的11人。众议院制定法律,参议院则仅能推迟法律的通过。该国共有3个主要政治组织:共和党、爱尔兰统一党和工党。

爱尔兰的"联薪社会保险"提供孤寡抚恤金、失业及残疾救济、弃妇补助和养老金。

公共医疗服务收费按收入水平区别对待。爱尔兰的医疗保健条件普遍相当不错;人均医师和病床拥有量均较高,婴儿死亡率低,国民平均预期寿命长达73岁。

爱尔兰实行6～15岁未成年人免费义务教育制。初等教育为期6年。学生毕业后进入中学学习,15或16岁时可取得中学毕业证书,17或18岁时可取得深造证书。中学均为私立学校。小学和中学几乎全部由教会所办。爱尔兰的高等学府中最为著名的是都柏林大学(又称三一学院)。

爱尔兰的宪法保障出版自由。尽管如此,出版物检查法令还是禁止任何诋毁天主教道德的内容发表。

文化生活 虽然有几部极成功的小说和戏剧是以爱尔兰语写成,但这种语言却无法创作出大量的现代文学作品,而由爱尔兰作家用英语创作的文学作品则已对整个英语文学产生了深远的影响。18～19世纪期间,爱尔兰语在爱尔兰逐步消失,但这种语言却从未停止对取代它的英语文化产生一种强烈的、有时还是很微妙的影响。爱尔兰语中许多传统的思维方式及表达特点已逐渐被英语所吸收,使那些用英语写作和讲话者的想象力和表达能力更加丰富。值得注意的是,爱尔兰这样的小国竟能孕育出像J.斯威夫特、E.伯克、G.A.穆尔、W.B.叶芝、O.王尔德、B.萧伯纳、J.乔伊斯和S.贝克特这样一大批(操英语的)文坛巨擘。

历史 约公元前6000年左右,猎人和渔夫即开始来到爱尔兰东海岸一带定居。凯尔特人入侵从铁器时代(可能在公元前约300年)便已开始。在凯尔特人居住的爱尔兰,有许多小王国从基督纪元之初就臣服于一些较大的王国,即号称五大基督王国的阿尔斯特、米斯、伦斯特、芒斯特和康诺特。

圣巴特里克于5世纪到达爱尔兰,并将基督教传布到全国,深受当地人崇敬。一种修道生活在当地得到发展,后来形成了爱尔兰教会。爱尔兰许多传教士被派往欧洲各地。

759年,挪威人入侵爱尔兰。挪威人在当地的统治一直扩展到安纳格森、都柏林、沃特福特和利默里克,但于1014年因在一次战役中败于爱尔兰的高王布赖恩·博罗而告终。

11～12世纪欧洲宗教改革运动的影响波及爱尔兰,导致主教管区教会管理机构的建立,其辖区边界一般与当时存在的各王国边界一致。英格兰国王亨利二世在教皇阿德里安四世和亚历山大三世的怂恿下,于1171年入侵爱尔兰,自称是整个爱尔兰岛的最高君主,并获得教会诸领袖对其行为的认可。盖尔人爱尔兰的独立随即告终。

盎格鲁-诺曼定居者逐渐融入了盖尔人的爱尔兰文化,到15世纪,只剩下都柏林周围的一个小区域——帕莱——仍效忠于英格兰王室。此时爱尔兰的真正统治者是基尔代尔的几位伯爵,他们是英格兰官方指定的君主代理人。这样的安排一直持续到16世纪,当时英格兰的宗教改革为爱尔兰带来新的压力,以使其遵循议会的各项宗教法案。150年来,爱尔兰不断派遣军人和教会人员到欧洲大陆的天主教国家;同时也有苏格兰和英格兰的移民涌入逃离的天主教难民空出的土地。

至1691年,新教徒的支配地位因被黜国王詹姆斯二世在博因河战役中大败而告确立。仅代表人口1/10的英国国教徒取得了对土地和政府各部门的控制权,不仅剥夺了天主教徒,同时也剥夺了爱尔兰长老会教徒和不从国教者的基本公民权。

在其后的一个世纪中,爱尔兰新教徒开始骚动,要求减少英国的控制,天主教徒也恢复了一些公民权。1798年的一次反叛终于迫使英国采取行动,大不列颠及爱尔兰联合王国于1801年1月1日成立。这种联合方式在爱尔兰并没有受到欢迎,天主教徒与新教徒之间的裂痕日渐加深。联合后在经济上造成的不良后果,因1846～1851年的灾难性饥馑而愈加恶化,有200多万人背井离乡移居他国。

饥荒过后,一场历史上名为芬尼亚主义的革命运动兴起。这场革命导致了一些议会改革。骚乱继续发展,而一些内部自治的措施也未能成功。1912年,另一项内部自治措施即将被议会通过时,厄尔斯特统一党人抵制这项措施并准备发动内战。后来尽管有第一次世界大战的干扰,内战仍在爱尔兰境内爆发,一个爱尔兰临时政府于1916年宣告成立。1920年通过《爱尔兰政府法》,形成了一个北爱尔兰和一个南爱尔兰。1921年南爱尔兰成为爱尔兰自由邦。1937年一部新宪法得到批准,结束了王室的统治权力,将国名由爱尔兰自由邦改为爱尔兰共和国。爱尔兰在第二次世界大战中遭到德国突袭,又受到美国的压力,但仍保持了中立。战后,英国正式承认了爱尔兰的独立,但拒绝在没有北爱尔兰议会批准的情况下放弃北爱。

1973年,爱尔兰加入欧洲经济共同体。由于70年代石油危机的影响,70年代到80年代初经济停滞。90年代,由于具有年轻的劳动力和欧共体发展基金的帮助,爱尔兰经济发展迅速,特别是在高科技领域。

到20世纪末,不断有改革爱尔兰严格的社会法律的讨论。1995年,离婚立法终于勉强得到选民通过。虽然爱尔兰禁止堕胎,但有法律准许爱尔兰公民在国外堕胎。

1998年,90%以上的爱尔兰选民批准了与北爱的和平协议。爱尔兰总理B.埃亨在协议的谈判中发挥了关键作用。

Ireland, Church of 爱尔兰圣公会 爱尔兰和北爱尔兰的基督教安立甘宗独立教会。1537年英国议会通过对爱尔兰最高权力法,规定英格兰国王不仅是英格兰教会首脑,也是爱尔兰教会首脑,宗教改革宣告在爱尔兰展开。然而改革并不深刻,隐修院并未全部解散,爱尔兰人不通英语,因此礼仪也很少改变。大多数爱尔兰人仍信奉天主教,但爱尔兰圣公会则为国教。18世纪后期,天主教和基督教长老会都受到较前略为宽容的待遇,而信徒人数处于劣势的爱尔兰圣公会仍保持特权,招致反感。1800年英格兰议会与爱尔兰议会合而为一,爱尔兰圣公会也并入英爱联合圣公会而成为其一分支。圣公会所征什一税主要来自信奉天主教的佃农,因此反对圣公会的情绪益发增长,19世纪30年代遂爆发什一税战争。根据1861年的普查,圣公会信徒在总人口数中不足1/8,而天主教徒则占4/5。于是1869年通过法案,撤销爱尔兰圣公会的国教地位,该法案于1871年1月1日正式生效。自此爱尔兰圣公会实行自养。该会有两个教省,各省设一大主教,一驻在阿马,另一驻在都柏林,下辖几个主教区。

Ireland, John (Nicholson) 艾尔兰(1879-08-13,英格兰柴郡鲍登～1962-06-12,苏塞克斯华盛顿) 英国作曲家,以歌曲及标题管弦乐作品闻名。曾在伦敦皇家音乐学院学习,后在该院教授作曲。管弦乐《被遗忘的典礼》(1913)等作品,深受梅琴文学著作中神秘主义及幻想的影响。他的歌曲,包括为莎士比亚、A.E.豪斯曼、R.布鲁克等人的诗歌所谱音乐,以其细腻的情绪描绘而著称。

Ireland, John 艾尔兰(约1435～约1500) 苏格兰作家、神学家和外交家。他的论文《智慧宝鉴》是现存最早的苏格兰散文原作的样本。曾就读于圣安德鲁斯大学,但未获学位,1460年获巴黎大学硕士学位。在法国住到1483～1484年,成为一位神学博士,曾奉路易十一世之命执行过几次外交使命。路易去世后,回到苏格兰,任詹姆斯三世的私人牧师;又是亚罗教区长和苏格兰议员。1488 年詹姆斯死后,继续任年青的詹姆斯四世的牧师,并于 1490 年为对其启发写了一篇论文《智慧宝鉴》。这是一篇对世俗统治者的关于知识价值的劝导性宗教论文。

Ireland, John **艾尔兰**(1838-09-11,爱尔兰基尔肯尼郡伯恩彻奇～1918-09-25,美国明尼苏达圣保罗) 又译爱尔兰。圣保罗城第一任大主教。他是天主教开明派人士,提倡把移民占优势的地区融合到美国天主教会和美国社会整体之中,克服一些少数民族中出现的保留原来欧洲教会传统和聘请本民族教士的分裂主义倾向。1849 年随父母移居美国明尼苏达州圣保罗。后来到法国求学,1861 年在圣保罗城受神职。南北战争期间,于 1862 年任明尼苏达志愿军第五步兵团随军司铎。1884 年任圣保罗城主教,1888 年升为大主教。由于他持开明见解,在教会以外也颇有影响。在社会改革以及教会与民主社会之间的关系等问题上,他的见解很有预见性。他通过公教殖民局鼓励在美国西北部建立天主教移民区。1889 年参与创办华盛顿美国公教大学,1894 年创办圣保罗神学院。

Irenaeus, SAINT **伊里奈乌斯,圣**(约 120 或 140,小亚细亚～约 200 或 203,里昂?) 2 世纪基督教重要神学家。父母为希腊人。据 4 世纪基督教史学家优西比乌斯记载,177 年高卢境内基督教徒受迫害,卢格杜努姆(今里昂)主教波赛努斯殉教,伊里奈乌斯继其位。当时基督教正在发展势力而内部派别斗争激烈,伊里奈乌斯多次在各派之间进行调停。然而他对于马西昂派和诺斯替派却完全反对,不予理睬。近代学者在很大程度上根据伊里奈乌斯的著作以了解诺斯替派的理论,因为他概括介绍诺斯替派的论点,然后加以批驳。20 世纪 40 年代在埃及境内纳杰哈马迪附近发掘出来的多种诺斯替派典籍证明,伊里奈乌斯确实介绍准确。当时基督教《圣经》正典已经确立,伊里奈乌斯肯定犹太《圣经》(《旧约》)。虽然他没有具体地将《圣经》分为《新约》与《旧约》两部分,但却初步地将这两部分加以区别,并断言两部分同样具有权威。当时教会正逐步形成对上帝、圣子、圣灵的信条,主教制亦开始建立,伊里奈乌斯在这两方面都发挥了作用。为了驳斥诺斯替派关于掌握耶稣口传秘训的说法,伊里奈乌斯列出各城市历任主教姓名,上溯到众使徒,指出其中没有一人是诺斯替派;并指出,只有主教才是可靠的解经导师。后世的使徒统绪说与伊里奈乌斯的见解不无关系。

Irene **伊林娜**(约752,雅典～803-08-09,莱斯沃斯) 拜占廷统治者、希腊正教圣徒,曾使圣像再度流行于东罗马帝国。利奥九世的皇后,780 年 9 月利奥死后成为幼子君士坦丁六世的监护人和同朝皇帝。同年底,粉碎了一起拥立利奥的同父异母兄弟为皇帝的阴谋。她支持恢复 730 年明令禁止的圣像崇拜,将自己的支持者塔拉西斯选为君士坦丁堡牧首,787 年在尼西亚召开宗教大会。罗马教会和东正教会承认这次大会为第七次普

8～9 世纪钱币上的伊林娜像
美国不列颠百科全书公司供图

世教会会议,正式恢复圣像崇拜。她在挫败了君士坦丁的夺权努力以后,要求军队承认她是最高统治者。790 年小亚细亚诸省公开表示反抗,宣布君士坦丁六世为唯一的统治者,将她赶出宫廷。792 年 1 月,她东山再起,回到宫廷。797 年与一些主教和廷臣共谋将君士坦丁逮捕,刺瞎双目。此后独掌权柄,称帝 5 年。798 年与西罗马皇帝查理曼建立外交关系。802 年被文臣武将合力废黜,流放至普林基坡岛(今比于克阿达)。她极力恢复圣像崇拜,保护隐修院,被希腊正教追谥为圣徒。

Irene Ducas **伊林娜·杜卡斯**(约 1066,拜占廷帝国君士坦丁堡[今在土耳其伊斯坦布尔]～1123-02-19[或 1133],君士坦丁堡) 拜占廷皇帝阿历克塞一世康尼努斯的皇后,因其女安娜所著《阿历克塞传》中有对她的描述

美国不列颠百科全书公司供图

而为世所知。伊林娜在其夫加冕 7 天后也加冕为女皇(1081-04-11)。她与女儿企图说服阿历克塞传位给女婿尼斯福鲁斯·布里恩尼乌斯,而不传给儿子约翰,但阿历克塞死前就命令约翰称帝。约翰在圣索非亚教堂加冕称帝后,率众占领了圣宫。阿历克塞死后,伊琳娜退隐于君士坦丁堡的一所隐修院中。

Irenidae **和平鸟科** 雀形目的一个鸣禽科,包括东南亚森林和农田中大约 14 种体小羽色鲜艳的鸟类,如叶鹎、雀鹎、仙蓝雀等。体长 13～25 厘米,颈背部有毛饰,似与鹎科(Pycnonotidae)近缘。嘴细长下曲,腿短,翼圆。叶鹎属于叶鹎属(*Chloropsis*);雀鹎属于 *Aegithina* 属;仙蓝雀属于和平鸟属(*Irena*)。以果实、嫩芽及昆虫为食。许多种类啭鸣悦耳。求偶时在空中作精彩的求偶表演,鸣叫声似长笛。有些人将该科称为叶鹎科(Chloropseidae),隶于燕雀亚目。

Ireton, Henry **艾尔顿**(1611,英格兰诺丁汉阿顿巴勒～1651-11-28,爱尔兰利默里克郡利默里克) 英格兰军人和政治家,英格兰内战时期议会派领袖。内战爆发后加入议会军,于 1642 年 11 月率骑兵参加埃奇丘陵战役。翌年与 O. 克伦威尔结交。1644 年被克伦威尔任命为伊利岛副总督。他曾参加马斯顿荒原(1644-07)和内斯比(1645-06)两次战役。1646 年夏与克伦威尔的长女结婚。他虽军功卓著,但在政治上更为出名。1645 年当选为议员。1647 年提出立宪纲领,主张军队、议会和国王分享政治权力以及对英国国教和清教

美国不列颠百科全书公司供图

实行宗教宽容。艾尔顿的君主立宪方案为国王所拒绝,同时也遭到主张男性公民普选权的平均派的攻击。他遂转而反对国王。内战第二阶段,军队中的独立派压倒议会,他提出《军队谏议书》,为攻击君主制提供了思想基础。艾尔顿是查理一世死刑令的签署人之一。1649～1651 年在爱尔兰镇压天主教徒叛乱,1650 年成为英王驻爱尔兰代表和代理总司令。

Irgun Zvai Leumi **国民军组织** 巴勒斯坦犹太右翼地下运动,亦名埃特泽尔,1931 年成立。最初,它受到许多非社会主义的犹太复国主义政党的支持,与哈加纳相对立,1936 年成为修正主义党的工具。该党是一个脱离世界犹太复国主义者组织的极端民族主义团体,其政策是号召在必要时使用武力,在约旦河两岸建立一个犹太国家。它反对英国采取恐怖和暗杀行为,它认为英国是非法占领者;它也残暴地反对阿拉伯人,还参预组织向巴勒斯坦非法移民。它的成员英勇而严守纪律,进行大量的恐怖活动。1948 年以色列建国后,它的最后机构解散,并在 1948 年 9 月 1 日宣誓忠于以色列国防军。政治上,它是希路特(自由)党的先驱,该党是一个非常好战的以色列右翼团体,后来与自由党人一起并入加哈尔党。参阅 **Stern Gang**。

Iri **里里** 韩国西部全罗北道城市。在群山港东 26 千米处,湖南平原北部,为韩国最大产粮区,也是当地农产品(尤其是大米)的集贸中心。有铁路通木浦、木午、大田和群山。因缺水工业并不发达。设有农业办事处、土壤改良协会等农业研究机构和原光大学。人口约 332 545(2002)。

Iridaceae 鸢尾科 有花植物的一科,属百合目,以包含鸢尾属(*Iris*)、唐菖蒲属(*Gladiolus*)和番红花属(*Crocus*)等观赏植物属而著名。鸢尾科含约80属,1 700种,大部分为多年生草本,也有少数种类为灌木或常绿草本。本科几为世界性分布,但在非洲最为丰富,最多样化。多数种类原产于温带、亚热带及热带地区。鸢尾属、唐菖蒲属及番红花属的种类在肥沃的土壤中生长最为良好。但少数鸢尾属植物生长于沼泽地区,少数种类还能耐受副极带的严酷条件。除鸢尾属、唐菖蒲属和番红花属外,鸢尾科的观赏植物属还有:射干属(*Belamcanda*,原产于中国和日本)及庭菖蒲属(*Sisyrinchium*,广泛分布于西半球)。射干的蒴果成熟时室壁开裂,露出黑色光泽的种子,颇似黑莓的果实;广泛栽培用作干花。庭菖蒲的花鲜艳,适于栽培于小型庭园。香雪兰属(*Freesia*)的种类亦广泛栽培作切花供商售。一些鸢尾科种类的根含油质,可用以制造香水、肥皂、扑粉及牙粉、牙膏等;鸢尾属少数种类的叶用作饲料。栽培番红花(*Crocus sativa*)的羽状柱头可提取黄色物质,用作调料、食物着色剂或用于医药。鸢尾科植物有地下茎,至少分为3种类型:根状茎、鳞茎和球茎。鸢尾属的地下茎为根状茎,水平生长,粗壮,上有叶痕而呈环节状,常部分露出地面,但稳固地埋在土壤中。原产于欧洲西南部的鸢尾属种类具鳞茎。其鳞茎短,圆锥形,上有层层相套的多数叶基,叶基连接光滑,鳞茎的大部分体积由叶基构成。从叶基之间生出小鳞茎,以进行繁殖。唐菖蒲属的地下茎为球茎,形似中间无孔的炸面包圈。上表面呈凹形,着生一小簇叶。叶基之间生出小球茎,以进行繁殖。鸢尾科植物可借根状茎、鳞茎和球茎有效地进行无性繁殖。在鸢尾科,通过种子进行繁殖也是十分重要的,这在新杂种的形成中是必不可少的。番红花属的球茎上仅生长一朵花,但鸢尾属和唐菖蒲属的花数多,构成花序,花序从地下茎生出,有时还有分支。鸢尾科的花多鲜艳,萼片3,花瓣3,柱头分为3个宽阔的结构,用以接受花粉,花药被柱头所覆盖。子房下位,由3心皮构成。花柱一条。受精后子房发育成果实,胚珠发育成种子。果为蒴果,成熟后裂开,散出种子。鸢尾科的大部分种类具有狭长的叶,叶上有平行脉。具鳞茎的鸢尾科植物可贮存于精心控制的温度条件下,栽入花盆后便能在气温较低的月份开花。温度也能控制番红花的开花。气温接近关键性的温度时,气温上升不足1°F(1°F = 0.56 °C)花被(萼片及花瓣)即可张开。鸢尾科植物借鲜艳的花被吸引昆虫传粉。某些唐菖蒲的花型与某些蛾之间十分协调。蛾在飞翔时其长舌即可伸到花管的基部,已粘在蛾身上的花粉便粘到柱头上,蛾身上又粘上新的花粉,将其传给另一朵花。

iridescence 晕彩 光在物质表面或内部的干涉,当入射角改变时,产生出一系列颜色。最有名的是在贵蛋白石中看到的颜色,是由直径1 500～3 000埃的近似球形的质点规则地排列成一些亚微观的薄层上光的干涉引起的;普通蛋白石没有这种薄层,所以散射光造成一种乳浊的蛋白光。内部晕彩由紧密排列的因出溶作用(exsolution)造成的不同成分的界面之类裂纹或晶片引起。拉长石和晕长石的颜色最为人所熟知,是由厚约1 000埃的晶片引起的。表面晕彩见于某些金属矿物(如赤铁矿和闪锌矿)。

iridium 铱(Ir) 化学元素,周期表VIII族铂系金属。比重很大,也很稀少,用于铂合金。铱为银白色的贵金属,质地硬而脆,在白热温度下(1 200～1 500°C)具有延展性可进行加工。它是地球上密度最大的物质之一。块状金属铱几乎不溶于酸,甚至不被王水侵蚀。在125～150°C,有高氯酸钠存在下,能溶于浓盐酸。纯金属铱由于制备和加工困难,除用于制造高温空气中使用的坩埚外,几乎没有其他用途。铱主要用于制铂-铱合金,这种合金(含铱5%～10%)易加工,比质软的纯铂坚硬得多,而且更耐化学腐蚀。这类合金用于制造珠宝饰物、钢笔尖、外科手术针、枢轴、以及电气触点和火花尖端。国际标准质量千克原器就是由90%铂和10%铱的合金制成的。自然界中可能不存在纯铱。铱在地壳中的分布量很低,约为$0.001/10^6$。铱虽然稀有,但总是和其他贵金属共生于天然合金中:铱锇矿含铱达77%,铂铱矿含铱也达77%,金锇铱矿含铱达52%,而在天然铂中则含铱7.5%。在工业上,铱和其他铂系金属通常是镍和铜冶炼的副产品。除了在缅甸、巴西、俄罗斯和澳大利亚外,还在南非和美国阿拉斯加发现含铱的矿物;20世纪末期南非是世界上铱的主要生产国。1803年,英国化学家S.坦南特在铂矿的不溶于酸的残渣中发现了铱,法国化学家H.-V.科莱-德斯科蒂、A.-F.富尔克鲁瓦和N.-L.沃克兰差不多在同时确定了它,并根据其化合物具有多种颜色而命名(iridium来源于希腊文iris,其意为"虹")。天然铱是由两种稳定同位素组成的混合物:铱191(37.3%),铱193(62.7%)。铱主要呈+1、+3和+4氧化态,已知也有从0到+6的各种氧化态(可能没有+2氧化态)的化合物。铱原子序数77。原子量192.2。熔点2 410°C。沸点4 527°C。比重22.4(20°C)。化合价1、3、4。电子组态2,8,18,32,17或$(Xe)4f^{14}5d^{9}$。

iridosmine 铱锇矿 又作osmiridium。由铱和含量较少的锇的合金构成的矿物。产于含金砾岩中,如在南非的威特沃特斯兰德;也产于金砂中,如在美国的加利福尼亚州和俄勒冈州。由于它坚硬和耐腐蚀,不论是天然的还是人造的铱锇矿都用来制造钢笔尖、外科手术针以及发动机的发火点。类似铱锇矿但含锇比铱多的合金称灰铱锇矿。灰铱锇矿和铱锇矿都呈六方晶系。关于详细的性质,参阅**native element**(表)。

Irigoyen, Hipólito 伊里戈延(1852-07-12,阿根廷布宜诺斯艾利斯～1933-07-03,布宜诺斯艾利斯) Irigoyen又拼Yrigoyen。阿根廷政治家。首位民选总统。曾先后任律师、教员、农场主和政治家。1896年成为激进党领袖,为争取自由选举进行了不懈的斗争,使《萨恩斯·培尼亚法》在1912年通过。据此法有关不记名投票的规定,他当选总统。任职期间(1916～1922),在议会中激进党人的支持下,使阿根廷在第一次世界大战中保持中立。议会还批准了改善劳动条件的措施,但推行不力。1919年发生严重罢工后,政府以武力进行镇压。1928年以压倒多数票再次当选总统。由于年事渐高,失去对局势的控制。政府贪污无能使大批支持者转向反对派。1929年开始的商业萧条使他的地位更加削弱。1930年保守派发动的一次不流血的军事政变中被推翻。他个人生活简朴,公开发表的观点多含混不清,结束其政治生涯前颇得人心,但执政前提出的各项民主改革均未能实行。

Iris 伊里斯 希腊神话中彩虹的化身和诸神的使者。据希腊诗人赫西奥德,她是陶玛斯和海中仙女厄勒克特拉的女儿。至少在赫西奥德的作品里,每当诸神必须庄严宣誓时,她有一项附加任务,即用一个水瓮到斯蒂克

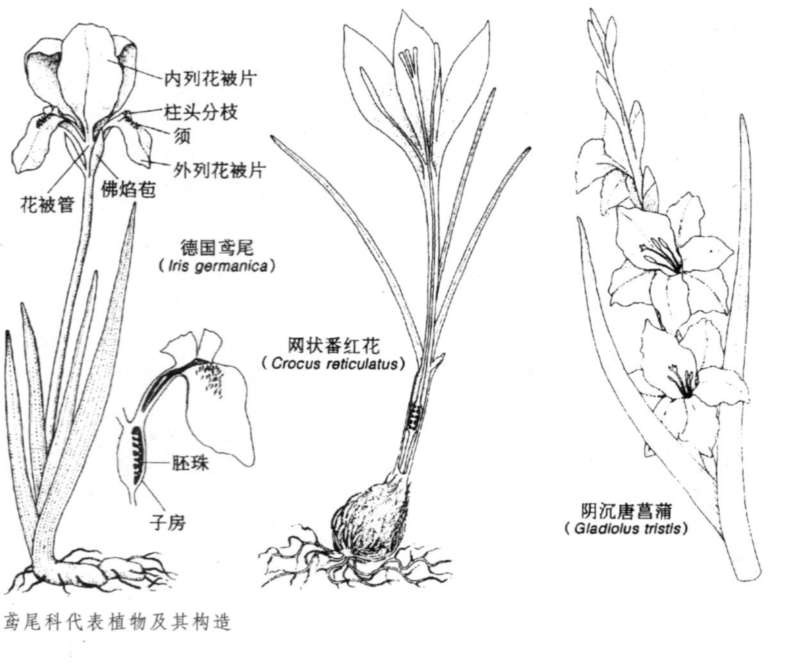

鸢尾科代表植物及其构造

斯河边取水。对于任何发伪誓的神，这水可以使他在一年之内失去知觉。在艺术作品里，她通常被画成长有翅膀的女性，她的标志是信使杖和一个水瓮。

Iris（Greece） **伊里斯** 参阅 **Evrótas River** 埃夫罗塔斯河。

Iris 鸢尾属 鸢尾科的一属，约300种，包含一些世界上最流行的多种多样的庭园花卉。以北温带为分布中心，但一些最漂亮的种原产于亚洲中部和地中海地区。鸢尾即法

蓝花菖蒲（*I. versicolor*）
美国不列颠百科全书公司供图

国王室旗帜上的百合花（fleur-de-lis）。在日本花道中也常用。制"紫罗兰香精"香水的菖蒲根即来自鸢尾。鸢尾具有块茎或匍匐根状茎。花冠裂片6枚，似花瓣，外轮3枚裂片外弯，称为唇瓣；内轮3枚直立，称为旗瓣。最著名的德国鸢尾组（或称胡子鸢尾组）是常见的庭园花卉，是淡蓝花的香根鸢尾（*I. pallida*）、黄花的匈牙利鸢尾（*I. variegata*）和蓝紫色花的德国鸢尾（*I. germanica*，可能还有其他南欧种）等种的杂交种。这些鸢尾耐寒；具根状茎；叶剑形，茁壮；茎高达90厘米，花多。1900年引进植株更高大、花也更大的种美索不达米亚鸢尾（*I. mesopotamica*），后又培育出高大的杂交种，其中许多种的花有香味，唇瓣常具有鲜明的"胡子"。矮生胡子鸢尾，大多早春开花，主要有无茎的矮鸢尾（*I. pumila*）和较高大的克里木鸢尾（*I. chamaeiris*）的变种。这两个种原产欧洲南部干燥多岩石的地区。最著名的无胡子的根状茎类型是喜水性的日本鸢尾（花菖蒲、玉蝉花，*I. kaempferi*），常为日本水彩画的主题。其花几乎扁平，唇瓣长，稍下垂，围绕窄而短的旗瓣。西伯利亚鸢尾（*I. sibirica*）分布于欧洲东部和中部草地，花柄纤细直立，花蓝紫色或粉白色，簇生。海滨鸢尾（假鸢尾，*I. spuria*）与前者相似，但粗壮而矮，其唇瓣圆形，旗瓣短，叶松散。黄菖蒲（水菖蒲，*I. pseudacorus*）沼生，原产北非和欧亚大陆。蓝花菖蒲（变色鸢尾，*I. versicolor*）栖地与前者相似，原产北美。西班牙鸢尾（*I. xiphium*）和英国鸢尾（*I. xiphioides*）均原产于西班牙山地，具鳞茎，唇瓣稍宽，旗瓣较窄，叶长而尖，均很著名。前者花紫色，唇瓣黄色或有黄斑，见于湿地；后者花鲜蓝色，为英国园艺中常见种，故得名。荷兰鸢尾茁壮，开花较早，系在荷兰培育出的杂交种。

iris 虹膜 位于角膜与晶体之间的含色素的肌性隔膜。中央有开孔（瞳孔）。内含两层作用相反的平滑肌，可控制到达视网膜的光量。瞳孔括约肌环行排列，在强光下收缩，使瞳孔缩小；瞳孔开大肌则使缩小的瞳孔散大。虹膜内的色素决定眼珠的颜色，色素很少时眼呈蓝色；随着色素的增加，其色调变为深棕以至黑色。

Irish elk 爱尔兰麋 已绝灭的大角鹿属（*Megaloceros*）的巨麋。化石通常见于欧洲和亚洲的更新统（更新世始于250万年前，终止于1万年前）。大小约如现代驼鹿，具有已知鹿类中最大的角（有些个体中宽4米）。与现代麋的角不同，主要部分呈厚板状，并伸出一系列尖角状的突出物，即鹿角尖。大角鹿属有几个已知的种，其中产自爱尔兰和丹麦的种最大。大角鹿可能残存到公元前700年，或者甚至公元前500年。

Irish harp 爱尔兰竖琴 爱尔兰盖尔语拼作 clairseach；苏格兰盖尔语拼作 clarsach。中世纪爱尔兰和苏格兰的传统竖琴。其特征是音箱甚大，由一块整木刻出，琴颈粗而弯，前柱外曲，通常装有30～50根较粗的黄铜弦，用指甲拨奏，发出像钟一样响亮的声音。弦按自然音阶定音（每个八度有7个音）。从11世纪起就有上述形式的爱尔兰竖琴，直到17

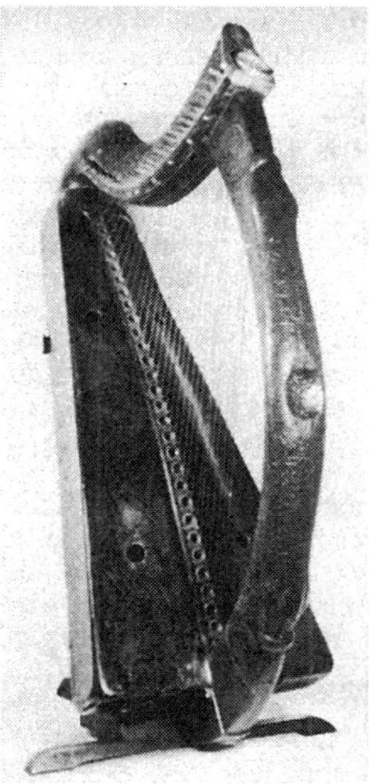

约14世纪的爱尔兰竖琴
美国不列颠百科全书公司供图

世纪末几乎未有任何变化。至18世纪末，由于不再有贵族庇护人，再加上音乐风格的变化，这种形式及其音乐风格与演奏技巧也一并消失。现代比较轻的、用肠衣弦的爱尔兰竖琴是约1820年由都柏林人J.伊根根据古式竖琴制造的，它可以演奏全部半音。

Irish Hospitals' Sweepstakes 参阅 **Irish Sweepstakes** 爱尔兰抽彩。

Irish language 爱尔兰语 又称爱尔兰盖尔语或盖尔语。爱尔兰文拼作 Gaeilge。属凯尔特语族戈伊迪利语支。通行于爱尔兰岛上，为爱尔兰共和国的国语之一，公立学校要学习它，某些行政机构也使用它。在语法上，爱尔兰语像拉丁语和德语一样，仍有"格"的体系，名词和代词都有四个"格"，以表示它们在句中的不同功能；在语音上，仍有首音连音变读的形式，即单词中第一个辅音受词组中前一个词的史前尾音所限定（如 an tobar"这口井"，mo thobar"我的井"）。爱尔兰语书面记载可溯至5世纪时的欧甘字母碑铭，后来才用拉丁字母，爱尔兰文献记载可溯至8世纪。参阅 **ogham writing**。

Irish literary renaissance 爱尔兰文艺复兴 19世纪末至20世纪初爱尔兰文学人才辈出的现象，它与政治上强烈的民族主义和对爱尔兰盖尔语文学遗产重新燃起的兴趣紧密相联。这一复兴是受盖尔语复兴（**Gaelic revival**）产生的民族自豪感、S.奥格雷迪的《爱尔兰史》（1880）和D.海德的《爱尔兰文学史》（1899）等书中重述的古代英雄传说以及为复兴爱尔兰语言和文化而成立于1893年的盖尔人联盟的激励而产生的。文艺复兴早期的领导人写下了丰富多彩、热情洋溢的诗篇，充满爱尔兰伟大的过去和盖尔语诗歌的音乐感和神秘。该运动发展成为一支生气勃勃的文学大军，其中心人物是诗人和剧作家叶芝。他为建立爱尔兰第一个国家剧院——阿比剧院作出了贡献。他在阿比剧院的主要同事格雷戈里夫人负责经营管理该剧院，并写有许多剧本。爱尔兰文学剧院建立于1898年，以演出农民剧见长。该运动最伟大的剧作家是J.M.辛格。诗歌方面除叶芝外，还有J.拉塞尔（"Æ"）这个神秘主义者、爱国者和农业改革者，他创作了具有永久价值的作品。著名的较年轻的同代诗人有P.科拉姆、A.克拉克、S.奥沙利文（J.S.斯塔基）、F.R.希金斯和O.St.J.戈加蒂。爱尔兰共和运动拥有它自己的诗人，如P.H.皮尔斯、T.麦克多纳和J.普伦基特，他们因参与复活节起义，1916年全都被处决。这一时期值得注意的小说有E.劳利斯和奥格雷迪的历史故事。J.斯蒂芬斯也写有故事和诗歌。

Irish literature 爱尔兰文学 意指用爱尔兰本地语言（爱尔兰语或者盖尔语）或者用英国征服者的语言所写的文学作品，后者又常被称为爱尔兰英语文学。关于前者，参阅 **Celtic literature**。爱尔兰英语文学的历史与英国文学史（参阅 **English literature**）不可分割地交织在一起。

Irish moss（*Chondrus crispus*） **角叉菜** 又作 carrageen。红藻的一种。小型，丛生，叶状体薄，长5～25厘米，大量生长于不列颠群岛、欧洲和北美沿大西洋的多岩石海岸上。新鲜的角叉菜柔软，质地如软骨，从淡绿黄色到暗紫色；晒干脱色后，呈微黄色，半透明，角状，质硬。角叉菜的主要组分是角叉菜胶，可将干角叉菜煮沸，提取角叉菜胶以供销售。角叉菜胶可用于加工皮革，在药物、食品、化妆品和鞋油中作乳化剂和悬浮剂。有几种与角叉菜丛生的海藻也常混称为Irish moss。在北美，收获角叉菜的方法是用特制的耙子从

角叉菜(*Chondrus crispus*)
美国不列颠百科全书公司供图

浅水中捞起。在欧洲,则收取冲到海岸上的角叉菜。

Irish needle lace 爱尔兰针织花边 19世纪40年代后期在爱尔兰生产的一种针织花边,当时是为了赈济灾荒引进这种手艺的。技术和造型上都受17世纪威尼斯针织花边的影响。它起源于几个中心,是通过一些个人企业,特别是女隐修院院长们从拆开老的花边来学习技艺,然后传授给隐修院或当地学校的学生。

Irish Potato Famine 爱尔兰马铃薯饥荒 又作Great Potato Famine,Great Irish Famine或Famine of 1845～1849。1845～1849年因马铃薯连年歉收而发生在爱尔兰的饥荒。这是欧洲19世纪最严重的饥荒。马铃薯歉收由疫霉属真菌毁坏马铃薯叶及食用块茎的*晚疫病*(**late blight**)造成。19世纪40年代初期,爱尔兰近一半人口(主要是乡村穷人)几乎完全依靠马铃薯度日,其余人口亦大量食用马铃薯。对一两种高产马铃薯品种的依赖,极大地降低了抗灾的能力,致使爱尔兰人在饥荒面前脆弱无力。1845年,疫霉属真菌自北美偶然闯入爱尔兰,是时当地气候反常,阴冷潮湿,于是晚疫病肆虐,当年大量马铃薯腐烂在地下。继部分地区歉收后的1846～1849年期间,发生更大的毁灭性疫灾,连续几年马铃薯几乎全部为晚疫病所吞没。英国政府赈灾力度不够。1845年及1846年初,首相R.皮尔爵士虽尽力提供救济,但1846年6月上台的J.罗素勋爵领导的自由党内阁,转而强调依靠爱尔兰自身力量和自由市场,造成不可避免的灾难。赈济爱尔兰饥民的财政负担(当地微乎其微的救济)落在爱尔兰地主身上。但由于农民无力交租,地主很快耗尽用于支援农民的资金。英国的资助仅限于帮助建立施粥所以及提供筑路和修建其他公共工程就业机会的贷款。自美国进口的玉米粉在一定程度上使饥饿缓解,但此举为爱尔兰人所厌烦,而且对它的依赖导致营养不良。尽管如此,到1847年8月,在施粥所领取配量食物的人数多达300万。英国政府支出救济款总共仅约800万英镑,此外筹措了一些私人救济资金。由于爱尔兰农民无钱购买食物,许多爱尔兰农场在饥荒时期继续向英国出口谷物、肉类及其他优质食品。政府对饥荒解救行动勉强,措施不力,加剧了爱尔兰民众对英国统治的不满。这次饥荒成为爱尔兰人口史上的分水岭。1844年,爱尔兰人口近840万。1851年下降至660万,西部和西南部若干郡的农工及小业主人数下降尤甚。约110万人死于饥饿、斑疹伤寒或饥荒造成的其他疾病。在饥荒期间,移居北美和英国的爱尔兰人达150万。此后几十年,由于向海外移民和低出生率,爱尔兰人口继续下降。1921年爱尔兰获得独立时,其人口竟不足19世纪40年代早期的一半。

Irish Rebellion 爱尔兰起义(1798) 爱尔兰天主教徒为争取议会改革和本身的彻底解放而举行的一次起义。1795年激进派和工人阶级中不满分子结成新的军事化秘密团体爱尔兰人联合会,要求改革议会和成立"民族政府"。许多爱尔兰农民结成秘密团体加入该联合会。1796年,法国L.奥什将军率领远征军进攻爱尔兰,但风暴使法军未能登陆。爱尔兰政府拒不妥协,1796年通过了《惩治叛乱法》,并停止实施《人身保护法》。1797年G.莱克将军在爱尔兰北部没收私藏武器,取缔激进派的《北极星报》。1798年春季,政府逮捕一批激进派领导人;5月爆发起义,并向阿尔斯特东部和韦克斯福德蔓延。北部的起义者在安特里姆和巴利纳欣奇遭失败,但韦克斯福德的起义者挫败政府军。6月,莱克将军率领的政府军在韦克斯福德打败了起义群众。大批起义群众被遣送到澳大利亚服苦役。其后,英国议会通过《合并法》,取消爱尔兰议会,从此爱尔兰在英国议会中有了自己的代表。

Irish Republican Army(IRA) **爱尔兰共和军** 以爱尔兰共和国为基地的非官方的半军事组织,旨在争取爱尔兰脱离英国获得完全的独立。其后期与几个后续组织一起为争取爱尔兰共和国与继续作为英国一部分的北爱尔兰的统一而斗争。1919年1月成立,前身是1913年成立的富有战斗性的民族主义组织爱尔兰志愿军。其目的是用武力结束英国在爱尔兰的统治,从而建立独立的共和国,这也是爱尔兰民族主义政党——新芬党在政治上追求的目标。但爱尔兰共和军自成立之日起就独立行动。爱尔兰独立战争(1919～1921)期间,爱尔兰共和军运用游击战术,迫使英国议定政治解决办法,规定成立爱尔兰自由邦,具有自治领地位,但仍留在英帝国内。这些条件证明是大部分爱尔兰共和军成员所不能接受的。该组织随后分裂为两派:一派赞成和平解决爱尔兰问题,另一派反对。前者成为官方的爱尔兰自由邦军的核心,后者称为"非正规军",开始组织武装抵抗,反对新成立的独立政府。在接踵而来的内战(1922～1923)中,两派进行了一场苦战,以非正规军的投降而告终。但非正规军并没有缴出武器或解散其组织,依然在幕后活动,继续招募新兵,时有暴力活动。1931年和1936年,该组织两次被宣布为非法。1948年12月,爱尔兰自由邦退出英联邦,重建爱尔兰共和国。此后共和军将注意力集中在鼓动工作上,谋求以新教徒为主的北爱尔兰和仍为英国一部分的爱尔兰共和国的统一。60年代后期,由北爱尔兰(阿尔斯特)天主教徒组成的一些爱尔兰共和军,常在共和国的这个组织支持下进行恐怖活动,反对阿尔斯特新教徒和英国军政人员。共和军在使用暴力的程度问题上发生争端,很快导致分裂。1969年12月在都柏林召开新芬党会议后,爱尔兰共和军分裂为两翼:"正式"和"临时"。两翼都致力于爱尔兰和阿尔斯特所有天主教徒和新教徒在革命的社会主义共和国里的联合。前者是马克思主义者,但1972年后回避使用暴力;后者由年青的、公然搞宗派活动的阿尔斯特天主教徒组成,主张采用恐怖手段迫使英军从北爱尔兰撤出,作为其与(天主教)爱尔兰的其余部分统一的必要的前奏。1970年以来,临时派进行恐怖主义活动,打死打伤许多阿尔斯特新教徒平民和英军。1973年初,临时派把其恐怖主义活动带入英格兰。他们最明目张胆的一次攻击是1979年8月27日在爱尔兰多尔戈尼湾的蒙巴顿伯爵的渔船上杀害了蒙巴顿。1970年至90年代中期,临时派在与英军和新教准军事组织冲突中至少造成3 000人丧生,且未能使英国政府撤出其军队。1994年共和军停止一切军事活动,开始与英国进行谈判,但新芬党被排除在外。1996年2月,爱尔兰共和军再燃战火,但次年7月再次停火。爱尔兰共和军的政治代表发誓遵守非暴力原则,并加入1997年9月的多边谈判。1998年4月,《受难日协议》批准,将北爱的新权力分享政府与爱尔兰共和军的解除武装联系起来。共和军同意只要当地多数人同意即承认北爱尔兰为英国的一部分。由于统一党拒绝让新芬党在北爱尔兰执行委员会中分享权力,协议的执行受阻,统一党要求爱尔兰共和军解除武装或提出解除武装的时间表,才愿与新芬党分享权力。2000年5月,共和军允许国际社会检查其武器情况,作为停止使用武力的第一步,但拒绝解除武装和正式宣布停战。2005年7月28日,爱尔兰共和军宣布结束武装斗争,只采用和平手段实现目标。

Irish Sea 爱尔兰海 爱尔兰语作Muir Éireann。北大西洋属海。位于爱尔兰岛和大不列颠岛之间。北界苏格兰,东界英格兰,南界威尔士,西界爱尔兰。经北海峡和圣乔治海峡通大西洋。长210千米,宽240千米,总面积约10万平方千米。最深处约175米。海中有两大岛,马恩岛位于北部海域中央;安格尔西岛靠近威尔士北部。海底多砾石。海面潮流时速在圣乔治海峡达4海里以上。中西部流速较小。英格兰西北海岸潮差最大。盛产鲱鱼和鳕鱼。主要渔港有弗利特伍德、邓莱里和霍斯,重要海港有利物浦、都柏林等。

Irish Sweepstakes 爱尔兰抽彩 全称Irish Hospitals' Sweepstakes。国际上广泛推广的一种抽彩给奖活动。1930年由爱尔兰政府批准发行,以资助爱尔兰医院。为此成立了一家私营托拉斯,经营抽彩并在全世界发行彩票。在该托拉斯存在的57年间,其抽彩活动所得来自美国的比来自其他国家的要多,尽管这些彩票全系偷运至美国非法销售的。伪造的彩票为数甚多,且不易被觉察,因购买者未中奖后即对彩票不再感兴趣。彩票存根转回爱尔兰,用抽签法从桶中抽出,并分别与爱尔兰大赛或不列颠大赛中的赛马名字挂钩。比赛中获第一、第二、第三名的马的彩票持有者获最大奖。1987年爱尔兰抽彩停止,开始由政府发行彩票。

Irish system 爱尔兰制度 19世纪50年代早期沃尔特·克罗夫顿爵士提出的一种刑罚方法。强调训教和劳动是改造的手段。该制包括3个阶段:第一阶段是单独监禁;第二阶段是集体劳动,在此阶段犯人以勤劳及良好表现等优点而进入较高一级监管条件之下;最后阶段是监督极少的“过渡监禁”,此时犯人要显示出他在狱外的可靠性和服务能力。释放的条件是犯人要继续表现良好;如果必要,仍可收回监狱。

Irish terrier 爱尔兰㹴狗 最古老的㹴狗品种之一,在爱尔兰育成。别名“蛮勇狗”。适应能力强,忠实,活泼,勇敢。第一次世界大战中曾作通信狗和放哨狗。可用于打猎和

爱尔兰㹴狗
美国不列颠百科全书公司供图

寻取猎物。体强壮,比其他㹴狗线条清秀。体高约46厘米,体重11～12千克。被毛卷曲,金红色至红棕色。脸长而窄,有短胡须。

Irish wolfhound 爱尔兰猎狼狗 身材最高的狗品种。是古老的品种,约2世纪首次有记载。速度快,视力强。在爱尔兰多年来用以猎狼和其他野生动物。体形与灵𤟥相似,

爱尔兰猎狼狗
美国不列颠百科全书公司供图

但远较灵𤟥强壮。雌性比雄性体小,体高76厘米以上,体重最轻48千克;雄性则高大得多,体高至少81厘米,体重最轻54千克。被毛粗糙,眉部和下颌有长毛,灰色、红棕色、黑色或白色,或有斑纹。性驯顺,可与人作伴。

Irish yew 爱尔兰紫杉 紫杉科常绿观赏乔木。参阅 **English yew**。

Irkutsk 伊尔库茨克 俄罗斯中东部一州。面积767 900平方千米。位于贝加尔湖西面和北面。包括中西伯利亚高原及其东部延伸的帕托姆高原的大部分丘陵地和宽阔谷地。南部延伸到萨彦山脉东部峰线。绝大部分为茂密泰加林(松、冷杉和云杉等)覆盖,南部有小片混交林和草原。冻土广布。强烈大陆性气候。辖乌斯季奥尔登斯基布里亚特自治区(**Ust-Ordynsky Buryat autonomous okrug**),现在这里的居民以俄罗斯人(约60%)为主,还有布里亚特人(约30%)和鞑靼人、乌克兰人及白俄罗斯人。首府伊尔库茨克市。人口集中在西伯利亚大铁路沿线及安加拉河沿岸,是发展中的工业区,其基础部门是切列姆霍沃和阿泽伊的煤矿、热列兹诺戈尔斯克和伊利姆斯克的铁矿以及当地的盐矿和云母矿。安加拉河上建有伊尔库茨克、布拉茨克和乌斯季伊利姆斯克水电站。在主要城镇里冶金、机械和化学工业发展迅速。东北部维季姆河畔的博代博附近开采金矿。其他地区以木材加工业为主。农业主要分布在各城镇周围地区。北部的埃文基人以养鹿和狩猎为生。贝加尔—阿穆尔铁路自乌斯季库特向东横贯中部。人口约2 795 000(1996)。

Irkutsk 伊尔库茨克 俄罗斯中东部,伊尔库茨克州城市和首府。位于安加拉河与伊尔库特河汇流处。1652年俄国人最初迁入该地区时建为越冬营地。1661年建为要塞,并迅速成为北贝加尔地区及俄国同中国和蒙古通商要道的中心。1686年建镇。1898年西伯利亚大铁路通达后更为兴盛。现为西伯利亚大工业城市之一,尤以多种机械产品著称,有铁路、飞机、船舶和车辆修理厂,还有云母加工及轻工业工厂。该市安加拉河畔有水电站。是东西伯利亚和俄罗斯远东地区的行政和文化中心。设有许多学校和研究机构,其中包括国立伊尔库茨克大学(1918年创立)和科学院西伯利亚分院。人口约591 000(1997)。

Irminger Current 伊尔明厄洋流 北大西洋暖流的分支。通常沿冰岛南岸向西流。在冰岛西面分成两股:一股向北,后绕过冰岛向东;另一股向西,后转向西南,先与东格陵兰洋流汇合,最后与西格陵兰洋流汇合。伊尔明厄洋流是北大西洋和北冰洋海水的混合。海水含盐度颇高,这种不同水温海流的混合在冰岛海岸附近形成重要渔场。洋流以1854年在该处进行水文研究的丹麦海军将领C.L.伊尔明厄的姓氏命名。

Irnerius 伊尔内留斯(约1050,博洛尼亚[意大利]～1125或1125以后,博洛尼亚)又拼 Guarnerius或 Warnerius。在意大利重振罗马法研究之风的学者之一,并且是博洛尼亚大学(11世纪后期～13世纪中期)一大批著名法律注释家和法律教师中的第一个人物。他原先是一位人文学科教师,因托斯卡纳的玛蒂尔达伯爵的坚持,他在罗马研习法律。后来这位伯爵就派他执行外交使命,后来神圣罗马皇帝亨利五世也同样派过他。据传他曾于1084～1088年在博洛尼亚大学开过他的第一期法律讲座,并且教过布尔加鲁斯,后者是第二代博洛尼亚注释家中最杰出的人物。伊尔内留斯的巨著是一部拜占廷皇帝查士丁尼一世(527～565年在位)的《民法大全》的注释。

IRO 参阅 **International Refugee Organization 国际难民组织**。

iroko wood 伊罗科木 非洲西海岸所产伊罗科树(*Chlorophora excelsa*)的木材。有时称为非洲柚木或尼日利亚柚木,但实际与柚木并非同科,属桑科。质地坚硬细密(641千克/米^3),经久耐用,常用于细木工和镶板以代替柚木,其色泽(浅棕到深金棕色)、纹理均与柚木相似。

iron 铁(Fe) 化学元素,周期表Ⅷ族用途最广和最便宜的金属。铁在地壳中占5%,其丰度在金属中仅次于铝居第二位,在所有元素中排在氧、硅、铝之后居第四位。铁为地核的主要成分,就整个地球讲,铁是丰度最大的元素(约占35%),也是太阳和其他星球中比较丰富的元素。地壳中游离铁很少见,而是作为地表铁(形成含2%～3%镍的合金)存在于格陵兰的玄武岩和美国(密苏里州)的碳质沉积岩中,以及作为低镍陨铁(含镍5%～7%)、铁纹石而存在。镍-铁天然合金存在于地表矿床中(铁21%～64%,镍77%～34%)和作为镍纹石(铁62%～75%,镍37%～24%)存在于陨石中。关于天然铁和镍-铁天然合金的矿物学性质,参阅 **native elements**(表)。陨石根据其中铁和硅酸盐矿含量的相对比例分为铁陨石、铁石陨石或石陨石。铁还可与其他元素相化合而存在于数百种矿物中,最重要的铁矿为赤铁矿、磁铁矿、褐铁矿和菱铁矿。将碳(焦炭)与石灰石一起熔炼可制得金属铁。人体平均含铁约4.5克(约占0.004%),其中约65%存在于能将肺中的分子氧输送到身体各部位的血红素中,1%存在于控制细胞内氧化作用的各种酶中,其余大部分贮存于身体内(如肝、脾、骨髓),以供将来转化成为血红素。牛羊肉、蛋黄、胡萝卜、水果、全麦粉和新鲜蔬菜,提供给成年人每天平均所需10～20毫克铁的大部分。用各种有机铁和无机铁(通常为亚铁)化合物,均可治疗缺铁性贫血症。平常使用的铁几乎都含有少量的碳,它来自炼铁过程中的焦炭。这些碳改变了铁的性质,可使含碳高达4%的质硬而脆的铸铁,变为含碳低于0.1%的较有韧性的低碳钢。纯铁以三种同素异形体存在。δ铁为体心立方晶体结构,在高于1 394 °C温度下稳定,低于此温度时则转变为γ铁。γ铁为面心立方结构,具顺磁性(磁铁对它有轻微的吸引力)。γ铁可与碳形成固溶体,这在炼钢生产上很重要。在912°C时,γ铁转变为顺磁性的α铁。α铁亦为体心立方结构,低于770 °C时,变成铁磁性的,这表明其电子结构有变化而晶体结构没变;高于770 °C(其居里点)时,则完全失去铁磁性。α铁是质软、有延展性和高抗张强度

的灰白色金属。天然铁是四种稳定同位素的混合物:铁56(91.66%)、铁54(5.82%)、铁57(2.19%)和铁58(0.33%)。铁57表现出明显的穆斯堡尔效应(无反冲的 γ 射线共振吸收),已用于磁学和血红蛋白衍生物的研究,并用于制造非常精密的核子钟。虽然铁也有+4和+6氧化态,但它的最重要氧化态是+2和+3。二价铁化合物称为亚铁化合物,含有浅绿色的 Fe^{2+} 离子或配离子。三价铁化合物称为高铁化合物,含有 Fe^{3+} 离子(根据水解程度的大小,呈现黄、橙至棕色)或配离子。已知铁有三种氧化物:氧化铁(Ⅱ)或氧化亚铁 FeO,氧化铁(Ⅲ)或三氧化二铁 Fe_2O_3,以及四氧化三铁 Fe_3O_4,后者含有两种氧化态的铁。氧化亚铁为浅绿至黑色的粉末,主要用作玻璃的颜料,在自然界中以方铁矿形式存在。在隔绝空气条件下加热亚铁化合物或使氢气通过氧化铁,均可制得氧化亚铁。氧化铁(Ⅲ)为红棕色至黑色的粉末,以赤铁矿形式存在于自然界中。通过在空气中灼烧任何亚铁化合物可以生成氧化铁(Ⅲ)。它是颜色从黄到红的一系列所谓威尼斯红的颜料的基本组分。氧化铁红粉(常称为宝石匠的红铁粉)用于贵重金属和钻石的抛光,也用于化妆品。氧化铁(Ⅲ)可形成多种具有不同结构和组成的水合物。最常见的一种就是铁锈,它是由空气中的水蒸气、二氧化碳和氧气共同与金属铁作用而形成的。四氧化三铁以磁性的和黑色或红黑色晶体的形式存在于磁铁矿中。将水蒸气通到炽热的铁上可制得四氧化三铁。这种氧化物广泛用于铁氧体中。铁氧体是一种具有高磁导率和高电阻率的物质,可用于制造电子计算机记忆元件和磁带涂层,还可用作颜料和抛光剂。硫酸与铁作用生成两种硫化合物:硫酸铁(Ⅱ)或硫酸亚铁 $FeSO_4$(通常为七水合物 $FeSO_4 \cdot 7H_2O$)和硫酸铁(Ⅲ)或硫酸高铁 $Fe_2(SO_4)_3$。七水硫酸亚铁(俗称绿矾或皂矾)是工业上用硫酸处理铁矿石的副产品。它是制备其他各种铁(Ⅱ)化合物的原料,也可用作还原剂;还可用于制造墨水、肥料和杀虫剂,以及用于铁电镀。往硫酸亚铁热溶液中加入硫酸和某种氧化剂(例如硝酸或过氧化氢),可以大量地制取硫酸铁(Ⅲ)。它可用于制备铁明矾和其他铁(Ⅲ)化合物;在水净化和污水处理中用作絮凝剂;在织物印染中用作媒染剂(定色剂)。铁与氯形成另一组具有工业重要意义的化合物:氯化铁(Ⅱ)或氯化亚铁 $FeCl_2$ 和氯化铁(Ⅲ)或氯化高旺。氯化亚铁是一种黄绿色易潮解(吸湿)的晶体,将干燥氯化氢通过炽热的铁,可制得氯化亚铁,将金属铁溶解于盐酸中也可以制得水合氯化亚铁 $FeCl_2 \cdot 4H_2O$,它在印染业中用作媒染剂和还原剂。氯化高铁一般是由氯化亚铁与氯或硝酸作用制备。它用于制备许多其他铁(Ⅲ)化合物,并用作银、铜和某些有机化合物的氯化剂。将六氰合铁酸根离子 $[Fe(CN)_6]^{4-}$ 与三价铁溶液作用,生成一种称为普鲁士蓝(**Prussian blue**)的深蓝色沉淀。这种颜料带有轻度红色色调,用于涂料、瓷釉和真漆中。许多铁化合物在医学上也很有用。葡萄糖酸亚铁 $Fe(C_6H_{11}O_7)_2 \cdot 2H_2O$ 和焦磷酸铁 $Fe_4(P_2O_7) \cdot xH_2O$ 等物便常常用于治疗贫血症。各种铁(Ⅲ)盐作为凝血药用于伤口,以促进愈合。关于铁的矿石开采、金属冶炼、蕴藏量(或生产能力)和世界贸易,以及主要国营企业的统计资料,参阅 **mining**(表)。铁原子序数26。原子量55.847。熔点1 535 °C。沸点3 000 °C。比重7.86(20 °C)。化合价2、3、4、6。电子组态2,8,14,2或 $(Ar)3d^6 4s^2$。

Iron Act　《制铁条例》(1750)　美国殖民史上,《英国贸易和航运法》的法规之一,旨在通过限制北美殖民地钢铁工业,以阻止殖民地制造业与英国工业的竞争。除为满足英国的需要生铁和铁锭可免税进口英国外,禁止殖民地建立炼钢炉、钢条厂、钢板厂以及制造五金用品,不准将铁向英帝国以外的地区出口。该条例成功地限制了殖民地的精制铁制品生产,同时又促进了其生铁的发展。

Iron Age　铁器时代　石器—青铜器—铁器时代序列中的最后技术与文化阶段。铁器时代的完备期,即大量使用这种金属代替青铜制造用具和武器的时期,是因地而异的,中东和东南欧开始于公元前1200年左右,中国迟至公元前600年左右才开始。虽然远在公元前3000年左右,中东就把铁当做一种稀有贵金属有限地使用,却没有史实证明人们已经认识它比青铜优越的性质。然而,在公元前1200～前1000年,关于冶炼铁以及制造铁器的知识已迅速而普遍地向外传播了。随着铁制品的大规模生产,出现了一些比较固定的新型居民点。另一方面,由于利用铁制造武器,人民群众第一次拥有兵器,引起历时两千年尚未结束的各族人民的一系列大规模的移动,使欧洲和亚洲的面貌发生变化。

Iron Cross　铁十字勋章　德语作 Eiserne Kreuz。1813年腓特烈·威廉三世为嘉奖普鲁士解放战争中的战功所设置的普鲁士军功勋章。1870年普法战争中,威廉一世重颁此种勋章。第一次世界大战时,德国又于1914年颁发铁十字勋章。1939年9月1日,德军入侵波兰的当天,由希特勒最后一次颁发此种勋章。铁十字勋章原有3个等级,最低为二级勋章,其上为一级勋章,再上为高级铁十字勋章。到第一次世界大战结束时(1918),高级勋章仅颁发过19次。镶在一个光芒四射的星上的高级铁十字勋章,原来是在滑铁卢战役(1815)后,作为一种殊荣特别颁予陆军元帅布吕歇尔的。1918年,仅再一次颁予陆军元帅兴登堡。非军人高级铁十字勋章1915年颁赠给亲德的英国首相张伯伦。第一级及第二级铁十字勋章,从创设到第一次世界大战结束,共颁发5 719 300枚。在第二次世界大战期间,希特勒曾下令这种勋章可以授予德国和同盟国家的公民,以表彰英勇对敌及领导有方者,其等级的数目也扩充到8级,递升顺序为:第二级铁十字勋章;第一级铁十字勋章;骑士铁十字勋章;橡叶饰骑士铁十字勋章;橡叶、利剑饰骑士铁十字勋章;橡叶、利剑、宝石饰铁十字勋章;金橡叶、利剑、宝石饰铁十字勋章(仅颁授一次);大型高级铁十字勋章(亦仅颁授一次,于1940年奖给戈林,以表彰他领导的空军在对法战役中的功绩)。这种勋章的设计基本上是一成不变的:为一个铸铁的马尔他十字,镶以银边。第二次世界大战时的勋章底部刻有"1939"字样。前此制作的勋章曾镌有"1813"、"1870"或"1914"等年份。第二次世界大战时所颁发的勋章,其反面刻着"1813"的字样,同时在勋章上面有一卐字标记,用以代替原先的王冠和王室标志。自1957年起,西德法令规定,铁十字勋章在除去卐字标志后方准佩戴。

Iron Crown of Lombardy　伦巴第铁王冠　从其尺寸之小来推断,原先可能是个臂钏或还愿用的王冠。当初被献给蒙扎大教堂,至今仍作为圣物保存在该教堂。伦巴第铁王冠

9世纪的伦巴第铁王冠
美国不列颠百科全书公司供图

由6片金板相互铰接而成,形似宽环,内部由一个不到1.25厘米宽的铁环定形。冠上饰有珠宝和半透明珐琅,显然出于拜占廷工匠之手。这个铁环在早期的文献中并无记述。1585年左右,有人认为它是用一枚把耶稣钉上十字架的钉子做的。1717年,在罗马举行的枢机主教圣物会议上,对此曾发生很多争议,虽无定论,但同意将此冠陈列出来以供瞻仰。

Iron Curtain　铁幕　第二次世界大战后苏联设置的政治、军事和意识形态上的障碍,以把自己及依附于它的东欧同盟国封锁起来,不同西方和其他非共产党地区公开接触。首次采用"铁幕"一词的人现公认是纳粹党的宣传部长戈培尔。但此词被广泛使用则始于1946年3月5日英国战时首相丘吉尔在美国密苏里州富尔顿的演说,其中在提到共产党国家时他说:"从波罗的海的斯德丁到亚得里亚海的的里雅斯特,一道横贯欧洲大陆的铁幕已经降落下来。"1953年斯大林去世,以后这些年铁幕的限制和严格程度已有所放松,尽管1961年建造柏林墙(**Berlin Wall**)又予恢复。1989～1990年共产党放弃了在东欧的一党统治,铁幕在很大程度上已不复存在。

iron-deficiency anemia　缺铁性贫血　一种十分常见的贫血类型,原因为铁丢失过多和贮存减少,见于生长迅速时期、妊娠期、月经期、慢性失血、铁摄入不足、同化效能较差(如饥饿、肠道寄生虫病、高谷类低蛋白质饮食、部分或全胃切除等)。在美国约20%的幼儿、5%～10%的15～45岁的妇女患本病。症状有衰弱、疲乏,有时面色苍白、呼吸短促、四肢发冷、食欲异常、口腔溃疡、脱发、指甲变脆、皮肤干燥。随病情进展,红细胞变小,颜色变浅(小细胞低色素性),血红蛋白含量低,

体内贮存铁及血浆游离铁均降低，血浆铁结合力增高，肠道吸收铁的能力增加，给以铁剂可使症状迅速改善。

Iron Gate 铁门 罗马尼亚语作Porţile de Fier。塞尔维亚-克罗地亚语作 Gvozdena Vrata。多瑙河峡谷，为一系列杰尔达普峡谷中最后的峡谷，乃喀尔巴阡山脉与巴尔干山脉分界；塞尔维亚与罗马尼亚的一段边界。长约3千米，宽162米，悬崖峭壁耸立，为欧洲最壮丽自然奇观之一。在1896年建成锡普运河之前，锡普镇附近曾有一庞大礁石几乎堵塞了整个河道。塞、罗两国联合开发多瑙河综合水利工程于1972年竣工，航运量增大至4倍，电能两国分享。铁门一词通常泛指多瑙河这一全长145千米的一系列峡谷。

Iron Guard 铁卫团 罗马尼亚的法西斯组织，1930～1941年间构成了一种较大的社会政治势力。1927年科德雷亚努创建了天使长米迦勒军团，后称为军团或军团运动。该组织从事罗马尼亚的"基督教的和种族的"革新，持反亲犹太人主义和神秘的民族主义的见解。1930年科德雷亚努建立铁卫团，系军团的一个激进的分支，其名称后来被局外人用于指整个军团运动。1933年12月军团被政府下令解散，但又以"一切为了祖国"的名称重新出现。由于得到国王卡罗尔二世的支持，该组织发展迅速。1938年国王卡罗尔实行独裁时，它又遭到压制。1940年卡罗尔退位后，它重振旗鼓。铁卫团成员曾为I.安东内斯库将军的内阁(1940～1941)效力，但1941年1月该组织发动反安东内斯库的亲德叛乱，但未获德国人承认，遂声誉扫地。

Iron Knob 艾恩诺布 南澳大利亚州城镇。在艾尔半岛东北部，阿德莱德西北397千米，通铁路。南半球铁矿储藏量最丰富的矿山之一的矿区中心。该地铁矿1901年开始开采。所产赤铁矿，由铁路运往镇东南56千米的怀阿拉港。人口293(1991)。

iron mask, the man in the 铁面人 法国史和传说中的著名政治囚犯，1703年死于巴士底狱，时值路易十四统治时期。史料证明那面具完全是黑天鹅绒做的，只是后来的传说把它变成了铁制的。1681年以前，他被囚禁在皮涅罗尔，后又囚禁在其他地方，最后于1698年9月18日转移到巴黎的巴士底狱。1703年11月19日死于该狱，次日葬于圣保罗教区公墓。在公墓登记的名字是"马希奥利"，年龄写为"约45岁"。他多次调换监狱，与监狱长多弗涅·德·圣马尔斯的逐次工作岗位相符，显然是受他特别看管。这个戴面具人的身份在生前已是个谜，从18世纪起，关于他的身份有过几种说法。在十几个假设中，只有两个站得住：埃科尔·马蒂奥利和厄斯塔什·多热尔。马蒂奥利为曼图亚公爵费迪南·夏尔的大臣，曾奉命参加1678年秘密谈判，这个没落的公爵应将卡萨尔要塞交给法国，以换取10万埃居；但是，协定一签字，马蒂奥利就将此秘密泄露给某些外国朝廷，使协定失去作用。路易十四因受愚弄而大发雷霆，暗中劫持并囚禁他于皮涅罗洛(1679)。但普遍认为马蒂奥利已于1694年4月死于圣玛格丽特群岛，而那个戴面具的囚犯应为多热尔。路易十四的大臣卢瓦的书信表明，多热尔只是一个仆役，1669年7月由他下令在敦刻尔克附近逮捕，原因不明。在皮涅罗洛，多热尔为另一囚犯*富凯*(**Fouquet, Nicolas**)当仆役。富凯死(1680)后，他同另一个也曾替富凯效过力的人一起受到严格监禁。多弗涅于1681年把他从皮涅罗洛带往埃克斯尔(留下马蒂奥利)，后来于1687年迁往圣玛格丽特群岛。很可能富凯的仇敌卢瓦想关押这些囚犯，否则他们就会把富凯可能告诉他们的话透露出去。

iron meteorite 铁陨石 主要成分是铁，但通常含有少量镍的陨石。当这类陨石穿过大气下落后也称陨铁，由于迅速风化而生锈，表面会形成一层薄而黑的氧化铁壳层。尽管陨铁只占陨落的陨石总数的5%，要区分陨铁和地球的岩石并不难，它们在土壤中保存的时间也更长，致使陨铁比石陨石和石铁陨石更多见。石铁陨石中的石和铁的成分各占一半，是一种最为罕见的陨石。陨铁含有两种矿物：贫镍铁纹石和富镍镍纹石。按陨铁的结构可分为3群：六面体陨铁、八面体陨铁和无结构铁陨石。六面体陨铁通常完全由铁纹石构成。八面体陨铁中兼有铁纹石和镍纹石，在已发现的陨石中是最大的一群。大多数无结构铁陨石含有纯镍纹石，它们是最罕见的一群，在某些陨落地面的无结构铁陨石中含有的镍高达69%。

Iron Mountain 艾恩山 美国密歇根州上半岛西南部的城市，迪金森县的县城(1891)。位于埃斯卡诺巴以西84千米处。1879年建为居民点，1889年设市。艾恩山市的经济以开采铁矿为主，亦从旅游业和冬季体育运动中获得财政收入。该市还生产木制品、化学品和机械。该市1945年关闭的地下铁矿井现对游人开放。毗邻的金斯福德市(1925年设村建制，1947年设市)随着福特汽车公司在艾恩山市设厂而发展起来。人口约8 437(1994)。

iron pyrites(mineral) 参阅 **pyrite** *黄铁矿*。

iron red glaze 矾红 中国瓷釉上彩用料。化学成分为三氧化二铁，是用天然硫酸亚铁烧制后经漂洗而得的红色粉末。因烧制时间长短和温度高低而颜色有别。如宋红彩，红中略带黄色，万历五彩呈闪黑的暗红色，清代的红彩则为鲜红。最有名的雍正珊瑚红便属此类。矾红因在釉上烘烤成色，故易磨损。

iron storage disease 铁贮积病 参阅 **hemochromatosis** *血色素沉着症*。

ironclad 装甲舰 19世纪中期欧洲和美国研制的一种军舰，其特点是有铁装甲炮台保护船身。在克里米亚战争(1853～1856)中，法国和英国成功地用"水上炮台"，即将装有重炮的装甲驳船，事先拖到预定水面上，以攻击俄国的防御工事。法国于1859年造成第一艘铁甲舰"光荣"号，铁甲厚约11厘米，后面用大肋木支撑，排水量5 617吨，装有36门炮，它的姊妹舰"王冠"号不久也建成。1861和1862年，英国先后造成"黑王子"号和"勇士"号，均为9 210吨，航速14.5节。1861年美国在内战爆发后建造了用于密西西比河及其支流的浅水装甲炮舰。1862年2月6日由这种装甲舰组成的一支舰队夺取了南部联军的亨利堡，1862年4月舰队又与南部联军联盟的舰队在田纳西州的孟菲斯交战并获胜利，这是第一次装甲舰与普通军舰交战。1862年3月9日"班长"号与"梅里麦克"号(即"弗吉尼亚"号)发生了历史上第一次装甲舰之间的交战。以后历年经过许多改进，装甲舰就演变成*战列舰*(**battleship**)。

法国铁甲舰"光荣"号
美国不列颠百科全书公司供图

ironstone china 硬质高强精陶 19世纪初由英格兰斯塔福德郡陶工制造的一种炻器，其目的是为寻找一种能大量生产的瓷器代用品，以应廉价市场之需求。经过多次试验，陶工们制成了一种致密、坚硬和耐用的炻器。这种炻器曾有多种名称，实际上都是指的同一种产品。这类炻器通常采用东方餐具和瓶类的造型，并常以中国和日本的基本花纹作为彩绘装饰，其中有的采用了转移印花法。有一种硬质高强精陶，称为花岗岩状斑纹陶器或白色花岗岩陶器，是1860～1900年间美国陶器中的一种标准产品。

ironweed 斑鸠菊 菊科斑鸠菊属(*Vernonia*)植物，约500种，其多年生小草本种广布世界，灌木和乔木种主要原产于热带地区。

斑鸠菊(*Vernonia fasciculata*)
美国不列颠百科全书公司供图

叶互生，披针形，叶缘齿裂。头状花序簇生，仅具盘花，苞片单层，覆瓦状排列。一些种秋季开花，花簇艳丽，白色、紫色或粉红色，常用做花坛植物。

Ironwood 艾恩伍德 美国密歇根州上半岛西部戈吉比克县城市。西距明尼苏达州德卢斯145千米，邻威斯康星州边界，濒临蒙特利尔河。1887年设村，1889年设市。地处深井铁矿区。1920年铁矿开采业达到高峰。

艾恩伍德市的海华沙雕像
美国不列颠百科全书公司供图

1967年铁矿停产后许多矿工移往邻县昂托纳贡从事铜矿开采。现亦有旅游、食品加工、服装和运动器械制造业。设有戈吉比克社区学院(1932)。是渥太华国家森林管理局所在地和全年游览中心，以冬季运动闻名。16米高的海华沙雕像是该市雄伟的标志性建筑。人口约6 806(1994)。

ironwork 铁制品 用铁制成的建筑物构件、艺术品、用具和武器。最早的铁制品约在公元前4000年出现，是用陨铁制成的，因而很稀少。约在公元前1400年，在中东已普遍使用由矿石冶炼的铁。在随后的500年中，开始用铁代替青铜制造武器和工具。直到中世纪，铁首先是一种实用金属，其次才用于装饰。兵器、盔甲和火器往往配以图案较为简单的装饰，有时还配以加工后的饰物。在中世纪，铁开始广泛用于制作各种家用器具。门上加一层铁，既增强了防御能力，又为装饰提供了新的可能性；包铁皮的箱柜既牢固，又美观。铸铁的门、格子窗、扶手和栏杆满足了加固结构的实用需要，也为工匠表现建筑装饰开辟了新途径。从16世纪起，铁制品的设计已十分华美，它带有涡卷形、叶、花和交织的图案。随着铁越来越多，就越来越广泛地用于制作家用器皿、壁炉器具、火炉、炉篦、平锅、大锅、锁和五金器具；提灯、火炬架、烛台和枝形吊灯也用铁锻制而成。在19世纪用铸造法生产的铁制品开始普遍之前，大部分铁制品都是在铁砧上用锤锻制而成。

irony 反语 一种语言表达方式。在口语或书面语形式(词语反语)中，通过字面上的意义使真实的意义隐藏起来或自相矛盾；或者在剧情中(戏剧性反语)，使预期的东西与发生的事情处于不调和的状态。词语反语是老练地或忍耐地意识到事情的状况与应有的状况之间的差别，从而表达出一种"哀而不伤"的思想感情。这是一种间接的避免公开的赞扬或谴责的形式。例如，下述句中随便说的一句反语"事情干得真漂亮!"其实意为"非常愚蠢"。反语这个术语起源于希腊喜剧人物eirōn，这是一个聪明而在角逐中失败的人，凭他的机智一再战胜了好夸口的人物alazōn。柏拉图对话集中的苏格拉底的反语法即导源于这种喜剧形式。苏格拉底装成无知和谦卑，先把人们所提的各种问题做成设问，问题原很明显，设问却有意变得糊涂，这仅仅是为了要揭示出人们比他更无知。反语的非文学的用法通常被认为是讽刺。

Iroquois 易洛魁人 用于称呼易洛魁联盟或广泛称呼全部操易洛魁语的北美印第安人的名称，包括卡尤加人、切罗基人、休伦人、莫霍克人、奥内达人、奥农达加人、塞内卡人及图斯卡罗拉人。易洛魁语系诸居民集团占居大湖区一带，另一些居民集团居住东南沿海低洼地区及阿巴拉契亚高地。这个地区包括部分所谓东部林地文化区。操易洛魁语的诸部落营半定居生活，经营农业，遇必要时将其村落围以栅栏。住房长形，每所可容几个家庭。这些住房以榆树皮为盖板，榆树皮也用来制作诸如盘、桶等容器，也可制造小木舟。拥有数百人的村庄群组是社会经济单位。男人结伙成群建筑房屋、架设栅栏、捕鱼、狩猎、外出、贸易、竞技，保卫村庄免遭袭击，参加战斗。妇女也编成组，各由一名老妇指导，在城郊的玉米、豆类及南瓜地里耕作。收获之后，家庭猎鹿小组深入森林宿营，到仲冬时节，才返回家园。春季鱼汛，把各个家庭引到溪流湖湾附近居住。长形住屋的家庭是易洛魁社会的形象。有血缘关系的各家庭组成氏族，氏族组成半偶族，半偶族组成部落，部落组成部落联盟。亲属关系和所在地是政治生活的基础。每一社区都有由成年男人组成的议事会，指导村庄领袖的活动。易洛魁人醉心于会议，把大部分时间用于开会；开会者则按地点、性别、年龄及讨论问题的内容等项目划分；各有其获得一致意见的程序和方法。正式宗教活动有六种农节，节日以其漫长的感恩祈祷仪式为显著特点。还有批准某些政治活动的礼仪，比如，缔结盟约的仪式。这种风习迄今尚存。易洛魁人好战，自尊完全视个人获得的荣誉而定。战争使得易洛魁人本民族的人口日减，于是常常把俘虏转为奴隶或收留下来以代替战死者，因之这些俘虏便在17世纪晚期成为易洛魁人口的一部分。

Iroquois Falls 易洛魁福尔斯 加拿大安大略省中东部科克伦区城镇。位于阿伯蒂比湖西面，濒临阿伯蒂比河。以河上易洛魁瀑布之名命名。1912～1913年省政府授权阿伯蒂比电力和造纸公司在此建立城镇。该镇在蒂明斯东北56千米处，安大略北方铁路正东。附近瀑布为公司大型纸浆、纸张、白报纸和亚硫酸盐制造等厂提供电力。1915年设镇。人口5 999(1991)。

Iroquois League 易洛魁联盟 美国殖民史上，纽约州5个(后来6个)印第安人部落组成的联盟。它在17～18世纪英国和法国争夺北美的战争中起过重要作用。因其生活特征而被称为"长屋人"的这5个易洛魁部落是莫霍克族、奥内达族、奥农达加族、卡尤加族和塞内卡族。图斯卡罗拉族于1772年加入后，这个联盟曾获得奥尔巴尼会议的承认。传统认为，1570～1600年该联盟的形成应归功于本是休伦人的迪卡纳维达。他说服了生活在莫霍克族中的奥农达加人海华沙放弃残忍，提出"和平、民权、公正、法制"作为联盟誓约。联盟以联合抗拒入侵的愿望为基础，以部落和村首领组成的公共会议为形式，每部落一票，以全体一致为准则。由50名首领联合审理部落间的民事纠纷。易洛魁联盟与东北林区的其他印第安人联盟不同之处，首先在于它有良好的组织、明确的观念和效率。它运用精巧的仪式选择领袖和作出重大决定，并要求殖民政府与之谈判时也采用他们的仪式。易洛魁人精明的政治传统以正式誓约而不以个别的杰出领袖为基础。但由于缺乏行政管理机构，各部落不能始终协调一致地行动。约1600年，联盟主要位于今纽约州的中部和北部，与休伦人和马希坎人为邻。到1628年，莫霍克族走出林区打败马希坎人，迫使哈得孙河谷和新英格兰的部落向其纳贡。莫霍克商人用河狸的毛皮与英格兰人、荷兰人交换武器。在耗尽了地方资源后，联盟成员向拥有毛皮的部落开战。1648～1656年联盟向西发展，驱赶休伦人、蒂奥农塔蒂人、纽特拉尔人和伊利人。到18世纪50年代，皮德蒙特的大多数部落已被联盟征服、兼并或摧毁。17世纪后期，联盟与法国人发生冲突，后者与其敌人(休伦人、阿尔贡金人)结盟；而易洛魁人则劫掠新法兰西。1666～1687年法国远征军暂时截阻了联盟的活动，但1689年易洛魁人又一次把战斗带到法兰西领地的心脏地区，摧毁了蒙特利尔附近的拉欣。这导致1693～1696年新法兰西总督弗隆特纳克伯爵发动了反对易洛魁人的一系列战役。美国独立战争前的125年间，易洛魁人截断了从奥尔巴尼前往大湖区的通路，既阻止了法国人建立永久殖民点，也遏制了荷兰人和英国人的入侵。18世纪易洛魁人坚持与法国人为敌，但依赖奥尔巴尼的英国人供应欧洲商品，而奥尔巴尼也从未遭到侵扰。面对法国人和英国人而能保持独立自主，这对只有2 200人可投入战场(总人口仅1.2万)的土著民族来说确是个显著的成就。美国独立战争期间，联盟分裂。奥内达族和图斯卡罗拉族支持美国独立事业；其他部落则为英国人战斗，摧毁孤立的美国人定居点。1779年，美军少将J.沙利文率部4 000人在今纽约州埃尔迈拉附近打败易洛魁人，使其田地、果园、粮仓以及士气都遭到严重破坏。在第二个《斯坦尼克斯堡条约》(1784)签署后，承认失败的易洛魁联盟实际上走向消亡。10年后易洛魁人和美国政府在卡南代瓜签署的条约中，相互承诺不骚扰对方已让出或保留的土地。其后，奥农达加族、塞内卡族和图斯卡罗拉族留居纽约州保留地；莫霍克族和卡尤加族迁往加拿大。约25年后，奥内达族迁往威斯康星州。

irrational number 无理数 不能表示为两个整数的商的任何实数。例如，在整数和分数中就没有一个数能作为求2的平方根问题的解。在测量中一个很相似的问题是求单位边长的正方形的对角线的长度；用单位长度分成的部分长度不能恰好量度尽对角线的长度。因此在数学史上，为了能将无理数包括进来，扩大数的概念就变得十分必要。每个无理数可表示为一个带有不规则重复的数字或数字节的无穷位的十进数。无理数同有理数一起构成实数(**real number**)。

irrationalism 非理性主义 19世纪和20世纪初一种主要的哲学思潮。主张超越理性，从更广泛的范围来丰富人对生命的理解。非理性主义或者根据形而上学，或者认为人的经验是独一无二的，强调本能、感觉和意志，认为这三者超越理性，并排斥理性。非理性主义这一术语主要由欧洲大陆的哲学家所使用，他们将它看做是20世纪的强大思潮之一。一个领域(如伦理学)中的非理性主义并不意味着一切领域中的非理性主义；事实上也没有一种哲学是完全"非理性的"。例如，康德基本上是理性主义者，但他同时也是"非理性的"，因为他认为人对"自在之物"是不可能认识的，而神只有作为实践理性的先决条件才能被认识。19世纪以前就有非理性主义者。在古希腊文化(通常被认为是理性的)中，诗人品达罗斯和剧作家们，甚至如毕达哥拉斯和恩培多克勒这样的哲学家(在他们的宗教方面)以及柏拉图都表现出一种(本能的)狄俄尼索斯情调。在近代哲学的早期，甚至在笛卡儿派的理性主义占优势时，巴斯噶就由相信理性转变为奥古斯丁的信仰，相信"心自身"，有些理由不能为理性所知。非理性主义的主流，正如文学中的浪漫主义(本身也是一种非理性主义)，是随着理性时代之后而来临的，而且是对理性的一种反动。非理性主义常常出现于理性的科学方法所不能处理的精神生活和人类历史中。在达尔文和弗洛伊德的影响下，非理性主义开始探索经验的生物学和潜意识的根源。实用主义、存在主义和活力论(或生命哲学)的兴起，都表现了对人的生命和思想的这种宽泛的认识。对19世纪典型的非理性主义者叔本华来说，唯意志论表达了实在的本质——渗入一切存在的一种盲目的、无目的的意志。如果心灵产生于生物的过程，那么自然会得出实用主义的结论：它是进行实践调节的工具，不是理性地探索形而上学的器官。皮尔斯和詹姆斯提出，观念不应从逻辑的角度来判断，而应当从检验行动的实践效果来评价。非理性主义在狄尔泰的历史循环论和相对论中也有所表现。他认为一切知识由个人的历史观点所决定，因此特别强调精神科学(人文学科)的重要性。哈曼蔑视思辨，认为正确的是感情、信仰和经验，他把人的信念看做最终的准则。雅可比吹捧信念的确实性和明确性，完全忽视知识和感觉。谢林和柏格森只承认人类经验的唯一性，成为"能见科学所不能见之事物"的直觉论者。理性本身并未被否定，只是由于个人的洞察力不可检验而丧失了主导作用。在柏格森的活力论哲学中(以及在尼采的哲学中)，非理性主义表现为主张本能的或狄俄尼索斯的冲动。尼采认为道德准则是神话、谎言和欺骗，是用来掩盖在幕后起作用的那些影响思想和行为的力量的。对他来说，上帝死了，而人则可以自由地规定新的价值。克拉格斯在德国发展了生命哲学，他极力主张人的生命的非理性根源乃是"自然的"，应该审慎地彻底排除外来的理性；施本格勒更将它引伸到历史学，他直觉地把历史看成有机体成长和凋谢的一个非理性过程。在存在主义方面，克尔恺郭尔、萨特和加缪都认为世界是支离破碎的，对得出理智的结论感到失望；他们各自都有取代理性的说法，如信仰的跳跃、激进的自由、英雄的反叛等。总的说来，非理性主义或者认为世界缺乏理性的结构、意义和目的(在本体论中)，或者认为理性天生是有缺陷的，在认识宇宙时必然会产生歪曲(在认识论中)，或者认为乞灵于客观标准是无益的(在伦理学中)，或者认为人本性的主要方面是非理性的(在人类学中)。

Irrawaddy River 伊洛瓦底江 缅甸的第一大河，纵贯缅甸中部，全部在缅甸境内，是缅甸最重要的商品运输水道，全长约2 170千米。伊洛瓦底江由源出缅甸北部高山地区冰川的恩梅开江和迈立开江汇合而成。在两河交汇处，恩梅开江宽于迈立开江，为伊洛瓦底江的东支；迈立开江为西支。伊洛瓦底江自两河交汇处大体向南流过三道狭窄的峡谷到达曼德勒市，途中河道宽度变化不一。在密支那下游的65千米处，伊洛瓦底江穿过第一道峡谷；流经八莫后河道突转向西穿过第二个石灰岩峡谷，此处河道两侧的山岭较高，但峡谷中的通道则比其他两处短得多；该河流经的第三个峡谷在曼德勒市以北约96千米处。再往下游，伊洛瓦底江宽阔的河道蜿蜒流过人口稠密的中部干旱地区的冲积平川——缅甸古代文化的中心。在中部干旱地区，该河与它的主要支流亲敦江汇合，然后一路向南，穿越林木覆盖的山间峡谷(西侧为阿拉干山脉，东侧为勃固山脉)，最后穿过宽阔的伊洛瓦底江三角洲流入安达曼海。伊洛瓦底江流域面积约为411 000平方千米，年平均流量为13 000立方米/秒。但因受每年6～9月的季风雨的影响，该河及其支流在一年间水量变化很大。在夏季，冰川迅速融化使原来已很大的水量更加增大。一般情况下，从12月至翌年的3月，伊洛瓦底江的水位在最低点和最低点以上1.5米之间徘徊。由6月中至10月中该河水位高于最低点6～9米。位于该河三角洲上的兴实达及其以北1 080千米处的八莫之间的河道，终年有汽轮营运。沿河的港口(其中曼德勒、稍埠、卑谬和兴实达最为重要)均需要建有不同的高水位和低水位装卸码头。伊洛瓦底江流域的中部干旱地区主要生产小麦、棉花和油料作物，南部的伊洛瓦底三角洲则是世界最大的稻米产区之一。稻米和其他粮食、石油、棉花和柚木原木是该河水系运输的主要物品。

Irredentist 光复主义者 指19世纪末和20世纪初企图把意大利从外国统治下解放出来而进行活动的意大利爱国人士。他们的目标是从奥地利、瑞士、法国和英国的统治下解放国土，特别是要解放在意大利统一过程(1860～1870)之后仍由奥地利控制的几个意大利居民区。在19世纪末的20年中，他们反对意大利加入包括奥地利在内的三国同盟。在第一次世界大战期间，他们加强了对政府的压力，迫使意大利加入协约国参战(1915-05)。战后，意大利从奥地利手中取得北亚得里亚海伊斯特拉半岛和南蒂罗尔，满足了许多光复主义者的愿望。

irrigation 灌溉 人工将水施用于田地的措施。现代的灌溉与排水、施肥、机械化和在专业管理下针对特定市场的大规模生产方式等均在农业效率方面产生革命性的影响。正常情况下，植物生长于由雨水浇注的土壤中。但降雨季节性很强，不能满足具体作物的需求，雨水往往数量不足，甚至完全无雨，土壤缺水的现象会越来越严重，结果延缓乃至完全妨碍植物的生长。灌溉则可定期补充足量的水分，以弥补大自然的多变。农业灌溉历史悠久，公元前5000年，古埃及人已用尼罗河水灌溉田地。有证据表明其他古代文明，如巴比伦文明及中国文明的发展也主要依赖于以灌溉为基础的农业。千百年来人们发明和设计了各种技术和设备以便利农田灌溉，例如在巴比伦汉穆拉比王统治时期(公元前1792～前1750)已建成一个大规模的灌溉运河和沟渠系统。由一个人操作的从河中舀水灌田的戽斗最终为机械提升装置所取代，如中东的装有配重的畜力装置和在锡拉库萨发明的便携式阿基米德螺旋泵。其他值得注意的发展是使用巨大的水库。蒸汽机、内燃机及电力出现之后，在世界上许多地区灌溉成为完全机械化的操作。第二次世界大战后发明的一种重要机械装置是由轻质铝管构成的便携式灌溉系统。灌溉用水多从池、湖、河或井中泵出。通过分水坝则可从较大的河流中获得更大量的、成本更低的水。这些结构提高河流中的水位，有时将水贮存于水库中。水库中的水借重力作用经过混凝土铺砌的沟渠及有关结构运送到田地。灌溉有两种主要的形式：淹灌系统及长年灌溉系统。淹灌是在田块周围筑堤，然后通过沟渠注入一定深度的水层。这种方法起源于这样的地区：河流一年只有一次(洪水季节)能提供充足的水，而其他季节要这样供水则代价极高。现代的灌溉系统费用昂贵，可长年供水，如水库，可以通过沟渠运水，但这种沟渠系统较淹灌系统复杂得多。其他应用不那么广泛的灌溉方法有：淤灌，是一种古老的英格兰灌溉方法，使漫地洪水中的淤泥沉下成为新的表土；地下灌溉，水从埋没在土壤中的管道流出，从侧面及自下而上湿润土壤；污水灌溉，将经过处理的富含氮元素的污水引入农田。

Irritable bowel syndrome(IBS) **大肠激躁病** 一种慢性疾病，病状是腹痛、胀气、腹泻或便秘，或腹泻和便秘都有。其他症状包括：在排便之后腹痛减轻，或是感觉直肠没有完全排泄干净。病因是肠道蠕动失常,可能是对肠道膨胀的感觉增加所致。压力或是食用油腻食物、乳制品、某些水果或蔬菜(如青花菜、包心菜)、酒类或咖啡因均可能造成类似症状。治疗方法包括精神放松、运动,以及避免食用刺激性食物。止泻药或补充纤维质可能有助于减轻症状。虽然大肠激躁症会造成不适和情绪苦恼,但并不会造成任何永久性肠道损害。

Iruma 入间 日本本州埼玉县城市。坐落于武藏野高地,在加治丘陵南,临入间川。以种植狭山绿茶闻名。为日本防空自卫队基地。目前正利用与东京通铁路之利实行工业化。当地众多的古迹因城市化而遭到破坏。人口147 905(2000)。

Irún 伊伦 西班牙北部巴斯克自治区吉普斯夸省城市。位于比达索阿河左岸,有桥梁连接对岸法国昂代。是西班牙北方铁路终点和全国最大陆路海关站。有制铁、制革、制陶和造纸工业。1913年设市。人口55 497(1999)。

Irvine 欧文 美国加利福尼亚州南部奥兰治县城市。位于洛杉矶东南60千米处,西北邻圣安娜。原由加布列莱诺印第安人居住,1769年G.波尔塔拉来此。19世纪80年代为J.欧文(该地即以他的名字命名)等几家牧羊场主占有。1876年欧文收购了整个草原,成为欧文大牧场。后来,他的儿子继承该地,1894年成立欧文公司。后发展成为农业社区。第二次世界大战期间设置了两处海军设施。1965年成立加州大学欧文分校,校内建有欧文巴克利剧院。该市后又成立孔科尔迪娅大学(1976)和一所社区学院(1979)。市内还有一个大露天剧场和欧文博物馆(1933)。欧文牧场保护区面积近2万公顷。城市西面的约翰·韦恩机场是美国最繁忙的机场之一。南面有拉古纳海滨野生动物公园,东为圣安娜山。1971年设市。人口143 072(2000)。

Irvine 欧文 苏格兰西南部艾尔历史郡北艾尔行政区敕许自治市(城镇)。18～19世纪时,原为格拉斯哥主要的外港,但因港口淤塞和特伦-阿德罗森港的竞争,地位下降。欧文系苏格兰新建立的五城之一。1966年规划为苏格兰最大新城(规模10万人口),以接纳格拉斯哥的过剩人口,并振兴该地区的工业和经济。它包括自治市、老煤矿区和一个重要的化工联合企业。工业以化工、机械、电器为主,有几家外资企业。人口约32 988(1991)。

Irving, Edward 欧文(1792-08-04,苏格兰邓弗里斯安嫩～1834-12-07,斯特拉斯克莱德格拉斯哥) 苏格兰长老会牧师,欧文派(后改称使徒公教会)基本教义的制订者。他于1826年成为"先知派"的中心人物。1828年发表《道成肉身说剖析》,贬低基督的人性,引起反对。1830年又发表类似著作,教会法庭指责他主张"基督的人性有罪",长老会伦敦区会对他处以绝罚,1833年苏格兰长老会将他革职。当时他的信仰已倾向于五旬节派,相信说方言等事。他到英国各处讲道,返回伦敦后在尚待正式成立的使徒公教会任低级职务。他死后,门徒和同道组成使徒公教会,鼓吹基督教合一,准备迎接基督复临。

Irving, Sir Henry 欧文(1838-02-06,英国萨默塞特坎顿曼德维尔～1905-10-13,约克郡布雷德福) 原名John Henry Brodribb。英国最著名的演员之一。因对英国舞台戏剧的贡献于1895年被封为爵士,是演剧界第一位获爵士封号的演员。他也是一位杰出的剧院经理,是女演员E.特里的专业合作者,从1878～1902年合作达24年之久。

其父S.布罗德里布是位推销员,其母玛丽出身农民家庭。欧文曾在伦敦的私立平奇斯学校读书。离校后进入一家商号做店员,但他的思想和业余时间却集中在伦敦剧院的剧目和演员上。1856年他接受一位叔父的遗赠(100英镑),他将钱投资于戏剧服装和假发、刀剑等剧院必备品。这笔遗赠还使他活动到业余扮演《罗密欧与朱丽叶》中主角的机会,并按照当时习惯取艺名欧文。他的表演受到热情的欢迎,这正是他所需要的鼓励。于是他放弃店员职位,参加英国北部森德兰一家固定剧团当配角演员。

这家剧团到英国各地旅行演出,在当时这是一个有抱负的青年演员学习戏剧的唯一场所。3年里欧文在330部戏剧中饰演过400多个不同的角色,包括莎士比亚的大部分保留剧目。他不停地在英格兰、苏格兰和爱尔兰的各省城演出,这种实践活动又持续了10年。1866年在一出名为《穷追不舍》的剧中的表演使他在伦敦取得首次成功。

1867年他在都柏林巡回演出时结识军医女儿F.奥卡拉汉,1869年7月他们结婚。他在长演不衰的喜剧《两朵玫瑰》中扮演主角一事,使他能在经济上支持他们于次年8月生下长子亨利·布罗德里布。剧团经理H.L.贝特曼在兰心剧院上演的《钟楼》一剧使欧文一举成名,并使他成为当时的主要演员之一。此剧成为他的终生保留剧目。

接下来的4年欧文是贝特曼剧团的明星演员。1875年贝特曼去世后,欧文继续在该团演出直到1877年。1878年欧文成为兰心剧院的租赁人和经理,并在身边建立起一个忠实于他的剧团。他对演出的细节异常关注,不惜代价讲究布景和服装,并雇请英国最优秀的舞台设计师和音乐师。同年聘用E.特里为主要女演员,从而开始了英国舞台史上最著名的搭档演出。他们的合作珠联璧合,吸引了大批观众,一起饰演的有哈姆雷特和奥菲利娅、夏洛克和波希霞等角色。1883年欧文带领剧团去美国巡回演出,随团的有演员、舞台技术人员以及使其剧团名扬四方的舞台布景和灯光效果。他的名望先声夺人,剧团取得了冬天演出季的胜利。

随后几年,欧文及其兰心剧团处于经济成功的顶峰。每出新戏都寻求在排场和精细方面超越已有的保留剧目,结果每一次都占用了前一演出季的利润。剧目本身也缺乏持久的文学价值,正如年轻的批评家萧伯纳所指出的那样,他并且惋惜一个像E.特里这样的天才女演员将时间浪费在这些微不足道的小事上。萧伯纳写了一部《风云人物》的剧本,希望欧文和特里能够上演。欧文读过剧本后给萧伯纳保留上演权,然后就把它忘得一干二净。萧伯纳指责他压制这出戏。欧文所给的保留权只不过是对一个奋斗中的青年剧作者所表示的和善姿态而已。于是两人就产生了抵触。1895年7月维多利亚女王给欧文授爵士位。这更成为萧伯纳攻击的目标。与此同时,萧伯纳通过特里央求欧文考虑挪威剧作家易卜生的作品。她尝试给欧文读了两幕《约翰·加布里埃尔·博克曼》这个剧本,但欧文却评论说"我对这个剧本毫无兴趣"。他被成功包围着,看不到要改变演出方式的理由。他认为戏剧应该是"演员的戏剧",剧作家应该是演员的奴仆。萧伯纳和易卜生则标志着"剧作家戏剧"的出现。

1897年欧文遭受3次严重打击。他儿子劳伦斯一次关于彼得大帝的戏剧演出在经济上遭到惨败。更大的打击是由于兰心剧院失火使他贮藏在那里的许多保留剧目的演出布景被烧光,而保险金则远远不足以补偿。尔后于1898年欧文又第一次生重病,剧团在他缺席情况下去巡回演出,票房收入也自然下降。

欧文最后几年的生活内容是努力使兰心剧团生存下去。莎士比亚戏剧《科利奥拉努斯》及法国剧作家V.萨尔都的但丁戏剧的新型演出不但未能阻止,反而加速了剧团的衰败。去美国的巡回演出未能获利,而且弄得精疲力尽。1902年剧团走向破产,欧文在兰心剧院的统治权也随之结束。1905年10月13日欧文在布雷德福皇家剧院演出A.丁尼生的《贝克特》一剧之后去世,死时不名一文。

Irving, Washington 欧文(1783-04-03,纽约市～1859-11-28,美国纽约塔里敦) 有"美国文坛第一人"之称的作家。他的最大的成功作是《见闻札记》。

其父是严厉的长老会信徒,其母则是温和可亲的圣公会信徒。他有10个兄姊,年幼时身体孱弱,备受父母宠爱,在娇纵的气氛中长大。父亲要求他的儿子一律受高等教育,而他独蒙豁免,仅是时作时辍地自学法律。在霍夫曼的律师事务所中学习时,他早已爱上了霍夫曼的美丽女儿马蒂尔达。1802～1803年间他写了一系列想入非非的讽刺文,署名为乔纳森·奥尔德斯泰尔先生,在P.欧文的《晨报》上发表。他多次溯哈得孙河而上旅行,为了疗养曾去加拿大一次。1804～1806年间,广泛游历了欧洲各地。

回国后,他于1806年通过了律师资格考试,不久开业。但在1807～1808年间,他的主要工作是与其兄威廉和保尔丁合写20篇连载文章,题为《杂拌》。文章主要论述当代社会所经历的各个阶段,至今在提供社会背景资料方面仍有其价值。

他的《纽约外史》(1809)是一部以诙谐的笔调写纽约在荷兰统治时期的历史。开头是一篇用调笑学究的口吻交代世界从开天辟地以来的发展。1809年4月,马蒂尔达·霍夫曼猝然逝世,打断了它的写作过程。有好几年悲痛使他无法续写下去。1811年他移居华盛顿(哥伦比亚特区),为他几位哥哥所办的五金进口商行当说客。但他觉得这几年生活失去了目标。他编了托马斯·坎贝尔诗集的美国版,主编《文萃杂志》,在1812年战争中获上校参谋衔。1815年他去英国利物浦为他的哥哥们的商行料理业务。在伦敦他得见瓦尔特·司各特爵士,后者鼓励他东山再起,其结果便是《见闻札记》的问世。这是30余篇把讽刺与想入非非同事实与虚构杂揉在一起的故事集,其中大多与欧文游历英国的印象有关,有6篇取材于美国,其中《睡谷的传说》和《李伯大梦》被称为美国短篇小说之滥觞。两者都是美国化了的德国民间故事。《李伯大梦》的主人公是一位惧内的丈夫,他一睡20年,醒来发现自己已是一位老人,妻子已经故世,女儿已得佳婿,美国已告独立。《见闻札记》在英美均大获成功,使他相信自己可以赖写作为生。1822年他写了一本《布雷斯布里奇田庄》作为《见闻札记》的续篇。他游历了德国、奥地利、法国、西班牙和英伦三岛,然后又游历了本国。

1826年初他应A.H.埃弗雷特之邀去西班牙的美国公使馆任随员,在该地写作了《哥伦布》(1828)和《哥伦布的伙伴们》(1831)。同时他对摩尔人过去的传说发生了浓厚的兴趣,写了《攻克格拉纳达》和《阿尔罕伯拉》(1832),后者以西班牙为背景,是《见闻札记》的姊妹篇。

1832年,欧文于离国17年后回到纽约,受到热烈欢迎。他去西部旅行一次,一本接一本地写出了《草原游记》(1835)、《阿斯托里亚》(1836)和《博纳维尔船长历险记》(1837)。除了任驻西班牙公使4年(1842～1846)外,欧文的晚年均在纽约州哈得孙河畔的塔里敦他的名为"向阳居"的家中从事文学创作。

Irvington　欧文顿　美国新泽西州东北部埃塞克斯县城镇。东邻纽瓦克,1666年始有居民。1874年设村,1898年设镇。现为高度工业化的城镇,生产金属、药品、宝石、化妆品和电器等。人口60 695(2000)。

Irwin, Elisabeth Antoinette　欧文(1880-08-29,纽约布鲁克林～1942-10-16,纽约市)　美国女教育家,循序渐进教育运动的领导人之一。曾就读于史密斯学院(文学士,1903),参与社会服务所运动,在纽约市开展工作。1905～1909年做零工和自由记者,报道纽约市贫民窟状况。1910年,开始任纽约市公共教育协会(创立于1894)为残疾儿童服务的上门授课教师,亦即社会工作者。在任该协会心理学家之职时,于1916年提出一项根据智力水平对学生进行测验和分级的方案。她的下一个也许最为知名的创举是一项被称为"小红校舍"的实验。这一方案持续了10年。它修订了标准课程,将游戏和群体活动成分纳入课程,并使教学方法多样化,对于严格意义上的普通文化课的学习有所松动。由于财政困难和其他反对意见,欧文的方案最终于1932年被迫在公立学校停止实行,但她的许多有关循序渐进教育的思想后来被公立学校教育所采用。

Irwin, James B.　欧文(1930-03-17,宾夕法尼亚匹兹堡～1991-08-08,科罗拉多格伦伍德斯普林斯)　美国航天员,"阿波罗"15号飞船飞行(1971-07-26～08-07)登月舱驾驶员。

美国国家航空和航天局供图

在此次飞行中,他和指令长D.R.斯科特用了几乎3天的时间对月球赤道以北744千米的哈德利-亚平宁一带的月面进行了调查。他们两人用一辆特制的月面车,在登月舱外的月球表面活动了18个小时,采集了大量岩石和岩心样品。他们在月球工作时,A.沃登驾驶指令舱绕月球轨道飞行。欧文1951年毕业于马里兰州安纳波利斯美国海军军官学校,后调至空军。1957年在安阿伯的密歇根大学获航空工程硕士学位。1966年他被挑选参加载人航天计划时,隶属于科罗拉多州科罗拉多斯普林斯的防空司令部。"阿波罗"15号飞行是他进行的唯一一次航天飞行。1972年,欧文从空军辞职并退出航天计划,组建了一个基督教福音派新教会组织高空飞行基金会,并担任会长。

Irwin, May　欧文(1862-06-27,加拿大西区惠特比[今加拿大安大略]～1938-10-22,美国纽约州纽约)　原名Ada Campbell。美国喜剧兼杂耍女演员。曾以《舞会之后》和《古城今夜欢腾时刻》等歌曲风靡一时。年轻时被带到美国,1875年与其姊妹乔治亚(后以"欧文"闻名)一道,作首次职业演出,以"欧氏姊妹"的名义出现在各杂耍剧场直到1883年。她逐渐发展成一位出色的喜剧演员,和德鲁、里恩以及斯金纳等戏剧界名角在正统戏剧中共同演出,并获得巨大成功(1883～1887)。由她与赖斯演出的戏剧《寡妇琼斯》(1895)中的片段,后被摄制成影片《接吻》(1896),其中一个接吻的冗长特写镜头招致观众反感,并首次引起建立影片审查制度的要求。

Irzykowski, Karol　伊日科夫斯基(1873-01-25,奥匈帝国塔尔努夫附近的布瓦若瓦[今在波兰]～1944-11-02,波兰日拉尔杜夫)　波兰小说家、文学评论家。曾就读于勒武夫大学。1908年迁居克拉科夫,在该地参加自由派报纸《新改革》编辑部的工作。第一次世界大战后,移居华沙,向社会主义日报《工人报》投寄文章和戏剧评论。德国占领波兰期间,他积极参加波兰的地下活动,在华沙起义之际,因负重伤致死。伊日科夫斯基有时被称为波兰新浪漫主义文学界最怪僻的人物之一。他是小说巨著《女巫》的作者,该书于1891年开始创作,1903年出版。小说既有对书中人物深刻的心理分析,也有一些关于小说创作的题外话,出版时受到嘲笑。1948年再版时,几位评论家试图恢复他的名誉。他的日记于1964年问世。

ʿIsā ibn Mūsā　伊萨·伊本·穆萨(?～784)　阿拔斯王朝头两位哈里发的侄子、军事领袖,一度是哈里发王位的假定继承人。哈里发萨法赫指定兄弟曼苏尔和伊萨依次为继承人。曼苏尔即位时,伊萨为库费城总督。新哈里发派他率军平定阿里派在麦地那的叛乱,显然希图他被杀害。伊萨经过一系列交战,保卫了曼苏尔的统治,但因受到威胁而被迫把继承权让给曼苏尔之子穆罕默德·马赫迪。曼苏尔死后,伊萨再次要求取得继承权,但为马赫迪的儿子穆萨·哈迪挫败。

Isa Town(Bahrain)　**伊萨镇**　参阅**Madīnah ʿĪsā 马迪纳伊萨**。

Isaac　以撒　《旧约》(《创世记》)所载以色列人第二代列祖。是亚伯拉罕和撒拉所生的独子,又是以扫和雅各之父。撒拉已经过了生育年龄,但蒙上帝恩眷而生以撒。后来,上帝为了测验亚伯拉罕的顺从,命亚伯拉罕以以撒为牺牲献祭,亚伯拉罕准备遵从上帝的指示,但上帝开恩在最后关头保存了以撒的性命。在《旧约》和《新约》中称上帝为亚伯拉罕、以撒和雅各的上帝,因为上帝与他们的一切后裔之间有关上帝之诺言和目的的关系是通过他们确立的。

Isaac I Comnenus　伊萨克一世(康尼努斯)(约1005～1061,拜占廷帝国君士坦丁堡[今在土耳其伊斯坦布尔])　拜占廷皇帝,曾使国内经济恢复稳定并巩固帝国国防。军官之

1057～1059年拜占廷金币上的伊萨克一世像

美国不列颠百科全书公司供图

子。在巴西尔二世皇帝关怀下成长并被委以重任。1057年6月在小亚细亚帕夫拉戈尼亚被拥立为帝。随后率部进攻君士坦丁堡,占领尼西亚,8月20日在佩特罗击败迈克尔六世,迫其退位(08-31)。翌日,加冕为帝。后因施行严厉的财政政策,没收部分教会财产,而与君士坦丁堡牧首色路拉里乌斯发生争执,1058年将其逮捕后流放。1059年春,他率

军远征匈牙利人,同年夏又出征劫掠北方边境的佩切涅格人。1059 年 12 月 25 日因病退位,指定君士坦丁十世杜卡斯为继承人。痊愈后在隐修院从事文学研究。

Isaac II ANGELUS　伊萨克二世(安基卢斯)(约 1135 ～ 1204-02)　拜占廷皇帝。虽未能清除政府积弊,但因 1190 年击退塞尔维亚人,恢复了帝国在巴尔干地区的权益。1185

12 世纪钱币上的伊萨克二世像
美国不列颠百科全书公司供图

年 9 月,君士坦丁堡暴民杀死其堂兄安德罗尼卡一世皇帝,拥立他即位。统治伊始,即大败入侵帝国并洗劫塞萨洛尼卡的诺曼人,将其赶出希腊。不过,他未能收复塞浦路斯。1185 年底,保加利亚人和瓦拉几亚人发动叛乱。1186 ～ 1187 年他率部讨伐不克,1187 年被迫承认第二保加利亚帝国的建立。1190 年 2 月与第 3 次十字军领袖德皇腓特烈签订《阿德里安堡条约》,允许十字军穿过赫勒斯滂海峡,向小亚细亚进发。此后全力经营巴尔干半岛,1190 年击败塞尔维亚大公斯蒂芬·内马尼亚。1195 年春他正准备进攻保加利亚人,突被其兄弟推翻(04-08),被监禁并刺瞎双眼。其兄弟即位,称亚历克塞三世。1201 年,伊萨克之子前往德意志游说,使第 4 次十字军掉转矛头进攻君士坦丁堡,以使其父重新掌权。1203 年 7 月十字军占领该城,8 月 1 日,伊萨克经过 8 年囚禁后,与其子同时加冕为同朝皇帝,其子帝号为亚历克塞四世。1204 年 1 月,十字军同君士坦丁堡市民间的冲突引起战乱,两位皇帝一并被废黜。1204 年 2 月 8 日亚历克塞四世被暗杀,数日后伊萨克死去。

Isaac OF ANTIOCH　以撒(安条克的)(? ～约 460)　又称大以撒。叙利亚作家。可能是一个独立的叙利亚基督教堂的神父,一个大量写作神学文学和历史诗歌的作者,描写了罗马和小亚细亚的重大事件。据 5 世纪拜占廷史料记载,以撒系今土耳其境内埃祖鲁姆附近的阿米达人。曾在罗马写诗,记叙 404 年的市民节庆祝活动和 410 年阿拉里克率西哥特人攻占罗马之事。后至君士坦丁堡,被拜占廷当局短期监禁,原因不明。获释后去安条克,在该地基督教社团中定居。可能接受了叙利亚教堂基督一性论派的领导人、詹姆斯派主教的指示。该教堂强调基督的神性而淡化了他的人性。有一篇记叙 459 年安条克毁于地震的长诗据说是他的作品。另有两部著作,分别收录 40 和 60 篇诗体对话,据说也出自他的手笔。这些作品和一系列神学的禁欲主义作品注释,被当代学者认为是 3 位同名作家的作品,他们住在安条克或其附近,具有不同的神学观点。

Isaac OF NINEVEH　以撒(尼尼微的)(? ～约 700,伍麦叶王朝统治下的伊朗苏萨)　叙利亚基督教主教、神学家。起初在今伊拉克北部库尔德斯坦境内贝特卡特拉杰做修士,约 670 年由东叙利亚聂斯脱利派教会首脑立为尼尼微主教,5 个月后辞职,前往赖班沙布尔旷野隐修,著书阐述奥秘神学。据说他因勤奋阅读而双目失明。据 14 世纪叙利亚神学家阿布迪绍·巴尔·贝里卡记载,以撒著有苦修论文、诗歌、对话等共 7 卷,现存论述基督教奥秘神学的著作 82 章。

Isaac OF STELLA　以撒(斯泰拉的)(约 1100,英格兰～约 1169,阿基坦普瓦捷附近埃图瓦勒)　基督教修士、哲学家、神学家、基督教人文主义思想家。1147 年任西多会埃图瓦勒隐修院院长。几年后到法兰西境内拉罗谢尔港附近雷岛上筹建隐修院,在当地发起讨论会,力图通过受造物的缺陷证明上帝的存在,并提出关于赎罪的理论。返回埃图瓦勒后,1162 年著《致阿尔歇论灵魂》。这是一部心理学论文集,根据西多会传统,从论理学方面论证神秘主义,结合亚里士多德和新柏拉图主义心理学理论与基督教神秘主义。以撒并以哲学方法解释《圣经》词句。

Isaac THE ELDER　伊萨克(老)　参阅 **Israeli, Isaac ben Solomon** 以色利。

Isaac THE GREAT, SAINT　以撒(伟大的),圣(约 345 ～ 439-09-07?,亚美尼亚阿什蒂沙特)　亚美尼亚语作 Sahak。亚美尼亚正教会领袖。曾在君士坦丁堡受小亚细亚希腊文化教育。以撒丧偶之后弃家隐修,约 388 年在国王的支持之下被任命为亚美尼亚正教会的卡托利科斯。他提倡隐修,把自己的住宅改为隐修院,同时一方面履行教务,另一方面进行苦修。以撒整顿教会,严肃教士纪律,严禁主教结婚。他还开办学校,建立教堂,促使君士坦丁堡当局承认卡托利科斯的权利,从而缔造了不受希腊正教直接控制的、自治的亚美尼亚教会。在助理主教的协同下,约在 391 年以希腊字母为基础研制亚美尼亚字母和文字。然后他们主持一批学者将希腊文和古叙利亚文《圣经》译成亚美尼亚文,这项工作大约在 435 年完成。

Isaac, Heinrich　伊萨克(约 1450,布拉班特～ 1517,佛罗伦萨)　Isaac 又拼 Isaak。与 J.奥布雷希特、J.德普雷并列为 15 世纪末佛兰德斯学派 3 位杰出作曲家。师从佛罗伦萨管风琴家 A.斯夸齐亚鲁比。约 1484 ～ 1492 年在佛罗伦萨的罗伦佐·德·梅迪契宫廷任教。约于 1494 年开始为马克西米连一世皇帝服务。1497 年被任命为宫廷作曲家。1497 ～1514 年间大量旅行,最后定居于佛罗伦萨。主要作品有弥撒曲集(1506)及他死后出版的《康斯坦丁努斯合唱曲集》(1550 ～ 1555),这是少数几部专用弥撒全套复调配乐之一,其中还包括 5 套常规弥撒的配乐。这部巨作他未及完成,由学生 L. 森夫尔续完。在宗教音乐中伊萨克处理固定旋律的方式丰富多彩,将它放在任一声部中或由两个声部合用一条,采用长音符或以短音符加以修饰。他也把固定旋律作为创作对位式模仿的主题基础,这种技巧在 16 世纪音乐中占重要地位。他还写了约 40 首世俗歌曲。

Isaac ben Moses OF VIENNA　以撒·本·摩西(维也纳的)(约1180～约1250,维也纳)　中世纪犹太教口传律法汇编哈拉卡的编纂者。他的巨编《光已布下》的内容经常被后世哈拉卡著作所引用。该书介绍中世纪法兰西、德意志、意大利等地犹太人生活情况甚详,因此颇受史学家重视。以撒自称生于波希米亚。《光已布下》收著名拉比教导(包括书信),有他本人的评注和对具体问题的解答。现存各种手抄本,内容编排次序互不相同,因此无法得知原来顺序。

Isaac Israeli　伊萨克·以色利　参阅 **Israeli, Isaac ben Solomon** 以色利。

Isaacs, Barnett　艾萨克斯　参阅 **Barnato, Barney** 巴纳托。

Isaacs, Jorge　伊萨克斯(1837-04-01,哥伦比亚考卡卡利～ 1895-04-17,伊瓦格)　哥伦比亚诗人、小说家。他的佳作《玛丽娅》(1867)是 19 世纪拉丁美洲最有名的小说之一。其父是一个富有的英国犹太人。他受过良好教育,1864 年发表了一本薄薄的《诗集》,引起相当重视。1867 年,发表他的成名作浪漫主义小说《玛丽娅》。该书具有田园诗的场面,十分像自传体小说,描写其故乡考卡河谷山岭中的生活,被译成好几种文字。后来的作品均未超过前者。

Isaacs, Rufus Daniel　伊萨克斯　参阅 **Reading, Rufus Daniel Isaacs, 1st marquess of** 里丁侯爵(第一)。

Isaak, Heinrich(Flemish composer)　参阅 **Isaac, Heinrich** 伊萨克。

Isabela　伊莎贝拉　菲律宾吕宋岛东北部省份。面积 10 665 平方千米。东面有伸入菲律宾海的马德雷山。始建于 1856 年,为纪念西班牙女王伊莎贝拉二世而命名。经济依靠卡加延河(**Cagayan River**)流域的农产品,该地是菲律宾粮仓之一,也以产优质烟草闻名。主要城镇除省会伊拉甘外,还有卡巴甘、图马韦尼、卡瓦延和圣阿古斯丁。设有工学院、农学院各一所。伊拉甘建有富约特温泉国家公园,占地 819 公顷。居民多为伊洛干诺人和伊瓦纳格人。20 世纪 60 ～ 70 年代为菲律宾共产党根据地。人口 1 277 000(2000)。

Isabela Island　伊莎贝拉岛　厄瓜多尔加拉帕戈斯群岛中最大的岛屿。面积 5 825 平方千米。位于东太平洋。屹立在全岛中央的5个火山口高达1 689米，其中两个仍然活动着，在火山口与沿海沙质地带之间是覆盖着林木、藤本植物和兰花的丘陵地带。岛上有当地特有的不会飞的鸬鹚和企鹅。还有大群的陆地鬣鳞蜥和一群红鹳。南岸的主要港口比亚米尔运送该岛产品，包括马铃薯、牛、野猪、爬行动物的皮和鱼。人口约901(1990)。

Isabella 伊莎贝拉 统治者之名，按国别分列于后，并各以●为标记。

与此字相等的外语

法语	Isabelle
西班牙语	Isabel

耶路撒冷

● **Isabella I 伊莎贝拉一世**(1172～1205) 别名安茹的伊莎贝拉。耶路撒冷女王(1192～1205)。阿马里克一世之女。1192年在其姐原女王去世，姐夫被废黜后继承王位。一生四次出嫁，第4位丈夫是塞浦路斯国王阿马里克二世。她死后由女儿蒙费拉的玛丽继承王位。

● **Isabella II 伊莎贝拉二世**(1212～1228-05-01，西西里王国巴勒莫) 原名布列讷的约兰德。耶路撒冷拉丁王国女王(1212～1228)，神圣罗马帝国腓特烈二世的皇后。布列讷的约翰之女，1212年继承母位，由其父摄政。1225年与腓特烈二世结婚。1228年死后，由丈夫腓特烈继续进行统治。

西班牙

● **Isabella I 伊莎贝拉一世**(1451-04-22，卡斯蒂利亚马德里加尔-德拉斯阿尔塔斯托雷斯～1504-11-26，西班牙坎波城) 卡斯蒂利亚女王(1474～1504)和阿拉贡女王

美国不列颠百科全书公司供图

(1479～1504)。她与丈夫阿拉贡国王费迪南德二世(卡斯蒂利亚国王费迪南德五世)自1479年起实行联合统治。在联合统治期间，西班牙实现永久统一，开始成为新大陆的海外帝国，而新大陆又是由伊莎贝拉资助哥伦布发现的。伊莎贝拉一世是卡斯蒂利亚国王约翰二世的女儿。1468年9月，根据《托罗斯-吉桑多协定》，其异母兄、国王亨利四世立她为王位继承人。1469年10月未经王兄同意就与费迪南德结婚，王兄因此撤销她继承王位的权利。1474年王兄去世，立即发生王位继承战争。伊莎贝拉得到卡斯蒂利亚贵族集团的拥护，而葡萄牙国王阿丰索五世则以武力支持反对她的一派。伊莎贝拉在内战的烽火中度过即位最初的4年。1479年2月24日终于击败国内反对派和葡萄牙国王。同年阿拉贡国王约翰二世去世，卡斯蒂利亚王国和阿拉贡王国便以君主个人的结合合而为一。但是，从这种个人的结合到实际的政治统一还有一段漫长的道路。尽管费迪南德在他第一次的遗嘱中(1475)就立伊莎贝拉为阿拉贡王位的继承人，然而两个王国仍然各行其是，各有一套治理国家的机构。两个君主为了收复穆斯林在西班牙的最后据点格拉纳达王国，确实做到同心协力。伊莎贝拉密切注视战争的发展，并且可能对后勤工作有所改进，曾创立战地医院。1491年她和费迪南德在圣菲建立前敌司令部，指挥作战，直至翌年1月收复格拉纳达为止。在此期间，哥伦布前来请求她支持远洋探险。虽然关于她用自己的珠宝充作探险经费的传说不足为凭，但是必须承认她支援这次重大航行的功劳。伊莎贝拉热心教育事业，年过30还努力学习拉丁文。学者多受其鼓励。伊莎贝拉和费迪南德由教皇亚历山大六世加封号为"天主教君主"，以示对他们热心宗教事业的褒扬，但伊莎贝拉对教廷措施中影响西班牙君主权益者均反对之。她在长期统治中不断加强皇家权力，削弱了西班牙议会和各城镇的权力。伊莎贝拉未留下回忆录，她的遗嘱及遗嘱附件是她一生的写照，举凡国家统一、北非与美洲政策、公平对待印第安人以及国内宗教改革，均所涉及，是留给后人的一份特殊文献，也是学者评价其功绩的可靠依据。

● **Isabella II 伊莎贝拉二世**(1830-10-10，马德里～1904-04-09，巴黎) 西班牙女王，在位时(1833～1868)政局混乱，军人当权。由于未能致力改革以满足臣民要求，私生活糜烂，对朝政专横跋扈，君主的威信一落千丈。她是费迪南德七世之女，1833年继父为女王，由其母及B.埃斯帕特罗将军摄政。但其叔卡洛斯的支持者否定她的继承权，由是引发第一次卡洛斯战争(1833～1839)。1843年伊莎贝拉亲政后，叛乱不断，政府依重于军人，尤其是R.M.纳瓦埃斯将军和稍开明的L.奥唐奈将军。专制制度的自由主义反对派日益扩大。和丈夫分居的女王私生活丑闻迭起。1866年流产的民众起义以及奥唐奈、纳瓦埃斯的相继去世削弱了女王的地位。终于1868年秋季爆发革命，迫使她流亡国外。1870年她在巴黎宣布退位，由长子阿丰索十二世继承王位。

Isabella Farnese 伊莎贝拉(法尔内塞)(1692-10-25，帕尔马公爵国帕尔马城～1766-07-11，西班牙阿兰胡埃斯) 西班牙腓力五世(1700～1746在位)的王后。她野心勃勃，为给子女们取得意大利属地而使西班牙陷入战争与阴谋活动之中，时间长达30余年。但她善于用人，使国内改革产生良好效果，经济情况大为好转。伊莎贝拉是帕尔马公爵拉努齐奥二世的孙女，被选作腓力五世的第2个妻子，1714年12月到达西班牙，随即排挤腓力宠幸，驾驭其夫君。因为腓力前妻所生二子为当然继位人选，伊莎贝拉便设法为她的4子3女在意大利谋求封地。结果她的长子查理(后为西班牙国王查理三世)及其弟腓力都得到意大利的封号。伊莎贝拉所选用的大臣都是天才，在对外政策以及国内经济、政治和军事等方面均有明显改进。腓力五世死后，费迪南德六世即位(1746～1759)，伊莎贝拉失势，多年居住宫廷之外。

Isabella of Anjou 伊莎贝拉(安茹的) 参阅**Isabella(Jerusalem)**伊莎贝拉(耶路撒冷)项下的**Isabella I**伊莎贝拉一世。

Isabella of Bavaria 伊莎贝拉(巴伐利亚的)(1371～1435-09，巴黎) 法国国王查理六世的王后。由于其夫有周期性疯癫，她经常担任摄政。她于1420年5月21日签订《特鲁瓦条约》，承认英王亨利五世为法国王位继承人，以代替她的儿子查理(后为查理七世)，并要将查理逐出法国。她是巴伐利亚公爵斯特凡三世之女，1385年7月17日嫁与查理。查理病后，她最初依靠奥尔良公爵，后依靠勃艮第公爵进行统治。1417年太子查理将她监禁，由勃艮第公爵将她解救出来，共同在沙特尔，后又在特鲁瓦另立政府，同巴黎当局抗衡。最后勃艮第公爵重新投靠太子查理，弃她而去。她死时，法国人和英格兰人都鄙视她。

Isabella of France 伊莎贝拉(法国的)(1292～1358-08-23) 英格兰国王爱德华二世的王后，在1327年废黜国王的行动中起了主要作用。法王腓力四世之女。1308年1月在布洛涅与爱德华结婚。在国王的宠臣P.加弗斯顿的权势炙手及其于1312年被谋杀后，她试图促成国王与贵族之间的和解。但在14世纪20年代，爱德华的新宠臣德斯彭瑟父子引起她的反对。她于1325年返法，解决关于加斯科涅的长期争执问题。此时与其子、未来的爱德华三世一起宣布在德斯彭瑟父子被赶出宫廷之前不回英格兰。她成为R.莫蒂默的情妇，与莫蒂默和其他被流放的贵族们一起于1326年跨海到埃塞克斯，击败爱德华和德斯彭瑟父子的军队。1327年爱德华三世即位后，她与莫蒂默一度操纵国王，直到1330年国王逮捕并处决莫蒂默后，她被迫隐居。晚年加入女修会。

Isabella Clara Eugenia 伊莎贝拉·克蕾尔·尤金妮娅(1566-08-12，西班牙塞哥维亚～1633-12-01，布鲁塞尔) 西班牙公主，奥地利女大公，曾与其夫统治西属尼德兰(1598～1621)。西班牙国王腓力二世之女。苏格兰女王玛丽被处决(1587)后，曾被其父提名为信奉天主教的英格兰王位继承人，未果。在她的舅舅、法国国王亨利三世被谋杀(1589)后，又要求继承法国王位，亦未成功。她在同奥地利大公阿尔贝特订婚时，作为陪嫁，获得低地国家的君权，与阿尔贝特共同统治。但规定，如果他们没有子嗣，王位将重归西班牙王室。由于低地国家的北方7省(即联合省)实际上独立，伊莎贝拉和阿尔贝特在结婚时

(1599-04)仅控制尼德兰的南方 10 省。他们重新统一 17 省的努力失败。阿尔贝特去世(1621)后，西属尼德兰的主权重归西班牙，伊莎贝拉任该地总督，代表其侄西班牙国王腓力四世进行统治，直至去世。

Isabelline 伊莎贝拉风格 阿拉贡国王斐迪南和卡斯蒂利亚王国女王伊莎贝拉夫妇联合统治时期创立的刚健有力、富有创新精神和世界性影响的建筑风格，并为银匠式建筑风格奠定了基础。不是纯正的风格，因为几十年内(约 1480 ～ 1510)所建足以反映一种真正的建筑综合性的建筑物为数甚少。这一时期的著名建筑家之一是曾在佛兰德学习的法国人 J. 瓜斯(约 1496 年卒)，他开创了西班牙教会建筑装饰的两大最流行特征：内部的正面讲坛，正对中堂入口，多供唱诗班所用；雕凿极其精细的祭坛后高架或祭坛画。但真正把意大利文艺复兴时期的设计与图案主题引进当代西班牙建筑的还当属出生于塞哥维亚并曾在博洛尼亚学习而又立足于个人风格的同时代青年洛伦佐·巴斯克斯。

J. 瓜斯 1488 年设计的伊莎贝拉风格建筑——西班牙巴利阿多利德圣格雷戈里奥教堂内的回廊

美国不列颠百科全书公司供图

Isabey, Jean-Baptiste 伊萨贝(1767-04-11，法国南锡～ 1855-04-18，巴黎) 法国杰出的细密画画家。其作品《拿破仑在马尔宫》是酷似这位皇帝的画像之一。伊萨贝曾师从 J.-L. 大卫。先后受到路易十六和玛丽·安托瓦内特皇后以及拿破仑和其妻约瑟芬皇后的恩宠，参与筹备拿破仑的加冕仪式，并为此绘制了 32 幅画。路易·菲力普国王执政时期(1830 ～ 1848)，他曾负责管理塞夫尔陶瓷厂的艺术设计室。为欧洲许多著名政治家画的谐谑画，则较少为人所知，大部分并未出版过。他的儿子欧仁(1804 ～ 1886)也是他的学生，是位风俗画家。

Isaeus 伊塞奥斯(约公元前420～约前350) 雅典职业演说词撰稿人、遗嘱法专家，他的洞察力和逻辑方法堪称法庭演说术发展的一个里程碑。有关他生平的记载很少，且相互矛盾。据说他是哈尔基季基人，又说他是雅典人。但无论怎样，他的职业生活是在雅典度过的，不过看来他并没有参加任何社会活动。他的职业是为委托人撰写发言稿。他似乎只写有关私人诉讼的法庭演说稿。他精通继承法并且能熟练地运用这方面的知识以获胜诉。他现存的 11 篇演说都直接或间接地同遗嘱有关。在法庭演说术方面，他的突出贡献在于他的辩论方法；他似乎是第一个按照逻辑推理逐点构写讼状的演说家。在安排讼词结构上，他表现出很大的独立性，他不受修辞学分类规定的约束，而按每一特定演说的需要变换结构。他善于把叙述和证据交织在一起，以免长篇大论地叙述事实，既复杂，又使人难以听下去。一般说来，他的文风明快、务实，缺乏文采，这或许更加强了它的有效性。

伊萨贝绘《维也纳会议》(1815)

美国不列颠百科全书公司供图

Ísafjördhur 伊萨峡湾 冰岛西北部韦斯特峡湾的城镇。伊萨峡湾镇是地区市场中心和冰岛西北部的主要渔港之一。除了渔业及渔产加工业外，伊萨峡湾镇还有制窗、造船和织网业。该镇建有商业性机场。人口约3 448(1988)。

Isahaya 谏早 日本九州长崎县城市。地扼岛原、长崎、西彼杵三半岛之咽喉。13 世纪后一直为四周农业地区重要商业中心。德川时代建为城堡镇。19世纪末起，沿岸填海地不断扩大，以种植优质水稻。现为地方行政和文化中心。经济以食品加工业和以云仙天草国家公园及多良岳县立公园为支柱的旅游业为主。人口 88 376(1985)。

谏早市的眼镜桥

美国不列颠百科全书公司供图

Isai (biblical figure) 参阅 **Jesse** 耶西。

Isaiah 以赛亚 希伯来语作 Yesha ʻyahu。古代以色列人的先知。《圣经·旧约》中的《以赛亚书》据说前 39 章是他所著。据《以赛亚书》第 6 章的记载，他于公元前 742 年左右在异象中见到雅赫维，应召做雅赫维的代言人，这是关于他的最早记载。关于他的身世，只知其父名亚摩斯。以赛亚经常同国王谈话，因此可能是贵族，甚至是宗室。另说他出身于祭司家庭或先知后裔(但他父亲亚摩斯并非先知阿摩司)。以赛亚特别熟悉比他略微年长的先知阿摩司所继承的传统。在公元前 8 世纪后半叶，有四位先知向以色列人进行劝诲，他们是阿摩司、何西阿、弥迦和以赛亚，他们互不相识。以赛亚与阿摩司和以色列人一致遵照传统，相信以色列人与上帝之间有一种特殊约定。但是这种关系完全是有条件的，决定于以色列人的行为。阿摩司在撒玛利亚所见以及以赛亚在耶路撒冷所见的以色列人的行为，会使这种约定被废，而且事实果然如此。《以赛亚书》第 5

章的葡萄园比喻的意义即为此。这一章把上帝比作认真而辛勤的葡萄园丁，葡萄园指以色列，园中竟然结出了不正义和暴力的“野葡萄”，园丁大怒，宣布他将不再照看和保护葡萄园。以赛亚认为，以色列人的上帝不能容忍公元前8世纪以色列社会中的毫无公正以及因而招来的痛苦。上帝更重视的是人的行为而不是他们如何经常履行礼仪。从字面上解释第29章13节和第1章10～15节就可以看出，上帝厌烦礼拜程序，而这很可能正是以赛亚本人的意见，以赛亚的神学有时也包含令人慰藉的观点，认为上帝左右历史发展，拯救他的子民脱离民族危难。但是，以赛亚又有一条令人伤心的臆测：上帝的干预也可能是制裁他的背离正道的子民，他还可能利用代理人（比如来侵的敌人）达到此目的。以赛亚比阿摩司更为明确地指出，替上帝完成这一行动的人是亚述（这也许是因为时间比阿摩司的话又迟了10年）。以赛亚开始说预言大致是亚述帝国经过一段时间的相对消极而在国王提革拉·帕拉萨三世（公元前745～前727在位）的指挥下胜利地向西扩张之际。时事未逃过先知的注意，他也同阿摩司一样，明确看出不祥之兆：亚述已成为上帝发泄震怒的工具：“亚述是我怒气的棍……我恼恨的杖；我要打发他攻击亵渎的国民……”（《以赛亚书》10:5～6）。《以赛亚书》第1章1节说，他生活在犹大国王乌西雅、约坦、亚哈斯和希西家的时代，散见于各章的影射历史事件的段落证实这种说法。以赛亚精确地指明，他开始蒙召说预言是在“乌西雅王驾崩的那一年”。公元前734年以法莲和叙利亚（亚兰）联合威胁犹大国王亚哈斯，第7章有一部分提到了此事。公元前732年，亚述国王提革拉-帕拉萨攻占大马士革，以赛亚事先预见了此事。公元前722年以法莲京都撒玛利亚为亚述国王萨尔贡攻陷，此事以赛亚也早有预见，公元前8世纪末（701）亚述国王辛那赫里布围困耶路撒冷而后撤离。《以赛亚书》1:4～8；10:27～34；28:14～22；30:1～7等段落都提到耶路撒冷城被困时民众之苦，犹大国王希西家急迫求救于埃及的困难时期。即使围解之后，以赛亚也警告犹大几代国王不要过于乐观。然而，以赛亚也提出避免悲剧的方案：以色列人的生存取决于他们重新承认传统的道德规范。根据他所提出的不可能实现的方案，他在公元前701年的危机中激烈反对准备求救埃及以解亚述军对锡安山之围。他认为民族之命运如果是由上帝所决定，那么上帝自会给予人们所应得的。以赛亚大胆的看法是：最好的防御就是不防御。《以赛亚书》中的一些安慰以色列人的话可能并非出自以赛亚之口。但是，《以赛亚书》之所以广为流传，正是由于这些话。比如，巴比伦《塔木德》就说，《以赛亚书》从头到尾是安慰。1947年死海西北岸发现犹太教艾赛尼派聚居遗址（约公元前1世纪～公元1世纪），那里出土的死海古卷中包含《以赛亚书》。犹太学者于公元前完成《旧约》的希腊文译本，其中《以赛亚书》第7章第14节原为“必有少妇怀孕生子，给他起名叫以马内利”，译本则将“少妇”改为“童女”。这样，就使得以赛亚所预言的“救世主”更加成为以色列人的迫切盼望。据《新约》记载，耶稣在拿撒勒犹太教堂宣讲时，有人递给他《以赛亚书》，他宣读第61章的开头：“主的灵在我身上，因为主用膏膏我，”还说：“今天这经应验在你们耳中了”。基督教福音书援引《以赛亚书》比其他先知书更多。《以赛亚书》第2章“将刀打成犁头”的话代表各教各派共有的乌托邦理想。书中其他许多警句至今仍为人们所传诵。

Isaiah, Ascension of 《以赛亚升天记》 伪经之一，今存5～7世纪的埃塞俄比亚文本较为完整，另有希腊文、科普特文、拉丁文和古斯拉夫文残篇。最终校订本出自2世纪基督教徒手笔，共3卷。第1卷题为《以赛亚殉教记》，注解《列王纪下》第21章所述国王玛拿西的故事可能于公元1世纪早期用希伯来文或阿拉米文写成。其内容叙述以赛亚殉教经过外，还有大量关于妖魔的描写。第2卷《希西家遗训》，为基督教徒所撰，写于公元1世纪末，讲到敌基督，说他是附在罗马皇帝尼禄（54～68在位）身上的魔鬼，而尼禄在64～65年对基督徒的迫害是弥赛亚时代到来前夕的混乱时期。第3卷为《以赛亚升天记》，又称《以赛亚见异象记》，也是基督徒所写，成书于2世纪初。此卷描述七重天，同于《以诺二书》和《新约》所述。由基督徒撰写的两卷都是启示文学，但也包含有关1世纪末基督教会情况的某些史实，与《彼得后书》、《提摩太后书》以及克雷芒（罗马的）的书信中所讲可互相印证。犹太教徒所撰的一卷中关于殉教的传说，据考证与叙利亚国王安条克四世（公元前175～前164或163在位）迫害犹太人的传说有关，而有关以赛亚殉教的详细描写又可能表明，犹太教吸收了有关近东的（后来也是希腊的）神灵阿多尼斯的神话。也有人提出，《以赛亚殉教记》的作者是库姆兰犹太教艾塞尼派人士，该派以以赛亚为该派首脑“义师”的原型。

Isaiah, Book of 《以赛亚书》 《圣经·旧约》大先知书之一。此书的引言称以赛亚为亚摩斯之子，说他“当乌西雅、约坦、亚哈斯、希西家作犹大王的时候”，“得到默示，论到犹大和耶路撒冷。”又据该书第6章第1节说，以赛亚是在国王乌西雅死时（公元前742）蒙上帝召唤为先知的。以赛亚的最后活动时间当为公元前701年，然而书中只有第1～39章所叙之事发生在这段时间。第40～66章的撰写大大迟于此时，故第40～55章称《以赛亚二书》，第56～66章称《以赛亚三书》。第1～39章除大量记载以赛亚的言论外，兼有可能由弟子所撰的以赛亚事迹。以赛亚的主要思想可从书中见到。耶路撒冷的崇拜活动，锡安派的雅赫维观对他影响甚大。他深信，要使犹大和耶路撒冷免受亚述等敌人进犯，唯一可靠的保证是雅赫维，而不是政治和军事联盟。《以赛亚二书》写成于巴比伦囚虏时期，收神谕、诗歌和论文，原作者匿名，表达期望犹太人得救的心情。书中预言巴比伦将毁灭，被虏者将得以返回故土。《以赛亚二书》中的雅赫维仆人之歌（42:1～4；49:1～6；50:4～9；52:13～53:12）引起学者热烈争论，但是从这些诗歌反映的思想可知，它们是在国王思想的影响下写成的，这种思想是：受膏者实行正义的统治，有能力拯民于水火。《以赛亚三书》更为晚近，表达返回故土的人们希望恢复传统宗教的心情，在最后几章尤为明显。这几章内容庞杂，可见并非出于一人手笔。三部《以赛亚书》是如何拼在一起的，目前无法断定。

Īśānavarman 伊桑那伐尔曼（活动时期554） 印度北部穆克里族酋长。原为笈多帝国封臣，6世纪中叶脱离笈多，宣布独立，在恒河流域称王。6世纪后半叶与后笈多国王不断进行战争。曾统治今北方邦大部分，并对摩揭陀具有若干控制权。德干也曾遭到穆克里族的袭击。国都是曲女城（今根瑙杰）。伊桑那伐尔曼的继承人格腊哈伐摩即位不久，就被后笈多国王所杀，都城也被占领。此后，穆克里族湮没无闻。

Isandhlwana and Rorke's Drift, Battles of 伊散德尔瓦纳和罗克渡口战役（1879-01-22～23） 南非祖鲁战争中的主要战役。在伊散德尔瓦纳，由于英军未能守住阵地，结果2万余偷袭的祖鲁军歼灭英军1 700人。祖鲁军损失3 000～4 000人，但其后卫未受损失，得以挺进到罗克渡口的英军基地；当地英军自伊散德尔瓦纳逃回的士兵得悉祖鲁军前来，预有准备。仅120人竟得以击退祖鲁人，且损失极小。在同年3月28～29日的坎布拉战役中，英军又取得更大胜利，使祖鲁军丧失2 000人。英军于7月攻占祖鲁首都乌伦迪后，祖鲁军遂失去战斗力。

Isar River 伊萨尔河 德国南部拜恩州河流。源出奥地利因斯布鲁克东北，卡尔文德尔山海拔1 750米处，先向西后向北流，从沙尔尼茨山口进入德国。流经山口深邃峡谷后，再向东后折向北，进入巴伐利亚平原，向东北流经慕尼黑，在雷根斯堡下游注入多瑙河。全长295千米。河水浅，水流急，不通航。主要支流有洛伊萨赫河、维尔姆河和安珀河。

卡尔文德尔山上的伊萨尔河源头
美国不列颠百科全书公司供图

Isauria 伊索里亚 古安纳托利亚中南部内陆地区。居住者为山民，希腊罗马作家们说他们"好战"和"野蛮"。公元前1世纪初，他们被罗马大将塞维利乌斯（伊索里卡）征服。在奥古斯都皇帝时代（公元前27～公元14），伊索里亚成为罗马行省加拉西亚的一部分。东罗马帝国（拜占廷）皇帝芝诺（474～491在位）生于此地。

Isboseth（Old Testament） 参阅 **Ishbosheth** 伊施波设。

ischemic heart disease 缺血性心脏病 参阅 **coronary heart disease** 冠状动脉硬化性心脏病。

Ischia, Antonio Canova, marchese d'（sculptor） **伊斯基亚侯爵** 参阅 **Canova, Antonio** 卡诺瓦。

Ischia, Island of 伊斯基亚岛 意大利岛屿。位于那不勒斯湾西北入口处，与坎帕尼亚区那不勒斯省米塞诺角隔海相望。面积47平方千米，最高点埃波梅奥火山海拔788米。几乎全部由火山岩构成，第一次火山爆发约在公元前2200年。公元前7世纪，火山爆发迫使第一批希腊居民迁离。公元前470年火山爆发后当地叙拉古驻军撤走。在古罗马时代亦有数次火山爆发。较近时期发生过多次破坏性地震，最后一次在1883年，卡萨米乔拉镇全部被毁。岛上土壤肥沃。所产埃波梅奥葡萄酒甚为著名。出产小麦、橄榄油和柑橘类水果。当地黏土据说曾用于制作库迈和波佐利古陶器。该岛以气候温和、风景秀丽、有众多热矿泉闻名。现为疗养和度假胜地。伊斯基亚镇为行政中心和主教区中心，有渔村和中世纪城堡。与那不勒斯和波佐利之间有定期轮船和汽车渡轮通航。人口：城市区约15 914（1981）。

Ischl（Austria） **伊施尔** 参阅 **Bad Ischl** 巴特伊施尔。

Ise 伊势 原称宇治山田，日本本州南部三重县城市。东临伊势湾。市内有数座重要

伊势神宫外宫大门
美国不列颠百科全书公司供图

神社。其中伊势神宫由内神社（祭祀传说中日本皇族祖先的天照大神）、外神社（祭祀主司衣食住的大神）两部分组成。两神社相隔6千米。内神社建于公元前4世纪，保存有日本三大圣宝之一的神镜。外神社建于5世纪末。两神社均以本色扁柏木建成。7～17世纪，每20年重修一次，此后每隔21年改建一次。前来朝觐的香客众多，促进了城市旅游业的发展。人口约100 145（2000）。

Ise-Shima National Park 伊势志摩国家公园 位于日本本州中部志摩半岛上的国家公园。该地两个主要城市为伊势（Ise）及鸟羽；前者以神社著称，后者则为拱卫伊势湾南部入口的一个海港。湾内有许多岛屿，以御木本养珠工业著名。鸟羽港内的珍珠岛为御木本幸吉在20世纪初首次成功地生产养珠的所在地。鸟羽地区为日本目前最主要的养珠产地。在伊势和鸟羽之间的为二见浦海滩及夫妇岩胜地。后者相传为日本创造者伊奘诺尊和伊奘冉尊的居地。

Ise Shintō 伊势神道 又称度会神道（Watarai Shintō）。神道教派别之一，由在伊势神宫的外宫供职的祠官创立，崇尚纯洁和诚实。兴起于镰仓时代（1192～1333），其宗旨是使神道摆脱佛教的支配，并宣称，佛和菩萨都是神道之神的化身。该派后来吸收了儒家学说的成分。

Iselin, Columbus O'D(onnell) 伊塞林（1904-09-25，美国纽约新罗谢尔～1971-01-05，马萨诸塞温亚德港） 美国海洋学家。1940～1950和1956～1957年间任马萨诸塞州伍兹霍尔海洋研究所所长，任期内将该所设施扩充了10倍，使之成为世界同类研究机构中规模最大者之一。伊塞林出身于纽约的一个银行世家（其曾祖父曾协助建立了大都会歌剧院和大都会艺术博物馆），就读于哈佛大学（1926年获文学士，1928年获文学硕士）。自1926年起，他率领船员驾着自备的斯库纳纵帆船，进行了一系列驶往拉布拉多和北极地区的夏季海上旅行，一路为哈佛比较动物学博物馆收集实物和资料。曾在哈佛任海洋学馆馆长助理（1929～1948）和比较动物学博物馆海洋学研究员。同期内，于1932年入新成立的伍兹霍尔研究所供职，自1936年起在哈佛讲授海洋学。1940年被任命为伍兹霍尔研究所所长，利用美国海军的战时拨款，大幅度地扩充了该所的预算和规模。该所的战时研究项目包括海上侵略的条件、大洋环流、水下爆破和其他事项。自1946年转入和平时期研究，包括渔业、海流动力学、海洋底地质剖面及有关海洋学的其他课题。其后曾任麻省理工学院（1959～1970）和哈佛大学（1960～1970）的海洋学教授。

Isengrim 伊森格里姆 贪婪而笨拙的狼，是中世纪许多兽类故事诗中的角色。常扮演一个老于世故的腐败教士，首见于拉丁语诗篇《逃犯》（940），诗中野兽均无名字，在《伊森格里姆》（1152）中，则以其本名出现。它在两诗中都是主要角色。在第一部诗中，它被描绘成一个修士，象征那时懒散堕落的教士们。《伊森格里姆》中的一段情节讲它如何轻信列那狐说隐修院伙食好而当修士。就在伊森格里姆为取得神职而被剃发并饱受殴打和侮辱时，列那狐却去他家占有了他的妻子。在《伊森格里姆》以后写成的动物故事中，列那狐取代狼而成主要角色。在这类故事中，聪明的动物在言谈举止中显露出法国人的特征，而粗笨的伊森格里姆却是只德国狼。

isentropic chart 等熵面图 又称等熵图。表示等熵面（即等位温面）上湿度分布和沿该面空气流动的气象图（位温，指一块干空气在与外界无热量交换的情况下，从起始状态到达标准气压时所具有的温度）。全球各地等熵面的高度不同，在等熵面图上高度的差异用等压线（该等熵面各处所在高度的相同气压值的连线）表示。湿度分布以等混合比（单位质量干空气含有的水汽质量）线和等比湿（单位质量空气含有的水汽质量）线表示。等熵面上的气流用流线表示，流线是由气压场和温度场推算出来的。等熵面图由N.肖于1933年在英国首先提出，尔后C.-G.罗斯比1936年在美国提出，当时进行高空观测的气象台站网已经有一定的数据，有条件绘制这种图。空气质点是沿等熵面而不是沿等高面流动的，根据等熵面图可以方便地每天看出气流的活动史。此外，等熵面图还明晰地描绘出形成天气的物理过程。

Iseo, Lake 伊塞奥湖 拉丁语作Lacus Sebinus。意大利北部伦巴第区湖泊，在贝加莫省和布雷西亚省之间，位于阿尔卑斯山南麓，海拔186米，湖长25千米，最宽处5千米，面积62平方千米。最深点250米。湖水由波河支流奥廖河自湖北补给，从湖南流出。湖中有全国最大的湖心岛伊索拉山（面积13平方千米）。湖畔广泛种植橄榄、葡萄和果树。湖南端的伊塞奥是避暑胜地。

Iser River（Europe） **伊塞尔河** 参阅 **Jizera River** 伊泽拉河。

Isère 伊泽尔 法国东南部罗讷-阿尔卑斯大区省份。由过去多菲内省的北部组成，面积7 431平方千米，从东南部的上阿尔卑斯省延伸到西北部罗讷省的里昂附近。山峦环绕的首府格勒诺布尔在本省中南部德拉克河汇入伊泽尔河处。最高山岳在东南部，高达3 900米以上。气候夏热冬冷，雨雪丰沛。在格勒诺布尔东北格兰西沃当的大片洼地和其他谷地有富饶的农业带。山区开采木材，林带海拔在1 800米以上。水力发电的发展推动了工业迅速发展，尤其在格勒诺布尔附近地区和德拉克河谷等地。工业包括电炉冶金、电化工、造纸和食品加工。一半以上的居民在运输部门工作。活跃的冬夏季运动和美丽的风光吸引大量的旅游者到山区来。格勒诺布尔附近的大沙特勒斯山隐修院不对外开放，但修士自己酿制的烈性甜酒可见于邻近瓦龙市场上。历史上著名的维济耶城堡

(16～17 世纪)现对游人开放。伊泽尔是小说家斯丹达尔(又译司汤达)和作曲家 H.柏辽兹的家乡。有格勒诺布尔、拉图尔迪潘和维埃纳 3 个专区,属于格勒诺布尔教育区。人口约 970 000(1985)。

Isère River 伊泽尔河 法国东南部河流。源出意大利边境萨瓦阿尔卑斯山,流经290千米,至瓦朗斯与罗讷河汇合,流域面积约12 000平方千米。该河发源于伊斯朗山口附

流经格勒诺布尔的伊泽尔河
美国不列颠百科全书公司供图

近一个冰川形成的斗形凹地(海拔 2 400 米),急流而下,经过瓦勒迪泽尔,流入蒂涅坝形成的人工湖。后流经塔朗泰斯河谷,穿过圣莫里斯堡处的水坝,又在山间曲折回转,在阿尔贝维尔与阿尔利河相汇后流向西南。其重要支流阿尔克河也发源于意大利边境,流经莫达讷和圣让,自西与伊泽尔河汇合。两河汇合后,穿过伊泽尔省边界,经过格勒诺布尔,急转向西北,又转向西南,注入罗讷河。该河不通航,但许多河段建有水电站。

Isergebirge (eastern Europe) 参阅 **Jizera Mountains** 伊泽拉山脉。

Iserlohn 伊瑟隆 德国西部北莱茵-威斯特法伦州城市。位于多特蒙德东南,地处多丘陵和森林的绍尔兰山区入口处。11 世纪首见记载,1237 年设建制。在中世纪以生产军火和轻金属制品闻名。有 11 世纪的圣潘克拉提乌斯教堂等古迹。现生产机械、药品、人造纤维和纺织品等。该市拥有多个博物馆,也是德国军用飞机飞行员培训中心。人口约 98 234(2003)。

Isernia 伊塞尔尼亚 意大利中南部莫利塞区伊塞尔尼亚省省会。位于坎波巴索西面,卡尔皮诺河和索尔多河之间。著名建筑有古罗马桥梁、大教堂、弗拉特纳喷泉和市博物馆等。第二次世界大战中受到严重破坏,但均已重建。现为商业中心和交通枢纽。生产食品、纺织品、花边等。人口:城市区约 20 777(1984)。

Isesaki 伊势崎 日本本州群马县城市。在高崎一小山铁路线上。德川时代早期建为城堡镇,后发展为商业城镇,以缫丝业闻名。明治维新后迅速发展成为丝织业中心。1957 年开始生产合成纺织品,并生产机械、交通设备和电器。人口约 112 458(1985)。

Iseult (medieval romance) **绮瑟** 参阅 **Tristan and Isolde** 特里斯丹和绮瑟。

Iseyin 伊塞因 尼日利亚西南部奥约州城镇。与奥约、伊韦雷、阿贝奥库塔和奥卡卡通公路。19 世纪 60 年代初约鲁巴传教团在此建圣公会教堂。1916 年该镇发生反对英总督的暴乱。现为传统棉纺织中心,以印染业著称。居民约鲁巴人种植烟草、柚木、棉花、靛青以供出口。木薯、薯蓣、玉米和花生等作物大部分供当地消费。另有金属加工业。为地方政府参议会所在地。有基督教会中学和一所医院。人口约 157 000(1983)。

Isfahan (Iran) 参阅 **Eşfahān** 伊斯法罕。

Işfahānī, al- 伊斯法哈尼 参阅 **Abū al-Faraj al-Işbahānī** 艾布尔·法拉吉·伊斯法哈尼。

İsfendiyar DYNASTY **伊斯芬迪亚尔王朝** 参阅 **Candar dynasty** 桑达尔王朝。

Isham, John 艾沙姆(约1680～1726-06) Isham 又拼 Isum。英国作曲家和管风琴演奏家。曾就读牛津默顿学院,后到伦敦,成为作曲家和管风琴演奏家 W. 克罗夫特的助手,继而接替克罗夫特成为索霍圣安妮教堂的管风琴师(1711 ～ 1718)。1713 年他随同克罗夫特赴牛津,在那里取得音乐学士学位。1718 年成为伦敦霍尔本圣安德鲁教堂的管风琴师。翌年担任威斯敏斯特圣玛格丽特教堂的管风琴师。他兼任两职直到去世。在其音乐生涯中,他的一些赞美歌和歌曲曾出版,包括受欢迎的《我四处流盼的目光隐藏喜悦》。

Isham, Ralph Heyward 艾沙姆(1890-07-02,纽约市～ 1955-06-13,纽约市) 美国珍稀手稿收藏家。他发现了久已失踪的 J. 鲍斯韦尔的《约翰逊传》和其他文稿、书信。其父是富有的铁路行政官员。艾沙姆曾在康奈尔大学(1908 ～ 1909)和耶鲁大学(1910 ～ 1911)就读,去墨西哥和马来半岛参加大型猎物狩猎后,写有一系列文章在报上发表。1916 ～ 1919 年在伦敦英国陆军服役,职位升至上校(永久军衔为中校)。因此,退役后仍爱用"艾沙姆上校"的称呼。回纽约后,虽然偶尔担任一些公司职务,但主要收集书籍和手稿,经常出国旅行。1927 年,他在都柏林附近的马拉海德城堡鲍斯韦尔的玄孙、塔尔博特·德·马拉海德男爵第六处寻得鲍斯韦尔的一些文稿。接着他花了 20 多年时间重新整理这些文稿,大部分文稿是在马拉海德城堡和苏格兰的费特凯恩宅第发现的,而手稿是在阁楼上的旧箱子和包袱以及其他半隐蔽的地方找到的。1948 年,艾沙姆宣布收集工作完成(然而在其死后,在马拉海德、费特凯恩和其他地方又发现了几件文稿)。他自费出版了《艾沙姆中校在马拉海德收集的鲍斯韦尔的私人文件》(1928 ～ 1934),并使《鲍斯韦尔赫布里底群岛之行日记》(1936)得以大量发行。1949 年,他将大部分收藏以 45 万美元卖给耶鲁大学,这在当时是一笔大数。1950 年又将其余的鲍斯韦尔文稿卖给耶鲁大学。1950 年 1 月,耶鲁大学的 F.A.波特尔教授着手对鲍斯韦尔文稿进行分类和编目;第一卷《伦敦日记,1762 ～ 1763》于同年 11 月出版。

Ishbosheth 伊施波设(活动时期公元前11世纪) 又拼 Isboseth;又称伊施巴力(Ishbaal、Eshbaal)。《旧约》(《撒母耳记下》2:8 ～ 4:12)人物,以色列国王扫罗的第四子,是扫罗家族中做北朝以色列国(与南朝犹大国对立)国王的最后一人。他原名伊施巴力(《历代志上》8:33;9:39)。扫罗之侄、元帅押尼珥宣布伊施波设为以色列国王,押尼珥在幕后掌实权。但是,犹大支派拥护大卫,于是两国开战。押尼珥纳扫罗的一位妃嫔利斯巴,伊施波设表示反对,因为此举含篡权之意。押尼珥遂投向大卫,北朝各支派实际上陷于群龙无首状态,伊施波设不久为两个部将所杀。大卫将两个凶手处死。伊施波设对押尼珥的反抗虽软弱无力,但足以迫使押尼珥叛归大卫,最后死于一个敌人手中,这一系列事件引发了大卫的分裂王国内部一段时间的动乱。《圣经》载伊施波设 40 岁做王,在位仅两年,但是学者发现这些数字并不正确。他做王时或许相当年轻,在位时期与大卫在希伯伦做王时期相等,约 7 年半。

Ishekiri(people) **伊谢基里人** 参阅 **Itsekiri** 伊策基里人。

Isherwood, B(enjamin) F(ranklin) 伊舍伍德(1822-10-06,纽约市～ 1915-06-19,纽约市) 美国海军工程师,南北战争时大力扩充了美国海军蒸汽动力舰队的实力。医生之子。曾就读于纽约州奥尔巴尼学院(1831 ～1836)。此后先后在铁路公司、水道工程公司、美国财政部所属灯塔站及铁厂学习机械与工程技术。1844 年加入美国海军工兵部队,此后便在舰船上及海军陆上基地服役。内战爆发后担任海军轮机长,并在 1862 年任海军蒸汽动力局首任局长。内战初期海军仅拥有 28 艘蒸汽舰艇,但至内战结束时增为约 600 艘。大多数舰船的设计与建造均由他亲自监督,万潘诺格级舰船的机械设备与船体结构大部分则由他亲自设计。该批舰船是当时世界上速度最快的船,时速可达每小时 17.75 节。在此期间,他曾撰写了 2 部有关船只蒸汽动力的著作:《蒸汽机械实用范例》(2 卷,1859)及《蒸汽工程的实验研究》(2 卷,1863 ～ 1865)。后者不仅成为标准教科书,且被翻译成多国语言。他于 1884 年以海军工兵部队最高永久军衔的总工程师职务退休。此前数年,他曾主持几项有关美国海军舰船与基地以及外国海军的试验研究。死后,位于安那波利斯的美国海军军官学校将一座大厅命名为伊舍伍德厅以资纪念。

Isherwood, Christopher 伊舍伍德(1904-08-26,英格兰柴郡海莱恩～ 1986-01-04,美国加利福尼亚圣莫尼卡) 又译衣修午德。原

名 Christopher William Bradshaw - Isherwood。英国出生的美国小说家、剧作家。因写过一些以20世纪30年代初的柏林为背景的小说而名噪一时。曾当过秘书和家庭教师。最初两部小说《一切阴谋家》(1928)和《纪念碑》(1932),在朋友中获得一定程度的承认。在20世纪30年代,他与奥登合作创作出三部诗剧,其中包括《攀登 F6 高峰》(1936)。但使他广为人知的主题,他是在1929年发现的。1929～1933年间他住在柏林,以旁观者的态度,亲眼目睹魏玛共和国的没落和法西斯主义的上台。他的小说《诺里斯先生换乘火车》

摄影出版公司供图

(1935)和《再见吧,柏林》(1939)(两书后来汇编为《柏林故事》出版)确立了他重要作家的声誉,并激励他写下话剧《我是照相机》(1951;1955年拍成电影)和音乐剧《餐馆》(1966;1972年拍成电影)。这些著作超然但幽默地描写了在德国首都过着寒酸的侨居生活的犹疑不定的人物。1938年发表《狮子与影子》,叙述早年在剑桥求学时的生活和友谊。1939年移民美国,定居南加利福尼亚,在那里从事教学并为好莱坞写电影剧本。1946年加入美国籍。他也是在1939年转向和平主义和印度吠檀多派的清心寡欲,成为普拉布哈瓦南陀的信徒。第二次世界大战后,继续用他那种独有的风格写自传体小说。《一个单身汉》(1964)是他的一本短小但受到高度评价的小说,该书描写一个孤独的中年同性恋者生活中的一天。他公开承认的自传性作品包括回忆其父母的《凯思琳和弗兰克》(1971)、回顾他本人20世纪30年代生活的传记《克里斯托弗和他的同伴》(1977)和论述他与普拉布哈瓦南陀和吠檀多派的关系的《我的宗教导师和他的信徒》(1980)。1953年起伊舍伍德与朋友、画家和摄影家唐·巴沙迪住在一起,两人后来都参加了争取同性恋权利的运动。

Ishibashi Tanzan　石桥湛山(1884-09-25,东京～1973-04-25,东京)　日本政治家、经济学家、记者、首相(1956-12～1957-02)。日莲宗僧人子。早稻田大学哲学科毕业。最初入新闻界,在《东洋经济新报》周刊工作时,以大胆评论经济出名。1934年创办英文杂志《东方经济学家》,1939年任社长。曾任政府经济部门的顾问。1946年在吉田内阁中任大藏大臣。1956年在鸠山内阁中任通商产业大臣,并当选为自由民主党总裁。同年12月就任首相,主张日本"独立外交",谋求与中华人民共和国建立贸易关系。1957年2月因病辞职。1960年任日苏友好协会会长和日本国际贸易促进协会会长。1959年访问中国。他主张日本、美国、中国和苏联订立多边和平条约。他的不断进步的政策与自民党格格不入,1963年竞选众议员失败。

Ishida Baigan　石田梅岩(1685-10-12,日本丹波藩～1744-10-29,京都)　日本学者。出身农民家庭。青年时期在京都学习伦理学说。1729年在家乡发表演说,发起名为"心学"的道德教育运动。以儒家学说为基本伦理学说,但也吸收道教、佛教以及神道学说的成分,周游全国,教育民众,于1739年刊出《都鄙问答》。石田逝世后,约有400个信徒继续开展心学运动,得到政府鼓励,在全日本发展到81个学校。然而由于教义日趋武断、陈腐,信者渐少;至江户时代(1603～1867)末期,这一运动终于衰落。他的著作有《俭约齐家论》(1774)。其弟子辑有《石田先生语录》,刊行于1806年。

Ishida Mitsunari　石田三成(1563,日本旧近江国～1600-11-06,京都)　日本武将。早年为丰臣秀吉建立汗马功劳,先为佐和山城主,后为新政府的重要人物之一。1598年秀吉死后,子秀赖年幼,由5人摄政,其中最有势力的是德川家康。1599年,他密谋在藩主间进行分化离间,以提高自己的地位。德川的几个家臣决定将其处死,但经德川家康宥免。翌年,他又拉拢5位摄政王中的上杉景胜出兵进攻德川家康。他在关原之战中惨败,被俘后斩首。1603年德川家康成为将军。

Ishii Kikujirō　石井菊次郎(1866-03-10,日本阿波藩～1945-05-25,东京)　日本政治家和外交家,在第一次世界大战前和战后几十年间,极力谋求日本进行慎重的扩张和同西

美国不列颠百科全书公司供图

方合作,并取得成效。1907年,曾被派往旧金山和温哥华调查日益高涨的反日情绪。他参加谈判日美之间的《君子协定》,依此协定,日本政府答应扣发打算移居美国的劳动者的护照。1917年,他商谈《蓝辛-石井协定》,其中美国比较笼统地承认日本在华的特殊利益,而日本则保证尊重美国的门户开放政策。第二次世界大战期间,石井在美国的一次空袭中被炸死。他的回忆录《外交余录》有一部分英译,题名《外交评论》。

Ishikari-gawa　石狩川　日本北海道河流。源出北见山脉中部。西南流,呈大弧形经上川盆地、空知川低地和石狩川平原注入日本海石狩湾,长200千米。常年于春融、夏雨季

北海道的石狩川与石狩川平原
美国不列颠百科全书公司供图

节泛滥两次。河上大型水利工程为重工业提供用水,但使流域水源受到严重污染。

Ishikawa　石川　日本本州西部一县。滨日本海。面积4 196平方千米。虽降雪多但气温不低。农业以水稻种植为主,并以私人占有较大面积的土地为特点。工业集中在首府金泽,20世纪60年代发展迅速,生产机械、丝织品、漆器和传统的九谷裂烧瓷器。人口1 164 627(1990)。

Ishikawa Takuboku　石川啄木(1886-10-28,日本岩手县日野户～1912-04-13,东京)　日本诗人。石川一的笔名。擅长写传统短歌,由于歌词新颖,意象生动,而一举成名。虽然啄木未能完成学业,但由于自己攻读,对日本文学和西方文学均有惊人的造诣。1905年出版第一部诗集《憧憬》。1908年在东京定居,与明星派浪漫主义诗人交往,逐渐转向自然主义,终于写起政治色彩浓厚的作品来。1910年他最早的一部重要短歌集《一把沙子》问世。所收551首诗是用传统的短歌形式写的,语言清新,独辟蹊径。啄木的短歌有一种理性的、往往是讽刺的内容,尽管他也因其诗歌中充满深刻的个人情调而知名。他曾在东京当校对谋生,并主编《朝日新闻》的歌坛栏,部分原因是不知节俭,经济拮据。曾在日记,特别是《罗马字日记》(1954年全部发表)中记录了这一时期的生活,给人留下深刻印象。他用罗马字写日记,是为了使妻子无法读懂。啄木尽可能忠实地记录了他的复杂的感情和思想生活。他还出版过小说,虽然有些作品也闪烁着光采,却无法与其诗媲美。他那一系列打破传统形式的诗篇《笛子和口哨》(1912),显示出某种无政府主义和社会主义思想的影响。后因患慢性病兼营养不良而死,遗稿有短歌集《悲哀的玩具》(1912)等。

Ishikawajima-Harima Heavy Industries Company, Ltd.　石川岛播磨重工业股份有限公司　日本主要的重型机械和远洋轮船制

造商。总公司现在东京。1853年在石川岛一家造船厂成立，1889年改组成股份有限公司，并在1907年创建播磨造船所。1960年兼并两家船厂后该厂在发展油轮上领先，用以运输液态天然气；在设计能源工业用船方面处于最前列。该公司最庞大的工程为浮动纸浆工厂，加工纸浆原料。果敢的兼并战略，使公司达到日本主要公司之一的现状。20世纪60年代兼并了许多厂商，使公司的业务更加多样化，范围超出了船舶建造。公司及其附属机构也生产船用和飞机用发动机、化工产品、钢铁生产设备、物料搬运机械等。该公司作全球性的经营，办事机构通贯南、北美洲及远东。出口收入占该公司年销售额的近半数。

Ishim River 伊希姆河 Ishim又拼Išim。哈萨克斯坦和俄罗斯中南部秋明和鄂木斯克两州境内的河流。为额尔齐斯河左岸支流，发源于哈萨克高地北部尼亚兹山地，向西流经切利诺格勒，然后北折流经彼得罗巴甫洛夫斯克和伊希姆草原，在乌斯季伊希姆注入额尔齐斯河。全长2 450千米，流域面积144 000平方千米。主要靠融雪水补给，春季河水泛滥，夏季水浅，有些河段可通航。彼得罗巴甫洛夫斯克西南的谢尔盖耶夫卡水库，有长3 500千米大型引水工程，灌溉北哈萨克斯坦州、科克切塔夫州和库斯塔奈州的农业区。

Ishimbay 伊希姆拜 又拼Išimbaj。俄罗斯西部巴什基尔共和国城市。位于别拉亚河畔。伏尔加-乌拉尔石油区最早的石油工业中心，1932年采油，1936年第一座炼油厂投产。现石油储量已枯竭，但成为斯捷尔利塔马克-伊希姆拜-萨拉瓦特石化联合企业（俄罗斯最重要的石油化工联合企业之一）的组成部分。人口约71 000（1991）。

Ishinomaki 石卷 日本本州宫城县城市。位于北上川河口。建于4世纪。德川时代为稻米转运港，后成为深海渔港。沿海养殖牡蛎、海带，加工水产品，生产捕鲸叉和纸浆。市西造陆地带种植蔬菜、水果。为沿海和内陆地区物资集散地。建有防波堤和水泥墙以阻挡潮浪。人口约123 034（1983）。

北上川河口的石卷港
美国不列颠百科全书公司供图

Ishkur 伊希库尔 美索不达米亚宗教所崇奉的神灵，流行于苏美尔人中间，司掌雨水和春季雷雨风暴。他是中部草原地区的比特卡库鲁城（可能是今吉德尔）的护城神。其像为硕大雄牛，其人形往往手持作为他的标记的闪电之叉。

Ishmael ben Elisha 以实马利·本·以利沙（活动时期2世纪） 犹太教坦拿、贤哲，对后世塔木德著作和犹太教教义影响深远。童年时正值耶路撒冷第二圣殿被毁，他被俘往罗马。长辈坦拿约书亚拉比将他赎回抚育。成长后在巴勒斯坦南部执教，与拉比阿基巴·本·约瑟密切合作，阿基巴也曾受业于约书亚。阿基巴解释律法书严格依照字面意义，以实马利则不拘泥于词义。他为人平易可亲，受人爱戴，对犹太教习俗抱灵活态度，解释律法讲求变通。创办塔木德学院，通称以实马利学院；据说该院曾出版关于《出埃及记》、《民数记》和《申命记》的各种评注。以实马利本人将通称希勒尔七条准则的解经原则加以提高，扩充为13条。

Ishpeming 伊什珀明 美国密歇根州上半岛西北部马凯特县城市。位于马凯特西南19千米处。1844年始建，1871年设村，1873年设市。经济以采矿（铁矿石）、炸药制造、木材和大理石开采及冬季运动为主。自19世纪80年代以来一直为滑雪胜地。市内有国立滑雪荣誉厅和博物馆。每年举行国际滑雪比赛。里佩尔州立公园及马德湖位于该市附近。人口7 200（1990）。

Ishrāq, Shaykh al- 伊什拉克 参阅 **Suhrawardī, as-** *苏哈拉瓦迪*。

Ishtar 伊什塔尔 苏美尔语作Inanna。美索不达米亚宗教所崇奉的女神，司掌战争和性爱。她最初与仓库相关连，因而是椰枣、羊毛、肉类和粮食的女神；仓门是她的徽号。她也司掌雨水雷暴，因而与苍天神安努发生联系，其像常伴有狮子，狮吼象征雷鸣。人们认为她有争战之力，可能从她能行风作雨推想而来。较晚近的神话认为她是宇宙的女王。

约公元前2300年圆筒印章上的伊什塔尔像（右）
美国不列颠百科全书公司供图

Ishtar Gate 伊什塔尔城门 古巴比伦城（在今伊拉克）主要通道上的巨大城门，用烧制砖砌筑。建于约公元前575年，为该城第8个设防的城门。该处遗址被德国著名考古学家罗伯特·科尔德威挖掘，1899～1917年他一直进行巴比伦的考古挖掘工作。该城门和门道的残余物自1930年以来一直存放在柏林的佩加蒙博物馆。门楼高逾12米，分层用釉面砖装饰，砖面有浮雕的龙、牛花纹。门分内外二重，南面有一个宽阔的前厅。门道长逾800米，用砖石铺成，称为“行列道”。街道两边用表面刻有呈行走姿势的狮像的砖装饰。据估计街上共有狮像120头，而门楼上有龙、牛像13行，共575头。但因街道的标高已几次被提高；这些浮雕并不能全部同时看到。伊拉克的文物管理部门已按较高的标高重修了通道。20世纪90年代以来，伊拉克一直积极寻求城门遗留物和相关古董的回归。

Ishtar Terra 伊什塔尔台地 金星表面两块洲际规模的高原台地中较小的一个。台地位于金星北半球北纬45°～75°、东经300°～75°之间，大小约为阿佛洛狄特台地的一半，地表面积和澳大利亚相当。伊什塔尔包含几个地貌明显不同的区域。所有的山脉地带都像是起因于金星岩石圈的可压缩板块的褶皱活动和断层活动。麦克斯韦山脉是金星的最高山地，峰顶高约11千米。东部地质结构复杂。台地形成的地质过程仍不十分清楚，或许其中有因地幔运动引起的地表增厚。

Ishtumegu（king of Media） 参阅 **Astyages** *阿斯提亚格斯*。

Isidore OF KIEV 伊西多尔（基辅的）（约1385，希腊南部～1463-04-27，罗马） 希腊正教俄罗斯牧首、天主教枢机主教、人文学家、神学家。原是君士坦丁堡圣德米特里隐修院院长，奉拜占廷皇帝约翰八世差遣出使国外，谋求召开会议以实行东西两派教会的联合，徒劳而返。1436年任基辅和全俄罗斯牧首，后被教皇尤金四世任命为教皇使节，在基辅执行关于东西两派教会联合的决议颇有成效，并积极向莫斯科推广此种措施，结果招致莫斯科大公瓦西里二世和俄罗斯教会的反对。他被教会法庭认定叛离正教信仰而遭监禁，后越狱逃走。后来奉教皇尼古拉五世派遣自意大利境内锡耶纳前往君士坦丁堡。1452 年 12 月在君士坦丁堡被土耳其攻陷前夕庄严宣布希腊和罗马教会统一。朝廷和教会同意这项宣布，但人民不愿与罗马教廷建立关系。伊西多尔和其属下参加君士坦丁堡保卫战，受伤但幸未被俘。1454 年返罗马，撰写《报哀信件》，记述君士坦丁堡陷落时惨状。

Isidore OF SEVILLE, SAINT **伊西多尔(塞维利亚的)，圣**(约560，西班牙卡塔赫纳或塞维利亚～636-04-04，塞维利亚) 基督教神学家、最后一位西方拉丁教父、大主教、百科全书编纂家。600 年前后继其兄任塞维利亚大主教，劝化西哥特人放弃阿里乌主义接受正统教义，成绩卓著。他的最重要著作为《语源学》。该书共分 20 部，从过去的丛书、专著和拉丁各家著作中摘录而成，其中第 5 卷是后世辞书编纂家的重要资料来源。此外伊西多尔尚有关于语言学、自然科学、宇宙论和历史的著作。他的神学著作有《教父生平始末》、《三卷名言集》和《论教会职责》等。讹传现称《伪伊西多尔教令集》一书乃出自他的手笔。

Išim River(Kazakhstan) 参阅 **Ishim River** 伊希姆河。

Išimbaj (Russia) 参阅 **Ishimbay** 伊希姆拜。

Isin 伊辛 美索不达米亚古城，伊拉克南部阿迪瓦尼耶附近的一个大丘陵可能即是它的遗址，约公元前 2017 年此处建独立王朝。伊辛的第五个统治者利皮特-伊什塔(公元前 1934～前 1924 在位)颁布一系列苏美尔文法令，比汉穆拉比法典还早一个多世纪，因而闻名。伊辛于约公元前 1794 年丧失独立。约公元前 1156～前 1025 年间，它的第二王朝复兴，曾统治伊拉克南部的巴比伦尼亚。

Isinglass 云母(1890年出生) 1893年获英国三王冠赛(二千畿尼赛、德比赛、圣莱杰赛)的纯种赛马。作为一匹英国赛马，它在整个比赛生涯中创下了一共赢得 23.5 万美元的记录(这个记录于 1952 年被打破)。云母的父兽是伊索诺米，母兽是戴德洛克，它的主人是 H.麦克卡尔蒙特，驯马师是 J.朱伊特。1893 年 2 龄时，由 T.洛茨驾驭赢得了英国三王冠赛。它还曾在纽马基特有奖赛上夺魁。1894 年在桑当赢得了埃克立普斯有奖赛，1895 年 5 岁时赢得了埃斯科特金杯。

isinglass 白云母薄片 云母，特别是白云母(**muscovite**)的薄片。

Isis 伊希斯 埃及语称阿塞特或埃塞特。古埃及主要女神之一。伊希斯在古埃及象形文字中作"宝座"解。该词是阴性，故其拟人化为女性，意为众王之母。她头上即有这个象形文字。她单独或怀抱婴儿坐在宝座上，或跪在棺前。她主要司众生之事，也是丧仪

埃及后王朝时代的伊希斯与何露斯铜像
美国不列颠百科全书公司供图

中的主神；能治病，也能起死回生。在关于星体的神话中，伊希斯的相应星体是天狼星。

Iskandar Muda 伊斯坎达尔·穆达(1590～1636-12-27) 印度尼西亚苏门答腊北部亚齐的苏丹。在他的治理下，该地区大为扩张，并成为国际知名的贸易和伊斯兰学术的中心。1607 年即位。他发动一系列的海上战争，取得印度尼西亚群岛西北部的有效控制权。他据有苏门答腊东西两海岸的主要港口以及马来半岛的吉打、霹雳和彭亨。他对葡萄牙人在马六甲的地位造成严重的威胁。1629 年，由几个小邦(如葡属马六甲、柔佛和帕塔尼)组成的舰队在马六甲附近的海面上打败了亚齐。伊斯坎达尔·穆达死后，荷兰人逐步侵略，亚齐未再出现杰出的领袖。

Iskandarīyah, al- 参阅 **Alexandria** 亚历山大。

Iskandarīyah, al- 伊斯坎德里耶 下埃及一省。省会亚历山大市内及周围的北部人口密集。内陆沙漠向南深入西部沙漠 80 千米以上。面积 2 679 平方千米。由于不断开垦土地，已有约 7.7 万公顷土地成为农田。亚历山大港东北的天然海角阿布吉尔有天然气井。亚历山大市区内有各种工业及港口和陆上交通设施。阿布吉尔尚存古埃及皮格韦(希腊时期称为克诺珀斯)的很多遗迹，在托勒密王朝时代为游乐胜地，有萨拉匹斯神的重要庙宇(4 世纪时被毁)。人口约 3 328 196 (1996)。

Iskele(Cyprus) **伊斯凯莱** 参阅 **Larnaca** 拉纳卡。

İskenderun 伊斯肯德伦 旧称亚历山大勒塔。土耳其南部哈塔伊省伊斯肯德伦地区海港和主要城市。位于伊斯肯德伦湾东岸。在经好望角的印度洋航线和后来经苏伊士运河的海上航线开辟之前，是中世纪和近代初期与伊朗、印度和东亚贸易的陆路通商口岸。1939 年该地区(更名为哈塔伊)归属土耳其后，首府迁往安塔基亚。伊斯肯德伦市通过改建港口、建立军事基地、兴办工业(化肥和钢)和铺设从拉曼山来的输油管线而迅速发展起来。到 1955 年其人口已超过安塔基亚。努尔山下冲积平原的现代城市建筑优美、街道整齐。与国内其他城镇通公路和铁路，有空中航线通阿达纳、安卡拉和伊斯坦布尔。人口：市 161 728(1997)。

Iskowitz, Edward Israel (U.S. entertainer) **伊斯科维茨** 参阅 **Cantor, Eddie** 坎托。

Iskŭr River 伊斯克尔河 拉丁语作Oescus。保加利亚最大河流。在里拉山区的萨莫科夫南面由源流白伊斯克尔河与黑伊斯克尔河汇合 而成。经巴尔干山地下切割出一条长 40 英里(65 千米)的峡谷，使海拔 1 800 英尺(550 米)高的索非亚盆地得以与多瑙河台地互通往来。全长 250 英里，在尼科波尔以西约 20 英里处注入多瑙河。下游在索非亚东南，有伊斯克尔水库和一系列小水电站。

Isla, José, Francisco de 伊斯拉(1703-03-24，西班牙比达内斯～1781-11-02，教皇辖区博洛尼亚) 西班牙讽刺小说作家，又称伊斯拉神父。1719 年入耶稣会做见习修士。1727 年被任命为圣经文学教授。1754 年前在西班牙一些学校中讲课。1754 年退隐于比利亚加西亚，开始写他的杰作《赫隆迪奥修士》(1758)，对当时盛行于西班牙教会的空洞乏味夸夸其谈的布道方式进行了尖锐的讽刺。作品引起长时期的争论，1760 年以受宗教裁判所查禁告终。1767 年耶稣会教士被大批驱逐出境，他被逐出西班牙，一度侨居科西嘉，最后定居于博洛尼亚。

Islām 伊斯兰教 世界主要宗教之一，由公元 7 世纪阿拉伯先知穆罕默德创立。阿拉伯语"伊斯兰"意为"顺从"，即伊斯兰教的基本思想，谓信徒(称穆斯林)以"顺从唯一真主安拉的意志"为己任。全世界信奉伊斯兰教的民族繁多，具有不同文化，因此教内派别复杂。但是全世界穆斯林都有共同的基本信仰，并且同感共为一体。19、20 世纪在西方殖民主义的压迫下，伊斯兰世界许多政权丧失，但是伊斯兰一体的意识不但没有减弱，反而增强，鼓舞了伊斯兰教各民族在 20 世纪中期争取政治自由和主权。

伊斯兰教的基本教义和信条 一般说来，伊斯兰教的教义、教法和思想以四项基本原则即四乌苏尔为基础：①《古兰经》；②逊奈(圣训)；③公议(集体一致意见)；④伊智提哈德(个人判断)。《古兰经》所讲关于安拉的教义是严格的一神论，他是唯一的、独特的、他没有伙伴和同等的。伊斯兰教反对基督教的三位一体论。穆斯林认为，在安拉与他所创造的万物之间没有中介。安拉是有位格的主；他是全能的，主宰一切。他比颈部的血管离人还近。贫困苦难之时向他呼吁，他必答

应。他向万物特别是人指示正道。《古兰经》说安拉有大能、正义并仁慈，此点与犹太教、基督教的传统有关，是从这种传统中脱胎而出而有所修改，同时也与伊斯兰教以前的阿拉伯人的思想有关。《古兰经》多次强调宇宙的计划性和秩序以证明真主独一。所谓秩序，是说：每一个受造物都被赋予一定的明确性质，因而成为一种类型。这种性质，一方面使每一事物在整体中发挥作用，另一方面又有限度。这种万物均有限度的思想，就是《古兰经》的宇宙论和教义学的根本原则之一。按照《古兰经》的说法，真主创造两种显然并行的事物，即用土造人，用火造镇尼。《古兰经》很少谈及镇尼，但间接表明镇尼有理智与主观责任，比人更具有犯罪倾向。犹太教与基督教关于人类始祖阿丹（亚当）堕落的故事，《古兰经》是承认的，但它说真主宽恕阿丹不顺从之罪，并没有像基督教所说的那样把它看成原罪。《古兰经》说人是受造物中最高贵者，肩负为其他受造物所拒绝的信托。但《古兰经》又说，人脆弱易变，人生性叛逆骄傲，自居可以靠己力为所欲为。按照《古兰经》叙述，易卜劣斯（魔鬼）原居高位，但由于抗拒真主对众天使所发命令，不尊重人祖阿丹而失去真主慈惠。自此以后，他就专门诱人为非作歹和犯罪，直到世界末日止。一切先知都是人，决无神性；他们仅仅是接受真主的启示。穆罕默德是最后的、最大的先知，因为过去一切先知所传的信息到了穆罕默德乃臻完善。根据伊斯兰教教义，世界末日死者复活，每人都按照自己的行为受审。解除他人痛苦、救济贫穷这样的社会服务，是伊斯兰教教义的重要内容。聚敛财富而否认穷人权利，是今世社会腐败的主要原因，将在后世受到严惩。禁止放高利贷这种社会经济理论加强教内的团结，由此而产生一种观念：信士彼此皆为兄弟，共同生活在紧密的集体之中。伊斯兰教的基本信条为：信安拉，信天使，信经典，信先知，信末日和信前定。

伊斯兰教的主要派别 穆罕默德死后数年，伊斯兰教内发生严重分歧，首先是政治分歧，起源于伊斯兰社团内领导地位的问题。第三代哈里发（穆罕默德的继任人）奥斯曼在位时期，有些人指责他用人唯亲和执法不公，不满情绪日益高涨，最后他被暗杀。起事者拥立穆罕默德的堂弟兼女婿阿里为首领，后来又抛弃他而与他战斗，指责他犯大罪，不该把哈里发地位交付仲裁，这个集团称为哈瓦利吉派。该派的基本学说是：人犯了大过或大罪而不虔诚忏悔，就不再是穆斯林。该派又认为，任何穆斯林，不论肤色、种族和性别，都可以成为统治者，只要是他或她虔诚。而什叶派（即阿里派）认为，国家首脑必须出身于先知的家族，逊尼派（圣训派）则认为国家首脑必须属于先知的出身部族，即古来氏族。哈瓦利吉派现代仅存一个比较温和的支派即易巴德派，流行于阿曼、桑给巴尔、东非和北非。哈瓦利吉派基本已经消灭，但它激起重大的反响，因而对伊斯兰教产生持久的影响。在它的威胁下，伊斯兰教首脑不得不设法防范宗教上的偏狭和狂热。从积极方面来讲，在它的影响下，伊斯兰教内部不时涌现改革运动。8、9世纪希腊哲学科学著作纷纷译成阿拉伯文，同时穆斯林与诺斯替教、摩尼教等二元宗教以及佛教和基督教展开争论，结果出现穆尔太齐赖派（即分离派）。该派与哈瓦利吉派一样，认为行为是信仰的必要组成部分，而犯有大罪的人如不悔过，就已经既不是穆斯林也不是非穆斯林，而居于“中间地位”。他们鼓吹，人的理性并不依存于真主的启示，人可以凭着理性区别善恶，真主的启示证实理性探讨的成果。该派认为真主是没有永恒属性的纯粹本质，因为如果把永恒属性与本质相联，将会使人相信许多事物都是永恒的，这就与真主的纯而无杂的独一性不合。10世纪兴起反对穆尔太齐赖派的运动，终于发展成为逊尼派即正统派教义学。逊尼派重视伊斯兰教社会大多数人的见解和习俗，把大量的圣训说成是穆罕默德的言行，借以鼓吹穆斯林必须遵循伊斯兰社会大多数人所行的道德，少数派注定进火狱。逊尼派一方面谴责分裂，斥持不同信仰者为异端，另一方面提倡兼容、求大同而存小异，融合不同见解。关于人的意志自由问题，逊尼派努力调合人的责任和真主的无限权威这两个观念。什叶派是伊斯兰教仅存的重要旁支派别。它发生于阿里（穆罕默德的女婿、第四代哈里发）和伍麦叶王朝（661 ～ 750）之间的对抗之中。阿里死后，什叶派要求把统治地位归还阿里家族，并进而提出只有圣人家族才有神圣权力实行统治的说法。什叶派在早期利用这种理论反对伍麦叶王朝称霸阿拉伯世界，并策动社会改革。什叶派逐渐为自己的政治立场提出教义学根据。可能是受了诺斯替教与古伊朗二元宗教的影响，什叶派提出，伊玛目（政治统治者）是真主的化身，是维持宇宙而又授人以真知原始光辉的化身。正统什叶派承认十二代伊玛目，其中最后一代伊玛目于9世纪遁世。从那时起，据说什叶派的贤哲一直是在这位伊玛目的指引下解释法律和教义，这位伊玛目将于末日返回世界，以真理和正义充实世界。什叶派的主要支派是十二伊玛目派，此外还有一些具有不同程度的极端主义倾向的支派，其中最重要的是伊斯玛仪派。在伊斯兰教初期就有在宗教上比较敏感的人不满于教内的世俗化倾向以及教法和教义学的纯形式主义，实行禁欲苦修。苏非派就是从这种禁欲主义中脱胎而来。

穆斯林五功 在穆罕默德死后的几十年内，有人提出伊斯兰教的五功。哈瓦利吉派在这五功之外，增加“圣战”为第六功，但伊斯兰教社会未普遍接受。五功中的第一功是念功，念清真言：“除安拉外，再无神灵；穆罕默德是安拉的使者”。这是穆斯林必须履行的义务。第二功是拜功。每日进行5次集体礼拜，但如因故不能去清真寺，也可单独进行。第三功是课功，交纳天课，称为“札卡特”。第四功是斋功，赖买丹月封斋。第五功是朝功，一年一度到麦加朝觐。按照规定每个穆斯林一生都要朝觐一次，只要是“他有足够的负担能力”，并且在离家时安置好家属的生活。伊斯兰教最神圣的圣地是朝觐目的地麦加克尔白天房。苏非派圣徒的祠庙也受到广大穆斯林的崇敬。伊斯兰教历是太阴历，纪元起自公元622年即先知穆罕默德自麦加迁至麦地那的一年。一年有两大节日，一是开斋节，即斋月的结束；二是宰牲节（古尔邦节），是朝觐的结束。伊斯兰教鼓励结婚，《古兰经》规定，只有在缺乏经济能力时才可实行独身主义。但是许多苏非派信徒实行独身。伊斯兰教以前的阿拉伯人实行一夫多妻制，《古兰经》规定人同时至多可以有四个妻子，每个妻子都应受到公平对待。伊斯兰教义最重要、最全面的实际体现是“沙利亚”（教法）。广义地讲，教法包括法律、道德准则以及穆斯林必须遵守的教条。

Islam, Nation of　伊斯兰民族组织　又称美国穆斯林教团、西方伊斯兰世界社团或黑人穆斯林运动。为美国各种近似宗教的黑人民族主义团体在20世纪演化出来的宗教与文化社团。在这些先驱团体中，以1913年先知德鲁·阿里（原名提摩太·德鲁）在新泽西州的纽瓦克创立的美洲摩尔人科学神庙最为著名。德鲁断言摩尔人（亦即穆斯林）是所有黑人的本源，并声称返回伊斯兰是摆脱种族压迫的唯一办法。1914年由贾维创立的世俗的全球黑人促进协会亦拥护后来被黑人穆斯林采纳的一些原则。然而，正式运动是由瓦莱士·法尔德·穆罕默德（又名法尔德，或瓦利·法拉德）发起的，他是1877年前后出身于麦加的一位正统穆斯林，1930年移民美国，一年后在底特律建造一座清真寺。法尔德的初期信徒多是从美国南方移来的黑人，他们迫于当时的种族政策与经济条件，集居于北部大工业城市的黑人居住区。他们相信法尔德是安拉的化身，前来解放他所称呼的“失而复得的西方伊斯兰民族”。法尔德保证，如果他们听信他的教导，了解自身的真实情况，必能战胜他们的白色“奴隶主”，在世界各民族间恢复尊严与优越的地位。运动的首要推进者为*伊莱贾·穆罕默德*（**Muhammad, Elijah**）。当法尔德于1934年神秘失踪后，他继任后来成为伊斯兰民族组织的领袖。不久，他到芝加哥建立该运动的第二座清真寺。运动初期发展缓慢。第二次世界大战结束时，美国黑人受到抗议精神和席卷非洲的黑人民族主义的感染。伊斯兰民族组织直接利用黑人群众的被压抑的愤懑心情，引导他们采取战斗的姿态。不久，黑人人口较多的一切大城市中都出现了清真寺。在伊莱贾·穆罕默德领导下，伊斯兰民族组织宣布“黑人”在道德与文化上的优越性，安拉指定黑人担负世界文化与政治的领导责任。这一教派组织命令黑人放弃基督教，认为基督教是白种人奴役非白种人的主要策略。白种人被视为魔鬼种族，他们的统治时期行将结束。同时要求黑人共同努力挽救堕落的人（犯罪者、吸毒者等），了解自己的真正的历史，谋求经济独立，并准备阿尔马盖敦之战，即善与恶的最后斗争。20世纪60年代，由于伊莱贾·穆罕默德的发言人马尔科姆·艾克斯人品非凡，该运动得以普及全国。他有力地表达种族自尊心和穆斯林的原则，因而成为一名文化英雄，特别是在黑人青年中间。1961年埃里克·林肯出版《美国黑人穆斯林》一书，这一书名成为该运动在当时的标准名称，虽然在群众心目中并非正式名称。由于教派统治集团的不和，马尔科姆·艾克斯被免职，并在他的领导下成立一个叫做“穆斯林清真寺”的敌对集团。两个集团的激烈斗争可能是1965年马尔科姆·艾克斯被暗杀的重要原因。70年代后期，在伊莱贾·穆罕默德之子沃里兹·迪恩·穆罕默德的领导下，伊斯兰民族组织在社会、知识、精神和发展中发生了一系列的变化。在这段时期里，摒弃了所有的肤色意识、种族主义以及对法尔德的神化，组织也改称美国穆斯林教团。1985年5月沃里兹·迪恩·穆罕默德宣布解散美国穆斯林教团，以便使其成员能够成为世界正统伊斯兰社团的一部分。虽然清真寺系统及其附属的宗教、教育、经济等方面的功能依然存在，但是该运动先前所特有的集中领导与组织已告结束。设在纽约市的一个分支，在法拉坎的领导下，仍保有“伊斯兰民族组织”的名称以及创立时的原则。

Islam, Pillars of 五功 阿拉伯语拉丁字母转写作 Arkān al-Islām。伊斯兰教用语。指穆斯林必须履行的五项义务：即念功，念清真言(**shahādah**)；拜功，每天5次依礼则祈祷礼拜(**salat**)；课功，纳财供赈济贫民之用，亦称天课(**zakat**)；斋功，在赖买丹月封斋(**ṣawm**)；朝功，朝觐(**hajj**)麦加。

Islāmābād (Jammu and Kashmir) **伊斯兰巴德** 参阅 **Anantnāg** 阿嫩德纳格。

Islamabad 伊斯兰堡 巴基斯坦首都。位于波特瓦尔高原，在前临时首都拉瓦尔品第东北14千米处。因发现卡拉奇不适宜作为首都，1959年选择了该城城址。城市建筑始

伊斯兰堡市的国家秘书处
美国不列颠百科全书公司供图

于1961年，力求把伊斯兰建筑传统与现代建筑的形式和要求结合起来。城市布局紧凑，面积65平方千米，海拔450～600米。第二期建筑工程包括国家秘书处、巴基斯坦府、总统府、国民议会大厦、国家大清真寺和政府官员住宅，均已竣工。伊斯兰堡大学建于1965年，人民开放大学(后改称阿拉马·伊克巴尔开放大学)建于1974年。1971年印巴战争暂时影响了城建速度。城区分为8个地区：行政区、外交区、居住区、公共机构区、工业区、商业区、绿化区以及国家公园。国家公园内有奥林匹克村、花园和乳牛场、养禽场、菜园以及核研究所、国民健康中心等机构。城市定名为伊斯兰堡(伊斯兰之城或和平之城)反映了国家意识。规划的首都区(面积906平方千米)是该城周围的一片近似阶地和草地。此外还有一片近似梯形的地区(2 717平方千米)叫做特别区，亦在该市规划管理范围之内。马加拉山脉(900～1 500米)在北部及东北部。南部有一河流，建有拉瓦尔坝，库容约6 165万立方米。人口：市524 500；首都区约799 000(1998)。

Islāmic arts 伊斯兰艺术 中东和其他信奉伊斯兰教地区的广大群众从7世纪以来所创造的文学、表演和视觉艺术。

伊斯兰视觉艺术富于装饰性，色彩鲜艳，就宗教艺术来说，是非具象的。典型的伊斯兰装饰称为阿拉伯式，这种装饰或风格利用花卉、簇叶或水果等图案，有时用动物和人体轮廓或几何图样来构成一种直线、角线或曲线交错的复杂的图案。这种装饰被用在建筑物品上。

陶器、玻璃制品、金属制品、纺织品、手稿插图和木工在伊斯兰文化中占最重要的地位。陶器是早期伊斯兰装饰艺术最重要的项目。闪光陶器则是伊斯兰对陶器工艺最伟大的贡献，这种陶器的装饰法是在釉药中加入金属化合物，烧焙后即成为现晕光的金属薄膜。在哈里发时代(公元750年到11世纪中叶)所制的其他著名物品有埃及的青铜器和木雕、伊拉克的灰泥和西班牙的象牙雕刻。在塞尔柱时期(11世纪中叶到13世纪中叶)，陶器、纺织品和玻璃制品仍然十分重要。此外，以青铜和黄铜制成的实用物品也用银和纯铜加以镶嵌，并用复杂的图纹装饰。手稿插图也成为一种重要而备受尊敬的艺术。在蒙古入侵(1220～1260)以后的时期，细密画是伊朗最伟大也最具特色的艺术。在伊斯兰教中，书写文字作为传达神圣启示的工具，具有特殊的地位。因此，书法就以各种优雅的字体为基础发展出许多丰富而复杂的样式。书法艺术不仅被用在手抄本上，同时也是建筑和其他装饰中重要的特色。

最能表现伊斯兰建筑特色的是清真寺和相关的宗教建筑。早期的伊斯兰教建筑，以耶路撒冷的岩顶圆顶寺(691)与大马士革的大清真寺(705)为例，均采取基督教建筑的特征，如穹窿、圆柱拱门和马赛克，但也建有供会众祈祷用的广大中庭。宗教建筑艺术一直到哈里发时代，伊拉克和埃及等地创建多柱式清真寺后才具有自己的风格。这种风格的建筑物是在成列的圆柱上架设屋顶，其正方形或长方形的平面图可以伸缩，亦即用增减柱子的方法来扩大或缩小面积。塞尔柱时期和萨非时期，伊朗采用一种不同的清真寺建筑设计，由4个面朝中庭的圆顶大厅组成。这些砖造的清真寺也用圆形屋顶和有装饰的内角拱。波斯的建筑特征传入印度，可见于珍珠清真寺(1653)和泰吉·马哈尔陵(1645)。出自伊斯兰和拜占廷建筑传统的奥斯曼建筑，可以土耳其埃迪尔内的谢里姆清真寺(1575)为例，其正中有一大穹窿顶，也有细长的尖塔。至于非宗教性的伊斯兰建筑，最佳范例之一是西班牙格拉纳达的艾勒汉卜拉宫(13～14世纪)。

伊斯兰文学以4种主要的语言写成：阿拉伯语、波斯语、土耳其语和乌尔都语。阿拉伯语作为揭示伊斯兰教和《古兰经》的语言，居绝对重要的地位。《古兰经》是穆斯林心目中优秀的文学典范。阿拉伯诗歌的基本要素承袭了伊斯兰教以前的模式，采用单韵(即一首诗中每行的韵脚均相同)和复韵(即将长短音节整理成16个格律)。阿拉伯诗歌有3种基本类型。其中厄扎尔(**ghazal**)通常为情诗，是5到12节的单韵诗；颂诗是20甚至于100节以上的单韵诗，通常用来表达正式而精雕细琢的颂赞。波斯人以自己的语言，运用阿拉伯诗歌的风格、形式与规则进行诗歌创作，并且加以改良。他们也发展出一种新的诗歌风格——玛斯那维，由一连串的有韵对句组成。波斯人用它来写作叙事诗(此形式并不为阿拉伯人所知)，最著名的例子是菲尔多西(1020年卒)的《王书》。波斯文学又反转来影响乌尔都文学与土耳其文学，特别是在词汇和格律方面。土耳其文学也具有其丰富而独立的民歌传统。伊斯兰文学也包括了纯文学的、教诲的和通俗的散文。最足以代表伊斯兰散文的文学形式为玛卡梅体，这种文体用精雕细琢的手法来讲述一个相当简单的故事，故事里有许多隐喻、双关语和其他文字游戏。在通俗文学的领域中，最著名的作品是《天方夜谭》，这部著作集结了各个穆斯林地区丰富的神话故事。

伊斯兰音乐为一种单音音乐，没有和声，其特色在于节奏和旋律是两个不同的系统，以单线进行的旋律为主展开各种装饰，并且重视音乐名家的即席表演。节奏和旋律的编排则遵循一定的规则或音阶。伊斯兰音乐利用微分音——亦即不完全均等的半音如四分之三音等等，来达成旋律的装饰效果，此外也利用小音程或大音程来获得这一效果。伊斯兰音乐通常由一个小型合奏团演奏，即一名歌手和数名乐器手以独唱和乐器的演奏交替表演。歌手或乐器手负责引导旋律，节奏则由打击乐器负责，包括有框架鼓、钹、敲击用的木棒。管乐器包括若呐(zornā，一种类似双簧管的乐器)、不同型式的笛子、长喇叭、号角以及与竖笛相似的双管单簧乐器。不过，弦乐器最受人们喜爱，最著名的为厄乌德琴，这是一种四弦或五弦的短颈诗琴。此外还有一些梯形乐器，如撒吐尔琴(santūr)，演奏时用两根榛木制的小棒来敲击琴面的金属弦，以及用手拨的夸奴琴(qānūn)。其他弦乐器还包括小提琴和弓诗琴，诸如卡曼琴、凯曼贾琴和拉巴布琴。

Islāmic Association (Indonesian political party) 参阅 **Sarekat Islām** 伊斯兰教联盟。

Islāmic bath 伊斯兰浴室 伊斯兰国家兴建的公共浴室，是东方原始的沐浴传统与罗马繁复的沐浴过程的结合体。典型的浴室包括一套穹顶的房间，有暖间、热间和蒸汽间，与罗马公共浴场的格局大体相同。除上述穹顶房间外，尚有更衣室及装饰富丽的休息室，沐浴及按摩后可在此进用茶点。设有男女分别使用的浴室。有些伊斯兰浴室饰有富丽的镶嵌砖、喷泉和水池。西班牙格拉纳达省的艾勒汉卜拉宫(1358)、叙利亚阿勒颇的城堡(1367)及伊斯坦布尔的哈塞克禁地等的浴室(1556)都是绝好的例证。

Islāmic calendar 伊斯兰历 参阅 **Muslim calendar** 穆斯林历。

Islāmic caste 伊斯兰种姓 由于接近印度文化,在印度和巴基斯坦的穆斯林当中发展起来的社会分层单位。大多数南亚穆斯林都来自印度;尽管他们原来宗奉平等的伊斯兰信条,但改宗印度教者则往往坚持他们的印度社会风习。同时,印度教徒也利用给予穆斯林上层某些印度社会的身份地位而使他们更易融入印度社会。南亚穆斯林社会区分为阿什拉夫(亦即贵族,据信为穆斯林阿拉伯移民的后代)和非阿什拉夫(亦即非贵族,印度人之改信伊斯兰教者)两大居群。阿什拉夫再分为4个种姓亚群:①赛义德,原指穆罕默德之女法蒂玛及女婿阿里子孙;②沙伊克,意为"首领",主要为阿拉伯或波斯移民之后代,实亦包括改宗之拉杰普特人;③普什图,阿富汗及巴基斯坦西北部操普什图语部落的成员;④莫卧儿,土耳其人后裔,随莫卧儿军队进入印度者。非阿什拉夫种姓分为3级:最高者为高级印度种姓之改宗者,主要是未曾纳入沙伊克种姓的拉杰普特种姓;其次是手艺人,如朱拉哈种姓,原为织工阶层;最低者是改宗的不可接触者,他们仍操旧业。印度种姓之两大表征,即共食制和内婚制,在伊斯兰种姓中似不太严格。

Islāmic Conference, Organization of the(OIC) 伊斯兰会议组织 1969年穆斯林国家和政府首脑会议及1970年穆斯林国家外长会议之后,于1971年5月在沙特阿拉伯王国的吉达成立的伊斯兰国家组织。其成员国有阿富汗、阿尔及利亚、巴林、孟加拉、贝宁、文莱、布基纳法索、喀麦隆、乍得、科摩罗、吉布提、埃及、加蓬、冈比亚、几内亚、几内亚比绍、印度尼西亚、伊朗、伊拉克、约旦、科威特、黎巴嫩、利比亚、马来西亚、马尔代夫、马里、毛里塔尼亚、摩洛哥、尼日尔、阿曼、巴基斯坦、巴勒斯坦解放组织、卡塔尔、沙特阿拉伯、塞内加尔、塞拉利昂、索马里、苏丹、叙利亚、突尼斯、土耳其、乌干达、阿拉伯联合酋长国和也门。其宗旨在于通过协调成员国的社会、经济和科学文化活动,促进伊斯兰各国的团结。该组织在加强穆斯林斗争的旗帜下,保证消除种族隔离和种族歧视,尤以消除对巴勒斯坦解放组织的歧视为重点。其机构包括:国际伊斯兰通讯社、伊斯兰发展银行、伊斯兰团结基金会和世界伊斯兰教育中心。1979年埃及与以色列签订《戴维营协定》后被停止会员资格,1984年埃及申请重新加入,被该组织接受。

Islāmic Development Bank 伊斯兰发展银行 伊斯兰国家为促进成员国经济发展和社会进步而筹措资金的银行。1973年伊斯兰会议组织筹划建立,1975年10月正式开始营业。总部在沙特阿拉伯的吉达。该行成员国系由伊斯兰会议组织的成员国选出。该行力图通过用参加股东的自有资本,对经济和社会的基本建设项目投资及向公私经济部门提供贷款的方法,促进经济和财政的增长。该行还设有特别基金向非成员国的穆斯林社团提供技术援助。

Ísland 参阅 **Iceland** 冰岛。

island 岛屿 比大陆面积小并完全被水域包围的陆地。可出现在海洋、湖泊或江河里。成群的岛屿叫群岛。

岛屿可分为大陆型和海洋型。海洋型岛是指那些从海洋盆地底部升高到海面的岛;大陆型岛是大陆架上那些被水域包围但未被淹没的部分。世界上比较大的岛很多属大陆型。最大的岛是格陵兰,面积217.5万平方千米,与毗邻的北美大陆都由同样的物质组成,被一片狭窄的浅海与北美大陆隔离开。同样,世界第二大岛新几内亚,面积80万平方千米,是澳大利亚大陆台地的一部分,同大陆台地只隔着一道很浅而窄的托雷斯海峡。托雷斯海峡附近的海底只要稍稍翘起,就足以使新几内亚与澳大利亚连接起来;相反,海平面稍有上升就会淹没丘陵海岸,而余下的丘顶即成近海小岛(马萨诸塞州波士顿附近的近海岛和缅因州的近海岛即属此类)。

从大洋盆地底升起的岛屿是火山岛。熔岩不断堆积,直到厚度颇大,最终突出在海面上。构成夏威夷群岛的熔岩堆,高出大洋底达9 700米。

海岛上的生物呈现出极为有趣的特征。大海对有些生物是障碍,但对另一些生物却是运载工具;这些生物一旦在新的基地上安置下来,就往往在被隔绝的环境中演化发育出新的特征来。形成已久的大海阻隔,造成了甚至是相邻各岛屿之间在动物和植被方面

世界大岛屿

名称和位置	面积* 平方英里	面积* 平方千米	名称和位置	面积* 平方英里	面积* 平方千米
非洲			波多黎各	3 435	8 897
马达加斯加岛	226 658	587 041	迪斯科岛(格陵兰)	3 312	8 578
留尼汪岛(印度洋)	970	2 512	安蒂科斯蒂岛(魁北克)	3 066	7 941
比奥科岛(赤道几内亚)	779	2 017	威尔士王子岛(阿拉斯加)	2 770	7 174
			康沃利斯岛(加拿大西北地区)	2 701	6 996
北美洲			格雷厄姆岛(不列颠哥伦比亚)	2 456	6 361
格陵兰岛	822 700	2 130 800	安德罗斯岛(巴哈马)	2 300	5 957
巴芬岛(加拿大西北地区)	195 928	507 451	爱德华王子岛(加拿大)	2 170	5 620
维多利亚岛(加拿大西北地区)	83 897	217 291	科茨岛(加拿大西北地区)	2 123	5 499
埃尔斯米尔岛(加拿大西北地区)	75 767	196 236	奇恰戈夫岛(阿拉斯加)	2 062	5 340
纽芬兰岛(加拿大)	42 031	108 860	阿蒙德·灵内斯岛(加拿大西北地区)	2 029	5 255
古巴	40 519	104 945	马更些王岛(加拿大西北地区)	1 949	5 048
伊斯帕尼奥拉岛(海地-多米尼加共和国)	29 418	76 192	特立尼达	1 841	4 769
班克斯岛(加拿大西北地区)	27 038	70 028	圣劳伦斯岛(阿拉斯加)	1 780	4 610
德文岛(加拿大西北地区)	21 331	55 247	斯蒂芬森岛(加拿大西北地区)	1 723	4 463
阿克塞尔·海伯格岛(加拿大西北地区)	16 671	43 178	阿德默勒尔蒂岛(阿拉斯加)	1 709	4 426
梅尔维尔岛(加拿大西北地区)	16 274	42 149	巴拉诺夫岛(阿拉斯加)	1 636	4 237
南安普敦岛(加拿大西北地区)	15 913	41 214	努尼瓦克岛(阿拉斯加)	1 600	4 144
威尔士王子岛(加拿大西北地区)	12 872	33 338	乌尼马克岛(阿拉斯加)	1 600	4 144
温哥华岛(不列颠哥伦比亚)	12 079	31 284	长岛(纽约)	1 401	3 629
萨默塞特岛(加拿大西北地区)	9 570	24 786	米尔恩兰岛(格陵兰)	1 400	3 700
巴瑟斯特岛(加拿大西北地区)	6 194	16 042	特雷尔岛(格陵兰)	1 300	3 300
帕特里克王子岛(加拿大西北地区)	6 119	15 848	曼塞尔岛(加拿大西北地区)	1 228	3 181
威廉王岛(加拿大西北地区)	5 062	13 111	阿基米斯基岛(加拿大西北地区)	1 159	3 002
埃勒夫·灵内斯岛(加拿大西北地区)	4 361	11 295	勒维拉格吉多岛(阿拉斯加)	1 134	2 937
拜洛特岛(加拿大西北地区)	4 273	11 067	库普列阿诺夫岛(阿拉斯加)	1 084	2 808
牙买加	4 244	10 991	博登岛(加拿大西北地区)	1 079	2 795
布雷顿角岛(新斯科舍)	3 981	10 311	马尼图林岛(安大略休伦湖)	1 068	2 766
查尔斯王子岛(加拿大西北地区)	3 676	9 521	乌纳拉斯卡岛(阿拉斯加)	1 060	2 760
科迪亚克岛(阿拉斯加)	3 588	9 293			

续表

名称和位置	面积* 平方英里	面积* 平方千米
南美洲		
火地岛(阿根廷-智利)	18 530	47 992
马拉若岛(巴西帕拉)	15 500	40 100
巴纳纳尔岛(巴西托坎廷斯)	7 700	20 000
奇洛埃岛(智利)	3 241	8 394
东福克兰	2 550	6 605
威灵顿岛(智利)	2 549	6 604
列斯科岛(智利)	1 973	5 110
卡维亚纳岛(巴西帕拉)	1 918	4 968
古鲁帕岛(巴西帕拉)	1 878	4 864
西福克兰	1 750	4 532
奥斯特岛(智利)	1 590	4 117
南乔治亚岛(福克兰群岛)	1 450	3 756
圣伊内斯岛(智利)	1 407	3 645
南极洲		
亚历山大岛	16 700	43 200
罗斯福岛	2 900	7 500
凯尔盖朗岛	2 247	5 820
阿德莱德岛	1 400	3 600
熊岛	1 300	3 500
亚洲		
婆罗洲(印度尼西亚-马来西亚-文莱)	283 400	734 000
苏门答腊岛(印度尼西亚)	167 600	434 000
本州岛(日本)	87 805	227 414
西里伯斯岛(印度尼西亚)	69 100	179 000
爪哇岛(印度尼西亚)	49 000	126 900
吕宋岛(菲律宾)	40 420	104 688
棉兰老岛(菲律宾)	36 537	94 630
北海道(日本)	30 144	78 073
库页岛(萨哈林岛)(俄罗斯)	29 500	76 400
斯里兰卡(原名锡兰)	25 332	65 610
九州岛(日本)	14 114	36 554
台湾(中国)	13 851	35 873
海南岛(中国)	12 962	33 572
帝汶岛(印度尼西亚)	11 883	30 777
四国岛(日本)	7 049	18 256
哈马黑拉岛(印度尼西亚)	6 865	17 780
塞兰岛(印度尼西亚)	6 621	17 148
松巴哇岛(印度尼西亚)	5 965	15 448
弗洛勒斯岛(印度尼西亚)	5 500	14 250
十月革命岛(俄罗斯)	5 471	14 170
萨马岛(菲律宾)	5 050	13 080
内格罗斯岛(菲律宾)	4 905	12 704
巴拉望岛(菲律宾)	4 550	11 785
科捷利内岛(俄罗斯)	4 504	11 665
约斯·苏达索岛(印度尼西亚)	4 500	11 600
班乃岛(菲律宾)	4 446	11 515
邦加岛(印度尼西亚)	4 375	11 330
布尔什维克岛(俄罗斯)	4 368	11 312
松巴岛(印度尼西亚)	4 306	11 153
民都洛岛(菲律宾)	3 759	9 736
布鲁岛(印度尼西亚)	3 670	9 505
共青团员岛(俄罗斯)	3 477	9 006
弗兰格尔岛(俄罗斯)	2 800	7 300
莱特岛(菲律宾)	2 785	7 213
择捉岛(俄罗斯)	2 596	6 725
新西伯利亚岛(俄罗斯)	2 394	6 200
巴厘岛(印度尼西亚)	2 147	5 561
龙目岛(印度尼西亚)	2 098	5 435
马都拉岛(印度尼西亚)	2 042	5 290
法捷耶夫岛(俄罗斯)	1 930	5 000
比利顿岛(勿里洞岛)(印度尼西亚)	1 853	4 800
尼亚斯岛(印度尼西亚)	1 842	4 772
大利亚霍夫岛(俄罗斯)	1 776	4 600
宿雾岛(菲律宾)	1 707	4 422
布敦岛(印度尼西亚)	1 620	4 200
保和岛(菲律宾)	1 492	3 864
韦塔岛(印度尼西亚)	1 400	3 600
索科特拉岛(也门)	1 400	3 600
西比路岛(印度尼西亚)	1 400	3 600
马斯巴特岛(菲律宾)	1 262	3 269
卫古岛(印度尼西亚)	1 200	3 100
杨德纳岛(印度尼西亚)	1 200	3 100
塔利亚布岛(印度尼西亚)	1 100	2 900
欧洲		
大不列颠	83 698	216 777
冰岛	39 699	102 819
爱尔兰(爱尔兰-英国)	32 589	84 406
北岛(俄罗斯新地岛)	18 882	48 904
西斯匹次卑尔根岛(挪威)	15 075	39 044
南岛(俄罗斯新地岛)	12 848	33 275
西西里岛(意大利)	9 830	25 460
撒丁岛(意大利)	9 194	23 813
东北地岛(挪威斯瓦尔巴群岛)	5 486	14 210
塞浦路斯岛	3 572	9 251
科西嘉岛(法国)	3 351	8 680
克里特岛(希腊)	3 190	8 261
西兰岛(丹麦)	2 715	7 031
埃季岛(挪威斯瓦尔巴群岛)	1 942	5 030
文叙瑟尔-曲半岛(丹麦)	1 809	4 685
埃维亚岛(希腊)	1 411	3 655
马霍卡岛(西班牙巴利阿里群岛)	1 405	3 640
瓦伊加奇岛(俄罗斯)	1 306	3 383
科尔古耶夫岛(俄罗斯)	1 240	3 200
哥得兰岛(瑞典)	1 159	3 001
菲英岛(丹麦)	1 153	2 985
乔治地岛(俄罗斯法兰士约瑟夫地群岛)	1 120	2 900
亚历山大地岛(俄罗斯法兰士约瑟夫地群岛)	1 080	2 800
萨列马岛(爱沙尼亚)	1 031	2 671
大洋洲		
新几内亚(巴布亚新几内亚-印度尼西亚)	309 000	800 000
南岛(新西兰)	58 676	151 971
北岛(新西兰)	44 204	114 489
塔斯马尼亚岛(澳大利亚)	24 868	64 409
新不列颠岛(巴布亚新几内亚)	14 100	36 500
新喀里多尼亚岛(巴布亚新几内亚)	6 467	16 750
夏威夷岛(夏威夷群岛)	4 028	10 433
维提岛(斐济)	4 011	10 388
布干维尔岛(巴布亚新几内亚)	3 880	10 049
新爱尔兰岛(巴布亚新几内亚)	3 340	8 651
伊莎贝拉岛(厄瓜多尔巴塔戈尼亚群岛)	2 249	5 825
梅尔维尔岛(澳大利亚北部地方)	2 240	5 800
瓦努阿岛(斐济)	2 137	5 535
瓜达尔卡纳尔岛(所罗门群岛)	2 047	5 302
坎加鲁岛(南澳大利亚)	1 680	4 351
圣埃斯皮里图岛(瓦努阿图)	1 420	3 677
马莱塔岛(所罗门群岛)	1 400	3 600
圣伊莎贝尔岛(所罗门群岛)	1 300	3 400
圣克里斯托瓦尔岛(马基拉岛)(所罗门群岛)	1 206	3 125

* 数字以四舍五入取至百位数。

的显著差异;从这种差异上可以推断出岛屿的由来。此外,全球生物分布区的任何详图均可说明岛屿在确定动物和植被类型分布的边界方面的重要性。例如,在巴厘岛与龙目岛之间以及婆罗洲与西里伯斯之间穿过的一条线(华莱士线)以西,岛上的生物是亚洲型的;而在那条线以东,尽管龙目海峡很狭窄,植被和动物却是澳洲型的。大洋型岛屿往往只有几种动物群集,主要是海鸟和昆虫。岛上常常有大量植被,植物的种子是由风和海流或是鸟类带到岛上的;但植物种类较为有限。

island arc　岛弧　与强烈的火山活动、地震活动及造山作用过程相伴随的长形曲线状大洋岛链。这类地质特征如阿留申-阿拉斯加岛弧和千岛-堪察加岛弧。大多数岛弧都由两列平行的、弯弓状的岛屿组成。这样一种双岛弧的内列由一串爆发的火山组成,而其外列由非火山的岛屿组成。在只有单列弧的情况下,组成它的岛屿很多是有火山活动的。一个岛弧,在典型情况下,其凹的一侧有陆块,或部分封闭的、出奇地浅的海。沿着其凸的一侧,则几乎固定不变地存在着长而狭窄的*深海沟*(**deep-sea trench**)。大洋的最大深度就发现于这样的海底凹陷,正如在马里安纳海沟和汤加海沟的情况那样。破坏性地震经常发生在岛弧所在地。这些地震与世界其他地区记录到的浅源地震不同,它们是源于岛弧基底以下深达600千米处的深源地震事件。这些地震的震源有朝着岛弧凹侧越来越深的趋势。大多数岛弧沿着太平洋盆地的西缘出现。少数例外是东印度岛弧、西印度岛弧和南大西洋的斯科舍岛弧。根据流行的理论,岛弧形成于两个岩石圈板块(组成地球表面各块段的巨大刚性板体)会聚之处。当碰撞时,其中一个板块具有重的大洋地壳,向下猛插,并被挤入具有较轻大洋地壳的第二板块之下局部熔融的较低地幔之中。岛弧就由于玄武岩和安山岩喷发而从仰冲板块的表面上形成。玄武岩被认为是来源于半熔融的地幔,而安山岩可能是由于下降板块及堆积其表面上之沉积物的局部熔融而生成的。

island stage　岛屿式舞台　参阅 **theatre-in-the-round** *圆形剧场*。

Islands, Bay of　群岛湾　新西兰北岛北部的地理区域和南太平洋海湾。海岸线长达800千米,约有150个岛屿。湾口具宽18千米的航道,东为布雷特角,西为威威基角。19世纪30年代为捕鲸中心。现为旅游胜地,风景优美,有《英国-怀唐伊条约》签字的屋子等史迹,可狩猎和进行远海捕鱼活动。乌拉布卡布卡是游览中心。奥普阿有深水港,可泊远洋轮船。

islands area　群岛地区　英国1975年行政区改组时设置的三个苏格兰地区:奥克尼群岛、设得兰群岛和西部群岛。总面积5 566平方千米。除警事与消防统一于高地行政区外,各地区都享有行政区和区的行政权力。人口约72 815(1987)。

islands of Langerhans（biology）　参阅 **Langerhans, islets of** *胰岛*。

Islay　艾莱　大西洋沿海岛群*内赫布里底群岛*(**Inner Hebrides**)最南端的岛屿,位于苏格兰阿盖尔历史郡阿盖尔-比特行政区,与侏罗岛隔艾莱海湾(宽1.5千米)相望。该岛长为40千米,最宽处为32千米。深入切割的小海湾几乎将西部的林斯区与其他地区完全分隔开。艾莱物产丰饶,盛产优质鲑鳟鱼类,被称为"赫布里底群岛之女王"。该岛还因酿酒厂而闻名。人口约3 538(1991)。

Islay, Archibald Campbell, earl of　艾莱伯爵　参阅 **Argyll, Archibald Campbell, 3rd duke of** *阿盖尔公爵(第三)*。

Isle Royale　罗亚尔岛　位于美国密歇根州西北部,是苏必利尔湖最大岛。距上半岛90千米,离加拿大24千米。长72千米,最宽处达14千米。属基威诺县。岛上的河、湖中有梭子鱼、河鲈等,可供垂钓。该岛为针叶林和落叶林覆盖,属典型的过渡林带。多野花。有野生动物和200多种鸟。有约4 000年前的史前铜矿穴。1940年建为国家公园。该国家公园面积2 313平方千米,其中4/5是水域。该公园1976年成为美国荒野保护体系的一部分,1980年被联合国教科文组织列入国际生物保护圈。游人只可乘独木舟或徒步游览。该岛与大陆通渡船。

islets of Langerhans（biology）　参阅 **Langerhans, islets of** *胰岛*。

Islington　伊斯灵顿　英国米德尔塞克斯历史郡伦敦一自治市。位于伦敦市以北。面积15平方千米。跨大北公路两侧。建筑物拥挤。有伦敦—爱丁堡铁路干线穿过。因伦敦市向北扩展,自治市南部芬斯伯里发展为住宅区。通新北公路(1812)、摄政王运河(1812)和伦敦北部铁路(1850)以后,逐渐城市化。全自治市都有各种轻工业。设有城市大学和北伦敦工业大学。许多著名非国教信徒如J.班扬、D.笛福、I.瓦茨和W.布莱克等都埋葬在该市。人口约175 597(2001)。

Islwyn　伊斯卢因　参阅 **Thomas, William** *托马斯*。

Islwyn　伊斯卢因　英国威尔士东南部格温特郡西部一区。1974年设立。面积101平方千米。在里斯卡镇北面发现一铁器时代的要塞及一座中世纪城堡的护堤。地处威尔士交界地区的西部边缘,因此12世纪初叶深受诺曼人的影响。19世纪末至20世纪初,采煤业凋敝后,其他工业显著发展起来。尽管20世纪后半叶仍产煤炭,但对煤铁工业的依赖程度已大为减小。该区因能提供多种多样的娱乐机会而闻名,有许多老矿场已经改造加以利用,全区大部辟为公园与开阔露天场地,其中包括埃布森林及其众多天然的林间小道和景色秀丽的汽车线路。有公路和铁路自里斯卡经克拉姆林抵达舍霍韦河河谷,并有公路支线通至东北纽布里奇。首府布莱克伍德。人口约64 900(1991)。

Isly, Thomas-Robert Bugeaud, duc d'（duke of）　**伊斯利公爵**　参阅 **Bugeaud, Thomas-Robert** *比若*。

Ismāʻīl　伊斯梅尔(1645或1646～1727-03,摩洛哥梅克内斯)　摩洛哥阿拉维王朝第2代统治者(1672～1727)。青年时代事迹不详。1672年,王朝创建者——他的异母兄弟毛拉伊·拉希德——去世,他立即占领国库,并自立为统治者。他的这一行动受到一个兄弟、一个侄子和一位北摩洛哥的部族首领希德尔·吉兰的反对。这些对手得到奥斯曼土耳其人的支持。继承战争持续了5年。1673年9月,希德尔·吉兰战败被杀。伊斯梅尔最后承认他的兄弟和侄子为重要省份的半独立的总督,将他们吸收进摩洛哥的权力结构。1686年完全平定摩洛哥内部。1673年建立*阿比德·布哈里*(**'Abīd al-Bukhārī**)军队,由奴隶和自由黑人组成。在位末期,这支黑人军队已逾15万人,配备欧洲武器,军官精通步、炮兵联合作战。1679、1682和1695或1696年,他派遣这些部队远征,进攻阿尔及尔的奥斯曼人,以保证边界安全和惩罚阿尔及尔摄政者。奥斯曼人终于同意尊重摩洛哥的独立。伊斯梅尔与欧洲大国的关系极其复杂,他恨欧洲人背信弃义,但又需要他们供给武器和商品。曾与摩洛哥海港的欧洲居民断续交战:1681年从西班牙人手中夺得马穆拉,1684年将英国人逐出丹吉尔。为对付在摩洛哥拥有殖民地的西班牙,他与西班牙的敌人法国路易十四发展友好关系。法国由此获得巨大商业利益,并扩大了在摩洛哥的势力。他垄断对外贸易以筹措军队和公共工程费用,并鼓励海盗行为。他自称穆罕默德先知的嫡系,要求人民对他忠贞不二。他为人残忍,因而受到非难,但阿拉维王朝要存在下去,必须实行铁腕统治。据说他有700个儿子和无数的女儿。死前,最高权力已托付阿比德。死后,其子毛拉伊·艾哈迈德继位。

Ismāʻīl I　伊斯梅尔一世(1487-07-17,阿塞拜疆阿尔达比勒～1524-05-23,萨非伊朗阿尔达比勒)　又拼 Esmāʻīl。伊朗国王(1501～1524)、宗教领袖,萨非王朝缔造者,他使伊朗由逊尼派改宗什叶派。14岁时继承其父的职位,成为克孜勒巴什的什叶派首领。他很快在伊朗西北部建立一个根据地。1501年占领大不里士,自立为伊朗国王。经过一系列的征服,他把现伊朗全部和伊拉克的一部分置于自己的统治之下。1510年出兵征讨改信逊尼派的乌兹别克部落。在木鹿城附近的战斗中,他巧妙运用伏兵,以1.7万名伊朗军队打败2.8万名乌兹别克军队。他宣布什叶派为国教。1514年当奥斯曼人侵入伊朗西北部时,他从中亚的前线赶回。经过一场鏖战,土耳其苏丹谢里姆率兵12万人打败他的7万名军队。奥斯曼人占领了大不里士。但是谢里姆因军内兵变,不得不引兵回国。这就给伊斯梅尔以恢复力量的时间。此后许多年间,双方不断发生边界冲突。伊斯梅尔36岁时死去，但萨非王朝统治伊朗达两个世纪，直到1722年。

Ismail, Ahmad 伊斯梅尔 （1917，埃及开罗～1974-12-25，英国伦敦） 埃及陆军元帅。1938年毕业于开罗军事学院，第二次世界大战期间（1939～1945）在西部沙漠的盟军部队中服役。第一次中东战争（1948～1949）中任旅长。后在英国接受训练。1956年的第二次中东战争中与英、法、以军队作战，并在苏联进一步接受训练。1967年的第三次中东战争中任师长。1969年3月出任国家元首，但9月被纳赛尔总统作为替罪羊免职。1970年9月由新任总统萨达特任命为情报局长。1972年10月陪同总理西德基访问莫斯科，并在回国后粉碎反总统政变。同月取代反苏将军萨迪克出任国防部长及总司令，晋升为上将。1973年10月的第四次中东战争中充分显露出其战略家才能，使埃及军队重振士气。1973年11月升为陆军元帅。

Ismāʿīl I ibn Aḥmad 伊斯梅尔一世·伊本·艾哈迈德 波斯萨曼王朝一个最著名的国王（892～907在位）。勇敢、正直而有教养。21岁任河间地带总督，后把统治区扩展到大不里斯坦和呼罗珊全境。他在整个波斯东部建立起一个以布哈拉为首都的独立国，尽管名义上臣服于巴格达的哈里发。

Ismail bin Dato ʿAbdul Rahman, Tun 拉赫曼（1915-11-04，海峡殖民地柔佛巴哈鲁～1973-08-02，马来西亚吉隆坡） 马来亚政治家，历任几个部长职务。曾在新加坡和墨尔本学医。1951年步入马来西亚政坛，当选为马来民族统一机构副主席。积极参加导致马来亚于1957年独立的谈判，在殖民统治的最后时期，在几个政府部门工作，后任驻美首任大使兼驻联合国代表（1957～1959）。回国后先后担任外交部长、国内安全部长和内政部长，1967年因病辞职。1969年发生严重种族暴乱和议会活动暂停之后，他被召回政府，为缓和种族之间的紧张对立和恢复国家的正常秩序做了不少工作。1970年任副总理，3年后死于任所。

Ismāʿīl Pasha 伊斯梅尔帕夏（1830-12-31，开罗～1895-03-02，伊斯坦布尔） 奥斯曼帝国统治下的埃及总督（1863～1879）。他的政策，尤其是累积起的巨额外债，导致英国在1882年占领埃及。曾在巴黎求学。任总督前在驻欧洲的外交使团工作。1867年被赐世袭总督称号。他以总督身份就有关完成苏伊士运河问题进行了重要谈判。运河于1869年夏接近完工，他把11月的庆祝运河开航典礼变成大张旗鼓炫耀总督功绩的活动。他最有意义的革新之一就是在1866年11月建立代表大会。虽然这只是个咨询机构，但其成员终于对政府事务产生重大影响。他希望把幅员广阔的苏丹置于埃及有效控制之下，他雇用欧洲人和美国人充当这一行动的军事和行政指导，但建立新的南方省的计划终未实现。他的行政管理政策花费大量钱财，其中大部分由欧洲财政金融家提供。在他当政的初期，埃及外债为700万英镑；到1876年，外债几高达1亿英镑。在外国债权人要求下成立了外债委员会，但他没有与之充分合作，因为要求他采取的一些步骤会侵犯他的权威。1879年6月被罢免。

Ismāʿīl Shahīd, Muḥammad 伊斯玛仪·舍希德（1779-04-29，印度普拉特～1831-05-06，巴拉果德） 印度穆斯林革新派人士，力主清除印度伊斯兰教中的偶像崇拜，鼓吹对锡克教徒和英国人进行圣战。1823年自麦加朝觐归来，立即号召穆斯林对一直压迫穆斯林臣民的锡克教徒进行圣战。1824～1826年，随阿赫默德所率领的穆斯林义勇军对旁遮普省的锡克教徒作战。1830年义勇军被迫退出白沙瓦据点，伊斯玛仪任主帅。1831年5月6日发生巴拉果德战役，穆斯林军在占优势的锡克军进攻下溃退，伊斯玛仪阵亡。

Ismailia 伊斯梅利亚 埃及东北部伊斯梅利亚省省会。位于提姆萨赫湖西北岸，苏伊士运河中段。城市由苏伊士运河的建造者法国工程师雷赛布于1863年作为宿营基地而建立。在埃及现代史上，该市起着重要的作用。1952年1月英国对该城埃及警官暴动的镇压，为导致在当年推翻国王法鲁克一世及埃及革命的关键事件。在运河开放通航期间（1869～1956，1957～1967），城市繁荣，为苏伊士运河总公司所在地。1967年6月"六日战争"以后，运河关闭了8年，该城经济基础遭到破坏，居民大批迁往埃及各地。1973年埃以停火，特别是1975年苏伊士运河重新开放以后又繁荣起来。居民回迁，政府兴建许多新住房。根据萨达特总统的"开放"政策建立了免税工业区。已有的工业包括粮食加工、拖拉机和发动机制造和造船。1975年开办苏伊士运河大学。在沿苏伊士运河铁路线上，与全国铁路网相连。市内有来往于运河两岸的渡船。人口约212 567（1986）。

Ismāʿīlite 伊斯玛仪派 什叶派（伊斯兰教的一个主要派别）的一个支派。由于其一些小宗派如法蒂玛、卡尔马特和阿萨辛等派的活动，作为一个宗教-政治运动，它是9～13世纪中最活跃的派别。

伊斯玛仪派是在加法尔·伊本·穆罕默德去世（765）后出现的，他是什叶派承认的第六代伊玛目或先知的精神继承者。加法尔的长子伊斯玛仪只被少数人承认为是其继承者，这些人后来被称为伊斯玛仪派人。而那些接受加法尔的幼子穆萨·卡齐姆为第七代伊玛目和承认其继承者延续到第十二代伊玛目的人被称为十二伊玛目派，它是什叶派诸宗派中最大的和最保守的支派。伊斯玛仪派中的一些人（被称为瓦齐菲耶，即停止者）认为伊斯玛仪是第七代也是最后一代伊玛目，他们被称为七伊玛目派，然而，大多数伊斯玛仪派人则认为伊玛目职位由法蒂玛王朝哈里发世系延续下去。七伊玛目派人后来宣称他们期待着伊斯玛仪之子穆罕默德在世界末日作为马赫迪（意为"被神指引的人"）重返人世。

伊斯玛仪派教义形成于8、9世纪之交，它强调《古兰经》解释的双重性质，即表义和隐义，并像摩尼教一样，在一般穆斯林和经传授教义的伊斯玛仪派人之间作出相应的区别。伊斯玛仪派人的这种隐秘智慧只有通过以伊玛目为首的教阶组织才能获得，是由达伊（即传道师）传授的。经由细致划分的等级层次达伊将信徒引人其精华。据说，受新柏拉图主义影响的10世纪哲学宗教百科全书《精神兄弟会论文集》是由与伊斯玛仪派有关联的一个秘密团体编纂的。9世纪下半叶，伊斯玛仪派人在哈姆丹·卡尔马特的率领下活跃于伊拉克南部地区。后来被称为卡尔马特派人的这一支派9～11世纪在伊拉克、也门，尤其是在巴林确立了其地位。909年，乌巴杜拉在突尼斯自立为法蒂玛王朝的第一任哈里发，宣称根据各代隐遁伊玛目所沿承的谱系推算，自己是伊斯玛仪之子穆罕默德的后裔，而且是先知之女法蒂玛的后人。其王朝名由此而来。法蒂玛派人于969年攻克了埃及。在其辉煌的两个世纪的统治期间，虽然他们未能改变大多数臣民之信仰，但他们却建立了一个分布很广的伊斯玛仪派传道网络，其信徒遍布于整个伊斯兰教世界。

在法蒂玛王朝哈里发穆斯坦绥尔（1094年卒）的继承问题上，致命的宗派分裂分化了这一运动。埃及的伊斯玛仪派人承认其子穆斯台阿利，但伊朗和伊拉克的伊斯玛仪派人则支持其长子尼查里的继承要求。由此而产生了法蒂玛人的两个支派，即穆斯台阿利派和尼查里派。当法蒂玛王朝的最后一位哈里发1171年被萨拉丁废黜，伊斯玛仪派在埃及的统治告终时，穆斯台阿利派的伊斯玛仪派人在也门得以幸存。他们不承认穆斯台阿利之子艾米尔之后的任何法蒂玛王朝统治者，并相信艾米尔的男婴台伊布仍然活着，相信伊玛目世系一直隐遁着直至将来某一时刻。在这期间，他们受首席达伊的统治。16世纪，穆斯台阿利派一个主要分支的达伊迁居印度，现他们居住在古吉拉特地区的苏拉特。其在印度的追随者通常被称为博赫拉人。

由哈桑·本萨巴率领的尼查里派人控制了伊朗和叙利亚境内的许多要塞，其中最主要的是1090年攻克的阿拉木特。这些人通称阿萨辛派，在整个13世纪时期，他们掌握了这些地区的政权，直到被蒙古人和马木路克人取代为止。尽管分裂为两个对立的派别，尼查里派人仍得以幸存。少数派于18世纪泯灭，然而，由被称为阿迦汗的伊玛目率领的多数派于1840年从伊朗迁居印度。阿迦汗在印度、巴基斯坦以及在伊朗、非洲和叙利亚部分地区的追随者，估计有数百万之众。居住在现黎巴嫩南部毗邻叙利亚和以色列的山区居民，于11世纪初从伊斯玛仪派主体中分离出来，称德鲁兹派。他们建立了他们自己的一种特殊的封闭式宗教信仰，他们承认伊玛目为真主的化身。

Ismāʿīlīyah, Al- 伊斯梅利亚 下埃及尼罗河三角洲东北部一省。东界苏伊士运河。总面积1 442平方千米，除了北部地区外，主要为沙漠。伊斯梅利亚运河原称为淡水运河，从东至西经过，境内有一支渠向南通往苏伊士城，运河主河段沿岸有大面积灌溉农田，除了无水的沙漠地区外，都生长优质的商品蔬菜。现有养牛业，并引进了养鱼业。该省北部冬季有雨的地区种植水果和蔬菜。省会伊斯梅利亚城西侧是第一次世界大战时英国人建立的军事基地，英军根据1954年条约于1956年撤走。现已由埃及武装部队驻扎。城西约16千米的托尔马斯克赫塔已发现古代遗迹，有些学者认为是《圣经》中的皮索姆(《出埃及记》1:11)，另一些学者认为这个地方即是《圣经》中的疏割(《出埃及记》12:37)。人口约447 000(1983)。

Ismay (of Wormington), Hastings Lionel Ismay, Baron　伊斯梅(1887-06-21，印度奈尼塔尔～1965-12-17，英格兰伍斯特郡百老汇)　英国军人，第二次世界大战期间为丘吉尔首相最亲密的军事顾问，曾参与同盟国大多数重大决策。1905年当军官，曾在印度和非洲服役。第一次世界大战后任帝国国防委员会助理秘书(1926～1930)和秘书(1938～1940)。1940年5月任国防大臣丘吉尔的参谋长及其在参谋长委员会的私人代表后，发挥了重大的作用。他担任此职务直到1946年。在整个第二次世界大战期间积极参加同盟国重大会议，在作出以德国为盟国的首要打击目标的决策和策划1944年进攻法国等问题上，均起了主要作用。1947年封为贵族。1947年再次到印度任职。1951～1952年任联邦关系事务大臣。1952～1957年任北大西洋公约组织秘书长。

isnād　伊斯纳德　伊斯兰教用语，意为传述世系，指传述穆罕默德言行和指示的圣门弟子和再传弟子的人士名单；如传述世系可靠圣训才为合法。这种名单列于圣训正文之前，其格式为："据某甲(往往是圣门弟子)对某乙说，某乙对某丙说，某丙对某丁说，某丁又对我说，穆罕默德说：……。"参阅 **ʿilm al-ḥadīth**。

Iso-Hollo, Volmari　伊索-霍洛(1907-05-01，芬兰于勒耶尔维～1969-06-23，黑诺拉)　芬兰长跑运动员。1932和1936年两届奥运会上蝉联3 000米障碍赛跑冠军。1932年在洛杉矶奥运会上获1万米银牌，1936年在德国柏林奥运会上获1万米铜牌。在1932年奥运会上，由于工作人员失误，每个选手被迫多跑了一圈。

isoamyl nitrite　参阅 **isopentyl nitrite** 亚硝酸异戊酯。

isobar　等压线　某参考面的天气图上，气压值相等的线。气压与天气的关系很密切，因此等高面上的等压线型式在天气预报中非常有用。海平面上的低气压区是坏天气区域，冬季尤为明显。在较高处，风大体上沿着平行于等压线的方向吹，在北半球背风向而立低压在其左侧，南半球低压在其右侧；等压线愈紧密，风速愈大。在气象学中，日常使用的只是海平面的气压分布型式。在较高的高度上，气压本身常用来作为一个参考面，在等压面上绘制海拔高度相等的线；从动力学的观点来看，等压面上的等高线与等高面上的等压线完全相似。

isobar　同量异位素　又称同质异位素。质量数(即质子数和中子数之和)相同的原子或核素。例如，氯37和氩37是同量异位素。氯37的核中有17个质子和20个中子，氩37的核中有18个质子和19个中子。在β衰变中，母核和子核总是核同量异位素，因为在衰变的过程中，不是1个中子变为1个质子，就是1个质子变为1个中子。

isobaric spin (particle physics)　参阅 **isospin** 同位旋。

isobutane (chemistry)　**异丁烷**　参阅 **butane** 丁烷。

isocarboxazid　异唑肼　单胺氧化酶抑制型抗抑郁药，1960年前后开始用于治疗中度至重度的精神抑郁症。能阻止单胺氧化酶在神经末稍对去甲肾上腺素的降解作用。可口服，在胃中很快吸收。但生效缓慢，在治疗过程的最初2周内缓慢发挥疗效。副作用同其他单胺氧化酶抑制药，可能对肝脏造成损害。

Isocrates　伊索克拉底(公元前436，雅典～前338，雅典)　古雅典演说家、修辞学家和教师。其著作成为当时雅典智力与政治生活的重要史料。他创办的学校采取与柏拉图学园大相径庭的教育方针，而学员则包括来自整个希腊世界的优秀分子。他在文学史上也有相当重要的地位。出身于一个富庶的家庭，早年深受西西里诡辩学者高尔吉亚的影响。在伯罗奔尼撒战争即将结束时，他丧失了祖遗的财产，开始靠书写状词谋生。不久即从事教育事业，前后达40余年。他呕尽心血造就人才，使弟子们在政治上有所成就。在他的学生中，杰出的有雅典将军提谟修斯、塞浦路斯萨拉米斯的统治者尼科莱斯，以及两位公元前4世纪最伟大的希腊历史学家埃福罗斯和泰奥彭波斯。与此同时，他连续发表一系列评论雅典和希腊现状的演说，如《泛希腊集会辞》(前380)、《论和平》(前355)、《论雅典最高法院》(前354?)、《致腓力书》(前346)和《雅典娜女神节祝辞》(前342～339)。通过这些演说词，我们可以对当时社会的重大问题有比较深刻的理解。《塞浦路斯演讲集》包括《致尼科莱斯》(前372)、《尼科莱斯》(前368)、《埃瓦格拉斯》(前365)和《阿基达马斯》(前366)等篇，大多是赞颂帝王之作。在《致腓力书》中，他呼吁这位马其顿国王与希腊各邦和好，领导他们对抗波斯。公元前338年喀罗尼亚战役后，希腊丧失独立，伊索克拉底绝食而死。

isocyanide　异氰化物　又称异腈或胩。分子结构为 R—N⁺≡C 的一类有机化合物，式中R是从有机化合物去掉一个氢原子而衍生的基团。异腈为腈的异构体，发现于1867年，但从未得到大量应用。通常，由伯胺与氯仿及碱作用制得，也是金属氰化物和有机卤化物合成腈的副产物。异腈具有极强烈的令人厌恶的臭味。

isodrin　异艾氏剂　用作杀虫剂的含氯有机化合物。参阅 **aldrin**。

Isoetes (plant genus)　**水韭属**　参阅 **quillwort** 水韭。

Isoko　伊索科人　居住在尼日利亚尼日尔河三角洲西北部。语言属尼日尔-刚果语系克瓦语支。索科(Soko)一词往往被人种志学者用做统称，指伊索科人及其邻近部落乌尔霍博人，但两者截然有别。伊索科人的经济以农业、渔业及生产棕榈油和棕榈仁为基础。主要用做食品的作物是薯蓣、木薯，辅以玉米、豆类、胡椒和花生。由一个男人、一个或几个妻子及其子女们所组成的家庭，同居一个宅院。一个或更多的由父系关系组成的家庭集团，在村庄中分区居住。村庄本身是一个密集的居民点，通常不足500人。男女均按年龄分组，各有职责。女性管理有关丰收及生育子女的仪式，管理集市；男孩执行简单的社区任务；成年男子负责重大的社区工作及对外作战和村社事务；老人是议事会的主要成员。伊索科人从未形成过一个单独的社会单位或政治单位。当地社区仍保持自治。传统的宗教是信仰一个创世主及其使者，信奉神灵和祖灵。现在许多伊索科人已改信基督教。

isolating language　孤立语　这类语言的特征是每个词的词形由单个词素组成。如古代汉语(与现代汉语相比，此法广为使用)和越南语。孤立语与分析语(**analytic language**)趋向于一致。语言学上，常将这两个术语交替使用。

isolation　隔离　在医学概念中，隔离是指将一个受传染生物体(包括人和动物)同健康社区分隔开，从而使该个体不再能够传播这种疾病的措施。从最严格的意义上讲，隔离不同于检疫(**quarantine**)，后者是指阻留那些可能已经接触过某种传染病的个体，一直到人们确认该个体已经脱离传染性为止。隔离还指一种在医学和生物学研究中维持一种无菌环境的技术。参阅 **germfree life**。

Isolde　绮瑟　又拼Isolt。中世纪传奇中人物。参阅 **Tristram and Isolde**。

isoleucine　异亮氨酸　许多常见蛋白质中的一种氨基酸。有时占其重量的2%～10%。1904年首次从血液的纤维蛋白中分离到。是鸡、大鼠及人等高级动物的必需氨基酸之一。微生物和植物则能从苏氨酸合成异亮氨酸。

isomer　同质异能素　质子数和中子数都相同但能量和放射性衰变方式不同的核素，它们均有可测量的寿命。能量较高的核同质异能素，半衰期可以短至10^{-11}秒，而在某些极端情况下，可以长达数年。例如，钴58已知有两种核同质异能素，低能的同质异能素

^{58}Co半衰期为71日(衰变时俘获电子,发射正电子),高能的同质异能素^{58m}Co(m表明亚稳性)半衰期为9小时(发生γ衰变,形成^{58}Co)。核同质异能素有的是用亚原子粒子轰击核直接生成,有的是放射性核的中间衰变产物。在核反应中形成后立即衰变的极端不稳定的核,及半衰期短于10^{-11}秒的中间衰变产物,通常不列作核同质异能素。

isomer 等雨率线 气象学中,在图上表示某一月份或季度的雨量占年降水量的百分比相等各点的连线(即等比值线)。类似等雨量线(一定时期或一次特殊风暴期间总降水量相等各点的连线)。等雨率线和等雨量线一般不重合。在某个地区如果出现两个或两个以上雨季,等雨率线的分析有利于确定哪个雨季的降雨量最为重要。

isomerase 异构酶 一类能催化分子结构重排的酶。如丙氨酸外消旋酶催化L-丙氨酸转变为其镜像异构型——D-丙氨酸,变旋酶催化α-D-葡萄糖转变为β-D-葡萄糖。参阅 **ligase**;**lyase**。

isomerism 异构 又称同分异构。两种或两种以上的物质具有的化学组成和分子量相同但性质不同的现象。这些物质被称为同分异构体。现在公认的看法是,同分异构体具有的不同的性质,是由分子中原子的排列不同造成的。但是,在异构现象刚被瑞典化学家J.J.贝采利乌斯认识和命名的那个时期(1830),甚至连分子是否存在都尚未取得共识。当时对于由一定比例的原子可以结合成不同的晶体结构的想法感到十分新奇。实际上对异构的研究是与许多物质是由基本粒子构成的这一概念的发展有关。因为在人们给这些基本粒子下定义时发现它们的组成不仅与原子的相对数目有关,而且也与其绝对数目有关。19世纪后期,异构作为有机化学的一个分支来研究。1893年瑞士化学家A.韦尔纳公开了他在无机配位化合物结构上的发现,这些结构正好说明共价无机化合物的异构的复杂性。同分异构体可分为结构异构体和立体异构体两类。具有相同的元素组成和分子量、不同的键合模型的物质为结构异构体。立体异构体是组成、分子量和键合模型都相同,而仅是立体空间排列不同,并可以假设组成它们的原子间的共价键没有断裂。但在常温下,所有多原子分子内部的振动、扭转和弯折而造成的不同的形态不属此例。参阅 **conformation**。

结构异构现象的典型例子是乙醇和甲醚,它们的分子式均为C_2H_6O。在常压下乙醇是液体,沸点78 °C,与碘氢酸反应生成碘乙烷;而甲醚在常压下是气体,液化温度-24°C,与碘氢酸反应生成碘甲烷。乙醇的分子结构为$CH_3—CH_2—OH$,甲醚的分子结构则为$CH_3—O—CH_3$。彼此间很容易相互转换的结构异构体称为互变异构体,最典型的例子是乙酰乙酸乙酯,在通常的情况下约是92%的酮和8%的烯醇的混合物。

立体异构体分为旋光异构体和几何异构体。旋光异构体是成对产生的,具有彼此不能重叠的实物和镜像的关系,就像左、右手手套一样。可根据平面偏振光通过旋光异构体时偏振面发生的变化(左旋或右旋)来定名。这个现象被称为旋光性,它与分子三维结构中的不均衡因素有关而与分子结构中没有对称的点、线和面无关。这些化合物的旋光性只能从物理性质上来区分,在化学性质上,除了与非对称性化合物间的相互作用外,它们是相同的。

几何异构体是由于分子结构的刚性而形成的。在有机化合物中,这种刚性往往是与原子的双键或成环相联系的,在大部分两个碳原子形成双键的化合物中,碳的其他两个键则以单键形式与另外的两个原子或原子团相连。这两个原子可以是不同类的,如A和B。这两个碳原子和相连的其他4个原子,由于双键而被固定在一个平面上,因而产生了2种不同的排列方式:如果2个A原子分布在双键相同的一边,称为顺式异构体;如果是在双键的相对的两边,就称为反式异构体。任何一对顺-反式异构体,在物理和化学性质上都是不同的。最简单的环状碳氢化合物的分子是由3个或3个以上的亚甲基(CH_2)组成的,例如在环丙烷中就有3个这样的原子团,它们被保持在一个平面上。与每一个碳原子相连的2个氢原子位于平面的两边。如果2个碳原子上的2个氢原子被另外的原子如A取代,就可能形成两种不同的结构:在顺式中,2个A原子分布在平面的同一侧;而在反式中,2个A原子则分布在平面的两侧。顺-反式异构现象也可以在两组无机化合物中产生,在配位化合物(如二氯二铵铂)中,1个金属原子的周围有2对共价键的原子或原子团(配位体),它们处在四方的顶点,一对配位体(即2个氯原子)在顺式中占据了相邻的2个顶点,而在反式中,则占据2个对角的顶点。如果金属原子与6个配位体相连(其中2个是一种配位体,而其他4个是另一种配位体),它们处在八面体的6个顶点上,成对的配位体如果占据了相邻的顶点,则为顺式,如果占据了相对的2个顶点,则为反式。

isomerization 异构化作用 把化合物转变成它的任何一种异构体的化学过程。异构体具有相同的化学组分,但结构或构型不同,因而一般具有不同的物理、化学性质。可以丁烷为例说明。丁烷是4个碳原子的直链烃,在催化剂存在下加热到100 °C或更高,丁烷转变成其支链异构体异丁烷。丁烷和异丁烷的性质大不相同:丁烷沸点-0.5 °C,凝固点-138.3 °C;而异丁烷沸点-11.7 °C,凝固点-159.6 °C。工业上更为重要的是,支链烃作为动力燃料比其直链异构体好。把直链烃异构化成相应的支链异构体,是生产汽油的一个重要步骤(称为重整)。在工业上有重要价值的异构化反应实例很多。

isometric drawing 等角投影 又称等角图。工程图中表现物体三维尺寸的制图法,为正投影的一种,旨在像透视图那样直接表示物体真实尺寸。技术插图常用这种画法。可用一个假想的正立方体来说明,首先将它的一个面与画面平行,这时见到一个方形。然后将其依垂直轴线转动,直至同时见到相邻且相等的两个侧面。再将其向下转动直至同时见到其与侧面相等的顶面。这种位置上三面缩短程度相同,即为等角。在这种位置上的投影图即为等角投影图。

isometric system 立方晶系 又作 cubic system。结晶固体的一种晶系,该系的晶体具三个互相垂直且等长的轴。如果用点表示固体中的原子或原子团,并把这些点连起来,则得到由晶胞有序堆垛成的点阵。立方晶胞以四条三重对称轴为特征,晶胞可以绕这些轴旋转120°而不显出外观上的变化。这一特点要求晶胞必须是完美立方体,三重对称轴就是立方体的对角线。一个立方体有六个正方形面,但立方晶系中许多晶面式呈现复杂得多的位形。立方晶系中最为对称的晶面式是八面体(8个面),三八面体(24个面)和六八面体(48个面)。在公认的数千种结晶固体中只有一小部分属于立方晶系,其中有氯化钠(食盐)、铜、金、银、铂、铁、金刚石、萤石、白榴石、石榴子石、尖晶石、黄铁矿、方铅矿、磁铁矿等。

isoniazid 异烟肼 又作 isonicotinic acid hydrazide(INH)。又称异烟酰肼。最重要的抗结核药,1952年始用于临床。通常口服,亦可供注射。副作用少见,偶致头晕或头痛。常与对氨基水杨酸或链霉素等抗结核药配合应用以治疗结核病;联合用药可避免或延缓结核杆菌对异烟肼产生耐药性。疗程通常需数月。中文商品名为雷米封。

Isonzo, Battles of the 伊松佐河之战 (1915～1917) 第一次世界大战时期,在意大利东部前线沿伊松佐河先后进行的12次交战。该河水深,两岸多悬崖峭壁。1915年5月23日意军参战之前,奥地利人已在山上构筑工事,据有利地位。6月23日,卡多尔纳将军率军向奥军发动第一次进攻。意军试图渡河攻占高地,历时14天,均被击退。接着,7月18日～8月3日,10月18日～11月4日,11月10日～12月2日,意军发动3次进攻,仅在卡波雷托区渡河成功,并建立几个桥头堡,其他地区仍处于奥军控制之下。1916年3月11～19日,卡多尔纳再度进攻,又遭失败。于是意大利人开始在敌军防线的正面和后面,用炸药在坚硬的岩石高地上开挖隧道和战壕。1916年8月6～17日进行第6次战斗,攻克戈里齐亚,这是第1次真正的胜利。9月14～17日,10月10～12日,11月1～4日,意军在这3次战争中集中力量进攻卡索高原,但精疲力尽的意军未能突破奥军炮火掩护下的天险。1917年5月12日～6月8日,进行第10次战斗。卡多尔纳分兵两路,攻占库克峰,摧毁南方的前沿防御工事。8月18日～9月12日,意军发动第11次进攻,他们缓慢地向前推进,迫使奥军步步后退。德国人担心奥军前线崩溃,派兵增援。10月24日,奥德联军以重炮猛轰,开始反攻。到了下午,意军溃败。士气低落、厌战的地方军放下了武器,奥军大举渡过伊松佐河,卡波雷托陷落。意军遭到意大利历史上最严重的失败后,于 11 月 7 日在皮亚韦河边守住了阵地。

isopentyl nitrite　亚硝酸异戊酯　又作 isoamyl nitrite。最古老而最重要的血管扩张药。黄色液体,具独特的刺鼻臭味。用于心绞痛及平滑肌局部缺血。在肺中吸收迅速,故用吸入法给药。其作用是非特异性的,可使所有平滑肌弛缓。

isoperimetric problem　等周问题　数学中确定具有给定长度的平面闭曲线的形状,使其所围的面积最大的一个问题。变分法就是从试图解决这个问题和最速降线问题而发展起来的。在 17 ～ 18 世纪,等周问题曾经被瑞士伯努利家族的数学家们作为一个课题研究过,他们发现许多曲线具有极大或极小的性质。一步重要的推广,是由瑞士数学家 L.欧拉作出的,他在 1744 年发表了以后称为欧拉方程的原理,用来决定具有二阶连续偏微商的曲线上的两点间的极小弧。法国数学家 J.-L.拉格朗日、A.-M.勒让德以及其他人很快作了补充。欧拉是在一个较新又较广的以变分法命名的学科中开创这些研究的,但是多数术语是由拉格朗日引入的。当数学家企图在某类曲线中寻求一条特定的弧,使得某个参数(弧长或其他依赖于整条弧的量)是极小或极大时,变分法技巧就会经常用到。对曲面或多元函数也可以用变分法,维数可不受限制。三维欧氏空间的问题(即寻求具有给定边界的面积极小的曲面)受到了广泛的注意并被称为普拉托问题。一个物理学的例子是,考虑肥皂泡和雨滴的形状,这种形状是在保持固定体积的前提下由表面张力与内聚力的作用而使表面积达到极小。还可以在力学、电学、相对论与热力学中找到其他例子。

isopod　等足类　甲壳纲等足目(Isopoda)动物,有 4 000 种。多种多样。包括海水、淡水和陆地种类。多数自由生活,但有不少海洋种寄生在其他动物身上。通常不引人注目。

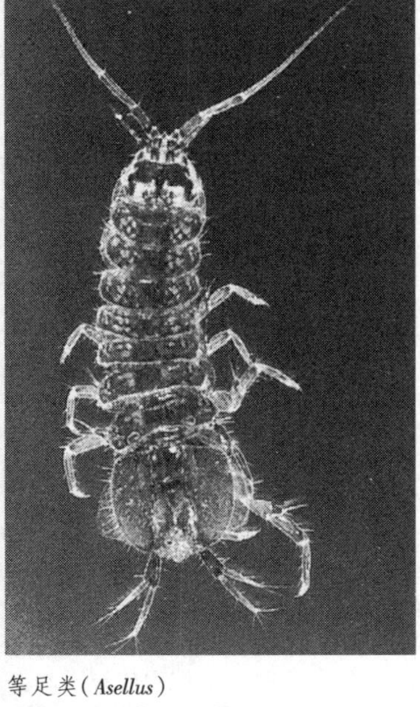

等足类(*Asellus*)
美国不列颠百科全书公司供图

多数体长 0.7 ～ 35 毫米,但加勒比海的 *Bathynomus giganteus* 达 35 厘米。体扁而长,稍弓曲。背面有一列甲胄状宽板,胸部 7 节,腹部 6 节。附肢通常 6 对,但也有少到 2 对,多到 8 对的。潮虫和球潮虫常见于落叶层。水生种类在岸边水生植物间为数甚多。寄生种类生活在鱼虾的内部器官中。

isoprene　异戊二烯　又称2-甲基-1,3-丁二烯。无色易挥发的液态烃。从石油加工或煤焦油中得到,用作化工原料,化学式 C_5H_8。可单独或与其他不饱和化合物(含双键或三键)一起用于制备聚合物(由很多相似小分子键合而组成的巨大分子),该聚合物的性质取决于配料比和所使用的引发剂(引起聚合反应的物质)。用齐格勒催化剂,异戊二烯聚合所得到的合成橡胶,很像天然橡胶。丁基橡胶是由异丁烯与少量异戊二烯以三氯化铝作引发剂制备的,气密性优异,用做内胎。许多植物物质具有 C_5H_8 的小倍数的化学式,经热分解,可生成异戊二烯。据此德国化学家 O.瓦拉赫于 1887 年提出,这类物质是由异戊二烯单元构成的。这种"异戊二烯法则"在许多情况下已得到证实,对研究萜烯和萜化合物结构很有帮助。

isoprenoid　类异戊二烯　由两个或多个含 5 个碳原子的单元以特殊形式组成的一类有机物。类异戊二烯在植物和动物的生理过程中起着广泛不同的作用,它们还有许多工业用途。活生物体中的类异戊二烯具有从色素和香料直到维生素和性激素前体化合物等不同的功能。最常见的天然物质之一——橡胶是一种聚异戊二烯,其他有工业价值的类异戊二烯可用做调味品、溶剂和化学原料。类异戊二烯的基本组成五碳单元是异戊二烯烃(2-甲基-1,3-丁二烯),它是一种支链不饱和烃(含有一个或多个碳-碳双键)。类异戊二烯含有两个到数千个异戊二烯单元,多数的天然类异戊二烯是由 2、3、4、6 或 8 个异戊二烯所组成。含有 2 ～ 4 个异戊二烯的类异戊二烯是通过五碳单元的简单加成形成的,6 和 8 个单元的分子则由两个 3 单元的分子和 4 单元的分子分别相互连接形成的。碳骨架可拥有一个或多个化学官能团,例如羟基和羰基与之相连,这使得类异戊二烯多样化。类异戊二烯通常也称做萜烯,最小的萜烯分子(含 10 个碳原子)叫做单萜,较大的分子(一次增加五碳单元)依次称做倍半萜烯、双萜、三萜和四萜。单萜最易挥发从而发香,尽管倍半萜烯能使某些食物有香味,但分子量较高的萜烯挥发性都较低。水分子与和单萜相连的焦磷酸酯基加成可生成香叶醇,它是香叶油的组分又是促成玫瑰香料的重要因素。同一类的分子有来自薄荷油的薄荷醇、来自柠檬草油的柠檬醛以及来自柠檬油和橙油的苎烯。其他单萜还有来自松脂和樟脑的蒎烯。许多较大的萜烯都是含环状结构的环状化物。然而,称为叶绿醇(植物色素叶绿素的重要前体化合物)的双萜则为非环状。含一个六碳原子环的同类双萜为维生素 A。最重要的三萜之一是角鲨烯,虽然是非环状,可它是四元环类固醇的前体化合物,后者在控制许多生物活性方面起关键作用。角鲨烯广泛存在于自然界,尤其在鱼肝油中,来自角鲨烯的五元环三萜如同类固醇一样存在于许多植物中,它们通常和糖相连接形成叫做皂苷的化合物。四萜包括许多植物色素,例如使番茄呈红色的番茄红素、使胡萝卜呈黄色的 β-胡萝卜素。β-胡萝卜素是一种对称分子,在消化过程中分解成维生素 A。多萜是含有许多异戊二烯单元的聚合物,最著名的是天然橡胶,分子中有 4 000 ～ 5 000 个五碳单元相互连接在一起。其他的聚异戊二烯还有杜仲胶,它是一种坚韧塑性物质,用做绝缘材料和用于牙科学。

isopropyl alcohol　异丙醇　最普通的醇类有机化合物之一。参阅 **propyl alcohol**。

isorhythm　同一节奏法　14世纪大多数法国复调音乐的组织原则。特点是把一小段节奏音型(称做"塔列")广泛应用于整首作品,而不考虑相应的旋律特点(称做"克勒")的变化。作为统治着中世纪晚期大多数复调音乐的那些节奏型的必然产物,同一节奏法最早出现于 13 世纪的经文歌,主要是在固定旋律声部中,偶尔也用于其他声部。最早的同一节奏法经文歌大师是 G.德·马肖(约 1300 ～ 1377),但迟至 15 世纪在勃艮第作曲家 G.迪费(约 1400 ～ 1474)的早期作品中,仍有同一节奏法的例子出现。

isospin　同位旋　又作 isobaric spin 或 isotopic spin。表征主要具有不同电荷值的有关亚原子粒子族的特性。相似粒子的不同族则称为同位旋多重态:二粒子族称为二重态,三粒子族称为三重态等等。原子核的组分粒子,即质子和中子,形成同位旋二重态,因为它们只有电荷及某些次要性质的不同。通常把它们看做是同一物体(核子)的不同形式或电荷态。核子的同位旋值为 1/2。同位旋的值可以由多重态的数目减去 1 然后除以 2 得出。同位旋在物理学中的主要意义在于,当粒子在强核力作用影响下发生碰撞或衰变时,它们的同位旋守恒。这就是说,甚至当粒子自身进行重排或变为新粒子时,按单个值以特定的方式计算,其总同位旋值仍保持不变。这一法则以及其他适用于同位旋的法则(如同位旋选择定则)有助于物理学家加深他们对基本定律的理解。

Isospora　等孢球虫属　孢子虫纲球虫亚纲的一属。能引起人、狗科动物、猫科动物的**球虫病**(**coccidiosis**)。人等孢球虫(*I. hominis*)和贝尔氏等胞球孢虫(*I. belli*)寄生在人的消化道内,在南欧、亚洲、非洲、拉丁美洲和大洋洲等许多地区,形成地方病。人球虫病的表现为体重减轻、消化不良和发热等。二联等孢球虫(*I. bigemina*)、犬等孢球虫(*I. rivolta*)、猫等孢球虫(*I. felis*)感染狗科动物和猫科动物。等孢球虫属的特征是每个卵囊内含有两个孢子,每个孢子内含有 4 个有侵染性的子孢子。

isostasy　地壳均衡　指地壳所有巨大部分之间理论上的平衡状态,仿佛这些部分是漂浮在地下约110千米处的一个密度较大的下垫层上似的。设想从该下垫层向上到地表立起的许多想象的、横截面相等的柱状体，在地球上无论何处都具有同等的重量，即使其组成物质及其顶面的海拔高度大不相同。这意味着，海面以上的物质的质量过剩，像在山系中的情况，是由于海面以下的质量不足或山根的密度低的缘故。按地壳均衡的理论，海面以上的质量是受海面以下支撑的，因而就存在着某种深度，在这个深度上，单位面积上的总重量在全球各处都相等，这就叫做补偿深度。根据海福德-鲍维概念（以J.F.海福德和W.鲍维的姓氏命名），将补偿深度取在112.7千米处。G.B.爱里的假说认为，地壳是个比较刚性的壳，漂浮在一个密度较高而流动性较大的底层上。他设想，地壳的密度到处都相同，但这个地壳层的厚度却不是均匀的；所以，这个理论就设想为，地壳较厚的那些部分沉到底层中更深些，而较薄的那些部分则被底层漂浮了起来。根据这个假说，山脉在地面以下必有比其地表显示部分大得多的山根。这同浮在水上的冰山的情况类似，冰山的更大部分在水下。J.H.普拉特的假说认为，地壳的厚度在海平面以下是一样的，其底面在补偿深度上每单位面积到处都支撑着相等的重量。实质上，就是说：地球上密度较小的那些地区，例如山脉，其超出海平面的高度比密度较大的那些地区高些。那时对这一点的解释是，山脉是由局部受热的地壳物质向上膨胀的结果造成的，这种物质已经冷却下来之后，其体积较大，但密度较低。W.A.海斯卡宁的假说是爱里假说和普拉特假说之间的一种折衷的假说。这个假说认为，地形的将近2/3是由根部的构成岩层所补偿的（爱里模式），1/3则是由地壳和底层间界面以上的地壳补偿的（普拉特模式）。

Isotelus　等称虫属　三叶虫（绝灭的节肢动物）的属。限于欧洲和北美的奥陶纪（5.05亿年前至4.38亿年前）。就三叶虫而言是较大

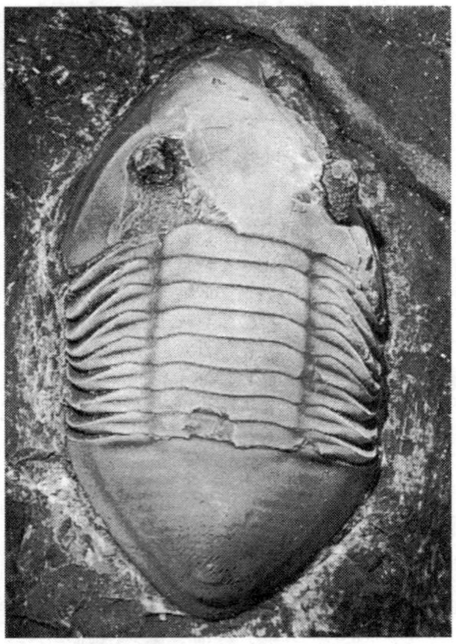

等称虫属（*Isotelus*）
美国不列颠百科全书公司供图

的，特征是独特的扁平状，头部和尾部很发育，相对于整个动物体而言是较大的。胸节的数目少。眼大，呈新月形。

isotherm　等温线　温度相等各点的连线。在气象学中，等温线常用于表示地表的温度分布或等高面图上及等压面图上的温度分布，也可用来表示大气中各个高度上温度；或土壤中和水中各个深度处温度随时间的变化，例如，根据随深度和时间而变的温度曲线图就可推测进入土壤的热流情况。在气候学中，比较各地气候冷暖的简便方法是将各地的温度作为时间的函数标绘在图上，由此分析出来的等温线有时称做温度等值线。

isotone　同中子异荷素　中子数相同的原子或核。例如氯37和钾39是同中子异荷素，前者有17个质子和20个中子，后者有19个质子和20个中子。

isotope　同位素　具有相同的原子序数，在周期表中占有相同的位置，并有十分相似的化学行为，但原子量和物理性质不同的同一化学元素的两种或多种原子。早在1900年以前，人们假设任何一个元素的原子的标准质量数是该元素的基本特征；也就是说，一个元素的所有原子都是相同的，特别是具有相同的质量。从对重元素的放射性进行研究中首次证明了化学性质相同的两种物质具有不同的物理性质。1906～1907年若干研究者表明了镤（铀的衰变产物）和射钍（钍的衰变产物）与钍混合后，不能用任何化学方法分离。这两种物质的放射性与钍完全不同，原子量也比钍差几个单位。1913年英国化学家F.索迪在总结上述情况后，提出了同位素这一术语。不久这些概念被用来标记重元素，表明同位素可以存在于自然产生的主族元素中。1919年英国的F.W.阿斯顿总结性地指明氖主要是由两种原子组成，紧接着又发现氯有两种同位素。很快弄清楚了大多数元素是由同位素混合组成，在原子量的标度中，每一种同位素都有一个接近整数的原子质量。在地壳和大气中发现的大多数元素，都是几种同位素的混合物，而这些混合物几乎都有同样的性质。例如，在天然状态的锡中就有10种同位素，它们的原子质量接近于112～124，而任何一个锡元素的给定试样都有平均值118.69。实际上，平常的锡是这10种原子的自然状态的混合物。在大多数情形下，自然界中只能找到稳定同位素。不稳定的（放射性的）元素以特定的速率自发地衰变成完全不同的元素，它们的中子与质子数之比相对于稳定同位素来说，不是太高就是太低。其中某些同位素如铀，可以在自然界中存在，因为它们的半衰期很长。所有比铋重的元素的同位素都是放射性的。

isotope, radioactive　参阅 **radioactive isotope** 放射性同位素。

isotope dilution　同位素稀释法　测定物质中元素的质量和数量的放射化学分析方法。程序为：把已知量的被测元素的放射性同位素加入待分析物质中，且与它的稳定同位素相混合；然后，从混合物中取样分析。测定放射性同位素和稳定同位素的数量及其数量比，便可确定被测元素的数量和质量。分析化学中的同位素稀释法主要用于那些用普通方法难以做到精确定量分析的场合，也用于某些地球物理研究工作中，如测定岩石标本和陨石中痕量元素的存在量和分布。

isotopic fractionation　同位素分离　一种同位素从其他同位素中浓缩出来的化学或物理过程。同一元素的两种同位素重量不同，但总的化学性质却相同（化学性质由电子数决定）。但是，在理论上可以推断，实验上也已证明正是这些同位素质量上的差异导致极其细微错综的化学效应。元素的各种同位素对于某特定的化学反应可以有略为不同的平衡常数，于是在该反应中就使各种同位素得以分离。分离的程度可以用分离因数（或称浓缩因数）α 来表示，就是同一化合物（或相）中两种同位素的浓度比除以另一化合物（或相）中的浓度比。设 N_1 和 N_h 分别表示较轻与较重同位素在某一化合物中的相对丰度，而 n_1 和 n_h 表示在另一化合物中相应的丰度，则分离因数 $\alpha=(N_1/N_h)/(n_1/n_h)$。分离因数就是化学反应或物理过程中同位素丰度比的变化程度。从水中把碳酸钙沉淀出来就是平衡分离过程的一例。氧18在沉淀过程中浓缩，浓缩因数约为2.5%，浓缩因数随温度而变，因此能用来测定沉淀发生时的水温。这就是氧同位素地温计的依据。在光合作用中，碳较轻的同位素碳12比较重的同位素碳13要浓缩；树木的纤维素与木质素在光合作用中浓缩因数约为2.5%。但这种分离并不是平衡过程而是动力学效应：轻同位素因光合过程进行得较快而浓缩。蒸发、冷凝及热扩散等物理过程也可以引起显著的分离。例如，氧的轻同位素氧16在海水蒸发过程中浓缩；而重同位素则在沉淀中浓缩，结果使大气的水蒸气中，轻同位素的浓度进一步提高。由于在赤道与两极之间的蒸发与冷凝过程的影响，两极地带的水中轻同位素的浓缩因数可以高达5%。利用铀两种同位素的气态六氟化物通过多孔挡板时速率的微小差别已将可裂变的铀235从含量较多的不裂变的铀238中分离出来。

isotopic spin（particle physics）　参阅 **isospin** 同位旋。

isotopic tracer　同位素示踪剂　从化学、生物或物理系统的材料中可以探测出的放射性原子，用于标记供研究的材料，以观测它在材料中的运动状况或确定它的分布。同位素示踪原子的性能必须具有与待研究材料相同的性状，但又有某些特性，从而可以探测出它在材料中的存在。研究化学元素的运动时，可以添加该元素的放射性同位素来追踪。这种放射性同位素发射出来的辐射可用辐射检测仪器如盖革-弥勒计数器或闪烁检测器来记录。放射性同位素则可以探测到几个原子。放射性示踪剂广泛用于科学、工程和医学的每一领域以及需要确定分布方式或材料输运率的任何情况。同位素稀释（将放射性同位素掺入同一元素的稳定同位素中并混合均匀）是测定系统体积时广泛使用的技术。要测量人类血液系统或工业液料箱内的组分，

可以放进微量放射性示踪原子，让它与整个系统均匀混合；然后从系统中取出已知体积的样品，测量放射性示踪原子的含量。这个含量与原加入量之比，是与整个系统的体积成正比的。

Isozaki Arata　矶崎新（1931-07-23，日本九州岛大分～　）20世纪晚期日本先锋派最著名的建筑师之一。出身于上层阶级家庭，进入东京大学学习建筑。毕业后在丹下健三事务所中实习9年，丹下为日本战后杰出的建筑师。在此时期，他又参加了一个名为"规划师与建筑师"的设计小组。他曾受到代谢主义运动的一些影响，该运动小组为关心现代技术与功利主义的粗野主义团体。1963年建立自己的设计工作室。他曾在美国的不少大学担任客座教授。他引起世人注意的第一件作品为大分县立图书馆（1966），这是一座具有代谢主义影响的建筑物。他在担任1970年日本世界博览会总建筑师之后，放弃了较正统的现代主义建筑，而开始研究非东方式的解决建筑问题的办法。这一时期中，他所设计的创新建筑有北九州艺术博物馆（1974）、大分的富士见乡村俱乐部（1974）、冈野山印刷刻印艺术博物馆（1982～1984）和筑波市府大厦（1983）。他还曾设计美国洛杉矶当代艺术博物馆（1986）。他写过许多有关建筑的书籍。

矶崎新设计的冈野山印刷刻印艺术博物馆
美国不列颠百科全书公司供图

Isparta　伊斯帕尔塔　原称哈米德-阿巴德。土耳其西部城市。拜占廷统治时期称巴里斯。1203～1204被塞尔柱土耳其人占领。后属土库曼哈米德公国。约1381年被卖与奥斯曼苏丹。现存历史古迹有中世纪堡垒遗迹和几座清真寺。以出产玫瑰花、玫瑰油和地毯闻名。该市有铁路支线与安纳托利亚铁路干线相连。人口101 215（1985）。

Isrā'　夜行　伊斯兰教用语，指先知穆罕默德自麦加夜行至耶路撒冷之事。据《古兰经》第17章第1节载，安拉的仆人穆罕默德在一夜之间从禁寺走到远寺（今阿克萨清真寺）。据圣传，他在天神哲布勒伊来（加百列）陪同下乘天马（**Burāq**）上路，在耶路撒冷遇见易卜拉欣（亚伯拉罕）、穆撒（摩西）和尔撒（耶稣），然后以伊玛目身份率领在场全体先知礼拜，确立自己在安拉众使者中的领先地位。参阅**Mi'rāj**。

Israel（Jewish patriarch）**以色列**　参阅**Jacob 雅各**。

Israel　以色列　希伯来语拉丁字母转写作Yisra'el。全称以色利国。位于地中海东岸的中东共和国。南北长约400千米，东西最宽处约121千米，北与黎巴嫩接壤，东北与叙利亚交界，东和东南与约旦为邻，西南与埃及相连，西濒地中海。面积20 700平方千米，不包括以色列占领或半自治的叙利亚戈兰高地（东北）、约旦河西岸和东耶路撒冷（东）以及加沙地带（西南）等地区。这些地区的面积为7 477平方千米，由以色列军队在1967年的战争中夺得，归属尚有争议。以色列事实上的首都为耶路撒冷（归属亦有争议），原分属约旦和以色列。人口约5 451 400（1993），包括东耶路撒冷和戈兰高地。

土地　以色列可分为4个自然地理区：地中海沿岸平原、丘陵区、大裂谷和内盖夫地区。地中海沿岸平原为一狭长地带，沿国土西部边缘延伸，长185千米，最宽处仅32千米；丘陵区从北部边界向南穿过以色列占领的约旦河西岸，伸入到以色列中部；大裂谷是一条大裂缝的一部分，沿该国整个东部边界向南延伸到亚喀巴湾，包括地球表面最低点死海（低于海平面400米）；干旱的内盖夫地区为全国最大区，几乎占了以色列的整个南半部。

以色列的主要水系为约旦河南流形成的内陆流域；它先后注入胡拉盆地（接近海平面）和淡水湖加利利海（太巴列湖，低于海平面210米），最后流入世界上最大的咸水湖之一——死海。加利利海借一系列抽水站和水库与以色列西部的地下含水层相连，向全国大约一半的农田供水。

以色列的气候南北不同，冬季气温（1～2月）耶路撒冷约8 °C，内盖夫南部亚喀巴湾附近的埃拉特为16 °C；以上两地的夏季气温（7～8月）则分别为23 °C和32 °C。北部高原和北部沿海地区年降水量在400毫米以上，最北部高地年降水量超过1 016毫米。实际上北部地区的降水主要集中在10～4月。全国一半以上地区年降水量不到203毫米；内盖夫的降水量不足102毫米，死海南部的阿拉伯干河谷地降水量也不到25毫米。

农业耕种集中在年降水量超过305毫米的以色列北半部。原始常绿森林大部分已消失，但重新造林工作一直在进行。丘陵大多长有野生灌木植物，在内盖夫仅有沙漠野生矮树。野生动物有野猪、野猫、瞪羚等哺乳动物和鬣蜥、壁虎等爬行动物。

以色列自然资源匮乏。铜的蕴藏量有限，只有少量石油和天然气。

人民　犹太人占总人口的4/5以上，阿拉伯人约占1/6。作为犹太人的故国，以色列自1948年建国以来，接纳了大批犹太移民。他们大多来自西欧、中欧、北非、俄罗斯和前苏联其他地区，以及美国。两大犹太宗教集团的成员分别为采用德系犹太人礼拜仪式者（来自中欧及东欧的犹太人及其在世界其他地区的后裔）和采用西班牙、葡萄牙系犹太人及东方犹太人礼拜仪式者（来自地中海地区和中东的犹太人）。穆斯林占阿拉伯人口的2/3以上，是最大的少数民族。几乎所有的穆斯林都遵行逊尼派礼拜仪式。其余的阿拉伯人多为基督教徒。希腊东正教和希腊公教会是最大的基督教派别，但也有人数较少的天主教徒和东仪天主教徒。德鲁兹教派从1957年起单独组成一个讲阿拉伯语的社区。以色列的官方语言为希伯来语和阿拉伯语。大多数犹太人讲希伯来语，阿拉伯人则讲阿拉伯语。英语是学校的主要外语课程。犹太人约有3/5出生在以色列，约1/5出生在欧洲和美国，约1/6出生在亚洲或非洲。犹太人的出生率比阿拉伯人的出生率约低1/3，因此阿拉伯人在总人口中所占比例逐渐上升，但这种趋势由于大批犹太移民的涌入而被抵消。目前，以色列的人口增长主要来自外来移民，但未来将更加依赖人口的自然增长，其中阿拉伯人的增长率最高。以色列全国约有1/3的人口年龄在15岁以下，9/10的人口居住在城市，主要集中在地中海沿岸平原一带。

经济　以色列经济属混合型，主要以服务业和制造业为基础。虽然国民生产总值的增长远远高于人口增长，但与发达国家相比，人均国民生产总值仍比较低。

可耕地约占国土总面积的1/5，灌溉系统集中在加利利和内盖夫沙漠地带。农业生产约占国内生产总值的3%，占用了相应比例的人口。3/4以上的可耕地由犹太人的基布兹（集体农庄）或莫夏夫（合作社）经营。柑橘类水果为主要作物，以色列是橘和柚的主要生产国。其他大量生产的作物有籽棉、苹果、鳄梨、马铃薯、葡萄、蕃茄、香蕉、甜瓜、小麦、桃、橄榄和甜菜，也种植早熟蔬菜供应欧洲市场。牧场占土地总面积的2/5，放养绵羊、牛和山羊。以色列还是世界最大的火鸡生产国之一。渔业以加利利海和鱼塘的淡水鱼为主，也有来自地中海和黑海的咸水鱼，捕捞的种类以鲤鱼和长鳍鳕鱼为主。

以色列是世界最大的钾碱生产国之一，其他开采的矿产包括死海的磷酸盐、溴化物、镁化物，以及石灰岩、盐、玻璃沙、石膏和黏土等。制造业门类繁多，占国内生产总值的1/5，约占用全部劳动力的1/5，以原料和半成品加工为主。主要产品包括电子产品、武器、

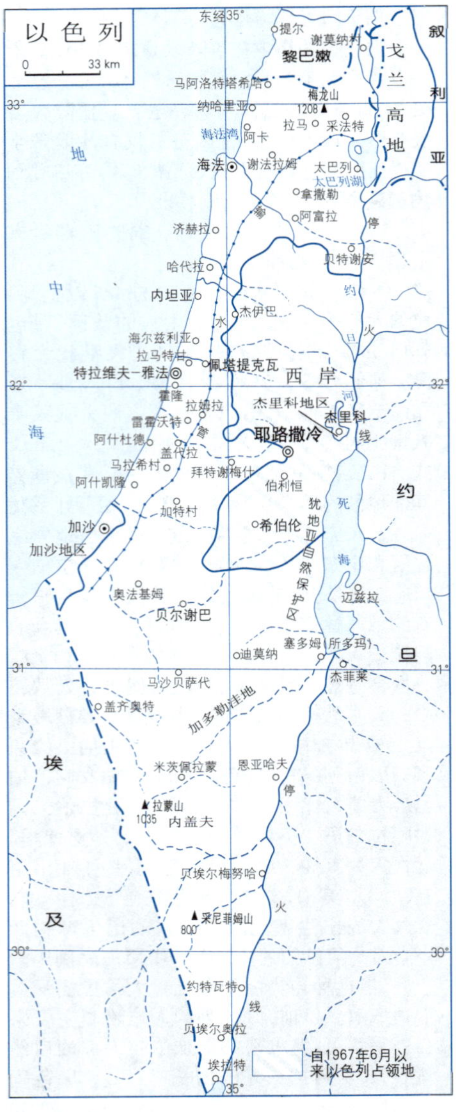

美国不列颠百科全书公司供图

水泥、钾肥和其他化肥、硫酸、棉纺织品和服装、罐装和瓶装水果及果汁、面粉、抛光钻石、金属产品、机械、汽车、飞机、精密仪器、塑料和家用电器等。电力由热电厂供应。

建筑业仅占国内生产总值的5%左右，但它与生产建筑材料的制造业紧密相连，因此在经济中占有重要地位。住宅建筑在建筑业中所占比例最大。

服务业是国家经济中最大的部门，其中金融业占国内生产总值的1/4。仅公共和社区服务业一项就占用了1/4以上的劳动力。旅游业是外汇的重要来源，收入通常超过以色列人在国外旅游的支出。

政府拥有采矿和钻探企业、若干工厂以及国家铁路系统。政府也支持工业的发展，通过征收进口关税保护现有产业。巨额援助资金来自欧洲和南北美洲的犹太人社区。除了军援和贷款，美国还为以色列提供发展资金。

犹太工人总会（1920年成立）是主要的劳工联合会，也是一个志愿组织，所有工会均属之。全体工人和基布兹与莫夏夫的成员以及各种专业人员都可成为工人总会会员。总会还代表工人就达成与零售价格指数有关的集体协议条件同资方进行谈判，并且管理雇工福利、退休抚恤等计划以及一些社会服务工作。它拥有约占全国5%的工业企业，代表出席劳资关系委员会和全国生产力协会。它也支持以提高生产率和增进效益为目的的工资奖励计划以及其他各种经济发展规划。

预算收入主要来自所得税和财产税、国内公债以及增值税。发展预算则主要来自国外的贷款和捐赠。支出大致包括偿债、国防、贷款利息、保健及社会福利等项目。主要金融机构是以色列银行。

以色列的标准轨距铁路长约520千米，公路网全部铺有路面，包括4车道或更多车道的高速公路。临地中海的阿什杜德和海法以及濒红海的埃拉特均为主要港口。在卢德（特拉维夫——雅法）建有一座国际机场，还有其他国内机场。以色列航空公司负责经营国际航线，阿尔卡以色列航空公司则经营国内航线。

出口产品主要有机械、电子产品、琢磨或镶嵌钻石、化学产品、水果蔬菜、纺织品和服装，主要销往美国、英国、德国和日本。进口值远远超过出口值。进口商品主要有未加工钻石、投资设备、燃料、润滑油、消费品及食品，大多来自美国、比利时、卢森堡、德国、英国和瑞士。

政体与社会状况 以色列为一民主共和国，自1948年建国以来，一直实行议会制。该国无成文宪法，政府依照立法、行政法令及议会惯例运作。最高权力机构为一院制议会，有120名议员，任期4年，由成年选民普选产生。议会负责所有的立法并选举总统（国家元首，任期5年）。总统的职能主要是礼仪性的，他任命总理来领导政府；但1996～2001年，总理改由直接选举产生，由此综合了总统制和议会制。目前，总理通常由议会多数党产生，内阁成员在形成议会多数联合的政党间协商产生。许多政党角逐议会席位，但最主要政党是以色列工党和利库德（统一）集团。司法系统的最高机构为最高法院，其成员由总统任命。以色列的国防力量主要是陆军，在48～72小时内能动员比其常规兵力多5倍的军事力量。

以色列有先进的社会福利制度，提供养老金、工伤和生育救济以及家庭津贴。政府也提供一般援助、救济金和失业救济等福利。犹太工人总会的健康保险基金惠及全国大多数劳工，提供疾病救济和医疗。以色列人的健康状况良好，平均预期寿命为77岁。

5～15岁的未成年人须接受免费义务教育。小学教育为8年，中学教育为4年，但最后一年不具强制性。以色列有3类学校：国立学校、宗教国立学校及“阿古达特”以色列宗教学校。高等学府包括耶路撒冷希伯来大学（1925年创立）、特拉维夫大学（1956年创立）和以色列理工学院（1924年创立）。以色列的成人识字率达90%以上。

以色列新闻媒体在批评政府政策和表达不同的政治或宗教观点方面享有较大的自由。但由于国家紧急状态的频繁出现，军方检查员必须审查一切有关国家安全的新闻报道和播音内容。大多数广播电台和电视台为政府所有，由政府经营。

文化生活 从世界各地聚集此地的犹太人既带来了犹太人自己的文化遗产，也带来了数世纪异国生活中所吸收的各类不同文化。不同的民间传统，如民歌、乐器及其他通俗文化的表现形式，主要保存在西班牙和葡萄牙系犹太人社区和乡间的阿拉伯人当中。在文学和戏剧方面，早期主要以在外散居的犹太人为主题，现已逐渐转向以国家民族为主题。以色列最著名的作家被认为是阿格农，他于1966年获诺贝尔文学奖。

历史 以色列（巴勒斯坦）有人类居住的历史至少已有10万年。有关动植物驯化和种植的证据可追溯到公元前约1万年。古巴勒斯坦人最显著的成就就是发展了公元前第2个千年期中由迦南人所创、公元前1000年左右被腓尼基人和以色列人所采用的线形字母。以色列人（希伯来人）对巴勒斯坦的占领可能是在公元前13世纪末完成，他们称该地区为迦南。公元前约1550～前1200年，巴勒斯坦地区被埃及人控制。海上民族的出现削弱了埃及对其亚洲各属国的统治，从海上来的非利士人在巴勒斯坦崛起，成为一支重要的势力。以色列人在大卫王和所罗门王的领导下扩张领地，征服了非利士人。公元前10世纪中叶所罗门王统治时期为以色列的黄金时代，这一时期社会繁荣昌盛，并建成了耶路撒冷第一圣殿，但所罗门王去世后，王国又分裂成为北方的以色列和南方的犹大两部分。公元前772年，以色列被亚述人征服和毁灭，而犹大则沦为亚述的属国，并一直持续到公元前625年。公元前587年巴比伦人摧毁了犹大，把许多犹大居民流放至巴比伦地区。

居鲁士二世（约公元前550～前529在位）领导下的波斯人准许犹太人返回耶路撒冷重建圣殿（第二圣殿）。巴勒斯坦经历了亚历山大大帝的入侵之后，又先后受到托勒密王朝和塞琉西王朝的统治。由于塞琉西王朝竭力推行希腊化和安条克四世（公元前175～前164年在位）对圣殿的亵渎，犹太人在马加比率领下起来造反。公元前141年，在哈斯莫尼家族的领导下，以色列获得独立。但统治家族内部的纷争导致内战发生，公元前65年罗马人介入。耶稣在耶路撒冷传道，约于公元30年在该地受审并被钉在十字架上。罗马人统治时期，犹太人曾两次举行起义，但皆被平息。最后一次反抗发生在公元135年，此后巴勒斯坦的犹太人口锐减，以色列不再作为一个政治实体存在。

拜占廷人统治时期，通过资助兴建基督教堂，为巴勒斯坦带来了一些繁荣景象。7世纪，巴勒斯坦落入穆斯林之手，他们于691年在耶路撒冷兴建岩顶圆顶寺。耶路撒冷于是成为三大宗教的圣城。1100～1291年，巴勒斯坦被穆斯林和入侵的基督教十字军交替统治。1517年它被奥斯曼土耳其人占领。拿破仑1798～1799年的短暂入侵使巴勒斯坦重遭埃及人的统治。埃及领袖穆罕默德·阿里对西方势力开放了巴勒斯坦。1840年巴勒斯坦又归奥斯曼帝国控制。1882年，第一个犹太复国者居民点在巴勒斯坦建成。1917年英国发表《贝尔福宣言》，声明支持犹太人在巴勒斯坦建立家园。1918年，英国占领巴勒斯坦。30年代及40年代初期，德国纳粹对犹太人的迫害迫使更多犹太人移居巴勒斯坦，该地区的犹太人与阿拉伯人的关系恶化。犹太人和阿拉伯人分区治理的方案提出后遭到拒绝。第二次世界大战后,英国主动放弃了对巴勒斯坦的委任统治权。1947年联合国投票通过将该地区分割为犹太人和阿拉伯人两个国家,但建立一个犹太人国家的主张遭到了邻近阿拉伯国家的反对。1948年5月14日,以色列国宣布建立。埃及、外约旦(后改称约旦)、叙利亚、黎巴嫩和伊拉克等国家向以色列宣战。以色列获胜。在六日战争(1967)中,以色列又获胜,从约旦夺得约旦河西岸,又从埃及夺得加沙地带。1973年,以色列与邻近的阿拉伯国家之间的战事又起。1979年,以色列与埃及媾和,但巴勒斯坦人建国的问题及1967年战争中及战后被以色列占领地区内的犹太人定居点问题,继续妨碍着以色列和阿拉伯国家的关系。1982年以色列入侵黎巴嫩,企图驱逐巴勒斯坦解放组织的游击队。自1987年下半年起,以色列面临约旦河西岸和加沙地带的一系列巴勒斯坦人暴动和一片混乱。1992年,以色列、阿拉伯国家和巴勒斯坦的代表开始面对面的和平谈判。翌年,以色列和巴解组织就约旦河西岸和加沙地带逐步实行巴勒斯坦人自治的5年过渡安排达成协议。1994年以色列与约旦签订全面和平条约。但与巴勒斯坦之间的协议执行受到挫折,之后,以色列与巴勒斯坦民族权力机构之间进行了多次谈判,2000年谈判失败,被占领土上再次发生新一轮的暴力,数百人死亡。

Israel, Kingdom of 以色列王国 《圣经·旧约》记载的两个国家,一为自公元前1020年前后至前922年前后由扫罗、大卫、所罗门三代国王治理的统一的以色列王国;另一为公元前922年耶罗波安一世发动叛乱另立的北部以色列王国,该国辖除犹大支派与便雅悯支派一部以外的北部十支派。其后,由大卫家族统治的南朝王国称犹大王国。南部以色列王国政局不稳,王朝更替频繁,统治时间较长者只有暗利(约公元前876～前869或公元前884～约前872在位)、亚哈(约公元前876～约前853在位)和耶户(约公元前842～前764在位)诸王。公元前8世纪,北部王国受新亚述帝国侵占,首府撒玛利亚于公元前722或公元前721年陷落,以色列王国灭亡。

Israel, Ten Lost Tribes of 参阅 **Ten Lost Tribes of Israel** 失踪的以色列十支派。

Israel, Twelve Tribes of 参阅 **Twelve Tribes of Israel** 以色列十二支派。

Israel Labour Party 以色列工党 以色列政党,1968年1月由3个社会主义-劳工政党合并而成。它和它的主要成员以色列工人党,从1948年以色列独立时起直至1977年对立的利库德集团当政,始终控制着以色列政府。此后,工党和利库德交替执政形成实质上两党制,但均需和小党结盟。劳工联盟中最主要的伙伴是以色列工人党(简称 Mapai),按其前身来说,它也是巴勒斯坦-以色列历史最久的政党。该党于1930年由两个较早的劳工政党合并而成,一个是1919年创建的工人联合党,另一个是1905年创建的青年工人党,后者是本-古里安的第一个政党。在30年代,以色列工人党很快成为巴勒斯坦的犹太人社会中举足轻重的政党,以色列独立后,它控制政府达29年之久(1968年起作为以色列工党的一部分执政)。以色列工人党的主要领导人为本-古里安、埃希科尔、埃班、梅厄、拉宾和佩雷斯。以色列工党中的第2个伙伴是劳工联合党,1944年成立,由一批反对据称改革倾向而退出以色列工人党的人士组成。该党主要依靠基布兹(集体农场)的支持。1965年又同以色列工人党一起参加“劳工阵线”,3年后参加创立以色列工党。第3个伙伴是以色列劳工党(简称 Rafi),1965年成立。那时,本-古里安经过一场政治斗争以及与埃希科尔个人争吵之后,与他的支持者们退出成立新党的工作。1968年当以色列劳工党的大多数党员加入新成立的以色列工党时,本-古里安及其少数追随者没有参加,另组成他们自己的小党,即国家党。自成立之日起,以色列工党通常同左翼犹太复国主义和社会主义政党统一工人党组成“劳工阵线”。劳工阵线还包括两个阿拉伯政党,即进步和发展党及阿拉伯贝都因人党。1999年,在埃胡德·巴拉克的领导下,该党打着“只有一个以色列”的旗号与桥党和梅马德党(一个温和的宗教政党)联合参加竞选,巴拉克于当年当选总理。2001年竞选中,利库德集团的沙龙轻松战胜巴拉克,巴拉克因此辞去工党领导人职务,而该党在议会中的席位下降到25个。2003年,以色列工党再次被利库德集团轻松击败,在议会中的席位下降到19个。与利库德集团相比,该党主张向巴勒斯坦人做出更大的让步,支持“土地换和平”原则;在经济和外交政策方面,工党采取了相当实际的政策,避免极端政策。90年代以前,该党支持国家经济计划和广泛的社会福利,但进入90年代以后,转为支持经济自由化和放松监管。该党特别得到世俗化犹太人和德系犹太人、工会主义者和集体农场居民的支持。

Israel Museum 以色列博物馆 希伯来语作 Muse'on Yisra'el。位于耶路撒冷,于1965年开放。博物馆由几个独立部分组成:比扎勒民族艺术馆、布朗夫曼圣经与考古博物馆、圣经神龛、比利·罗斯艺术花园。圣经神龛中的一座建筑中藏有死海古卷,其塔形圆屋顶使人想起了1947年发现的藏有该卷轴的古罐形状。考古馆由15个亭子连接在一起,陈列着以色列的考古发掘文物,其中一个亭子是按照夏琐城门重建的,另一个亭子中陈列有巴勒斯坦的陶瓷器。比扎勒馆专门陈列各种宗教和人种志实物,例如修殿节灯和服装之类。还有来自威尼斯附近维托里奥威尼托的一座18世纪的犹太教堂。陈列在比利·罗斯艺术花园的是现代艺术品和抽象雕刻作品。

Israeli, Isaac ben Solomon 以色利(832或855,埃及～932或955,突尼斯凯鲁万) 又称伊萨克·以色利或伊萨克(老)。埃及出生的犹太人医学家、哲学家。他的科学著作在中世纪广为流传,一般认为他是中世纪犹太教新柏拉图主义的创始人。以色利用阿拉伯文撰写8部医学著作。1087年迦太基修士康斯坦丁将这几部书译成拉丁文,声称是他本人所著,直到1515年这些书在里昂重版时才确认真正作者为以色利,但是编订者又误将他人著作收进。以色利的著作论及热症、小便、药学、眼科学、各种失调与疗法。他还有伦理学和心理学论著,对知觉问题有深入分析。

Israeli law 以色列法 指现代以色列的法律惯例和法律制度。在古代,当以色列人居住在他们故土的时候,他们创造了自己的法律:摩西五经与犹太法典。接着以色列人与他们故土分隔了1 800年。法律与创造法律的人一起离去,他们的故土因征服者的不断更迭而随之变换着不同的法律。犹太人不论到哪里,都带着他们自己的法律,而且继续加以发展;凡是在他们能享有某种自治权的地方,都执行这个法律。当犹太人终于在20世纪返回他们古代祖居的故土时,他们带回了两份法律遗产:一份是历史上的犹太法,另一份是他们过去居住过的国家的法律。1948年以色列宣告独立时,若干土耳其法规和许多英国渊源的法律被继续使用,不过英语已不再是占统治地位的法定语言,希伯来语立即取代了英语。从那时起,以色列独立国的民主政府不顾少数阿拉伯人的利益,完全按照犹太人的观念、思想方式和要求来制定法律。以色列的法院完全由职业法官组成,没有陪审团。世俗法院分为三级:①治安法院,它审理某些民事案件和可判处3年以下有期徒刑的犯罪案件;②地方法院,分别设在4个主要地市,它对民事与刑事案件有普遍的管辖权;③耶路撒冷最高法院,它审理不服下级法院判决的上诉案件,并可作为一审终审的法院行使高等法院的审判权。教会法院继续有权审理涉及个人身份的问题,不过对犹太法院的管辖范围作了某些不大的改变。在行政法方面,凡是与现代福利国家立法有关的问题都搞了立法,如教育、义务兵役(男性与女性)和国家保险。对国家经济特别重要的有1959年通过的水法和鼓励投资法。有关集体交涉、劳工介绍所、工资保护、安全管理、解雇费等法律则构成了劳动法典的核心。在刑法、侵权行为和证据等方面的发展只限于对1948年前的法律作零星的修改。其中重要的是对谋杀罪废除死刑和引进监禁缓期执行,以及在审判性犯罪中采取未成年人证言的新方法和国家的侵权责任。1965年,将刑事诉讼的规则作了合并:还有一些变动如废除了预审等;同时主要参照英国民事诉讼程序,重新草拟和修改了以色列民事诉讼规则。在私法方面,以色列的立法中有妇女平等权利法;有关行为能力和监护、收养和亲属之间的赡养责任法;合作公寓房屋租赁法;标准契约法;综合继承法;关于代理、保证、抵押和委托的法律;新的破坏名誉法和新的专利法。犹太法本身在犹太法院管辖个人身份案件的范围内继续适用,同时在民事法院就审理涉及犹太人的这些问题时也同样适用。但在法律的其他领域，并未将犹太法作为本国法来适用。但是国会以及作出创造性判决的法院都把犹太法作为制定新的法律规则的重要渊源。

Israelite 以色列人 泛指犹太人，即始祖雅各的后裔。雅各曾在雅博渡口彻夜与天使摔跤，其后改名为以色列(《创世记》32:28)。在早期犹太历史中，以色列人指以色列的12个支派。公元前930年巴勒斯坦出现两个分立的犹太人王国，北方10个支派组织以色列王国，其国人称以色列人，南方两支派之国称犹大王国。公元前721年北方王国被亚述所灭，其人民逐渐为其他民族所同化。此后，以色列人即指仍保持民族特征的犹太人，即犹大王国的后裔。在犹太教礼仪上，"以色列人"指既非科亨(祭司，即第一代祭司长亚伦的后裔)又非利未人(早期宗教专职人员的后裔)的一般犹太人。其区别是显著的，在会堂礼拜中，如有科亨在，必须由他首先诵读律法书，其次是利未人，再其次才是以色列人。

Israëls, Jozef 伊斯拉埃尔斯(1824-01-27，荷兰格罗宁根～1911-08-12，海牙) 荷兰油画家和铜版画家，人称"荷兰的米勒"。他是描写农民风俗的海牙画派(1870～1890年盛行于荷兰)的领导人。1845～1847年曾在巴

伊斯拉埃尔斯自画像，1908年
美国不列颠百科全书公司供图

黎学院派画家H.韦尔内和P.德拉罗虚的指导下作画。最初从事浪漫主义肖像画和传统的历史画创作，成绩平平。1855年迁居到桑德乌尔特渔村，转而用写实的手法描绘荷兰农民和渔民，如《待捕的鲱鱼船》(1875)。1871年移居海牙，常在附近的斯海弗宁恩作画。除油画外，也画水彩画，还是第一流的铜版画家。后期创作的艺术手段多样，表现生活的悲剧场面，一般用大面积的明暗来突出主要部分，同时对细节也不忽视。其风格深受伦勃朗后期作品的影响。他和伦勃朗一样，也常描绘荷兰城市犹太人区所居住的穷苦犹太人(如《上帝的选民》，1889)。其子以撒(1865～1934)也是画家，采用印象派的技法和题材，对其父后期创作产生一些影响。

Isrāfīl 伊斯拉非来 伊斯兰教用语，大天使之名。此天使负责届时在耶路撒冷的圣岩上吹号角，宣布复活日到来，平时他总是把号角放在唇边，随时准备在安拉发令时吹响。

约1370～1380年伊拉克细密插图画中的伊斯拉非来像
美国不列颠百科全书公司供图

其身硕大多毛，全身是口与舌，躯体从第七重天伸到安拉座前。他以一翼保护自己的身体，一翼将自己与安拉隔开，另两翼向东西两方张开。据传，穆罕默德曾从伊斯拉非来学习如何担任先知，3年后才蒙安拉启示《古兰经》。

Issa 伊萨人 索马里人(Somali)的一支，住在非洲东海岸的吉布提共和国(原法属阿法尔和伊萨地区)。

Issachar 以萨迦 今日犹太人的祖先，《圣经》时代的以色列人12支派之一。摩西死后，约书亚率领以色列人进入上帝应许给以色列人的迦南，为12支派划分领地，以萨迦之地在约旦河以西和加利利海南端的东南。公元前922年国王所罗门死，以萨迦是组成以色列王国的北方10支派之一。公元前721年这个以色列国被亚述所征服，这10个支派除一部分散在他处外，全部丧失特征而消失，称作失踪的以色列十支派。

Isserles, Moses ben Israel 以瑟利斯(约1525，波兰克拉科夫～1572-05-01，克拉科夫) 又名雷马。波兰籍犹太拉比，法典编纂家。他评注1565年西班牙系法典编纂家卡洛所著律法汇编《布就之筵席》；以瑟利斯有鉴于《布就之筵席》失之偏重不公，乃为之评注，题为《台布》，广泛引用德系犹太教传统，使卡洛的著作为全体犹太人所接受。以瑟利斯自幼颖慧，青年时即任克拉科夫犹太学院院长。在他以前，犹太教律法汇编大多出自西班牙系犹太学者之手，故德系犹太人难以接受。

Issigonis, Sir Alec 伊西戈尼斯(1906-11-18，土耳其士麦那[今伊兹密尔]～1988-10-02，英国伯明翰) 英国汽车设计师，创造了最畅销、最经济的米尼牌和长年风行的小莫里斯牌汽车。希腊商人之子，1922年希腊与土耳其战争期间移居伦敦。在学习工程学之后，1936年作为一名临时设计师，参加了莫里斯汽车公司工作。在那里他发展了小莫里斯牌汽车，这种汽车自1948年到1971年一直生产，是一种极易驾驶和转弯性能可靠的车辆。该车是第一种全英销售的汽车，销售量超过100万辆；现存样品仍为车主和收藏家所珍爱。50年代早期，在别处短期工作以后，伊西戈尼斯回到了已改组成的英国汽车公司。1959年为了应付苏伊士能源危机(1956)和风行一时的德国大众汽车公司甲壳虫牌汽车的挑战，他推出了米尼牌汽车。这种盒式、廉价、省油的米尼车采用横向引擎发动前轮，这在当时是一项激进的设计。这样，虽然车身只有3米长，却可以舒服地坐4位乘客。由于实用和价廉该车迅速遐迩闻名，在伊西戈尼斯去世时，销售总数已超过500万辆。1967年伊西戈尼斯成为皇家学会会员，1969年被封为爵士。

Issus, Battle of 伊苏斯战役(公元前333) 亚历山大大帝侵入亚洲时早期的一次战役，结果他打败了波斯国王大流士三世的军队。这是亚历山大征服阿契美尼德帝国的多次决定性胜利之一。伊苏斯是今土耳其南部伊斯肯德伦湾沿海的一片平原。马其顿部队以步兵方阵为中军，骑兵为两翼，进逼驻在皮纳鲁斯河(现帕亚兹河或德利河)对岸列阵的大流士军队。亚历山大率先渡河冲锋，先击溃波斯左翼，再扑向波斯军中心的希腊雇佣兵。波斯军陷入混乱，大流士脱逃，家眷被擒。亚历山大的传记作家阿利安(2世纪)称马其顿仅损失450人，亚历山大本人受伤。

Issy-les-Moulineaux 伊西莱穆利诺 法国中北部法兰西岛大区上塞纳省巴黎郊区城镇，东北以巴黎市区为界。工业有航空、冶金、化工、电器和卷烟等部门。1907年建飞机场，现用于在巴黎和布鲁塞尔之间飞行的直升飞机起降。人口46 734(1990)。

Issyk-Kul 伊塞克湖州 吉尔吉斯斯坦东北部一州。面积43 500平方千米。东北部的伊塞克湖，海拔1 608米，四周群山环抱，高处达5 200米。东南与中国交界处有天山山脉若干高峰，其中以胜利峰最高，达7 439米。伊塞克湖附近气候温和，但东南的山谷区即令在夏季亦很凉爽。广阔的草原用于放牧细毛羊群和纯种马群。伊塞克湖盆地东部种植谷物和马铃薯。该州为罂粟的主要产地。工业主要分布在普热瓦利斯克和伊塞克湖市。大多数的居民沿湖而居。湖区亦为夏季避暑胜地。湖之北岸为乔尔蓬阿塔镇，更是人们常去之处。居民中绝大多数是吉尔吉斯人，少数民族中以俄罗斯人占多数。人口约429 300(1993)。

Issyk-Kul 伊塞克 前称雷巴奇耶。吉尔吉斯斯坦的伊塞克湖州的城镇，伊塞克湖西岸的港口，与西北偏北约140千米处的伏龙芝有道路相连。经济以食品工业为主，包括肉类包装和谷类加工。该城镇是重要的运输中

心，有一个造船厂。人口42 700(1989)。

Issyk-Kul, Lake 伊塞克湖 吉尔吉斯斯坦伊塞克湖州的永不干涸的湖泊。位于天山山系北部，为世界最大的山地湖泊之一，以其壮丽的景色和独特的科学价值而著称。湖泊坐落在伊塞克湖盆地的底边缘内，北为昆格山脉，南为泰尔斯凯山脉。湖泊长182千米，最宽处61千米，面积6 280平方千米。湖水深达702米，容积1 738立方千米。湖泊名字源自吉尔吉斯词，作"热湖"解，暗示这是一面在冬天不封冻的湖。伊塞克湖盆地由第四纪(离今160万年前)的湖泊淤积构成。昆格山脉最高处达4 771米，泰尔斯凯山脉最高处为5 216米，其陡坡和奇峰山脊，则为盆地的边界。气候温暖、干燥、适中。沿岸地区7月平均气温约17 °C，盆地西边缘的1月平均气温约-2 °C。年降雨量自西向东激增，夏季从100毫米到最高410～510毫米。盆地东部有常年积雪。常有强劲大风吹向湖泊，在西部风速平均每小时约145千米。盆地内约有50条河，最大的杰尔加兰河和蒂普河均长近97千米，都位于普里斯库里东部。楚河则沿着盆地西边奔流。伊塞克湖岸和缓平展，东面和东南面有小湾。土壤以沙质为主。湖水呈天蓝色，清澈可见(可见度达20米)，味咸。由于其含矿质量高，不宜饮用和灌溉，但时而用来供牛喝饮却无须淡化。盆地西部是岩石重叠的荒漠，有稀少盐性的半灌木植物。向东则为干草原和草地，还有一种榆树生长在栗色土壤和黑土地上。山上则有亚高山和高山草地。湖中有20种以上的鱼。基本的商业鱼为无鳞奥斯曼鱼和一般鲤鱼等。

湖东、西岸是水鸟过冬之地，过冬鸟主要有潜鸭、野鸭、秃头水鸭和小凫等。1948年建立了伊塞克湖野生动物保护区。湖滨四周和1.6千米的海岸区内禁止狩猎，兔子、狐狸和麝鼠均生活在灌木丛里。那里总共有40种左右的哺乳动物和200种类的鸟。

盆地居民多为吉尔吉斯人和俄罗斯人；然而也有许多乌克兰人、鞑靼人、乌兹别克人和东干人。有两大城市：普热瓦利斯克和雷巴奇耶，以及数百座村庄。大多数人口集中在普里斯库里东部。居民主要职业为务农，种植小麦、马铃薯、蔬菜和药用罂粟，也饲养牲畜。湖中有定期船只往返以载运货物和乘客。与其他地区联系则有公路、铁路和空运。湖滨以疗养胜地而闻名。

Istanbul 伊斯坦布尔 旧称君士坦丁堡，古称拜占廷。土耳其最大城市和海港，曾为拜占廷帝国、奥斯曼帝国首都，后为土耳其共和国首都，直至1923年。

伊斯坦布尔为一周围有城墙的古城，位于欧、亚两洲之间一个三角形半岛之上。在2 500多年中，伊斯坦布尔有时作为桥梁，有时作为屏障，立于宗教、文化和王权各种冲突的波涛之间。在那些年代中，伊斯坦布尔是世界上最令人垂涎的城市之一。

拜占廷一名可能来自传说中希腊人首领拜萨斯之名。拜萨斯由古城迈加拉(或译墨伽拉)而来，从色雷斯游牧民族手中夺得此半岛并于公元前657年前后建造此城。公元前196年，罗马皇帝塞维鲁因该城在一次内战中反对他而夷平此城后重建之，名曰安东尼娜以纪念其子。公元330年，君士坦丁大帝定都于此，名为新罗马。但铸造的硬币上仍刻有拜占廷字样，直至他下令改刻为君士坦丁堡。13世纪中，阿拉伯人称此城为伊斯廷普林，因为他们听到拜占廷人使用该词，其实该词在希腊语中是"在城里"的意思。随着岁月迁移，语言更替，该城遂得伊斯坦布尔之名。但直到1930年土耳其邮局正式使用此名称之前，该城名称仍是沿用了上千年之久的君士坦丁堡。

自然地理和人文地理

景观 **城市位置** 旧城面积约23平方千米，但现今都市疆界扩展至254平方千米以上，包括博斯普鲁斯海峡和马尔马拉海的两岸地区。半岛上原先的城市有7座山，这是君士坦丁大帝建造"新罗马"所不可缺少的，其中6座是金角湾畔长形山岭的山头；另一座山单独耸立在西南角上。在这些山上有很多清真寺和其他历史性建筑，1985年被联合国教科文组织列为世界遗产。

按长期以来传统的说法，金角湾、博斯普鲁斯海峡和马尔马拉等半岛周围3个水域称为"三海"。金角湾是一条长7千米的、海水淹没的深谷。早期居民看到此海湾形似鹿角，但现代土耳其人称之为哈利奇，即运河。博斯普鲁斯海峡是黑海通过马尔马拉海和达达尼尔海峡通往地中海的渠道。狭窄的金角湾将南面的斯坦布尔旧城与北面的贝伊奥卢新城分隔开；较为宽阔的博斯普鲁斯海峡则将伊斯坦布尔的欧洲部分与亚洲部分的于斯屈达尔(古名克里索波利斯)区和卡德柯伊(古名卡尔西登)区相分隔。

气候 此地常年有从黑海吹来的东北风，有时冬季有从巴尔干半岛方向吹来的强寒风，称"黑色纱幕"，可使金角湾甚至博斯普鲁斯海峡的海水封冻。西南风在马尔马拉海上掀起巨浪。

城市布局 城市多次毁于大火、地震、骚乱和外族入侵。载入史籍的大火有60多次，旧城有多处经历火劫的废墟至今未修复。自君士坦丁大帝时代以来，较大地震有50次，较轻微的地震则不计其数。

目前伊斯坦布尔仍是有城墙的城市。将半岛与大陆相分隔的陆地城墙只有一次(1453)被奥斯曼帝国苏丹穆罕默德二世(征服者)的大炮攻破。自此破口称为"炮击门"。城墙甚长，有双层，内层建于413年，外层建于447年，围以护城河。内墙较高，约9米，厚5米，每隔约60米设一20米高的塔楼。外墙上原有塔楼92座，现存56座。

沿海城墙建于439年。现仅在金角湾沿岸存有数段石砌城墙，高10米。城墙未毁坏时有110座塔楼和14座城门。马尔马拉海海岸的城墙起自约离王宫角8千米处，绕半岛下部与陆地的城墙相连。这段城墙共有188座塔楼，但高只有6.5米，因马尔马拉海海潮汹涌，可作防敌从海上登陆之屏障。此城墙大部至今仍存。

城墙内有7座山。经过久远的年代，山顶已变平坦，但山坡陡峭，攀登艰难。

加拉塔桥和土耳其之父基马尔桥横跨金角湾通达贝伊奥卢。每日黎明前大桥中部桥拱吊起，使远洋海轮通过海湾。金角湾沿岸有许多码头、货仓、工厂，有些地方有历史遗迹，交通工具为公共交通艇。开往伊斯坦布尔亚洲部分的轮渡从加拉塔桥下出发。1973年竣工的博斯普鲁斯海峡大桥主跨度1 074米，1988年建成的博斯普鲁斯2号大桥主跨度为1 090米，都是世界上最长的吊桥之一。

有"现代的伊斯坦布尔"之称的贝伊奥卢，从10世纪以来便是外国人聚居地区，现在仍然如此。19世纪以前的建筑物，经历多次战争与火灾，现所存无几。

金角湾沿岸地势甚陡峭，加拉塔区海岸和佩拉高地之间有登山铁路。高地之上有大饭店和餐厅、旅行社、剧院、歌剧院、各国领事馆和许多土耳其政府办公楼。

自10世纪以后，加拉塔区便成为外国商人，主要是热那亚人的领地。他们在围墙之内享有治外法权。1453年奥斯曼人占领该市之后，一切非帝国公民的外国人不得越出此地区。在宏伟的各国使馆周围，有学校、教堂和专为各种国籍的人治疗的医院等。后来加拉塔区过于拥挤，建筑活动便向坡上佩拉的空旷地区扩展。有几个世纪，外国人只能由苏丹的一名禁卫军陪同，才得以进入宫廷所在地的斯坦布尔。

建筑 ①拜占廷大建筑物。君士坦丁大帝当年选作新罗马都城城址时的拜占廷建筑

伊斯坦布尔市的艾哈迈德一世清真寺

美国不列颠百科全书公司供图

物已荡然无存;他所建的雄伟都城亦几乎完全消失。君士坦丁圆柱即圆柱遗烬由鼓形斑岩石块砌成圆柱状,束以金属的月桂叶,现仍屹立于努鲁奥斯曼清真寺附近。但当时所建的城内建筑物已不见有遗迹。塞维鲁曾修复的竞赛场由君士坦丁大帝完成,但5世纪中,他的后人已将此竞赛场重建,扩大。目前此竞赛场只余呈弧形一端的残迹,其中央轴上有3座柱:一座是罗马皇帝狄奥多西一世从埃及运来的方尖塔,一座是君士坦丁七世(波菲罗格尼图斯,905～959)的石砌方尖塔,还有一座是呈3条巨蛇相缠状的德尔斐式圆柱,为公元前479年希腊人在普拉蒂亚战役中击败波斯人后所造,今蛇头已毁。

在为装点君士坦丁堡而建的无数圆柱中,现存的有:阿卡狄乌斯皇帝(383～408在位)在杰拉赫帕夏区所建一座圆柱的底基;土耳其人称为克兹塔西,由马西安皇帝(450～457在位)所建的一座圆柱;在法蒂赫区的圣母圆柱;和在托普卡珀宫庭院中的一座圆柱,这座科林斯式圆柱保存良好,据说是另一位皇帝克劳狄二世在位(268～270)时所建。

横跨在第3、4座山间的谷地之上有双层石灰石水道,是366年瓦林斯皇帝所建。有些拜占廷时期建造的巨大的露天水塘现作商品菜园之用。有的水塘是封闭在地下的,现存80多个,其中有一个是伊斯坦布尔最美丽也是最神秘的建筑物,即在圣索非亚大教堂附近的巴西利卡水塘或地下宫,有336座圆柱,直立在一泓黑沉沉的静止水中,支托着圆穹屋顶。

金门是一座建于约390年的凯旋门,为抵御狄奥多西二世而筑,在陆地与沿海城墙连接处附近。凯旋门两座巨塔下表面以大理石镶砌的底座现仍在原地,两底座之间是饰有圆柱的3个拱门。

拜占廷时期的宫殿建筑保存良好的,只剩一座长方形石灰石与砖混合建筑物的格状与条状框架,上下有3层;约建于1300年的君士坦丁宫倚离金角湾不远的陆地城墙而建。

已消失的王国首都给后人留下的最大遗产是25座拜占廷教堂,其中许多座现用作清真寺。最大的一座教堂是公认为世界最伟大的建筑之一的圣索非亚大教堂。教堂之名意为"神授的智慧"。同时所建与之毗邻的圣伊林娜教堂,是奉献给"神赐的和平"的。许多美术史家认为圣索非亚大教堂的圆顶是世界上最美的一个。该教堂的教士也是圣伊林娜教堂的教士,据说此教堂是君士坦丁大帝325年在一座异教寺庙的地基上建造的。君士坦斯皇帝曾经扩建,415年大火之后,又由狄奥多西二世重建;532年发生尼卡暴动,教堂被焚毁,查士丁尼皇帝又重新修建。现存该教堂的建筑基本上是6世纪时的结构,但559年一次地震将穹顶震坍,重建时规模较小,整个教堂从外面加固;14世纪中叶又修缮此教堂。1453年,改为有尖塔的清真寺,并以一面大墙加固;1935年改为博物馆,墙上仍悬挂着穆斯林书法的圆盘。

圣塞尔吉乌斯与圣巴克乌斯教堂是查士丁尼在527和536年之间建造,用以感谢两位圣者的恩德。当年查士丁尼曾以谋反罪被判死刑,阿纳斯塔修斯一世皇帝认为这两位身兼军官之职的教士为查士丁尼说项,二人殉教而死。教堂是一座长方形中有圆顶的八角形的建筑物,内部装饰为拜占廷式,有圆柱和回廊。此教堂亦称小索非亚清真寺,在建筑上可视为查士丁尼所建圣索非亚大教堂的范本。乔拉圣救世主教堂现称为卡里清真寺,在阿德里安堡门附近。这座建筑物在11世纪修复,14世纪改建,现用作博物馆,以其14世纪的镶嵌画、大理石雕刻和壁画而闻名。中央正门上方有基督头像,刻有"永生之国"的字样。此建筑物用作清真寺之时,建造了前廊(即在主门廊与中殿之间的室内通道)、天井和尖塔。

耸立在加拉塔区上空有一座巨塔,是热那亚商人1349年所建,作为此有围墙的领地的哨楼和防御工事。

②土耳其的大建筑物。土耳其人取得君士坦丁堡后,便在7座山的山脊上筑满了圆顶形和尖塔形建筑物,改变了城市的特色。该城的新统治者和希腊人、罗马人及拜占廷人同样喜爱此城市,不惜耗费许多人力物力将城市装饰起来。奥斯曼王朝的统治从1300～1922年。在此期间,几乎直到末代,他们继续修建新的大建筑物。最宏伟的一些清真寺是在15世纪中叶到16世纪中叶建造的,而最伟大的建筑师们都署名为"锡南",这些建筑师有阿蒂克·锡南(年长的)、巴里凯西尔的锡南和麦马尔·科贾·锡南(即伟大的建筑家锡南)。虽然这些建筑深受塞尔柱人(一度为奥斯曼人的统治者)源自波斯的传统的影响,但此种风格已与该城无处不在的希腊传统和拜占廷传统相融合。麦马尔·科贾·锡南最伟大的作品和他的葬地是苏莱曼清真寺(1550～1557)。这座清真寺的风格受到圣索非亚大教堂的启发,但不是模仿它。这座建筑物亦可入于世界最伟大的建筑物的行列。伊斯坦布尔最著名的清真寺可能是布鲁清真寺,即奥斯曼苏丹艾哈迈德一世清真寺,是他1603～1617年在位时所建,有6座尖塔,与习惯上只有4座尖塔的清真寺不同。

18世纪以及18世纪后所建的清真寺表现出由欧洲建筑家和工匠引入的不良影响,他们建造出巴罗克式的穆斯林建筑物,如1767～1771年间重建的法蒂赫清真寺,甚至有新古典主义的风格,如1853年所建的多尔马巴切清真寺,今为海军博物馆。

大清真寺都建有附设结构,如一所古兰经学校、涤罪用的浴池、为穷人而设的招待所和食堂或皇陵和显要人物的陵墓。

伊斯坦布尔有400多座喷泉,有的喷泉只是简单地由墙壁凹陷处流出,但其他的作为公共慈善机构筑成亭、馆式。最壮观的一座喷泉是苏丹艾哈迈德三世1728年所建,在圣索非亚大教堂东端半圆室的后面。喷泉呈方形,以大理石墙和青铜栏栅砌就,是土耳其和西方洛可可风格的混合体。

喷泉北面靠近金角湾并占去海角整个顶端部的是苏丹的托普卡珀宫,宫殿外有设防的围墙。此宫殿1462年由艾哈迈德二世始建,直到19世纪初,历代苏丹都居住于此。外国使节从正殿大门(Bab-i-Hümayun)入宫,在宫内受到接见和承认。西方人误译此宫门为"高门"。宫内多为小型建筑物,建造在3个庭院周围。最重要的有:建于1472年的砖瓦馆、听政厅、藏有先知穆罕默德圣物的圣殿赫尔凯塞里夫和为纪念1638年攻克巴格达而建的雅致的巴格达亭。宫内藏有苏丹的珍宝,还有重要的手稿、瓷器、盔甲、编织物等收藏品。旧王宫弃置不用后,历代苏丹沿博斯普鲁斯海峡建造了许多宫殿,如贝勒贝宫(1865);豪华的多尔马巴切宫(1853),建于1874年,1910年焚毁的切拉甘宫;和耶尔德兹宫。奥斯曼帝国苏丹阿卜杜勒哈米德二世从1876～1909年住在耶尔德兹宫。

格雷特广场建于土耳其人统治初年,但多次受到火灾和地震的损害。广场上两座销售中心周围有4 000家商店,此地区的布局呈格子状,目前仍然是人们熙来攘往,求财逐利的繁荣地区。

人民 居民中多数是土耳其人,其他种族集团有库尔德人、阿拉伯人、土库曼人和格鲁吉亚人。伊斯坦布尔也同其他大城市一样,吸引愈来愈多的农村人口到此定居。农村居民入城后多住在无卫生设备的简陋棚屋中。原属多数的土耳其族穆斯林人数日益增多,原为少数的基督徒和犹太人在百分比和总数上日益减少,现在库尔德人是该市人口最多的少数民族。人口约8 260 438(1997)。

经济 **工业** 伊斯坦布尔是土耳其最大的海港和工业中心。该市主要制造编织品、面粉、纸烟、水泥和玻璃。旅游业的重要性日增。

运输 旅游业是伊斯坦布尔日益增加的收入来源。沿旧城城墙有铁路,城市亚洲部分的海达尔帕夏车站,是巴格达铁路的起点。海上交通服务有多种形式:有港口小舢板、小轮渡,也有国际大轮船。耶希尔柯伊机场在城西约27千米处。市内交通有公共汽车,渡船最远可达南面海上的克孜勒群岛(王子岛),航程需数小时。阿塔土克国际机场靠近城市中心,提供国际国内服务。

伊斯坦布尔市一角
中国大百科全书出版社供图

伊斯坦布尔市的圣索非亚大教堂内景
美国不列颠百科全书公司供图

行政与社会状况 *政府* 市长由共和国总统任命，是伊斯坦布尔市的行政长官和伊斯坦布尔省的省长。君士坦丁大帝以罗马为模式将城市组织成14个区，现又划分为12个市区，每市区有一区长。

保健 伊斯坦布尔省的保健服务大多集中在该市，共有70多家医院，约半数为公立。

教育 伊斯坦布尔第一所大学是425年狄奥多西二世所建，1453年又建立一所伊斯坦布尔大学。在金角湾的格拉塔一侧有一理工大学以及美术学院、理工学校、商业学校和经济学校。外国的教育机构有专收男生的美国罗伯特学院（1863年建）和只收女生的美国学院（1871年建），两校都在博斯普鲁斯海峡岸旁。

文化生活 伊斯坦布尔文化宫是重要的艺术中心，内有一音乐厅、一画廊和两座剧院。伊斯坦布尔市交响乐团和伊斯坦布尔市歌剧团在此演出。市剧院下属有若干剧场，市内有许多剧团。

数量众多的学会和研究机构的总部都设在市内，其中有地理研究所、德国与法国的考古研究所和土耳其民俗学会。在小切克梅杰有一所核研究中心。

有许多公立与私立的图书馆。规模小但专业性强的克普吕律图书馆（建于1677年）收藏有奥斯曼帝国初期的出版物以及1 000多年前的手写作品。该市的许多清真寺、宫殿和其他大建筑物中有博物馆；其他博物馆有伊斯坦布尔考古博物馆、土耳其和伊斯兰艺术博物馆和土耳其禁卫军博物馆。

历史

早年时期 *拜占廷* 公元前8世纪末，从米利都和迈加拉过来的希腊移民开始沿博斯普鲁斯海峡两岸和黑海海岸设置许多殖民地，拜占廷便是这些殖民地中之一。

公元前512年，波斯国王大流士一世占领该殖民地；公元前496年发生爱奥尼亚人叛乱，该地脱离波斯人掌握，后又为波斯人所有。公元前478年，一支雅典舰队攻陷该城，当时该城已成为提洛同盟中一个富饶而重要的城邦。伯罗奔尼撒战争中，雅典势力被削弱，拜占廷人承认斯巴达人的霸主地位。虽然亚西比德围困并再攻克该城，但斯巴达人于公元前405年击败雅典人后，又占领了它。

公元前343年，拜占廷加入第二次雅典同盟，3年后冲破马其顿的腓力二世的围困。在亚历山大大帝统治期间，拜占廷又归属马其顿，只是在马其顿势力衰微时才又得到独立。公元前3世纪，高卢人肆行劫掠，城中财宝因用于疏通高卢人而耗尽。罗马时期此城为一自由城市，但在韦斯巴芗皇帝统治时期，逐渐受罗马帝国控制且短期失去自由。196年，该城因支持篡位者尼格尔，城中居民遭罗马皇帝塞维鲁屠杀，城墙被夷平，劫后的城市合并归土耳其的佩林苏斯（又名赫拉克利亚），即今马尔马拉埃雷利西。

随后，塞维鲁以宏伟的规模在原址上重建该城。虽然在268年又遭加列努斯洗劫，但因该城力量强大，足以抵御两年后哥特人的入侵。再后，罗马帝国不时发生内战与叛乱，直到君士坦丁一世这位第一个信奉基督教的罗马统治者到来之前，拜占廷未受到干扰。君士坦丁于324年9月18日在附近的克里索波利斯击败东罗马皇帝李锡尼的军队后，成为东、西罗马的皇帝，决定定都于拜占廷。

君士坦丁堡 君士坦丁得胜3周后，即举行了新罗马的建城奠基仪式，330年5月11日，比原来规模大得多的新城正式建成。

建此新城是具有深远历史意义之举。君士坦丁堡后来成为世界上的伟大首都之一，是帝国和宗教权力的聚集地，是拥有巨大财富和景色美丽的城市，也曾是西方世界首屈一指的名城。

从文化的角度看，君士坦丁堡融东、西方的风俗、艺术和建筑风格于一身。宗教上信奉基督教，组织上按罗马的方式，语言和外貌则是希腊的。这个信奉基督教的帝国存在了1 130年。1 000多年过去了，帝国的首府君士坦丁堡本身逐渐有了和帝国同样重要的地位；到了最后，虽然帝国领土已基本丧失，但首都依然存在。

君士坦丁的新城面积为拜占廷的3倍，城内有帝国的建筑物，如塞维鲁始建的竞技场、一座巨大的皇宫、法院、几座大教堂和装饰有从各敌方城市取来的许许多多雕塑像的街道。此外，凡自愿到旧城城墙外的空地定居者，该城给予供给膳食和得到公民身份的优待，这也是本城的吸引力之一。再者，君士坦丁堡欢迎基督徒来到，并容许信仰基督教以外的宗教，对犹太人仁慈宽厚。

君士坦丁堡亦是一宗教中心，381年成为牧首所在地。君士坦丁堡牧首的地位仅次于罗马主教。现今君士坦丁堡牧首仍然是正教教会名义上的首领。

至4世纪末，君士坦丁堡城墙已太狭小，容纳不下都市巨大的财富和人口。

城内人口增长的压力和城外野蛮人入侵的威协，促使当局把城墙筑在半岛与内陆相连的地段。至今仍存在的这几段新城墙，是5世纪狄奥多西二世统治期间建成的。

中世纪的君士坦丁堡于查士丁尼一世（527～565）在位时达到全盛期。532年，在镇压尼卡暴动过程中，该城大部分被焚毁，许多居民被杀戮。查士丁尼趁重建被毁的城市之机大兴土木，筑造雄伟的建筑，当时建造的许多建筑物至今犹存。

542年该城瘟疫流行，据说居民死亡者达3/5，自此君士坦丁堡开始衰微。不仅首都，而且整个帝国也渐趋零落，直到9世纪才见到缓慢的复兴。在这个期间，该城屡次被围困，包括被波斯人和阿瓦尔人（626）、阿拉伯人（674～678；717～718）、保加利亚人（813～913）、俄罗斯人（860、941及1043）和无定居地点的土耳其民族佩切涅格人（1090～1091）。但历次围困都未能攻占该城。

1203年，第4次东征的十字军偏离他们的目标圣地，转道来到君士坦丁堡，借口要恢复拜占廷伊萨克二世皇帝的合法地位。虽然城市被攻陷，但一年之内还在自己的政府掌握中。但1204年4月13日，十字军涌入城内进行洗劫，在一场大屠杀之后，劫掠延续了多年。十字军骑士拥立他们当中的佛兰德人鲍德温为皇帝，而十字军的主要策划者威尼斯人则控制了教会。在君士坦丁堡的历史上，灾难最为深重的是拉丁人统治时期（1204～1261）。他们甚至将青铜像熔铸硬币，所有珍贵之物被劫掠一空。圣者的遗物被从圣殿抢出，分送到西欧各宗教机构。

1261年，君士坦丁堡又被尼西亚的希腊皇帝迈克尔八世·帕里奥洛加斯攻占。其后，受到西方威胁的同时，东部又面临小亚细亚日益强大的奥斯曼土耳其人的入侵，拜占廷帝国摇摇欲坠地又存在了两个世纪。14世纪中期，土耳其人长驱直入欧洲，决定了君士坦丁堡的命运。但看来不可避免的结局却因1402年帖木儿击败土耳其人而推延；然而到了1422年，土耳其的奥斯曼苏丹穆拉德二世又围攻君士坦丁堡。此次城市未被攻陷，30年后再次围城。1452年，另一位奥斯曼苏丹穆罕默德二世在博斯普鲁斯海峡最狭窄之处建造一座强大的堡垒以封锁海峡。该堡垒称为鲁梅利希萨勒，现仍为海峡的重要文物建筑。围城于1453年4月开始，发动最后攻击在5月29日。虽然城内居民得到热那亚人的援助拼死抵抗，但终于失守。拜占廷末代皇帝君士坦丁十一世（帕里奥洛加斯）战死。苏丹纵兵屠城与劫掠3日，3日后苏丹恢复该城秩序。

数世纪的发展 君士坦丁堡被攻陷之时，城内几无人烟。穆罕默德二世从其他被征服地区如伯罗奔尼撒半岛、萨洛尼卡（今塞萨洛尼基）和希腊诸岛上迁来居民。圣索非亚大教堂和其他拜占廷教堂改成清真寺。希腊牧首的职位予以保留，但迁入帕马卡里斯托斯圣母教堂，即费特希耶清真寺，后来又将长期驻在地设在费内尔区。苏丹在现为伊斯坦布尔大学校址上建造旧王宫（Eski Saray），现已被毁，稍后苏丹又建托普卡珀宫，即王宫，至今犹存。他还在金角湾顶端建造埃于普清真寺，在圣使徒长方形教堂旧址上建造法蒂赫清真寺。1457年，奥斯曼帝国都城从阿德里安堡迁至君士坦丁堡。

穆罕默德二世之后，伊斯坦布尔经历了长期的和平发展，中间只受到地震、火灾和流行病等自然灾害的破坏。历代苏丹和大臣致力于建造喷泉、清真寺、宫殿和慈善基金会等，城市外观完全改变。土耳其式建筑物的兴建在奥斯曼统治者苏莱曼大帝（1520～1566）在位时达到最辉煌的阶段。

伊斯坦布尔第二次历史性的大变化发生在19世纪初奥斯曼帝国临近崩溃之时。这一阶段被称为内部改革时期。改革过程中发生过严重的动乱，例如1826年在竞技场对禁卫军的屠杀。随着进步的奥斯曼苏丹穆罕默德二世对保守的反对派的胜利，伊斯坦布尔开始大踏步地西化。自19世纪30年代以来，因有轮船可抵达伊斯坦布尔，大量来此的欧洲访问者日益增多。横跨金角湾的第一座桥建于1838年。1839年奥斯曼苏丹阿卜杜勒·迈吉德一世颁布一项法令，保证所有臣民不论信奉何种宗教，都有生命、财产安全。1853～1856年发生的克里米亚战争以及英、法军队在伊斯坦布尔驻扎加快了西方化的步伐。

现代伊斯坦布尔 20世纪初的25年，发生了多次混乱局面，标志奥斯曼帝国的死亡和现代土耳其的诞生。1908年该城被青年土耳其党军队占领，废黜了人民痛恨的苏丹阿卜杜勒·哈米德二世。在1912～1913年的巴尔干战争中，伊斯坦布尔险被保加利亚人占领。第一次世界大战的整个过程中，该城被封锁。1918年世界大战停战后，该城为英、法、意军占领至1923年。小亚细亚的希-土战争及俄国革命后，成千上万难民来到伊斯坦布尔。民族主义者土耳其之父凯末尔得胜后，废除苏丹制，末代苏丹穆罕默德六世于1922年逃离伊斯坦布尔。《洛桑条约》签署后，1923年10月2日，协约国疏散伊斯坦布尔居民，1923年10月13日定安卡拉为首都。10月29日，宣布土耳其共和国成立。第二次世界大战中，由于土耳其大部分时间守中立，故该城未受损害。但巴尔干半岛被轴心国占领后该城曾受到德国入侵的威胁。伊斯坦布尔因汽车过多产生严重的交通拥挤问题，城内大块地段上的建筑物被拆除，清理地面，作修建现代高速公路之用。二战以后，伊斯坦布尔的规模和人口有显著增长，因为大量农村居民迁入城市寻求就业机会。在20世纪后半叶，该市人口增长了近10倍，对伊斯坦布尔的基础设施造成了巨大压力。同其他中东大城市相似的是，过分拥挤、污染和市政服务的不足已经演化为重大的社会问题。该地区地震活动活跃，大量不合格建筑大大增加了地震的死亡人数。1999年8月，伊斯坦布尔附近的一次地震导致15 000人死亡。

Isthmian Games 地峡运动会 古希腊为纪念海神波塞冬而举行的体育和音乐比赛会。每届奥运会后的第二年和第四年春天在科林斯地峡的海神殿举行。希腊人均可参加。此种比赛在雅典人中尤为流行。胜者的奖品原先是由干野芹编成的花环，后在罗马时期改为松枝环。松树表示对波塞冬的神圣敬意。公元4世纪当基督教占优势时，这种庆祝活动便消失了。

isthmus 地峡 连接被海分开的两块大陆的狭窄条带。两个无疑是最著名的地峡是：连接北美洲和南美洲的巴拿马地峡；连接亚洲和非洲的苏伊士地峡。在历史上，科林斯地峡是很重要的，因为它连接了伯罗奔尼撒半岛和希腊半岛的其余部分。地峡对植物地理和动物地理很重要，它为其所连接的两大陆之间陆上动植物的迁移提供了通道。

istiḥsān 唯善 又称佳纳。伊斯兰教义学用语，指伊斯兰教义学家对不能引用经训明文解决的教义问题运用自己的判断作出尽可能好的裁断。随着伊斯兰教传播到新的地区，面临新的环境，这种方法日益流行。教义学权威大都认为，只有在类比和公议等公认原则都不能满意地解决问题时，才可运用唯善的方法。

istiṣlāḥ 公益 伊斯兰教法用语，指伊斯兰教法学家对无法在经训明文中找到答案的疑难问题作出判决所根据的一种原则。在这种情况下，法官首先判断何者对整个社会最有利，其次考虑何者对地方社团有利，最后研究何者对个人有利。伊斯兰教义学各派大都承认公益的实用性和合法性，因为他们承认这样一个前提：凡对人类整体物质上有益的事物，在总体上对个人几乎都是有益的。

Istiwāʾīyah, al- 赤道地区 英语作Equatoria。苏丹最南部地区。东邻埃塞俄比亚，东南与肯尼亚接壤，南接刚果（金）、乌干达，西与中非共和国毗连。北部阿苏德广阔的沼泽地和覆盖苏丹最南部的山间热带雨林将赤道地区与苏丹其余部分相隔。赤道地区与乌干达的交界处耸立着伊马通山脉和栋加托纳山脉，俯临该地区东部。伊马通山脉事实上是苏丹最高山脉，其中基涅提山，海拔达3 187千米，为全国最高峰。两山密布茂密的雨林，山涧流水汇成北部广阔的沼泽地。杰贝勒河（即尼罗河）向北流经该地区中东部。西部高地的耶伊河、伊巴河和苏埃河等皆向北流去。马拉山和阿布加塔山俯瞰该地区最西部。

赤道地区居住着各种族人民，信奉传统的非洲宗教或基督教，操东苏丹语或阿达马瓦-东部诸语言（分别属尼罗-撒哈拉语族和尼日尔-刚果语族）。阿赞德人是该地区最大的一个种族，控制着西部。中、东部居民中有穆尔莱、迪丁加、巴里、库库、卡夸、邦戈和巴卡等部落。该地区的穆斯林很少。

经济以农业为主，定耕和轮作种植小麦、高粱、芝麻、棉花、咖啡、烟叶、玉米、大麻、黄麻、蓖麻油籽、豆类及块根类作物。林产品有薪柴、木炭、农用工具、铁道枕木、电线杆、制绳纤维和制革材料。然而，林业因北方内战而间歇性中断。其他工业刚起步，基本上局限于面粉和食品加工。朱巴是主要城镇，也是赤道地区行政和商业中心。其他城镇还有延比奥、耶伊和阿马迪。

赤道地区曾是1821年埃及征服地区的一部分。该地区的传统贸易是贩卖奴隶和象牙，先北运至苏丹境内说阿拉伯语的地区，再运往埃及。英埃政府于19世纪70年代初期试图镇压奴隶买卖，但未成功。当时还通过教会学校首次尝试传播基督教。19世纪80年代该地区大部分处于马赫迪派、及马赫迪的拥护者们的控制之下。马赫迪是一位穆斯林宗教改革家，他曾于1881年发动起义，反抗英国统治。1898年，该地区与苏丹其余部分一起被英埃军队占领，直到1956年苏丹获得独立。

此后，赤道地区的历史便是一部与穆斯林的冲突史。苏丹中部和北部的多数居民是说阿拉伯语的穆斯林，他们控制着中央政府。允许赤道地区及其附近地区实行区域自治的协议一再被撕毁，而中央政府一再企图使南方改信伊斯兰教，激起了深切忿恨和武装抵抗；1958年南方军队在朱巴发动叛乱，引起内战，一直持续到1969年。1983年再度爆发的南北内战进一步破坏了赤道地区的经济，众多民众沦为难民。

istoriato style 伊斯托里亚多风格 一种陶器的装饰风格，约于1500年起源于意大利法恩扎，并流行于整个16世纪。这种装饰风格常应用在马约利卡陶器上，其绘画的严肃性可与意大利文艺复兴时期的架上画相比。绘画的主题主要是《圣经》故事、历史事迹和神话故事等，均以写实主义（包括用透视画法）手法表现，与任何先前的陶瓷装饰颇为不同。有些是对当代艺术家拉斐尔和丢勒作品的近乎精确的摹品，另有一些则是对他们作

1527年的伊斯托里亚多风格法恩扎陶盘
美国不列颠百科全书公司供图

品的自由改作。伊斯托里亚多风格广泛地被意大利之外的陶瓷制作中心特别是法国的陶瓷制作中心所模仿。

Istria　伊斯特拉半岛　克罗地亚和斯洛文尼亚的三角形半岛，伸入亚得里亚海北部，西临威尼斯湾，东临克瓦内尔湾。面积3 160平方千米。行政上隶属斯洛文尼亚（极北部）和克罗地亚（中部和南部）。半岛为一石灰岩高原，北部由于喀斯特地貌而缺水；但有茂密森林，森林遭滥伐之处正在重新造林。无水地区多灌木植被。最高处乌奇卡山海拔1 396米。属地中海气候，夏季干热，冬季暖湿。人口约2/3为克罗地亚人，多从事农业。葡萄栽培业已有发展，其他经济有渔业、养牛业及林业。当地用盐取自皮兰和波尔托罗日的海水。拉沙为优质无烟煤的重要产地，还有铝矾土、建筑用石及石英的开采。主要城市有普拉和奥帕蒂亚。

Istrie, Jean-Baptiste Bessières, duc d' (duke of)　**伊斯特里亚公爵**　参阅 **Bessières, Jean-Baptiste** 贝西埃尔。

Īśvara　伊湿伐罗　意译“自在天”，印度教名词，指有位格的、有限的神，不同于作为绝对的、超然的、最高实在的梵天。伊湿伐罗是神的人格化，因此，同一位神在不同教派中可成为不同的伊湿伐罗。

Itabuna　伊塔布纳　巴西东北部巴伊亚州东南部城市。海拔53米。1910年升为市。为盛产可可、家畜等农牧产品的富庶地区的贸易中心。作家J.亚马多在描写可可种植业的小说中，以该市为背景。市内有一化工厂。经公路、航空线和海路将货物运往州首府萨尔瓦多及其他城市。人口约170 434（1991）。

Itagaki Taisuke, Hakushaku (Count)　板垣退助（1837-04-17，日本高知～1919-07-11，东京）　日本第一个政党自由党的创立者。土佐藩出身。1860年参加藩政，主管军事，后率兵勤王倒幕。1868～1873年在明治政府中任职。1875年创立爱国公党，并建议成立民选议院。1878年创办教授民权学说的学校，从而以日本的卢梭闻名。1881年成为自由党领袖。善演说。1882年4月在为自由党竞选中，他被暴徒刺伤，以声明“板垣可死但自由长存”一语著称。1887年封伯爵。在政治上与伊藤博文合作。1900年退休。他常发表时论，鼓吹社会改革。

Itagüí　伊塔圭　哥伦比亚北部安蒂奥基亚省城市。位于波尔塞河畔。海拔1 569米。原为旅游地和工商业中心，现为以麦德林为中心的工业综合体的组成部分，纺织为其主要工业。通铁路和公路。纺织业是主要工业。人口169 374（1995）。

Itaipú Dam　伊泰普水坝　巴西-巴拉圭边境上巴拉那河的空心重力坝，位于巴拉圭的西乌达代埃斯特镇以北。就电力输出量而言，是世界最大的水力发电工程之一，水坝底层的发电厂内装有18台巨型涡轮发电机，能发电12 600兆瓦。由巴拉圭及巴西合资建造，堤坝及溢洪道综合体弯曲地跨越在上巴拉那河，长约8千米。水坝本体建于1975～1982年之间，高196米，由大混凝土砌块拼接形成空心坝室。逆流面由两座支墩支撑，顺流面为单层的混凝土板。是世界上最高最大的空心重力坝。其水库往北延伸约160千米，把从前的景观瓜伊拉瀑布完全淹没。

伊泰普水坝
美国不列颠百科全书公司供图

Itajaí　伊塔雅伊　巴西南部圣卡塔琳娜州东部城市。位于伊塔雅伊河口，海拔6米。19世纪中叶由德国和意大利移民建立。现在为伊塔雅伊河流域农业地区的商业中心和港口城市。制造品有包装纸和棉织品。输出木材、淀粉、木薯、黄樟、植物油和烟草。20世纪70年代后期，建为渔港。有公路和航空线通州首府弗洛里亚诺波利斯和其他社区。人口约114 558（1991）。

Itajubá　伊塔茹巴　巴西米纳斯吉拉斯州南部城市。临萨普卡伊河。海拔844米。1848年为一城市地区行政中心。1862年建市。基本上是以纺织业为主的工业中心。也是附近农业区（产咖啡、稻、玉米和甘蔗）和养牛区的服务中心。有铁路和公路通州首府贝洛奥里藏特等城市。人口约68 469（1991）。

Italia　参阅 **Italy** 意大利。

Italian Communist Party　意大利共产党　参阅 **Democratic Party of the Left** 左翼民主党。

Italian Democratic Socialist Party　意大利社会民主党　意大利语作Partito Socialista Democratico Italiano（PSDI）。原反对共产主义的改良政党，主张经济计划和某些企业国有化。作为一个中间政党，在第二次世界大战后的数十年里多次参加意大利政府。1947年初，反对社会党同共产党合作的一些社会党党员退党，组成了意大利劳工社会党。1952年，劳工社会党同社会党内其他反对共产主义的派系合并，成立社会民主党。这个党从1954年后参加中间政府。50年代，社会党脱离了同共产党的联盟，其政纲相似于社会民主党。1963年社会党参加政府。1966年10月，社会民主党也加入了社会党。两党联合时间很短。意大利共产党在1968年的议会选举中得票增加到26.9%后，组织包括共产党在内的政府的问题被提出来了。反对共产党参加政府的前社会民主党人，在1969年7月脱离社会党，组成统一社会党。1970年春，统一社会党再次取名为社会民主党。社会民主党继续支持天主教民主党历届政府。20世纪80年代，社会民主党虽然是小党，但势力一直很大，能够以保护人的身份控制政府要职。1992年后，该党内部的腐败问题被曝光，选票猛跌。党内领导人纷纷自立门户或改投他派，1994年该党解散。

Italian East Africa　意属东非　1936～1941年意大利在东非属地的总称，包括埃塞俄比亚、厄立特里亚和索马里兰。1941年1～11月为英军占领。

Italian language　意大利语　意大利语作Italiano。属罗曼语族，操用者约6 600万人，通行于意大利（包括西西里、撒丁岛）、法国（包括科西嘉岛）、瑞士及其他国家。美洲，特别是美国及阿根廷、加拿大大多数意大利移民及其后裔也操意大利语。书面文献溯源自10世纪一组法庭文件，附有证人使用地方土语所作的证词，第一部长篇文学著作是12世纪末期的《劳伦斯之歌》。虽然意大利语有以佛罗伦萨方言为基础的文学标准语，但其普通话语却是意大利标准语的各种方言变体或地方话变体。说话者受的教育越少，说话的场合越是非正式的，就与标准语的距离越大；有许多意大利人简直就不会说标准语。方言分支如下：意大利北部方言，或称高卢-意大利方言；威尼托方言，通行于意大利东北部；托斯卡纳方言（包括科西嘉语）；还有意大利东部及南部的三组关系相近的方言群，即：①马尔凯方言、翁布里利方言、罗马方言。②阿布鲁齐方言、普利亚方言（阿普利亚方言）、那不勒斯方言、坎帕尼亚方言、卢卡尼亚方言。③卡拉布里亚方言、奥托朗托方言和西西里方言。语音系统与拉丁语和西班牙语极相似。语法和现代其他各种罗曼语也很相似。名词和形容词有一致关系，使用定冠词和不定冠词，表示名词格的词尾已消失，但分阴性、阳性，动词有复杂的完成时和进行时体系。意大利语和法语及西班牙语最显著的区别是不使用-s或-es构成复数形式，而以-e为阴性词复数词尾，-i为阳性词（以及某些阴性词）复数词尾。

Italian Liberal Party　意大利自由党　意大利语作 Partito Liberale Italiano（PLI）。原温和的意大利保守政党，在1861年统一后10年内左右着意大利政治生活，是第二次世界大战后的主要政党。1848年由加富尔伯爵作为议会党团在皮埃蒙特议会中建立。1861年统一后加富尔任新国家的第一任首相。19世纪60年代自由党人分裂为左右两派，1876年左派自由党人控制了党。自由党联合政府在第一次世界大战前一直左右意大利政局。战后，党的力量严重削弱。党在法西斯统治时期转入地下，1944年重新出现。赞成现代意大利自由党主张企业自由经营，支持北大西洋公约组织。党的主要支持者是小企业主。1944年以后，在大多数以天主教民主党为首的联合政府中，它都以小党身份入阁。现代的意大利自由党支持自由企业制度和北约，主要得到小商人的支持。1992年后，腐败丑闻被多次曝光，于90年代中期解散，大部分自由党人改投中间偏右的意大利力量党。

Italian literature　意大利文学　从13世纪开始用意大利语写作的作品的总称。

由于政治与行政之不统一，意大利有好几种地方语言流行，从普罗旺斯语到西西里语都有可能代替拉丁语成为通用语。托斯卡纳语之所以成为新的文学语言，盖得力于《神曲》的作者但丁（1265～1321）的天才。其后的薄伽丘（1313～1375）扩大了托斯卡纳语写作世俗文学的魅力。彼特拉克（1304～1374）又对但丁的"温柔的新体"作了提炼加工。后起的阿尔贝蒂（1404～1472）坚持认为托斯卡纳语不亚于拉丁语，而本博（1470～1547）则编写了第一本意大利语正规文法。

在阿里奥斯托（1474～1533）、马基雅弗利（1469～1527）和圭恰尔迪尼（1483～1540）笔下，人文主义作品达到了一个高峰。阿里奥斯托以史诗《疯狂的罗兰》（1516）传世，而马基雅弗利和圭恰尔迪尼则用托斯卡纳这一地方俗语写出他们的闻名于世的历史和政治著作。从反宗教改革时代以来，经受了时间考验的巨著为塔索（1544～1595）的取材于首次十字军东征的长篇叙事诗《解放了的耶路撒冷》（1581）。

启蒙时代面临书写语言的一次危机。作为少数上层人士的表达工具的语言逐渐僵化，而开始有受教育机会，讲方言的意大利民众要求有一种更能适应口头语言的文字。当时有些作家继续使用常规文风；有的考虑创造一种标准日常用语；而米兰诗人波尔塔（1775～1821）与威尼斯戏剧家哥尔多尼（1707～1793）则致力于锤炼地区性方言为一种通俗的、贴近生活的语言工具。到了浪漫派小说家、名著《约婚夫妇》（1825～1827）的作者曼佐尼（1785～1873），这一目标终告实现。他尽管生于米兰，却能以佛罗伦萨的中产阶级的日常用语为基础，熔铸出一种新的文字用语。

意大利浪漫主义时期的文学大多反映这一时期的政治爱国热情。除了曼佐尼的诗歌和小说以及莱奥帕尔迪的诗歌之外，其余的作品其创作初衷固然值得肯定，文学价值则嫌不足。作为对浪漫主义的多愁善感的诗歌的一种反动，法国的自然主义在意大利催生出反映实证主义和命定论思想的真实主义。真实主义者努力客观地不加藻饰地表现生活，通常是下层阶级的生活，以收到一种纪实效果。真实主义的伟大代表是维尔加（1840～1922）。他的两部杰作《马拉沃利亚一家》（1881）和《堂·杰苏阿多师傅》（1889）刻画了社会经济大变动的牺牲者。真实主义的奠基人卡普安纳（1839～1915）的代表作是富于戏剧性的长篇心理描写小说《洛卡维迪那侯爵》（1901）。

与真实主义者尖锐对立的是民族沙文主义者邓南遮（1863～1938）。他的最好作品是他的自传小说《欢乐》（1889）、他的成熟时期的诗歌以及晚年的回忆录。

第一次世界大战后，人心思定，要求回到传统的文风与价值。但在法西斯逐渐得势的情况下，言论写作自由遭到窒息。皮兰德娄（1867～1936）则是个例外。他以革新实验性质的戏剧赢得了国际声誉。他的主要作品为《六个寻找作者的剧中人》（1921）和《亨利四世》（1922）。他致力于探索现实与表象、艺术与生活、清醒的理智与疯狂之间变幻不定的界限。斯韦沃（1861～1928）创作了一部心理观察和犹太人幽默的精品：《芝诺的忏悔》（1923）。

20世纪早期的诗人，受法国象征主义的影响，他们运用异常的结构，极其主观的文字风格，以便用一种暧昧的方式来表达内心的悲苦。他们被称为隐逸派，代表人物有蒙塔莱和翁加雷蒂。

第二次世界大战后的意大利文学被不甚确切地称为新现实主义，反映了真实主义、马克思主义的一些思想以及美国文学的影响。新现实主义作家大多取材于当代历史的一些异常经历。莱维曾被法西斯当局流放在南方，便对一个贫困的南方小城作了诗意的勾勒。他的《耶稣停留在埃博利》（1945）被视为文学杰作。普拉托利尼写佛罗伦萨的工人阶级境遇，作品有《街区》（1945）和《麦泰洛》（1955）等。

当代作家的题材风格更趋多样化，各不相同。例如巴萨尼以怀旧情绪写故乡费拉拉，特别是当地犹太人的生活。卡尔维诺编造一些异想天开的哲学故事。金兹布尔格专写各式家庭，她自己的、想象中的或过去确实存在的。还可以很容易列出一批作家，他们是莫拉维亚、卡索拉、索尔达蒂、阿尔皮诺、莫兰泰和埃科。

Italian Peninsula　意大利半岛　南欧三大半岛之一。从波河地区向南伸展600英里（960千米），最宽处150英里。东为亚得里亚海，南临伊奥尼亚海，西濒第勒尼安海和利古里亚海。亚平宁山脉纵贯整个半岛，多火山地震。沿海多低地。半岛包括意大利国土的大部及圣马力诺共和国和梵蒂冈城。

Italian Republican Party　意大利共和党　意大利语作 Partito Repubblicano Italiano（PRI）。反教权和主张社会改革的政党。第二次世界大战后，虽仅有少数追随者，但它在意大利政坛所处的居中地位，使它得以多次参加联合政府。该党可追溯至19世纪，当时激进派为在共和政体下统一意大利而斗争。1895年正式成立。在墨索里尼时代遭到镇压，1943年恢复活动。第二次世界大战后，在意大利人投票反对君主政府之前，共和党拒绝参加政府。1947～1953年间，共和党参加了四党"中间"政府。1953年退出政府。1963年2月重新参政，当时最大的中间政党天主教民主党，联合两个社会党和共和党组成四党中左联合政府。以后，共和党通常都参加政府。其领袖G.斯帕多利尼于1981～1982年间任总理。同很多其他政党一样，1992年后共和党人也卷入了震惊意大利的腐败丑闻中。在整个90年代，共和党一直是中间偏左的橄榄树联盟一个很小的组成部分。

Italian Social Movement　意大利社会运动　意大利语作 Movimento Sociale Italiano（MSI）。意大利极右反共政党，许多成员因新法西斯活动而受到打击。意大利社会运动于1945年出现，由业已消失的平民党的成员于1948年成立。1972年大选中，它同另一右翼政党意大利民主保皇党联合，组成称为全国右派的联盟。1973年1月，两党正式合并为意大利社会运动-全国右派。在1976年的选举中，由于极端分子进行多次公开暴力活动，26名意大利社会运动-全国右派的温和派议员宣布退党，另建一个右翼的、但反法西斯的政党——国家民主党。这个分裂出来的党在以后的历次选举中一个议席也没有得到，而仍旧存在的意大利社会运动却不断赢得议席。

Italian Socialist Party　意大利社会党　意大利语作 Partito Socialista Italiano（PSI）。前意大利政党。意大利具有全国规模和现代民主体制的最早的政党之一。1892年在热那亚成立时为意大利工人党，1893 年改用现名。该党最初的基础是工会、社会主义集团和合作组织，有无政府主义派和马克思主义派。在 20 世纪最初的数十年里，党的左翼（即最高纲领派）与改良主义派（由 F.图拉蒂领导）争夺领导权。墨索里尼是最高纲领派的领导人之一，由于主张意大利加入第一次世界大战而于 1914 年被开除出党。大战期间，社会党采取中立和和平主义的立场，这一立场反映了改良主义派与左翼之间激烈的斗争。在 1919 年博洛尼亚大会上，左翼掌握了党的领导权，加入共产国际，企图通过革命的占领建立社会主义共和国。在 1920 年掀起巨大的罢工、示威和占领工厂的浪潮之后，开始出现反动。党的多数成员被迫退却，左派离开社会党，加入意大利共产党。1926 年社会党被迫转入地下，1934 年与共产党结成联盟。50 年代中期，苏联对匈牙利的入侵和赫鲁晓夫的秘密报告导致社会党对苏联进行谴责，联盟结束。在诸多踌躇之后，社会党于 1963 年加入天主教民主党政府。此后社会党一直是多届中左政府的组成部分或支持者，1983 年 B.克拉克西成为第一个社会党总理。他的第一届政府（1983 ～ 1986）比第二次世界大战后其他各届政府当政时间都长。他的第二届政府（1986 ～1987）成就较少。直到 90 年代初，该党一直是中间联合政府的一个重要组成部分，90 年代初，克拉克西以及其他很多社会党党员卷入经济丑闻和政治腐败中。在 1994 年的选举中，社会党失去了在议会的大部分席位，沦为一个小党派。同年，该党改组；1998 年，与其他两个左翼政党合并建立意大利民主社会党（SDI）。

Italianate painters　意大利派画家　17 世纪的一批北欧画家，主要是游学意大利的荷兰人。他们有意识地采用了意大利风景画的风格，根据意大利的范本和主题拼凑自己的

博特兄弟绘《罗马广场人物形象》
美国不列颠百科全书公司供图

作品。该派主要画家有：B.布林伯格、博特兄弟、N.贝尔赫姆和 J.阿塞莱恩。贝尔赫姆的构图大多取法国画家 C.洛兰的阿卡狄亚风景；其典型的场面是在金色阳光下放牧的牧羊人和古典的废墟。

italic　斜体字　印刷中所使用的一种倾斜的、细体的、紧密的、几乎像草写的字体。它和罗马体、黑花体一道，称为欧洲印刷史上的三大字体。斜体字现今几乎仅仅对罗马字体

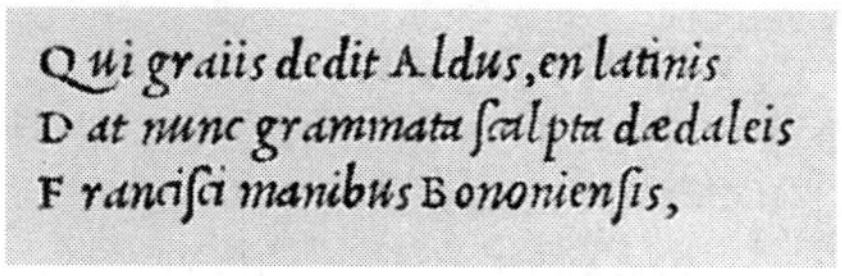

1501 年第一部用斜体字印刷的书籍
美国不列颠百科全书公司供图

发挥一种附属性的特殊职能。斜体字最初是用来印制小书的正文的，其可取之处在于节省篇幅和具有古典风格。

Italic languages　意大利诸语言　公元前1千纪通行于亚平宁半岛（意大利）的印欧语言，该时期以后的仅存者为拉丁语，是罗马帝国和其后西部基督教世界所用语言。学术界不再把意大利诸语言看作为凯尔特语、日耳曼语或斯拉夫语那样只是日耳曼语系的一个语族，而把意大利诸语言看作似乎是日耳曼语系的 3 个独立成员：拉丁语（可能还包括法利希语），奥斯坎-翁布里亚语及威尼托语。有关这 3 种语言的资料来自希腊和罗马的文献，特别是铭文。拉丁语是拉丁姆区和罗马城的语言，已知最早文献溯至公元前 6 世纪。自公元前 3 世纪始，拉丁语作为主要语言出现于意大利，至公元 100 年即排挤了西西里和阿尔卑斯山之间的所有方言，只有大希腊殖民地的希腊语是个例外。

拉丁语传播前，奥斯坎语是亚平宁半岛通行最广的一组方言。萨谟奈人使用之，卢卡尼亚及布鲁蒂乌姆（卡拉布里亚）两地区的居民使用之，拉丁姆区及亚得里亚海沿岸之间的一些小部族也操此语。奥斯坎语最重要文献出自坎帕尼亚诸城，篇幅最长的铭文是收藏于卢卡尼亚的“班提亚铜表”。翁布里亚语和奥斯坎语关系最近，主要从“伊古维翁铜表”见知于世，这些铜表构成古代最大和最重要的铭文文献资料之一。法利希语碑铭发现于意大利中部埃特鲁斯坎地区法莱里城周围。威尼托语一度通行于现在的威尼斯地区，主要从埃斯特和卡拉尔佐的拉戈莱两处圣殿的碑铭上而为世所知。

这些语言所用书写体系，包括希腊字母、拉丁字母以及埃特鲁斯坎字母所派生的字母文字，分成 4 种民族“文字”，即奥斯坎文字、翁布里亚文字、法利希文字及威尼托文字。

意大利诸语言肯定起源于印欧语发源地，其地约当中欧东部。反映在语言上的这一民族迁徙活动可由非印欧语的许多非常古老的地名之底层语言来证实，此类底层语言称“地中海”语言。构拟的印欧母语和已证明的意大利诸语言之间的若干语音差异似乎很快就发生在稍后时期。只有一种差异之点可确信为迁徙越过阿尔卑斯山之前的痕迹，那就是齿塞音加 t 变成 ss 的音变。这是凯尔特语、日耳曼语和拉丁语的共同特征。例如拉丁语 visus（瞧见），高地德语 gi-wiss（确知）和印欧语带有 d + t 的词 即 * widto-s 等形式就有这种特征（* 号表示构拟词）。意大利语本身发展起来的特征中有齿擦清音 f，这个音位于词首时代替了印欧语的送气浊音 bh、dh、g^wh，如拉丁语 frater（兄弟）和翁布里亚语的 frater 及印欧语的 * bhrāter 都相对应。

同意大利诸语言的音系学相互关系相反，上述语言的语法几乎没有明确的联系。奥斯坎-翁布里亚语和拉丁语的许多共有的形态学特征，也为印欧语所具备。如奥斯坎语 vincter，拉丁语 vinctur（他被战胜）这两个词中的被动态词尾-r，也见于凯尔特语、赫梯语和吐火罗语之中。最重要的是各种差异。如 O-词干的属格单数，在拉丁语和法利希语（大概还有威尼托语）中以及在凯尔特诸语言中用-i 表示，而在奥斯坎-翁布里亚语中则用-eis表示。

通过词汇比较，可以找出有关意大利诸语言史更为独特的一些资料。拉丁语和奥斯坎-翁布里亚语一种古代形式的差异表现在拉丁语 ignis（火）等于梵语 agni，而翁布里亚语 pir（火），却等于希腊语 pȳr 和古英语 fyr。此类形式反映出受地中海文化影响的差异，说明操拉丁语者与操奥斯坎-翁布里亚语者在开始建城时彼此没有接触。他们的“写”和“读”用同样词语。拉丁语和奥斯坎-翁布里亚语的字母都溯自埃特鲁斯坎字母。埃特鲁斯坎文化诸特征明显地表现在古意大利的宗教上。奥斯坎-翁布里亚人和威尼托人甚至借用了埃特鲁斯坎语中意为“神”的那个词即 ais。约公元前 500 年，在罗马城及意大利其他城市建起一些地方性共和国，埃特鲁斯坎人的霸主地位宣告结束。早期各共和国使用的词汇，便在意大利诸语言中独立发展起来。意大利诸语言的历史最末阶段，显示出不断增加的罗马地区语言模式的影响。

italic script　斜体　意大利人文主义者在约公元 1400 年根据古拉丁文文献和铭文中创制的一种字体。人文主义者把大多数经文、铭文中所用的加洛林小写体称之为古字体，误以为这是自西塞罗时代即有的一种罗马字体。佛罗伦萨抄写员尼科洛·尼科利（1437 年卒）将大家熟悉的黑体字体的匀称而流畅的特点与古字体纤细倾斜的笔划融为一体，创造出他的古草体，这种古草体成了斜体

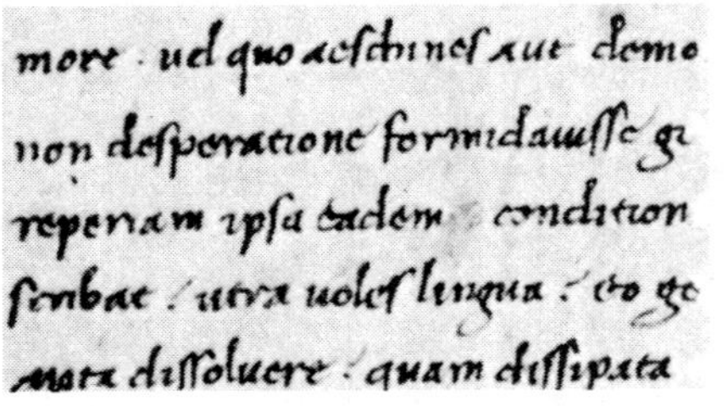

尼科洛·尼科利 1423 年创造的斜体
美国不列颠百科全书公司供图

印刷字母的雏型。现代意大利斜体铅字 a 的字形是有区别特征的，f、g、k 和 ∫（s 长形）都与黑体字母的草体相像。尼科利书写标题时常以罗马体大写字母略向右侧倾斜以示其“斜体化”。

Italic War（ancient Rome） **意大利战争** 参阅**Social War** 同盟者战争。

Italicus, Silius **伊塔利库斯** 参阅 **Silius Italicus**西利乌斯·伊塔利库斯。

Italiysky, Aleksandr Vasilyevich Suvorov, Knyaz（Prince） 参阅 **Su-vorov, Aleksandr Vasilyevich** 苏沃洛夫。

Italo-Albanian Church **意大利-阿尔巴尼亚教会** 意大利境内的东仪天主教会，其信徒为迁居意大利南部和西西里岛的古希腊人及 15 世纪因不堪奥斯曼帝国的统治而逃到意大利的阿尔巴尼亚人的后裔。

Italo-Ethiopian War **意埃战争**（1935 ～ 1936） 一场最后使埃塞俄比亚沦为意大利属地的武装冲突，它显示出国际联盟的无效性，因为它的决定得不到大国的支持。19 世纪 90 年代，意大利曾企图征服埃塞俄比亚，没有成功。1934 年，埃塞俄比亚已是欧洲人统治的非洲中少数独立国家之一。同年 12 月埃塞俄比亚和意属索马里边境事件使墨索里尼找到干涉的借口。意大利人拒绝一切仲裁建议，于 1935 年 10 月 3 日侵入埃塞俄比亚。由 R.格拉齐亚尼和 P.巴多格里奥两将军统率的侵略军迫使武器陈旧、缺乏训练的埃塞俄比亚军队节节退却。1936 年 4 月 9 日意军在阿散季湖附近获得重大胜利，5 月 5 日占领首都亚的斯亚贝巴。国家元首海尔·塞拉西皇帝流亡国外，墨索里尼在罗马宣布意大利王伊曼纽尔三世为埃塞俄比亚皇帝，并任命巴多格里奥为总督。这次战争使意大利的帝国主义野心得逞，对 30 年代后期总的国际紧张气氛起了作用。这场战争成为非洲国家民族主义运动发展的号召口号，特别是在第二次世界大战以后。

Italo-Turkish War **意土战争**（1911～1912） 意大利通过征服土耳其的的黎波里塔尼亚和昔兰尼加（今利比亚）两省以获得北非殖民地的战争。意大利利用 1911 年摩洛哥危机后国际局势动荡，达到它长期以来梦想在北非建立殖民地的目标。意政府以意大利在上述两省的利益受到侵犯为借口，于 1911 年 9 月 28 日向土耳其发出最后通牒，第 2 天对土宣战。意军很快占领的黎波里、代尔纳和班加西城镇。1912 年 5 月，意海军占领罗得岛和土耳其沿海的多德卡尼斯群岛的一些岛屿。但战争仍相持不下，直到 1912 年 7 ～ 10 月意大利在北非发动成功的攻势。这时土耳其正受到巴尔干国家的威胁，只好求和。1912 年 10 月 18 日签订的《洛桑条约》规定：土耳其将它在的黎波里和昔兰尼加的权利转让给意大利，后者虽同意撤出多德卡尼斯群岛，实际上其部队继续占领群岛。

Italus, John **伊塔卢斯**（活动时期11世纪） 拜占廷哲学家。曾在皇宫开办学校，讲授柏拉图主义，推进基督教和希腊非基督教思想的融合，对拜占廷的思想倾向具有持久的影响。皇帝迈克尔七世在位时期（1071 ～ 1078）他一度得宠，出使意大利时涉嫌叛国，不久恢复名誉。当其师普塞洛斯被流放期间，他继任君士坦丁堡首席哲学家之职。但在 1082 年宗教会议上他受到批判，因为他对基督教奥妙教理，特别是关于神人结合于基督一身的教理作理性化的解释，而且恢复基督教以前的各哲学家所讲的灵魂预先存在和转投之说。被幽禁在隐修院，后来否定自己的言论而得赦免。著有 93 篇短文，将柏拉图的形而上学和亚里士多德的伦理学相结合。他的折衷主义对 14、15 世纪意大利人文主义的后期理论有巨大影响。

Italy **意大利** 拉丁语作 Italia。在古罗马，指北起亚平宁山脉、南至“长靴子头”的意大利半岛。公元前 42 年又加上山南高卢。在公元 3 世纪末，意大利包括西西里、科西嘉和撒丁诸岛以及北面的雷提亚和潘诺尼亚的一部分。半岛上最初的强大民族是埃特鲁斯坎人。后来罗马人逐步把意大利各族人民统一为一个国家。到公元前 90 年同盟者战争之后，意大利全境的居民都变成罗马公民。罗马皇帝奥古斯都把意大利分成 11 个行政区：①拉丁姆和坎帕尼亚；②阿普利亚和卡拉布里亚；③卢卡尼亚和布鲁蒂乌姆；④萨谟奈；⑤皮切努姆；⑥翁布里亚；⑦伊特鲁里亚；⑧山南高卢；⑨利古里亚；⑩威尼斯和伊斯特里亚；⑪山北高卢。直到 3 世纪末这种区划几乎没有变动。戴克里先改革后，意大利主教区实际上分为两个代牧区，即北部 4 区的意大利和南部 7 区及诸岛的罗马。

Italy **意大利** 全称意大利共和国。中南欧的多山国家，国土向东南延伸至地中海，包括西西里和撒丁两大岛屿。北邻法国、瑞士、奥地利和斯洛文尼亚。东隔亚得里亚海与巴尔干半岛相望，南隔地中海与北非相对。首都罗马。面积 301 328 平方千米。人口约 57 537 000（2004）。

土地 意大利境内多山和高地。世界最高和最险峻山脉之一阿尔卑斯山脉从东到西环绕意大利北界，在西北部利古里亚海岸附近一狭长地带与亚平宁山脉相衔接。最高群峰位于瑞士边境的阿尔卑斯山脉西段，其中罗莎峰高达 4 634 米，为意大利最高峰。亚平宁山系向南贯穿意大利全境，绵延2 000千米，至中部地区（罗马附近）宽达 190 千米，至南部又逐渐变窄，并继续向西伸入西西里岛。境内平原（或低地）约占国土总面积近 1/4；有大约 2/3 的平原位于波河河谷（面积约与丹麦相等）。波河河谷东临亚得里亚海，北与阿尔卑斯山脉相连，南与亚平宁山脉最北端毗邻。其余低地散布于沿海一带。

3 大构造板块分别自南、西和东北向一处会聚，造成整个意大利南部和西西里岛一带地质不稳定状况。意大利南部 4 座活火山中以维苏威火山最为著名，该火山于公元 79 年爆发，摧毁了庞贝城。1980 年 11 月，那不勒斯东南的一场地震使数座村庄被毁，3 000 多人丧生。1981 年 3 月，西西里的埃特纳火山发生 20 世纪中的第 3 次喷发。

意大利主要河流为波河，该河向东流动时与北部几个主要支流汇合，形成的汇水面积达 69 900 平方千米以上。境内主要的高山湖泊，包括马焦雷湖、卢加诺湖和科莫湖，均向南流入波河河谷。注入西南部第勒尼安海的几条河——包括阿尔诺河（佛罗伦萨至比萨）和台伯河（流经罗马）——基本上与海岸平行，长度超过从东北部亚得里亚海岸和东南部伊奥尼亚海岸注入大海的河川。

该国主要岛屿西西里岛和撒丁岛，一般比大陆更加干热；冬季暖和（气温在 9 ～11°C 之间），夏季干热（7 月平均气温高达 26 °C，6、7 和 8 月降雨平均不足 25 毫米）。大陆气候由北（西北））向南（东南）变化多样；夏季气温全境较为均衡，7 月气温在 22 ～ 24 °C之间；冬季气温，在北部阿尔卑斯山区及波河河谷为 0 ～ 2 °C，比较寒冷，而在南部则较为暖和，介于 5 ～ 8 °C之间。年平均降雨量在高地区通常超过 1 000 毫米，在低地区（包括波河河谷的一大部分）则不足 760 毫米。北方冬天及南方夏天均有旱季，但不似各岛显著。

意大利的可耕地占土地总面积的 2/5 以上，其中有 1/4 用于种植小麦（该国主要作物），另有 1/8 种植玉米、大麦和燕麦。波河河谷为主要农业区，该地的原始林地植被已所剩不多。天然植被的分布主要由海拔来决定，在海拔较低的高山湖区长有栓皮槠、欧洲橄榄和柏树，海拔稍高的地方有山毛榉，最高处则生长落叶松及挪威云杉。该国野生的小型哺乳动物有土拨鼠、貂、高山兔，大型哺乳动物有受保护的棕熊和巨角塔尔羊。鸟类有鹫和较为罕见的木松鸡。

人民 意大利各个地区的人民多少都有些不同，这种状况的改变一直很慢，尽管境内人口也在不断地流动。意大利南方居民肤色较深，体形亦不若北方人高大。与许多其他欧洲国家相对而言，意大利人通常肤色较深，但在意大利北部亦有肤色较白皙者。该国语言比较单一，除北部有一小部分操德语的少数民族以外，几乎全部人口都操意大利语。该地还有更小的操法语和拉丁语的其他少数民族。全国的天主教徒占人口的 90% 以上，其余为不信教者或新教徒。与其他欧洲国家一样，意大利的人口增长率较低。仅约有1/5 的人口年龄在 15 岁以下，而 60 岁以上居民亦占总人口的 1/5。该国有 2/3 人口居住在城市。

经济 意大利属发达的私有和公有制混合经济，但其公有企业在欧洲属于范围最广

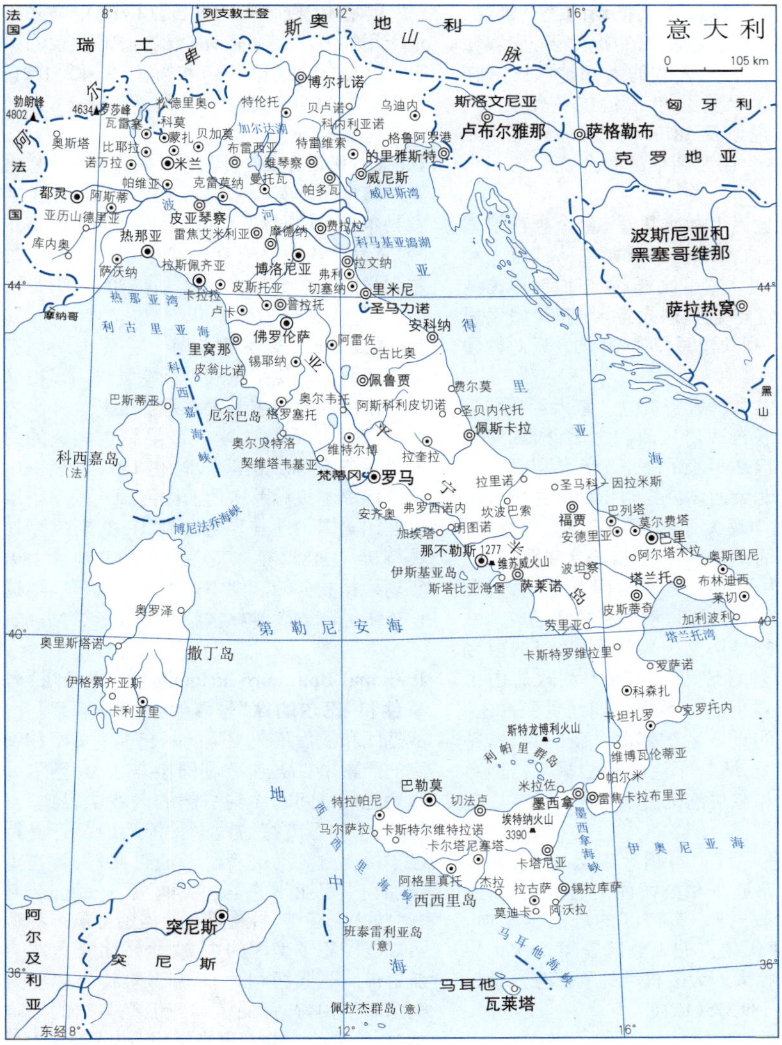

美国不列颠百科全书公司供图

者。20世纪90年代加速私有化进程，如梅迪奥银行(意大利主要商业银行)和意大利航空公司(国营国际航空公司)。该国的国民生产总值属世界最高之列。

农业占用了1/20的劳动力。意大利的可耕地约有1/4需要灌溉。除谷物外(主要为小麦和玉米)，还有甜菜、番茄、马铃薯和橄榄等其他作物。果园水果、干果和葡萄在意大利亦甚重要。此外意大利还是欧洲最大的园圃蔬菜和水果的生产国。该国的橄榄油和葡萄酒生产处于世界领先地位。

牧草地占意大利土地面积的1/6，但这种地方通常多岩石，土质贫瘠。因此，虽然养有绵羊、猪、牛、山羊和鸡，意大利仍是肉类和乳制品的净进口国。乳牛、绵羊、山羊及水牛提供乳类。牛皮是意大利著名皮革工业的主要原料。由于过度砍伐，意大利的林业曾遭到破坏，但在某些地区由于不断重新造林，已渐渐取得积极效果。木材绝大部分用于工业，而锯木、镶板、贴面板及胶合板亦均为重要产品。20世纪末，意大利林业复苏。

地中海渔业因捕捞过度和污染，产量有所下降，但通过在大西洋及印度洋的捕捞作业，意大利已能使其渔业产量达到一个相当稳定的水平。鱼仍必须进口以满足国内的需求。

该国矿产资源不敷国内制造业的需求。意大利只有石料是得天独厚的产物；大理石、火山石、轻石、石膏、盐、钾碱、黄铁矿、长石以及膨润土和耐火土等均有大量生产。

工业门类繁多，在国内生产总值中约占1/5，占用了近1/5的劳动力。钢的生产是冶金和机械制造工业的支柱。主要产品有枪炮武器、纺织机械、机床、汽车及家用电器。各种纺织品和服装及砖、玻璃、陶瓷的生产也占有重要地位。意大利是率先发展水力发电的国家，但到20世纪50年代已较少发展余地，该国对能源的需求另由火力发电予以满足。

旅游业甚为发达，最吸引人的是该国无与伦比的罗马古迹，以及从中世纪到文艺复兴时期直至18世纪的各种艺术和建筑作品。游客大多来自德国、瑞士、法国和奥地利。

劳动力约占人口的2/5，最大的就业部门分别为服务业、制造业以及商业和贸易业。意大利的3个主要劳工联合会各与一个政党保持着紧密的联系。

意大利政府运用一项金融持股公司的制度掌管和经营一些工业。这样的生产公司也允许私人投资，而从20世纪80年代开始，有意识地增加某些公司中的私人参与。工业发展就是利用这一结构和几个五年经济计划来实现的。

政府预算岁入主要来自所得税、制造业及消费增值税和社会保险税。意大利银行是发行货币的中央银行，负责监督公营和私营银行的业务经营。政府资助的专业信贷银行为开发项目提供资金。意大利是欧洲联盟的成员国。为了与欧盟其他国家进一步协调，意大利对金融系统进行了重组。通货膨胀得到抑制，公共开支减少，税收增加。21世纪初，这些措施已对意大利经济产生了积极影响。

铁路网的80%由国家控制，遍布于半岛全境。因有政府补贴，乘坐火车旅行的费用很低。另有包括河川、运河、湖泊在内的内陆水道2 400千米。主要港口包括热那亚、奥古斯塔、的里雅斯特、威尼斯和巴里。大陆与西西里岛、撒丁岛以及各较小岛屿之间有渡船往来。罗马和米兰建有主要国际机场。意大利航空公司以及意大利几个较小的航空公司提供飞往大多数城市的国内航线服务。

意大利的主要出口商品为机械及运输设备、化学品、纺织品、服装、靴鞋和食品(橄榄油、葡萄酒和番茄)，主要销往德国、法国、美国和英国。进口商品主要为机械及运输设备、化学品、金属及半加工金属、食品及活牲畜、原油和纺织品，主要来自德国、法国、英国和荷兰。

政体与社会状况 意大利为多党议会制共和国。议会为最高权力机构，由享有同等立法权的参、众两院组成。参议院有参议员325名，众议院有众议员630名。除10名被指定的参议员为终身任职外，所有议会议员均由选举产生，任期5年。根据该国1948年宪法，总统可以在两院正常任期届满之前将其解散。总统为国家元首，由议会参、众两院成员及58名地区代表组成的选举团选出。总统任命总理，他负责掌管全国一切行政事务，并组成内阁襄助其事。内阁成员均向议会负责。意大利的司法系统以15人组成的宪法法院为最高机构。

1993年选举制度修改之前，该国政治通常产生短期执政的联合政府，由天主教民主党(现称人民党)与社会党和一些较小的中间党结成联盟。但在1994年的议会大选中，由于选举制度的改革及政治丑闻和腐败事件频频爆光引起公众不满，天主教民主党的统治地位遂告结束。意大利属于北大西洋公约组织，并允许美国在意大利国土上建有军事基地。

该国的社会福利制度提供工伤、残疾、生育、失业及退休等福利保障。此外，国家卫生保健机构还对所有居民提供费用很低的医疗保健服务。

意大利人的健康状况与其他西欧国家不相上下。主要死亡原因是大多数高度工业化国家常见的心血管和脑血管疾病。预期寿命男性为74岁、女性为80岁。

在意大利，6～14岁的未成年人须接受免费义务教育。小学教育为5年，初中教育为3年。高中教育包括文科中学、艺术中学和科技中学，以及初级师范及各种职业技术学校。持有高中毕业证书的学生可直接进入任何一所意大利的大学。意大利(以及欧洲)最古老的高等学府之一是博洛尼亚大学。

意大利的新闻出版不受政府检查，新闻报道的政治性很强，许多报纸有明显中间偏右的政治倾向。1976年之前，广播媒体一直由国家通过意大利广播电视公司经营。后来地方的独立广播电台合法化。在90年代，意大利电视传播业为3个国家频道和7个私营频道所控制，在全国已形成网络。

文化生活 意大利对文学艺术的贡献颇具传奇性。意大利文坛早就因但丁、彼特拉克和G.薄伽丘的出现而大放异彩。继文艺复兴后期L.阿里奥斯托和T.塔索的创作之后，意大利文坛一度流于形式主义的窠臼，然而又因19世纪的A.曼佐尼及G.莱奥帕尔迪和20世纪的G.邓南遮及L.皮兰德娄而重显活力。数世纪以来，意大利在视觉艺术和建筑领域中名人辈出，其中举世闻名的有乔托、多那太罗、F.布鲁内莱斯基、波提切利、米开朗琪罗、莱奥纳多·达·芬奇、拉斐尔、提香、丁托列托、韦罗内塞、G.L.贝尔尼尼和G.B.提埃坡罗。意大利音乐艺术在欧洲的表现已属登峰造极，除游吟诗人歌曲及牧歌外，尚有帕莱斯特里纳、C.蒙特威尔地、A.维瓦尔第、斯卡拉蒂父子、G.罗西尼和G.威尔地等作曲家的作品。意大利在国际上对当代艺术最重要的贡献可能是在电影领域。著名导演包括R.罗塞里尼、V.德·西卡、M.安东尼奥尼、F.费利尼、P.P.帕索利尼和L.维斯孔蒂等。

历史 意大利在旧石器时代即有人居住，当地已发现有尼安德特人遗迹。印欧民族迁入意大利可能始于公元前2000年前后，并持续至公元前1000年。约从公元前9世纪起，阿诺河与台伯河之间的埃特鲁斯坎文化开始兴起。公元前4～前3世纪之间，罗马人打败埃特鲁斯坎人。到公元前264年，所有山南高卢以南的意大利土地均处在罗马统治之下。罗马共和国继续扩大其影响，至公元前27年，共和国被帝国君主政体取代时，帝国已经建立，其版图于公元180年由不列颠扩展至非洲，并直抵幼发拉底河。罗马文化对西方世界产生了巨大影响。从罗马字母到罗马法律、公路系统和艺术等领域，罗马文化的传统直至20世纪中仍被继承。参阅**Roman Republic and Empire**。

公元4～5世纪蛮族入侵，西罗马帝国终于灭亡。意大利的一部分归属拜占廷，但其余部分先后受到东哥特人、伦巴底人、拜占廷人和加洛林王朝法兰克人的入侵。诺曼人于11世纪入侵意大利南部，并在该处建立了一个王国。北部则逐渐出现了一些在政治和商业上竞争剧烈的城邦。

若干世纪以来，意大利虽然在政治上一直处于分崩离析的局面，却于13～16世纪成为西方世界的文化中心。在西方历史上，意大利文艺复兴时期是艺术成就最伟大的时代之一。15世纪末，意大利先后受到法兰西和神圣罗马帝国皇帝查理五世的侵略，至1550年，该国大部领土已为查理五世征服。西班牙哈布斯堡王朝继查理五世之后又接管了对意大利的控制，直至18世纪上半叶奥地利哈布斯堡王朝占领意大利北部大部地区为止。然而，有些地区则在该世纪中坚持或赢得了独立。当始于1796年的拿破仑入侵于1815年结束时，意大利又成为一个大大小小独立国家构成的国度。

19世纪时，意大利北部发生了以皮埃蒙特君主萨伏依王室为主所推动的统一运动，称为“复兴运动”。在法国的援助下，皮埃蒙特人于1861年将意大利的大部地区统一在国王维克托·伊曼纽尔二世的统治之下。1866年对威尼斯及1870年对罗马教廷的兼并，标志着整个意大利半岛完全统一为一个国家。

第一次世界大战结束后，意大利在墨索里尼领导下，法西斯主义开始抬头。意大利于1936年入侵埃塞俄比亚，并与纳粹德国结成同盟。1943年盟军进入意大利时，墨索里尼出逃，意大利向盟军投降，并加入反对德国的战争。

1946年共和国宣告成立。意大利在战争恢复时期由联合政府执政。之后，国内经济保持着缓慢但却平稳的增长，意大利成为欧洲共同体和北大西洋公约组织中的主要成员国。70年代中爆发了长期由左翼“红色旅”领导的恐怖活动，国内的社会稳定受到威胁。80年代末，由于警方巧妙的调查和起诉，恐怖组织受到压制。那时意大利经济已成为欧洲较有活力的经济之一。然而，政府的巨额支出造成大量财政赤字。意大利政府由于90年代初揭露出的一系列丑闻而受到冲击，导致二战后的党派系统崩溃。新的党派，特别是右翼党派，填补了这一政治真空。但意大利的政治和宪法危机仍未解决。

Itami 伊丹 日本本州兵库县城市。在大阪西北。铁路通车和公司住宅区的建设，使该市成为大阪-神户都市区的居民卫星城。20世纪30年代建立的工业区在第二次世界大战后不断扩大。大阪机场的大部分处于该市。人口约189 375(1994)。

Itapetininga 伊塔佩蒂宁加 巴西圣保罗州中东部高原城市。海拔670米。1770年建镇。1771年成为一城市地区行政中心。经济既靠农业，也靠工业。该地区主要作物有玉米、稻米、豆类和棉花。工业有棉纺织、家具和制陶等。铁路和公路通州首府圣保罗及其他城市。有一机场。人口84 703(1991)。

Itapicuru River 伊塔皮库鲁河 巴西东北部马腊尼昂州河流。由源出伊塔皮库鲁山岭的几条溪流汇成，蜿蜒流向东北至卡希亚斯后折向西北，注入大西洋圣路易斯岛东南的圣岩泽湾。全长约1 200千米。通航段长约640千米。

Itard, Jean-Marc-Gaspard 伊塔尔(1775，法国奥赖松～1838-07-05，巴黎) 法国医师。以其聋哑人教育工作，尤其是对“阿韦龙野男孩”的教育而闻名。伊塔尔最早从事银行业，法国大革命爆发后任军医，初为拿破仑著名的军医A.拉雷男爵的部下。遇巴黎聋哑学校校长A.西卡尔后，伊塔尔开始研究听觉功能和听觉障碍。大约从1800年起，他将大部分时间和私人财产用于聋哑人教育事业。伊塔尔是最早试图在科学的基础上教育弱智儿童的人之一。他在阿韦龙省的森林中找到一个赤身裸体到处乱跑的11岁男孩，1801～1805年他试图训练并教育这个男孩。他在《关于阿韦龙野蛮人的报告》(1807)中描述了他所用的方法。又著有《智能损害所致的缄默症》(1824)及《论耳病和听力障碍》(1821，1842)。1821年被选为医学科学院院士。

Itārsi 伊塔尔西 印度中央邦城市。为重要铁路枢纽。有大型铁路工厂。为地区主要贸易中心，从事林产品(产于南面的索德布尔岭)贸易。该城每周有一次牛市。设有索加尔大学的一个分校。人口约78 700(1991)。

Itasca, Lake 艾塔斯卡湖 在美国明尼苏达州西北部。位于克利尔沃特县境内。被认为是密西西比河主要发源地。面积4.4平方千米。平均深度12米。最早到达湖区的白人是毛皮商W.莫里逊，时在1803年或1804年。但提出该湖为密西西比河源头的是密歇根准州美国印地安事务总监H.R.斯库克拉夫特，时在1832年。艾塔斯卡湖盆地区1891年划为州立公园。湖中盛产北美狗鱼。附近设有明尼苏达大学林学院和生物考察站。

Itata and Baltimore incidents “伊塔塔”号事件和“巴尔的摩”号事件 1891年智利内战期间和战后不久发生的两起涉及美国和智利的严重事件。在智利国会与J.M.巴尔马塞达总统之间的冲突引起的内战中，海军支持国会，陆军支持总统。美国政府公开支持巴尔马塞达。反抗者由于缺乏武器，就在美国加利福尼亚州的圣迭戈购买了一批，装到智利的“伊塔塔”号轮船上。美国官员声称购买武器侵犯了美国的中立，企图阻止该船启航未遂。船抵智利时，革命派被迫将船交给美国海军扣留，押回美国。但经美国的法院裁决：美国的中立并未受侵犯，扣留船只的行为是错误的。这一事件引起智利反抗者的强烈愤怒。他们当权后，美智关系长期处于紧张状态。美国“巴尔的摩”号事件更使之加剧。忠于巴尔马塞达的军队在瓦尔帕莱索附近两次被打败后，巴尔马塞达于1891年8月辞职并到阿根廷使馆避难。美国驻智利公使给予巴尔马塞达的一些支持者以政治避难权。1891年10月16日美国巡洋舰“巴尔的摩”号船长任意批准船员在瓦尔帕莱索登岸，致使智利人反对美国人的仇恨鼎沸起来。一些船员遭到群众袭击，两人被打死，数人受重伤。智利政府坚持认为责任在船员，但对船员家属给予7.5万美元的抚恤金，避免了一场战争。

Itaya Hazan 板谷波山(1872-04-10，日本下馆～1963-10-10，下馆) 日本陶瓷家，以善于制作名人塑像和具有色彩学家的卓越技巧而闻名。早年在东京美术学校学雕塑，毕业于1894年，而后学习陶瓷学。1904年在东京建造了一座窑炉。1953年获得文化勋章。其主要作品有一个饰有花卉、釉色明亮的罐(1935)和一个饰有吉祥花卉和凤凰的着色陶瓷瓶(1927)。

Itbāy 阿特巴伊 又作ʻAtbāy。埃及东南部和苏丹东北部山区。与红海平行，介于沿海低地和尼罗河谷之间。阿特巴伊地区内南北走向的山脉称红海丘陵。

itching 痒 又称瘙痒。游离神经末梢(通常为在皮肤的真皮和表皮接合处的)受到刺激时产生的想抓挠的感觉。一直认为痒是阈下的痛觉。尽管痒与痛觉有共同的神经通路,一般认为两者属于不同的感觉类型。痒可引起一系列的感觉,从易于解除的轻微痒感到病理性的瘙痒(通常表明有皮肤病或全身性疾病)。表皮细胞中组织胺的释放常常被认为是引起大多数瘙痒的主要因素。抓挠可以影响神经冲动的节奏或给神经造成短暂的损害,从而暂时地解除瘙痒,长时间的抓挠可引起皮肤发红、丘疹以及生痂。瘙痒伴发皮肤损害(如水泡和丘疹)一般为皮肤病的表现。无皮肤损害的全身瘙痒可发生于全身性疾病,如代谢病、内分泌疾病、恶性肿瘤、药物反应以及肾病、血液病和肝病。年老或天气变化引起的皮肤过度干燥可致瘙痒,妊娠也能引起瘙痒。在其他所有可能性被完全排除后方能考虑心理原因所致瘙痒的诊断。尽管已经提出了许多治疗办法,但目前尚无一种疗法确实可行。局部麻醉和其他药物疗法只有暂时的或很小的效果。敷用和涂抹润肤剂对于湿润皮肤和缓解瘙痒有所帮助。目前对于疗法的选择主要看瘙痒的内在原因,重点应放在治疗引起瘙痒的疾病上,而不是治疗瘙痒本身。

Itchō (Japanese painter) **蝶** 参阅 **Hanabusa Itchō** 英一蝶。

Itelmen(people) **伊捷尔缅人** 参阅 **Kamchadal** 堪察加人。

Iténez River (South America) **伊特内斯河** 参阅 **Guaporé River** 瓜波雷河。

Iteso (people) **伊特索人** 参阅 **Teso** 特索人。

Ithaca 伊萨基 又译伊萨卡。希腊凯法利尼亚州岛屿,伊奥尼亚群岛7个主要岛屿之一。面积96平方千米,7岛中仅大于最小的帕克索斯岛。由狭长弯曲而丘陵起伏的半岛连接两大石灰岩山体组成,形成面向希腊大陆的海湾。西部有约4千米宽的伊萨基运河穿过。可耕地很少,粮食靠输入。出产少量橄榄油、葡萄酒和葡萄干。1953年地震后进行了重建。伊萨基是该岛的中心和优良港口。由于该岛地形与荷马史诗中描绘的伊萨基岛十分相近,学者们为确定两者是否同一进行了大量考证。人口:岛3 646;港口2 037(1981)。

Ithaca 伊萨卡 美国纽约州中部城市,汤普金斯县县城(1817)。位于锡拉丘斯西南89千米处,卡尤加湖南端。市区内有多处溪流潺潺的峡谷,风景如画。始建于1789年,1821年设村,1888年设市。后发展为农业和木材业中心。康奈尔大学(1865)和伊萨卡学院(1892)的设立促进了该市的发展。地处纽约州巴尔杰运河网南部终点,现已建有一些工业,出产盐、链带传动装置、计算器和纺织品。

伊萨卡市的康奈尔大学校园

美国不列颠百科全书公司供图

为芬格湖群游乐区的南方门户,旅游业也促进了经济的发展。人口30 343(2003)。

Ithnā ʿAsharīyah 十二伊玛目派 又称伊玛目派。英语作 Twelvers。伊斯兰教什叶派中的主要支派。该派相信,从第四代哈里发、先知的女婿阿里开始,十二代伊玛目逐代相传,各代伊玛目都自前一代伊玛目后人中推选,不必是长子,但必须心灵圣洁。第十二代伊玛目于873年失踪,据说仍然活着,只是隐遁而已,他将在最后审判日复临。他们认为这十二代伊玛目是信仰的卫护者,有资格解释律法和教义的奥义,足以左右世界的未来。信徒朝觐这些伊玛目的陵墓必得善报,与朝觐麦加一样。伊朗萨非王朝(1501～1736)以十二伊玛目派为国教。该派在印度、伊拉克以及叙利亚也有信徒。参阅 **imām**。

itinerarium 道路手册 古罗马帝国的路线图。这类路线图按希腊地图学者阿格里帕和托勒密等确定的基本概念编绘,常为旅行家和出使外地的官员使用。现存的唯一路线图《佩尔廷杰尔地图》是13世纪时罗马世界地图的抄本。4世纪的《安东尼道路手册》是现存的少数手册之一,手册中列举了罗马帝国几千个地理名称,并且估算了各地之间的距离。《拉韦纳环宇图》可能形成于7世纪,详细记载了大西洋的岛屿以及亚、非、欧各洲的许多地方和河流。

Itō 伊东 日本本州静冈县城市。在伊豆半岛东岸。16世纪末发现温泉。1938年通铁路后发展成为半岛地区第二大矿泉疗养地(有温泉近400眼)、重要渔港和柑橘的销售市场。有音无神社等历史古迹。人口71 720(2000)。

Itō Hirobumi 伊藤博文(1841-10-14,日本旧周防国[今在山口省]～1909-10-26,中国哈尔滨) 日本政治家,四度出任首相(1885～1888,1892～1896,1898,1900～1901),促进起草宪法(1889),建立两院制国会。1884年封侯爵,1907年封公爵。在建设现代日本的事业中发挥极为重要的作用。父亲是一个普通武士家庭的养子,他在德川幕府衰落、国家政治腐败和西方影响扩大的时代成长。在明治维新以前,他已经参预改革运动,结识一批重要人物。木户孝允是他当时最有影响的良师益友。1863年去英格兰学习海军。1871～1873年随岩仓具视访问欧洲。1878年大久保利通被暗杀后,伊藤博文继任内相。他促使日本政府通过宪法。这部宪法于1889年由天皇颁布,第2年成立国会。19世纪90年代,伊藤博文一直是日本政府中最有权势的人物。他在90年代中期担任首相,1894年与英国达成协议,取消英国在日本的治外法权,1895年派兵打败了中国。这两个重大事件表明在非西方国家中日本首先获得现代化的成功。伊藤博文在国内并不顺利。明治宪法保证的权力,使政党能够在国会中阻碍政府计划的实施。直到1900年,没有他们的默许便难以组成内阁。伊藤博文采取组织政友会的行动,扭转这种局面。政友会成为国会众议院第一个拥有绝对多数的政党,1903年辞去政友会总裁。伊藤博文作为朝鲜总督,没有取得成功。因为尽管他采取温和、同情的态度,但他未能博得朝鲜人的信赖,也未能阻止日本其他领导人吞并朝鲜的野心。1909年10月,他在中国哈尔滨被朝鲜独立运动成员安重根击毙。死后日本为其举行了国葬。伊藤博文从来不是一位像大久保利通、大隈重信和山县有朋那样意志坚强的政治家。他总想当和事佬,寻求协和的解决办法。他的不朽功业是建立一种有生命力的立宪制度。这种制度使日本人能够有序地进行政治上的和平演变,在此种变化中,民众得到日益扩大的参政机会,这是很有意义的。

Itō Jakuchū 伊藤若冲(1716-03-02,京都～1800-10-27,京都) 日本江户时代画家,擅长

伊藤若冲绘《群鸡图》,18世纪中叶

美国不列颠百科全书公司供图

画花、鱼、鸟，特别是鸡。为了仔细观察鸡的生态，家里经常养鸡。最初从狩野派画家学画，也临摹中国大家的作品。他发展了一种独特的写实风格，并从尾形光琳的作品中学习了装饰技巧。他为京都相国寺所作的一套30幅《动植物彩绘》和隔扇画《群鸡图》是其最著名作品。晚年隐居，号斗米庵。据说凡求画者，酬米一斗。

Itō Jinsai　伊藤仁斋（1627-08-30，京都～1705-04-04，京都）　日本汉学家、哲学家、教育家，开创日本古学的学者之一，主张研究儒家原典，反对德川时代（1603～1867）的新儒学。与长子伊藤东涯（1670～1736）在京都合办古义堂，这所学校到1904年才并入公立学校。伊藤仁斋所著《语孟字义》（1683）是对孔孟语录的评注，从其中可见他的思想轮廓。他主张道德标准和追求幸福的活动都应以理性为基础，不应根据任何人的独断。

Itsekiri　伊策基里人　又称杰克里人（Jekri）、伊谢基里人（Ishekiri）或奥韦里人（Owerri）。居住在尼日利亚尼日尔河三角洲西端的民族集团，在萨佩莱、瓦里、布鲁图和福卡多斯等现代城镇的人口中占相当的比例。他们操一种约鲁巴语方言，通过同约鲁巴人、埃多人、乌尔霍博人和伊乔人各种各样的接触，有了许多相同的文化成分。伊策基里人居住在海边有大片的红树林沼泽和有淡水的湿地的地区，主要从事捕鱼；妇女用芦苇、棕榈等材料编织草垫、篮子。一些有关民族起源的神话认为：伊策基里人的第一个奥卢（国王）吉努瓦原是贝宁的一位王子。以后的国王都是贝宁的奥巴（统治者）的后裔。较小的酋长曾组成议事会，给奥卢当顾问。在村落内部，成年男子从村的奠基人起，按父系续家谱；在更大的范围内，既从父系又从母系来计算亲缘关系。男子常常从邻族人中娶妻。伊策基里人传统上信奉最高神祇和造物主奥里策；各种场合都要举行祭祀祖先的仪式。20世纪80年代，尼日尔河三角洲地区伊策基里人聚居区以尼日尔石油生产中心闻名。在21世纪初，瓦里镇附近地区经常发生伊策基里人、乌尔霍博人和伊乔人之间的民族冲突。

Itsuku-shima　严岛　日本濑户内海岛屿。又称宫岛，属广岛县。面积31平方千米。日本著名风景区之一，尤以6世纪所建严岛神社闻名。该神社建在潮滩上，涨水时宛如漂浮在海面。还有建于山巅的9世纪的寺庙，海拔530米。因是宗教圣地，岛上禁止生养死葬，明治维新后撤禁，但死者仍都运送到本州的大野安葬。岛上城镇宫岛町为避暑胜地，有海滩、樱桃树和驯化鹿。

ITT Corporation　ITT公司　1983年以前称International Telephone and Telegraph Corporation（国际电话电报公司）。前美国电信公司，在1995年解体以前它已发展成为一家颇有成效的联合大企业。1920年，该公司作为位于加勒比国家的电话电报公司的持股公司而由贝恩兄弟所创建，仿美国电话电报公司（AT&T）而取名。在整个20世纪20年代，国际电话电报公司扩张而进入当时仍未开发的欧洲电话市场，1924年获得了西班牙电话业务的特许权。1925年该公司收购了美国电话电报公司在国外的大制造业子公司国际西方电气公司，并将其改名为国际电话电报公司标准电气公司。这一举措使国际电话电报公司成为在11国制造电信设备的大厂商。1959～1978年，H.S.吉宁管理该公司。在吉宁的领导下，该公司成为积极进取的大联合企业，经历了第2个迅速扩张的时期，收购275家其他公司，年销售额增长近20倍。在其收购的企业中，有1968年并购的美国最大的旅馆连锁企业之一谢拉顿公司和1970年并购的美国最大的保险商之一哈特福德火险公司。然而该公司自1980年起在R.阿拉斯科格的领导下，廉价售出了许多以前在吉宁主持下所并购的公司。1987年该公司将其电信企业停业改组成与法国通用电气公司合资的合营企业——阿卡特公司（Alcatel N.V.），由法国通用电气公司拥有合营公司的控制股权。1995年ITT公司售出其金融业务企业，收购了纽约市的麦迪逊广场公园和卡西诺赌场大经纪商凯撒世界公司。当年下半年ITT公司分解为三家不同的公司：ITT哈特福德集团公司（由一些保险公司组成），ITT工业公司（由一些防务、电子和汽车配件公司组成），“新”ITT公司（由谢拉顿旅馆连锁企业、凯撒世界公司和麦迪逊广场公园组成）。1998年，新ITT公司被仕达屋公司收购。

ITU　参阅 **International Telecommunication Union 国际电信联盟**。

Ituiutaba　伊图尤塔巴　巴西米纳斯吉拉斯州西部城市。海拔604米。1901年为市级地区政府驻地。附近农牧区的商业中心。加工当地作物（稻米、玉米、棉花、木薯、柑橘）、棉籽油和牲畜产品。有公路和航空线通州首府贝洛奥里藏特和圣保罗。人口约78 123（1991）。

Iturbide, Agustín de　伊图尔维德（1783-09-27，墨西哥巴亚多利德［今莫雷利亚］～1824-07-19，帕迪亚）　墨西哥军事首领，独立运动中保守派领袖，短期任墨西哥皇帝，称阿古斯丁一世。早年参加军队，1797年在家乡地方部队中任军官。1810年拒绝M.伊达尔戈要他到革命军中任职的邀请，参加保皇派。他击败J.M.莫雷洛斯率领的革命军，守住了巴亚多利德，给起义者以决定性的打击，因而升任瓜纳华托和米却肯军区司令。1816年因被指控勒索和暴力行为而被撤职。作为对西班牙自由派政变的反应，墨西哥保守派（前保皇派）随之立即主张独立。伊图尔维德担任军队统帅并在伊瓜拉使其反动军队和V.格雷罗将军的激进派义军结成同盟。1821年2月24日伊图尔维德宣布《平等计划》，提出三项保证：①立即脱离西班牙而独立；②西班牙人与克里奥尔人平等；③天主教享有最高权力，取缔其他宗教。支持三项保证的军队迅速控制国家。1821年8月24日，西班牙国王新任代表胡安·欧多诺茹签署《科尔多瓦条约》，承认墨西哥独立。伊图尔维德清洗格雷罗及其追随者，使革命同盟迅速瓦解。1822年5月19日，他自立为墨西哥皇帝阿古斯丁一世。他专断、奢侈，无力维持国家秩序和稳定，受到所有党派的反对。反对派在号召赶走伊图尔维德的A.L.de圣安纳领导下团结起来。1823年3月19日，伊图尔维德退位，流亡欧洲。1824年回国，但不知议会已判处他死刑。同年7月15日被捕，4天后被处决。大部分学者认为他是一个利己的军事冒险分子。但天主教会和保守派把他视作墨西哥独立运动的伟大英雄。

美国不列颠百科全书公司供图

Ituri Forest　伊图里森林　中非一带的森林。赤道森林深处的生态区，是占刚果（金）国土面积2/5的巨大热带森林的东北部。伊图里森林的面积约为62 900平方千米，北部和东部界线为人所熟知，但南部和西部界线则仍不明确。森林气候炎热，终年非常潮湿，而且充满各种生物，树木高达52米，树冠互相缠结，遮天蔽日。无数附生植物（寄生于其他植物之上，从空气和雨水中吸取湿气和营养物）将下层林丛遮暗。森林的西北部地形比较平坦，而南部和东南部则甚为崎岖不平。宽阔的伊图里河及其支流埃普卢河流经森林，宽广的埃普卢河流域是森林的中心所在。河流常年有雨水补给，年雨量约1 900毫米。森林土壤肥沃疏松，植被本身便足以构成它赖以生存的厚层腐殖质。具有赤道森林深处特征的动物极多。最引人注目的两种动物是獾㹢狓（okapi，和长颈鹿同源的一种哺乳动物）和山地大猩猩。大象和森林野牛也很多。森林中居住有操班图语的人和俾格米人，他们是完全不同的民族，但保持着共生的关系。他们定期相聚，主要是做贸易，也经常共同举行祭神仪式。森林在刚果（金）国民经济中起的作用微不足道，居民实际上过的还是自给自足的生活。

Itzamná　伊察姆纳　哥伦布发现美洲大陆前中美洲马雅人所信奉的主要神灵，主管天和昼夜。此神往往分身为四位神，同中美洲其他许多神灵一样，分主四方四色，即东方赤色、北方白色、西方黑色、南方黄色。伊察姆纳又是文神，颁行文字和历法，保佑医术研究。参阅 **Bacab**。

Iuba I（Numidian king）　参阅 **Juba I 朱巴一世**。

IUD 宫内节育器 intrauterine device的缩写。塑料或金属制品,植入子宫后可防止怀孕。参阅 **contraception**。

Iunu(ancient city) **尤努** 参阅 **Heliopolis** 赫利奥波利斯。

Iuzhno-Sakhalinsk(city, Russia) 参阅 **Yuzhno-Sakhalinsk** 南萨哈林斯克。

Iuzhnyi Bug(river, Ukraine) 参阅 **Yuzhny Bug** 南布格河。

Ivan 伊凡 英语作约翰(John),六位莫斯科大公及俄国沙皇之名。按年代顺序分列于后,并各以●为标记。

● **Ivan I 伊凡一世**(1304? ~ 1340-03-31,莫斯科) 莫斯科大公(1328 ~ 1340)和弗拉基米尔大公(1331 ~ 1340)。莫斯科丹尼尔公爵之子,1328 年即莫斯科大公位。为了取得弗拉基米尔的大公位,曾协助金帐汗国的汗人远征其主要政敌特维尔的亚历山大大公。他极力为鞑靼人搜刮民财,有"钱袋"之称。他拓展莫斯科,扩大它对邻近公国的影响,并与1326 年把莫斯科作为驻地的俄罗斯东正教会都主教结成紧密联盟,使莫斯科成为俄罗斯的精神中心。

● **Ivan II 伊凡二世**(1326-03-30 ~ 1359-11-13) 别名红伊凡。莫斯科和弗拉基米尔大公。1353 年在金帐汗国特许下继任莫斯科大公。起初,他的大公地位遭到苏兹达尔公国、梁赞公国和诺夫哥罗德共和国的拒绝。他继承父亲的政策,以统一俄罗斯土地为目标。他死后,由子季米特里·顿斯科伊即位。

● **Ivan III 伊凡三世**(1440-01-22,莫斯科~1505-10-27,莫斯科) 别名伊凡大帝。莫斯科大公(1462 ~ 1505)。他通过征服或大公们自愿效忠制服了大部分大俄罗斯的领土,从波兰-立陶宛统治下重新获得乌克兰的部分地区;拒绝臣服老宗主蒙古-鞑靼人。他还为中央集权的俄罗斯奠定了行政基础。他是莫斯科大公瓦西里二世之子。童年时代富有戏剧色彩。1446 年他父亲被人俘获并刺瞎双目。伊凡起初藏身于隐修院,后被秘密送到安全地方。同年他父亲获释。1452 年伊凡与特维尔大公的女儿结婚。在父亲当政的最后几年中,伊凡掌握了作战和治国的经验。他12 岁任远征军挂名统帅,深入北方地区,肃清与他父亲为敌的残存势力。18 岁在南方指挥对鞑靼人的战役获得胜利。1462 年 3 月瓦西里二世死去,伊凡继位为莫斯科大公。起初只与东邻鞑靼人的喀山汗国打过几次小仗。1467 年他的妻子死去,留下一子。1469年枢机主教贝萨里翁从罗马写信给伊凡,劝他向拜占廷末代皇帝的侄女佐埃·帕里奥洛加斯求婚。3 年后佐埃来到莫斯科,改名为索菲娅,与伊凡结婚。15 世纪 70 ~ 80 年代,伊凡努力兼并诺夫哥罗德和特维尔大公国。1480 年他不得不应付国内叛乱和鞑靼金帐汗国入侵的双重危机。1490 年原配夫人的儿子死去,给伊凡留下一个孙子德米特里(1483生)。1497 年伊凡指定德米特里为继承人。但是,后妻索菲娅想要使自己的儿子瓦西里(1479生)得到大公的位置,企图发动一场反

美国不列颠百科全书公司供图

对丈夫的叛乱。阴谋败露后,伊凡贬黜了索菲娅和瓦西里,1498 年让德米特里加冕为大公。1500 年瓦西里造反,投奔到立陶宛。伊凡被迫作出让步。1502 年他将大公称号转授予瓦西里,并将德米特里及其母禁锢起来。对内政策上,伊凡通过剥夺王公们封地和权力而集中行政权力;同时也剥夺波雅尔(大贵族)的许多权力,一旦怀疑他们谋反迅即处决或监禁。伊凡的统治被视为庄园制度的开始——大公的奴仆可因忠君而获得庄园作为生活来源。晚年颇为失望,对立陶宛的战争结束得并不如意,大部分乌克兰仍在敌人手中,教会土地世俗化的计划受阻,原先谨慎小心的喀山汗国也开始摆脱莫斯科的监护。就政治成就而言,他是留里克所有后裔中最伟大的一个,俄罗斯国家赫赫有名的缔造者。在彼得大帝以前的 200 年间没有一个莫斯科的君主在巩固和发展先人的业绩上,在加强君主权力或在奠定中央集权国家的基础上比他作出更多的贡献。

● **Ivan IV 伊凡四世**(1530-08-25,莫斯科附近的科罗缅斯科耶[俄罗斯]~ 1584-03-18,莫斯科) 别名伊凡雷帝。莫斯科大公(1533 ~1584)和俄国第一个沙皇(1547 年起)。他创建了一个中央集权的俄罗斯国家,缔造了一个包括非斯拉夫国家在内的帝国。他发动了一场反对波兰和瑞典的旷日持久、未获胜利的战争;为了加强军队纪律和建立中央集权政府,对世袭贵族实行恐怖的统治。他是莫斯科大公瓦西里三世之子。父死时仅 3 岁,被立为莫斯科大公,由其母代为执政。1538年母死后(传说被毒杀),各派大贵族起而争夺图谋控制伊凡的权力,致使他终生厌恶大贵族。1547 年 1 月,伊凡加冕称"沙皇和全俄罗斯大公";2 月娶阿纳斯塔西娅·罗曼诺夫娜为皇后(她是日后罗曼诺夫王朝第一位沙皇的姑祖母)。从 1542 年起,他深受莫斯科都主教马卡里关于建立一个基于公正原则基础上的基督教国家的观点的影响,不久就着手改革工作。曾两度召开宗教会议(1547、1549),肯定正教会,封了一批俄罗斯圣徒,强化和系统化了教会事务。1549 年首次召开缙绅会议(由大贵族、神职人士和新兴的封地贵族的代表组成的全国性咨询会议)。1550 年编纂了新法典取代 1497 年的法典。随后改组中央行政机构,设立职能部门;改良军役制度,改组军队,军官唯才是举而不光看门第。这些改革的目的之一是限制以世袭地产为基础的王公贵族们的世袭统治,提高服役贵族的利益(因其为政府服务而授以土地庄园,使之依附于沙皇)。伊凡在位时期战争连绵不断。莫斯科的统治者们长期来一直害怕鞑靼人的入侵,1547 ~ 1550 年间曾两次征讨伏尔加河流域鞑靼人的喀山汗国,均未获胜。1552 年伊凡亲征,终于攻占喀山。1556 年又兼并了阿斯特拉汗国。从此,伏尔加河成了俄罗斯的河流,通往里海的商路得到了安全的保障。1558 年起,伊凡与立陶宛、波兰、瑞典进行了长达 24 年的利沃尼亚战争。这场徒劳无益的战争使国力消耗殆尽。1564 年杰出的战地指挥官A.库尔布斯基公爵叛投波

哥本哈根市国家博物馆供图

兰使伊凡震惊,他宣布打算按大贵族的希望逊位,但莫斯科人在神职人士领导下请求他继续执政,他接受请求但条件是允许他任意处置叛徒,建立沙皇特辖区(沙皇直属地产)和沙皇特辖军。伊凡企图利用这种特辖制度摧毁王公贵族的经济基础和政治权势,建立一个高度集权制的国家。1570 年伊凡亲率特辖军讨伐诺夫哥罗德,摧毁城市,杀戮数千居民,许多大贵族和上层人士被公开处决。然而,伊凡通过建立特辖制度而实行的恐怖统治对国家安定构成极大危害。1572 年(即实施特辖制 7 年后)因抗御克里米亚鞑靼人对莫斯科进攻中特辖军的失败而废除了特辖制度。特辖军与普通军合并,一些没收而并入特辖区的土地发还原主。特辖制度给伊凡的统治留下了血腥的烙印,引起人们对他精神状态的怀疑。晚年,他对与英国建立外交和贸易关系颇有兴趣。1581 年,他在盛怒之下杀死了自己唯一可望成材的继承人——儿子伊凡 。这预示着公认的"混乱时期"的政治危机的开始。1598 年他的另一个儿子、身体孱弱的费多尔去世,留里克王朝遂告终结。伊凡一生取得很多成就。他在对外政策方面的全部努力都在于迫使俄罗斯进入欧洲(彼得大帝继续了这一努力)。对内政策的结果削弱了各级贵族。鞑靼人入侵等诸因素使俄罗斯外省的人口减少。但是,他留下了一个

在行政管理和文化事业上都远比过去更为集权的王国。他鼓励文化事业的发展，特别重视印刷术。他擅长写作，虽然传世之作主要是政治方面的，但他遣词造句的本领和辛辣讽刺的技巧却跃然纸上。他是个虔诚的正教徒，对宗教问题的观点十分引人注目。他特别强调神授的君权是无限的，这种观点受到当时许多国王的赞同。

● **Ivan V　伊凡五世**（1666-09-06，俄罗斯莫斯科～1696-02-08，莫斯科）　俄国有名无实的沙皇（1682～1696在位）。阿列克谢（1645～1676在位）之子。身心均有缺陷。患坏血症，视力不佳，晚年局部瘫痪。1682年与彼得共为沙皇，由姊索菲娅摄政。1689年，纳雷什金家族推翻索菲娅后，他对彼得一世采取调和主义的态度，获准保留官职，直至逝世。他从不过问朝政。大部分时间用于祈祷、斋戒和朝圣。

● **Ivan VI　伊凡六世**（1740-08-23俄罗斯圣彼得堡～1764-07-16，圣彼得堡附近的施吕瑟尔堡要塞）　俄国沙皇（1740～1741）。不伦瑞克-贝沃恩-吕讷堡的安东·乌尔里希公爵之子、安娜女皇内侄。1740年10月由安娜女皇指名为皇位继承人，女皇的亲信比龙任摄政。不久比龙被推翻，但伊凡六世仍为俄国名义上的君主，其母为摄政。1741年12月6日被彼得一世之女叶利扎维塔一伙废黜。此后20年囚于牢房，在有人试图释放他时为狱卒所杀。

Ivan the Red　红伊凡　参阅 **Ivan II** 伊凡二世。

Ivan Asen I　伊凡·阿森一世（？～1196）又称阿森一世。第二保加利亚帝国沙皇（1186～1196），在位时保加利亚迎来复国后最辉煌的时期之一，与其弟彼得二世同为阿森王朝缔造者，这一王朝一直延续到13世纪下半叶。原为图尔诺沃地主贵族后裔。1186年与拜占廷皇帝发生激烈争吵，他与其弟彼得率领弗拉其人和保加利亚人起义，宣布脱离君士坦丁堡独立。在图尔诺沃加冕为沙皇，称伊凡·阿森一世，彼得成为帝国东部统治者。曾举兵入侵色雷斯，兵败北撤。后与库曼人结盟，征服北保加利亚。1187～1196年一直与拜占廷帝国的军队战斗，直至拜占廷全军溃败为止。1196年为贵族伊凡科所弑。彼得即位后称彼得二世，次年也为贵族杀害。考洛杨遂成沙皇（1197～1207在位）。

Ivan Asen II　伊凡·阿森二世（？～1241）第二保加利亚帝国沙皇（1218～1241）、伊凡·阿森一世之子。1218年推翻前皇鲍里尔（1207～1218在位）自立。文武兼备，内政修明。1230年击败伊庇鲁斯暴君杜卡斯，取得阿尔巴尼亚、塞尔维亚、马其顿和伊庇鲁斯的大片土地。在图尔诺沃的古老教堂中，现在依然可以见到1230年所刻的关于他的丰功伟绩的记录。他把一个女儿嫁给塞尔维亚大公，把另一个女儿嫁给萨洛尼卡国主，又把第3个女儿许给11岁的拉丁皇帝，成为皇帝的摄政。他答应将所攫取的伊庇鲁斯、西马其顿和阿尔巴尼亚的土地归还拉丁帝国，但拉丁人对日益强盛的保加利亚怀有戒心，拒不承认皇帝的婚约，而使皇帝与耶路撒冷国王的女儿订婚。此后，阿森二世将保加利亚教会从罗马分裂出来。

Ivano-Frankovsk　伊万诺-弗兰科夫斯克　前称斯坦尼斯拉夫（1945～1962）。乌克兰西部的一个州。面积13 900平方千米。自喀尔巴阡山脉峰线，越北麓丘陵，至聂斯特河。为乌克兰居民稠密地区之一。约2/3人口在农村，大部分为乌克兰人或有亲属关系的古楚尔人。聂斯特河流域为小麦、黑麦、玉米、甜菜、亚麻、大麻、向日葵和烟草密植带。河谷与高山牧场放牧牛羊甚多。已适度开采石油（纳德沃尔纳亚有炼油厂）、天然气和褐煤。卡卢什的硫酸钾矿开采在全国占重要地位，为农业提供肥料。钾碱的蕴藏量支援化学工厂。除首府伊万诺-弗兰科夫斯克外，城市多为较小的地方性中心。人口约1 451 500（1991）。

Ivano-Frankovsk　伊万诺-弗兰科夫斯克　1962年前称斯坦尼斯拉沃夫或斯坦尼斯拉夫。乌克兰西部伊万诺-弗兰科夫斯克州城市和行政中心。位于贝斯特里察河畔，在与聂斯特河汇流处上游。1661年初建，为波兰斯坦尼斯拉夫城，扼喀尔巴阡山亚布洛尼察山口北面通道。1772～1919年为奥地利占领，1945年割让给苏联，起名斯坦尼斯拉夫；1962年改名伊万诺-弗兰科夫斯克。现该市有轻工业、木材加工、家具制造和食品加工工业。设有医学院、师范学院、石油及煤气工业技校。人口约234 000（1993）。

Ivanov, Ilya Ivanovich　伊凡诺夫（1870-08-01，俄国库尔斯克州希格里～1932-03-20，哈萨克苏维埃社会主义共和国阿拉木图）　研究成家畜人工授精方法的苏联生物学家。1898年在莫斯科建立几个动物学试验室，研究农畜性器官的结构及生命过程，包括妊娠期中副性器官的分泌现象。观察后的结论是，受孕的唯一必要条件是精子和卵结合，精子保存得当就能在一定期间保持活力和潜能。除设计适用于所有家畜的人工授精方法外，还成功地研究精液获取、保存和消毒的技术。1901年在奥尔洛夫斯克亚州多尔戈耶村创办世界上第一个马类人工受孕中心。他用人工授精方法使家畜与野生变种杂交，来进行种间杂交实验，目的是培育有商业价值的杂种和更能抗病、更能适应俄罗斯严冬的新品种。例如，他使斑马和迄今仅存的真野马普尔热瓦尔斯基氏野马杂交而育出了一种杂交的家马。还设法保存有灭种危险的一些野生动物，如欧洲野牛。

Ivanov, Lev (Ivanovich)　伊凡诺夫（1834-02-18，莫斯科～1901-12-24，俄国圣彼得堡）　俄国芭蕾演员，帝国芭蕾舞团首席编导M.佩季帕的编舞助手，后为该舞团团长及首席编导。1852年毕业于舞团所属学校后加入该团。伊凡诺夫擅长扮演性格角色，先后被提升为首席男演员（1869）、舞台监督（1882）和助理教师（1885）。他排演了近20个新作或恢复重演的作品，但因在节目单上佩季帕的名字总是放在前面，他生前很少受到赞扬。然而，人们逐渐认识到，伊凡诺夫是一位重要的、富有革新精神的编舞家，因为他是当时最早把舞蹈作品建立在音乐的结构和感情内容的基础上的编舞家之一。他擅长通过集体动作的图型造成幻觉（如《胡桃夹子》中的雪花舞），经常被认为是利用整个伴舞队来展开芭蕾舞剧的情节或主题的M.福金的先驱。除《胡桃夹子》（1892）外，他还为《天鹅湖》（1895）的一部分和《灰姑娘》（1893）第二幕编舞。他和佩季帕共同恢复了18世纪的《看不住的女儿》（1882），并且和著名芭蕾教师E.切凯蒂共同为《葛蓓莉娅》重新编舞，该剧20世纪的大多数演出都是根据他们的这个版本。

Ivanov, Vsevolod Vyacheslavovich　伊凡诺夫（1895-02-24，俄罗斯列比亚日耶～1963-08-15，莫斯科）　苏联散文作家，以其生动的自然主义的现实主义闻名，是20世纪20年代最有独创性的作家之一。生在西伯利亚和土耳其斯坦交界处的一个贫困家庭中。他从家中逃跑出来，当了巡回马戏团的小丑。1917年革命后的国内战争时期在红军中服役。1920年，前往彼得格勒，在那里开始和谢拉皮翁兄弟文学团体交往，它的成员崇拜和摹仿19世纪德国作家E.T.A.霍夫曼的浪漫主义。他同时也受到M.高尔基的影响。他描写国内战争的短篇小说《游击队员们》（1921）、《铁甲列车14-69》（1922）、《有色的风》（1922），使他很快享有作家声誉。这些故事发生在俄国亚洲地区，因而具有明显的地方风味。20年代末官方文学政策的变化要求伊凡诺夫修改他的作品，以便和新的原则相协调。1927年，他把《铁甲列车14-69》改写成剧本。这部作品原来由于忽视共产党在游击运动中的作用而受到严厉批评，剧本改正了这个缺陷，立刻取得成功，并成为苏联剧目中的经典作品之一。他在这一时期创作的许多作品中都淡化了被认为是他早期作品中一个消极因素的自然主义。他在这个时期的态度也发生了变化，从肯定生理和本能的生活转向心理分析。后期主要著作有一部短篇小说集《秘中之秘》（1927）和一部自传体长篇小说《魔术师的奇遇》（1934～1935）。第二次世界大战期间任《消息报》战地记者。他在战时的经验为一部新的短篇小说集和一部长篇小说提供了素材，但这两部作品都没有得到苏联评论家的好评。他后来的著作常被认为次于他早期未经修改的短篇小说。

Ivanov, Vyacheslav Ivanovich　伊凡诺夫（1866-02-28，莫斯科～1949-07-16，罗马）　哲学家、古典派学者及俄国象征主义运动的主要诗人。在莫斯科大学攻读哲学和在柏林（1886～1891）攻读罗马史后，他于1891～1905年间几乎一直居住在国外，起初在意大利继续从事研究和创作诗歌。他在尼采、诺瓦利斯、陀思妥耶夫斯基和V.索洛维约夫等人的影响下，引申出一种建立在综合狄俄尼索斯和耶稣学说的基础上、并具有强烈的美学神秘主义色彩的极端个人的宗教哲学。他的第一部抒情诗集《舵手之星》于1903年问世，使他立刻成为俄国象征派的主要人物。后续各卷为《透明度》(1904)、《厄洛斯》(1907)和《科·阿登斯》(1911)，后者是他最重要的诗作成就，加强了他在这个运动中的地位。1905～1910年，每逢星期三在圣彼得堡他的"塔"中举行的活动，成了俄国文人学者的重要聚集场所。1912年他出版了另一部重要诗集《温柔的秘密》。1913年从西欧返回莫斯科。1918年，他在教育人民委员会戏剧小组任职。1921年，他的《冬天的十四行诗》由I.爱伦堡在柏林出版。1924年，离开俄国前往罗马，1926年在该地信奉天主教。续篇《罗马十四行诗》(1926)是关于这次宗教经验的韵文报道。以后的诗作有抒情诗——哲学组诗《人》(1939)和《夕之光》(1944)。除抒情作品外，他还写了两部诗剧、几部论文集和研究莱蒙托夫的评传。他的翻译著作包括萨福、埃斯库罗斯和但丁的作品。

Ivanovo 伊万诺沃 俄罗斯西部一州。位于莫斯科的东北面，横跨伏尔加河(中游)的两旁。面积23 900平方千米。首府伊万诺沃市。地貌以起伏的冰碛平原为主，多沼泽。森林有云杉、松、冷杉。土地除西南部较肥沃、垦殖指数较高外，大部分较贫瘠。大陆性气候，冬季漫长寒冷，夏季温暖，年降水量600毫米。为中央工业区的组成部分，城市人口比重大。18世纪以来纺织工业发达，还生产亚麻布和服装。建有为纺织工业服务的机械和化学工业。农业以奶牛、家畜养殖和亚麻种植为主，还产燕麦、黑麦、马铃薯和蔬菜。开采大量泥炭，用作燃料。人口约1 316 400(1991)。

Ivanovo 伊万诺沃 俄罗斯西部伊万诺沃州城市和首府。坐落在乌沃德河两岸。1871年由伊万诺沃和沃兹涅先斯克两村合并而成，1932年前称伊万诺沃-沃兹涅先斯克。1710年彼得大帝下令在附近建立俄国第一个亚麻纺织厂，嗣后又建许多编织、纺织和印染厂。19世纪中叶被誉为"俄国的曼彻斯特"。1918年为革命政府临时首都。现仍为俄罗斯大纺织工业城市之一，生产棉布、绒线、丝绸和服装。有许多为纺织服务的工业(纺织机械和染料)。还生产泥炭机械、起重机、皮革、靴鞋、木材和食品。附近一些纺织卫星城镇生产棉布和亚麻布。有铁路和公路通莫斯科、雅罗斯拉夫尔和弗拉基米尔市。有纺织、化工、电力、农业、医学和师范院校。人口约482 200(1991)。

Ivanovsky, Dmitry Iosifovich 伊凡诺夫斯基(1864-11-09，俄国尼济～1920-06-20，俄罗斯苏维埃联邦社会主义共和国顿河畔罗斯托夫) 俄国微生物学家，在对烟草花叶病的研究中详细叙述了后来被称为病毒的生物的特征。一般认为病毒是伊凡诺夫斯基发现的，但荷兰植物学家M.W.贝里耶林克比他晚数年独立地发现了同样的微生物，并称之为"病毒"。伊凡诺夫斯基1887年在圣彼得堡大学学习时即应邀研究流行于乌克兰及比萨拉比亚烟草种植园的一种疾病——"野火病"。1890年克里米亚的烟草为病害所毁，他受命进行研究，确定该种疾病为烟草花叶病，当时认为该病病原为细菌。他应用一种过滤法以分离细菌，发现烟草病株的滤过液仍有传染性。进一步研究后他得出结论：病原体是一种极为微小的寄生性微生物，这微生物在高倍显微镜下也看不见，并能透过设计来获取普通细菌的瓷质滤器。他与后来的病毒研究者不同之处只在于他认为病原体是一种极微小的细菌，而不是一种完全新的不同类型的生物。1892年将其研究成果发表于《烟草的两种疾病》一文中。后来继续教授植物解剖学及植物生理学(1896～1901)，但中断了病毒学的研究。1908年到华沙大学任教，在该处研究光合作用的过程，尤其是叶绿体及植物叶中各种色素所起的作用。

Ivashchenkovo (city, Russia) **伊瓦什琴科沃** 参阅 **Chapayevsk** 恰帕耶夫斯克。

Iverson, Allen (Ezail) **艾弗森**(1975-06-07，美国弗吉尼亚汉普顿～) 美国篮球运动员。少年时即带领中学橄榄球队和篮球队打进州锦标赛。靠奖学金进入华盛顿哥伦比亚特区的乔治敦大学，两年间平均每场得23分，获大东方联盟年度最佳后卫奖。后转入职业队，被费城76人队选中。他个子不高(1.8米)，但一鸣惊人，平均每场得23.5分，曾被选为年度最佳新人。他的快速交叉带球过人让最好的后卫也难以抵挡。在场外，他的宽松服装、闪光首饰和编成小辫的头发实在不像一个NBA的球员。经常和教练争吵，被媒体描绘为捣蛋球员，还几度违法。然而他是场上的天才，1998～1999年赛季得分最高，2000～2001年赛季得分最高，断球最多，并且是最有价值球员，曾带领76人队打进总决赛。

Ives, Charles (Edward) 艾甫斯(1874-10-20，美国康涅狄格丹伯里～1954-05-19，纽约市) 美国重要作曲家，其创作革新预示了其后20世纪的音乐发展的趋势。幼年受教于

美国不列颠百科全书公司供图

其父(管乐队领队、音乐教师，曾作过1/4音的音响试验)。12岁开始在当地教堂弹奏管风琴，两年后，他的第一首作品由城镇乐队演奏。1893或1894年创作了《秋收之歌》，其中的4个声部(人声、小号、小提琴和管风琴)采用不同的调。同年，进入耶鲁大学，受教于当时美国最杰出的学者、作曲家H.帕克。他的写作不受传统成规束缚，颇使帕克困窘。1898年毕业后在纽约任保险公司职员，并兼职管风琴师。1907年创办一合伙保险公司，于1916～1930年间成为业务主管。绝大部分作品写于1915年以前，有许多直到他去世后才出版。由于患糖尿病和手部颤抖，他不得不放弃作曲，退出商界。他的音乐只是在他生命的最后几年才开始遐迩闻名。1947年《第三交响乐》(《野营》，作于1904～1911)获普利策奖。《第二交响乐》(1897～1902)在创作50年后始获首次全部演出。他的音乐同美国文化与生活，特别是新英格兰生活密切相关。他的作品每每十分错综复杂，自由运用刺耳的不协合音、多调性和声、复韵律结构。在试验音簇、微分音程和音乐中的偶然因素的同时，他随心所欲地采用欧洲音乐的技巧。他相信一切音响都有潜力成为音乐，因而在某种程度上是一位反对旧传统的斗士，并偶尔通过模仿他人作品来加以嘲弄。其不朽巨作《第二钢琴奏鸣曲》(副标题为《1840～1860年的马萨诸塞康科德》，1909～1915)于1938年首次公演。全曲共分4段：《爱默生》、《霍桑》、《奥尔科特父女》与《梭罗》，反映了这4位新英格兰先验论者的精神。此曲于1920年与小册子《写在一首奏鸣曲之前的论文》同时出版，他的《第二弦乐四重奏》(1911～1913)描述4人之间的谈话、政治辩论与和解，引用了大量的赞美诗、进行曲及贝多芬、勃拉姆斯、柴可夫斯基的音乐。其《美国变奏曲》(1891)为已知的最早的多调性作品。他为人声与钢琴所写的《114首歌曲》(1919～1924)中有谣曲、讽刺性歌曲、赞美诗、抗议歌曲，也有浪漫的歌曲。技巧有高度复杂的(例如音簇、多调性和无调性)，也有简单质朴的。其他作品还有为室内乐队而作的《中央公园之夜》(1906)、为独唱或合唱队加乐队而写的《布思将军进入天国》(1914)和《交响曲：新英格兰假日》(1904～1913)。他的手稿由其夫人赠送给耶鲁音乐学院图书馆保存。其传记《艾甫斯及其音乐》由亨利与S.考维尔于1955年写成。

Ives, Frederic Eugene 艾夫斯(1856-02-17，美国康涅狄格利奇菲尔德～1937-05-27，费城) 美国摄影师和发明家。童年时是报馆的印刷徒工，对摄影产生了兴趣。18岁时，负责康奈尔大学摄影实验室的工作，并研制出利用明胶浮雕的一种早期网点凸版制版法。经断续改进，1881年实现了网点凸版的第一次商业性生产。1885年提出了一种改进的网屏。在他的70项专利中包括有：网点照相凹版印刷(轮转凹版印刷的前身)，现代的短筒式单物镜双目显微镜，以及彩色分色摄影机和彩色分色投影仪。后者是一种将前者拍摄的三个彩色分色片投射成彩色像的观察仪器。这在全彩色影像放映的发展中具有特别重要的意义。他的早期印刷品有些保存在首都华盛顿的史密森学会。

Ives, James Merritt 艾夫斯 参阅 **Currier, Nathaniel; and Ives, James Merritt** 柯里尔和艾夫斯。

Ivittuut 伊维图特 又拼 Ivigtût。格陵兰西南部城镇。濒临阿尔苏克峡湾。附近有巨大的露天冰晶石矿(1794 年发现),为格陵兰主要经济命脉。1864年开矿时建立居民区。

濒临阿尔苏克峡湾的伊维图特镇
美国不列颠百科全书公司供图

1963 年关闭矿场,但贮存的矿石仍继续输出。第二次世界大战期间,美国曾在阿尔苏克峡湾顶端设立海军基地,现称格伦讷代尔,为格陵兰军区司令部所在地。

Iviza (island, Spain) 参阅 **Ibiza** 伊维萨岛。

Ivo OF CHARTRES, SAINT **伊沃(沙特尔的),圣**(约1040,法兰西博韦～1116-12-23,沙特尔) 沙特尔主教、教会法学家。法兰西国王腓力一世企图休妻另娶,伊沃因反对此事而于 1092 年被捕入狱。舆论同情伊沃,教皇乌尔班二世又发挥影响,腓力一世被判绝罚,伊沃获释。在 1104 年博让西会议上伊沃提出撤销对腓力一世的处分,使国王与教皇和解。在神圣罗马帝国皇帝与教皇之间关于神职授权的争执中,伊沃居间调解。

ivory 象牙 牙本质的一个类型,构成象的獠牙。因美观、耐久、适于雕刻而为世人所珍爱。象牙是象的上切牙,终生生长,见于雌雄两性的非洲象和雄性的印度象,雌性印度象无獠牙或獠牙很小。河马、海象、独角鲸、抹香鲸以及某些类型的野猪和疣猪的牙亦与象牙相似,但因形状太小而不具有商业价值。非洲象的象牙每根长 2 米,重约 23 千克;印度象的象牙略小。象牙生长成多层,内层最后生成。象牙的约 1/3 埋在颅骨的牙槽窝内。象牙的头端有一空腔,该腔占据象牙内部一定距离的空间,但象牙会渐渐变为实心,只在中心留下一个供神经通行的沟槽直达象牙的尖端。象牙有两个主要的类型:硬象牙和软象牙。硬象牙一般取自产于非洲西部的象,而软象牙则取自产于非洲东部的象。硬象牙的颜色较软象牙深,形态也更细长、更直;内部亦有更多的色彩,且更易碎。软象牙的内部则呈浑浊的白色,质地稍呈纤维状。象牙极为耐久,不易损坏或破坏;不能焚烧,且浸入水中亦不受影响。在某些特性方面象牙与硬木相似。象牙密度高,擦亮后极为美观,容易用木工工具加工。大部分商业用象牙来自非洲,但从 19 世纪和 20 世纪早期以来,由于非洲象的数量减少,象牙贸易也开始衰落。一度繁荣的欧洲象牙市场已大部分转移到南亚和东亚,那里熟练的工匠仍在将象牙雕成小雕像和其他工艺品。钢琴的白键("象牙键")和白色的台球以前也用象牙制成,但现在多用塑料或其他人工合成材料制造。参阅 **ivory carving**。

ivory-billed woodpecker (*Campephilus principalis*) **象牙嘴啄木鸟** 䴕形目啄木鸟科动物。羽色黑白相间,冠闪亮(雄鸟冠红色),嘴稍白而长,体长 45 厘米。到 20 世纪 80 年代已绝灭或濒临绝灭,在美国南部(佛罗里达、路易斯安那和得克萨斯东部)或尚有幸存者。以原始森林中枯枝上的昆虫为食。其消亡与原始森林的砍伐恰好一致。近缘种墨西哥的帝国啄木鸟(*C. imperialis*)可能已绝灭。一个亚种古巴象牙嘴啄木鸟(*C. p. bairdii*)最后一次被看到是在 20 世纪 80 年代。现被认为已绝灭。它们的生存环境都需要大树和不受干扰。

象牙嘴啄木鸟(*Campephilus principalis*)
美国不列颠百科全书公司供图

Ivory Coast 象牙海岸 参阅 **Côte d'Ivoire** 科特迪瓦。

ivory carving 象牙雕刻 将象牙制成雕刻品、装饰品、装饰性或实用性器物的雕刻或造形手法。自古象牙就因其细致的纹理、乳脂般亮丽的色彩、平滑的质地及柔和的光泽而被视为奢侈品。在古埃及、中国、日本和印度等不同的文化中,象牙都被用来雕刻。在西方,象牙的使用可追溯到史前时代,历经罗马、加洛林王朝、拜占廷、哥德时期、文艺复兴和巴洛克时期迄至当代,几乎连续不断。

直到 1900 年前后,象牙雕刻者都使用相同的工具:斧头、手斧或凿刀用来除去外缘皮层;拉锯或弓锯将牙材切割成截面;一种叫做平面锉的特殊工具用来削磨表面;以及实际雕刻成品所用的凿刀、细锯和量规。由于用来切割和剥制象牙的电动回转锯以及使雕刻更简单迅速的牙钻问世,牙雕工具发生大的改变。这些机械工具在 20 世纪中期由欧洲传到亚洲,目前为象牙雕刻所普遍采用。

西方牙雕 石器时代象牙、骨和角的雕刻大部分都在法国南部出土,特别集中于多尔多涅地区。早期实品所采取的形式为小尊裸女像。马格德林时期出现动物雕刻,使用的材料为驯鹿角,偶尔也用长毛象的牙。

14 世纪法国朗斯洛与圭尼维尔图案的牙雕镜盒
美国不列颠百科全书公司供图

象牙早在古埃及早期就被用来雕刻,许多梳篦、发簪和其他用品已在各个遗址出土;一些雕工粗糙的裸女像似乎被当作避邪的护身符来佩带。早期的埃及牙雕杰作中有两尊小雕像颇值一提,两者均在阿拜多斯出土;一尊为第一王朝的国王雕像,另一尊则是第四王朝胡夫国王,即吉萨大金字塔的建造者之像。埃及人也在象牙板上雕刻图像,公元前 3000 年以后采用浮雕技术。后期的埃及象牙作品大部分品质颇佳,通常用来充任把手、汤匙,以及首饰盒和家具的镶嵌物。

古腓尼基人使用来自叙利亚和非洲的象牙,他们擅于制作木器的象牙镶嵌,常在象牙上漆涂琉璃或镶嵌玻璃。爱琴文化初期的象牙雕刻多为杂技表演者的小雕像,现已在克里特岛的克诺索斯出土,并被断定为公元前 16 世纪的作品。许多以浅浮雕手法刻上狩猎或格斗景象的赌具盒、镜柄和徽章,已在塞浦路斯、斯巴达和麦锡尼被发现。

古希腊象牙雕刻的巅峰是公元前 5 世纪菲迪亚斯的巨大牙金混雕像;一尊刻画宙斯坐姿的雕像曾置于奥林匹亚神庙中,另一尊则是坐落于雅典帕台农神庙中的雅典娜立姿像。罗马帝国最后 100 年间,象牙连屏(由合叶连接的两张薄板浮雕)被罗马皇帝用来馈赠臣属。

现存最重要的基督教初期象牙雕刻为布雷西亚之盒(4 世纪);这是一个带有旧约及新约故事图像浮雕的小盒子。几件连屏和嵌板上具有基督教主题的浮雕被定为此时期的作品,而对基督、圣母马利亚和众使徒的刻画也就成为尔后许多世纪欧洲人物象牙雕刻的主要题材。10～11 世纪拜占廷一些不凡的象牙浮雕留存至今,这些人像的制作具有强烈的古典风格。11 世纪后期与 12 世纪的拜占廷小型雕像,在衣褶的处理上显得较为松缓流畅,且躯体修长。

北欧用海象牙从事雕刻。在加洛林文艺复兴期间重新兴起。加洛林人将象牙刻成遗骨匣、十字架、浮雕嵌板及圣诗集的书皮,其主题几乎一成不变为新约的情景和人物。这些传统在 10 世纪的奥托时代延续下来,一些刻有基督生平事迹,令人印象深刻的圣水皿留存至今。罗马式的象牙雕刻,不论是遗骨匣、丁形十字架或主教牧杖,因国别不同而风格多样。在哥特时期,许多工匠以哥特式风格制造刻有宗教事迹的象牙连屏或三联屏。象牙也被雕刻成首饰盒、梳篦、镜框、写字板、杯皿、匕首柄和棋子,有时这些实用器物的表面会刻上浪漫的爱情故事。

文艺复兴的象牙雕刻以其技艺的繁复及细腻,标志了一种不同于中世纪象牙雕刻的显著转变。在17世纪的德国和佛兰德,许多精致而奢华的雕刻品如烛台、壁饰板、小雕像

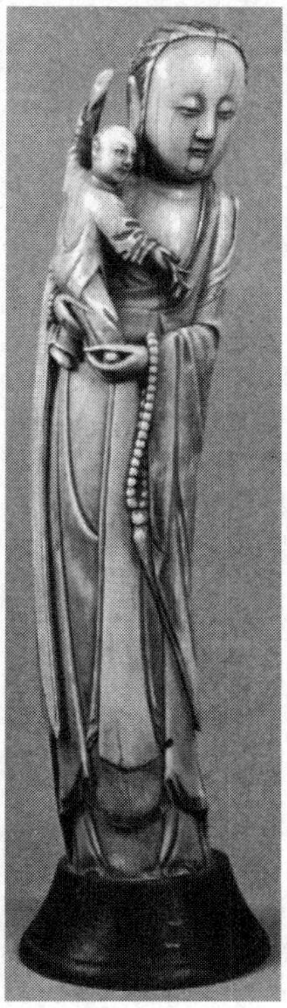

中国明末清初牙雕佛像
美国不列颠百科全书公司供图

和大酒杯等,由技艺精湛的艺术家制作出来。19世纪象牙主要用来仿造年代较古、价值较高的象牙制品,也被用来制作首饰盒、钟盒、权杖,以及诸如鼻烟盒、扇柄和香水瓶等物品。到了20世纪,由于机械化工具在切割象牙上的应用,以及单一化风格的装饰传统衰颓,象牙雕刻在西方已经退化成一种技巧依旧繁杂但几乎完全缺乏美术价值的技艺。

远东牙雕 象牙雕刻是中国最古老的艺术之一,技术娴熟的象牙雕刻品已经在商朝(公元前16～前11世纪)帝王陵墓中被发掘出来。这些作品的设计与制作十分精良,显示出在此之前已有一段长时间的发展,甚至可能上溯到史前时期。在中国古代,大象仍然漫行在黄河流域的森林中,因此象牙的供应唾手可得。周朝(公元前11～前3世纪)的宫廷中,携带象牙制的窄形备忘纪事板在王侯和公卿之间蔚为风尚;这种物件称为笏,通常作为系带的饰物佩在身上。汉代(公元前206～公元220)笏开始被当作阶级地位的标志,并且要求衣冠整齐才能佩带。之后,唐(618～907)、宋(960～1279)期间,笏的形状大大加长,被朝官携以作为一种权杖和一种充任备忘录的书写平面。直到17世纪明朝灭亡时,笏仍旧被携以作为朝廷上层阶级的标志。中国历史上的这些朝代中,也有一些象牙雕像存留下来。其他的雕刻包括一些平面的象牙作品,被涂上或染上暗的色彩,然后刻成鸟和动物或几何图形的繁复图样,最后被染上其他色彩或者保持原色。

至宋朝,象已经被远驱到中国西南部(今云南)的蛮荒地带,此处属于南诏王国所有,因此必须向海外寻找象牙的新来源;就在这个时候,阿拉伯商人从桑给巴尔将第一批非洲象牙携入中国。从14世纪开始,明朝重新振兴了象牙雕刻艺术,同时也导致精致手工艺的再生。目前留传的明朝象牙雕刻几乎都是俊逸的雕像,并未加以染色或涂绘,而只保存象牙的天然色彩。明朝雕刻的传统似乎一直延续到清朝(1644～1911)的前半叶。此时彩绘象牙艺术流行,被许多鉴赏家视为中国雕刻家艺术极品的均是用染料和漆润饰过的精致雕像。北京和广东的作坊是象牙雕刻的主要中心,生产单一的雕像或群像;圆形笔筒、案上的屏风、搁臂和其他刻有浅浮雕或高浮雕的案头配件;笏;鼻烟壶、鼻烟碟;精美瓷器的支座;香水盒、镜盒以及其他宫廷仕女的梳妆用品。上海的厂肆则生产一些实用的物品,如筷子、麻将牌、梳子和印章。

北京和广东一直到1911年清朝结束以后,仍旧是中国象牙雕刻的中心。因缺乏朝廷的惠顾,象牙雕刻销量一落千丈。从此时起,象牙雕刻工业开始致力于供应外籍居民和观光客象牙手杖、牌盒和其他物品。

在日本,象牙雕刻历史不久。但在德川时代,象牙雕刻工匠们展示了惊人的技艺,制作出许多小型艺术珍品。象牙在日本被用来制造诸如弹弄三味线琴弦所用的拨子和传统卷轴画的轴端等物品。不过,它的主要艺术用途还是在于制作形似坠子的"根付",这种物品在德川时代为男性服饰中不可或缺的佩饰。根付被用来将药盒子、烟斗、烟袋系在男人腰带上,通常以精致细腻的刻工雕上纤细的人像、风景或动物。1867年以后,日本原来的雕刻者和中国一样,逐渐地转向替外国居民和游客制作器物,生产珠宝盒、桌柜、牌盒、棋子、钮扣、胸针及其他迎合维多利亚品味的物件。约至1900年,这项艺术所存的基本条件,也因不停的重复和使用机械工具大量生产而遭到破坏。从此时起,大多数的日本象牙雕刻倾向于复制由过世艺术家完成并签名的古老根付,以及仿造中国的象牙古董。

其他牙雕传统 在穆罕默德时期或之前,象牙就已在中东和穆斯林统治下的西班牙被广泛地用来装饰家具、门、首饰盒和讲坛。装饰内容包括几何图形及植物形状的阿拉伯纹,有时也缀饰上一些鸟类和动物。象牙在印度是不虞匮乏的,但只有少数的象牙雕刻遗存迄今,以作为这项艺术在此存有4 000余年之例证,包括一些用圆雕法刻成的印度教和佛教雕像,以及少数盒子与浮雕。

早期北美洲的爱斯基摩人缺少大多数可用的金属,因此将海象牙或已死的长毛象牙加工制作不同的实用物品,如桶柄、弓锥、烟斗、鱼叉柄和针盒等。他们在这些物品上蚀刻由细线条组成几何或弯曲优美的图形。象牙雕刻的另一种类型为鲸骨雕,这是一种利用鲸牙或海象牙制成有各种图案和肖像的装饰品,19世纪时由美国捕鲸者所制成。

Ivrea 伊夫雷亚 拉丁语作Eporedia(埃波雷迪亚)。意大利西北部皮埃蒙特区都灵省城镇和主教区。位于都灵北面,濒临多拉巴尔泰阿河。公元前143年被罗马占领。后为伦巴第公国。1313年属于萨伏依王室。现通铁路和公路,生产办公设备(伊夫雷亚为奥利韦蒂公司的总公司所在地)和纺织品。旅游业重要,每年2月举行历史悠久的狂欢节活动。人口:城市区约27 577(1984)。

Ivry-sur-Seine 塞纳河畔伊夫里 法国巴黎大区瓦勒德马恩省巴黎东南郊工业区。西北以巴黎市区为界,东北濒临塞纳河。通过地铁与巴黎相连。塞纳河上的港口,是粮食、燃料和木材集散地。1870年一家照料患绝症病人的医院由巴黎迁到此地。第二次世界大战巴黎被占期间,有860名法国爱国者被德军杀害,葬于伊夫里公墓。制造业有电力和非电力机械、食品加工、化工、木材加工和造纸。人口55 682(1982)。

ivy 常春藤 五加科常春藤属(*Hedera*)约5种常绿木质藤本(稀有灌木)的统称。尤指借助茎生气根的吸盘攀缘的洋常春藤(*H. helix*)。该种常栽培以覆盖砖墙面,不育枝上

洋常春藤(*H. helix*)
美国不列颠百科全书公司供图

的叶3～5裂。茎攀缘到支持物顶部后即水平伸展或下垂,可生出全缘叶或开小而淡绿色的花。原产欧洲及亚洲大部,已引种到世界许多地区。常春藤有许多品种栽于庭院。极容易种植,能在贫瘠的土壤中繁荣生长,光线被严重遮挡也能耐受,可栽种于乔木之下。例如,洋常春藤的一个变种——普通爱尔兰常春藤常栽在大树下面不易长草的地方用作地被植物。强烈的阳光不利于常春藤的繁荣生长。没有别的生命力强而又能耐遮荫的植物在品种和美观方面能与之相比。常春藤有多种形态,亦为受欢迎的室内植物。常春藤与其支持物之间的关系是一个有实践重要性的问题。常春藤适度生长对树木无害,但不利于树木的茁壮生长,到一定时间甚至威胁其生存。因此应适当限制。至于常春藤攀附在建筑物上,只要它不通过缝隙钻入墙体内就不必担心。如果常春藤挤进墙内,则其生长扩张会加速墙体结构的破坏。英语中有些

与常春藤无亲缘关系的植物也称为 ivy。参阅 **Boston ivy; poison ivy**。

Ivy League 常春藤联合会 美国东北部一批在学术和社会上享有盛名的高等学府。这些学校是哈佛大学（建于 1636）、耶鲁大学（1701）、宾夕法尼亚大学（1740）、普林斯顿大学（1746）、哥伦比亚大学（1754）、布朗大学（1764）、达特茅斯学院（1769）和康奈尔大学（1865）。原来指这些学校联合组成的足球和其他运动组织。常春藤联合会在美国橄榄球运动史的初期直到 1913 年一直起主导作用，20 世纪 20 年代开始衰落。

Iwaki 磐城 日本本州福岛县城市。临太平洋。由坐落在阿武隈高地及夏井川与鲛川的冲积平原上的平、勿来、常磐等部分组成。常磐煤田开发（19 世纪末）以来，采煤业居支配地位。20 世纪 70 年代后，采矿仅限于西部。新兴化工和石油化工业主要集中在小名浜港区四周。有木材业，农村种植烟草。人口约 356 746（1991）。

Iwakuni 岩国 日本本州山口县城市。位于锦河三角洲，临广岛湾。1603 年建为城堡镇。现为重要工业城市和北至广岛县大竹地区的石油化工业中心。市内锦河上的金带桥颇有名，当地人称算盘桥。设有美军基地和岩国国际机场。人口约109 258（1991）。

Iwakura Tomomi 岩仓具视（1825-10-26，日本京都～1883-07-20，东京） 19 世纪日本最有影响的政治家之一。公卿出身，1854 年任天皇侍从。1858年天皇拒绝批准《日美通商

美国不列颠百科全书公司供图

条约》，他在其中起过作用。后来由于促成天皇之妹下嫁幕府将军，遭到保皇派攻击，因而失去宫廷职务，隐居京都北岩仓村 。萨、长两藩得势后，他又返回宫廷，并参与策划明治维新。新政府成立后，他成为最有权势的领导人之一。1871 年他任使节团团长，率 50 名政府要人去西方访问。使节团表面上致力于修订条约，实际成为一个庞大的"学习团"，团员们分组研究西方的教育、行政、财政和法律制度。回国后坚决反对征韩论，他认为日本最需要的是进行内部改革。70 年代后期他是政府无异议的事实领导人。因反对民权运动，曾起草维护天皇制的钦定宪法。

Iwamizawa 岩见泽 日本北海道中部城市。在札幌市东北，傍几春别河堤。原为附近石狩煤田的铁路运输中心。20 世纪 60 和 70 年代采煤业衰落，该市仍为繁荣的地方商业、行政中心和札幌市的卫星城。工业有食品加工、酿造和制陶。人口 80 423（1990）。

Iwasa Matabei 岩佐又兵卫（1578，日本～1650-07-20 江户[今东京]） 原名荒木胜以。日本德川时代（1603 ～ 1867）初期的画家。其父荒木村重为武将，战败自戕。他随乳母去京都本愿寺避难，后改用母亲娘家姓岩佐。他曾从不同的大师学画，但不确知是哪一些大师。由于他后来自称是土佐派绘画（强调日本主题和技法）传统的继承人，很可能师从过土佐光则（1583 ～ 1638）。1637 年移居江户，1640 年应德川幕府之请为川越的东照宫绘《三十六歌仙图额》。岩佐既掌握中国画、又掌握传统日本画的技法，竭力开创一种非常独特而且技法多样的风格。他曾根据日本古典文学作画多幅，其中有《源氏物语图》和《伊势物语图》。

Iwasaki Yatarō 岩崎弥太郎（1835-01-09，土佐～1885-02-07，东京） 日本实业家。他创建了主宰 19 世纪末期至 20 世纪初期日本经济生活的、家族私有的第二大实业-金融联合体——三菱财阀。他出身于小侍（武士阶层），作为土佐藩的财务管理人员而开始其工商事业。1868 年新帝国政府成立，结束分割的封建领地局面，他才能将藩内的船务转到自己方面来。1873 年他将公司起名为三菱商会。在他管理下，商会兴旺发达起来。新政府为了不再依赖外国船舶，1884 年鼓励他购买长崎新建的政府造船厂。在他和他后代的指导下，三菱经营了其他许多工商业务。

Iwaszkiewicz, Jarosław 伊瓦什凯维奇（1894-02-20，俄罗斯帝国乌克兰卡尔尼克～1980-03-02，波兰华沙附近斯塔维斯科） 波兰诗人、小说家、散文家、剧作家，一个天赋很高而又多产的文学家。曾在基辅大学攻读法律，并在音乐学院学习。1918 年定居华沙，与抒情诗人共同组织"斯卡曼德尔"诗社。担任过议会议长拉塔伊的私人秘书，后在外交部门工作。第二次世界大战期间，同妻子安娜定居斯塔维斯科的乡村别墅。战后，他尽量避免参与政治活动，但于 1953 年同意担任波兰保卫和平委员会主席、波兰国民议会的无党派议员。曾两度任波兰作家协会主席（1945 ～1949，1959 ～ 1980）。1955 年起，任文学月刊《创造》主编。他的最佳小说《名望与光荣》（3 卷，1956 ～ 1962），是对 1914 ～ 1945 年波兰动荡社会的考查。

Iwate 岩手 日本本州东北部县份。东滨太平洋。面积 15 277 平方千米，大部为山地，气候寒冷。东部宫古渔港为陆中海岸国家公园的门户；西部边缘地区为十和田八幡平国

岩手县陆中海岸国家公园的海岸岩壁
美国不列颠百科全书公司供图

立公园之一部。居民大部从事农、林、采矿和渔业。半数以上耕地用于种植一年一熟的水稻。县府盛冈为主要铁路枢纽，生产铁制品和木炭，设有岩手大学（1949）。釜石建有日本第一所现代化铁厂。其他城市有花卷、北上、水泽和一关。人口约 1 416 000（1994）。

Iwo 伊沃 尼日利亚西南部奥约州城镇。在拉各斯一卡诺铁路线上。与伊巴丹、奥约和奥博莫绍通公路。坐落在森林和草原边缘的低山上。16 或 17 世纪创建，后被选为约鲁巴人伊沃王国的首都。镇内约鲁巴人传统的长方形院落式住宅逐渐被平房和多层建筑所取代。经济以种植和出口可可为主。镇北出产薯蓣、玉米、木薯和油棕。棉织和土法染布为传统手工业。居民多为穆斯林，有他们的清真寺和一所医院。基督教浸礼会办有师范学院、中学和麻风病人村。还有一些伊斯兰教的、天主教的和政府办的中学。虽然 1906 年修筑的铁路促进了伊沃的发展，但该镇的交通仍以公路为主。人口约 353 000（1995）。

Iwo Jima 硫黄岛 日语作 Iō-Jima。日本火山群岛的组成部分。位于太平洋西部，距东京东南约 1 220 千米处。面积 20 平方千米。战略位置重要。1945年日军和美军曾在

1945 年 2 月，美国海军陆战队士兵在硫黄岛折钵山上竖起美国国旗
美国不列颠百科全书公司供图

此激战近月，双方伤亡惨重。美军士兵在该岛折钵山上竖起美国国旗的照片在美国广为印行并成为绘画、雕塑和邮票的图案。硫黄岛及其他火山岛屿自 1945 年属美国管辖，1968 年归还日本。

IWW 参阅 **Industrial Workers of the World 世界产业工人联盟**。

Ixcatec 伊斯卡特克人 居住在墨西哥瓦哈卡州北部圣玛丽亚·伊斯卡特兰村中的中美印第安人。在西班牙征服者到来以前约有 1 万人，但现在约剩 200 人。伊斯卡特克人的语言和文化与相邻的乔乔人(**Chocho**)有密切的关系。伊斯卡特克人以农业为主，主要种植玉米和豆类。他们的居住区拥挤，住房有草舍，也有砖瓦房。主要手工制品是用棕榈编织草帽，以供出售。伊斯卡特克人现已不穿民族服装，完全改着墨西哥农民衣服。他们信仰天主教，但也保留某些天主教之前的信仰。教父母的亲戚关系是在进行洗礼时确定的，而教父母则要对他们的教子女的婚姻负责。

Ixcuina (Aztec goddess) **伊克斯奎娜** 参阅 **Tlazoltéotl 特拉佐尔特奥特尔**。

Ixelles 伊克塞勒 又作Elsene。比利时中部布拉班特省城市，大布鲁塞尔 19 个行政区之一。位于布鲁塞尔东南郊。生产金属制品、化工品和纺织品。前西多教派拉康布勒隐修院(1201)，现在是国家地理学院和建筑装饰艺术学院。布鲁塞尔自由大学部分新校舍建在本市东南部。人口约 72 447(1992)。

Ixion 伊克西翁 希腊传说中阿瑞斯神或佛勒古阿斯的儿子，色萨利的拉庇泰人的国王。他杀害了他的岳父，但找不到人祓除他的罪行，最后得到宙斯的帮助，允许他以客人的身份来到奥林波斯山，但他却试图勾引宙斯的妻子赫拉，从而滥用了对他的宽大。宙斯用一片云冒充赫拉来欺骗他。他和那片云生半人半马怪。为了惩罚他，宙斯把他绑在一个在空中不停地旋转的火轮上，一说把他绑在地狱的车轮上，使他一刻不停地旋转。

Ixtacalco (Mexico) 参阅 **Iztacalco 伊斯塔卡尔科**。

Ixtaccihuatl (volcano, Mexico) 参阅 **Iztaccíhuatl 伊斯塔西瓦特尔**。

Ixtapalapa (Mexico) 参阅 **Iztapalapa 伊斯塔帕拉帕**。

Ixtlilxóchitl 伊斯特利尔斯奥奇特尔(活动时期 1500 ~ 1550) 阿兹特克人酋长，特斯科科的首领。西班牙征服殖民者之际，特斯科科和首都特诺奇蒂特兰两城之间正处于敌对状态，他与自己的兄弟为争夺特斯科科的统治地位而发生内哄。西班牙征服者 H. 科尔特斯答应满足他对特斯科科的要求和欲望后，他便率众与西班牙侵略军结盟，参与对特诺奇蒂特兰城的围攻。伊斯特利尔斯奥奇特尔一直是西班牙的盟友，但最终却失去了其部属的信任。

Izabal, Lake 伊萨瓦尔湖 危地马拉最大的湖泊。位于境内东北部。地处圣克鲁斯山、米纳斯山、圣伊西德罗山间的低地，海拔仅8米。长约48千米，宽约24千米，最深处 18 米，面积 590 平方千米。湖水由波洛奇克河补给，经杜尔塞河排入加勒比海。在殖民时期，高地的产品在伊萨瓦尔地区交易和出口。圣费利佩要塞的废墟仍在杜尔塞河源头。湖区主要居民点为埃尔埃斯托尔。附近地区开采镍。

伊萨瓦尔湖畔西班牙殖民者时期的圣费利佩要塞废墟

美国不列颠百科全书公司供图

Izalco Volcano 伊萨尔科火山 萨尔瓦多西部火山。为中美地区活动最频繁的火山。自 1700 年迄今已喷发 50 余次，匀称的黑色火山锥体为 1 770 和 1798 年两次火山喷发形成。海拔1 830米，19世纪时，远洋海员常以该火山峰巅连续不断的辉光导航，亲切地称之为“太平洋的灯塔”。西南麓有伊萨尔科镇。

正在喷发的伊萨尔科火山

美国不列颠百科全书公司供图

Izanagi and Izanami 伊奘诺尊和伊奘冉尊 日本创世神话中的主要神祇，是天地浑沌初开后出现的第八对兄妹。他们站在浮桥上，手持玉予，搅动原始海泽，创造第一个大陆。兄妹所生长子是畸形儿蛭儿惠比须。后来兄妹产生众岛和诸神。伊奘冉尊在生火产灵时，被烧伤而去黄泉。伊奘诺尊随她到黄泉，她周身腐烂生蛆，而伊奘诺尊却仍燃起篝火坐视不救，两人随即离异。伊奘诺尊即入海净身，于是诸神纷纷出生，他左眼生太阳女神天照大神，右眼生月神月夜见，鼻孔生风神素戋呜。

诺尊和冉尊手持玉矛搅动原始海泽

美国不列颠百科全书公司供图

Izdī (religious sect) 参阅 **Yazīdī 亚齐德派**。

Izhevsk 伊热夫斯克 又拼 Iževsk。俄罗斯中西部乌德穆尔蒂亚自治共和国的城市和首府。位于伊日河畔。1760 年建炼铁厂，尔后成为军械中心。伊热夫斯克现为大型冶金城市，生产钢、武器、机床、建筑机械和摩托车。有大型汽车厂，还有大型锯木机械和食品加工工业。该市为乌德穆尔特的文化和教育中心，设有乌德穆尔特语言、文学和历史科研所，以及师范、医学、机械和农学院。人口约 552 800(1994)。

Izium（Ukraine） 参阅 **Izyum** *伊久姆*。

Izmail 伊兹梅尔 乌克兰南部敖德萨州城市。位于多瑙河主要支流北岸，距黑海约 80 千米。16 世纪土耳其人在此建筑要塞，1790 年为俄军攻占。两次世界大战之间，连同比萨拉比亚其他地区一起属罗马尼亚版图。现为重要河港、转运中心。有轻工业。人口约 95 100（1991）。

İzmir 伊兹密尔 史称士麦那。土耳其西部城市。为全国第三大都市和最大港口之一。位于爱琴海伊兹密尔湾的顶端。具有广阔林荫道和现代化楼房的今城始建于1924 年，大部分在环海湾东端的克孜勒古卢河（古称梅勒斯）三角洲小平原以及其南面的高地和山脊上。为地中海地区最古老的城市之一。考古发掘表明，当地居民点与公元前 3 千纪的最早城市特洛伊为同时代。希腊人在此定居已由发现的约公元前 1000 年间的陶器而明确证实。据希腊历史学家希罗多德说，该城由伊奥利亚人建立，不久被爱奥尼亚人夺取。公元前 7 世纪发展成为雄伟的城市。约公元前 600 年为吕底亚国王阿利亚特占领后湮灭达 300 年。公元前 4 世纪由马其顿王亚历山大或其部下在新址重建。不久成为小亚细亚主要城市之一，后为罗马帝国亚洲行省一主教区的中心；同以弗所和帕加马竞争“亚洲第一城”称号。罗马皇帝曾到此访问。城市以其财富、美景、图书馆、医学校以及当地人的辞令传统闻名于世。据当地传说，荷马出生在梅勒斯河附近。士麦那为早期基督教教会所在地之一。约公元 1425 年被奥斯曼帝国吞并。1688 和 1778 年虽因地震受到严重破坏，但仍为有大量欧洲居民的奥斯曼繁荣港口。1919 年被希腊军占领。1922 年被土耳其收复。第二次世界大战后，伊兹密尔发展迅速。北大西洋公约组织东南欧陆军司令部设此。还设有师范学校和爱琴大学（1955）。工业水平仅次于伊斯坦布尔地区，生产食品、水泥和棉毛织品，建有石油化工厂和机械制造厂。每年举办大型国际贸易博览会。输出内地农产品（主要为烟草、无花果、棉花及蔬菜）、制造业产品、地毯和丝织品。名胜有古市场和克孜勒古卢河古水渠桥等。考古博物馆展有当地丰富的文物。附近有著名的古代遗迹和许多度假胜地，旅游业不断发展。伊兹密尔地处全国人口最稠密的区域之一。境内有小门德雷斯河、盖迪兹河富庶河谷及三角洲平原。人口 2 081 556（1997）。

伊兹密尔市的钟塔

美国不列颠百科全书公司供图

İzmit 伊兹米特 土耳其西北部城市。位于马尔马拉海伊兹米特湾顶端附近，城区分布在数座山丘和建有工商业区的狭窄平原上。最初为从希腊迈加拉来的殖民者于公元前 8 世纪建立的城市，称阿斯塔库斯。约公元前 264 年由比希尼亚国王尼肯美达斯一世对被摧毁的旧城加以重建，作为国都，称尼肯美底亚，名声臻于极顶。罗马统治时期常为帝王住地。戴克里先执政时该城成为罗马帝国的东部都城。拜占廷时期一度衰落。公元 1326 年被奥斯曼征服。市内历史古迹有古城墙遗迹、拜占廷城堡和 16 世纪由著名奥斯曼宫廷建筑师锡南建造的清真寺。近年发展主要得益于工业化进程快以及地处伊斯坦布尔和安卡拉之间的公路和铁路线附近。现为土耳其造纸业中心，产量能满足本国需求量的一半。建有大型炼油厂。其他行业有水泥、磷酸盐、纺织、石油化工和轮胎等。伊兹米特港经营国内和国际航运。有公路通往各大城镇。人口 198 200（1997）。

İznik 伊兹尼克 史称尼西亚。土耳其西北部城镇。位于伊兹尼克湖东岸。公元前 4 世纪由马其顿王安提柯一世建立。罗马时代晚期和拜占廷时代为一重要中心（参阅 **Nicaea, Councils of; Nicaea, empire of**）。现保存有罗马和拜占廷时代建造的防御土墙（周长 4 426 米）。公元 1331 年被奥斯曼土耳其人征服，在此建有绿清真寺（1378 ～ 1391）。1453 年后，伊斯坦布尔成为奥斯曼帝国城市，从而使伊兹尼克的繁荣中断，16 世纪引进彩陶业后复兴。该镇曾以生产精美瓷砖著名。约 1700 年工场迁往伊斯坦布尔，城镇开始衰落。铁路绕道而过使伊兹尼克的经济进一步受到打击。现为小集镇和周围地区的行政中心。人口 17 232（1990）。

16 世纪后半叶的伊兹尼克郁金香和香石竹图案陶砖

美国不列颠百科全书公司供图

İznik ware 伊兹尼克陶器 伊斯兰陶瓷中的一个土耳其陶器流派，盛行于 16 ～ 17 世纪。伊兹尼克出产陶土，在 12 世纪时可能已生产陶器，但直到 15 世纪末叶制陶才在土耳其得到发展。主要生产中心建在伊兹尼克城。16世纪初的伊兹尼克陶器受中国明朝青花瓷器和波斯陶器的影响。坯体质地软且含砂，灰白色黏土坯体上涂了薄的、通常为白色的泥浆（一种水和黏土的混合物）。最普通的产品为平盘，但也生产一些碗、罐、花瓶，以特殊风格的对称图案进行装饰，如花卉、枝叶、水果，同时还有一些由上述自然形态抽象出来的直线花纹以及鱼鳞纹等。16 世纪中期，装饰中的色彩除蓝、白之外，还增加了翠绿、浓淡不同的绿色以及紫和黑色。到 16 世

约 1550 ～ 1580 年的伊兹尼克陶器，白地绿、红、蓝彩狭嘴带柄大罐

美国不列颠百科全书公司供图

纪后期则以红色为主。伊兹尼克陶器的质量在17世纪中逐渐下降,1800年停止生产。

'Izrā'īl 阿兹拉伊来 伊斯兰教教义中四大天使之一(另外三个是哲布勒伊来、米卡伊来和伊斯拉非来)。阿兹拉伊来使人的灵魂脱离躯体。他体大无边,生有4 000个翅膀,身上遍布眼与舌,其数目与在世人数相等。他一脚站在第四(或七)重天,另一脚站在天国与火狱之间的一线窄桥上。

Iztacalco 伊斯塔卡尔科 又拼Ixtacalco。墨西哥中部联邦区东北部属区。海拔2 261米。在墨西哥谷地。曾是农牧业地区的商业中心。该地区农产品有玉米、豆类、燕麦和苜蓿。现为墨西哥城一部分。有罐头食品厂、化工厂以及生产纸板、床垫、家具和帽子等的工厂。有著名的集市。公路、铁路、航空交通十分方便。人口约448 357(1990)。

Iztaccíhuatl 伊斯塔西瓦特尔 又拼Ixtaccihuatl。墨西哥中部的休眠火山。位于墨西哥州与普埃布拉州交界处,在墨西哥城东南偏南65千米处及其姐妹火山波波卡特佩特火山以北16千米处。有三个山峰,最高的高达5 230米,无火山口。从联邦首都眺望群峰,白雪皑皑的山峰宛如一躺卧着的妇女的头、胸脯和足,因此人们常称之为"睡美人"。最后一次火山爆发在1868年。

Iztapalapa 伊斯塔帕拉帕 又拼Ixtapalapa。墨西哥中部联邦区东北部属区。在墨西哥谷地,海拔2 280米。城市建在哥伦布到达美洲之前一重镇的旧址上。现为墨西哥城农业区,附近出产玉米、紫苜蓿、小麦、豆类和蔬菜。工业也日益重要。交通方便,有公路、铁路和航空线。人口约1 490 981(1990)。

Izu Islands 伊豆诸岛 又称伊豆七岛。日本本州南面一系列火山岛。从东京湾向南延伸入太平洋,长约300千米。属东京都。以大岛面积(91平方千米)最大。这七个岛屿早为日本人所知。12世纪后曾为犯人流放地。1643年荷兰航海家M.H.de弗里斯曾到过这里。现以所产山茶花油、秀丽的风景和大岛上的三原活火山闻名。为富士-箱根-伊豆国家公园之一部分。

伊豆大岛上冒烟的三原火山
美国不列颠百科全书公司供图

Izu Peninsula 伊豆半岛 日本本州静冈县一半岛。西为骏河湾,东为相模湾,向南伸入太平洋,长60千米。全境处在富士火山带,

伊豆半岛上的石廊岬
美国不列颠百科全书公司供图

有天城山(1 406米)、热海山(774米)和达摩山(982米)等火山。温泉众多,冬季气候温和,且为富士-箱根-伊豆国家公园之一部,吸引着大批游客。主要矿泉疗养地有热海和修善寺。下田港是1854年美国海军准将M.C.佩里指挥的舰船抵达地点,也是后来美国驻日本第一个总领事馆的驻地。

Izúcar de Matamoros(Mexico) **伊苏卡尔-德马塔莫罗斯** 参阅**Matamoros**马塔莫罗斯。

Izumi Kyōka 泉镜花(1873-11-04,日本金泽~1939-09-07,东京) 泉镜太郎的笔名。日本多产的短篇小说家。他创造了独特的浪漫主义的、而且常常是神秘主义的境界,其中的人物代表他理想中的道德价值标准。出身于地方艺人和手艺人家庭,1890年到东京,想拜当时文坛领袖尾崎红叶为师,一年之后被接受。他和红叶的其他门徒一直生活到1894年。镜花的《夜间巡警》(1895)和《外科室》(1895)表现了他在义务和人的感情之间典型斗争中的理想价值观念。他迷恋奇异的神秘境界,《高野圣》(1900)就是这方面有代表性的作品。1899年他遇到一名艺妓,后来同她结为夫妻;他在《妇系图》(1907)、《歌行灯》(1910)、《白鹭》(1909)、《三个瞎子的故事》(1912)中,对艺妓世界加以理想化。他虽然一度是个受欢迎的作家,但他始终远离当时文学趣味的变化,宁愿和少数热心追随他的门生黯然消失,而不愿放弃他高度个人主义的艺术。

Izumi-Ōtsu 泉大津 日本本州大阪府的市。临大阪湾。自8世纪即为重要港口。德川时代为棉纺织业中心。明治维新后主要生产棉、毛毯。现为日本出口和内销棉毯的主要产地。人口67 037(1990)。

Izumi-Sano 泉佐野 日本本州大阪府的市。临大阪湾。平安时代为重要交通中心。后成为棉花和农、渔产品销售市场。工业不断扩大,生产纺织品、机械。亦为供应大阪与神户葱头的贸易中心。人口88 862(1990)。

Izumo 出云 日本本州岛根县城市。18世纪起成为四周农、牧区的贸易中心。20世纪初成为公路、铁路交通枢纽。有丝织、木工、酿造和食品加工等小型传统行业。以作为神

出云市神道教大神社的入口
美国不列颠百科全书公司供图

道教中心闻名。市西北有日本最古老的神道教神社出云大社,香客常年不断。还有许多寺庙和陵墓。目前的建筑物多成于19世纪末期,集中在面积16公顷的地区,苍松夹道。寺庙综合体三面环山。据信每年10月众神聚于出云,故10月是出云的"神月",而在它处则为"无神月"。人口82 680(1990)。

Izumo Okuni 出云阿国(活动时期17世纪早期) 日本舞蹈家,开创了歌舞伎的艺术形式。据传,出云阿国是日本西部神道教神社出云大社的侍者。她成立了一个由女子组成的舞团,1603年在京都一条干涸的河床上演

出舞蹈及轻松短剧，甚受欢迎。舞团活泼不羁的舞剧不久名闻全日本，故此种风格称为阿国歌舞伎，其他由女子组成的舞团纷纷成立。这些舞团自然地以贵族为其庇护者，但对象是普通市民，节目内容取自日常生活。1629年前女子歌舞伎极为流行，直至是年被幕府当局正式取缔。因认为舞蹈者的卖淫行为过于广泛。

Izvestiya 《消息报》 全名原为《苏联劳动人民代表会议消息报》。莫斯科出版的俄语日报，由苏联最高苏维埃主席团出版，1991年前一直为苏联政府的官方全国性报刊。1917年3月在彼得格勒(今圣彼得堡)创办，为彼得格勒工人和士兵代表苏维埃的机关报。十月革命后，该报由孟什维克和社会革命党人手中转归布尔什维克，总部迁往莫斯科。发行量由1924年的35.4万份迅速增加到1932年的150万份。第二次世界大战时期及在斯大林统治下，由于有各种限制，发展变慢，但在赫鲁晓夫的女婿阿朱别伊任总编辑时，由于使用大量图片、大字标题和一般说来高标准的版面设计，《消息报》成为一份生动活泼、可读性强的日报。《消息报》一直是苏维埃政府根据各项政策向人民提供消息和教育人民的工具，其国际关系方面的广泛新闻报道反映了苏联政府对外政策。1991年苏联解体后，消息报成为其员工所有的独立出版物，其自由的编辑方针使得它经常同顽固守旧的共产党人和俄罗斯民族主义者发生争吵。

Izvolsky, Aleksandr, Count 伊兹沃尔斯基 (1856-03-06[新历03-18]，俄国莫斯科～1919-08-16，法国巴黎) 俄国外交官，对第一次世界大战前俄国在巴尔干的一次主要外交挫败(1908～1909)负有责任，那次失败加剧了俄国与奥匈帝国之间的紧张关系。毕业于圣彼得堡帝国学院。历任驻世界各国使节，1906年5月任外交大臣。1907年缔结《英俄条约》，结束了英俄两国在伊朗、中国西藏和阿富汗的敌对状态。随后努力恢复俄国军舰使用达达尼尔海峡的权力。为了达到这一目的，他与奥地利在摩拉维亚的布赫劳达成了一项协议(1908-09-15)，但协议的条款含混不清，俄国虽然勉强支持奥地利并吞波斯尼亚和黑塞哥维那(1908-10-07，这不仅在巴尔干酿成危机，而且在牺牲俄国利益的情况下，全面改善了奥地利在那里的地位)，但奥地利拒绝施加影响促成海峡对俄国开放。伊兹沃尔斯基接着试图以与意大利缔结协定的方式(《拉科尼吉协定》，1909-10-24)来抵消奥地利在巴尔干的影响，在该协定中双方约定合作，防止由一国来支配巴尔干。尽管如此，伊兹沃尔斯基仍于1910年9月被免职，后任驻法国大使，直至1917年5月。

Izyum 伊久姆 又拼Izium。乌克兰东部哈尔科夫州城市。位于顿涅茨河畔、哈尔科夫市东南120千米处。1571年首见记载，1639年设市。与哈尔科夫及卢甘斯克通铁路，有铁路设备修理厂、砖厂、啤酒厂和光学仪器厂。人口约64 800(1991)。

J

J. Paul Getty Trust (Los Angeles, Calif., U.S.) **J. 保罗·格蒂信托基金会** 参阅 **Getty Trust** 格蒂信托基金会。

J. Walter Thompson Co. **沃尔特·汤普森公司** 原美国的一家广告公司，长期以来一直是世界同类企业中规模最大者之一。1980年该公司成为汤普森集团公司的附属公司，汤普森集团公司是一家控股公司，总部设在特拉华。汤普森公司的前身卡尔顿-史密斯公司是最早的广告公司之一，创办于1864年。4年后，20岁的汤普森受W. J. 卡尔顿的雇佣任簿记员。汤普森后来任广告业务推销员，1878年自卡尔顿手中收购该公司。他将公司改名为汤普森公司，1896年以新名获得法人地位。该公司不久即垄断了美国许多杂志和期刊的广告版面。这种以杂志广告为重点的创先做法果然十分获利。该公司又开创先例，设置"广告业务监测员"，负责监视特殊客户的广告宣传动向。S. 里索于1916年收购了汤普森公司，该公司在里索的领导下又带头提出一些广告业务革新，例如在广告中利用推荐感谢的形式和精美照片。1987年，汤普森集团公司为英国推销公司WPP集团所购买。

Jabal Shammar **杰拜勒舍迈尔** 沙特阿拉伯西北部山区，西邻汉志地区，东接东部省。该地区主要地形是艾贾(花岗岩)和塞勒马(玄武岩)两大山脉及内夫得广阔无垠、绵延起伏的沙丘地区。绿洲城镇哈伊勒位于艾贾山南侧，而旧首府费德位于塞勒马中部。这两个城镇曾是伊拉克和伊朗(波斯)去麦地那朝圣路上的重要驿站。不过现今这种来往(乘汽车)已罕见，因为朝圣者更喜欢利雅得的优雅风光，去那里乘飞机或火车更为便利。

杰拜勒舍迈尔独特的荒漠卵石坪地貌
美国不列颠百科全书公司供图

杰拜勒舍迈尔地区世世代代居住着舍迈尔部族。在1834～1921年伊本·拉希德王朝的公国独立期间，杰拜勒舍迈尔地区卷入了东沙乌地王朝，拉希德统治者与麦加的谢里夫们(贵族)之间的长期纷争，直至1932年建立沙特阿拉伯王国为止。

Jabalpur **贾巴尔普尔** 又拼 Jubbulpore。印度中央邦城市。位于讷尔默达河北岸小盆地中。为中央邦大城市之一。地处公路铁路交会点。主要工业有食品加工和锯木及各种制造业。作为驻军司令部所在地，有炮车总厂、军工厂和弹药库。设有中央邦高级法院与尼赫鲁农业大学(1964)。周围地区的赫韦利是讷尔默达河谷西部异常肥沃的小麦产区。另外出产稻米、高粱、鹰嘴豆和油籽。开采铁矿、石灰石、铝土、黏土、耐火黏土、块滑石、长石、锰和赭石。贾巴尔普尔有大量佛教、印度教和耆那教的遗迹。人口约951 469(2001)。

Jabavu, Davidson Don Tengo **贾巴武**(1885-10-20，开普殖民地威廉王城[今在南非开普省]～1959-08-03，南非东伦敦) 黑人教育家和南非政治领袖。其父约翰·滕戈为南非第一家班图语报纸的编辑。贾巴武先后受教于南非、威尔士以及伦敦和伯明翰的大学。1916年开始执教于开普省黑尔堡土著学院(后为大学学院)。1935年12月创建全非洲人国民大会(AANC)，带头反对旨在剥夺非洲黑人的公民权、不准他们占有土地和限制他们自由出卖劳动力的议案。大会将对白人政府的所有反抗集中起来，并促使非洲黑人意识到白人日益发展的好斗性。在南非举行的第一届非欧洲人大会上，贾巴武当选为开普土著选民协会领袖。1948年全非洲人国民大会解体，贾巴武退出政界，在黑尔堡大学学院教授拉丁语和班图语。他的著作有：《黑人问题》(1920)、《英语对班图语文学的影响》(1943)以及多卷本科萨文诗集等。

Jabbar, Kareem Abdul 参阅 **Abdul-Jabbar, Kareem** 阿布达尔-杰巴尔。

Jābir ibn Ḥayyān, Abū Mūsā **查比尔**(约721，伊朗图斯～约815，伊拉克库费) 又译查比尔·伊本·赫扬。炼金术士，被认为是"阿拉伯化学之父"。查比尔出生后不久，他父亲因参与阿拔斯推翻伍麦叶王朝的阴谋而被斩首。他被送往阿拉伯，在那里他成为什叶派的一个成员。他学习了包括医学在内的许多知识的大部分分支。在阿拔斯战胜了伍麦叶以后，查比尔成为阿拔斯哈里发哈伦·赖世德的一名宫廷医生。他是什叶派伊玛目第六加法尔·伊本·穆罕默德的亲密朋友，他称赞后者的许多科学思想。有2 000余篇著作被认为是查比尔的创作。穆斯林伊斯梅利亚教派以他的名义出版了大量炼金术和宗教神秘学说的著作。14世纪一位西班牙的炼金术士在自己的手稿上写上名字Geber(查比尔的拉丁文名字)，可能将这些手稿归属于查比尔，因而获得更大的权威。从查比尔本人的著作来看，没有证据说明他有值得后来的炼金术士特别推崇的成就。看来他的声誉主要靠他关于自然界的形而上学哲学的吸引力和他独特的风格、强调的语气以及对物质理论的发展。他修正了古希腊关于物质全由火、土、水和空气构成的看法。他认为这4种元素结合形成汞和硫，这两种物质以不同比例组合形成各种金属。他觉察到汞和硫能结合生成红色的化合物辰砂(硫化汞)；但他以为若能找到理想的比例，就能炼出金。该理论被广泛接受、修改和传播，对早期化学的影响极大，最终导致对燃素的信仰。

jabiru (species *Jabiru mycteria*) **裸颈鹳** 鹳形目鹳科动物，新大陆典型的鹳，分布自墨西哥至阿根廷。体羽主要为白色，头和上颈的裸露皮肤分别为黑色和红色。喙特别厚，

裸颈鹳(*Jabiru mycteria*)
美国不列颠百科全书公司供图

稍向上弯。是美洲最大的飞行鸟类之一，体长达140厘米。黑颈鹳(*Xenorhyncus asiaticus*)分布范围自印度经大洋的岛屿至澳大利亚，英语亦称为jabiru。

Jablonec nad Nisou **尼斯河畔亚布洛内茨** 德语作Gablonz an der Neisse。捷克共和国北捷克州城市。位于巨人山山区，在尼斯河上游，海拔500米。两次世界大战间，居民主要为德意志人。著名的波西米亚玻璃工业发源地；生产各种玻璃制品，从高质量的器皿到廉价的假珠宝和装饰品。玻璃是按照传统方式在乡村车间小规模制造的。城内玻璃珠宝博物馆陈列有玻璃样品。人口约45 653(2001)。

Jablonski, Daniel Ernst **雅布隆斯基**(1660-11-20，波兰但泽[今格但斯克]附近纳森胡本～1741-05-25，普鲁士柏林[德国]) 原名菲古卢斯(Daniel Ernst Figulus)。德国基督教(新教)神学家。曾在奥得河畔法兰克福学习，后转到牛津大学。1683年在马格德堡开始传教，1699年任摩拉维亚教会主教。他在柏林时曾在宫廷人物和哲学家莱布尼茨的赞助下谋求德国、英格兰和瑞士的信义宗和加尔文宗互相联合，但未能达到目的。他还力图改革普鲁士教会，采用英格兰圣公会的主教制和礼仪，也未见成果。他参与创办了柏林科学院，1733年任院长。

Jabneh 贾卜奈 又称伊卜纳。巴勒斯坦(今以色列)古城。位于特拉维夫-雅法以南24千米处,距地中海6千米。非利士人最早在此定居,公元前8世纪乌西雅在位时犹太人占据该城。公元前161年贾卜奈港受J.马加比袭击。公元70年罗马人摧毁耶路撒冷圣殿后,约翰兰·本·撒该所建立的贾卜奈学院成为最重要的犹太人学习中心。约公元100年举行的一次犹太教教士集会上,《希伯莱语圣经》被确定为圣典。12世纪十字军在此建城堡。

Jaboatão 雅博阿唐 巴西东北部伯南布哥州东部城市。位于雅博阿唐河畔。海拔45米。在州首府累西腓正西,曾是17世纪葡萄牙人反对荷兰人的两次战斗的战场。1884年建市。雅博阿唐现为生产棉花、甘蔗、烟叶和稻米的农区的商业中心。人口约567 319(2000)。

jaboticaba 拟爱神木 又作jaboticabeira。桃金娘科拟爱神木属(*Myrciaria*)乔木植物,尤其是茎生花拟爱神木(*M. cauliflora*)和*M. jaboticaba*,均原产于巴西东南部,已引入北美西部和南部及其他温暖地区。该属植物各种间形态相似。树冠圆盖形,株高约11～12米。叶长2～8厘米,对生,广椭圆形或披针形,全缘,表面平滑。花小,单生或簇生,花瓣4枚,白色。果实可食,表面光亮,紫酱色,圆球形或两端微扁,含1～4粒种子。果肉多汁可口,半透明,白色或带粉红色。

Jabotinsky, Vladimir 亚博廷斯基(1880,俄罗斯帝国敖德萨[今在乌克兰]～1940-08-03,美国纽约亨特附近) 犹太复国主义运动的领袖、新闻记者、演说家、作家。他创建犹太复国主义军事运动,为建立以色列国发挥过重要作用。他的工作经历开始于1898年任驻外记者。但因作新闻记者颇有声望,于1901年被召回敖德萨,成为社论撰写人。到1903年他通过写作和演说开始宣传在巴勒斯坦恢复和建立一个犹太民族国家的复国主义观点。在第一次世界大战期间,他相信当时统治巴勒斯坦的奥斯曼帝国必将垮台。如果犹太人显示出为协约国服务,他们就能够移居巴勒斯坦。因此,他劝说英国政府允许从奥斯曼帝国逃出的犹太难民参加作战。1920年,他建立和领导一个反对在巴勒斯坦的阿拉伯人的犹太人自卫运动(哈加纳)。当时统治这个地区的英国人判处他15年苦役。但是这一行动引起强烈的抗议,不久就将他释放。20世纪20年代,他活跃于许多国际性的犹太复国主义组织中。他竭力主张在约旦河两岸建立巴勒斯坦犹太国,继续犹太移民,以便在当地占有多数并使犹太军队永久驻防,进行自卫。1940年他因心脏病猝发死于美国。

Jabrā'īl (Muslim archangel) 参阅 **Jibrīl 吉布里勒**。

Jac Glan-y-Gors 雅克·格兰-伊-戈斯 参阅 Jones, John 琼斯。

Jaca 哈卡 西班牙东北部阿拉贡自治区韦斯卡省城市。北部与法国交界。地处阿拉贡河南岸高原。为一古城。公元前194年为罗马人所攻克。公元716年受摩尔人统治。后来曾成为阿拉贡王国的第一个京城。现在为一主教区。经济以农业贸易为主。人口11 374(1999)。

jacamar 鹟䴕 䴕形目鹟䴕科的美洲热带鸟,15种。鹟䴕头大,自头向后渐细,多数种尾长,为凸尾,有些为方尾。多数种的背部和胸部为蓝色、绿色或青铜色,带虹彩光泽;

棕尾鹟䴕(*Galbula ruficauda*)
美国不列颠百科全书公司供图

雄鸟喉白色,雌鸟喉褐色。最常见的种是棕尾鹟䴕(*Galbula ruficauda*),长25厘米,见于墨西哥南部到阿根廷。鹟䴕常栖息在林中溪旁树上,长而尖的嘴向上,见到蝴蝶或蜻蜓便呼地一声追去,咬住时上下嘴相碰作声;先将猎物在栖木上摔打后再吃。卵室挖在堤岸或平地里。

jacana 水雉 又作lily-trotter或lotus bird。鸻形目水雉科几种水鸟。趾形特长而直,适于在漂浮植物上行走。与某些鸻一样,有些水雉有翅距。水雉属(*Jacana*)7或8种,包括热带美洲的美洲水雉(距翅水雉,*Jacana spinosa*),黑色或浅红色;非洲水雉(长脚雉鸻,

雉尾水雉(*Hydrophasianus chirurgus*)
美国不列颠百科全书公司供图

Actophilornis africanus);澳大利亚水雉(*Irediparra gallinacea*),分布于新几内亚及澳大利亚东岸;印度和菲律宾的雉尾水雉(*Hydrophasianus chirurgus*)黑、黄、白色相间,繁殖时期具长尾羽。

jacaranda 蓝花楹 紫葳科蓝花楹属(*Jacaranda*)植物,尤指含羞草叶蓝花楹(*J. mimosifolia*)和尖叶蓝花楹(*J. cuspidifolia*)。两种均为观赏乔木,广泛栽培于世界温暖地

蓝花楹(*Jacaranda acutifolia*)
美国不列颠百科全书公司供图

区及温室内;花艳丽,蓝色或紫堇色;羽状复叶形态美观,对生。该属约50种,原产中南美和西印度群岛。英语中jacaranda一词又指豆科*Machaerium*属数个产"蔷薇木"(黄檀木)的乔木种。

Jacareí 雅卡雷伊 巴西圣保罗州东南部城市。位于南帕拉伊巴河畔,圣保罗东北70千米处。1653年建镇。1849年为市级地区政府驻地。经济以乳品业为主。周围地区也种植咖啡、水稻、玉米、水果和豆类。工业有酿酒、化工和纸张、玻璃制造。有铁路和公路通圣保罗。有机场。人口191 500(2003)。

Jáchymov 亚希莫夫 捷克共和国西部矿泉镇。位于卡罗维发利正北面,厄尔士山脉(克鲁什内山脉)最高峰克利诺韦茨山麓。神圣罗马帝国银矿区,16世纪最为繁荣。三十年战争(1618～1648)期间,严重衰落,人口减少;19世纪中期惨遭大火。1908年开始采铀,第二次世界大战结束时产量最高,现已衰退。当地利用含有放射性物质的矿泉进行沐浴治病。人口2 830(2001)。

Jacinto, António 雅辛托(1924-09-28,葡属西非圣保罗-罗安达[今安哥拉罗安达]～1991-06-23,葡萄牙里斯本) António Jacinto do Amaral Martins的别名,笔名奥兰多·塔沃拉。安哥拉白人诗人、短篇小说家。在战后第一届政府中任内阁部长。安哥拉的葡萄牙移民的儿子,与反葡萄牙殖民统治的激进运动有联系,并于1961年被捕,被投入圣保罗-罗安达监狱,后在佛得角群岛塔拉法尔恶名昭彰的集中营服刑达14年。他的头几部诗集就是在这个时期出版的。1975年安哥拉独立后,他参加了倾向马克思主义的安哥拉人民解放运动领导人阿戈什蒂纽·内图组织的政府,协助管理教育改革和文化活动。他的诗写出了安哥拉各族人民在葡萄牙人统治下遭受的压迫。许多诗被谱写成歌曲,成为新独立的安哥拉的民间创作的一部分。自1961年《诗选》出版后,所有用葡萄牙语音写的非洲文学的诗集都刊登了他的诗。他在《在圣地亚哥的塔拉法尔幸存下来》一书中描述了他在佛得角群岛经历的残酷监禁生活。

jack 鲹鱼 鲈形目鲹科鱼类的统称，见于大西洋、太平洋和印度洋的温带与热带部分，偶也见于淡水或半咸水中，150 多种。体型及外形多种多样，但大多身体侧扁，接近尾鳍处有大形具棘的鳞片。鳞小故体表给人光滑之感。尾鳍深叉状，多具浅蓝绿色、银色或浅黄色光泽。具重要商业价值，也是良好的游钓鱼。最受欢迎的游钓鱼种类如鰤属（*Seriola*）琥珀鰤，遍布全世界。西大西洋的大琥珀鲹（迪梅里尔氏鰤，*S. dumerili*）是体形最大的鲹科鱼，分布于热带大西洋，体长常达 1.8 米。鲹属（*Caranx*）也有几种体型较小但却受欢迎的游钓鱼，如南大西洋的黄鲹（*C. bartholomaei*）常见于大西洋温暖的水域，以体侧及鳍金黄色著名。

jack 千斤顶 可稍微抬高重物，能产生巨大压力，或将装配好的结构牢固地支持在原地的一种轻便、手动的实用机具。例如在更换地基时，以千斤顶顶住建筑物以防沉陷或保持原位。千斤顶的有效性或机械利益在于被起升的重量与施加于千斤顶柄的力两者之比。操作人员可通过千斤顶的杠杆、液压或螺旋作用获得很大的机械利益。在重物相继起升过程中的短暂停歇阶段，不再有力作用于千斤顶的手柄上，这时棘轮就将千斤顶锁住使其不致下滑。为符合轻便和手动的要求，其功率不免受到限制。但千斤顶仍足以举起几吨的重量。常见的为汽车千斤顶，可用来抬高汽车的一部分以方便更换轮胎。

Jack THE RIPPER 肢解者杰克 1888年8月7日至11月10日在英国伦敦东区的怀特查帕尔区内和附近杀死至少 5 名妓女的凶手的假名。此案成为英格兰有名的疑案之一。被害者除 1 名外，都是在街上拉客时被杀的。受害者均被割断喉管。与一般作案方法不同的是尸体都被肢解，说明凶手具有高深的人体解剖学知识。警察曾收到过寄来的可能是凶手从被害者身上取下的半个肾脏。市政当局也多次收到一个自称为凶手的署名肢解者杰克的奚落信，有关当局竭尽全力，有时甚至采用了很另类的方法，企图识别和诱捕凶手，但均告失败。由于未能捕获凶手，引起了公众的极大愤慨，群起反对内务大臣和伦敦警察局长，迫使他们立即辞职。肢解者杰克成了许多文学作品与戏剧作品的主题。其中以 B.朗兹夫人的长篇恐怖小说《房客》（1913；1926、1932、1944 年改编为电影）最为轰动。另有百种以上类似作品出版，许多书都提出对凶手真实身份的臆测。谋杀现场现已成了伦敦的一个令人毛骨悚然的旅游场所。

jack-in-the-pulpit（*Arisaema triphyllum*） **三叶天南星** 又作 Indian turnip，bog onion，brown dragon 或 starchwort。又称印第安萝卜、酸沼洋葱、棕龙或淀粉草。北美天南星科植物，以花形奇特著名。原产于从新斯科舍至明尼苏达并南至佛罗里达和得克萨斯的潮湿的林地和灌木丛。为较粗壮的多年生植物。高 0.3～0.8 米。通常具两片长柄、分三部分的叶，可使其花相形见绌。花序具明显的有绿紫相间条纹的结构，称为佛焰苞，佛焰苞有单独的柄，位于两片叶之间。佛焰苞弯曲成兜状，覆于肉穗花序之上，花小。夏末浆果成熟，鲜红色。三叶天南星为美国及加拿大东部春末最为人熟知的野花之一。

Jack of Diamonds 方块杰克 又作 Knave of Diamonds。1909 年在莫斯科组成的艺术家团体。以后几年间，其成员成为俄国先锋派艺术的主要拥护者。1910 年 12 月举行首次画展，参展的有法国立体主义画家 A.格莱茨、H.勒福科尼耶和 A.洛特的作品；从展出的康定斯基（4 幅“即兴作品”）和 A.封·亚夫伦斯基的绘画中，也可看到艺术中的其他新

富尔克绘《红色家具》
美国不列颠百科全书公司供图

倾向，这两位俄国画家当时都住在德国。另外，俄国画家 R. 富尔克、A. 林图洛夫、P. 冈察洛夫斯基和 I. 马什科夫展出了受法国画家塞尚和马蒂斯强烈影响的肖像画和静物画。

jack-o'-lantern 南瓜灯 在美国节日风俗中，万圣节前夕人们携出的一种雕空的南瓜灯笼。南瓜的表面刻成人脸形状。空壳里的

南瓜灯
美国不列颠百科全书公司供图

烛光从灯笼上所刻的眼孔、鼻孔中闪烁可见，通常还刻有怪诞地露齿而笑的嘴。该习俗源于英国，但是用芜菁或其他蔬菜制灯，而不是用南瓜。

jack-o'-lantern 鬼火 气象学所指一种神秘的火光。夜间在沼地上忽隐忽现，一接近它，便又向前移去，永远追不上，摸不着。这种现象亦称“磷火”（will-o'-the-wisp）及“愚火”（拉丁语 ignis fatuus）。在流行的传说中，鬼火是不祥之物，常意味着一个无法进入地狱的游魂。一般认为，这种现象是由于沼气自燃生成的，沼气成分主要是甲烷，由腐烂植物分解而成。

jackal 胡狼 又称豺。犬科犬属（*Canis*）狼形食肉动物。传说中胡狼与鬣狗都有胆怯的恶名，其实这种说法言过其实。胡狼分为3个种：金色胡狼（亚洲胡狼，*C. aureus*），分布

黑背胡狼（*C. mesomelas*）
美国不列颠百科全书公司供图

在欧洲东部和非洲东北部到亚洲东南部；黑背胡狼（*C. mesomelas*）和侧纹胡狼（*C. adustus*），分布在非洲南部和东部。胡狼体长可达 85～95 厘米（包括 30～35 厘米的尾长），体重约 7～11 千克。亚洲胡狼浅黄色；黑背胡狼赭红色，背部黑色；侧纹胡狼浅灰色，尾尖为白色，每一侧有不甚清晰的黑色和灰白色条纹。胡狼栖息在较为开阔的地带。白天隐藏在灌丛中，黄昏出去猎食。独栖、成对或集群，以找得到的动物、植物或尸肉为食。常尾随狮和其他大型猫科动物之后，吃其残余猎物尸体。当结群猎食时，能捕到像羚羊和绵羊那样大的猎物。与同属的其他动物一样，胡狼也在晚上嚎叫，叫声比鬣狗的声音更使人恐怖。尾基部有一种腺体，分泌物有恶臭。在地穴里产仔，一窝 2～7 仔；妊娠期 57～70 天。胡狼与狼及丛林狼一样可与家犬杂交。**南美狐（South American fox）**属南美胡狼属（*Dusicyon*），英语中有时也称为 jackal。**土狼（aardwolf）**属鬣狗科（Hyaenidae），或称鬣豺或灰豺。

jackdaw（species *Corvus monedula*） **寒鸦** 又作 daw。雀形目**鸦科（Corvidae）**鸟类，形似乌鸦，长33厘米，黑色，项灰色，眼似珍珠。在树洞、峭壁和高建筑上成群繁殖，成队在周

寒鸦（*Corvus monedula*）
美国不列颠百科全书公司供图

围翱翔。产 4 ～ 6 枚卵，卵浅绿蓝色，有斑点。分布范围自不列颠群岛到中亚，再往东则为白胸、白领的达斡尔寒鸦（*C. dauuricus*）所取代。在美国，一种*拟八哥*（**grackle**）亦称为 jackdaw。

jackfruit（species *Artocarpus heterophyllus*）**木菠萝** 又称菠萝蜜。原产于热带亚洲的一种桑科乔木，果实大，木质耐用，热带潮湿地区广泛栽培。与面包树有亲缘关系。高 15 ～ 20 米。叶大而硬，绿色，有光泽。果实长达 60 厘米，重达 18 千克。绿色的未成熟果实可作蔬菜食用，棕色成熟的果可鲜食其果肉，味甜酸而味不浓。在产地种子也可煮食。

Jackling, Daniel Cowan 杰克林（1869-08-14，美国密苏里阿普尔顿城～ 1956-03-13，加利福尼亚旧金山） 美国采矿工程师和冶金学家。研究出开发低品位斑岩铜矿的有效方法，从而使铜矿开采发生改革。1892 年毕业于罗拉的密苏里矿业学院，在该校讲授化学和冶金学（1891 ～ 1893），在科罗拉多的克里普尔克里克区任化学师和冶金师（1894 ～ 1895）。他在犹他州默克尔从事金矿石选矿时，受委托做关于宾厄姆坎宁铜矿前景的报告，根据他的报告成立了犹他铜公司（1905），开采每吨仅出铜 12.5 千克的铜矿石。杰克林曾在内华达联合铜公司担任生产和行政职务；为肯尼科特铜公司指导西部的作业，直到 1942 年退休；还曾在梅萨比铁公司任职。

jackrabbit 杰克兔 北美的一种普通*野兔*（**hare**）。

jacks（game） 参阅 **jackstones** *抛接子游戏*。

Jackson 杰克逊 美国怀俄明州迪顿县县城。位于迪顿山脉南端，斯内克河北岸。1807 年猎兽者 J.科尔特率先来此，另一猎兽者 D.杰克逊于 19 世纪 20 年代也在此猎兽，附近地区后来建了几个大牧场，该镇即成为供应中心。现以旅游业为主。附近有大迪顿国家公园、杰克逊湖和国家驼鹿保护区。1897 年设镇。人口8 647（2000）。

Jackson 杰克逊 美国密歇根州中南部城市，杰克逊县县城（1832）。东距底特律 117 千米，濒临格兰德河。1829 年始建，1843 年设村，1857 年设市。1854 年 7 月 6 日共和党首届代表大会会址。为早期汽车工业中心，后仅生产汽车部件和轮胎，也生产钢、空调设备和飞机零件等。设有杰克逊社区学院（1928）。是密歇根空间中心所在地。斯珀克斯基金会资助的县立公园中有人造瀑布。人口：市 36 316；都会统计区 158 422（2000）。

Jackson 杰克逊 美国密西西比州城市、首府。在该州中西部，濒临珀尔河。与邻近的雷蒙德同为海恩兹县县城。路易斯安娜州新奥尔良以北 290 千米处。1792 年始有人定居。1820 年前为一贸易站。1822 年 4 月规划。1823 年设建制。1840 年通铁路。1903 年建造新州议会大厦，原有议会大厦（1833 ～ 1842 建）经修复辟为历史博物馆。20 世纪 30 年代，附近天然气田的发现提供了廉价燃料，促进了工业的发展。现为主要集散和交通中心。电子通讯和政府服务是主要经济收入，还有家禽加工业和汽车部件制造业。珀尔河防洪排涝工程及罗斯巴尼特水库（20 世纪 60 年代建）有工业、农业和游览之利。市内有米尔萨普斯学院（1890）、贝尔哈文学院（1883）、州立杰克逊大学（1877）、密西西比大学医疗中心（1955）和密西西比大学研究中心。每年举办密西西比艺术节（4 月）、州博览会（10 月）和牧人竞技会。人口：市约 184 256；杰克逊都会统计区约 440 801（2000）。

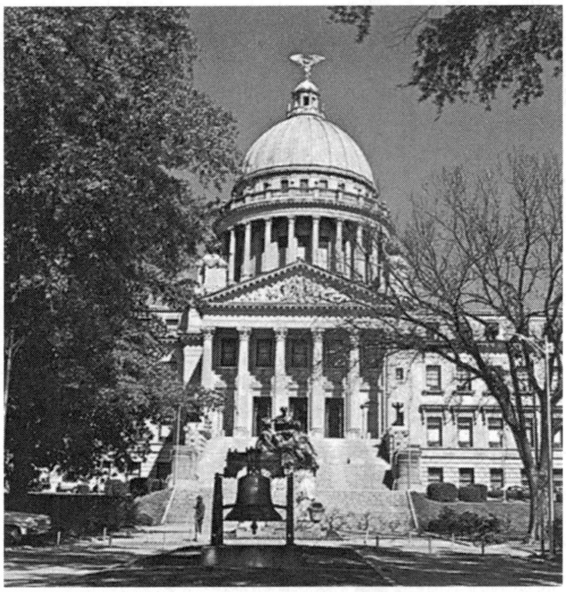

杰克逊市的新州议会大厦
美国不列颠百科全书公司供图

Jackson 杰克逊 美国田纳西州西部城市，麦迪逊县县城（1821）。西南距孟菲斯 130 千米。19 世纪 20 年代初始建，1823 年建镇，1845 年设市。初为福克德迪尔河港口、棉花转运点和铁路枢纽。创办协和大学（1825）、兰布斯学院（1843）和莱恩学院（1882）后，发展迅速。还设有州立杰克逊社区学院（1967）。经济多样化，以农业、工业和教育设施为主。生产纺织品、木材及纸制品、动力工具、电池、胶印版和铝箔。食品加工和软饮料装瓶业亦重要。市南的平森芒兹公园有史前神殿时期印第安人墓冢。西南的夏洛国家军人公园为南北战争时期 1862 年 4 月 6 ～ 7 日战役的战场。人口：市约 59 643；都会统计区约 107 377（2000）。

Jackson, A. V. Williams 杰克逊（1862-02-09，美国纽约州纽约市～ 1937-08-08，纽约市） 全称 Abraham Valentine Williams Jackson。美国语言学者，专攻印度伊朗诸语言，所编阿维斯陀语语法及《阿维斯陀语读本》（1893）为数代初学者所采用。1886 年获哥伦比亚大学哲学博士学位后担任该校讲师。他离开欧洲一个时期后，继续深造梵语、普拉克里特语、阿维斯陀语，1892 年发表其名著《阿维斯陀语-梵语比较语法》，该书以美国学者惠特尼的梵语语法为蓝本。自 1895 年起，在哥伦比亚大学任印度伊朗语教授达 40 年之久，以《古伊朗先知琐罗亚斯德》一书而成为伊朗宗教权威。曾四度去印度和伊朗（1901 ～ 1910），攀登悬崖，阅读并首次拍摄（1903）贝希斯顿铭文。所著《波斯今昔》（1906）和《从君士坦丁堡到奥玛开阳的家乡》（1911）两书，文字通俗而富有学术价值。

Jackson, Andrew 杰克逊（1767-03-15，南卡罗来纳瓦克斯霍地区～ 1845-06-08，美国田纳西纳什维尔附近赫米蒂奇） 杰出的军事家，美国第 7 任总统（1829 ～ 1837）。外号“老山核桃木”，是第一个来自阿巴拉契亚山脉以西地区的美国总统，也是第一个直接诉诸广大选民而当选的总统。从此他的政治行动通称“杰克逊民主”。生于卡罗来纳西部边境南、北卡罗来纳有争议的地区，两个州都宣称杰克逊是出生于本州的人。杰克逊坚持他生于南卡罗来纳，大部分证据也支持他的说法。这一地区的孩子几乎没有机会获得正规教育，而他获得的所谓学校教育为英军于1780～1781年入侵卡罗来纳西部而中断。

美国国会图书馆供图

1781 年他被英军俘虏。战争末期，他的母亲和两个兄弟死亡，都是英军入侵卡罗来纳造成的直接或间接的结果。这一连串的悲惨经历使杰克逊终生敌视英国。美国独立战争结束后，他在北卡州索尔兹伯里的一家法律事务所学习法律，1787年取得该州律师资格。

1788年他前往坎伯兰,任北卡西部地区(不久成为田纳西州)检察官,主要办理讨债案件,业务十分成功。

杰克逊对公众事务和政治的兴趣很浓。1796年成为新成立的田纳西州制宪会议的代表。同年当选为田纳西州首任联邦众议员。他不愿争取连任,因此仅任至1797年3月4日。同年年底,他当选为联邦参议员,1798年辞职。回到纳什维尔后不久,他被任命为州高级法院法官,直至1804年。1802年他还被选为田纳西州民兵少将,1812年战争中仍保持这一职位。1812年3月,当与英国的战争迫在眉睫时,他发出号令,征召5万名志愿军防备英军从加拿大入侵。1812年6月宣战后,杰克逊表示,他和他的民兵愿为联邦效劳。联邦政府授权他指挥这支部队与克里克印第安人作战,这些印第安人与英军结盟,威胁南部边疆。1813～1814年,经过约5个月的战斗,彻底征服了克里克印第安人,他们从此未敢再犯边境,杰克逊成为西部地区的英雄。

1814年8月,杰克逊挥师南下至莫比尔。他的真正的目标是夺取彭萨科拉西班牙要塞,以便为美国占领当时的西班牙属地佛罗里达铺平道路。他在莫比尔获悉,一支英国正规军已在彭萨科拉登陆。11月的第一个星期,他率军进入佛罗里达,11月7日占领该城。这时英军刚刚撤离该城,取道海上,向路易斯安那挺进。杰克逊遂经由陆路进军新奥尔良,于12月初抵达该地。两军分遣队之间的一系列小规模战斗导致1815年1月8日的**新奥尔良战役(New Orleans, Battle of)**,杰克逊的军队决定性地打败了英军,迫使它撤离。数天后,美英于1814年12月24日在根特签订和约。消息传至华盛顿,使杰克逊不仅是西部的英雄,并且成为全国广大地区的英雄。战争结束后,杰克逊被任命为南部地区司令。1817年12月,沿边界一带的骚动达到危险的程度。他下令进军佛罗里达,占领西班牙的两个要塞,并任命他的一个下级为佛罗里达的军事长官。这些大胆的行动立即激起西班牙的强烈抗议,并在华盛顿触发了一场内阁危机。国务卿J.Q.亚当斯坚决为杰克逊辩护,才使他免于受到国会的公开谴责。

1822年杰克逊在纳什维尔的一群朋友操纵田纳西州立法机关,正式提名他们的这位英雄为总统候选人。翌年这些朋友敦促州立法机关选举他为美国参议员,以显示他在家乡州所受到的欢迎程度。在1824年的大选中,有4位候选人获得选举人票。杰克逊得票最多,其他3人为:亚当斯、W.H.克劳福德和H.克莱。由于谁也没有得到过半数选举人票,因此要由众议院从得票最多的3人中选出总统。亚当斯在第一轮投票中即当选。他任命克莱为国务卿,这对杰克逊的支持者来说,似证实了亚当斯与克莱之间的"肮脏的交易"的谣传。杰克逊决定于1828年再次竞选美国总统,他以178对83张选举人票击败亚当斯当选。1828年的选举被普遍认为是美国政治史上的一个转折点。杰克逊的胜利表明政治权力中心开始西移。他是第一个通过直接诉诸广大选民而不是通过公认的政治组织的支持当选为总统的人。他的胜利被认为是民主政治的胜利。

杰克逊处理总统事务,正如他处理生活中的其他一切问题一样,每件事情刚一发生,他即采取措施。他在白宫,也如同在战场上指挥军队一样,显示出精力充沛和当机立断的特点。1829年3月4日杰克逊就任总统,他表示要与其前任断绝关系,这在1/4多的世纪里是第一次。数百名为杰克逊当选而奔走的人希望这将意味着在职官员们将由新总统的朋友来取代。数星期后,开始了免去杰克逊的反对者的官职而由其支持者代替的做法。其实,"轮流坐庄"也并非始自杰克逊,他也并不像人们指责的那样大力推行这一做法,在他担任总统的8年里,他撤换的联邦官员还不到1/5。

南卡罗来纳州反对高保护性关税,这一问题在1832年前一直没有解决。这一年国会领导人作出妥协,对关税进行适当降低。南卡罗来纳州并不满意,它通过决议,宣布1828年和1832年的关税法无效,从1833年2月1日起禁止在其境内实施。杰克逊对这一挑战作出反应,要求国会授权他派遣军队至该州强制执行法案。但他认为关税过高,要求国会降低税率。1833年3月1日,国会将一对法案——降低许多货物的关税的法案和授权总统使用武力以强制执行联邦法律的所谓《强制法案》——送交总统。南卡罗来纳州撤销其宣布关税法无效的法令,但同时宣布《强制法案》无效。

与此同时,杰克逊决定竞选连任。当1832年的选举临近时,杰克逊的反对者们向他提出一个令他进退两难的问题,合众国银行特许状将于1836年期满,支持杰克逊的强大的选民集团公开敌视合众国银行,杰克逊的对手于1832年夏急速通过给该银行重发特许状的法案,迫使杰克逊要么签署该法案,从而疏远他的大量的支持者,要么否决该法案,从而成为正常的银行业务的敌人。1832年7月10日,杰克逊否决该法案。这一行动成为在其第2个任期内始终存在的财政争议的序幕。他于1836年7月发布《硬币通告》,规定凡购买公有土地一律以黄金和白银支付。这一措施形成对硬币的需求,而许多银行却无法满足。西部银行破产的影响蔓延至东部,至1837年春,全国为金融恐慌所笼罩。

1837年3月4日,范布伦宣誓就任美国总统。杰克逊退隐至赫米蒂奇家园。在他最后的8年里,他实际上是个病人,但仍对公众事务怀有强烈的兴趣。对杰克逊行动的广泛认可,对随后半个世纪美国政治的特征产生深刻的影响。杰克逊的成功证明新的民主制度是正确的。1825～1837年间激烈的政治斗争导致两党制复兴。当1828年杰克逊当选总统时,他是一个派别而不是一个政党的候选人。他隐退时,他留下了一个生气勃勃和组织良好的民主党作为遗产。

Jackson, Charles Thomas　杰克逊(1805-06-21,美国马萨诸塞普利茅斯～1880-08-28,马萨诸塞萨默维尔)　美国医师、化学家、地质学及矿物学的先驱。最早进行乙醚麻醉的实验,并因此卷入一场现代医学史上最激烈的争执之中。曾于哈佛医学院及巴黎大学学医,又在皇家矿业学院学过地质学。初开业行医,后弃医从事分析化学的教学。曾与他的学生W.莫顿一同研究用化学药品进行无痛牙科手术的方法。H.韦尔斯告诉莫顿乙醚可用于局部麻醉,1846年9月又接受杰克逊的建议,吸入给药,10月,莫顿成功地进行了乙醚麻醉示范。但杰克逊宣称他早在1842年已发明乙醚麻醉,莫顿是个骗子,并与之进行了几年的争执和诉讼。在其他事件中亦表现出其好争论的癖性。1832年杰克逊识S.莫尔斯,后又宣称曾将电报的基本原理告诉过莫尔斯,并为此挑起数年的诉讼。后受政府委派去研究苏必利尔湖区的情况。但他的成就主要还是在地质学方面。1873年因精神病而入精神病院,在医院度过余年。

Jackson, Glenda　杰克逊(1936-05-09,英国柴郡伯肯里德～　　)　英国舞台和电影女演员。出身工人家庭,16岁辍学加入业余剧团,后获得伦敦皇家戏剧艺术学院奖学金。毕业后被彼得·布鲁克选中参加其"残酷剧院"的时事讽刺剧演出,奠定了她的事业基础。1964年在伦敦和1965年在纽约演出《马拉—萨特》,她在剧中扮演夏洛蒂·科迪,一举成名。1967年她将这一角色搬上银幕。她早期的影片趋向于把她定型为扮演极其神经质的角色,但70年代她获得的成就表明她是位真正多才多艺的演员。1970年她在K.拉塞尔的影片《恋爱中的女人》中的表演为她赢得国际声誉,并获奥斯卡最佳女演员奖。她随后主演了《音乐爱好者》(1971)、《星期天,血腥的星期天》(1971)和《接触社会》(1973),后者为她再度赢得奥斯卡奖。她在银幕上通常扮演的是一个富有聪明才智、略带讥讽的孤身女人,既有强烈的个性又具有性感的魅力。她在英国广播公司的电视系列片《伊丽莎白·R》(1971)和影片《苏格兰女王玛丽》(1971)中扮演伊丽莎白一世。她出演的其他影片有《赫达》(1975)、《斯蒂维》(1978)、《士兵的归来》(1982)和《海龟日记》(1985)。1992年杰克逊以工党候选人身份当选下院议员。

Jackson, Helen Hunt　杰克逊(1830-10-15,美国马萨诸塞阿默斯特～1885-08-12,加利福尼亚圣弗朗西斯科)　母家姓菲斯克。美国女诗人、小说家。以长篇小说《拉蒙纳》而闻名。第一个丈夫是个军官,她也随着过从兵营到兵营的流动生活,在丈夫和两个儿子前后去世后,才于1863年开始写作。1875年与威廉·杰克逊结婚,移居科罗拉多。她是多产作家,主要以维护印第安人利益的作品为人们怀念。《百年耻辱》(1881)指责美国政府对印第安人的政策。后被任命为调查印第安人处境的一联邦委员会成员,为她写《拉蒙纳》(1884)提供了素材。该书激起公众义愤,但书中对古老加利福尼亚的神奇描绘却更为读者所称道。

Jackson, Henry (boxer)　杰克逊　参阅 **Armstrong, Henry 阿姆斯特朗**。

Jackson, Howell E.　杰克逊(1832-04-08,美国田纳西帕里斯～1895-08-08,田纳西纳什

维尔附近） 美国律师和最高法院大法官(1893～1895)。曾在田纳西州的杰克逊城和孟菲斯城开业当律师，一直到南北战争爆发。在南北战争期间他为南部邦联工作，担任被扣押财产的代管人。战后他在律师业中颇负盛名，1880年他以民主党人的身份被选入州议会。当派别之争使得州议会不能同意任何民主党候选人进入美国参议院时，杰克逊的名字由一位共和党人提出，而且他在第一轮选举中当选。1886年克利夫兰总统任命他为第六巡回区的联邦法官；1891年他担任辛辛那提新成立的巡回上诉法院的第一任首席法官，在该院服务成绩卓著。当1893年最高法院出现空缺时，哈里森总统即任命杰克逊为该院大法官。他在被任命以后不久即患肺病，很少参与法院的工作。

Jackson, Janet **杰克逊**(1966-05-16，美国印第安纳加里～) 全名Janet Damita Jo Jackson。美国歌手、演员，以日益成熟的流行舞曲成为80、90年代最受欢迎的艺术家之一。在音乐、电视和电影领域都有辉煌的成就。70年代出演电视系列喜剧《美好时光》和以舞蹈为主的连续剧《名望》。1982年的首张唱片和1984年的第二张唱片反应平平。1986年的第三张专辑《控制》取得巨大突破，5首单曲登上节奏与布鲁斯排行榜榜首，其中《你最近为我做了什么》和《令人不快》打入流行音乐排行榜前十名。其明星地位堪与其兄迈克尔媲美。她的流行舞曲热情豪放、节奏强烈，体现了80年代的活力和力量。1989年推出的专辑《节奏王国1814》题材广泛，其中7首单曲打入前十名，包括《很想你》、《胡作非为》和《没有你就没有爱》。90年代的专辑《珍妮特》(1993)、《十年精选》(1995)和《华丽的冒险》(1997)仍大受欢迎。进入21世纪，推出了《全都为了你》(2001)和《珍妮·杰克逊专辑》(2004)。

Jackson, Jesse **杰克逊**(1941-10-08，美国南卡罗来纳格林维尔～) 全名Jesse Louis Jackson。美国民权运动领袖、浸礼会牧师和政治家，第一个认真竞选美国总统(自

美国不列颠百科全书公司供图

1983～1984年起参加民主党提名竞选)的黑人。他的进步观点常激起强烈的争议。杰克逊出身于贫苦家庭，靠奖学金进入伊利诺伊大学(1959～1960)，后转学到黑人占大多数的北卡罗来纳农技学院，1964年获社会学学士学位。1966年前往芝加哥，在芝加哥神学院从事研究生工作，并于1968年被授予浸礼会牧师之职。在大学本科学习时，杰克逊即投身于黑人民权运动。1965年去亚拉巴马州塞尔马，参加马丁·路德·金领导的示威游行，成为金所主持的南方基督教领袖大会的一名工作人员。1966年参与创建该会的经济组织"面包篮计划"芝加哥分支机构，并于1967～1971年担任该组织的主任。1971年建立"拯救人类人民同盟"，这是一个以芝加哥为基地的广泛组织。在该组织中，他主张黑人自助，他的许多自由主义观点受到很多人的欢迎。他四处游说，会见众多著名的政治领袖，并努力对一些国际问题和争执进行调解或促使人们注意，在国际上名声大振。尽管对其独特的领导方式褒贬不一，杰克逊还是具有相当大的政治影响。他的选民登记运动是使1983年4月芝加哥第一任黑人市长华盛顿当选的关键因素。1989年定居于首都华盛顿(哥伦比亚特区)。1990年华盛顿市议会设立两个"州级地位参议员"——通称"影子参议员"——的义务职位，在美国国会进行游说，为哥伦比亚特区争取州级地位时，杰克逊当选为"影子参议员"之一，这是他担任的第一个选任职务。1997年被克林顿总统任命为非洲特使，赴非洲推动人权和民主。同年，杰克逊建立了华尔街项目，用于给少数民族提供更多的在美国商界发展的机会。21世纪初，杰克逊卷入几起纠纷，被控财务违规和可疑的资金筹集方式。2001年又爆出他有一非婚生子的新闻，使人们质疑他担当精神领袖的资格。但杰克逊继续坚持社会活动，四处演讲，领导抗议活动。2000年，获得总统自由勋章和芝加哥神学院的神学硕士学位。

Jackson, John Hughlings **杰克逊**(1835-04-04，英国约克郡[今在北约克郡]格林哈默顿～1911-10-07，伦敦) 英国神经病学家。他对癫痫、言语障碍和由于大脑与脊髓受损而引起的神经系统疾患的研究，至今仍是神经病学中最有用、最有事实根据的资料。他曾在伦敦国立瘫痪和癫痫医院及伦敦医院任职。1864年发现右利人的失语症与左大脑半球疾患有联系，证实了P.白洛嘉的发现(右利人的言语中枢在左大脑半球，而左利人则反之)。也最先说明异常的心理状态可能来源于大脑结构受损，1863年发现癫痫性惊厥(今称杰克逊氏癫痫)，1875年他查明其病因是大脑皮质的运动区的损伤。他对于癫痫的研究开创了大脑病灶临床定位的新方法及对大脑功能定位的研究。1873年他对癫痫所下的定义(大脑细胞"突然、过多而迅速的放电")已为脑电图所证实。

Jackson, Mahalia **杰克逊**(1911-10-26，美国路易斯安那新奥尔良～1972-01-27，伊利诺伊芝加哥附近埃弗格林公园区) 美国宗教歌曲歌唱家，号称"福音歌曲皇后"。童年即在其父任星期天传教士的新奥尔良小教堂唱诗班唱歌，在极其严格的宗教环境中成长。在学习宗教歌曲的同时也在朋友和邻居家中熟悉了B.史密斯和I.考克斯等蓝调歌手的唱片。她们的切分音唱法被她用入宗教歌唱。16岁去芝加哥在不同场合打零工，后又随一福音歌唱家五重唱团巡回演出，积攒足够资金后先后开办美容院和花店，并投资房地产。杰克逊的出众嗓音最早获得广大听众注意的是在20世纪30年代，那时她参加一个在全国各地巡回演出的福音演唱团，演唱《整个世界在他手中》、《我能信赖耶稣》，并录制第一张唱片《上帝将把麦子与杂草分开》(1934)。其后她的唱片销售量以百万计，声誉鹊起，超越黑人社团范围，结果促成她于1950年10月4日在纽约的卡内基音乐厅首次登台亮相。继多次在电台和电视台演出后，她又在国内外巡回演出，其中包括在1958年纽波特爵士音乐节上与D.埃林顿合作演出他的福音间奏曲《黑色、棕色、米色》。自1955年起，杰克逊前往亚拉巴马州蒙哥马利声援马丁·路德·金的公共汽车罢工后，便积极参与黑人民权运动。1963年在金发表他那口若悬河的演讲《我有一个梦想》的华盛顿集会上演唱。

Jackson, Maynard **杰克逊**(1938-03-23，美国得克萨斯达拉斯～2003-06-23，弗吉尼亚阿灵顿) 全名Maynard Holbrook Jackson, Jr.。美国律师和政治人物。1956年获得莫尔豪斯学院政治学及历史学学士学位，1964年获得北卡罗来纳中央大学法学院法学博士。曾任亚特兰大市全国劳资关系委员会律师。作为民主党员，1968年首次竞选参议院议员失败，但受到公众注意，1969年当选亚特兰大市副市长。1973年在竞选中战胜白人市长成为该市首位非洲裔美国人市长，被普遍视为"新南方"的转折点。他通过市政合同确保少数民族分享到城市发展带来的繁荣。其主要业绩之一为"提前竣工并低于预算"扩建哈茨菲尔德国际机场。他致力于改革警察部门，保持社会稳定。1977年再次当选。他被禁止第三次连任，转向支持A.扬为候选人。后担任市公债代理人。在第三次市长竞选中赢得近80%的选票。任期内争取亚特兰大成为1996年夏季奥运会主办城市。因健康原因不再谋求继续连任。后自办公司，重操债券业务。

Jackson, Mercy Ruggles Bisbe **杰克逊**(1802-09-17，美国马萨诸塞哈德威克～1877-12-13，马萨诸塞波士顿) 美国医生、教育家。在医学界，她是争取女性准入的先锋。受过当时最好的教育。1823年6月与R.J.比斯比结婚，婚后迁往康涅狄格州哈特福德，后又去了缅因州的波特兰。1829年丈夫去世，为求生计，她开办了一家女子学校，一直到1832年。后又改为经营服装店。1835年在马萨诸塞州普利茅斯与C.D.杰克逊结婚。长期以来，她一直对医学很感兴趣，尤其是儿科治疗学，因为她是11个孩子的母亲。1848年，普利茅斯的一名医生开始给她送书送药，同时也把她的这种源于母性的兴趣变成了动力，且她很快就熟练地掌握了所谓顺势疗法的治疗技术。1852年丈夫去世后，她进入新英格兰女子医学院上学。1860年毕业后到波士顿开业行医。次年，申请加入美国顺势疗法学会，但因性别原因被拒。以后每年都申请，直到1871年才被接纳为三个女性会员之一。两年后费城和波士顿的顺势疗法学会也

接纳她为会员。1873 年，她被新开办的波士顿大学医学院任命为儿科学助理教授，一直工作至去世。她还是一名禁酒运动和女权主义的支持者，也时常为波士顿妇女杂志撰稿。

Jackson, Peter **杰克逊**(1861-07-03，维尔京群岛圣克罗伊岛～1901-07-13，澳大利亚昆士兰罗马)　澳大利亚职业黑人拳击运动员。由于种族歧视，年轻力壮时没有机会争夺最重量级世界冠军。1886 年获澳大利亚最重量级冠军，1892 年又获英帝国冠军。1891 年 5 月 21 日在旧金山与科贝特鏖战 61 回合不分胜负，当时科贝特尚未成为世界冠军。1898 年 3 月 22 日在旧金山经过 3 个回合败于杰弗里斯。

Jackson, Reggie **杰克逊**(1946-05-18，美国宾夕法尼亚温科特～　　)　美国职业棒球运动员，属美国棒球联盟。1968 年加入堪萨斯市竞技队。是著名本垒打运动员，并以其使大批击球员三击不中出局著称。自幼受父亲(西班牙人)鼓励从事体育运动。他也是优秀的跑垒员、杰出的外场手，常常能接到人们认为很难接到的球。1973～1975 年在联盟中居本垒打之冠。1973 年在世界系列赛中击球率为 0.310，在奥克兰获胜的第六场比赛中，该队所得 3 分由他击球独得。在关键的第七场比赛中，他击出 2 个本垒打。1980 年本垒打纪录居联盟首位。在 1977 年世界系列赛的最后一场比赛中，连续击出 3 个本垒打，共得 5 分，使扬基队以 8 比 4 获胜。在 1978 年世界系列赛中，击球率为 0.391，并击出 2 个本垒打。1973 年后主要任不执行防守的指定击球员。

Jackson, Robert H(oughwout) **杰克逊**(1892-02-13，美国宾夕法尼亚斯普林河～1954-10-09，华盛顿[哥伦比亚特区])　美国最高法院大法官(1941～1954)。由于学习成绩优异，在他还在未成年时就经特别许可为他受理的第一个案件进行辩护；21 岁时获得了律师资格。他在纽约州的詹姆斯敦担任各个市政机构的法律顾问，并在 1929 年证券市场崩溃之后协助将该市的三个财政机构合并，随后担任合并实体的董事。他积极支持纽约州州长富兰克林·罗斯福。罗斯福任命他为一个研究州司法制度委员会的委员。罗斯福当选总统后，他被任命为国内税务局的总法律顾问，在该局最显著的成就是对金融家安德鲁·梅隆逃避所得税进行了成功的起诉。他还担任财政部和证券与外汇委员会的特别顾问，并担任税务处和后来的反托拉斯处的助理检察长。罗斯福总统于 1938 年任命他为美国司法部副部长，1940 年任命他为司法部部长。在担任这些职务期间，他是"新政"立法的主要的法律方面的阐述人。他作为司法部长，应罗斯福的要求，起草了一个意见书，就 50 艘超龄驱逐舰移交给英国换取美国从英国获得几个军事基地一事进行辩护。1941 年罗斯福任命他为最高法院大法官。他最初的一些意见，反映了他的自由派的国家主义观点。在"爱德华兹诉加利福尼亚州"一案(1941)中，加利福尼亚州关于禁止穷苦农业季节工进入该州的"流动农业工人"法被宣布为违反宪法。杰克逊在该案中坚持认为，公民权保证公民可以在美国国内自由流动。他还强烈主张政教分离。但是，他维护宪法第一修正案所保障的权利，却被他关心维持公共秩序和安全所抵消，导致他同意最高法院在第二次世界大战期间所作的一些反对共产党和赞成强制收容日本人的裁决。杰克逊曾暂时离开最高法院去纽伦堡担任审判前德国领导人的美国首席检察官。他主要负责为国际军事法庭建立法律基础，这种基础体现在它的章程中；他还从缴获的纳粹文件中为起诉提供了大量材料。由于缺乏担任检察官的经验，他对赫尔曼·戈林和其他被告人进行的盘问平淡无奇。1946 年回到最高法院。

Jackson, Sheldon **杰克逊**(1834-05-18，美国纽约米纳维尔～1909-05-02，北卡罗来纳阿什维尔)　美国基督教长老会牧师、教育家。曾就学于协合学院和普林斯顿神学院。1869 年任美国中西部一些州的传教会监督，所管辖范围逐步扩大到半个美国。1877 年以后主要在阿拉斯加活动，引进西伯利亚驯鹿作为爱斯基摩人的食物来源。

Jackson, Shirley (Hardie) **杰克逊**(1916-12-14，美国加利福尼亚旧金山～1965-08-08，佛蒙特北本宁顿)　美国女小说家，以短篇小说《彩票》闻名。1940 年毕业于锡拉丘兹大学，与文学评论家 S.E.海曼结婚。1945 年定居北本宁顿。《生活在野蛮人中间》(1953)和《唤起魔鬼》(1957)用小说形式风趣、幽默地回忆了他们同 4 个孩子的生活。它们轻松、滑稽的格调与她其他作品暗淡的悲观气氛形成明显的对比。评论家对小说《彩票》的意义有过不少争论，1948 年最初发表在《纽约人》时曾激起广泛的公愤。她所完成的 6 部小说，特别是《闹鬼的希尔家宅》(1959)和《我们一直住在城堡》(1962)，进一步奠定了她作为哥特式恐怖和心理悬念大师的声誉。

Jackson, Shoeless Joe **杰克逊**(1888-07-16，美国南卡罗来纳格林维尔～1951-12-06，格林维尔)　Joseph Jefferson Jackson 的别名。美国职业棒球运动员，技术极为全面，最后因黑袜丑闻遭禁赛。出身贫困家庭，6 岁就到纱厂做工。幼年多病，成年高而瘦，但手臂长而壮。13 岁就成为出色的球员。人送外号"赤脚乔"，因为有一次穿新球鞋磨出了泡，不穿鞋就上场，打出一个清垒的三杀，以致对方球迷高喊"你这个赤脚的私孩子！"他使用的胡桃木球棒"黑贝齐"长 91 厘米，重 1.4 千克，超过现在的球棒 340 克。19 岁时费城运动家队的老板麦克签约要他，他却因为思念妻子凯蒂而跑回格林维尔。麦克分配他到萨凡纳队，那个赛季击球率 0.358，在全联盟最高。1910 年转会到克利夫兰耐斯队(后来的印第安人队)，在大联盟的头一个赛季，击球率高达 0.407。1915 年芝加哥白袜队老板 C.科米斯基以 6.5 万美元将他买下，由此成为这个锦标队的球星。第一次世界大战后玩世不恭之风在美国日益流行。在棒球界，赌博和内定胜负之事在大联盟的各城市公开进行。白袜队输掉了 1919 年的比赛，科米斯基不顾队员们对减少报酬的怨恨，还不发奖金。于是 8 个队员合谋在世界职业棒球锦标赛中输给辛辛那提红人队。在这桩后来被称作黑袜丑闻的预定胜负勾当里，8 个球员也都没有落得好下场。赌博的人没有按约定付给他们钱。大陪审团传讯时，约翰逊供认不讳。后来这 8 个球员被宣告无罪，但法官裁定禁止他们再从事职业棒球运动。整个 20 和 30 年代，约翰逊都只得化名在各地非法打球，几次申请恢复职业资格，均被驳回。1951 年因心脏病突发去世。死后几十年球迷们还都对他念念不忘。他的黑贝齐球棒曾在纽约棒球名人堂展出，尽管他的总击球率达到 0.356，却一直未能入选棒球名人堂。

Jackson, Thomas Jonathan **杰克逊**(1824-01-21，美国弗吉尼亚克拉克斯堡～1863-05-10，弗吉尼亚吉尼基地)　美国南北战争时期邦联军将军，最杰出的战术家之一，因在第一次布尔溪战役(邦联军称第一次马纳萨斯战

美国国会图书馆供图

役)中的杰出表现而获"石墙"的著名绰号。自幼父母早亡，靠亲戚抚养，少年时代接受正规教育极少。1842 年进西点军校；以第 17 名的成绩从该校毕业后，任炮兵少尉。在墨西哥战争期间结识后来成为南军总司令的罗伯特·李将军，并在作战中显示自己作为军人的优秀素质：足智多谋、沉着勇敢。战争末期升为中尉，并名誉晋级为少校军衔，在驻墨西哥城的占领军中任职。1851 年自愿去弗吉尼亚军事学院，教授炮兵战术和自然哲学。虽然工作勤奋，但乏善可陈。南北战争爆发后，受命率弗吉尼亚军事学院学员从列克星敦开赴里士满，不久晋升上校衔，并负责将该州志愿人员编成一个旅参加邦联军。这使他很快享有盛名并得到升迁。他在邦联军中的第一项任务是据守哈珀斯费里，J.E.约翰斯顿指挥河谷地区邦联军后，杰克逊任旅长，撤至便于防御的温切斯特。1861 年 7 月，联邦军开始入侵弗吉尼亚。他在布尔溪地区率其旅组成坚强防线抗击了优势敌军的进攻，赢得了"石墙"的著名绰号。1862 年春，在谢南多厄河谷哈珀斯费里的战斗中，运用牵制战术成功地阻止联邦军增援，他通过快速机动、各个击破联邦军部队，他的战略对后来李将军取得七天战役的胜利作出了贡献。4 月他进攻弗吉

尼亚西部山区,5月24日~25日将N.P.班克斯将军的部队逐出温切斯特并退缩至波托马克河。他迅速将作战重点转至河谷地区南端,受命将部队通过公路和铁路调往里士满,包围麦克莱伦的右翼。因缺乏大规模作战经验而迟到一天,仅击溃敌军,使麦克莱伦部队撤出半岛。在第二次布尔溪战役中他机动至J.波普将军的后方突击,重创联邦军。后来R.李将邦联军编为2个军,1862年12月杰克逊任第二军少将军长。1863年4月J.胡克将军试图进攻华盛顿以南拉帕汉诺克河畔的邦联军阵地。李将军再次分兵,以1万人正面迎击胡克的部队,而令杰克逊率主力隐蔽机动至敌军右翼。这次机动取得完全成功,5月2日夜间杰克逊率部对联邦军侧翼发起突然袭击,他在组织追击的过程中,遭到己方流弹误伤,被截去左臂,后因并发肺炎一周后不治身死。毫无疑问,杰克逊是R.李将军手下最有才干的将领。两人优势互补,杰克逊配合极为默契。他集执着追求理想的热情与积极进取的战斗精神于一身。他治军极严,深受部属信赖并在其领导下英勇作战;在作战指挥上,善于采取快速机动和突袭战术,能高度隐蔽自己的意图,出奇制胜。

Jackson, William 杰克逊(1730-05-29,英国德文埃克塞特~1803-07-05,埃克塞特)英国作曲家和音乐评论家。其歌剧《庄园主》(1780)曾上演多年。1777年起任教堂风琴师和唱诗班指挥。其他著名作品有:《12首歌曲》(1755)、《二声部坎佐内特12首》(约1770)。著有《伦敦音乐界现况》(1791)、《论述多种问题的30封信》(1782)及自传《四个时期》(1798)。他是一位业余画家,与T.庚斯博罗是至交。

Jackson, William Henry 杰克逊(1843-04-04,美国纽约基斯维尔~1942-06-30,纽约市)美国摄影家,以拍摄美国西部风景照片闻名。孩童时就在纽约州特洛伊为一家照相馆画布景和修底片。南北战争以后,在内布拉斯加州的奥马哈开设一家照相馆,拍摄当地印第安部落的生活情况和联合太平洋铁路公司铁路沿线风光。1870~1878年,他是美国地质和地理调查局的官方摄影师。在1871年的勘测过程中,他拍下的怀俄明州西北部奇景,对1872年黄石国家公园的建立起了很大作用。1872年拍摄大蒂顿山脉(今大蒂顿国家公园)的风景照片,1874年拍摄科罗拉多的悬崖洞穴(今弗德台地国家公园)的照片。1879年,勘测完成后,他又在科罗拉多州的丹佛开设了一家照相馆。

Jackson Hole National Monument 杰克逊洞国家保护区 美国怀俄明州西北部一个肥沃的山谷和野生动物保护区。大部分在**大蒂顿国家公园(Grand Teton National Park)**界内。

jacksonian epilepsy 杰克逊氏癫痫 又称杰克逊氏发作、部分性癫痫。表现于躯体一侧的局限性发作。通常由一侧面部、足趾或手指的颤搐开始,然后波及同侧躯体的其他肌肉。病理基础为大脑皮质中司随意运动部位的损害或缺陷,如脑肺吸虫病。参阅**epilepsy**。

Jacksonville 杰克逊维尔 美国阿肯色州中部珀拉斯凯县城市,在小石城东北24千米处。南北战争前已有人定居,但直至19世纪60年代修建开罗—富尔顿铁路始得发展。1870年命名。为农产品集散地。第二次世界大战后兴起多种工业。1950年后,小石城空军和导弹基地的建成促进了该市发展。生产铝制炊具、激光器、木柜、墙纸。人口约29 916(2000)。

Jacksonville 杰克逊维尔 美国佛罗里达州东北部迪瓦勒县城市和首府(1822)。在大西洋圣约翰河口处。1968年合并迪瓦勒县大部分,成为美国面积最大的城市之一(2 178平方千米)。是该州人口最稠密地区的核心。当地卡罗林堡国家纪念地原为该州最早欧洲人殖民地(1564)。该城于1822年兴建,1832年设建制,成为县城。南北战争后的重建时期,发展为冬季旅游胜地。港口改建后工业发展。现有深水港口,为该州运输和商业中心,美国东南部批发贸易中心,摩托车为大宗商品之一。是公路网和铁路网的枢纽。1968年国际机场亦建成。涉及保险、医疗、金融的服务业是当地主要经济活动。工业产品有隐形眼镜和纸制品。造船业、渔业、旅游业也是重要产业。游览和会议设施主要包括附近的海滩地区、民政礼堂、圣约翰斯河公园、动物园和体育中心。设有杰克逊维尔大学(1934)、佛罗里达社区学院(1963)、北佛罗里达大学(1972)、琼斯学院(1918)、卡默美术馆、杰克逊维尔艺术博物馆以及海登博恩斯图书馆。人口:市约735 617;都会统计区约1 100 491(2000)。

Jacksonville 杰克逊维尔 美国伊利诺伊州中西部城市。1825年规划为摩根县县城。1867年设建制。迅速发展为教育和宗教城市。设有伊利诺伊学院(1829)、麦克默里学院、伊利诺伊聋人学校(1839)、杰克逊维尔精神卫生与发展中心(1846)、伊利诺伊盲人学校(1849)。该市现为附近富庶农业区的销售中心,也有食品加工、书籍装订等轻工业,还生产盒式磁带、光盘等。人口约18 940(2000)。

Jacksonville 杰克逊维尔 美国北卡罗来纳州东南部城市,昂斯洛县县城(1755)。濒临纽河口,威明顿市东北80千米处。约1757年始有人定居,1842年设镇,1955年设市。初为狩猎村和渔港,1941年建立纽河水上运输基地,使其经济有所变化。1965年创设卡罗来纳滨海社区学院。人口:市约66 715;都会统计区约150 355(2000)。

Jacksonville 杰克逊维尔 美国俄勒冈州西南部杰克逊县城市。位于梅德福之西,杰克逊溪畔。1851~1852年为采矿营地。1860年设市,1884~1927年为县城。20世纪20年代矿业衰落,居民减少。市内现有俄勒冈州保存完好的殖民史迹。设有杰克逊维尔博物馆和玩具博物馆。美国饭店(1880)和希尔赛德圆形剧场为每年举行P.布里特音乐艺术节的地方。人口2 235(2000)。

jackstones 抛接子游戏 又作jacks,dibs或fivestones(五石游戏)。风行世界各地、历史悠久的一种游戏。现在一般用碎石、拐子(距骨)、籽粒、布包、金属弹或塑料弹,有的可加一球。山羊、绵羊等动物的膝关节、腕骨或踝骨也一直用于抛接。乌克兰境内基辅地区史前人类居住的洞穴中曾发现抛接子游戏用的物件,古希腊陶罐上有抛接子游戏的图案。传统玩法是:一手将至少5个子抛入空中,再用手心或手背接住,接住者得分,否则失分。美国和加拿大女孩使用6~12个或更多的六齿片(用铁或塑料制成)和一枚小球。玩时把六齿片撒在地上,然后把球向上抛起,设法单手拣起六齿片并抓住从空中掉下尚未弹跳起来的球。在中欧的部分地区,女孩用6颗籽粒,右手左手轮替投抓。埃及儿童用10颗以下的杏核,将全部杏核撒在地上,然后将其中一颗拾起,抛入空中,先尽快将地上的杏核抓起然后再接下落的一颗。东欧犹太小孩用5颗拐子。日本人和中国人一般使用装有大米、沙砾或豆粒的布包。将包扔在桌上,拾起其中一只,抛入空中,此时先从桌上拾起另一只包,再去接下落的包;如此反复,将桌上全部包拾起后握在手中为一局。

jackstraws 挑棒游戏 又作spillikins或pickup-sticks。儿童或成人用细木签、麦杆或火柴进行的一种技巧性游戏。18世纪初棒由象牙或骨头做成。后来用木棒或塑料棒。游戏开始时,一人把一束(约20~50根)细棒握在手中,竖立在桌面或其他平滑面上,然后突然松手,使细棒倒成一堆。每人轮流设法逐一拾取,如果触动其他细棒,就改由另一人拾。最后得细棒数最多者为胜。有人说它起源于中国。

Jacmel 雅克梅勒 海地南部沿海的城市和港口,越过蒂比龙半岛往东北去太子港39千米。城市坐落在俯瞰棕榈树环抱的雅克梅勒海湾的一个山坡上,法国统治年代作为蔗糖、咖啡和棉花的装船转运港而繁荣,现在仍是香蕉、可可和蜂蜜等产品的贸易中心。1980年左右建成一条通往太子港的良好公路后,海湾成了旅游胜地,拥有一些小旅舍。人口约216 600(1988)。

Jacob 雅各 又称以色列。希伯来人的祖先。亚伯拉罕之孙,以撒之子。以色列人传统以他为本民族的祖先。据《圣经·旧约·创世记》载,雅各是以东人的祖先以扫的孪生弟弟,用欺骗的手法窃取长子名分。以后,在前往亚兰人部落途经伯特利时得到上帝的特别启示。雅各娶两个表妹利亚和拉结为妻,为此共为舅父拉班劳动14年。又经6年积累大量财富,然后返回巴勒斯坦,在毗努伊勒第二次得到上帝启示。他同以扫言归于好,定居于迦南。他有12个儿子,其中10个创建了以色列各部族。6个是利亚所生,2个是拉结所生,另外4个是2个使女所生。晚年率领众子逃荒迁往埃及,投奔他的儿子*约瑟*(**Joseph**)。雅各147岁时死在埃及,葬在希伯伦附近的迦南。

Jacob(Congo) **雅各布** 参阅 **Nkayi** *恩卡伊*。

Jacob of Serugh **雅各(塞鲁格的)**(451,叙利亚库尔坦[今古尔特曼]～521-11,奥斯罗伊那巴特南[今在土耳其]) 叙利亚基督教著作家,博学而圣洁,人称"圣灵之笛、虔诚教会之琴"。519年任塞鲁格境内巴特南主教。其同代人和近世学者认为他属正统派,但从他的4封书信中可看出,他是基督一性论者。所著散文中有对话、节日讲道词6篇以及书信多篇,此外还著有宣教诗歌760首。

Jacob, François **雅各布**(1920-06-17,法国南锡～) 法国生物学家。与A.利沃夫和J.莫诺一道发现细菌中的调控活动,并因此同获1965年诺贝尔生理学或医学奖。1947年在巴黎获医学博士学位,1954年获理学博士学位。他们三人的工作大部分在巴黎的巴斯德研究所进行,他于1950年入该所任研究助理。1960年他任研究所细胞遗传学研究室主任,1965年后兼任法兰西学院细胞遗传学教授。1977年成为科学院院士。雅各布等发现,细菌的基因呈线性排列成环状,该环几乎可在任何一处切断。1958年,雅各布和莫诺开始合作研究细菌酶合成的调节。他们的主要贡献之一是发现了调节基因。他们还提出有某种RNA信息载体存在。雅各布与莫诺又认为存在一种将遗传信息携带到细胞其他部分的RNA信使(DNA的部分复制品)。还发现,正常细胞中调节基因和结构基因之间的平衡使细胞能够适应各种环境;打破这种平衡却能刺激那些对细胞或有益或有害的新酶的产生。

Jacob, Georges **雅各布**(1739-07-06,法国舍尼～1814-07-05,巴黎) 法国一家具工匠家族的创业人。最早大量采用桃花心木制作家具的工匠之一,所作雕花木器尤为杰出。出身于勃艮第的农民家庭,16岁赴巴黎,在L.德拉努瓦处当学徒。曾为王后玛丽-安托瓦内特和其他王室成员制作椅子。大革命后声誉日隆。经画家J.-L.大卫介绍,为公安委员会制造家具。1796年退休,由儿子乔治和弗朗索瓦-奥诺雷接替业务。7年后,乔治逝世,他又重操旧业,主要因为波拿巴家族制作家具而闻名。

Jacob, Max **雅科布**(1876-07-12,法国坎佩尔～1944-03-05,法国德朗西) 法国诗人。在20世纪初探索现代诗新方向时曾起决定性作用。所写作品是犹太人、布列塔尼人、巴黎人和天主教徒等成分的复杂混合物。1894年离开故乡布列塔尼前往巴黎,生活极端拮据,但在立体主义形成时期,终于成为蒙马特尔区的一个重要人物。他是立体派画家毕加索、格里斯和诗人阿波里耐的朋友。1909年改信基督教,1915年成为天主教徒,但他继续摇摆于悔悟与放荡不羁之间,1921年才开始过半退隐的生活,以卖画为生。第二次世界大战时,被关进巴黎附近的德朗西集中营,并死在那里。他的作品卷帙浩繁,其中突出的有《骰子盒》(1917),一部超现实主义的散文诗集;抒情诗《中央实验室》(1921)、小说《圣马托雷尔》(1909)和诗文集《达尔杜弗的辩护》(1919),均描述他的宗教体验;《崇高的牺牲》(1929)和他的《通信集》显示了他毫不容情的自省和遐思,透露改宗者深邃的苦恼,担心入地狱,而渴望升天堂。他影响了同时代许多人,在他的晚年,周围还有一群忠于他的年轻和年老的艺术家。

Jacob ben Asher **雅各·本·亚设**(1269?,科隆?[德国]～1340?,卡斯蒂利亚托莱多[西班牙]) 犹太教学者,所著犹太教律法汇编《四类书》(1475年全书出版),把全部律法系统地分为四类,这种编排法为后世律法分类确立了典范。直到1565年卡洛的《布就筵席》发表以前,《四类书》一直是律法汇编中的标准,这一点与雅各·本·亚设的父亲和迈蒙尼德的著作不同。此书选材严格,15世纪已成为除《圣经》以外犹太人最常用的书,拉比断案也以之为据。此书所收大部分律法主要依据《塔木德》时代以后各拉比的意见,而不是《塔木德》本身。

Jacob ben Machir ibn Tibbon 参阅 **ibn Tibbon, Jacob ben Machir** *伊本·提本*。

Jacob ben Zebi **雅各·本·泽比** 参阅 **Emden, Jacob Israel** *埃姆敦*。

Jacob Isaac of Przysucha **雅各·以撒(普日苏哈的)** 参阅 **Przysucha, Jacob Isaac ben Asher** *普日苏哈*。

Jacob Joseph of Polonnoye **雅各·约瑟(波罗诺耶的)**(?～约1782) 拉比和传道士,是犹太教哈西德派的第一个理论家和书面宣传家,受哈西德派创始人美名大师影响后,约于1748年被逐出沙尔戈罗德。其后先后在拉什科夫、涅米罗夫,最后在波隆诺耶任拉比,他住在波隆诺耶至死。作为一位作家,他著书传播哈西德派教义。他的第一部也是主要著作《雅各·约瑟文集》,一方面介绍美名大师的学说,另一方面抨击犹太教传统派领导人物和传统价值观。

Jacoba of Bavaria **雅科巴(巴伐利亚的)**(1401-07-25,佛兰德勒凯努瓦[今在法国境内]～1436-10-09,莱顿附近泰林根[荷兰]) Jacoba法语拼Jacqueline。巴伐利亚女公爵,荷兰、泽兰和埃诺女伯爵。她是泽兰、荷兰和埃诺伯爵威廉唯一的女儿和继承人。1415年嫁给图赖讷的约翰,两年后丈夫去世。1418年又嫁布拉班特公爵约翰四世,1421年离婚。然后去英格兰,受到亨利五世的欢迎。翌年嫁给格洛斯特公爵汉弗莱。1424年随汉弗莱重返埃诺,但第二年汉弗莱即只身逃亡,她被勃艮第公爵菲利普拘禁在根特。1425年逃脱,此后3年一直在荷兰与菲利普进行斗争。1428年7月签订《德尔夫特条约》,与菲利普解决了争端。依约,她保留女伯爵称号,但要将3块领地的行政权移交菲利普;而且,不经菲利普同意,她不得再结婚。1430年她偷偷嫁给泽伊伦和圣马尔滕斯代克勋爵弗兰西斯,这可能是为了推翻勃艮第公爵在荷兰的统治而采取的策略之一。1432年菲利普监禁弗兰西斯,1433年强迫雅科巴放弃女伯爵称号。后来她成为巴伐利亚女公爵和奥斯特雷凡特女伯爵,1434年被允许重新嫁给弗兰西斯。死后无嗣。

Jacobābād **雅各布阿巴德** 巴基斯坦信德省城市。是巴基斯坦西部铁路和信德省主要公路枢纽。1847年始建,1875年设市。该市以持续高温著称,荫地气温曾高达52 °C,创巴基斯坦的最高气温记录。工业品有棉质地毯、涂漆木玩具、灯具和刺绣。城市位于水稻和谷物产区的中心,有谷物市场和加工厂。市内有若干公园,有市广播站、维多利亚钟塔(1887),以及信德大学所属的几个公立学院。人口约80 000(1981)。

Jacobean age **詹姆斯时期** 英国詹姆斯一世统治时期(1603～1625)的视觉和文学艺术风尚。早期风格与在其前的伊丽莎白风格差别极小,往往只是程度不同。

在建筑方面,詹姆斯时期的特征是后期垂直式哥特风格与笨拙、不完全为人理解的古典风格细节的结合,主要受佛兰德斯艺术的影响。都铎风格的尖拱很普遍,内部装饰大量采用简朴的都铎式镶嵌,偶尔采用垂直式的拱顶形式。门厅、壁炉等通常按古典风格形式构造,而在外部和内部均采用胸像柱、壁柱、S形曲线装饰和称为带状饰的平面浮雕装饰。家具通常使用橡木,以其粗壮的结构和球茎形的腿脚著称。建筑设计师I.琼斯设计的宴会大厅白厅(1619～1622)首次将充分体现文艺复兴时期的古典建筑风格引入英国。他的风格依据了A.帕拉弟奥的理论和建筑,所以帕拉弟奥主义后来成为在英格兰被广泛采用的建筑风格。在这一时期,绘画与雕刻的成就落后于建筑,因为在这两方面都没有任何杰出的人物。早期最主要的詹姆斯风格画家是天才的细密画家I.奥利弗。詹姆斯时期的肖像画家与雕刻家一样多为外国人或受外国影响的人,如小吉尔哈茨、P.范·索默、C.约翰逊和D.迈登斯。但他们的成就后来被查理一世时期在英国工作的佛兰德斯画家鲁本斯和A.凡·戴克超过。

在文学方面,许多主题和模式也是从先前的伊丽莎白时代承袭下来的。詹姆斯时期的文学虽然丰富,但常常提一些模糊的问题。莎士比亚最伟大的悲剧作品约创作于1601～1616年期间。詹姆斯时期的其他剧作家热衷于罪恶这一题材;J.韦伯斯特、C.图尔纳、T.米得尔敦和W.罗利的戏剧均给人以悲剧所引起的恐惧,但很少使人产生怜悯。喜剧最优秀的代表作是B.琼森辛辣尖利的讽刺作品及F.鲍蒙特和J.弗莱彻的各式各样作品。然而,这一时期戏剧的另一特点是在宫廷盛行奢华的假面剧,在琼森和I.琼斯的作品中

詹姆斯时期卧室的模型
美国不列颠百科全书公司供图

达到顶峰。琼森的较为明快优雅的诗和他的骑士派继承者的作品构成詹姆斯时代诗歌的两个主要流派之一。另一诗歌流派则是J.多恩等玄学派诗人表达理性的复杂性的诗。在散文方面，F.培根和R.伯顿等作家显示了一种刚柔相济的新风格。这一时代在散文方面的不朽成就则是1611年首次出版的钦定本《圣经》。

Jacobi, Abraham　雅各比（1830-05-06，德国威斯特伐利亚哈特姆～1919-07-10，美国纽约博尔顿兰丁）　德国出生的美国医师。1860年在美国建立第一所儿童医院，被认为是美国儿科学的奠基人。因在1848年参加了革命运动，1851年从医学院毕业后即被囚禁于柏林与科隆。1853年开始在纽约市行医，1860年任纽约医学院儿科学教授，执美国儿科学的牛耳。

Jacobi, Sir Derek　雅各比（1938-10-22，英国伦敦东区莱顿斯通～　）　英国演员，性格内敛，但扮演的舞台角色锋芒毕露。曾获剑桥大学圣约翰学院奖学金，师从I.麦凯伦和T.纳恩。在校时就饰演《爱德华二世》中男主角。1960年与伯明翰剧目剧院签约。三年后加入英国国家剧院。在《俄狄浦斯王》中的表演受到好评后，1976年在英国广播公司拍摄的连续短剧《罗马帝国兴亡史》中担任主角，一跃成为国际影星。接下来，在电视剧《非尔比、伯吉斯和麦克莱恩》（1977）中扮演伯吉斯，在《巴黎圣母院》（1982）中饰演弗罗洛，在《第三帝国》（1982）中串演希特勒，在《破解密码》（1996）中出演电脑专家艾伦。同时仍然参加戏剧演出，著名的舞台角色有皇家莎士比亚剧院的《大鼻子情圣》（1982）和获托尼奖的《无事生非》（1984）中的本尼迪克。此外拍摄了影片《亨利五世》（1989）、《再世惊情》（1991）和《哈姆雷特》（1996）。还在电视剧《卡德菲尔修士探案集》中扮演一位善于破案的12世纪修士，取得巨大成功。2000年在百老汇演出契诃夫的《万尼亚舅舅》，并出演影片《高斯福德庄园》（2001）。雅各比以一种非雄辩式的谈话方式塑造莎士比亚剧中的角色，这种朴实风格在《理查二世》和《哈姆雷特》中均有体现。后受封为丹麦爵士（1980）和英国爵士（1994）。

Jacobi, Friedrich Heinrich　雅可比（1743-01-25，贝格公爵领地杜塞尔多夫［今在德国］～1819-03-10，巴伐利亚慕尼黑）　德意志哲学家，感情哲学的主要阐述者和对唯理论、特别是对斯宾诺莎的唯理论的著名批判者。1764年继承他父亲的糖厂厂主职位后，他参加于利希和贝格两个公国的内阁（1772）。同德意志诗人维兰德共同创办期刊《德意志信使》（1773）。曾在这个刊物上发表哲学小说《爱德华·阿尔维尔书信集》（1776）和另一部小说《沃尔德玛尔：自然史中的奇迹》（1777）的各一部分。1779年在巴伐利亚宫廷任枢密顾问官，第二年和德意志作家戈特霍尔德·莱辛相识。在莱辛告诉他只懂得斯宾诺莎的哲学之后，他就开始研究斯宾诺莎哲学。但当他对斯宾诺莎的唯理论观点感到厌恶时，就在《致摩西·门德尔松书信内论斯宾诺莎的学说》（1785）中谴责了这一学说。门德尔松和其他启蒙思想家一道将雅可比的信念抨击为蒙昧主义。雅可比在《D.休姆论信仰或唯心主义与现实主义》（1787）中作了答复，表明他的信念同休姆这样一些进步哲学家的信念并无不同之处。在雅可比看来，信念不仅意味着直接确信感觉经验的实在，而且也意味着直接确信人心呈现的真理。他特别反对建立任何哲学体系，认为这将使理性的严格运用成为必然，让人们感受到的真理服从心理过程将危害真理。1794年，由彭佩尔福尔特迁居汉堡，以躲避法国革命军队。1799年在《雅可比致费希特》中详述其有神论观点。三年后又在《论批判事业》中猛烈地批判康德。康德曾提出一种感性和知性的二元论，以否认受到限制的、为感觉所束缚的心灵理解超验的现象的可能性；但雅可比却为一种理智的直观辩护。认为直观开始于心灵而归结于信仰。由于他没有把认识概念局限于情的理性过程，因此他认为没有必要像康德那样否认认识上帝的可能性。游历4年后，在慕尼黑定居（1805），任巴伐利亚科学院院长（1807～1812）。著作集6卷由科本斯编成（1812～1825）。

Jacobi, Karl Gustav Jacob　雅可比（1804-12-10，普鲁士波茨坦［德国］～1851-02-18，柏林）　德国数学家，和挪威的N.H.阿贝尔共同创立了椭圆函数理论。1827年任柯尼斯堡大学的特约教授，1829年任正式教授。他首先是由于他关于数论的著作而闻名，受到当时最伟大的数学家C.F.高斯的称赞。他在4个θ函数的基础上建立椭圆函数理论，但他不知道阿贝尔也做了同样的工作，θ函数的商产生3个雅可比椭圆函数$\mathrm{sn}z$、$\mathrm{cn}z$和$\mathrm{dn}z$。他的成果发表在《椭圆函数基本新理论》（1829）中，1832年他证明：正如椭圆函数可以由反演椭圆积分求得一样，也可以由反演超椭圆积分求得超椭圆函数。这一成就使他建立p变量（$p \geqslant 2$）的阿贝尔函数论。他的《关于行列式的结构和性质》（1841）对行列式论做了开拓性的贡献。发明了函数行列式，后来称为雅可比行列式，在许多分析研究中有重要作用。对一阶偏微分方程有重要的研究并将它应用于动力学的微分方程中。他的《动力学讲义》（1866）把他的研究同微分方程和动力学联系起来。哈密顿-雅可比偏微分方程对量子力学的出现起重要作用。他还对阿贝尔的超越函数以及把椭圆函数应用于数论作了重要研究。

Jacobi, Lotte (Johanna)　雅各比（1896-08-17，德国托伦～1990-05-06，美国新罕布什尔康科德）　德裔美籍摄影家，以拍摄知名人士的相片而闻名。雅各比出生于摄影世家（其曾祖父在1840年开始担任专业的达盖尔银版法摄影师），在波森学院攻读艺术史和文学（1912～1916），后入慕尼黑的巴伐利亚州立摄影学院和慕尼黑大学学习（1925～1927），她在柏林主持家庭的摄影业务（1927～1935），然后逃离纳粹德国，在美国定居，1940年成为美籍公民。1935～1955年在纽约市开办一家摄影室，随后在新罕布什尔州迪灵乡村地区定居和工作。雅各比的人像相片以其自然、朴实无华和往往是即兴的风格而闻名。她拍摄的对象包括：阿尔贝特·爱因斯坦、托马斯·曼、彼得·洛尔、洛特·莲妮亚、马克·夏加尔、巴勃罗·卡萨尔斯、阿尔弗雷德·施蒂格利茨、罗斯福夫人、保罗·蒂利希、J.D.塞林格、玛丽安娜·穆尔、罗伯特·弗罗斯特和许多其他人。她也以其抽象相片（擅于用光）和风景照而闻名。

Jacobi, Mary Putnam　雅各比（夫人）（1842-08-31，英国伦敦～1906-06-10，美国纽约州纽约）　婚前名Mary Corinna Putnam。美国医生、作家、女权活动家，被认为是当时第一流的女医生。1864年她毕业于宾夕法尼亚女子学院。曾在波士顿的新英格兰妇幼医院工作。1868年她成为巴黎医学院的第一位女生。1871年返美后，在纽约妇幼医院附设的妇女医学院任教，是参加美国医学协会的第一批妇女之一。因对女医生较低的社会地位关心，促使她于1872年组织了妇女医学教育促进会。著有《妇女参政"常识"》（1894）和若干医学教科书及科学论文100多篇，涉及生理学、儿科学、神经病学、病理学及医学教育等学科。

Jacobin Club　雅各宾俱乐部　正式名称为宪政之友社（1789～1792）或雅各宾自由和平等之友社（1792～1794）。法国大革命中最著名的政治团体，后来与极端平均主义和暴力密不可分，从 1793 年中期至 1794 年中期领导过革命政府。雅各宾派起源于凡尔赛的布列塔尼俱乐部，布列塔尼出席 1789 年三级会议（国民议会）的代表到此会见来自法国其他各地的代表，共商行动大计。约在 1789 年 12 月国民议会迁到巴黎后，改名为宪政之友社，但仍通称为雅各宾俱乐部，其得名由于会议是在过去的一个多明我会隐修院举行，该会修士在巴黎称为雅各宾修士。俱乐部的宗旨在于保护革命成果免受可能发生的贵族反动的侵害。1790 年 7 月，巴黎的俱乐部和 152 个俱乐部分部大约有会员 1 200 人。1791 年 7 月，路易十六逃离法国未遂，雅各宾俱乐部在处死路易十六的问题上发生分裂。许多温和的代表离开，参加对立的**斐扬俱乐部（Feuillant, Club of the）**。罗伯斯比尔是少数留下来的代表之一，他在俱乐部中取得突出地位。1792 年 8 月推翻君主制后，俱乐部进入一个新阶段，成为领导大革命的主要团体之一。9 月，共和国宣布成立，俱乐部改名为雅各宾自由和平等之友社，并接受国民公会中左翼山岳派代表，因支持巴黎工人和工匠阶层的要求而更具有民主的性质，以及更有群众性。国民公会初期，俱乐部是山岳派的聚会场所，主张处决国王（1793-01）和推翻温和的吉伦特派（1793-06）。1793 年夏开始，随着革命专政建立，地方上的雅各宾俱乐部成了恐怖统治的工具。1793 年全法国约有 5 000～8 000 个俱乐部，成员 50 万人。俱乐部成为政府行政机构的一部分，其职责为：筹集军需品和管理地方市场。地方政府官员往往为俱乐部成员所取代。作为公共美德的中心，俱乐部从事监视言论可疑的人，领导非基督教运动，并组织革命节庆祝活动。巴黎的俱乐部与罗伯斯比尔的关系日益密切，罗伯斯比尔则由于他在救国委员会中的地位而支配了革命政府。该俱乐部支持罗伯斯比尔对革命敌人的进攻，抵制日益增长的因控制经济而不满的劳工阶级的要求。共和 2 年热月 9 日（1794-07-27）罗伯斯比尔倒台后，巴黎俱乐部已成为独裁和恐怖的象征，曾暂时被关闭。后作为热月政府反对派的中心而重新开放，雾月 21 日（1794-11-11）起永远被关闭。雅各宾一词亦用以指法国大革命期间英国和其他国家的激进分子。

Jacobite 詹姆斯党 英国1688年革命后拥护流亡的斯图亚特王朝国王詹姆斯二世及其后嗣的分子。他们在 1688 ～ 1745 年颇有政治力量。失意军人和政客经常出入于设在法国（后在意大利）的流亡宫廷。1714 年辉格党独揽大权后，很多托利党人也参加詹姆斯党的阴谋活动。苏格兰和威尔士的支持主要出于王朝原因，爱尔兰则出于宗教原因。信奉国教的托利党人对 1688 年革命的合法性持怀疑态度。罗马天主教徒支持他们则因詹姆斯二世父子们或是坚定的天主教徒，或对天主教采取宽容态度。革命后的 60 年内，流亡的斯图亚特王朝曾 5 次企图复辟。1689 年 3 月，詹姆斯二世率兵登陆爱尔兰，在都柏林召集议会承认他是国王。但在博因河战役（1690-07-01）中败于威廉三世，逃回法国。1708 年再次企图入侵，但计划落空。1715 年夏，第 6 代马尔伯爵以“詹姆斯三世和八世”（老觊觎王位者）的名义起事，但他优柔寡断，军抵珀斯后迟迟不攻击阿盖尔公爵为数很少的军队，贻误了时机，未能在谢里夫穆伊尔战役（1715-11-13）中获胜。詹姆斯援兵过晚，只能带领其主要党徒逃回法国。第 4 次叛乱（1719）发生于苏格兰西部，虽有西班牙帮助，不久也告失败。第 5 次是由年轻的王子查理·爱德华（小觊觎王位者）发动的叛乱（1745），虽在几周内占领了苏格兰，并在普雷斯顿潘斯战役（-09-21）、福尔柯克战役（1746-01-17）中获胜，但被坎伯兰公爵奥古斯塔斯在卡洛登战役（-04-16）中击溃。80 名叛军被处决，更多的人在搜捕中惨遭杀害或被流放。查理被追捕数月后仅以身免，逃往大陆。此后詹姆斯党日趋衰落。

Jacobs, Harriet A. 雅各布斯（1813，美国北卡罗来纳伊登顿～ 1897-03-07，华盛顿［哥伦比亚特区］） 全名 Harriet Ann Jacobs。美国废奴主义者。黑奴孤儿，与祖母相依为命。十多岁时与一位年轻的白人律师有染，生育两子。后因被强迫出卖子女而逃跑，藏匿 7 年。1842 年逃往北方，在纽约当保姆，最终在废奴报纸《北方之星》的反奴隶制阅览室工作。1861 年自行出版《黑奴女孩的一生》，书中率直写出所遭受的性虐待和奴隶母亲面临失去孩子的忧伤，是一个黑奴妇女最全面的自述。20 世纪 60 年代民权运动期间此书重被发现，但其真伪至 1981 年才得到专家确认。

Jacobs, Helen Hull 雅各布斯（1908-08-06，美国亚利桑那格洛布～ 1997-06-02，纽约东汉普顿） 美国女子网球运动员和作家。在 20 世纪 20 年代和 30 年代以其坚韧不拔及在场上同穆迪夫人苦战而闻名。1924 ～ 1925 年她是美全国少年冠军，1926 ～ 1929 年就读于伯克利加利福尼亚大学。在 1928、1929、1932 年三次败给穆迪夫人。1933 年在福雷斯特希尔美国锦标赛上又与她相遇，连战两盘之后，第三盘打到雅各布斯以 3 比 0 领先时，穆迪夫人声称背部疼痛，承认失败，使雅各布斯获冠军称号，此一役最令人难忘。1936 年首次获温布尔登赛冠军。连续 12 年代表美国参加怀特曼杯赛。1962 年入选国际网球名人堂。

Jacobs, Jane 雅各布斯（夫人）（1916-05-04，美国宾夕法尼亚斯克兰顿～ 2006-04-25，加拿大安大略省多伦多） 母家姓 Butzner。加拿大都市规划专家，以对都市生活及其各种问题的深刻观察和清晰、富有创见的论述而闻名。她高中毕业后担任《斯克兰顿论坛报》记者；一年后移居纽约市，成为自由作家，同时与建筑师 R.H.雅各布斯相识并结为夫妻。由于她早就关心于城市邻里问题及其生命力等方面的探索工作，她便以作家及社区活动实践家的身份，与丈夫仔细探讨都市设计及规划这类问题。1952 年，她担任《建筑论坛》杂志的副主编，恪尽职守，十年如一日。她的第一本著作《美国城市之变迁》（1961），对现代都市地区的多种需要，提出直率而热情的新解释。此书被译成日语及欧洲几种语言刊行，使她成为都市规划家和经济学界崭露头角的人物。另一著作《城市经济》（1969）论述经济多样性对城市繁荣的重大意义，同时对传统都市规划的观念提出质疑和批判。雅各布斯夫妇移居加拿大后，入籍为加拿大公民。晚年著作《城市与国富》，于 1984 年出版。

Jacobs, Joseph 雅各布斯（1854-08-29，澳大利亚新南威尔士州悉尼～ 1916-01-30，美国纽约扬克斯） 澳大利亚出生的英国民俗学家，19 世纪最受欢迎的童话改编家之一。他还是研究被驱逐前的英国犹太人历史的学者（著有《安茹时期英格兰的犹太人》，1893）、犹太文化史家（著有《犹太人统计资料研究》，1891）和文学家。雅各布斯在悉尼读小学，1872 年移居英国，1876 年在剑桥大学毕业，1882 ～ 1900 年任伦敦俄罗斯-犹太委员会秘书。1889 ～ 1900 年主编《民俗》杂志。雅各布斯是一名多产作家，以其民俗学方面的学术著作及通俗读物闻名于世，代表作品有《伊索寓言集》（1894）、《英格兰童话集》（1890）、《凯尔特童话集》（1892）、《印度童话集》（1892）、《仙境见闻录》（1896）、《欧洲童话集》（1916）等。1900 年，雅各布斯全家移居美国，在美国担任《犹太百科全书》修订版主编。后在美国犹太教神学院教授文学并主编《美国犹太人》杂志（1906 ～ 1916）。

Jacobs, W(illiam) W(ymark) 雅各布斯（1863-09-08，伦敦～ 1943-09-01，伦敦） 英国短篇小说作家，以恐怖小说杰作《猿爪》而闻名。早年住在泰晤士河的一个码头上，父亲是码头管理员。本人未当过水手，但他根据幼年记忆创作的以航海者和码头工人为题材的小说使他成为作家。第一部作品《重载》（1896）出版后立即成名。随后发表《船长求婚》（1897）和《海胆》（1898）。他不是写在海上的水手，而是写他们在岸上的奇遇和不幸。《猿爪》（1902）以现实家庭生活为背景，写一个迷信和恐怖的故事。后由 L.N.帕克改编为独幕剧，1903 年首次在伦敦秣市演出。著有 17 卷文集《舒适的港湾》（1931）。

Jacob's ladder 花荵 又作 Greek valerian。又称希腊缬草。花荵科花荵属（*Polemonium*）植物，约25种，原产北美、南美及欧亚大陆的

天蓝色花荵（*P. caeruleum*）的花序

美国不列颠百科全书公司供图

温带地区。羽状复叶，互生；穗状花序松散，下垂，花蓝色、紫堇色或白色，花冠漏斗状，5裂。许多种为园艺花卉和野花。天蓝色花荵（*P. caeruleum*）高达90厘米，花大，蓝色或白色，原产欧洲森林和山地。

Jacobsen, Arne　雅科布森（1902-02-11，哥本哈根～1971-03-24，哥本哈根）　丹麦建筑师。设计了很多朴素的现代风格的重要建筑物，他的工艺美术设计特别是一种可叠式三腿椅和一种蛋形椅在国际上享有盛誉。1928年毕业于哥本哈根美术学院。早期的重要作品有哥本哈根附近克兰彭堡的居住区（1933），每栋住宅都能看到海景。20世纪50年代中的作品有：瑟霍尔姆的住宅群（1950～1955）、勒多夫勒市政厅（1954～1956）以及斯堪的纳维亚航空大楼（1959；这是哥本哈根第一座摩天楼，他除负责该楼的建筑设计外，还担任了该楼的室内设计工作）。牛津大学的圣凯瑟琳学院（1964）也是他设计的，体现了他的观点——"经济加功能即是风格"。圣凯瑟琳学院十足的现代化钟楼，仅由两片高墙组成。他还为该学院设计了家具陈设，如银餐具、瓷器、椅子、灯具、门手柄等。

Jacobsen, Jens Peter　雅科布森（1847-04-07，丹麦日德兰齐斯泰兹～1885-04-30，日德兰齐斯泰兹）　丹麦小说家、诗人、丹麦自然主义运动的倡导者，又是该运动的最著名代表。雅科布森在攻读自然科学时，成为达尔文的信徒，曾将达尔文的《物种起源》及《人类的由来》分别译成丹麦文。他自己的文学作品有两部长篇小说、一些短篇小说和几首诗。他在生命的最后12年中一直肺病缠身。他的全部作品几乎都是在这一时期写成的，每天只能工作很短一段时间，写得缓慢而又艰难。他是个描写圣手；他细致地观察自然，对现实的各方面努力加以同样细致的描绘。他在哥本哈根大学求学时期，曾聆听过现实主义、自然主义、社会意识艺术的倡导人布兰代斯的讲课。他的小说集《莫恩斯》（1872）被认为是丹麦文学中第一部自然主义作品，深得布兰代斯的赞赏。雅科布森的第一部小说《玛丽亚·格鲁卜夫人》（1876）是对一位17世纪妇女的心理剖析。这本书由于不折不扣的现实主义，首先遭到保守派报纸的抨击。第二部小说《尼尔斯·伦奈》（1880）描写当时一个人在为寻求人生真谛的斗争中一无所成的故事。

Jacobsen, Josephine　贾可布森（1908-08-19，加拿大安大略省科堡～2003-07-09，美国马里兰科基斯维尔）　全名Josephine Winder Jacobsen。婚前名Josephine Winder Boylan。加拿大出生的美国诗人和短篇小说家。出生后不久便随全家由加拿大迁居美国。孩提时开始写诗，11岁发表了第一首诗。1940年出版第一部诗集《让每个人都记住》。随后出版的诗集有《中国失眠症患者》（1981）、《姐妹们》（1987）和《距离》（1991）。她在诗歌中经常审视物质与精神之间的关系，并探索害怕与希望、爱情与死亡等普遍的主题。她还写短篇小说和文学评论。曾获多种奖项。1971～1973年间为美国国会图书馆诗歌顾问（今为桂冠诗人职位）。1994年被吸收为美国艺术和作家学会会员。

jacobsite　锰铁矿　锰铁氧化物矿物，为尖晶石族*磁铁矿*（**magnetite**）系列的一种矿物。

Jacobson, Dan　雅各布森（1929-03-07，南非约翰内斯堡～　　）　南非出生的小说家。东欧犹太移民之子。在1949年从威特沃持斯兰德大学毕业获文学学士学位后，曾任职公关事业并从事家庭养牛业。他随后到以色列生活和工作，并于1954年移居英格兰。他于1974年成为伦敦大学学院英语讲师，后于1979年成为该校英语高级讲师。他在英格兰，在远离南非生活经验的地方，以幽默和悲怆的笔调创作有关自己动荡不安的出生地的小说。他最初的小说《陷阱》（1955）、《在太阳光下跳舞》（1956）及《钻石的价格》（1957）尖锐地剖析了种族隔离的南非社会，构成一幅复杂的画卷。他最优秀的作品大多收在短篇小说集中，尤其见于《祖鲁人与蔡德人》（1959）和《我的乞丐邻居》（1964）。从长篇小说《初学者》（1965）开始，他不再描写南非社会，转而写自己家族的历史。《塔玛尔受辱记》（1970）内容为圣经故事，《约瑟夫·贝斯的自供》（1977）的背景有些像南非。在后期作品中，雅各布森继续发挥讽刺天才，根据自己的政治良心进行写作。

Jacobson, Saul　扎科布松　参阅**Steinberg, Saul** *施泰因贝格*。

Jacobson's organ　雅各布森氏器官　又作vomeronasal organ。又称犁鼻器。许多脊椎动物（两栖类、蜥蜴、蛇和某些兽类）口腔的一个感受化学信号的神经末梢区域。这神经末梢位于与口腔顶部相连的一对凹处内。蛇的犁鼻器最发达，它的作用是辅助不发达的鼻化学感受器来判别空气中包含的化学物质。蛇类伸舌至空气中黏附了有关化学物质的分子，然后舌部缩回经过犁鼻器时这些分子即被察知。

Jacobus DE VORAGINE　雅各（沃拉吉纳的）（1228或1230，热那亚附近瓦拉泽～1298-07-13或14，热那亚）　热那亚大主教、史学家、著作家。1244年加入多明我会，1267～1278年、1281～1286年两度任该会伦巴第分会会长，1292年起任独立城市热那亚大主教终生。曾在该城亲教皇派与亲皇帝派之间进行调解，卓有成效。著有讲道词多篇，论述阅读福音书、圣徒瞻礼日和圣母马利亚，还著有热那亚通史以及《金传》。《金传》按教会历逐日编排，供每日阅读之用，内容有圣徒生平、基督和圣母在世事迹以及有关圣日和节期的资料。中世纪艺术家从该书吸取大量写人写事的素材。

Jacoby, Oswald　雅各比（1902-12-08，美国纽约布鲁克林～1984-06-27，得克萨斯达拉斯）　美国桥牌选手。曾以保险统计为职业，精通十五子戏等一般的游戏。6岁开始玩惠斯特，8岁玩扑克牌。他隐瞒了年龄，于15岁在第一次世界大战期间入伍，但他的主要任务是打扑克牌。雅各比大学三年级时为通过注册会计师考试而离开哥伦比亚学院，在该校他亦曾下棋。20世纪20年代，他为两家保险公司工作。与此同时他打桥牌，曾赢得了戈德曼奖。20世纪30年代与伦兹配对打桥牌，闻名于国际桥牌界。1936年被评为美国定约桥牌联盟第二位终身桥牌大师（第一位是布鲁斯），1941年因在全国锦标赛中成绩优异而被评为最高大师分数获得者。在第二次世界大战和朝鲜战争期间任海军反间谍人员，研究敌方密码，在朝鲜战争中运用计算机处理情报。第二次世界大战后担任报纸桥牌专栏作家。1959、1961和1962年因大师分数最高而获麦肯尼杯，并在1962～1968年名列最高大师分数名册首位。1963年雅各比打破先例地在一年内获1 000分以上，至1967年突破10 000大师分数大关。雅各比拟订叫牌策略，撰写了很多关于桥牌和其他牌戏的书籍。

Jacopo DA LENTINI (Italian poet)　**雅各布·达·伦蒂尼**　参阅**Giacomo da Lentini** *贾科莫·达·伦蒂尼*。

Jacopo DA PONTE　雅各布·达·庞特　参阅**Bassano, Jacopo** *巴萨诺*。

Jacopo DELLA QUERCIA　雅各布（德拉·奎尔恰）（约1374，锡耶纳共和国锡耶纳～1438-10-20，教皇国博洛尼亚）　15世纪初期最富于创新精神的意大利雕刻家之一。约1406年雕刻了卢卡大教堂内的埃拉利阿·德尔·卡雷托之墓。现仅存雕像及石棺。1408年在费拉拉创作了圣母与圣婴全身像，现尚存于大教堂歌剧院博物馆。次年受托作锡耶纳卡姆波广场快活喷泉，现由一复制品代替，原作在共和宫凉廊。同时还为卢卡大教堂外部作一使徒雕像，为卢卡的圣弗雷蒂安诺教堂作特伦达祭台；为洛伦佐·特伦塔及其妻子之墓雕刻墓道。1417年受托为锡耶纳乔凡尼教堂洗礼盘作两面镀金青铜浮雕，但只完成其中之一，另

雅各布（德拉·奎尔恰）的《创造夏娃》大理石浮雕

美国不列颠百科全书公司供图

一由多那太罗完成。主要作品是博洛尼亚圣彼特罗尼欧教堂正门周围的雕刻。这些雕刻是:《创世纪》故事十图、耶稣早年生活五图、众先知浮雕、圣母子与圣彼特罗尼乌斯和圣安布罗斯。1435年被任命为锡耶纳大教堂的主建筑师,曾为之作装饰(未完成)。他是有矛盾心理的艺术家,但对锡耶纳的雕刻水平有提高,对后来的锡耶纳画家有影响。

Jacopone DA TODI **雅各布内**(约1230,斯波莱托公国托迪～1306-12-25,科拉佐内) 意大利宗教诗人,写了100多首具有神秘和极有感染力的独创性的诗。18世纪天主教礼拜仪式中采用的一篇拉丁文诗,据说即出自他的手笔。出生于贵族家庭,曾学习法律,并任律师。约1268年他妻子在一次宴会上突然死去,从此他转而修行。他处理了所有财产,在一无所有的情况下把自己奉献给上帝,于1278年成为方济各会做杂役的僧侣。他写了一首反对教皇卜尼法斯八世的讽刺诗,并在宣布卜尼法斯当选无效的宣言上签名,卜尼法斯对他进行报复,把他开除教籍,后又把他终身监禁。卜尼法斯死后,他才被新任教皇本尼狄克十一世释放。但三年后不幸去世。他的坟墓现仍保留在托迪的圣弗尔图纳托中世纪教堂里。除了上述用拉丁文写的诗外,大部分诗都是用意大利方言写成。安德希尔曾把他一些作品的英译本编印成书,名为《诗人和神秘主义者:雅各布内》(1919)。

Jacotot, Jean-Joseph 雅克托(1770-03-04,法国第戎～1840-07-30,巴黎) 法国教育家。以教师及数学家身份开始其生涯,旋任第戎的综合工科学校副校长(1795),并在该校先后担任科学方法、拉丁文学、希腊文学及罗马法教授。拿破仑战争期间参军,升至炮兵队长;后任军事师范学校军事秘书及校长,并当选国会议员。1818年在比利时卢万大学任法国语言文学讲师。基于自己异常多样的经历,他在1823年撰写《普遍教育》,在下列一类警句中提出人人平等的观点:"凡是人都同样能学得好","只要专心致志,凡事皆可精通"。他还认为一切知识都互相关联,可以举一反三,触类旁通。

Jacquard, Joseph-Marie 雅卡尔(1752-07-07,里昂～1834-08-07,法国乌兰) 法国发明家。他发明的雅卡尔提花织机,促进了纺织工业的技术革命,同时为制造现代自动化织机打下了基础。1790年他研制织机的设计方案开始形成,但这项工作因法国革命而中断,在里昂保卫战中他与革命派并肩战斗。1801年他演示了一台经改进的手工提花织机,获得青铜奖章。通过进一步研究,1805年他在织机上加装一种装置,这种织机便被称为**雅卡尔提花织机(Jacquard loom)**,并于1806年宣布为公共财产,雅卡尔因此获得一笔津贴和每台机器的特许权使用费。他的织机遭到丝织工人的强烈反抗,因为害怕采用这种机器会使他们失业。里昂的工人不仅焚毁投入使用的机器,而且袭击雅卡尔本人。但因为它的优点很多,终于被普遍接受,到1812年法国已有1.1万台。1819年,他被授予金质奖章和法国荣誉军团十字勋章。19世纪20年代,使用这种织机的地区扩大到英国,并从英国扩大到全世界。

Jacquard loom 雅卡尔提花织机 又称提花织机、提花装置。在纺织中,可控制个别经线的特别纺织机,能织出样式错综复杂的织物,诸如壁毯、织锦缎、花缎,也可用以生产各样式的针织物。1805年法国的J.-M.雅卡尔(**Jacquard, Joseph-Marie**)开始采用此系统,但不久即扩展到别地。这种织机利用穿孔卡片控制,可根据需要自动织出任何花样。这种穿孔卡片,后来被著名的英国发明家C.巴贝奇用作计算机的控制机构;同时被美国统计学家H.霍勒里思用来给统计机输入数据;现在还用作将信息输入数字计算机的基本方法之一。

雅卡尔提花织机
美国不列颠百科全书公司供图

Jacqueline OF BAVARIA (15th-century Dutch countess) 参阅 **Jacoba of Bavaria**·雅科巴(巴伐利亚的)。

Jacquerie 扎克雷起义 1358年法国东北部农民反对贵族的起义。起义发生在百年战争一个紧要关头。在普瓦捷战役(1356-09)中,法国国王好人约翰二世为英格兰人所俘,领主和骑士威风扫地。由于贵族要求交付更苛重的租税,以及太子查理(日后的查理五世)要求加固巴黎四周的城堡,农民的情绪日趋激昂。1358年5月21日,起义开始在贡比涅爆发,迅速扩大到农村。农民捣毁城堡,杀死堡中之人。在首领纪尧姆·卡尔领导下,与艾顿·马赛率领的巴黎起义者会师。6月9日,巴黎人在莫城被富瓦的加斯东·福埃比斯和格雷利的让三世所击败。6月10日,纳瓦拉的查理二世在克莱蒙-昂博韦西击溃卡尔。起义失败后,大批起义者被屠杀。

Jacques Cartier, Mount 雅克·卡捷山 又称平顶山。加拿大魁北克省东部加斯佩半岛北部的山峰。在下圣洛朗-加斯佩西行政区加斯佩西省立公园内,是希克肖克山脉的最高峰,海拔1268米。

Jacuí River 雅库伊河 巴西南部南里奥格兰德州河流。全长450千米。发源于帕苏丰杜东面山地,流向南转向东,在河口附近接纳塔夸里河、卡伊河、锡努斯河和格拉瓦塔伊河。至河口州首府阿雷格里港形成瓜伊巴河,注入潟湖北端。可通航至南卡帕图斯舒埃拉。为巴西货运量最大水系之一。将圣热罗尼穆煤田矿产运到各海港,并运出流域内富庶农区出产的稻米等农产品。20世纪70年代末在雅库伊河畔建有伊塔乌巴水电站。

jade 玉 两种坚韧的、致密的、典型情况下是绿色的、具高度可磨光性的宝石中之任何一种。这两种矿物从很早有记载的时间起就被雕琢成珠宝、装饰品、小雕像和功利性文物。这两种玉石中价格较高者是**硬玉(jadeite)**;另一种是**软玉(nephrite)**。

硬玉和软玉在化学成分和结晶构造两方面都不相同。硬玉是钠和铝的硅酸盐,被归入辉石一类。软玉是钙和镁的硅酸盐,属于闪石矿物族,它本身被看作是透闪石的一个致密的种类。在两种类型里,细微晶体紧密穿插,形成致密状集合体。两种玉石类型可能是白色或无色,但由于铁、铬或锰的杂质存在,也可能分别出现红、绿、灰的颜色。价值最高的变种是具祖母绿色调的硬玉。

这两种不同类型的玉,当加工和琢磨时,通常可以仅仅根据外观来区分。琢磨过的软玉的细微光泽是油脂状的而不是玻璃状的,然而硬玉的细微光泽则刚好相反。对一种或另一种玉石来说,一些颜色也是特殊的,例如,常见的苹果绿色和祖母绿色的珠宝玉器肯定是硬玉。这两种玉石在半透明性上也有很宽的变化范围。缅甸北部莫冈城周围地区

中国清代(可能是乾隆年间)玉雕云中龙大徽章(或圆形饰物)
美国不列颠百科全书公司供图

很久以来就是宝石级硬玉的主要来源地。软玉的出现为数很多,且地理上分布很广。

在历史发展过程中,玉被成功地切割和加工造型过,为此使用过砂岩、板岩和石英砂(作为研磨剂),用过青铜制成的工具,用过铁制工具,用过手工操作的车床,最后,在19世纪初,用过机器带动的车床、钢锯和金刚钻。金刚砂和金刚石粉取代了碾压用的石榴子石和刚玉(刚玉砂)而成为研磨剂。

在世界很多地方,两种玉石都被新石器

时代的人加工成为工具。从瑞士、法国西部和中国的聚落里有很著名的发现。玉是硬的、坚韧的、重的，并能长期保持，然而它精细的色调和新鲜的磨光面应该在很大程度上强调是属于新石器时代工匠的作品。但是，当以石头为基础的新石器文化被继之以使用青铜和铁的文化时，玉就逐渐丧失了它在这方面的价值，并且在除了少数地区以外的所有地区，它都从作为宝石的纪念物上跌落下来。

玉和玉雕总是卓越地与中国联系在一起，因为世界上没有其他地方有这样坚固的材料，被具有这样绵长不断的传统之技术来进行加工。数千年间，中国人雕琢的玉由采自现新疆境内和田与叶尔羌地区的软玉构成。硬玉似乎直到 18 世纪以前还没有被中国人加工过，18 世纪时，大量的硬玉才由缅甸通过云南省而进入这个国家。

早在新石器时代，中国人就把玉雕琢成工具和中心带圆孔的扁平盘形状的简单崇拜物（参阅 **Chinese jade**）。在商朝（公元前 18 ～前 12 世纪），他们开始制做具凸起度较低的动物装饰图案的装饰板。从周朝晚期（公元前 5 世纪）起，铁制工具的引进，使艺术性更高的雕刻成为可能，玉开始被制成各种各样的功利品和奢侈品，例如衣带钩与饰物，刀剑和鞘上的装饰，中空的器皿，以及最重要的是圆形饰物上的雕刻。到周朝结束时（公元前 255 年），中国玉雕工艺已趋于成熟，以无与伦比的优秀和激动人心的美丽为其标志，这个传统在以后 2 000 多年间一直继续着。

伟大的清朝乾隆皇帝在位期间（1736 ～ 1796）对玉雕来说是特别重要的时期。在乾隆皇帝的赞助下，在那个极度繁华与奢靡的时期，数以千计的玉雕品进入了皇家的收藏，这些材料被用在北京紫禁城及贵族与官吏家庭中无数新的装饰品、礼仪用品及宗教用品上。较大数量的玉，以空前的速度进入中国，来自缅甸的祖母绿色的硬玉与来自新疆的最优质的软玉一样受到高度尊重。

高得惊人的价钱付给那些高质量的雕琢品，雕琢品包括人、动物、植物的，壶、花瓶及其他器皿，以及各种各样的个人小附件。

墨西哥和中美洲的阿兹特克人、玛雅人及其他前哥伦布的印第安人把硬玉雕琢用作装饰品、护身符和等级徽章。几乎所有的中美洲的玉都是各种浓淡的绿色，祖母绿色在阿兹特克人中是最高贵的颜色；它的玉雕包括饰盘、小雕像、小面具、垂饰和工具。但是，16 世纪西班牙人征服该地之后，中美洲玉的鉴赏和玉雕工艺就衰亡了。

直到 18 世纪欧洲人在那里登陆之前，新西兰的毛利人对金属还完全无知，他们的工业用石头中最贵重的就是软玉，他们用软玉来制造斧头、小刀、凿子、手斧，以及仅仅为他们的首领所使用的短剑。这些玉剑不仅仅是作为武器，而且是权力的象征，并常常是用颜色特别好且有极明显标志的石头来加工制作。

蛇纹石矿物的几个变种表面上很像软玉，有时竟欺骗性地被当作软玉来出售，但可以根据其相对硬软程度来区分开。另一种欺骗活动是把无色的玉石块染绿，以假冒高质量的宝石。最成功的硬玉仿制品是完全人造的，由重的铅玻璃组成，这种铅玻璃被很巧妙地染色而仿冒硬玉特有的苹果绿色。

jade burial suit　玉衣　又称玉匣或玉柙。中国汉代（公元前 206 ～公元 220）皇帝和高级贵族的殓服。外观与人体形状相似，包括头部、上身、裤筒、手套和鞋 5 部分。按死者的等级分别用金丝、银丝、铜丝或丝线将玉片编成。当时以为使用玉衣可使尸体不腐。河北满城中山靖王夫妇墓，定县中山怀王墓均曾出土金缕玉衣。东汉只有皇帝才用金缕玉衣。诸侯王、第一代列侯、贵人、公主用银缕玉衣，嗣位侯王、大贵人、长公主用铜缕玉衣。以 1968 年满城出土的两套金缕玉衣最完整。中山靖王刘胜的玉衣由 2 498 片玉片组成，用金丝约 1 100 克。刘胜妻玉衣由 2 160 片玉片组成，用金丝约 700 克。每块玉片都经精密设计加工，金丝穿联复杂多样，表现当时高超的手工艺水平。1983 年发掘的广州南越王墓（**King's Tomb of Nanyue**）出土了一具丝缕玉衣，在考古工作中属首次发现。

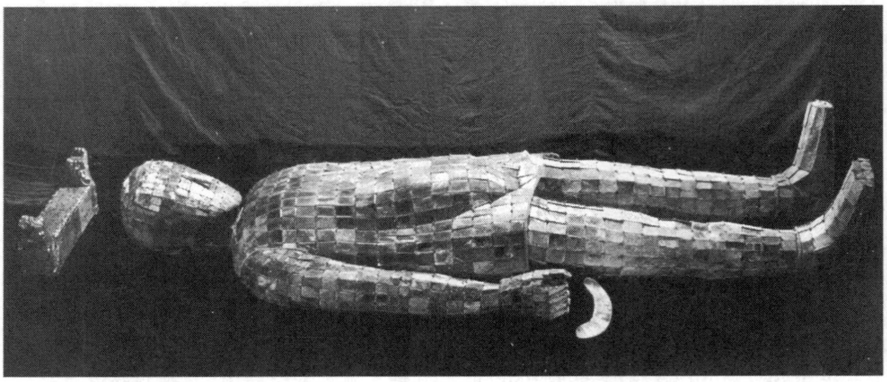
河北满城出土的金缕玉衣
中国大百科全书出版社供图

Jadebusen　亚德湾　德国西北部北海辽阔海湾。位于下萨克森州。面积 190 平方千米。大部分是由 1219 和 1511 年的大风暴洪水形成，水浅。有亚德河等小河注入。春季，是德国北海沿岸潮差最大（4.1 米）的地方。西北岸有威廉港。

jadeite　硬玉　又称翡翠。辉石族中属于宝石级的硅酸盐矿物；是玉的一种形式。是两种玉中价值较高的一种，常呈透镜体、矿脉或结核，为透明到不透明、致密、隐晶质。与玉的另一种形式软玉的区别是它具有粒状断口和玻璃光泽，同时由于不同硬度，抛光面常常表现为麻点。硬玉的成分为钠铝硅酸盐（$NaAlSi_2O_6$），可含一些杂质（常是钙），从而使它有多种颜色：白、翠绿、苹果绿、红、褐和蓝等色。由铁染成的深绿色和绿黑色的变种称为暗绿玉。硬玉只产在变质岩中，最常产在地下深处受到高压的变质岩中。硬玉少见；它在地面上出现，表明埋藏地区发生过大的隆起并受到剧烈侵蚀。硬玉最重要产地是缅甸的道茂附近，有大型矿床。在日本的麻绩和小泷附近也发现过硬玉；硬玉的其他产地有危地马拉的莫塔瓜河河谷、美国加利福尼亚州圣贝尼托县、墨西哥、西里伯斯和新几内亚岛。

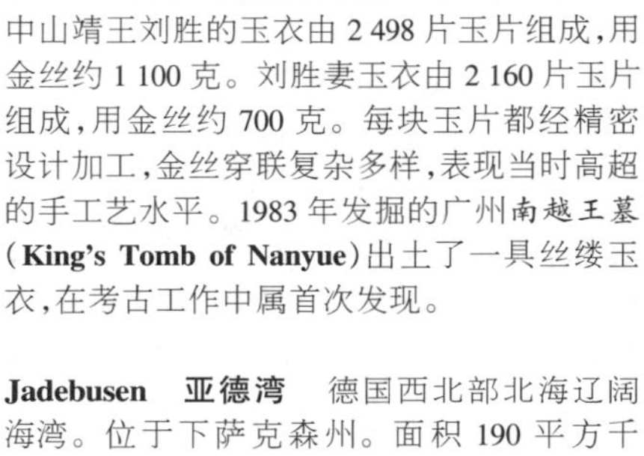
未经琢磨（左）和琢磨后的硬玉
美国不列颠百科全书公司供图

Jadida, el-　杰迪代　约1960年前称马扎甘。摩洛哥中央区省份和省会。杰迪代城为大西洋港口城镇。1502 年后以一个葡萄牙要塞为中心建成居民区。1821年摩洛哥犹太人在该镇定居。1912 年后港口的重要地位被卡萨布兰卡取代，现为沿岸农产品港口和海滨疗养地，有公路通卡萨布兰卡、马拉喀什和萨菲。杰迪代省面积 6 000 平方千米。乌姆赖比阿河流经其沿岸平原（出产谷物和葡萄，有牛羊饲养业）。人口81 455（1982）。

杰迪代城鸟瞰
美国不列颠百科全书公司供图

Jadotville　雅多维尔　参阅 Likasi 利卡西。

Jadwiga　雅德维加（1373或1374～1399-07-17，波兰克拉科夫，1997 年 6 月 8 日封圣，纪念日为 2 月 28 日）　匈牙利文名海德维格，德文名赫德维希。波兰女王（1384 ～ 1399 在位），其与立陶宛大公亚盖沃的联姻为立陶宛和波兰长达几百年的联盟关系奠定基础。波兰和匈牙利两国国王路易一世的女儿。1382年9月11日路易死后,大女儿玛丽亚被选为匈牙利女王,但波兰人为结束两个国家之间的个人联合,选了年仅9岁的雅德维加为女王。她于1384年10月15日加冕为波兰国王。为创建一个比原波-匈联合更大的领土联合和为大多数异教的立陶宛人打开改信基督教之路,波兰贵族进一步促成她与亚盖沃结婚。1386年2月15日亚盖沃在克拉科夫受洗,2月18日与雅德维加结婚,3月4日加冕为国王。与其夫共同执政,而由她担任国家的领袖人物。死于分娩过程中,死后其夫在波兰建立起统治权威。她赞助宗教和学术事业,力求使所联合的国家的宗教得以发展,为立陶宛人在布拉格建立一所专门学院,并资助恢复在克拉科夫的大学。在她死后,该大学被命名为亚盖沃大学。主要由于她的努力,这所以巴黎大学为榜样的学府成为波兰文化的中心,并影响了东欧地区。1997年6月8日由教皇约翰·保罗二世在克拉科夫封圣。

jaeger　猎鸥　贼鸥科贼鸥属(*Stercorarius*)的3种海鸟。掠夺性鸟类,形似黑色的海鸥,具一向前倾的黑顶和突出的中央尾羽。在英国也称为贼鸥(参阅**skua**),与另一种体型较

长尾猎鸥(*S. longicaudatus*)
美国不列颠百科全书公司供图

大的海鸟同名。有两种色型:全褐色或上体褐色下体白色(更常见)。营巢于北极冻原,而后飞向大海,许多远至澳大利亚和新西兰。在海上自己捕捉鱼类,但在沿海滨营巢时会迫使燕鸥和三趾鸻吐出食物,也伤害其他海鸟卵和幼雏,并捕捉陆地鸟类和啮齿动物。三种猎鸥中,盖鼻猎鸥(盖鼻贼鸥,*S. pomarinus*)体形最大,长50厘米。长尾猎鸥(长尾贼鸥,*S. longicaudatus*)最小,长35厘米。寄生猎鸥(寄生贼鸥,*S. parasiticus*)大小居中。

Jæger, Hans Henrik　耶格尔(1854-09-02,挪威德拉门～1910-02-08,克里斯蒂安尼亚)　挪威小说家,极端自然主义者,在当时率先反抗传统道德。他的第一部小说遭到警察当局查禁。1885年,他的小说《克里斯蒂安尼亚的浪漫女子》一书被认为是色情文学被没收。次年,由于他把这部作品公布于众,被判监禁60天,并因他把小说送往瑞典印行,加判150天。刑期未满,即迁往巴黎,此后他大部分岁月即在该地度过。他的小说虽无文学成就,但却是轰动一时的案件,使挪威文学界分为主张言论自由以及主张提倡高尚情趣和对文学作品要求从严的两派。《克里斯蒂安尼亚的浪漫女子》表达了极端个人主义情绪和非理性的下意识冲动,对后世作家,例如克努特·汉姆生和汉斯·欣克都有影响。

Jaén　哈恩　西班牙中南部安达卢西亚自治区省份。面积13 498平方千米。三面环山:北有莫雷纳山脉;东有塞古拉、卡索拉山脉;南有帕拉潘达、卢塞纳和塞古拉山脉。西部为平川,有肥沃的瓜达尔基维尔河谷。河上有灌溉坝和水电站数处。橄榄种植业是经济支柱。其次为葡萄、粮食种植业和采矿业。工业集中于省会**哈恩(Jaén)**。有汽车、农机、食品加工、化工和制陶业,其他重要城市有利纳雷斯、安杜哈尔、乌韦达和马尔托斯。人口约654 376(1992)。

Jaén　哈恩　西班牙南部安达卢西亚自治区哈恩省省会。地处哈瓦莱乌斯山脉北麓,格拉纳达以北。曾先后为罗马人和摩尔人占据。1246年由卡斯蒂利亚国王费迪南德三世收复。现经济以橄榄油生产为主。人口约104 235(1992)。

Jæren　耶伦　挪威西南部的低地平原。位于罗加兰郡,从埃格松向北伸延40千米,距北海16～24千米。东南与达拉内高原相接。平原上覆盖着冰川沙土沉积物,土质肥沃,是挪威最富饶的农业区之一。沿海植树以防止水土流失。乳品业很重要,耶伦平原是北面斯塔万格市主要的牛奶供应地。沿海有极佳的海水浴沙滩。平原的冰砾层上发现过古老的墓葬和许多刻有古代铭文的石碑。

Jaʿfar al-ʿAskarī　加法尔·阿斯凯里(1887,巴格达～1936-10-30,巴格达)　又名加法尔帕夏。军官,伊拉克政治领袖,在第一次世界大战时期及战后对阿拉伯民族主义运动起过重大作用。原为奥斯曼帝国臣民,在帝国军队中服役。第一次世界大战中参加进攻埃及,为英国人生俘。当得知土耳其人企图残酷镇压叙利亚的阿拉伯民族主义者时,他决定参加麦加酋长侯赛因·伊本·阿里的队伍,负责组织侯赛因新成立的阿拉伯军队,并且指挥这支军队同土耳其人作战。战后,他在侯赛因之子费萨尔所领导的一个阿拉伯国家政府中工作。由于法国的武装干涉,这个国家垮台了。但在英国支持下,费萨尔成为新成立的伊拉克国的国王(参阅**Fayṣal I**)。加法尔·阿斯凯里出任伊拉克国防大臣,人称“伊拉克军队之父”。曾两度任首相。1936年贝克尔·西德基推翻政府,将他处死。

Jaʿfar ibn Muḥammad　加法尔·伊本·穆罕默德(699或700或702或703,阿拉比亚麦地那～765,麦地那)　又名加法尔·萨迪克。伊斯兰教什叶派第六代伊玛目,也是最后一代得到什叶派各支派共同承认的伊玛目。他是研究圣训的主要权威之一。第五代伊玛目穆罕默德·巴吉尔之子,什叶派创始人、第一代伊玛目、第四代哈里发阿里的曾孙。731～743年间第五代伊玛目死去,加法尔有继承哈里发的资格,对伍麦叶王朝是潜在威胁。伍麦叶王朝当时已处在波斯等敌对势力的威胁之下。749～750年伍麦叶王朝被阿拔斯家族所领导的力量推翻。建立新王朝的是阿拔斯家族,而不是阿里家族。新王朝哈里发对加法尔怀有戒心。曼苏尔(754～775在位)要求他迁到巴格达,以便监视。加法尔本来决定留在麦地那,762年经过考虑遵哈里发之命迁居巴格达。在巴格达居住不久,因曼苏尔对他放心而得以返回麦地那。什叶派人认为,他思想敏锐,学识渊博,对政治问题采取回避态度。他待人宽厚,门下弟子众多,其中包括后来成为伊斯兰教四大法学派的两个创始人阿布·哈尼法和马立克·伊本·艾奈斯。据穆斯林著作家分析,加法尔的宗教思想主要有三点:①他对于先定论问题采取中间道路,宣称安拉在某些事上作出绝对的预定,但把另外一些事留给人自行决定。②在圣训学上,他宣布凡与《古兰经》相抵触的传述应予删除,不论是否有其他资料可据。③他说穆罕默德的先知使命如光线,早于阿丹被造,通过穆罕默德传给其后裔。加法尔死后,什叶派分化。他的长子伊斯玛仪先他而死,七伊玛目派认为,伊斯玛仪是隐遁,有朝一日将会再现。此派通称伊斯玛仪派。其他三个儿子也分别自称伊玛目,其中穆萨·卡齐姆获得最广泛的承认。什叶派中不承认伊斯玛仪者通称十二伊玛目派,他们说隐遁的是第十二代伊玛目。

Jaʿfar Pasha　加法尔帕夏　参阅**Jaʿfar al-ʿAskarī 加法尔·阿斯凯里**。

Jaffa (Israel)　**雅法**　参阅**Tel Aviv-Yafo 特拉维夫-雅法**。

Jaffee, Irving　贾菲(1906-09-15,美国纽约州纽约～1981-03-20,加利福尼亚圣迭戈)　美国速滑运动员。第一次在1928年瑞士圣莫里茨举办的奥运会参赛,在10 000米赛中击败挪威冠军B.埃文森。由于气温上升,冰开始融化,工作人员打算宣布成绩无效,重新比赛,但唯一的对手挪威运动员不回来,承认失败。比赛被取消,没有发奖牌。后在1932年美国纽约普莱西德湖奥运会上获5 000米和10 000米速滑金牌。退出赛场后仍参加表演。1934年以1小时26分0.1秒创马拉松纪录。一生共获奖牌400多个。1940年入选美国滑冰名人堂。

Jaffna　贾夫纳　锡兰(今斯里兰卡)北部历史上的君主国家,居民来源于南印度,操泰米尔语。这个王国到14世纪已经完全建立起来,迄17世纪被葡萄牙征服为止,一直是一个独立的政治实体。几乎从锡兰有记载的历史伊始,就经常有关于印度南部泰米尔人入侵的记载。锡兰历史上一著名的历史事件为公元前2世纪僧伽罗国王杜多伽摩尼战胜泰米尔僭主艾拉拉。从12世纪起,泰米尔人对锡兰北部的进犯日益长期化,到14世纪已经在那里牢牢站住了脚。贾夫纳王国除在15世纪一度被僧伽罗人征服而外,通常保持自己的独立,直至葡萄牙人的侵略。

Jaffna 贾夫纳 斯里兰卡北部港口。位于斯里兰卡岛北端的半岛上。为半岛和附近岛屿所产农产品的贸易中心，与其他地区有公路和铁路相通。该城已不是主要港口，但与印度南部以及缅甸有些贸易往来。渔业在经济中占重要地位。贾夫纳被欧洲人征服之前，曾是泰米尔王国的首都达数世纪之久，1617年沦为葡萄牙人统治，1658 年被荷兰人占领，1795 年后由英国占有。1983 ～ 1995 年，贾夫纳是泰米尔分离主义游击队的根据地，1995 年斯里兰卡政府军夺取该城时，使城市许多地方变为废墟。到 21 世纪，贾夫纳仍有叛军在战斗。2004 年 12 月，该城受到印度洋地震引起的海啸袭击，生命财产损失惨重。人口约 145 600(2001)。

Jagan, Cheddi (Berret) 贾根(1918-03-22，英属圭亚那穆兰特港种植园[今圭亚那]～ 1997-03-06，美国华盛顿[哥伦比亚特区]) 圭亚那政治家和工会活动家，1953 年成为英属圭亚那第一位民选总理，1957 ～ 1964 年和从 1992 年起一再领导圭亚那政府。甘蔗种植园工头之子，在美国芝加哥西北大学口腔学院攻读口腔医学，1942 年获口腔医学博士。1943 年返回英属圭亚那任牙医，积极参与工会和政治活动，1947 年当选为英属圭亚那议会议员。1950 年与美裔妻子共同创建圭亚那第一个现代政党——人民进步党，他任党的领袖。1953 年在根据英国准许实施的新宪法进行的选举中，人民进步党赢得众议院的多数席位，贾根成为总理。他的激进的社会经济改革计划和他的党所鼓动的罢工和示威运动，使英国当局在 1953 年末免去了他的总理职务，中止新宪法，并派兵进驻，以阻止其所谓的亲共产党政府获得巩固。此后 4 年贾根恢复牙医生涯，这时人民进步党因种族问题于 1955 年分裂，多数黑人党员在 F. 伯纳姆带领下退党，另组人民全国大会党；东印度族党员则留在党内。1957 年大选中，人民进步党获胜，贾根膺任新政府的工商部长(当时未设总理职务)，执行温和的社会经济改革政策。1961 年大选中，人民进步党获得微弱多数，同年贾根成为英属圭亚那总理，继续致力于在议会民主的基础上建立社会主义经济，在外交上则采取中立立场。但他的第二个任期却为一场长期的总罢工和严重的暴乱所破坏，1961 ～ 1964 年英军再度进驻圭亚那。1964 年英国制定新的比例代表制，以确切反映黑人与东印度族人的投票力量，人民进步党在同年的大选中败于人民全国大会党。此后，贾根成为议会反对党领袖，并从 1970 年起兼任人民进步党总书记。在人民进步党于 1992 年大选中获胜后，贾根任圭亚那总统。他著有几部分析圭亚那历史及当代经济和政治问题的书。

Jagannātha 札格纳特 印度教大神黑天在布里(在奥里萨邦，是印度著名宗教中心之一)和在巴拉布普尔(西孟加拉邦，什里兰布尔的郊区)受崇拜的化身。印度教历颂沙荼月(公历 6 ～ 7 月)白分二日乘车节是奉祀该神的重要节日，届时将札格纳特之像置于车上，由几百名信徒曳引，经过沙滩到札格纳特的本宅。有数以千计的朝圣者参加。意外事故屡见不鲜，不时有狂热的朝圣者置身于轮下。

布里札格纳特庙布画中的黑天神像

美国不列颠百科全书公司供图

Jagdalpur 杰格德尔布尔 印度中央邦城市。在因德拉沃蒂河南岸。四周有茂密森林。有道路与甘盖尔和赖布尔相通。主要从事农业贸易。有时称为伯斯特尔，是前伯斯特尔土邦的首府。设有拉维尚卡尔大学两所分校。人口：城镇 66 154；都会区 84 578 (1991)。

Jagello (Lithuanian duke) **亚盖沃** 参阅 **Władysław II Jagiełło 弗瓦迪斯瓦夫二世**。

Jagersfontein 亚赫斯方丹 南非奥兰治自由邦西南部城镇。为著名的金刚石开采中心。1870 年在该地区一农场中发现 1 颗 50 克拉的钻石，从而于 1882 年建镇，6 年后开采钻石矿。世界上居第 2 和第 8 位的未加工的大钻石——995 克拉的埃克塞尔谢钻石(1893)和 650 克拉的赖兹钻石(1895)——均取自此矿。大萧条时期该矿关闭，第二次世界大战结束后再次开采。1970 年又关闭。附近现有养羊业。人口：城镇区约 6 353(1991)。

Jaghbūb, al- 杰格布卜 又拼 Giarabub 或 Jarabub。利比亚东北部绿洲，位于利比亚沙漠北缘，地处古代朝圣和商队的大道上。由于处在土耳其和埃及的势力范围之外，成为赛努西教团中心(1856 ～ 1895)。筑有城墙的城镇里高耸着赛努西教的创立人赛努西(1791 ～ 1859)的穹顶陵墓。当地果园生产椰枣。公路通图卜鲁格。

Jagiello (Lithuanian duke) **亚盖沃** 参阅 **Władysław II Jagiełło 弗瓦迪斯瓦夫二世**。

Jagiellon DYNASTY **亚盖沃王朝** 波兰-立陶宛、波希米亚和匈牙利王族。15 和 16 世纪时是中东欧一个最有权势的家族。王朝由立陶宛大公亚盖沃建立。他于 1386 年与波兰女王雅德维加结婚，同时成了波兰国王弗瓦迪斯瓦夫二世亚盖沃。波兰和立陶宛由于共同的统治者而联合，组成一个令人生畏的强大国家，并于 1410 年坦嫩贝格战役打败条顿骑士团。1430 年斯维德雷盖沃被任命为立陶宛大公后，王朝受到内部各宗族分裂和联邦

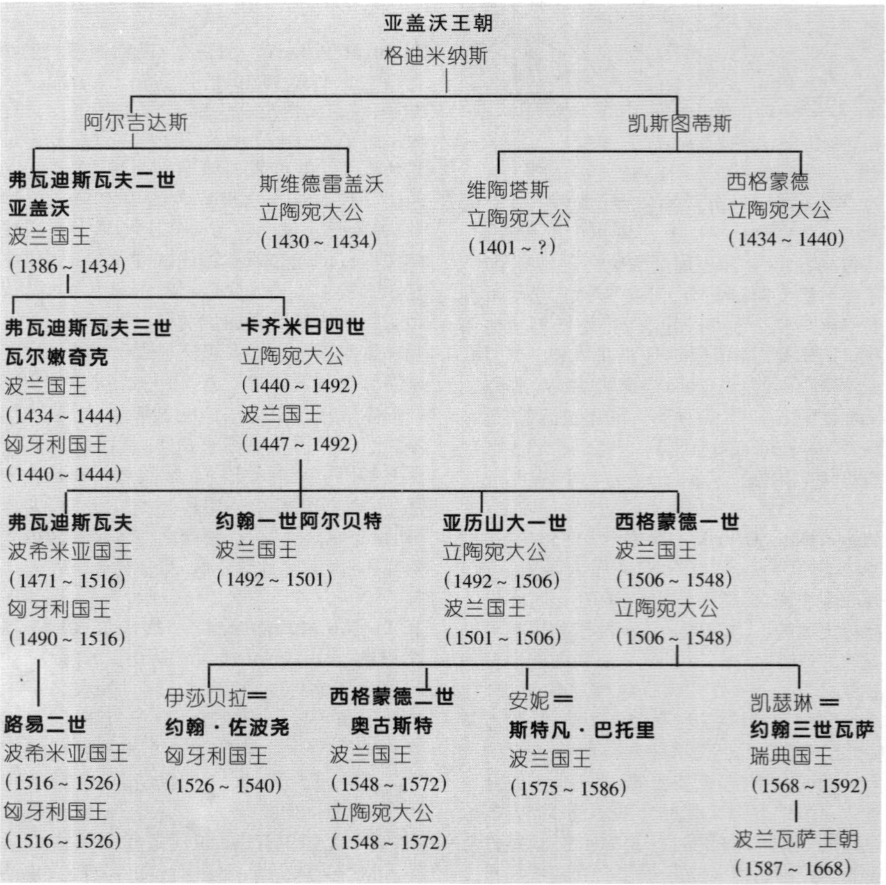

解体的威胁。1434年西格蒙德击败斯维德雷盖沃成为大公。王朝扩大了势力；弗瓦迪斯瓦夫三世瓦尔嫩奇克1434年继父位成为波兰国王，1440年还成为匈牙利国王。1444

1490～1526年亚盖沃王朝的版图

年，弗瓦迪斯瓦夫三世与土耳其在瓦尔纳战役中交战阵亡后，波兰人选他兄弟卡齐米日四世为王。卡齐米日支持立陶宛要求自治的愿望并决心建立坚强的中央皇权势力。在对条顿骑士团的十三年战争（1454～1466）中他大获全胜，取得大片领土，1471和1490年先后把他儿子弗瓦迪斯瓦夫捧上了波希米亚的王位和匈牙利王位；并在1485～1489年与土耳其人交战。然而在卡齐米日的儿子J.阿尔贝特和亚历山大一世统治时期，亚盖沃王朝的统治者在波兰已被贵族夺去了不少权力。王国被削弱，并受到其他国家的侵略。1506年西格蒙德一世继位前，波兰-立陶宛联盟因外来侵略和内部腐败而受到严重威胁。通过加强政治管理，西格蒙德利用外交手段与鼓励条顿骑士团和莫斯科大公国进攻波兰和立陶宛的神圣罗马帝国皇帝马克西米连一世达成协议。1514年，在奥尔沙击败莫斯科大公国的军队，成功地与条顿骑士团进行斗争，1525年使条顿骑士团的领地转变为世俗的普鲁士公爵领地，且成为波兰的封地。路易二世在1516年继承波希米亚和匈牙利王位，1526年他死在莫哈奇战役，亚盖沃王朝在那里的统治遂告终结。但是西格蒙德自己则增进了波兰和立陶宛的政治稳定性，在1526年把马佐维亚并入自己的版图。因波兰的大贵族和士绅们争权夺势，在1548年西格蒙德二世·奥古斯特继位时，不得不施展权术，1561年联合士绅们进行反击莫斯科大公国的战争。因此，巩固了他对利沃尼亚和波罗的海沿岸的控制权。西格蒙德二世·奥古斯特逝世后无嗣，亚盖沃王朝遂告结束。

jāgīrdār system　扎吉尔达尔制度　印度在穆斯林统治时期（始自13世纪初）发展起来的土地占有形式，即把一块块土地（扎吉尔）交给一个个国家官员（达尔）去收租和管理。这样的分封可能有条件，例如要求受封者为国家征税和维持军队等，但也可能无条件。土地的授予通常是终身的，受封者死亡，扎吉尔则归还国家。但其继承人可以交纳一定费用重新获得。印度独立后废除这一制度。

Jagoda, Genrikh Grigoryevich（Soviet leader）参阅 **Yagoda, Genrikh Grigoryevich** 雅戈达。

jaguar（*Leo onca*）　**美洲豹**　又作el tigre、tigre Americano。又称美洲虎。新大陆最大的猫科动物，分布于美国-墨西哥边界到阿根廷巴塔戈尼亚一带，通常栖息于沼泽、丛林和其他森林地区。在分布区的北部已经绝灭，仅在南美边远地区才有幸存，数量亦减少。已知的最大种群存在于亚马孙雨林中。美洲豹既往曾归入豹属，学名 *Panthera onca*。形似豹，但更大而敦实。雄大于雌，全长1.7～2.7米（包括0.6～0.9米长的尾），肩高0.7～0.8米，体重100～160千克。南美洲的美洲豹最大。美洲豹的底色变异很大，由

美洲豹（*Leo onca*）
美国不列颠百科全书公司供图

白色到黑色。典型的花纹是在橘棕黄色背景上由黑色斑点组成一簇簇玫瑰花结形图案，其中心有一黑斑。尾上有不规则的黑色斑点；鼻和上唇为浅红褐色。除玫瑰花结形的黑斑外，美洲豹的花纹与豹相似。独栖。常捕食鹿、貘、水豚、鸟类和鱼等动物，也食牛、马、狗等家畜。被逼入绝境时变得十分凶猛，但正常情况下不伤人类。行动迅速灵敏，能自由出没水中，似乎喜欢洗澡。在北方接近年底时交配，在热带，似乎随时可以交配繁殖。妊娠期100天，每产1～4仔。幼仔有斑点，与母兽共同生活2年。

Jaguaribe River　雅瓜里比河　巴西东北部塞阿拉州河流。由卡拉帕特罗河和特里西河汇成，流向东北注入大西洋。全长约560千米。流量季节变化大。枯水期长，大部河段干涸；随后是洪水期，下游沿河城镇被淹。在奥罗斯和卡里乌斯建有灌溉水坝。两岸生有大量耐旱的巴西蜡棕（制蜡和植物纤维，或用作屋顶材料），已在巴西政府东北部造林计划中使用。

jaguarundi（*Felis yagouaroundi*）　**细腰猫**　又拼 jaguarondi，又作 otter-cat。无斑点的新大陆猫科小动物，貌似水獭，善游泳，故又称獭猫。栖息于南美洲到美国西南部的森林和灌丛地区，特别是临近水面的地区。在墨西哥

细腰猫（*Felis yagouaroundi*）
美国不列颠百科全书公司供图

的北边现在已很罕见。健壮，身长，耳小，腿短，尾长。成体全长90～130厘米（包括30～60厘米尾长）；肩高30厘米，体重4.5～9千克。有两个色型：红褐色型（红褐獭猫）和灰色型。同一窝中可出现两种色型的幼仔。独居，昼夜均可外出活动。以鸟类和小兽为食。年底繁殖，一窝2～3仔，妊娠期约63天。

Jahaic languages　贾海诸语言　又称塞芒诸语言。属澳斯特罗-亚细亚语系，包括巴特克语、切翁语、贾海语、肯休语、金塔克语以及闵梯尔语。有几种不同的分类法。贾海诸语言是个小语族，操这些语言的总人数约2 000人，多居住在马来西亚内陆，也有一些人跨过边界进入泰国。

Jahān Shāh　杰汉·沙阿（约1438～1467年在位）　Jahān 又拼 Jihān。阿塞拜疆的土库曼人黑羊王朝（**Kara Koyunlu**）的国王。在他领导下，黑羊王朝把领土扩展到伊拉克、法尔斯和伊斯法罕（1453）。1458年侵入呼罗珊。1467年被白羊王朝（**Al Koyunlu**）的乌宗·哈桑（**Uzun Ḥasan**）打败和杀死。

Jahāngīr　贾汗季（1569-08-31，印度法塔赫布尔西格里～1627-10-28，赴拉合尔途中）　又拼 Jehangir。印度莫卧儿皇帝（1605～1627）。阿克巴之子。本已定为皇储，但于1599年发动叛乱。阿克巴临终确定由他继位。1614年结束对美华尔的战争。后来在对艾哈迈德讷格尔的战争中，莫卧儿的军队常常受挫于阿姆巴大将。1617和1621年由胡拉姆亲王缔和。贾汗季的波斯皇后、岳丈、内弟与胡拉姆亲王相互勾结，迄1622年一直把持朝政。1622～1625年胡拉姆亲王公开造反。1627年贾汗季在从克什米尔前去拉合尔的途中死去，他一向酗酒和吸食鸦片。他鼓励波斯文化，喜好自然，洞察人性，能鉴赏艺术，对绘画给予无比的支持。

jahannam　火狱　伊斯兰教信奉的后世惩罚处所。《古兰经》和穆罕默德本人对它的描述不甚明确。一说火狱（哲罕南木）是安拉召之即来的庞然怪物；另说它是地下多重火坑，人死后他们的灵魂都必须通过火坑上的一线窄桥，才能达到天国。在火狱中，人按罪恶轻重受刑，只有经过安拉同意才能脱离其境。

jāhilīyah　蒙昧时代　伊斯兰教用语，指真主尚未将《古兰经》启示给先知穆罕默德的时期。

Jāḥiẓ, al-　贾希兹（约776，伊拉克巴士拉～868或869，巴士拉）　全名艾布·奥斯曼·阿姆尔·伊本·巴赫尔·伊本·马赫布卜·贾希兹。伊斯兰教义学家、学者、文学家，以独特和精湛的阿拉伯散文著称。祖辈可能有埃塞俄比亚血统，家庭地位在巴士拉属于一般，但他的聪明才智使他成为学者圈子和上流社会所能接受的人物。阿拔斯王朝哈里发马蒙统治时期，他迁居首都巴格达。他未进宫受职，至少部分地凭达官显贵为答谢

他题献所著作品而赏赐给他的财物为生。宫廷迁往萨迈拉时,他也随同前往,弃世前不久退隐巴士拉。他杰出的神学和政治学散文作品现仍可寻。另一些作品则只能从作家们的引语中找到。他的散文杰作极有价值,其中既有诗歌,又有幽默笑话、奇谈轶事。有的含糊隐晦,有的果敢大胆,借用它们说明作者自己的观点。未完成著作《动物书》,共7卷,是一部借鉴亚里士多德著作写成的动物寓言集,也是一部以动物为题材,加进神学、社会学和语言学议论的阿拉伯文学论著汇编。另一部长篇著作《修辞与阐释》,讲述文体和语言的运用。《吝人传》是一本关于悭吝人的故事集。实际上,贾希兹在作品中提供了那个时代的一部完整的人性教育科学。他在作品中明智地支持政府的政策,例如,他属于唯理论的穆尔太齐赖神学派,该派得到哈里发马蒙及其继位者的支持。当哈里发穆泰瓦基勒放弃穆尔太齐赖神学后,他仍以自己的写作赢得恩宠,写出了《土耳其的英勇业绩》,讨论土耳其士兵的军事素质,这些士兵是政府的依靠。

Jahn, Friedrich Ludwig　杨(1778-08-11,普鲁士勃兰登堡兰茨～1852-10-15,普鲁士萨克森温斯特鲁特河畔弗顿堡)　体育家,号称德国体操之父,德国体操协会的发起人。他有

美国不列颠百科全书公司供图

强烈的爱国心,相信体育是国民健康和力量的基础,对于加强性格和民族独立性是重要的。1796～1802年先后在哈雷大学、格丁根大学和格赖夫斯瓦尔德大学学习神学、历史和语言学。随后几年他在耶拿和格丁根教学、旅行并上学。1809年定居柏林,在中学任教。他推行学生室外体操,发明双杠、吊环、平衡木、跳马和单杠。1811年成立第一个体操俱乐部。1813年参加吕佐夫志愿军团,任第三营营长。1815年拿破仑垮台,杨返回柏林,重新指导体操俱乐部。杨与艾泽伦合著的《论体操》于1816年出版。他宣扬民主观点,对青年产生巨大影响。在1819年的反动政治气候之下受到怀疑,政府逮捕了他,封闭了他的体操俱乐部。杨被监禁了近1年。获释后,他被限制在科尔贝格居住,直到1825年才获得自由。然而他被严禁居住在有大、中学校的城市。于是他迁居温斯特鲁特河畔弗赖堡,在那里度过余生。1840年,因战斗勇敢被奖给铁十字勋章。两年后,自1819年起生效的取缔体操的法令撤销。1848～1849年他任职国民议会。

Jahn, Helmut　雅恩(1940-01-04,德国纽伦堡～　)　德国出生的美国建筑师,以后现代主义的钢架玻璃结构建筑闻名。1965年毕业于慕尼黑工业大学,然后到以现代主义美学闻名的芝加哥伊利诺伊科技学院学习。后在芝加哥CF墨菲建筑师事务所工作,参加了芝加哥麦考密克会展中心的设计(1968～1971)。1983年起担任该事务所主席和首席执行官,事务所因而更名为墨菲/雅恩事务所。70和80年代,雅恩建立了自己的风格——他的设计将历史风格和周围环境与高科技工程相结合,体现出后现代主义建筑的精髓。他在这一时期最著名的设计是伊利诺伊州中心(1979～1985)。该建筑既借鉴了美国传统的国会山式的穹顶设计,同时又采用蓝色加粉色的玻璃钢架结构,并带有巨大的中厅,意在表现政府的开放式性质。在新旧世纪交替时,雅恩的建筑开始遍布整个美国乃至整个世界。著名的后期设计包括慕尼黑机场中心(1990～1999)、上海21世纪大厦(1999～2001)和柏林的索尼中心(1993～2000)。在这些作品中,他放弃了早期奇思异想的风格,采用了欧洲现代主义更加保守的元素和更加直接简单的设计方案。

Jahra, al-　杰赫拉　科威特中部城镇和地区。该绿洲城位于科威特市以西大约50千米处,为本地区的首府,也是全国主要农业区的中心,以生产水果和蔬菜为主。地区面积11 176平方千米,约占科威特总面积的2/3,然而该区大部是人烟稀少的沙漠。人口:城镇67 311;地区190 820(1980)。

jahrzeit (Judaism)　参阅 **yahrzeit** 周年悼亲日。

Jahwarid DYNASTY　**哲海韦尔王朝**　曾统治西班牙科尔多瓦的穆斯林阿拉伯王朝,1031年科尔多瓦的伍麦叶哈里发国家瓦解后出现的诸附庸王国之一。1008年,著名贵族艾卜勒·伊本·哲海韦尔领导下的贵族会议废除了哈里发制度,宣布科尔多瓦为共和国。他当选为政府首脑,实际上为绝对君主。在位12年间(1031～1043),恢复了和平和经济繁荣。其子穆罕默德·赖世德(1043～1058在位)玩弄权术,把塞维利亚的阿巴德王朝排斥在科尔多瓦之外,但最后让位于大臣伊本·拉加。1058年,赖世德的儿子阿卜杜勒·马利克杀害伊本·拉加,取得统治权。他极不得人心。1069年阿巴德王朝攻占了科尔多瓦城。

jai alai　回力球　西班牙球戏。运动员在三面围墙的球场上,一只手臂戴柳条编织的长勺形手套,将硬橡皮球掷向前墙并接住从前墙弹回的球。回力球从一种形式的手球发展而成。认定从南美把橡胶引进欧洲可有效地加强球的弹跳能力从而加速球戏。下一步是引进戴在右手上的皮革手套,后来变成用扁平的木拍。随后皮革手套发展成一个接球和扔球的装置,最后演变成长勺形手套,起初是一个短的用具,但现有约0.76米长,优美地弯曲着,运动员可大力快速地接球和有效地掷出去。球较棒球为小,较高尔夫球为硬而重。它是用手缠的纯橡胶最后盘绕几根麻线或尼龙线,包上两层加硬的山羊皮。外层羊皮可以替换。打球时,时速240千米并不罕见。自1967年以来,美国职业运动员都戴上保护性头盔。现代三面为墙的球场平均长53.3米,宽15.2米,高至少12.2米。墙和地用特殊材料制成以承受球的撞击。观众席呈阶梯式,设在无墙一面的场地外,前墙在右,正面对着侧墙,后墙在左。有些巴斯克回力球场可追溯到1785年。在西班牙,有10座回力球场是职业球员使用的。法国南部和米兰也打回力球。西半球墨西哥流行回力球。20世纪20年代和30年代美国也有回力球。1959年古巴革命前也流行回力球,革命成功后被禁止。菲律宾有两座回力球场。只有美国有两座回力球场为业余爱好者开放。一流运动员传统地来自巴斯克地区。多数运动员在30岁前后到达巅峰。厄尔多萨是最了不起的,他一直打到50多岁,由于心脏病发作倒在球场上死去。迈阿密回力球场的管理部门支持在西班牙办训练学校培养年轻运动员。在迈阿密也有一所学校,有发展前途的年轻业余选手接受4～5年训练拟以回力球为谋生之道。回力球的原理很简单。将球发向前墙,必须落在指定的发球区;单打时的对手,或双打时的对手之一必须在球触地两次之前接球并将球回过去。接球和扔球是一次连贯性动作。比赛继续进行直到接不到球或出界。目的是把球从前墙弹出时既快又转,使对手接不到球而失分。前墙周围有用红色清楚标明的地区。如果球击中这个区域,击中场地上方的拦网或击出边线,均为出界。如果由于另一名选手在他前方而阻止他扔球,可称作干扰,这一分重算。

Jailolo (Indonesia)　**贾伊洛洛**　参阅 **Halmahera** 哈马黑拉。

Jain vrata　誓愿　此词特指印度耆那教僧人和在家信徒所发的各种誓愿。耆那教僧人终身受持的五大愿是:①不害;②不妄语;③不偷盗;④不淫欲;⑤不蓄产。

Jaina canon　耆那教经典　对于印度耆那教的各种圣典,各派之间就孰真孰伪各执一词。白衣派以45部典籍为主,分类如下:①11部《应伽经》,是主要经典,第12部至迟至1400年前即已失传;②12部《优婆应伽经》,是附属经典;③10部《杂集经》,为杂类经典;④6部《契陀经》,是苦行生活戒律;⑤2部《珠利迦经》,讲认识和认识论;⑥4部《根本经》,杂论各种问题。白衣派原来承认有71部经典,据说是5世纪伐腊毗会议上所制定。全部经典用普拉克里特方言撰写,但自从笈多时期(4～6世纪)起耆那教著作家也采用梵文,以利广传。天衣派怀疑白衣派全部经典的真实性。

Jaina painting　耆那教绘画　参阅 **Western Indian painting** 西印度绘画。

Jainism　耆那教　耆那教与印度教及佛教共为源起于印度的三大宗教。"耆那"意为胜

利者，是该教24代祖的共同称号。耆那教与佛教都兴起于公元前6世纪，都反对吠陀教（早期印度教）的繁文缛礼。耆那教创始人是与佛教创始人释迦牟尼同时代的筏驮摩那大雄，根据耆那教传统，大雄是该教第24代祖。据1971年调查，耆那教有信徒近260万人，主要集中在印度西部及北方邦、迈索尔、中央邦和马哈拉施特拉邦。大雄在世时，他的女婿阇摩梨发动第一次分裂活动。其后又次第发生六次分裂，公元80年左右湿婆菩提发动第七次分裂，使耆那教分成白衣和天衣两派。到了笈多王朝时代（320～600）耆那教势力在印度中部和西部比在源起地摩揭陀更为强大，但是统治摩揭陀的笈多王朝各代皇帝都支持该教。5～12世纪，统治南印度的恒加、伽丹巴、珠卢迦·罗湿陀罗瞿多等王朝，都支持该教。大约在16世纪郎迦沙赫在西印度创建白衣派的一个支派斯陀那迦派。18世纪又兴起特罗般提支派。天衣派内部也于16世纪兴起鸠摩那般提支派。根据耆那教义，时间无尽无形，如巨轮，十二辐代表十二纪，人在六个升纪中逐步成熟幸福，在六个降纪中日趋堕落。两纪合而为一轮回，即一劫，等于20×10^{14}年。宇宙无边无际，自有永有。魂、物、时、空、动、心为构成世界的六质。横贯宇宙中心的是动魂界，人兽神鬼居于其中，其下有七层地狱，其上称上界，有16层天和14个天界。宇宙之颠是得解脱的灵魂脱却躯壳之后所居之处。耆那教认为，万物分为命与非命两类，即灵魂与非灵魂。耆那教认为没有创世之神，但有许多小神。这些小神分为家屋神、中介神、发光神和星辰神四类；此外尚有许多男女神祇。这些神位在得解脱的众灵魂之下。灵魂本质纯洁，享有无穷的知识、福乐和力量。外界事物与灵魂接触后限制灵魂的这些功能。业是一种微粒，是引起因果连锁反应的外界事物。人必须制止新业侵入、消除已有旧业，才能解脱众业。为此人必须斋戒、禁忌某些食物、控制个人的爱好、隐居自苦、悔罪自赎、谦卑、礼拜、学道、入定并放弃私欲。耆那教的伦理学注意无伤，反对伤害众生，以正智、正信和正行为三宝。该教相信一切灵魂平等，因此教徒可以与任何种姓之人同食，出家修行也不限种姓、阶级和民族。耆那教白衣派正典有45部，其中有《应伽经》12卷，一卷已失传；《优婆应伽经》12卷、《根本经》4卷、《契陀经》6卷、《珠利迦经》2卷、《杂集经》10卷；天衣派以《业论》和《袈裟论》这两部普拉克里特文著作为正典。耆那教在艺术、建筑、语言文学、天文学、伦理学、数学、语法学、戏剧学等方面都有重大贡献。

Jaintia　贾因蒂亚　印度历史上印度东北部阿萨姆的一个土邦。领土从今孟加拉与印度间在贾因蒂亚丘陵的北方国界起，直至阿萨姆平原的卡隆河。人民属卡西人血统。1824年，缅甸入侵阿萨姆，王公与英国结盟。1832年，英国吞并该地区。由于孟加拉人和欧洲人迁入，1862年发生骚乱，遭英国镇压。

Jaintia Hills　贾因蒂亚丘陵　印度东北部梅加拉亚邦东部的自然地理区。位于梅加拉亚高原，平均海拔900米。为人口稀疏的山区，雨量大，森林茂密。科皮利河等河流水急多瀑布。有若干种珍稀野生动物。经济以农业为主。马铃薯为主要农作物。出产优质木材。工业很少。居民主要为贾因蒂亚族人。由于与世隔绝，基本上保持着母系社会文化。尽管印度政府倡导定居耕作，并取得相当成就，但居民仍沿用轮垦的方法。

Jaipur　斋浦尔　印度西北部城市，拉贾斯坦邦首府。1727年始建，为斋浦尔土邦的首府。城市以美景著称，因建筑多为玫瑰色，有“粉色城市”之称。有主干公路、铁路和航线。

斋浦尔市的气象台
美国不列颠百科全书公司供图

为贸易中心。工业有机械、金属加工、手工织布、酿造、玻璃、针织、地毯、毛毯、靴鞋、药品等部门。还有多种其他手工业。有拉贾斯坦大学（1947年创建）。周围地区的东南部为肥沃冲积平原，西北部为丘陵和沙漠。主要农作物有珍珠粟、大麦、鹰嘴豆等豆类以及棉花。开采铁矿、绿柱石、云母、长石、大理石、铜和石榴石。人口：市约2 324 319（2001）。

Jaisalmer　贾伊瑟尔默　印度西北部拉贾斯坦邦西部城市。与焦特布尔、巴尔梅尔、珀洛迪有道路相通。为商队贸易中心，从事羊毛、皮革、盐、漂白土、骆驼和绵羊贸易。以黄棕色石砌建筑物闻名。1156年始建。周围地区几乎全为沙性荒地，属塔尔沙漠之一部。卡克尼河为唯一河流。珍珠粟和高粱为主要农作物。放养山羊、骆驼、绵羊和牛。开采石灰石、漂白土和石膏。人口：市约58 286（2001）。

Jājau, Battle of　杰焦战役（1707-06-12）　印度莫卧儿皇帝奥朗则布去世后，争夺皇位继承权的决定性战斗，战场在阿格拉城南的杰焦。1707年3月3日奥朗则布死后，喀布尔总督巴哈都尔沙和他的弟弟阿扎姆沙之间发生战争。双方兵力都超过10万人，巴哈都尔沙的炮兵较强，再加上阿扎姆沙的部分支持者逃走，而且酷热缺水，决定了胜负。阿扎姆沙及其子比达尔·巴赫德均被杀。王冠落入奥朗则布长子巴哈都尔沙之手。

Jajce　亚伊采　波斯尼亚-黑塞哥维那城镇，位于巴尼亚卢卡以南47千米处的弗尔巴斯河畔。为波斯尼亚故都，1461年陷落，被土耳其人侵占。1463～1528年被匈牙利占领，为亚伊采行省的中心。1528年又被土耳其人占据，达350年之久。自1878年开始的奥地利占领期间，亚伊采是地方抵抗的场所。第一次世界大战后隶属南斯拉夫。第二次世界大战期间是铁托将军领导的共产党抵抗力量的作战基地。第二届临时国会在此召开，会上起草了战后的宪法，并于1943年11月29日建立了南斯拉夫联邦共和国。现为旅游胜地，以普利瓦河急流上的土耳其式木制水车著名。附近有从普利瓦河泻入弗尔巴斯峡谷的瀑布。普利瓦河和弗尔巴斯河上有两座水电站，当地一电化学工厂生产碳酸钙。人口13 600（1991）。

jajmānī system　循环献祭制度　印度乡村社区中不同种姓家族之间的社会与经济互助制度。按照这种制度，一个家族专为另一家族举行宗教仪式、理发或干农活。这种关系代代相传，报酬通常不用金钱，而是付给一定份额的农田收获物（如一定数量的粮食）。雇主家族称为主家（jajmān，源于梵文yajamāna，意为“雇用僧侣举行宗教仪式的献祭主”）；受雇家族称为客家（jajmānī）。雇主家族本身也可以受雇于向他提供服务的家族，而向后者提供不同的服务。因为向雇主提供服务是一个家族世代继承下来的义务，这种继承性质就产生了某些形式的契约劳动。

Jakarta　雅加达　旧拼Djakarta（1949～1972）。印度尼西亚共和国首都，并且是全国最大的、一直在不断巩固发展的城市之一。1949年以前称巴达维亚，于该年改为现在的名称。与大雅加达都会区面积相同，为664平方千米。位于爪哇岛西北海岸，芝利翁河河口处。

1966年该市被划为大都会特别行政区，大致相当于一个州或一个省的地位。长期以来，该市为重要的商业和金融中心，也是重要的工业城市和教育中心。

自然地理和人文地理

景观　城市位置　雅加达位于低平的冲积平原上，平原上有广阔的沼泽地，雨季很容易发生水灾。城区伸入内陆的部分地势稍高。为建筑用地而排干沼泽，以及高地森林植被的不断减少，增加了发生水灾的危险性。虽然土壤水分过多，雅加达的清洁饮用水仍然不足，而需求却在不断增加。由于大部分土壤源于古火山物质，该地区土地肥沃，适宜于发展水果及其他园艺业。

气候　雅加达是热带城市，气候湿热，极端气温变动在24～34 °C之间，相对湿度为75%～85%。1月平均气温26 °C，10月28°C。年降水量1 700毫米以上。气温常受海风调剂。同其他大城市一样，雅加达现在也遭受着大气和噪音污染。

城市布局　虽然最早试图作出城市规划的是荷兰人，但城市的布局或许更具英国特色。例如从独立广场和野牛广场这样的大广场就能看出这一特点。然而东方的风格，或者如同荷兰人所称“印地”的风格，不仅体现在城市的生活方式，而且体现在房屋的类型、宽阔的林荫街道以及独特的宽广庭院和宅区。巴油兰是第二次世界大战以来在城市西南边建造起来的卫星城镇，在这里以及在其他现代化发展区，宅区和庭院都比旧殖民地区的小得多。

雅加达一向是外来移民的城区，这些新居民吸收当地人的习俗并使自己成了雅加达人。然而，某些传统的地区仍能区分出来。譬如，哥打城区，或旧城，有时也称为商业区，为主要商业区，也是印度尼西亚金融中心。这里居住着相当可观的一部分华人。马腰兰(进步)和塞内地区，最初坐落在城市的东翼，现在几乎位于城市中央部分，并日益成为该城的主要零售商品区。

贾蒂内加拉(真正的农村)地区，最初为巽他人的村落，后来组成一个单独的城镇，之后为荷兰军队营地(梅斯特·科内利斯)，现已并入雅加达，并住有许多新居民。门登和贡当迪亚地区在中央独立广场(后来叫做韦尔特维雷登)附近，曾是时髦的住宅区。西边的塔纳阿邦(红土地)和贾蒂·珀坦布兰像马腰兰一样密集地发展。丹戎不碌是港口，具有附属于它自己的社区。

城市中最普遍的房屋类型是甘榜，即乡村房屋。绝大多数是由诸如木头或竹席一类的材料建造的，但这并不意味着是低标准的。另外一种普遍的住房类型为殖民城市的房屋，即洋楼，过去常为政府工作人员的住所；这些洋楼多数是单一家庭居住的分离或半分离的房屋，每一幢房屋建立在单独的宅地上。公寓式建筑是较为现代化的住房类型；虽然它们比单一家庭住房更节约土地，但建筑和营造费用常使这些房子非常昂贵。住房通常是很拥挤的。

雅加达的一些建筑物，例如旧城的葡萄牙教堂(建于1695年)，具有建筑学或历史意义。旧城里城市广场周围的一些建筑物也是建于殖民地时期的，其中旧市政厅(建于1710年)现已修复并成为市立博物馆。国家档案馆的楼房原先是荷兰总督里贝克将军的官邸。面向野牛广场的财政部的楼房原先也是计划作一位总督丹德尔斯(拿破仑时期的一位元帅)的官邸的。独立广场北边的总统府前面是国家纪念碑，高达110米，为雅加达最高的建筑物。野牛广场对面、独立广场东北角的独立清真寺是东南亚最大的清真寺之一。国家博物馆(从前是中央博物馆)坐落在独立广场的西侧，收藏了历史、文化和艺术的人工制品。

第二次世界大战后，雅加达的建筑迅速发展。印度尼西亚饭店(该城第一座高层建筑)以及塞纳扬体育中心于1962年为亚运会的召开而建成。大部分高层建筑布局在胡斯尼·塔林和苏迪曼将军大道旁，将巴油兰与雅加达连接起来。

人民 1940年以来雅加达的人口迅速增加。这种增加多由于外来移民的进入。虽然政府规定不允许未受雇佣的外来移民进城，但是城市较好的经济条件必然地吸引着外来移民。此外，人口年龄构成多数较年轻，处于育龄阶段，导致自然增长潜力很高。对外来移民潮流的分析，显示出移民以来自西爪哇的为最多，其次是中爪哇和东爪哇；来自苏门答腊的移民也占很大数量。来自阿拉伯、印度、欧洲和美洲的移民数量不大。人口约9 604 900(1999)。

经济 雅加达在经济上起着多方面的作用。首先它是国家的首都，支配国家经济的中心，它又是本市的行政中心，最后，它还是重要的工业中心。另外，地处港口的位置又使它成为重要的贸易中心。

工业 雅加达有一些制造业，包括几个铸铁厂和修理厂，人造黄油和肥皂厂，啤酒厂和印刷厂。制造机械、卷烟、造纸、玻璃器皿、电缆、铝和石棉等产品，近期还制造汽车。此外还有制革、锯木、纺织、食品加工，以及胶卷工业。

商业和贸易 城市生活费用继续上升。土地昂贵，而且租金高，因而工业的发展以及新住房建筑通常都在郊区，而商业和金融仍集中在市中心。印度尼西亚商会积极促进本国同其他国家之间的贸易；一年一度的雅加达商品交易会(通常于7～8月间举行)也为促进贸易服务。

为满足本地城市人口的需求，市政当局开设了几家市场。市中心市场同市中心东边的塞内市场以及城区的格洛多克市场一样，为主要的零售中心。贾蒂内加拉市场主要是食品供应中心。地区市场相当大，每一个市场都可以供应城市内部一个整个的区。也有一些小的邻里市场，每一个市场只供应一个有限的地区。有许多专门市场，包括一个鱼市场，一个新旧汽车零件市场，伦普特跳蚤市场，以及泗水街的纪念品和古董市场。雅加达也有几个一般的邻里市场。

运输 主要公路干线从旧城城区中心通向西边，从甘比尔的行政中心通向东部和南部。一条重要的铁路从本市向东将该市同爪哇岛各地连接起来。还有一条公路基本上是一条地区性的著作，供给线，从雅加达延伸到东爪哇和中爪哇富饶农业区。从雅加达向南，有一条公路和一条铁路将该市同茂物、苏加武眉和万隆连接起来。从雅加达向西，有一条铁路和一条公路通向万丹以及孔雀港港口，由此靠轮渡与苏门答腊的楠榜省相连接。

雅加达的丹戎不碌港为印度尼西亚最大港口，处理西爪哇出口贸易以及印度尼西亚大部分的进口贸易；许多货物由此转运到其他岛屿或港口。

有几条国际航线汇集于雅加达，由印度尼西亚迦卢茶(金翅鸟)航空公司(国家航空公司，经营国际和国内航线)和其他国内的航空公司经营。主要国际机场是城西20千米处的曾卡伦机场。

位于野牛广场的公共汽车总站有运行于全城的、城市之间的以及地区之间的公共汽车路线。在贾蒂内加拉、巴纳兰、格罗戈尔、哥打以及丹戎不碌还有郊区的公共汽车总站。主要火车站有旧城的哥打、独立广场的甘比尔、东边的塞内市场以及南边的芒加赖和贾蒂内加拉。西边的红土地有车通向孔雀港。交通堵塞特别发生在早晨和下午的高峰时间。城内公共交通依靠公共汽车或者小巴。人力车或三轮出租车仅用于地方上邻近地区的运输，普通的出租车现已运行于整个大都会区。

行政与社会状况 **政府** 该市市长具有与省行政长官相同的地位。市政府由两个分支机构组成，行政部门和选民团。行政部门包括一位行政长官，以及由4位副行政长官，一班行政职员和一位地区秘书组成的辅助人员；还有附属于行政部门的许多市理事会、局和机构。选民团包括35到40个成员，其中有8个政党的代表、武装力量的4个代表，以及所谓职能组的9个代表。这些选民由5个成员组成的委员会来领导，5个成员中，1位主席和4名副主席。

公用事业 公用事业通常由印度尼西亚政府管理或归政府所有。国家电力公司和附属的国家天然气公司两者均供应雅加达。邮政和海底电报服务以及电话服务由交通部主办的国营公司提供。雅加达的电力来自几个方面：包括靠近丹戎不碌港口的安佐尔地区的热电厂，城内好几个地方较小的柴油发电厂，以及在雅加达东南方约110千米处位于普哇加达附近的贾蒂庐胡水电站。泗水一个新的热电厂在建设中。

市政府负责供水。城市用水部分取自茂物地区的泉水，不过大部分用水来自珀琼蓬甘水处理厂。城市用水主要为民用，但也用于工业和供应船舶用水。清除垃圾以及提供其他环境卫生的服务也是市政当局的职责。

保健 该市是印度尼西亚医疗机构中心。有3家大的医院——一家直接由卫生部管理，一家由罗马天主教管理，还有一家由新教徒传教团管理。市级医院分别负责该市各

雅加达市的总统府

美国不列颠百科全书公司供图

个地区。全市总共约有40家普通或专科医院。此外，有遍布全城的几百家普通的诊所或综合医院。在丹戎不碌，有一家防治传染病的隔离医院。城市还有一家为精神病患者和贫民开设的医院和康复中心，还有许多计划生育和儿童保健诊所。

教育 为满足初等教育的需要，建立了许多新的小学和中学，许多旧校舍得到翻新。有一套包括幼儿园、小学、伊斯兰教学堂(宗教学校)、初中、以及高中的完整的体系。还有许多职业学校和专门学校以及100多所大学、专科学校和学院，以供深造。最大的著名的大学是印度尼西亚大学(1950年建立)。

文化生活 雅加达有许多文化活动设施，其中伊斯梅尔·迈尔祖基文娱中心设有提供传统或古典艺术表演的设备以及表演现代剧和音乐会的剧院；中心还设有天文馆。传统的表演包括哇扬舞蹈和戏剧、佳美兰音乐、以及哇扬木偶戏。在一年一度的雅加达商品交易会的节目单中，包含着代表印度尼西亚其他地方文化的传统表演。

雅加达市内和周围广阔的公共娱乐场所包括安佐尔地区的极乐海滨娱乐区和靠近星期日市场的拉古南动物园。市内有许多运动场，其中雅加达商品交易会场地上的综合娱乐场位于莫纳斯的正南方。占地100公顷的美丽的印度尼西亚微缩公园在该市正东南方，展览包括印度尼西亚各省的传统房屋。该市也提供公共娱乐设备。

历史

雅加达的第一个定居点建立在芝利翁河口，也许早在公元5世纪就已建立。然而，该市正式的历史始于1527年，当时万丹的苏丹打败了这里的葡萄牙人，称该地为查亚卡达地区(巽他语意为光荣的城堡)。

在科恩的领导下，荷兰人于1619年占领并彻底破坏了该城，之后，荷属东印度的首都——命名为有城墙的市镇巴达维亚——在该址建立。

该市的殖民史可划分成3个主要的时期。第一为荷属东印度公司时期，当时该市大部分活动集中在城堡和公司的仓库周围。那时，该城稍微类似典型的荷兰城镇，全城多运河渠道。第二个时期始于19世纪初，当时该市向南延伸到包括地势较高并且更卫生的地区，此地后来成为新殖民政府所在地。拿破仑战争期间的英国短期统治于1815年结束，终止了第二个时期。第三个时期，大约从20世纪20年代到1941年，该市趋向于现代化。

殖民地时代随着第二次世界大战日本人侵而结束，当时印度尼西亚被日军侵占。战后该市曾短期为盟国占领，然后归还给荷兰。日本占领期间，以及印度尼西亚民族主义者于1945年8月17日宣布独立之后，该市重新命名为雅加达。荷兰人命名的巴达维亚，仍为国际上公认的名称，一直到印度尼西亚获完全独立，雅加达于1949年12月27日正式宣布为国家的首都，现在的名称才得到公认。

自印度尼西亚独立以来，雅加达经历了巨大的生长和发展过程。尽管存在着某些问题，该市已成为热带亚洲最大的大都市之一。20世纪50年代，苏加诺总统大力支持大型建筑项目。该城的基础设施实现现代化，建起很多办公楼。在苏哈托总统执政期间，雅加达成为金融商务中心，但苏哈托执政期间也是腐败和任人唯亲现象严重的时期。经历了几十年的发展以后，该城和整个国家都受到1997～1998年亚洲金融危机的严重影响。出现了广泛的反政府抗议活动和暴动，导致500多人丧生。1998年，苏哈托总统被迫辞职。在21世纪初，该国和雅加达市都在经历巨大的经济、政治和社会改革。

Jakarta Zoological Gardens 雅加达动物园 参阅 **Ragunan Zoological Gardens** 拉古南动物园。

Jakob Thorarensen(Icelandic poet) **雅各布·索拉伦森** 参阅**Thorarensen, Jakob**索拉伦森。

Jakobshavn 雅各布港 格陵兰语称伊卢利萨特。格陵兰西岸城镇。临迪斯科湾，接近雅各布港湾口。1741年丹麦人在原爱斯基摩人驻地建立永久居民点。镇名以1739年在迪斯科湾打败4条荷兰船的雅各布·塞韦林命名。镇内有许多18世纪建筑物、两个小码头、一个虾罐头厂和探险家拉斯穆森的墓地。有直升机场。人口约4 629(1999)。

Jakobson, Roman 雅科布松(1896-10-11，俄国莫斯科～1982-07-18，美国马萨诸塞波士顿) 又译雅柯布逊，俄国出生的美国语言学家、斯拉夫语学者、欧洲结构主义语言学主要奠基人，将学派的理论与实践带入新的研究领域。1920年任莫斯科戏剧学院俄语教授。1928年，与特鲁别茨科伊、卡尔采夫斯基宣布彻底放弃索绪尔经典结构主义理论，并提出，他们研究语音功能的方法既可用于共时语言又可用于历时语言。早期著作有《俄语与其他斯拉夫语语音变化比较研究》(1929)和《欧亚语言同源性的特征》(1931)。1933年起任教于捷克马萨里克大学(今捷克布尔诺普基涅大学)，教授俄罗斯语文学(1934)和捷克中世纪文学(1936)。欧洲政局使他逃亡至哥本哈根、奥斯陆、乌普萨拉各大学以访问教授身份任教，1941年抵达纽约州，1943～1949年在哥伦比亚大学任教，1949～1967年任哈佛大学斯拉夫语言文学及普通语言学教授。著作的标题表明其研究范围甚广，早期著作有《儿童语言》(1941)和《失语症及语音规律》(1941)；后期著作有《言语分析初阶》(1952)，是他与C.贡纳、M.方特、M.哈利合编的具有开创性的著作，对语言区别性特征进行了分析，还有《语言原理》(1956)。另与哈利合编并出版选集6卷(1967～1971)，分别论述音位学、词、语言、诗歌、斯拉夫史诗、关系、传统。与L.R.沃合著的《语言的语音类型》，发表于1979年。

Jakobstad(Finland) **雅各布斯塔德** 参阅**Pietarsaari** 皮耶塔尔萨里。

Jakpa, Sumalia Ndewura 贾帕(活动时期17世纪) 非洲国王，17世纪初在贡贾(今加纳北部地区)开创一个王朝。他是入侵的曼德族人，曾将一些国家建成一个松散的联邦，地域包括今加纳北部和多哥、贝宁的部分地区。他的王国在中非与撒哈拉南部非洲伊斯兰国家之间的东西商路上，由于地处战略要冲而称霸西非。18世纪王国幅员缩小，势力削弱。"贾帕"为一称号。传说中的贾帕的事迹究竟属于第一代贾帕苏马利亚·恩德武拉还是属于一系列有此称号的统治者，尚有疑问。参阅**Guang**。

Jakun 贾昆人 马来半岛东部内地土著，其主要分支有比杜安达人、曼特拉人、劳特人、卡纳克人和乌卢人。20世纪末期人口总数约为2万人。此后，来自苏门答腊高度发达国家的入侵者占领马来亚海岸，常与贾昆人混合。有些抵抗入侵的贾昆人退居内陆，现仍保持着许多早期马来文化特征。他们的体形基本上属南部类蒙古族，与邻近的塞诺伊人和塞芒人不同种。语言是古马来语。贾昆人建竹屋和茅屋于野林的空地上，并在此种植旱稻、甘薯、黍类及其他作物，此外，还依赖森林产品和用吹矢枪、毒箭猎捕的野味。合数家垦地为一村落，每村有一头人，是抢劫和猎取野味的首领。贾昆人同许多其他马来人一样，信仰万物有灵，认为人和其他动物、植物甚至无生物都有灵魂，宗教主要祭奠许多神灵与祖先。

JAL 参阅 **Japan Air Lines Co., Ltd.** 日本航空公司。

Jalāl ad-Dīn ar-Rūmī 鲁米(1207-09-30，古尔帝国巴尔赫[今在阿富汗]～1273-12-17) 又称穆拉纳。波斯最伟大的苏菲派神秘主义诗人，以其抒情诗和说教诗《玛斯那维》(《训言诗》)闻名于世。该诗对神秘主义思想和文学有深远影响。其父是一位著名的伊斯兰教教义学家。约1218年，因蒙古人日渐逼近，其父带着全家离开巴尔赫，去麦加朝觐，后浪迹近东，定居安纳托利亚(鲁姆，故得名鲁米)。其父在首都科尼亚一神学校执教，于1231年去世，鲁米接替父职。1244年他在科尼亚遇到四处漫游的伊斯兰教托钵僧大不里士的沙姆斯，两人交往极深，形影不离。这种挚爱、渴求和后来的失去，使鲁米成为诗人。他的许多诗篇，辑成《沙姆斯诗集》，有赞颂沙姆斯的词句，语言清新，节奏有力。其主要著作两行诗体的《玛斯那维》，约26 000个对句。这首长诗对穆斯林神秘主义思想和文学有广泛影响，反映了13世纪伊斯兰教泛神论神秘主义者的各个不同方面，被称为"波斯文古兰经"，流传广泛，至今读来仍令人爱不释手。此外，还有一本随谈录，题为《其中者自在其中》，是朋友将其言论辑录而成，囊括了他关于诗作的主要思想。他的诗是神秘主义者的人生感受，充满人情味，读者可以从中找到自己欣赏的思想和情愫——从狂热的升天到日常生活。但是，鲁米对土耳其文化生活的影响不能过分夸大。鲁米死后葬于科尼亚，其陵墓今已辟为博物馆，朝拜者络绎不绝。

Jalālābād 贾拉拉巴德 旧作 Jalālkot。阿富汗东部楠格哈尔省省会。傍喀布尔河，海拔 590 米。位于从阿富汗首都喀布尔经开伯尔山口到巴基斯坦白沙瓦的通道上。为阿富汗与巴基斯坦和印度贸易的中心。控制拉格曼和库纳尔谷地的入口，战略位置十分重要。是军事中心，有一飞机场。周围有大面积灌溉平原，出产水果、杏仁、稻米和谷物。有轻工业，包括一个榨糖厂和手工作坊。正在执行城市现代化计划以改善供水系统和铺筑路面。1963 年成立的楠格哈尔大学坐落在该市。人口约 57 824（1982），主要为普什图人。

Jalālkot（town，Afghanistan） 参阅 **Jalālābād** 贾拉拉巴德。

Jalapa 哈拉帕 危地马拉东南部省份。面积 2 063 平方千米。有莫塔瓜河和奥斯图阿河支流流过。谷地气候温和，山中凉爽。居民大都为印第安人。种植玉米、小麦、豆类、烟草和水稻。有乳牛饲养业。产乳酪、木材。有多条公路会于省中心的省会哈拉帕（**Jalapa**）。人口约 270 055(2000)。

Jalapa 哈拉帕 危地马拉东南部哈拉帕省省会。位于中央高地山谷。海拔 1 362 米。风景优美。除为行政中心外，亦为肥沃的农、牧业腹地的商业和制造业中心。交通闭塞，保留许多殖民时期的建筑和文化。有公路南通泛美公路，北连危地马拉城。人口：市约 375 000；大都会区 430 000(2000)。

Jalapa 哈拉帕 墨西哥中东部韦拉克鲁斯州首府。位于东马德雷山脉。海拔 1 427 米。以气候温和、花卉繁茂著称。为咖啡和烟草市场。在殖民时期以一年一度的集市闻名。有宏伟的西班牙-摩尔式建筑物。设有韦拉克鲁斯大学(1944)。有铁路和公路。人口约 375 000(2000)。

Jālaun 贾劳恩 印度北部北方邦的城镇和县。地处恒河冲积平原，在亚穆纳河北，全县面积 4 549 平方千米。由贝德瓦灌渠灌溉。农产品有小麦、鹰嘴豆和芥菜。县府奥赖为农产品贸易中心，有公路和铁路通坎普尔。人口：镇 38 028；县 1 219 377(1991)。

Jalāyirid 贾拉伊尔人 原为一蒙古部落，曾支持伊儿汗旭烈兀建立王朝。最后成为伊拉克和阿塞拜疆的统治者，建立以巴格达为中心的王朝(1336～1432)。王朝的创立者哈桑·布祖格，在伊儿汗阿布·赛义德(1317～1335 在位)时代任安纳托利亚总督。赛义德死后，伊儿汗帝国发生分裂。布祖格遂在巴格达建立自己的王朝。其子乌韦斯一世(1356～1374 在位)夺占阿塞拜疆(1360)，把法尔斯的穆扎法尔公国降为藩属，扩大了自己的版图。但这一王朝为西迁突厥人和蒙古人的一些部落的西迁和入侵所困扰。贾拉伊尔王朝的一个旁系向帖木儿的后裔称臣，在下伊拉克苟延残喘，1432 年为黑羊王朝（**Kara Koyunlu**）所灭。

Jalāyirid school 贾拉伊尔画派 1336～1432年在贾拉伊尔王朝统治下兴盛于巴格达的细密画派。贾拉伊尔画派及其同期的南伊朗莫札法利德派一起，发展了透视画法。这

朱奈德绘《胡马雍的婚礼》(1396)
美国不列颠百科全书公司供图

种画法是受 13 世纪后期大不里士画派蒙古伊儿汗画像的启示，形式上比较原始。在伊拉克-伊朗的蒙古绘画把画面的大部分留作风景和背景，人物则层层平列。贾拉伊尔画派也受 13 世纪巴格达画派（**Baghdad school**）的影响，后者以描绘个别富有表情的面部、体现动感、注重日常生活细节而著称。贾拉伊尔画派继承发展了这些特点，成功地把不同的风格融合起来，使微妙的写实主义与一种高度发展的色彩与构思相结合。14 世纪末，大画家乌斯塔德·朱奈德的出现，预示波斯细密画古典风格的来临。

Jaldapāra Wild Life Sanctuary 贾尔达帕拉野生动物保护地 印度东北部野生动物保护地。位于西孟加拉邦杰尔拜古里县。建于 1941 年，面积 105 平方千米。靠近不丹。为多尔萨河流域的平地，覆有森林。主要保护印度大犀牛。其他动物还有沼鹿、豹、麋、豚鹿、羌鹿、野猪、莽鸡、孔雀、鹑等，偶有象和虎。

Jālgaon 贾尔冈 印度西部马哈拉施特拉邦贾尔冈城市。位于孟买—那格浦尔公路和孟买—安拉阿巴德铁路线上。为肯代希棉产区的主要商业中心。设有浦那大学的 12 所分校。贾尔冈县位于达布蒂河河谷，地处德干高原北部的边缘。面积 11 771 平方千米。北部为索德布尔岭，有海拔 1 000 米的高峰，向南急降至达布蒂河谷。河谷以南缓升至阿旃陀山脉。贾尔冈为肯代希棉产区的一部分，也出产小米和油籽。气候干燥，20 世纪 70 年代开始修建灌溉工程。工业有棉织厂、人造丝厂、纺线厂和鞭炮厂。人口：市约 241 603(1991)。

Jalīlī FAMILY **贾利勒家族** 1726～1834年间统治奥斯曼帝国摩苏尔省的伊拉克人著名家族。家业的开创者阿卜杜勒·贾利勒是个皈依基督教的奴隶，但其子伊斯梅尔成为穆斯林官员，于 1726 年任摩苏尔总督。1730 年，伊斯梅尔之子哈吉·侯赛因·帕夏继承父位，他曾击退波斯人的入侵，成为一位重要人物。在 1834 年以前，贾利勒家族的成员一直充当摩苏尔总督和奥斯曼帝国其他省份的行政官员。后帝国改变体制，这个家族成员不再从政。

Jalingo 贾林戈 尼日利亚东部塔拉巴州首府、镇。1991 年贡戈拉州分为阿达马瓦州和塔拉巴州，该镇成为州首府。位于谢布希山麓稀树草原、贝努埃河东南 40 千米处。为集市城镇，有一国营乳牛场。与约拉和武卡里通公路。

Jalisco 哈利斯科 墨西哥中西部一州。西临太平洋。面积 80 836 平方千米。首府瓜达拉哈拉。西马德雷山脉纵贯全州，为沿海平原和高原区的分界岭。平均海拔 1 500 米。山区为火山带，常发生地震。湖泊众多，其中查帕拉湖为墨西哥最大湖泊和游览胜地。高原有玉米、小麦、豆，较温暖地区有甘蔗、棉花、稻米、烟草等农产品。还有林产品、畜产品以及矿产（银、金、水银、铜和宝石）。工业有纺织、水泥、电力等。铁路和公路发达，通马萨特兰、墨西哥城和其他内地城市。居民中印第安人和印欧混血种人占多数。人口约 5 302 689(1990)。

Jālor 贾洛尔 又拼 Jalore 或 Jhalore。印度西北部拉贾斯坦邦西南部城市。在苏格里河南岸。有公路和铁路通往焦特布尔，为该县农产品市场。设拉贾斯坦大学分校一所。贾洛尔地处卢尼河流域半肥沃地区，东部为阿拉瓦利岭外围。面积 10 640 平方千米。依靠井水灌溉，种植珍珠粟、油籽和芝麻等。普遍养马，开采大理石。人口：市约 33 651(1991)。

Jalpaiguri 杰尔拜古里 印度东北部西孟加拉邦北部城市。位于蒂斯塔河西岸。为该邦主要农产品集散中心。有公路和铁路通往大吉岭、西里古里和赛伊德赛义布尔（孟加拉国）。有黄麻加工、锯木和火柴制造等行业。附近有铁路工厂。设有北孟加拉大学的几所分校。该地区被蒂斯塔河分为两部：西部地势平坦，人口密集，种植水稻、黄麻和甘蔗；东部为山麓区，有 6 个山口通不丹。该地区有茂密森林和大片茶园，种植烟草、黄麻、油籽和马铃薯。开采煤、铜、石灰石和白云石。人口：市约 67 495(1991)。

Jalta(Ukraine) 参阅 **Yalta** 雅尔塔。

Jaluit Atoll 贾卢伊特环礁 太平洋中西部马绍尔群岛共和国拉利克岛链西部的珊瑚礁。总陆地面积 11.4 平方千米。所抱潟湖为优良锚地。原为德国保护国行政中心，后为日本殖民地的行政中心。第二次世界大战

遭美军轰炸，破坏严重。现出口椰干，渔业重要。主要居民点是贾博尔。人口1 709(1988)。

Jamaame　贾马梅　又拼Jamame或Giamame。从前意大利人称玛格丽塔。索马里南部城镇。位于朱巴河下游东岸，印度洋沿岸低地上。为重要的农业和工商业中心，出产香蕉、棉花、花生和玉米。1974年与意大利政府合作在该城建立了国营塑料和纸箱公司。以当地包装材料代替进口包装，促进香蕉的出口。有公路通基斯马尤和摩加迪沙。人口22 030(最近统计)。

Jama'are　贾马里　尼日利亚北部包奇州城镇和世袭酋长国名。酋长国于1811年由富拉尼人创建，1835年正式得到索科托苏丹的分封。19世纪50年代建都贾马里镇。50和60年代遭哈代贾酋长国进犯。1903年受英国统治，后划入卡诺省。1926年属包奇省。1976年划归包奇州。该镇濒临贾马里河，与武迪尔、阿扎雷和法戈通公路。居民多为富拉尼、希拉瓦、卡努里和豪萨人，种植花生、棉花、高粱、粟、豇豆，饲养牛、羊、驴、马。20世纪70年代设立哈代贾-贾马里河流域开发局以提高该地区农业生产。棉织和土法染布为主要手工业。是地方政府参议会所在地。设有初级师范学院、综合医院和麻风病诊所。人口：镇约15 740(1972)。

Jamaica　牙买加　西印度群岛的岛国，位于古巴以南145千米处，地处加勒比海中央重要海上贸易通道的交叉点。面积10 991平方千米，是加勒比海的第三大岛，仅次于古巴

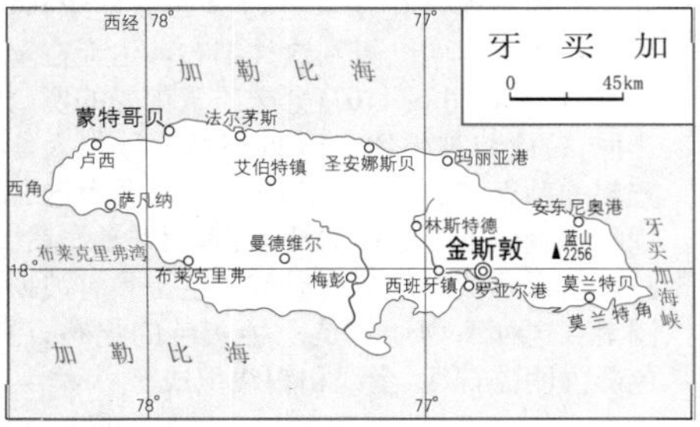

美国不列颠百科全书公司供图

和伊斯帕尼奥拉岛。首都金斯敦。该岛东西长约235千米，南北宽约56千米。人口约2 437 000(1992)。

土地　牙买加全境分为三个主要自然地理区：沿海低地和谷地、石灰岩高原和内地高原。岛屿周围耕作极为密集的沿海低地以南部和西部最宽(8～16千米)。低地向岛的中部升高为多沟谷的石灰岩高原(平均海拔460米)，约占全岛面积的1/2。高原上人迹罕至的较高部分称为科克皮特地区(面积1 295平方千米)具有岩溶地貌，有溶蚀陷穴、地下洞穴和伏流。内地有地势起伏、森林密布的高地(高1 524～2 134米)，还有东西走向的山系。东部的蓝山山脉是主要的山系，其主峰蓝峰(海拔2 256米)是全国最高点。西部的布莱克河(长71千米)为全国最长、最主要的河流，下游有40千米可以通航。许多较小河流消失在岩溶地区的溶蚀陷穴中。岛上还有数处天然矿泉。

牙买加的海洋性热带气候使全年温度差别不大。冬季平均气温24 °C，夏季升至27°C。岛上年均降雨量2 095毫米，集中在两个雨季：5～6月和9～11月。降雨量从东部山区的5 080毫米到西南沿海地区的760毫米不等。不时有飓风袭击该岛，有时会造成严重灾害。天然植被的分布也不尽相同，东北部和东部主要分布着茂密的竹林、乌木林、桃花心木林和黄檀树林，西南地区则是只生长稀疏矮小树木和仙人掌的干燥的稀树草原。香蕉园大多集中在东北地区的谷地和丘陵地带，甘蔗园则主要分布在平坦的沿海平原上。牙买加岛上野生动物资源只有野猪、獴、蜥蜴、蝙蝠和几种鸟类(包括作为国鸟的燕尾蜂鸟)。

最重要的矿物资源为铝土矿，分布在该国的中部。其他矿产资源有东部的石膏、西部的硅砂和遍布全岛的石灰石。

人民　人口主要为黑人和非洲黑奴的黑白混血后裔(穆拉托人)，还有少数英国人、印度人、华人、叙利亚人、葡萄牙人和德国人。英语是官方语言，另一种源自英语、几种非洲语言、西班牙语和法语的混合语也被广泛使用。英国圣公会是早期建立的教会，但现在五旬节派教会、浸礼会和基督教的其他教派也很盛行。犹太人、印度教徒和穆斯林的团体亦见存在。主要以基督教义和精神修持为基础的信仰同化兴奋教派有波科曼尼亚和古密那教派，该岛也是塔法里教的发源地。

就一个发展中国家而言，牙买加的人口年均增长率相对较低。计划生育的推行使出生率下降，20世纪60年代到70年代末期出生率下降一半。因此，不到2/5的人口低于15岁。卫生保健计划的改进也使死亡率下降。政府鼓励人民移居国外以减缓人口的增长，牙买加移民的主要迁居地是美国和加拿大。

牙买加近半数的人口居住在都市区。60年代和70年代期间，大量农村人口向城市迁移，导致城市地区失业率增加。政府开始实施农业改革计划，以促进被忽视的农村地区的发展。沿海低地是该国人口密度最高的地区。

经济　牙买加属发展中的混合经济，主要以旅游业、矾土和铝土矿的出口以及甘蔗种植为基础。国民生产总值缓慢下降，其人均国民生产总值按国际标准衡量，相对较低，且也在缓慢下降。

农业产值约占国民生产总值的1/20，占用约1/4的劳动力。主要出口农产品为原糖及重要的副产品糖蜜和朗姆酒。其他出口产品有香蕉、可可豆、果汁、咖啡、柑橘类水果和椰子。主要的粮食作物有块根和块茎作物、玉米、水稻和椰干，但产量不能满足需要，需另外进口食物。虽然有些作物的产量已有增加，但总体来说农业生产停滞不前，而且由于重点发展矿业及旅游业，农业受到忽略。

牙买加是世界最大铝土矿和矾土的生产国之一。政府对所有的采矿经营都实行某种程度的控制，并拥有一部分矿产。铝土矿和矾土几乎占该国总出口量的一半。

工业占国民生产总值的1/6，雇用全部劳动力的1/10。工业主要以铝土矿和矾土为主，但本国的制造业也有发展，生产加工食品、水泥、烟草、纺织品和各种消费品。电力生产主要依靠进口燃料。

服务业约占国民生产总值的1/2，雇用相应比例的劳动力。旅游业是牙买加最大的外汇收入来源。所有经营旅游业的企业和个人都须领取执照，并加大投资和推行培训计划以提高旅游业的水平。

牙买加主要的贸易伙伴是美国，20世纪80年代期间，由于进口(主要是石油、化学品和食品)持续大幅度人超使外债不断增加。政府的经济复苏政策包括积极鼓励外商投资私人企业及争取国际货币基金的援助。失业和通货膨胀仍为主要问题。

铁路方面，有一条自金斯敦横越全岛到蒙特哥贝的客运路线和几条运送铝土矿的支线。公路网约有2/5铺有路面。金斯敦和蒙特哥贝为主要港口，也是国际机场的所在地。

政体与社会状况　牙买加是英联邦内独立的议会制国家。根据1962年宪法，由总督代表的英国君主为国家元首。但是总督的职权只是礼仪性的，行政权由总理领导的内阁行使，总理由议会中多数党的领导人担任。议会为两院制：众议院由60名经直接选举产生的议员组成；参议院则由总督指派的21名参议员组成，其中总理推荐13名，反对党领袖推荐8名。大选至少每5年举行一次。牙买加工党和人民民族党是主要的政治组织。上诉法院是司法体系的最高机构。

社会保障条款适用于所有的受雇人员，包括意外伤害救助、老年津贴、残疾人津贴和鳏寡者福利等。健康状况略优于大部分的加勒比海国家。结核病、流行性感冒、百日咳、性病、猩红热和登革热是主要的健康问题。平均预期寿命70岁。在一部分地区实行6～15岁儿童和少年免费义务教育。约有90%的人口受过教育。金斯敦东北区的莫纳设有西印度大学的分校。

文化生活　牙买加的艺术活动蓬勃丰富，部分是40年代的民族文学发展运动使然。牙买加小说家的作品被译成数种语言，艺术家的作品也曾在国外成功地展出。成立于1962年的国家戏剧舞蹈团已经赢得国际赞誉。牙买加的民间和流行音乐再度兴起，它们别具特色的节奏强度源自非洲文化。雷盖是一种起源于60年代的牙买加音乐风格，70年代已风靡世界。

历史　哥伦布在第二次航向新世界时，于1494年发现了牙买加，当时岛上住着阿拉瓦克印第安人。阿拉瓦克人约于公元250年自南美洲经由大安的列斯群岛向外迁移，可能在数百年后抵达牙买加。在哥伦布发现牙买加的15年之后，西班牙人前来殖民，但不久即因岛上缺乏黄金而感到失望。于是牙买加成为西班牙治下一块被忽视的殖民地。

1655年该岛落入英国人手中。17和18世纪时，英国人不断遭受逃亡黑奴的骚扰和攻击，这些已获解放的黑奴有武器装备也有组织，出没于丛林地区和山区(包括科克皮特地区)。英国海盗以罗亚尔港为活动基地，他们攻击西班牙船只，牵制西班牙舰队。

由西班牙人引进的贩卖奴隶交易，在英

国的统治下仍然盛行。由于牙买加奴隶劳工所生产的糖在数量和价值上都在增加，奴隶交易量不断增长。至18世纪末，牙买加已是一块价值不菲的殖民属地。

19世纪30年代末期，种植园体制随着牙买加奴隶制度的废除而告瓦解。1866年成立了由总督掌握行政与立法权的直辖殖民地政府。20世纪30年代末期，人民对于直辖殖民地体制的不满因经济大萧条的影响而增加，导致暴乱频仍以及后来劳工联盟的形成与自决要求的增高。

1944年的宪法规定了两院制的立法机构、内阁制政府和成人的普遍选举权。1959年牙买加获得完全内部自治，3年后成为英联邦内一个独立的国家。独立之初，牙买加工党控制议会。1972年人民民族党赢得压倒性的胜利。该党在具有领袖魅力的M.曼利的领导下骤然左倾，将许多企业收归国有。1976年曼利连选连任，但在1980年，由温和而保守的E.西加领导的牙买加工党又重新当政。但1989年人民民族党又重新获胜，曼利再度出任总理。1992年，珀西瓦尔·帕特森执政，采取了紧缩措施稳定经济。20世纪90年代一直是人民民族党掌权。尽管经济局势多变，但牙买加的旅游业一直持续发展，尤其是北部城镇。

Jamaica Bay　杰梅卡湾　大西洋岸的浅水湾。面积约50平方千米，位于美国纽约东南，长岛西南岸，为纽约港之一部分。南有罗卡韦半岛屏蔽，克罗斯湾大道横跨其上。湾内多沼泽小岛，通过罗卡韦湾（有桥）和西南的大西洋连接。科尼艾兰位于入口道附近。弗洛伊德·贝内特机场位于布鲁克林岸上，曾为美国海军航空站，现在是盖特节国家娱乐区的一部分。东北岸的艾德威尔德有肯尼迪国际机场。

Jamaican fruit bat（*Artibeus jamaicensis*）**牙买加果蝠**　叶口蝠科的食果翼手类动物，栖息于新热带地区。特点为后腿之间有极小的飞行膜。主要以水果为食，可飞到10千米以外觅食，在那里将果实带到附近的树上进食。还能用翅尖钩捕在栖息地附近飞行的昆虫为食。喜选择山洞和树洞栖息。雄体能悬挂在附近的簇叶中。会发出一种类似于香皂的气味。偶然也为害果园。

Jamaican sorrel（plant）　**牙买加楂棕**　参阅 **roselle** 玫瑰茄。

Jamāl ad-Dīn al-Afghānī　哲马鲁丁·阿富汗尼（1838，波斯阿萨达巴德[今伊朗]～1897-03-09，伊斯坦布尔）　穆斯林政治家、政治鼓动家和新闻记者。他深信复兴伊斯兰文化是与欧洲占主导地位的局面相抗衡，这一信念对19世纪和20世纪的穆斯林思想的发展起了重大的影响。家庭和早年情况不详。某些学者认为他不是阿富汗人，而是波斯的什叶派教徒。生于波斯哈马丹附近的阿萨达巴德。青年时代，可能为了钻研神学和哲学，曾经到过美索不达米亚南部什叶派中心卡尔巴拉和纳杰夫以及印度和伊斯坦布尔。1866年11月前后到达阿富汗的坎大哈，立即成为阿吉姆汗的心腹顾问，后随阿吉姆汗前往喀布尔。阿吉姆汗被推翻后，他于1868年被逐出阿富汗。1870年到伊斯坦布尔，发表演说，被视为异端。1871年前往开罗，在那里吸引一批青年作家和神学家，其中有后来成为伊斯兰教现代主义运动领袖的穆罕默德·阿卜杜和埃及民族主义政党华夫脱党的创始人萨阿德·帕夏·扎格卢勒。当时埃及总督伊斯梅尔由于挥霍无度，臣民怨声载道，1879年6月奥斯曼苏丹将他废黜。在这一风云变幻时期，阿富汗尼把他的追随者组织到共济会团体之内，发表反对伊斯梅尔的激烈演说，目的在于夺取权力。伊斯梅尔之子和继承人陶非克担心他会在埃及宣传共和主义，于1879年8月下令将他驱逐出境。他前往海得拉巴，随后取道加尔各答于1883年1月抵达巴黎，在巴黎出版反英的《巩固团结报》。然后又去俄国，1887～1889年在那里对印度进行反英宣传活动。此后又去伊朗，企图充当国王的顾问，但国王纳赛尔丁沙对他十分怀疑，1892年将他再次驱逐出境。他从伊朗前往伦敦，编印攻击伊朗国王的报纸。奥斯曼苏丹想利用他进行泛伊斯兰教的宣传工作，派人把他接到伊斯坦布尔。但他很快引起苏丹的怀疑，下令把他软禁起来。他在伊斯坦布尔快快死去。由于被误认为是阿富汗人，他的遗体于1944年被移至喀布尔，并建造了一座陵墓。

Jamāl ad-Dīn Ḥasan ibn Yūsuf ibn ʿAlī ibn Muṭhahharal-Ḥillī　哲马鲁丁·哈桑·伊本·优素福·伊本·阿里·伊本·穆萨哈·希里　参阅 **Ḥillī, al-** 希里。

Jamālpur　贾马勒布尔　孟加拉国中北部城市，位于老布拉马普特拉河西岸。农产品的重要贸易中心。有铁路通迈门辛、焦贡纳特甘杰卡德、巴哈杜拉巴德卡德，有公路通迈门辛、坦盖尔和印度的梅加拉亚。设有达卡大学的两所学院。周围是农业区，主要农作物为水稻、黄麻、小麦、甘蔗、油籽和豆类。人口约109 126（1991）。

Jamālpur　杰马勒布尔　印度东北部比哈尔邦中部城镇，位于蒙吉尔山脚下，濒临近恒河。1862年作为铁路居民点而设。拥有大型机车厂和较大的钢铁铸造厂。采石场（板岩）位于该镇西南方。帕格尔布尔大学有两个学院设于此。1883年正式设市。人口86 112（1991）。

Jamalzadeh, Mohammad Ali　贾玛尔扎德（1892-01-13，伊朗伊斯法罕～1997-11-08，瑞士日内瓦）　伊朗散文作家，20世纪波斯文坛最重要的人物之一。曾在贝鲁特和欧洲受教育。在法国学完法律后，前往柏林参加一个伊朗民族主义者团体，反对外国对伊朗的干涉，并为著名期刊《卡伐》撰稿。第一篇成功的故事为《波斯就是糖》，1921或1922年重新在短篇小说集《从前》中发表。该小说集为现代波斯散文奠定了基础。在小说集极有影响的宣言式的序言中，贾玛尔扎德争辩道，散文作为一种文学形式的优点，在于跟诗歌一样具有生命力。由于小说集风格新颖，描写现代化，应用了波斯口语，对社会进行公开的讽刺批判，引起轰动，也激怒了保守的伊朗人。此后20年间，他都从事非文学的职业。1931年在日内瓦国际劳工署工作，任职25年。其间，曾多次借机访问伊朗。同时，他在日内瓦大学教授波斯语。他的作品大多写于第二次世界大战中或战后。讽刺小说《疯人院》（1942）和随后的《诗集保管人》（1946）抨击了当代伊朗的道德和文化。其他名作有《排水沟》（1940）、《别无二致》（1955，又名《伊斯法罕笔记》）。他翻译了许多英文、德文、法文的文学作品，也写了大量历史的、社会政治的以及经济的文章。

Jambi　占碑　又拼Djambi。印度尼西亚苏门答腊岛东南部省份和城市。全省面积53 436平方千米，西部有巴里桑山脉，它向东形成深邃沟壑和山谷，山顶多火山锥。东部感潮河沿岸有红树林。西部山区生长松树、杜鹃、桤木、槭树和栲树等温带常绿树木。主要河流有哈里河，从占碑城到入海口的80千米航道可通吃水深的船舶。经济以农业为主，出产橡胶、烟草、棕榈油、椰干、稻米、玉米和树脂等。工业有木雕、编筐织席、烟草加工、饮料、橡胶制品、织布、碾米等行业。省会占碑城位于哈里河两岸，为橡胶加工中心，有公路南通巨港，西达海岸，有航空设施，但无铁路。人口：市385 201；省约2 383 000（1995）。

Jambol（Bulgaria）　参阅 **Yambol** 扬博尔。

Jāmdānī　贾姆达尼　一种花纹细布，是印度织工的杰作。在笈多王朝（4～6世纪）时期的梵语文学中已提到这种细布。达卡在莫卧儿时代（1556～1707）生产质量优异的贾姆达尼，设计非常精致。18世纪后期被引入北方邦的勒克瑙，达到很高的水平。由于这种织物的制作需要极高的技术，因而非常昂贵，只有巨富才买得起。其显著特色是具有波斯图案。这种织物通常是一种灰色的棉布，由色彩鲜明的棉线、金线和银线织成。

James　詹姆斯　统治者之名，按国别分列于后，并各以● 为标记。

与此字相等的外语：

意大利语	Giacomo
西班牙语	Jaime

大不列颠

● James I　詹姆斯一世（1566-06-19，苏格兰爱丁堡城堡～1625-03-27，英格兰赫特福德郡塞奥巴尔兹）　苏格兰国王（称詹姆斯六世，1567～1625在位）、英格兰斯图亚特王朝第一代国王（1603～1625在位），自封为“大不列颠国王”。他是君主专制的热烈鼓吹者。他与日益自行其是的议会的斗争为反对其继承人查理一世的叛乱创造了条件。苏格兰女王玛丽和达恩利勋爵的独生子。出生后8个月，父亲在家中被炸死。母亲在第3次结婚后被叛乱的贵族打败而逊位。1567年仅1岁的詹姆斯即苏格兰王位，由大贵族莫里、伦诺克斯、莫尔和莫顿4位伯爵相继摄政。幼年接受良好的教育。1583年开始亲政，摆脱对苏格兰派别的依赖，确立继承无嗣的伊丽莎白一世的英格兰王位的抱负。他与英格兰结

美国不列颠百科全书公司供图

盟，甚至当伊丽莎白处理他母亲时(1587)，仅提出一个形式的抗议而已。詹姆斯对苏格兰的统治基本是成功的，他能像伊丽莎白统治英格兰那样统治苏格兰。他是长老会的信徒，于1584年通过一系列法令，使自己成为苏格兰长老会的领袖，拥有任命主教的权力。

当他终于继承伊丽莎白一世的英格兰王位时，他向议会说他已是“一个经验丰富的国王”、一个有明确的王国政府理论的国王。不幸的是，他的经验和理论都不能解决他面临的新问题。他不十分理解英格兰议会的权力和倾向，终于与之发生冲突。他很少接触英格兰的中产阶级，眼界极为狭隘。无疑，他的政策中有许多是合情理的；作为大不列颠国王的最初几年，英格兰和苏格兰都处于繁荣时期。1604年他迅速结束与西班牙的战争而建立了和平。但对他治国之才的真正考验乃是对付要求广泛批评权和参与决策的议会。此外，议会对征税的垄断使得王国政府不经议会同意就无法改善因长期对西班牙战争造成的财政困境。曾成功分化和操纵苏格兰议会的詹姆斯却无法驾驭英格兰议会。他在下院保留少数几名枢密官，从而使独立的议员夺取了立法倡议权。此外，他滥封新的贵族，后期又屈从于这些新封宠贵而松弛了对上院的控制。当议会拒绝为他的奢侈提供特别基金时，他未经议会同意决定征收新的关税；在议会拒绝批准后，他又使法院宣布这些决定为法律(1608)，从而打击了议会的立法权。当首席大臣索尔兹伯里伯爵R.塞西尔谈判用国王封邑收入换取议会的固定年金未果后，詹姆斯解散了议会(1611)。塞西尔的死(1612)标志着詹姆斯统治的转折点，此后再没有像塞西尔那样有经验和有权力的大臣。失去了议会的准许，王国政府不得不采取不得人心的应急办法，如出售垄断权、发行国债等。此外，国王屈从于宠信萨默斯特伯爵R.卡尔和白金汉公爵G.维利尔斯的影响。

晚年，詹姆斯的判断力衰退。他推行一项使不满熔入强烈反对的对外政策。他对西班牙大使贡多马尔伯爵的同情使国人无法理解。当在圭亚那寻找黄金的雷利爵士与已和英国缔和的西班牙人发生冲突时，贡多马尔敦促詹姆斯把雷利斩首。在贡多马尔鼓动下，詹姆斯打算让次子和继承人查理与一位西班牙公主结婚；同时还打算和西班牙一道调停德意志的三十年战争。这项貌似合理的计划遭到舆论惊人的漠视，舆论坚定地支持詹姆斯的女婿巴拉丁选侯腓特烈(其领地尚被西班牙人占领)。当詹姆斯召开第3次议会(1621)以发行国债时，议会尖锐地批评与西班牙结盟的企图，盛怒的詹姆斯又解散了议会。在他统治的最后18个月间，白金汉公爵和王储查理勾结在一起把他完全排除在权力之外。他留下了一批著作，尽管质量平庸，但他仍是阿尔弗烈德大王以来英国国王中唯一的著书立说者。

● **James Ⅱ 詹姆斯二世**(1633-10-14，英格兰伦敦～1701-09-05或06[新历09-16或17]，法国圣日耳曼) 英国最后一个信奉罗马天主教的国王(1685～1688)，他被废黜及威廉三世和玛丽二世的上台，永远确立了议会在英国的统治权力。他是查理一世存世的次子。1634年封约克公爵。内战期间住在牛津，1646年6月牛津陷落后，议会命令他迁居圣詹姆斯宫。1648年4月逃往尼德兰。1649年初在法国同其母团聚。1652年4月加入法军，在法国将军蒂雷纳子爵指挥下参加过4次战役。1656年其兄查理二世与西班牙结盟反法。他改变立场，在1658年6月的沙丘战

美国不列颠百科全书公司供图

役中指挥西班牙军右翼。1660年查理二世复辟后，他任海军大臣，曾致力于改进海军。根据他的建议，1664年英国从荷兰人手中夺得新阿姆斯特丹，并以他的爵位命名为纽约(即新约克之意)。他曾在第二次和第三次荷兰战争中指挥舰队作战。1688年后再未指挥军队。在政治上他支持克拉伦登伯爵，1660年与其女安妮结婚。1668或1669年他加入罗马天主教；但在查理二世的反对下，直至1676年仍继续参加英国国教礼拜仪式。他希望英国站在荷兰一边重新参加欧洲战争；同意将其长女玛丽嫁给新教徒奥兰治的威廉。1673年他辞去一切职务，而不愿宣誓反对天主教。安妮死后，娶信奉天主教的摩德纳公主玛丽，更遭物议。到1678年他对天主教的支持使得人心惶惶，以致发生了捏造的有人企图谋杀查理二世而拥立他的“天主教阴谋案”(**Popish Plot**)。1679～1681年的3届议会均决定取消他的王位继承权。他流亡布鲁塞尔和爱丁堡。1682年返回英格兰，领导信奉国教的托利党人，建立了在各地政府的领导地位。到1684年其势力已足以左右国家政策，最后于1685年2月6日即王位。1685年5月召开保王派议会，投票增加他的收入。1685年夏英格兰的蒙茅斯公爵和苏格兰的阿盖尔公爵领导叛乱，使他对臣属的不信任加深。他对叛乱进行了残酷镇压。他任用天主教军官引起与议会的争吵。1686年与原来的盟友、信奉国教的托利党人的分歧加深。他任命罗马天主教徒进入枢密院，担任国家高级职务。1687年强化他的天主教政策，撤去其姻兄克拉伦登伯爵和罗切斯特伯爵的职务。教皇也正式派来使节。4月颁布所谓的《赦免宣言》，停止实行反对天主教徒和不奉国教者的法律。7月解散议会。1687年春，英格兰许多领导人同英格兰王位假定继承人玛丽的丈夫、新教徒奥兰治的威廉接触。1688年6月30日，7位英格兰主要领导人写信邀请威廉率军前来英格兰，并召开自由议会。11月15日威廉在托尔湾的布里克瑟姆登陆。詹姆斯手下的新教徒军官大批倒戈投敌，他的女儿安妮也背弃了他。他逃往法国。1689年2月12日非常议会宣布詹姆斯退位，次日威廉和玛丽即王位。3月他在爱尔兰登陆，在都柏林召开的议会承认他为国王，但他的军队在博因河被威廉击败(1690-07-11)，他再逃法国。次年威廉派兵重新征服爱尔兰。1697年英法签订《赖斯韦克条约》，詹姆斯二世复辟的希望最后破灭。

● **James (Ⅲ) 詹姆斯(三世)** 参阅 **James Edward, the Old Pretender** 詹姆斯·爱德华(老觊觎王位者)。

苏 格 兰

● **James Ⅰ 詹姆斯一世**(1394～1437-02-20或21，苏格兰珀斯郡珀斯) 苏格兰人的国王(1406～1437)，建立了苏格兰人的第一个强大的君主政体。罗伯特三世之子和继承人。1406年罗伯特送他去法国。他在途中被英格兰的水手俘获，送往伦敦的王宫。不久，罗伯特三世死，奥尔巴尼及其子默达克先后任摄政，无意赎救詹姆斯。1424年詹姆斯获释，立即采取严厉措施粉碎苏格兰贵族们的权力。1425年逮捕许多重要贵族，处决其中

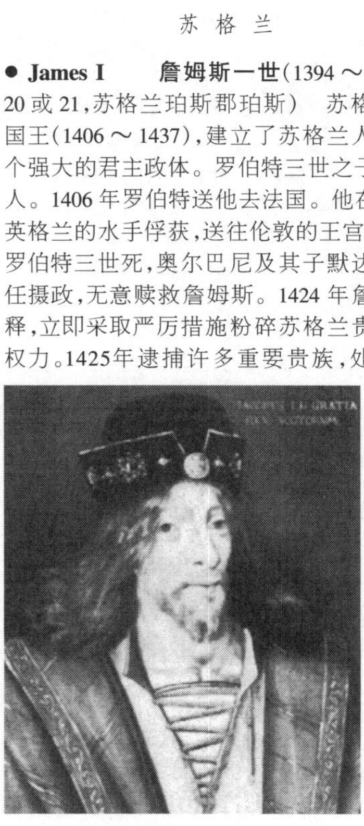

美国不列颠百科全书公司供图

的一部分。他没收敌人的财产，杜绝贪污关税的现象，亲自监督主要财政官员，以获得管理政府所需的资金。他企图阻止教会将收入上缴罗马，引起与教廷长期争执。他改进司法行政管理，使之有利于人民。但被企图篡位的以阿索尔伯爵沃尔特为首的一批阴谋者暗杀。他的遗孀很快就将阴谋分子逮捕、处决。詹姆斯是个有高度教养的人，一般认为长诗《国王之书》是他的作品。

● **James II**　**詹姆斯二世**（1430-10-16，苏格兰爱丁堡～1460-08-03，罗克斯堡郡罗克斯堡城堡）　苏格兰人的国王（1437～1460）。艰难度过在位前期国内争斗后，终于成为有为的统治者，在全国巩固了权力。詹姆斯一世唯一存世的儿子。1437年2月其父被暗杀，他仅6岁即继承王位。由于年幼没有处理朝政的能力，父王所建立的强大中央政权

美国不列颠百科全书公司供图

迅速瓦解。在随后的混乱中，3个对立的家族——克里奇顿家族、利文斯顿家族和道格拉斯家族——竞相争夺对幼王的控制。詹姆斯于1449年与盖尔德斯的玛丽结婚后，终于开始掌握政权。他首先恢复君主的权威，因而立即没收利文斯顿家族的领地。1452年杀死道格拉斯伯爵威廉。3年后拆毁道格拉斯家族的城堡，没收他们的大片领地。这些领地的收入使他得以建立强有力的中央政府并改进司法行政管理。由于英格兰人重新提出统治苏格兰的要求，他于1456年和1460年袭击英格兰在苏格兰的前哨营地。1460年在围攻罗克斯堡城堡时阵亡。

● **James III**　**詹姆斯三世**（1452-05～1488-06-11，苏格兰斯特灵郡斯特灵附近）　苏格兰人的国王（1460～1488），软弱无能，得不到贵族的尊重，遭遇到两次大叛乱。父王詹姆斯二世战死后，他8岁继承王位。苏格兰先后由母后玛丽、圣安德鲁斯教区主教詹姆斯以及博伊德家族领导的一批贵族统治。后者于1466年逮捕了他。1469年詹姆斯推翻博伊德家族，开始亲政，但未能重建强大的中央政权。由于对艺术感兴趣并把艺术家收为宠臣，显然得罪了一批贵族。1479年因怀疑反叛而逮捕了两个兄弟——奥尔巴尼公爵亚历山大和马尔伯爵约翰。后奥尔巴尼逃往英格兰。1482年英格兰军队进入苏格兰，迫使他恢复奥尔巴尼的领地。在此期间，苏格兰贵族把他的一些宠臣绞死。1483年他恢复足够

美国不列颠百科全书公司供图

的权力，将奥尔巴尼驱逐。1488年，两个强大的边境地区家族（霍姆家族和赫伯恩家族）发动叛乱，并争取到他15岁的儿子（后为詹姆斯四世）的支持。詹姆斯三世在索奇伯恩战役中战败被俘，后被杀。

● **James IV**　**詹姆斯四世**（1473-03-17～1513-09-09，英格兰诺森伯兰布兰克斯顿附近）　苏格兰国王（1488～1513）。他励精图治，深得人心，将苏格兰团结在王朝统治之下，加强了王室的财力，改进了苏格兰在欧洲政治中的地位。1488年6月其父詹姆斯三世在与叛乱者作战被杀后，他继承王位，年仅15岁。他立即掌管朝政，把权力扩张到苏格兰西部和北部的人口稀少地区，到1493年已完全征服苏格兰西部各岛的领主。在位期间国内虽安宁，但与英格兰发生几场战争。1495年撕毁停战协定，准备入侵英格兰，支持觊觎英格兰王位的珀金·沃贝克。战争仅限于几次边境袭击。1497年12月议和，以后有

美国不列颠百科全书公司供图

7年和平。1503年他与英王亨利七世的长女玛格丽特·都铎结婚，两国关系进一步稳定。这次联姻导致一个世纪后他的曾孙、斯图亚特王朝的苏格兰国王詹姆斯六世成为英国国王詹姆斯一世。他的威望日益增长，能够以平等地位与欧洲大陆的君主们进行谈判。1512年与法国结盟，反对英格兰和大陆上的一些主要国家。1513年亨利八世进攻法国，他决定进攻英格兰以援助盟国。他连陷北方4座城堡，在弗洛顿战役中阵亡。詹姆斯四世具有文艺复兴的理想，努力使其宫廷成为文化学术中心，赞助文学和出版，致力于改进教育。

● **James V**　**詹姆斯五世**（1512-04-10，苏格兰西洛锡安林利斯戈～1542-12-14，法夫郡福克兰）　苏格兰国王（1513～1542），亲政前为亲法和亲英两派斗争中的人质，亲政后信奉罗马天主教，反对新教贵族并与法国结盟。出生后17个月继承其父詹姆斯四世的王位。在亲法派摄政奥尔巴尼公爵和亲英派首领安格斯伯爵之间的争权斗争中，双方都企图控制这位年幼的国王。加之其母后玛格丽特·都铎先支持后嫁的丈夫安格斯，后又转而支持奥尔巴尼，使事态更加复杂。1524年奥尔巴尼退隐法国，1526年安格斯将国王软禁。1528年詹姆斯脱逃后，迫使安格斯逃往英格兰。至1530年，詹姆斯已经巩固了他在苏格

美国不列颠百科全书公司供图

兰的政权。1534年与其舅父英王亨利八世缔结条约。1538年他与法国女贵族玛丽·德·吉斯结婚，从此与法国结盟反对英格兰。他生性残忍，晚年实行恐怖统治，又加上强征暴敛，因而不得民心。1542年英王亨利八世的军队进攻苏格兰。他的军队于1542年11月24日在索尔韦沼泽地惨败。这场灾难使他精神崩溃，在他的女儿、唯一存活的合法子女玛丽·斯图亚特（即苏格兰女王玛丽）出生后一周死去。

● **James VI**　**詹姆斯六世**　参阅 **James I** (Great Britain) *詹姆斯一世（大不列颠）*。

● **James (VIII)**　**詹姆斯（八世）**　参阅 **James Edward, the Old Pretender** *詹姆斯·爱德华（老觊觎王位者）*。

西　西　里

● **James I**　**詹姆斯一世**　参阅 **James II** (Spain: Aragon) *詹姆斯二世（西班牙：阿拉贡）*。

西班牙：阿拉贡

● **James I**　**詹姆斯一世**（1208-02-02，图卢兹伯爵领地蒙彼利埃～1276-07-27，巴伦西亚王国巴伦西亚城）　绰号征服者詹姆斯。阿拉贡国王（1213～1276），曾收复巴利阿里群岛及巴伦西亚地区，开始了加泰罗尼亚-阿拉贡向地中海地区的扩张，14世纪最后10年间国势达于顶峰。佩德罗二世之子。5岁丧父，他被十字军首领孟福尔扣留。1214年获

释，继阿拉贡和加泰罗尼亚王位，由叔祖桑乔任摄政。1227年亲政，发起收复国土的运动，首先收复巴利阿里群岛，1229年占领马略尔卡岛。1233年开始第二次收复国土的斗争，矛头直指巴伦西亚王国的萨拉森统治者。战争几经反复，终于在1238年攻克其首都，后陆续平定四境。1244年双方签订条约，阿拉贡与卡斯蒂利里之间的边界按照新占地带划分。他对外促进与北非诸国的外交和贸易关系，对内保护文人学士，并编纂一部海洋法规，组成议会。他使各不同民族在政治上与文化上达到某种成熟程度，令人钦佩。

美国不列颠百科全书公司供图

● **James II 詹姆斯二世**（约1264～1327-11-03，阿拉贡巴塞罗那[西班牙]） 阿拉贡国王和西西里国王（称詹姆斯一世）。1285年其父佩德罗三世死，他继承了西西里王位；1291年其兄阿方索死，他于1295年继承了阿拉贡王位。同时，为了与安茹人和解而与那不勒斯的卡洛斯二世之女布兰切结婚，并在1295年放弃西西里。作为补偿，曾把撒丁岛和科西嘉岛划给他，但他直到1324年才占领撒丁岛。死后由子阿方索四世继位。

James, Saint 圣雅各（?，巴勒斯坦加利利～约44，耶路撒冷） 又称西庇太的儿子雅各（James, Son of Zebedee）或大雅各（James the Great）。瞻礼日7月25日。耶稣基督的12使徒之一，以作为耶稣的核心圈内人物著称，也是《新约》载有殉教事迹的唯一使徒（《使徒行传》12：2）。雅各和他的兄弟使徒圣约翰都称为"半尼其"（希腊意为"雷子"，《马可福音》3：17），这或许是因为他们的火爆性格（《马可福音》9：38；《路加福音》9：54）。雅各和约翰，连同圣彼得和圣安得烈，是耶稣最初召唤的4位门徒（《马可福音》1：16～19），而且，《马可福音》第13章所载耶稣的末世论言论，就是针对他们4人的问题而发（他们所提的问题是："请告诉我们，什么时候有这些事[时间的终结]呢？这一切事将成的时候有什么预兆呢？"）雅各既是使徒中的核心圈内人物之一，他亲眼看到了耶稣使睚鲁的女儿复活（《马可福音》5：37；《路加福音》8：51）；耶稣改变形象（《马可福音》9：2）和耶稣在客西马尼园中忧伤祈祷（《马可福音》14：33；《马太福音》26：37）。雅各和约翰请求耶稣允许他们两人在将来他享有荣耀之时一个坐在他的右边、一个坐在他的左边，耶稣回答说，这种优遇不是他所能赐的（《马可福音》10：35～40）。雅各是由犹太国王希律·亚基帕一世下令斩首而死的。西班牙人相传，雅各的遗体被运到该国境内圣地亚哥-德孔波斯特拉城，该地圣雅各祠受到世界各地来人参谒。

James, Saint 圣雅各（活动时期1世纪） 又称亚勒腓的儿子雅各（James, Son of Alphaeus）或小雅各（James the Less），西派教会瞻礼日5月1日，东派教会瞻礼日10月9日。耶稣基督的十二使徒之一。据《圣经》载，耶稣在十字架上受难时在场而后来又曾守在耶稣坟墓的妇女中，有一位马利亚（不是耶稣的母亲马利亚），她就是这位雅各的母亲（《马可福音》15：40，16：1；《马太福音》27：56）。切勿将他与使徒圣雅各（西庇太的儿子）或"主的兄弟雅各"相混。根据不同版本的《圣经》，他或许是使徒圣犹大（St. Judas[Jude]）的兄弟（修订标准版和新英文版）或父亲（钦定版和杜埃版）。关于他的其他情况不详，晚近传说他在波斯殉教而死是伪造的。在西派教会，一度把他同"主的兄弟"雅各认同为一人，最初是在5月1日为圣腓力、圣雅各举行瞻礼日时这样假定的。这一天正是为罗马圣使徒教堂举行竣工献堂典礼的日子，据说那里曾于560年获得这两位圣者的遗骸。

James, Saint 圣雅各（?～约公元62，耶路撒冷） 又称主的兄弟雅各（James, the Lord's Brother）。瞻礼日5月1日（西派教会）。基督教使徒，他虽不在耶稣基督本来的十二使徒之列，但据圣保罗说，他也是使徒。他是耶路撒冷的基督教徒中的领导人物，与圣彼得和圣约翰（传福音的）共为"教会的支柱"。关于这位雅各的确切身份，众说纷纭，因为他往往被误认为亚勒腓的儿子圣雅各。严格地讲，《圣经加拉太书》（1：19）谓他是"主的兄弟"一语，其意义也并不明确，尽管他处经文（《马可福音》6：3；《马太福音》13：55）称他为耶稣的四个兄弟之一。各种传说各执一词。显然雅各并非在耶稣传道时期追随耶稣的。据保罗说，雅各是因为基督复活后向他现身才信耶稣的（《哥林多前书》15：7）。在保罗信耶稣3年之后，雅各成为耶路撒冷教会的重要首脑之一（《加拉太书》1：18～19），在犹太国王希律·亚基帕一世于公元44年前后斩杀西庇太的儿子圣雅各之后，在彼得逃离耶路撒冷之后，他在耶路撒冷教会中的地位就尤其重要（《使徒行传》12：1～17）。在讨论保罗对非犹太人传教（《使徒行传》15：13）和保罗最后一次访问耶路撒冷（《使徒行传》21：18）等事项而举行的耶路撒冷会议上，雅各是耶路撒冷教会方面的主要发言人。据以后的传说，雅各被称为"义人"，以恪遵犹太律法著称。一部分犹太人基督教徒认为，异族基督教徒也应当遵从犹太律法，包括割礼。雅各一方面反对这一派人，但另一方面又认为，犹太人基督教徒应当学习他自己的榜样，继续遵守犹太习俗和宗教修养准则。后世相传，雅各虔诚自持，在犹太人和犹太人基督教徒中间威望甚高。他的这种崇高威望，在宗教当局将他处死时，从犹太人的愤怒中可以得到明显证明，执刑方法一说用乱石打死（犹太史学家约瑟夫斯之说），一说自圣殿的一座塔顶投下（早期基督教著作家圣赫格西普斯之说）。早期教会称雅各为第一任耶路撒冷主教，但此衔不见于《新约》。《新约》中专讲伦理道德的《雅各书》，相传即是这位雅各所著，但现代学者颇不以此说为然。

James the Conqueror 詹姆斯（征服者） 参阅 **James（Spain：Aragon）** *詹姆斯*（西班牙：阿拉贡）项下的 **James I** *詹姆斯一世*。

James, the Old Pretender 参阅 **James Edward, the Old Pretender** *詹姆斯·爱德华（老觊觎王位者）*。

James, Elmore 詹姆斯（1918-01-27，美国密西西比里奇兰～1963-05-24，伊利诺伊芝加哥） 原名Elmore Brooks。美国布鲁斯歌手兼吉他手，以其豪迈不羁的歌唱和演奏风格而闻名，对摇滚乐的发展起了重要作用。青少年时期便开始演奏吉他，30年代末随R. 约翰逊在密西西比河三角洲巡演，深受其影响。后来同S. B. 威廉森第二一起在南方演出，不久成为50年代芝加哥布鲁斯的台柱。1952年的热门单曲《掸净我的扫帚》有几种录音版本。他的演唱以粗糙刺耳为特色，中间夹杂着高声喊叫；生动的滑棒吉他与扩音器中传出的巨大回声交相呼应。他最受好评的作品始于1958年，其中包括平缓的布鲁斯歌曲《哭泣的天空》（1959）和《我也受伤了》（1965）。许多摇滚音乐家，包括滚石乐队和E. 克拉普顿，都吸收了他的强硬派风格，并经常翻唱他的歌曲。1992年入选摇滚乐名人堂。

James, Etta 詹姆斯（1938-01-25，美国加利福尼亚洛杉矶～2012-01-20，加利福尼亚弗赛德） 美国节奏与布鲁斯歌手。七八岁时就与乐队领队J. 奥蒂斯合作，创作歌曲。她的节奏与布鲁斯热门歌曲《桂竹香》销售达百万张。长期参加节奏与布鲁斯巡演，并始终与吸毒作斗争。20世纪60年代的热门歌曲是《我唯一能做的就是哭泣》、《我宁愿成为盲人》和《终于》。多年来她的声音变得更加浑厚，成为最早演唱灵乐的女歌手之一。90年代仍活跃于乐坛。

James, Frank 詹姆斯 参阅 **James, Jesse; and James, Frank** *詹姆斯兄弟*。

James, Harry (Haag) 詹姆斯（1916-03-15，美国佐治亚奥尔巴尼～1983-07-05，内华达拉斯韦加斯） 美国小号演奏家、乐队领队，是摇摆乐大乐队时代的重要人物。父母为马戏团演员，4岁学会击鼓，8岁能吹小号，12岁即担任马戏团乐队领队。年轻时曾随多家乐队演出，1937年成为B. 古德曼的管弦乐队成员，与小号演奏家Z. 埃尔曼和C. 格里芬组成"发电厂"三人小组，这是爵士乐历史中最著名的大乐队小号组之一。不过詹姆斯始终是古德曼管弦乐队的头号独奏家，因表演《腾飞》、《唱吧，唱吧》、《一点钟的舞会》和《聚会有生气》等歌曲而声名大振。詹姆斯于1939年组建自己的乐队，但直到1941年他推出歌曲《你使我爱上了你》之后，他的乐队才在一夜之间引起轰动。其后的成功之作包括《我为你哭》、《我不想没有你而独自漫步》、《我做了一个最疯狂的梦》和他的主题歌《西里比里宾》。1943年，正当他红得发紫时，他与电影演员B. 格拉布尔结婚，同时他自己也在多部电影中亮相，包括《落基山的春天》(1942)、《两个少女和一个水手》(1944)和《你爱我吗？》(1946)。50年代他进入半退休状态，其后只偶尔带领乐队演出。

James, Henry　詹姆斯(1811-06-03，美国纽约州奥尔巴尼～1882-12-18，马萨诸塞剑桥)　美国哲学神学家。作家H. 詹姆斯和哲学家W. 詹姆斯的父亲。1830年在纽约州斯克内克塔迪的协和学院毕业后，进入商界和法律界工作，后又在普林斯顿神学院学习(1835～1837)。尽管受的是严格的长老会的家庭教育，但他却为正统的新教所排斥，因而不参加任何教会组织。曾旅居欧洲数年；1844年在英国时，熟悉了E. 斯维登堡的学说。这一学说后来成为他自己哲学的基础。他的优秀作品为W. 詹姆斯汇集成《亨利·詹姆斯文稿》(1885)。

James, Henry　詹姆斯(1843-04-15，美国纽约～1916-02-28，英国伦敦)　美国小说家。1915年入英国籍，从而成为大西洋两岸文化的一位伟人。他的作品基本主题是新大陆的

美国不列颠百科全书公司供图

乡土气和旺盛生机同旧世界的腐败和精明之间的冲突。这一主题在《黛西·密勒》(1879)、《贵妇的画像》(1881)、《波士顿人》(1886)和《专使们》(1903)中表现得很明显。

早年生活与创作　亨利·詹姆斯童年时生性腼腆，酷爱读书，在他的活泼好动的哥哥威廉身边，他是个不声不响的观察者。他们从小被送往国外，由男女家庭教师授课，在当时眼界仍很狭隘的曼哈顿度过少年时代。十几岁时又重返日内瓦、巴黎和伦敦。他们学会了欧洲语言，对欧洲之熟悉程度为当时美国人所罕见。美国南北战争爆发前夕，他们一家定居罗得岛的纽波特。在该地，随后在波士顿，亨利对新英格兰有了深切的认识。他在纽波特任义勇消防队员时背部负伤，从此有好几年过着静坐不动的生活，同时也减少了为自己在骨肉相残的内战之前退缩而感到的自疚。他有几个月曾幻想日后当一名专业人员，因而在19岁时入哈佛大学法学院，但他下工夫读的却是圣伯夫、巴尔扎克和霍桑。两年后，他用笔名发表的第一篇短篇小说登在纽约《大陆月刊》上，第一批书评登在《北美评论》上。当豪威尔斯任《大西洋月刊》主编时，詹姆斯发现他既是自己的朋友，又是自己的导师。他的文章常在《大西洋月刊》上发表。两人合力开创了美国的“现实主义”。詹姆斯在二十五、六岁时已被公认为美国最高超的短篇小说作家之一。然而批评界对他工于描写内心生活而少有顾及行动情节的倾向深表惋惜。这些早期作品表现纽波特和萨拉托加两地大户人家的悠闲富裕生活，回荡着法国小说家乔治·桑和梅里美的余响。他的英国楷模为乔治·艾略特，美国楷模为霍桑。他的习作过程全面而彻底：在创作长篇小说之前写了近10年的短篇小说、评论及其他文章。他还遵照传统作“行万里路”的旅行。1869年，他于成年后初次见识欧洲，这一年他游历了英国、法国、意大利，为他后半生照例在这三国沿着走熟了的路线旅行开了头。詹姆斯一生未娶。他好交友，甚至喜群居生活，但尽管勤于观察和参预社会以及有他文学小圈子的活动，却在中年后期之前始终倾向于在与人交往中保持距离，谨慎小心地避免卷入漩涡。

文学生涯——初期　詹姆斯深知欧洲对他具有的吸引力，受的又是超国界的教养，所以他想方设法要摸清他能否在美国生活和工作。在波士顿过了两年，又在欧洲，主要在罗马过了两年后又在纽约市过了一冬紧张的卖文生活以后，他终于相信对他来说，国外的写作条件较为优越，生活费用亦较低廉。从此开始了他的漫长侨居他国的写作生涯。首先是在1875年发表，写一个美国雕刻家在台伯河边经历的一场选择艺术还是选择热恋的情人的斗争的《罗德里克·赫德森》，及第一集游记文章《大西洋彼岸随笔》和一组短篇故事。他的文学生涯从这三本颇有份量的书开始，此后40年间他出版了约一百卷作品。

1875～1876年间，詹姆斯旅居巴黎，为《纽约论坛报》写文学和时事通讯，同时写作小说《美国人》(1877)。他很欣赏俄国小说家伊凡·屠格涅夫的作品，造访结识了他。通过屠格涅夫，他跨进了福楼拜的文学圈子，结识了龚古尔、左拉、都德以及当时尚未有作品问世的莫泊桑。詹姆斯钦佩法国作家从事写作的热衷，但不赞成他们所写的“不干净”的题材。他感到与屠格涅夫最为契合。这位俄国作家和世界主义者使他对自己的一种看法深信不疑，即：一位小说家无须为他的“故事”操心，只要把注意力集中在人物身上，他自会掌握他的主人公的生活经历。詹姆斯虽然非常喜欢法国，但他感到他在法国将永远是个局外人，1876年后半年，他移居伦敦，就在离皮卡迪利广场不远的鲍尔顿街的窄小居室中，写出了他中年的主要作品。1878年，写在罗马的一个卖弄风情的美国女人的《黛西·密勒》为他赢得了国际声誉。维多利亚时代英国文坛名人顿时对他刮目相看。他成为霍顿爵士的早餐会上的常客，与丁尼生、格莱斯顿、勃朗宁等人为伍。作为一位红极一时的社会名流，詹姆斯在1878和1879年一共外出参加宴会140次，光顾了许多维多利亚名门贵族和乡间邸宅。他被选为伦敦各俱乐部成员，他的短篇小说同时发表在英国和美国期刊上，与诸如梅瑞狄斯、斯蒂文森、戈斯等大作家相往还，出入惠斯勒和萨金特两位大画家的画室，从而与他的朋友、19世纪80年代曾任美国驻英国公使的诗人和文论家洛威尔同为英美两国文学艺术交流中有声誉有影响的人物。

詹姆斯的声誉得力于他对美国妇女所作的多方面的考察。他曾在一组饶有风趣的故事中塑造了一个“自力成材”、无所顾忌、性情暴躁的美国乡巴佬典型：她身处欧洲社会，却要一切按美国规矩行事。詹姆斯在结束他的早期文学生涯时写出了他的杰作《贵妇的画像》，写一位从纽约州奥尔巴尼市来到欧洲的女郎，她怀着褊狭乡土观念和勃勃雄心，同时也显示了她的独立人格和“自由精神”。她在维多利亚女王时代的英国社会中拒绝被当作无非是一个“结婚对象”看待。作为一幅在英国和意大利侨民社会中活动的美国人画像，这部小说在现代小说史中堪称无与伦比。它出色地刻画了一伙利己主义者，同时对美国性格作了精当的评价。它体现了有关一个国家的神话：一个用历史盲目性和高傲维护的关于自由平等的理想；常以慷慨大方的形态表现出来的自我利益；当这种慷慨大方被人看作是一种威力的运用时又感到自己受了伤害。詹姆斯对人际关系中的威权有深刻的理解。

文学生涯——中期　在19世纪80年代，詹姆斯创作了两部写社会改革家和革命家的小说：《波士顿人》(1886)和《卡萨玛西玛公主》(1886)。在写波士顿生活的小说中，他剖析了体现在一个生活在北方的南方人身上的保守的男性和一个仇恨男人、愤世嫉俗、主张妇女参政的女性之间的斗争。《波士顿人》刻画性情乖戾的人，赶时髦的人，“行好事”的人入木三分，至今仍是一部对当时美国社会描写得最充分最完满的小说。在《卡萨玛西玛公主》中，詹姆斯利用19世纪80年代盛行的无政府暴力行为作素材写了一个以革命为儿戏的人被革命所毁的故事。之后又有《悲惨的缪斯》(1890)，其中詹姆斯再现了伦敦和巴黎的美术界和戏剧界，烘托出艺术与“世俗”之间的冲突。在1890～1895年间，他曾登上戏剧舞台企图一现身手，终告失败。随后有好几年他试图将他的舞台体会用到小说中去，结果是彻底改变了他的讲故事的方法。在《波音顿的珍藏品》(1897)、《梅西所知道的》(1897)、《螺丝在拧紧》(又译《碧庐冤孽》，1898)、《在笼中》(1898)和《叫人不知如何是好的时代》(1899)这些小说中，他开始运用严格从一个既定的视角出发，使“图景”和戏剧场面交替出现的手法，同时不把内情告知读者而只让读者看到小说的各个角色所看到的。

这个时期的题材多为儿童的逐渐发展的意识和所受的道德教育——其实仍是詹姆斯过去的超越国界的主题:在一个腐化的世界中人的纯真幼稚,不过这个主题移到英国背景之上而已。

文学生涯——晚期 在这一"过渡"阶段所作的实验导致詹姆斯在新世纪(20世纪)开始时创作了三部气势宏大的小说,它们是他晚期也是一般所说的"主要"时期的代表作,开20世纪小说的先河。开始时他是一个现实主义者,对他的繁复拥挤的舞台作细致入微的描写。而晚年他却让他的舞台相对说来空空落落,只有少数几个人物处于一种剑拔弩张的情势之中,通过多种视角来回顾他们的生活戏剧。除了这些技巧之外,他还采用了一种越来越含蓄富于象征的形象比喻的笔法,这种晚期风格部分是由于他直接向一位打字员口授的缘故,部分是他不懈地追求将其主观体验注入一种适应性强的散文文体之中的结果。同时,他将原来的题材范围从对个人的以及人与人之间的两难处境的考察扩展为对社会和文化的关注。他笔下的人物就在这特定社会和文化中为他们自己的个性和生存而奋斗。

《专使们》(1903)是这三部小说中的第一部,这是一部嘲讽美国欧洲风尚的正喜剧,写一个中年美国男子奉派去巴黎将一个富家子弟接回在马萨诸塞州一个工业城镇的家,因为在这家人看来,他已在国外滞留过久。小说描写了年长的主人公眼界与见识的增长,将欧洲大陆道德规范方面的放任与美国新英格兰狭隘的循规蹈矩加以比照。第二部小说《鸽翼》写成于《专使们》之后,但出版于《专使们》出版之前的1902年,它讲述一个以伦敦和威尼斯为背景的悲怆动人的曲折故事,有力地揭示了一些并非歹毒的人一方面满口尊严和理性,另一方面行为凶残如猛禽。最后一部是《金碗》(1904),以通奸为主题写四个主要人物。小说的前半部是通过贵族丈夫的视角来写的,后半部则从妻子日益觉醒的角度来写的。

三部小说超越了单纯的"故事情节"和"人物"或其主题的戏剧性。在《专使们》的喜剧中、《鸽翼》的通俗剧式的情节中以及《金碗》的正剧中,詹姆斯绘下了一幅幅出了毛病的文明的连续图景。这一文明只有在承认人的自由和人有权保持自己的隐私以及承认道德和精神的"监控机制"的价值的条件下才能保存自己。三部小说不仅对西方社会的生存方式作了"哲学的"思考,它们还体现了一种社会伦理观,即:西方人必须培养那些使他们摆脱混乱状态而成为今天这样的人的模型和传统而不管这些模型和传统有多大的缺陷,同时珍惜他们所赖以生活的器具和形式。

荣誉姗姗来迟,但终于来了。詹姆斯被授予牛津大学和哈佛大学的学位,当选为全国文学艺术学会成员,1905年又当选美国艺术和文学学会会员。1915年,他入籍为英国臣民,以他的声望支持英国在第一次世界大战中的战斗。英王乔治五世授予他勋章。詹姆斯死后,骨灰运回美国,葬于剑桥公墓的本家坟地。他的墓碑铭文称他为沟通"大洋两岸他这一代人的通译"。

评价 亨利·詹姆斯的创作生涯是美国文学中最长、最多产和最有影响的。最初作为散文体小说的大师,他在实践中大加创新,扩大了形式,并且打上了一种高度个性的方法与风格的印记。他写作长达51年,作品包括20本长篇小说、112篇故事、12个剧本和几卷游记与评论,以及大量的新闻文学作品。他承认并帮助在国外塑造出美国人的神话,并将这种神话溶合进"国际小说"中,在这方面他是公认的巨匠。他的基本主题是一个清白、丰富和民主的美国面对着欧洲古老的、贵族式的文化的世俗意见和堕落。在他的轻喜剧与悲剧中,詹姆斯对人间背景的意识是明确而生动的,虽然在他后期的风格中偏爱造作,他是他那个世纪最伟大的散文作家与文体家之一。

在詹姆斯生前,他在公众中的声望有限,但在20世纪40年代与50年代对他的作品的兴趣重新兴起后,他的影响在读者中日益深远。许多国家翻译了他的作品,在20世纪后期,他是公认的运用小说艺术最巧妙的大师之一。他对他的人物的内心世界的刻画使他成为20世纪意识流运动的先驱。

James, Jesse; and James, Frank　詹姆斯兄弟(杰西1847-09-05,美国密苏里森特维尔附近[今卡尼]～1882-04-03,密苏里圣约瑟夫;弗兰克1843-01-10,森特维尔附近～1915-02-18,卡尼附近)　19世纪美国西部著名歹徒,从事抢劫活动,为美国西部电影中的19世纪边疆地区冒险者的典型人物。兄弟两人在密苏里州一个农场中长大。1861年南北战争爆发,他们及其家人皆同情南方。弗兰克参加W.C.昆特里尔领导的南方邦联游击队,与同伴C.杨格为友。杰西随着加入了"血胜者"B.安德森的游击队。战争结束时,游击队投降。但是据说,杰西在举起停火白旗时,被击中以致重伤。后来,他与弗兰克纠集了另外8人,于1866年2月13日抢劫密苏里州利伯蒂的一家银行,开始了犯罪活动。詹姆斯匪帮从艾奥瓦州到亚拉巴马州和得克萨斯州,四处抢劫银行;1873年又开始拦劫火车。这伙歹徒还抢劫驿车、仓库和个人。作家们把他们的犯罪活动夸大和浪漫化,以满足东部读者对西部的残暴故事的兴趣。1876年9月,詹姆斯匪帮企图抢劫诺斯菲尔德第一国民银行时几被全歼,仅杰西兄弟脱逃。其后组织新的匪帮继续从事抢劫。1881年,密苏里州州长托马斯·T.克里坦登悬赏1万美元(无论死活)捉拿他们。杰西化名为托马斯·霍华德住在圣约瑟夫,一天他没带武器在家中挂画时,被一名想获赏的匪徒(罗伯特·福特)开枪击中后脑,当场毙命。数月后,弗兰克自首投案。他在密苏里州以凶杀罪受审,宣告无罪;后又以抢劫罪在亚拉巴马州受审,也宣告无罪;再次以武装抢劫罪在密苏里州受审,仍被释放。

James, Liturgy of Saint　圣雅各礼仪　基督教礼拜典仪,是根据安提阿式礼仪制订的最古老的基督教礼拜礼仪。使用这种典仪的有叙利亚公教会、叙利亚基督教一性论派教会(雅各派)、马龙派教会以及希腊境内扎金索斯的东正教会和耶路撒冷的东正教会。现东方大多数东正教会和天主教会都已不再使用这种礼仪而改用圣约翰·克里索斯托制定的拜占廷式礼仪。

James, P. D.　詹姆斯(1920-08-03,英国牛津郡牛津～　)　英国怪异小说女作家。又名菲力斯·陶乐赛·詹姆斯、詹姆斯女男爵。她的小说中照例出现的伦敦警察厅的警探亚当·达耳格利许是大众耳熟能详的人物。她出身于一个中产阶级公务员家庭,在大学城剑桥长大。然而由于家庭经济困难,她的正规教育在16岁上便告结束。此后她自学成材。1941年,她与一个医科学生、未来的医师结婚。她的丈夫战时服役后回家精神失常,一生中有不少时间在精神病院中度过。为了维持有两个孩子的家庭生计,她参加医院管理工作。1964年,丈夫故世后,她到内务部的刑事处任公务员。她的第一部怪异小说《捂住她的脸》于1962年问世。在她1979年退休以便全力从事写作之前,她又陆续发表了6部这类小说。有一些短篇小说被改编成电视剧本。1991年受封终身贵族。詹姆斯笔下的警探高手达耳格利许从探长、警督,步步高升至总监。他是一个不苟言笑、性情内向的人,道德观念极强而又极为现实。以他为主角的小说中,人物大多形象丰满,有教养、有追求而且温文尔雅。

James, Protevangelium of (biblical literature)　参阅 **Protevangelium of James**《雅各第一福音》。

James, The Letter of　《雅各书》　《新约》中的一卷,是写给"散住的十二支派之人",即早期基督教各教会的一封书信。作者据说是信奉基督教的犹太人雅各,而这个雅各身份不详。成书时间也众说不一。这封书信多谈道德,不重教义,反映早期犹太人基督教会的状况。

James, William　詹姆斯(1842-01-11,美国纽约州纽约～1910-08-26,新罕布什尔彻科鲁瓦)　美国哲学家和心理学家,实用主义哲学运动和功能主义心理学运动的领袖人物。

哈佛大学供图

早年生活和教育　詹姆斯是亨利·詹姆斯的长子。亨利·詹姆斯生有癖性而健谈,对哲学有兴趣,倾心于斯维登堡的神学理论。

威廉·詹姆斯之弟是小说家亨利·詹姆斯，与其父同名。老亨利·詹姆斯抱有"一种对一切教会中心主义的嫌恶，他在晚年说起它来始终是含讥带讽，表示了十足的轻蔑。"他的物质和精神生活的特点是躁动不安，浪迹各地，主要是欧洲，这对他的孩子们在学校以及在家庭所受的教育都有影响。老詹姆斯在斯维登堡论著的基础上，构建了他自己的体系。斯维登堡所提供的据说是上帝为了开创一个在宗教中尊崇真理与理智的新时代所作的启示；而老詹姆斯所构建的似乎被用来作为精神生活的一种理想境界。这一哲学就成了威廉·詹姆斯的家庭生活的持久精神氛围，在一定程度上补偿了他从纽约到法国的布洛涅，再到日内瓦而后回到美国的不正规的学校教育之不足。他在午餐及茶点时与父亲讨论各种观点，习以为常，发展成为他在任何场合与任何人讨论时表现出的极富同情但又非常严苛的态度。

詹姆斯 18 岁时，曾在美国宗教画家威廉·亨特的指点下尝试学画。但他很快就对此感到厌倦；次年，他进入哈佛大学的劳伦斯理学院学习。他先听化学、解剖学以及诸如此类的课程，后又在哈佛大学医学院学医；但为了作为卓越的生物学家阿加西斯的助手去亚马孙河流域探险，他中断了学业。探险期间，詹姆斯体力衰退，这个工作又使他生厌。他回医学院又读了一学期，然后在 1867 ～ 1868 年间去德国从物理学家和生理学家亥姆霍兹即曾提出能量守恒定律的科学家学习；又从病理学家菲尔绍和十九世纪实验医学权威贝尔纳以及他人学习。同时他博览当时流行的心理学和哲学著作，特别是康德派唯心主义者和相对论者勒努维耶的著作。

结识勒努维耶成为詹姆斯一生和他的学术成就的一个焦点。他似乎从少年起身体就很孱弱，经常患病，而在德国生活期间，苦于体力不支，曾想自杀。1868 年 11 月，在德国逗留 18 个月之后，他回到家中，当时还在患病。1869 年 6 月，他获哈佛医学院医学博士学位，但无力开始行医。从此到 1872 年他一直生活在父亲家中，处于半病休状态，除读书和偶尔写篇评论之外，无所事事。起初，他经历了一种病态性恐慌，直至 1870 年 4 月底才见好转。据他本人自述，好转的原因是读了勒努维耶关于自由意志的论述以后得出结论"我的第一个自由意志的举动将是相信自由意志。"这一结论意味着抛弃一切宿命论——既有他所受的训练为他树立起来的科学的宿命论（这种宿命论看来和他的神经官能症有一定关系），也有他后来在"宇宙板块论"中所反对的神学和形而上学的宿命论。他在心理学和哲学方面有革命性的发现，他的有关科学方法、人的禀赋以及现实的性质等方面的观点似乎都从他的这一痛苦的个人问题所获得的解决中得到了实实在在的推动。

对心理学的兴趣　1872 年，詹姆斯被任命为哈佛学院的生理学讲师，他任此教席至 1876 年。然而他的主要兴趣所在依然如故。因此他随后走的一步，即从讲授生理学到讲授心理学——不是传统的"精神科学"而是生理心理学——既是不可避免的又是革命性的。这意味着对盘踞在美国各大专院校精神领域主要是神学方面的功成名就的权威们的挑战；它也意味着与桑塔亚那所说的"高雅传统"的决裂。心理学不再是精神哲学而成为实验室的科学。哲学不再是赞同的文辞的一种练习而成为在方法论发明和形而上学发现方面的一种大胆的进取行动。

1878 年他与马萨诸塞州剑桥人艾丽斯·吉朋斯结婚，开始了新的生活。以往的神经衰弱症几乎完全消失了。他工作中表现出的热心和劲头是过去所不敢想见的；而今天竟像是他身上深藏的潜能得到了开发：他作为一位有独创性的思想家的生活认真地开始了。他签了在 1880 年前写出一本心理学教科书的合约。可是书稿的份量越写越大；当此书以《心理学原理》为标题，最后于 1890 年问世时，它已不是教科书，而是两大卷的学术巨著了。两年后，教科书在此基础上加以删节出版。

《原理》一书被公认为在其领域中既是权威的又是创新的著作，它提出心理学研究中的功能观点。它使精神科学融入生物学科，把思想和认识都看成是在生存斗争中的工具。同时它又充分利用心理物理学（研究各种物理过程对一生物体的精神过程的影响）原理并为自由意志辩护，但并不接受自由意志之说。

对宗教的兴趣　完成了《原理》之后，詹姆斯对此学科似乎已失去了兴趣。他创建了美国第一座示教心理学实验室，但他不喜好实验室工作，认为自己不适合做这项工作。他最乐于干的是自由自在地观察和反思。在他看来，心理学同哲学和宗教理论比较起来是个"讨厌的小题目"，此时把它打发掉了正合心意。他现在研究的是上帝的性质及其存在，灵魂的不朽性，自由意志和宿命论，生命价值观。这些问题是以经验为根据的而不是专凭论辩的。詹姆斯为了探究上帝的性质，他直接考查宗教经验；为了探究死后的存在，他直接从事精神方面的研究；为了探究自由意志和宿命论，他直接深入信仰和行动的领域。他要查明这些事情，而不是对事先得出的结论进行论辩。19 世纪 80 年代后期，他已开始讲授伦理学和宗教理论，他与精神现象研究者的合作甚至还要早一些。他的最后结论是：死后存在无法证明；而神的存在，他认为已为有记录的宗教经验所肯定，并且认为神是一种拯救力量的多元体，是一个人"同一品格的增益"，处于危机时，自身人格可以与神进行接触以谋拯救。他认为自由是事物在彼此联结中某种松弛状态，因此将来如何，不取决于过去的历史和现在的状态；自由或偶然性，相当于达尔文的"天然变异"。这些观点在 1893 ～ 1903 年期间发表的论文和讲演中都有论述。以后这些论文讲演又汇集成书，其中最值得注意的是《信仰的意志及其他通俗哲学论文集》(1897)。在不妨正确地称之为詹姆斯的宗教时期的这十年中，所有他的研究都与宗教问题的这一或那一方面有关。

他对宗教的天生兴趣因受到实际刺激而加强，他应聘去爱丁堡大学为吉福德学术讲演讲授自然宗教。他为此所作的准备工作拖了好几年时间，直到 1901 ～ 1902 年才得实现。1898 年他在阿迪朗达克山中度假，超时间的奋力伏案工作使他体力不支，累及心脏。他本想利用休假一年的机会离开大学去欧洲旅行，但这一年休假却成为两年卧病。为吉福德讲演作准备就是在这痛苦不堪的时期进行的。这些讲演以《宗教经验的种种现象》(1902)为题汇集出版时所赢得的赞誉甚至超过了单篇发表时所赢得的。这些讲演措辞谨慎，结语是试探性的，但是其中材料之丰富具体，对证据所作的最后总结触动了宗教家们思想中一些基本道理，或至少为他们提供了与科学和科学方法并不冲突的辩护材料。书中指出宗教经验的种种变化形式说明存在着各种具体的类似意识的能量蓄积场，我们遇有困难挫折时即可与这种蓄积场进行具体的交流。这一著作是詹姆斯对宗教心理学研究的最高成果。

哲学研究生涯　这时詹姆斯可以明确地将他的注意力转向那些过去至少存在于他的其他研究范畴边缘的哲学终极问题。早在 1898 年，他在加利福尼亚大学就哲学概念及其实际结果作讲演时，已经提出了名为实用主义的方法论。实用主义起源于 19 世纪 70 年代中期皮尔斯对科学逻辑所作严密的分析，到了詹姆斯手中经过改造，形成了一般的法则。他指出任何一个观念——科学的、宗教的、哲学的、政治的、社会的和个人的——其最后必然体现在这一观念所经历和导致的一系列经验性后果中；真理与谬误，如果确实是在人的头脑能够理解的限度之内，则与这些后果就是同一的。詹姆斯在利用这一定律进行宗教经验的研究之后，又将它用于变化与偶然、自由、变异、多元性以及新奇的观念上。自从他研读了勒努维耶的著作以来，他始终一心一意要确立这些观念。他在反对一元论和"宇宙板块论"的论战中，运用了这条实用定律。"宇宙板块论"认为全部现实是（仿佛凝合在一起的）一个整块。他还用这一定律来反对内部关系（即所谓有此事物必有彼事物的概念），反对一切终极性、静止论和完整性的概念。他讲课时充满了反对各种绝对观念的论争，从而给美国哲学家们的血液中注入了一种新的活力。事实上，关于实用主义的历史性争论使哲学界从人云亦云和沉闷乏味的氛围中解放出来。

同时詹姆斯在 1906 年被邀去加利福尼亚的斯坦福大学讲学，他在雪地经历了几乎毁灭了旧金山全城的地震。同年他在波士顿作了一系列洛威尔学术讲演，后来以《实用主义：给旧的思维方式起的一个新名字》(1907)出版。另有一些论文："意识是否存在？""事物及其关系"，"活动的经验"等等大多在《哲学杂志》上发表；这些论文对经验和实用方法作了进一步的阐发，于詹姆斯死后汇编出版，题名《激进经验主义论文集》(1912)。这些论著的基本观点是：事物之间的关系，不论是聚合或分离，都至少和事物本身同样是实在；它们的功能也是实在的；而为说明世界的种种冲突和聚合就无须求助于其隐蔽的下层原因。这种经验主义是激进的，因为在那时以前，连经验主义者都相信一种形而上学的论据，正如印度教神话中所说的那只深藏的大海龟一样，宇宙之象就骑在龟背上。

此时詹姆斯已是英语世界新生哲学的中心。欧洲大陆哲学家们不"懂"实用主义。如果说反对实用主义的德国人完全误解了它，实用主义的意大利信奉者则曲解了它，其中尤以不遗余力反传统观念的批评家乔万尼·帕皮尼为甚。在英国，宣扬它的是席勒；在美国有杜威及其学派，在中国有胡适。1907年詹姆斯在哈佛授他的最后一学期课。春天，他在哥伦比亚大学又将他的实用主义讲演重复了一遍。讲学时的情景宛如一位新的先知降临人间，讲演厅内始终人满为患，许多人伫立门外聆听。不久他收到邀请去牛津的曼彻斯特学院作希伯特学术讲演。这些讲演后来以《一个多元的宇宙》为书名于1909年出版。此作比《激进经验主义论文集》更为系统更为通俗地论述了同一重要观点。此外，《宇宙》一书中还提出了詹姆斯的某些过甚的宗教信念；如果他死后出版的《哲学中的一些问题》所阐明的含义足资凭信的话，那么，詹姆斯是在进一步思考之后，有意对原先的提法加以缓和。这些过甚的信念涉及对经验作泛心论的解释，这种解释认为自然界一切都有其精神的一面；它已越过激进经验主义与实用主义定律的界限而陷入常规的形而上学。

詹姆斯回家以后即不顾日渐严重的病情，致力于搜集资料写作另一论著，它的一部分在死后以《哲学中的一些问题》(1911)为名出版。他还搜集了在实用主义论争过程中写的零碎文章编成《真理的涵义》(1909)出版。最后，他的病况甚至超过了他的异乎常人的耐力所能忍受的程度。他去欧洲求医不成。回国时即径赴他的新罕布什尔的乡居，于1910年逝世。

意义和影响 在心理学方面，詹姆斯的著作自然过时，但这与伽利略的物理学理论或达尔文的生物学学说之过时是相同的，因为它是当代盛行的多种新学说的源始，才显得过时。在哲学方面，他那充满自信的著作仍然具有预见性。他为之论争的这个世界不久即在新物理学中各不相同的阐释得到反映，而在皮尔斯，特别是在爱因斯坦、罗素以及丹麦量子物理学家玻尔等人的学说中可以得到共鸣，这是一个万事万物之间由种种密接关系联系起来的世界，这是一个多样、多重、多变、源于偶然、系于习惯(即科学家所说的规律)而为各种激变、自发现象和自由行动所改变的世界。在人性方面，詹姆斯认为这个世界的各种易见的特点同样明显。实在而具体的事件与个人有关，个人在历史中每一次干预无不使历史经受一次新的出乎意料的转折。然而在历史上正如在自然界中一样，连绵不断的变化与偶然的流程使每一本质变形，使每一规律失效，使每一个理想改变。

詹姆斯按照他的哲学生活。哲学进入他的丰富生动的文字风格的质感和节奏中。哲学决定了他对诸如"基督教科学"和精神疗法这类科学所不能接受的医疗方法的态度，以及诸如军国主义这类为人深恶痛绝的理想的态度。哲学使他成为一个反对帝国主义的人物，凡是藐小的、有异于常规的、没有先例的和微弱的事物，不管它们在何时何地出现，他都一概加以卫护。他的哲学体系如此富于活力、如此微妙、如此模棱两可、如此导源于经验，又如此不确定，因而不可能成为一个学派的教条。它的作用与其说在于作为标准的老体系使他人可以照抄照搬，倒不如说在于将新的思想的萌芽植入别人的头脑中。

James Bay 詹姆斯湾 加拿大魁北克省与安大略省北部之间的浅海湾，为哈得孙湾向南延伸部分。长443千米，宽217千米，深不到60米。湾内有许多岛屿，归西北地区管辖。最大岛屿为阿基米斯基岛，面积3 002平方千米。注入此海湾的河流甚多，有拉格兰德河、伊斯特梅恩河、鲁珀特河、布罗德巴克河、诺特韦河、哈里卡诺河、穆斯河、奥尔巴尼河、阿塔瓦皮斯基特河和埃克万河，故海湾水盐度低。沿岸多森林，主要居民点乔治堡、伊斯特梅恩、鲁珀特堡等都是贸易站。1610年英国航海家H.哈得孙曾来此。1631年以此湾开拓者T.詹姆斯之姓命名。

James Edward, THE OLD PRETENDER 詹姆斯·爱德华(老觊觎王位者)(1688-06-10，英格兰伦敦～1766-01-01，教皇国罗马[意大利]) 即J.E.斯图亚特。被废黜的英国信奉罗马天主教的国王詹姆斯二世之子，英格兰和苏格兰王位的要求者。他的支持者称他为英格兰的詹姆斯三世和苏格兰的詹姆斯八世。1688年新教统治者奥兰治的威廉废黜詹姆斯二世后，尚在襁褓之中的他随父流亡法国。1701年其父死后，法王路易十四宣布他为英格兰国王。由于他信奉天主教，英国国会通过一项法案剥夺了他继承王位的权利。1708年他乘法国船只入侵苏格兰，但未及登岸就被英国人赶走。在西班牙王位继承战争(1701～1714)中，他参加法军作战，立有战功。1714年他拒绝改宗英国国教以便被指定为安妮女王的英国王位的继承人。1715年马尔伯爵领导詹姆斯党人在苏格兰发动叛乱，他于12月22日在阿伯丁的彼得黑德登陆。次年2月10日叛乱被镇压下去，他又返回法国。后在罗马附近度过余生。其子查理·爱德华被称为小王位觊觎者。

James Island(Galápagos Islands) **詹姆斯岛** 参阅**San Salvador Island圣萨尔瓦多岛**。

James River 詹姆斯河 又称吉姆河，达科他河。美国河流。发源于北达科他州中部韦尔斯县境内。东南流进入南达科他州，在扬克顿以下8千米处汇入密苏里河。全长1 140千米，流域面积56 980平方千米。沿河主要城市为北达科他州的詹姆斯敦和南达科他州的休伦、米切尔。詹姆斯敦附近的水坝有防洪灌溉之利。

James River 詹姆斯河 美国弗吉尼亚州河流。由杰克逊河和考帕斯彻河汇合而成。向东流，在林奇堡附近经蓝岭山，过里士满，又蜿蜒流向东南，在纽波特纽斯穿过8千米宽的河口湾进入汉普顿港。全长550千米。当其流过蓝岭—峡谷时，河床下降为巴尔科尼瀑布，又在里士满上游形成长5千米的急流带(落差26米)，在这里建有博舍尔水坝。主要支流有阿波马托斯河和奇卡霍米尼河。深水船舶沿詹姆斯河可通航至里士满。在纽波特纽斯上方有一座长7千米的桥梁。下游的詹姆斯敦为第一个英国人永久居民点(1607)的所在地。

Jameson, Sir Leander Starr, BARONET 詹姆森(1853-02-09，爱丁堡～1917-11-26，伦敦) 南部非洲的政治家，塞西尔·罗得斯的朋友和合作者。因1895年入侵德兰士瓦图谋推翻P.克留格尔的布尔政府未遂而臭名昭著。在伦敦大学学院学医后，1878年到南非。与罗得斯结成密友，共同的理想是把英国的统治从好望角延伸到开罗。1889和1890年代表罗得斯访问恩德贝勒国王罗本古拉，诱使其认可今津巴布韦境内矿区归英国南非公司开采。1891年又赚得内陆及沿海采矿权，被任命为马绍纳兰行政官，成立该地第一个殖民地政府。马塔贝莱战争(1893)结束后，罗本古拉土地并入詹姆森辖区，形成罗得西亚殖民地的雏型。德兰士瓦共和国布尔政府是罗得斯将全南非组成由英国人统治的联邦的计划的主要障碍。于是他和詹姆森及德兰士瓦威特兰人(阿非利堪斯语，意为外国人，即英国人)领袖密谋推翻它。1895年12月29日率兵侵入德兰士瓦，惨败被擒；罗得斯政治生命被断送；詹姆森则被解送英国受审，判处15个月监禁。几月后因病重获释。重返南非后，代表金伯利选入开普殖民地议会(1900)。1902年罗得斯去世后，詹姆森接任进步党领袖，后当总理(1904～1908)。协助南非组成联邦后，创建联邦党(1910)。在联邦议会领导反对党，直至1912年因病退隐。1911年曾册封男爵。

Jamestown 詹姆斯镇 英属南大西洋圣赫勒拿岛首府和海港城镇。1659年设立，此时英国东印度公司正在詹姆斯湾建一要塞并组织起一支卫戍部队。全城几乎只有一条街道，沿着狭窄的、深陷的谷地伸延约1.6千米并升高至150米。主要收入来源是海关税、码头税和对集邮者出售邮票。城西南4千米处的朗伍德是拿破仑1821年流放和死去的地方，现由法国政府监护。人口864(1998)。

Jamestown 詹姆斯敦 美国纽约州西南部肖托夸县城市。位于布法罗西南113千米处，肖托夸湖南端。J.普伦德加斯特1811年在此购地400公顷，建一磨坊；形成一居民点。早期有家具业和纺织业。1827年设村，1886年设市。当地丰富的水力资源、伊利运河的开凿(1825)和伊利铁路的通车(19世纪50年代)促进了工业发展。现产品有自动螺纹车床制品、工具、洗衣机、投票计算机、办公器具和设备。附近有许多奶牛场和果园。为附近肖托夸湖和阿勒格尼山旅游区的基地。詹姆斯敦社区学院建于1950年。人口：市约30 726(2003)；詹姆斯敦-敦刻尔克都会统计区约139 750(2000)。

Jamestown Colony 詹姆斯敦殖民地 英国在北美洲的第一个永久性殖民点所在地，建于1607年5月14日，地处弗吉尼亚詹姆斯河一半岛上。这里最先种植烟草，建立了北美大陆上第一个代议制政府（1619），运进第一批非洲奴隶，建立了北美第一个圣公会教堂。因殖民点地处沼泽地带，有害健康，故死亡率高，人口稀少。1608、1676及1698年先后遭受火灾。终因1699年弗吉尼亚首府迁往中部种植园（后为威廉斯堡）而衰败。因土壤冲蚀，至19世纪中叶时已变为河中岛屿。1936年并入科洛尼尔国家历史公园。

Jāmī 贾米（1414-11-07，贾姆地区～1492-11-09，阿富汗帖木儿赫拉特） 波斯学者、神秘主义者、诗人，往往被认为是伊朗的"末代诗圣"。一生除两次去麦什德（伊朗）和汉志短期朝圣外，都在赫拉特度过。生前，他有学者的美名，使当代许多伊斯兰统治者都愿作他的保护人，但多数为其拒绝。他宁肯过着学者和神秘主义者的简朴生活，不愿当宫廷诗人。作品明显地不带颂词。他的散文题材十分广泛：从《古兰经》注释到论苏菲主义和音乐的论文都有。论神秘主义的论文《闪光》大概最为有名，是苏菲派存在主义一致性的简明说明，也是其他神秘主义者体验的注解。贾米的诗作表达了他的伦理学和哲学理论。所写诗篇风格独特、清新优美，没有被不适当的秘教语言污损。最著名的诗集是《七宝座》。

jāmiʿ（Islām） **加米** 参阅 **mosque** 清真寺。

Jamm, Al-（Tunisia） **杰姆** 参阅 **Thysdrus** 蒂斯德鲁斯。

Jammes, Francis 亚默（1868-12-02，法国图尔奈～1938-11-01，法国巴约讷附近阿斯帕伦） 法国诗人、小说家。他的简单的乡村主题与世纪交迭之际的法国文学中的颓废倾向形成鲜明对比。他是一个害羞的外省文书，与象征派诗人马拉梅和小说家纪德为友。他的诗，作为对象征主义的抵制，追随被称为自然主义的新诗潮，提倡重返大自然，返回日常生活琐事，回到童稚般的朴实。第一部引起人们兴趣的作品是《从晨祷的钟声到晚祷的钟声》（1898）。他在诗人克洛代尔的影响下改信天主教（1905）后，日益虔诚。《基督徒农事诗》（3卷，1911～1912）是以日常语言写虔诚农家的家世小说。他虽然负有盛名，却仍居乡间与村民们共度晨夕。所著小说和回忆录（1923），均具有田园风格和亲切笔调。亚默近70岁去世时，已经成为第二次世界大战前一代青年诗人所尊敬的长者。

jamming 干扰 在电子学中指发射强大信号，使受干扰的信号被淹没或模糊不清。一个国家如果不希望它的居民接收国外无线电台和电视台的广播，就对上述广播进行干扰。军事上常对敌人的雷达或通信进行干扰。干扰技术多种多样，但大多数是在被干扰信号的频率上发射强大的噪声调制的信号。

Jammu 查谟 印度西北部查谟和克什米尔印度控制区城市、冬季首府。傍达维河，位于斯利那加之南，北部为西瓦利克山脉。曾是拉杰普特族多格拉王朝首府，19世纪成为拉杰普特人辛格的领地。为铁路枢纽与制造业中心。设有查谟大学。查谟周围地区出产小麦、水稻、玉米和大麦等。人口：城市378 431；都会区607 642（2001）。

查谟市的拉古维尔庙
美国不列颠百科全书公司供图

Jammu and Kashmir 查谟和克什米尔 印度西北部邦名。查谟和克什米尔邦是查谟和克什米尔地区的一部分，这个地区自1947年印巴分治以来一直是印度、巴基斯坦和中国之间一片有争议的区域。印度的查谟和克什米尔邦西部与北部与巴基斯坦的查谟和克什米尔接壤，东北部与中国占领的查谟和克什米尔之部分毗连，东南及南部与印度喜马偕尔邦及旁遮普邦交界。印度的这个邦占有查谟和克什米尔地区的南半部，面积101 387平方千米，并拥有全地区人口的3/4及耕地的绝大部分；邦的夏都是斯利那加，冬都是查谟城。该地区强烈地震时有发生，轻微地震和稍显著地震更是频繁。2005年以巴控克什米尔地区为中心发生强烈地震，查谟和克什米尔邦死亡数百人。据传，一位名叫克什亚帕的苦行僧曾自一片广阔的湖沼开垦出克什米尔这块地方，垦出土地最初叫做"克什亚帕马尔"，后来称为克什米尔。阿育王（约公元前265～前238）在位时期，将佛教传入这里，以后这个地区成为印度文化中心，声名闻于远近。1346年前，克什米尔由印度各王朝统治，1346年后由穆斯林统治，1819年为旁遮普的锡克王国兼并，1846年又被查谟的多格拉王国并入其版图。（印度教的）多格拉王朝统治克什米尔到1947年，英属印度被分割为印度教的印度和穆斯林的巴基斯坦两部分。1947年印度军队进入克什米尔去抵御入侵伯勒穆拉地区的巴丹族，克什米尔的土王哈里·辛格同意与印度联合。巴基斯坦始终反对克什米尔与印度合并，坚持举行公民投票以解决这个问题，因为克什米尔居民的绝大多数是穆斯林，巴基斯坦对全民公决有利于巴方满怀信心。1962年中印战争时中方胜利，占领克什米尔东部的拉达克部分地区。1965年巴基斯坦与印度因边界问题发生战争，1971年战端再起，最后双方划定"停火线"，由此形成查谟和克什米尔地区巴基斯坦实际控制区与印度实际控制区之间的边界。印度辖区的查谟和克什米尔邦，在20世纪90年代初，由于当地穆斯林分离主义者开始进行游击战争以反对印度地方当局及驻军，内战不断发生。这些分离主义者要求或与巴基斯坦合并，或者成立独立的克什米尔国家。

印度的查谟和克什米尔邦的90%以上是山地。从地形上看，这个区域由西南至东北包括肥沃而地势较低的查谟平原及本杰平原，森林（针叶林）密布的喜马拉雅山麓地带（海拔600～2 100米），冰川覆盖的比尔本贾尔岭（3 800米），克什米尔谷地（1 600米），重峦叠嶂的喜马拉雅山脉中部诸岭（超过6 100米），印度河上游谷地（3 350米），拉达克高原，喀喇昆仑山（超过7 600米）。印度河、杰赫勒姆河、杰纳布河、达维河是主要河流；德尔湖和武勒尔湖是主要湖泊。气候特点是由东北部的高山气候到西南部的亚热带气候，变化很大。年平均降水量北方75毫米，西南部为1 150毫米。

查谟和克什米尔邦人口不足全印度人口的1%，但却是唯一的穆斯林人口占有2/3多数的一个邦。印度教徒约占30%，另有少数锡克教徒及佛教徒。乌尔都语为官方语言。两座最大城市是斯利那加和查谟。查谟地区居民大多数是操多格拉语的印度教徒，在文化上与毗邻的旁遮普邦关系密切。在这个邦的西北部，穆斯林构成本杰地区的多数人口。克什米尔谷地的居民绝大部分是穆斯林，操乌尔都语或克什米尔语。

查谟和克什米尔邦的多数居民从事自给农业，种植水稻、玉米、小麦、大麦、豆类、油料作物及烟草等。在克什米尔谷地有果园多处，规模甚大，生产苹果、梨、桃、桑椹、胡桃、杏等。克什米尔谷地还是印度次大陆主要藏红花产地。当地古杰尔及加迪等族牧民放牧绵羊、山羊、牦牛、小型马等，营逐水草而居的生活；闻名于世的开士米（山羊绒）就是这里山羊的产物。养蚕业也很普遍。

查谟和克什米尔邦的经济特色是手工业发达，最有名的是利用当地所产生丝和羊毛为原料的手摇机织业，地毯及毛毯纺织业，木雕业，混凝纸制造业。主要工业产品是精密仪器，金属器皿，运动服装及器材、家具、火柴、树脂与松节油等。旅游业是一桩古老行业。当地多山而森林覆盖面广，交通运输依然为一严重问题。查谟城是印度北方铁路的终点。根据宪法规定，印度查谟和克什米尔邦与中央政府保持着一种特殊关系。印度诸邦都遵循印度宪法行事，而查谟和克什米尔邦则自有宪法（1956年通过）。不过，印度中央政府对这个邦的防务、对外事务以及交通通讯等方面握有直接管理权力，而对于邦内公民资格问题、最高法庭司法权限问题和采取紧急措施的权力问题等，只有间接干预的可能。查谟和克什米尔邦设总督一名，由印度总统任命。行政权力由选举产生的首席部长及部长会议共同行使，邦立法机构亦为两院制。克什米尔语属于印度-雅利安语支达尔德语分支，民间故事及文学作品十分丰富。邦内有3所大学：设在查谟的查谟大学（1969），设在斯利那加的克什米尔大学（1969），设在斯利那加的农业科技大学（1982）。人口约10 143 700（2001）。

Jammu and Kashmir 查谟和克什米尔 印度次大陆西北部一个地区。印度、巴基斯坦和中国各占据其一部分。1947年印度分治后,该地区成为印度和巴基斯坦之间的争议地区。查谟和克什米尔地区东北和新疆维吾尔自治区及西藏(皆为中国地区)接壤;南与印度的喜马偕尔邦及旁遮普邦相连;西北与阿富汗交界;西与巴基斯坦为邻。总面积222 236平方千米;北部和西部地区被巴基斯坦占据,东北部地区被中国占据,南部和东南部地区是印度的一个邦。由印度控制的领土拥有大部分人口和耕地。巴基斯坦占据的领土由3个地区组成:自由克什米尔(**Azad Kashmir**)、吉尔吉特(**Gilgit**)和伯尔蒂斯坦(**Baltistān**)。3个地区的首府分别为:穆扎法拉巴德、吉尔吉特城和斯卡都。巴基斯坦控制区位于没有争议的巴基斯坦正北,北和西邻阿富汗,东接印度控制区的部分地方,自由克什米尔政府得到巴基斯坦的保护和资助,由一个邦长和邦委员会领导,该政府由巴基斯坦克什米尔事务部管理。吉尔吉特和伯尔蒂斯坦的行政部门由巴基斯坦政府的政治代表管理。中国在20世纪50年代开始在东克什米尔的阿克赛钦和拉达克地区进行军事演习。中国自从在1962年10月的中印战争中战胜印度后,一直占领拉达克的东北部地区(在查谟和克什米尔地区北部),有争议的地区包括中国修筑的一条公路,这条公路对中国有战略上的重要作用,因为它连接新疆和西藏。整个查谟和克什米尔地区多山,有狭而深的山谷及高而贫瘠的高地。小喜马拉雅山把西南端的查谟平原和北面较大的克什米尔谷地分开,克什米尔谷地土壤比较肥沃,人口较稠密,海拔1 600米,由杰赫勒姆河上游盆地形成。斯利那加市在克什米尔谷地,这两块低地都在印度控制区内。除上述地区外,从西南至东北,查谟和克什米尔的主要地貌有:喜马拉雅山地西部外侧的山麓丘陵;高达6 100米或以上的喜马拉雅山峰;被流向西北的印度河的崎岖河谷切断的拉达克(**Ladākh**)多山高地;喀喇昆仑山脉的山峰,包括海拔8 611米的K_2峰(乔戈里峰),它是世界第2高峰,仅次于珠穆朗玛峰,该地的气候差异很大,西南低地为亚热带气候,高山区为高山气候。查谟地区西部是穆斯林,东部为印度教徒,说印地语、旁遮普语和多格拉语。克什米尔谷地的居民多为穆斯林,说乌尔都语和克什米尔语。拉达克区及更远的地区人烟稀少,住有说伯尔蒂语及拉达克语、信奉佛教的蒙古人种各族人。

Jāmnagar 贾姆讷格尔 印度中西部古吉拉特邦西南部城镇。位于卡提阿瓦半岛,在贝迪港东南。1540年创建,原为讷瓦讷格尔土邦的首府。原有的古代寺庙和宫殿与现代工厂、医院和居民区交相辉映。水泥、陶器、纺织品和盐为主要工业产品,并以生产扎染布、金线绣和金属器闻名。有公路、铁路和机场。贾姆讷格尔县位于卡提阿瓦半岛西部,北向卡奇湾,西朝阿拉伯海。地势大部平坦,边境有伯尔达丘陵。沿海红树林提供木柴和牧场。主要农作物为谷物、棉花和马铃薯。手工织布和丝制品为主要产品。渔业占重要

贾姆讷格尔城的旧王宫
美国不列颠百科全书公司供图

地位。其他城镇有杜瓦尔卡和奥卡港。人口:镇277 615;都会区317 362;县1 393 076(1981)。

Jamrūd 贾姆鲁德 巴基斯坦西北边境省白沙瓦专区开伯尔特区的城镇。位于开伯尔山口的入口,海拔461米。有公路和铁路通白沙瓦和经阿富汗边境山口通兰迪科塔尔。为开伯尔山口过境税征收站。

Jamshedpur 贾姆谢德布尔 印度东北部贾坎德邦辛格布姆县城市。位于苏伯尔讷雷卡河与克尔卡伊河汇合处。有时称达达讷格尔,1907年由企业家塔塔建立。现为比哈尔邦第二大城市和公路铁路枢纽。有印度主要的钢铁厂、车辆装配厂、农具厂、搪瓷厂、机车配件厂。设有国家冶金实验所和兰契大学8所分校。人口570 349(2001)。

Jämtland 耶姆特兰 瑞典西部一省。与挪威接壤。面积49 917平方千米。有永阿河,因达尔河,翁厄曼河和于斯纳河流贯。境内多湖泊,其中以斯图尔湖为最大,沿湖公元前即有人定居;湖中的弗勒瑟岛曾是古都所在地。湖岸附近屹立约于1050年刻有古代北欧文字的石碑。中部是较肥沃的低地,为农业地区。乳品业最重要,此外还有木材和采石业。美丽的湖光山色、巉岩瀑布,使该省成为旅游区。省会厄斯特松德。奥勒为著名游乐区。人口约134 946(1984)。

Jamuna(Asia) **贾木纳河** 参阅**Brahmaputra River 布拉马普特拉河**。

Jan Mayen 扬马延岛 挪威王国岛屿。位于北冰洋的格陵兰海,在格陵兰东面500千米。长约56千米,最宽处14千米,面积373平方千米。为海底火山露出水面的一座高峰。贝伦火山(2 277米)构成岛东北部的北延地区,南部的南延地区为低地和丘陵。岛无港湾,荒芜隔绝;气候多雾和有风暴。气温12月 -32 °C,7月10 °C。该岛可能由哈得孙于1607年首次发现。1614年荷兰船长扬·迈宣布此岛主权属他的公司和荷兰。初为捕鲸基地,但到1642年周围水域已无鲸可捕。第一个国际极地年(1882～1883)中在岛上建立奥地利气象站的人员是首次在该岛过冬的人。1921年,挪威在岛上建立一座气象观测站和一座无线电台。1929年5月8日为挪威占有。第二次世界大战期间,美军曾在该处建气象站。1958～1959年,北大西洋公约组织成员国在此建立简易机场、电台和航海站;1970年在此基础上建成控制导航站。现在除了导航站的工作人员以外,岛上无人居住。

Janáček, Leoš 雅那切克(1854-07-03,奥地利帝国摩拉维亚胡克瓦尔迪～1928-08-12,捷克俄斯特拉发) 作曲家。20世纪民族乐派最重要的倡导者之一。曾在布拉格、莱比锡和维也纳音乐学院学习。1881年在布尔诺成立管风琴学院,并亲自领导至1920年。

美国不列颠百科全书公司供图

1881～1888年指挥捷克爱乐乐队。1919年任布拉格音乐学院作曲教授。对民间音乐有浓厚兴趣,与F.巴尔托什共同收集民歌。1884～1888年出版《音乐之页》杂志。其第一部歌剧《萨卡》(1887～1888,1925年上演)是近似瓦格纳与斯美塔那风格的浪漫主义之作。在以后的歌剧中,他发展了一种与他的本国语言的音调密切相关的明显捷克风格,像他的纯器乐作品一样,采用摩拉维亚民间音乐的音阶和旋律特征。最重要的歌剧《耶奴发》(1904,原名《养女》)使他获得国际声誉。其他重要歌剧还有《马克罗普洛斯案件》(1926)、《死者之房》(1930),独幕讽刺歌剧《布罗切克先生旅游月宫》和《布罗切克先生漫游15世纪》(两剧均于1920年在布拉格首演),喜歌剧《狡猾的小狐狸》(1924)。在歌剧中,他擅长以音乐加强戏剧的矛盾冲突。其合唱作品也根据本国语言音调进行写作,重要的有《节日弥撒曲》(1926)、声乐套曲《失踪者的日记》(1917～1919)及《儿歌》(1925～1927)。他曾3次访问俄国,并对俄罗斯语言文学发生兴趣,因而创作了歌剧《卡佳·卡巴诺娃》(1921)及管弦乐《塔拉斯·布尔巴狂想曲》(1918)。他也写有不少器乐室内乐作品。由于他运用民间音乐因素并重视语音变化,使他成为穆索尔斯基在20世纪的相应人物。虽然晚期略受法国印象派的影响,但他的风格始终保持高度的个人独创性。

Jane 简 美国芝加哥妇女解放同盟的地下诊所,致力于人工流产合法化,消除昂贵、危险、无情的流产行业;为流产妇女提供可靠廉价的服务,1969～1973年间做了11 000例虽然非法但安全的流产。起初只提供流产咨询,介绍可靠的流产地点;后来决定学会自己操作,其安全效果甚至优于当时在加利福尼亚和纽约的专业医务人员。1973年流产在全美国合法化后解散。

Jane SEYMOUR **简**（1509?，英格兰～1537-10-24，伦敦汉普顿宫） 即J.西摩。英王亨利八世的第3个妻子，爱德华六世的母亲。原为王后的女侍，安妮失宠被处死（1536-05-

美国不列颠百科全书公司供图

19）后，亨利与她秘密结婚。次年生下一子，即日后的爱德华六世。她在产后12天死去，使亨利悲痛不已。亨利在位期间她的家族受到恩宠。爱德华六世即位后，简的一个兄弟赫特福德伯爵爱德华任摄政，并受封为萨默塞特公爵；另一个兄弟托马斯曾任海军大臣。

Janenz, Theodor Friedrich Emil（actor） 参阅 **Jannings, Emil** 扬宁斯。

Janequin, Clément **雅内坎**（约1485?，法国沙泰勒罗～1558，巴黎） 16世纪法国主要的尚松作曲家，以其标题尚松闻名，其中模仿自然界、战场和街头的声音。他曾在波尔多受雇于L.福（福后成为吕松的主教），后来又供职于波尔多主教府。他自己亦献身神职，于1525年成为圣埃米利永的教士。1529年主教去世后，他做过不同的工作，有时上学，于1549年定居巴黎。约从1555年起，他担任法王亨利二世的御前歌手，后又为御前作曲师，但并非专职。死时贫困不堪。虽然他为赞美诗谱曲，并作了两首弥撒曲和一首经文歌，但主要因286首尚松而扬名。他的标题尚松包括：《马里尼亚诺战役》（《战争》），它摹拟战争的各种声音；《请听巴黎的喧哗声》，它描述巴黎街头的叫喊声；《群鸟之歌》，它摹仿鸟儿的歌声。他的风格显示出优美的格式上的平衡和对歌词的细腻处理。雅内坎从未担任过某一贵族、主教或大主教的音乐师或作曲师之类的固定要职，这在大作曲家中是罕见的。

Janesville **简斯维尔** 美国威斯康星州南部城市，罗克县县城（1839）。位于麦迪逊东南65千米处，濒临罗克河。1835年开始有人定居，后来成为乳品、谷物和木材贸易中心。1853年建市。1919年通用汽车公司在此设拖拉机制造厂，1922年改制费希尔牌车身和雪佛兰牌轿车。除通用汽车公司和派克钢笔公司外，该城还有各种工业。这里是女作曲家C.J.邦德的诞生地（1862）。附近的米尔顿厅博物馆原为逃亡奴隶地下铁道的一站。1966年建立威斯康星大学的一个研究中心。1968年开设布莱克霍克理工学院。人口：市59 498；简斯维尔-伯洛伊特都会统计区152 307（2000）。

Janet 参阅 **Clouet, Jean** 克卢埃。

Janet, Pierre(-Marie-Félix) **雅内**（1859-05-30，法国巴黎～1947-02-24，巴黎） 又译让内。法国心理学家、神经病学家。主张经院心理学应同精神病的临床治疗联系起来，因而在法国和美国很有影响。他强调催眠中的心理因素，对包括焦虑、恐怖症和其他异常行为在内的精神和情绪障碍的现代概念建立做出了贡献。1882年报告了一例罕见的催眠和千里眼案例，引起了J.夏尔科对他的注意。雅内在巴黎大学攻读哲学博士学位时，研究了自动动作，在他1889年的论著里（后又几次再版）引进了无意识的概念，但未详加阐述。后来他与S.弗洛伊德为谁先提出这概念而发生争论。1889年应夏尔科之邀出任巴黎最大的精神病院——萨尔佩特里埃尔医院心理实验室主任，在此完成其医学博士论文《癔病患者的心理状态》（1892），将癔病的表现加以分类。夏尔科在为该论文所写的序言中，赞同他关于心理学和医学应当合作的主张。后来，雅内在巴黎大学及法兰西学院任教，亦从事神经科及精神科临床工作。他著作及讲授的范围广泛，包括独立行动能力的损害、癔病、强迫症、遗忘症和人格。

Jang Bahadur（Nepalese statesman） 参阅 **Jung Bahadur** 忠格·巴哈杜尔。

Jangijul'（Uzbekistan） 参阅 **Yangiyul** 扬吉尤利。

Jangjangbure（The Gambia） **姜姜布雷岛** 参阅 **MacCarthy Island** 麦卡锡岛。

Janīn **杰宁** 又拼Jenīn。巴勒斯坦中部撒马利亚地区北部城镇。最早见述于公元前14世纪的阿马纳书信。中世纪时被十字军占领。第一次世界大战期间为土耳其-德国基地。1923～1948年属巴勒斯坦委任统治地。1948年为约旦和伊拉克两国军队的重要据点。1950年归约旦。1967年的六日战争后划入以色列所辖西岸地区。现为撒马利亚北部主要集市中心；附近出产小麦、油橄榄、海枣、角豆和无花果。城内有拜占廷教堂遗址。人口约25 000（1984）。

Janina（Greece） 参阅 **Ioánnina** 约阿尼纳。

Janissary **禁卫军** 土耳其语拉丁字母转写作Yeniçeri。14世纪晚期至1826年间奥斯曼帝国的精锐部队。在15～16世纪，他们由于勇敢善战而受到高度的尊敬，并在奥斯曼国家中成为一支重要的政治力量。禁卫军原由巴尔干各省的基督教青年担任，他们一旦召入奥斯曼部队，改奉伊斯兰教，纪律严格，不准结婚。在17～18世纪，他们经常策划宫廷政变。19世纪初，他们反对军队实行欧洲式的改革。当得知政府正在组织西方化的新军以后，他们于1826年6月发动叛乱。

禁卫军

美国不列颠百科全书公司供图

苏丹马哈茂德二世下令进行讨伐，他们大多数战死，被俘虏的也被处决。

Janmāṣṭamī **黑天诞辰节** 印度教节日。庆祝黑天诞生，每逢婆达罗钵陀月（相当于公历8～9月）黑分第八日举行。黑天童年和少年活动地点马图拉和弗林达瓦那的庆祝最为隆重。前一天起信徒禁食，守更直到午夜，即传说黑天降生的时辰。随后用水和牛奶沐浴黑天像，并给它穿上新衣，向它礼拜。庙宇和家宅神龛饰以鲜花绿叶；家家户户用甜食供奉黑天，然后分食供物。信徒在这个节日还有集体歌舞活动。

Jannings, Emil **扬宁斯**（1884-07-23，瑞士罗尔沙赫～1950-01-02，奥地利萨尔茨堡附近斯特罗布尔） 原名Theodor Friedrich Emil Janenz。国际知名的德国演员，以在电影中善演悲剧角色而闻名于世。在奥地利格尔利茨开始其舞台生涯，参加过一个演固定剧目的巡回演出剧团。1906年开始在柏林同德国著名戏剧导演赖恩哈特合作演出。约于1915年步入影坛。1924年在《最后一笑》这部由茂瑙导演的电影中饰一旅馆看门老人，给人印象极深；在《杂耍场》（1925）中，饰为一女空中飞人演员所欺骗的杂耍节目经纪人；而在《蓝天使》（1930）中则饰一个娶了个年轻的夜总会歌星并受尽其折磨的已届暮年的教授，此片由迷人的女演员黛德丽饰主角。评论家据此3部影片，称赞扬宁斯是世界上最优秀的演员之一。1929年他由于在美国影片《众生之道》（1928）和《最后一道命令》（1928）中演技出色而首次获得奥斯卡奖。扬宁斯返回德国后，在纳粹执政及其后的时间里一直从事电影工作。

Janowitz, Morris **詹诺维茨**（1919-10-22，美国新泽西帕特森～1988-11-07，芝加哥） 富

有革新精神的美国社会学家和政治学家，对社会学理论的发展贡献甚大。撰有有关社会科学发展史的论著数种，立论精当，叙事翔实。其政治学著作主要集中于以第二次世界大战所收集的资料为基础的民事-军事各种事件之探讨。1941年获纽约大学文学士学位，1948年获芝加哥大学哲学博士学位；在此期间曾任国会图书馆战时社区研究室助理研究员（1941）和美国司法部组织宣传科高级分析员（1941～1943）。后到芝加哥大学执教，任社会学讲师（1947～1948），其后又在密歇根大学任教，学衔逐级提升，至1961年担任芝加哥大学社会学系主任，迄于1972年。1972～1973年任剑桥大学皮特讲座教授，兼任芝加哥大学社会学系金普敦讲座教授。著有《偏见之形成》（1950；与B.贝特尔海姆合著），《社会学与军事设施》（1959；1965年再版），《职业军人》（1960），《社会变革与偏见》（1964；与贝特尔海姆合著），以及《近五十年来的美国社会变革与政治》（1978）。

Jansch, Bert　扬施（1943-11-03，英国格拉斯哥～　　）　英国吉他手、创作歌手。他的创新吉他演奏技巧颇具影响力，使他成为20世纪60年代和70年代初英国民谣的代表人物之一。曾受到美国民谣布鲁斯歌手的影响，在苏格兰爱丁堡民间艺术节上展示了他高超的吉他演奏技巧。他吸收巴罗克音乐的装饰颤音创造出自己的风格，推出了几张个人专辑，以传统民歌和原创歌曲为主，包括颇受好评的《杰克·奥赖恩》（1966）。1967年与他人共同组建五角星乐队（五人民谣摇滚乐队）。乐队将爵士乐、布鲁斯、原声摇滚和传统民歌结合起来（有些可以追溯到中世纪），推出专辑唱片《光芒四溢的篮子》（1969）和《残忍的姐妹》（1970），获得许多崇拜者和追随者。乐队1973年解散，80年代中期重组。受其影响的吉他手有N.扬等。

Jansen, Cornelius Otto　詹森（1585-10-28，荷兰莱尔丹附近阿科伊～1638-05-06，西属尼德兰佛兰德伊普尔［今在比利时］）　佛兰芒天主教改革运动詹森主义的倡导人。他撰写《圣经》评注和小册子，批判新教。他的主要著作《奥古斯丁论》于1640年由他的友人出版。1602年就学于西属尼德兰的卢万大学。1611年随友人杜维谢尔到巴约纳近郊，受当地主教委托，1612～1614年主持教区学院，3年后詹森和杜维谢尔开始钻研早期教父的著作。1617年返回卢万，主持为荷兰学生设立的圣皮尔谢里学院。1567年卢万发生论争，巴犹斯的门人与耶稣会士互相攻讦。巴犹斯派以奥古斯丁的著作为根据，于是詹森深人研究这些著作。他特别着重钻研奥古斯丁批判英格兰修士贝拉基的文章（贝拉基认为，人类始祖亚当虽然行为错误，人类仍有行善的自由，可以凭本身的善行获得救恩）。不久詹森着手写作《奥古斯丁论》，谓人得救只能靠上帝的恩典，根本不是凭借自己的善行。基督凭借上帝的恩惠引领上帝所选定的人走向永生，而"沉沦之众"则注定灭亡。这样，人蒙受救恩或受咒诅，完全是上帝预先决定。詹森在卢万大学获神学博士学位，1635年任该校校长，1636年任伊普尔主教。教皇乌尔班八世于1642年发出通谕，禁止信徒阅读詹森所著《奥古斯丁论》。1723年，詹森派信徒在荷兰乌得勒支建立独立教会，延续迄今。

不列颠博物馆供图

Jansen, Daniel　詹森（1965-06-17，美国威斯康星西艾利斯～2011-10-05，英国伦敦汉普斯特德）　美国速滑运动员。在一个热爱滑冰的家庭中长大，4岁就开始参加比赛。在1984年南斯拉夫萨拉热窝（今属波黑）举办的冬奥会上是最年轻的运动员，500米速滑获第4名。1986年世界杯赛获500米和1 000米冠军。但在一个星期之后的冬奥会上，就在500米速滑开始之前的几小时，他的姐姐死于白血病。受这件事的打击，他在比赛中跌倒。几天以后在1 000米的比赛中再次摔倒。1994年在世界短道速滑锦标赛上，创500米35.76秒世界纪录。同年的冬奥会上再遭不幸，在500米速滑中摔倒。但在1 000米赛中以1分12.43秒成绩再创世界纪录。1994年赛后退役，共获7次世界杯冠军，2次短道锦标赛冠军和1块奥运会金牌。

Jansky, Karl (Guthe)　央斯基（1905-10-22，美国俄克拉何马诺曼～1950-02-14，新泽西雷德班克）　美国无线电工程师。他发现地外射电源的射电波，由此开创了射电天文学的新纪元。20世纪中叶兴起的射电天文学，极大地扩展了单纯用光学望远镜观测所及的波段。1928年，他在新泽西州贝尔电话实验室工作，任务是搜索并鉴别电话通信中各种形式的干扰。他建造一线状定向天线，用此天线能够鉴别信号以外的全部干扰源。经过数月的研究，他于1931年发现了来自恒星未被证认过的射电干扰源。第二年春他得出结论，该射电干扰源位于人马座，这正是由H.沙普利和J.H.奥尔特确定的银河系中心的方向。1932年末，他发表了这一发现，但没有进一步发展射电天文学，美国无线电工程师和天文爱好者G.雷伯完成了这一任务。为纪念央斯基这一划时代的新发现，射电波发射强度的单位被命名为央斯基。

Janson, Cornelius　参阅 **Johnson, Cornelius 约翰逊**。

Janssen, Johannes　扬森（1829-04-10，普鲁士克桑滕［德意志］～1891-12-24，德国美因河畔法兰克福）　德国历史学家，天主教徒，他所写颇有争议的德意志民族史涉及宗教改革及以前的时期。1851～1853年就读于波恩大学。1857年决定编纂《中世纪结束后德意志民族史》（8卷，1876～1894）。这部著作的论点是：中世纪政教关系的水乳交融使德意志在14～15世纪达到鼎盛时期。他认为马丁·路德的宗教改革运动逐步削弱了德意志的社会结构，从而导致混乱和民族退化。他的著作受到罗马天主教徒的欢迎，但遭到新教史学家们的尖锐批评。然而，他对社会、文化史的强调，对德意志文明史的发展却极为重要。

Janssen, Pierre(-Jules-César)　让桑（1824-02-22，法国巴黎～1907-12-23，默东）　法国天文学家，1868年发现一种在不发生日食时观测日珥的方法。与他大约同时的英国人J. N. 洛基尔也有同样的发现，但他们二人的发现是各自独立的。让桑在儿时，因偶然事故而致残，终身跛足。让桑曾在巴黎大学学习，1865年任该校建筑学院基础科学教授。1868年，发现如何使用分光仪在白日观测日珥的方法。在此之前，只有在日食的短短几分钟内才能观测日珥现象，但此后却能更多地进行此项观测。1870年普法战争期间，他为了赶赴非洲观测日全食，乘气球逃离被围困的巴黎。但因天空浓云密布而徒劳无功。1876年，他就任巴黎附近的默东天文台第一任台长。1893年，他利用自建的勃朗峰气象台提供的观测资料证明：太阳光谱上的强氧线是地球大气中的氧造成的。他是第一个常规地利用照片研究太阳的天文学家。1904年，他发表一本大型的《太阳照相图集》，内载太阳照片6 000多幅。月球上有一个环形山即名为让桑山，以纪念这位天文学家。

Jansson, Tove(Marika)　扬松（1914-08-09，俄罗斯帝国芬兰赫尔辛基～2001-06-27，芬兰赫尔辛基）　芬兰艺术家、儿童文学插图画家。她在作品中塑造了一个异想天开的、自成一体的"侏儒姆米"世界，在北欧和中欧颇为流行。她的滑稽连环画《姆米》，1953～1960年在伦敦《晚报》刊登，因其人物富于个性，情节复杂，以及微妙的幽默而受人称道。1952年，获斯德哥尔摩的最佳儿童读物奖；1953年，获塞尔玛·拉格洛夫奖章；1966年，获国际安徒生奖章。第一本作品《侏儒姆米的彗星》出版于1946年。其后，她写了许多以"姆米"为主人公的作品，自传《雕刻家之女》（1968），以及长、短篇小说、剧本等。

Januarius, SAINT　亚努阿里乌斯，圣（？～305？，意大利波佐利）　意大利语作 San Gennaro。贝内文托主教、那不勒斯的主保圣人。据说他在305年罗马皇帝戴克里先迫害基督教徒时殉教。那不勒斯大教堂一玻璃瓶中存有据说是他的凝血块，每年18次化为液态。这一现象经过测验，似乎并非虚假，但尚无科学的解释。

January 一月 格雷果里历的第一个月份。参阅 **month**。

January Insurrection 一月起义（1863～1864） 波兰人试图推翻俄国对波兰统治的起义，但遭到失败并使俄国人加强了对波兰的控制。1855年亚历山大二世成为俄国皇帝和波兰国王以后，十一月起义（1830～1831）后强行建立的严厉和高压的政权实质上已变得软弱无力。尽管如此，反对俄国人在波兰的任何形式的统治的一些密谋团体依然积极活动，特别得到大学生和其他城市青年集团的支持。当他们在19世纪60年代初期领导爱国示威游行的时候，波兰政府的实际首脑A.维洛波尔斯基制订了一个征召所有激进青年参加俄国陆军的计划。但是，那些被指定入伍的人于1863年1月14～15日偷偷逃出华沙，躲入附近的林地，1月22日发表宣言，号召全国起义。当晚，一些小股起事者又袭击俄国驻军。他们得到各城市工匠、产业工人、下级士绅、官吏阶层的支持，并在农村地区发动农民对大地主的造反。起事者在华沙建立一个地下政府，对30万俄国正规军展开游击战。但是，由于未能得到外国的军事援助，而温和派又掌握了起义政府的领导权，延误对农民实行所许诺的改革，结果失掉广大农民群众对起事的支持。到10月中旬，R.特劳古特加强对革命运动的领导时，起事的生动活泼性已丧失殆尽。新任波兰总督T.贝格在华沙采取严厉措施。俄国人讨好农民，实行改革，更加促使农民们抛弃起事者。1864年4月，特劳古特以及其他一些未逃出国外的起义政府主要领导人被捕，8月遭处决。这标志着一月起义的结束。

Janūb Sīnā' 南西奈省 前称西奈南方省。埃及的一个省，位于西奈半岛的南部。面积33 140平方千米。在以色列自半岛撤退的第一阶段开始之后，于1978年末从原西奈省划出设置。省境北界大致是沿着苏伊士市至以色列埃拉特的原朝圣路径。该省地形崎岖不平，南部有花岗岩和砂岩山岳以及刻蚀其间的河壁陡峭的干涸河道（季节性水道）。最高峰是具有历史意义的凯瑟琳山，海拔2 642米。人数不多的贝都因人散居于省内各地。主要以种植海枣、大麦、水果类或饲养牲畜（骆驼、山羊、驴、绵羊）为生。该省首府亚杜尔市是贝都因人的主要聚居地。沿苏伊士湾的渔业有重要性，以亚杜尔为主要捕捞及储藏中心。该省的主要资源是矿藏，以石油最为重要。石油最初于1910年在塔那卡山探得，西西奈归还埃及后，陆续又有新油田发现。苏伊士湾油田是埃及产油最丰的石油矿藏。亚杜尔是西奈石油业的中心。自20世纪70年代晚期，观光业已逐渐成为具有经济重要性的事业。**圣凯瑟琳隐修院（Saint Catherine's）**是拜占廷皇帝查士丁尼（527～565在位）所建，位于传说中摩西在西奈山附近目睹燃烧之灌木的地方，一直是希腊正教修士积极活动的场所，并且是独立大主教的驻地，也是朝圣地和观光胜地。该省另有多处具有历史意义的基督教修道院遗址。人口约63 800（2004）。

Janus 雅努斯 古罗马宗教所信奉的兽性精灵，司掌门户和街上所立拱门。罗马市内有这种拱门多处，远行特别是军队出征都要先举行典礼，然后自拱门通过。有些学者认

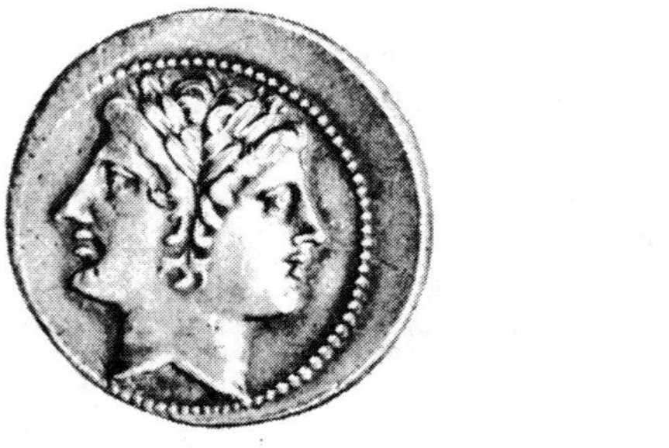

罗马钱币上的雅努斯无须两面人像
美国不列颠百科全书公司供图

为雅努斯本来象征肇始，故此以门来比拟。在正规礼仪中先向雅努斯祈告，后再向其他神祈祷，1月（January）原拉丁文名称即由他的名字衍化而来。雅努斯的节日是1月9日。除了以门为象征外，雅努斯另一形象为两面人，在艺术作品上有时无须，有时有须，有时其状为四面人，代表四通拱门。

Japan 日本 又作Nihon，Nippon。亚洲大陆东岸附近的岛国，面积377 873平方千米。首都东京，是世界人口最稠密的城市之一。4个主要岛屿（北海道、本州、四国和九州）从东北的北海道北部到西南的琉球群岛（九州以南）全长约2 400千米，从西北至东南平均长约210千米。西南与中国相隔东海，西与俄罗斯、朝鲜和韩国相隔日本海，北和东北与俄罗斯的库页岛和千岛群岛相隔拉彼鲁兹（宗谷）海峡、鄂霍次克海和根室海峡，整个东部则濒临太平洋。人口约127 546 000（2003）。

土地　日本诸岛，包括数个火山弧或火山系，是新近的造山运动生成的。这一沿环太平洋海脊生成的山系，覆盖着日本陆地面积的4/5以上，并将4个主岛（东北的北海道、中部最大且人口最多的本州、本州西南方的四国和九州）分为4个地区。每个地区都有火山形成的内陆高地和高地四周狭窄的沿海低地，低地有些地方变宽形成了可居住的平原。最东北的地区包括北海道的大部分，其中北部的北见山脉和南部的日高山脉，大致呈南北走向。第2个地区包括北海道西南部和本州北部，与本区轮廓相符的山弧朝南向太平洋凸出，而止于本州岛东北部的仙台平原。第3个地区为日本最崎岖的地带，北起飞驿山脉（日本阿尔卑斯山的一部分）南至日本最高峰富士山（3 776米），其平原有本州中部东京所在的关东大平原，及其西南以名古屋为中心的浓尾平原。第4个地区自本州西南部的中国山脉向西南跨越濑户内海和四国岛，再向西呈弧形到九州中北部，也大致凸向太平洋。包括冲绳在内的琉球群岛在九州西方和南方形成弧状的岛链。

日本位于全球地质构造较活跃的地带之一，主要震中位于大陆岸外海盆断层上，因此常受到强烈火山爆发（有史以来至少发生过60次）及几乎不间断的地震活动（每年约1 500次，大多轻微但也有不少具毁灭性）的威胁，近海的地震时常引起大海啸，可以造成整个太平洋沿岸的严重灾害。

日本的5大河流是本州的利根川、北海道的石狩川，以及同样位于本州的北上川、信浓川和木曾川。日本的水文情况深受地形的影响。全境年平均降雨量超过1 500毫米，很少地区降水量低于1 000毫米。河川水流湍急且流域面积小，造成流量的急剧变化。虽然这种涨落使建造水利工程极度困难，但大型水利工程仍不断发展，全国约2/3的农田得到灌溉。水力发电厂和防洪工程众多。然而在大雨和台风期间，洪水泛滥仍是严重的问题。

受黑潮（即日本洋流，类似大西洋湾流）和对马洋流影响，日本的气候一般温和。由北至南冬夏气温差别很大：北海道中部的旭川在最冷的1月，平均气温为－9 °C，在最热的8月，平均气温为21 °C；九州南部鹿儿岛的两季温度则分别为7 °C和27 °C。从9月底至翌年3月底，冬季季风的湿气给濒临日本海的地区带来雨雪，也给濒太平洋地带带来干燥多风的气候。4月中旬至9月初，夏季季风给太平洋沿岸带来雨水和灾害性台风。

可耕地约占国土面积的1/8，牧场地则不到1/50，森林占国土面积的2/3。日本南部琉球群岛和小笠原群岛有亚热带雨林。常绿阔叶林分布在九州至本州北部低地地区，主要有樟脑树、石栎树、橡树和冬青树。常绿落叶树的生长界线在九州为1 000米以上，向北逐渐下降，至本州北部与海面相平。其代表性的落叶树包括山毛榉、紫荆、枫树、橡树和桦树。针叶树分布在北部和北海道东部边缘海拔700米以下的地区。

在偏远、丛林密布的山区，生活着熊、狐狸、鹿、野猪、貉、羚羊、野兔和日本猕猴。全国的鸟类有1/3以上为水鸟。日本水域有鲸、海豚、鼠海豚和种类繁多具有商业价值的鱼类。

人民　日本人实际上是一个单一的种族，为蒙古人种的一支。有3个重要的少数民族：称作部落民的外来日本人、朝鲜人（大部分在日本出生）和冲绳人。另外，北海道有少数土著居民阿依努人。外来侨民相当少，主要为华人。官方语言是日语，通行全日本。尽管有两种主要方言和一些次要方言，但以东京方言为标准的日语通行全国，人人能懂。

日本境内神道教（日本本土民间宗教）、佛教各宗及基督教并存。此外，还有若干“新教”，其中基于佛教一宗的创价学会信徒人数众多。没有一种宗教占有绝对优势，各教均互相影响。佛教分成12宗，几近60派。主要有日莲宗、净土真宗、真言宗、净土宗、禅宗和天台宗等宗派。基督教徒占很小人口比例。

虽然日本人口密度相当高，但经济增长率远远超过人口增长率，生活水平稳步提高。人口大都集中在面积不大的平原和沿海低地，乡村人口不足1/4。20世纪以来，增加的人口大部分被不断扩大的城区所吸纳，邻近的乡村人口则保持不变或减少，未受到城市化直接影响的农村人口则明显减少。成年男子向太平洋沿岸迁徙。仍居住在原地的人中有许多人则定期离家寻找临时性工作，因此山区和偏远岛屿的人口不断流向城市。

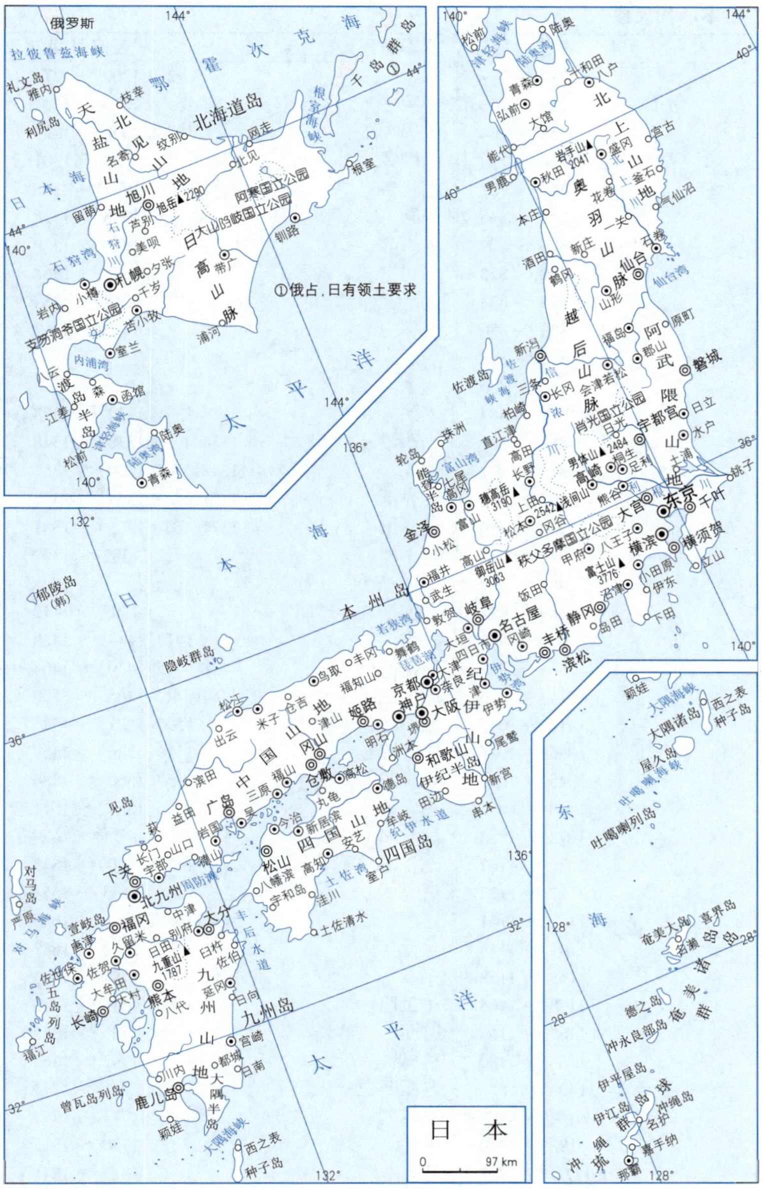

美国不列颠百科全书公司供图

第二次世界大战后出现的一个明显的人口特征是出生率和死亡率下降，这是计划生育措施和卫生状况的改善所致。只有1/5的人口年龄不足15岁，这个比例是相当低的。

经济 日本经济繁荣发达，以制造业和服务业为主。虽然政府对私人企业仍给予有效的行政指导，但市场经济居主导地位。人均国民生产总值居世界最前列，但从20世纪90年代起日本经济陷入长期萧条。

农业约占国内生产总值的近2%。其重要性仍然不断下降。第二次世界大战后的土地改革使农业产量大增，但农田的不完整妨碍了大规模的农业现代化。日本农业无法自给，所需食品约1/4依靠进口。最主要的农作物为水稻，占农业产量的1/3以上。其他重要作物有马铃薯、萝卜、桔、卷心菜、甘薯、白菜、洋葱、黄瓜和苹果。

森林面积2/3以上为众多的私有小林地，其余为国有林地，已进行了大规模的重新造林工作。由于大多数林地位于交通不便的山区，林业生产不敷国内需求，木材为主要进口商品。

远洋渔业产量居世界之首。许多国家将经济区扩大到离岸200海里(370千米)，严重打击了日本在外国海域的捕鱼作业。因此日本人必须加强对沿海和内陆水域的渔业开发。

日本的采矿业的重要性较小，仅占国民生产总值极小部分。所有铝土矿、原油、铁矿石和大部分铜矿石、焦炭必须依靠进口。日本电力约2/3靠石油和其他进口燃料生产，近1/4的电力由核电厂供应，近1/8的电力由水电厂供应。

制造业和建筑业合计共占国民生产总值的1/3，约雇用了1/3的劳动力。自1950年以来，日本的制造业有了长足发展。日本现已成为世界主要工业国之一，是船舶、汽车、电视机、合成纤维、纸张、水泥、钢琴、合成树脂和钢的主要生产国。机械生产已经扩展以满足国内持续增长的需求，但电子工业的发展更为迅速，日本电子技术在世界市场已愈来愈有竞争力。服务业几乎占国民生产总值的3/5，雇用了相似比例的劳动力。

日本的劳动生产率很高，部分归功于训练有素的劳动力及对生产设备的高投资率。失业率相当低。一般而言，各企业都有工会组织，各工会再结合起来组成联合会，几乎所有这些工会联合会都是日本工会总联合会的成员。

日本金融系统的一个重要特色就是中央银行(日本银行)、各商业银行及产业三者的高度互相依赖。产业的资金需求大量依赖商业银行，后者的资金又靠向日本银行大量借款。因此完全由政府提供资金的日本银行在调节贷款规模上居于重要地位。政府介入银行业务提高了其在私营企业部门的顾问地位，加上政府在制定经济政策时，经常向工商界咨询，使日本政府的管理部门与私营企业之间的合作关系和彼此了解别具一格。

日本3/4的公路网，包括主要城市和一些风景区之间的高速公路，都铺有路面。先前由国家控制的铁路在城市间及市内客运上占有重要地位。日本的高速客运列车举世闻名。日本也是世界上主要的远洋航运国之一，主要港口有东京附近的横滨、大阪和京都附近的神户。东京是日本最大的空运中心。

1976年以来日本基本上保持着国际收支有盈余，并在世界出口市场上占有很大份额。高劳动生产率和政府的一些补贴一直使出口产品保持在低价位，而工业产品的多样化和生产转向有高附加值的产品，以及先进的促销技术，提高了出口竞争力。日本的主要出口产品包括汽车、办公机器、家用电子产品、化学制品、科学和光学仪器，以及钢和铁。原油、食品、机械和运输设备、化学制品、金属矿石和废金属是主要进口产品。美国是日本主要的贸易伙伴，日本的出口产品有1/4销往美国，日本的进口产品有1/5以上来自美国。其他重要的出口市场为中国香港、韩国、中国台湾、新加坡、中国大陆和德国。位居美国之后的其他原料供应国或地区有中国大陆、澳大利亚、韩国、印度尼西亚、德国和中国台湾。美国及一些欧洲国家在与日本的双边贸易中逆差巨大，国际贸易保护主义的压力与日俱增，并要求日本进一步对进口产品开放国内市场。

政体与社会状况 日本是一个君主立宪制国家，采用议会政治体制。1947年通过的国家宪法规定天皇是象征性的国家元首。最高国家权力机构为两院制国会，包括众议院和参议院，前者由511名议员组成，任期4年；后者由252名议员组成，任期6年。在立法程序中，众议院优先于参议院，后者只有推迟立法的有限权力。行政权由首相和其他大臣组成的内阁行使。首相由天皇根据国会提名任命。众议院通过不信任投票可以解散内阁。司法系统以最高裁判所为最高机构，包括高等裁判所、地方裁判所、家庭裁判所和简易裁判所。

20世纪50年代中期到1993年8月，日本的选举政治中最大的政党一直是温和保守的自由民主党。此后，由反对党联盟组成新政府。但不到一年时间，自民党与小党派结成联盟，重掌政权。21世纪初，日本的主要政党包括自民党、公明党、自由党、日本共产党、日本社会民主党和新保守党。

日本的社会福利制度包括公共的及私人

日本历代天皇

日本历代天皇	在位时期	日本历代天皇	在位时期	日本历代天皇	在位时期
神武	(公元前 660)～前 585	圣武	724 ～ 749	龟山	1259/1260 ～ 1274
绥靖	(公元前 581)～前 549	孝谦(女)	749 ～ 758	后宇多	1274 ～ 1287
安宁	公元前 549 ～前 511	淳仁	758 ～ 764	伏见	1287(1288)～ 1298
懿德	(公元前 510)～前 477	称德(女)	764(765)～ 770	后伏见	1298 ～ 1301
孝昭	(公元前 475)～前 393	光仁	770 ～ 781	后二条	1301 ～ 1308
孝安	(公元前 392)～前 291	桓武	781 ～ 806	花园	1308 ～ 1318
孝灵	(公元前 290)～前 215	平城	806 ～ 809	后醍醐	1318 ～ 1339
孝元	(公元前 214)～前 158	嵯峨	809 ～ 823	后村上	1339 ～ 1368
开化	公元前 158 ～前 98	淳和	823 ～ 833	长庆	1368 ～ 1383
崇神	(公元前 97)～前 30	仁明	833 ～ 850	后龟山	1383 ～ 1392
垂仁	(公元前 29)～公元 70	文德	850 ～ 858		
景行	(71)～ 130	清和	858 ～ 876	北朝	
成务	(131)～ 190	阳成	876(877)～ 884	光严	1331(1332)～ 1333
仲哀	(192)～ 200	光孝	884 ～ 887	光明	1336(1337/1338)～ 1348
神宫皇后(摄政)	201 ～ 269	宇多	887 ～ 897	崇光	1348(1349/1350)～ 1351
应神	(270)～ 310	醍醐	897 ～ 930	后光严	1351(1353/1354)～ 1371
仁德	(313)～ 399	朱雀	930 ～ 946	后圆融	1371(1374/1375)～ 1382
履中	(400)～ 405	村上	946 ～ 967	后小松	1382 ～ 1392
反正	(406)～ 410	冷泉	967 ～ 969		
允恭	(412)～ 453	圆融	969 ～ 984	后小松	1392 ～ 1412
安康	453 ～ 456	花山	984 ～ 986	称光	1412(1414)～ 1428
雄略	456 ～ 479	一条	986 ～ 1011	后花园	1428(1429/1430)～ 1464
清宁	(480)～ 484	三条	1011 ～ 1016	后土御门	1464(1465/1466)～ 1500
显宗	(485)～ 487	后一条	1016 ～ 1036	后柏原	1500(1521)～ 1526
仁贤	(488)～ 498	后朱雀	1036 ～ 1045	后奈良	1526(1536)～ 1557
武烈	498 ～ 506	后冷泉	1045 ～ 1068	正亲町	1557(1560)～ 1586
继体	(507)～ 531	后三条	1068 ～ 1072	后阳成	1586(1587)～ 1611
安闲	531(534)～ 535	白河	1072 ～ 1086	后水尾	1611 ～ 1629
宣化	535 ～ 539	堀河	1086 ～ 1107	明正(女)	1629(1630)～ 1643
钦明	539 ～ 571	鸟羽	1107 ～ 1123	后光明	1643 ～ 1654
敏达	(572)～ 585	崇德	1123 ～ 1141	后西	1654/1655(1656)～ 1663
用明	585 ～ 587	近卫	1141 ～ 1155	灵元	1663 ～ 1687
崇峻	587 ～ 592	后白河	1155 ～ 1158	东山	1687 ～ 1709
推古(女)	593 ～ 628	二条	1158 ～ 1165	中御门	1709(1710)～ 1735
舒明	(629)～ 641	六条	1165 ～ 1168	樱町	1735 ～ 1747
皇极(女)	(642)～ 645	高仓	1168 ～ 1180	桃园	1747 ～ 1762
孝德	645 ～ 654	安德	1180 ～ 1185†	后樱町(女)	1762(1763)～ 1771
齐明(女)	(655)～ 661	后鸟羽	1183(1184)～ 1198	后桃园	1771 ～ 1779
天智	661(668)～ 672	土御门	1198 ～ 1210	光格	1780 ～ 1817
弘文	672	顺德	1210(1211)～ 1221	仁孝	1817 ～ 1846
天武	672(673)～ 686	仲恭	1221	孝明	1846(1847)～ 1866
持统(女)	686(690)～ 697	后白河	1221(1222)～ 1232	明治	1867(1868)～ 1912
文武	697 ～ 707	四条	1232(1233)～ 1242	大正	1912(1915)～ 1926
元明(女)	707 ～ 715	后嵯峨	1242 ～ 1246	昭和	1926(1928)～ 1989
元正(女)	715 ～ 724	后深草	1246 ～ 1259/1260	平成	1989(1990)～

* 第一代至第二十八代天皇的在位时期(用斜体标出)是依据《日本编年史》。第一至第十四代天皇乃根据传说;第十五至二十八代天皇确有其人,但其正确的在位时期没有历史记载。天皇开始即位与正式加冕的时间如不一致,后者年份标示于括号中。如果两者时间相同则不做标示。

† 安德天皇时代和后鸟羽天皇时代有部分重叠,后鸟羽天皇是在平氏偕同安德天皇逃离京都以后,由源氏推后鸟羽登基。

的保健福利计划,几乎惠及全体国民。社会福利制度对失业、工伤或伤残、疾病、生育及老年等提供救济。

日本的卫生状况显示其为经济发达的国家。传染病发病率极低,婴儿死亡率也很低。主要的死亡原因是癌症和心脏病。日本人的平均预期寿命居世界最高之列,男性为 78 岁,女性 85 岁。

日本为几乎是全民提供完善而且彻底的教育。义务教育包括 6 年小学和 3 年初中教育,约 9/10 的初中毕业生升入 3 年制的高中。中学毕业后,学生可升入 2 年或 3 年制初级学院、4 年制大学或 5 年制的技术学院。事实上,日本成年人中没有文盲。

新闻媒体不受政府的检查。日本新闻业一向以尊重现有体制著称。20 世纪 70 年代末期,报纸开始增加调查性新闻报导。

文化生活 日本的艺术传统与引进、吸收的中国文化及后来的西方文化的融合是日本文化的特质。其精致且高度程式化的文化及艺术形式,如插花、茶道、能剧和园林设计等注重简洁、高雅和含蓄。而另一方面,当今日本社会却充斥了西方式的、以大众传播媒介为载体的通俗文化。日本电影业处于两个极端之间,拥有大批各国影迷,其中最为世人瞩目的是黑泽明、小津安二郎、沟口健二的作品。黑泽明的一些最佳电影被列为世界电影中的杰作。

历史 日本出土的旧石器时代器皿可溯至距今约 1 万至 3 万年,但人类开始定居于这片土地的确切时间仍无从考证。根据传统说法,日本开国于公元前 660 年,首位天皇为传说中的神武;历史记载中最早统一的国家为公元 5 世纪初的大和朝廷。当时国家繁荣昌盛,曾一度控制了朝鲜半岛的部分地区,但在 6 世纪中叶衰败。

在大和朝廷走向衰落之时,佛教从朝鲜传入日本。此后数百年间,日本大量吸收中国文化,特别是采用中国文字书写系统来书写日本语言。然而至 9 世纪,日本断绝与大陆的联系,并将已学到的文化知识融入本国的文化;日本佛教也发展出自己的特色。

在政治上,那时的天皇越来越受制于强大的摄政家族,藤原氏便是其中之一,在 11 世纪时擅权。然而与此同时,各地强大武士家族的兴起形成了武士阶级——"侍",逐渐在地方事务上占有绝对的政治权威。1192 年武士源赖朝击败对手,在镰仓创立日本第一

日本历代首相

姓名	政党	任期	姓名	政党	任期
伊藤博文(第一次)		1885～1888	东久迩稔彦		1945
黑田清隆		1888～1889	币原喜重郎		1945～1946
山县有朋(第一次)		1889～1891	吉田茂(第一次)	自由党	1946～1947
松方正义(第一次)		1891～1892	片山哲	社会党	1947～1948
伊藤博文(第二次)		1892～1896	卢田均	民主党	1948
松方正义(第二次)		1896～1898	吉田茂(第二次)	自由党	1948～1949
伊藤博文(第三次)		1898	吉田茂(第三次)	自由党	1949～1952
大隈重信(第一次)	宪政党	1898	吉田茂(第四次)	自由党	1952～1953
山县有朋(第二次)		1898～1900	吉田茂(第五次)	自由党	1953～1954
伊藤博文(第四次)	政友会	1900～1901	鸠山一郎(第一次)	自由党	1954～1955
桂太郎(第一次)		1901～1906	鸠山一郎(第二次)	自由党	1955
西园寺公望(第一次)	政友会	1906～1908	鸠山一郎(第三次)	自由民主党	1955～1956
桂太郎(第二次)		1908～1911	石桥湛山	自由民主党	1956～1957
西园寺公望(第二次)	政友会	1911～1912	岸信介(第一次)	自由民主党	1957～1958
桂太郎(第三次)		1912～1913	岸信介(第二次)	自由民主党	1958～1960
山本权兵卫(第一次)		1913～1914	池田勇人(第一次)	自由民主党	1960
大隈重信(第二次)		1914～1916	池田勇人(第二次)	自由民主党	1960～1963
寺内正毅		1916～1918	池田勇人(第三次)	自由民主党	1963～1964
原敬	政友会	1918～1921	佐藤荣作(第一次)	自由民主党	1964～1967
高桥是清	政友会	1921～1922	佐藤荣作(第二次)	自由民主党	1967～1970
加藤友三郎		1922～1923	佐藤荣作(第三次)	自由民主党	1970～1972
山本权兵卫(第二次)		1923～1924	田中角荣(第一次)	自由民主党	1972
清浦奎吾		1924	田中角荣(第二次)	自由民主党	1972～1974
加藤高明	宪政党	1924～1926	三木武夫	自由民主党	1974～1976
若槻礼次郎(第一次)	宪政党	1926～1927	福田赳夫	自由民主党	1976～1978
田中义一	政友会	1927～1929	大平正芳(第一次)	自由民主党	1978～1979
滨口雄幸	民政党	1929～1931	大平正芳(第二次)	自由民主党	1979～1980
若槻礼次郎(第二次)	民政党	1931	铃木善幸	自由民主党	1980～1982
犬养毅	政友会	1931～1932	中曾根康弘(第一次)	自由民主党	1982～1984
斋藤实		1932～1934	中曾根康弘(第二次)	自由民主党	1984～1987
冈田启介		1934～1936	竹下登	自由民主党	1987～1989
广田弘毅		1936～1937	宇野宗佑	自由民主党	1989
林铣十郎		1937	海部俊树	自由民主党	1989～1991
近卫文麿(第一次)		1937～1939	宫泽喜一	自由民主党	1991～1993
平沼骐一郎		1939	细川护熙	日本新党	1993～1994
阿部信行		1939～1940	羽田孜	日本新生党	1994
米内光政		1940	村山富市	社会民主党	1994～1996
近卫文麿(第二次)		1940～1941	桥本龙太郎	自由民主党	1996～1998
近卫文麿(第三次)		1941	小渊惠三	自由民主党	1998～2000
东条英机		1941～1944	森喜郎	自由民主党	2000～2001
小矶国昭		1944～1945	小泉纯一郎	自由民主党	2001～2006
铃木贯太郎		1945	安倍晋三	自由民主党	2006～

个军政府——幕府(**shogunate**)。日本的幕府政治自此一直持续到1867年才告结束(其间有断续的内战时期)。

镰仓幕府时代(1192～1333),蒙古人于1274和1281年两次自朝鲜入侵日本,均被海上飓风——"神风"所瓦解。为应付这两次入侵投入的大量军费,导致镰仓幕府的崩溃。之后是足利幕府的室町时代(1338～1573),该时代的特点是强大家族间的相互征战以及时常出现的不只一位天皇在位的现象。织田信长开始的政治统一大业由大将军丰臣秀吉于1590年完成。然而国家的完全统一一直到秀吉死后(1598),秀吉家臣德川家康在关原战役(1600)击败群雄,才最终完成。

德川幕府(1603～1867)实行孤立政策,迫害自1549年耶稣会教士方济各·沙勿略来日本后的大部分基督教教徒,驱逐所有外国人(只在长崎与朝鲜人及一些中国和荷兰商人有少量的贸易往来)并禁止日本人出国旅行。几百年来首次因政府的稳定给日本带来和平。政府实行的锁国政策固然造成本土文化的繁荣,却也使社会停滞不前。许多人开始对这种限制感到不满,特别是逐渐取代了武士阶级地位的新兴商人阶级。到19世纪中叶,德川幕府无力再将欧洲和美国的商人拒于国门之外,民众对他的支持也随之瓦解。

1868年明治天皇即位,宣布恢复皇权。然而实际的政权还是操纵在来自日本西南部一批年轻、有远见的领导者手上。这些后来被称为元老的领导者实行了著名的明治维新,推行社会的现代化,多次派遣考察团到西方世界吸取新思想,学习新技术。日本按照西方的体制系统地革新了本国的经济、政治及社会制度,1889年颁布宪法使维新运动达到高潮。此后日本开始了帝国主义侵略,发动了中日甲午战争(1894～1895)和日俄战争(1904～1905),并于1910年吞并朝鲜。之后的几十年间,日本又向中国提出了诸多领土和通商要求。30年代初期,全球经济处于困境,日本政府于是在国内加强军事统治,在国外伺机发动侵略。1931年,日本侵占中国东北,将该地区改名为"满洲国";与纳粹德国联盟,成立"东京-柏林轴心";1941年,袭击美国在菲律宾和夏威夷的驻军,占领欧洲在东南亚的殖民地。开战初期在各条战线获得一连串胜利之后,日军遭到美军及其盟国军队的反击,节节败退。1945年8月,美国在日本的广岛和长崎投下原子弹,摧毁了这两座城市;不久,日本向盟军投降。

战后美国对日本的占领一直延续至1952年,并于1947年促成日本颁布新宪法。在重建日本经济的过程中,各主要产业都使用了新的技术。继之而来的是经济的快速复苏,带来了日本社会的全面繁荣。目光长远的贸易政策使得日本制造业者在所有国外市场都占有较大份额,80年代以来日本每年大量的贸易顺差使其与美国和其他西方工业国家不断发生摩擦,这一局面一直持续到21世纪初。70年代,由于进口石油价格上涨和全球性的经济衰退,日本的经济成长暂时放慢;80年代,日本经济又持续发展,出口贸易增长的势头一直保持到90年代,日本成为仅次于美国的世界第2经济大国。然而,自1990年以来，日本经济增长有所减慢，同时政治上的不稳定导致政府频频更迭。首相小泉纯一郎于2006年下台，其继任者为自民党的安倍晋三。

japan（varnish） **日本漆** 参阅 **black varnish** 黑漆。

Japan, Sea of **日本海** 西太平洋的边缘海，西至亚洲大陆的俄罗斯和朝鲜，东至日本和俄罗斯的萨哈林岛。此海位于一深海盆。南经对马海峡和朝鲜海峡与东海沟通，北经宗谷海峡和鞑靼海峡与鄂霍次克海连接。东经关门海峡与濑户内海相接。日本海表面积约97.8万平方千米。其平均深度为1 752米，最大深度为3 742米。此海水下地形分为3部分：北边为日本盆地，是最深的部分；东南边为大和盆地；西南边为对马盆地，海水最浅。此海在日本一侧大陆棚宽，而在西伯利亚和朝鲜半岛边缘则很狭窄，平均宽度仅约30千米。日本海对日本的温和气候有很大贡献，因为它的较温暖海水具有改善气候的效应。渔业和矿床（包括磁铁矿砂、日本和萨哈林岛海外的天然气与石油）形成主要的经济资源。随着东亚各国之间贸易的增长，日本海亦愈来愈成为商业运输的航道。

Japan, Supreme Court of 参阅 **Supreme Court of Japan** 日本最高法院。

Japan Air Lines Co., Ltd.（JAL） **日本航空公司** 世界最大的空运组织之一，建立于1951年。原系一私人公司，1953年重组为半官方股份有限公司。20世纪80年代公司又重归私有。总部在东京。公司最初仅有国内航线，但1954年开辟飞往旧金山航线时，成为国际性航空公司。此后10年间，其航线扩展至东南亚、美国其他城市、欧洲、印度、中东及澳大利亚。20世纪60年代末期，公司开始有环球航线并在1970年拥有第一个非苏维埃航线，定期飞越西伯利亚。20世纪80年代，其航线网络已包括中国的几个城市。公司的附属机构还经营旅馆业，提供包价旅游的服务。1987年，日本政府决定出售其日本航空公司股份，解除对该公司的官方控制。

Japan Communist Party **日本共产党** 日本政党，由片山潜于1922年创立。初期为非法，在1945年10月盟军司令部恢复日本政治社团自由以前一直处于地下活动的状态。1949年日共在众议院获得35个席位和将近10%的选票，但由于受到共产党和工人党情报局的谴责和麦克阿瑟将军指令“赤色整肃”，以及由于党的领导所采取的极端激进的立场，导致在1952年的选举中失去了所有席位。1955年日本共产党重新改组，党员和议会席位稳步增加。日本共产党的领导采取民族主义立场，公开独立于莫斯科和北京所宣布的政策之外，结果一些党员于1964年退党，建立若干分裂出来的小党派。20世纪80年代，日本共产党平均获得5%～10%的选票，在下议院一般能获得30个席位。党报《赤旗报》的发行量很大。1993年，其席位下降到15个。第二年，共产党调整政策，成为更加传统的民主社会主义党。在核武器方面持坚决反对的态度。1996年获得了26个席位，但在其后的选举中支持率再次下降。1998年恢复了与中国共产党的关系。

Japan Current（Pacific Ocean） **日本海流** 参阅 **Kuroshio** 黑潮。

Japan New Party **日本新党** 中间偏右的日本政党，1992年由自民党（LDP）内的持异议者组成。其创始人细川护熙于1993～1994年任日本首相，这是自1955年以来日本的第一位非自民党首相。

Japan Railways Group **日本铁路集团公司** 简称JR Group。前身为日本国营铁路公司（JNR）。日本主要铁路系统，由日本国营铁路公司于1987年实行私有化后成立的12家公司组成。日本第一条铁路由英国工程师修建，于1872年开始通车，往返于东京和横滨之间。在早期对外国势力进行某种程度的反对之后，日本工程人员加速兴建铁路，国策也鼓励铁路网的扩建。自1906年起国家逐步收购私营铁路。终于在1949年成立了日本国营铁路公司。到80年代中期，日本国营铁路公司担负着日本全国铁路客货运输的3/4以上。其余部分由一些城市间的私营客运铁路公司经营。1964年，高速客运铁路线新干线的第一段——往返于东京和大阪之间——开始通车，接着该铁路线延长，直至成为该铁路公司经营的主要铁路干线之一。但是，也正是从1964年起，日本国营铁路公司开始逐年亏损，20年不见起色，结果该公司长期负债，数额巨大。作为对策，公司于1987年实行私有化，并分成12家相互依存的公司：6家地区铁路公司、新干线、全国货运铁路公司和4家其他公司。日本铁路公司集团拥有的铁路总长度约为20 100千米，其中约一半为电气化铁路。

Japan Renewal Party **日本新生党** 日本保守的政党，由自民党内的持异议者于1993年组成。该党创始人之一羽田孜于1994年4～6月任首相。

Japan Series **日本职业棒球锦标赛** 日语拉丁字母转写作Nippon Shiri-zu。为日本职业成人棒球之两大赛区——中央赛区和太平洋赛区间争夺冠军的连续7场比赛。日本的职业棒球于1934年奠定基础，到1936年已组成7个职业队。1950年建立两大赛区制度，每一赛区由6队组成。每一棒球赛季举行135场比赛，最后举行锦标赛。东京市的巨人队在锦标赛中一直处于优势地位，1950～2000年，总共获得了19次冠军。排名第二的西武狮子队在同时期获得了11次冠军。

Japan Trench **日本海沟** 位于西北太平洋底、日本列岛东面深邃的海底槽沟。是从千岛海沟，向南经小笠原海沟，延伸到马里亚纳海沟的一系列洼地之一。其北部的塔斯卡罗拉海渊（8 513米）一度被认为是世界的最深点（现已知最深点在马里亚纳海沟）。

Japanese Alps **日本阿尔卑斯山** 又作Nihon Alps。日本本州中部的山脉。19世纪末该名始用于飞驒山脉。现包括其南部的木曾和赤石山脉。各山脉均为有名的游览和登山地区。飞驒和赤石山脉分别划入中部山岳国家公园和南日本阿尔卑斯国家公园。赤石山脉御岳山的绝顶白根山高3 189米，是日本最高山峰之一。

Japanese art **日本艺术** 日本的绘画、书法、雕塑、建筑以及其他美术作品和装饰艺术品之统称。日本视觉艺术品以其色彩浓重而富于生命力见长。它深受三种因素的影响：中国视觉艺术、本土风情和传统（尤其是自然环境和文学作品），以及佛像画法。此外，日本艺术还强调装饰性效果，并有一种要把美术作品同装饰艺术品结合起来进行创作之倾向。中国的水墨画与书法作品对日本绘画的发展起着重要作用。日本艺术家接受中国书画的传统，约在公元6世纪时引进了彩色画法。一种更富有日本色调的绘画形式，名为大和绘，出现于12及13世纪，多为长幅故事体内容的绘卷。日本人醉心于世务而脱离大自然的生活场景，在16～18世纪的屏风画中表现得淋漓尽致。约在同一时期，还出现了木刻版画，以后发展成为群众所喜爱的彩色浮世绘。日本最早的雕塑作品是小泥人像，叫做“埴轮”（haniwa）。佛教传入日本后，佛教题材开始盛行，最重要的作品是木雕佛像。自8世纪起，中国的柱桁架构营造风格较土著建筑形式更受欢迎，不过日本人常把本民族的不对称概念融入新建筑的设计之中。日本人以其装饰艺术闻名，尤以陶器、景泰蓝和漆器的花饰更享盛名。陶器制作风格受大陆影响颇多，特别是来自朝鲜半岛的影响，不过根据本土风格，多方予以修饰改进，便形成诸如乐陶之类的独具一格的作品。

Japanese baseball leagues **日本棒球联盟** 日本的职业棒球联盟。棒球于19世纪70年代传入日本，19世纪末成为日本国球。最早的职业联盟成立于1936年。现在的组织始于1950年，有两个大联盟：中央联盟和太平洋联盟。两联盟各有6队，自3月下旬至10月初共赛135场。联盟各队都附有小联盟队，12个小联盟队分东、西两部，每年比赛80场。小联盟的球员由各高中、大学和半职业队的球员中选拔补充。每个队允许有4名外籍球员——2个防守队员，2个投手。季后，两大联盟的优胜队进行7胜4的日本职业棒球锦标决赛。中央联盟的各队为：养乐多燕子队、东京读卖巨人队、横滨海湾星队、广岛东洋鲤鱼队、中日狂龙队和阪神猛虎队。太平洋联盟的各队是：大阪近铁野牛队、福冈大荣鹰队、西武雄狮队、欧力士青波队、千叶罗德海洋队和日本火腿斗士队。

Japanese beetle（species *Popillia japonica*） **日本丽金龟** 鞘翅目金龟科丽金龟亚科（Rutelinae）昆虫，约1916年传入美国，原因可能是从日本进口的植物的泥土中偶然带有它的幼虫。分布范围从缅因州至南卡罗来纳，北美其他地区也发现过。已知以约200种植物(包括乔木、灌木、草本及苗圃植物)为食,为一大害虫。喜群集取食,一大群日本丽金龟能在15分钟内使一棵桃树变为光秃,只剩下秃枝和桃核。雌体在土壤表面下25～

日本丽金龟(*Popillia japonica*)
美国不列颠百科全书公司供图

100毫米挖洞,产卵。约14天孵化。幼虫整个冬季生活于地表之下,以植物的嫩根为食,5月化蛹,6～7月成虫羽化。成虫约长10毫米,绿色,有金属光泽,鞘翅铜褐色,每侧有5个白点。露出的腹端有两个明显的白斑。与幼虫不同,成虫食花、果和叶。成虫只在白天飞行,而一生的大部分时间为卵、幼虫和蛹,在土中度过,每年一代。人们曾耗费很大精力来防止它的扩散,杀虫剂喷洒可控制成虫,但效果不定。在日本发现的天敌(寄生蜂、寄生蝇)也已引入美国,有的已定居。更有希望的生物防治方法是利用甲虫芽孢杆菌(*Bacillus popilliae*)使幼虫患乳状病,采用此法,在某些地区已使危害降低。

Japanese cedar (species *Cryptomeria japonica*) **日本柳杉** 又作Japanese redwood(日本红木)、peacock pine(孔雀松)。杉科柳杉属唯一的植物种。原产于东亚。为针叶常绿乔木,高达45米以上,树围4.5～7.5米。树冠金字塔形,枝条开展密集,轮生。柳杉在东亚用于重新造林、装饰庭园和作为行道树。木材芳香,红棕色,用于建造舟船、房屋、桥梁,制作家具以及雕刻装饰品。叶可制作熏香。

Japanese Chin 参阅 **Japanese spaniel** 日本猎狗。

Japanese Civil Code 《日本民法典》 日语拉丁字母转写作Mimpō。1896年正式通过,第二次世界大战后经过修改,今天仍在日本施行的私法文本。该法典是1868年天皇复位以后开展的各种现代化运动的成果之一。随着封建土地占有制的解体,新的企业自由经营制度取得了统治地位,为适应这种要求,需要有一部法典。同时日本人希望作为一个比较文明的国家登上世界舞台,以便与西方国家重新谈判某些不平等甚至耻辱的条约。该法典是仿照德国民法典的第一个草案制定的,在结构上和内容上都非常罗马化。法典分为五编。关于家庭与继承的两编保留了日本封建主义赖以为基础的那种旧的宗法式家族制度的某些残余。这也是战后修改的主要部分。当时认为已无必要把过去的东西奉若神明,因此经过修改的家庭法与继承法这两部分,与欧洲的民法比较接近。法典的改写在日本法律界和商业界一部分人士中产生了许多不同意见,主要是对有多少日本习惯应该包括进去的问题。另一个争论点是法典究竟应该以法国的法律制度还是以英国的法律制度为基础。这种争论之所以产生,是因为这两种法律制度在日本的法律院校和法院中占有颇为独特的地位。经过战后的恢复、设立了讲授英国法和法国法的法律院校。但是由于设置课程和考试的方法问题,造成了只要懂得一种法律制度就有可能充当律师或法官的情况。这些法官在法庭上,有的只按法国法律办案,有的则按英国法律办案。自从第一部日本民法典在1890年没有经过多少争论就通过以来,法律界对它提出了激烈的批评。这部民法典也是出自1882年刑法典的作者——一位法国法学家——居士塔夫·埃米尔·布瓦索纳德的同一手笔。反对者争辩说,如果民法典以法国法为基础,那么学过法国法的日本律师就会比那些学英国法的日本律师占便宜。此外,当时正在起草的商法典是以德国法为基础的,许多律师和从事商业活动的人士认为,如果两部法典根据不同的法律制度,那么就会造成混乱。而那些希望保留旧的封建主义的人则把民法典问题变成了一个政治性问题,他们责怪布瓦索纳德个人起草的民法典忽视了古老的习惯,特别是忽视了宗法式的家族制度。经过修改产生的法典以德国民法典第一个草案为基础,但是旧的习惯,特别在家庭和继承法中,占有相当的分量。这个最终以德国法为基础的法典,在基本方面和布瓦索纳德起草的法典十分相似,两个法典都大力保护地产。日本民法典于1896年颁布,1898年生效。

Japanese crab 日本蟹 参阅 **King crab** 王蟹。

Japanese deer 日本鹿 有蹄兽类,梅花鹿(**sika**)的一个亚种。

Japanese ivy 日本长春藤 参阅 **Boston ivy** 爬山虎。

Japanese language 日语 日本本岛包括琉球群岛在内的1.24亿人口所讲的语言。世界各地约有100万日裔人也程度不同地讲日语。

日语有多种方言,有的难于相互理解。本岛方言分为3或4个相关的方言群。方言最大的区别是本岛方言和琉球群岛方言的差异。现正加强语言同一化的过程。明治维新(1868)以来,文化和初等教育迅速普及,根据东京官话确定一种共同书面语。现在,除了自己的方言外,日本全国人都带有不同口音地操此共同语。在电子媒体冲击下,这一语言同化过程与日俱进,特别是在青年一代中。随之,地方方言衰减速度比以往加快。

日语是多音节语言,有a,i,u,e,o 5个元音和p,t,k,b,d,g,ts(ch),s(sh),z(j),m,n,r,h,y,w 15个辅音。大多数方言都有声调,从来不用强力重音。名词有屈折变化,动词和形容词有词尾变化,人称代词系统相当复杂,反映社会等级的错综复杂系统。

日语和其他语言的亲缘关系尚属未清。它或许与朝鲜语有关,也可能属阿尔泰诸语言。日语起源有两种假说。一种认为,居住在亚洲大陆操原始日本语的民族在2 000年前通过北九州把日本原始语弥生文化传至日本本土,其后这种原始日本语在亚洲大陆被其他语言所取代。另一种更强有力的假说认为日本原始诸方言于5 000年前,从朝鲜语逐渐发展而来,它缓慢地排挤掉同时代的其他方言。关于这一论点,根据8世纪某些东部方言的非原始日语特征之书面记载,可资证明;东部方言此后大体上已消失。

日语的历史通常可分为4个阶段:古日语(8世纪以前);晚期古日语(9～11世纪);中古日语(12～16世纪);现代日语(17世纪以后)。在其演变中句法没有多大变化,但在语音、形态和词汇上却产生很多变化。最重要的语音变化是首音p-变为h-的辅音音变,ĭ、ĕ、ŏ 3个元音的脱落,元音和谐残迹的消失。还有,以名词修饰形式代替较早的动词及形容词的"限定"形式。

词汇的主要部分是本族语词,不过在6至9世纪之间汉语在日语发展中也曾起过重要作用。如同英语中有许多希腊语、拉丁语和法语借词一样,日语中汉语借词成分占相当大的百分比。采用汉字来书写对日语口语和书面语影响巨大,汉字的使用可追溯至3世纪。现存最早的篇幅较长而非片言只语的文献记载可溯至8世纪。这些汉字原来只用于书写汉语词,以后则用做词义与汉语相同的日本语词的符号。在此过程中,大多数汉字被简化而更具草体形式,致使在许多情况下简直没留下汉字原来的字形。

日语借用的每个汉字都有两种读法。仿照原来汉语意义的日语词的读音叫作"音读";表示同一词义的日本本族语的读音叫作"训读"。汉字单独使用时,后一种读音即表示该汉字的惯用意义。此外,每个汉字除音读和训读外,又出现第三种用法,即排除其"音读"或"训读"所具有的词义之后,每个汉字的音读或训读的读音形式可以在语音上代表1个日语音节。用做语音符号的汉字叫作"假名"。

日语以汉字作为语音符号用以书写音节文字可追溯到6世纪,到9世纪才发展成标准的假名系统。最后出现两种不同的以汉字为基础的表音系统,一种叫"平假名",由简化草书汉字并使之定型化而形成,此种草体汉字即是8世纪的御制诗集《万叶集》所使用者。平安时代(791～1185)女官及贵妇使用平假名写诗、写日记、写长篇小说,蔚为习尚,从而推动平假名的普及。但这个时代平假名被称为"女手"即"女(人)文字",男人们则仍继续使用汉字书写。另一种假名是"片假名",由各种僧侣所用"速记"方法发展而成。僧众诵读中国典籍及佛经时,以汉字简化的笔划形式,补入汉文中所缺少的日本语小品词和词尾,以利于阅读,由是形成片假名。初期的片假名各个宗派截然不同,甚至个人之间有时也独具特点,随取舍而异,到10世纪由于普遍使用而使之趋于标准化,才开始出现共同的片假名形式。

日本语在15世纪前采用汉字和片假名混合书写的形式。其时平假名已成为大众的和文学的媒体，片假名则用于学术性和实用性文章或著作。现代日语的片假名仅限用于机关、公司的电报、便函，或用于书写外来语、拟声词以及植物和动物的学名等方面。现代日语书面语使用平假名和汉字，第二次世界大战后，经过文字改革，把过去无限制使用的数千汉字减至1 850个，以供官方和日常使用，这些汉字字形和笔画均大为简化。20 世纪 80 年代初，当用汉字表增至1 945个字，所增汉字均经简化。假名按照现代发音书写，而不再保持过去按照晚期古日语的语音书写的方式。

Japanese law　日本法　日本固有的文化与法律传统同西方的文化与法律传统互相融合在日本形成的法律。1853 年马修·佩里舰队司令到日本访问，结束了日本与西方隔绝的闭关锁国状态。在此以前，日本法的发展未受到西方的影响。为适应扩大的家庭单位与结合紧密的社团所造成的社会压力，调解受到了重视。但规定纠纷应该如何解决的规则不多，相当于西方律师的是一种起咨询作用的会馆主持人，现代意义上的法律极少。在官方不鼓励商业活动而处于停滞状态的社会里，既不希望也不需要有一个发达的法律制度是很明显的。日本骤然卷入西方世界，不可避免地带来了根本性的变化。1868 年的明治维新，结束了德川幕府时代的将军统治，恢复了天皇的实际政治权力。日本寻求建立一种能在国际上受到尊重、结束治外法权以及能保持国家独立的经济、政治和法律制度，引进西方法律就成了大规模引进西方事物的一个组成部分。在法律方面，日本人把欧洲大陆，尤其是把德国的制度作为楷模。1896 年**日本民法典**(**Japanese Civil Code**)的起草人考察了许多法律制度，其中包括法国法、瑞士法和普通法，兼收并蓄，取其所长，但他们最后采用的民法典还是以德国民法典的第一个草案为主要蓝本。随后日本法律制度的发展仍然没有离开上述这些渊源。1947 年对有关亲属与继承等法典条款所作的修改，反映了日本的传统态度，完善了以欧洲大陆法系为师的日本民法。然而，在有些问题上，日本法接近美国法甚于欧洲的模式，这主要是第二次世界大战后的美国占领以及后来接触美国法律思想和教育的结果。现在询问民事案件的证人(至少在理论上)模仿了美国的程序，不专门设立行政法院系统的做法和美国的主张相同；在劳动法与公司法方面也有许多地方受到美国的影响。然而，日本的法律制度，就其规则与机构设置方面来说，接近欧洲民法的地方要多于普通法。此外，日本的法律制度，在许多方面也有与所有西方国家法律制度明显不同的地方。最重要的一点是，日本的法律在解决争议以及在制订和调整管理行为的规则方面并没有起到多大的作用。日本对汽车事故、制造商不合格产品的责任以及公害方面少得可怜的几个判决，会使西方人士感到吃惊。西方人还可能注意到日本的诉讼范围很小，而且坚持用法律以外的方法来解决争议。地方警察所设有调解室。中间人由年长者充当。由于种种原因，依然存在着超过一夫一妻带几个未成年子女的规模很大的家庭；仍然存在着把一个企业看作是一个家庭单位的观念，尤其是中小型的公司中，把劳资关系染上了这种色彩。相对来说，在日本那种同族同源的社会中，社会地位带来了沉重的义务，而社会压力也十分强大。随着日本的西方化，日本的法律逐渐起到了和西方法律同样的作用；保持日本的法律观念生命力的必不可少的社会方面的支持，明显地由于日本从农村的农业经济转向城市的机械化社会而失去基础。不管怎样，从现行的日本成文法中还看不清楚，日本社会之对待争议除了像西方社会利用成文法之外，究竟怎样去进行调整。

Japanese literature　日本文学　日本作家用日文以及在日本早期有书写文字以前用古汉文写成的作品。由于中日两国并非使用同一语言，因而在写作中产生莫大的困难，日本早期的作家采用汉字时仅用其读音而不包括字义，使现代读者对这类作品感到极为难懂。

现存最早的日本文学始于 7 世纪。虽然日本文学堪称世界上最丰富多彩、最引人入胜的文学之一，但它往往受文体的限制；例如“短歌”这种歌体和“枕词”这种用语在诗中由于过于雕琢，从而使它只在宫廷和学者中流行，无法普及民间。虽然如此，但它始终没有经历过无作品问世的“黑暗时期”。文学获得了群众基础以后，鉴赏古典宫廷诗的读者层也就随之而扩展。诗选《万叶集》(759 后)是奈良时期(710 ～ 784)的不朽之作，日本文学史上第一座伟大的里程碑。它收集有许多短歌、260 首长歌(通常以一首或多首“反歌”结尾)，共约 4 500 首。其中不少是宫廷以外，少有机会接触文学的平民所作。日本最早的神话集《古事记》(712)和《日本书纪》(720)，也在此时编写而成。以神话为题材的创作在日本文学中始终不衰，但以这两部作品的影响为最大，时至今日，仍为许多人研究和辩论的对象。在他国文化中，神话逐渐发展成为文学(尤以希腊为著)，而在日本，神话创作的首要目的是政治性的。《古事记》和《日本书纪》之作通过追溯自有世界以来的皇室宗谱，赋予统治集团的权力以更大的权威性。平安时代(794 ～ 1185)，日本文学史上第一部长篇小说《宇津保物语》(956 ～ 983)诞生，作者是源顺。与稍晚的小说《源氏物语》相比，前者显得粗糙，质量也不均衡。后者为紫式部约于 1010 年写成，被公认为是所有日本文学作品中首屈一指的作品，甚至可能是在所有用语言写成的小说中第一部重要的小说。早期日本文学的特色是富于女性的柔情，其源盖出于早期诗歌多为宫廷仕女所作这一事实。这种女性柔情在《源氏物语》中表现臻于极致。公子源氏的冒险经历对后世的影响极为深远，以致以后数世纪不断有由此衍生的作品出现。

镰仓时代(1192 ～ 1333)短歌传统取得了最高成就：约在 1205 年，藤原定家完成了《新古今和歌集》。当时武士权势日盛，建立了军事纪律。虽然杰出的女作家已寥寥可数，但宫廷诗人的创造力依然不减，《新古今和歌集》便是集数世纪以来诗歌佳作之大成。这一时期另一种文学体裁为战争故事。《平家物语》(约 1220)即为这类故事中的最伟大作品。由于日文缺乏某些对比音响词，这一作品引进了不少汉字，被视为最具日本风格的典范之作。德川时代(1603 ～ 1867)近 250 年的历史中，由于幕府实行锁国政策，实际上使日本与世界各国隔绝，本国文学样式因而兴盛，同时也使日本作家失去外国作品启迪与激励的影响，因而他们的创作受到窒息。这一时期也许最值得一提的是“俳句”的出现。这种至今常盛不衰的极短的诗歌形式原为室町时代(1338 ～ 1573)时开始盛行的连歌的第一句，每首仅 3 行，句式为 5、7、5 共 17 音节。开始时“谈林派”诗人反对俳句作为一种严肃文学样式而存在，认为诗歌创作以信口迅速吟成，远比雕词琢句，推敲成章更有价值。这后一运动的领袖之一井原西鹤，曾在一天一夜之间作诗 23 500 句。俳句之成为公认的诗体，实有赖于松尾芭蕉及其门人的坚持不懈的努力。

美国海军准将 M.佩里的舰队扣开日本面向西方世界的门户后，日本文学最初未受多大影响。德川时期的最后几年出现了“小说戏作”，使日本文学陷入最低潮，但也拓展了广大的读者面，这些读者当时已开始接受译成日文的外国作品的影响。这类“戏作”还使日常口语进入诗歌和散文，这在过去实属罕见。此时西方影响逐渐渗透日本文学，带来了崭新的形式和“表现自我”的方法。明治时期(1868 ～ 1912)和 20 世纪初期，小说成为散文作品的主流。第二次世界大战结束和国家的民主化产生了一股文学的新浪潮，诗歌、戏剧、小说和“私小说”的力作纷纷出现。“私小说”多属自传性，以志贺直哉的这种作品最为出色。谷崎润一郎、川端康成(1968 年获诺贝尔文学奖)、安部公房、大江健三郎等人的小说皆有佳作，译介到西方后，颇获好评。但受到国际瞩目和赞赏的日本名作家，首推三岛由纪夫。他为其他人开辟了道路，使他们能为日本文学争得更广泛的国际声誉。

Japanese music　日本音乐　一种东亚音乐的类型，大部分源于中国和朝鲜，但亦保留了其本土的北方阿依努文化的遗风。在以后的年代中，由于岛国隔离，日本音乐得以独立发展，未受更多的重大外国影响。已知最古老的日本乐器为公元前 3000 年绳纹文化时期的石哨。弥生时期(公元前 3 世纪～公元 3 世纪)已制造铜铎。在古坟时代(约 250 ～约 500)，大和族已成为日本统治者，在这一时期古墓的发掘中发现一些表示乐师和乐器的埴轮，其中乐器有筒鼓、四弦或五弦齐特琴、钟等。453 年一位朝鲜国王派遣 80 位乐师参加日本统治者的葬礼。6 世纪，日本接受了佛教，并开始选拔皈依者前往中国接受传统宗教礼仪的训练，其中也包括音乐的使用。及至 8 世纪，日本开始有了文字记载的音乐史。

平安时代(794 ～ 1185)，由外国传入的和本土的各种音乐经过分类，一成不变地保留到现代。唐乐泛指来自中国、南亚、中亚的音乐。其标准乐器演奏包括竹笛和竹制的短小双簧乐器(筚篥)齐奏及笙；3 种打击乐器：锣、羯鼓、太鼓奏出反复的音型；两件弦乐器：

日本古琴和日本琵琶产生持续低音。所有高丽、东北亚和满族的音乐统称为“高丽乐”，其乐器演奏包括高丽笛和筚篥齐奏，再加上3件打击乐器（太鼓、锣和沙漏形的鼓）。御神乐指皇室神道教祭典和上古时期某些歌舞音乐，由低音笛（神乐笛）、筚篥、六弦齐特琴（和琴）伴奏。有两种新型音乐也融入宫廷音乐之中：催马乐为乡下驮马夫的歌曲，用中国乐器伴奏；朗咏为以夸张形式吟唱的中国式诗歌，只用笛、筚篥、笙来伴奏。

12、13世纪间，佛教音乐有所革新。以当地语言演唱的礼赞（声明），灵活而富于表情，加入了古典礼佛赞歌梵呗的行列。在镰仓（1192～1333）和室町幕府（1338～1573）时代，能剧戏剧兴起，并取得突出的地位。由中世纪初期起便相当流行的吴乐和唐散乐，在乡村舞蹈哑剧田乐中得以保存，而广受欢迎的杂技表演猿乐能剧也逐渐融入传统中。在封建统治的数百年里，禅宗的云游僧人虚无僧吹奏尺八（箫的一种），而吟游诗人（即平家琵琶）则以四弦诗琴（日本琵琶）伴奏吟诵稗官野史。由封建时代演进至德川王朝（1603～1868）的时期中，西班牙和葡萄牙的传教士带来强烈西方影响。在教会办的学校里，传授着基督教赞美诗，格列高利连祷歌和欧洲的世俗音乐，而这种影响和西方旋律及音乐表现方式的知识又与这个时期的民歌和各种娱乐音乐融合。随着城市的增长和商人阶级财富的增加，傀儡戏（文乐、净琉璃）日渐兴盛，歌舞伎亦然。三味线（用拨子演奏的长颈三弦乐器）是歌舞伎主要的伴奏乐器。世俗音乐会音乐（独唱歌曲和合唱交替演出，以打击乐器、三味线、日本古琴组伴奏）可分为3个学派：长呗、常磐津、清元。13弦日本古琴的独奏音乐广受欢迎，艺妓歌曲的各种变体，以及声乐、日本古琴和尺八组成的室内乐也大受欢迎。

1868年明治维新以后进入现代时期。法国军乐已由若干独立的藩主（大名）引进。19世纪70年代，皇室竭力主张立即引进西方音乐。1877年皇家乐师们在英国人W.芬顿的指挥下，举行了第一场全西方式管弦乐音乐会。在公众教育中，日本的旋律与音乐理论被屏弃，而西方的音乐术语、记谱法、和声与旋律取而代之。自1878年创设东京皇家音乐学院之后，西方音乐的发展更为神速。到了20世纪中叶，大部分的城市都有一个或数个现代管弦乐团。而早期的日本音乐仅存于封闭性的行会、佛教与神道的团体，以及能剧和歌舞伎中。

Japanese National Railways（JNR） 日本国家铁路公司 日本的国营铁路公司（20世纪早期直至1987年私有化）。日本第一条铁路系由英国工程师建于东京至横滨间的铁路。1872年通车。经过反对外国影响，日本工程师开始以很快的速度建筑铁路。扩展铁路是国家政策的一部分。1907年国家开始收购私营铁路。由于这些努力，1949年出现了日本国家铁路公司。该公司并成为日本铁路网的骨干。到20世纪80年代中期，公司的铁路线提供的客运及货运超过3/4日本的路轨里程。总路线长度约为20 800千米。其余还经营几条私有城内客运铁路。1964年，新干线的第一段高速路线，在东京大阪之间开始营运。该线后来一直延伸直至成为铁路业务的主要支柱。然而，该公司1964年第一次在经营中赔钱，后来20年中一直赔本，积下了一大笔长期债务。该公司的官僚主义决策作风，使其无法与一些特殊地区的私营铁路竞争。而其臃肿的高工资的职员队伍使其无法获利，导致了财务的恶化。1987年日本国家铁路公司分裂为6个较小区域性的私营公司，一个全国性的铁路货运公司和几个其他的公司。这些公司都有了赢利的机会。

Japanese Orthodox Church 日本正教会 东正教的自主教会，在教会法关系上属于莫斯科牧首，东京都主教的人选由莫斯科牧首承认。日本正教会为俄国传教士卡萨金（1836～1912）所创立，卡萨金是日本正教会第一任大主教，1970年被追认为圣人。正教一开始在日本展开活动（1872）就不依赖外国传教人员。日本正教这种以本国人为主的特点使它经过日俄战争以及两次世界大战等政治考验而能在与外界隔绝的条件下继续存在。在1945～1970年间，日本正教会接受美洲俄罗斯正教都主教的管辖。1970年莫斯科牧首授与它永久自主地位。东京正教会约有信徒30 000人，下属东京、京都、仙台三个主教区。

Japanese philosophy 日本哲学 明治维新（1868）后，当西方各种思潮开始传入日本时，才产生“哲学”一词。明治时代以前，日本有两个主要思想流派，其中之一起源于佛教，因而带有浓厚的宗教色彩而且是玄奥的；另一个流派起源于儒学，因而基本上是一种道德哲学体系。从18世纪起，有过一些独立的思想家，他们对这两个主要流派持批判态度。自明治维新以来，所有这些流派和思想家的学说一般都被划归哲学这个门类。虽然来自神道教、佛教和儒学的传统思想方法目前在人民中间还占优势，但西方哲学在知识分子当中却已起着决定性的影响。

有文字记载的日本哲学思想最初在6世纪初出现于圣德太子的著作中。日本人在同中国各种宗教接触后，就采用并且吸收了儒教。儒教与当时的日本思想方式没有发生冲突。日本人没有接受小乘佛教，而引进了大乘佛教。

佛学在日本传播历史的第一个主要时期始于引进中国学术的5世纪初期，延续到传播所谓宋学的13世纪初期。在此期间，儒家的伦理学、政治学说以及法律制度和教育制度产生了很大影响。当时日本政府把儒家哲学看作是有助于推行国家政策的学问而加以庇护。在7世纪下半叶，儒学的影响特别大。

但在随后的两个时代里，占优势的哲学思潮却是佛学。在奈良时代（710～784），所谓南都六宗保持并研讨了各种哲学思想；在后来的平安时代（794～1185），出现了天台宗和真言宗。南都六宗就是从中国传入的律宗、俱舍宗、成实宗、三论宗、法相宗和华严宗。天台宗和真言宗是在9世纪初由中国传到日本的。

到了镰仓时代（1192～1333），贵族支配的社会已经衰退，受俸禄的僧侣趋于腐败，武士阶级兴起。人民在极大的困苦中需要使宗教仪式简单易举。为了适应这种形势，禅宗在12世纪末从中国传入；净土宗和日莲宗也同时建立。此后一直到明治维新，未产生新的宗派。日本佛教现有的主要宗派是：①天台宗，②真言宗，③禅宗，④净土宗（包括净土真宗等），⑤日莲宗。

日本的佛教长期以来一直是日本文化的精神基础。禅宗至今仍兴旺发达，对日本的文化有着深远影响。日本人总是认为现象世界的现实性就是绝对的东西。他们强调直观认识到的、感觉得到的具体东西，强调万事万象的变动性，而不甚注重一般的或抽象的东西。因此，他们一直拒绝接受那种认为在现象世界之上存在着一个绝对者的观念，而有时就把世界本身看作是绝对的东西。这一点，可以从古代的神道教信仰中看出。日本的天台宗不同于中国的天台宗，虽然用词相同。

到了15世纪，原只是日本大众宗教的神道教获得了一个哲学基础。历史哲学的方法被用来证明日本天皇在日本国体中占有天然的地位，证明他由于正当的继承——这是依据神道教传统的一个基本原则——而有权占据这个地位，并以此来证实日本天皇理应掌握绝对的权力和受到绝对的尊崇。

日本儒学发展的第二个时期，开始于12世纪末宋学的传播，一直延续到17世纪初各种不同哲学流派的兴起。在这个期间，儒学是智育的唯一内容。宋学是由中国和日本的禅僧传入和推广的。

到了江户（或德川）时代（1603～1867），儒学——更准确地说，宋明理学——逐渐取代佛教而成为占优势的思想体系。这个体系影响了那些受过更多教育的上层日本人士。与其说这些人把儒学看成是一种宗教，倒不如说把它看作一种道德哲学。作为一种宗教，儒学一直软弱无力，但作为一种人生哲学，孔子和孟子的言语现在还教给儿童。而大多数受过教育的人都能背诵出孔孟的一些话来。

儒学历史的第三个时期是从17世纪初到19世纪中叶。在这个期间兴起了儒学各派的研究。到江户时代，德川幕府和各地的藩主发现振兴儒学对自己有利，因为儒学强调法律和秩序。于是儒学的影响越来越大，最后有助于形成近代日本的精神状态。

在江户时代，儒学有三个主要的流派：朱子学派、王阳明学派和古学派。影响最大的是朱子学派。到了17世纪，开始出现“复古神道”，它企图清除佛教和儒教的影响。

在江户时代，许多佛教思想家提出了对旧学说表示异议的原理，如泽庵等。这时，还出现过一些不属于任何特定传统的思想家，如富永仲基等。虽然日本在明治维新以前没有严格意义上的唯物主义者，但曾出现几个思想家，他们的批判精神和自我意识使他们对宗教当局抱怀疑态度，结果他们终于抛弃了唯心主义。17和18世纪，有几个学者开辟了走向唯物主义的道路，他们是荻生徂徕、太宰春台、三浦梅园等。此外，还有几个学者，譬如安藤昌益等，曾在18世纪中叶探讨一种唯物主义；不过，他们的思想未能开拓，影响甚微。

在西方文明传入日本之前，显示日本近代思想萌芽的、有独创性的思想家为数无几。但自从明治维新以来，西方哲学就一直不受限制地大量介绍到日本来。最初是英美哲学占优势；可是在20世纪的进程中，德国哲学的影响越来越大。主要的日本哲学家都深受近代德国唯心主义、现象学和存在主义的影响。

在明治时代，有过这些主要的哲学家：西周、加藤弘之、福泽谕吉、中江兆民、幸德秋水、井上圆了、井上哲次郎、田中王堂等。到了大正时代（1912～1926）和昭和时代，出现了这些著名的哲学家：桑木严翼、波多野精一、西田几多郎、田边元、和辻哲郎等；其中，西田几多郎通常被认为是自传入西方哲学以来最伟大的日本哲学家。

第二次世界大战使日本的哲学陷入混乱状态，因此很难把日本战后的各种哲学加以分类。不过，有三种哲学似乎占优势，即德国唯心主义（也包括现象学和存在主义）、马克思主义、逻辑实证主义（包括科学哲学和语言哲学）。逻辑实证主义受美国的思想影响很大。关于存在主义，德国哲学家K.雅斯贝斯和M.海德格尔以及法国哲学家J.-P.萨特都是有影响的；克尔恺郭尔的哲学在战后一直产生很大的影响。目前，还很难断定谁会被历史看作是20世纪中叶以来这几十年间主要的哲学家。

Japanese raisin tree 日本葡萄干树 参阅 **raisin tree** 葡萄干树。

Japanese redwood 日本红木 参阅 **Japanese cedar** 日本柳杉。

Japanese spaniel 日本猎狗 又作Japanese Chin。一种玩赏狗。数百年前起源于中国，后传入日本，为皇族所爱养。1853年美国海军军官M.佩里从日本回国，将几只他人所赠的狗带回西方，这其中即包括日本猎狗。日本猎狗体壮，外形优雅；眼大而色深；吻部

日本猎狗
美国不列颠百科全书公司供图

短；尾松软，羽状，卷于背上。体高20～28厘米，体重约3千克。被毛丰满，直，光泽如丝，黑白相间或红棕色和白色相间。该品种贵在机灵而对人亲切。

Japanese torreya（*Torreya nucifera*） **日本榧** 又作nut-bearing torreya、kaya。紫杉科常绿观赏和材用乔木。原产于日本南部岛屿，是该属的最抗寒树种。可高达10～25米，

日本榧（*Torreya nucifera*）
美国不列颠百科全书公司供图

但在气温较低的地区呈灌木状。分枝开展、水平或略上升，树冠紧密，呈卵形或金字塔形。树皮平滑，红色；但老树树皮淡棕色，片状。叶披针形，弯曲，坚硬，先端尖，有刺状尖头，上表面有深绿色光泽，捣碎时散发出难闻的刺激性气味。种子长2～2.5厘米，在日本用作食物，所含油用于烹调。肉质假种皮淡绿色，有时带紫色。木材淡黄色，耐用，可制家具、车削产品及用于雕刻艺术品。

Japanese varnish tree 日本漆树 参阅 **varnish tree** 漆树。

Japanese yew（*Taxus cuspidata*） **日本紫杉** 又作spreading yew（伸展紫杉）。又称日本红豆杉。紫杉科紫杉属的一种常绿观赏植物。为乔木或灌木。原产日本，现广泛栽培于北

日本紫杉（*Taxus cuspidata*）
美国不列颠百科全书公司供图

半球。可高达16米，形似英国紫杉，但生长更快，更耐寒。叶下表面有两条鲜明的黄色条纹。栽培变种多。可用插条法种植。若用侧枝栽插则植株匍伏呈灌木状，若用主枝栽插则植株直立对称，呈圆锥状。日本紫杉与英国紫杉杂交可获得若干杂交种，最常见的杂交种 *Taxus x media* 有约10个品种。

Japanism 日本主义 一种审美崇拜，始于19世纪中叶。日本与西方通商后，这种审美崇拜在法国和英国延续约30年之久，对印象主义绘画有重大影响。日本主义主张精心研究输入的日本美术作品，主要是近代流行的版画（浮世绘），而非著名的古代绘画。法国画家马奈、德加和莫奈等都收藏了这种版画。其清晰的线条，宽敞的构图，大胆而质朴的色彩和明暗处理，对这些画家及其追随者的作品产生了直接的影响。1867年巴黎万国博览会展出日本装饰艺术后，一些法国画家又竞相模仿日本的室内设计。

japanning 日本漆工艺 在装饰艺术中，18世纪欧洲流行的、仿效日本著名的漆器对木材、皮革、锡和成型纸胎等进行修整和装饰的工艺。在现代工业中，指用烘烤硬化涂饰层装饰和保护金属制品的表面。黑日本漆为常用材料之一，由熔融沥青，天然树脂漆，干性油和松节油混合而成，呈透明浅褐色。日本

约1795年的庞蒂浦制品——日本漆瓮
美国不列颠百科全书公司供图

漆大部分已被烤瓷漆所取代，后者是一种坚韧耐久的涂料，由合成树脂漆和有色底层组成。现日本漆主要指干燥快、无光泽并且和松节油容易混合的日本颜料。

Japonism（art history） 参阅 **Japanism** 日本主义。

Japurá River 雅普拉河 西班牙语作Río Yupuru；葡萄牙语作Rio Yapurá。发源于哥伦比亚中科迪勒拉山中的帕斯托城以东，称卡克塔河。蜿蜒向东南偏东流经哥伦比亚东南部热带雨林。至巴西边境接纳阿帕波里斯河，始称雅普拉河。东流至特费以北与称为索利蒙伊斯河的亚马孙河河段汇合。全长（包括卡克塔河在内）约2 820千米。河口有水道网和一些大岛及季节性湖泊。水流湍急，在巴西境内可航行小船。

Jaques-Dalcroze, Émile 雅克-达尔克罗兹 （1865-07-06，奥地利维也纳～1950-07-01，瑞士日内瓦） 瑞士音乐教师和作曲家，他开创了音乐教学的身体律动体系。年轻时学习作曲，1892年左右在日内瓦音乐学院任和声学教授。他认为现有的训练专业音乐家的方法需要改进，修订了和声学的教学并发展了他

的节奏教育体系，即用形体动作来体现音乐节奏。1905年左右他把身体律动学用在小学教育上，其后在英国和欧洲表演了这套有争议的方法。1910年在德国黑勒劳创建第一所教身体律动学的学校。1914年在日内瓦建立了一所中心学校，领导该校直至去世。身体律动学是为加深音乐节奏的意识而设计的，目的是"借助节奏来引起大脑与身体之间迅速而有规律的交流"。他教学生用脚和身体的动作来表示音符的时值，用手臂的动作来表现节拍。他的方法经常用来使赋格曲、交响乐和歌剧有造型上的表现力。他在维也纳师承A．布鲁克纳和R．富克斯，在巴黎从L．德立布为师。写有3首弦乐四重奏、两首小提琴协奏曲和许多钢琴曲。他把流动歌曲、儿童轮唱曲和武功歌改编成学校身体律动课教学用的乐曲，还撰写了《雅克-达尔克罗兹方法》(1907～1914)、《身体律动学、艺术与教育》(1930)及《节奏、音乐与教育》(1922)等书。

jarabe　哈拉贝　一种民间对舞，流行于墨西哥中部和南部，尤其是哈利斯科州。这种舞蹈是由殖民时期的西班牙流行音乐以及诸如塞吉迪亚舞和方丹戈舞演变而来，也受到

D.里维拉镶嵌画中的哈拉贝舞
美国不列颠百科全书公司供图

模仿鸽子求偶的墨西哥土著对舞的影响。哈拉贝舞是一种调情的舞蹈，男方舞姿矫健而殷勤，女方含情而羞怯。在某些哈拉贝舞中，男方把阔边帽抛在地上，女方即绕着帽子跳舞。哈拉贝舞曲的旋律是由早期流行的传统曲调混合而成的。其中一种称为哈拉贝-塔帕蒂奥舞，成了流行于国外的墨西哥帽子舞。

Jarabub(Libya)　参阅 **Jaghbūb, Al-** 杰格布卜。

Jarbah　杰尔巴岛　法语作Djerba或Jerba。地中海加贝斯湾中岛屿。与突尼斯本土有海堤连接。约长27千米，宽26千米，面积510平方千米。古代地理学家称为"食忘忧果者的土地"。原为罗马人居住。655年被阿拉伯人征服、成为突尼斯和凯鲁万的属地之后，12～15世纪期间，在西西里人、诺曼人和哈夫锡德人之间多次易手。16世纪西班牙人占领该岛的数次企图均未成功。此后，被奥斯曼帝国控制。现为突尼斯一部分。以果园

杰尔巴岛众多的白色小清真寺之一的叫拜楼
美国不列颠百科全书公司供图

(盛产椰枣和橄榄)、渔业(海绵和牡蛎)及毛织品和毡毯著称。有美丽的海滩和国际机场，为旅游胜地。豪迈特苏格为主要城镇和商业中心。艾吉姆为主要港口。人口92 269(1984)。

jardin anglais　参阅 **English garden** 英格兰风景园。

Jardin Botanique National de Belgique　参阅 **National Botanical Garden of Belgium** 比利时国家植物园。

Jardin des Plantes　巴黎植物园　法国国立自然博物馆。是世界上最重要的植物园之一。建立于1626年，当时是王室专用的药用植物园，1650年始对公众开放。在G.-L.L.布丰的管理下，得到很大扩展，逐渐发展成为科学研究中心。朱西厄兄弟、居维叶、拉马克等都曾在此工作。19世纪初，植物园支持了多次到世界各地的考察，使西方科学认识了许多前所未知的植物。今植物园仍在原址，占地28公顷，有6个供展出用的温室，22个供生产用的温室。在这些温室和露地大约共有23 500种植物。构成植物园特色的是仙人掌、禾草、凤梨、兰花、蕨类、水芋、澳大利亚植物、高山植物、鸢尾、美人蕉、针叶树等。园内的标本室有600多万号标本，是世界上最好的植物标本室之一。此植物园-博物馆复合体还有一所植物学图书馆、一个小型动物园、一座迷宫，并举办各种博物学展览。

Jari River　雅里河　又拼Jary River。巴西北部河流。源出图穆库马克山脉南坡，大致向东南流入亚马孙河。全长560千米。为帕拉州和阿马帕地区界河。下游可通航。20世纪60年代美国一企业家已在流域大规模开发木材生产的潜力。20世纪70年代末，日本人在河上建造一浮动纤维素厂。该项目在20世纪80年代初发生财政困难，巴西政府进行接管。

Jarīd(Tunisia)　**杰里德**　参阅 **Tawzar** 托泽尔。

Jarīd, Shaṭṭ, Al-　杰里德盐湖　又拼Chott Djerid。突尼斯西南部大盐湖。有4 900平方千米的盐滩盆地。除大雨时期以外，仅最低处有水。盆地低部低于海平面达16米。1949年发现有丰富的磷酸盐蕴藏。边缘有托泽尔和内夫塔两个主要绿洲城镇(以产椰枣著名)。

Jarīr　哲利尔(约650，阿拉伯半岛耶马迈地区乌赛非耶[今在沙特阿拉伯]～约729，耶马迈)　阿拉伯伍麦叶王朝大诗人之一。他的一生及其诗歌显示了伊斯兰教以前时期贝都因传统历久不衰的活力。哲利尔的绝技表现在贬低个人的对手或他的提携者的仇敌的诗中。为了捍卫他自己的库莱卜族，他在阿拉伯半岛进行了针锋相对的辩论。以后他去伊拉克，得到当地总督赫贾吉的青睐，并写了一些赞颂他的诗。他也遇见了诗人法拉兹达格，两人之间的诗歌对战早已开始，据说前后延续达40年之久。这些辩论诗在后一个世纪被收集成《对驳诗集》。由于赫贾吉总督的好意，他得以留在大马士革的伍麦叶宫廷。然而，哲利尔也无法消除哈里发阿卜杜勒·马利克对诗人艾赫泰勒的敬重，于是爆发了另一场诗歌对战，结果产生了另一部《对驳诗集》。看来哲利尔在哈里发马利克的继承人中，只赢得道貌岸然的欧麦尔二世的宠用，所以诗人大半生远离宫廷，在故乡耶马迈度过。哲利尔的讽刺诗和颂诗大部分采取传统的抒情古诗(格西特)的形式，以情诗为序，以颂诗结尾。他也写哀歌、格言诗和警句。

Jarmo　杰尔莫　又名杰尔莫堡。史前的考古遗址，在伊拉克塔米姆省基尔库克以东。这一遗址的重要性在于它显示出世界上最初的农业村社之一的轮廓。建造和重修房屋的遗迹大致形成12道地层，出土有人工培植小麦和大麦以及驯养狗和山羊的证据，反映了定居农业生活方式的成就。其余出土器物为燧石镰刃、石磨和仅见于上部文化层的陶器，代表了与新的食物生产方式相适应的新技术。遗址的年代上限估计约为公元前7000年。

Jarnach, Philipp　雅尔纳赫(1892-07-26，法国努瓦西～1982-12-17，西德波恩森)　德国作曲家。钢琴家兼作曲家F.布索尼的门徒。西班牙名雕刻家之子。曾在巴黎随E.里斯勒学习钢琴，随A.拉维尼亚克学习和声。1915年在苏黎世遇布索尼，把布索尼的歌剧《丑角》和《杜兰朵》改编为钢琴曲，并在其影响下完成了《弦乐五重奏》(作品第10号)。1927年被任命为科隆音乐学院作曲教授。1931年入德国籍。1949年任汉堡音乐学院院长。他的室内乐作品与兴德米特的音乐颇多相似之处，其中包括两首无伴奏小提琴奏鸣曲和一首《弦乐四重奏》(作品第16号，1924)，由此使他在德国获得作曲家的声誉。他的管弦乐作品包括《音乐与莫扎特》和《晨曲游戏》。他在布索尼逝世之后，替他完成歌剧《浮士德博士》。

Järnefelt, Armas　耶内费尔特(1869-08-14，芬兰维普里～1958-06-23，瑞典斯德哥尔摩)　全名Edvard Armas Järnefelt。作曲家和指挥

家，最早将瓦格纳的歌剧介绍到芬兰，并以所作小乐队曲而闻名。耶内费尔特曾在赫尔辛基师从 F. 布索尼，在巴黎师从 J. 马斯内。曾在维普里任指挥（1893 ～ 1903）；在赫尔辛基歌剧院任院长期间（1903 ～ 1907），首次在芬兰上演瓦格纳歌剧（1904）。1907 年起任斯德哥尔摩皇家歌剧院指挥，1910 年入瑞典籍。1932 年返回芬兰任赫尔辛基歌剧院院长。以指挥贝多芬、瓦格纳以及他的姐夫西贝柳斯的作品而享有盛名。作有歌曲、合唱曲、管弦乐和钢琴音乐，但主要以其《摇篮曲》（1904）和《前奏曲》而闻名，二者均为小乐队曲。

Jarnés, Benjamín　哈尔内斯（1888-10-07，西班牙科多～ 1949-08-11，马德里）　西班牙小说家，传记作家。1910 年从军，1920 年辞去军职，定居马德里。第一本小说是《莫森·佩德罗》（1924）；第二本小说《无用的教授》（1926）是他的成名作，内容以一系列情节指出教授的无能，无法区别现实和非现实。《纸上客人》（1928），写色情书画被秘密带进一个神学院后，变得栩栩如生。1929 年参加《文学报》编辑部，开始写传记，但仍写小说，如超现实主义的《陀螺鞭的理论》（1930）。由于曾任共和军医官，内战以后流亡墨西哥，任编辑和教员，并继续写小说，但更多地写传记，如写茨威格、塞万提斯、墨西哥的文学人物等。1948 年回到西班牙，从此在西班牙文名日盛。

Jarratt, Devereux　贾拉特（1733-01-17，弗吉尼亚肯特县[美国]～ 1801-01-29，美国弗吉尼亚丁威迪县）　美国安立甘宗教士、布道家。他仿效卫斯理的循道宗，在北卡罗来纳州和弗吉尼亚州南部到处掀起宗教奋兴运动。贾拉特所受正规教育不多，但性喜读书，后担任家庭教师。1762 年前往英格兰，在圣公会受按立为助祭和牧师。1763 年返回弗吉尼亚州，在该州某堂区任职，逐渐把教牧活动扩展到弗吉尼亚州和北卡罗来纳州的许多县。当第一批循道宗布道员到来时，贾拉特是向他们提供充分合作的少数安立甘宗教士之一，甚至为他们所收新信徒主持圣餐。1784 年，美国循道宗与安立甘宗脱离，组成美以美会，贾拉特即与他们疏远。他也反对循道宗人士严格谴责畜奴制。贾拉特著有关于美国循道宗大奋兴运动的纪事，是记叙那一运动的第一手材料，他把它寄给卫斯理。北美洲第一位循道宗主教阿斯伯里所办的《日报》（1771 ～ 1816）刊登了这部著作。

Jarrell, Randall　贾雷尔（1914-05-06，美国田纳西纳什维尔～ 1965-10-14，北卡罗来纳查珀尔希尔）　美国诗人、小说家、评论家。以在 50 年代重新肯定弗罗斯特、惠特曼和 W. C. 威廉斯 3 位作家的地位著称。童年生活是他诗歌创作的主要题材之一。《失去的世界》（1965）里就有大量篇幅描写他自己的童年。1938 年获得范德比尔特大学文学硕士后开始教书生涯。1942 年参加美国空军。第一部诗集《献给陌生人的血》也于同年出版。他的许多最优秀诗篇收入描写战时经历的《小朋友，

美国不列颠百科全书公司供图

小朋友》（1945）和《丧失》（1948）两本选集里。1946 ～ 1947 年在纽约州布朗克斯维尔的萨拉·劳伦斯学院任教。唯一的一部长篇小说《学院小景》（1954）是一部尖锐的讽刺小说，描写类似该学院的一所进步女子学院。1947 年起到他在车祸中丧生为止，在位于格林斯伯勒的北卡罗来纳大学任教。他的文学评论文章收在《诗歌与时代》（1953）、《超级市场上一颗悲哀的心》（1962）和《文学评论第三集》（1969）里。他的晚期诗篇——《七里格拐杖》（1951）、《华盛顿动物园里的女人》（1960）和《失去的世界》恢复对情感（有人称其为感伤）的自由表达，这在同时期的"经院派"诗人作品中是罕见的。他的《诗歌全集》于 1969 年出版。

Jarres, Plain of　查尔平原　老挝中北部川圹高原被沟谷切割的核心地区。有湄公河支流南俄河流经。地形以狭窄河谷及石灰岩和砂岩丘陵（海拔 900 ～ 1 100 米）为特点。20 世纪 60 年代以作为老挝内战主要战场而具有国际战略重要性。有几个机场。几乎没有经济和农业之利。平原内有禾草、灌木覆盖的丘陵和谷地，克穆人和苗族人在此经营自给性农业。

Jarrett, Keith　贾勒特（1945-05-08，美国宾夕法尼亚阿伦敦～　　）　美国爵士乐钢琴家、作曲家、萨克斯管演奏家，被公认为 20 世纪后期最具独创性、最多产的爵士音乐家之一。亦为著名古典钢琴家。60 年代后期与鼓演奏家 A. 布莱基和萨克斯管演奏家 C. 劳埃德的表演小组一起演出，70 年代初与小号演奏家 M. 戴维斯合作。70 年代中领导自己的演奏小组，成员有萨克斯管演奏家 D. 雷德曼、低音提琴演奏家 C. 赫登和鼓演奏家 P. 莫蒂安。曾与挪威萨克斯管演奏家 J. 加巴雷克一起巡回演出并录音。他对原先在非西方音乐中所常见而又少见于爵士乐的一大批音调手法和结构手法进行了探索研究。他具有键盘大师的精湛造诣，曾录制数集无伴奏钢琴即兴曲，从而声誉鹊起，成为一位有古典独奏钢琴家风范的音乐会艺术家。他也创作铜管乐曲、弦乐队曲，并以交响曲作曲家手法进行其他非爵士乐的配器。至 80 年代他的公开演出已转而以古典独奏音乐会为主，弹奏诸如 J. S. 巴赫、D. 斯卡拉蒂、贝多芬和 D. 肖斯塔科维奇等不同作曲家的作品。1983 年，他与贝斯手 G. 皮考克和鼓手 J. 狄强奈组成了备受好评的三重奏组合，三人发布了一些很优秀的专辑，如《不要耳语》（2000）和《由内而外》（2001）。

Jarrow　贾罗　英格兰达勒姆历史郡泰恩-韦尔都会郡南泰恩赛德都会自治市的北海港口。临泰恩河南岸。贾罗的圣保罗教堂位于一个颓垣断壁的修道院附近。该修道院为盎格鲁-撒克逊时期的宗教中心和天主教圣徒比德的故居。19 世纪中叶在船厂和煤矿四周发展起来。20 世纪 30 年代大萧条后增建石油企业和修船厂。在泰恩河底的泰恩隧道于 1967 年建成通车，将贾罗与威灵顿连接起来。人口 29 325（1991）。

Jarry, Alfred　雅里（1873-09-08，法国拉瓦勒～ 1907-11-01，巴黎）　法国剧作家。23 岁时写《乌布王》（1896），剧情怪诞不经，后来被视为荒诞派戏剧的第一部作品，从而使他闻名于世。《乌布王》的首演引起轩然大波，喧噪声、猫叫声贯穿全剧，两晚之后，即告停演。但是它的影响直到 20 世纪依然可见。雅里冲破了对世界的通常看法，引入了荒诞而语无伦次、蔑视形形色色权威等观念。幼年即崭露头角，18 岁来到巴黎，靠微薄的遗产生活，经常出入各种文艺沙龙，开始从事写作。他无规律地生活，终于在赤贫和酗酒中了此一生。1896 年 12 月 10 日，创作剧院院长吕热-波上演了短剧《乌布王》，该剧最初由 15 岁的雅里和几个同学草拟，讽刺一个小学校长乌布，一个凶暴、自负、傀儡式的人物，后来当了波兰国王。实际上他是愚不可及、贪婪无比的资产阶级象征，为权势欲所驱使，不惜做出各种各样惨无人道的勾当。《乌布王》的续集包括《被束缚的乌布王》（1900）和《成为众矢之的的乌布王》（1901）。这 3 部剧本，于 1958 年由让·维拉尔在国家民众剧院上演。1970 年法国导演巴劳尔演出一部由雅里作品合成的剧作《成为众矢之的的雅里》。雅里也发表过故事、小说和诗歌《淡茶色碑记的底稿》，格调属象征主义。

Järta, Hans　耶尔塔（1774-02-11，瑞典许斯比～ 1847-04-06，乌普萨拉）　原名汉斯·海尔塔。瑞典政治活动家、行政官、时事评论家。曾领导 1809 年推翻瑞典国王古斯塔夫四世的政变，是瑞典宪法的主要起草人。18 世纪 90 年代开始其评论家的生涯，为瑞典里克斯达格（议会）中贵族等级的左翼议员。因同情法国大革命并抗议瑞典实行专制统治，1800 年改名耶尔塔，并抛弃贵族称号。他与其他"1809 年勇士"密谋策划政变，1809 年 3 月 13 日政变胜利，但他早年的激进思想这时已变温和。他任新宪法委员会主席时，曾主持起草宪法，保留强大的君主政体和某些贵族特权，而城乡工人则被剥夺选举权（该宪法虽多次修改，但现仍有效）。然而，宪法恢复了里克斯达格的权力。1812 ～ 1822 年他任科帕尔贝里省省长。19 世纪 20 年代，耶尔塔从事时事评论，1837 ～ 1844 年任国家档案馆馆长，言行不断向右转，最后成为保守主义的主

要代言人。

Jaruzelski, Wojciech Witold 雅鲁泽尔斯基(1923-07-06,波兰库鲁夫～) 波兰陆军将领及共产党领袖,1981～1989年为政府首脑,1989～1990年任总统。第二次世界大战爆发时,与家人一起被入侵的红军拘捕,他被遣送至苏联。1943年加入在苏联组成的波兰军团,最后参加了对德作战。战后,雅鲁泽尔斯基先后毕业于波兰高级步兵学校和参谋学院。1947年加入波兰共产党(后改名为波兰统一工人党[PUWP]),以后在党和军队中不断升迁,1968年任国防部长。1964年当选为党的中央委员会委员,1971年成为政治局委员。当波兰受到团结工会运动越来越大的压力之际,雅鲁泽尔斯基于1981年2月11日被选为总理(部长会议主席),同年10月18日被选为统一工人党第一书记,并保留国防部长的职务。为了镇压团结工会运动和恢复波兰的经济稳定,他于1981年12月13日宣布实行军事管制,并大肆逮捕团结工会领袖及持不同政见者。在将团结工会镇压下去之后,雅鲁泽尔斯基于1983年7月解除军事管制,但继续保持对波兰政府和波兰统一工人党的严密控制。1985年卸去总理职务,转任国务委员会主席。尽管雅鲁泽尔斯基擅长于镇压政治上的反对派,他推动恢复波兰停滞经济的努力则很少见效。1988年雅鲁泽尔斯基改弦更张,批准政府与被宣布为非法的团结工会进行谈判,终于在1989年4月达成协议。协议规定对波兰的政治体制进行意义深远的改革:主要为团结工会的合法化,举行自由选举产生经过改革的议会,以及将此前主要为礼仪性的总统职务转变为具有强大行政权力的职务。雅鲁泽尔斯基于1989年7月被议会选举为总统,接着辞去在波兰统一工人党中的所有高层职务。1990年12月瓦文萨当选总统后,雅鲁泽尔斯基将共产党的最后一点权力交给了反对派。

Jarvis, John Wesley 贾维斯(1781,英国达勒姆南希尔兹～1840-01-14,纽约市) 纽约市当时的重要肖像画家。早年在费城从广告画师那里学到一些艺术知识,1800年到纽约市向铜版画家E.萨维奇学习。曾在纽约市主持艺术总店。1815年因展出A.U.韦特米勒的一幅有争论的画《丹娜依》而大发其财。同时,他在路易斯安那设立了大画室。1812年战争之后,受纽约市参议会委托为市政厅画一批大幅的共和党人肖像,其中有著名的《奥利弗·H.佩里》。

Jarvis Island 贾维斯岛 旧称邦克岛、沃伦蒂尔岛、杰维斯岛(Jervis Island)或布鲁克岛。太平洋中西部北莱恩群岛的珊瑚环礁。为美国无建制领地,在檀香山西南1 600千米处。面积4.1平方千米。1856年美国宣布对该岛拥有主权。1889年归英国。1936年属美国内务部管辖。在地球物理年(1957～1958)有科研人员到此勘测。现无人居住。

Jary River (South America) 参阅 **Jari River 雅里河**。

Jashar, Book of 《雅煞珥书》 古代以色列人的诗歌集,《圣经·旧约》屡加引用。关于以色列人打败阿莫里特人时日月停止不行的胜利颂歌(见《约书亚记》10:12～13)以及以色列国王大卫为先王扫罗及其子约拿单所作挽歌(见《撒母耳记下》1:17～27)都可能取自《雅煞珥书》。所罗门王寺庙的献诗(《列王记上》,8:12～13)和公元前12世纪的以色列士师《底波拉之歌》(《士师记》,5)则可能是《雅煞珥书》中的章节。

Jashpur Pāts 杰什布尔帕特 印度中央邦东部自然地理区。在赖格尔县东北部。为焦达讷格布尔高原组成部分。由一些平顶小高原和丘陵组成,间有断层和河谷。北部称上帕特,海拔750～1 006米;南部称下帕特,海拔274～503米。杰什布尔帕特为恒河水系与默哈讷迪河水系的分水岭。顶部一般荒芜或覆有草地,山坡有娑罗双、乌木、柚木和竹林。伯哈尔山(海拔988米)与拉基山(1 013米)为最高峰。当地出产棉花、稻米、玉米、甘蔗、花生、油菜籽、芥籽、小米、水果。开采铝土、砂岩、建筑用料黏土、石灰石和白云石。工业有碾米、磨粉、榨油、锯木、金属制造、虫胶、丝织等部门。居民多为奥朗族、卡瓦尔族、冈德族和科尔瓦族人。除了几条铁路干线外,公路是进入高地的主要通道。杰什布尔讷格尔为唯一重要城镇。

Jasmin, Jacques 雅斯曼(1798-03-06,法国阿让～1864-10-04,阿让) 雅克·博埃的笔名。法国方言诗人。因专写卑微的平民和淳朴的乡土的感人诗句而闻名。父亲是穷裁缝。他本人大半生在法国南部的故乡做理发匠和假发匠。第一本诗集《不协调的音乐》(1825)出版后,于1835年又出版《卷发纸》4卷,其中除了一些写得认真仔细的法文诗以外,还收有他的最佳作品,均用他的家乡方言奥克语写成。在这个诗集中有一首凄恻动人的诗——《卡斯特居利埃的盲姑娘》,使读者浮想联翩。他的一些主要诗作有《回忆》(1835)、《傻姑娘玛莎》(1844)、《双胞胎兄弟》(1845)等。

jasmine 茉莉 又拼jessamine。又称素馨。木犀科茉莉属(*Jasminum*)植物。约300种。热带和亚热带灌木。花芳香。原产于除

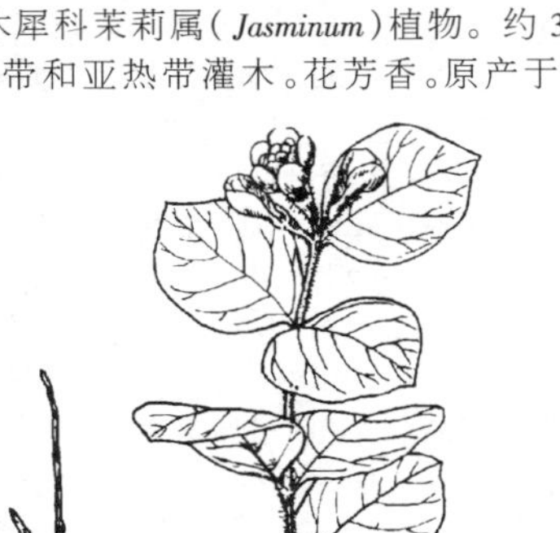

茉莉花(*J. sambac*)

冬茉莉(*J. nudiflorum*)
美国不列颠百科全书公司供图

北美外的各大陆。其他科也有一些芳香植物称"茉莉",如星茉莉(邦联茉莉、茉莉样络石,*Trachelospermum jasminoides*,夹竹桃科)、好望角茉莉(素馨状栀子,*Gardenia jasminoides*,茜草科)、马达加斯加茉莉(多花黑鳗藤,*Stephanotis floribunda*,萝藦科)、茉莉烟草(花烟草,*Nicotiana alata*,茄科)、卡罗来纳茉莉(常绿钩吻,*Gelsemium sempervirens*)、智利茉莉(香曼得维尔藤,*Mandevillea suaveolens*,马钱科)、橘黄茉莉(多种九里香属[*Murraya*]植物)、夜茉莉或昼茉莉(多种夜香树属[*Cestrum*]植物)等。粉花凌霄(*Pandorea jasminoides*)无芳香,亦俗称凌霄茉莉。茉莉属植物多有攀缘枝而无卷须。花白或黄色,稀粉红色,花冠管状,形似玩具风车,浅裂,裂片向外展。复叶,小叶2至多枚,有些种为单叶。果实多为二裂黑色浆果。普通茉莉(诗人茉莉、素方花、耶蒸茗,*J. officinale*)原产伊朗;花芬芳,白色,夏季开放,是茉莉油(用作香水)的来源;由于叶光泽,花芬芳美观,故广泛栽培观赏。迎春(冬茉莉,*J. nudiflorum*)原产于中国;花单生,黄色,可作山坡覆盖植物。云南黄素馨(报春茉莉,*J. mesnyi*)似迎春,但花较大,冬天开放。意大利茉莉(常春小黄素馨,*J. humile*)是藤本状灌木,花黄色,有许多栽培变种。阿拉伯素馨(茉莉花,*J. sambac*)的花常用来制茉莉花茶。

Jason 伊阿宋 希腊神话中阿尔戈英雄的领袖,伊俄耳科斯国王埃宋的儿子。他叔父珀利阿斯夺取了伊俄耳科斯,因此为安全计,伊阿宋被送到半人半马怪喀戎那里。伊阿宋返回时已成为一个青年人,他得到了归还国土的保证,但必须做一件似乎不可能完成的工作,即为珀利阿斯取来金羊毛。经历种种艰难曲折之后,伊阿宋终于在他后来与之结婚的巫女美狄亚的帮助下取到金羊毛。他们回来后,美狄亚杀死了珀利阿斯,但她和伊阿宋却被珀利阿斯的儿子赶跑,只得在科林斯国王克瑞翁处避难。后来伊阿宋又抛弃了美狄亚,爱上了克瑞翁的女儿,这一背弃及其后果就是欧里庇得斯的剧作《美狄亚》的主题。

Jason 耶逊(活动时期公元前2世纪) 希腊化的犹太教祭司长。他自公元前175至前172年在塞琉西王朝国王安条克四世统治下的耶路撒冷任职。他鄙视法利赛派所鼓吹的

传统犹太教一神论，在犹太全境提倡希腊文化和希腊宗教。安条克四世被罗马军赶出埃及，退回到耶路撒冷，大力清除犹太教习俗，耶逊被撤换。约公元前170年，他企图夺取耶路撒冷未成，逃往小亚细亚。

Jaspar, Henri　雅斯帕尔（1870-07-28，比利时斯哈尔贝克～1939-02-15，布鲁塞尔）　比利时政治家，首相。早年参加天主教党。第一次世界大战后代表比利时参加巴黎和会。1918年任经济事务大臣，组织战后比利时工业的重建工作。1920～1924年任外交大臣，促使比利时参加国际联盟，并派代表参加海牙国际常设法院。1921年建立比利时和卢森堡的关税联盟，1924年参加道威斯计划的谈判。1926年成为联合政府首相，采取货币贬值、增收新税、铁路国有化等一系列措施，克服了比利时的经济危机。但1929年世界经济大萧条开始后，比利时经济又衰退下去。1932～1934年任财政大臣，1934年任外交大臣。1939年受命组成新政府，但不久即逝世。

Jasper　贾斯珀　加拿大艾伯塔省西部未建制地方。在阿萨巴斯卡河和米特河汇合处，不列颠哥伦比亚省边界附近。为贾斯珀国家公园管理处所在地。山峦起伏，景色壮丽，随该地辟为国家公园（1907）并兴建了贾斯珀公园旅馆（1922）和贾斯珀—班夫公路，遂成为加拿大落基山著名游览区。也是加拿大国家铁路一条支线的起点站。人口3 269（1981）。

Jasper　贾斯珀　美国亚拉巴马州西北部城市，沃克县县城（1824），伯明翰西北65千米处。1815年始有人定居，1888年设建制。1886年通铁路后发展起来。经济以采煤、农业和轻工制造业为主。设有沃克初级学院（1938）。市北有W.B.班克黑德国家森林。人口14 052（2000）。

jasper　碧玉　一种常见的、广泛分布的、不透明的细粒或致密的硅氧矿物燧石的变种。呈现各种颜色，主要是砖红色到浅褐红色。其颜色是由掺杂有赤铁矿形成的，但与黏土混合一起产出时，呈浅黄白色或灰色；当与针

采自美国加利福尼亚州吉尔罗伊的整块碧玉
美国不列颠百科全书公司供图

铁矿混合时，呈褐色或黄色。长期来被当作宝石和装饰品的碧玉具有暗淡光泽，需要细磨。碧玉的其他物理性质与石英相同。参阅**silica mineral**（表）。在《圣经》（《出埃及记》28:20；39:13）中提到碧玉是装饰基督教（耶和华）高僧法衣的12颗宝石之一。碧玉很久以来就被认为有医用价值，人们相信戴上它有益于胃的健康。碧玉的典型产状是在沉积岩和变质岩中呈细脉、结核和交代产物产出，例如在乌拉尔、北非、西西里、德国等地。几千年来，黑色碧玉（以及黑色板岩）用来检测银金合金中的金含量。将合金在叫做试金石的石头上磨，就产生一种条痕，条痕的颜色就能鉴定出黄金的含量，精确到百分之一以内。

Jasper OF HATFIELD　贾斯珀（哈特菲尔德的）　参阅**Bedford, Jasper Tudor, duke of 贝德福德公爵**。

Jasper National Park　贾斯珀国家公园　在加拿大艾伯塔省西部。建于1907年，主要保护当地优美的风景和野生动物。地处落基山脉东坡，面积约10 900平方千米，包括阿萨巴斯卡河谷及其周围群山。园内哥伦比亚大冰原的融水为许多流入大西洋、太平洋和北冰洋的河流提供了丰富的水源。有瀑布、湖泊、峡谷、温泉等胜景。野生动物有熊、麋、驼鹿、驯鹿、美洲狮、鹰、隼以及种类繁多的鱼类。

Jaspers, Karl (Theodor)　雅斯贝斯（1883-02-23，德国奥尔登堡～1969-02-26，瑞士巴塞尔）　20世纪的德国哲学家。最伟大的存在主义者之一，从人对自身存在的直接关怀出发展开其哲学；后期致力于一种新的思想统一，即他所说的世界哲学，以弥补纳粹统治在德国和第二次大战期间造成的破裂。1901年入海德堡大学攻读法律，后在柏林、格丁根和海德堡等地的大学学习医学。1909～1915年任海德堡大学精神病医务室志愿助理研究员。1913年发表《普通精神病理学》，1919年发表《世界观点的心理学》。1921年任海德堡大学哲学教授。他主张科学原理可以运用于社会学和人文科学；哲学是对存在的主观解释，设定普遍有效的价值规范和生活原则。他致力于发展一种既不受科学控制又不会代替宗教信仰的哲学。认为哲学应当为人的自由而呼吁，应当注重人的生存，并以此作为一切现实的核心。因为在他看来，人的生存不仅意味着在世界中，更意味着人的存在的自由，存在的观念即指在世界中实现存在自由的潜在能力。1931年发表《现时代的人》。1932年发表三卷本的《哲学》，这是用德文出版的最有系统的存在主义哲学著作。1933年希特勒当政，由于妻子是犹太人，他便成为国家的敌人，最后被免去教授职务，并不准他出版任何著作。德国投降后，他发表《关于大学的意见》（1946），议论如何重建大学。1948年接受瑞士巴塞尔大学的哲学教授席位。在《论哲学信仰》（1948）和《就启示问题再论哲学信仰》（1962）中，他主张建立世界哲学，其任务是制定一种思维程式以有助于建立自由的世界秩序。他从存在哲学转变到世界哲学

美国不列颠百科全书公司供图

是基于一种信念，即他相信有一种逻辑可使人类自由交流信息。他认为所有思想在本质上都依据于信念，因此人类面临的任务就是把哲学思维从对现实世界中倏忽即逝的各种对象的留恋中解脱出来。一生共出版30种著作。

jasperware　碧玉炻器　1775年英国陶工J.韦奇伍德研制成功的未上釉炻器，以其硬度近似天然碧玉而得名，在常态下碧玉炻器呈白色，但常使用金属氧化物着色剂着色。最普通的色彩为淡蓝色，但也用深蓝、淡紫、灰绿、黑、黄等色。最早的碧玉炻器是通体里外着色，称为"全色"，以后的产品则仅在表面着色，称为"浸色"。装饰物是新古典主义风格的塑制品，通常呈白色，用各自的模具模制

约1785年的韦奇伍德碧玉炻器瓶
美国不列颠百科全书公司供图

出来后再贴敷在制品坯体上。碧玉炻器种类繁多，有花瓶、画屏、餐具、浮雕装饰品、家具镶嵌件和肖像徽章等。这种炻器至今仍在生产。

Jassy (Romania)　参阅**Iaşi 雅西**。

Jassy, Treaty of　《雅西条约》（1792-01-09）　在摩尔多瓦的雅西签订的结束1787～1792年俄土战争的条约。此约确认了原先的《凯纳甲湖条约》（1774），巩固了俄国在黑海的优

势,使其边界向前推进到德涅斯特河,包括奥恰科夫要塞在内,把比萨拉比亚-摩尔多瓦和瓦拉几亚归还给土耳其。

Jastrun, Mieczysław　亚斯特伦（1903-10-29,奥匈帝国塔尔诺波尔附近科罗卢夫卡[今在乌克兰]～1983-02-23,波兰华沙）　波兰诗人、散文家。曾在克拉科夫的亚盖沃大学获波兰文学博士学位。在两次世界大战之间他出版了12本诗集,表明他是一个从模仿"斯卡曼德尔"诗派而成长为独自创作、形式完美的成熟诗人。他在第二次世界大战中侥幸生存,隐居华沙。所写战时诗集于1944年出版,题名《宵禁之时》,但他最好的诗写于1956年"解冻"之后,例如《热灰烬》(1956)或《创世记》(1959)。他还是一位善写波兰大诗人们的传记的作者,如《密茨凯维奇传》(1949)、《科哈诺夫斯基传》(1954)。

Jastrzębie-Zdrój　亚斯琴别-兹德鲁伊　波兰中南部西里西亚省城市。与拉齐布日、雷布尼克和卡托维兹等市一起,在波兰上西里西亚大工业区之内构成一个二等工业区,邻近捷克的俄斯特拉发工业区域。19世纪60年代为著名矿泉疗养地,其含溴化碘的热泉水可治疗神经机能紊乱、风湿和心脏病。1963年设市。附近发现大量炼焦煤矿藏后10年内人口激增。人口约102 294(1998)。

Jász-Nagykun-Szolnok　亚斯-瑙吉孔-索尔诺克　旧称索尔诺克(Szolnok)。匈牙利中东部一州。在匈牙利大平原上,面积5 607平方千米。蒂萨河由北向南纵贯全州。西北部佐吉沃河流经亚斯沙格地区。该地区为平原边缘凹地,延入佩斯州,出产蔬菜,水果和家禽供应布达佩斯市场。提苏河以东大孔沙格地区为黄土质平原,表层为优质黑钙土。主要为农田,盛产小麦和玉米。沿河灌溉区种植水稻。除首府索尔诺克市外,主要居民区还有亚斯贝雷尼、迈泽图尔、考尔曹格和特勒克圣米克洛什。人口约412 000(2000)。

Jászberény　亚斯贝雷尼　匈牙利中部城市。位于亚斯贝雷尼区,而行政上独立,不受亚斯-瑙吉孔-索尔诺克州管辖。为佐吉沃河(蒂萨河的支流)河畔商埠。长期以来是雅斯民族的文化、经济和行政中心。雅斯人是干草原上部族,他们13世纪初在此定居,并与钦察人混合。由于他们服兵役,匈牙利国王贝洛四世(1235～1270)授予特权。亚斯贝雷尼现保存有两则有趣的传说:一是该市曾为匈奴人国王阿提拉(卒于453)的驻地;二是用金、银、铁制的阿提拉的棺材现沉没在佐吉沃河中。该市位于布达佩斯以东约64千米。工业制品有机床、冷冻机、五金、家具、纺织品和食品。人口约27 963(2000)。

Jāṭ　贾特　印度北部和巴基斯坦的农民种姓。20世纪60年代贾特种姓约构成旁遮普邦和旁遮普省人口的1/5,占俾路支省、拉贾斯坦邦和德里邦人口的1/10,占信德省、西北边境省和北方邦人口的2%～5%。巴基斯坦的400万贾特种姓的人主要是穆斯林,印度的600万左右贾特种姓的人大致分为两个势均力敌的大种姓的人:一部分是锡克教徒,集中在旁遮普邦;另一部分是印度教徒。西部地区的穆斯林贾特种姓的人被组成几百个父系群体;他们多数人以饲养骆驼或当劳工为业。印度和巴基斯坦旁遮普省的贾特种姓的人多为小农业主。

Jataí　雅塔伊　巴西中南部戈亚斯州西南城镇。位于克拉鲁河与圣佩德罗河汇流处。海拔708米。经济以畜牧业为主,农业(特别是稻和咖啡)亦重要。有公路通州首府戈亚尼亚等城市。人口约68 776(2000)。

Jātaka　《本生经》　佛教各派流传的有关释迦牟尼在世事迹的通俗故事。有些本生故事散见于各巴利文经典,其中35篇本生故事编入《若用藏》,即《小部》中的最后一部。此外,相传为5世纪佛音所撰的僧伽罗文著作《本生释论》,收有547篇佛陀本生故事,长短

公元前2世纪的《鹿本生》石浮雕

美国不列颠百科全书公司供图

不一。许多佛陀本生故事见于《摩诃婆罗多》、《五卷书》、《往世书》或其他非佛教印度文献,乃至《伊索寓言》。本生故事也常见于佛教国家的雕刻或绘画。

jāti　查特　又拼jāt。印度教种姓。源于梵文jāta,意为"生"或"产生",指由出生决定的生存形式。印度哲学中查特泛指有共同属性的任何事物。社会学则通常用以指印度教社会中的种姓。传统印度教法典(《法论》)的制订者倾向于把查特视为瓦尔纳(社会等级),但在其他场合则试图把查特说成是4个瓦尔纳(婆罗门、刹帝利、吠舍和首陀罗)联姻的产物及其后裔。然而查特和瓦尔纳之间应严格加以区分,前者是地区性同族通婚的家族集团,而后者则是遍及全印的社会等级典型。印度教正式的看法视查特为非正统的瓦尔纳,属于低一级的。在印度各地,某些种姓部落为提高其社会地位,自称为某一特定瓦尔纳的成员。这方面典型的和最成功的例子是拉杰普特种姓,他们自称为第二瓦尔纳中的刹帝利或贵族阶层,为加强其说,还创造出一个新的家系即"火族",与原有的"太阳族"和"月亮族"并立。不可接触者种姓则采用了首陀罗的习俗,以求摆脱其可怜处境。查特这种概念受到具有社会改革精神的印度人士的指责。他们虽未提出彻底废除此制,但主张把查特重新纳入其原始形式瓦尔纳的范围以期净化种姓制度。参阅 **varna**。

Jatki language　贾特基语　参阅 **Lahnda language** 拉亨达语。

jatropha　膏桐　大戟科膏桐属(麻风树属,*Jatropha*)植物。原产于新旧大陆热带,包括约125种含乳汁的草本、灌木或乔木。有些种的油可用,有些为热带庭园观赏植物。佛

女香客膏桐(*J. integerrima*)

美国不列颠百科全书公司供图

肚树(*J. podagrica*)原产危地马拉及洪都拉斯,树干短而基部膨大,花穗直立,红色,花小,花期长达大半年。掌状叶3～5裂,是很有特色的观赏植物。珊瑚树(*J. multifida*)原产南美,高3米,叶片大而显著,深裂为11片;花穗小,红珊瑚色。女香客膏桐(金绿叶膏桐,*J. integerrima*)原产古巴,高约5米,叶铲状,基部深裂,四季开放鲜红色花簇。贝兰迪埃尔氏膏桐(*J. berlandieri*)多年生,高30厘米,分布从得克萨斯至中美洲,花紫色,有长柄。巴巴多斯坚果(*J. curcas*)高6米,花黄绿色,叶3～5裂,原产墨西哥及中美洲;种子含食用油及一种烈性泻药,又可制皂,种子烤熟毒素即消失,可供食用;紫胶虫食其叶,并产生紫胶。*Cnidosculos* 属与膏桐属近缘,但缺花瓣而花萼成花冠状,可资识别。

Jaú　雅乌　巴西圣保罗州中部城市。位于雅乌河畔,海拔541米。1866年建镇,为市级地区政府驻地。当地出产咖啡、豆类、棉花、稻米、甘蔗和水果。有农产品加工、酿酒、制造靴鞋、陶器和电气设备的工厂。商品由铁路、公路和飞机运往州首府圣保罗和邻近城市。人口:城市区约92 547(1985)。

Jauf, al-(Yemen)　参阅 **Jawf, al-** 焦夫。

Jaunde(people)　参阅 **Yaunde** 雅温得人。

jaundice　黄疸　血流及身体内胆色素积聚过多的一种病理现象。皮肤、巩膜、黏膜变为黄色、橙色乃至绿色。黄疸在自然光线下看得最清楚,而在人工光线下可能观察不到。黄疸的程度决定于血液中胆红素的浓度、胆红素在组织内的弥散率及组织对胆红素的吸收和结合情况。胆红素进入组织液后,在炎症及水肿的部位最易吸收,在弹性组织纤维

内似更易沉积。黄疸最常见的病因为:肝内胆红素产生过多而不能及时排出;有某些先天性缺陷,使胆红素产生过多或排泄障碍;肝病致肝细胞功能障碍,不能从血液中清除胆红素;从肝中排出的胆红素漏回血流(回流);或胆管梗阻。因为正常的肝脏能从血液中清除大量胆红素,因此,出现黄疸就说明肝功能受到严重损害。黄疸常分为潴留性及回流性两种。患潴留性黄疸时,胆色素因清除障碍而滞留于血液中。临床上见粪内胆色素量增加而尿中无胆红素则可作出潴留性黄疸的诊断。而串回流性黄疸时,胆红素在肝内从血液清除后又大量反流入血,或直接从胆管反流入血。可致黄疸的疾病有贫血,溶血,肺炎,先天性肝脏异常,肝细胞因中毒或肝炎而变性,肝硬变,肝、胆管或胰头梗阻或肿瘤。特发性黄疸病因不明,可能体内有代谢缺陷。肝脏不能正常地进行胆红素代谢,结果肝及身体其他部分出现异常色素沉着而颜色变深。在大多数病例,黄疸是某些遗传性躯体疾病的重要症状,但胆红素潴留本身通常不会引起任何严重损害,只引起皮肤变色直至有关疾病治愈为止。而回流性黄疸可以引起严重的继发病,其原因为胆汁不能流入肠道,以致脂溶性的维生素 K 不能吸收,引起血凝障碍,导致出血。

jaundice, infectious　传染性黄疸　参阅 **leptospirosis** 钩端螺旋体病。

Jaunpur　江布尔　印度北方邦东南部城镇。临戈默蒂河。始建于 11 世纪,14 ～ 15 世纪为一穆斯林王国的都城。1775年归英国统治。为重要的公路、铁路枢纽和农产品市

江布尔戈默蒂河上的沙希桥
美国不列颠百科全书公司供图

场,城区一半以上为园圃。香料为主要工业产品。设有戈勒克布尔大学几所分校。城市周围的冲积平原为耕作区,土地大部得到灌溉。农产品有稻米、玉米、大麦和甘蔗。水旱灾害严重。镇内有几座古老的清真寺和一座建于 16 世纪的壮观的大桥。人口 105 140 (1981)。

jaunting car　短途游览两轮马车　又作 jaunty car 或 sidecar。从 19 世纪初流行于爱尔兰的两轮敞篷马车。具有纵向的背靠背或面对面座位,能乘坐 4 名乘客。车夫的座位较窄,安置在前面。

Jauregg, Julius Wagner, Ritter von (Knight of)　尧雷格　参阅 **Wagner-Jauregg, Julius** 瓦格纳-尧雷格。

Jaurès, (Auguste-Marie-Joseph-) Jean　饶勒斯(1859-09-03,法国卡斯特尔～1914-07-31,巴黎)　1914 年以前法国社会主义运动的主要领导人。他在文学、哲学及历史等方面均学识甚丰,又长于雄辩。他富于自我牺牲精神,为了完成各社会主义派别的统一而放弃其本身之政治信仰。1893 年被选为议会议员。此时尽管他还未接受马克思的全部观点,但已经成为社会主义者,并加入了独立社会主义党。在 1898 年选举中遭到失败后暂时脱离政治活动,并开始编著《法国大革命史》(1901 ～ 1907)。这部著作是在马克思、普卢塔克、米什莱的三重启示下写成的。此书对法国革命的研究起到了新的促进作用。1902 年再次当选为议员,并在议会里继续支持左派集团。1904 年成为《人道报》创办人之一。同年在阿姆斯特丹召开的第二国际代表大会对社会主义者参加资产阶级政府进行谴责,并因而拒绝饶勒斯的见解。但他在党内的威信却日益增长。1907 年在第二国际召开的斯图加特会议上他提出了"宁要起义,也不要战争"的口号。他主张实行限制冲突的慎重政策,因而反对殖民扩张,反对法国对摩洛哥的侵略,并为实现一种能通过仲裁而获得和平的制度而斗争。他拥护法德友好关系,因而于 1914 年 7 月 31 日第一次世界大战爆发时被一个认为他要将法国出卖给德国的狂热分子所暗杀。

Java　爪哇　又拼 Djawa 或 Jawa。印度尼西亚岛屿,位于马来西亚和苏门答腊东南,婆罗洲(加里曼丹)南方,巴厘岛西面。爪哇仅系印度尼西亚共和国的第 4 大岛,但拥有全国人口的一半以上,而且在政治上和经济上均处支配地位。面积为132 187平方千米,(包括近海的马都拉岛)。雅加达(旧时称巴达维亚)既是国家首都,也是爪哇首府,为印度尼西亚的最大城市。爪哇在行政上由西爪哇、中爪哇、东爪哇 3 个省和大雅加达首都、日惹两个特区组成。特区在行政上属省级。

历史　岛上的特里尼尔是以 1891 年发现直立人,或称"爪哇人"的化石而著名。这也表明早在 80 万年以前爪哇岛已成为人类活动的场所。爪哇的移民显然来自东南亚大陆。早在公元前 2500 年爪哇已有家庭农业。约在公元 1 世纪印度商人来到爪哇,其后信奉印度教的印度人的势力得到发展,公元 8 世纪,当时的马塔兰王国处于繁荣时期。马塔兰王国以爪哇中南部为其中心,由夏连特拉王朝统治。尽管最初是湿婆印度教的信徒,马塔兰王朝的后来诸王接受了大乘佛教。公元 9 世纪末和 10 世纪初,爪哇的婆罗浮屠、梅都和其他许多地方均建立了巨大的佛教纪念物。马塔兰的势力衰落后,东爪哇有一个国家曾一度得势,直到它与苏门答腊岛上的强大的室利佛逝(三佛齐)帝国发生冲突,并于 1006 年被击败。国王埃尔朗加(1019 ～1049 在位)设法重振这个国家,使之恢复元气。当他在位期间,文学艺术欣欣向荣,印度史诗首次从梵文译成爪哇文。由此开创了将印度教思想灌输到普通人民的道路。埃尔朗加将其王国平分给他的两个儿子,一个儿子是谏义里(沿布兰塔斯河)的统治者,较为强大。这一地区一直是爪哇文化的中心,直到 13 世纪(当时西爪哇仍由室利佛逝统治)。谏义里王国成为香料贸易的贸易中心。印度的穆斯林商人及中国商人都曾来到这里的各个港口作短期逗留。后来爪哇的政治中心转移到东爪哇玛琅高地的新柯沙里王国。格尔达纳卡拉(1268 ～ 1292 在位)是这个王国最伟大的国王,他统一了爪哇,并将其权力扩张到南婆罗洲、巴厘岛及其他东部岛屿。随着格尔达纳卡拉的早逝,他的王国就瓦解了。随后,在东爪哇的麻喏巴歇帝国于 1293 年建立。该帝国控制了印度尼西亚群岛的绝大部分,甚至包括在苏门答腊的前室利佛逝的领土。这一强大帝国的缔造者是首相加查·玛达(1331 ～ 1364 在位)。14 世纪末期麻喏巴歇王朝开始衰落,很可能是在 16 世纪初消亡的,此时伊斯兰教徒摧毁了印度-爪哇统治的最后残余。若干世纪以来,穆斯林商人都曾访问过印度尼西亚群岛,但只是在 15 世纪时麻喏巴歇王国才感受到穆斯林商人的竞争所产生的严重影响。当穆斯林国际贸易网在这一地区不断发展时,沿海的爪哇人面临两种选择:或是与穆斯林战斗,或是与穆斯林联合。最后许多爪哇人与穆斯林联合。16 世纪初东爪哇的许多港口完全与垂死的麻喏巴歇帝国脱离关系。在中爪哇和西爪哇也建立了几个穆斯林王国,部分原因是西爪哇的異他人在较早的时期受印度殖民的影响较少,因而能较快地适应伊斯兰教。16 世纪时,帕姜、马打兰、勃良安、切里博、万丹都成为在爪哇的独立的穆斯林国家。其中,马打兰在 16 世纪 80 年代曾控制东爪哇和中爪哇,是最后一个大爪哇王国。1596 年荷兰船只首次访问爪哇,荷属东印度公司迅速在沿海建立若干贸易港口,并在巴达维亚(雅加达)市设立总部。该市于 1619 年被荷兰控制。后 17 世纪 70 年代起,荷属东印度公司开始宣称它控制了爪哇的各个穆斯林王国。17 世纪的最后 25 年中,西爪哇的一些穆斯林王国承认该公司的统治权,1743 年爪哇中央北部和东北部地区也照样行事。1755 年,马打兰王国的剩余部分被划分为两个荷兰的仆从国:苏拉卡尔塔(梭罗)及日惹。在荷兰人对当地的贵族施行强迫交付制度下,爪哇农民种植稻、槐兰、糖类、胡椒、咖啡等作物。1799 年荷属东印度公司关闭,荷兰政府接管爪哇的行政权。1811 ～ 1816 年爪哇曾短期受英国统治,后仍由荷兰管辖。1825 ～ 1830 年发生严重的爪哇人对荷兰的反抗,荷兰付出很大代价才将这次反抗镇压下去。整个 19 世纪,在全部荷属东印度群岛中,爪哇得到最集中的发展和受到最严密的统治。因而在 20 世纪初期爪哇很自然地成为印度尼西亚民族主义的中心。从 1903 年开始,爪哇人在地方政府中供职的日益增多。1925 年,印度尼西亚人在人民议会中占多数席位。第二次世界大战期间的 1942 ～ 1945 年,爪哇为日本人所占。1950 年爪哇成为新近独立的印度尼西亚共和国的一部分。

土地　爪哇东西长 1 064 千米。中部宽约 100 千米,两端宽约 160 多千米。岛上有一东西走向的纵向山脉,山脊有许多火山,两侧是石灰岩山岭和低地。爪哇是火山活动较

多的地区，不过严重的喷发次数极少；共有112座火山，其中只有35座是活火山。岛西部火山聚集，中部和东部则较为分散。最高的火山是塞梅鲁火山，海拔3 676米。火山带南面有一系列不相连的高地，海拔约300米。爪哇绝大多数河流向北流，因为形成河流分水岭的中央山脉距南部海岸比距北部海岸稍近一些。不过，也有若干河流是向南流的。岛上最大的河流是位于爪哇东部的梭罗河和布兰塔斯河。这两条河以及许多较小的河都可用于灌溉，但只能在雨季通航，而且只有小船可以航行。爪哇的气候大致是终年炎热而潮湿。沿北部海岸的平原地带温度最高，山区则凉爽得多。高湿度常常形成使人衰弱的气候。从11月到第2年3月为西北季风期，多雨多云；从4月到10月为东南季风期，晴天多而雨量少。雅加达平均年降雨量约1 760毫米。雅加达平均日最高气温为30 °C，最低为23 °C。在内地高地的托萨里（海拔1 735米），平均气温22～8 °C。因为火山灰周期性地对土地加肥，爪哇的土壤非常肥沃。爪哇的丰富植被属南亚型，但与澳大利亚型有亲缘关系；已知的植物有5 000多种。在潮湿的山坡上盛产茂密的雨区森林，爪哇西部产浓密的竹林。岛上的果树有香蕉、芒果和各种各样的亚洲品种。森林地带有柚木、竹、西谷椰子树、榕树以及高蕈树、木黄麻树。柚木是爪哇的主要出口物资之一。岛上的动物群有独角犀牛、老虎、野牛，不过这些动物现仅在一些较偏远的地区活动。岛上还有猴子、野猪及鳄鱼；约400种鸟类；100种蛇类；500种蝴蝶及多种昆虫。

人民　爪哇的居民属于蒙古人种的海洋支系（或南方支系）。岛上住有3个主要的种族集团，即占优势的爪哇人、巽他人和马都拉人，还有两个较小的种族集团：滕格尔人和巴杜伊人。爪哇人占爪哇人口的近70%，主要住在岛的中部和东部。巽他人主要住在西部，马都拉人住在爪哇东部和马都拉岛。这3个主要的种族集团都讲马来语，绝大多数人是穆斯林。爪哇是世界上人口最稠密的地区之一。岛上平均每平方千米770人。爪哇岛的面积仅为全国土地的7%，而其人口占印度尼西亚人口的大多数。爪哇的人口增长率一直很高；1815年人口约500万，20世纪初则增长到约1亿人。绝大部分人口仍在农村，但爪哇的城市已迅速增长。主要城市是雅加达、万隆、三宝垄、泗水、苏拉卡尔塔（梭罗）和日惹。在中南平原和北部平原地区，农村人口密度最高。

经济　岛上2/3以上的土地都已开垦，主要粮食作物是水稻。几百年来形成的一个由运河、水坝、沟渠、水库组成的精密的灌溉网，大有助于岛上水稻生产。其他作物有玉米、木薯、花生、大豆和甘薯，绝大部分种植在低地地区，由农民在小块土地上经营。开成梯田的山坡和灌溉后的水稻田是农村景象中最常见的特色。生产木棉、芝麻、蔬菜、香蕉、芒果、榴梿果、柑橘和植物油供当地消费。出口茶叶、咖啡、烟叶、橡胶、金鸡纳（奎宁的原料，种植在西爪哇高地）、甘蔗、木棉（种植在岛的东部）和椰子。这些专供销售的作物中，有几种曾一度通常在大的家庭种植园中种植。饲养牲畜，特别是水牛，主要作为拉畜。输入咸鱼和干鱼，但在中爪哇和西爪哇的池塘和稻田中也养鱼。爪哇生产的奎宁占世界奎宁产量的绝大部分。西北海岸外的阿朱纳油田是印度尼西亚石油的主要来源。有一条天然气管道将这些油田和芝勒贡连接起来。在芝拉札、札普和泗水均有炼油厂。岛上也开采少量的锰、硫磺、磷酸盐、金和银。小规模的制造业包括蜡染印花、铸铁、银器加工、农具、鞣革、瓷砖及其他陶瓷制品的生产。较大的工业包括纺织、橡胶制品、汽车装配、酿酒、以及生产鞋、纸张、肥皂、水泥、香烟的工厂。普哇加达附近的贾蒂卢胡水坝是印度尼西亚最大的水坝。一个发达的铁路和公路网连接各主要城市。雅加达有国家无线电网总部。还有一个国际机场。泗水和雅加达附近的丹绒不禄是主要港口。

文化遗产　公元3～16世纪的印度-爪哇式建筑包括婆罗浮屠的大型窣塔婆（印度塔，约建于800年）和梅都庙；塞乌佛庙（9世纪）；壮观的湿婆庙普兰巴南（9世纪）；圣浴池加拉敦打（10世纪末）和勃拉罕（11世纪中叶）及圆形的印度庙加邦（约10世纪）。人口约105 560 200（1988）。

Java cotton　爪哇棉　参阅**kapok**木棉。

Java jute（plant）　**爪哇黄麻**　参阅**roselle**玫瑰茄。

Java kapok（fibre）　**爪哇木棉**　参阅**kapok**木棉。

Java man　爪哇人　根据爪哇发现的化石所确定的已绝灭的人科成员。1891年E.杜布瓦在梭罗河畔的特里尼尔发现的头盖骨和大腿骨，是直立人这个种最早发现的化石。但是杜布瓦当初把这些化石定名为直立猿人。三吉岭发现的化石以及莫佐克托发现（1936）的幼儿化石遗存，都说明在更新世中期（约100万～50万年前），直立人曾经居住在爪哇。爪哇人的特征是：平均脑量900立方厘米，低于后来的直立人，颅骨侧视显得低平，额部小，头顶有附着下颌骨强大肌群的矢状嵴和枕外隆起嵴，颅骨壁很厚实，眉嵴粗隆，腭骨巨大，下颌骨粗壮，没有颏隆凸。牙齿基本上为人齿，但也具有猿齿的某些特征，例如犬齿较大，部分交错。爪哇人大腿骨的形态表明，他们一如现代人，完全直立行走，身高大约1.72米。莫佐克托出土的幼儿（死时约5岁）颅骨已经显出粗隆的眉嵴和额部低平的特点。爪哇人的年代比北京人（**Peking man**）要早，因此通常被认为更原始些。

Java Sea　爪哇海　太平洋西部的一部分海域。在爪哇岛和婆罗洲之间。北接婆罗洲（加里曼丹），东北连望加锡海峡南端，东邻西里伯斯、弗洛勒斯和巴厘海，南达爪哇岛，西南接巽他海峡（通印度洋），西界苏门答腊，西北为邦加和勿里洞岛（南海边界）。东西长约1 450千米，南北420千米，总面积433 000平方千米，占有巽他大陆架（1 790 000平方千米）南部。属浅海，平均深度46米。9～5月，表层海水向西流动，其他月份向东。海水含盐度因周围诸岛河水大量注入而降低。据认为，南部海底与爪哇岛北部（有油田）地质结构相似。勘探井成功喷油证实油田延伸至海底。加里曼丹东南部沿海海底很可能也有油田。第二次世界大战中同盟国与日本曾在此发生海战。战斗于1942年2月27日打响，同盟国海军被击沉战舰5艘。

Java sparrow（species *Padda oryzivora*）　**爪哇禾雀**　又作ricebird。雀形目梅花雀科侏形鸟类群的鸟类，最著名的笼鸟之一，啭鸣和颤音动听。原产爪哇和巴厘，现已在亚洲各地野外定居。亦称为稻雀，成大群损坏谷物。长14厘米。大部分灰色，下体粉红色，有白色大耳斑。嘴坚实，红色。

爪哇禾雀（*Padda oryzirora*）
美国不列颠百科全书公司供图

Java Trench　爪哇海沟　印度洋东部海底深洼地，亦称双巽他海沟。位于印度尼西亚苏门答腊岛和爪哇岛西南岸外约305千米。海沟呈西北—东南走向，长度在2 600千米以上，坡度超过10°，最深点为7 450米，也是印度洋的最深点。爪哇海沟至少部分地填充着沉积物，特别是在与巽他岛弧平行的部分，巽他岛弧是处于活火山带的一组群岛。该海沟在苏门答腊南面，约在海沟长度的一半处，被一个海底山脊分成两个平行的海槽。向西北，海沟逐渐没入一系列岛屿和延伸至恒河三角洲的大陆架。2004年，以爪哇海沟北部边界地区苏门答腊西北为中心的大规模海底地震（震级9.0）引发大海啸，整个印度洋地区海岸都成为泛滥区，造成严重的生命财产损失。

Javacheff, Christo　贾瓦切夫　参阅**Christo**克里斯托。

Javādi Hills　杰瓦迪丘陵　印度东南部泰米尔纳德邦北部东高止山最大山段之一。长约80千米，宽约32千米。被巴拉尔河支流切成东、西两部分。由蓝灰色花岗岩构成，山峰平均高度1 100～1 150米。东南坡有檀香木林。人口稀疏。谷物、豆类与油籽为主要农作物。

Javanese　爪哇人　印度尼西亚爪哇岛上最大的种族集团。语言属澳斯特罗尼西亚（马来-波利尼西亚）语系，约有7 100万人使用。

正在刺绣的爪哇妇女
美国不列颠百科全书公司供图

爪哇人是穆斯林，然而早期的印度教传统现仍明显，恪守穆斯林戒律的爪哇人较少。普遍信仰灵魂。传统的爪哇社会组织结构不同，有比较平等的农村社会，也有等级分明的城市社会，其中宫廷生活尤为复杂。言语根据说话人的社会地位不同而有俗语、敬语和最敬语之分。爪哇大城市的成长，产生了主要来自农村的城市无产阶级；他们多住城郊草舍，聚为村落。爪哇的农村是由一家一家的住宅密集而成的；住房为竹结构，中有庭院。虽然稻谷是主要的粮食作物，也生产其他各种谷物，包括玉米、木薯、花生、大豆和甘薯。典型的爪哇人家庭由父母子女组成，也有包括其他近亲在内的家庭。婚姻多由父母作主，但离婚甚易。

Javanese language　爪哇语　属马来-波利尼西亚（澳斯特罗尼西亚）语系印度尼西亚语族或西部语族，作为本族语而操爪哇语的人数有6 800多万，主要为爪哇岛居民。爪哇语是澳斯特罗尼西亚诸语言中使用人数最多的语言，有几种地方方言和许多差异明显的语体。俗语和敬语间差别最大，两者之间为普通语体，另有较罕用的是最敬语和宫廷语。文字传统溯源自公元750年，曾受印度和伊斯兰文学影响并转而影响马来语、巴厘语及其他印度尼西亚语的文学作品。字母源自印度南部的帕拉瓦文字。爪哇语作品发表得较少，主要由于印度尼西亚语（马来语）文学的发展所致。印度尼西亚语用作印度尼西亚的国语，爪哇只是国家的一部分。

Javanthropus　爪哇猿人属　索罗人最初的属名，现被认为直立人的一个亚种。参阅**Solo man**。

Javari River　雅瓦里河　西班牙语作Río Yavarí。发源于巴西亚马孙州和秘鲁洛雷托省之间的边境，东北流870千米于巴西边区村庄本雅明康斯坦特附近同亚马孙河汇合。河道曲折穿过原始热带雨林，仅岸旁有少量伐林开垦地面。汽艇几可通达河源。

javelin　矛牙野猪　又作javelina。一种哺乳动物，西貒的别名。参阅**peccary**。

javelin throw　掷标枪　田径运动项目。用标枪比赛掷远，原是古希腊奥林匹克竞技会五项全能运动之一。在现代国际比赛中，男子标枪为木杆或金属杆，有金属尖头，按照国际田联规定的详细规格制作。全长不少于260厘米，重量不少于800克。女子标枪较短而轻，最短者长220厘米，重600克。运动员先经过一段助跑，然后从肩部上方将标枪掷向前方，标枪必须落在标出的29°角的扇形地区内，枪尖必须先着地。投标枪之前，不得转体360°。不得踏上或越过助跑道末端的起掷线。参阅**Sporting Record**：Athletics；并参阅**Olympic Games**。

Javorníky　亚沃尔尼基山　捷克共和国山地。在喀尔巴阡山脉西部边缘，为摩拉维亚（捷克共和国）和斯洛伐克边界的一部分。亚沃尔尼基山群峰所形成的山脊，将北和西边的贝奇瓦-奥得河系与东边的瓦赫河分开。气候和高度适于养羊，冬季运动盛行于全山区。

jaw　颌　构成脊椎动物口部框架的成对的骨，通常带有牙齿，包括一个可移动的下颌和固定的上颌。下颌作离开及接近上颌的运动，从而完成咬，咀嚼和处理食物的功能。下颌骨体呈水平位，弓形；有牙槽，牙齿嵌入其中；又包含神经和血管。下颌骨体的后部向上延伸，成为垂直的支，支的后上缘为关节突，一对关节突与一对颞骨的下颌关节窝构成下颌关节，分别位于头的两侧。下颌支也为许多主要的咀嚼肌提供附着点。下颌体的前端中央加厚突出，形成颏，颏仅见于人类及其某些最近的祖先类型；类人猿和其他动物均无颏。上颌骨在内侧以额突与鼻骨紧密相连；其上面与额骨，泪骨，筛骨和颧骨构成眶下壁；在口腔顶部与腭骨和蝶骨相连；在侧面其颧突与颧骨相连，构成颧弓的前部。上颌骨前面向下突出成牙槽突，上颌的牙包容于牙槽突的牙槽内。上颌骨体内的腔洞为上颌窦。人类胎儿及幼儿的上颌骨和下颌骨都是两块骨，出生后数月才在中线处愈合成一块。

在无脊椎动物，节肢动物常有功能如颚的变化的附肢。螯肢亚门（Chelicerata）坚殖腺类和蛛形类的螯肢功能如颚，并得到须肢（也是变化的附肢）之助。颚肢亚门（Mandibulata）包括甲壳动物，昆虫和多足类，其颚肢构成大颚、小颚等，这些附肢可变形以适应其他目的，尤其是昆虫。鲎（可能还包括已灭绝的三叶虫）能用步足基部的齿状突起（颚基）咀嚼食物。无脊椎动物其他重要的颚结构有：轮虫咽部有咀嚼囊；多毛纲环节动物的吻上有颚；海蛇尾有5片三角形的口颚；颚蛭目（Gnathobdellida）种类的咽部具3个颚板；头足类有坚强，角质，鹦鹉嘴状的喙。

Jawa（Indonesia）　参阅**Java**爪哇。

Jawa Barat　西爪哇　英语作West Java。印度尼西亚爪哇岛西部省份。东面与中爪哇省接壤，南临印度洋，北濒爪哇海，西北邻雅加达拉亚。首府万隆。2000年，该省西部分设出新的省份万丹，首府西冷。境内有一系列高耸的活火山和死火山，包括从西到东的桑加布瓦纳山（1 919米）、格德山（2 958.1米）、庞朗奥山（3 019米）和泽雷梅火山（3 077.8米）。这些火山聚集在一起形成海拔约300米的普里昂岸高原。高原沿着南海岸伸展160千米，邻接一片狭窄的沿海低地。北海岸是一片较宽的沿海冲积平原，土壤由熔岩和火山灰风化而成，十分肥沃，为全省人口密集区。北部沿海低地属马努克、勿加泗和伯兰河流域，流入爪哇海；南部沿海低地属武兰、拉基、萨德阿和勒图河流域，注入印度洋。低地森林已砍伐殆尽，仅剩下耕地、小块草地、村旁小林地和稀疏树木。山岭和高地生长着浓密的热带雨林（柚木、娑罗双树、桉树、杜鹃花、桧树、榕树、栎木、桦树、枫树和铁木）。经济以农业为主，大片耕地都得到灌溉，每年有两次收成。种植水稻、甘蔗、玉米、木薯、花生，从金鸡纳树皮中提取奎宁；在海拔90～460米的地方种植橡胶树。工业有纺织、食品加工、木雕与家具、造纸、鞣革、印刷、化工、皮革机械、金属制品及运输设备生产等部门。公路和铁路把省会万隆和苏加武眉、茂物、西冷、雅加达和井里汶连接起来。爪哇人是最大的民族，其次是巽他人和巴杜伊人，他们几乎全部是穆斯林。面积：西爪哇34 945平方千米；万丹8 232平方千米。人口：西爪哇35 729 537；万丹8 098 780（2000）。

Jawa Tengah　中爪哇　英语作Central Java。印度尼西亚爪哇岛中部省份。北临爪哇海，南濒印度洋，面积34 594平方千米（包括爪哇海的卡里摩爪哇群岛）。中部为东西向的火山山链，火山峰包括士拉末火山（3 428米）、孙多罗火山（3 134.9米）、松宾火山（3 406.8米）和默巴布火山（3 150米）。火山峰群两侧是一列不相连的高地，向北和南逐步降低为山麓小丘和宽约30千米的沿海低地。博德里、西冷和卢里等河向北流入爪哇海；而瑟拉朱、博戈翁托、埃洛和普罗戈等河向南流入印度洋。丘陵地区生长着繁茂的木麻黄、柚木、松树、栎木、枫树和铁木，宽阔的山谷覆盖着棕榈、娑罗双树和露兜树等热带雨林，还有兰花、苔藓和蕨类植物。经济以农业为主，出产稻米、烟叶、甘蔗、玉米、橡胶、茶叶、咖啡、金鸡纳树皮、甘薯、水果和蔬菜。工业产品为纺织品、陶瓷制品、鞋类、轮胎、电灯泡、加工食品、饮料、非金属矿产品，运输设备和纸张，还有印刷、造船和汽车装配等工业。公路和铁路沿北部和南部海岸平行伸展，连接省会三宝垄以及直葛、北加浪岸、马格朗和苏拉卡尔塔等城。信仰伊斯兰教的爪哇人和巽他人是主要的民族，同时也有很多印度人和华人。古代文化和历史遗迹包括早期的佛教和印度教的寺院、窣堵波、庙宇和圣所，都在卡拉桑、迪延、婆罗和门杜特等地。人口约29 653 266（1995）。

Jawa Timur　东爪哇　英语作East Java。印度尼西亚爪哇岛东部省份。西与中爪哇省接壤，北临爪哇海，南临印度洋，东临巴厘海峡。面积47 921平方千米，并包括爪哇海中的马都拉、康厄安、萨普迪、拉斯、塞潘姜、巴韦安和大马萨伦博等岛屿。一系列的大火山锥，包括最高的阿朱纳山（海拔 3 339 米）自西向东纵向穿越东爪哇。火山锥高地地带交通阻塞，几乎每隔 30 ～ 50 千米就有一个宽阔山谷，大部分覆盖着火山岩屑，把火山峰隔开。苏拉卡尔塔、茉莉芬、谏义里和玛琅等盆地的土壤因不断得到熔岩和火山灰的补充而十分肥沃，因而这些土地得到精耕细作，人口稠密。不相连的一系列高原位于火山带南侧，沿着海岸伸展 160 多千米至较干旱的东部，土壤逐渐变得贫瘠。北侧有北卡普尔山（石灰石高地）向东伸展直到马杜拉岛，与该省非常肥沃的北部沿海平原差别悬殊。断层和褶皱使得大部分河流注入爪哇海内海。梭罗河和布兰塔斯河流域的盆地一直伸展至南部高地。其他主要河流包括巴鲁、普格尔、茉莉芬、格嫩和桑佩安等河。高地（除了东部边缘）和山谷斜坡覆盖着柚木、乌檀、儿茶、松树、栎木、枫树和铁木。河流盆地边缘生长着浓密的竹子和灌木丛，沿海低地间有木麻黄和草本植物。居民主要从事农业。梯田山坡上种植水稻；非梯田山坡和沿海低地种植茶、咖啡、橡胶、玉米、香料、烟草、甘蔗、椰子、木薯和天然纤维；高地种植木棉和金鸡纳树。工业项目有造船、汽车装配、纺织、金属加工、炼油、机械、玻璃、化工、制革、橡胶、运输设备生产、造纸、食品饮料加工等。一座炼油厂设在沃诺克罗莫，一座化学肥料厂设在锦石。公路网和铁路网连接省会泗水、岩望、惹班、谏义里、勿里达和玛琅。近海的马杜拉岛有一条铁路与南海岸的西半部平行，并有一个公路网。爪哇人和马杜拉人是主要的民族，都是穆斯林。也有大量巴厘人、印度人和华人。早期的印度教徒和佛教徒的浴场、穴居隐士住处以及寺庙和神像座落在贾拉通达、谏义里、巴拉汉、贾戈、辛俄萨里、帕纳塔兰、苏拉瓦纳、特拉武隆和珀南贡安山。人口约 33 844 002（1995）。

Jawara, Sir Dawda Kairaba　贾瓦拉（1924-05-16，冈比亚麦卡锡岛伯赖雅利～　　）政治人物、兽医，1962 ～ 1970 年任冈比亚总理，1970 年起任冈比亚总统，1994 年被推翻。商人之子，在卫理公会的男子学校上学。后在苏格兰格拉斯哥大学学兽医学，1953 年获得兽医资格。回到冈比亚后，于 1957 年任这一英国殖民地的首席兽医官。对政治发生兴趣，于 1959 年加入保护地人民党。他将该党名称改为人民进步党，并任党的领袖。在 1960 年的选举中，他在冈比亚的立法机构中赢得了一个席位，被任命为政府教育部长。1961 年英国政府选择一位与他竞争的冈比亚领导人任冈比亚临时总理，以准备举行新的选举，他遂辞去部长职务。人民进步党在 1962 年的大选中获得胜利，贾瓦拉成为冈比亚总理。3 年后，领导他的国家从英国统治下获得独立。在他的领导下，冈比亚这个小国成为非洲少数几个获得成功的议会制民主国家之一。1965 年独立后，贾瓦拉的执政的人民进步党在完全自由的情况下连续 6 次赢得选举的胜利（1966、1972、1977、1982、1987、1992）。1970 年通过了一部共和政体的宪法以取代在英国国王管辖下的君主政体，从这一年起任总统。1966 年受封为爵士。1981 年在一次得到邻国塞内加尔支持的未遂政变中幸免于难。冈比亚于 1981 ～ 1989 年加入了塞内冈比亚联邦。1994 年 7 月他在一次军事政变中被推翻。

Jawf, al-　焦夫　沙特阿拉伯北部城镇和绿洲名。位于内夫得沙漠北缘，锡尔汉谷地附近。过去被认为是杰拜勒舍迈尔地区的一部分，现在绿洲在汉志的北部区域之内。长期为叙利亚沙漠和阿拉伯半岛之间商路的重要中途站。地区农业中心，产椰枣、谷类、水果、蔬菜。

Jawf, al-　焦夫　又拼 al-Jauf。也门西部的绿洲地区。与阿拉伯半岛的鲁卜哈利大沙漠最西南部毗连。间歇河焦夫河源出也门高原山区，流经该地区。当地为南阿拉伯最古老王国之一马因国（约公元前 1000 年～前 2 世纪）的中心，土地肥沃，人口稠密，有许多城镇。公元 9 世纪也门被阿拔斯王朝征服后，也门文化中心西移，该地区遂被忽视。现在人烟稀少，仅有些游牧部落。主要经济活动为饲养骆驼和放牧绵羊、山羊。当地一度曾以饲养纯种阿拉伯马闻名于世。

Jawlensky, Alexey von　亚夫伦斯基（1864-03-13，俄国托尔约克～ 1941-03-15，德国威斯巴登）　俄国画家，以表现派肖像画和他后期抽象面容画的神秘情调而闻名。1889年亚夫

亚夫伦斯基绘《少女肖像》（1909）
美国不列颠百科全书公司供图

伦斯基放弃了在俄国皇家卫队的职务向俄国历史画家 I.列宾学画。1896 年，他不再迷恋现实主义，迁居慕尼黑，结识了表现派画家 W.康定斯基，并对他产生了毕生的影响。1905 年在法国时与野兽派画家 H.马蒂斯一起作画，他的作品进一步受到马蒂斯的生气勃勃的平涂色块的影响。回慕尼黑后，参加了表现派美术家们的松散组织新美术家协会（NKV）。但是他更同情从新美术家协会分裂出来的康定斯基领导的“青骑士”团体。他与青骑士的交往导致他创作出如《图伦多夫人》（1912）等作品。在画上他用简略粗壮的轮廓线在生气勃勃的野兽派平涂的色块上进行勾勒产生丰富大胆的色彩调和。在第一次世界大战期间，他以从窗口看到的景色为题材创作了《变化》组画，画面呈现一种新的宁静，这种沉思的意境终于演变成他自 1917 年开始创作的半抽象面容。亚夫伦斯基是一位虔诚的人，他使这些正面的面孔上充满强烈的神秘感，如《透过夜幕》（1923），画中的面容可与俄国东正教堂的圣像媲美。1924 年，亚夫伦斯基与康定斯基、P.克利和 L.法宁格成立了一个为期不长的《蓝色四人社》，和他们一起展出作品几年，但到 20 世纪 30 年代因患关节炎致残被迫放弃绘画。

jawless fish　无颌鱼　许多似鱼而无颌的原始脊椎动物的统称，组成无颌纲（Agnatha）。包括七鳃鳗、盲鳗以及一些已绝灭的类群。参阅 **hagfish；lamprey**。

Jaworski, Leon　贾瓦斯基（1905-09-19，美国得克萨斯韦科～ 1982-12-09，得克萨斯温伯利）　美国律师，1973 年 11 月 5 日因任“水门事件”特别检察官而闻名全国。他说服美国最高法院要求 R.尼克松总统接受传讯，并交出 64 盘白宫录音带作为物证：这是涉及美国宪法的一件大事。放送录音带结果使美国参议院确认尼克松长期卷入掩盖争取总统连任委员会人员潜入民主党全国总部的行为，从而导致尼克松的辞职。贾瓦斯基的父亲是波兰移民，母亲是奥地利移民。他 15 岁中学毕业后获得贝勒大学奖学金，1925 年取得该校法律学学位。同年成为得克萨斯历史上最年轻的律师，并在以后多年声誉卓著。1945 ～ 1946 年作为检察官参加对纳粹战犯的纽伦堡审判。他果敢担任水门事件的特别检察官，对尼克松进行彻底查究，是他事业的高峰，但他决定对尼克松不予起诉曾引起公众和白宫一些官员的强烈不满。1974 年 10 月 25 日他辞去特别检察官职务，并在历史性的“美国诉尼克松”案以后不再为任何法庭案件辩护。但他于 1977 ～ 1978 年在众议院调查所谓“韩国门”贿赂丑闻时任政府的法律顾问。

Jaworzno　亚沃日诺　波兰中南部西里西亚省城市。18 世纪在其附近发现丰富锌、铅及煤矿时设立。是重要采煤中心和工业城市，有些大型化工厂和几座大型发电站，还有一座陶瓷窑和水泥厂。人口约 96 826（2002）。

jaw's harp　参阅 **Jew's harp** 单簧口琴。

jay　松鸦　雀形目鸦科鸟类，约35～40种，栖居林地，其仪态显得鲁莽和喧闹。多见于新大陆，但有数种见于欧亚大陆。多为杂食性，有几种窃食鸟卵，许多种会贮藏过冬吃的种子和坚果。在树上用细枝筑杯状巢。多数种在繁殖期后群居。蓝松鸦（冠蓝鸦，*Cyanocitta cristata*）长 30 厘米，羽色蓝白相间，颈部有一条狭窄的黑色条纹；见于北美落基山脉以东；斯特勒氏松鸦（斯特勒氏蓝鸦，*C. stelleri*）分布于落基山脉以西，深蓝色，冠黑

蓝松鸦（*Cyanocitta cristata*）
美国不列颠百科全书公司供图

色。灌丛松鸦（*Aphelocoma coerulescens*）遍布北美西部和佛罗里达，当地称“蓝松鸦”，但无冠，也是羽色鲜艳而数量多的种类。欧亚大陆的欧亚松鸦（松鸦，*Garrulus glandarius*）分布于旧大陆的大部分地区（非洲的撒哈拉以南地区除外）；长 33 厘米，粉红褐色，肩有蓝色和黑色横斑，腰白色，翅有白色块斑。热带美洲有多种色彩鲜艳的松鸦，如绿松鸦（绿色蓝鸦，*Cyanocorax*［或 *Xanthoura*］*yncas*）。关于亚洲南部的佛法僧鸟“blue jay”，参阅 **roller**。

Jay, John　杰伊（1745-12-12，纽约市～1829-05-17，美国纽约贝德福德）　美国的缔造者之一，在法律和外交方面均曾作出贡献。1789～1795年为最高法院第一任首席法官，

耶鲁大学供图

他制定了重要的司法判例。1794 年议订《杰伊条约》，消除了与英国的宿怨，促进了贸易的繁荣。原为纽约著名律师，他为殖民地与英国之间的不和深感不安，害怕独立将导致暴力和暴民政治。但是，在革命爆发后，他坚决支持革命。他是在费城召开的第一届大陆会议（1774）的代表，曾起草《告大不列颠人民书》。他力促纽约通过《独立宣言》（1776）。1777 年协助起草纽约第一部宪法，并当选为纽约州第一任首席法官。1778 年当选为大陆会议主席。1789 年被华盛顿总统任命为美国第一任首席法官后，他致力于制订最高法院诉讼程序。最著名的案例为“奇泽姆诉佐治亚州案”，他维护了州政府应服从联邦政府的判决。1794 年以特使身份赴英谈判防止重开战端并签订贸易协定（又称《杰伊条约》）。这一条约引起杰斐逊共和党人的强烈不满，被斥为“亲英联邦党人的出卖行为”。群众焚烧杰伊的模拟像，称他为“叛徒”。因此，他继华盛顿成为总统的可能性（赴英前呼声颇高）已化为乌有。但是，纽约州联邦党人选举他为纽约州长（1795 ～ 1801），任满退隐庄园，度过 27 年平静的生活。

jay-thrush（bird）　　参阅 **laughing thrush** 噪鹕。

Jay Treaty　《杰伊条约》（1794-11-19）　缓和美英对抗，并有利于美国建立健全的国民经济和保证其商业繁荣的协议。美国联邦党领袖因担心英美之间的龃龉将导致战争而举行谈判。条约由英国外交大臣格伦维尔勋爵和美国最高法院首席法官和特使 J. 杰伊在伦敦签署。依约，英国同意于 1796 年 6 月 1 日前撤出美国西北地区，赔偿被劫掠的美国船只的损失，撤销对美国贸易的歧视，同意美国在英国和英属东印度群岛享有贸易优惠。条约并宣布密西西比河向两国开放，禁止在美国港口装备仇英的私掠船，美方同意偿还独立战争前欠付英国商人的债务，双方同意成立联合委员会以确定美国和英属北美在西北和东北部的疆界。条约除有关西印度群岛的贸易条款外，至 1796 年 2 月已获两国批准。但是法国（当时正与英国交战）认为，这项条约违反了 1778 年的法美通商条约，迁怒于美国，以致法美两国在 1798 ～ 1800 年处于不宣而战的海战状态。根据《杰伊条约》成立的委员会积极推行并信守仲裁原则，所以人们普遍认为，近代国际仲裁是从《杰伊条约》批准之日开始的。

Jaya, Mount　查亚峰　前称苏加诺（卡斯藤士）峰。印度尼西亚伊里安查亚省内山峰，为新几内亚岛最高峰，属于苏迪曼山脉，在岛的中央高原西部，其中恩加帕卢（5 030 米）是西南太平洋的最高点，也是世界上岛屿中的最高点。1909 年荷兰人 H. A. 洛伦兹最早抵达查亚山的雪原。1962 年奥地利登山者 H. 哈雷尔曾率领一支探险队攀登上峰顶。

Jayadeva　胜天（活动时期12世纪后期，印度孟加拉）　著名梵文诗《牧童歌》的作者。出生在根杜利村，是婆罗门薄耶吠陀的儿子，娶婆多摩伐蒂为妻。他在纳瓦沙德威普国国王罗什曼那森纳（约 1178 ～约 1205 在位）宫中供职。《牧童歌》描写大神牧童黑天与他最宠爱的牧女罗陀之间的爱情，以戏剧形式叙述两人初恋、渐疏、相思、终而在女友的撮合下旧情重温。

Jayapura　查亚普拉　又拼 Djajapura，旧称苏加诺城或荷兰城。印度尼西亚东部巴布亚省省会。位于新几内亚岛北岸。是约斯·苏达索湾（洪堡湾）的港口。第二次世界大战时，日本人曾在此建立空军基地。1944 年被美国军队占领，曾为麦克阿瑟将军的司令部驻地。工业产品有家具、纺织品、饮料、化学制品和运输设备等。人口 155 548（2000）。

Jayavarman Ⅱ　阇耶跋摩二世（约 770 ～ 850，柬埔寨哈里哈罗拉耶）　高棉（即柬埔寨）帝国的创建者，吴哥时期（802 ～ 1431）一系列统治者中的杰出人物。他的成就包括神化柬埔寨君主，创立提伐罗阇教为国教，统一古真腊王国，并扩展为高棉帝国。阇耶跋摩二世可能是高棉人的后裔，被俘或放逐到爪哇。800 年前后作为爪哇的附庸登上高棉的王位。但他不甘心当傀儡，802 年使高棉获得独立地位。他最初在湄公河畔的因阇那补罗建都；不久北迁，在今暹粒省东南的哈里哈罗拉耶建都；此后又在洞里萨湖北岸的摩醯因陀罗巴跋他建都；最后将首都迁至吴哥。此后 600 年吴哥一直是高棉帝国的都城。

Jayavarman Ⅶ　阇耶跋摩七世（约1120或 1125 ～约 1215 或 1219）　吴哥高棉（柬埔寨）帝国最强有力、最有建树的国王（1181 ～约 1215在位）。出生于吴哥皇室，与笃信佛教而

12 世纪的阇耶跋摩七世沙岩雕像
美国不列颠百科全书公司供图

且意志坚强的公主阇耶拉嘉黛维结婚。不论在他即位以前还是在他执政初期，这位公主对他都发生过重大影响。我们对阇耶跋摩的童年和少年时代几乎一无所知。可以肯定的是，他 40 岁左右住在邻国占婆。父王逝世时，阇耶跋摩正在占婆参加一次战役。他的兄弟亚索跋摩二世即王位后，他仍然留在占婆。直到听说国内发生宫廷政变，他才返回柬埔寨。他到吴哥为时已晚，亚索跋摩已经被杀，叛臣特里呼伐那迪耶跋摩篡夺了王位。于是他决定留在祖国，伺机夺回王位。12 年后，当阇耶跋摩已经接近 60 岁时，占人侵入柬埔寨，推翻了特里呼伐那迪耶跋摩的统治。吴哥遭受劫掠，臣民沦为亡国奴。在这种情况下，阇耶跋摩起来组织恢复祖国独立的斗争。在不到 5 年的时间里，他就赶走侵略者，打败所有的国内政敌。1181 年，61 岁的阇耶跋摩成为高棉国王，在位 30 余年。他一方面继续进兵征伐占婆、老挝南部、马来半岛的一些地方以及缅甸，一方面大兴土木，建造大批新的佛寺。他还重建吴哥城（今吴哥通王城），扩展公路网，并沿着公路营造 100 多处客栈和 100 多所医院。90 余岁时去世。

Jayawijaya Mountains　查亚维查亚山　前称奥兰治山脉。印度尼西亚伊里安查亚省中

部高地的一部分,系毛克山脉的东段。该山脉从苏迪曼山脉向东伸展 370 千米,到达斯塔山脉,与新几内亚岛的澳大利亚管辖部分接壤。山脉最高点威廉敏娜峰,海拔 4 728 米。

Jayewardene, J.R. 贾亚瓦德纳(1906-09-17,锡兰科伦坡[今斯里兰卡]～1996-11-01,斯里兰卡科伦坡) 律师和政府官员,1978～1989 年任斯里兰卡总统。最高法院法官之子,1932 年毕业于科伦坡锡兰法律学院,操律师业至 1943 年。加入锡兰国民大会党,1943 年当选为国务议会议员。1948 年锡兰摆脱英国统治获得独立,贾亚瓦德纳任独立后温和的统一国民党(UNP)政府的财政部长,为该党仅次于 D.S.森纳那亚克、随后仅次于其子杜德莱·森纳那亚克的第 2 位领导人。历任财政部长(1948～1953,1960)、粮食和农业部长(1953～1956)、国务部长(1965～1970)等要职。小森纳那亚克于 1973 年去世后,贾亚瓦德纳随即任统一国民党领袖,1977 年领导该党在大选中大获全胜。

贾亚瓦德纳在担任总理期间修改宪法,在斯里兰卡建立拥有行政权力的(不是礼仪上的)总统制,并于 1978 年任第一位由选举产生的总统。作为总统,他改变国家的社会主义发展趋势,大幅度精简政府官僚机构,并采取在科伦坡以北建立自由贸易区等措施使私营企业重新获得活力。1982 年再度当选为任期 6 年的总统。在这期间,贾亚瓦德纳却未能对斯里兰卡僧伽罗佛教徒多数与印度教泰米尔少数之间酝酿已久的敌对状态予以足够的重视。80 年代初期,几个泰米尔组织发起暴动,展开游击战,以支持他们成立一个单独的泰米尔国家的要求。贾亚瓦德纳反对泰米尔分裂主义,使用武力和谈判两手以期平息暴动,未能成功。1989 年在其第 2 个总统任期结束时退休。

Jazā'ir, al-(city, Algeria) 参阅 **Algiers 阿尔及尔**。

Jazeera, Al- 半岛电视台 阿拉伯语有线新闻电视网,卡塔尔的埃米尔于 1996 年创办。1999 年开始从卡塔尔的多哈及全世界的分部连续播送节目。节目有新闻、访谈节目和教育节目,它的编辑自由在中东地区是独一无二的。贬损该电视台的人士坚持认为它是大声痛斥而不是提供信息,它的广播时常被其他阿拉伯国家封杀。赞成人士则认为它是该地区唯一的自由新闻形式,它给阿拉伯观众播出的都是官方媒体不提供的新闻。

Jazīrah, al- 杰济拉 美索不达米亚北部地区,在古代和中世纪为连结伊拉克、安纳托利亚、叙利亚、亚美尼亚和伊朗的十字路口,具有重要地位。以其农、工业产品和商业活动受到重视。公元初,幼发拉底河和底格里斯河沿岸就已有许多城镇和集市,那时,杰济拉分属拜占廷帝国和波斯帝国。9 世纪末获得半自主权,以埃及的图伦人为宗主,但在 892 年被阿拔斯王朝重新占领。10 世纪时,先后由摩苏尔的哈姆丹王朝(905～991)以及其他几个独立王朝统治。一度受塞尔柱帝国统治(1085～1092)。此后,杰济拉曾谋求独立。1637 年最终并入奥斯曼帝国。1918 年奥斯曼帝国解体后,分属叙利亚和伊拉克。杰济拉现为伊拉克北部底格里斯河与幼发拉底河之间未经开垦的沙漠,几乎全部被饲养骆驼和绵羊的游牧部落占据。

Jazīrah, al- 杰济拉省 又拼 El-Gezira。苏丹中部偏东地区。青尼罗河在省境南部先后与丁德尔河和拉海德河汇合。平原黏土土壤不透水,居民点与灌溉仅限于河边。从青尼罗省的森纳尔和鲁赛里斯两个水库通过总长达4 300千米的渠道网引水灌溉。东部雨量较多,为稀树热带大草原。在历史上青尼罗河是通往亚洲的商道,也是埃及公元前 1550 年左右侵略的路径。居民大多务农。农作物有棉花、谷物、油籽、花生、小麦、芝麻、高粱、黍类和蔬菜。工业有轧棉、芝麻和花生榨油、卷烟、制革、肥皂和食品加工等。省会沃德迈达尼通公路和铁路,有一水力发电厂。大多数居民为阿拉伯人,操阿拉伯语。努巴人是唯一的少数民族。

杰济拉平原上的灌溉棉田
《黑星》杂志社供图

Jazīrat aṭ-Ṭawīlah(Iran) **泰维莱岛** 参阅 Qeshm 格什姆岛。

jazz 爵士乐 音乐形式。常为即兴性,由美国黑人发展而成,同时受到欧洲和声结构和非洲复杂节奏的影响。常采用布鲁斯音和讲话的语调,这是它的另一特点。爵士乐问世的确切时间虽不得而知,但是早在 1835 年就已有种植园铜管乐队,而黑脸歌唱团在 19 世纪 40 年代也已在巡回演出。形成于 90 年代的切分式音乐"雷格泰姆"被认为是爵士乐的先导。S.乔普林等人创作的钢琴"雷格"红极一时(J.P.约翰逊和胖子沃勒等钢琴家的"左手跨越弹奏法"是雷格泰姆后来在东海岸的发展)。最早的爵士乐队风格形成于新奥尔良。从 19 世纪 90 年代末始,查尔斯"老兄"博尔登的乐队据说曾在演奏雷格泰姆时加了即兴的装饰,至世纪之交许多新奥尔良乐队均以集体即兴风格演奏。白人的迪克西兰爵士乐队也起而效之,这是第一个进行录音的乐队(1917)。20 世纪 20 年代初的主要演奏小组包括"新奥尔良节奏王"、"杰利·罗尔·莫顿"和"金·奥利弗"等乐队,它们的高度对位性的音乐比雷格泰姆更为流畅,其中包含的即兴独奏在 L. 阿姆斯特朗和其他一些人的演奏中导致形成 20 年代后期的芝加哥风格。于是出现了更大型的合奏团,往往还采用写好的配器。由 F.亨德森、P.怀特曼、J.伦斯福德和 B.莫顿领导的小组发展了摇摆乐,以匀称的节奏和乐队各分组的对比音响为特征。摇摆乐在巴锡"伯爵"、B.古德曼、A.肖和多尔西兄弟等乐队的音乐中达到顶峰。通过 A.塔特姆(钢琴)、R.埃尔德里奇(小号)和 L.扬(次中音萨克斯管)等人的活动,即兴的独唱变得更为重要,B.霍利戴脱颖而出,被公认为是爵士乐史中最伟大的歌手。晚期摇摆乐音乐家中最重要的人物之一是埃林顿"公爵";他像新奥尔良风格中的莫顿一样,将他的乐师们根据他的独创主题而作的即兴演奏定型为色彩绚丽、细致平衡的作品。比博普(或称博普)是战后的第一种主要风格。它的主要开发者是 C.帕克(中音萨克斯管)和 J.B.吉莱斯皮(小号)。他们的即兴演奏中和弦变化多端,重音难以预料,交叉节奏错综复杂,赋于音乐以新的紧张度。"冷静爵士乐"源出于扬的音乐,在一定程度上可说是对比博普的一种反动。比博普以后的其他发展还有 L.特里斯泰诺(钢琴)、现代爵士四重奏、G.埃文斯、M.戴维斯(小号)和西海岸乐派的音乐。还有一种称为"硬比博普"的音乐中比较强调布鲁斯,并给鼓以更突出的地位。戴维斯在其录音《有几分布鲁斯》(1959)中创用了调式爵士乐。O.科尔曼(中音萨克斯管)、J.科尔特兰等人在其演奏中培育一种新的感情强度,摒弃传统的爵士乐和声与旋律而喜欢尖叫、呜咽以及飞腾的音串,衬以不规则的但充满节奏活力的伴奏。在摆脱欧洲影响的同时,爵士乐与其他文化的音乐融合起来,特别是印度和阿拉伯世界的音乐。20 世纪 70 年代的一个相反的倾向是采用摇滚乐的手法,特别是节奏手法。这就引导爵士音乐家们去进行电子乐器的试验。另一种倾向是旋律乐器的无伴奏即兴演奏。60 年代的"自由爵士乐"传统由钢琴家 C.泰勒和芝加哥艺术团等演出小组继承下去。在 20 世纪末,爵士乐的未来发展方向仍然不明确。爵士乐的特点不在于演奏的音乐内容,而在于对音乐的演奏方式。

jazz dance 爵士舞 由形式繁多的爵士音乐伴奏的舞蹈总称。爵士乐从美国黑人社会中兴起、传播,又在摇摆舞年代(20 世纪 30、40 年代)在舞厅中经著名乐队演奏而流行,同时产生了爵士舞。这种舞蹈根本改变了 20 世纪美国和欧洲舞台舞蹈和交际舞的风格。爵士舞有时狭义的指舞台流行舞蹈(踢踏舞除外)和由爵士舞演变而来或受爵士舞影响的现代舞。它不包括无爵士乐伴奏的交际舞,如伦巴舞和其他拉丁美洲舞蹈。19 世纪和 20 世纪的舞台舞蹈,加上传统的黑人交际舞及其在白人舞厅中的支派,经过发展,形成爵士舞。19 世纪的江湖艺人,在舞台上糅合了爱尔兰的吉格舞、英格兰的木鞋舞、非洲的节奏性跺脚而成了踢踏舞。踢踏舞和交际舞(如步态舞和曳步舞)成为流行的轻歌舞表演,出现在百老汇的轻歌舞剧和音乐喜剧中,代替了 20 世纪初的轻歌舞。此外,以爵士音乐节奏伴演的喜剧、专门节目和性格舞蹈成为标准的舞台节目。到了 40 年代,爵士舞成分已出现在现代舞蹈和电影舞蹈表演中。虽然某些交际舞通过舞台而得以流行，但仍有多种主要通过社交场合才得到发展传播。交际形式的爵士舞是从农村的黑奴舞蹈发展而来。这些早期舞蹈和20世纪的爵士舞中，一些舞蹈的成分和动作都有明显的连续性。19世纪末的鹰摇滚舞、慢曳舞以及查尔斯顿舞和吉特巴舞都和加勒比地区和非洲的舞蹈有某种共同之处。1900年前后，步态舞通过舞台表演得到普及，在欧美的舞厅中风靡一时。其后出现了其他的社交舞如查尔斯顿(20年代)、吉特巴舞(30、40年代)、扭摆舞(60年代)和迪斯科。有些交际舞，如狐步舞，吸收了欧洲的舞步，再配以爵士节奏。黑人音乐由于无线电、电视、录音等的发展而得以流行于广大听众中，更有助于这些交际舞的传播。近年来也有人将芭蕾舞和爵士舞糅合为一体，这导致了如加拿大的芭蕾爵士舞团这类舞团的成立。M.和J.斯特恩斯所著《爵士舞》(1968)叙述了爵士舞的发展史。

jazz poetry　爵士乐诗　指在爵士乐伴奏下进行朗诵的诗歌。这些诗的作者力求在诗作中仿效音乐的节奏和自由。这种风格的先驱包括V. 林塞和L.休斯的诗。后期致力于将诗歌 和音乐两种形式结合在一起的诗人有K. 帕琛、K.雷克斯罗特、A. 巴拉卡和C.洛格，以及参加避世运动的多位诗人。

jazz-rock　爵士摇滚乐　又称fusion(意为“融合”)。20世纪70年代开始流行的一种爵士乐。其中的现代爵士乐即兴独奏伴之以几条低音线条、多种击鼓方式和强调电子乐器和舞蹈节奏的摇滚乐配器。自从摇摆爵士乐时代在40年代中期结束以后，爵士摇滚风格的音乐赢得了最广泛的爵士乐听众。像摇摆乐时期的大乐队一样，那些表现出最少即兴演奏成分的爵士摇滚乐小组逐渐获得最多的赞赏。这种音乐又称为“跨线”，意即它从爵士乐市场跨线进入流行音乐市场出售。爵士摇滚乐创造了新的音乐语言，一部分来自J.科尔特兰，另一些则来自现代音乐会曲目和摇滚音乐。

Jean DE MEUN　让·德·默恩(约1240，法国卢瓦尔河畔默恩～1305年前)　法国诗人。以续写隐喻诗《玫瑰传奇》(**Roman de la rose**)闻名。该诗按典雅爱情传统写成，1230年前后由纪尧姆·德·洛里开始写。德·默恩的原名为克洛皮耐尔(或肖皮耐尔)，但以出生地的名字而闻名。似乎在巴黎有住所，并可能是巴黎和奥尔良之间的博斯平原地区的领班神父。他的作品显示了一个世风淫靡时代的人格，性喜揶揄，为人粗野，但对时弊却无所畏惧，敢于直言。他坚决反对男女平等，对教会罪恶的苛评招致强烈的怨恨。他利用《玫瑰传奇》(约1280)的情节来传授有关各种题材的大量百科性知识和见解，这些题材可能使他的同时代人，尤其是地位日渐重要的市民阶级感兴趣。他不大重视隐喻，著名的《自然的“自供”》(诗中的一章)离题竟达3 500行，但这种题外话却使该诗获得荣誉和成功。将近一个世纪以后，乔叟译述了该诗的一部分。有的学者认为，该诗在俗语方面对他的作品的影响超过其它法国或意大利的诗歌。

Jean LE BEL　让·勒贝尔(约1290，佛兰德[今在比利时]～1370-02-15，下洛林列日)　中世纪佛兰芒编年史家的先驱，首先放弃拉丁文而用法文写作。勒贝尔为博蒙特伯爵让的随从卫士，与伯爵一起于1327年来到英格兰和苏格兰。他应爱德华三世的请求，记录了这位国王当政时期的重大事件，题为《大事记》。后退隐列日。他的著作在1861年前仅以片断流行于世，直至1863年才出版了全集。让作为编年史家以生花妙笔准确地记述了当时的见闻。他是以采访作为阐述史实的基础的第一人。

Jean de Paris　让·德巴黎　参阅**Perréal，Jean**佩雷阿尔。

Jean Paul　让·保尔(1763-03-21，拜罗伊特侯国[德国]文西德尔～1825-11-14，巴伐利亚拜罗伊特)　约翰·保尔·弗里德里希·里希特尔的笔名。德国小说家。其笔名反映出他对法国作家让-雅克·卢梭的崇敬。他的作品标志着魏玛古典派的形式理想过渡到早期浪漫派的直觉先验论这一文学变迁。并且在19世纪初20年间广为流传。一位穷苦教师兼牧师的儿子。曾在莱比锡攻读神学。仿照J.斯威夫特风格写成的讽刺作品《魔鬼文件选读》(1789)等发表后未获成功，遂被迫任私人教师和小学教师以维持生计。《看不见的共济会》(2卷，1793)发表后开始崭露头角。《黑斯佩罗斯》(1795)一书是他的成名作。他第二阶段的创作特征是力图把喜剧讽刺和浓重的感伤情调融为一体。这一阶段的长篇小说《花卉、果品和荆棘画》(1796)，由于书中的主人公齐本开思意为“七块干酪”而家喻户晓。《昆图斯·菲克斯莱因的生平》(1796)及《巨神》(1800～1803)、未完成的《少不更事的年岁》(4卷，1804～1805)也是这一时期的作品，《巨神》则被作者认为是自己的经典杰作。第三阶段的长篇小说反映了他对古典主义和浪漫主义都感到幻灭的心情。但他的田园诗般的长篇小说始终以幽默见称，并常以诙谐笔调对待尴尬的处境。他最初作品中的刻意修饰的风格此时已成为他的第二天性。他的思维、谈吐和写作都富有机智。《卡岑贝尔格博士的温泉旅行》(1809)和《随军牧师施梅尔茨勒的旅行》(1809)，是他最后两部非常受人欢迎的长篇小说。1808年他从K.T.冯·达尔贝格亲王那里得到一笔年金，后由巴伐利亚政府发放，在经济上有了保障，继续写作长篇小说和有关教育和美学的论文。

Jeannel，René　让内尔(1879，法国图卢兹～1965，巴黎)　法国生物学家，以研究埋葬虫科的地下鞘翅目昆虫而闻名。曾到比利牛斯山脉和喀尔巴阡山脉的洞穴探险，发现当时未知的多种体小而光泽的圆形菌甲。在非洲作野外调查时，也对各种未研究过的地下昆虫作了鉴定。他的工作极大地促进了洞穴学的研究。他对生物地理学，特别是生物在法国的地理分布研究也有重大贡献。所著《陆地动物区系起源说》(1942)和《法兰西洞穴动物志》(1940)至今是这一研究领域的标准参考书。他熟悉法国及其邻近地区的动物区系，因而能开辟一个超等的动物园，并在巴黎自然博物馆展出极其多样的昆虫标本，1945～1951年任该馆馆长。

Jeanneret，Charles-Édouard(architect)　**让内雷**　参阅**Corbusier，Le**科比西埃。

Jeannin，Pierre　让南(约1540，法国勃艮第欧坦～1622，巴黎)　法国政治家，在法兰西内战(1598结束)之后的年代里成为亨利四世最有影响的顾问之一。1569年任勃艮第高等法院律师。他是天主教徒，支持洛林的查理反对纳瓦拉的亨利(即后来的法国国王亨利四世)，并且曾作为天主教联盟的特使前往西班牙(1591)。方丹-法兰西大捷(1595)以后，他转而效忠已于1589年成为法国国王并放弃了基督教新教信仰的亨利四世。作为国家法院成员，他在新政权的政治中起首要作用。亨利四世被刺(1610)后，他任摄政玛丽·德·美第奇的财政总监，直至1616年被革职。玛丽·德·美第奇失宠(1617)后，让南被重新召回政府。

jeans　紧士裤　又称蓝色牛仔裤，粗蓝斜纹布工装裤，坚固呢工装裤，或利维牛仔裤。19世纪中叶，由L.斯特劳斯公司首创于美国。作为耐穿的工作服，紧士裤的缝口处及其他受力点均用小的铜铆钉加固。这种工装裤很快就被广大美国工人穿用，后来流传世界各地。紧士裤也特指美国“西部”牛仔穿的一种标准服装。20世纪中叶以后，由这种式样演变而来的各种紧士裤成为国际上男女别具一格的服装。参阅**denim**。

Jeans，Sir James(Hopwood)　金斯(1877-09-11，伦敦～1946-09-16，英格兰萨里多金)　英国物理学家、数学家，最早提出物质在宇宙各处会不断被创生出来。在天文理论方面曾有不少创新，但闻名于世还是由于他的天文科普著作。曾任教于剑桥大学(1904～1905，1910～1912)和普林斯顿大学(1905～1909)。1923年，金斯成为美国加利福尼亚帕萨迪纳的威尔逊山天文台研究人员并在该台一直工作到1944年。1928年(即他被授予爵士的一年)提出物质不断创生理论。他的研究包括旋涡星云、恒星能源、双星和聚星、巨星和矮星。他还分析过快速旋转体在离心力作用下的解体并据此得出结论，拉普拉斯的星云说(认为太阳和行星是由同一气体星云凝聚而成的)不能成立。因此，他转而提出灾变说或潮汐说——一种最早由美国地质学家T.C.张伯伦提出的行星起源学说。按照这一理论，有一颗恒星险些与太阳相撞，在它掠过太阳时从太阳曳出的星体碎块凝聚而形成行星。他用数学研究热力学和热辐射等问题，并就辐射的其他方面进行著述。在他的许多科普著作中，最好的也许是：《我们周围的宇宙》(1929)和《跨越时间和空间》(1934)。他的重要专著有：《气体动力学》(1904)、《理论力学》(1906)、《电磁数学理论》(1908)以及《气体动理论导论》(1940)。

Jebavý, Václav 耶巴夫 参阅 **Březina, Otakar** 布热齐纳。

Jebb, John 杰布(1736-02-16,爱尔兰～1786-03-02,伦敦) 英国政治、宗教和社会改革家,拥护人道主义事业和宪政,远远走在他的时代的前面。都柏林三一学院和剑桥大学彼得豪斯学院毕业。1763年任圣职,此后在剑桥大学教数学。1768年开始教希腊文《新约全书》,发展唯一神教观点,引起争议。他在宗教上的不同观点随后扩大到包括反对强制牧师同意《三十九条信纲》和英国国教的礼拜仪式,支持理性宗教和宗教信仰自由。1775年放弃牧师生活后,学习医学,1777年获圣安德鲁斯大学医学博士学位和伦敦内科医师学会会员资格。他虽然在1779年被选入皇家学会,但由于政治观点过激,未能获准进入伦敦一家医院任职。在政治方面,杰布提倡的改革计划包括人民主权、无记名投票、平等的单一议员选区和议员的工资条件而不是财产条件。1779年开始为政治改革奔走,1780年加入威斯敏斯特委员会,并协助建立宪政情报协会。他是J.亚当斯和B.富兰克林的好友,反对《魁北克法》,支持美国独立战争;他还鼓励爱尔兰志愿军作出改革的努力。1783年创办基督教圣经促进会。著有《监狱的建造与特殊形式刍议》(1786)一书,表明他对监狱改革的关切。他也为在诽谤案中采用陪审团制、男女平等、剑桥大学的教育改革和世俗人员的医学教育而斗争。

Jebba 杰巴 尼日利亚西部夸拉州城镇。濒临尼日尔河南岸,为该河通航河段(885千米)的起点。居民以努佩人为主。其王国于16世纪初叶达到全盛。苏格兰探险家M.帕克曾到此,约于1806年在该镇以北的布萨急流中遇难。1886～1900年该镇为英国皇家尼日尔公司领地的北部边界。1898～1902年为西非前线军的司令部驻地。1900～1902年为北尼日利亚保护国的首都。1909年通拉各斯—伊巴丹和卡诺—巴罗两条铁路。现为贸易和交通中心。当地农牧产品有薯蓣、玉米、木薯、高粱、稻米、牛油果、牛和甘蔗。城内有制糖、棉纺和制陶传统手工业,亦有造纸厂。20世纪80年代初在此兴建水坝和发电站。20世纪70年代末建成有4条车道的公路桥,沟通南北公路干线。有医疗机构。人口约7 674(1972)。

Jebeil(Lebanon) **朱拜勒** 参阅 **Byblos** 比布鲁斯。

Jedburgh 杰德堡 苏格兰东南部罗克斯巴勒历史郡苏格兰边境行政区敕许自治市(城镇)。濒临杰德河,邻近英格兰边界16千米之内。9世纪时曾建有一教堂。1118年兴建一小隐修院,1147年扩建为大隐修院,后多次毁于战火,1913年归国家纪念馆委员会管理。市南端的杰德堡城堡曾为王族驻地,多次为英格兰占据,1409年被毁。原址上现建有一监狱,是乔治王朝时期风格的建筑,仍以城堡相称。1566年10月苏格兰女王玛丽下榻过的寓所现辟为博物馆,内有许多与女王有关的文物。谚语"杰德式的审判",出自当地曾先杀后审一批歹徒的事件,后用此语形容先杀后判的案件。该市现为繁荣的纺织业中心,也有电器、谷物加工、制革和生产手套等工业。人口约4 118(1991)。

Jedda(Saudi Arabia) 参阅 **Jiddah** 吉达。

jeep 吉普 第二次世界大战时著名的轻型车辆。美陆军军需部研制,为依据租借法案运往苏联及其他盟国的重要物资。自重1¼吨,载重量属1/4吨卡车级,四缸发动机。车体坚固,距地面较高,可在坎坷地形行驶;采用四轮驱动,可攀登60°陡坡和涉浅河。道路最高行驶速度达105千米/小时。军事用途很广,可作指挥车、侦察车,以及轻型武器、弹药、人员输送车等。安装装甲板后可执行战斗使命,安装防水车体和螺旋桨后可以水陆两用。吉普一词源出于它的军用设备命名:G.P.车。G.P.即general purpose,通用车辆之意。第二次世界大战以后吉普在民用方面十分广泛。

Jeffara(Africa) 参阅 **Jifārah, Al-** 杰法拉。

Jefferies, (John) Richard 杰弗里斯(1848-11-06,英格兰威尔特郡斯温登附近～1887-08-14,苏塞克斯滨海戈灵) 英国博物学家、小说家、散文作家。他具有预见性的看法在他所处的维多利亚时代不受赏识,但在他死后越来越得到人们的承认和赞赏。他既长于写景,又善借景抒情。自耕农家庭出身。1866年任《北威尔特郡先驱报》记者。《霍奇和他的主人》(1880)是关于维多利亚时代从地主到农工的乡下人的著名记录。1872年在《泰晤士报》上发表4 000字的长篇通信,详细叙述威尔特郡雇农的命运问题。不久,许多报刊杂志发表他的特写和随笔。1874年结婚,1877年迁居伦敦近郊,以写作维持全家生活。1882～1887年,虽然贫病交加,仍写了许多作品,主要有《少年贝维斯的故事》(1882)和《我内心的故事》(1883)。前者回忆他的出生地科阿特农庄(现为杰弗里斯博物馆)和周围乡村;后者是他的自传,写他对比他在斯温登和伦敦的贫民窟所见到的更美好生活的向往。在此期间,还写有回顾往事的动人散文,收在《菲尔德家的生活》(1884)、《露天》(1885)和《菲尔德和赫奇洛》(1889)等集子里。长篇小说有《清新的早晨》(2卷,1884)、《绿色的费内农场》(1880)。他口授的《阿马里莉思赶集》(1887)堪与哈代的乡土小说媲美。

Jeffers, (John) Robinson 杰弗斯(1887-01-10,匹兹堡～1962-01-20,美国加利福尼亚卡梅尔) 20世纪最有争议的美国诗人之一。认为人事无常,仅上帝除外,人生不过是感情罗网中一场狂暴而可鄙的斗争。曾攻读英国文学、医学和林学,后来继承了一笔遗产,使他得以从事诗歌写作。第三部诗集《泰马及其他诗篇》(1924)使他一举成名。诗集显示出他独特的风格和怪诞的想法,这些特点在他以后的诗卷如《考多》(1928)、《瑟索着陆》(1932)和《生太阳的气》(1941)中得到发展。他的短小抒情诗和无格律的叙事诗讴歌了卡梅尔附近的海岸风光,他和妻子于1916年移居此地。曾改写欧里庇得斯的《美狄亚》,改写本于1946年出版。

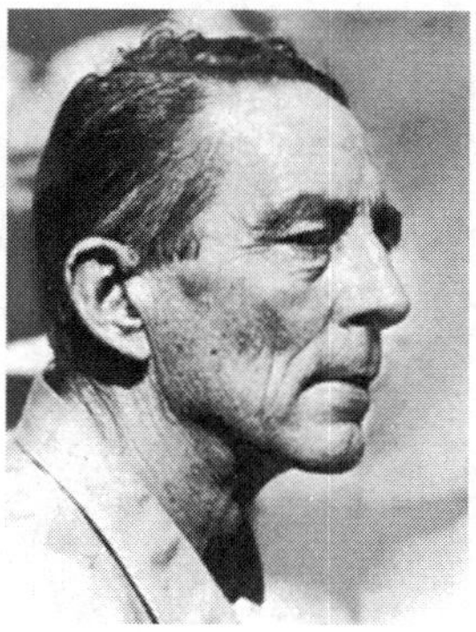

洛杉矶西方学院供图

Jefferson, Arthur Stanley(screen comedian) **杰斐逊** 参阅 **Laurel, Stan; and Hardy, Oliver** 劳莱和哈代。

Jefferson, Blind Lemon 杰斐逊(瞎子莱蒙)(1897-07,美国得克萨斯考契曼～约1929,芝加哥) 美国乡村布鲁斯歌手、吉他手和歌曲作家,美国广受欢迎的早期黑人布鲁斯民谣歌手之一。在7兄弟中排行第7,自幼失明,十几岁便成为一个巡回歌手,学会许多囚歌、布鲁斯、吟叹曲、灵歌和舞曲。他在得克萨斯、路易斯安那、密西西比、亚拉巴马和弗吉尼亚等州的街头、妓院、酒吧和宴会上演唱。20世纪20年代去芝加哥。杰斐逊高亢的声音、嘶喊的唱法及利用旋律主导线条、颤音和拟声效果的精湛吉他技巧,还有他的唱词和主题,皆成为布鲁斯的主要特色。这些特色经由一度和他一起工作的学生赖白里(即H.莱德贝特)及他本人为派拉蒙公司灌录的唱片(1925～1929)而广为传播。杰斐逊也以迪肯·贝茨的艺名灌录灵歌的唱片。有关他死亡的记载模糊不清,他在得克萨斯州沃瑟姆黑人公墓的墓碑,是一群布鲁斯爱好者于1967年10月15日为他所立。

Jefferson, Joseph 杰斐逊(1829-02-20,费城～1905-04-23,美国佛罗里达) 美国演员。由于扮演瑞普一角,几乎与此角色齐名。他是演员和经理家族中第3位演员,其精湛演技使前辈完全黯然失色。3岁时在科策布的《皮萨罗》一剧中首次登台,经过多年在巡回剧团当演员和经理的艰苦奋斗,在T.泰勒的《我们家的美国表兄》(1858)中第一次获得巨大成功,成为他舞台生涯的转折点。1865年在英国,聘请D.鲍西考尔特将W.欧文的短篇小说《瑞普·凡·温克尔》改编为舞台剧。杰斐逊亲自扮演瑞普,受到伦敦观众的热烈欢迎,连演170场不衰。1866年把此剧带回美国。由于观众对快活又容易生气的瑞普百看不厌,因此1865年后,他再没有创造过其他新角色。在19世纪最后的1/3时间里,杰斐逊一直处于红极一时的顶峰。由于他在政界、艺术界和文学界均有许多知名朋友,因而也给戏剧界带来荣誉。他在E.布思之后、J.

德鲁之前被授予演员俱乐部终身荣誉主席衔。他的《自传》(1890)写得既生气勃勃而又充满幽默,他对有关演员和剧作艺术的看法则使此书可与C.西伯的《为戏剧一辩》并列。

Jefferson, Martha　杰斐逊(1748-10-30[旧历10-19],弗吉尼亚查尔斯城县[今在美国]～1782-09-06,弗吉尼亚蒙蒂塞洛)　婚前名Martha Wayles Skelton。美国第3任总统T.杰斐逊之妻。1766年与B.斯凯尔顿结婚,两年

美国不列颠百科全书公司供图

后斯凯尔顿去世。1772年1月1日与杰斐逊结婚,并搬至蒙蒂塞洛。生有六个孩子,但仅存两人。她因生育过多,身体虚弱,于1782年9月病故。妻子亡故后杰斐逊深居简出数周,并烧毁与妻子的所有往来信件。1784年杰斐逊离开蒙蒂塞洛,接替富兰克林出任美国驻法公使。1801年杰斐逊出任总统。

Jefferson, Thomas　杰斐逊(1743-04-13,美国弗吉尼亚沙德韦尔～1826-07-04,弗吉尼亚蒙蒂塞洛)　托马斯·杰斐逊,美国第3任总统、《独立宣言》的主要起草人、有影响的政治家和哲学家。是彼得·杰斐逊和简·伦道夫·杰斐逊之子。彼得·杰斐逊是早期的殖民者和该县的一位领导人,是一位土地测量员和地图绘制者,主要依靠自学成才。彼得于1757年去世,留给他的儿子一笔相当可观的财产,但托马斯·杰斐逊表示特别感谢的遗产是他父亲让他接受充分的古典教育的决心。在地方小学和古典学校学习了几年之后,杰

美国不列颠百科全书公司供图

斐逊于1760年5月进入威廉和玛丽学院。尽管他很年轻,他同威廉斯堡的3位重要人士——学院教授W.斯莫尔、弗吉尼亚律师界的G.威思和殖民地副省督F.福基尔——结成莫逆之交。这3位长者使他领略到社交界的较之弗吉尼亚乡村更为彬彬有礼和谙于世故的情趣。斯莫尔和威思并对他在知识的追求上给以指导。斯莫尔教他自然科学和调查研究的推理方法;威思引导他理解学习法律不是狭义的为职业作准备,而是了解一个民族的历史、文化、规章制度和道德风尚的一种手段。在学院学习了两年之后,杰斐逊在威思的指导下学习法律5年,于1767年取得律师资格。1769年进入殖民地议会下院,从此开始了他的漫长的政治生涯,直至40年后他以美国总统的身份退休为止。

《独立宣言》的作者　杰斐逊进入市民院时,弗吉尼亚和其他殖民地已开始从事长达10年之久的反对英国殖民政策的斗争,这一斗争最终导致独立战争并获得独立。杰斐逊加入P.亨利和其他赞同强烈反对乔治三世和英国议会的人士的行列,并很快成为这一集团的领导者之一。他的政治风格与亨利截然不同。他专心致志于委员会的工作,是一位高明的法律巨匠和学者,以他的渊博的法律和历史知识支持反对英国的殖民地事业。他很少发表演说,虽然他认识到意见的一致对有效的政治行动的必要性,但他无论在正式辩论或非正式的交谈中,都不喜欢口头争论;写作是他的自然的表达方式,他是个使用笔的巨匠。他的最初的主要论文是《英属美利坚权利概观》(1774),展示了一系列感人至深的学识和逻辑,证实了他的表露强烈感情的能力和雄辩地表达这种感情的才华,并显示出一种理智的激进主义的倾向。当时他的大多数同事们并没有作好准备接受他的这一结论:英国议会根本无权为殖民地立法,但随着与英国的关系越来越坏,他的论点日益为人们所接受,他的语言既具说服力,又具挑衅性。"上帝赋予我们以生命,同时赋予我们以自由;力量之手可以摧毁它们,但不能拆散它们。"

1775年春,弗吉尼亚议会作为违抗皇家任命的省督的革命代表会议开会,任命杰斐逊为出席于费城举行的第2届大陆会议的代表团成员。他参加了大陆会议里的一个更为激进的派别,他的作为委员和文体家的才能再次得到公认和运用。1776年6月,当最后与英国决裂的决定似已临近时,杰斐逊被任命为指定起草一项正式声明以说明作出这一决定的理由的委员会成员。B.富兰克林和J.亚当斯也参加这一委员会,但他们都承认这位弗吉尼亚人的卓越才能,推他起草。这样,杰斐逊就成为《独立宣言》的主要起草人。这是一项正式的国家文件,他在晚年写道,他的想法是,把它写成为美洲意志的表达。毫无疑问,这是正确的,而同样正确的是,他对它的原则的个人承诺是极其深刻的和认真的。正是这一承诺,而不仅仅是在文字上起草,使杰斐逊成为宣言中所表达的理想的独特的象征。

在弗吉尼亚政坛所起的作用　杰斐逊意欲使他的革命宣言不仅仅是为反对英国而作出的雄辩的辩白。他想把宣言的原则变成现实,以便在美国创立一个把希望与成就之间的鸿沟缩小的社会。他想从参与草拟弗吉尼亚新宪法(该宪法于1776年6月通过)开始,但他在费城的使命使这成为不可能,他直到10月才进入弗吉尼亚议会。于是他提出一项计划,要求对弗吉尼亚的法律和法规作全面的改革。计划中的两个部分表明改革的彻底性,他以这种彻底性考虑了代议制政府的性质,以及使它胜利运行所必需的条件。第3部分体现了他对思想自由作出的强烈承诺。

杰斐逊力求并成功地在弗吉尼亚废除了长子继承法和限定嗣续法,以阻止财产集中在少数几个大地产所有者的手里。他认为,财产属于自然权利,是人人生而有之的,同时这意味着获得正当生计的权利。数年后,他在观察了法国的经济状况后写道:

> 无论什么时候,任何一个国家只要存在着未开垦的土地和失业的穷人,那么显然,这时财产的法则被扩大至违反自然权利的地步。土地是(自然)作为共有物赠送给人们的,供他们劳作和生活于其上的。如果为了鼓励工业而允许土地被拨用的话,那么我们必须小心,给予因这一拨用而被逐出的人以其他工作。如果不这样做,那么耕种土地的基本权利就应归还给失去工作的人。

没有哪个否定这一权利的社会是公正的,也不可能长期享有一个共和的政府。杰斐逊相信,这一形式的政府所需的美德,在极端贫困和全部经济依赖的情况下,是无法盛行起来的。

对弗吉尼亚教育制度的建议也是杰斐逊为建立共和政府所提出的综合计划的一部分。初级学校使全体人民具有阅读书写的能力,这,再加上出版自由,对消息灵通的公众舆论是必不可少的。高级学校将培养一种自然贵族,以提供共和政府所不可或缺的领导人物,而在成绩的基础上授予奖学金的办法则能阻止以经济特权决定接受教育的机会。杰斐逊不相信,一个愚昧无知的民族能够就公众事务作出合理和负责的决定;他也不相信人在智力上是相等的,不相信管理政府是一件普通人轻而易举地就能掌握的简单工作。他认为,具有高超能力的人是那些自然地适合担任公职的人。他的教育计划旨在保证给予这样的人以培养其才能的机会,而不顾他们的经济情况如何。但是,他的弗吉尼亚的同胞们并没有作好准备来接受如此全面的自由公共教育制度,他所完成的这个计划的唯一部分是建立弗吉尼亚大学。

第3件也是最著名的改革是弗吉尼亚宗教自由法令,这一改革遇到了激烈的、旷日持久的反对,直到1786年这一法令始获通过,当时杰斐逊在法国。虽然美国人对几代人以前普遍流行的各种迫害形式大多已经废除,但他们所实施的信仰自由却是有限的和不稳定的。在一些州里,例如在弗吉尼亚,确立一种教会;其他的州将公职只限于由新教徒担任;一些州要求信仰基督教的特殊教义,例如基督的神性、三位一体和不朽。弗吉尼亚法令将教会与国家从传统的关系中完全分开。

它禁止用国家税收来支持任何宗教,不得由于宗教信仰或没有宗教信仰而剥夺任何公民权利。杰斐逊将这一法令看作是他的著名的誓言的部分的实现,这一誓言说:“我已经在上帝的圣坛前宣誓,永远反对压在人类心灵上的任何形式的暴政。”

在当了3年议员之后,杰斐逊于1779年当选为州长,在这个责任很重而权力很小的岗位上工作了两年。当英军于1780～1781年冬入侵弗吉尼亚时,杰斐逊未能组织起有效的抵抗,当英军的一支分遣队袭击夏洛茨维尔和蒙蒂塞洛时,他几乎被捕。他在危急时刻的行为遭到了批评,虽然议会对他一致投了信任票,但他不能忘怀对他作为一位政府官员在人格上所受到的侮辱。他拒绝再次担任州长或议员,回到蒙蒂塞洛,决心离群索居以终老。

他作出这一决定,除了因自尊心受到损害外,还有另一个原因。他担心他的妻子玛莎·杰斐逊的健康情况。自从1772年他们结婚后,她生了5个孩子,其中只有2个活了下来。1781年秋她又怀孕。杰斐逊的担心是有道理的。她在生下了第6个孩子后身体一直没有复原,于1782年9月6日去世。杰斐逊的悲痛是难以用语言描述的。

《弗吉尼亚纪事》 在他从州长的职位上退休之后,直到他于1782年12月重新担任公职之前,杰斐逊写了他的唯一的一本书《弗吉尼亚纪事》的主要部分,并加以修改和增补。它起源于法国公使馆秘书向他提出一组既全面又是日常性的问题,以便对这个新的国家的情况加以编纂。杰斐逊的回答,就像他提供弗吉尼亚州的情况一样,也是他自己情况的揭示。在以后的年月里,特别是在他的那些他认为纯粹是私人信件而在未得到他的允许的情况下在报纸上或其他地方发表后,他学会了下笔时小心留意。这本书的语言大多豪放不羁。它的大部分是在他突然而不愉快地退出弗吉尼亚政坛后,以及在失望地担心他妻子的生命的那几个月里写的,好像它提供了一种发泄他的受到约束的感情的方式。

《纪事》包括对奴隶制度及其对白人和黑人的影响的论述,以及试图对后者在种族上的特征加以描述。虽然他始终不渝地反对奴隶制度,并在这一论著中重申他的理由,但他却表达和反映了废除奴隶制度的主要障碍之一——由于固有的种族上的不同,黑人与白人无法和平与和谐地生活在一起的这一信念。杰斐逊对这种假设中的不同之点所作的概括,现在可能被看作是个人思想——在这一情况下,是一种具有非凡的独立性和非常严格的思想——未能超越其时代的文化界限的一个失败的典型例子。这是一种企图保持客观性的奇特的混合物,这种客观性由于受到下意识的偏见和未经检验的假想的侵扰而显露瑕疵。除了别的论点外,他强调黑人在肉体美上是低等的,他们可能缺乏远见,他们在记忆力上与白人相等,但在理性思维和想象力方面比白人低劣。他注意到环境对行为与信仰所产生的影响,认为这是一个普遍的原理,并且甚至援引这一原理来说明奴隶的所谓偷窃的天性。但他却未能或没有在对这一对象的自始至终的观察中前后一致地、严格地运用这一原理。这似乎是他清楚地认识到运用科学分析的方法来对具有种族特征的问题进行分析所包含的困难,而这些困难却是他的力量所无法克服的。

> 认为他们的推理和想象力的天赋较低这一意见,必须以很谦虚的态度冒险地提出来。为证明一个总的结论是正确的,需要作许多观察,即或所研究的对象可能被送至解剖刀下,或送至显微镜下,或用火或溶剂来分析,也是如此。更何况我们验证的是一种天赋,不是一个物质;它没有任何感官可以研究;它存在的条件多种多样,或多种多样地混合在一起;那些有形或无形的影响无法估量;让我再加上一点,在怀有很大爱意的情况下,我们的结论将把整个种族在人类的天平上从他们的造物主可能已经赐予他们的等级上降级。必须说,我们应该受到谴责的是,虽然我们同黑色人种和红色人种相处了一个半世纪,但他们从没有被我们看作是自然历史的实体。因此,我仅仅作为一种怀疑提出来,黑人,无论原来就是一个独特的种族,或者被时间和环境造成为一个独特的种族,在身心两方面的天赋上都比白人低劣。

除此之外,《纪事》是一本饶有兴趣的书,因为它揭示了一位革命家在一场他认为尚未完成的革命中的思想。他以多少平静的心情指出,1776年弗吉尼亚宪法中“最为主要的错误”应归之于缺乏经验;他以强烈的愤懑驳斥了弗吉尼亚议会两次提出的按照罗马先例在紧急关头确立一个暂时的独裁者的建议:

> 单单这个想法就是对人民的背叛;是对于整个人类的背叛;因为它给那些压迫人民的人提供了一个他们将会在全世界大肆宣扬的证据,证明共和政府无能,没有能够在危急的时刻保护人民免受荼毒。这样一来,就可以把套在人民脖子上的锁链永远拧得紧紧的。

他敦促修改宪法,通过他的普及教育和充分的宗教自由的计划,因为他认为,当时在人民及其领导者中间盛行的公共美德不会长久,这部分地是革命形势的一种功能,是注定要减缩的。统治者将变得腐败起来,并滥用他们的权力,而人民也“将把自己忘掉,而只有赚钱的本领,就决不想再团结起来,去争取统治者对他们的权利予以适当的尊重。”杰斐逊对共和政府的信仰不是建立在对人民的天真的、不适当的信仰之上的。共和政府只是在一定的情况下才能成功地运作:财产的广泛分配,或取得一种替代的方法,使人们能够以诚实地赚来的钱维持正当的生计;有受过教育和具有知识的人民大众;有用以抵偿公共美德之衰落的法律和规章制度,这种衰落杰斐逊认为在革命危机过去之后是一定会发生的。

回到政界 1782年12月他重又担任公职,任弗吉尼亚出席大陆会议的代表团成员达数月之久。这一期间,弗吉尼亚把在殖民地期间赠与它的俄亥俄河西北的地区让与合众国政府。杰斐逊在他草拟的关于治理这块土地的法令中,提出这块土地不得由原来的13个州作为殖民地而占有,必须划分为几个地区,这些地区在达到规定的人口和机构的条件之后,应作为与原来的13个州平等的州加入合众国。他并提出法令中应包括一项禁令,即在1800年以后在这块领土或其他任何合众国可能占有的领土上,禁止奴隶制度。这一条款仅以一票之差未能通过;一条相似的条款被写入1787年的《西北地域法令》,但它仅适用于这一地区。如果杰斐逊最初的建议被通过,并一直有效,那么在购得的路易斯安那的整个地区,奴隶制度将成为非法。后来他自己评论说:

> 这样,我们看到几百万未生下来的人的命运悬于一个人的舌头之上,而上帝在那个可怕的时刻却沉默了。

1784年杰斐逊前往法国,与B.富兰克林和J.亚当斯一起与欧洲列强谈判缔结条约。数月之后,他接替富兰克林,成为美国常驻法国政府公使。他的外交职务并不繁重,而巴黎向他展示了知识和艺术的天地,这些当他是威廉和玛丽学院的学生时曾有过最初的一瞥。他在巴黎可以观看戏剧和歌剧,参观博物馆,同科学与发明并驾齐驱,自由地与欧洲科学家和知识分子结交,共享巴黎社会的礼节,并且可以纵情博览群书。他爱法国和法国人,但并不是不加批判。他对经济和社会状况的观察加强了他对君主专制政体的厌恶,他所看到的法国和美国国内道德的明显的差异导致他写出一系列信件谴责前者和警告他的国家如果派出年轻人到法国去接受教育,必须警惕腐败的危险。(他不愿女儿在国外结婚,因此当他的大女儿17岁时,就把她送回弗吉尼亚。)作为《独立宣言》和《弗吉尼亚宗教自由法令》的作者,他对诸如拉斐德侯爵等温和的政治领导人产生相当大的影响,在法国大革命初期,他对他们作出努力逐步改变君主制及其所属法律和规章制度的前景表示乐观。这是他一生中所犯的最大的思想错误:法国差不多一点也没有导致美国独立战争胜利的那些成分。这一事实,如果杰斐逊不允许自己随意打如意算盘的话,是一定能够认识到的。杰斐逊仅仅观察了法国大革命的开头阶段,他于1789年底回到了美国。

与汉密尔顿的争论 与此同时,《邦联条例》为1787年在费城起草、翌年批准的宪法所取代。杰斐逊对这一文件的大部分都表同意,但批评它缺少权利法案部分,以及对总统的任期没有施加限制。他于1789年秋回到弗吉尼亚时,华盛顿请他担任新政府的国务卿,他相当勉强地接受了。他担任这一新的职务后不久,即卷入了与财政部长汉密尔顿的争论。他反对汉密尔顿的财政政策,理由是,这些政策超过了宪法授予中央政府的权力,与大多数人民的利益相违背,以及这些政策构成对共和制度的威胁。在对外政策问题上,杰斐逊与汉密尔顿也意见不合,杰斐逊最初偏向法国,而汉密尔顿则偏向英国。

这两个人之间的问题不单单是个人的问题;它们向全国扩展,导致在政策、原则以及在人的基础上组成全国性政党。这样就确立了全国两党制的先例和模式。杰斐逊和汉密尔顿两人在华盛顿的第1个任期行将结束时退出内阁,但谁都继续是新党的象征,杰斐逊是民主共和党的象征,汉密尔顿是联邦党的象征。双方在选民中、在国会里和在州议会里施展组织才能，同时双方都有效地利用报纸。同往常一样，J. 麦迪逊是杰斐逊的有能力的合作者，是替补他的积极的党的领导人，直至 1797 年杰斐逊作为 J. 亚当斯任内的副总统重又成为全国政治中心为止。1798 年当美国接近与法国发生战争时，联邦党人控制的国会通过了《外侨法及煽动暴乱法》，后者被用来、特别是被联邦党人法官用来窒息民主共和党人对政府的批评。杰斐逊和麦迪逊认为这是与第 1 条修正案相违背的，因而是违宪的。这一观点他们在 1798 ～ 1799 年的弗吉尼亚决议和肯塔基决议中作了论述。

这 10 年以联邦党人在 1800 年大选中的失败而告终。这是这个新的国家在发展中的生死攸关的时期；政治上严重分裂，以极端仇恨行事，渗透着政治原则上的根本分歧。杰斐逊视汉密尔顿为共和政府的敌人；汉密尔顿则视杰斐逊为煽动群众的激进分子。汉密尔顿抱有国家至高的梦想，要求个人的直接利益服从于这一梦想。杰斐逊把政府的目的看作是为了保护个人的生活、自由和追求幸福的权利。杰斐逊这一时期的态度和行为是很明显的。他没有作出超然冷静的姿态；他的信不时展示出他对他的敌手的政策和他个人对某些人的愤怒和激忿。与此同时，他也意识到并且担心这种无限制的意识形态斗争将造成分裂和毁灭性后果。这一斗争不仅将破坏杰斐逊如此高度评价的社会和谐，并且可以预料共和政府的大厦势必全部倒塌。一种预先采取行动以免美国重蹈以往经常是这类政府的命运的覆辙的愿望，似影响杰斐逊在其担任总统的第 1 个任期内所采取的行动。

总统任内 联邦党候选人在 1800 年的总统选举中明显地失败了，但根据当时实行的选举制度，共和党的候选人杰斐逊和 A. 伯尔都不能宣告自己胜利。宪法没有授权选举人在他们之中选择谁当总统、谁当副总统，而两位候选人获得的选票又相等。于是这一选择就由众议院来作出。部分地由于汉密尔顿的影响，他对伯尔的不信任甚至超过对杰斐逊的嫌恶，遂使杰斐逊当选为总统，于 1801 年 3 月 4 日宣誓就职。

杰斐逊就职演说的精神和内容表示愿意和解，并且在相当大的程度上，他的第 1 任政府的政策亦复如此。他并不企图将过去 12 年联邦党的政策全部推翻，并且至少在两件事——购买路易斯安那和《禁运法案》——上，他被说成是甚至比联邦党人还联邦党。但他作出努力，使联邦党将其任命的人担任终身职务充斥联邦司法部门的企图归于失败。他并在联邦其他部门作了充分的人事变动，这就成为一种口实，指控杰斐逊引进分赃制度。尽管在过去的岁月里发生非常尖锐的争论，杰斐逊的就职并没有导致作出重大的或激进的改变。如果杰斐逊更为教条，不怎么意识到放纵政治激情的危险性，或不怎么意识到在新政府历史上第一次党派政府改变所造成的微妙情况，那么美国政治的未来就将以不能像现在这样地稳定为其特征。他深思熟虑地创立的这一先例，堪与购买路易斯安那媲美，是他担任总统的重大成就之一。

1803 年路易斯安那地区的购得具有无法估量的重要性，使美国的面积增加了将近一倍。杰斐逊原来的计划是仅仅购买密西西比河口的一小块地区。当拿破仑提出出售整个地区时，杰斐逊抓住机会，立即买下，虽然他坦率承认，他并不拥有宪法权力来做这件事。他相信，这一购买将使得一个强大的外国从大陆上离去，从而对美国的安全作出贡献，并为移民提供广大的土地，确保共和政府世世代代得以稳固。

1804 年杰斐逊再度当选；G. 克林顿取代伯尔任副总统。杰斐逊第 2 个任期中值得注意的事件有，他作出努力，对他的前任副总统伯尔在西南地区的叛国行为定罪，但未获成功；在拿破仑战争中，他致力于执行中立政策，以及在公海上维护中立国的权利。他避免与任何一方作战的压倒一切的愿望，却被指责为胆怯和优柔寡断，而他的《禁运法案》(1807)则被指责为与他的个人自由原则和他以前反对强大的全国政府的立场不相一致。这一法案无疑是建立在赋予国会以调节与外国贸易的权力的基础之上的——这一权力杰斐逊在他担任总统之前很久就是同意的，但这一法案的执行条款及其修正案可以被正当地怀疑为违反宪法第 4 条修正案中所说的禁止无理的搜索和拘捕。

在杰斐逊担任总统期间，最高法院的权力和威望在首席法官 J. 马歇尔的领导下有所增长。在“马伯里诉麦迪逊”(1803)一案中，法院明确坚持司法复审的权利和权力。杰斐逊反对法院拥有作为宪法的最后和唯一的解释者的权力，强调指出，把这一权力赋予政府的一个部门，而其成员又都是终身职，这是不负责任的，因而是与共和政府的原则相违背的。

杰斐逊可能第 3 次当选总统，但他选择跟随华盛顿担任两任后引退的榜样。1809 年 3 月 4 日，他将总统的权力移交给他的继承者 J. 麦迪逊，回到蒙蒂塞洛家里。他努力完成另一件公益事业，即创建弗吉尼亚大学，他把这看作是“我一生中关心的最后一件事，是我最后一次为我的国家服务。”他亲自设计校舍，一丝不苟地监督施工；他聘请教授，设置课程，甚至为一些课程选定读物。他没有能够说服他的弗吉尼亚同胞支持为初级和中级学生设立的公共教育，但大学是他的以其创造性、持续时间之长和获得的成就著称的政治生涯的一个适当的终结。

杰斐逊的政治生涯无疑留给人以深刻的印象，而他的精力、时间和才能对此却绰绰有余。他对政治的享受也许超过他愿意承认的程度；同样正确的是，他常常表示的愿退居林下过隐居生活和追求其他兴趣的渴望也是真心诚意的。这些兴趣非常广泛，多种多样。

个人兴趣和求知欲 他是一个不同凡响的博学之人，他的知识和探索范围之广，是推行专门化的现代所难以置信的。他懂拉丁语、希腊语、法语、西班牙语、意大利语和盎格鲁-撒克逊语，并研究诸如古代和现代希腊语读音的区别这类问题。他 71 岁时钻研柏拉图《理想国》的原文，发现它的作者被大大地估价过高了。他致力于分析《新约全书》，以便区别什么是耶稣真心说过的，什么是传说中耶稣所说过的话。他欣赏对数学的研究，发现它的精确性和确实性提供了从政治和政务的繁杂中解脱出来的一种很好的办法。他是一个对自然科学非常热心的学生，与诸如 J. 普里斯特利等人进行大量的通信，有时不惜时间和金钱，以推动这些领域向前发展。在美国各地发现的化石遗体使他着迷，他个人尽量地进行收集并加以分类。他对当时进行的气球和潜水艇的试验极感兴趣，当他在国外时，给国内的朋友寄去欧洲制造的各种不同的小机器和科学上的新发明，包括一种复写器和用磷点燃的火柴等。他的旅行笔记记载了各种观感，从对建筑学上有名的纪念碑的入迷的仰慕，到对生产白葡萄酒和红葡萄酒的地区在繁荣的程度上有所不同的理由作出清醒的经济分析，等等。

他是科学种田的热心的实践者，在蒙蒂塞洛做过许多试验，总在搜寻新的作物和种籽，以期对美国的繁荣作出贡献(有一次甚至越过意大利边境偷运一种特殊的水稻品种)；继续不断地对气象作出非常细致的记录；并且作为一个天才的语言学家，开始第一次有系统地收集美洲印第安人的方言。他对建筑学的兴趣是强烈而持久的，对美国新古典主义风格所产生的影响是巨大的。

他对这些不同兴趣的追求与他的政治活动和对他的庄园(拥有几千英亩土地，一个时期并曾拥有 150 名奴隶)的管理同时进行，这是不同寻常的。在这一勤奋的记录上，还必须加上他直到去世前夕一直极其小心地保存的大量的通信。他能完成这么多的事，是因为他能严以律己，并能有效地安排他的时间和活动。然而他又是一个极其慷慨和平易近人的人。朋友和陌生人都写信给他征求意见，当他住在蒙蒂塞洛时前去拜访他。亲戚和客人在蒙蒂塞洛济济一堂，有时为多达 50 个人准备床铺，消耗他的粮食和时间。他一年有几次去贝德福德县他的第 2 个家白杨林过隐居生活。

杰斐逊身高 6 英尺 2 英寸，体格魁梧，修长挺直，肌肉发达。他的轮廓鲜明，面色红润，黄中带红的头发，淡褐色斑点的灰眼睛。他的四轮马车并不讲究，并有点失灵。从 18 世纪的标准来看，他外貌并不漂亮，但似悦人。在个人交往中，他很敏感，富有洞察力，举止风雅优美(虽然在初次遇见陌生人时有时冷淡)，并且几乎从不发脾气。在原则和倾向性问题上，他力求不因政治分歧而产生个人恶感，虽然他因卷入政治争论而遭到恶毒的辱骂，但他能容忍，处之泰然，只是对极个别的敌手和非难者感到真正的憎恶。

由于他是这样一个中心人物，一个非常著名的人，非常善于表达，而又非常小心细致地保存着他的信件和文稿，这就使得有可能对他的生平和工作作出十分详尽的记述。然而，他本人——作为一个私人——的私事则鲜为人知。他把私事隐藏起来，从不公开。例如，他与他夫人之间的通信一封也没有保留。他们的婚姻，按照同时代人的叙述，是极其幸福的，这就似乎可以说，杰斐逊将他们之间的信件统统毁掉了，以便使他们的关系永远是私人关系。按照研究他的一位现代的主编的说法，杰斐逊最终是孤独的人。

在他去世前 10 天，杰斐逊对邀请他与首都华盛顿的居民一起庆祝《独立宣言》发表50周年一事作了回答。由于病的原因,他不能参加,但他寄去了他的最好的祝愿,而对所要庆祝的宣言,他写道:

祝愿它成为这个世界的、而我相信它必将成为(对某些部分来说快些,对其他部分来说慢些,但最后对整个世界)唤醒人们的一个信号,唤醒他们起来粉碎由于僧侣般的无知和迷信而使他们把自己捆绑起来的锁链,接受自治政府的祝福和提供的安宁。

当杰斐逊在蒙蒂塞洛身体日益不支时,他的老朋友J.亚当斯在马萨诸塞州也已奄奄一息。据两人亲友的叙述,似乎可以肯定,两人都强烈地希望能够活到50周年这一天,这是象征他们一生中的主要努力和成就的一天。他们成功了。杰斐逊在1826年7月4日下午将近一点溘然长逝;亚当斯在数小时后与世长辞,他说的最后一句话是,"杰斐逊还活着。"杰斐逊安葬于蒙蒂塞洛。他的墓碑上镌刻着他选定的墓志铭:"美国《独立宣言》的起草人、弗吉尼亚宗教自由法令的作者和弗吉尼亚大学之父托马斯·杰斐逊葬于此。"

Jefferson Airplane, the 杰斐逊飞机 后称Jefferson Starship和Starship。美国迷幻摇滚乐队。是20世纪60年代反文化的主要旗手,但70和80年代,有了比较具主流题材的热门单曲。60年代中期由先前的民谣乐手组建,是第一个与大唱片公司签约的旧金山乐队。第二张专辑《超现实枕头》(1967)有两首排行榜前10名的热门单曲《白兔》和《想爱的人》。乐队的现场表演,形成一套取悦听众的即兴发挥表演方式,成为旧金山之声(由感恩而死、桑塔纳等乐队开创)的标志。专辑《义勇军》(1969)呼吁年轻人起来反叛,是最后的创作高峰。该乐队经常更换成员,1996年入选摇滚乐名人堂。

Jefferson City 杰斐逊城 美国密苏里州首府(1821),科尔县县城。位于本州地理中心,濒临密西西比河。1825年设镇;1839年设市。为纪念T.杰斐逊总统而命名。为周

杰斐逊城的州长官邸
美国不列颠百科全书公司供图

围农业地区的贸易中心,并有电气用具、变压器、印刷、化妆品等多种制造业。州议会大厦(1911～1918)采用迦太基大理石建造,饰有T.H.本顿所作著名壁画。林肯大学由联邦军黑人退伍军人协会于1866年建立,兼收黑人和白人入学。人口39 636(2000)。

Jefferson Memorial 杰斐逊纪念堂 位于美国首都华盛顿通潮港的南岸,1934年获准动工,1943年在杰斐逊总统诞辰200周年之际正式落成。占地面积7公顷,现属国家首

杰斐逊纪念堂
美国不列颠百科全书公司供图

都公园。建筑具有杰斐逊喜爱的古典风格,圆形并带柱廊,由J.R.波普、O.R.埃格斯和D.P.希金斯设计。门廊上方的雕饰记载了杰斐逊宣读《独立宣言》草案时的情形。穹顶殿堂中央为英武的杰斐逊铜像(R.埃文斯制作),内部镶板和檐壁上刻有杰斐逊手书。

Jefferson River 杰斐逊河 美国密苏里河三条源流中最西面的一条。源出蒙大拿州西南部格雷夫利山脉,邻大陆分水岭和国家黄石公园。在此人称雷德罗克河。它向西流过雷德罗克山口和上、下雷德罗克湖;然后向北流经狄龙(在此人称比弗黑德河),在特温布里奇与比格霍尔河和鲁比河汇合成杰斐逊河;然后继续向东北流,在斯里福克斯东北与麦迪逊河和加勒廷河汇合,形成密苏里河。杰斐逊河在形成密苏里河之前全长362千米。为纪念T.杰斐逊总统而命名。

Jeffersonian Republican 杰斐逊共和党党员 早期美国政党——通常称民主共和党(**Democratic Republican Party**)——的党员,主要活跃于1801～1825年。

Jeffersonville 杰斐逊维尔 美国印第安纳州南部城市,克拉克县县城(1802～1810;1873)。濒临俄亥俄河,在俄亥俄瀑布的起点处,隔河与肯塔基州的路易斯维尔相望。1802年按T.杰斐逊总统提出的计划兴建。1815年设镇,1830年设市。19世纪作为汽船建造中心而兴旺发达。1937年曾被洪水淹没。第二次世界大战后俄亥俄河流域的工业化促进了该市经济的发展。地处工农业区,是水路货运终端站,有造船、铸造、化工、铝品和肥皂厂。1976年建成长116米的最大河上豪华游轮"密西西比女王号"。市内有霍华德汽艇陈列馆。人口27 362(2000)。

Jeffrey, Edward Charles 杰弗里(1866-05-21,加拿大安大略省圣凯瑟琳斯～1952-04-19,美国马萨诸塞剑桥) 研究维管植物形态和系统发生的加拿大出生的美国植物学家。在多伦多大学任讲师时(1892～1902),因研究各种维管植物的比较解剖和系统发生而著名(1899～1905年间发表了一系列的论文)。离多伦多渡假期间,杰弗里获得哈佛大学哲学博士学位(1899),后在哈佛任植物形态学教授(1907～1933)。达尔文的《物种起源》启发杰弗里从历史上阐明植物的形态和构造,并运用比较形态学和解剖学资料为具体物种的进化提供证据。在1899年,杰弗里把所有维管植物重分成石松类植物(Lycopsida)和真蕨型植物(Pteropsida)两大类;虽然后来又有了更精细的分法,这两个大类一直保留下来作为维管植物的纲。他关于石松类植物的工作促进了人们对于原始维管植物的形态及进化趋势的研究。《木本植物的解剖》(1917)由解剖学角度探讨进化,是这个领域中的重要著作。在《煤炭与文明》(1925)一书中他阐明了煤来源于植物。

Jeffrey, Francis Jeffrey, Lord 杰弗里(1773-10-23,爱丁堡～1850-01-26,爱丁堡) 文学评论家和苏格兰法官,以编辑19世纪初期出色的评论刊物《爱丁堡评论》著称。曾就读于格拉斯哥大学和爱丁堡大学,1791～1792年在牛津大学女王学院学习。1794年成为苏格兰律师,他发现他自由主义的辉格党政治观点妨碍了他在职业上取得成就。1802年,仍为在法律界获得成功而奋斗的杰弗里与S.史密斯等友人创办评论杂志《爱丁堡评论》。1803～1829年任该刊编辑,此后仍为其撰写关于文学评论、传记文学和伦理的短文。1830年,《爱丁堡评论》曾大力支持的辉格党执政,杰弗里被任命为检察总长。在任下议院议员期间,于1831年提出苏格兰改革法案。1834年任法官,取得勋爵称号。

Jeffreys, Sir Harold 杰弗里斯(1891-04-22,英国达勒姆法特费尔德～1989-03-18,剑桥) 英国天文学家、地球物理学家。以在多学科有贡献著称。曾就学于泰恩河畔纽卡斯尔的阿姆斯特朗学院(科学博士,1917)和剑桥圣约翰学院(文科硕士,1917)。1914年起,成为圣约翰学院接受奖学金的研究生。他曾任职于气象局(1917～1922),在剑桥讲授数学(1923～1932),后在剑桥讲授地球物理(1932～1946),并任剑桥大学普鲁姆天文学教授(1945～1958)。1953年受封为爵士。他断定四大外行星(木星、土星、天王星、海王星)都很冷并提出有关这些行星结构的早期模型。他还研究了太阳系起源和纬度变化理论。在地球物理方面,他研究过地球的热历史,而且是地震波传播时间标准表的作者之一(1940)。他最先提出地核液态假说。他解释了季风和海风的成因并论证了气旋对大气普遍环流有决定性作用。他还研究过概率论和基础数学物理方法。他获得的学术荣誉计有:皇家天文学会金质奖章(1937)、伦敦皇家学会金质奖章(1948)。主要著作有:《地球》(1924,1976第6版),《科学推理》(1931,1957第2版),《地震和山脉》(1935,1950第2版),《数学物理方法》(同B.S.杰弗里斯合著,1946,1962第3版),《杰弗里斯爵士论文集》(6卷,1971～1977)。

Jeffreys (of Wem), George Jeffreys, 1st Baron 杰弗里斯男爵(1645-05-15?,威尔士登比郡阿克顿～1689-04-18,伦敦) 英格兰

法官，以残忍和贪污而臭名昭著。威尔士士绅家庭出身。1668年取得律师资格。1677年任副检察长。在泰特斯·欧茨伪造的揭发天主教反对政府的阴谋（1678）之后的恐怖期

美国国会图书馆供图

间，他在对天主教嫌疑犯的多次审判中担任起诉方律师或法官。他以野蛮地嘲弄和侮辱被告人而赢得恶名。尽管他信奉新教并且充当迫害天主教徒的刽子手，但在查理和詹姆斯的宫廷集团里，他的地位日益显赫。1683年出任首席法官。与此同时，他在威廉·罗素勋爵和阿尔杰农·西德尼叛逆案中分别担任检察官和法官。尽管不利于这两个辉格党被告人的证据不足，他还是将这两人定罪并处死。1685年5月，他判处泰特斯·欧茨重鞭刑，同月，詹姆斯二世封他为韦姆的杰弗里斯男爵。蒙默斯公爵詹姆斯·斯科特叛乱（1685-07）失败后，他主持"血腥的巡回裁判"，曾处决约150～200名叛乱分子，并下令把另外几百人卖到各殖民地为奴。同时，他靠勒索受害者而大发横财。尽管如此，1685年9月詹姆斯二世仍任命他为大法官。1688年12月奥伦治的威廉推翻詹姆斯政府时，他化装为水手企图逃出国外，被捕，4个月后死于伦敦塔。

Jeffries, James Jackson　杰弗里斯（1875-04-15，美国俄亥俄卡罗尔～1953-03-03，加利福尼亚伯班克）　别名锅炉修理工（The Boilermaker）。美国职业拳击运动员。1899年6月9日在纽约市科尼岛经过11回合胜菲茨西蒙兹，获世界最重量级冠军，保持至1905年未经失败而退出比赛。身高6英尺2½英寸，竞技体重220磅。

Jegorjevsk（Russia）　参阅**Yegoryevsk**叶戈里耶夫斯克。

jehad（Islām）　参阅**jihad**圣战。

Jehangir（emperor of India）　参阅**Jahāngīr**贾汗季。

Jehoahaz（king of Judah）　参阅**Ahaz**亚哈斯。

Jehoiachin　约雅斤　又拼Joachin。希伯来语作Joiachin。见于《圣经·旧约》（《列王纪下》24），犹大国王约雅敬之子，18岁继承王位，在位仅3个月，被迫向巴比伦国王尼布甲尼撒二世投降，公元前597年与1万臣民一起被掳往巴比伦。约40年后，尼布甲尼撒死，其继承者将约雅斤释放。

Jehoiakim　约雅敬　又拼Joakim。见于《圣经·旧约》（《列王纪下》23：34～24：17；《耶利米书》22：13～19；《历代志下》36：4～8），犹大国王约西亚之子。约西亚死后，幼子约哈斯（又名沙龙）被臣民拥立为王，后被掳往埃及，埃及人另立约雅敬为王。约雅敬在埃及庇护下约公元前609年至前598年在位。尼布甲尼撒二世统治下的新迦勒底帝国于公元前605年击败埃及，约雅敬归顺尼布甲尼撒，3年后背叛。公元前598年尼布甲尼撒以摧枯拉朽之势攻入犹大国，围困耶路撒冷，约雅敬死于其时。

Jeholornis　热河鸟　发现于中国辽宁朝阳的原始鸟类化石。中国古鸟类学者周忠和与张福成发现并命名。热河鸟属距今不到12 000万年的早白垩纪，代表了除始祖鸟之外世界上唯一一种具有完整长尾椎的鸟类。其原始性仅次于始祖鸟，但比孔子鸟更加原始，代表了鸟类早期演化的一个更加古老的祖先类型，为鸟类起源于恐龙的假说增添了最新的证据。热河鸟虽然时代比始祖鸟要晚，而且总体特征也更加进步，但是它的尾椎骨骼却更加原始，体现在具有更加发育的脉弧和加长的关节突，这些特征和奔龙类恐龙十分相似，表明鸟类和这一类恐龙具有十分密切的关系。热河鸟化石中还保存了许多植物的种子化石，表明这是一类以吃种子为生的鸟类。保存种子的特征说明热河鸟可能具有一个相当发达的嗉囊，专司储存和消化食物的功能。

Jehoram　约兰　又拼Joram。希伯来语作Yehoram或Yoram。《圣经·旧约》所载同时代的两位国王之一。约兰为亚哈与耶洗别所生之子，以色列国王（约公元前849～前842在位）。在位期间与犹大国王约沙法联盟试图平息摩押人叛乱，未获成功。后来同大马士革作战，受伤，国内发生政变。约兰被杀。另一约兰为约沙法之子，犹大国王（约公元前849～前842在位）。登位后残杀亲族。在位期间以东人和立拿人背叛犹大，非利士人和阿拉伯人入侵。

Jehoshaphat　约沙法　又拼Josaphat，希伯来语作Yehoshaphat。犹大国王（约公元前873～前849在位），与亚哈、亚哈谢、约兰等各代以色列国王在政治上和经济上结盟。重建犹大国的军队，并试图通过宗教和法律改革实行集权。

Jehovah　耶和华　为犹太教和基督教共有的上帝之名，源自雅赫维（**Yahweh**）。

Jehovah's Witness　耶和华见证人　耶和华见证会的成员。耶和华见证会是兴起于19世纪而传遍世界许多地区的千禧年主义教派，其前身是拉塞尔（**Russell, Charles Taze**）于1872年在宾夕法尼亚州匹兹堡创立的万国读经会。"耶和华见证会"是拉塞尔的后继人拉瑟福德（1869～1942）于1931年采用的名称。该会与基督教各派别基本上没有联系，而且完全与一切世俗政府隔绝。该会认为，世上的国家和政党都是茫茫然与撒旦结为盟友的。因此，耶和华见证人不向任何国旗敬礼，不服兵役，基本上不参加公众选举，他们甚至怀疑基督教各派别也有撒旦作祟，因而许多年间在他们自己的组织机构中不使用"牧师"、"教会"、"会众"等名称。这种态度已有所改变，但是他们仍然排斥而弃绝20世纪的普世教会运动。他们的目标是要建立上帝之国即神权国家。他们相信，这个神权国家将在善恶两种势力在"哈米吉多顿决战"之后兴起，他们这种预测所根据的是《圣经》中的启示文学著作，特别是《但以理书》和《启示录》。拉塞尔根据这些启示测定，1874年基督将"隐身重返"世界，1914年基督复临，"外邦人的时代"结束。当代耶和华见证人不再预测日期和事件而根据所谓时代征兆的世界大事对现代生活进行分析。在神学上，他们认为，耶稣基督是上帝建立神权国家事业中的代理人，有罪的人可以通过基督与上帝耶和华和解。他们不讲所谓地狱，也不认为必有永生。他们认为，在一定条件下，死亡是彻底的幻灭。在第二次世界大战期间，耶和华见证会在德国和其他轴心国家受严重迫害，有些盟国也迫害他们，不许他们活动。在后殖民主义时代，非洲某些新国家大讲民族主义，与耶和华见证会所讲的神权主义格格不入，因而敌视该会。耶和华见证会的聚会处叫作"国堂"，洗礼采用浸礼，注重个人品德，反对除因奸淫问题以外的离婚，根据经文反对输血。在美国多次打官司胜诉，争得了根据自己的信仰发言和作证的权利。地方组织叫作"连队"，其成员大多是"国家宣传员"，每人每周要用5小时在国堂开会，假如情况许可，还要用5小时挨门传道。"先锋宣传员"担任半时世俗职业，每月用100小时进行宗教服务。"特别宣传员"是耶和华见证会的专职领薪人员，每人每月必须从事会务150小时。各国堂有管区，各见证人负责一带邻里。该会的宣传工作包括出版书籍，小册子，录音产品和期刊，其中主要有《守望塔》和它的姊妹刊《觉醒》。两刊在20世纪80年代初发行量达到1 000万份，用大约80种文字出版。进行耶和华见证会活动的3个机构中实力最雄厚的是宾夕法尼亚州的守望塔圣经书会，是拉塞尔于1884年所建。另外两个机构是纽约守望塔圣经书会公司和万国读经会。

Jehu　耶户　希伯来语拼作Yehu。以色列国王（约公元前842～前815在位）。他原是边防军指挥官，在先知以利沙的召唤下率部推翻暗利王朝。耶户政变成功，由若干小国组成的腓尼基联盟宣告结束。公元前841年，以色列在无外援的情况下无力抵抗亚述国王撒缦以色三世的入侵。耶户向撒缦以色屈服。

Jejsk（Russia）　参阅**Yeysk**叶伊斯克。

Jekri（people）　**杰克里人**　参阅**Itsekiri**伊策基里人。

Jekyll, Gertrude 杰凯尔（1843-11-29，伦敦～1932-12-08） 英国园林建筑师，主张自然的园林布局。出身于富有家庭，曾赴希腊诸岛旅行，研习建筑和历史，并受音乐和绘画的教育。1891年患眼疾，转而研究造园艺术。她的设计风格简朴、活泼。在与建筑师E.勒琴斯合作时，她用色彩和地方形式将勒琴斯设计的格局加以润色，创造出一种新型的建筑庭园。

Jelačić, Josip, Graf (Count) 耶拉契奇（1801-10-16，克罗地亚彼得罗瓦拉丁～1859-05-19，萨格勒布附近） 克罗地亚政治家和军人，在担任奥匈帝国克罗地亚省长时协助镇压匈牙利民族主义者1848年的反帝国起义。早年为奥地利军官，在意大利和波斯尼亚服役。1848年当匈牙利起义者控制了匈牙利时，他被帝国政府晋升为中将，任克罗地亚省省长兼部队总司令。就职不久即占领克罗地亚的主要港口里耶卡（阜姆）。他在帝国政府支持下，坚决要求克罗地亚议会宣布克罗地亚脱离匈牙利政府独立。但分离运动遭到奥地利政府的谴责，7月耶拉契奇被解职。后来由于帝国政府取得了反对起义者的权力，斐迪南皇帝重新启用耶拉契奇。1848年9月他率兵进驻匈牙利，极力镇压革命运动。1855年封伯爵，重任克罗地亚省长。

Jelālī Revolts 杰拉里叛乱 Jelālī又拼Celli。16～17世纪在安纳托利亚发生的反奥斯曼帝国的叛乱。第一次叛乱发生在1519年，由什叶派传教者杰拉里领导。后来在1526～1528、1595～1610、1654～1655和1658～1659年发生几次大规模的暴动。叛乱并不企图推翻奥斯曼政府，而是对许多因素造成的社会与经济危机的反应。最后被首席大臣库尤朱·穆拉德·帕夏镇压下去。但在17和18世纪其余时期，杰拉里叛乱分子在安纳托利亚仍时时进行劫掠活动。

Jelenia Góra 耶莱尼亚古拉 原波兰西南部省份（1975～1998）。现为下西里西亚省一部分。

Jelenia Góra 耶莱尼亚古拉 德语作Hirschberg（希尔施贝格）。波兰西南部下西里西亚省城市。位于苏台德山区，在布布尔河与卡缅纳河汇合处，靠近捷克边界。考古资料表明，该地曾为一支古斯拉夫部落所占据。11世纪始建永久居民点。15和16世纪主要由于兴起纺织业，经济达到高峰；然而遭三十年战争（1618～1648）和1640年瘟疫的浩劫，城市毁灭殆尽。重建后，成为西里西亚地区巴罗克式建筑的展览地；不过在18世纪普鲁士的统治下又开始衰落。19世纪一些铁路建成后，成为西里西亚的著名旅游中心；20世纪后半叶，附近克尔科诺谢山（巨人山）山区辟为游览胜地，该市又蓬勃发展。有采煤、冶金、纤维素和合成纤维工业、工程设施、木材生产以及传统的纺织工业；还有制药、光学和服装工厂。现保存有13和16世纪建造的部分城墙，另有14世纪的教区教堂。人口约89 339（2002）。

Jelgava 叶尔加瓦 德语旧称Mitau（米陶），俄语旧称Mitava（米塔瓦）。拉脱维亚城市。位于里加西南的利耶卢佩河畔。1226年修建米陶城堡；1376年设镇；1561年为库尔兰公国首府；1795年属俄国。1919和1944年该城遭到严重破坏。现为重要铁路枢纽和工业城市，生产农机、锁、亚麻布、糖、蔬菜和其他食品。人口约63 652（2000）。

Jelinek, Elfriede 耶利内克（1946-10-20，奥地利米尔茨楚施拉格～　　） 奥地利小说家和剧作家，以富有争议的两性关系、女性情欲和大众文化作品闻名。2004年获得诺贝尔文学奖。早年一边在学校学习，一边在维也纳音乐学院接受严格的音乐培训，部分导致了她在17岁时情绪失控。在康复过程中，耶利内克开始将写作作为自我表达和自省的工具。在维也纳大学求学后，她出版了处女作诗集《丽萨的影子》（1967）。她的第一部得到评论家认可的作品是《麦克尔：一个年轻人的幼稚社会指导》（1972）。作为积极的女权主义者，耶利内克经常描写女性受压迫和女性情欲方面的主题。在《作为情人的女人》（1994）中，她描述了在男权社会中妇女受束缚受压迫的状况。她的半自传小说《钢琴教师》（1988）探索了性压抑的问题，2001年被改编为电影。在写作技巧方面，她放弃了传统文学手法，在语言和主题方面不断进行新的尝试。重要小说作品包括《非常非常美妙的时光》（1990）、《欲望》（1989）和《贪婪》（2000）。其重要剧作包括为易卜生的《玩偶之家》写的续篇《娜拉离家以后发生了什么？》（或《社会中坚》，1994）。

Jellicoe, John Rushworth Jellicoe, 1st Earl 杰利科（1859-12-05，英格兰汉普郡南安普敦～1935-11-20，伦敦肯辛顿） 英国海军元帅，第一次世界大战中指挥了至关重要的日德兰海战（1916-05-31）。商船船长之子，1872年作为见习士官加入皇家海军。1883年进皇家海军学院，成为火炮射击专家。1888年入海军部任海军军械署署长助理。1891年升为舰长，指挥地中海舰队的"维多利亚"号军舰。1898年指挥驻在中国的"百人队长"号军舰，1900年义和团起义时曾参加解救北京各国使馆的讨伐。1902～1914年在海军部和舰队中任职，在此期间他改进了皇家海军战舰主炮的瞄准方法并使之制度化。第一次世界大战前夕，杰利科被调往本土舰队，在G.卡拉汉海军上将手下任副司令，不久被任命为舰队总司令，1915年3月正式批准领海军上将军衔。在两年时间里他编组并训练了这支庞大的舰队，使之做好战斗准备。他的指挥才能在日德兰海战中经受了考验，当时他的战术招致严厉批评，但现在人们认为他取得了战略性的胜利，使德国的远洋舰队在大战后期完全瘫痪（参阅**Jutland, Battle of**）。1916年底，任海军部首席大臣。第二年为对付德国新潜艇战采取的种种措施均未奏效，直到在首相劳合·乔治坚持之下实行了护航制度，战况才有所好转。1917年底自海军部引退。停战以后，以特使身份访问各自治领，并就各自治领海军建设提出咨询意见。在这次巡视中，他在"新西兰"号军舰上升起自己的旗帜。1919年升任海军元帅，1920年改任新西兰总督。因在第一次世界大战中立下功勋，他接受了5万英镑赠金。1918年底荣膺斯卡帕杰利科子爵爵位。1925年，他自新西兰归来，为表彰他在总督任期内的功绩，赐以南安普敦布罗卡斯子爵和伯爵爵位。著作有：《伟大的舰队，1914～1916，它的建立、发展和使用》（1919）；《海战的危机》（1921）。

Jellinek, Adolf 杰利内克（1821-06-26，奥地利帝国摩拉维亚德勒斯拉维策［今在捷克共和国］～1893-12-29，奥地利维也纳） 犹太教拉比、学者，被认为是当时中欧最有说服力的传道士。1845～1856年和1856～1893年先后在莱比锡和维也纳讲道。其布道稿二百多篇陆续出版（3卷本，1862～1866；9种较小的集子，1847～1882），他对于犹太教布道艺术的发展颇有影响。他还研究喀巴拉和米德拉西文献。

Jellinek, Elvin M(orton) 杰利内克（1890-08-15，美国纽约州纽约～1963-10-22，加利福尼亚帕洛阿尔托） 美国生理学家，以科学方法研究酒精中毒的先驱。曾在欧洲数所大学研读，1914年获莱比锡大学硕士学位。先后在布达佩斯（1914～1920）、塞拉利昂（1920～1925）及洪都拉斯（1925～1930）多所组织机构从事生物统计学工作。1931～1939年任职于马萨诸塞州立伍斯特医院。1939年始领导医院对酒精效应的研究。1941年任耶鲁大学应用生理学副教授，1941～1950年任耶鲁大学酒精研究所所长。自1962年至逝世为止，在斯坦福大学人类问题研究所任教并指导研究。他是研究有关酒精中毒的性质和原因以及酒精中毒症状描述的先驱。作为酒精中毒的疾病论的早期倡导者，他极力主张酗酒者应当作病人治疗。他搜集并总结自己和他人的研究成果，整理出版了重要的权威性作品《酒精探究》（1942）和《酒精中毒的疾病观》（1960）。

Jellinek, Georg 耶利内克（1851-06-16，莱比锡［德国］～1911-01-12，德国海德堡） 德国法律和政治哲学家。在《是非和惩罚的社会伦理意义》（1878）一书中，他将法律解释为伦理的最低要求；就是说，文明生活中必不可少的一套规范原则。和有影响的法律实证主义学派不同，他坚持必须取得民众的同意才能把社会的和心理的事实转变为法律的规范。他出身在一个高贵的犹太家庭，但本人却改信基督教。在维也纳（1879～1889）、巴塞尔（1890～1891）和海德堡（1891～1911）等地的大学中，他既是杰出的学者又是出色的教师。在国际上，他最出名的著作大概是《人权和公民权宣言》（1895），他在书中假定：法国的革命宣言（1789年8月26日由制宪议会通过）与其说如一般人所相信的，是源自卢梭的著作，毋宁说主要源自英美政治和法律的历史，特别是渊源于那些被用来支持美国独立斗争的理论。这种观点见之于《国家概论》（1900）一书。

Jelling stones 耶林石碑 在日德兰半岛发现的两个10世纪王室墓碑，在所有古代丹麦如尼文字石刻中最为著名。较早的一座纪念蒂拉王后，由其夫丹麦王、异教徒老戈尔姆授命而立。另一座是戈尔姆和蒂拉之子、丹麦和挪威的统治者、基督教在丹麦的推行者、青齿王哈拉尔为纪念其父母而立，为三面角锥体，两面雕有图画，另一面刻碑文。画面有各种动物图形、纵横交错的线条图案和一幅耶稣基督受难像。

耶林石碑
丹麦王国外交部供图

jelly 果冻 半透明糖食，将一种或多种水果或菜蔬榨滤的汁液加糖煮沸后，徐徐煨炖，再加些果胶、明胶或其他类似物质制成。许多水果或浆果及很多菜蔬的榨汁都适宜制作果冻。含果胶较多的如柑橘、柠檬、苹果的果汁加糖调煮后极易凝结。可将其加入含果胶少的水果、菜蔬或香草的榨汁中，如紫黑浆果、青椒和薄荷等以助凝结。果脯、蜜饯、果酱等与果冻不同，它们完全由水果或果肉制成。在美国，水果和浆果的果冻用于早餐时涂面包和制作花生酱、果冻三明治。在英国吃茶点时普遍用果酱和果脯同小蛋糕或其他焙烤食品一起食用。菜蔬或香草冻往往用胡椒、番茄或薄荷制作，作为羔羊肉或其他肉食品的佐料。硬而耐嚼的橡皮糖和软心豆粒糖加有谷类淀粉。胶冻软糖是由海藻提出物洋菜制成的，因能凝成透明的固化胶块，常用作糖粒表面挂胶，或作人造水果片表面涂挂的彩色胶料。

jellyfish 水母 刺胞动物门钵水母纲(Scyphozoa)海产无脊椎浮游动物，已知约有200种。或指立方水母纲的种类，该纲以前认为是钵水母纲的一目。水母一词广义也指具水母型钟形或碟形的刺胞动物，如水螅水母、管水母(包括僧帽水母)和不属钵水母纲的栉水母和海樽。本纲的水母分为两型：自由游泳的水母及营固着生活的种类(以柄栖附于海草及其他物体上)。营固着生活的形似水螅的种类构成十字水母亚纲(Stauromedusae)。

钵水母纲的种类自由游泳，见于各海洋，包括常见的沿海岸线飘流的盘形动物。寿命多数仅几星期，有的也活一年左右。直径一般约2～40厘米，但有的种相当大，直径可达2米。身体成分的99%是水，几乎各个种的主体都由胶状物构成。多以具刺丝胞的触手捕食小动物。有的种类则滤食水中的微型动、植物。与所有刺胞动物一样，体由内外两胚层组成，两层间有一中胶层(由凝胶状物质组成的结缔组织层)。水母的中胶层比其他刺胞动物厚，有漂浮作用，透明。

自由游泳的真水母的生活史可分3期。固着的水螅体能营无性生殖，从上端向下横裂成钵口幼体，再分裂成碟状体，每个碟状体长成为一成体。成体有雌雄之别，但有的种类常改变性别。许多种类的精卵结合后形成的胚体，在成体的消化道内孵化成浮浪幼虫，但有的在海水中发育。浮浪幼虫离开亲体后固着下来，经过一段短短的所谓螅管幼虫阶段，长成为一个新的钵口幼虫。这样的生活史是旗口水母目(Semaeostomeae)所特有的，此目约有50种，主要在沿岸带，其中有的分布极广。如海月水母属(**Aurelia**)和金水母属(**Chrysaora**)。

冠水母目(Coronatae)约30种，多分布深海，常呈栗色。体钟形，躯体中部和周缘部之间有一环形深沟为界，周缘分成多数宽瓣。缘触手大而坚实。有几种有钵口幼虫期，但多数种类的生活史不详。冠水母是现存的最原始的钵水母，可能是圆锥水母属(*Conulata*)的后裔。圆锥水母在1.8亿年前到6亿年前之间曾很繁荣，今仅存化石。有几种冠水母有固着的分支群体，曾单列为一属(*Stephanoscyphus* 属)。

根口水母目(Rhizostomeae)约有80种。口腕为从身体下部下伸形成的皱褶状突起，愈合成根状，将口堵塞，形成海绵状区，用以滤取食物。无缘触手。凝胶状的钟形身体坚牢且具瘤状物。生活史已知者有一典型的底栖的钵口幼虫期。本目的多数种类均擅游泳；但仙女水母属(**Cassiopea**)不常游泳，而倒置于热带浅海中，使与之共生的能营光合作用的藻类得到光照。本目的种类主要生活在印度洋—太平洋的热带到亚热带浅海，但根口水母属(*Rhizostoma*，又称足球水母)，常见于较冷的海中；杯根水母属(*Cotylorhiza*)常见于地中海。

十字水母目(前称Lucernariida)严格说不是真水母，约30种，有柄，固着生活。主要生活在冷水中。酒杯形，有一基柄固着，口位于上端。直径1～10厘米。上缘有8组触手，呈四周辐射形。有些种能脱开固着点，并能再次固着。常捕食小海生动物，寿命长数年。从幼虫直接发育为成体。水螅体期不明显。

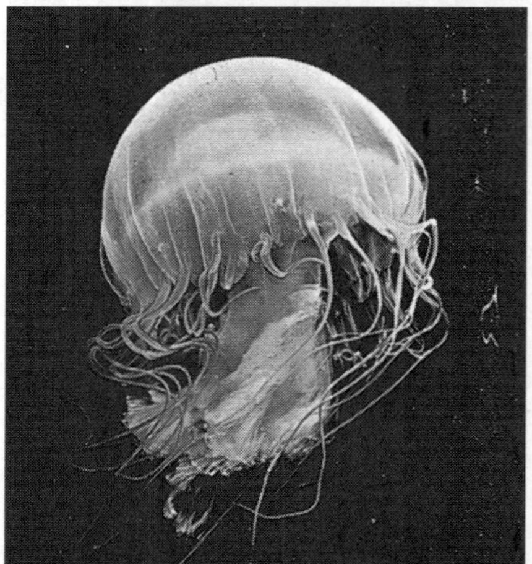

(上)海月水母(*Aurelia*) (中)仙女水母(*Cassiopea*) (下)金水母(*Chrysaora*)
美国不列颠百科全书公司供图

立方水母纲(Cubozoa)仅一目，立方水母目(Cubomedusae)，有的生物学家仍将它归入钵水母纲。已知约50种。虽然有些种直径达25厘米，但多数种类的直径为2～4厘米；体球形，但边呈方形，故俗称箱水母。海蜂水母属(*Chironex*)和曳手水母属(*Chiropsalmus*)俗称海胡蜂，广布于从昆士兰往北到马来亚附近，都是剧毒种类，螫一下几分钟内引起死亡。立方水母的水螅体迄今未见营出芽生殖者，而是变态为成体。

参阅 **cnidarian; hydroid; medusa; Portuguese man-of-war**。

Jemaa 杰马 尼日利亚中部卡杜纳州城镇。地近达罗罗丘陵。在乔斯—贾京迪公路线上。1944年在此发现2 000年前的赤陶头像，对了解该地区公元前900～公元200年间繁荣一时的诺克文化十分重要。20世纪60年代在此地又发现诺克雕塑。约1810年该镇由富拉尼人创建，后建酋长国，臣属扎里亚酋长国。1902年被英国并入纳萨拉瓦省。1959年联合卡戈罗、贾巴和莫罗阿几个酋长国，组成杰马联邦。其传统首领虽为富拉尼人，但大多数居民不是富拉尼人，也不是穆斯林。锡矿开采业仍为重要经济活动，但多数居民为农民，种植棉花、花生、姜、高粱和黍类。人口：地方政府区215 749(1991)。

Jember 任抹 又拼Djember。印度尼西亚爪哇岛东爪哇省城市。位于省会泗水东南面153千米的阿戈普罗山脚下。有公路和铁路与东面的外南梦，西北面的庞越，东北面的文多禾梭和诗都文罗相连接。任抹是周围地区农产品的贸易中心，经销食糖、烟草、玉米和花生。工业包括木材厂与机械厂，有食品、饮料加工和纺织业。手工业为木雕、金属加工、编绳、织席和编篮子。居民大部分是爪哇人，还有登加拉人，多信仰伊斯兰教。任抹大学创立于1957年。人口：市218 529(1990)。

Jemison, Mary 杰米森(1743，生于由爱尔兰驶往美国的轮船上～1833-09-19，美国纽约布法罗附近的布法罗溪居留地) 美洲印第安人的俘虏。她写的生平故事成了19世纪最受欢迎的俘虏故事之一。在宾夕法尼亚州今葛底斯堡附近的一个农场长大。1758年4月5日，一队法国士兵和肖尼人突然袭击了该农场。杰米森被他们劫走。旋即被一户塞讷卡家庭收养。这家人待她很好。1765年她与一个塞讷卡人结婚，为他生了几个孩子。这几个孩子都从她的姓。杰米森后来拥有这一带最大的牛群。1797年，部落的一纸土地授予证使得她成了最大的土地拥有人之一。1817年州政府确认了她的头衔，当年她加入美国籍。1823年对她的一次采访后，J. E. 西弗出版了《玛丽·杰米森夫人的一生》(1824)。该书受到读者的欢迎，前后一共出了30版。1831年迁往布法罗溪居留地。1833年在该居留地去世。1874年她的遗骸改葬在杰纳西河畔旧居附近。该地后改为莱奇沃思州立公园。

Jena 耶拿 德国中东部图林根州城市。位于魏玛东面，濒临萨勒河。9世纪首见记载，1230年设市。1672～1690为萨克森-耶拿公国的中心。1918年前一直是公爵住地。1806年拿破仑在耶拿对普鲁士之战取得令人瞩目的胜利。该市的弗里德里希·席勒大学创办于1548年，初为学院，1577年升格为大学，1787～1806年在歌德的保护人奥古斯都公爵治理下最为兴盛；哲学家费希特、黑格尔、谢林，作家施莱格尔、席勒都曾在这里任教。在接受新思想方面，该校长期居于德国各大学前列。19世纪中叶进化论学者海克尔在此显露头角；1841年该校授予马克思(缺席)博士学位。第二次世界大战中耶拿遭严重破坏，现已修复。著名建筑物有旧大学楼、14世纪市政厅和圣米迦勒教堂(1438～1528)。有许多中世纪城堡遗留下来的城楼。大学建筑(1906～1908)在伯爵宫旧址，歌德曾在这里写下他的小说《赫尔曼与窦绿苔》。有数所高等学校以及植物园、博物馆、光学专科学校、气象学院、气象台、地震研究中心和天文馆。耶拿是铁路枢纽，以历史悠久的蔡司光学精密仪器厂和朔特玻璃厂闻名。制药工业也很重要。人口约102 634(2003)。

Jena, Battle of 耶拿战役(1806-10-14) 又称耶拿-奥尔施泰特战役。在拿破仑战争中，法军12.2万人和普鲁士-萨克森军11.4万人之间进行的一次战役，战场在萨克森(今德国)的耶拿和奥尔施泰特。拿破仑在这次战役中粉碎了落伍的普鲁士军队，使普鲁士失去了据《蒂尔西特条约》(1807-07)而获得的一半土地。普鲁士的腓特烈·威廉三世在1806年7月与俄国签订秘约以后就准备战争。10月初，不伦瑞克公爵费迪南麾下的普鲁士-萨克森军穿过萨克森缓缓向西移动，企图威胁拿破仑与西欧的交通。拿破仑神速越过图林根森林东缘向北挺进，切断普军与易北河的联系，在普俄盟军会师以前先发制人。为对付来自背后的袭击，普军不得不掉转方向。腓特烈·威廉把在奥尔施泰特的6.3万人交给不伦瑞克，把魏玛和耶拿之间24千米长的战线上的5.1万人交给霍恩洛厄亲王分别指挥。10月14日拂晓后不久，拿破仑从9.6万兵员中调动5.4万人去进攻霍恩洛厄在耶拿的3.8万人，下午3时就把他们及其1.3万援军从战场上扫荡无遗。在北距21千米处的奥尔施泰特，L.-N.达武麾下的辅助法军2.6万人同不伦瑞克的普军主力遭遇。不伦瑞克受致命重伤后，国王亲自指挥。达武调来炮兵向普军全线轰击，下午4时，普军瓦解。后来达武因此奇功被封为奥尔施泰特公爵。法国的双重胜利所付出的代价是伤亡约1.2万人，而普鲁士-萨克森军伤亡约2.4万人，被俘约2万人。在俄国还没有采取行动援助其盟友以前，拿破仑在6星期内已完全征服了普鲁士。

Jena glass 耶拿玻璃 耐热、抗震的高质量玻璃，尤其适合于制作化学器皿。可用于制造温度计、测量容器、各种光学制品以及其他科学和工业用品。耶拿光学玻璃首先由德国玻璃化学家F.O.朔特制成，1884年他和E.阿贝以及C.蔡司在德国耶拿建了一座玻璃厂。初期的耶拿光学玻璃含有钠、镁、铝、锌的硼硅酸盐，硼硅酸盐中所含的三氧化硼部分取代了早期玻璃中的二氧化硅。这种初期的耶拿玻璃就是后来的硼硅酸盐玻璃，其中包括派热克斯耐热硬质玻璃(**Pyrex**)的前身。

Jena Romanticism 耶拿浪漫主义 指德国文学中的浪漫主义运动的第一阶段，约自1798年至1804年，以耶拿为中心。多才多艺的路德维希·蒂克为该派领袖。另外两个成员，施莱格尔兄弟在该派刊物《雅典娜神殿》中为浪漫主义运动奠定了理论基础。他们主张，批评的首要任务是了解和正确评价天才施展其天赋的权利。这个团体中最大的成就是诺瓦利斯(弗里德里希·利奥波德·冯·哈登贝格)的抒情诗和一些片断的小说。费希特和谢林的作品从哲学方面解释了浪漫主义理论，而神学家施莱艾尔马赫则从宗教思想方面证明个人主义的必要性。1804年，该派成员各奔东西。两年以后，浪漫主义运动的第二阶段在海德堡开始。

Jenakijevo(Ukraine) 参阅**Yenakiyevo**叶纳基耶沃。

Jenatsch, Georg 耶纳奇(1596，瑞士格里松萨马登～1639-01-24，库尔) 三十年战争时期格里松(现为格劳宾登，瑞士最东面的州)的政治和军事领袖。萨马登基督教新教牧师之子，1617年成为沙兰斯教区牧师。因富有雄心而进入政界。格里松松散地附属于瑞士邦联，当时控制着瓦尔泰利纳，而西班牙人、奥地利哈布斯堡王朝、法国和威尼斯都企图夺取这个地区。1620年7月19～23日西班牙党进行大屠杀，有300名基督教新教徒被害，他幸免于难。1621年2月25日他刺杀了西班牙党的头目普兰塔，不得不逃亡国外。1624年他代表格里松与法国结盟，因而把西班牙人和奥地利人赶走。但在1626年法西两国签订《蒙松条约》之后，瓦尔泰利纳实际上已割让给西班牙。1629～1631年奥地利重新占领格里松。1631年耶纳奇协助法国的罗昂公爵亨利夺得格里松的统治权，但后来他又与奥地利和西班牙进行谈判，自立为格里松的独裁者。后被普兰塔家族谋杀。

Jendouba(Tunisia) 参阅**Jundūbah**朱杜巴。

Jenghiz Khan(Mongol ruler) 参阅**Genghis Khan**成吉思汗。

Jenīn(Israeli-occupied Jordan) 参阅**Janīn**杰宁。

Jenkin, (Henry Charles) Fleeming 詹金(1833-03-25，英格兰肯特邓杰内斯附近～1885-06-12，苏格兰爱丁堡) 英国工程师，因确定电学测量单位的工作而闻名。1851年获热那亚大学文学硕士学位，此后10年中，在一工程公司从事海底电报电缆和设备的设计、制造与敷设工作。1861年他设法任命他的好友W.汤姆孙(即开尔文勋爵)为英国科学促进协会电学标准委员会的报告人。他协助编辑和出版了一些报告，这些报告确定了把欧姆作为电阻的绝对单位，描述了精确测量电阻的方法。詹金还是伦敦大学学院和爱丁堡大学的工程学教授。

Jenkins, Hayes Alen; and Jenkins, David 詹金斯兄弟(海斯1933-03-23，美国俄亥俄阿克伦～ ；戴维1936-06-29，阿克伦～) 美国花样滑冰运动员。两人均以规定动作准确有力和艺术表现优美著称，1953～1960年雄踞冰坛。海斯自1953～1956年连获美国和世界锦标赛冠军，1956 年获奥运会金牌。戴维赢得 1957 ～ 1960 年全国冠军和 1957 ～ 1959 年世界冠军，并获 1956 年奥运会铜牌和 1960 年奥运会金牌。两人在滑冰的巅峰时期同时都在科罗拉多学院获得学位。1960 年海斯与女子花样滑冰金牌得主 C.黑斯结婚，并在白雪溜冰团巡回表演数年后，获哈佛大学法律学位。戴维则成为一名内科医生。

Jenkins, Roy (Harris), Baron Jenkins of Hillhead　詹金斯（1920-11-11，英国蒙茅斯郡阿伯萨亨～　　）英国政治家，坚决支持北大西洋公约组织和欧洲共同体。原为工党党员，1982 ～ 1983 年任社会民主党的第一位领袖，1988 年起成为上院社会自由民主党领袖。1941 年毕业于牛津大学巴利奥尔学院。第二次世界大战期间在皇家炮兵中服役。1948 年第一次进入议会。他可谓出自工人运动世家：其父曾是矿工工会的工作人员、议会议员和工党首相艾德礼的议会私人秘书。詹金斯曾一度考虑放弃政治从事写作，但 1964 年参加威尔逊内阁，历任航空大臣（1964 ～ 1965）、内政大臣（1965 ～ 1967）和财政大臣（1967 ～ 1970）。1972 年工党决定支持就英国是否应留在共同市场之内举行公民投票，他退出工党以示抗议。1973 年又重新进入影子内阁，任内政大臣，并在 1974 年工党获胜后出任内政大臣。1976 年辞去内阁及议会中的职务，出任欧洲共同体执行机构主席，直至 1981 年。1981 年与越来越左倾的工党中的其他持不同政见者组成社会民主党，并短期担任该党领袖。1987 年接受了终身贵族的爵位，由下院转入上院，成为新成立的社会自由民主党的上院领袖。詹金斯写有多部著作，包括《追求进步》(1953)、《贝尔福先生的狮子狗》(1954)、《查尔斯·迪尔克爵士：维多利亚时代的一出悲剧》(1958)、《劳工案件》(1959)、《阿斯奎斯》(1964)、《波多马克河上的午后?》(1972)、《九个掌权的人》(1975)《鲍德温》(1987)和《20 世纪肖像画廊》(1988)。

Jenkins' Ear, War of　詹金斯的耳朵战争　1739 年 10 月爆发的英国和西班牙之间的战争，最后同奥地利王位继承战争（1740 ～ 1748）结合到一起。战争的起因是 1738 年发生的一次事件。R.詹金斯船长出席英国下议院一个委员会时，展示他的一只耳朵。据他说，耳朵是 1731 年 4 月间他在西印度群岛时被西班牙海岸警卫队员割下的。这些警卫队员登上他的船，劫掠一番之后就让船漂走。公众舆论早已被西班牙对英国船只的其他暴行所激怒，詹金斯事件很快被议会中反对 R.沃波尔政府的一派人所利用。

Jenkinson, Charles　詹金森　参阅 **Liverpool, Charles Jenkinson, 1st Earl of** 利物浦伯爵（第一）。

Jenkinson, Robert Banks　詹金森　参阅 **Liverpool, Robert Banks Jenkinson, 2nd Earl of** 利物浦伯爵（第二）。

Jenne (Africa)　参阅 **Djenné** 杰内。

Jenner, Bruce　詹纳（1949-10-28，美国纽约州芒特基斯科～　　）美国田径运动员。1976 年在蒙特利尔奥运会上获十项全能冠军，成绩 8 618 分，创世界纪录。1969 年接受橄榄球运动奖学金入艾奥瓦州拉莫尼市格雷斯兰学院，因膝部受伤，只能参加篮球和径赛运动。1971 年首次参加十项田径全能比赛，1972 年在慕尼黑奥运会获十项全能第 10 名。1976 年获奥运会冠军后任电视体育解说员，制作电视广告，充任电影演员。1977 年作为 1976 年最佳运动员获沙利文奖。

Jenner, Edward　詹纳（1749-05-17，英格兰格洛斯特郡，伯克利～ 1823-01-26 伯克利）英国医生，牛痘接种法的创始人。出身于格洛斯特郡伯克利一个乡村牧师家庭。自幼即热

美国不列颠百科全书公司供图

爱大自然，13 岁时随邻近的外科医生为学徒，8 年满师后又赴伦敦师从杰出的外科医生、学者 J.亨特，受其影响极深。接受其实验主义观点（亨特曾指点他："为什么只凭空揣想，为什么不实地试验一下？"），并与之建立了终生的友谊。1773 年回乡行医，取得很大的成功。又从事医学及生物学的研究。18 世纪天花流行，成为死亡的主要原因。当时唯一的预防手段为传自东方的人痘接种法（取轻症天花患者疱疹内容物接种健康人），但该法不够安全。詹纳当学徒时已经注意到：感染过牛痘的人不会感染天花。1796 年他取一位患牛痘的挤奶女工手指病损内容物接种一位 8 岁男孩，48 天后又给他接种天花患者脓疱内容物，男孩对之有抵抗力。他将观察结果写成论文及小册子，初不受重视。经许多周折牛痘接种法方得到公认，并传播到欧洲大陆、美洲乃至全世界，使天花的病死率大为下降。詹纳声誉日隆，但他从未以自己的发明来谋私利，反因从事牛痘接种事业而影响行医业务及自己的私事。在攻击和中伤面前他也保持沉默。这些都反映出他高尚的人格。

Jenney, William Le Baron　詹尼（1832-09-25，美国马萨诸塞费尔黑文～ 1907-06-15，加利福尼亚洛杉矶）美国土木工程师、建筑师。他在工程技术方面的革新，对摩天大楼的发展曾作出巨大贡献。他所设计的芝加哥国内保险公司大厦（1884 ～ 1885）被认为是第一幢使用钢铁框架结构代替承重砖墙的高层建筑，也是第一幢以钢材作为结构材料的建筑。这座大厦还促成了芝加哥学派的形成，该学派的主要倡导人 L.沙利文、D.伯纳姆、R.鲁特、W.霍拉伯德等，当时都在詹尼的事务所工作。1859 ～ 1861 年他在巴黎学习建筑。1861 ～ 1865 年美国南北战争时期任工

詹尼设计的芝加哥国内保险公司大厦（1884 ～ 1885）

美国不列颠百科全书公司供图

兵少校。1868～1905年在芝加哥从事工程和建筑设计。1876～1880年还曾在安阿伯的密歇根大学教授建筑。他早在设计芝加哥莱特大楼(1879年建成,1888年扩建,后来被拆除)时,就曾试图采用框架结构,而该楼的立面处理,已出现后来20世纪常见的玻璃幕墙的雏形。他设计的芝加哥的曼哈顿大楼(1889～1890)被认为是世界上第一幢16层高的建筑,而且是把抗风构件作为主要设计特征的作品。

Jennings, Elizabeth (Joan)　詹宁斯(1926-07-18,英国林肯郡波士顿～2001-10-26,牛津郡班普顿)　英国女诗人,所写诗歌以率直、传统和客观的风格叙述完全涉及个人的事情并往往反映她对天主教的虔诚和对意大利的热爱。出生在医生家庭,曾在牛津中学和牛津大学圣安妮学院受教育。1953年出版第一部《诗集》。1955年出版的《走马观花》获毛姆奖金,她用这笔钱去意大利旅行。《生或死之歌》(1961)是她的自白,表现出更为狂烈的爱情观,标志一个新的发展阶段。她后来的一些优秀诗篇写她自己的精神崩溃及其后遗症。在《1967年诗集》之后出版有《动物的来临》(1969)、《清醒》(1970)和《亲戚》(1972)。所译《米开朗琪罗的十四行诗》(1961)于1969年修订再版。还写有儿童诗和《诗选》(1980)。

Jennings, Herbert Spencer　詹宁斯(1868-04-08,美国伊利诺伊托尼卡～1947-04-14,加利福尼亚圣莫尼卡)　美国动物学家,研究微生物个体行为的第一位科学家,首先用实验方法研究单细胞生物遗传变异的人之一。1896年毕业于哈佛大学,博士论文是关于轮虫的形态形成,他继续研究这问题达10年之久。他研究的结晶及对动物学的主要贡献是《低等生物的行为》(1906)一书。他研究了生物个体的反应和对刺激的具体反应,提出新的实验证据,证明从原生动物到人,所有动物的活动力和反应力均相似。以后40年研究单细胞生物的遗传和变异机制。这阶段的著作包括:《生与死,遗传和进化》(1920)、《遗传学》(1935)及《人性的生物学基础》(1930)。

Jennings, Sarah　詹宁斯　参阅 **Marlborough, Sarah Jennings, duchess of 马尔伯勒公爵夫人**。

Jenolan Caves　杰诺伦山洞　澳大利亚最著名旅游名胜之一。在新南威尔士州中东部,蓝山山脉西侧,东距悉尼113千米。包括一系列天然隧道和大岩洞。山洞高低参错,石灰岩构造形状奇特,以石笋为尤。一度为土著居民占用。1866年辟为政府保护地。现有12个洞向公众开放,每年游客逾15万。

Jensen, Georg　延森(1866-08-31,丹麦罗德瓦德～1935-10-02)　丹麦银匠及图案设计师,因将现代金属设计应用于商业而在国际上闻名。其作品单纯典雅,技艺精巧,使延森产品牌号得到举世公认。他的艺术天才主要表现在雕刻方面,但还是投身金属工艺,主要制作珠宝首饰和银器。他多次在重要的国外展览会上展出(在1910年的布鲁塞尔博览会上荣获金质奖章),很快奠定了杰出的、富有创造性的银匠的声誉。1919年建立了自己的第一所厂房。他制造的富有光泽、朴实无华的银器拥有前所未有的广阔市场。他的公司迅速发展,并将业务扩大到整个欧洲,在伦敦和纽约市开设分行。延森的作品,左右当时欧美餐具趋向。过去钢材只适用于低档廉价的刀叉,而他首先用钢材设计制作出美观耐用的刀叉餐具。1935年,其商行分支遍布全球,开售的样式不下3 000种。

Jensen, Gerrit　詹森(生于低地国家?;活动时期1680～1715,伦敦)　英语名Gerrard Johnson。擅长制作路易十四式家具的皇家工匠,当时著名设计师和工匠之一。他无疑是英国第一位享有个人殊荣的家具制作者,以金属镶嵌技艺闻名,时人称之为"英国的布尔",A.C.布尔是同时代首创镶嵌工艺的法国著名家具制作家。1680年为英王查理二世制作家具,作为馈赠摩洛哥元首的礼物。之后常为王室制造家具。他为英王查理制作的家具已不复存在,但为威廉和玛丽制作的家具许多还保存完好。最成功的作品是温莎宫国务接见室中的家具,制于1701年左右。

Jensen, J(ohannes) Hans D(aniel)　延森(1907-06-25,汉堡～1973-02-11,西德海德堡)　德国物理学家,与美国的M.G.迈尔和E.P.维格纳共获1963年诺贝尔物理学奖。他提出壳层理论,认为不应该把原子核理解为质子和中子的任意集合,而应该理解为不同半

美国不列颠百科全书公司供图

径的壳层或球层结构,每层布满质子和中子。延森曾在汉堡大学、汉诺威理工学院和海德堡大学任教。1949年与迈尔、维格纳共同提出核壳层模型。曾与迈尔合著《核壳层结构基本理论》(1955)。

Jensen, Jens　延森(1860-09-13,丹麦迪伯尔～1951-10-01,美国威斯康星埃利森湾)　园林建筑师,以运用自然地形和当地花卉著称。1884年赴美国,定居芝加哥。1890～1900年和1906～1920年两度任芝加哥市立公园的设计师。他在芝加哥设计得最成功的主要公园,为改建的洪堡公园和新建的哥伦布公园。他还主要负责修建了库克县森林保护公园,这是美国城市或大都会区域内规模最大的自然式公园。此外,威斯康星州拉辛的公园和伊利诺伊州斯普林菲尔德的林肯纪念公园也都由他擘划设计。他设计的私人花园也很多。还为F.L.赖特和L.沙利文等名建筑师设计的住宅布置庭院。30年代中期以后,他一直在威斯康星州的克利灵艺术家居住区作园林绿化工作。

Jensen, Johannes V(ilhelm)　延森(1873-01-20,丹麦法瑟～1950-11-25,哥本哈根)　丹麦小说家、诗人、散文家,许多神话的作者。1944年获诺贝尔文学奖。原在哥本哈根攻读

美国不列颠百科全书公司供图

医学,后转而从事写作。他以所写故事崭露头角,这些故事可分为3类:即希默兰半岛故事;他自己的远东旅行故事(从而被称作丹麦的吉卜林)以及百余篇一再以《神话》为题的故事。早期作品还包括历史三部曲《国王的下台》(1900～1901),系丹麦国王克里斯蒂安二世的传记小说。在游历美国后,又创作了《多拉夫人》(1904)和《车轮》(1905)。1906年刊行诗一卷。晚年重新致力于诗歌创作,写有《诗集》(1901～1943)。其力作是六部曲小说,统称《漫长的旅行》(6卷,1908～1922)。

Jenson, Nicolas　詹森(约1420,香槟索默瓦尔～1480,罗马)　图书出版家和印刷商,他创制了罗马体活字。他先在造币厂学习雕刻铸模,后来成为图尔皇家造币厂的名师。1458年,到美因茨向J.谷登堡学习印刷。1470年,他在威尼斯开设一家印刷所,在第一部印刷品中采用的罗马体小写字母,从字体大小、形状和排列上标志着由模仿手写体向印刷业在后来沿用几百年的新字体的过渡。他还设计了希腊字体活字和黑体活字。虽然他排版时十分细致地使版面均匀平整,但他的印刷品,并非都能达到应有的精确程度。不过,他还印行了由权威学者精心编撰的150多部著作。

jeopardy, double (law)　参阅 **double jeopardy 一事不再理**。

Jephthah　耶弗他　以色列人的士师或摄政者,《士师记》的主要叙述者,据该书所载,他信奉唯一真神雅赫维,是以色列人的典范。是基列(今约旦西北部)的以色列部落的人,曾被驱逐出故乡,成为匪首。基列人不堪亚兰、亚扪等地异族的压迫,恳求耶弗他为他们报仇。耶弗他克敌制胜,胜利后不得不杀死亲生女儿献给雅赫维做燔祭还愿,这或许是某些以色列女人坚守童贞的神话基础。以法

莲支派进犯基列,耶弗他率基列人屠杀以法莲人(利用以法莲人不会发希伯来词 shibboleth 中的[sh]音而认出他们),但此事缺乏可靠的史料旁证。

Jequié 热基耶 巴西东北部巴伊亚州东南部城市。位于康塔斯河上。海拔 199 米。1910 年升为市。为当地主要生产可可和牲畜地区的贸易中心。产品由铁路、公路和飞机运往里约热内卢和州内其他城市。人口约 130 207(2000)。

jequirity bean(*Abrus precatorius*) **相思子** 又作 rosary pea 或 Indian licorice。又称念珠豆,印度甘草、祈祷相思子。豆科热带植物。种子坚硬,红黑各半,虽然剧毒,但印度和其他热带地区仍用它串成项链和念珠等装饰品。它还是印度的一种重量单位(ratti),每粒约等于金衡的 1 或 2 格令。

Jequitinhonha River 热基蒂尼奥尼亚河 巴西东部河流。源出米纳斯吉拉斯州南部的埃斯皮尼亚苏山,北流转东北偏东,切穿高地,在萨尔图-达迪维萨形成萨尔图格兰德瀑布(落差 43 米)。在热基蒂尼奥尼亚城进入沿海平原(该城以下河段也称为格兰德多贝尔蒙蒂河),在巴伊亚州的贝尔蒙蒂注入大西洋。该河全长约 1 090 千米,部分河段通航。

Jerba, Île de(island, Tunisia) 参阅 **Jarbah** 杰尔巴岛。

jerboa 跳鼠 33 种啮齿目跳鼠科长尾、善跳的动物的统称。栖息在亚洲和非洲北部的荒漠和干旱平原。眼大。毛柔软,沙色。体长 5 ～ 15 厘米,尾长7～25厘米。某些特征

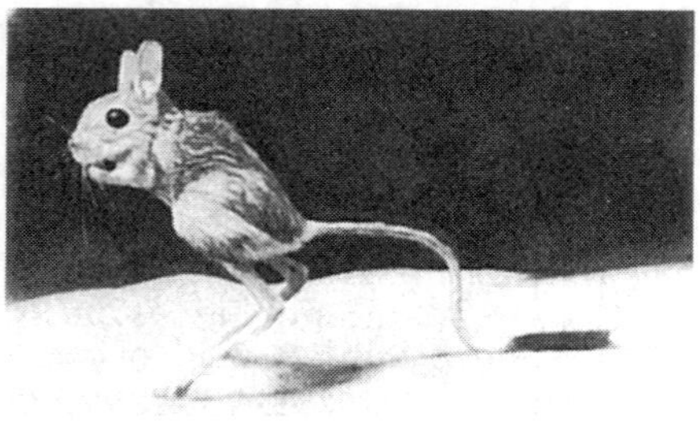

埃及跳鼠(*Jaculus jaculus*)
美国不列颠百科全书公司供图

如耳的大小(或小或细长)以及后趾的数目(3 ～ 5)有所不同,但所有跳鼠前腿都短,后腿极长;尾都长而有毛,常具丛毛。跳鼠用后腿行动,用尾支撑身体或在跳跃时保持平衡。跳跃迅速,一跃可达 3 米。白天在地穴里休息,夜出觅食种子、草和昆虫。有些种用泥土封塞洞口,大多数冬眠。一年生育一次或多次,每窝产 3 仔。跳鼠有 10 属,约 25 种,了解较多的是亚洲中部和东部毛足跳鼠(*Dipus sagitta*,属于三趾跳鼠属),非洲东部、近东和亚洲西南部的荒漠跳鼠(非洲跳鼠属[*Jaculus*]),以及埃及和亚洲的五趾跳鼠属(*Allactaga*)。

Jeremiah 耶利米(约公元前650之后,犹大亚拿突～约前 570,埃及) 希伯来语作 Yirmeyahu,民间拉丁语作 Jeremias。公元前 7 ～前 6世纪间犹大国的重要先知。当时正值近东地区形势转变时期。称霸 200 年之久的亚述帝国已经衰亡,首都尼尼微于公元前 612

米开朗琪罗在罗马西斯廷礼拜堂湿壁画中所绘的耶利米像,约 1512 年
美国不列颠百科全书公司供图

年被巴比伦人和米底人占领。公元前 664 ～前 525 年间,埃及第 26 王朝一度复兴,但未能建成帝国。迦勒底王朝统治的新巴比伦帝国兴起,其著名君主是尼布甲尼撒。弱小的犹大国先臣服于亚述,亚述衰落后一度宣告独立,此后摇摆于巴比伦和埃及两强之间,最后沦为新巴比伦帝国一个行省。据《耶利米书》记载,耶利米在公元前 627 或前 626 年即犹大国王约西亚在位第 13 年开始先知活动。公元前 621 年约西亚在修葺耶路撒冷圣殿时发现一部律法书,可能是《申命记》或其一部分,遂根据该书教导广泛进行改革。改革内容有清除礼仪中的异教成分,献祭仪式限在耶路撒冷圣殿中举行,同时遵循过去众先知的主张申张社会公义。耶利米对这些改革所抱态度难以考证。公元前 605 年巴比伦彻底击溃埃及以及亚述残余势力,在此之前,耶利米预言埃及必败。耶利米命令他的书记巴录将他口述的预言记下来。巴录在圣殿宣读这些预言。后来有人向国王约雅敬宣读这些预言,约雅敬将书卷扯碎,投于火中。耶利米躲藏起来,又口授一卷,并有所增益。公元前 601 年左右,约雅敬停止向巴比伦进贡,此时耶利米预言,犹大国将要被过去的友邦灭亡。约雅敬继续抗拒巴比伦,巴比伦国王尼布甲尼撒发兵围困耶路撒冷。约雅敬死于该城被围之前,其子约雅斤继位,公元前 597 年 3 月开城投降。其后,约雅斤连同大批臣民被掳往巴比伦。巴比伦立亲巴比伦的西底家为犹大国王,他较愿遵循耶利米忠告,但懦弱寡断,手下亲巴比伦派和亲埃及派斗争激烈。西底家向巴比伦进贡约 10 年,后来转而与埃及结盟。于是巴比伦国王尼布甲尼撒再次进攻耶路撒冷,公元前 586 年占领该城。在耶路撒冷失陷以前,耶利米一直主张臣服巴比伦。埃及军队接近,耶路撒冷暂时解围,耶利米离城前往便雅悯支派领地,结果以叛逃罪被捕入狱。巴比伦军攻下耶路撒冷后,将耶利米释放,建议他前往巴比伦,但他愿留在本国,受犹大省总督基大利保护。耶利米继续反对密谋背叛巴比伦的人,并预言以色列人前途幸福光明。基大利被暗杀后,一部分犹太人担心受巴比伦报复,逃往埃及,并胁迫耶利米同行。耶利米在埃及继续遣责这些逃亡者。传说耶利米在埃及被犹太人用石头打死。耶利米最重要的预言是雅赫维将要与以色列人立新约。现在流行的这一段话(《耶利米书》31:31 ～ 34)可能不是原话,但基本上反映他的观点。他预言,将来雅赫维要同以色列订立新约,以取代过去他与摩西所立的约,雅赫维要将律法写在人们心上,而不再是写在石板上,一切以色列人都能够直接认识上帝,蒙上帝宽赦。

Jeremiah, The Book of 《耶利米书》 《旧约》大先知书的一卷。耶利米是犹大国的先知,在国王约西亚在位的第 13 年(公元前 627 或前 626),蒙上帝召唤作先知,直到公元前 586 年巴比伦攻陷耶路撒冷以后一段时间。当时正值犹大国最动乱的 40 年,耶利米的许多预言都与当时的事件有关。该书的主体通常划分为以下几部分:谴责犹大和耶路撒冷的预言(1 ～ 25 章);关于耶利米的叙述(26 ～45 章);谴责外国的预言(46 ～ 51 章);关于史实的附录(52 章)。第一部分中的预言大多是耶利米本人所发。第二部分大多采

用散文体，对耶利米一般用第三人称，大概出自巴录的手笔——巴录是书记，据本书第36章说，他随耶利米口授写下谴责以色列、犹大和各国的预言。谴责外国的预言一部分或许是耶利米所发。附录基本上取材于《列王纪下》(24：18～25：30)。此书特点在于耶利米许多段自白：他甘冒众人憎恨向他们传达上帝的旨意，使自己面临被囚及杀身的危险，内心苦闷，乃发出这种哀叹。这种自白使得耶利米的个人经历显得比《旧约》其他先知的生平都更为亲切。此书的合成经过既漫长而又复杂。它的基本内容——耶利米谴责犹大和耶路撒冷的预言——或许正如书中所说是由耶利米口授而由巴录写在羊皮卷上的。其他有关耶利米的各段言论和事实(主要是26～45章)或许是由巴录晚些时候辑成。除了这两大批材料外增进了有关耶利米最后阶段活动的材料和其他资料(特别是46～51章)。由此可见，该书经过长期的成书过程。

Jeremiah, The Lamentations of(biblical literature)　参阅 **Lamentations of Jeremiah, The**《耶利米哀歌》。

Jeremiah, The Letter of　耶利米书信　《旧约》外典之一，天主教列为正典《巴录书》的第六章，而犹太教和新教以《巴录书》本身为外典。据说此书是先知耶利米写给公元前597年被巴比伦国王尼布甲尼撒掳往该国的犹太人的信，其实既非书信，也非耶利米所作，而是反对崇拜偶像的论辩文，是根据《耶利米书》中的一节(10：11)加以发挥而成，此书可能是住在巴比伦尼亚的一位犹太人士写于约公元前300年的。作者的主要抨击目标可能是巴比伦农神坦木兹。

Jeremias　参阅 **Jeremiah** 耶利米。

Jeremias II　耶利米亚二世(约1530，奥斯曼帝国安齐亚洛斯[今保加利亚波莫里埃]～1595，君士坦丁堡[今伊斯坦布尔])　希腊正教君士坦丁堡牧首。1572年他由于众望所归而当选牧首，登位后立即发动改革，整饬神职人员纪律，惩办鬻买神职。操之过激而激怒主教会议，1579年被废。9个月后由于公众激烈要求而复位，1584年再度被废。两年后，由于他的威望和奥斯曼帝国苏丹的干预而复位，任职终身。他为了筹集资金兴建新的牧首座堂(原牧首座堂被土耳其人改作清真寺)，前往波兰和俄罗斯。他运用权力支持处于波兰控制之下的乌克兰正教信徒抵制天主教和东仪天主教的压力。1589年在莫斯科主持该地都主教约伯升任第一任俄罗斯牧首的祝圣礼。耶利米亚返回君士坦丁堡时携带大批捐款。1593年召开的会议批准莫斯科牧首座成立，并决定在君士坦丁堡开办牧首座学院，促进正教学术研究并改进神职人员教育制度。自1572至1581年德国新教信义宗神学家与耶利米亚通信，争取正教支持1530年奥格斯堡信纲中的条款。耶利米亚表示在一定程度上赞同其中某些信条，但驳斥信义宗关于救恩和圣体的理论。他的反西方精神导致他拒绝格雷果里历法。

Jérémie　热雷米　海地西南部城镇，位于长长的蒂布龙半岛最西北的海岸。临戈纳伊夫湾，在太子港以西190千米，但大多为石子道路，很难通行。热雷米是这一地区主要城镇，当地贸易的活跃港口，主要贸易商品是可可、咖啡、甘蔗、香蕉和木材。有旅游业和捕渔业。人口约26 803(1997)。

Jerevan(Armenia)　参阅 **Yerevan** 埃里温。

Jerez de García Salinas　赫雷斯　墨西哥中北部萨卡特卡斯州中南部城市。临赫雷斯河。海拔2 027米。为周围农牧区的商业和制造业中心。附近产豆、榅桲和苹果以及饲养马、猪、羊和牛。附近有锡和水银矿。人口：市34 300；自治市58 000(1990)。

Jerez de la Frontera　赫雷斯-德拉弗龙特拉　西班牙西南部安达卢西亚自治区加的斯省城市。位于加的斯市东北。地近瓜达莱特河北岸。曾先后为罗马人和摩尔人占据。1264年由卡斯蒂利亚国王阿方索十世收复。现经济以酿制雪利酒为主。供应国内外市场。所产赫雷斯马是阿拉伯种、西班牙种和英国种杂交而成的名马。人口约182 660(1999)。

Jericho　杰里科　阿拉伯语拉丁字母转写作Arīḥā。1967年以来被以色列占领的西岸有争议区域的城镇。在约旦河谷西侧，为世界上最早的连续的居民点之一。可能始自公

《旧约》中所载杰里科古地的发掘遗址
美国不列颠百科全书公司供图

元前约9000年。《圣经》中提到，杰里科是约书亚率领以色列人渡过约旦河后攻打的第一个城镇，约在公元前14世纪下半叶被摧毁。据考古证明，杰里科历史远早于圣经记载。约公元前9000年，中石器时代狩猎者到此，其后代曾在此长期定居。至公元前8000年，当地形成有组织的社区(2 000～3 000人口的城镇)，四周筑有石墙，居民从狩猎转向务农(已知最早农业)。公元前7000年形成新石器文化。公元前5000年村落增多，开始使用陶器。之后2 000年间居民点变少。公元前4000年末再次出现城市文化。约公元前2300年游牧民族进入，城市生活再度中断。约公元前1900年后重新复兴为城镇。这一时期的考古发现(住房和随葬家具等)反映了以色列人进入迦南时建立的文化状况。十字军时代杰里科位于《圣经》所载地点以东1英里处。今为现代城镇。杰里科在土耳其统治时期原是一个村庄，在英国托管统治(1923)后成为冬季疗养胜地。1949年归属约旦后有较大扩展。附近建有两大来自以色列的阿拉伯难民营，为大部重建的该镇带来巨大活力。在引水灌溉之下，当地绿洲面积不断扩大。1967年的阿-以战争造成人口大量流散。人口约12 528(1987)。

Jermyn, Henry　杰明　参阅 **Saint Albans, Henry Jermyn, Earl of** 圣奥尔本斯伯爵。

Jernberg, Sixten　耶尔恩贝尔格(1929-02-06，瑞典～2012-07-14，穆拉)　瑞典越野滑雪和跳台滑雪运动员。原以伐木为业。共获4次冬季奥运会滑雪金牌：50公里赛(1956、1964)；30公里赛(1960)；4×10公里接力赛(瑞典队，1964)。1954～1960年连续7次获瑞典越野与跳台混合项目冠军。1964年冬季奥运会后退休，被授予瑞典国家英雄称号。

Jerne, Niels K.　耶纳(1911-12-23，英国伦敦～1994-10-07，法国加尔省卡斯蒂永)　英裔丹麦免疫学家。1984年诺贝尔生理学或医学奖得主，同时获奖的还有C. 米尔斯坦和G. 克勒。耶纳的父母都是丹麦人，他出生于英国，成长在丹麦，毕业于荷兰莱顿大学，并于1951年获哥本哈根大学博士学位。1943～1956年供职于丹麦国立血清研究所，1956～1962年出任世界卫生组织首席医官。20世纪60年代，他先后执教于日内瓦大学和美国宾夕法尼亚州匹兹堡大学，并曾任德国美因河畔法兰克福歌德大学实验治疗学教授。他协助筹建了巴塞尔免疫学研究所，并于1969～1980年出任该研究所所长。耶纳在法国巴斯德研究所执教一年后退休，定居在法国加尔。耶纳首倡现代免疫学的抗体生成概念：抗体的产生是机体免疫系统用以对抗和破坏入侵抗原(细菌、病毒等)的一种功能形式。他还提出机体免疫系统的发展和功能活动都是作为一个整体而运作的理论。1974年，他详述了机体免疫系统的功能运作方式，机体的免疫系统被抗原激活，并以特殊的免疫方式应答和杀灭外来抗原。他把免疫系统的这种功能方式叫做“功能网络”。在没有抗原入侵的情况下，机体免疫系统被关闭。

Jerobaal(biblical hero)　**耶路巴力**　参阅 **Gideon** 基甸。

Jérôme(king of Westphalia)　**热罗姆**　参阅 **Bonaparte, Jérôme** 波拿巴。

Jerome, Saint　哲罗姆，圣(约347，达尔马提亚斯特利登～419或420，巴勒斯坦伯利恒)　拉丁语作Eusebius Hieronymus(优西比乌斯·希罗尼穆斯)。早期西方教会中学识最渊博的教父，将《圣经》希伯来文《旧约》、希腊文《新约》译成拉丁文，此译本后称通俗拉丁文本。父母为富有的基督教徒。幼年在家中受教育，约12岁赴罗马学习文法、修辞学和哲

学。他治学严谨，喜读拉丁文典籍，常去参观古代基督教徒墓穴。366年结束学业之前受洗礼。此后20年到各地旅行。382～385年间返回罗马，任教皇达马苏斯一世的秘书，考证《圣经》，宣传禁欲。哲罗姆根据所能搜集到的最好的希腊手稿修订古拉丁文本福音书，又根据几份七十子希腊文本《圣经·旧约》修订古拉丁文本《诗篇》，但未获成功。哲罗姆鼓吹隐修，同禁欲主义者保持密切关系；谴责罗马神职人员，抨击行为不谨的修士和伪善的修女，校订福音书词句，为此树敌甚多，特别是在384年达马苏斯一世去世后，遭受猛烈抨击。385年哲罗姆偕同以保拉为首的众修女旅行巴勒斯坦全境，并到埃及各隐修地进行参拜和考古。他在亚力山大同著名解经家狄迪莫斯共同度过近一个月的时光。386年，哲罗姆定居在伯利恒。他对古典著作以及《圣经》和圣传有过人的理解。但他主要是学者而不是思想家，他的通信对史学家、圣经学者和神学家都有重要参考价值；所译通俗拉丁文本《圣经》对中世纪初期学界影响至大，他的《圣经》注释和人文主义思想，特别是他所介绍的希腊思想，也产生巨大影响。

Jerome of Prague 哲罗姆(布拉格的)（约1365，布拉格～1416-05-30，康斯坦茨） 捷克哲学家、神学家。他接受捷克宗教改革家胡斯的熏陶，两人一起抨击天主教会并同赴波希米亚、波兰和德意志参加神学辩论。1398年在布拉格查理大学获学士学位，转牛津大学深造，接受英国宗教改革家威克里夫的哲学神学。1401年返回布拉格任教授，在讲课中宣传威克里夫的学说。哲罗姆到欧洲各学术中心鼓吹宗教改革，1405年在巴黎大学、1406年在海德堡大学和科隆大学任教，但每次都为教会当局强迫离境。他返回布拉格，与胡斯一起继续主持教义论辩，要求召开会议以改革教会的组织与习俗。1412年与胡斯一同参加一次著名的辩论会，在会上宣告，教皇的命令如果违反基督的律法，信徒可不予遵守。会后率众在城内游行，焚毁敌对教皇约翰二十三世关于发行赎罪券的敕令。1415年4月，他不顾信徒的劝告，潜往康斯坦茨出席会议，为在押的胡斯辩解无效，未及离该地而被捕。当局指控他态度暧昧和诡诈不诚，于1416年5月26日最后一次公开审讯他。他宣布过去自己向天主教正统派认罪是出于恐惧和软弱，现在这些声明一律无效。于是他被认定为异端累犯而以火刑处死。

Jerome, Chauncey 杰罗姆(1793-06-10，美国康涅狄格迦南～1868-04-20，康涅狄格纽黑文） 美国发明家和时钟制造家，19世纪中叶他的产品在各地享有盛名。早年学习木工手艺，利用工余时间制作落地式座钟的钟面。1824年他设计装有铜镜的时钟，当时很流行，于是创办公司，不久便跃居时钟制造业的首位，除在布里斯托尔的总厂外，还在弗吉尼亚州和南卡罗来纳州建立分厂。约1838年他发明了能走一天的铜制时钟，这比木制时钟是一种改进。由于采用了美国发明家E.惠特尼的大批量生产技术，他以廉价的铜制时钟充斥美国市场。这种钟很快就传入欧洲，使英国人大为惊异，对"美国佬的机灵"赞叹不已。50年代他因与不法商人交往，工厂倒闭。他在贫困潦倒中死去。

Jerome, Jerome K(lapka) 杰罗姆(1859-05-02，英格兰斯塔福德郡沃尔索尔～1927-06-14，北安普敦郡北安普敦） 英国小说家和剧作家，他的幽默——热情、平易及不具讽刺意味——赢得广大读者的喜爱。14岁离开学校后，先后当过铁路办事员、教师、演员和记者。他的第一部作品《舞台上下》于1885年出版，但接着出版的两本书《懒人所思》(1886)和《三人同舟》(1889)才使他获得极大的成功，这两本书均被译为多国文字。1892～1897年与R.巴尔和G.B.伯金合编他曾协助创办的月刊《懒散者》，该杂志主要刊登E.菲尔波茨、马克·吐温和B.哈特等作家的稿件。杰罗姆的其他作品有《三人在布梅尔上》(1900)和自传体小说《保罗·凯尔弗》(1902)。此外，还写有一些剧本。回忆录《我的一生和时代》于1926年出版。

Jerrold, Douglas William 杰罗尔德(1803-01-03，伦敦～1857-06-08，伦敦） 英国剧作家、新闻记者和幽默作家。以根据18世纪J.盖依所作民谣改编的航海闹剧《黑眼睛苏珊》(1829)而闻名。他在《笨拙》杂志上发表的连载作品《考德尔夫人闺训》(1845)充满维多利亚时代的幽默，1846年出单行本，多次再版。在《黑眼睛苏珊》之后出版过多部剧作，但他期望写出高雅的喜剧，在这方面他的成就不大。他是一个多产的记者，写有许多尖刻攻击个人的作品，与《考德尔夫人的闺训》的温和形成强烈的对比。

Jersey 泽西 英国海峡群岛最大和最南端岛屿。在法国科唐坦半岛西19千米处。面积115平方千米。首府圣赫利尔(**Saint Helier**)。大部为黄土覆盖的高地。北部沿海有壮观的峭壁(148米)和岩洞，圣奥宾湾内的圣赫利尔港湾有防波堤保护。气候受海洋影响较小、日照较充足。年平均气温11 °C，少严寒。但春季时偶而从法国袭来寒气。居民多为诺曼人后裔，带有布列塔尼人血统。1830年后亦流入英格兰人，1848年后有政治难民来到本岛，第一次世界大战后又有来此逃税者。圣赫利尔、圣克莱芒、戈利和圣奥宾为人口聚居地。现政府机构为英国最高长官领导的大臣委员会。大农场以制作乳品和饲养供出口的泽西乳牛为主。小农场出产马铃薯和户外番茄供出口。花卉、番茄、蔬菜的温室栽培亦重要。土地以海藻施肥。旅游业发达。与根西岛、韦茅斯和圣马洛港(法国)有客货轮往来，与伦敦和利物浦之间有货轮往来。航空线四通八达。1959年建立泽西动物园以保护濒于绝灭的动物。人口72 970(1981)。

Jersey 泽西牛 又译娟姗牛。小型短角乳牛品种，起源于英吉利海峡的泽西岛(旧译娟姗岛)上。据信具有法国牛的血统。毛色通常是淡黄褐色或奶油色，但以较暗的色调最为常见。18世纪末通过法律，除立即屠宰的牛外，禁止一切牛输入泽西岛，这样，在19世纪初这个地方品种终于被承认为纯种，并已大量引入英国，最早的泽西牛群之一于1811年形成，1850年注册的泽西牛首次出口美国。泽西牛能适应多种条件，分布于世界各地。泽西牛的奶中脂肪异常丰富，因此人们用泽西牛与当地牛杂交，以改进后者奶中的乳脂率。在以黄油为主要产品的新西兰和丹麦，泽西牛倍受重视。由于体型小、肌肉欠发达和体内脂肪呈黄色，泽西牛的肉用价值比其他主要品种为低。饲养泽西牛的主要原因是它们的乳脂和奶干物质生产率高。

Jersey Act 《泽西法》 1913年英格兰骑师俱乐部通过的一项决议，倡议人为俱乐部干事乔治即泽西伯爵，故名。根据这项决议，只有先代各系血缘关系中雌雄各良种马注册在案的雌雄马匹才能收进良种马总册。这一决定实际上将英格兰或苏格兰以外各地所产许多马划在良种范围之外，其中包括大部分北美洲马。其后，在一些著名英格兰马赛中，含有美洲血统的法国马多次获胜，于是在1949年对这项规定作了修改，凡一世纪之内8代或9代血缘纯洁者即可入册，直系亲族在比赛中的表现也可以作为判断血缘纯洁的依据。

Jersey City 泽西城 美国新泽西州东北部城市，哈得孙县县城(1840)。位于哈得孙河与哈肯萨克河之间的半岛上，与纽约曼哈顿岛相望，并有霍兰隧道及哈得孙河港务局的快速公共交通系统与纽约相通。1609年H.哈得孙曾到达该处。1618年始有居民，1804年设镇，1820年设市。19世纪30年代与纽约市共同构成一个交通综合体系的主要运输中心，并开始有码头设施，又建成了铁路和莫里斯运河。1908年哈得孙河及曼哈顿隧道将泽西城同曼哈顿岛南部连接起来。现为制造化工产品、集装箱、化妆品、塑料制品、家具、药品、汽车部件和纸张的多样化工业城市。有泽西城州立学院(1927)和圣彼得学院(1872)。人口约240 055(2000)。

jersey stitch (knitting) 参阅 **plain stitch** 平针组织。

Jersey Zoological Park 泽西动物园 不列颠群岛中泽西岛上的一所动物园。主要任务是饲养和繁殖濒危种动物，特别是岛屿动物以及小型的哺乳类和爬行类动物。面积14公顷，位于平坦山坡上，1959年由英国作家达雷尔创建。1963年转让给泽西野生动物信托基金机构。园内有1 500只动物(约100种)，其中2/3以上系在园内繁殖。该园不垄断在园内繁殖的任何稀有动物，而是将其所有多余动物送给其他某群体因疾病或灾害而受损失的动物园以提供繁殖原种。该园繁殖稀有的灵长类动物，包括7种狨、马约特褐狐猴、疣猴、大猩猩，还有眼镜熊、马达加斯加狷和世界上最稀有的蝙蝠——罗德里格斯氏果蝠。

Jerubbaal (biblical judge) **耶路巴力** 参阅 **Gideon** 基甸。